Kotler/Bliemel
Marketing-Management

Philip Kotler/Friedhelm Bliemel

Marketing-Management

Analyse, Planung, Umsetzung und Steuerung

7., vollständig neu bearbeitete und
für den deutschen Sprachraum
erweiterte Auflage

1992
Schäffer-Poeschel Verlag Stuttgart

Original American Edition: »Marketing-
Management: Analysis, Planing, Implementation,
& Control« Seventh Edition.
Published by Prentice-Hall, Inc. A Division of
Simon & Schuster Englewood Cliffs, New Jersey

Adaptiert unter einer Europäischen Perspektive
für den deutschen Sprachraum
unter Einbeziehung der Übersetzung zur 6. Auflage
durch Manfred Brandl

5. verbesserter Nachdruck 1993

Die Deutsche Bibliothek – CIP-Einheitsaufnahme

Kotler, Philip:
Marketing-Management : Analyse, Planung, Umsetzung und Steuerung
Philip Kotler ; Friedhelm W. Bliemel.
7., vollst. neu bearb. und für den dt. Sprachraum erw. Aufl.
unter Einbeziehung der Übers. zur 6. Aufl. durch Manfred Brandl.
– Stuttgart : Poeschel, 1992
ISBN 3-7910-0504-9
NE: Bliemel, Friedhelm W.:

Umschlaggestaltung: Willy Löffelhardt
Satz: Typobauer Filmsatz GmbH, Ostfildern
Druck und buchbinderische Verarbeitung: Freiburger Graphische Betriebe, Freiburg i. B.
Printed in Germany

Schäffer-Poeschel Verlag Stuttgart
Ein Tochterunternehmen der Verlagsgruppe Handelsblatt und der Spektrum Fachverlage GmbH

Inhaltsübersicht

Zum Verständnis des Marketing-Management — Teil I

Zur Analyse der Marketingchancen — Teil II

Untersuchung und Auswahl von Zielmärkten — Teil III

Teil IV Planung von Marketingstrategien

Teil V Planung von Marketingprogrammen

Teil VI Organisationelle Umsetzung und Steuerung von Marketingprogrammen

Inhaltsverzeichnis

Kapitel 3

Teil II Analyse der Marketingchancen

Kapitel 4 Marketing-Informationssysteme und Marketingforschung 135

Teil III Untersuchung und Auswahl von Zielmärkten

Planung von Marketingstrategien — Teil IV

Kapitel 11

Kapitel 12

Teil V Planung von Marketingprogrammen

Kapitel 19

Teil VI Organisationelle Umsetzung und Steuerung von Marketingprogrammen

Zu den Autoren

Philip Kotler ist einer der weltweit führenden Köpfe im Marketing. Er hat den S.C. Johnson Lehrstuhl für internationales Marketing an der Kellogg Graduate School of Management, Northwestern University, Evanston, Illinois, U.S.A., inne. Er studierte Volkswirtschaft und erwarb den Grad eines Masters an der University of Chicago und des Ph.D. am Massachusetts-Institute of Technology. Darüber hinaus folgten Aufenthalte als Post Doctoral Fellow zum Studium der Mathematik an der Harvard University und zum Studium verhaltenswissenschaftlicher Fragen an der University of Chicago.

Prof. Kotler ist der Autor vieler Bücher zum Marketing und vieler wissenschaftlicher Aufsätze in Fachzeitschriften wie der Harvard Business Review, Journal of Marketing, Journal of Marketing Research, Management Science und Journal of Business Strategy. Für seine wissenschaftlichen Aufsätze gewann er mehrere Preise. Seine bekanntesten Bücher sind *Marketing-Management, Marketing for Non-Profit Organizations, Principles of Marketing, Marketing Professional Services, Marketing For Health Care Organizations, Strategic Marketing for Educational Institution, Social Marketing, The New Competition.* Sie gehören auf ihren Spezialgebieten zu den Bestsellern.

Prof. Kotler war Vorsitzender des College of Marketing im Institute of Management Science (TIMS), gehörte dem Direktorium der American Marketing Association an, wirkte als Beirat des Marketing Science Institute und als Direktor bei »the MAC-Group«. Zu Fragen der Marketing-Strategie berät er viele große Unternehmen, darunter AT & T, Bank of America, General Electric, IBM, Merck, Meriod und andere mehr.

Prof. Kotler wurde vielfach geehrt. Er erhielt 1978 den Paul D. Converse Preis der amerikanischen Marketing Association für hervorragende wissenschaftliche Beiträge zum Marketing. Im Jahre 1983 erhielt er den Stewart Henderson Brit Preis als Marketer des Jahres. Im Jahre 1985 wurde er der erste Empfänger des von der amerikanischen Marketing-Association neu geschaffenen »Distinguished Marketing Educator Award«. Im selben Jahr gründete die Academy for Health Service Marketing den »Philip Kotler Award for Excellence in Health Care Marketing« und bestimmte Prof. Kotler als den ersten Empfänger dieses Preises. Er empfing auch den »Price for Marketing Excellence« durch die European Association of Marketing Consultants and Sales Trainers. Im Jahre 1989 erhielt er den Charles Coolidge Parlin Award, mit dem jährlich eine führende Persönlichkeit im Marketing geehrt wird. Er erhielt die Ehrendoktorwürde von der DePaul University, Chicago, und der Universität Zürich.

Friedhelm Bliemel verfügt über besonders umfangreiche internationale Marketingerfahrungen in Wissenschaft und Praxis. Nach dem Examen zum Diplomingenieur an der TH Darmstadt und Arbeitsaufenthalten in Schweden und Japan wandte er sich dem Studium der Managementwissenschaften und insbesondere des Marketing im Ursprungsland dieses Studiengangs zu, nämlich in Amerika. Dort erhielt er die akademischen Grade des Masters und des Ph. D. an der Krannert Graduate School of Management, Purdue University. Erste Erfahrungen in der universitären Lehre des Marketing und als Berater bedeutender Unternehmen wie ALCOA und The Continental Can Group sammelte er ebenfalls an der Purdue University. Seinen ersten Ruf erhielt er 1971 an das IMD, International Institute for Management Development, Lausanne, Schweiz, wo er am Aufbau des dortigen international orientierten MBA-Programmes mitwirkte. Einen großen Teil seines Berufslebens verbrachte er an der Queen's University in Kanada, wo er insbesondere das Fachgebiet Industriegüter-Marketing vertrat und daneben an der Neuordnung des Patentwesens der Universität und der Patentvermarktung mitwirkte. Für mehrere Jahre hatte er die Position eines Marketing-Direktors innerhalb der Nestlé-Gruppe Deutschland inne. Als Vice-President-Research gehörte er dem Direktorium der Product Development and Management Association (PDMA) an. Seit 1987 ist er Inhaber des Marketing-Lehrstuhls an der Universität Kaiserslautern und wirkt als Dozent an der Wissenschaftlichen Hochschule für Unternehmensführung in Koblenz/Vallendar mit, wo er auch 1985/86 im kritischen zweiten Jahr dieser Hochschule als Gastprofessor beim Aufbau mitarbeitete.

Vorwort

Niemand kann vorhersagen, was die bewegten Zeiten der letzten Dekade dieses Jahrtausends politisch, gesellschaftlich und wirtschaftlich für Europa mit sich bringen und welche Auswirkungen dies auf Märkte und Unternehmen haben wird. Große Veränderungen auf globaler und regionaler Basis sind jedoch bereits im Gange: Der gemeinsame europäische Markt vergrößert sich weiter durch neue Mitgliedsstaaten; die europaweite Deregulierung von nationalen Märkten bringt zusätzlichen Wettbewerb und bietet engagierten Anbietern vermehrte Chancen und den Verbrauchern ein vergrößertes Angebot; die politische und wirtschaftliche Umstrukturierung des ehemaligen Ostblocks mit seinen staatsgelenkten Wirtschaftsbetrieben ist in vollem Gange; diese Betriebe müssen sich auf die Marktwirtschaft umstellen und eine Wettbewerbsposition aufbauen, die sie unter den neuen Bedingungen des Marktes existenzfähig macht; die fernöstlichen Länder treten immer stärker auf globalen Märkten auf; die Entwicklung und Verbreitung technologischer Neuerungen schreitet in beschleunigtem Tempo voran; Umweltprobleme und Probleme in der dritten Welt erfordern neue und umfassende Lösungen.

Für die Unternehmen bedeutet dies, daß alte Erfolgsrezepte in Frage gestellt werden. Unternehmen müssen die Veränderung im Markt, im Wettbewerb, in der Warendistribution, in der Kommunikationstechnologie und im sozialen sowie technologischen Umfeld berücksichtigen und antizipieren. Märkte, die bisher mit Massenartikeln bedient wurden, lösen sich in viele kleine Märkte auf; die Distributionssysteme werden vielfältiger und verzweigter als bisher; den Kunden bietet sich immer mehr die Möglichkeit, Waren nicht durch den ladengebundenen Einzelhandel, sondern direkt über eine Bestellung per Katalog oder über Telemarketing zu erwerben; der markentreue Käufer wird durch ständige Sonderangebote verunsichert und zum Markenwechsel veranlaßt; die herkömmlichen Massenkommunikationsmedien bringen aufgrund zusätzlicher Medienvielfalt weniger an Kontaktleistung, kosten aber mehr; das Recycling von gebrauchten Produkten und Produktabfällen muß beim Produktdesign und in der Vermarktung berücksichtigt werden. Diese und weitere Veränderungen erfordern, daß Unternehmen die Grundvoraussetzungen, nach denen sie ihre Unternehmens- und Marketingstrategie gestalteten, überprüfen und gegebenenfalls drastisch ändern.

Im Grunde werden sich solche Unternehmen durchsetzen, die ihre Kunden am besten zufriedenstellen und gleichzeitig profitabel sind. Solche Unternehmen tragen mit ihren Steueraufkommen zur Verwirklichung weiterer gesellschaftlicher Anliegen bei. Auf den Marketern ruht deshalb die spezielle soziale Verantwortung, die Bedürfnisse und Wünsche zu verstehen, die im Markt gefragt sind, und ihren Unternehmen zu helfen, dieses Wissen in konkrete Angebote umzusetzen, bei denen die Kunden zugreifen. Aus gesellschaftlicher Sicht wird durch Marketing die wirtschaftliche Leistungskapazität der Unternehmen so gesteuert, daß die materiellen Wünsche der

Gesellschaft erfüllt und dabei individuelle Prioritäten von Einzelpersonen durch ein breitgefächertes Angebot berücksichtigt werden.

Das Aufgabenfeld des Marketing besteht nicht darin – wie manche es in enger Weise sehen – mit Schläue die Produkte des Unternehmens abzusetzen. Auch wäre es ein Irrtum zu glauben, daß Marketing sich durch die Erfüllung einer seiner Teilfunktionen erschöpft, wie z.B. Werbung oder Verkauf. Der Ausgangspunkt im Marketing ist nicht die Frage, wie man absetzt, was man herstellen kann, sondern die Frage, was man herstellen und anbieten soll. Deshalb beginnt der Marketingprozeß damit, die Verbraucherwünsche festzustellen und zu verstehen. Zum Marketingprozeß gehört es weiterhin, Lösungen zu erarbeiten, welche die Kunden zufriedenstellen, dem Hersteller Gewinn bringen und die den Einsatz von menschlicher Arbeitskraft, Kapital und anderen Ressourcen rechtfertigen. Führende Marktpositionen werden dadurch gewonnen, daß das Unternehmen seine Kunden durch Produktinnovationen und Produktverbesserungen, Produktqualität und Kundendienste an sich bindet und Neukunden gewinnt. Wenn dies fehlt, dann kann auch noch so viel Werbung, Verkaufsförderung und Verkaufskunst langfristig keinen Erfolg bringen.

Konzept dieses Buches

Die siebte Auflage von *Marketing-Management* in deutscher Sprache verfolgt das gleiche Konzept wie auch die im selben Jahr erscheinende original-amerikanische Auflage. Dieses Konzept hat mehrere Komponenten, nämlich:

1. Eine Orientierung an Entscheidungsproblemen des Marketing-Management
Das Buch führt den Leser an die wichtigsten Entscheidungen heran, die das Marketing-Management und die Unternehmensleitung treffen müssen, wenn sie die Marketingziele und Ressourcen des Unternehmens erfolgreich auf die Bedürfnisse des Marktes und den sich daraus ergebenden Chancen ausrichten wollen. Es liegt hier also im wesentlichen eine *instrumentelle Sichtweise* zugrunde, bei der *Marketing als Führungskonzept* verstanden wird, das Analyse, Planung, Umsetzung und Steuerung erfordert.

2. Analytischer Ansatz
Das Buch organisiert das Gedankengut des Marketing zu einem *Analyserahmen*, um Grundprobleme im Marketing-Management durchdenken und lösen zu können. Viele Probleme werden durch Beispiele aus der Praxis tatsächlich existierender Unternehmen veranschaulicht.

3. Aufbau auf wissenschaftlichen Grundlagen
Das Buch baut auf Grundlagen der Wirtschaftswissenschaften, der Verhaltenswissenschaften und der Mathematik auf. Aus den *Wirtschaftswissenschaften* übernimmt es insbesondere die Grundkonzepte der Mikroökonomie zur Optimierung wirtschaftlicher Ergebnisse und zur Allokation begrenzter Ressourcen. Aus den *Verhaltenswissenschaften* stammen grundlegende Konzepte und Analysewerkzeuge, die zum Verständnis des Verhaltens von Verbrauchern und organisationellen

Käufern gebraucht werden. Aus der *Mathematik* kommen formal präzise Formulierungen über Zusammenhänge zwischen bestimmten Variablen im Marketing.

4. Generelle Anwendbarkeit
Das Buch zeigt, wie das Gedankengut des Marketing auf materielle Güter und Dienstleistungen, Verbraucher und gewerbliche Kunden, gewerbliche Anbieter und Non-Profit-Organisationen, inländische und ausländische Unternehmen, Hersteller und Handelsbetriebe, große und kleine Unternehmen sowie auf Branchen vom Hochtechnologiebereich bis zum Niedrigtechnologiebereich angewandt werden kann.

5. Umfassende und ausgewogene Themenabdeckung
Das Buch deckt die Marketing-Themen ab, die ein informierter Marketing-Manager verfolgen sollte. Es befaßt sich mit strategischen, taktischen und organisationellen Marketingthemen.

Zu diesem Grundkonzept kommt noch die spezielle Aufgabenstellung der deutschen Auflage, nämlich die amerikanische Originalvorlage des Buches an den deutschsprachigen Wirtschafts- und Kulturkreis unter einer europäischen Perspektive zu adaptieren. Dazu gehören mehrere Teilaufgaben.

Das Buch soll dem deutschsprachigen Leser und Marketer das Gedankengut des Marketing, das zum größten Teil im amerikanischen Kultur- und Wirtschaftskreis entstanden ist, sinngetreu und in einprägsamer Formulierung zugänglich machen. Eventuelle Defizite, die aus der bisherigen Übertragung amerikanischer Konzepte in die deutsche Fachliteratur entstanden sind, sollen minimiert werden. So quälte man sich z. B. bisher in der deutschen Literatur begrifflich bei der aus der amerikanischen Forschung zum Einkaufsverhalten entwickelten Güterklassifizierung »*Convenience Goods*«, »*Shopping Goods*« und »*Speciality Goods*« mit Ersatzkonzepten wie »Verbrauchsgüter«, »Gebrauchsgüter« und »Spezialgüter«. Speziell für den Begriff »Convenience Goods« wurden bisher in der deutschen Fachliteratur viele Ersatzkonzepte angeboten, die von »Gütern des täglichen Bedarfs« bis »Güter mit einem gewissen Bequemlichkeitsgrad« reichen und die den Kontext der Konzeptentstehung, nämlich das Einkaufsverhalten, ignorieren. Die »Convenience« bezieht sich auf den Kauf, und die Gütertypologie zielt sinngemäß auf »Güter des mühelosen Kaufs« ab. Ebenso liegt bei den »Shopping-Goods« ein *Such- und Vergleichskauf* vor, so wie der amerikanische Verbraucher, auf dessen Beobachtung diese Gütertypologie beruht, bei seinem normalen »Shopping« vorgeht.

Es soll weiterhin die europäische Perspektive zu bestimmten Aspekten, Erscheinungsformen und Praktiken des Marketing aufgenommen und auf eventuelle bestehende Unterschiede zwischen Europa und Nordamerika hingewiesen werden. Dies betrifft insbesondere bestimmte Teilbereiche des Marketing, bei denen aufgrund großer Unterschiede im kulturellen und auch gesetzlichen Umfeld ganz andere Bedingungen und Freiheitsgrade für das Marketing vorliegen. So herrschen in Nordamerika bei Werbung und Verkaufsförderung, und hier insbesondere bei der Rabattgewährung an den Konsumenten, viel größere Freiheitsgrade als in Europa und speziell in Deutschland. Im Gegensatz dazu läßt in Deutschland der gesetzliche

Rahmen eine eklatante Preisungleichbehandlung vergleichbarer gewerblicher Abnehmer zu, während dies in Amerika untersagt ist.

Eine weitere Aufgabe der Adaptation des Buches besteht darin, die Beispiele aus der Praxis so zu wählen, daß der deutschsprachige Leser den größtmöglichen Bezug dazu hat. Amerikanische Beispiele, zu denen dem Leser des deutschsprachigen Kulturkreises ohne zusätzliche Informationen der Verständnishintergrund und damit die leichte Veranschaulichungsmöglichkeit fehlt, wurden eliminiert und statt dessen europäische Beispiele eingeführt.

Schließlich sollten wesentliche originäre Beiträge zum Marketing-Gedankengut, die aus Europa stammen und noch nicht in die amerikanische Originalauflage eingeflossen sind, in dieses Buch mit aufgenommen werden, wie z. B. Wittes Promotorenmodell zur Einführung von Innovationen.

Didaktisches Konzept

Didaktisch verfolgt dieses Buch das Ziel, *komplex vernetztes Denken* zu fördern. Dieses Ziel geht über das einfachere Anliegen hinaus, leicht prüfbaren Wissensstoff sequentiell geordnet oder in gefächerter Art darzustellen. Deshalb finden sich in den einzelnen Kapiteln und Unterkapiteln zu vielen Entscheidungsproblemen immer wieder Querverbindungen zur Thematik anderer Kapitel und insbesondere auch Hinweise auf die *philosophische*, die *funktionelle* und die *organisationelle Dimension von Entscheidungsproblemen.* Die philosophische Dimension beinhaltet, daß zu Beginn des unternehmerischen Denkens und der Analyse des Entscheidungsproblems die Bedürfnisse und Wünsche der Kunden bedacht werden. Die funktionelle Dimension beinhaltet, daß der Unternehmer seine Funktion, d. h. seine konkreten Marktaufgaben in seinem Teilmarkt bestimmt. Die organisationelle Dimension bezieht sich darauf, wie der Anbieter seine Aktivitäten, die den Abnehmer betreffen, strukturell im Unternehmensaufbau integriert, die Verantwortung dafür delegiert und die Marketingpläne umsetzt.

Wir treffen didaktisch eine Entscheidung zwischen *Schulung* und *Bildung.* Das Bestreben dieses Buches ist es nicht in erster Linie, auf eine Schulung in Marketingfragen hinzuarbeiten. Deren Ziel wäre es, vorgezeichnete Antworten zu bekannten und vorstrukturierten Problemstellungen zu vermitteln. Vielmehr soll dem Leser ermöglicht werden, seinen Bildungsstand auf dem Gebiet des Marketing voranzutreiben. Das Bildungsziel geht über die Lösung von routinemäßigen Problemen hinaus. Es besteht darin, beruhend auf Grundkonzepten des Marketing, auf wissenschaftlicher Basis und auch praxisbezogen überlegte und durchdachte Lösungen in noch unbekannten und sich neu stellenden Problemsituationen erarbeiten zu können.

Organisation des Buches

Die siebte Auflage des Buches *Marketing-Management* enthält sechs Abschnitte. Teil 1 zeigt den gesellschaftsbezogenen, managementbezogenen und strategischen Hintergrund von Marketingtheorie und -praxis auf. Teil 2 bringt die Konzepte und Werkzeuge zur Analyse von Marketingchancen, die sich im Markt und seinem

Umfeld ergeben. Teil 3 liefert die Grundlagen zur Erforschung und Auswahl von Zielmärkten, nämlich Meß- und Prognoseverfahren zur Marktgröße und Nachfrage sowie zur Ermittlung von Marktsegmenten. Teil 4 durchleuchtet die Problemstellungen bei der Planung von Marketingstrategien. Hier werden Grundfragen zur Differenzierung und Positionierung, zur Neuproduktentwicklung, zur Strategieveränderung in den Phasen des Produkt-Lebenszyklus und zu Marketingstrategien für globale Märkte aufgeworfen. Teil 5 befaßt sich mit der Planung und dem Management von Marketingprogrammen und taktischen Erwägungen, die Unternehmen bei den wesentlichen Elementen in ihrem Marketing-Mix, nämlich Produkt, Preis, Distributionssystem und Absatzförderung, anstellen müssen. Teil 6 befaßt sich speziell mit administrativen Problemen des Marketing, d.h. damit, wie Marketingprobleme organisationell umgesetzt und gesteuert werden.

Hilfsmaterial für die Lehre

Als zusätzliches Hilfsmaterial stellt der Poeschel-Verlag für Marketingdozenten einen Band mit Din A 4-Vergrößerungen aller Abbildungen des Buches zur Verfügung. Von diesen Vorlagen lassen sich Transparentfolien zur Anwendung in der Marketinglehre ziehen. Die Herstellung dieses Bandes wurde von der Allianz-Versicherung gesponsert, damit es an Dozenten kostenlos abgegeben werden kann.

Mitwirkende und Sponsoren

Dieses Buch entspringt einer Vielzahl von Quellen, Anregungen, Erfahrungen und Beiträgen unserer Kollegen und Mitarbeiter an der Northwestern University und der Universität Kaiserslautern. An der J.L. Kellogg Graduate School of Management der Northwestern University war die organisatorische und ideelle Unterstützung durch den Dekan Donald P. Jacobs und die Professoren James C. Anderson, Bob J. Calder, Richard M. Clewett, Anne T. Coughlan, Dawn Iacobucci, Dipak C. Jain, Sidney J. Levy, Ann McGill, Dirk Ruiz, John F. Sherry, Jr., Louis W. Stern, Brian Sternthal, Alice Tybout, Naufel J. Vilcassim und Andris A. Zoltners von Einfluß auf die Entwicklung des Buches. In Kaiserslautern regten fachliche Diskussionen mit den Professoren und ehemaligen Kollegen Carl Baudenbacher, Hans Corsten, Jürgen Ensthaler, Hans-Dieter Feser, Klaus-Peter Franz, Heinz Kußmaul, Heiner Müller-Merbach und Klaus Zink den Fortschritt und die Zielrichtung der deutschen Auflage an. Insbesondere Prof. Dr. Dr. Jürgen Ensthaler gebührt Dank für Beiträge und kritische Kommentare zu marktrechtlichen Fragen in Deutschland und der Europäischen Gemeinschaft.

Ein besonderer Dank für die Unterstützung bei den Arbeiten zur deutschen Adaptation gebührt den wissenschaftlichen Mitarbeitern, Dipl.-Kfm. Bert Hentschel, Dipl.-Math. Oec. Michael Royar, Dipl.-Wirtsch.-Ing. Georg Fassott, Dipl.-Kff. Beate Kay und Dipl.-Ing. Oec. Carola Ode. Sie trugen insbesondere durch Sammlung von Anschauungsbeispielen und die kritische Durchsicht des Manuskriptes zum Gelingen der deutschen Auflage bei. Fleißige Schreibarbeit haben Frau Sonnhild Grosch und Frau Helga Mosbach auf sich genommen.

Manfred Brandl von der Firma Wordshop Fachübersetzungen aus München hat durch eine kompetente Übersetzung zur sechsten amerikanischen Auflage des Buches und durch eine umfangreiche Fachwortsammlung zur siebten Auflage die Entwicklung dieses Buches wesentlich beschleunigt und zur Überwachung einer durchgängig einheitlichen Sprache beigetragen.

Ein besonderer Dank gebührt auch Ms. Ann F. Chapman, European Marketing Manager der Firma PREDICAST Europe in London, und Dr. Peter Müller-Bader von der Firma GENIOS-Wirtschaftsdatenbanken für die Bereitstellung ihrer elektronischen Datenbanken, so daß Fakten über Unternehmen und Produkte zur Erstellung von Beispielmaterial für das Buch systematisch und effizient gesammelt werden konnten. Der Allianz Versicherungs-Aktiengesellschaft gebührt Dank als Sponsor eines Folienvorlagenbandes, der Marketingdozenten vom Poeschel-Verlag zur Verfügung gestellt wird.

Dr. Manfred Antoni vom Poeschel-Verlag und seinen engagierten Mitarbeiterinnen ist es zu verdanken, daß die siebte Auflage in deutscher Sprache zügig erscheinen konnte.

Unser größter Dank jedoch gebührt unseren Frauen, Nancy und Jeri-Lynn, denen wir dieses Buch widmen.

Philip Kotler
Northwestern University
Evanston, Illinois,
U.S.A.

Friedhelm Bliemel
Universität Kaiserslautern
Deutschland

Zum Verständnis des Marketing-Management

Teil I

Grundlagen des Marketing und Marketing-Management

Kapitel 1

Marketing ist so grundlegend, daß man es nicht als separate betriebliche Funktion sehen darf. Marketing umfaßt das gesamte Unternehmen, und zwar vom Endergebnis her betrachtet – d.h. vom Standpunkt des Kunden. Peter Drucker

Der Beginn der 90er Jahre deutet auf große Veränderungen mit enormen wirtschaftlichen und sozialen Herausforderungen hin. Daraus ergeben sich große Marktchancen. Mit der Beendigung des »Kalten Krieges« können Kapitalströme vom militärischen Bereich auf die Verbesserung der Infrastruktur und auf produktive Investitionen umgelenkt werden. Die Europäische Gemeinschaft schickt sich an, mit 324 Mio. Verbrauchern der kaufkräftigste Markt der Welt zu werden. Die osteuropäischen Länder sind dabei, sich auf die Marktwirtschaft umzustellen und einen intensiveren Warenaustausch mit den westlichen Ländern anzustreben. Die Länder Asiens vergrößern weiterhin intern ihre Märkte und auch ihren Anteil an der Weltwirtschaft. Darüber hinaus ergeben sich viele weitere Chancen aus neuen Technologien und neuen Produkten der 90er Jahre, wie z.B. neuartige Materialien, neue elektronische Produkte, neue Medizin-Technologien, Gen-Technik und andere Beiträge aus Wissenschaft und Forschung.

Andererseits gibt es aber auch enorme Probleme. Hunger, Krankheit und ungenügende Ausbildung benachteiligen einen großen Teil der Weltbevölkerung. Die Umweltprobleme werden durch eine weltweit scheinbar unkontrollierte Verschmutzung immer größer. Viele Länder sind durch innere Unruhen und korrupte Regierungen ihrer Handlungsfreiheit beraubt und leiden unter einer enormen internen und externen Verschuldung. Die Kluft zwischen armen und reichen Ländern wird größer.

Das Paradoxe daran ist, daß in den Entwicklungsländern – bei ungenügender Kaufkraft – ein großer Bedarf an Lebensmitteln, Kleidung, Unterkunft und anderen Gütern für das nackte Überleben besteht. Der industrialisierte Teil der Welt hingegen verfügt über enorme Produktionskapazitäten, um solche Bedürfnisse zu befriedigen, wo immer sie durch genügend Kaufkraft abgedeckt werden können. So stehen die Unternehmen der industrialisierten Welt in hartem Wettbewerb um ihren Marktanteil in den Märkten der Triade – Westeuropa, Nordamerika und Fernost –, während der andere Teil der Welt darbt.

In den vergangenen Jahrzehnten haben Unternehmen vielerorts gelernt, was es heißt, Rückschläge hinzunehmen und sich zu bescheiden. Sie können sich nicht länger so verhalten, als ob es ausländische Wettbewerber, Märkte und Bezugsquellen nicht gäbe. Sie können es sich nicht leisten, bei mäßiger Qualität ihre Stückkosten im Vergleich zum Weltniveau aus dem Ruder laufen zu lassen. Sie können den Wandel in der Technologie, bei den Materialien und in der Arbeitsorganisation nicht ignorieren, ohne dabei Schaden zu nehmen. Viele Unternehmen gingen unter, mußten sich gesund schrumpfen und neu organisieren oder wurden von Organisationen mit einem fähigeren Management übernommen, um sie auf einen besseren Kurs zu bringen.

Seit Anfang der 80er Jahre beschäftigt sich die Fachwelt verstärkt mit der Frage »Wodurch zeichnet sich das Spitzenunternehmen aus?«, denn eine Anzahl von Unternehmen schaffte es offensichtlich, große Leistungen zu vollbringen, die vom Markt durch wachsende Nachfrage und wachsende Gewinne belohnt wurden. Diese Frage wurde von vielen untersucht. Thomas Peters und Robert Waterman untersuchten 43 Spitzenunternehmen mit anerkannt hohem Leistungsniveau, um herauszufinden, was diese Unternehmen antreibt. Die Resultate ihrer Untersuchungen faßten sie in einem Buch zusammen, das zum Bestseller werden sollte – *»Auf der Suche nach Spitzenleistungen«.* [1] Sie fanden heraus, daß all diese Unternehmen eine Reihe von Grundsätzen und Führungsprinzipien gemeinsam hatten. Zu ihren Grundsätzen gehörte es, mit größter Rücksicht auf den Kunden vorzugehen (»Suche die Kundennähe«) und mit großer Entschlossenheit den Markt zu suchen, der für das Unternehmen angemessen ist (»Nutze die eigenen Fähigkeiten«). Zu den Führungsprinzipien gehörte es, die Mitarbeiter in besonderem Maße dazu zu motivieren, dem Kunden Leistungen von hoher Qualität und hohem Wert zu bieten. Die Befunde von Peters und Waterman bestärken das Grundkonzept zur Unternehmensführung, das in der Marketingliteratur schon lange als Marketingkonzept bezeichnet wird. [2]

In weiteren Büchern, *»Leistung aus Leidenschaft«* und *»Kreatives Chaos«*, beschreiben Peters und Austin weitere Unternehmen und die bemerkenswerten Dinge, die sie tun, um die Kundenzufriedenheit zu steigern. [3] Sie erzählen die Geschichte von Stew Leonards Supermarkt in Norwalk, Connecticut, wo sich Stew jeden Samstag mit acht Kunden zusammensetzt und mehrere Stunden lang mit ihnen diskutiert, wie sich der Kundendienst noch verbessern läßt. Sie schreiben über Limited Stores in Columbus, Ohio, wo man die Bekleidungswünsche der verschiedenen weiblichen Zielgruppen untersucht und dann exakt auf deren Bedürfnisse abgestimmte Ladenketten einrichtet (Limited, Limited Express, Victoria's Secret, Sizes Unlimited). Sie berichten, wie IBM mit Hilfe einer »Notenliste« den Kunden die Leistungen des Verkaufs- und Kundendienstpersonals bewerten läßt und dann die Mitarbeiter auszeichnet, mit denen die Kunden besonders zufrieden sind.

Im Jahr 1986 schrieb Buck Rodgers, der 15 Jahre lang als Marketingchef bei IBM tätig war, das Buch *»IBM – Einblicke in die erfolgreichste Marketing-Organisation der Welt«*. In diesem Buch beschreibt er ausführlich, was IBM tut, um den »Kunden als König« zu behandeln. Dazu gehört z. B. folgendes:

> »Bei IBM sieht sich jeder als Mitarbeiter im Verkauf! ... Gehen Sie mal in das IBM-Gebäude in New York oder in eine beliebige Niederlassung irgendwo in der Welt, und Sie wissen, was ich meine. Jeder einzelne Mitarbeiter ist darauf geschult worden, daß immer der Kunde an erster Stelle steht – das gilt für den Konzernchef ebenso wie für die Leute in der Finanzabteilung, das Empfangspersonal oder die Mitarbeiter in der Fertigung.
> Auf die Frage, ›Welche Produkte verkauft IBM?‹, antworte ich: ›IBM verkauft nicht Produkte, sondern Problemlösungen.‹ ... Der Erfolg unserer Marketingbeauftragten richtet sich einzig und allein danach, wie gut sie sich mit dem Kundenunternehmen vertraut machen können. Sie müssen in der Lage sein, dessen Probleme zu erkennen, zu analysieren und dann mit einer Lösung aufzuwarten, die für den Kunden sinnvoll ist.«

Man darf die Funktion des Marketing nicht wie früher definieren, als man darunter die Fähigkeit verstand, Abschlüsse zu tätigen (Verkaufskonzept). Man sollte sich vielmehr vom inneren Sinn des Wortes leiten lassen und unter Marketing *die Befriedigung von Kundenbedürfnissen* verstehen (Marketingkonzept). Es reicht nicht, einfach nur hochmoderne Computer zu bauen. Viele Computerfirmen, die heute von der Marktlandschaft verschwunden sind, mußten dies schmerzvoll erfahren. Die erfolgreichen unter den High-Tech-Unternehmen sind all diejenigen, die den Umwandlungsprozeß in ein marketingorientiertes Unternehmen vollziehen konnten oder von vornherein marketingorientiert waren. So gelang es z. B. Nixdorf als einzigem deutschen Unternehmen, sich auf dem Weltmarkt einen achtbaren Platz in der Computerindustrie zu erkämpfen. Zwar verfügte das Unternehmen über keine derart solide technologische Basis wie viele seiner Hauptkonkurrenten, arbeitete dafür aber äußerst kundenorientiert und richtete seine Organisation streng nach diesen Gesichtspunkten aus. Nixdorf selbst sah sich nicht als Hersteller von Hardware oder Lieferant von Software, sondern als Anbieter von »Solutionware«, d. h. das Unternehmen bot seinen Kunden Problemlösungen, die unter Einbeziehung aller dazu nötigen Komponenten – von der Hardware über die Software, u. U. sogar bis hin zum Druckformular – erarbeitet wurden. Bei der Einstellung neuer Mitarbeiter erhielten Bewerber, die Kenntnisse über spezielle Kundenprobleme in bestimmten Branchen nachweisen konnten, den Vorzug vor jenen Interessenten mit detaillierten technischen Kenntnissen in der Datenverarbeitung, denn die konnte Nixdorf den neuen Mitarbeitern problemlos selbst vermitteln. Durch Managementfehler auf anderen Funktionsgebieten geriet das Unternehmen jedoch in Schwierigkeiten und wurde von Siemens übernommen.

Die Sorge der Unternehmen darüber, ob sie das geeignete Marketing haben, ist durchaus gerechtfertigt. Die traditionellen Industrienationen Europas und Nordamerikas haben ihre Spitzenstellung in Sachen Qualität, Kreativität oder Kapitalausstattung in vielen Produktbereichen eingebüßt. Viele Unternehmen unserer Tage können nur überleben, wenn sie im globalen Wettbewerb und nicht nur auf dem heimischen Markt bestehen. In alle nationalen Märkte dringen hochkarätige internationale Wettbewerber vor: Unternehmen wie Sony, Hitachi, Toshiba oder Samsun aus Asien, Mercedes, Unilever, Nestlé, Beecham, Philips, Siemens, Bayer, BASF und Höchst aus Europa oder IBM, Honeywell, General Foods, Northern Telecom, Alcan und Exxon aus Nordamerika etablieren sich Zug um Zug im globalen Wettbewerb. Aber auch mittlere und kleinere Unternehmen, z. B. aus der deutschen Maschinenbauindustrie, beteiligen sich in stärkerem Maße am internationalen Marktgeschehen. Dort ist der Einsatz hoch und der Erfolg fällt jenen zu, die am meisten über die Wünsche der Kunden wissen und deren Produkte den Kunden den größten Nutzen bringen. Die Fähigkeiten im Marketing unterscheiden auf den globalen Märkten den Amateur vom Profi.

Wir sind davon überzeugt, daß mehr Geschick der Unternehmen im Marketing entscheidend zu Wirtschaftswachstum und zur Steigerung des Lebensstandards beitragen kann. Ein Marketingwissenschaftler hat einmal Marketing als »die Schaffung und Verwirklichung von Lebensqualität« definiert. Wir halten dies für eine kreative und anspruchsvolle Forderung an das Marketing und die weitere Entwicklung von Marketingkonzepten.

Die wichtigsten Konzepte und Philosophien, die dem Marketingdenken, der Marketingpraxis und auch diesem Buch zugrunde liegen, werden in diesem ersten Kapitel beschrieben. Insbesondere werden folgende Fragen beantwortet:

- Was sind die Grundkonzepte für das Marketing als Disziplin?
- Welche grundlegenden Aufgaben erfüllt der Marketing-Manager?
- Was bedeutet das Marketingkonzept als Unternehmensphilosophie und inwiefern unterscheidet es sich von anderen Führungskonzepten?
- Welche Rolle spielt das Marketing in unterschiedlichen Wirtschaftszweigen, in Non-Profit-Organisationen und in unterschiedlichen Ländern?

Grundkonzepte für das Marketing

Marketing ist von zahlreichen Autoren unterschiedlich definiert worden. [5] Uns gefällt folgende Definition:

> Marketing ist ein Prozeß im Wirtschafts- und Sozialgefüge, durch den Einzelpersonen und Gruppen ihre Bedürfnisse und Wünsche befriedigen, indem sie Produkte und andere Dinge von Wert erzeugen, anbieten und miteinander austauschen.

Diese Betrachtungsweise des Marketing baut auf folgenden Grundkonzepten auf: *Bedürfnisse, Wünsche und Nachfrage; Produkte; Nutzen, Kosten und Zufriedenstellung; Austauschprozesse, Transaktionen und Beziehungen; Märkte; Marketing und Marketer.* Diese Begriffe werden in Abbildung 1-1 dargestellt und im folgenden besprochen.

Abbildung 1-1
Schlüsselbegriffe des Marketing

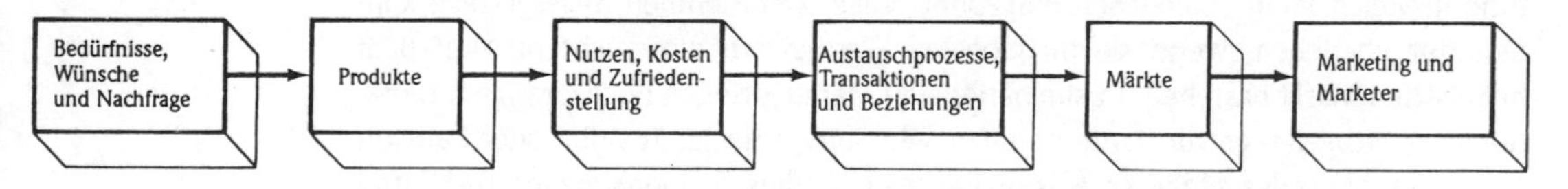

Bedürfnisse, Wünsche und Nachfrage

Der Ausgangspunkt für das Marketing als Disziplin liegt in den menschlichen Bedürfnissen und Wünschen. Die Menschen brauchen Nahrung, Luft, Wasser, Kleidung, Wärme und Sicherheit, um überleben zu können. Darüber hinaus haben sie ein starkes Bedürfnis nach Erholung, Bildung und anderen Dienstleistungen. Dabei entwickeln sie ausgeprägte Präferenzen für ganz bestimmte Varianten dieser fundamentalen Güter und Dienstleistungen.

Ohne Zweifel gibt es heute eine überwältigende Fülle von menschlichen Bedürfnissen und Wünschen. So kaufen die 324 Mio. Einwohner der Europäischen Wirtschaftsgemeinschaft innerhalb eines Jahres etwa 27 Mio. Tonnen Fleischwaren, geben über 1 Billion ECU für Getränke, Nahrungs- und Genußmittel aus, kaufen über 10 Mio. neue Fahrzeuge und buchen 700 Mio. Übernachtungen im Beherbergungsgewerbe. Diese Konsumgüter und Dienstleistungen schaffen, bei einer Gesamtwirtschaftsleistung von 2,5 Billionen ECU, die Nachfrage nach mehr als 120 Mio. Tonnen Stahl, etwa 30 Mio. Tonnen Papier und Pappe sowie Transportbewegungen von über 8 Mrd. Tonnen Güter aller Art.

Hier kann man nun wirksam unterscheiden zwischen Bedürfnissen, Wünschen und Nachfrage. *Ein menschliches Bedürfnis ist Ausdruck des empfundenen Mangels an Zufriedenstellung.* Die Menschen brauchen Nahrung, Kleidung, Schutz, Sicherheit, ein Zugehörigkeitsgefühl, Anerkennung und noch einige andere Dinge, um überleben zu können. Diese Bedürfnisse werden weder von der Gesellschaft noch vom Marketer geschaffen, sondern sind in der menschlichen Natur verankert.

Wünsche sind das Verlangen nach konkreter Befriedigung. Ein junger Mann *braucht* Nahrung und *wünscht sich* einen Hamburger; er braucht Kleidung und wünscht sich einen Anzug von Boss; er braucht Anerkennung und wünscht sich einen Porsche. In einer anderen Gesellschaftsform erfolgt die konkrete Befriedigung dieser Bedürfnisse in anderer Form: Der Balinese früherer Tage stillte seinen Hunger mit Mangofrüchten, sein Bedürfnis nach Kleidung mit einem Leinentuch und sein Verlangen nach Anerkennung mit einer Muschelkette. Während der Mensch nur wenige Bedürfnisse hat, sind seine Wünsche zahlreich. Diese Wünsche werden durch das Einwirken gesellschaftlicher Kräfte und Institutionen – Kirchen, Schulen, Familie und Wirtschaftsunternehmen – kontinuierlich geformt und umgestaltet.

Unter Nachfrage ist der Wunsch nach spezifischen Produkten zu verstehen, begleitet von der Fähigkeit und der Bereitschaft zum Kauf. Wünsche werden zur Nachfrage, wenn eine entsprechende Kaufkraft hinter ihnen steht. Viele wünschen sich einen Porsche, aber nur wenige sind in der Lage und willens, sich einen zu kaufen. Daher müssen die Unternehmen nicht nur analysieren, wie viele Menschen ihr Produkt kaufen wollen, sondern – was viel wichtiger ist – herausfinden, wie viele tatsächlich in der Lage und willens sind, es zu kaufen.

Diese begrifflichen Grenzlinien beantworten auch die häufig geäußerten Vorwürfe von Kritikern des Marketing, daß »der Marketer Bedürfnisse erzeugt« oder daß er »die Menschen dazu bringt, Dinge zu kaufen, die er gar nicht will«.

Der Marketer schafft keine Bedürfnisse; sie existieren bereits, wenn er auf den Plan tritt. Der Marketer beeinflußt – wie dies auch andere gesellschaftliche Faktoren tun – die Wünsche der Menschen. Er verdeutlicht dem Verbraucher, daß der Kauf eines Porsche u.U. das persönliche Bedürfnis nach einem hohen sozialen Status erfüllen würde. Damit schafft er kein Bedürfnis, sondern versucht herauszustellen, auf welche Weise ein bestimmtes Gut dieses Bedürfnis befriedigen könnte. Und die Nachfrage beeinflußt der Marketer dadurch, daß er das Produkt attraktiv, erschwinglich und verfügbar macht.

Produkte

Die Menschen befriedigen ihre Bedürfnisse und Wünsche durch den Kauf von Produkten. Dem Begriff »Produkte« wollen wir hier eine breit angelegte Definition zugrunde legen: *Ein Produkt ist alles, was einer Person angeboten werden kann, um ein Bedürfnis oder einen Wunsch zu befriedigen.* Im gängigen Sprachgebrauch verbindet man mit dem Begriff *Produkt* vornehmlich ein physisches Gut, wie z.B. ein Auto, einen Fernsehapparat oder ein Erfrischungsgetränk. Wir sehen »Produkt«

als Oberbegriff für *Güter* und *Dienstleistungen* an. Den Ausdruck *Güter* und *Dienstleistungen* verwenden wir, wenn wir daran erinnern wollen, daß eine Aussage sowohl für physische als auch immaterielle Austauschobjekte gilt. Denkt man über physische Güter nach, so erkennt man, daß deren Bedeutung für den Verbraucher weniger im Eigentum am Gut zu sehen ist, sondern vielmehr in seiner Nutzung zur Befriedigung von Wünschen liegt. Wir kaufen uns kein Auto, um es anzusehen, sondern weil es ein Transportmittel ist. Einen Mikrowellenherd legen wir uns nicht deshalb zu, um ihn bewundernd zu betrachten, sondern weil wir damit kochen können. Das heißt, selbst physische Güter sind für uns im wesentlichen nur ein Mittel zur Erlangung der damit erbringbaren Dienstleistungen.

Natürlich werden Leistungen auch durch andere Leistungsträger erbracht, z.B. durch *Personen, bestimmte Orte, Aktivitäten, Organisationen* und *Ideen.* Wenn wir uns langweilen, können wir in einen Nachtclub gehen und uns von einem Entertainer unterhalten lassen (Person); wir können in ein Ferienparadies wie Gran Canaria reisen (Ort), uns körperlich betätigen (Aktivität), uns dem Club der einsamen Herzen anschließen (Organisation) oder uns eine andere Lebensphilosophie zulegen (Idee). In anderen Worten: Dienstleistungen können in Form von physischen Gütern und anderen Trägermedien bereitgestellt werden. Wir definieren den Begriff *Produkt* als die Gesamtheit aller Medien, die in der Lage sind, einen Wunsch oder ein Bedürfnis zu befriedigen. Dabei werden wir gelegentlich statt auf das Wort Produkt auch auf andere Begriffe zurückgreifen, z.B. *Angebot, Marke* oder *Ressource,* wenn im jeweiligen Kontext zusätzliche oder einschränkende Inhalte ausgedrückt werden sollen.

Hersteller geraten in große Schwierigkeiten, wenn sie ihren Produkten mehr Aufmerksamkeit widmen als den durch diese Produkte erwirkten Leistungen. Oft lieben die Hersteller ihre Produkte geradezu, vergessen dabei jedoch, daß die Kunden diese Produkte kaufen, weil sie ein bestimmtes Bedürfnis befriedigen. Die Menschen erwerben keine physischen Güter allein um des Gutes willen. Ein Lippenstift wird gekauft, weil er einen bestimmten Dienst tun soll: Das Aussehen des Benutzers soll verbessert werden. Und ein Bohrer wird seiner Leistung wegen gekauft – d.h. man kann damit das gewünschte Loch bohren. Jedes physische Gut ist ein Mittel zum Leisten eines Dienstes. Die Aufgabe des Marketers besteht eher darin, die produktimmanenten Vorteile und Leistungen anzubieten, als lediglich die physischen Produkteigenschaften zu beschreiben. Verkäufer, die sich nicht auf die Bedürfnisse des Kunden, sondern auf das Produkt konzentrieren, leiden unter einer Schwäche: der sogenannten »Marketing-Kurzsichtigkeit«. [6]

Nutzen, Kosten und Zufriedenstellung

Wie treffen nun die Verbraucher ihre Auswahl zwischen den Produkten, die ein bestimmtes Bedürfnis befriedigen könnten? Konkretisieren wir die Sache doch ein wenig und nehmen an, daß Max Müller jeden Tag fünf Kilometer zur Arbeit zurückzulegen hat. Max kann sich nun eine Menge von Produkten vorstellen, die dieses Bedürfnis der Fortbewegung befriedigen: Schusters Rappen, Rollschuhe, Fahrrad, Motorrad, Auto, Taxi und Bus. Aus diesen Möglichkeiten ergibt sich seine *Auswahlmenge.* Nehmen wir nun an, daß Max auf seinem Weg zur Arbeit noch andere Bedürfnisse, nämlich Schnelligkeit, Sicherheit, Mühelosigkeit und Wirtschaftlichkeit befriedigen will. Dies nennen wir seine *Bedürfnismenge.* Nun weist jedes der verfügbaren Produkte verschiedene Fähigkeiten auf, um Müllers Bedürfnisse zu befriedigen. Das Fahrradfahren wird langsamer, unsicherer und anstrengender, dafür aber wirtschaftlicher als das Autofahren sein. Irgendwie muß sich Max Müller nun für das Produkt entscheiden, das ihn am ehesten zufriedenstellt.

Und hier kommt als Entscheidungskriterium der *Nutzen* ins Spiel. Max wird den Gesamtnutzen jedes einzelnen Produkts taxieren und eine Rangliste aufstellen, mit deren Hilfe er die Produkte danach klassifiziert, in welchem Maße sie seine Bedürfnisse befriedigen. *Unter Nutzen ist die Einschätzung des Verbrauchers bezüglich der Fähigkeit des Produkts zur Bedürfnisbefriedigung zu verstehen.*

Nun können wir Max Müller auffordern, uns wissen zu lassen, welche Eigenschaften das *ideale Produkt* haben müßte. Vielleicht fordert er z.B., daß sein ideales Produkt ihn blitzschnell, absolut sicher, mühe- und kostenlos an seinen Arbeitsplatz bringen muß. In jedem Fall ließe sich der Nutzen jedes verfügbaren Produkts danach bemessen, wie nahe es diesem Idealprodukt käme.

Gehen wir nun davon aus, daß Max Müller vor allem an Schnelligkeit und Mühelosigkeit interessiert ist. Je näher nun ein verfügbares Produkt an das Idealprodukt herankommt, desto größer ist der Produktnutzen. Würde Max jedes Produkt kostenlos angeboten werden, würde er wohl das Auto wählen. Doch nun kommt die Ernüchterung: Da für jedes Produkt Kosten entstehen, wird Max sich nicht unbedingt für das Auto entscheiden. Autofahren kostet erheblich mehr als z.B. Fahrradfahren. Max wird also (aus Kostengründen) auf eine größere Zahl anderer Dinge verzichten müssen, um sich das Auto leisten zu können. Daher wird er Nutzen und Kosten abwägen, bevor er seine Wahl trifft. Er wird sich für das Produkt entscheiden, das ihm das beste Kosten-Nutzen-Verhältnis bringt, und eine *Zufriedenstellung nur dann erreichen, wenn seine Wahl zu einem Nettonutzen führt – d.h. der Nutzen muß höher sein als die Kosten.*

Zur Erklärung des Verbraucherverhaltens ist heute die Forschung über die einschränkenden Prämissen der Wirtschaftstheorie – daß nämlich der Verbraucher rationale Entscheidungen zu seiner Nutzenmaximierung trifft – hinausgegangen. Die neueren Theorien zum Verbraucherverhalten werden in Kapitel 6 näher erläutert. Diese theoretischen Konzepte sind für den Marketer deshalb von Bedeutung, weil der gesamte Marketingplan auf bestimmten Annahmen über die Auswahlkriterien des Verbrauchers fußt. Daher sind die Begriffe Nutzen, Kosten und Zufriedenstellung von entscheidender Bedeutung für das Marketing.

Austauschprozesse, Transaktionen und Beziehungen

Die bloße Tatsache, daß die Menschen Wünsche und Bedürfnisse haben oder Produkten einen bestimmten Nutzen zumessen können, reicht allerdings nicht für eine umfassende Definition des Marketingbegriffs aus. Marketing setzt dann ein, wenn die Menschen sich dazu entschließen, ihre Bedürfnisse und Wünsche durch Austauschprozesse zu befriedigen. Der Tausch ist einer von vier Wegen, auf denen die Menschen die gewünschten Produkte erhalten können.

Der erste Weg ist die *Eigenproduktion.* Der Mensch kann seinen Hunger durch Jagen, Fischen oder das Sammeln von Früchten stillen. Dabei ist er nicht auf das

Zusammenwirken mit anderen Menschen angewiesen. In diesem Fall gibt es weder einen Markt noch ein Marketing.

Der zweite Weg ist der *Zwang*. Menschen, die hungern, können Mundraub begehen. Die Beraubten haben davon keinerlei Nutzen – es sei denn, den Vorteil, daß sie dabei wenigstens körperlich unversehrt bleiben.

Der dritte Weg ist das *Betteln*. Wer hungert, kann bei anderen Nahrung erbetteln. Außer Dankbarkeit hat der Bettler dabei nichts als Gegenleistung anzubieten.

Der vierte und letzte Weg ist der *Austausch*. Der Hungernde kann sich an andere Menschen wenden und ihnen als Gegenleistung *Ressourcen* verschiedenster Art bieten, z.B. Geld, eine andere Handelsware oder eine Dienstleistung.

Marketing wird im Rahmen des vierten Weges geboren. *Unter Austausch ist ein Prozeß zu verstehen, durch den man ein gewünschtes Produkt erhält, indem man einem anderen eine Gegenleistung dafür anbietet.* Der Austausch ist das Kernkonzept zur Definition des Marketingbegriffs. Damit ein Austausch zustandekommen kann, müssen fünf Bedingungen erfüllt sein:

1. Es muß mindestens zwei Parteien geben.
2. Jede Partei muß etwas haben, was für die andere Partei von Wert sein könnte.
3. Jede Partei muß in der Lage sein, mit der anderen Partei zu kommunizieren und das Tauschobjekt zu übergeben.
4. Jeder Partei steht es frei, das Angebot anzunehmen oder abzulehnen.
5. Jede Partei muß der Überzeugung sein, daß es angebracht oder wünschenswert ist, mit der anderen Partei in Kontakt zu treten.

Sind diese Bedingungen gegeben, ist auch die Möglichkeit für einen Austausch vorhanden. Ob dieser dann tatsächlich zustandekommt, hängt davon ab, ob sich die beteiligten Parteien über *Austauschbedingungen* einigen können, die ihrer Meinung nach beiden eine Verbesserung (oder zumindest keine Verschlechterung) gegenüber der Situation vor dem Austausch bringen. In diesem Sinne wirkt der Austausch als Wertschaffungsprozeß: Beide Parteien stehen in der Regel nach dem Austausch besser da als vorher.

Dabei ist der Austausch eher als Prozeß denn als Momentereignis zu sehen. Die beiden Parteien sind dann Beteiligte an diesem Prozeß, wenn sie miteinander verhandeln und sich auf eine Einigung zubewegen. Kommt diese Einigung zustande, sprechen wir von einer *Transaktion*. Transaktionen bilden gewissermaßen die grundlegende Maßeinheit des Tausches. *Eine Transaktion ist der Austauschakt von* **Dingen von Wert** zwischen zwei Parteien. Wenn man sagen kann, »A gab X an B ab und erhielt dafür Y,« oder »Müller hat Schmidt 400 Dollar gegeben und dafür einen Fernseher bekommen«, dann haben wir die klassische *Transaktion* von Ware und Geld. Geld muß allerdings nicht unbedingt Bestandteil der Transaktion sein. Es könnte auch zu *Naturalien-Transaktionen* (*Barter-Geschäft*) kommen. Dann würde Müller einen Kühlschrank an Schmidt abtreten und dafür z.B. einen Fernseher nehmen. Eine Transaktion kann auch Dienstleistungen zum Gegenstand haben. So könnte der Rechtsanwalt Schulze für den Arzt Schmidt ein Testament aufsetzen und dafür eine ärztliche Beratung in Anspruch nehmen.

Eine Transaktion überspannt mehrere Dimensionen: Sie erfordert mindestens zwei Dinge von Wert, von beiden Parteien akzeptierte Bedingungen sowie einen

Zeitpunkt und Ort der Vereinbarung. In aller Regel gibt es ein Rechtssystem zur Förderung und Durchsetzung vereinbarter Transaktionen. Bei jeder Transaktion kann es leicht zu Konflikten kommen – sei es aus Vorsatz oder durch Mißverständnisse. Ohne ein ordentliches Vertragsrecht würde jedermann mit einigem Mißtrauen an eine Transaktion herangehen. Damit wäre keinem der Beteiligten gedient.

Die Unternehmen führen über die von ihnen getätigten Transaktionen Buch und ordnen sie nach Artikeln, Preisklassen, Kunden, Standort und anderen Variablen, um z.B. eine *Absatzanalyse* zu erstellen.

Das Austauschkonzept kann auch bei *Überlassungen*, *Spenden* und *Geschenken* zur Erklärung von Verhaltensmustern beitragen. Dabei gibt A Produkt X an B ab, erhält jedoch dafür keine greifbare Gegenleistung. Dies gilt z. B, wenn Herr A Herrn B ein Geschenk macht, ihm eine Beihilfe oder eine Spende gibt. Der Überlasser verbindet jedoch mit seinem Geschenk in aller Regel bestimmte Erwartungen: Er will sich dafür die Dankbarkeit oder das Wohlwollen des Beschenkten sichern. Die Profis im Wohltätigkeitssektor wissen sehr wohl um die Motive der Gegenseitigkeit, die das Verhalten des Spenders bestimmen. Sie versuchen daher, dem Wohltäter wiederum etwas Gutes zu tun, sei es in Form eines Dankschreibens, einer Mitgliederzeitschrift oder einer Einladung zu besonderen Anlässen.

Im Grunde will der »Vermarkter« aktiv auf den Austauschprozeß einwirken; er will einer anderen Person eine bestimmte *Verhaltensreaktion* entlocken. Das Wirtschaftsunternehmen wünscht sich eine Reaktion namens »Kauf«, ein Politiker, der für ein Amt kandidiert, will eine Reaktion, die sich »Wählerstimme« nennt, eine Kirche will »Schäfchen um sich sammeln«, und eine bestimmte Interessengruppe oder Bürgerinitiative will die »Akzeptanz einer Idee«. Zur Vermarktung gehören alle, die dem Ziel dienen, eine Zielgruppe zu einer gewünschten Reaktion im Hinblick auf ein bestimmtes Objekt zu bewegen.

Um den Austauschprozeß zum Erfolg zu führen, analysiert der Marketer die Erwartungen jeder Partei und ermittelt, was sie bereit ist, zu geben und zu nehmen. Einfache Tauschvorgänge lassen sich bildlich darstellen, indem man die beiden Akteure und den Ressourcenfluß zwischen ihnen graphisch umsetzt. Nehmen wir an, Caterpillar, der weltweit größte Hersteller von Erdbaumaschinen, analysiert die Vorteile, die sich eine normale Baufirma vom Kauf solcher Ausrüstungen erwartet (siehe Abbildung 1-2, oben). Eine Baufirma will Qualitätsgeräte, angemessene Preise, pünktliche Lieferung, günstige Zahlungsbedingungen und guten Service. Soweit die *Wunschliste* des Käufers. Diese Wünsche sind jedoch nicht alle gleich wichtig und können von Käufer zu Käufer variieren. Eine der Aufgaben von Caterpil-

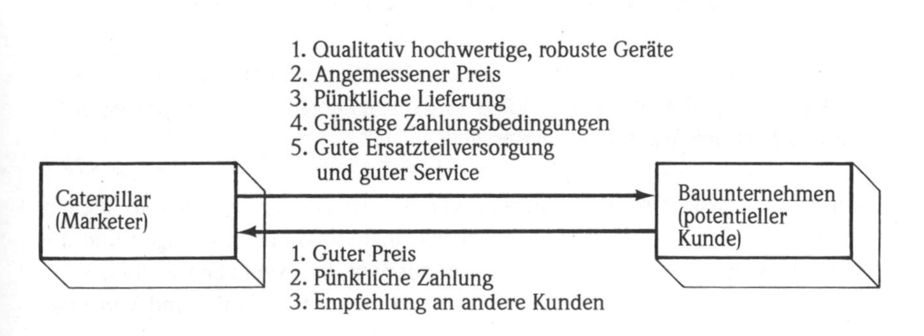

Abbildung 1-2
Darstellung des Austauschprozesses zwischen zwei Parteien (samt Wunschlisten der Parteien)

lar besteht nun darin, die Bedeutung der einzelnen Wünsche des Käufers zu eruieren. Parallel dazu hat auch Caterpillar eine Wunschliste (siehe Abbildung 1-2, unten). Man will einen guten Preis erzielen, pünktlich bezahlt und vom Kunden weiterempfohlen werden. Überschneiden sich diese beiden Wunschlisten in ausreichendem Maße, ist die Grundlage für eine Transaktion geschaffen. Nun muß Caterpillar ein Angebot formulieren, das die Baufirma zum Kauf motiviert. Vielleicht macht der Kunde seinerseits ein Gegenangebot. Der Prozeß, sich auf beiderseitig akzeptable Bedingungen zu einigen, wird als *Verhandlung* bezeichnet. Diese Verhandlungen führen dann entweder zu einer Einigung oder zu der Entscheidung, von der Transaktion Abstand zu nehmen.

Bisher haben wir uns auf die Erläuterung des *Transaktionsmarketing* beschränkt. Doch dieser Marketingansatz ist lediglich Teil eines übergeordneten Konzepts, nämlich des *Beziehungsmarketing*. Der kluge Marketer bemüht sich, mit den Kunden, Absatzmittlern, Händlern und Zulieferern eine langfristige, vertrauensvolle und für beide Seiten vorteilhafte Beziehung aufzubauen. Dies wird erreicht, indem man dem Austauschpartner beständig und zuverlässig qualitativ hochwertige Produkte anbietet und liefert, guten Kundendienst leistet und angemessene Preise fordert. Eine derartige Beziehung bringt eine Stärkung der wirtschaftlichen, technischen und sozialen Bande zwischen den Angehörigen von zwei Organisationen mit sich.

Mit der Zeit steigt das Vertrauen der Partner zueinander, das Wissen übereinander und auch das Interesse, dem anderen zu helfen. Das Konzept des Beziehungsmarketing führt zu einer Senkung der Transaktionskosten und des Zeitaufwands; im Idealfall bedeutet dies schließlich auch, daß die einzelnen Transaktionen nicht mehr separat ausgehandelt werden müssen, sondern sich zum Routinevorgang entwickeln.

Das Endergebnis des Beziehungsmarketing ist der Aufbau eines einmaligen und unverwechselbaren Aktivums: des *Marketingnetzes*. Dieses Beziehungsgeflecht besteht aus dem eigenen Unternehmen und all den anderen Unternehmen, mit denen man eine solide, krisenfeste Geschäftsbeziehung aufgebaut hat. In immer stärkerem Maße entwickelt sich das Marketing vom Instrument der Gewinnmaximierung bei jeder Einzeltransaktion zum Instrument der Maximierung nutzbringender Beziehungen mit externen Partnern. Das Vorgehensprinzip beruht darauf, zunächst gute Beziehungen aufzubauen, um dann gewinnbringende Transaktionen abzuwickeln.

Märkte

Die Betrachtung des Austauschprozesses führt uns hin zum Grundkonzept »Markt«:

> Ein Markt besteht aus allen potentiellen Kunden mit einem bestimmten Bedürfnis oder Wunsch, die willens und fähig sind, durch einen Austauschprozeß das Bedürfnis oder den Wunsch zu befriedigen.

Demzufolge hängt die Größe des Marktes von der Anzahl der Personen ab, die ein bestimmtes Bedürfnis zeigen, die über austauschbare Ressourcen verfügen und die willens sind, diese Ressourcen gegen das zu tauschen, was sie haben wollen.

Ursprünglich stand der Begriff *Markt* für den Ort, an dem Käufer und Verkäufer zusammenkamen, um ihre Güter zu tauschen. Dies konnte zum Beispiel der Dorfplatz sein. Die Volkswirtschaftler meinen mit dem Begriff *Markt* alle Käufer und Verkäufer, die sich dem Geschäft mit einem bestimmten Produkt oder einer Produktkategorie widmen; daher der Begriff Wohnungsmarkt, Getreidemarkt etc. Der Marketer hingegen sieht die Gesamtheit der Verkäufer als *Industrie, Branche* oder *Wirtschaftszweig,* und die Gesamtheit der Käufer als *Markt.* Die Beziehung zwischen Industrie und Markt wird in Abbildung 1-3 illustriert. Käufer und Verkäufer sind durch vier Flüsse miteinander verbunden. Die Verkäufer bringen einen Fluß von Waren und Dienstleistungen sowie einen Kommunikationsfluß zum Markt und erhalten im Gegenzug vom Markt Geld und Informationen. Die innere Schleife der Abbildung zeigt den Austausch von Geld gegen Güter, während die äußere Schleife den Informationsaustausch illustriert.

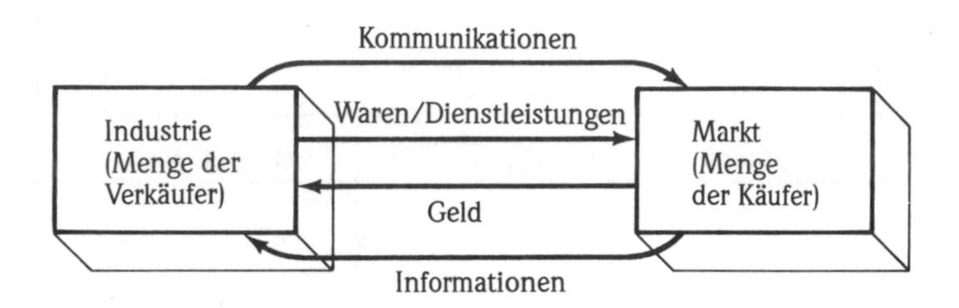

Abbildung 1-3
Einfaches Marketingsystem

Die Geschäftswelt verwendet den Begriff *Märkte* im täglichen Sprachgebrauch für verschiedene Kundengruppen. Man spricht vom *Markt für ein bestimmtes Bedürfnis* (z.B. dem Diätmarkt), vom *Produktmarkt* (z.B. dem Schuhmarkt), vom *demographischen Markt* (z.B. dem Seniorenmarkt) und vom *geographischen Markt* (z.B. dem französischen Markt). Dieser Begriff kann sich jedoch auch auf nicht-kommerzielle Bereiche, wie den *Wählermarkt,* den *Arbeitsmarkt* oder den *Wohltätigkeitsmarkt,* beziehen.

Eines steht fest: Jede fortschrittliche Volkswirtschaft operiert nach dem Prinzip der Arbeitsteilung, nach dem sich jede Person auf die Erstellung von bestimmten Leistungen spezialisiert, dafür Geld bekommt und mit diesem Geld wiederum Leistungen kauft, die sie benötigt. Daher gibt es in jeder entwickelten Volkswirtschaft eine Vielzahl von Märkten. Die grundlegenden Markttypen und ihre Verknüpfungen werden vereinfacht als Flußdiagramm in Abbildung 1-4 dargestellt. Im wesentlichen ist es so, daß die Hersteller sich an die Ressourcenmärkte wenden (Rohstoffmarkt, Arbeitsmarkt, Geldmarkt etc.), dort die benötigten Ressourcen erwerben, diese in Waren und Dienstleistungen umwandeln und an den Zwischenhandel verkaufen, der sie wiederum an den Endnutzer weiterverkauft. Die Verbraucher stellen gegen Entgelt ihre Arbeitskraft zur Verfügung und bezahlen mit diesem Einkommen die erworbenen Waren und Dienstleistungen. Auch der Staat hat als Marktteilnehmer mehrere wichtige Funktionen zu erfüllen. Er kauft Güter auf den Ressourcen-, Hersteller- und Mittlermärkten, bezahlt dafür, besteuert (oder subventioniert) die Märkte und offeriert dafür die nötigen staatlichen Leistungen. Das heißt, jede Volkswirtschaft und auch die gesamte Weltwirtschaft besteht aus einem komplexen Geflecht von Märkten, die durch Austauschprozesse miteinander verknüpft sind.

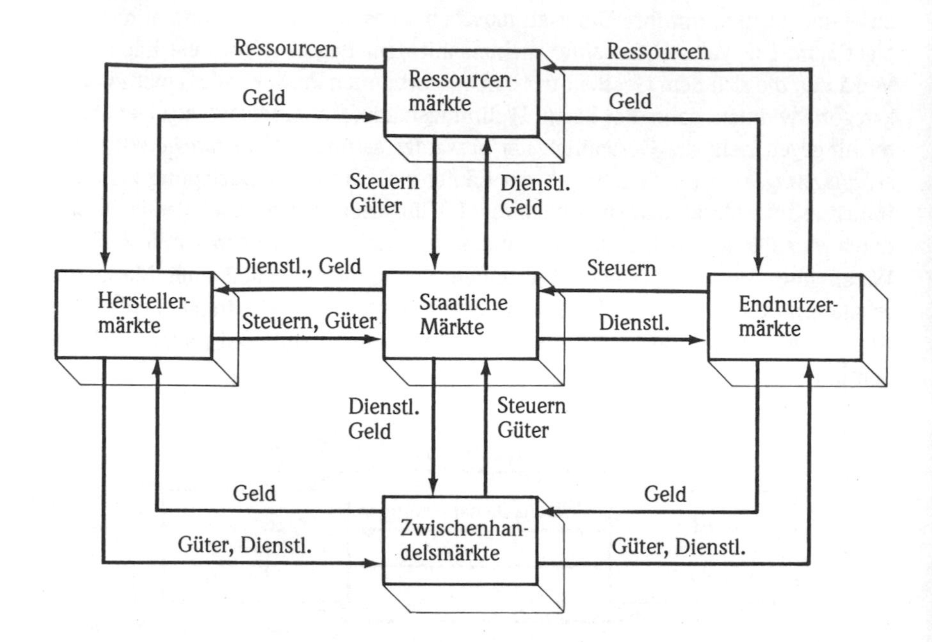

Abbildung 1-4
»Flußdiagramm«
einer modernen
Volkswirtschaft

Marketing und Marketer

Der Begriff »Markt« bringt uns wieder zum Begriff »Marketing« zurück. Marketing umfaßt die Aktivitäten der Menschen in den Märkten. Marketing heißt, auf diesen Märkten tätig zu sein, um potentielle Tauschvorgänge zur Zufriedenstellung der Bedürfnisse und Wünsche der Menschen zu bewirken.

Ist eine der beteiligten Parteien aktiver bestrebt, einen Austausch herbeizuführen als die andere, so wird erstere als *Marketer* und zweitere als *Interessent* bezeichnet. *Ein Marketer ist jemand, der von einem anderen eine bestimmte Ressource haben will und bereit ist, dafür etwas von Wert anzubieten.* Der Marketer trachtet nach einer Reaktion der anderen Seite, sei es nun Kauf oder Verkauf. Der Marketer selbst kann also Verkäufer oder Käufer sein. Nehmen wir an, verschiedene Personen wollen gern ein schönes Haus kaufen, das soeben frei geworden ist. Jeder potentielle Käufer wird nun versuchen, sich so zu »vermarkten«, daß er vom Verkäufer ausgewählt wird. Die Käufer betreiben also in diesem Fall das Marketing. Für den Fall, daß beide Seiten aktiv einen Austauschprozeß anstreben, bezeichnen wir beide als Marketer und sprechen dann vom Konzept des *reziproken Marketing,* das besonders im Beschaffungsmarketing für Industriegüter eine Rolle spielt.

Meist ist der Marketer ein Unternehmen, das sich einen Markt von Endnutzern mit anderen Wettbewerbern teilt. Das Unternehmen und seine Wettbewerber bringen ihre Produkte und Botschaften direkt oder durch Marketing-Institutionen (Zwischenhandel, Marketingdienstleister, wie Transportunternehmen oder Werbemedien) zu den Endnutzern. Ob sie dies wirtschaftlich mit Erfolg tun können, hängt zum Teil von ihren Lieferanten und vom weiteren Umfeld (demographisch, konjunk-

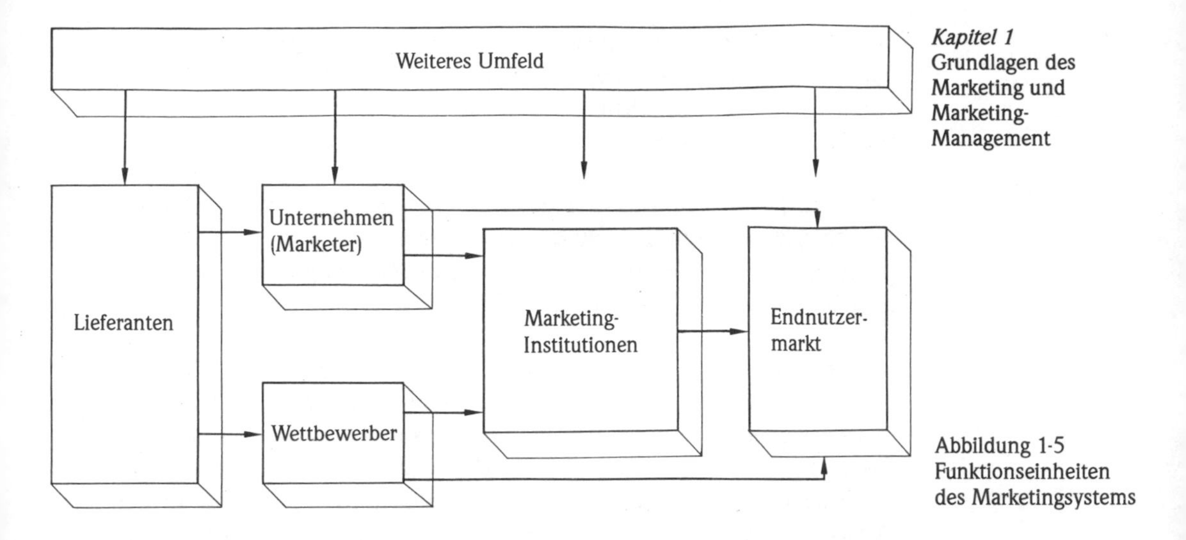

Abbildung 1-5
Funktionseinheiten des Marketingsystems

turell, physisch, technologisch, politisch, rechtlich, sozial, kulturell) ab. In Abbildung 1-5 sind diese Funktionseinheiten des Marketingsystems schematisch verknüpft dargestellt.

Nachdem wir nun die Schlüsselbegriffe dargestellt haben, können wir unsere Marketingdefinition nochmals zu Papier bringen:

Marketing ist ein Prozeß im Wirtschafts- und Sozialgefüge, durch den Einzelpersonen und Gruppen ihre Bedürfnisse und Wünsche befriedigen, indem sie Produkte und andere Dinge von Wert erzeugen, anbieten und miteinander austauschen.

Grundaufgaben des Marketing-Management

Die Bewältigung von Austauschprozessen erfordert viel an Arbeitseinsatz und Fertigkeiten. Als *Einzelperson* versteht man es mit der Zeit recht gut, die zur Deckung der Haushaltsbedürfnisse erforderlichen Käufe zu tätigen. Gelegentlich wird man auch zum Verkäufer, etwa wenn man sein Auto oder persönliche Dienstleistungen verkauft. *Organisationen* gehen bei der Abwicklung von Austauschprozessen professioneller vor. Sie müssen die benötigten Ressourcen von bestimmten Märkten beschaffen, in nützliche Produkte umwandeln und diese wiederum auf ganz anderen Märkten absetzen. Selbst *Nationen* planen und steuern Austauschbeziehungen untereinander und streben nach dem Aufbau vorteilhafter Handelsbeziehungen. Der Schwerpunkt dieses Buches liegt mehr auf dem *Marketing durch Organisationen* als auf dem Marketing durch *Einzelpersonen* und *Nationen.*

Marketing-Management findet dann statt, wenn mindestens eine der am Austauschprozeß beteiligten Parteien ganz bewußt die Vorgehensweisen durchdenkt, mit denen sie die gewünschten Reaktionen der anderen Partei herbeiführen kann. Wir bedienen uns einer Definition des Marketing(-Management), die im Jahr 1985 von der *American Marketing Association* gebilligt wurde:

Marketing(-Management) ist der Planungs- und Durchführungsprozeß der Konzipierung, Preisfindung, Förderung und Verbreitung von Ideen, Waren und Dienstleistungen, um Austauschprozesse zur Zufriedenstellung individueller und organisationeller Ziele herbeizuführen. [7]

Nach dieser Definition wird Marketing-Management als Prozeß gesehen, der die Analyse, Planung, Durchführung und Steuerung umfaßt, der Ideen, Waren und Dienstleistungen einschließt, der auf dem Konzept des Austausches fußt und dessen Ziel es ist, die Beteiligten zufriedenzustellen.

In jedem der Märkte, mit denen ein Unternehmen zu tun hat, kann es Marketing-Management geben. Nehmen wir z.B. einen Automobilhersteller: Der Personalleiter beschäftigt sich mit dem *Arbeitsmarkt*, der Leiter des Einkaufs hat mit den *Rohstoffmärkten* und der Finanzchef mit dem *Geldmarkt* zu tun. Die Aufgabe dieser Führungskräfte besteht in der Entwicklung von Zielvorstellungen und im Aufbau von Strategien, um auf diesen Märkten zufriedenstellende Resultate erzielen zu können. Trotzdem wurden diese Leute nie als Marketer bezeichnet und auch nicht für Marketingaufgaben geschult. Im Sprachgebrauch assoziiert man das Marketing-Management schon seit langem mit Aufgabenstellungen und Mitarbeitern, die mit dem *Kundenmarkt* zu tun haben. Wir folgen dieser Gepflogenheit, auch wenn sich viele unserer Aussagen zum Marketing auf alle Märkte beziehen.

Formell werden die Marketingaktivitäten auf dem Kundenmarkt von *Verkaufsleitern, Verkäufern, Werbe- und Promotionmanagern, Marktforschern, Kundendienstmanagern, Produktmanagern, Marktmanagern, Marketingdirektoren und vom »Vorstand Marketing«* abgewickelt. Mit jeder dieser Positionen sind bestimmte Aufgaben und Verantwortlichkeiten verbunden. Mit manchen dieser Aufgaben ist die Kontrolle über *einzelne Marketingressourcen*, z.B. Werbung, Verkaufsorganisation oder Verkaufsförderung verbunden. Die Produktmanager, Marktmanager und der Marketingchef steuern jedoch auch *ganze Programme*. Ihre Aufgabe ist die Analyse, Planung und Durchführung von Programmen, die zu einem gewünschten Niveau und Mix von Transaktionen mit den Zielmärkten führen.

Die landläufige Vorstellung von einem Marketing-Manager geht dahin, daß dieser vornehmlich damit befaßt ist, die Nachfrage für die vom Unternehmen angebotenen Produkte zu stimulieren. Doch diese Betrachtungsweise ist viel zu eng und wird den vielfältigen Aufgaben des Marketing-Managers nicht gerecht. *Die Aufgabe des Marketing-Management ist es, das Niveau, den zeitlichen Ablauf und das Wesen der Nachfrage so zu beeinflussen, daß damit zur Erreichung der Unternehmensziele beigetragen wird.* Das heißt, Marketing-Management ist im wesentlichen *Nachfrage-Management.*

Vorausgesetzt, das Unternehmen hat eine Vorstellung vom gewünschten Geschäftsumfang mit dem Zielmarkt, so wird es Zeiten geben, in denen das tatsächliche Nachfrageniveau niedriger, ebenso hoch oder höher als das gewünschte Nachfrageniveau ist. Das heißt, es gibt entweder keine oder eine schwache, angemessene, exzessive Nachfrage etc. Das Marketing-Management muß dann mit dem jeweiligen Zustand fertigwerden. In Exkurs 1-1 werden acht verschiedene Nachfragesituationen aufgezeigt und die jeweiligen Grundaufgaben des Marketing-Managers erläutert.

Exkurs 1-1: Acht Nachfragesituationen und die zugehörigen Marketingaufgaben

1. Negative Nachfrage

Ein Markt befindet sich dann im Zustand der negativen Nachfrage, wenn ein Großteil der Marktteilnehmer dem Produkt nicht geneigt ist und u. U. sogar dafür bezahlen würde, seine Inanspruchnahme zu vermeiden. Beispiele für diese negative Nachfrage wären Impfungen, Zahnarztbesuche und Gallenblasenoperationen; aber auch die negative Nachfrage bei Arbeitgebern nach Vorbestraften und Alkoholikern als Mitarbeiter gehört hierher. Die Marketingaufgabe besteht hier darin, die Gründe für diese Marktabneigung zu analysieren und festzustellen, ob ein spezifisches Marketingprogramm die Überzeugung und Einstellung des Marktes ändern könnte, ob also potentielle Nachfrager »konvertiert« werden können. Dies nennt man dann *Konvertierungsmarketing*.

2. Fehlende Nachfrage

In diesem Fall ist die Zielgruppe nicht an dem Produkt interessiert oder steht ihm gleichgültig gegenüber. Beispiele dafür wären ein fehlendes Interesse von Landwirten für ein neues agrartechnisches Verfahren oder von Studenten in Ethikkursen. Die Marketingaufgabe besteht hier darin, Mittel und Wege zu finden, um die Vorzüge des Produkts mit den ureigenen Bedürfnissen und Interessen der Menschen zu verknüpfen. Dies wird als *Stimulationsmarketing* bezeichnet.

3. Latente Nachfrage

Es ist möglich, daß eine große Zahl von Verbrauchern ein ausgeprägtes Bedürfnis teilt, das von keinem der existierenden Produkte befriedigt werden kann. So gibt es eine große latente Nachfrage für unschädliche Zigaretten, besseren Schutz des privaten Wohnbereichs vor Kriminalität und energieeffizientere Autos. Die Aufgabe besteht hier im *Entwicklungsmarketing*, d.h. den Umfang des potentiellen Marktes zu ermitteln und leistungsstarke Produkte und Dienstleistungen zur Befriedigung dieser Nachfrage zu entwickeln.

4. Sinkende Nachfrage

Jede Organisation wird früher oder später mit einer sinkenden Nachfrage für eines oder mehrere ihrer Produkte konfrontiert. In einer religiösen Gemeinschaft fallen schon mal die Mitgliederzahlen, und an einer privaten Schule sinkt gelegentlich die Zahl der Bewerber. Der Marketer muß dann die Gründe für die Schrumpfung des Marktes untersuchen und feststellen, ob sich die Nachfrage durch die Ermittlung neuer Zielmärkte, die Änderung der Produkteigenschaften oder den Aufbau eines effektiveren Kommunikationssystems wieder auffrischen läßt. Die Marketingaufgabe besteht hier darin, die negative Nachfrageentwicklung durch kreatives *Auffrischungsmarketing* umzukehren.

5. Schwankende Nachfrage
Viele Organisationen haben mit dem Problem zu kämpfen, daß sich die Nachfragesituation saisonal, täglich oder gar stündlich ändert. Dies führt dann zu ungenutzten oder überlasteten Kapazitäten. Im Personenverkehr ist es z.B. so, daß die Transportmittel in den ruhigen Zeiten zum großen Teil leer bleiben, während in den Spitzenzeiten die Transportkapazitäten nicht ausreichen. In Museen ist an Wochentagen das Besucheraufkommen relativ bescheiden, während an den Wochenenden, sofern geöffnet ist, dort großes Gedränge herrscht. Und in den Krankenhäusern sind zu Beginn der Woche die Operationssäle voller als zum Ende der Woche hin. Hier hat das Marketing die Aufgabe, das Zeitmuster der Nachfrage durch eine flexible Preisgestaltung, Promotion-Aktionen und andere Anreize zu verändern. Dies bezeichnet man als *Synchromarketing.*

6. Ausgeglichene Nachfrage
Diese Situation ist dann gegeben, wenn die betroffenen Organisationen mit ihrem Geschäftsvolumen zufrieden sind. Der Marketer muß dann dafür sorgen, daß das erreichte Nachfrageniveau trotz wechselnder Verbraucherpräferenzen und stärkerer Konkurrenz gesichert wird. Die Organisation muß das erreichte Qualitätsniveau halten oder noch verbessern und den Grad der Kundenzufriedenheit ständig überwachen, damit man sicher sein kann, alles richtig gemacht zu haben. Dies nennt man *Erhaltungsmarketing.*

7. Übersteigerte Nachfrage
Gelegentlich ist der erreichte Nachfragepegel auch höher, als man ihn haben will oder verkraften kann. So ist z.B. zu Ferienbeginn das Verkehrsaufkommen auf manchen Alpenstraßen höher als es der Natur und Verkehrssicherheit zuträglich ist, und an so manchem verkaufsoffenen Samstag quellen die Einkaufszonen vieler Städte vor Menschen geradezu über. In diesen Fällen muß der Marketer nach Wegen suchen, um die Nachfrage temporär oder permanent zu senken. Diese Aufgabenstellung bezeichnet man als *Dämpfungsmarketing.* Mit einem *allgemeinen Dämpfungsprogramm* versucht man, die Gesamtnachfrage – z.B. durch Preiserhöhungen oder durch ein Herunterfahren der Promotion- und Kundendienstaktivitäten – zu bremsen. Durch ein *selektives Dämpfungsprogramm* versucht man, die Nachfrage von speziellen Teilmärkten zu senken, die weniger lukrativ sind oder großen Betreuungsaufwand erfordern.

8. Schädliche Nachfrage
Das Angebot schädlicher Produkte führt zu organisierten Anstrengungen, vom Gebrauch dieser Produkte nachhaltig abzuraten. Derartige Programme wurden z.B. gegen Zigaretten, Alkohol, harte Drogen, Handfeuerwaffen, nicht jugendfreie Filme in vielen Ländern und auch gegen hohe Geburtenzahlen gestartet. Die Marketingaufgabe besteht hier darin, Menschen, die etwas gerne mögen, davon zu überzeugen, dies aufzugeben. Dieses Konzept des *Kontramarketing* bedient sich dabei z.B. massiver Preiserhöhungen oder reduzierter Produktverfügbarkeit, Botschaften, die die Angst der Verbraucher schüren.

Quellen: Eine detaillierte Beschreibung findet sich bei Philip Kotler: »The Major Tasks of Marketing Management«, in: *Journal of Marketing,* Oktober 1983, S. 42–49, sowie Philip Kotler and Sidney J. Levy: »Demarketing, Yes, Demarketing«, in: *Harvard Business School,* November-Dezember 1971, S. 74–80.

Der Marketing-Manager bewältigt diese Aufgaben mit Hilfe von *Marktforschung, Planung, Durchführung und Steuerung*. Im Rahmen der Marketingplanung muß der Marketer über Zielmärkte, Marktpositionierung, Produktentwicklung, Preisgestaltung, Distributionskanäle, physische Distribution, Kommunikation und Absatzförderung entscheiden. Mit diesen Marketingaufgaben befassen wir uns in den folgenden Kapiteln. An dieser Stelle mag es genügen, zu sagen, daß der Marketing-Manager – will er auf dem Markt wirkungsvoll sein – eine Reihe von Fertigkeiten erwerben muß.

Grundeinstellungen des Unternehmens gegenüber dem Markt

Wir haben die Aufgabe des Marketing-Management als das bewußte Bemühen beschrieben, gewünschte Austauschprozesse auf den Zielmärkten zu verwirklichen. Nun stellt sich die Frage: Welche Philosophie soll diese Marketingbemühungen leiten? Und welches Gewicht soll dabei den Interessen des Unternehmens, der Kunden und der Gesellschaft beigemessen werden? Diese Interessen kollidieren ja häufig. Die Antwort liegt auf der Hand: Die einzelnen Marketingaktivitäten sollten im Rahmen einer sorgfältig gewählten Grundeinstellung effektiv und verantwortungsbewußt ausgeführt werden.

Fünf Konzepte der Unternehmenseinstellung, nach denen Organisationen ihre Marketingaktivitäten ausrichten können, stehen dabei im Widerstreit.

Produktionskonzept

Das Produktionskonzept ist eine der ältesten Grundeinstellungen, von denen sich die Anbieter leiten lassen:

> Das Produktionskonzept geht von der Prämisse aus, daß die Verbraucher jene Produkte bevorzugen werden, die weithin verfügbar gehalten werden und kostengünstig sind. Daher konzentrieren sich die Entscheidungsträger im produktionsorientierten Unternehmen auf zwei Ziele: eine hohe Fertigungseffizienz und ein möglichst flächendeckendes Distributionssystem.

Die Annahme, daß die Konsumenten vornehmlich an der Produktverfügbarkeit und an günstigen Preisen interessiert sind, ist zumindest in zwei Situationen schlüssig. Erstens trifft dies zu, wenn die Nachfrage nach einem bestimmten Produkt höher als das Angebot ist, was das Interesse der Verbraucher mehr auf die Kaufmöglichkeiten als auf die Feinheiten des Produkts lenkt. Die Hersteller werden sich hier auf die Produktionssteigerung konzentrieren. Die zweite Situation ist gegeben, wenn die Produktionsstückkosten hoch sind und durch einen größeren Mengenausstoß gesenkt werden müssen, um so bei niedrigeren Preisen den Markt auszudehnen. Ein aktuelles Beispiel für die Anwendung des Produktionskonzepts liefert uns Texas Instruments:[8]

Texas Instruments, das in Dallas ansässige Elektronikunternehmen, ist zweifelsohne der Protagonist der in den ersten Jahren des 20. Jahrhunderts von Henry Ford kreierten Philosophie, die schlicht und einfach »Produktion steigern, Preise senken!« lautete. Mit diesem Konzept wollte Ford den Kfz-Markt auf Expansionskurs bringen. Ford steckte all sein Talent in die Perfektionierung der Massenproduktion, um die Autopreise so weit senken zu können, daß sich die Amerikaner einen Wagen leisten konnten.

Texas Instruments tut alles, um die Ausbringungsleistung zu steigern und die Technik so zu verbessern, daß die Herstellungskosten gesenkt werden können. Diese Kostenvorteile nutzt man für Preissenkungen und die Ausweitung des Marktes. Texas Instruments strebt auf den Zielmärkten stets die Marktführerschaft an und erreicht dieses Ziel in der Regel auch. Hier konzentriert sich das Marketing auf eine Aufgabe: Senkung der Preise für die Käufer. Dieses Konzept wurde auch von vielen japanischen Unternehmen zum strategischen Schlüsselelement erhoben. Auch in vielen Bereichen der deutschen Chemie-Industrie war dieser Strategie bisher Erfolg beschieden.

Sogar einige Dienstleistungsorganisationen folgen dem Produktionskonzept und behandeln den Kunden wie ein Werkstück auf dem Fließband. Krankenhäuser, Gesundheitsämter und andere Behörden geben dem Kunden einfach einen Laufzettel, mit dem er dann von Raum zu Raum und von Dienststelle zu Dienststelle »geschoben« wird. Zwar führt dieses Führungskonzept zu einer hohen Zahl von »behandelten Fällen« oder »bearbeiteten Vorgängen« pro Stunde, doch andererseits bietet es auch Anlaß zur Kritik der Unpersönlichkeit und des Mangels an Rücksichtnahme auf den Kunden.

Produktkonzept

Anderen Anbietern dient das Produktkonzept als Leitschnur ihres Handelns:

> Das Produktkonzept geht von der Prämisse aus, daß die Konsumenten jene Produkte bevorzugen werden, die ein Höchstmaß an Qualität, Leistung und gesuchten Eigenschaften bieten. Die Manager im produktorientierten Unternehmen konzentrieren sich auf die Herstellung guter Produkte und auf Produktverbesserungen.

Hier gehen die Entscheidungsträger davon aus, daß die Käufer gute Produkte sowie Produktqualität und -leistung zu schätzen wissen und bereit sind, für »Extras« tiefer in die Tasche zu greifen. Viele Anbieter sind geradezu vernarrt in die eigenen Produkte und übersehen dabei unter Umständen, daß der Markt vielleicht weniger begeistert reagiert oder gar eine andere Richtung einschlägt. Sie sagen dann Dinge wie »Wir fertigen die schönsten Maßanzüge« oder »Wir machen die besten Fernsehgeräte« und fragen sich anschließend, warum der Markt dies nicht so sieht.

Der namhafte Schreibmaschinenhersteller Olympia liefert ein anschauliches Beispiel dafür, welche Folgen es für ein Unternehmen haben kann, wenn produktorientiert und nicht marketingorientiert gedacht wird. Das Unternehmen, das seit Anfang

1988 Teil der AEG Olympia AG ist, konzentrierte seine Anstrengungen auf die Herstellung von technisch und qualitativ hochwertigen Produkten. Diese produktorientierte Konzeption führte jedoch zu einer Krise, als der vormals rege Absatz stagnierte und Olympia von Preiskämpfen gebeutelt wurde. Aber wie konnte es überhaupt so weit kommen?

Ein wesentlicher Grund für diese Entwicklung liegt darin, daß das Wilhelmshavener Unternehmen uneingeschränkt auf die hohe Qualität der eigenen Produkte setzte, dabei aber die Zeichen des Marktes nicht zu deuten wußte. Dies hatte zur Folge, daß in Bereichen, in denen hohe Anforderungen an die Bürokommunikationstechnik gestellt wurden, die von Olympia hergestellten Produkte gegenüber den modernen Textverarbeitungssystemen, Personalcomputern, Druckern und den damit verbundenen Möglichkeiten mehr und mehr ins Hintertreffen gerieten. In anderen Bereichen, in denen derart aufwendige Schreibarbeiten nicht anfielen, war der Kunde in erster Linie an preiswerten Büromaschinen interessiert, die nicht unbedingt mit den letzten technischen Neuerungen ausgestattet sein mußten. Die Auswirkungen dieser veränderten Marktsituation bekam Olympia besonders in den Produktbereichen Kompaktmaschinen und Büromaschinen zu spüren, wo die Konkurrenz groß war. Hersteller wie Brother boten zwar einfachere Maschinen an, konnten dafür aber mit wesentlich attraktiveren Preisen aufwarten; und im Bereich Büromaschinen holte auch IBM ganz gewaltig auf. IBM hatte zwar zu Beginn der achtziger Jahre die Typenradtechnologie verschlafen und zu lange an den eigenen Kugelkopfmaschinen festgehalten – ein weiteres Beispiel für die Gefahren eines produktorientierten Unternehmenskonzepts –, befand sich aber nun wieder auf Erfolgskurs. [9]

Aber auch bei den deutschen Schuhfabrikanten steht das Produktkonzept hoch im Kurs, was durch folgende Äußerung des Sprechers der pfälzischen Schuhindustrie deutlich wird: »Wir sind technisch hervorragend ausgestattet, wir haben vorzüglich geschulte Fachkräfte, wir stellen qualitativ hochwertige Produkte her – aber wir haben es bisher noch nicht verstanden, diese auch zum Konsumenten rüberzubringen.«[10] Die auf dem deutschen Markt so erfolgreichen italienischen Konkurrenten verstehen dies offenbar besser, arbeiten wohl aber auch nach einem anderen Konzept. Das Problem der Schuhfabrikanten besteht darin, zu erkennen, daß gut hergestellte Produkte allein den Markterfolg nicht sichern.

Bei Innovationen kristallisiert sich das Produktkonzept oft am deutlichsten heraus: Wenn es um neue Produkte geht, werden die Manager manchmal geradezu euphorisch und verlieren dann die realistische Perspektive. Symptomatisch hierfür ist die in weiten Kreisen bekannt gewordene Behauptung Emersons: »Wenn einer ... eine bessere Mausefalle herstellt..., so wird die Welt einen Pfad zu seiner Tür trampeln.« Zahlreiche Unternehmen nahmen diese Herausforderung an und bauten eben verbesserte Mausefallen, eine davon sogar mit eingebautem Laser zum stolzen Preis von 500 Dollar. Den meisten von ihnen war jedoch kein Erfolg beschieden, denn sie entwickelten ihre Produkte am Markt vorbei. Die potentiellen Kunden erfuhren nicht automatisch von der Neuheit, und sie waren weder von ihrer Überlegenheit zu überzeugen noch willens, soviel Geld dafür auszugeben. Ein weiteres Beispiel verdeutlicht dies: [11]

Im Jahr 1972 entstand in den Forschungslabors von Du Pont die Kunstfaser *Kevlar*, ein Produkt, das man bei Du Pont für die wichtigste Innovation seit der Entwicklung der Nylon-Faser hält. *Kevlar* ist so reißfest wie Stahl, aber nur ein Fünftel so schwer. Du Pont forderte nun die einzelnen Geschäftsbereiche auf, nach Anwendungsmöglichkeiten für die neue Wunderfaser zu suchen. In der Führungsetage malte man sich bereits eine gewaltige Anwendungspalette und einen Milliarden-Dollar-Absatzmarkt aus. Heute, mehr als 15 Jahre später, wartet Du Pont immer noch auf den Milliarden-Segen. Es stimmt schon: *Kevlar* ist eine sehr gute Kunstfaser für kugelsichere Westen, aber bisher gibt es eben keinen Riesenmarkt für kugelsichere Westen. Auch für Schiffssegel, Seile und Reifen ist die Faser geeignet, und langsam beißen die Hersteller auch an. Vielleicht wird aus *Kevlar* auch wirklich noch eine Wunderfaser. Doch auch wenn das so sein sollte – Du Pont mußte in jedem Fall viel länger darauf warten als erwartet.

Die produktorientierten Unternehmen schlagen bei der Produktentwicklung den falschen Weg ein. Vor einigen Jahren meinte einmal ein General Motors-Manager: »Wie kann die Öffentlichkeit wissen, welches Auto sie will, wenn wir es noch gar nicht erfunden haben?« Das Konzept von GM sah so aus, daß zunächst die Entwicklungs- und Konstruktionsingenieure ein Modell kreierten, und zwar mit Schwerpunkt auf Styling und Robustheit. Als nächstes wurde das Auto gebaut, dann wurden in der Finanzabteilung die Preise kalkuliert, und schließlich wurde die Marketing- und Verkaufsabteilung aufgefordert, das neue Modell zu verkaufen. Kein Wunder, daß die Händler einen aggressiven Verkaufsstil an den Tag legen mußten, um die Modelle an den Mann zu bringen! GM hatte es einfach versäumt, die Kunden danach zu fragen, was sie wollten, und hatte auch nie von Anfang an die Marketingabteilung eingeschaltet, um zu ermitteln, welche Art von Auto sich auch verkaufen ließ.

Das Produktkonzept führt zur »Marketing-Kurzsichtigkeit«, zur unangemessenen Konzentration auf das Produkt statt auf den Bedarf. Beispiele dafür gibt es reichlich: Amerikas Eisenbahngesellschaften dachten, daß die Benutzer mehr Wert auf das Eisenbahnfahren legten als auf die Beförderungsmöglichkeit an sich. Sie übersahen die wachsende Konkurrenz durch Flugzeug, Bus, Lkw und Pkw. Die Rechenschieber-Fabrikanten meinten, daß die Architekten eben einen Rechenschieber und nicht eine große Rechenkapazität wollten, und übersahen dabei den Siegeszug der Taschenrechner. Viele Religionsgemeinschaften, Kulturschaffende und Behörden sind der Ansicht, daß sie ihrem Zielpublikum das richtige Produkt anbieten, und sie können sich nicht erklären, warum der Zuspruch so gering ist. Diese Organisationen betrachten sich allzu gern im Spiegel der eigenen Fähigkeiten und sehen darin, was der Kunde ihrer Meinung nach »wollen soll«. Sie vergessen dabei, einen Blick nach draußen auf den Markt zu werfen und zu erkennen, was der Kunde will.

Verkaufskonzept

Eine weitere, in den Unternehmen gängige Grundeinstellung gegenüber dem Markt ist das Verkaufskonzept:

> Das Verkaufskonzept basiert auf der Annahme, daß die Verbraucher von sich aus in der Regel keine ausreichende Menge der vom Unternehmen angebotenen Produkte kaufen werden. Daher muß das Unternehmen aggressiv verkaufen und aggressiv Absatzförderung betreiben.

Hier geht man von der Prämisse aus, daß der Konsument für gewöhnlich kauffaul und widerspenstig ist, so daß er verlockt werden muß, mehr zu kaufen. Zu dem

Zweck – so dieses Konzept – verfügt das Unternehmen über ein ganzes Arsenal durchschlagskräftiger Verkaufs- und Werbewaffen.

Am aggressivsten wird dieses Konzept im Falle von wenig gefragten Gütern eingesetzt, d.h. bei Produkten, an deren Erwerb der Käufer üblicherweise kaum denkt, z.B. Versicherungen, Enzyklopädien oder Bestattungen. In diesen Branchen wurden ausgefuchste Verkaufstechniken entwickelt, um an die potentiellen Käufer heranzukommen und sie mit Hilfe aggressiver Methoden von den angebotenen Produkten zu überzeugen.

Aber auch bei viel gefragten Gütern, z.B. Autos, sind derart aggressive Verkaufstechniken anzutreffen. Als Beispiel hierfür soll uns ein Situationsbericht aus einem amerikanischen Autohaus dienen, der auch deutschen Kunden nicht ganz fremd sein wird: [12]

Von dem Moment an, in dem der Kunde den Autosalon betritt, trickst ihn der Verkäufer psychologisch aus. Gefällt dem Kunden das Ausstellungsmodell, sagt ihm der Verkäufer, daß auch ein anderer Kunde das Auto haben wolle und er sich daher auf der Stelle entscheiden sollte. Paßt dem Kunden der Preis nicht, sagt ihm der Verkäufer, er werde ein persönliches Wort mit dem Chef sprechen und versuchen, Sonderkonditionen herauszuholen. Der Kunde wartet dann zehn Minuten, bis der Verkäufer endlich zurückkehrt und sagt: »Der Chef war alles andere als begeistert, aber ich habe ihn rumgekriegt.« Der Zweck des Ganzen besteht darin, den Kunden systematisch zum Sofortkauf zu bewegen.

Auch im Non-Profit-Sektor wird das Verkaufskonzept praktiziert, z.B. bei Spendenaktionen oder von politischen Parteien. Letztere werden dem Wähler ihren Kandidaten als perfekte Besetzung für das zur Rede stehende Amt nachhaltigst empfehlen. Der Kandidat reist dann durch die Wahlkreise, schüttelt Hände, liebkost Babys, trifft sich mit Spendern und hält stramme Reden. Hohe Summen werden für Werbung, Plakate und Briefaktionen ausgegeben. Jegliche Schwäche des Kandidaten wird vor den Augen der Öffentlichkeit verborgen. Das Ziel lautet, den Handel perfekt zu machen und nicht, sich über die »Zufriedenheit der Kunden nach dem Kauf« Sorgen zu machen. Auch nach der Wahl befleißigt sich der frisch gekürte Amtsinhaber einer verkaufsorientierten Haltung gegenüber dem Bürger. Er forscht nur wenig nach den Wünschen der Öffentlichkeit und versucht statt dessen energisch, seine Klientel zur Akzeptanz politischer Maßnahmen zu bewegen, die entweder er selbst oder seine Partei durchsetzen wollen. [13]

Organisationen operieren meist dann nach dem Verkaufskonzept, wenn sie Überkapazitäten haben. *Ihr Ziel ist es, das zu verkaufen, was sie herstellen, statt herzustellen, was sie verkaufen können.* In den Industrienationen sind heute die Produktionskapazitäten derart hoch, daß die meisten Märkte zu Käufermärkten geworden sind (d.h. die Käufer dominieren) und die Anbieter hart um die Kunden kämpfen müssen. Die potentiellen Kunden werden mit TV-Werbespots, Anzeigen, Direct-Mail-Aktionen, Telefonaten und Besuchen bombardiert. An jeder Ecke versucht irgendwer, irgend etwas zu verkaufen. Die Konsequenz ist, daß die Öffentlichkeit Marketing mit aggressivem Verkauf und Werbung gleichsetzt.

Daher sind die Leute auch erstaunt, wenn man ihnen sagt, daß das Wichtigste am Marketing keineswegs der Verkauf ist! Der Verkauf ist lediglich die Spitze des Marketing-Eisbergs. Peter Drucker, einer der exponiertesten Denker in Management-Fragen, drückte dies einmal so aus:

»Es wird wohl immer – davon kann man ausgehen – die Notwendigkeit für ein bestimmtes Maß an Verkaufstätigkeit geben. *Doch das Ziel des Marketing ist es, den Verkauf überflüssig zu machen.* Das Ziel des Marketing ist es, den Kunden so gut zu kennen und zu verstehen, daß ihm das Produkt oder die Dienstleistung angemessen ist und sich von selbst verkauft. Im Idealfall sollte das Marketing zum Kunden führen, der zum Kauf bereit ist. Dann müßte dem Kunden nur noch das Produkt bereitgestellt werden«. [14]

Demzufolge müssen dem Verkauf, wenn er zum Erfolg führen soll, einige Marketingaktivitäten vorgeschaltet werden, z.B. Bedarfsermittlung, Marktforschung, Produktentwicklung, Preisgestaltung und Distribution. Gelingt es dem Marketer, die Verbraucherbedürfnisse richtig zu ermitteln, geeignete Produkte zu entwickeln und eine wirksame Preis-, Distributions- und Absatzförderungspolitik zu betreiben, werden sich die Produkte problemlos verkaufen lassen. Erinnern wir uns: Als Eismann seinen Tiefkühl-Heimservice, Lego seine Spielsysteme und Atari das erste Videospiel auf den Markt brachten, blieben die Aufträge nicht aus; all diese Unternehmen hatten das »richtige« Produkt entwickelt, weil sie zuvor ihre Marketing-Hausaufgaben ordentlich gemacht hatten.

Ein Marketing, das sich auf aggressive Verkaufsmethoden verläßt, ist hochriskant. Es setzt voraus, daß der Kunde, der zum Kauf überredet wird, das Produkt schon mögen wird und – wenn er unzufrieden ist – seine schlechten Erfahrungen nicht an Freunde weitergeben oder sich bei einer Verbraucherorganisation beschweren wird. Der Käufer wird schließlich – so meint man – seine Enttäuschung vergessen und das Produkt erneut kaufen. Diese Annahmen zum Käuferverhalten sind schlichtweg unhaltbar. Es gibt eine Studie, die anzeigt, daß enttäuschte Kunden in der Regel ihre negativen Erfahrungen an elf Bekannte weitergeben, während zufriedene Kunden nur drei Bekannten von ihren positiven Erfahrungen berichten.

Marketingkonzept

Das Marketingkonzept ist eine Unternehmensphilosophie, die als Herausforderung der älteren Konzepte entstand. Obwohl auch dieses Konzept bereits seit langem existiert, kristallisierten sich seine wesentlichen Inhalte in Literatur und Praxis erst Mitte der 50er Jahre heraus: [15]

> Das Marketingkonzept besagt, daß der Schlüssel zur Erreichung unternehmerischer Ziele darin liegt, die Bedürfnisse und Wünsche des Zielmarktes zu ermitteln und diese dann wirksamer und wirtschaftlicher zufriedenzustellen als die Wettbewerber.

Für das Marketingkonzept gibt es eine ganze Reihe farbiger Umschreibungen:

- »Finde ein Bedürfnis und stille es.«
- »Produziere etwas, das sich verkaufen läßt, statt etwas zu verkaufen, was du produzieren kannst.«
- »Liebe deinen Kunden und nicht dein Produkt.«
- »Wir machen alles, wie Sie es wollen.« (Burger King)
- »Sie sind der Chef!« (United Airlines)
- »Wir tun alles, was in unserer Macht steht, um jeden Dollar, den der Kunde zahlt, mit der höchstmöglichen Leistung, Qualität und Zufriedenheit aufzuwiegen.« (JC Penney)

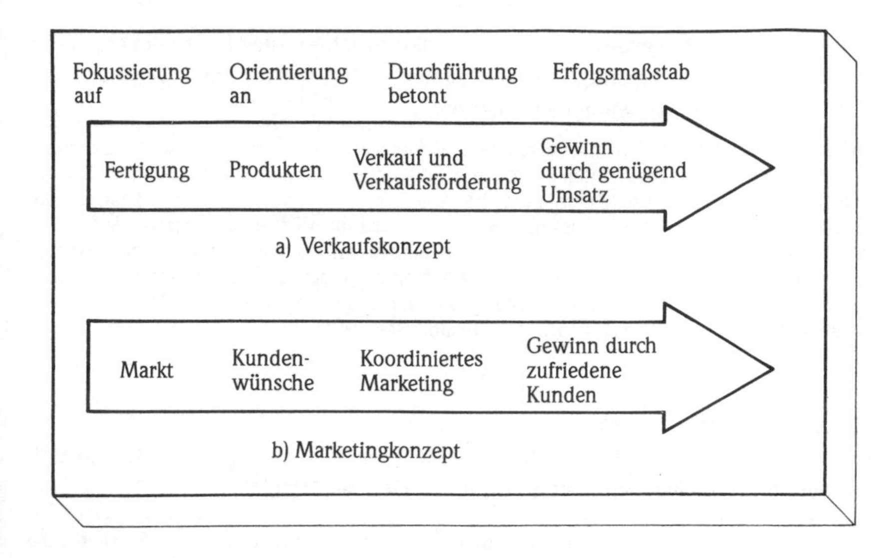

Abbildung 1-6
Verkaufs- und Marketingkonzept im Vergleich

Theodore Levitt brachte einmal den Unterschied zwischen dem Verkaufs- und dem Marketingkonzept auf den Punkt:

»Beim Verkaufen stehen die Bedürfnisse des Verkäufers im Mittelpunkt; beim Marketing die Bedürfnisse des Käufers. Das Verkaufen ist beseelt vom Wunsch des Verkäufers, sein Produkt zu Geld zu machen; Marketing ist beseelt von der Idee, die Wünsche des Kunden zu erfüllen, und zwar durch das Produkt und alle dazugehörigen Handlungen – von seiner Kreation und Bereitstellung bis hin zu seinem Verbrauch.«[16]

Das Marketingkonzept ruht auf vier Säulen: *Fokussierung auf den Markt, Orientierung am Kunden, koordiniertes Marketing und Gewinn durch zufriedene Kunden.* Diese werden in Abbildung 1-6 veranschaulicht und dem Verkaufskonzept gegenübergestellt. Die Perspektive beim Verkaufskonzept verläuft *von innen nach außen*: Der Ausgangspunkt ist die Fertigung; das Bezugsobjekt sind die Produkte des Hauses; sie bedürfen intensiver Verkaufs- und Verkaufsunterstützungsmaßnahmen, um durch genügend Umsatz einen Gewinn zu erzielen. Die Perspektive beim Marketingkonzept verläuft *von außen nach innen*: Ausgangspunkt ist der Markt; das Bezugsobjekt sind die Kundenwünsche; sie müssen durch ein koordiniertes Vorgehen bei allen marketingrelevanten Handlungen berücksichtigt werden, um einen Gewinn durch Zufriedenstellung der Kunden zu erzielen. *Im Kern ist das Marketingkonzept ein markt- und kundenorientierter, koordinierter Marketingansatz*, der zum Ziel hat, den Kunden zufriedenzustellen, da dies der Schlüssel zur Erreichung der Unternehmensziele ist.

Im folgenden wird nun untersucht, inwiefern jede der vier Säulen des Marketingkonzepts zu einem effektiveren Marketing beiträgt.

Fokussierung auf den Markt

Kein Unternehmen kann jeden Markt bedienen und jedes Bedürfnis befriedigen. Nicht einmal innerhalb eines einzigen breitgefächerten Marktes kann es umfassend gute Arbeit leisten: Auch der Computerriese IBM kann nicht für jedes Kundenbedürfnis die optimale Lösung anbieten. Am besten fahren die Unternehmen, wenn sie für ihre Märkte sorgfältig Grenzen ziehen, wenn sie für jeden Zielmarkt ein passendes Marketingprogramm ausarbeiten.

Ein Autohersteller kann sich mit Personen- und Lieferwagen, Sportflitzern und Luxusautos befassen. Doch diese Produkteinteilung legt die Zielgruppe im Markt nur ungenau fest. Es geht auch genauer: Ein japanischer Autobauer entwickelt z. B. einen Wagen für die berufstätige Frau, der viele Merkmale aufweisen wird, die ein vornehmlich für Männer konzipiertes Auto nicht hat. Ein anderer japanischer Hersteller entwickelt ein Auto für den »Stadtmenschen«, also z. B. für die Personen, die mit dem Auto in der Stadt fahren müssen und es möglichst problemlos einparken wollen. In jedem dieser Fälle hat das Unternehmen ein Zielfeld im Markt definiert, das die Konzeption des Produkts nachhaltig beeinflussen wird.

Orientierung am Kunden

Es ist denkbar, daß ein Unternehmen seinen Markt sorgfältig definiert und sich trotzdem nicht am Kunden orientiert. Dazu folgendes Beispiel:

In einem Unternehmen der Chemieindustrie erfanden die Chemiker eine neue Substanz, die sich zu einer Art »Kunstmarmor« verfestigte. Bei der Suche nach Anwendungsmöglichkeiten kam die Marketingabteilung zu dem Schluß, daß die Substanz zur Herstellung von Badewannen für die nach Eleganz strebenden Häuslebauer verwendet werden könne. Also machte man sich ans Werk, entwickelte einige Prototypen und mietete einen Stand bei einer Badewannenausstellung an. Man hoffte, die Badewannenhersteller davon überzeugen zu können, das neue Material zu verwenden. Obwohl die Hersteller durchaus der Ansicht waren, daß die neuen Wannen attraktiv aussähen, erteilte keiner von ihnen einen Auftrag. Die Gründe dafür wurden offenbart: Die neue Badewanne würde 2.000 $ kosten; für diesen Preis konnten die Verbraucher bereits echte Marmor- oder Onyxwannen erstehen. Darüber hinaus waren die Badewannen derart schwer, daß die Badezimmerböden verstärkt werden mußten, was wiederum Geld kostete. Und schließlich wurden die meisten Wannen in der Preisklasse um die 500 $ herum verkauft, weil nur wenige Käufer bereit waren, 2.000 $ für eine Wanne auszugeben. Das heißt, das Chemieunternehmen hatte zwar einen möglichen Markt definiert, sich aber nicht an den Wünschen der Kunden orientiert.

Orientierung am Kunden heißt, daß das Unternehmen die zufriedenzustellenden Kundenwünsche sorgfältig festzulegen hat, und zwar aus *der Sicht des Kunden*, nicht aus der eigenen Sicht. Jedes Produkt erfordert bei seinen Leistungseigenschaften und seinem Preis Kompromisse. Die Unternehmensleitung kann diese Kompromisse nicht ermitteln, wenn sie nicht mit den Kunden redet und keine Marktforschung betreibt. Ein Autokäufer würde sicherlich einen leistungsstarken Wagen wollen, der nie eine Reparatur braucht, sicher ist, schön aussieht und wenig kostet. Da kein Modell all diese Leistungen gleichzeitig erbringen kann, müssen die Hersteller schwierige Kompromißentscheidungen fällen. Dabei dürfen sie sich nicht danach richten, was ihnen gefallen würde, sondern danach, was die Kunden wollen oder erwarten. Schließlich lautet das Ziel, die eigenen Produkte zu verkaufen, indem man die Kunden zufriedenstellt.

Warum ist es nun von so herausragender Bedeutung, den Kunden zufriedenzustellen? Im Grunde deshalb, weil der Umsatz des Unternehmens aus zwei Quellen stammt: *Neukunden* und *Stammkunden*. Es ist immer teurer, Neukunden zu akquirieren, als die momentanen Kunden zu behalten. Daher ist es wichtiger, sich seine *Kunden zu sichern*, als *neue Kunden zu akquirieren*. Und der Schlüssel zur Kundensicherung ist die *Kundenzufriedenheit*.

Ein zufriedener Kunde
- kauft wieder
- empfiehlt das Unternehmen weiter
- beachtet Marken und Werbung der Konkurrenz weniger
- kauft weitere Produkte des Unternehmens.

Ein japanischer Geschäftsmann formulierte dies wie folgt: »Wir wollen mehr, als den Kunden zufriedenzustellen. Wir wollen ihn *begeistern*.« Dies ist ein höherer Anspruch und vielleicht auch das Geheimnis des erfolgreichen Marketers. Er will mehr erreichen als die bloße Erfüllung der Kundenerwartungen. Wenn er die Kunden begeistert, tragen diese ihre positiven Erfahrungen an noch mehr Leute weiter. Begeisterte Kunden sind die beste Werbung; sie übertreffen jede Anzeige.

Sehen wir uns nun an, was geschieht, wenn der Kunde unzufrieden ist. Während ein zufriedener Kunde nur drei Leuten von seinen guten Erfahrungen mit dem Produkt berichtet, schimpft ein unzufriedener Kunde bei elf Personen darüber. Eine Erhebung zeigt sogar an, daß 13 Prozent der Befragten, die ein Problem mit einem Anbieter hatten, sich bei mehr als zwanzig anderen über das Unternehmen beschwerten. [17] Wenn nun jeder, dem eine Beschwerde zugetragen wurde, diese an elf andere weitergibt, die ihrerseits wieder elf anderen davon erzählen, dann wird klar, daß ein schlechter Leumund schneller die Runde macht als ein guter. Dies kann ohne weiteres die öffentliche Meinung über das betroffene Unternehmen vergiften.

Daher ist jedes Unternehmen gut beraten, den Zufriedenheitsgrad der Kunden zu überprüfen. Dabei kann es sich jedoch nicht darauf verlassen, daß sich unzufriedene Kunden von selbst bei ihm beschweren werden, denn 96 % der unzufriedenen Kunden teilen ihre Beschwerden dem betroffenen Unternehmen nie mit. [18] Dies unterstreicht, daß Unternehmen den Kunden systematisch Gelegenheit geben sollten, ihre Beschwerden ohne Scheu anzuzeigen. Nur so finden sie heraus, wie gut sie eigentlich sind. Darüber hinaus sind Kundenbeschwerden auch ein wichtiges Lerninstrument. Bei 3M ist man der Ansicht, daß mehr als zwei Drittel aller innovativen Ideen durch Kundenbeschwerden ausgelöst werden können.

Es reicht nicht, den Beschwerden der Kunden nur zuzuhören. Das Unternehmen muß darauf auch konstruktiv reagieren:

Von den Kunden, die sich beschweren, werden 54 bis 70 % wieder beim Unternehmen kaufen, wenn der Beschwerdegrund beseitigt wird. Dieser Wert erhöht sich sogar bis auf 95 %, wenn der Kunde das Gefühl hat, daß seine Beschwerde rasch erledigt wurde. Kunden, die sich beschwert haben und deren Beschwerde zu ihrer Zufriedenheit erledigt wurde, berichten im Durchschnitt fünf anderen von der Behandlung, die sie erfahren haben. [19]

Erkennt ein Unternehmen, daß ein treuer Kunde über Jahre hinweg einen beträchtlichen Umsatz gebracht hat, wäre es töricht, durch Nichtbeachtung oder Widerspruch gegen eine kleine Beschwerde den Verlust dieses Kunden zu riskieren. IBM verlangt z. B. von jedem Verkäufer einen umfassenden Bericht über jeden verlorenen Kunden und alle Maßnahmen, die zur Wiederherstellung der Kundenzufriedenheit ergriffen wurden.

Ein kundenorientiertes Unternehmen verfolgt das Zufriedenheitsniveau in regelmäßigen Abständen und setzt sich konkrete Verbesserungsziele. So erreichte z. B. die zu General Motors gehörende Adam Opel AG, wo man anhand einer Indexzahl die Zufriedenheit der Kunden mit den Opel-Händlern und dem Garantie-Service mißt, im Jahr 1988 einen Wert von 84 (Maximum 100) für die Zufriedenheit mit den Händlern und von 82 mit dem Garantieservice. Man hoffte, bis zum Jahr 1990 diese Werte auf 90 bzw. 86 zu steigern. Die Loyalitätsrate der Opel-Besitzer lag im Jahr 1988 bei 68,2%. Diesen Wert wollte man bis zum Jahr 1990 auf 80% steigern. Wenn es Opel gelingt, die Kundenzufriedenheit und Markentreue weiter zu erhöhen, hat man weniger Zukunftssorgen, auch wenn in einem bestimmten Jahr die Ertragslage einmal schlechter ist. Man ist auf dem richtigen Weg. Wenn hingegen selbst bei steigendem Gewinn die Kundenzufriedenheit nachläßt, ist man auf dem falschen Weg. Es kann viele Gründe für Gewinnveränderungen in einem bestimmten Jahr geben, z.B. das Kosten-, Preis- oder Investitionsgefüge. Doch das entscheidende Symptom dafür, daß ein Unternehmen gesund ist, liegt in einem hohen und sich ständig weiter erhöhenden Maß an Kundenzufriedenheit. Die Kundenzufriedenheit ist der aussagekräftigste Indikator für die Zukunft des Unternehmens. Die Gewinne hingegen sagen uns, wie wirtschaftlich es dem Unternehmen gelingt, die Wünsche der Kunden zu erfüllen. Exkurs 1-2 veranschaulicht dies.

Exkurs 1-2: Das Erfolgsgeheimnis von L. L. Bean: Kundenzufriedenheit

L. L. Bean Inc. mit Sitz in Freeport, Maine, ist eines der erfolgreichsten amerikanischen Versandhäuser, das sich auf robuste Kleidung und Ausrüstungen für das rauhe Leben in der Natur spezialisiert hat. Das Unternehmen hat sein internes und externes Marketingprogramm sorgfältig aufeinander abgestimmt. Hier ein Auszug aus seinem Angebot an die Kunden:

100%ige Garantie

All unsere Produkte sollen Sie 100%ig zufriedenstellen, und zwar in jeder Hinsicht. Sollte dies einmal nicht der Fall sein, senden Sie uns zurück, was Sie gekauft haben. Wir ersetzen es entweder oder zahlen Ihnen den Kaufpreis zurück – ganz wie Sie es wünschen. Wir wollen nicht, daß Sie etwas von uns haben, mit dem Sie nicht völlig zufrieden sind.

Um die Angestellten dazu anzuhalten, den Kunden gut zu bedienen, ist in den Büroräumen unübersehbar in großer Schrift folgendes zu lesen:

Der Kunde ist die wichtigste Person in diesen Räumen – ganz gleich, ob er persönlich oder per Brief »anwesend« ist.

Der Kunde braucht nicht uns, sondern wir ihn.

Der Kunde hilft nicht uns bei der Arbeit, sondern gibt uns Arbeit. Nicht wir tun ihm einen Gefallen, wenn wir ihn bedienen, sondern er tut uns einen Gefallen, wenn er uns die Möglichkeit bietet, ihn zu bedienen.

Mit einem Kunden streitet man weder, noch testet man seine Klugheit. Noch niemand hat von einem Streit mit dem Kunden etwas gehabt.

Ein Kunde bringt uns seine Wünsche nahe. Es ist unsere Aufgabe, diese Wünsche zu seinem und unserem Vorteil zu erfüllen.

Quelle: Broschüren und Plakate von L. L. Bean, Inc., Freeport, Maine.

Koordiniertes Marketing

Leider ist die Ausbildung und Motivation der Mitarbeiter nicht immer so, daß alle gemeinsam und koordiniert im Interesse des Kunden handeln. In einem Unternehmen beschwerte sich einmal ein Techniker, daß die Verkäufer im Hause immer auf der Seite des Kunden stünden und nie die Interessen des Unternehmens im Auge hätten. Und den Kunden warf er vor, daß sie »immer zu viel wollen«. Welche Koordinationsprobleme es geben kann, wird auch durch folgendes Beispiel verdeutlicht:

Der Marketingdirektor einer großen Fluggesellschaft will den Marktanteil seines Unternehmens steigern. Seine Strategie besteht darin, durch bessere Mahlzeiten, sauberere Kabinen und besser geschulte Kabinencrews die Kundenzufriedenheit zu verbessern. Doch in diesen Bereichen fehle ihm die Anordnungsbefugnis. Die Beschaffungsabteilung wählt das Essen so aus, daß es kostengünstig ist. Die Wartungsabteilung überträgt die Wartung an die Vertragspartner mit dem niedrigsten Angebot. Die Personalabteilung sucht das Bordpersonal nicht danach aus, wie freundlich und willig es andere Menschen bedienen will. Da in diesen Abteilungen in der Regel ein kosten- und produktionsorientiertes Denken im Vordergrund steht, werden seine Bemühungen um die Steigerung der Kundenzufriedenheit abgeblockt.

Koordiniertes Marketing bedeutet zweierlei: Erstens müssen die einzelnen Marketingfunktionen – Verkauf, Werbung, Marktforschung etc. – aufeinander abgestimmt werden. Nur allzu oft sind die Verkäufer auf den Produktmanager zornig, weil er »zu hohe« Preise oder »zu große« Mengen will; oder es gibt Meinungsunterschiede zwischen dem Werbeleiter und dem Produktmanager über die beste Werbekampagne für die Marke. Diese Marketingfunktionen müssen an erster Stelle koordiniert werden, und zwar vom Blickwinkel des Kunden aus.

Zum zweiten müssen die Aktivitäten der Marketingabteilung auf die der anderen Unternehmensbereiche abgestimmt werden. Es gibt kein erfolgreiches Marketing, wenn es nur in einer Abteilung stattfindet. Der Erfolg stellt sich nur dann ein, wenn alle Mitarbeiter wissen, wie sehr sie die Kundenzufriedenheit beeinflussen. David Packard von Hewlett-Packard drückte dies so aus: »Marketing ist zu wichtig, um es allein der Marketingabteilung zu überlassen.« IBM geht sogar soweit, daß für jeden der insgesamt 400.000 Arbeitsplätze definiert wird, was er mit dem Dienst am Kunden zu tun hat. Ein IBM-Betriebsleiter weiß, daß durch Betriebsbesichtigungen Kunden gewonnen werden können, wenn der Betrieb ordentlich ist und er mit Stolz herzeigen kann, was er für die Qualitätssicherung tut. Bei IBM wissen selbst Buchhalter, Einkäufer und andere, wie ihre Tätigkeit dem Kunden hilft. Sie sind darin geschult und dazu motiviert, den Kunden zuvorkommend zu behandeln.

Um koordiniertes Handeln zu bewirken, gehören zum Marketingkonzept *interne* und *externe* Marketingaktivitäten. Zum *internen Marketing gehört die Anwerbung, Schulung und Motivation fähiger Mitarbeiter, die im Dienst am Kunden ihr Bestes geben.* In der zeitlichen Abfolge muß das interne Marketing vor dem externen Marketing stehen. Es ist nicht sinnvoll, Dienstbeflissenheit in der Werbung zu versprechen, ehe die Mitarbeiter dazu bereit sind.

Diese Bereitschaft muß auf allen Ebenen der Unternehmenshierarchie bewirkt werden. Viele Marketer halten die klassische Unternehmenshierarchie – eine Pyramide mit dem Unternehmensleiter an der Spitze, dem Management in der Mitte und den Linienfunktionen (Verkäufer, Kundendienstleute, Telefonisten, Empfangspersonal) – im Sinne des Marketingkonzepts für verkehrt. Unternehmen, die Spitzenleistungen im Marketing bringen, wissen es besser: Sie stellen die Pyramide auf den

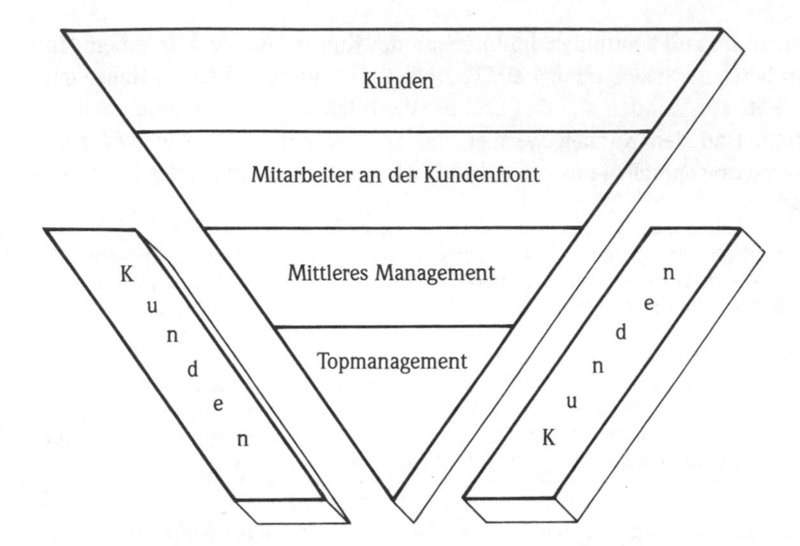

Abbildung 1-7
Unternehmenshierarchie nach dem Marketingkonzept

Kopf (vgl. Abbildung 1-7). Ganz oben stehen nun die Kunden. Nummer zwei sind die Mitarbeiter »an der Kundenfront«, die direkt mit dem Kunden zu tun haben, ihn bedienen und zufriedenstellen. Darunter ist das mittlere Management angesiedelt, dessen Aufgabe es ist, die Mitarbeiter an der Kundenfront so zu unterstützen, daß der Dienst am Kunden noch verbessert wird. Und zuletzt, ganz unten am Fuß der umgekehrten Pyramide, befindet sich das Topmanagement, dessen Aufgabe es ist, die mittlere Führungsebene zu unterstützen, damit diese wiederum der Kundenfront zuarbeiten kann – denn dort wird sich letztendlich entscheiden, ob der Kunde zufrieden ist oder nicht. An beiden Flanken der Pyramide wurden die Kunden nochmals eingetragen. Damit soll darauf hingewiesen werden, daß alle Führungskräfte im Unternehmen die Kunden kennen und sich persönlich um sie bemühen müssen.

Gewinn durch zufriedene Kunden

Durch das Marketingkonzept soll die Verwirklichung der Organisationsziele gefördert werden. Beim privatwirtschaftlichen Unternehmen lautet das wesentliche Erfolgsziel Gewinn. Non-Profit-Organisationen und öffentlich-rechtliche Institutionen verfolgen das Ziel, ihren Fortbestand zu sichern und genügend Geldmittel auf sich zu lenken, um ihre Aufgabe erfüllen zu können. Für das privatwirtschaftliche Unternehmen liegt der Schlüssel zum Erfolg nicht im Streben nach Gewinn; vielmehr ist der Gewinn der Maßstab für erfolgreiches Wirken. Der General Motors-Manager, der einmal gesagt hat, »Unsere Aufgabe ist es, Gewinne zu machen, und nicht Autos«, hat falsche Prioritäten gesetzt. Ein Unternehmen macht Geld, wenn es die Kunden mehr zufriedenstellt, als die Konkurrenz es vermag. Und die unternehmerische Aufgabe besteht nicht darin, Geld oder Autos zu machen, sondern einen rentablen Weg zu finden, um die vielfältigen Wünsche der Menschen nach Fortbewegungsmöglichkeiten zu erfüllen.

Ein hervorragendes Beispiel für die Zufriedenstellung von Kundenwünschen ist IKEA. Das schwedische Möbelversandhaus wurde kurz nach dem Zweiten Weltkrieg gegründet und entwickelte sich in den letzten 20 Jahren dank eines durchschlagenden internationalen Marketingkonzepts zum weltweiten Marktführer.

IKEAs Zielmarkt sind Käufer mit mittleren Einkommen im Alter von 25 bis 44 Jahren. Die Produkte sind von schlichtem Design und vorzugsweise aus natürlich anmutenden Materialien hergestellt. An der Eingangstür eines IKEA-Verkaufshauses erhält der Kunde einen Katalog mit ausführlicher Produktbeschreibung, einen Führer durch die Ausstellungsräume, ein Maßband, einen Bestellzettel und einen Bleistift. Freundliche Beratung im Geschäft ist selbstverständlich, und ein Familien-Restaurant sowie ein Kinderspielraum samt Aufsicht machen es möglich, daß Kaufinteressenten ohne Zeitdruck im Geschäft verweilen können. Eingekaufte Waren können innerhalb von 14 Tagen ohne Angabe von Gründen gegen volle Kostenerstattung zurückgegeben werden. Selbstabholer sind beim Möbeltransport automatisch und kostenlos versichert, wenn sie eine Karte zum IKEA-Familienpaß ausfüllen.

Das Unternehmen ist so erfolgreich, daß es wegen der rasanten Nachfragesteigerung in den bestehenden Geschäften geplante Neueröffnungen an vielen anderen Standorten zurückstellen muß. IKEA hat sich konsequent der Idee verschrieben, zielgruppengerecht und kundenorientiert durch koordiniertes Marketing ein hohes Maß an Kundenzufriedenstellung zu bieten. Die erzielten Gewinne, Marktanteile und Wachstumsraten beweisen, daß die Unternehmensleitung den richtigen Weg beschritten hat.

Die Zufriedenheit der Kunden in den Vordergrund zu stellen, bedeutet natürlich nicht, daß sich der Marketer keine Sorgen um die Profitabilität macht. Im Gegenteil, er ist ganz massiv an der Ermittlung des Gewinnpotentials der einzelnen Marketingprojekte beteiligt. Während sich die Verkäufer in der Regel auf die Erreichung eines bestimmten Umsatzziels konzentrieren, beschäftigen sich die Marketer mit der Erarbeitung gewinnträchtiger Marktchancen. Die folgende Episode zeigt ganz anschaulich den Unterschied zwischen einem, der lediglich Aufträge entgegennimmt, einem, der verkaufen will, und einem, der Marketing betreibt:

Ein Schuhfabrikant schickte seinen Finanzchef in ein Entwicklungsland, um herauszufinden, ob man dort tätig werden sollte. Bald schickte der Finanzchef ein Telex: »Die Leute tragen hier kaum Schuhe. Es gibt hier keinen wesentlichen Markt dafür.«

Der Unternehmensleiter beschloß, seinen besten Verkäufer zu entsenden, um diese Aussage zu überprüfen. Nach einer Woche kam ein Telex von diesem Mann: »Die Leute hier tragen noch keine Schuhe. Die Marktchancen sind enorm!«

Da er die Situation nun genauer abklären wollte, schickte der Chef nun seinen Marketingleiter. Nach zwei Wochen traf ein Telex ein: »Die Leute hier tragen keine Schuhe. Das tut ihren Füßen nicht gut; Schuhe wären gut für sie. Wir müßten allerdings unsere Schuhe umgestalten, da hier alle schmalere Füße haben. Es würde einiges kosten, den Menschen hier die Vorteile von Schuhen klarzumachen. Vor allem müßten wir uns zunächst die Mitarbeit des Stammeshäuptlings sichern. Die Eingeborenen haben zwar kein Geld, bauen aber die besten Ananas an, die ich je probiert habe. Ich habe das Absatzvolumen an Schuhen für die ersten drei Jahre, alle Kosten sowie die Absatzchancen für Ananas über eine europäische Supermarktkette abgeschätzt. Ich denke, daß wir eine Rendite von 20 Prozent erzielen können. Meiner Meinung nach sollten wir loslegen.«

Es liegt auf der Hand, daß dieser Marketingchef sich nicht allein mit Marketingaspekten befaßte (er machte ein Bedürfnis aus und fand einen Weg, um es zu befriedigen), sondern auch mit der Erfolgsrechnung. Er sah seine Aufgabe darin, gewinnbringende Kundengruppen zu erschließen.

Die vier tragenden Säulen des Marketingkonzepts – Fokussierung auf den Markt, Orientierung am Kunden, koordiniertes Marketing und Gewinn durch zufriedene

Kunden – treten klar zutage, wenn man sieht, wie es der Fluglinie SAS gelang, unter der glanzvollen marktorientierten Führung eines neuen Präsidenten, Jan Carlzon, auf Erfolgskurs zu steuern:

Exkurs 1-3: Wie Jan Carlzon die Fluggesellschaft SAS zur Marktorientierung führte

Als Jan Carlzon im Jahr 1980 bei Scandinavian Airlines das Ruder übernahm, schrieb man dort rote Zahlen. Bereits seit einigen Jahren hatte die Unternehmensleitung versucht, dieses Problem durch Kosteneinsparungen zu lösen. Carlzon hielt dies für den falschen Weg: Seiner Meinung nach mußte man nach neuen Wegen suchen, um im Wettbewerb bestehen und die Erlöse erhöhen zu können. SAS hatte keinerlei Schwerpunktstrategie und kein Marktzielfeld, sondern sah vielmehr alle Reisenden als seine Zielgruppe an und konnte dabei keiner Gruppe besondere Vorteile bieten; ganz im Gegenteil: SAS galt als eine der unpünktlichsten Fluggesellschaften in Europa. Der Druck der Konkurrenz war so stark geworden, daß Carlzon folgendes herausfinden mußte:

- Wer sind unsere Kunden?
- Welche Bedürfnisse haben sie?
- Was müssen wir tun, damit sie uns bevorzugen?

Carlzon kam zu dem Schluß, daß man sich auf die vielfliegenden Geschäftsleute und deren Bedürfnisse konzentrieren mußte. Doch er mußte feststellen, daß andere Fluggesellschaften ebenso dachten. Sie hatten in der Business Class breitere Sitze eingerichtet und boten dort kostenlose Getränke und andere Annehmlichkeiten. SAS mußte daher einen Weg finden, diese Dinge besser zu machen als andere, um zur bevorzugten Linie der Vielflieger zu werden. Zunächst mußte die Marktforschung herausfinden, was der Geschäftsreisende wünschte und welchen Service er erwartete. Carlzons Ziel war es, bei 100 Details um 1 Prozent besser zu sein als die anderen, statt bei einem einzigen Detail um 100 Prozent.

Die Marktforscher ermittelten, daß pünktliche Ankunft die Nummer eins auf der Prioritätenliste der Geschäftsreisenden war. Darüber hinaus wollten sie einen schnellen Check-in und ihr Gepäck rasch zurückhaben. Carlzon richtete Dutzende von Arbeitsgruppen ein, die Ideen zur Verbesserung dieser und anderer Dienstleistungen liefern sollten. Das Resultat waren Hunderte von Projekten, aus denen 150 ausgewählt und mit einem Investitionsaufwand von 40 Mio. $ realisiert wurden.

Eines der Schlüsselprojekte war, durch Schulungsmaßnahmen allen SAS-Mitarbeitern das Prinzip der totalen Orientierung am Kunden zu vermitteln. Carlzon schätzte, daß der Passagier pro Reise im Durchschnitt mit fünf SAS-Angestellten Kontakt hatte. Jeder dieser Kontakte war ein »Moment der Wahrheit« für SAS. Bei fünf Mio. Fluggästen pro Jahr bedeutete dies 25 Mio. Momente der Wahrheit, in denen SAS den Gast entweder zufriedenstellte oder enttäuschte. Um den Angestellten die richtige Einstellung zum Kunden zu vermitteln, schickte SAS 10.000 Mitarbeiter, die den meisten Kontakt zum Kunden hatten, auf zweitägige Schulungsseminare, und darüber hinaus 2.500 Führungskräfte auf dreiwöchige Kurse. Für Carlzon waren die Mitarbeiter an der Kundenfront die wichtigsten. Die Führungskräfte sollten es den nahe am Kunden tätigen Angestellten ermöglichen, ihre Aufgaben direkt am Kunden gut zu erfüllen. Seine Funktion als Unter-

nehmensleiter sah er wiederum darin, den Führungskräften bei ihrer Unterstützungsarbeit zu helfen.
Das Ergebnis: Innerhalb von vier Monaten wurde SAS zur anerkannt pünktlichsten Fluggesellschaft Europas, und konnte diese Position auch halten. Die Check-in-Systeme erlauben nun eine wesentlich schnellere Abfertigung und bieten dem in einem SAS-Hotel abgestiegenen Gast die Möglichkeit, sein Gepäck direkt zum Flughafen zu schicken, wo es sofort verladen wird. Auch das Ausladen des Gepäcks nach der Landung geht nun viel schneller vonstatten. Eine weitere Innovation besteht darin, daß SAS nur Business Class-Tickets anbietet, es sei denn, der Fluggast bucht ausdrücklich die Economy Class. Das verbesserte Ansehen der Fluggesellschaft bei den Geschäftsreisenden führte in Europa zu einer Erhöhung der Umsätze bei Vollpreistickets um 8 Prozent und bei Interkontinentalflügen auf 16 Prozent – eine ganz schöne Leistung angesichts des harten Preiswettbewerbs und des damaligen Nullwachstums in der Verkehrsluftfahrt.
Die Wende, die Carlzon bei SAS bewirkte, ist Beleg für die Kundenzufriedenheit und die finanziellen Erfolge, die ein Spitzenmanager herbeiführen kann, wenn er eine unternehmerische Vision und ein Ziel vor Augen hat, das alle mitreißt und dazu veranlaßt, einen einheitlichen Kurs zu steuern – und der heißt: die richtige Kundenzielgruppe zufriedenstellen.

Wie viele Unternehmen haben nun neben SAS das Marketingkonzept verwirklicht? Die Antwort lautet: zu wenige. Nur wenige Unternehmen zeichnen sich durch eine gekonnte Anwendung des Marketingkonzepts besonders aus, darunter Procter & Gamble, IBM, McDonald's, Mövenpick, Lego und Eismann.

Diese Unternehmen verstehen es nicht nur, sich nach dem Kunden zu richten, sondern verfügen auch über eine Organisationsstruktur, die wirksame Reaktionen auf den Wandel der Kundenbedürfnisse ermöglicht. Sie nennen nicht nur eine personell gut ausgestattete Marketingabteilung ihr eigen, sondern auch alle anderen Bereiche: Fertigung, Finanzen, F & E, Personalwesen, Einkauf und akzeptieren, daß »der Kunde König ist«. In diesen Unternehmen gibt es eine Marketingkultur, die in allen Abteilungen und Geschäftsbereichen fest verankert ist.

In den meisten Unternehmen ist die Marketingorientierung noch nicht voll entwickelt. Sie *denken*, sie beherrschen das Marketing, weil sie einen Marketingleiter, Produktmanager, eine Verkaufsorganisation, einen Werbeetat etc. haben. *Doch eine Marketingabteilung zu haben, ist noch keine Garantie für die Marktorientierung des Unternehmens.* So manches Unternehmen ist aktiv im Markt dabei und versagt, weil es das Gesamtbild nicht sieht und sich nicht auf den Wandel der Kundenbedürfnisse und des Wettbewerbs einstellt. Das trifft für viele Unternehmen zu. AEG bewegte sich bereits am Rande des Konkurses; Chrysler war fast am Ende; und Unternehmen wie BMW (Motorräder), Xerox, Agfa und Zenith – allesamt vormals in führender Marktposition – mußten beträchtliche Marktanteile an die Konkurrenz abgeben.

Viele erfaßten das Marketingkonzept nie und gingen unter, wie die Geschichte von ganzen Industriezweigen (Uhren, Kameras, Motorräder und Schreibmaschinen) in Deutschland zeigt. So wurden z. B noch im Jahre 1968 in der Bundesrepublik drei Millionen Fotoapparate von 20 Herstellern produziert. Überlebt hatten bis 1988 jedoch nur drei vormals große Marken – Leica, Minox und Rollei –, die zusammen nur noch knapp 100.000 hochpreisige Kameras verkauften. Sie hatten mit roten Zahlen zu kämpfen, und Minox ging 1989 in Konkurs. [20]

Die meisten Unternehmen erfassen oder verwenden das Marketingkonzept erst dann, wenn die Umstände sie dazu zwingen. Folgende Entwicklungen können dies bewirken:

- **Absatzrückgang**
  Wenn die Absätze sinken, geraten die Unternehmen in Panik und fangen an, nach Antworten zu suchen. So gingen z. B. die Auflagen verschiedener Zeitungen zurück, als sich immer mehr Leute den Nachrichten im Fernsehen zuwandten. Einige Verleger erkennen nun, daß sie nur sehr wenig darüber wissen, warum die Menschen Zeitungen lesen und was sie von der Lektüre erwarten. Daher wenden sich die Verleger nun der Verbraucherforschung zu und versuchen, ihre Zeitung so zu gestalten, daß sie modern, aktuell und für den Leser interessant ist.
- **Verlangsamtes Wachstumstempo**
  Wachsen die Absätze nur langsam, wird dies einige Unternehmen dazu veranlassen, sich nach neuen Märkten umzusehen. Sie erkennen, daß sie Marketing-Know-how brauchen, um neue Chancen erfolgreich feststellen, abschätzen und auswählen zu können. So kam man bei Dow Chemical anläßlich der Suche nach neuen Einnahmequellen zu dem Schluß, in Konsumgütermärkte einzusteigen, und gab viel Geld für den Erwerb von Marketing-Know-how aus.
- **Wechselndes Kaufverhalten**
  Viele Unternehmen sind in Märkten tätig, wo sich die Verbraucherwünsche schnell verändern. Sie brauchen daher mehr Marketing-Know-how, wenn sie auf dem Markt bleiben und ihren Kunden Produkte von Wert bieten wollen.
- **Wachsender Konkurrenzdruck**
  Behäbige Unternehmen sehen sich von neuen, marketingorientierten Wettbewerbern bedroht. Um diese Herausforderung zu bestehen, sind sie plötzlich gezwungen, sich das erforderliche Marketing-Know-how anzueignen. So war American Telephone and Telegraph (AT&T) bis in die 70er Jahre hinein ein durch Gesetzgebung geschütztes, im Marketing unerfahrenes Unternehmen. Dann wurde plötzlich auch anderen Unternehmen gestattet, Telekommunikationsgeräte an AT&T-Kunden zu verkaufen. Nun sprang AT&T ins Marketing-Wasser und heuerte die besten Marketingspezialisten an, die zu finden waren, um wettbewerbsfähig zu bleiben. [21] In eine ähnliche Lage gerät auch die Deutsche Bundespost, wenn sie unter dem Druck des Europäischen Binnenmarktes in Produktbereiche zergliedert wird, die sich dem Wettbewerb stellen müssen.
- **Steigende Kosten**
  So manches Unternehmen befindet, daß die Kosten für Werbung, Verkaufsförderung, Marktforschung und Kundendienst überhand nehmen und beschließt daraufhin, die Erfüllung der Marketingfunktion dem ganzen Unternehmen bewußt zu machen, anstatt übermäßig viel Geld für schlechte Marketingprogramme auszugeben. Dann ist eine formale Gesamtbewertung der Marketingleistung angebracht. [22]

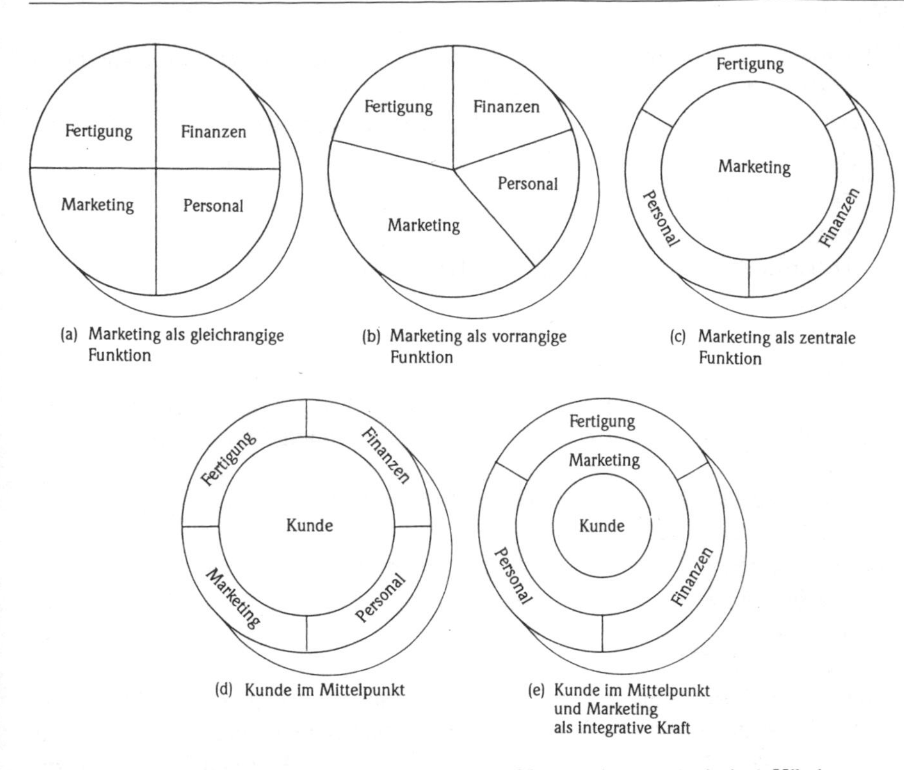

Abbildung 1-8
Meinungsbildungsprozeß bezüglich der Rolle des Marketing im Unternehmen

Bei der Umwandlung zum marktorientierten Unternehmen sind drei Hürden zu nehmen: organisierter Widerstand, langsame Lernprozesse und »schnelles Vergessen«.

Organisierter Widerstand

Einige Abteilungen – sehr oft sind dies die Fertigung, das Finanzwesen und die F & E-Abteilung – sehen eine Intensivierung des Marketing gar nicht gern, weil sie ihre Macht bedroht sehen. In Abbildung 1-8 wird diese Bedrohung veranschaulicht. Zunächst wird die Marketingfunktion in einem ausgewogenen Machtverhältnis als eine von mehreren gleichrangigen betrieblichen Funktionen betrachtet (vgl. Abbildung 1-8 a). Eine unzureichende Nachfrage veranlaßt dann die Marketer, mit dem Argument aufzuwarten, daß ihre Funktion etwas wichtiger ist als die anderen (vgl. Abbildung 1-8 b). Ein paar Marketingenthusiasten gehen sogar noch weiter und sagen, die Marketingfunktion sei die wichtigste im gesamten Unternehmen, da es ohne Kunden auch kein Unternehmen geben könne. Für sie bildet das Marketing den Unternehmenskern, dem die anderen Bereiche zuarbeiten (vgl. Abbildung 1-8 c). Diese Sicht der Dinge schürt den Zorn der anderen Manager, da sie sich nicht gern als »Auftragnehmer« des Marketing sehen. Der kluge Marketer löst dieses Problem, indem er nicht das Marketing, sondern den Kunden in den Mittelpunkt der Unternehmensaktivitäten stellt (vgl. Abbildung 1-8 d). Er spricht sich für die *Kundenorientierung* und die Zusammenarbeit aller betrieblichen Funktionen aus, um so den Kunden verstehen, bedienen und zufriedenstellen zu können. Zu guter Letzt führen dann einige Marketer aus, daß dem Marketing doch eine zentrale Position im

Unternehmen zukommt, wenn die Bedürfnisse des Kunden korrekt interpretiert und wirksam befriedigt werden sollen (vgl. Abbildung 1-8 e).

Der Marketer begründet sein Unternehmenskonzept (gemäß Abbildung 1-8 e) wie folgt:

1. Die Aktiva des Unternehmens sind von geringem Wert, wenn man keine Kunden hat.
2. Daher ist es die Schlüsselaufgabe des Unternehmens, Kunden zu gewinnen und zu halten.
3. Kunden werden durch zugkräftige Angebote gewonnen und durch Zufriedenstellung an das Unternehmen gebunden.
4. Es liegt beim Marketing festzulegen, woraus ein für die Kunden zugkräftiges Angebot besteht, und sicherzustellen, daß den Kunden Zufriedenstellung geboten wird.
5. Die tatsächliche Zufriedenstellung der Kunden wird durch die Leistung der anderen Abteilungen beeinflußt.
6. Die Marketingfunktion muß Einfluß auf oder die Kontrolle über diese anderen Abteilungen haben, wenn man die Kunden im erwarteten Maß zufriedenstellen will.

Trotz dieser Logik wehrt man sich vielerorts immer noch gegen das Marketing. Dieser Widerstand ist besonders groß, wo Marketing erstmals zum Einsatz kommen soll. Dies gilt z.B. für Rechtsanwaltskanzleien, Krankenhäuser oder Hochschulen. Dort gibt es widerborstige Professoren, Juristen und Ärzte, die der Meinung sind, daß eine »Vermarktung« ihrer Dienste entwürdigend sei, und Verbandsvorsitzende und Verwalter, die nicht einsehen, daß die Mittelzuteilung auf die verschiedenen Dienstleistungen nachfrageabhängig sein sollte. Ein amerikanischer Journalist lieferte mit einer Hetztirade unter dem Titel *»Beware the ›Market‹ Thinkers«* ein treffendes Beispiel für diese Marketingfeindlichkeit. [23] Er warnte alle Zeitungen davor, bloß keine Marketingleute ins Haus zu lassen, da sie keine Ahnung von den Aufgaben einer Zeitung hätten, d.h. Nachrichten zu drucken. Marketing – so seine Meinung – sei keine Lösung für die landesweit sinkenden Leserzahlen. Und die Marketingleute würden all die guten Dinge im modernen Zeitungswesen kaputtmachen.

Langsame Lernprozesse

Trotz einiger Widerstände gelingt es vielen Unternehmen, die Marketingfunktion hausintern zu stärken. Wie? Nun, der Unternehmensleiter unterstützt das Marketing ganz entschieden; neue Stellen werden geschaffen; Marketingtalente von außen werden eingekauft; Manager in Schlüsselfunktionen besuchen Marketingseminare, um sich weiterzubilden; das Marketingbudget wird beträchtlich angehoben; Marketingplanungs- und -kontrollsysteme werden eingeführt.

Doch trotz solcher Schritte geht der Lernprozeß dazu, was Marketing in seinem ganzen Umfang für das Unternehmen bedeutet, nur langsam vonstatten. In der Regel durchläuft dieser Prozeß mehrere Stufen. Im folgenden Exkurs liefern wir ein Beispiel aus dem amerikanischen Bankwesen, das jedoch zunehmend auch auf europäische Banken zutrifft.

Exkurs 1-4: Die fünf Stufen auf dem Weg zum Marketingverständnis im Bankwesen

Bis Mitte der 50er Jahre hatten die Banken nur wenig Verständnis für das Marketing. Schließlich lieferte eine Bank gefragte Dienstleistungen und brauchte den Kunden die Vorteile von Girokonten, Spareinlagen, Krediten oder Schließfächern nicht zu erläutern. Die Bankgebäude waren wie Tempel gebaut; sie sollten Bedeutung und Beständigkeit ausstrahlen. Das Interieur hingegen war streng und seriös, ebenso wie das Lächeln der Angestellten. In so mancher Kreditabteilung fand sich der Kunde auf einem niedrigen Stuhl wieder, überragt vom massiven Schreibtisch seines Gegenübers, der das Bürofenster im Rücken hatte, während der verschüchterte Kunde, der zu erklären versuchte, warum er einen Kredit brauchte, die Sonne im Gesicht hatte. Soweit die Haltung einiger Banken vor dem Zeitalter des Marketing.

Stufe 1: Marketing als Werbung, Verkaufsförderung und Öffentlichkeitsarbeit

Marketing kam zunächst als Werbung und Verkaufsförderung in die Banken. Der Wettbewerb der Banken um die Spareinlagen wurde schärfer. Einige Banken begannen mit massiver Werbung und Verkaufsförderung. Sie boten Werbegeschenke, wie Spargutscheine, Regenschirme, Radios und andere »Lockvögel« zur Eröffnung eines neuen Kundenkontos an. Damit zwangen sie die Konkurrenz, ebenso vorzugehen und auszuschwärmen, um sich die Dienste von Werbeagenturen und Promotionfachleuten zu sichern.

Stufe 2: Marketing als Lächeln und freundliche Atmosphäre

Die Banken, die als erste moderne Werbe- und Promotionmethoden einführten, fanden schnell heraus, daß ihr Wettbewerbsvorteil durch viele Nachahmer dahinschwand. Sie lernten, daß man zwar die Kunden leicht in die Bank locken, sie aber schwer zu loyalen Kunden machen konnte. Diese Banken begannen nun mit Programmen zur »Umschmeichelung« der Kunden: Die Bankiers lernten zu lächeln, die Gitterstäbe am Häuschen des Kassierers wurden entfernt und das Innere der Gebäude so umgestaltet, daß eine freundliche Atmosphäre entstand. Auch der strenge Baustil wurde aufgegeben. In einer solchen Entwicklungsstufe erfand z.B. die Dresdner Bank das »Grüne Band der Sympathie«.
Diese Banken gewannen bald neue Kunden, die sie auch halten konnten. Die Rivalen zogen jedoch mit ähnlichen Programmen nach. Und bald waren alle Banken so freundlich, daß der Faktor Freundlichkeit seine Bedeutung als Auswahlkriterium verlor.

Stufe 3: Marketing als Innovation

Die Banken entdeckten erneut einen differenzierenden Wettbewerbsvorteil, sofern sie merkten, daß sie einen Markt finden konnten, wenn sie das Bedürfnis der Kunden nach neuen Geldgeschäften deckten. Sie fingen an, innovative Produkte anzubieten, wie Kreditkarten, Weihnachtssparprogramme und Dispo-Kredite über Bankautomaten.
Jede Finanzdienstleistung läßt sich jedoch leicht imitieren, und ein Vorsprung ist schnell dahin. Nur wenn eine Bank ständig innoviert, kann sie ihren Vorsprung vor den anderen halten.

Stufe 4: Marketing als Positionierung

Was geschieht aber, wenn alle Banken werben, lächeln und innovieren? Sie werden sich ähnlich. Sie sind gezwungen, sich auf andere Weise von der Konkurrenz abzuheben. Sie erkennen, daß keine Bank alles bieten und für alle Kunden als die beste gelten kann. Sie muß ihre Chancen analysieren und eine »bestimmte Position« einnehmen.
Positionierung ist mehr als Imagebildung. Zur Imagebildung versucht die Bank, im Kopf des Kunden das Bild eines großen, freundlichen oder leistungsstarken Geldinstituts zu etablieren. Oft greift man dabei zu einem Symbol, z.B. zu einem Löwen (Harris Bank in Chicago) oder einem Känguruh (Continental Bank in Chicago), um die unverwechselbare Persönlichkeit des Hauses zu unterstreichen. Dennoch könnte der Kunde die rivalisierenden Banken – mit Ausnahme des unterschiedlichen Symbols – als gleichartig ansehen. Mit der Positionierung versucht die Bank, sich durch *wirkliche Unterschiede* von den Mitbewerbern abzugrenzen, um damit zur bevorzugten Bank eines bestimmten Marktsegments zu werden. Die Positionierung hilft dem Kunden, die wirklichen Unterschiede zwischen den Rivalen klarer zu erkennen, und er sucht sich die Bank, die seine Bedürfnisse am ehesten befriedigt. Die Volks- und Raiffeisenbanken z.B. versuchen, ihre Positionierung als »Bank, die den Weg frei macht«, durch Werbung zu erhärten.

Stufe 5: Marketing als Marketinganalyse, -planung und -steuerung

Für das Marketing der Banken gibt es ein »gehobenes« Konzept. Ob eine Bank dieses Konzept hat, zeigt sich daran, ob sie ein effektives System zur Marketinganalyse, -planung und -steuerung eingerichtet hat. Ein Beispiel: Einer großen Bank, die ansonsten in ihrer Werbung, Freundlichkeit, Innovationsfreude und Positionierungsstrategie recht fortschrittlich war, mangelte es an systematischer Marketingplanung und -steuerung. In jedem Geschäftsjahr legten die Kreditmanager ihre Umsatzziele vor – in der Regel 10 Prozent höher als im Vorjahr – und forderten dann eine entsprechende Anhebung ihres Etats. Diesen Vorschlägen lag keinerlei konkrete Argumentation oder Plan zugrunde. Die Führungsspitze zeigte sich mit den Kreditmanagern zufrieden, da sie die gesteckten Umsatzziele erreichten. Eines Tages trat einer der Manager, dem man stets gute Leistungen bescheinigt hatte, in den Ruhestand und wurde durch einen jüngeren ersetzt, dem es gelang, im folgenden Jahr das Kreditvolumen bei Industriekunden um 50 Prozent zu steigern! Die Bank mußte schmerzvoll erfahren, daß man es versäumt hatte, Marktforschung zu betreiben, das Potential der einzelnen Zielmärkte zu ermitteln, Marketingpläne zu erarbeiten, Quoten festzusetzen und angemessene Anreizsysteme einzurichten.

»Schnelles Vergessen«

Selbst wenn sich ein Unternehmen organisationsmäßig auf ein effektives Marketing eingerichtet hat und sein Marketingkonzept ausgereift ist, muß es sich vor einem »schnellen Vergessen« der Marketingprinzipien hüten. Im Lichte erzielter Marketingerfolge vergißt das Unternehmen die Marketinggrundsätze leicht. In den 50er und 60er Jahren z.B. drang eine Reihe amerikanischer Unternehmen in die europäischen

Märkte ein. Man hatte auf dem US-Markt erprobte Produkte und Marketingfähigkeiten und rechnete mit großen Erfolgen in Europa. Doch viele scheiterten, und zwar vornehmlich, weil sie die oberste Marketingmaxime »*Du mußt deinen Zielmarkt kennen und wissen, wie du seine Bedürfnisse befriedigen kannst*« vergaßen. Sie traten mit ihren Produkten und Werbeprogrammen in diese Märkte ein, statt sie auf die Bedürfnisse des jeweiligen Marktes zuzuschneiden. So war z.B. General Mills mit seinen Backmischungen der Marke *Betty Crocker* in den englischen Markt eingetreten und mußte schon bald darauf wieder den Rückzug antreten. Namen wie *Angel Cake* oder *Devil's Food Cake* klangen für englische Hausfrauenohren einfach zu exotisch. Und viele potentielle Kunden hatten den Eindruck, daß ein derart perfekter Kuchen, wie er auf den Betty Crocker-Packungen abgebildet war, am eigenen Herd wohl nur sehr schwer zustandezubringen war. Auch General Foods beging bei der Einführung seiner Marke »Maxim« in Deutschland solche Fehler. Die Entwicklung dieser Marke war in den USA von außerordentlich viel Marktforschung begleitet worden. Der Markenname, die Packungsform, unterschiedliche Werbe- und Verkaufsförderungsprogramme und Positionierungen für die Marke waren erforscht worden. Bei Maxim handelte es sich um ein Kaffee-Extraktgranulat, das durch Gefriertrocknung gewonnen wurde und damit wesentlich bessere Geschmackseigenschaften aufwies als die bisherigen löslichen Kaffeemarken. Die Manager von General Foods aus der deutschen Zentrale in Elmshorn entschieden sich dafür, die Deutschen als technisch interessierte Menschen anzusprechen. Bei der Einführung der Marke in Deutschland wollten sie den Verbrauchern klarmachen, daß der Kaffee gefriergetrocknet sei, und dramatisierten dies, indem sie in Werbeanzeigen ein Glas mit Maxim auf Eiswürfel gestellt zeigten. Diese Einführung brachte wenig Erfolg. Man hatte vergessen, die Wünsche der deutschen Verbraucher im Hinblick auf Kaffee zu berücksichtigen. Die Werbung suggerierte kalten Kaffee, der bei den Deutschen nicht ankommt. Diese amerikanischen Marketer hatten einfach die großen kulturellen Unterschiede zwischen den einzelnen europäischen Ländern – und manchmal gab es diese ja sogar innerhalb der einzelnen Länder – nicht erkannt. Und sie hatten die Notwendigkeit übersehen, dort zu beginnen, wo die Kunden, und nicht wo ihre Produkte herkommen.

Wohlfahrtsbedachtes Marketingkonzept

In den letzten Jahren wurde gelegentlich in Zweifel gezogen, ob das Marketingkonzept im Zeitalter der Umweltverschmutzung, Ressourcenknappheit, eines explosiven Bevölkerungswachstums, von Hungersnöten, Armut und der Vernachlässigung der sozialen Fürsorge wirklich die geeignete unternehmerische Philosophie sei.[24] Die Frage lautet, ob die Unternehmen, denen es hervorragend gelingt, die individuellen Wünsche der Verbraucher zu erspüren und zu decken, langfristig gesehen automatisch auch im besten Interesse der Konsumenten und der Gesellschaft handeln. Das Marketingkonzept befaßt sich nämlich kaum mit potentiellen Konflikten zwischen *Verbraucherwünschen, Verbraucherinteressen* und *langfristiger gesellschaftlicher Lebensqualität.*

Diese Zweifel am Marketingkonzept lassen sich durch folgende kritische Stellungnahmen belegen:

Die Fast-Food-Industrie liefert mit ihren Hamburgern zwar schmackhafte, aber keine ernährungsphysiologisch empfehlenswerten Produkte. Hamburger haben einen hohen Fettgehalt, und die Fast-Food-Restaurants bieten dazu auch noch Pommes Frites und Kuchen an, zwei Produkte mit hohem Fett- und Stärkegehalt. Damit befriedigen sie zwar die Kundenwünsche, schaden aber möglicherweise der Gesundheit des Verbrauchers. Die Fast-Food-Industrie produziert auch große Mengen Packungsmaterial und Papier- und Plastik-Eßbesteck. Dies befriedigt zwar das Bedürfnis der Kunden, Speisen und Getränke bequem überallhin mitzunehmen, belastet aber – als Wegwerfmüll – die Umwelt.
Die deutsche Autoindustrie zielte schon immer auf die Vorliebe der Deutschen für schnelle Autos. Doch die Erfüllung dieses Wunsches führte zu hohem Benzinverbrauch, starker Luftverschmutzung, mehr tödlichen Unfällen, Raserei und Streß auf den Autobahnen.
Die Getränke-Industrie hat sich dem Hang der Verbraucher zur Bequemlichkeit gebeugt und den Anteil an Einwegpackungen erhöht. Doch die Wegwerf-Verpackung ist eine gewaltige Verschwendung von Ressourcen. So sind ungefähr 17 Einweg-Flaschen vonnöten, wo vormals nur eine gebraucht wurde, die dann 17mal verwendet wurde, bevor sie aussortiert wurde oder kaputt ging; viele Einwegpackungen sind nicht biologisch abbaubar; sie wandern daher auf die Müllhalden und belasten die Umwelt.
Die Waschmittelindustrie gab dem Hang der Hausfrauen zu weißerer Wäsche und mehr Reinlichkeit im Haushalt nach und bot Produkte an, die als Nebenfolge Flüsse und Bäche verschmutzten. Einige Produkte, wie das Waschmittel Top Job oder der Sanitärreiniger Domestos, führten trotz hervorragender Reinigungskraft zu heftigen Protesten umweltbewußter Personengruppen.

Diese Sachverhalte ließen die Forderung nach einem neuen Konzept entstehen, welches das Marketingkonzept revidieren oder ersetzen sollte. Vorschläge hierfür sind »das humane Konzept«, »das intelligente Konsumkonzept« und »das Konzept des ökologischen Imperativs«, die alle auf verschiedene Elemente desselben Problems abstellen. [25] Unser Namensvorschlag lautet »das wohlfahrtsbedachte Marketingkonzept«.

Das wohlfahrtsbedachte Marketingkonzept besagt, daß die Aufgabe der Organisation darin besteht, die Bedürfnisse, Wünsche und Interessen der Zielmärkte zu ermitteln und die gewünschten Befriedigungswerte wirkungsvoller und wirtschaftlicher anzubieten als die Konkurrenten, und zwar auf eine Weise, die die Lebensqualität der Gesellschaft bewahrt oder verbessert.

Das wohlfahrtsbedachte Marketingkonzept verlangt vom Marketer, im Rahmen der Marketingpolitik einen Ausgleich zwischen drei Faktoren herbeizuführen. Dies sind *Betriebsgewinn, Befriedigung der Kundenwünsche* und *gesellschaftliches Interesse.* Ursprünglich fällten die Unternehmen ihre Marketingentscheidungen vornehmlich auf der Basis kurzfristiger ertragsorientierter Überlegungen. Dann erkannten sie allmählich die Langzeitbedeutung des Faktors Befriedigung der Kundenwünsche, was zur Einführung des Marketingkonzepts führte. Heute nun sind sie aufgerufen, auch die Interessen der Gesellschaft in den Entscheidungsfindungsprozeß miteinzubeziehen. Doch das wohlfahrtsbedachte Marketingkonzept erfordert einen Ausgleich zwischen allen drei genannten Faktoren. Durch die Übernahme und Umsetzung dieses Konzepts konnte eine Reihe von Unternehmen beträchtliche Umsatz- und Gewinnzuwächse verzeichnen. Hier ein Beispiel:

Giant Food Inc., eine der führenden Supermarkt-Ketten in der Region um Washington D.C., ergriff in der Ära der Verbraucherbewegungen die Initiative und führte Verbraucherinformationen wie Grundpreise für gängige Gewichtseinheiten, Angabe des Haltbarkeitsdatums und Beschreibung der verwendeten Stoffe und Substanzen auf den Verpackungen ein. Man entsandte Hauswirtschaftsspezialisten in die Läden, die den Kunden helfen sollten, beim Einkauf und bei der Zusammenstellung des Speiseplanes kritischer zu sein. Esther Peterson, die vorher als Beraterin des Unternehmensleiters in Verbraucherangelegenheiten tätig gewesen war, wurde in den Verwaltungsrat berufen, um der Chefetage Führungshilfen in Sachen verbraucherorientierter Einzelhandel zu geben. Nach Ansicht eines Sprechers des Hauses »haben diese Aktionen den Goodwill von Giant Food unglaublich gestärkt und dem Unternehmen die Bewunderung führender Vertreter der Verbraucherschutzorganisationen eingebracht.«

Verbreitung des Marketing als Managementfunktion

Die Funktion des Marketing-Management findet in Organisationen jeder Form und Größe, innerhalb und außerhalb des Wirtschaftssektors und in vielen unterschiedlichen Ländern wachsendes Interesse. Marketing-Management findet als besondere Funktion im Wirtschaftssektor, in Bereichen außerhalb des Wirtschaftssektors und auch international immer mehr Verbreitung.

Verbreitung im Wirtschaftssektor

In der Wirtschaft drang Marketing in unterschiedlicher zeitlicher Abfolge in das Bewußtsein der einzelnen Unternehmen ein. Henkel, Nestlé, BMW, Procter & Gamble und Coca-Cola waren unter den Pionieren zu finden. In der Verbrauchs-, Gebrauchs- und Industriegüterindustrie – und zwar in dieser Reihenfolge – hielt das Marketing schnell Einzug. Rohstoffabhängige Prozeßindustrien – Stahl, Chemie-, Glas- und Papierverarbeitung – folgten, und viele Unternehmen haben hier noch einen weiten Weg vor sich. Dann griffen auch Dienstleistungsanbieter, vor allem die Fluggesellschaften und Banken, zu modernen Marketingmethoden. Schließlich erwachte auch das Marketinginteresse von Versicherungsgesellschaften, obwohl es auch für sie noch ein weiter Weg zum kundenfreundlichen Marketing ist, denn in vielen Ländern haben sie sich als Interessenkartell mit Hilfe staatlicher Regulierung einem intensiven Wettbewerb entzogen.

Das jüngste Glied in der Kette der Interessenten sind Mitglieder von Standesverbänden – Anwälte, Steuerberater, Wirtschaftsprüfer, Ärzte und Architekten. In vielen Fällen untersagen die einschlägigen Berufsverbände ihren Mitgliedern einen Preiswettbewerb sowie eine aktive Kundenakquisition und Werbung. Aber auch hier wird es Auflockerungen geben. Die USA haben dabei die Vorreiterrolle übernommen, und Kanada zieht bereits nach. Viele Berufs- und Standesgenossenschaften, insbesondere unter den freien Berufen, haben »ethische Selbstbeschränkungen« eingeführt, die allen Mitgliedern eine vorgeschriebene Gebührenordnung auferlegen und die es ihnen untersagen, mit Preisen oder sonstigen Informationen zu werben oder Verkaufsförderung zu betreiben. Dadurch wissen in vielen Fällen die Kunden vor ihrer Kaufentscheidung nicht, welche Kosten ihnen durch die angebotenen Dienstleistungen entstehen und von welcher Qualität diese Leistungen sein werden. Wissenschaftliche Untersuchungen haben ergeben, daß solche Praktiken, die vielerorts kritisiert werden, preiserhöhend wirken. Viele Stimmen fordern auch hier die Einführung einer Marketingorientierung. Die amerikanische Kartellbehörde erließ bereits eine Verfügung, nach der diese Beschränkungen rechtlich unzulässig sind. Nun ist es auch in den USA Wirtschaftsprüfern, Anwälten und anderen freien Berufen erlaubt, zu werben und eine aggressive Preispolitik zu betreiben.

In den USA z.B. zwingt der scharfe Wettbewerb die Wirtschaftsprüfungsgesellschaften zu einer aggressiveren Haltung ... Die Wirtschaftsprüfer bestehen darauf, daß ihre Bemühungen um neue Aufgaben und Aufträge als »Fortschritt in der Berufsausübung« bezeichnet werden. Doch viele der mit diesem Euphemismus belegten Aktivitäten sind einfach ein Synonym für das, was in anderen Bereichen als »Marketing« bezeichnet wird ... Die Wirtschaftsprüfer sprechen von der »Positionierung« des eigenen Unternehmens und von der »Penetration« unterentwickelter Branchen. Sie stellen »Hitlisten« potentieller Kunden zusammen und »umgarnen« diese Kunden, indem sie enge soziale Kontakte zwischen den Partnern des eigenen Unternehmens und den Topmanagern der Kundenunternehmen knüpfen.[27]

Verbreitung im Non-Profit-Sektor

Auch Non-Profit-Organisationen, wie z.B. öffentliche Betriebe, Krankenhäuser, Museen und Symphonieorchester, müssen zunehmend die bisher nicht beachteten Marketingfunktionen und -methoden übernehmen. Betrachten wir hierzu folgende Entwicklungen:

Unter dem Druck der Kritik der Öffentlichkeit, der Wirtschaft und des zukünftigen Wettbewerbs ist die »Graue Post« dabei, sich als »Telekom« von ihrem bisherigen Selbstverständnis als monopolistisches Versorgungsunternehmen im Telekommunikationssektor zu lösen und unterschiedliche Dienstleistungskonzepte für unterschiedliche Marktsegmente zu entwickeln.
Die öffentlichen Fernsehanstalten müssen aufgrund des Wettbewerbs privater und ausländischer Sender ihre Programmgestaltung ändern, um in Zukunft ihre Existenz und ihre Fernsehgebühren durch ausreichend hohe Einschaltquoten zu rechtfertigen. Statt zu senden, was Intendanten und Ausschüsse von Rundfunkräten als richtig für das Volk befinden, müssen sie mehr auf das achten, was die Fernsehzuschauer sehen wollen. Sie müssen im Wettbewerb mit immer mehr Programmen ihr eigenes Programmangebot profilieren und im Markt positionieren.
Auch die Krankenhauskosten steigen in praktisch allen westlichen Ländern ständig. Die Kapazitäten vieler Kliniken, ganz besonders auf den Entbindungs- und Kinderstationen, sind nicht ausgelastet, und einige Kliniken mußten bereits ihre Türen schließen. Mehr als 40% der Kliniken in Amerika haben inzwischen einen Marketingdirektor. Vor einem Jahrzehnt waren es noch weniger als 1%.
Die Jugendherbergen werden trotz niedriger Übernachtungskosten weniger besucht, obwohl viele von ihnen versuchen, ihre Attraktivität durch »Erlebnisprogramme« zu steigern.
Die Mehrzahl der einstmals florierenden Non-Profit-Organisationen – der christliche Verein junger Männer, die Heilsarmee oder die Pfadfinder – klagt über einen ständigen Mitgliederschwund und revidiert fleißig das »Produktangebot«, um mehr Mitglieder und Spender zu gewinnen.

Diese Organisationen haben allesamt ein Marktproblem. Ihre Leitungsgremien ringen darum, wie sie die Organisation trotz des Wandels in der Verbrauchereinstellung und schrumpfender Geldmittel am Leben halten können, und wenden sich verstärkt an das Marketing, um mögliche Antworten auf ihre Probleme zu finden. Auch Ministerien und Behörden greifen bei einer Vielzahl ihrer Programme für die Öffentlichkeit oder für bestimmte Zielgruppen zu Marketingmethoden. Gemeinsam mit Marketingdienstleistern wie Werbeagenturen, Markt- und Meinungsforschern, entwickeln sie z. B. Kommunikationskampagnen gegen das Rauchen, gegen Alkohol am Steuer oder zur Aids- und Drogenbekämpfung und entfalten andere Aktivitäten, die im öffentlichen Interesse liegen. [28]

Internationale Verbreitung

Viele Unternehmen in aller Welt verbessern ihre Marketingfähigkeiten ständig. International operierende Konzerne wie z. B. Nestlé, Unilever, Sony, IBM und Apple, entwickelten ein großes Marketing-Know-how, und nicht selten gelang es ihnen, ihre Rivalen aus anderen Ländern zu übertrumpfen. Multinationale Unternehmen haben in aller Welt fortschrittliche Marketingmethoden eingeführt und verbreitet. Dies wiederum hat manches kleinere, inländische Unternehmen dazu veranlaßt, sich über eine Stärkung der Marketingaktivitäten ebenfalls Gedanken zu machen, um mit den multinationalen Unternehmen Schritt halten zu können.

In den sozialistischen und ehemals sozialistischen Staaten war das Wort Marketing als »kapitalistisch-dekadent« verschrien. Gleichwohl betrieben einige staatliche Institute in beschränktem Maße Marktforschung oder Werbung. Das umfassende staatliche Eigentum an allen Unternehmungen und die staatliche Lenkung führten dort zu wirtschaftlichen Schwierigkeiten. Gorbatschow erkannte diese Probleme und initiierte zwei Konzepte, die Abhilfe schaffen sollten, nämlich »Perestroika« (wirtschaftliche Umstrukturierung) und »Glasnost« (politische Offenheit). Diese Konzepte durchdrangen auch andere Ostblockländer, und diese unternahmen mutige Schritte, um ihre zentral gesteuerten Wirtschaftssysteme auf die Marktwirtschaft umzustellen. Hier gibt es enorme Herausforderungen, und die Umgestaltung wird viele Jahre, wenn nicht Jahrzehnte, in Anspruch nehmen. Die industrialisierten Länder des Westens und des Fernen Ostens – insbesondere die USA, Japan und Deutschland – leisten hier Hilfe, und einzelne westliche Unternehmen prüfen die großen Marktchancen, die sich in den Ostblockländern ergeben. [29]

Zusammenfassung

Unternehmen können ihren Fortbestand nicht mehr allein durch gute Arbeit sichern. Sie müssen Spitzenleistungen bringen, wenn sie bei langsamem Wachstum und hartem Wettbewerb auf nationalen und internationalen Märkten erfolgreich sein wollen. Den Verbrauchern und gewerblichen Abnehmern stehen zur Deckung ihrer Bedürfnisse eine Vielzahl von Auswahlmöglichkeiten offen. Daher achten sie bei der Auswahl des Anbieters auf Qualität und Preiswürdigkeit. Viele Studien belegen, daß Kenntnisse über den Kunden und die Erfüllung seiner Wünsche durch vorteilhafte Angebote der Schlüssel zum Erfolg sind. Und das Marketing hat die

Aufgabe, die Zielkunden im Markt zu bestimmen und zu ermitteln, auf welche Art deren Bedürfnisse und Wünsche auf wettbewerbsfähige und rentable Weise zufriedenzustellen sind.

Zu den Grundkonzepten des Marketing gehört, daß der Mensch ein Wesen mit Bedürfnissen und Wünschen ist. Unerfüllte Bedürfnisse und Wünsche empfindet der Mensch als unbehaglich. Diesem Zustand wird durch den Erwerb von Produkten zur Zufriedenstellung dieser Bedürfnisse und Wünsche abgeholfen. Es gibt viele Produkte zur Befriedigung jedes Bedürfnisses. Bei der Produktwahl spielen Nutzen, Kosten und Zufriedenstellung eine Rolle. Die Produkte sind auf vier Wegen erhältlich: durch Eigenproduktion, Zwang, Betteln und durch Austausch. In hochentwikkelten Gesellschaftsformen arbeitet man nach dem Prinzip des Austausches. Hier spezialisieren sich die Menschen auf die Herstellung bestimmter Produkte und tauschen sie gegen andere benötigte Leistungen ein. Sie sind Beteiligte an Transaktionen und am Aufbau von Beziehungen zueinander. Ein Markt ist eine Gruppe von Menschen, die ein gleichgeartetes Bedürfnis teilen. Marketing umfaßt alle Aktivitäten, die eine Zusammenarbeit mit einem Markt zum Gegenstand haben, d. h. den Versuch, potentielle Austauschprozesse zu verwirklichen.

Marketing-Management ist der gezielte Versuch, angestrebte Austauschergebnisse in den Zielmärkten zu bewirken. Zu den Grundaufgaben des Marketers gehört es, auf das Niveau, den zeitlichen Ablauf und das Wesen der Nachfrage für ein Produkt, eine Dienstleistung, eine Organisation, einen Ort, eine Person oder eine Idee Einfluß zu nehmen.

Es gibt fünf Grundeinstellungen des Unternehmens gegenüber dem Markt und zur Führung des Unternehmens und seiner Aktivitäten. Das Produktionskonzept beinhaltet, daß die Konsumenten Produkte bevorzugen, die erschwinglich und leicht verfügbar sind. Hier besteht die Hauptaufgabe der Unternehmensleitung darin, die Wirtschaftlichkeit der Fertigung und Warendistribution zu erhöhen und die Preise niedrig zu halten. Das Produktkonzept beinhaltet, daß die Verbraucher Produkte guter Qualität zu angemessenen Preisen bevorzugen. Hier ist nur ein geringes Maß an Verkaufsförderungsaktivitäten vonnöten. Das Verkaufskonzept beinhaltet, daß die Verbraucher die angebotenen Produkte nicht in ausreichender Menge kaufen werden, wenn sie nicht durch beträchtliche Verkaufs- und Promotionanstrengungen zum Kauf stimuliert werden. Das Marketingkonzept beinhaltet, daß die Hauptaufgabe des Unternehmens darin besteht, die Bedürfnisse, Wünsche und Präferenzen der Kundenzielgruppe zu ermitteln und diese dann zu befriedigen. Die vier Grundelemente dieses Konzepts sind Fokussierung auf den Markt, Ausrichtung am Kunden, koordiniertes Marketing und Gewinn durch zufriedene Kunden. Das wohlfahrtsbedachte Marketingkonzept beinhaltet, daß es die wichtigste Aufgabe des Unternehmens ist, für die Zufriedenheit des Kunden und die langfristige Lebensqualität der Verbraucher und der Gesellschaft zu sorgen; dies ist der Schlüssel für die Erfüllung der Unternehmensziele und -verpflichtungen.

Marketing breitet sich als bewußt betriebene Managementfunktion aus, da immer mehr Organisationen im Wirtschaftssektor, im Non-Profit-Sektor und auf internationaler Ebene in vielen Wirtschaftssystemen erkennen, auf welche Weise Marketing zu besseren Leistungen im Markt und zur Wohlfahrt der Gesellschaft beitragen kann.

Anmerkungen

1 Thomas J. Peters und Robert H. Waterman Jr.: *Auf der Suche nach Spitzenleistungen,* Landsberg: Verlag Moderne Industrie, 12. unveränderte Auflage 1989.
2 Vgl. Friedhelm Bliemel: »Marketing und Grundkonzepte zur Unternehmensführung« in: F. Bliemel (Hrsg.): *Das Unternehmen im Wettbewerb: Bausteine zu einer erfolgreichen Marketingposition,* Berlin: E. Schmidt Verlag, 1990.
3 Thomas J. Peters und Nancy Austin: *Leistung aus Leidenschaft,* Hamburg: Hoffmann und Campe, 1. Aufl. 1986, und Thomas J. Peters: *Kreatives Chaos,* Hamburg: Hoffmann und Campe, 1988.
4 Buck Rogers und Robert L. Shook: *IBM – Einblick in die erfolgreichste Marketing-Organisation der Welt,* Landsberg: Verlag Moderne Industrie, 1986.
5 Weitere Definitionen finden sich in Anmerkung 7 unten.
6 Vgl. Theodore Levitts zum Klassiker gewordenen Artikel: »Marketing Myopia«, in: *Harvard Business Review,* Juli – August 1960, S. 45–56, und »Marketing-Kurzsichtigkeit«, in: *Harvard Manager,* 1979.
7 Im folgenden einige weitere nützliche Definitionen von Marketing (-Management):
Marketing ist der Prozeß, durch den eine Organisation auf kreative, produktive und gewinnbringende Weise eine Beziehung zum Markt herstellt.
Marketing ist die Kunst, Kunden auf gewinnbringende Weise zu finden und zufriedenzustellen.
Marketing bedeutet, die richtigen Waren und Dienstleistungen zur richtigen Zeit an die richtigen Leute am richtigen Ort zum richtigen Preis und mit Hilfe der richtigen Kommunikations- und Absatzförderungsaktivitäten zu bringen.
8 Vgl. »Texas Instruments Shows U.S. Business How to Survive in the 1980s«, in: *Business Week,* 18. September 1978, S. 66ff. Mit dieser Strategie war TI allerdings nicht uneingeschränkt erfolgreich, vor allem bei der Vermarktung von Uhren und PCs auf den Konsumentenmärkten. Vgl. auch: »When Marketing Failed at Texas Instruments«, in: *Business Week,* 22. Juni 1981, S. 91–94.
9 Vgl. M. Schneider (1988): »Falsch getippt«, in: *Wirtschaftswoche,* 26. August 1988, S. 109–110.
10 Vgl. »Pfälzer Schuhe wollen Farbe bekennen« in: *Rheinpfalz,* 10. Juni 1988.
11 Vgl. Lee Smith: »A Miracle in Search of a Market«, in: *Fortune,* 1. Dezember 1980, S. 92–98.
12 Vgl. Irving J. Rein: *Rudy's Red Wagon: Communication Strategies in Contemporary Society,* Glenview, Ill: Scott, Foresman, 1972.
13 Vgl. Joseph McGinniss: *The Selling of the President,* New York: Trident Press, 1969, sowie die Sonderausgabe des *Journal of Marketing,* Vol. 13, No. 3, 1984, über politische Werbung.
14 Aus: Peter Drucker: *Management: Tasks, Responsibilities, Practices,* New York: Harper & Row, 1973, S. 64–65.
15 Vgl. John B. McKitterick: »What is the Marketing Management Concept?« in: *The Frontiers of Marketing Thought and Action,* Chicago: American Marketing Association, 1957, S. 71–82; Fred J. Borch: »The Marketing Philosophy as a Way of Business Life« in: *The Marketing Concept: Its Meaning to Management,* Marketing Series, No. 99, New York: American Management Association, 1957, S. 3–5; sowie Robert J. Keith: »The Marketing Revolution«, in: *Journal of Marketing,* Januar 1960, S. 35–38.
16 Vgl. Levitt: »Marketing Myopia« in: *Harvard Business Review,* Juli–August 1960, S. 45–56.
17 Während der Präsidentschaft Carters führte ein Forschungsinstitut namens Technical Assistance Programs (TARP) im Auftrag des *White House Office of Consumer Affairs* eine Reihe von Untersuchungen über das Kundenverhalten durch. Die hier zitierten Schlüsselergebnisse dieser Untersuchungen finden sich in: Karl Albrecht und Ron Zemke: *Service America!,* Homewood, Ill.: Dow-Jones Irwin, 1985, S. 6–7.
18 Ebenda.
19 Ebenda.
20 Vgl. M. Schneider: »Sprung in der Optik«, in: *Wirtschaftswoche,* 12. Februar 1988 S. 104–106.

21 Vgl. Bro Uttal: »Selling Is No Longer Mickey Mouse at AT&T, in: *Fortune*, 17. Juli 1978, S. 98–104.

22 Die formale Gesamtbewertung der Marketingleistung wird ausführlich diskutiert bei Thomas V. Bonoma und Bruce H. Clark: *Marketing Performance Assessment*, Boston: Harvard Business School Press, 1988.

23 Vgl. William H. Hornby: »Beware the ›Market‹ Thinkers«, in: *Quill*, 1976, S. 14 ff.

24 Vgl. Lawrence P. Feldman: »Societal Adaptation: A New Challenge for Marketing«, in: *Journal of Marketing*, Juli 1971, S. 54–60; Martin L. Bell und C. William Emery: »The Faltering Marketing Concept«, in: *Journal of Marketing*, Oktober 1971, S. 37–42; sowie Franklin S. Houston: »The Marketing Concept: What It Is and What It Is Not«, in: *Journal of Marketing*, April 1986, S. 81–87.

25 Vgl. Leslie M. Dawson: »The Human Concept: New Philosophy for Business«, in: *Business Horizons*, Dezember 1969, S. 29–38; James T. Rothe und Lissa Benson: »Intelligent Consumption: An Attractive Alternative to the Marketing Concept«, in: *MSU Business Topics*, Winter 1974, S. 29–34; sowie George Fisk: »Criteria for a Theory of Responsible Consumption«, in: *Journal of Marketing*, April 1973, S. 24–31.

26 Vgl. Philip Kotler und Paul Bloom: *Marketing Professional Services*, Englewood Cliffs, N.J., Prentice Hall, 1984.

27 Vgl. Deborah Rankin: »How C.P.A.'s Sell Themselves«, in: *New York Times*, 25. September 1977.

28 Weiteres Material darüber findet sich bei Philip Kotler und Alan R. Andreasen: *Strategic Marketing for Nonprofit Organizations*, Englewood Cliffs, N.J.: Prentice-Hall, 1987.

29 Vgl. Padma Desia: *Perestroika in Perspective: The Design and Dilemmas of Sovjet Reform*, Princeton, N.J.: Princeton University Press, 1989, und Wolfgang J. Koschnick: »Russian Bear Bullish on Marketing«, in: *Marketing News*, 21. November 1988, S. 1.

Strategische Planung als Vorbereitung zum Erfolg

Kapitel 2

Es gibt drei Arten von Unternehmen: die einen bewirken, daß etwas geschieht; die anderen beobachten, was geschieht; und wieder andere fragen sich, was geschehen ist.

Volksmund

In Kapitel 1 stellten wir die Frage, was ein wirkliches Spitzenunternehmen ausmacht. Wir befanden als teilweise Antwort darauf, daß sich Spitzenunternehmen in hohem Maße durch ihre Mitarbeiter und deren Engagement für die Gewinnung und Zufriedenstellung von Kunden auszeichnen. In diesem Kapitel können wir die Antwort vervollständigen: Spitzenunternehmen verstehen es, sich auf das in ständigem Wandel begriffene Markt- und Umweltgeschehen einzustellen und jeweils angemessen zu reagieren. Sie beherrschen die Kunst der *marktorientierten strategischen Planung*. Wir definieren strategische Planung wie folgt:

Strategische Planung ist ein managementbetriebener Prozeß, bei dem die *Ziele* und *Ressourcen* des Unternehmens an die sich ändernden *Marktchancen* angepaßt werden. Die strategische Planung bezweckt, die verschiedenen Geschäftseinheiten und Produktgruppen des Unternehmens so zu gestalten und auch umzugestalten, daß sie in ihrer Gesamtheit angemessene Gewinne und ein zufriedenstellendes Wachstum hervorbringen.

Sehr vereinfachend kann man zwischen strategischer und taktisch-operativer Planung folgenden Unterschied machen:

Die strategische Planung bestimmt, *was* zu tun ist, die taktisch-operative Planung bestimmt, *wie* vorgegangen werden soll. *Eine Strategie verfolgen heißt, die richtigen Dinge zu betreiben. Taktik heißt, die Dinge richtig zu betreiben.*

Die strategische Planung und die damit verbundene Ansammlung von Konzepten und Instrumenten finden seit Anfang der siebziger Jahre viel Beachtung. In den fünfziger und sechziger Jahren kam das Management noch recht gut mit taktisch-operativer Planung aus. Bei kontinuierlich steigender Gesamtnachfrage war es damals selbst bei schlechtem Management ein außergewöhnliches Ereignis, daß ein Geschäftszweig zugrunde gerichtet wurde. Doch dann brachen die turbulenten siebziger Jahre an. Die Krisen jagten einander. Nach dem israelisch-arabischen Krieg im Jahre 1973 schossen die Ölpreise in die Höhe und führten zur Güter- und Energieverknappung und merklich steigenden Inflationsraten. Daraufhin kam es in den bis dahin führenden industrialisierten Ländern zu einer wirtschaftlichen Stagnation bei steigender Arbeitslosigkeit. Aus Japan und anderen Ländern des fernen Ostens gelangten niedrigpreisige Qualitätsprodukte auf den Weltmarkt, so daß selbst die Unternehmen in einigen Renommierbranchen Europas und der USA, z.B. der Stahl-, Auto-, Motorrad-, Uhren- und Fotoindustrie, Marktanteilseinbußen hinnehmen mußten. Es folgte die Deregulierung vieler Branchen in den USA, und zwar in so bedeutenden Bereichen wie der Telekommunikations- und Transportindustrie, Energiewirtschaft, Gesundheitswesen, Rechtsberatung und Wirtschaftsprüfung. Die alten Regeln galten plötzlich nicht mehr, und viele Unternehmen sahen sich im In- und Ausland einem starken Wettbewerbsdruck ausgesetzt, der sie bis an die Grenzen ihrer Leistungskraft trieb. Auch in Europa finden die Deregulierung und der Wettbewerbsgedanke politische Unterstützung. Die Unternehmen sind gut beraten, sich auf die veränderten Bedingungen nach »Europa '92« vorzubereiten.

Diese Serie von Krisen und Erschütterungen erforderte für viele Unternehmen ein neues Planungsvorgehen, um plötzlich auftretende Turbulenzen in ihren Geschäftseinheiten oder Produktlinien unbeschadet zu überstehen. Dieses Planungsvorgehen umfaßt drei Grundgedanken. Der erste besagt, daß die Unternehmung als *Portfolio*, als eine aus verschiedenen Geschäftseinheiten bestehende Gesamtheit, betrachtet werden müsse. Als Vorbild dient dabei das Wertpapierportefeuille im Finanzbereich, dessen Manager jedes Anlageinstrument regelmäßig daraufhin überprüft, ob mehr hinzugekauft, ein Teil verkauft oder alles abgestoßen werden sollte. Dieses Prinzip läßt sich auch auf ein Unternehmen anwenden, das in mehreren Tätigkeitsfeldern aktiv ist bzw. verschiedene Produkte oder Produktlinien anbietet. Es gilt also zu ermitteln, in welchen Geschäftseinheiten *ausgebaut*, *erhalten*, *abgebaut* (wo abgeschöpft oder geerntet) oder *eliminiert* werden sollte. Diese Frage gewinnt besonders dann zentrale Bedeutung, wenn die Ressourcen eines Unternehmens nicht ausreichen, um alle seine Geschäftseinheiten zu pflegen. Mit diesem Problem mußten sich seit den siebziger Jahren viele Unternehmen auseinandersetzen. Es ist wenig sinnvoll, die Mittelzuwendungen an alle Geschäftseinheiten proportional zu beschneiden, denn jede hat ein unterschiedliches Gewinnpotential. Man muß das zukünftige Gewinnpotential eines jeden Geschäftsfeldes ermitteln und auf dieser Basis das Firmenkapital umverteilen und einsetzen. Eine sorgfältige Ressourcenzuweisung an die verschiedenen Unternehmenssegmente ist damit einer der zentralen Aspekte der strategischen Planung.

Der zweite Grundgedanke betrifft die zuverlässige Ermittlung des *zukünftigen Gewinnpotentials* jedes Geschäftsfeldes. Eine kurzfristige Planung von einem Jahr zum anderen genügt den Unternehmen heute nicht mehr, ebensowenig wie eine einfache Extrapolation der bisherigen geschäftlichen Entwicklungen. Vielmehr muß das Unternehmen lernen, verschiedene, analytisch geprägte Szenarios zu entwerfen, anhand derer dann die künftigen Bedingungen auf den einzelnen Märkten, die das Unternehmen bearbeitet, prognostiziert werden. Es käme das Unternehmen teuer zu stehen, weiterhin einen Markt zu bedienen, aus dem es sich besser zurückziehen sollte – und umgekehrt. Auch kann ein Unternehmen nicht allein anhand der heutigen Umsätze und Gewinne erkennen, welche Bereiche es fördern sollte. Dazu ein Beispiel:

Hätte die Ford Motor Company (USA) in den siebziger Jahren die damalige Gewinnsituation als Entscheidungsgrundlage für die künftigen Investitionen verwendet, wären die Mittel weiterhin in die Produktion von großen Limousinen geflossen. Eine von Ford durchgeführte Analyse hatte jedoch ergeben, daß die damals noch kräftig strömenden Gewinne in dieser Produktgruppe mit der Zeit versiegen würden. Ford mußte also seine Mittelverteilungspolitik umstrukturieren und mehr in die Herstellung von Kompaktwagen investieren, obwohl man in dieser Sparte damals noch rote Zahlen schrieb.

Der dritte Grundgedanke der strategischen Planung betrifft die Strategie selbst. Das Unternehmen muß für jedes seiner Geschäftsfelder einen »Schlachtplan« entwickeln, um seine langfristigen Zielsetzungen verwirklichen zu können. Dabei ist zu beachten, daß es *die* optimale Strategie für alle Marktteilnehmer in einer Branche nicht gibt. Jedes Unternehmen muß anhand seiner *Marktstellung*, *Ziele*, *Marktchancen* und *Ressourcen* die beste Lösung ermitteln. Im folgenden bringen wir vier Beispiele für die gänzlich unterschiedlichen Schlachtpläne wichtiger Marktteilnehmer in der Reifenindustrie, wie sie sich Anfang der achtziger Jahre darstellten:

Goodyear Tire & Rubber Co., der weltgrößte Reifenproduzent, nimmt in diesem Geschäftsfeld weiterhin umfangreiche Investitionen vor, auch wenn die Branchenentwicklung von verlangsamtem Wachstum, Überkapazitäten und Preiskriegen gekennzeichnet ist. Das Unternehmen wendet große Summen für die Modernisierung seiner Produktionsanlagen auf, um die Kosten zu senken und die Qualität seiner Erzeugnisse zu verbessern. Außerdem finanziert Goodyear eine umfassende Forschungsarbeit für die Neuentwicklung fortschrittlicher Reifentypen und steckt viel Geld ins Marketing, um die Markenpräferenzen der Kunden und Händler zu seinen Gunsten zu beeinflussen. Mit Hilfe dieser Bemühungen gelingt es Goodyear, zusätzliche Marktanteile zu erobern; es wird allerdings noch lange dauern, bis diese dem Unternehmen höhere Gewinne bescheren. [1]

Michelin erkämpfte sich durch Produktinnovationen eine führende Position. So entwickelte Michelin mit dem Stahlgürtelreifen einen Reifentyp, der eine längere Lebensdauer aufwies als die damaligen Konkurrenzprodukte. Dank seiner kontinuierlichen Innovationstätigkeit genießt das Unternehmen in bezug auf die Qualität seiner Erzeugnisse einen ausgezeichneten Ruf und kann es sich erlauben, hohe Preise zu verlangen. Vor kurzem kaufte Michelin das Reifengeschäft von Uniroyal Goodrich hinzu und schickte sich an, Goodyear den ersten Platz auf dem Markt streitig zu machen.

Uniroyal Goodrich, vormals die Nummer vier der Branche, hat sich für eine Diversifikationsstrategie entschieden und wird nun auch auf verschiedenen Märkten außerhalb der Reifenbranche aktiv. Das Unternehmen engagiert sich besonders in zwei neuen Geschäftsfeldern, nämlich in der Herstellung von Kunststoffprodukten und von chemischen Erzeugnissen für die Landwirtschaft. In diesen beiden Sparten erwirtschaftete das Unternehmen 33 Prozent seines Gesamtumsatzes und über 75 Prozent seiner Gewinne, ehe es das deutsche Reifengeschäft an Continental und den Rest des weltweiten Reifengeschäfts an Michelin veräußerte.

Armstrong Rubber Co. hat sich fast vollständig darauf spezialisiert, den Bedarf nach Ersatzreifen zu decken. Darüber hinaus konzentriert sich das Unternehmen auf ganz spezielle Marktnischen, z.B. auf die Reifenproduktion für Wohnwagen-, Freizeit- und landwirtschaftliche Fahrzeuge, und beweist immer wieder großes Geschick in der Auswahl und Bearbeitung dieser Nischen. »Wenn man in einem Marktsegment herausragende Leistungen bietet, zahlt sich das auch aus«, erklärte dazu der Unternehmensleiter, Frank R. O'Keefe, Jr. Er hat sowohl die strategische Planung des Hauses als auch die Marketingplanung erheblich differenzierter und ausgefeilter gestaltet, um rentable Marktsegmente besser identifizieren und anschließend in jedem ausgewählten Segment die Führungsposition erringen zu können. Armstrong wurde dann von Pirelli übernommen, eine italienische Unternehmensgruppe, die damit Zugang zu kleineren Marktnischen suchte.

Jedes der genannten Unternehmen paßt sich also auf seine Weise den ständigen Veränderungen in seinem Umfeld an und verfolgt einen eigenen Schlachtplan: Goodyear strebt eine deutliche *Kostensenkung* an, Michelin setzt auf *Innovation*, Uniroyal hat sich der *Diversifikation* verschrieben, und Armstrong bearbeitet vor allem kleine, doch äußerst profitable *Marktnischen*. Unter den richtigen Bedingungen kann jede dieser Strategien, wenn sie richtig durchgeführt wird, zum Erfolg führen.

Bei der strategischen Planung spielt das Marketing eine wichtige Rolle. Dazu ein Planungsexperte von General Electric:

Der Marketing-Manager bringt für die strategische Planung die funktionell bedeutendsten Beiträge. Er ist führend bei der Definition des Unternehmenszwecks, der Analyse der Umweltsituation, Wettbewerbslage und konjunktureller Entwicklung, der Erarbeitung von Ergebniszielen und strategischen Konzepten sowie bei der Produkt-, Markt-, Absatz- und Qualitätsplanung zur Verwirklichung der jeweiligen Teilstrategien. Und schließlich erarbeitet der Marketing-Manager auch Programme und Ablaufpläne, die sich mit den Vorgaben des strategischen Plans decken müssen. [2]

Um zu begreifen, worum es bei der Strategieplanung geht, muß man sich zunächst die Struktur des modernen Unternehmens vergegenwärtigen. Meist finden wir eine hierarchische Dreiteilung in Gesamtunternehmensebene, einzelne Geschäftsbereiche und Gliederung nach Produkten bzw. Produktgruppen. [3] Die Unternehmensleitung erstellt den strategischen Unternehmensplan, der dem Unternehmen eine erfolgreiche Zukunft sichern soll. Hier wird entschieden, wie die Ressourcenzuweisung an die einzelnen Geschäftsbereiche (Sparten oder manchmal auch noch zwischengeschaltete Tochtergesellschaften) aussehen soll und auf welchen neuen Tätigkeitsfeldern man sich künftig engagieren will. Jeder Geschäftsbereich erstellt einen strategischen Bereichsplan, um diesen Bereich im Rahmen der zugewiesenen Mittel in eine erfolgreiche Zukunft zu führen. Schließlich wird auf der Ebene der einzelnen Produkte (Produktlinien, Marken) innerhalb des Geschäftsbereichs ein Marketingplan erstellt, mit dessen Hilfe die angestrebten Ziele verwirklicht werden sollen. Diese Pläne werden umgesetzt, die Ergebnisse werden untersucht und ausgewertet, so daß eventuell erforderliche Korrekturen vorgenommen werden können. In Abbildung 2-1 wird dieser Prozeß der Planung, Durchführung und Steuerung graphisch dargestellt.

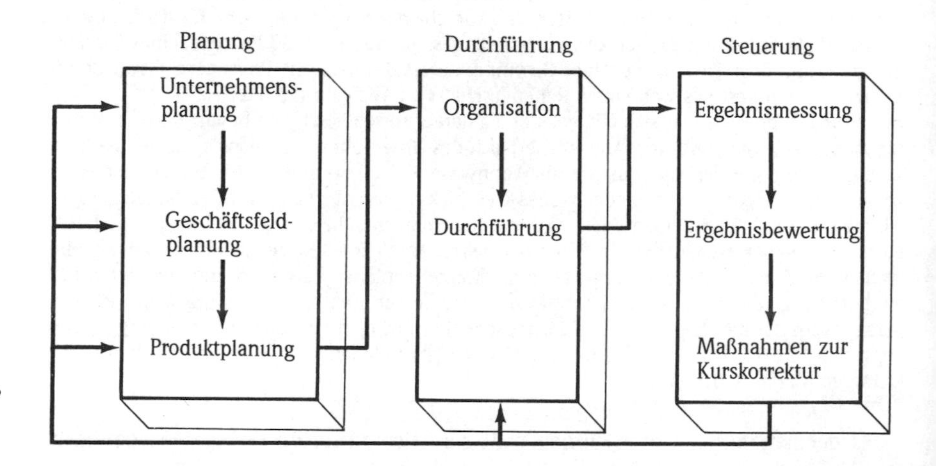

Abbildung 2-1
Strategische Planung, Durchführung und Steuerung

In diesem Kapitel soll es um die wichtigsten Grundlagen und Instrumente der strategischen Planung auf der Unternehmensebene und der Geschäftsfeldebene gehen. Im nächsten Kapitel werden dann die Marketingplanung und eine Übersicht zum Prozeß des Marketing-Managements behandelt.

Strategische Unternehmensplanung

Der Planungsprozeß beginnt auf der obersten Führungsebene. Dort werden allgemeine Grundsätze festgelegt betreffend Zweck, Politik und Strategie des Unternehmens, um den Rahmen zu setzen, innerhalb dessen die einzelnen Geschäftsbereiche ihre individuelle Planung durchführen können. In einigen Fällen wird ihnen bei der Gestaltung ihrer Strategien und der Festsetzung ihrer Umsatz- und Gewinnziele viel Spielraum zugestanden, solange sie die versprochene Leistung auch tatsächlich erbringen. Andere Unternehmen stellen hohe Anforderungen an die einzelnen Sparten, überlassen ihnen jedoch die Erarbeitung der entsprechenden Strategien. Wieder andere Unternehmen legen bestimmte Zielvorgaben für jeden ihrer Geschäftsbereiche fest und beteiligen sich darüber hinaus intensiv an deren Planungsprozessen. [4]

Unabhängig davon, welcher Führungsstil in einem Unternehmen anzutreffen ist, gibt es im Bereich der strategischen Planung vier Aufgaben, die von der Unternehmensleitung unbedingt zu erfüllen sind:

- Festlegung des unternehmerischen Grundauftrages
- Bestimmung der strategischen Geschäftseinheiten (SGE)
- Analyse und Bewertung des Portfolios an Geschäftsfeldern
- Aufspüren und Entwickeln neuer Geschäftsfelder

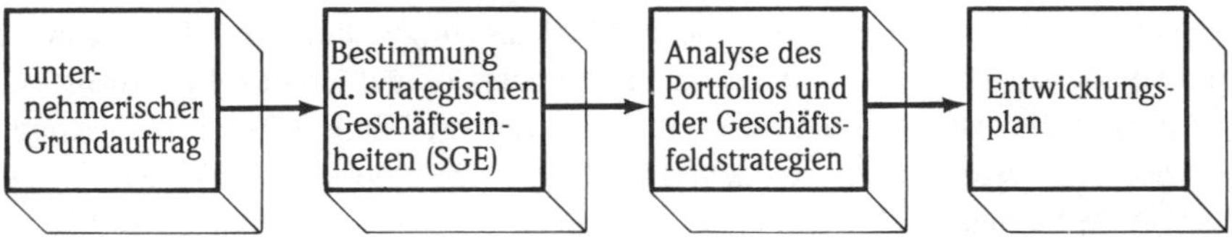

unternehmerischer Grundauftrag → Bestimmung d. strategischen Geschäftseinheiten (SGE) → Analyse des Portfolios und der Geschäftsfeldstrategien → Entwicklungsplan

Abbildung 2-2
Abläufe im Rahmen der strategischen Unternehmensplanung

Unternehmerischer Grundauftrag

Jedes Unternehmen will etwas Bestimmtes leisten, hat also einen unternehmerischen Grundauftrag, einen Zweck. Dieser wird meistens bei der Firmengründung definiert. In der Folgezeit kann er weiterhin eindeutig bestehen bleiben, doch kommt es vor, daß die Führungskräfte das Interesse an ihm verlieren oder die veränderten Umweltbedingungen seine Bedeutung schmälern. Andererseits ist es möglich, daß im Zuge der Expansion eines Unternehmens, der Erweiterung seiner Produktpalette und der Erschließung neuer Absatzmärkte der ursprüngliche Auftrag verschwimmt bzw. der Realität nicht mehr angemessen ist. So hat sich beispielsweise der traditionsreiche Stahlproduzent Thyssen grundlegend gewandelt. Bei einem sinkenden Umsatzanteil im traditionellen Kerngeschäft Stahl entwickelt sich Thyssen auffallend zu einem weltweit tätigen Handelsunternehmen mit Produkten aller Art und besonderem Know-how in Kompensations- und Dreiecksgeschäften mit weniger zahlungskräftigen Ländern. Der traditionsreiche Uhrenhersteller Kienzle hat das Uhrengeschäft schrittweise verlassen und sich zu einem Hersteller von Präzisionsvorrichtungen für die Industrie entwickelt. Diese beiden Unternehmen haben offensichtlich ihren Grundauftrag neu festgelegt.

Wenn das Unternehmen im Wandel der Zeit in neue Gefilde treibt, muß das

Management eine neue Zweckbestimmung suchen. In dieser Situation müssen, so Peter Drucker, einige grundsätzliche Fragen beantwortet werden [5]: »*Was ist unser Geschäft? Wer ist der Kunde? Was ist für den Kunden von Wert? Was wird künftig unser Geschäft sein? Was sollte unser Geschäft sein?*« So einfach diese Fragen klingen mögen, sie gehören zu den schwierigsten, mit denen ein Unternehmen sich überhaupt auseinandersetzen muß. Die Erfolgreichen stellen sich diese Fragen immer wieder und beantworten sie sorgfältig und gründlich.

Der Grundauftrag beruht auf fünf Elementen. Das erste ist die *Firmengeschichte*, also die Ziele, die Politik und die Leistungen der Vergangenheit. Wenn das Unternehmen nun seinen Zweck neu definieren will, darf es sich nicht zu abrupt von seiner Vergangenheit lösen. So käme es beispielsweise für die Harvard Universität nicht in Frage, Ausbildungsprogramme auf Fachhochschulniveau ins Leben zu rufen, selbst wenn sich der Universität dadurch Wachstumschancen eröffnen würden. Als zweites spielen die *Präferenzen und Ambitionen* des Managements und der Eigentümer eine Rolle. Wer in einem Unternehmen das Sagen hat, will auch persönliche Zielvorstellungen einbringen. Als z.B. Ferdinand Porsche mit seinem Unternehmen neben der Ingenieurberatung und Konstruktion in den Automarkt vordringen wollte, mußte diese Intention zwangsläufig in die Definition des Unternehmensauftrages einfließen. Die *Umweltsituation* stellt den dritten Einflußfaktor bei der Festlegung des Unternehmenszwecks dar, denn sie birgt Chancen und Risiken, die das Unternehmen erkennen und in seiner Planung berücksichtigen muß. Als viertes sind es die *Ressourcen* des Unternehmens, die bestimmen, ob der Grundauftrag realistisch ist oder nicht. Die neue deutsche Fluglinie German Wings hätte sich Illusionen hingegeben, wenn sie den Zweck verfolgt hätte, sich unter die Großen der Fluggesellschaften in aller Welt einzureihen. Selbst das angestrebte begrenzte Geschäft im innerdeutschen Flugverkehr erwies sich als zu groß für die Ressourcen der Gründer, und das Unternehmen wurde wieder aufgelöst. Und schließlich sollte sich ein Unternehmen bei der Definition seines Grundauftrages nach seiner *besonderen Kompetenz* richten. Wahrscheinlich könnte McDonald's auch in das Geschäft mit Solarenergie einsteigen. Doch seine herausragendste Fähigkeit würde das Unternehmen in dieser Branche nicht nutzen können – die besondere Kompetenz nämlich, eine große Zahl von Kunden schnell und preisgünstig mit Nahrung zu versorgen.

Die Unternehmen entwickeln Formulierungen zu ihrem Grundauftrag, damit dieser von den Führungskräften, den Angestellten und häufig auch den Kunden und verschiedenen Interessengruppen verstanden und getragen werden kann. Ein wohldurchdachter und gut formulierter Grundauftrag gibt den Mitarbeitern ein Gefühl für den Zweck, die Stoßrichtung und die Chancen des Unternehmens. So arbeiten auch geographisch weit voneinander entfernte Mitarbeiter – im Bewußtsein des Grundauftrages wie von »unsichtbarer Hand« gelenkt – unabhängig und doch gemeinsam auf die Verwirklichung der Unternehmensziele hin.

Es ist nicht einfach, den Grundauftrag auf prägnante, zutreffende und leicht kommunizierbare Art schriftlich auszuformulieren. Manche Unternehmen verwenden ein bis zwei Jahre auf diese Aufgabe und gewinnen dabei zahlreiche neue Erkenntnisse über sich selbst und die eigenen Entwicklungsmöglichkeiten.

Damit der Grundauftrag zum größtmöglichen Nutzen des Unternehmens formuliert ist, sollte er mehreren Anforderungen genügen. Er sollte bestimmte, aber herausragende Vorstellungen aufzeigen, statt alles auf einmal zu wollen. Die Aussage »Wir wollen Produkte höchster Qualität herstellen, den umfangreichsten Kundendienst anbieten, das umfassendste Vertriebsnetz aufbauen und die niedrigsten Preise verlangen« hört sich zwar gut an, erfordert aber entschieden zuviel. Sie wirkt richtungslos in Entscheidungssituationen, wo eine Forderung zugunsten einer anderen zurückgenommen werden muß.

Darüber hinaus sollte im Grundauftrag abgesteckt werden, wo das Unternehmen den Wettbewerb aufnehmen will, d. h. in welchen Branchen, Marktsegmenten sowie vertikalen und geographischen Bereichen.

- **Branchen**
  Manche Unternehmen beschränken sich auf nur eine Branche, andere engagieren sich in unterschiedlichen, jedoch verwandten Bereichen; wieder andere entscheiden sich jeweils ausschließlich für den Investitionsgüterbereich, den Konsumgüterbereich oder für Dienstleistungen. Und schließlich gibt es solche Unternehmen, die unter den richtigen Voraussetzungen in jede Branche einsteigen würden. Die Volkswagen AG ist hauptsächlich in der Automobilbranche tätig und vermarktet den Großteil ihrer Produkte an private Verbraucher, während Daimler-Benz sich neben dem Automobilgeschäft auch dem Flugzeugbau, den Rüstungsgütern und den elektrotechnischen Gütern zugewandt hat.
- **Segmente**
  Damit sind die verschiedenen Kundengruppen gemeint, an die ein Unternehmen sich wendet. Manche Unternehmen sprechen auf all ihren Tätigkeitsfeldern nur die wohlhabenden, anspruchsvollen Abnehmer an, wie z. B. BMW, Daimler und Jaguar auf dem deutschen Automobilmarkt. Fiat und VW hingegen richten sich hauptsächlich an das auf Wirtschaftlichkeit bedachte Segment.
- **Vertikale Bereiche**
  Hier geht es darum, ob und in welchem Ausmaß ein Unternehmen die von ihm benötigten Komponenten, Hilfs- und Betriebsstoffe selbst herstellt. Das eine Extrem auf der Bereichsskala bilden die Unternehmen, die vom Rohstoff bis hin zum Produkt für den Endnutzer alles selbst herstellen. Das andere Extrem bilden Unternehmen, die nur einen sehr geringen Teil zum vertikalen Wertschöpfungsprozeß vom Grundstoff bis hin zum Endprodukt beitragen. Ein solches Unternehmen nimmt für jede betriebliche Funktion die Dienste externer Anbieter in Anspruch: bei der Produktgestaltung und Herstellung, im Bereich des Marketing und im Vertrieb. [6] Die meisten Unternehmen liegen im Zwischenbereich: Daimler hat einen Fertigungsanteil von etwa 50 %, BMW etwa 40 % und Audi rund 30 %.
- **Geographische Bereiche**
  Die Tätigkeit des Unternehmens kann sich auf mehrere Regionen, verschiedene Länder oder Gruppen relativ gleichartiger Länder erstrecken. Auch hier gibt es zwei Extreme. Da sind zum einen diejenigen, die lediglich in einer bestimmten Stadt oder in einer begrenzten Region operieren. Zum anderen gibt es die multinationalen Unternehmen wie Unilever oder Caterpillar, die in fast jedem der über 150 Länder dieser Welt als Wettbewerber auftreten.

Die Formulierung des unternehmerischen Grundauftrags sollte *motivierend* wirken. Die Mitarbeiter brauchen das Gefühl, daß ihre Arbeit wichtig und nützlich ist. Daher sollte der Unternehmenszweck nicht lauten: »Wir wollen Gewinne erzielen«. Gewinne sind das Resultat dessen, was das Unternehmen *für seine Kunden*, also außerhalb der eigenen Mauern, leistet. Ein Unternehmen, das Düngemittel produziert, sollte seinen Angestellten klarmachen, daß diese zur Verbesserung der landwirtschaftlichen Produktivität und damit zur Bekämpfung des Hungers in der Welt beitragen. So bekommt seine Arbeit einen Zweck. Ein Staubsaugerverkäufer sollte sich bewußt machen, daß er zur Wohnraumhygiene beiträgt – dieser Zweck verleiht seiner Tätigkeit eine neue Qualität. So gesehen ist also der Gewinn, den ein Unternehmen erzielt, lediglich die Belohnung dafür, daß es den abgesteckten Grundauftrag zur Zufriedenheit der Kunden ausführt.

Die Formulierung des Grundauftrags sollte außerdem die Prinzipien der *Unternehmenspolitik* betonen. Diese setzt Maßstäbe für den Umgang mit den Kunden, Lieferanten, Händlern, Wettbewerbern und anderen beteiligten Akteuren und Interessengruppen. Sie verringert die persönliche Willkür der Mitarbeiter, so daß das Unternehmen in wichtigen Belangen konsistent handelt.

Und schließlich muß die Formulierung des unternehmerischen Grundauftrags langfristig, d.h. für die nächsten zehn oder zwanzig Jahre, richtungsweisend sein. Sie wird nicht als Reaktion auf konjunkturelle Schwankungen alle paar Jahre revidiert. Wenn allerdings der Grundauftrag an Realitätsbezug verloren hat oder keinen gangbaren Weg mehr für das Unternehmen beinhaltet, muß es zu einer Neudefinition kommen. [7]

Abgrenzung strategischer Geschäftseinheiten

Zu jeder strategischen Geschäftseinheit gehört ein genau definiertes Geschäftsfeld. Die meisten Unternehmen, selbst kleinere, bewegen sich in mehreren Geschäftsfeldern. Diese sind jedoch nicht unbedingt auf den ersten Blick zu erkennen. So ist es nicht gesagt, daß ein Unternehmen mit zwölf operativ unabhängigen Abteilungen (z.B. Tochtergesellschaften) auch auf zwölf Geschäftsfeldern aktiv ist. Auch eine einzige Tochtergesellschaft könnte in mehreren Geschäftsfeldern arbeiten, z.B. dann, wenn dort verschiedene Produkte für unterschiedliche Kundengruppen hergestellt werden. Es kommt auch vor, daß zwei Tochtergesellschaften derart miteinander verflochten sind, daß sie strategisch gemeinsam eine einzige Geschäftseinheit bilden. Abgrenzungsprobleme gibt es z.B. in der Getränkebranche. Die Brauereien Haake-Beck und Beck's Bier beispielsweise operieren – als Teile des gleichen Unternehmens – weitgehend unabhängig in der gleichen Branche. Hauptsächlich aus Gründen der Markentechnik und der konsequenten Marktsegmentierung werden diese beiden Unternehmenstöchter nicht nur den Vertrieb und die Werbung, sondern auch die Produktionsanlagen getrennt halten. Bei anderen werden aus ähnlichen Erwägungen bei gemeinsamer Produktionsanlage unterschiedliche Vertriebsgesellschaften gegründet, die nach außen hin als selbständige Tochtergesellschaften auftreten. Es ist also äußerst wichtig, daß ein Unternehmen seine strategischen Geschäftsfelder identifiziert und voneinander abgrenzt.

Allzu oft definieren die Unternehmen ihr Geschäftsfeld anhand des Produkts, das sie herstellen. »Wir sind im Autogeschäft«, »im Rechenschiebergeschäft« usw. sind gängige Formulierungen, doch sie zeugen von kurzsichtigem Denken. Theodore Levitt hat in einem Aufsatz mit dem Titel »Marketing-Kurzsichtigkeit« die These entwickelt, daß es für ein Unternehmen sinnvoller ist, sich anhand der Märkte zu definieren, die es bearbeitet, statt anhand der Produkte, die es herstellt. [8] Das Unternehmen, so Levitt, müsse sein Geschäft als Prozeß der Bedürfnisbefriedigung von Kunden und nicht als Prozeß der Güterproduktion sehen. Produkte sind vergänglich, doch die Grundbedürfnisse und Kundengruppen bleiben bestehen. Wer sich als Produzent von Pferdekutschen sieht, muß nach der Erfindung des Automobils bald sein Geschäft aufgeben; wer sich jedoch als Anbieter von Transportmitteln versteht, stellt seine Produktion ganz automatisch von Kutschen auf Autos um. Levitt empfahl den Unternehmen, ihr Geschäftsfeld nach dem Marktaspekt und nicht nach dem

Produktaspekt zu definieren. Die folgende Tabelle enthält einige weitere Beispiele dafür:

Unternehmen	Produktorientierte Definition	Marktorientierte Definition
Revlon	Wir stellen Kosmetika her	Wir verkaufen Hoffnung auf Schönheit
Bundesbahn	Wir betreiben eine Eisenbahnlinie	Wir bieten pünktlichen Transport
Xerox	Wir produzieren Kopiergeräte und -zubehör	Wir steigern die Effizienz der Büroarbeit
BASF, Landwirtschaftl. Produkte	Wir verkaufen Düngemittel und Schädlingsvernichter	Wir steigern die landwirtschaftliche Produktivität
BP (British Petrol)	Wir verkaufen Benzin und Öl	Wir sorgen für Mobilität
Volks- und Raiffeisenbanken	Wir verleihen Geld und legen es an	Wir »machen den Weg frei« zur Finanzierung weitgesteckter Ziele
Encyclopedia Britannica	Wir verkaufen Enzyklopädien	Wir produzieren und verbreiten Informationen
ARAG	Wir versichern Sie in Rechtsangelegenheiten	Wir wollen, daß Sie Ihr Recht bekommen

Tabelle 2-1
Produktorientierte contra marktorientierte Geschäftsfelddefinitionen

Will ein Unternehmen eine marktorientierte Definition seiner Tätigkeit erarbeiten, sollte es darauf achten, daß diese nicht zu eng, aber auch nicht zu weit gefaßt ist. Im Falle eines Bleistiftherstellers bedeutet das z. B. folgendes: Wenn sich das Unternehmen als *Produzent kleiner Schreibgeräte* versteht, könnte es auch Füllfederhalter, Kugelschreiber u. ä. in seine Produktpalette aufnehmen. Betrachtet es sich als *Schreibgerätefirma*, käme für es theoretisch auch die Herstellung von Schreibmaschinen und Textverarbeitungsgeräten in Frage. Wenn der Bleistiftproduzent aber noch einen Schritt weitergeht und sich als *Kommunikationsfirma* bezeichnet, wäre diese Definition doch etwas zu hoch gegriffen.

Diesen Fehler beging Holiday Inns, Inc., mit einer Kapazität von über 300.000 Zimmern die größte Hotelkette der Welt, als sie vor einigen Jahren ihre Unternehmensdefinition erweiterte. Sie betrachtete nun nicht mehr nur das Hotelgewerbe als ihr Metier, sondern die gesamte Reise- und Transportbranche. Holiday Inns erwarb Trailways, Inc., das zweitgrößte Busunternehmen der USA, und Delta Steamship Lines Inc. Doch in beiden Fällen hatte man keine glückliche Hand, was das Management dieser Neuerwerbungen betraf. Im Jahre 1978 trennte man sich wieder von Trailways und suchte auch für Delta einen Käufer. Holiday Inns entschied sich dafür, seine Kräfte doch ausschließlich auf das »Gastgewerbe« zu konzentrieren und diesen Markt mit einer breiten Palette unterschiedlicher Zimmerangebote und gastronomischer Leistungen zu bedienen. [9]

Laut Abell sollte ein Unternehmen bei der Definition des Geschäftsfeldes drei Dimensionen berücksichtigen: die *Kundengruppen*, an die es sich wendet, die *Kundenbedürfnisse*, die es befriedigt, und die *Technologie* zur Erfüllung dieses Zweckes. [10] Für ein kleines Unternehmen, das Beleuchtungsanlagen für Fernsehstudios herstellt, ergäbe sich also folgendes Bild: Seine Kunden sind die Fernsehstudios; das Kundenbedürfnis ist Beleuchtung; die Technologie ist Glühlampenbeleuchtung. In Abbildung 2-3 wird das Tätigkeitsfeld des Unternehmens in Form einer schwebenden Zelle dargestellt. Der Geschäftsbereich des Unternehmens wird anhand dieser Graphik eindeutig dargestellt.

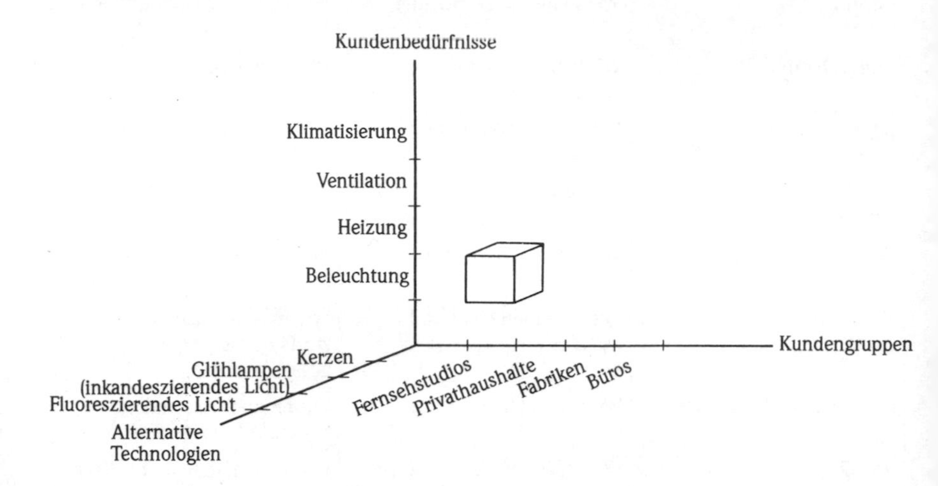

Abbildung 2-3
Bestimmung des Tätigkeitsfeldes einer kleinen Beleuchtungsfirma

Das Unternehmen könnte auch in weitere Geschäftsfelder vorstoßen. Es könnte sich z.B. an zusätzliche Kundengruppen wenden, etwa an Privathaushalte, Fabriken oder Büros. Oder es konzentriert sich weiterhin auf den bisherigen Kundenkreis, d.h. die Fernsehstudios, unter Befriedigung weiterer Kundenbedürfnisse wie etwa Heizung, Ventilation oder Klimatisierung. Schließlich könnte es die Fernsehstudios mit zusätzlichen Beleuchtungstechnologien versorgen, z.B. nicht infraroter oder ultravioletter Beleuchtung. Jedes Geschäftsfeld des Unternehmens wird durch die Schnittmenge anhand der drei Dimensionen dargestellt. Expandiert das Unternehmen in weitere Zellen innerhalb dieser Darstellung, so spricht man davon, daß es sein Kampffeld erweitert hat.

Ein Unternehmen muß seine Geschäftsfelder eindeutig definieren und voneinander abgrenzen, um seine strategischen Geschäftseinheiten einrichten zu können. Vor einigen Jahren widmete sich General Electric dieser langwierigen, diffizilen Aufgabe und richtete 49 *strategische Geschäftseinheiten* (SGE) ein. Eine SGE sollte folgende Merkmale aufweisen:

1. Die SGE umfaßt ein einzelnes oder mehrere verwandte Geschäftsfelder, für die getrennt vom Rest des Unternehmens eine eigene Planung erstellt werden kann.
2. Jede SGE hat einen eigenen Kreis von Konkurrenten, mit denen sie gleichziehen oder die sie ausstechen möchte.
3. Die SGE wird von einem Manager geleitet, der für die strategische Planung und die Ergebnisse verantwortlich zeichnet sowie die meisten ergebnisrelevanten Faktoren der SGE steuert.

Portfolio-Analyse

SGEs werden eingerichtet, damit das Unternehmen in Einheiten gegliedert ist, denen man strategische Planziele und darauf abgestimmte Ressourcen zuweisen kann. Die SGEs müssen der Führungsspitze des Unternehmens ihre Durchführungspläne vorlegen und sie gegebenenfalls revidieren. Die Unternehmensleitung entscheidet anhand dieser Pläne, bei welchen SGEs *ausgebaut*, *erhalten* oder *geerntet* werden soll bzw. welche *eliminiert* werden sollen. In jedem Unternehmensportfolio verbergen sich einige SGEs, deren »Glanzzeit« zu Ende geht, und andere mit zukünftig hohen Gewinnen. Dabei darf sich die Unternehmensleitung jedoch nicht auf oberflächliche Eindrücke verlassen, sondern muß fundierte Zuordnungen mit Hilfe analytischer Methoden ermitteln. In den vergangenen zehn Jahren haben verschiedene Methoden der Portfolio-Analyse breite Anwendung gefunden. Die bekanntesten sind die von der Boston Consulting Group und von General Electric entwickelten Analyseverfahren. [11]

Methode der Boston Consulting Group

Die Boston Consulting Group (BCG), ein weltweit führendes Beratungsunternehmen, entwickelte die sogenannte Marktwachstum-Marktanteil-Matrix (s. Abbildung 2-4). Die acht Kreise darin symbolisieren die Größe und Position der acht Geschäftseinheiten eines fiktiven Unternehmens. Die Fläche eines jeden Kreises repräsentiert den Umsatz der entsprechenden SGE. Die beiden größten Geschäftseinheiten sind also Nummer 5 und Nummer 6. Die Position jeder SGE in der Matrix gibt Aufschluß über das Wachstum des von der SGE bearbeiteten Marktes und ihren relativen Marktanteil.

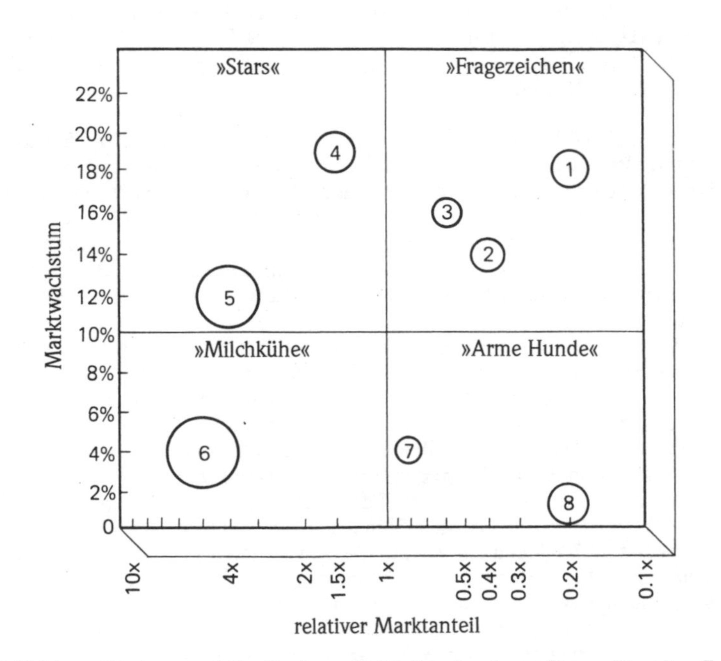

Abbildung 2-4 Marktwachstum-Marktanteil-Matrix der Boston Consulting Group

Quelle: B. Heldey: »Strategy and the Business Portfolio«, in: *Long Range Planning*, Februar 1977, S. 12.

Die vertikale Achse zeigt das jährliche Marktwachstum der einzelnen Märkte, auf denen die SGEs operieren. In Abbildung 2-4 reicht diese Kennzahl von 0 bis 20 Prozent, könnte jedoch durchaus auch höhere Werte annehmen. Ein Marktwachstum von über 10 Prozent im Jahr gilt als hoch.

Die horizontale Achse zeigt den *relativen Marktanteil* der SGE, d. h. den eigenen Marktanteil im Verhältnis zu dem des wichtigsten Konkurrenten. Er dient als Maßstab für die Stärke des Unternehmens im relevanten Markt. Wenn der relative Marktanteil einer SGE beispielsweise 0,1 beträgt, bedeutet dies, daß der Umsatz der SGE nur 10 Prozent des Umsatzes des Marktführers ausmacht. Ein Wert von 10 dagegen bedeutet, daß der Umsatz zehnmal so hoch wie der des stärksten Mitbewerbers ist. Ein relativer Marktanteil vom Wert 1 aufwärts gilt als hoch und wird zur Felderaufteilung genutzt. Der relative Marktanteil wird im logarithmischen Maßstab dargestellt, so daß eine Verschiebung gleichen Abstandes auch eine gleiche prozentuale Veränderung anzeigt.

Die Marktwachstum-Marktanteil-Matrix gliedert sich in vier Felder, anhand derer sich vier Typen von SGE unterscheiden lassen:

- **»Fragezeichen«**
  Hier handelt es sich um Geschäftseinheiten, die in Wachstumsmärkten operieren, selbst allerdings nur über einen geringen relativen Marktanteil verfügen. Die meisten SGEs sind in ihrer Anfangsphase dieser Kategorie zuzuordnen, denn mit ihrer Gründung will sich das Unternehmen Zutritt zu einem Wachstumsmarkt verschaffen, auf dem sich bereits ein Marktführer etabliert hat. Ein solches »Fragezeichen« erfordert einen laufenden Einschuß von Barmitteln (Cash). Denn um mit dem Marktwachstum Schritt halten und selbst Marktführer werden zu können, müssen die Anlagen, Ausrüstungen und Mitarbeiterzahlen laufend erweitert werden. Der Begriff »Fragezeichen« ist äußerst treffend, denn die Unternehmensleitung muß sich nach einer gewissen Zeit sehr wohl fragen, ob sie weiterhin viel Geld in diese Geschäftseinheit stecken oder den fraglichen Markt verlassen will. Das in Abbildung 2-4 beschriebene Unternehmen unterhält drei solche SGEs, d. h. vielleicht schon zuviele. Es könnte besser sein, bei einer oder zwei dieser Geschäftseinheiten finanziell zu »klotzen« als bei drei SGEs zu »kleckern«.
- **»Stars«**
  Aus einem anfänglichen »Fragezeichen«, das Erfolg hat, wird ein »Star«. Ein »Star« ist der Marktführer in einem Wachstumsmarkt. Es ist jedoch nicht gesagt, daß ein solcher »Star« tatsächlich einen positiven Cash-flow erwirtschaftet, denn er erfordert umfangreiche Geldmittel, um mit dem Marktwachstum Schritt halten und die Angriffe der Konkurrenten abwehren zu können. Doch im allgemeinen bringen die »Stars« bereits Gewinne und sollen in Zukunft die »Milchkühe« werden. Das Unternehmen in Abbildung 2-4 hat zwei »Stars«. Ein Unternehmen ohne »Star« muß sich um seine Zukunft große Sorgen machen.
- **»Milchkühe«**
  Wenn die jährliche Wachstumsrate eines Marktes unter 10 Prozent sinkt, wird aus dem »Star« eine »Milchkuh« – vorausgesetzt, sie hält noch immer den größten Marktanteil. Eine »Milchkuh« erhöht die Liquidität der Gesamtorganisation, denn sie erfordert jetzt weniger Investitionen für eine Kapazitätsausweitung, nachdem das Marktwachstum sich verlangsamt hat. Und da diese SGE auf ihrem Markt die Führungsposition innehat, kann sie erhebliche Größenvorteile zum Einsatz bringen und damit bei geringeren Stückkosten als die Konkurrenz höhere Gewinnspannen erwirtschaften. Die »Milchkühe« liefern das Geld, um die »Stars«, »Fragezeichen« und »armen Hunde« zu unterstützen, die häufig Geldinfusionen erfordern. Das in Abbildung 2-4 dargestellte Unternehmen besitzt nur eine einzige »Milchkuh« und ist daher äußerst anfällig. Sollte diese Geschäftseinheit relative Marktanteile verlieren, müßte das Unternehmen dort selbst »Cash« hineinpumpen, um die Marktführerschaft halten zu können. Wenn es statt dessen weiterhin die erwirtschafteten Überschüsse abschöpft und in andere SGEs investiert, wird die »Milchkuh« ihre starke Position womöglich schnell einbüßen und nur in ungenügendem Maße »Cash« abgeben können.

- **»Arme Hunde«**
  Hier handelt es sich um Geschäftseinheiten, die mit geringem relativen Marktanteil in langsam wachsenden oder stagnierenden Märkten tätig sind. Sie erwirtschaften üblicherweise niedrige Gewinne oder schreiben rote Zahlen, wenn auch oft ein geringer positiver Cash-flow dabei herauskommt. Das Unternehmen in Abbildung 2-4 betreibt zwei SGEs, die dem Typus der »armen Hunde« zuzuordnen sind – möglicherweise zwei zuviel. Die Unternehmensleitung sollte sich ernsthaft fragen, ob sie diese Geschäftseinheiten aus plausiblen Gründen weiterführt (z.B. weil man in absehbarer Zeit mit einem neu einsetzenden Marktwachstum rechnet oder die SGEs gute Chancen haben, die Marktführerschaft zu erlangen) oder ob sie sie aus reiner Sentimentalität am Leben erhält. Ein »armer Hund« kostet das Management oft mehr Zeit als er verdient und sollte besser abgebaut bzw. eliminiert werden.

Nachdem das Unternehmen nun all seine SGEs in die Marktwachstum-Marktanteil-Matrix eingeordnet hat, gilt es festzustellen, ob das Portfolio ausgeglichen ist. Das wäre z.B. dann nicht der Fall, wenn in der Matrix zu viele »arme Hunde« oder »Fragezeichen« bzw. zu wenige »Stars« und »Milchkühe« existierten.

Als nächstes muß die Unternehmung entscheiden, welches Ziel sie mit jeder SGE anstrebt, welche Strategie sie dafür einsetzen und welches Budget sie den Geschäftseinheiten zuordnen will. Hier bieten sich vier verschiedene Möglichkeiten:

- **Ausbauen**
  Das Unternehmen hat sich zum Ziel gesetzt, den Marktanteil der Geschäftseinheit zu vergrößern, selbst wenn es dafür auf kurzfristige Gewinne verzichten muß. Ausbauen sollte man erfolgversprechende »Fragezeichen«; diese müssen dann Marktanteile hinzugewinnen, um schließlich zum »Star« heranzuwachsen.
- **Erhalten**
  Hier geht es darum, den Marktanteil der SGE auf seinem gegenwärtigen Niveau zu halten. Diese Strategie empfiehlt sich für lukrative »Milchkühe«, die auch weiterhin Überschüsse für das Unternehmen erwirtschaften sollen.
- **Ernten**
  In diesem Fall verfolgt das Unternehmen das Ziel, kurzfristig liquide Mittel aus der Geschäftseinheit ohne Rücksicht auf die langfristigen Auswirkungen abzuziehen – eine Vorgehensweise, die bei schwachen »Milchkühen« mit trüben Zukunftsaussichten angebracht ist, von denen man mehr abschöpfen will als bisher. Auch bei »Fragezeichen« und »armen Hunden« kann geerntet werden.
- **Eliminieren**
  In diesem Fall entschließt sich das Unternehmen dazu, die Geschäftseinheit zu veräußern bzw. aufzugeben, weil es die dadurch freiwerdenden Ressourcen anderswo sinnvoller einsetzen kann. Dieser Weg wird häufig gewählt, wenn es um »arme Hunde« oder erfolglose »Fragezeichen« geht, die die Gewinne beeinträchtigen.

Im Laufe der Zeit verändern die SGEs ihre Position in der Marktwachstum-Marktanteil-Matrix. Eine erfolgreiche Geschäftseinheit durchläuft einen ganz bestimmten Lebenszyklus: Aus dem »Fragezeichen« wird ein »Star«, dieser verwandelt sich in eine »Milchkuh«, und gegen Ende des Zyklus wird die SGE zum »armen Hund«. Aus diesem Grund sollte ein Unternehmen nicht nur die jeweils aktuelle Position seiner SGEs in der Matrix sehen, sondern auch die Verschiebungen der einzelnen Positionen. Die Unternehmensleitung sollte jede SGE daraufhin untersuchen, wo sie jeweils in den letzten Jahren stand und wie sie sich vermutlich in den kommenden Jahren weiterentwickeln wird. Wenn die erwartete »Laufbahn« einer Geschäftseinheit nicht den Vorstellungen der Unternehmensspitze entspricht, fordert sie vom Manager dieser SGE eine Alternativstrategie und eine daraus abgeleitete Entwicklungsprognose für die Geschäftseinheit. Die Marktwachstum-Marktanteil-Matrix bildet also auch eine Grundlage für die strategischen Planungsprozesse eines Unternehmens. Mit Hilfe dieser Portfolio-Konzeption kann man jede Geschäftseinheit bewerten und vernünftige Zielvorgaben erarbeiten.

Das in Abbildung 2-4 dargestellte Portfolio ist zwar relativ gesund, doch falsche Zielsetzungen oder Strategien könnten es erheblich aus dem Gleichgewicht bringen. Den schlimmsten Fehler würde das Unternehmen begehen, wenn es von allen SGEs dieselbe Wachstumsrate oder Rendite fordern würde. Bei der Portfolio-Analyse geht es ja gerade darum, daß jede Geschäftseinheit über ein individuelles Entwicklungspotential verfügt und spezifische Zielsetzungen benötigt. Ebenfalls falsch wären folgende Maßnahmen:

1. Das Unternehmen entzieht einer »Milchkuh« zu viel Geld, was deren Leistungskraft schwächt. Läßt man ihr dagegen zuviel von den Überschüssen, dann stehen zu wenig Mittel für die Förderung wachstumsintensiver SGEs zur Verfügung.
2. Das Unternehmen investiert in der Hoffnung, diese wieder »flottzumachen«, beträchtliche Summen in »arme Hunde« und versagt dabei.
3. Das Unternehmen unterhält zu viele »Fragezeichen« und kann folglich in keine dieser Geschäftseinheiten ausreichend investieren – das ist Geldverschwendung. Ein »Fragezeichen« sollte so intensiv gefördert werden, daß es zumindest in einem Marktsegment dominieren kann. Andernfalls täte das Unternehmen besser daran, die SGE fallenzulassen.

Multifaktoren-Methode von General Electric

Allein aus der Position, die eine SGE im Marktwachstum-Marktanteil-Portfolio einnimmt, lassen sich allerdings genaue Handlungsziele nicht ableiten. Werden zusätzliche Faktoren in die Analyse eingeführt, dann kann man die Marktwachstum-Marktanteil-Matrix als eine Sonderform der Multifaktoren-Methode ansehen, die von General Electric (GE) entwickelt wurde. Diese Portfolio-Konzeption wird in Abbildung 2-5A dargestellt und anhand von sieben Geschäftseinheiten eines ungenannten Unternehmens illustriert. In diesem Modell symbolisiert die Fläche der einzelnen Kreise nicht den Jahresumsatz der SGE, sondern die Größe ihres Marktes. Die schraffierte Fläche innerhalb eines Kreises stellt jeweils den Marktanteil der SGE dar. Man kann also aus der Abbildung z.B. ablesen, daß die für die Produktion von Kupplungen zuständige Geschäftseinheit in einem Markt mittlerer Größe operiert und an diesem einen Anteil von etwa 30 % hält.

Jede SGE wird anhand von zwei Indikatoren – *Marktattraktivität* und *Wettbewerbsstärke* – in die Matrix eingeordnet. Aus der Sicht des Marketing sind diese beiden Indikatoren für die Bewertung einer Geschäftseinheit hervorragend geeignet. Denn der Erfolg eines Unternehmens hängt in hohem Maße davon ab, ob es attraktive Märkte bearbeitet und über die erforderliche Kombination aller Eigenschaften verfügt, die Stärke im Wettbewerb bringen. Wird eine dieser beiden Voraussetzungen nicht erfüllt, sind keine herausragenden Ergebnisse zu erwarten. Weder ein wettbewerbsstarkes Unternehmen, das auf einem unattraktiven Markt operiert, noch ein wettbewerbsschwaches Unternehmen, das einen attraktiven Markt bearbeitet, wird besonders gut abschneiden.

Es kommt also bei dieser Portfolio-Konzeption vor allem darauf an, die Indikatoren Marktattraktivität und Wettbewerbsstärke richtig zu ermitteln. Zu diesem Zweck müssen die Strategieplaner des Unternehmens viele Faktoren von Einfluß auf diese Indikatoren ermitteln, sie im einzelnen gewichten und insgesamt durch einen

A. Klassifizierungsmatrix

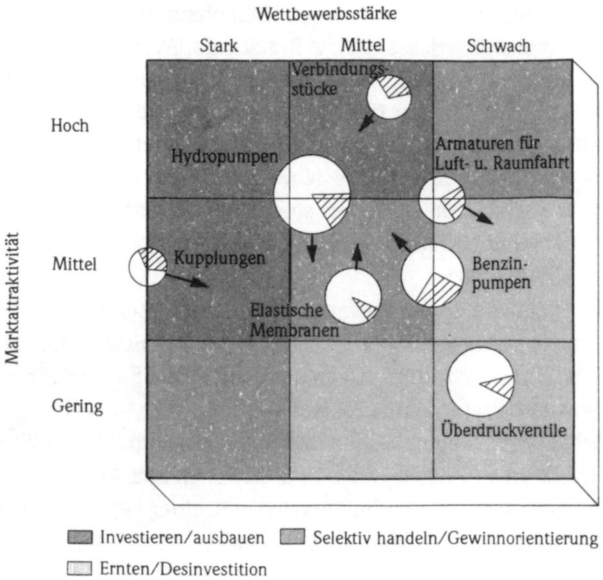

Abbildung 2-5
Das Marktattraktivität-Wettbewerbsvorteil-Portfolio; Klassifizierung und Zuordnung von Normstrategien

B. Strategiezuordnung

	Stark	Mittel	Schwach
Hoch	**Position verteidigen** ● Investieren auf maximal verkraftbares Tempo hin ● Konzentriere die Kräfte auf die Erhaltung der vorhandenen Stärken	**Ausbau mit Investitionen** ● Kämpfe um die Marktführerschaft ● Baue selektiv auf vorhandene Stärken ● Stärke anfällige Bereiche	**Selektiver Ausbau** ● Spezialisiere auf eine begrenzte Anzahl von Stärken ● Trachte nach Überwindung vorhandener Schwächen ● Rückzug bei mangelnden Anzeichen für dauerhaftes Wachstum
Mittel	**Selektiver Ausbau** ● Investiere umfangreich in die attraktivsten Segmente ● Stärke die Fähigkeit zur Abwehr d. Konkurrenz ● Betone die Rentabilität durch Produktivitätssteigerung	**Selektion/Gewinnorientierung** ● Verteidige das laufende Programm ● Konzentriere die Investitionen auf gewinnträchtige, risikoarme Unternehmenssegmente	**Expandiere begrenzt oder ernte** ● Suche risikoarme Expansionsmöglichkeiten; im übrigen minimiere die Investitionen und rationalisiere die betrieblichen Prozesse
Gering	**Verteidigen und Schwerpunktverlagerung** ● Trachte nach gegenwärtiger Gewinnerzielung ● Konzentrieren auf attraktive Segmente ● Verteidige die vorhandenen Stärken	**Gewinnorientierung** ● Verteidige die Position in den rentabelsten Segmenten ● Verbessere die Produktlinie ● Minimiere die Investitionen	**Desinvestition** ● Veräußere zum Zeitpunkt des höchsten Verkaufswerts ● Senke die Fixkosten; verzichte währenddessen auf Investitionen

Quelle: George S. Day: *Analysis for Strategic Marketing Decisions*, West Publishing, St. Paul, Minn., 1986, S. 202 und 204; mit Genehmigung leicht verändert und überarbeitet.

Index ausdrücken. Tabelle 2-1 enthält einen solchen Faktorenkatalog. (Er ist nicht allgemeingültig, sondern muß von jedem Unternehmen individuell erarbeitet werden.) Die Marktattraktivität richtet sich z.B. nach der Marktgröße, seiner jährlichen Wachstumsrate, Gewinnspannen der Branche usw. Der relative Wettbewerbsvorteil ergibt sich aus dem Marktanteil des Unternehmens und seiner Entwicklung, der Produktqualität usw. Man beachte, daß die beiden wesentlichen Variablen aus dem Modell der Boston Consulting Group, d.h. Marktwachstum und Marktanteil, auch in der GE-Methode als Faktoren enthalten sind. Die GE-Multifaktoren-Methode erfordert von den strategischen Planern eine differenziertere Analyse der Geschäftseinheiten als das BCG-Modell.

Tabelle 2-1 enthält eine fiktive Bewertung der Geschäftseinheit für Hydropumpen. Die Unternehmensleitung bewertet die SGE auf jeden Faktor hin mit Hilfe einer Punkteskala; die Skala reicht von 1 (sehr unattraktiv) bis 5 (sehr attraktiv). In unserem Beispiel wird der Faktor Marktgröße mit 4,0 bewertet, was anzeigt, daß er recht groß ist (5,0 wäre das Maximum). Ganz offensichtlich benötigt man für eine korrekte Bewertung der Faktoren in vielen Fällen Informationen und Analysen aus der Marketingabteilung. Dann werden die Punktzahlen mit einer Gewichtung multipliziert, welche die relative Bedeutung des entsprechenden Faktors angibt. Die Ergebnisse

Tabelle 2-1
Multifaktoren-Ansatz zur Abschätzung der Marktattraktivität und Wettbewerbsstärke einer fiktiven SGE für Hydropumpen

Marktgröße		Gewichtung	Punktwert (1–5)	gewichteter Wert
Marktattraktivität	Marktgröße	0,20	4,00	0,80
	Jährliche Wachstumsrate	0,20	5,00	1,00
	Gewinnspannen in der Branche	0,15	4,00	0,60
	Wettbewerbsintensität	0,15	2,00	0,30
	technologische Erfordernisse	0,15	4,00	0,60
	Inflationsanfälligkeit	0,05	3,00	0,15
	Energiebedarf	0,05	2,00	0,10
	Umwelteinwirkungen	0,05	3,00	0,15
	gesellschaftliches/politisch-rechtliches Umfeld		muß akzeptabel sein	
		1,00		3,70
Marktgröße		**Gewichtung**	**Punktwert (1–5)**	**gewichteter Wert**
Wettbewerbsstärke	Marktanteil	0,10	4,00	0,40
	Wachstum des Marktanteils	0,15	2,00	0,30
	Produktqualität	0,10	4,00	0,40
	Markenimage	0,10	5,00	0,50
	Distributionsnetz	0,05	4,00	0,20
	Effektivität der Absatzförderung	0,05	3,00	0,15
	Produktionskapazität	0,05	3,00	0,15
	Produktionseffizienz	0,05	2,00	0,10
	Stückkosten	0,15	3,00	0,45
	Materialversorgung	0,05	5,00	0,25
	Leistungsfähigkeit in Forschung und Entwicklung	0,10	3,00	0,30
	Qualifikation der Führungskräfte	0,05	4,00	0,20
		1.00		3,40

Quelle: La Rue T. Hormer: *Strategic Management,* Englewood Cliffs, N.J.: Prentice-Hall, 1982, S. 310; leicht abgewandelt.

werden schließlich – jeweils getrennt für die beiden Indikatoren – addiert. Die SGE in Tabelle 2-1 erreicht für die Marktattraktivität eine 3,7 und für den relativen Wettbewerbsvorteil eine 3,4 (das Maximum beträgt jeweils 5,0). Nun trägt der Analytiker an der richtigen Stelle der Klassifizierungsmatrix (s. Abbildung 2-5) einen Punkt ein, der die Position der Geschäftseinheit symbolisiert, und zieht einen Kreis darum, dessen Fläche sich proportional zur Marktgröße verhält. Schließlich wird der Marktanteil des Unternehmens – in diesem Beispiel sind es etwa 14 Prozent – als schraffierte Fläche eingezeichnet. Es zeigt sich, daß die hier untersuchte SGE eine recht vorteilhafte Position einnimmt.

Die GE-Matrix ist in neun Felder unterteilt, die wiederum drei Gruppen zuzuordnen sind. In den drei Feldern oben links sind die starken SGEs angesiedelt, deren Marktposition das Unternehmen mit Hilfe von Investitionen *ausbauen* sollte. Die drei Felder, die sich diagonal von links unten nach rechts oben erstrecken, beinhalten diejenigen Geschäftseinheiten, deren Attraktivität insgesamt mittelmäßig ist: Hier sollte das Unternehmen *selektiv vorgehen* und dabei hauptsächlich auf Gewinnerzielung achten. In den Feldern unten rechts schließlich sind die wenig attraktiven SGEs zu finden, bei denen es sich empfiehlt, zu *ernten* oder zu *desinvestieren.* Ein Beispiel aus Abbildung 2-5A: Die Geschäftseinheit für Überdruckventile verfügt – bei geringer Wettbewerbsstärke – über einen kleinen Marktanteil in einem zwar ordentlich großen, aber nicht sonderlich attraktiven Markt. Diese SGE ist reif für eine Abschöpfungsstrategie. [12]

Für jede Geschäftseinheit sollte die voraussichtliche Position in drei bis fünf Jahren projiziert werden, wenn man die gegenwärtige Strategie beibehält. Dazu muß man abschätzen, an welcher Stelle des Produktlebenszyklusses die Erzeugnisse der SGE stehen. Außerdem sind Prognosen über die Strategien der Konkurrenz, neue Technologien, wirtschaftliche Entwicklung etc. erforderlich. Die Ergebnisse dieser Projektionen werden durch die Länge und Richtung der Vektoren in Abbildung 2-5A illustriert. So erwartet man beispielsweise, daß der Markt für Hydropumpen ein wenig an Attraktivität verliert, und der Wettbewerbsvorsprung des Unternehmens in der Kupplungsbranche stark abnehmen wird.

Der letzte Schritt besteht schließlich darin, daß die Unternehmensleitung entscheidet, was mit den einzelnen Geschäftseinheiten geschehen soll. Für jede SGE muß eine Strategie erarbeitet und durchdiskutiert werden. Im Idealfall einigt sich das Topmanagement gemeinsam mit dem Management der SGEs auf die Zielsetzungen und Strategien für die SGEs sowie auf die Höhe der Mittel, die ihnen zur Verwirklichung dieser Pläne zugewiesen werden.

Nicht immer ergibt sich daraus die Zielvorgabe für den Marketing-Manager, den Umsatz einer SGE zu steigern. Er kann auch dazu angehalten werden, das gegenwärtige Nachfrageniveau mit geringeren Marketingmitteln zu halten oder aus einer Geschäftseinheit liquide Mittel zu erwirtschaften und eine Abschwächung der Nachfrage hinzunehmen. *Das Marketing-Management hat also die Aufgabe, Nachfrage und Umsatz auf das mit der Unternehmensleitung vereinbarte Ziel auszurichten.* Die Marketingabteilung wirkt an der Abschätzung des Umsatz- und Gewinnpotentials der einzelnen SGE mit, aber wenn die Bereichsziele definiert sind und das Budget steht, hat sie die Aufgabe, diese Pläne effizient und gewinnbringend auszuführen.

Kritische Anmerkungen zu den Portfolio-Methoden

Außer den hier vorgestellten gibt es in der Praxis noch eine Reihe anderer Portfolio-Methoden, u.a. das Modell von Arthur D. Little und das Directional-Policy-Modell (Modell der richtungsweisenden Politik) von Shell.[13] Die Arbeit mit diesen Analyseinstrumenten hat verschiedene Vorteile: Managern wird dazu verholfen, zukunfts- und strategieorientierter zu denken, die Strukturen und Funktionsweisen ihrer Unternehmen besser zu verstehen, die Qualität ihrer Pläne zu steigern, eine effizientere Kommunikation zwischen der Unternehmensleitung und den einzelnen Geschäftsbereichen sicherzustellen, Informationslücken und anstehende Probleme schneller auszumachen, die schwachen Geschäftseinheiten zu eliminieren und die vielversprechenden durch gezieltere Investitionen zu fördern.

Andererseits sollen Portfolio-Methoden mit Vorsicht angewandt werden. Sonst kann es geschehen, daß das Unternehmen sich z.B. allzu sehr auf die Beobachtung des Marktanteilswachstums und den Einstieg in wachstumsintensive Branchen konzentriert und dabei das Management der vorhandenen Geschäftseinheiten vernachlässigt. Die Ergebnisse, die eine Portfolio-Analyse liefert, hängen stark von den Bewertungen und Gewichtungen einzelner Faktoren ab, und man kann eine SGE auf eine gewünschte Position in der Matrix hin manipulieren. Hinzu kommt, daß bei der Indexberechnung ein Durchschnittswert über viele Faktoren erarbeitet wird; es ist also durchaus möglich, daß mehrere Geschäftseinheiten im selben Feld auftauchen, obwohl sie sich in den zugrundeliegenden Bewertungen und Gewichtungen der einzelnen Faktoren stark voneinander unterscheiden. Viele SGEs sind in der Mitte der Matrix zu finden, weil man sich bei der Beurteilung der zahlreichen Faktoren auf Kompromisse einigen mußte. Dadurch wird es schwieriger, die jeweils angemessene Strategie zu finden. Und schließlich bleiben in einer Portfolio-Konzeption synergetische Wechselwirkungen zwischen den einzelnen Geschäftseinheiten völlig unberücksichtigt, so daß es riskant sein kann, für eine SGE unabhängige, von den übrigen Bereichen »losgelöste« Entscheidungen zu treffen. Jedoch wurden durch die Portfolio-Methoden die analytischen und strategischen Fähigkeiten der Führungskräfte geschärft, und es wurde ermöglicht, schwerwiegende Entscheidungen datenorientiert und hartnäckig auszudiskutieren und sich nicht wie früher eher auf Gefühle und Eindrücke zu verlassen.

Plan für die Unternehmensentwicklung

Wenn ein Unternehmen die Pläne für die bestehenden SGEs fertiggestellt hat, kann es sein künftiges Umsatz- und Gewinnpotential in etwa abschätzen. Diese Prognosen bleiben jedoch oft hinter den Zielvorstellungen der Unternehmensleitung für den Planungszeitraum zurück. Oft sieht der Portfolio-Plan den Abbau einiger Geschäftseinheiten vor, für die ein Ersatz gefunden werden muß. Wenn sich also zwischen dem angestrebten und dem prognostizierten Umsatz eine Lücke auftut, muß das Management diese strategische Planungslücke schließen, indem man neue Geschäftsfelder entwickelt oder sich dort einkauft.

Abbildung 2-6 zeigt die strategische Planungslücke eines großen Kassettenherstellers namens »Musikus AG« (fiktiver Name). Die unterste Kurve stellt den erwarteten Umsatzverlauf mit dem derzeitigen Portfolio des Unternehmens in den nächsten

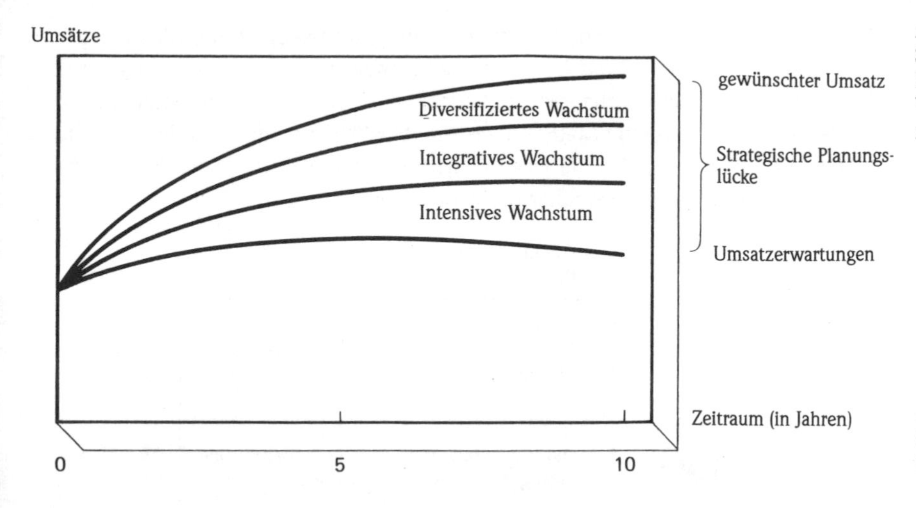

Abbildung 2-6
Strategische Planungslücke

zehn Jahren dar. Die höchste Kurve zeigt den Umsatzverlauf, der von der Unternehmensleitung angestrebt wird. Sie will offensichtlich ein wesentlich schnelleres Wachstum des Unternehmens, als bei einer bloßen Fortführung der Geschäfte zu erwarten wäre. Ja, sie erhofft sich in den nächsten zehn Jahren sogar eine Verdoppelung des Umsatzes. Wie läßt sich diese strategische Planungslücke schließen?

Es gibt drei Möglichkeiten, diese Lücke planerisch zu schließen. Erstens kann das Unternehmen versuchen, mit den existierenden SGEs mehr Wachstum zu erreichen (intensives Wachstum). Zweitens kann man neue Geschäftseinheiten aufbauen oder erwerben, die in ähnlichen Tätigkeitsbereichen wie die vorhandenen SGEs angesiedelt sind (integratives Wachstum). Und drittens besteht die Möglichkeit, neue Geschäftsfelder zu erschließen, die in keinem inhaltlichen Zusammenhang mit dem bisherigen Leistungsprogramm des Unternehmens stehen (diversifiziertes Wachstum). Tabelle 2-2 illustriert verschiedene Wachstumsmöglichkeiten für jede der drei Grundstrategien, die anschließend im einzelnen behandelt werden.

Intensives Wachstum	Integratives Wachstum	Diversifiziertes Wachstum
Marktdurchdringung Marktentwicklung Produktentwicklung	Rückwärtsintegration Vorwärtsintegration Horizontale Integration	Konzentrische Diversifizierung Horizontale Diversifizierung Konglomerate

Tabelle 2-2
Wachstumsmöglichkeiten bei drei Grundstrategien

Intensives Wachstum

Zunächst sollte geprüft werden, ob sich die Leistung der vorhandenen Geschäftseinheiten noch steigern läßt. Ansoff hat ein nützliches Schema zur Darstellung von drei intensiven Wachstumsmöglichkeiten entwickelt. Abbildung 2-7 zeigt dieses sogenannte *Produkt-Markt-Expansionsraster.*[14] Die erste Überlegung sollte sein, ob sich mit dem derzeitigen Produktangebot zusätzliche Anteile an den gegenwärtig bearbeiteten Märkten erobern lassen (Marktdurchdringungsstrategie). Dann stellt sich das Unternehmen die Frage, ob es für seine jetzigen Erzeugnisse neue Märkte finden oder erschließen kann (Marktentwicklungsstrategie). Und schließlich gilt es noch zu untersuchen, ob das Unternehmen seinen gegenwärtigen Abnehmerkreis mit neuen Produkten anzusprechen vermag (Produktentwicklungsstrategie) (zum vierten enthält die Ansoff-Matrix noch die Möglichkeit, neue Produkte für neue Märkte zu entwickeln, also die Diversifizierungsstrategie). Im folgenden sollen die drei Wachstumsstrategien genauer betrachtet werden.

Abbildung 2-7
Drei Wachstumsstrategien im Produkt-Markt-Expansionsraster nach Ansoff

Marktdurchdringungsstrategie

Mit dieser Strategie versucht das Unternehmen, mit seiner derzeitigen Produktpalette einen größeren Anteil am gegenwärtigen Markt zu erringen. Dies kann auf dreierlei Art geschehen: Die Musikus AG z. B. kann ihre Kunden dazu anregen, mehr Kassetten zu kaufen und zu benutzen. Dieser Weg ist dann sinnvoll, wenn ein großer Teil der Kunden nur ab und zu Musikus-Produkte kauft und man ihnen darlegen kann, daß es vorteilhaft ist, mehr Kassetten für Musik- und Textaufnahmen zu erwerben. Die zweite Möglichkeit besteht darin, der Konkurrenz Kunden abzuwerben. Sie ist besonders erfolgversprechend, wenn die Musikus AG deutliche Schwächen in den Produkt- oder Marketingprogrammen ihrer Wettbewerber entdeckt und sich diese zunutze machen kann. Die dritte Variante der Marktdurchdringungsstrategie schließlich zielt darauf ab, diejenigen Verbraucher anzusprechen, die bisher keine Kassettennutzer waren, jedoch im Grunde ähnliche Merkmale aufweisen wie die Musikus-Kunden. Diese Methode empfiehlt sich, wenn es zahlreiche Konsumenten gibt, die noch kein Aufnahme- bzw. Wiedergabegerät besitzen, aber zum Erwerb bereit wären.

Marktentwicklungsstrategie

In diesem Fall sieht sich das Unternehmen nach neuen Märkten um, die es mit seinem gegenwärtigen Produktangebot bedienen kann. Die Musikus AG hat erstens die Möglichkeit, in ihrem derzeitigen Absatzgebiet neue Abnehmergruppen zu ermitteln, die zum Kauf von Kassetten animiert werden könnten. Hat das Unternehmen bisher nur den Markt der Privathaushalte bearbeitet, kann es sich nun den gewerblichen Markt (dazu zählen etwa Büros oder Betriebe) erschließen. Zweitens besteht die Möglichkeit, den Markt für Musikus-Produkte über zusätzliche Distributionskanäle zu entwickeln: Wenn die Kassetten bisher nur in Fachgeschäften angeboten wurden, kann man sich z. B. Kaufhäuser als zusätzlichen Absatzweg sichern. Und drittens bietet sich dem Unternehmen die Chance, neue geographische Märkte zu bearbeiten. War die Musikus AG bisher nur in Österreich präsent, könnte sie ihre Aktivitäten auf Bayern und die Schweiz ausdehnen oder sich auf allen europäischen Märkten engagieren.

Produktentwicklungsstrategie

Das Unternehmen sollte auch die Entwicklung neuer Produkte in Betracht ziehen. Musikus könnte z. B. ein Tonband mit verbesserten Eigenschaften entwickeln, etwa eine Kassette mit längerer Spieldauer oder einem Signalton, der erklingt, wenn das Band abgelaufen ist. Außerdem kann die Musikus AG ihre Produkte in unterschiedlichen Qualitätsstufen anbieten: einen hochempfindlichen Tonträger für den anspruchsvollen Musikfreund, eine Kassette von geringerer Qualität für den Massenmarkt. Ferner könnte Musikus alternative Technologien erforschen, die ebenfalls Musikstücke oder Diktate aufnehmen können.

Nachdem das Management diese verschiedenen, auf intensives Wachstum ausgerichteten Strategien – größere Marktdurchdringung, breiter angelegte Marktentwicklung, Entwicklung neuer Produkte – auf ihre Verwendbarkeit untersucht hat, läßt sich fast immer die eine oder andere Variante in die Tat umsetzen. Sollten sich jedoch damit die Umsatzziele der Unternehmensleitung noch nicht voll verwirklichen lassen, bieten sich auch verschiedene integrative Wachstumschancen an.

Integratives Wachstum

Jede Geschäftseinheit sollte auf integrative Wachstumschancen untersucht werden. Oft lassen sich Umsatz und Gewinn einer SGE durch eine Vorwärts-, Rückwärts- oder horizontale Integration innerhalb der Branche steigern. Abbildung 2-8 zeigt das Marketingsystem der Musikus AG: Sie könnte einen oder mehrere ihrer Zulieferbetriebe aufkaufen (z. B. einen Plastikhersteller), um höhere Gewinne zu erzielen oder eine größere Kontrolle über die Materialbeschaffung zu erhalten (*Rückwärtsintegration*). Oder Musikus erwirbt einige Groß- oder Einzelhandelsfirmen, was sich besonders dann empfiehlt, wenn diese sehr rentabel sind (*Vorwärtsintegration*). Schließlich könnte sich das Unternehmen auch eine oder mehrere Konkurrenzfirmen einverleiben, sofern die Kartellbehörden diesen Schritt nicht untersagen (*horizontale Integration*).

Mit Hilfe einer dieser Integrationsmöglichkeiten dürfte die Musikus AG in der Lage sein, ihr Umsatzvolumen im Laufe der nächsten zehn Jahre weiter zu steigern. Wird die gewünschte Höhe dadurch immer noch nicht erreicht, stehen dem Unternehmen noch verschiedene Diversifizierungsstrategien zur Verfügung.

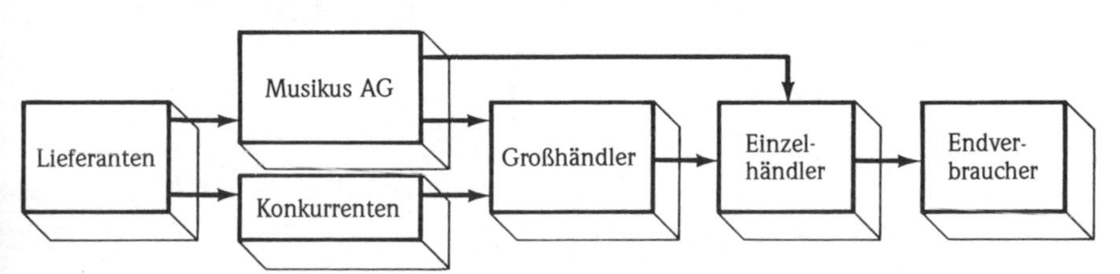

Abbildung 2-8
Marketingsystem eines Kassettenherstellers

Diversifiziertes Wachstum

Eine Diversifizierungsstrategie bietet sich an, wenn das Unternehmen außerhalb seiner gegenwärtigen Tätigkeitsfelder auf eine vielversprechende Marktchance stößt, also einen besonders attraktiven Markt entdeckt, für dessen Bearbeitung das Unternehmen genau die richtigen Wettbewerbsvorteile mitbringt. Man unterscheidet drei Formen von Diversifizierung. Erstens kann ein Unternehmen neue Produkte suchen, bei welchen in bezug auf die Technologie oder das Marketing Synergien mit den gegenwärtigen Produktlinien bestehen, selbst wenn es sich an neue Abnehmerschichten wendet (*konzentrische Diversifizierung*). So könnte etwa die Musikus AG, gestützt auf ihre Erfahrung in der Produktion von Tonträgern, mit der Herstellung von Computerbändern beginnen. Sie muß sich allerdings darüber im klaren sein, daß sie mit diesem Produkt einen neuen Abnehmerkreis anspricht und einen neuen Markt bedient. Zweitens kann ein Unternehmen *horizontal diversifizieren*, d.h., es wendet sich an den gleichen Markttyp wie bisher, tut dies jedoch mit völlig anderen Produkten als bisher, die auch nicht genau die gleichen Abnehmer ansprechen wie die bisherigen Produkte. So könnte die Musikus AG auf dem Markt der Privathaushalte Wohnungsdekorationen oder Alarmsysteme vertreiben, die jedoch nicht für dieselbe Zielgruppe gedacht sind wie die Tonbänder. Drittens kann ein Unternehmen auch in solche Tätigkeitsbereiche eindringen, die in keinerlei Zusammenhang mit seinen derzeitigen Produkten, Fertigungstechniken und Märkten stehen (*konglomerate Diversifizierung*). Musikus könnte z.B. in die Computerbranche, in das Immobiliengeschäft oder in die Fast-Food-Industrie einsteigen.

Die konglomerate Diversifizierung ist insbesondere dann risikoreich, wenn das Management des akquirierenden Unternehmens wenig von dem neu erworbenen Geschäft versteht und zudem das Management des akquirierten Unternehmens selbst in der Vergangenheit nur wenig erfolgreich war. Finanzkraft und Größe allein genügen nicht für den Erfolg auf neuen Gebieten. So diversifizierte z.B. die Volkswagen AG mit dem Erwerb von Triumph-Adler in das Bürokommunikationsgeschäft. Nach Jahren vergeblicher Versuche, den Erfolg in diesem Markt zu finden, mußte die Volkswagen AG feststellen, daß sie außer mehreren Millionen DM an Verlusten von dieser Diversifizierung nichts hatte.

Damit ist deutlich geworden, daß ein Unternehmen durchaus systematisch nach Wachstumschancen suchen kann: Es muß im Rahmen seines Marketingsystems zunächst analysieren, ob es mit den gegenwärtigen bzw. verbesserten Produkten seine Marktposition verbessern kann, dann unter Berücksichtigung seiner bisherigen Tätigkeitsfelder die Möglichkeiten der Vorwärts-, Rückwärts- und horizontalen Integration prüfen, und schließlich nach gewinnträchtigen Diversifizierungschancen suchen.

Strategische Planung auf Geschäftsfeldebene

Nach Behandlung der strategischen Planungsprozesse auf der obersten Unternehmensebene soll es im folgenden um die Planungsaufgaben gehen, die den Managern der einzelnen Geschäftseinheiten obliegen. Auf dieser Ebene umfaßt die strategische Planung folgende Schritte:

- Definition des Grundauftrags im Geschäftsfeld
- Analyse des Umfelds
- Analyse der Leistungsfähigkeit
- Formulierung der Leistungsziele
- Formulierung von Strategien
- Programmplanung
- Durchführung der Programmpläne
- Steuerung durch Feedback und Kontrolle

Abbildung 2-9
Strategische Planung auf Geschäftsfeldebene

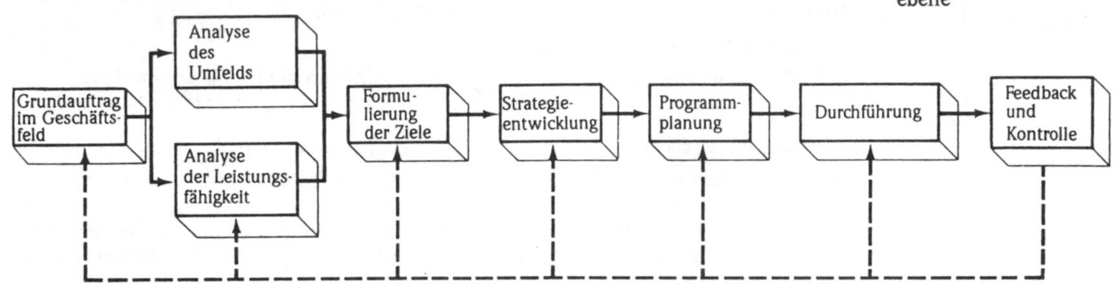

Grundauftrag im Geschäftsfeld

Die einzelne Geschäftseinheit sollte ihren speziellen Grundauftrag innerhalb des umfassenderen Grundauftrags des Unternehmens abstecken. Zur Veranschaulichung soll noch einmal das Unternehmen aus Abbildung 2-3, das Beleuchtungsanlagen für Fernsehstudios anbietet, als Beispiel dienen. Dessen Auftrag ist in bezug auf die Kunden (Fernsehstudios) und ihre Bedürfnisse (Beleuchtung) klar umrissen. Auf der Ebene der Geschäftseinheit ist jedoch eine detailliertere Definition erforderlich. Was die Kundengruppen betrifft, ist zu klären, ob man sich an alle Fernsehstudios wenden soll oder nur an diejenigen, die sich die besten und fortschrittlichsten Beleuchtungsanlagen leisten können. Im Hinblick auf die Kundenbedürfnisse muß entschieden werden, ob das Unternehmen neben dem Verkauf auch die Installation und Wartung der Anlagen übernimmt. Darüber hinaus muß der vertikale Bereich abgegrenzt werden: Will man eigene Herstellungsbetriebe oder läßt man die Beleuchtungsanlagen extern fertigen? Wird der Vertrieb über eine firmeneigene Absatzorganisation oder über Großhändler abgewickelt? In bezug auf den geographischen Bereich muß sich das Unternehmen entscheiden, ob es lediglich in einer Region, im ganzen Land oder in mehreren Ländern tätig sein will. Anhand dieses Beispiels wird deutlich, daß die Aufgabenstellung eines Unternehmens auf Geschäftseinheitsebene detaillierter festgelegt werden muß als auf der obersten Leitungsebene.

Außerdem muß in die Formulierung des Grundauftrags einfließen, nach welchen Grundsätzen die SGEs geführt werden sollen. Diese Grundsätze müssen spezifisch für die SGEs detaillierter dargelegt werden als für das Gesamtunternehmen. Strebt die SGE für Beleuchtungsanlagen ein hohes Umsatzwachstum, kurzfristige Gewinne oder eine technologische Führungsrolle an? Wie sieht ihre Geschäftspolitik im Umgang mit den Kunden, Angestellten und anderen wichtigen Interessengruppen aus? All diese Fragen müssen in der Formulierung des Grundauftrags für die Geschäftseinheit klargestellt werden.

Analyse des Umfelds (Chancen und Gefahren)

Aus dem Grundauftrag ergibt sich, welche Aspekte im Unternehmensumfeld ständig überwacht werden sollen. Der Manager weiß damit, welche Umfeldbereiche er im Auge behalten und kennen muß, damit die Geschäftseinheit ihre Ziele erreicht. Unsere Beleuchtungsfirma muß z. B. folgendes beobachten:

- die zahlenmäßige Entwicklung der Fernsehstudios
- die Fernsehnutzung der Bevölkerung, denn diese bestimmt die Finanzlage der Studios und damit das Budget, das ihnen für die Neuanschaffung technischer Anlagen zur Verfügung steht
- die Strategien der derzeitigen Konkurrenten und der Markteintritt neuer Wettbewerber
- den technischen Fortschritt, der die Gestaltung der laufenden und zukünftigen Produkte beeinflußt
- die Entwicklungen auf dem Gebiet der Gesetzgebung und der behördlichen Verordnungen, die sich auf die Entwicklung, Konstruktion oder das Marketing technischer Anlagen auswirken könnten
- die Entstehung neuer oder veränderter Vertriebskanäle für den Absatz von Beleuchtungsanlagen
- einen möglichen Anstieg der Kosten im Zulieferbereich, der an die Beleuchtungshersteller weitergegeben werden könnte

Grundsätzlich muß das Unternehmen die wichtigsten Gestaltungskräfte in der Makroumwelt (mit ihrer demographisch-ökonomischen, technologischen, politisch-rechtlichen und sozio-kulturellen Komponente) beobachten, die sich auf seine Tätigkeit auswirken. Und es muß die bedeutendsten Akteure seiner Mikroumwelt im Auge behalten (also die Kunden, Konkurrenten, Absatzkanäle und Lieferanten), die Einfluß auf den Erfolg des Unternehmens haben.

Solche Einflußfaktoren sollten in zusammengehörige Gruppen geordnet und es sollte ein *Marketing-Nachrichtensystem* eingerichtet werden, das die wichtigsten Entwicklungen und Tendenzen im Umfeld verfolgt. Anhand der beobachteten Entwicklungstendenzen sollte der Marketer analysieren, welche Chancen und Gefahren auf seine Geschäftseinheit zukommen.

Chancen

Bei der Umfeldanalyse geht es in erster Linie darum, neue Chancen auszumachen. Eine Marketingchance wird folgendermaßen definiert:

> Eine Marketingchance ist ein mögliches Marketingvorhaben des Unternehmens, bei welchem das Unternehmen einen Wettbewerbsvorteil genießen könnte.

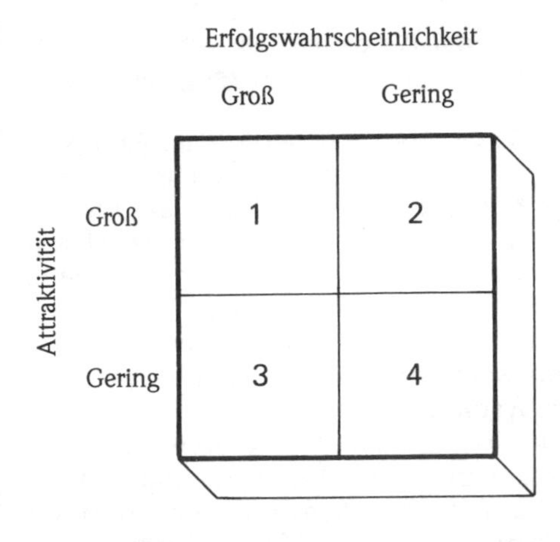

Wahrnehmbare Chancen (Beispiele):
1. Das Unternehmen entwickelt leistungsstärkere Beleuchtungsanlagen.
2. Das Unternehmen entwickelt erheblich preisgünstigere Beleuchtungsanlagen.
3. Das Unternehmen entwickelt ein spezielles Computerprogramm, mit dessen Hilfe die Mitarbeiter des Fernsehstudios die Grundlagen der Beleuchtungstechnik erlernen können.
4. Das Unternehmen entwickelt ein Meßgerät für die Energieeffizienz von Beleuchtungsanlagen.

Abbildung 2-10
Chancen-Matrix

Diese Marketingchancen müssen auf ihre *Attraktivität* und die *Erfolgswahrscheinlichkeit* für das Unternehmen hin untersucht werden (s. Abbildung 2-10). Dabei hängt die Erfolgswahrscheinlichkeit nicht nur davon ab, daß die *unternehmerischen Stärken* (also die *besondere Kompetenz*) und die Erfolgserfordernisse im Zielmarkt zusammenpassen; sie müssen darüber hinaus die Stärken der Konkurrenz übertreffen. Am besten schneidet jeweils das Unternehmen ab, *das den größten Kundennutzen schafft und langfristig aufrechterhält.* Eine einfache Produkt- und Marktkompetenz genügt also nicht. Um sich einen *dauerhaften Wettbewerbsvorteil* zu verschaffen, muß das Unternehmen in Sachen Kompetenz überlegen sein (s. Exkurs 2–1: Welches Unternehmen hätte bei der Herstellung und beim Verkauf eines Elektroautos den größten Wettbewerbsvorteil?).

Die besten Chancen für die Beleuchtungsfirma liegen im oberen linken Feld von Abbildung 2-10. Folglich sollte die Geschäftsleitung einen geeigneten Plan entwerfen, um eine oder mehrere dieser Chancen zu nutzen. Die Bedeutung der Chancen im unteren rechten Quadranten ist zu gering, als daß man sie ernsthaft in Betracht ziehen sollte. Die Chancen hingegen, die im oberen rechten und unteren linken Feld angesiedelt sind, muß das Unternehmen im Auge behalten, so daß es aktiv werden kann, wenn die Attraktivität oder die Erfolgswahrscheinlichkeit einer dieser Alternativen steigen.

Exkurs 2-1: Welches Unternehmen hätte bei der Herstellung und beim Verkauf eines Elektroautos den größten Wettbewerbsvorteil?

Nehmen wir an, Volkswagen, Siemens und Massa hätten unabhängig voneinander beschlossen, ein Elektroauto zu entwickeln und auf den Markt zu bringen. Um herauszufinden, welches dieser drei Unternehmen dabei den größten Wettbewerbsvorteil genießen würde, muß man zunächst die Erfolgserfordernisse untersuchen. Diese umfassen (1) gute Beziehungen zu den Anbietern von Teilen aus Metall, Gummi, Kunststoff, Glas und anderen Werkstoffen, die zur Herstellung eines Autos erforderlich sind; (2) die für die Massenfertigung und technisch anspruchsvolle Montage der Teile erforderlichen Fähigkeiten; (3) ein umfassendes Distributionsnetz für die

Lagerung, Vorführung und Auslieferung der Autos; (4) das Vertrauen der Käufer in die Fähigkeit des Unternehmens, ein gutes Fahrzeug mit gutem Service anzubieten.
Volkswagen verfügt in allen vier Bereichen über herausragende Fähigkeiten. Siemens erfüllt die ersten beiden Voraussetzungen, nicht aber die Erfordernisse (3) und (4). Allerdings besitzt das Unternehmen ein umfassendes Know-how auf dem Gebiet der Elektrotechnik und Elektronik. Massa zeichnet sich vor allem durch sein attraktives Distributionssystem aus. Dank seiner diversen Aktivitäten wird Massa auch einigen anderen Erfolgserfordernissen gerecht, wenn auch jeweils nicht in vollem Umfang. Aus der Fertighausherstellung hat Massa das Know-how über Produktionsabläufe und im Management eines Zuliefersystems. Aufgrund des Handels mit Neu- und Gebrauchtwagen und des begrenzten Reparaturservice kann Massa auch einiges an Kundenvertrauen bezüglich des Fahrzeuggeschäfts zugestanden werden. Es zeigt sich, daß alles in allem Volkswagen in der Herstellung und im Verkauf eines Elektroautos den größten Wettbewerbsvorteil für sich verbuchen könnte.

Gefahren

Einige Entwicklungen im externen Umfeld stellen für das Unternehmen eine Gefahr dar. Diese umfeldinduzierte Gefahr umreißen wir wie folgt:

> Eine umfeldinduzierte Gefahr ist eine Herausforderung, die dem Unternehmen aus einer ungünstigen Tendenz oder Entwicklung des Umfelds erwächst und das Unternehmen und die gesamte Branche bedroht, wenn keine Marketingmaßnahmen dagegen ergriffen werden.

Die Gefahren, die das Unternehmen in seinem Umfeld erkennt, werden nach ihrem *Gefährdungspotential* und dem *Wahrscheinlichkeitsgrad* ihres Eintretens klassifiziert. In Abbildung 2-11 werden einige Gefahren dargestellt, denen unsere Beleuchtungsfirma ausgesetzt ist. Im oberen linken Feld sind die besonders ernstzunehmenden Gefahren angesiedelt: Sie könnten dem Unternehmen schweren Schaden zufügen, und die Wahrscheinlichkeit, daß sie eintreten, ist hoch. Um im Ernstfall gewappnet zu sein, muß das Unternehmen für jede dieser Gefahren einen Eventual-

Abbildung 2-11
Gefahren-Matrix

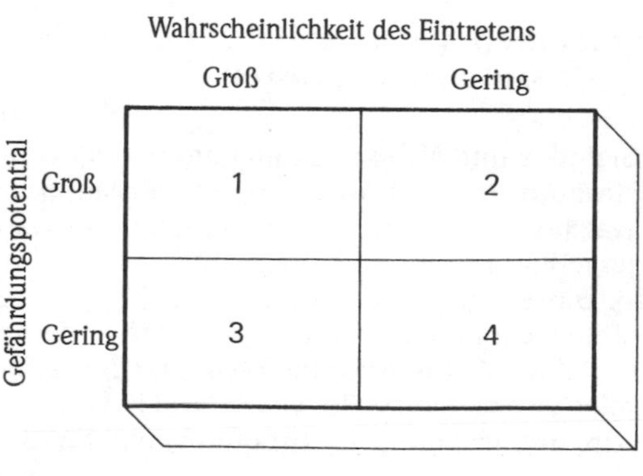

Gefährdungspotential	Wahrscheinlichkeit des Eintretens: Groß	Wahrscheinlichkeit des Eintretens: Gering
Groß	1	2
Gering	3	4

Gefahren:
1. Ein Konkurrent entwickelt ein überlegenes Beleuchtungssystem.
2. Es kommt zu einer anhaltenden Konjunkturflaute.
3. Die Kosten steigen.
4. Durch ein Gesetz wird die Einrichtung neuer Fernsehstudios eingeschränkt.

plan aufstellen, der festlegt, welche Maßnahmen es im Vorfeld bzw. im Verlauf der betreffenden Situation ergreifen wird. Die Gefahren, die im unteren rechten Feld der Abbildung stehen, sind unbedeutend und können vernachlässigt werden. Im oberen rechten und unteren linken Quadranten sind schließlich diejenigen Gefahren angesiedelt, die zwar keine Eventualplanung notwendig machen, jedoch für den Fall, daß sie akut werden, eine sorgfältige Beobachtung erfordern.

Aus dem Gesamtbild aller Chancen und Gefahren ergibt sich, wie attraktiv ein Geschäftsfeld ist. Die SGE kann ihr Geschäft einer der folgenden vier Kategorien zuordnen: Ein *ideales Geschäftsfeld* bietet zahlreiche gute Chancen bei nur wenigen oder gar keinen Gefahren. Ein *spekulatives Geschäftsfeld* bietet viele positive Entwicklungsmöglichkeiten, ist aber gleichzeitig einer Reihe ernster Gefahren ausgesetzt. Im Gegensatz dazu steht das *ausgereifte Geschäftsfeld*, wo es weder große Chancen noch ernste Gefahren gibt. Ein *problembehaftetes Geschäftsfeld* bietet kaum Chancen, dafür aber viele Gefahren.

Analyse der Leistungsfähigkeit (Stärken und Schwächen)

Nun ist es nicht damit getan, im externen Umfeld attraktive Marktchancen aufzutun. Das Unternehmen muß auch über die notwendigen Fähigkeiten verfügen, diese Chancen erfolgreich wahrzunehmen. Daher muß jede Geschäftseinheit regelmäßig ihre Stärken und Schwächen feststellen. Dies kann beispielsweise mit Hilfe einer Checkliste geschehen, wie sie in Abbildung 2-12 gezeigt wird. Die Geschäftsleitung – oder auch eine externe Beratungsfirma – untersucht die Fähigkeiten der SGE in den Bereichen Marketing, Finanzen, Fertigung und Personalführung. Jeder Einflußfaktor erhält eine von fünf Leistungsbewertungen: große Stärke, kleine Stärke, ohne Leistung, kleine Schwäche und große Schwäche. Eine im Marketing besonders fähige SGE würde sich durch große Stärke bei den Marketingfähigkeiten auszeichnen. Verbindet man alle Leistungsausprägungen in vertikaler Folge durch eine Linie, erhält man schnell ein übersichtliches Leistungsprofil der SGE.

Natürlich sind nicht alle diese Faktoren für den Erfolg eines Geschäftsfelds oder bei einer Marketingchance gleich bedeutend. Daher muß die Wichtigkeit jedes Faktors berücksichtigt werden (hoch, mittel, gering). Stellt man die Leistungsausprägung und die Erfolgswichtigkeit der Faktoren gegenüber, so ergeben sich vier mögliche Kombinationen (s. Abbildung 2-13). Feld A beinhaltet Faktoren von großer Bedeutung, bei denen die Leistung der Geschäftseinheit ungenügend ist. Folglich muß sie in diesen Bereichen zulegen (»Anstrengungen verstärken«). In Quadrant B befinden sich wichtige Faktoren, welche die SGE bereits bestens erfüllt (»weiter gute Arbeit leisten«). Feld C beinhaltet unbedeutende Faktoren, bei denen die Geschäftseinheit schlecht abschneidet; hier sind infolgedessen »Verbesserungen nicht dringlich«. In Quadrant D schließlich sind unbedeutende Faktoren angesiedelt, bei denen die SGE gute Leistungen erbringt, sich aber vor »übertriebenem Einsatz« hüten sollte. Ein praktisches Beispiel für eine solche Bewertung bringen wir im Kapitel über Service-Management.

Diese Analyse zeigt, daß selbst dann, wenn eine Geschäftseinheit bei einem bestimmten Faktor über eine ausgeprägte Stärke (also eine *besondere Kompetenz*) verfügt, nicht unbedingt ein *Wettbewerbsvorteil* daraus erwachsen muß. Diese Situa-

Abbildung 2-12
Stärken-Schwächen-Analyse

	Leistungsausprägung					Erfolgswichtigkeit		
	große Stärke	kleine Stärke	ohne Leistung	kleine Schwäche	große Schwäche	hoch	mittel	gering
Marketingstärken des Unternehmens								
1. Bekanntheitsgrad und Ansehen								
2. Relativer Marktanteil								
3. Ruf in bezug auf Qualität								
4. Ruf in bezug auf Kundendienst								
5. Distributionskosten								
6. Verkaufsorganisation								
7. Effektiv in F+E und bei Innovationen								
8. Standortvorteile								
9. Beschaffungsvorteile								
Finanzbereich								
10. Niedrige Kapitalkosten								
11. Kapitalverfügbarkeit								
12. Hohe Rentabilität								
13. Finanzielle Stabilität								
Fertigung								
14. Niedrige Fertigungskosten								
15. Neue, gut ausgestattete Betriebsstätten								
16. Bedeutende Größenvorteile								
17. Kapazitätsreserven für eine hohe Nachfrage								
18. Qualifizierte Belegschaft								
19. Lieferzuverlässigkeit								
20. Know-how in Technik und Fertigung								
Personalführung								
21. Einfallsreiche Führungsmannschaft								
22. Fähige Manager								
23. Engagierte Mitarbeiter								
24. Unternehmerisch-dynamische Ausrichtung								
25. Flexibilität und Anpassungsfähigkeit								
26. Reagibel auf veränderte Bedingungen								

tion ist z.B. dann gegeben, wenn die betreffende Stärke für die Kunden völlig irrelevant ist. Oder dann, wenn sie für den Erfolg im Markt zwar bedeutsam ist, die Wettbewerber jedoch das gleiche Leistungsniveau aufzuweisen haben. Es kommt also darauf an, beim jeweiligen Faktor relativ stärker zu sein als die Konkurrenten. Wenn zwei Konkurrenten den Vorteil niedriger Fertigungskosten genießen, kann derjenige mit den niedrigeren Fertigungskosten einen Wettbewerbsvorsprung für sich verbuchen.

Die Analyse der Leistungsfähigkeit zeigt, daß man weder sämtliche Schwächen beseitigen (einige sind bedeutungslos) noch alle Stärken beklatschen soll (auch hier sind einige irrelevant). Die große Frage lautet vielmehr, ob man das Geschäft künftig auf diejenigen Marketingchancen beschränken soll, für die man die erforderlichen

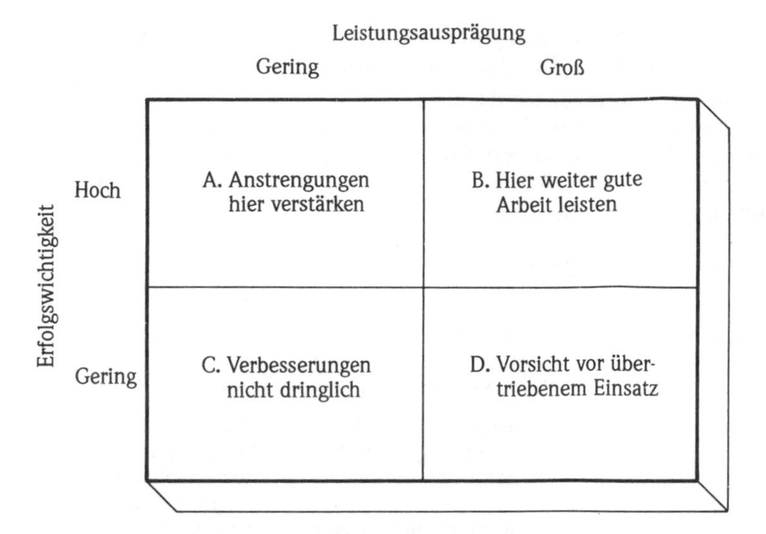

Abbildung 2-13
Matrix der Leistungsausprägung und der Erfolgswichtigkeit mit normativen Handlungsempfehlungen

Stärken schon besitzt, oder ob man auch andere, möglicherweise bessere Chancen suchen sollte, für deren Wahrnehmung noch bestimmte Fähigkeiten zu erwerben sind. Mit dieser Frage mußte sich z.B. Texas Instruments auseinandersetzen. Die Meinungen in der Führungsmannschaft gingen auseinander: Eine Gruppe plädierte dafür, daß TI sich auch weiterhin auf elektronische Produkte für industrielle Abnehmer beschränkte – ein Gebiet, auf dem das Unternehmen über unbestrittene Fähigkeiten verfügte. Eine andere Fraktion drang darauf, daß man Digital-Armbanduhren, Personal Computer und andere Produkte für den Konsumgütermarkt in die Angebotspalette aufnahm. Für diese Bereiche besaß TI nicht die erforderlichen Marketingfähigkeiten. Bald zeigte sich denn auch, daß das Unternehmen auf den neuen Tätigkeitsfeldern schlecht abschnitt. Dennoch ist nicht gesagt, daß der Einstieg in den Konsumgütermarkt an sich der Fehler war. Möglicherweise baute TI seine Marketingfähigkeiten nur nicht entschlossen genug aus, um die neue Aufgabe erfolgreich zu bewältigen.

Manchmal gerät eine Geschäftseinheit nicht deshalb in Schwierigkeiten, weil ihre verschiedenen Abteilungen Schwächen aufweisen, sondern weil sie nicht gut genug kooperieren. In einer großen Elektronikfirma bezeichnen die Ingenieure die Verkäufer verächtlich als »verhinderte Ingenieure«, und die Verkäufer betrachten die Kundendienstmitarbeiter als »verhinderte Verkäufer«. Es ist unbedingt erforderlich, daß im Rahmen der internen Umfeldanalyse auch die Beziehungen zwischen den einzelnen Funktionen unter die Lupe genommen werden. Hierzu ein Beispiel:

Ein Computerhersteller führt jedes Jahr eine Untersuchung durch, bei der jede Abteilung ihre eigenen Stärken und Schwächen und auch die der anderen Abteilungen beurteilt. Die Ergebnisse einer Untersuchung dieser Art sind in Exkurs 2–2 festgehalten. Man beachte, daß sich in jeder Abteilung einige Stärken, aber auch ausgeprägte Schwächen fanden. Auf der Basis dieser Analysen führt das Unternehmen Programme durch, mit deren Hilfe die Schwächen der einzelnen Abteilungen beseitigt und die Arbeitsbeziehungen zwischen den Funktionen verbessert werden sollen.

Exkurs 2-2: Gegenseitige Leistungsbeurteilung der Abteilungen eines Computerherstellers

Ein Computerhersteller führte eine nach Abteilungen gegliederte Untersuchung seiner Stärken und Schwächen durch. Jede Abteilung (Konstruktion, Fertigung, Marketing, Verkaufsaußendienst etc.) wurde aufgefordert, ihre eigenen Stärken und Schwächen sowie die der übrigen Abteilungen zu bewerten. Hier sind die Ergebnisse:

	Stärken	Schwächen
Konstruktion	Qualifizierte Ingenieure Auf dem neuesten Stand der CAD/CAM-Entwicklung	Zu teures Design Zu große Lieferverzögerungen
Fertigung	Produziert gute Qualität Kann kundenspezifische Ausrüstungen herstellen Reagiert auf die Wünsche des Außendienstes	Hohe Kosten Mangel an Kostensenkungsprogrammen Betriebsart ist nur wenig flexibel
Verkaufsaußendienst	Gute Kundenbeziehungen	Auf Großaufträge fixiert, vernachlässigt Kleinaufträge Bessere Schulung im »Verkaufen von Kundennutzen« nötig Konflikte zwischen der Zentrale und den Außenstellen
Marketing	Kompetente Mitarbeiter Gute Programme für die einzelnen Marktsegmente	Hat noch keine langfristige Strategie geliefert Planung wird nicht laufend angepaßt, sondern findet immer nur im September statt Zu langsam bei der Beseitigung von Produktlücken

---

Formulierung der Leistungsziele

Nachdem die Geschäftseinheit ihren Grundauftrag definiert und ihr Umfeld sowie ihre Leistungsfähigkeit analysiert hat, kann sie die spezifischen Betriebs- und Ergebnisziele festlegen. Diese Stufe im Planungsprozeß bezeichnet man als *Formulierung der Leistungsziele.* Diese bringen zum Ausdruck, was die SGE im Planungszeitraum erreichen will.

Sehr wenige Geschäftseinheiten setzen sich nur ein einziges Ziel. Oft existieren mehrere Ziele gleichzeitig, z. B. *Erhöhung der Profitabilität, Umsatzsteigerung, Ausweitung des Marktanteils, Risikobegrenzung, Innovationsförderung, Imagepflege* etc. Die SGE erstellt die Leistungsziele und orientiert sich bei allen Entscheidungen und Handlungen an diesen Zielen. Dieses System bezeichnet man als *leistungsorientiertes Management* oder *»Management by Objectives«* (MBO-Konzept). Damit es funktionieren kann, sollten die Einzelziele hierarchisch gegliedert, quantitativ definiert, realistisch und ausgewogen sein.

Man kann einen Katalog von Leistungszielen einfach nach ihrer Wichtigkeit ordnen oder – besser noch – *hierarchisch* gliedern. Eine solche Gliederung läßt sich beispielhaft für die ehemalige »Graue Post« als eine strategische Geschäftseinheit des Großunternehmens Bundespost konstruieren. Diese SGE erzielte zwar eine gute Kapitalrendite; diese reichte jedoch nicht aus, um Defizite in den anderen Postbereichen auszugleichen, Expansionspläne zu verwirklichen und auch noch Überschüsse für die Öffentliche Hand zu erwirtschaften. Der Grundauftrag der Geschäftseinheit besteht in gutem und zuverlässigem Kundendienst. Ihre wichtigste Zielsetzung ist die Erhöhung der Kapitalrendite. Daraus leiten sich eine ganze Reihe weiterer operativer Leistungsziele ab (siehe Abbildung 2-14).

Es gibt zwei Möglichkeiten, die Kapitalrendite zu erhöhen: Man kann eine reale Ertragssteigerung anstreben oder das Investitionsvolumen drosseln. Letzteres kam für die »Graue Post« nicht in Frage. Um ihre Erträge zu steigern, kann sie entweder Umsatzzuwächse oder Kostensenkungen anstreben. Eine Umsatzausweitung wiederum läßt sich auf verschiedene Weise realisieren: durch einen erhöhten Verkauf von Geräten wie Telefone oder Telefaxgeräte, eine Steigerung der Nutzung oder eine Erhöhung der Nutzungsgebühren. Eine Kostenreduktion kann durch eine längere Nutzungsdauer vermieteter Geräte erreicht werden. Aus der Umsatzausweitung ergeben sich weitere Leistungsziele für die Verkaufsorganisation, die Werbeabteilung und andere Marketingfunktionen. So wird beispielsweise jedem Verkaufsbezirk eine Umsatzquote zugewiesen, die wiederum auf den einzelnen Telefonladen bzw. Verkaufsvertreter bei Industriekunden umgeschlagen werden kann. Auf diese Weise würde ein auf der Führungsebene der SGE festgelegtes Gesamtziel in konkrete Leistungsziele für einzelne Mitarbeiter umgewandelt.

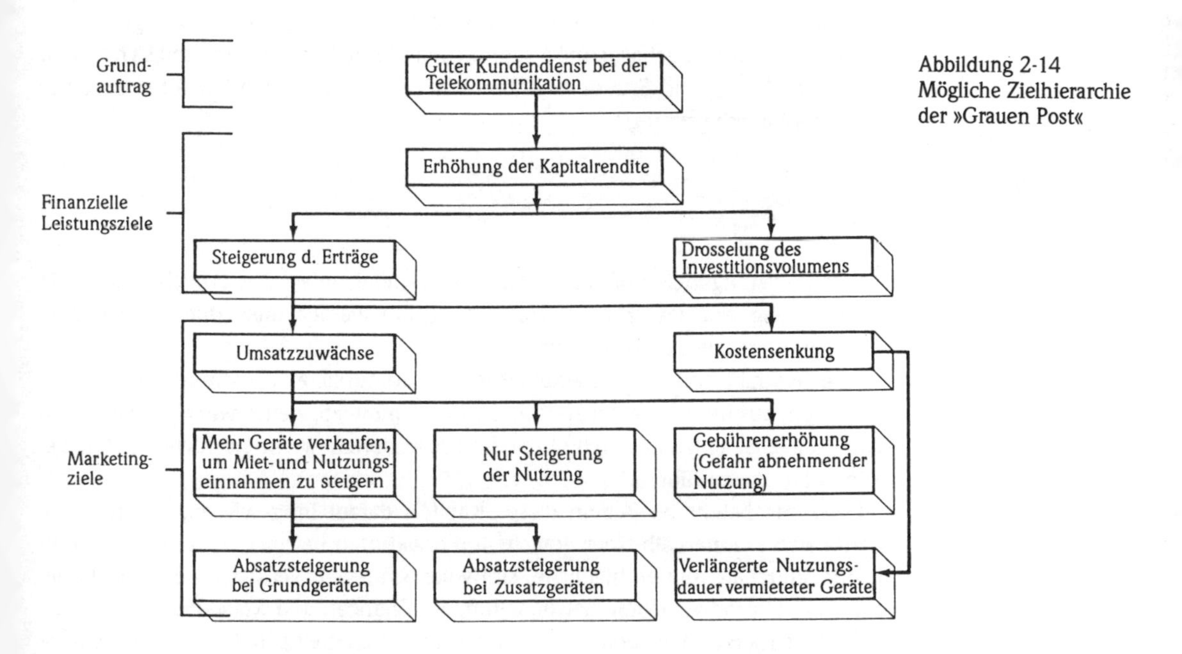

Abbildung 2-14
Mögliche Zielhierarchie der »Grauen Post«

Quelle: Abgewandelt nach Leon Winer: »Are You Really Planning Your Marketing?«, in: *Journal of Marketing*, Januar 1965, S. 3; veröffentlicht von der American Marketing Association.

Soweit möglich sollten die Leistungsziele *quantifiziert* werden. Die Formulierung »Erhöhung der Kapitalrendite« ist weniger aussagekräftig als die Forderung »Erhöhung der Kapitalrendite auf 12 Prozent« oder, noch besser, »Erhöhung der Kapitalrendite auf 12 Prozent innerhalb der nächsten zwei Jahre«. *Ergebnishöhe* und *Zeitraum* sind dabei festgelegt. Mit quantitativen Leistungszielen ist der Managementprozeß der Planung, Durchführung und Steuerung besser zu beherrschen als mit unpräzisen Zielangaben.

Die Leistungsziele, die sich eine Geschäftseinheit setzt, müssen sich auf einem realistischen Niveau bewegen. Dieses Niveau sollte von der Analyse der Chancen und der Wettbewerbsstärke und nicht von reinem Wunschdenken bestimmt werden.

Schließlich kommt es darauf an, daß die einzelnen Zielsetzungen *ausgewogen* sind. Es ist nicht möglich, »gleichzeitig den Umsatz und den Gewinn zu maximieren«, »mit den denkbar niedrigsten Kosten das größtmögliche Umsatzwachstum zu erzielen« oder »in möglichst kurzer Zeit das beste Produkt zu gestalten«. Solche Zielkombinationen müssen gegeneinander abgewogen werden. Dazu einige weitere Beispiele:

- Hohe Gewinnspannen gegen großes Umsatzvolumen
- Stärkere Marktdurchdringung gegen Erschließung neuer Märkte
- Höhe des Gewinns gegen Umweltschutz
- Schnelles Wachstum gegen Kontinuität

Die Geschäftsleitung muß die Leistungsziele in einem ausgewogenen Verhältnis zueinander gestalten; sonst löst sie Verwirrung aus. Amerikanischen Topmanagern wird oft vorgeworfen, daß sie die Führungskräfte an der Kundenfront auffordern, auf »lange Sicht« zu planen, und sie dann mit der Forderung nach »hohen kurzfristigen Gewinnen« unter Druck setzen. Von japanischen Topmanagern wird gesagt, daß sie die klare Anweisung geben, zunächst große Marktanteile zu erobern und sich erst an zweiter Stelle um die Erträge zu kümmern. Jede Zielkombination führt zu einer anderen Marketingstrategie.

Formulierung von Strategien

Mit den Leistungszielen offenbart das Management, *wieviel* es erreichen will; die Strategie zeigt auf, *was* zur Zielerreichung getan werden muß, und die operative Taktik bestimmt, *wie* es getan wird.

Jede Geschäftseinheit muß eine auf ihre Leistungsziele zugeschnittene Strategie erarbeiten, aus der wiederum spezifische Programme abgeleitet werden. Diese muß man möglichst effizient durchführen und korrigieren, wenn sie nicht zu den gewünschten Zielen führen.

Es wurde bereits zu Beginn dieses Kapitels darauf hingewiesen, daß mehrere Wettbewerber innerhalb einer Branche (im erwähnten Beispiel war es die Reifenindustrie) durchaus unterschiedliche, sinnvolle Strategien verfolgen können, die jeweils auf den individuellen Zielvorstellungen, Chancen und Ressourcen der Unternehmen basieren. Von den vielen möglichen Strategietypen hat Porter mehrere erfolgsträchtige Grundtypen genannt, die im folgenden aufgeführt werden und einen guten Ausgangspunkt für strategische Überlegungen darstellen: [15]

- **Strategie der umfassenden Kostenführerschaft**
  In diesem Fall strebt das Unternehmen nach möglichst niedrigen Produktions- und Distributionskosten, damit es die Preise der Konkurrenten unterbieten und einen großen Marktanteil einnehmen kann. Diese Strategie erfordert umfangreiche Fähigkeiten in den Bereichen Entwicklung, Konstruktion, Beschaffung, Fertigung und Vertrieb, stellt dafür aber weniger hohe Ansprüche an das operative Marketing. Texas Instruments ist einer der führenden Verfechter dieser strategischen Option. Diese Strategie führt allerdings zu Problemen, wenn andere Unternehmen mit noch niedrigeren Kosten auf den Plan treten (z.B. in Fernost), und die Existenz des Unternehmens davon abhängt, daß man die niedrigsten Kosten aufzuweisen hat. Der wirkliche Schlüssel für den Erfolg eines Unternehmens liegt darin, daß es die niedrigsten Kosten unter all den Wettbewerbern erreicht, die eine ähnliche Strategie der Differenzierung oder Nischenbesetzung verfolgen.
- **Strategie der Differenzierung**
  Diese Strategie zielt darauf ab, bezüglich eines wichtigen Kundennutzens, der den Gesamtmarkt anspricht, eine überlegene Produktleistung zu bieten. So kann u.a. eine Führungsstellung in bezug auf Service, Qualität und Produktstyling oder die Technologieführerschaft angestrebt werden; es ist jedoch kaum möglich, auf all diesen Gebieten gleichzeitig die führende Position zu erreichen. Das Unternehmen pflegt diejenigen Stärken, mit denen es einen differenzierenden Leistungsvorteil beim gewünschten Kundennutzen bieten kann. Zielt ein Hersteller auf Qualitätsführerschaft ab, muß er die besten Teile produzieren oder beschaffen, sie einwandfrei montieren, sorgfältig überprüfen etc. Diesen Weg beschritt z.B. Canon in der Kopiererbranche.
- **Strategie der Nischenbesetzung**
  In diesem Fall konzentriert sich das Unternehmen auf eine oder mehrere klar umrissene Marktsegmente statt auf den Gesamtmarkt. Es spezialisiert sich auf die Bedürfnisse dieser Segmente und strebt im Wettbewerb innerhalb dieser Segmente entweder die Kostenführerschaft oder eine Differenzierung an. So ist z.B. Armstrong Rubber auf die Herstellung von Qualitätsreifen für landwirtschaftliche Fahrzeuge und Wohnwagen spezialisiert und hält ständig Ausschau nach neuen Marktnischen, in denen sich eine »Minidominanz« aufbauen läßt.

Laut Porter bilden diejenigen Unternehmen, die in einem bestimmten Markt oder Marktsegment dieselbe Strategie verfolgen, eine *strategische Gruppe*. Und wer darin die jeweilige Strategie am besten umzusetzen vermag, erzielt auch die höchsten Gewinne. Porter weist darauf hin, daß Unternehmen ohne klares strategisches Konzept – die *Unprofilierten* - am schlechtesten abschneiden. Aus diesem Grunde gerieten Unternehmen wie AEG, Chrysler und International Harvester in Schwierigkeiten: Keines dieser Unternehmen tat sich in seiner jeweiligen Branche durch die niedrigsten Kosten, als hochwertig eingeschätzte Produkte oder die bestmögliche Bearbeitung von Marktsegmenten hervor. Die Unprofilierten wollen bei allen strategischen Dimensionen gut sein, doch da dies unterschiedliche, oft sogar widersprüchliche organisationelle Voraussetzungen erfordert, können sie letztlich auf keinem Gebiet besondere Erfolge verbuchen. Im folgenden Exkurs 2-3 werden diese Grundsätze am Beispiel der Lkw-Industrie in den USA verdeutlicht.

Exkurs 2-3: Die strategischen Gruppen in der Lkw-Industrie

Die Rolle der Grundstrategien (generische Strategien) und strategischen Gruppen läßt sich anhand der Untersuchung verdeutlichen, die William Hall über die Lkw-Branche in den USA durchführte. Die nachstehende Abbildung zeigt die Positionen von sieben amerikanischen Lkw-Herstellern vor einigen Jahren im Hinblick auf ihre *relativen Produktkosten* und *relativen Produktleistungen* (gemessen daran, ob die Produkte und Serviceleistungen differenzierter oder begehrenswerter waren). Die Prozentangaben in der Abbildung zeigen die Kapitalrendite (Return on Investment, ROI) der einzelnen Hersteller.

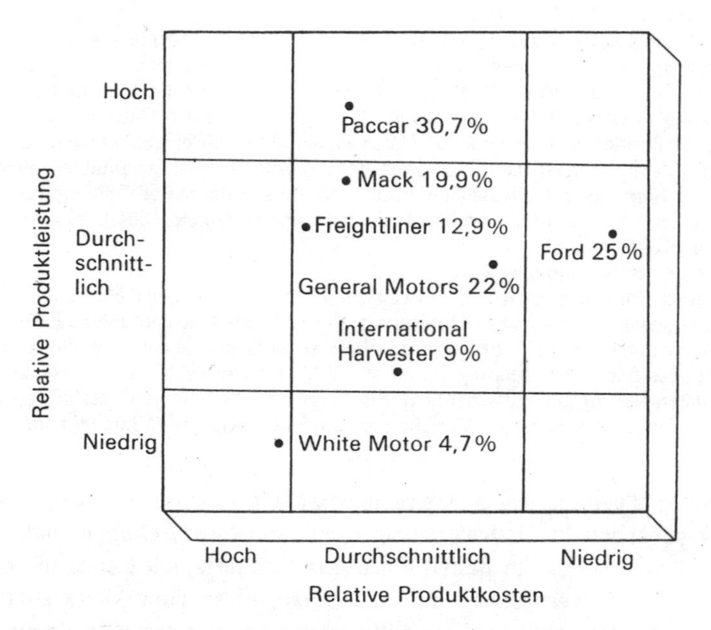

Quelle: Auszug aus William K. Hall: »Survival Strategies in a Hostile Environment«, in: *Harvard Business Review*, September/Oktober 1980.

Ford hat die niedrigsten Produktkosten, gefolgt von General Motors. Obwohl die Lkws von Ford nur von durchschnittlicher Qualität sind, erzielt das Unternehmen dank seiner Kostenführerschaft die höchste Kapitalrendite in seiner strategischen Gruppe (nämlich 25%). Demgegenüber ist Paccar der Qualitätsführer in der entsprechenden strategischen Gruppe und verzeichnet eine Kapitalrendite von 31%, gefolgt von Mack mit 20%.
Ganz anders stellt sich die Situation für White Motor dar: Die Lkws dieses Herstellers liegen in bezug auf ihre Leistungsfähigkeit unter dem Durchschnitt, und zwar bei hohen Kosten. Die Kapitalrendite des Unternehmens betrug zum Zeitpunkt der Untersuchung nur 4,7%. Es ist daher nicht verwunderlich, daß White Motor wenig später von Volvo aufgekauft wurde. Volvo wollte die Neuerwerbung repositionieren und ihre Wettbewerbseffizienz stärken.
Die vier Unternehmen im mittleren Feld sind Unprofilierte, die eine hohe Produktleistung bei gleichzeitig niedrigen Kosten anstreben, was nicht gelingen kann. Die Kapitalrenditen dieser Unternehmen sind niedriger als die

von Ford und Paccar, die in ihren Gruppen jeweils die Führungsposition innehaben. Freightliner ist inzwischen von Mercedes geschluckt worden, und das Lkw-Geschäft von International Harvester (IH) wurde nach deren Konkurs als selbständige Firma unter dem Namen Navistar reorganisiert. Will ein Unprofilierter seine Kapitalrendite erhöhen, muß er sich für eine der drei Erfolgsstrategien entscheiden. IH hatte beispielsweise drei Möglichkeiten: Man hätte die Produktion modernisieren können, um Kostenführer zu werden. In diesem Fall wäre man in unmittelbare Konkurrenz zu Ford und General Motors getreten, die beide auf kostengünstige Produktion setzen und eine strategische Gruppe bilden. Zweitens hätte IH die Qualität seiner Lkws und seines Kundendienstes verbessern und in den Wettbewerb mit Paccar und Mack – der strategischen Gruppe, die sich auf Produktdifferenzierung konzentriert hat – eintreten können. Das wäre allerdings für IH sehr schwierig geworden, denn es dauert Jahre, ein besseres Produkt zu entwickeln und das entsprechende Image aufzubauen, zumal angesichts eines so fest etablierten Konkurrenten wie Paccar. Die dritte Möglichkeit bestand darin, daß IH sich auf spezielle Nischen im Lkw-Markt konzentrierte (dies läßt sich in der Abbildung nicht darstellen) und in diesen Segmenten jeweils die Führungsposition eroberte – durch kostengünstige Fertigung, Produktdifferenzierung oder beides. Diesen Weg wählte man schließlich dann auch.

Programmplanung taktischer Maßnahmen

Nachdem die Strategie zur Erreichung der Leistungsziele ausgearbeitet worden ist, werden Maßnahmenprogramme – taktische Hilfen für die praktische Umsetzung der Strategien – entwickelt. Strebt die SGE die Technologieführerschaft an, müssen Programme zur Intensivierung der Forschungs- und Entwicklungstätigkeit erarbeitet werden. Außerdem gilt es, Informationen über die neuesten relevanten Technologien zu sammeln, die fortschrittlichsten Produkte zu entwickeln, den Vertrieb in Produkt- und Kundenkenntnissen zu schulen, ein Werbeprogramm zu gestalten, das die eigene Position als Technologieführer herausstellt, etc. Da von solchen Programmen später noch ausführlich die Rede sein wird, mögen hier diese wenigen Stichworte zunächst genügen.

Durchführung

Selbst wenn ein Unternehmen ein klares strategisches Konzept und wohldurchdachte Programme erarbeitet hat, ist sein Erfolg damit immer noch nicht garantiert. Auch die einwandfreie Durchführung und Kontrolle der Programme muß gewährleistet sein. McKinsey Company, ein führendes Beratungsunternehmen, betont, daß die strategische Planung allein nicht genügt: Strategie ist nur eines von sieben Elementen, die in den erfolgreichsten Unternehmen anzutreffen sind. [16] Das von McKinsey erarbeitete »Konzept der 7 S« wird in Abbildung 2-15 dargestellt. Die drei obersten Elemente – Strategie, Struktur und Systeme – bezeichnet man als die »Hardware« des Erfolges. Die übrigen vier – Stil, selektive Personalpolitik, Sachverstand und Selbstverständnis – bilden die »Software«.

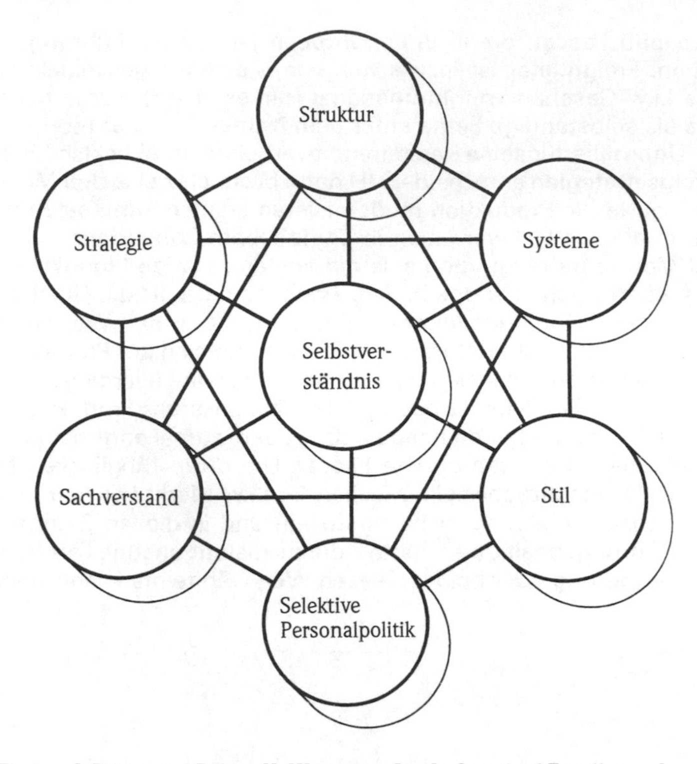

Abbildung 2-15
»Konzept der 7 S« nach McKinsey

Quelle: Thomas J. Peters und Robert H. Waterman, Jr.: *In Search of Excellence: Lessons from America's Best Run Companies*, New York: Harper & Row, 1982.

Die Berater von McKinsey kamen auf die vier Software-Elemente, nachdem sie zahlreiche Spitzenunternehmen – darunter IBM, P&G, Caterpillar, Delta, McDonald's und Levi Strauss – analysiert und erkannt hatten, daß deren Stärken über Strategie, Struktur und Systeme hinausgingen. Man fand dort vier zusätzliche Elemente vor. Erstens entdeckte man den *Stil*, d. h. einen gemeinsamen Stil im Denken und Verhalten der Mitarbeiter. Dazu gehört z. B., daß alle Angestellten bei McDonald's den Gast mit einem Lächeln begrüßen oder die IBM-Mitarbeiter sich in Kleidung und Auftreten sehr professionell geben. Das zweite Element ist der *Sachverstand*: Die Mitarbeiter verfügen z. B. auf den Gebieten Finanzanalyse und Marketingplanung über das zur Strategieumsetzung erforderliche Know-how. Das dritte Software-Element ist die *selektive Personalpoitik*, also die Auswahl fähiger Mitarbeiter, ihre gründliche Schulung und eine Aufgabenzuweisung, welche das vorhandene Talent richtig einsetzt. Und schließlich ist den Mitarbeitern im wirklichen Spitzenunternehmen ein gemeinsames *Selbstverständnis* zueigen: Sie fühlen sich denselben Richtgrößen und Aufgaben verpflichtet. Ihr Verhalten wird von den gleichen Grundwerten und dem gleichen Verständnis des Unternehmenszwecks geleitet. Erfolgreiche Unternehmen haben über alle Bereiche hinweg eine gemeinsame Firmenkultur, die zu ihrer Strategie paßt. [17]

Steuerung durch Kontrolle und Feedback

Die »Software« des Managements spielt eine wichtige Rolle bei der Durchführung von Strategien und Programmen. Während des Implementierungsprozesses muß das Unternehmen laufend die Resultate überprüfen und daneben auf neue Entwicklungen im Umfeld achten. Denn eines ist sicher: Das Unternehmensumfeld verändert sich im Laufe des Planungszeitraums. Darauf muß das Unternehmen angemessen reagieren und eine oder mehrere Phasen des Planungsprozesses umgestalten, so daß es trotz der veränderten Bedingungen seine Ziele realisieren kann.

Das Ausmaß der fälligen Anpassungsmaßnahmen hängt vom Grad und der Geschwindigkeit der Veränderungen ab. Manche Unternehmen operieren in einem Umfeld, das im Hinblick auf seine wirtschaftlichen, technologischen, rechtlichen und kulturellen Bedingungen sowie auf Kundenwünsche und Wettbewerbsverhalten relativ stabil ist. Andere müssen sich mit langsamen, bis zu einem gewissen Grade vorhersehbaren Entwicklungen in ihrer Umwelt auseinandersetzen. Wieder andere haben es mit einem turbulenten Umfeld zu tun, in dem sich häufig tiefgreifende und unvorhersehbare Veränderungen vollziehen.

Wenn das Umfeld eines Unternehmens bzw. einer Geschäftseinheit zu diesem dritten Typus gehört, muß es in der Lage sein, seine Programme, Strategien, Ziele und manchmal sogar seinen Geschäftszweck zu revidieren. In einigen Unternehmen reißt aus diesem Grunde die strategische Planung niemals ab: Die aktuellen Programme werden laufend an die Veränderungen im Umfeld angepaßt, während die grundlegenden Ziele und Strategien bestehen bleiben. Andererseits kommt es vor, daß das Nachfrageumfeld von einer stabilen in eine turbulente Periode eintritt, ohne daß die branchenbeherrschenden Hersteller dies erkennen und darauf reagieren. So erging es dem für Vakuumröhren zuständigen Geschäftsbereich von General Electric:

Der Konzernchef von GE ließ den Geschäftsbereichsleiter in sein Büro kommen. Der rechnete damit, gelobt zu werden, da er den Umsatz der Vakuumröhren um 20 Prozent gesteigert hatte. Statt dessen wurde er gerügt, weil er sich zu lange auf das falsche Geschäft konzentriert hatte. Die Umsatzzuwächse waren nämlich darauf zurückzuführen, daß einige Konkurrenten die Produktion von Vakuumröhren eingestellt hatten und nicht etwa auf GE's Wettbewerbsvorsprung. Hinzu kam, daß gerade zu jener Zeit die Transistortechnologie aufkam und die Vakuumröhre zu verdrängen begann. Auch stiegen neue Wettbewerber wie z.B. Texas Instruments, Fairchild und Transitron in den Markt ein. Tatsächlich war der Gesamtmarkt für Vorrichtungen, die Schwachstromsignale verstärken, im selben Zeitraum um 30 Prozent gewachsen. Das bedeutete, daß GE's Anteil am gesamten Markt sogar geschrumpft war. Der Geschäftsbereichsleiter war zu kurzsichtig gewesen und hatte sich nur auf sein Produkt, die Vakuumröhre, konzentriert, statt sich die ganze Bandbreite der verschiedenen Technologien, die ein bestimmtes Bedürfnis befriedigen können, vor Augen zu führen. Dieses Beispiel zeigt, daß ein Geschäftsbereich bereits dem Untergang geweiht sein kann, ohne daß das Management es merkt.

Es bleibt nicht aus, daß die *strategische Balance*, die ein Unternehmen zwischen sich und seinem Umfeld hergestellt hat, gestört wird, denn das relevante Umfeld ändert sich meistens schneller als das Unternehmen seine »7 S« an die neue Situation anpassen kann. Ein Unternehmen kann durchaus effizient, jedoch nicht effektiv sein. Drucker weist seit langem darauf hin, daß es wichtiger ist, das Richtige zu tun (also effektiv zu sein), als das, was man tut, richtig zu machen (also effizient zu sein). Ein Spitzenunternehmen leistet natürlich auf beiden Gebieten Hervorragendes.

Wenn ein Unternehmen auf bedeutende Veränderungen in seiner Umwelt nicht reagiert und seine Marktposition abzubröckeln beginnt, gibt es einige Möglichkeiten, um wirksam gegensteuern zu können. Um seine Position zu verbessern, kann das Unternehmen eine oder mehrere der folgenden Strategien wählen, die am Beispiel der Firma Opel verdeutlicht werden, die Mitte der 80er Jahre eine Schwächeperiode hatte.

1. **Härter Kämpfen**
   Das Unternehmen kann die Preise senken, die Garantieleistungen verbessern und seinen Werbeaufwand drastisch erhöhen, um so seinen Marktanteil zu halten bzw. zurückzuerobern. Diese Strategie bedeutet zwar finanzielle Verluste, doch man gewinnt dadurch Zeit für eine grundlegende Reorganisation. Opel erhöhte die Garantie gegen Durchrosten auf 6 Jahre, betrieb mit Hilfe einer neuen Werbeagentur aggressive Werbung, bediente sich des Tennissports, um die PR-Anstrengungen zu erhöhen, und tauschte die halbe Führungsmannschaft aus.
2. **Entwicklung einer besseren Produktlinie**
   Das Unternehmen kann in großem Umfang in die Entwicklung besserer Produkte investieren, die sich in bezug auf Leistung, Qualität, Styling, technische Daten oder eine Kombination anderer attraktiver Merkmale von den Konkurrenzprodukten abheben. Opel erneuerte die Produktpalette grundlegend: die Produktion der Modelle Ascona, Rekord und Manta wurde eingestellt, der neue Kadett hatte gegenüber dem alten Modell wesentliche Verbesserungen aufzuweisen, und die Modelle Vectra und Omega wurden neu herausgebracht.
3. **Senkung der Produktionskosten**
   Das Unternehmen kann die technische Auslegung ihrer Fertigungsstätten verbessern, mehr automatisieren und kostengünstigere Lagerhaltungssysteme einführen (z.B. das in Japan häufig anzutreffende »Just-in-Time-System«, d.h. auf eine fertigungssynchrone Materialwirtschaft setzen, bei der die Einsatzgüter nahezu synchron zur Fertigung angeliefert werden). Außerdem kann man billigere Ausrüstungen und Teile im Ausland einkaufen oder einen Teil ihrer Fertigung ins Ausland verlagern, um die Herstellungskosten zu senken. Darüber hinaus besteht die Möglichkeit, mit einem anderen Hersteller eine strategische Allianz einzugehen und die Produktion oder den Vertrieb bestimmter Produkte zusammenzulegen. Opel investierte viel in die Modernisierung, ganz besonders in seinem Werk in Bochum. Darüber hinaus wurde ein Programm erarbeitet, mit dessen Hilfe die Lohnkosten durch Rationalisierung und Umverlagerung nach Spanien bis 1991 um 10% gesenkt werden sollen.
4. **Rückzug**
   Das Unternehmen kann seine Investitionen in die Herstellung problembehafteter Produkte allmählich zurücknehmen und seine Ressourcen einer profitableren Branche zuführen.

Im Rahmen des Steuerungsprozesses kommt es bei jedem Unternehmen, besonders aber bei großen, zu Verzögerungen bei der Anpassung an eine veränderte Umwelt. Einer fähigen Führungsmannschaft aber gelingt es dennoch, ein Unternehmen zum Besseren zu verändern, und zwar meist schon im Vorfeld einer Krise, bestimmt aber während der Krise. Eine Organisation hat lange Zeit Bestand, wenn sie bereit ist, sich veränderten Umfeldbedingungen anzupassen. Ein flexibles Unternehmen beobachtet sein Umfeld kontinuierlich und stellt sich mittels vorausschauender Planung auf den Wandel ein, um die strategische Balance zwischen sich und seinem Umfeld aufrechtzuerhalten.

Zusammenfassung

Spitzenunternehmen verfügen über das nötige Know-how, um sich mit Hilfe einer marktorientierten strategischen Planung auf die in ständigem Wandel begriffenen Marktbedingungen einzustellen. Sie wissen, wie man Ziele und Ressourcen auf die Marktchancen abstimmt. Der strategische Planungsprozeß findet auf der Ebene des Gesamtunternehmens, auf Geschäftsbereichs- und auf Produktebene statt. Die für das Unternehmen festgelegten Ziele werden an die verschiedenen Geschäftsbereiche weitergegeben, die auf dieser Basis eigene Strategie- und Marketingpläne erstellen und damit die Durchführungsaktivitäten des Unternehmens lenken. Der strategische Planungsprozeß ist im Grunde ein immer wiederkehrender Kreislauf aus Planung, Durchführung und Steuerung.

Für das Gesamtunternehmen umfaßt die Strategieplanung vier Aspekte. Erstens muß der unternehmerische Grundauftrag klar definiert werden, und zwar einschließlich des Betätigungsfeldes hinsichtlich der Branchen und Kundensegmente sowie der vertikalen und geographischen Bereiche. Eine gut ausgearbeitete Formulierung des Grundauftrags gibt den Mitarbeitern ein gemeinsames Gefühl für den Zweck, die Stoßrichtung und die angestrebten Marktchancen des Unternehmens.

Zweitens werden die strategischen Geschäftseinheiten (SGEs) des Unternehmens ermittelt. Die SGEs werden am besten anhand ihrer Kundengruppen, der zu erfüllenden Kundenbedürfnisse und der eingesetzten Technologien voneinander abgegrenzt. Die SGEs werden getrennt geführt; es gibt für sie eine eigene Planung und einen eigenen Kreis von Wettbewerbern.

Drittens werden den einzelnen SGEs je nach Attraktivität ihres Marktes und ihrer Wettbewerbsstärke angemessene Ressourcen zugeteilt. Mehrere Methoden der Portfolio-Analyse, z. B. die der Boston Consulting Group und von General Electric, helfen bei der Entscheidung, welche SGE ausgebaut, erhalten, abgebaut oder eliminiert werden soll.

Viertens muß geplant werden, wie sich das Unternehmen weiterentwickeln soll. Es werden Entscheidungen darüber gefällt, welche Geschäftsbereiche ausgeweitet bzw. neu erschlossen werden sollen, um die strategische Planungslücke zu schließen. Dabei sollte das Unternehmen systematisch seine Chancen zur Verwirklichung eines intensiven Wachstums (Marktdurchdringung, Marktentwicklung, Produktentwicklung), eines integrativen Wachstums (Rückwärtsintegration, Vorwärtsintegration, horizontale Integration) sowie eines diversifizierten Wachstums (konzentrische, horizontale und konglomerate Diversifizierung) überprüfen.

Eine strategische Geschäftseinheit betreibt für ihr Geschäftsfeld ebenfalls eine strategische Planung. Diese umfaßt acht Schritte: Definition des Grundauftrags der Geschäftseinheit, Analyse ihrer Leistungsfähigkeit, Formulierung der Leistungsziele, Entwicklung von Strategien, Programmplanung, Durchführung der Programme und Steuerung durch Feedback und Kontrolle. Auf diese Weise verliert die SGE ihr Umfeld nicht aus den Augen und nimmt neue Marktchancen oder Probleme rechtzeitig wahr. Außerdem bildet die strategische Planung auf Geschäftseinheitsebene die Grundlage zur Erstellung von Marketingplänen für die einzelnen Produkte und Dienstleistungen. Mit diesem Thema beschäftigt sich das folgende Kapitel.

Anmerkungen

1 Vgl. Zachary Schiller: »Goodyear Feels the Heat« in: *Business Week*, 7. März 1988, S. 26–28.
2 Auszug aus einer Rede von Steve Harrell vor der Plenary Session of American Marketing Association's Educator's Meeting in Chicago am 5. August 1980.
3 Hier sind zwei zusätzliche Hinweise angebracht. Erstens trifft man diese Organisationsform nicht nur in Aktiengesellschaften an. Die meisten Unternehmen, auch Personengesellschaften und Non-Profit-Organisationen, haben drei Leitungsebenen. Ganz oben steht die Kommandozentrale oder -gruppe (die Unternehmenszentrale), dann folgen zwei oder mehr Geschäftsbereiche und zwei oder mehr Produkte innerhalb eines Geschäftsbereichs. Eine Anwaltsfirma kann sich z. B. auf Gesellschaftsrecht und Personenrecht (zwei Geschäftsbereiche) spezialisieren und im Rahmen des Gesellschaftsrechts vor allem Franchise- und Kartellfragen (zwei Produktlinien) bearbeiten. Zweitens haben manche Großunternehmen sogar mehr als drei Organisationsebenen, z. B. Unternehmensuntergruppen, Sektoren, »Divisions« oder Sparten, die ebenfalls mit Planungsaufgaben befaßt sind. Ein großer Teil der grundlegenden Planung aber wird auf der Ebene der Unternehmensleitung, auf Geschäftsbereichs- und auf Produkt/Markt-Ebene durchgeführt.
4 Viele Unternehmen reduzieren ihren Planungsstab auf der obersten Leitungsebene und übertragen die strategischen Planungsaufgaben den Geschäftsbereichsleitern. Am effektivsten ist die Planung, wenn sie von den Linienmanagern, welche die Pläne später auch in die Praxis umsetzen müssen, und nicht von den Planern der Unternehmensleitung durchgeführt wird. Die Linienmanager haben in bezug auf die strategische Planung in den letzten zehn Jahren viel dazugelernt. Vgl. »The New Breed of Strategic Planner«, in: *Business Week*, 17. September 1984.
5 Vgl. Peter F. Drucker: *Management: Tasks, Responsibilities and Practices*, New York: Harper & Row, 1973, Kapitel 7.
6 Vgl. »The Hollow Corporation«, in: *Business Week*, 3. März 1986, S. 57–59.
7 Eine detaillierte Abhandlung zum Thema findet sich bei Laura Nash: »Mission Statements–Mirrors and Windows«, in: *Harvard Business Review*, März–April 1988, S. 155–156.
8 Theodore Levitt: »Marketing Myopia«, in: *Harvard Business Review*, Juli–August 1960, S. 45–56.
9 Vgl. »Holiday Inns: Refining Its Focus to Food, Lodging and More Casinos«, in: *Business Week*, 21. Juli 1980, S. 100–104.
10 Derek Abell: *Defining the Business: The Starting Point of Strategic Planning*, Englewood Cliffs, N. J. in: Prentice-Hall, 1980, Kapitel 3.
11 Vgl. Roger A. Kerin, Vigay Mahajan und P. Rajan Varadarajan: *Contemporary Perspectives on Strategic Planning*, Boston: Allyn & Bacon, 1990.
12 Die Entscheidung, ob lediglich liquide Mittel aus einer Geschäftseinheit abgezogen werden sollen oder die SGE über Desinvestitionsstrategien eliminiert werden soll, will gut überlegt sein. Der Abzug von Mitteln macht die Geschäftseinheit auf Dauer wertlos, so daß es schwierig wird, einen Käufer für sie zu finden. Die Desinvestition der Geschäftseinheit aus dem Portfolio fällt dann leichter, wenn sie in einem für einen Käufer attraktiven Zustand belassen wird.
13 Vgl. Peter Patel und Michael Younger: »A Frame of Reference for Strategy Development«, in: *Long Range Planning*, April 1978, S. 6–12; und S. J. Q. Robinson et. al.: »The Directional Policy Matrix – Tool for Strategic Planning«, in: *Long Range Planning*, Juni 1978, S. 8 – 15. Eine kurze Beschreibung beider Modelle findet sich bei Day: *Analysis for Strategic Marketing Decisions*, St. Paul: West Publishing Comp., 1986, S. 211 - 214.
14 Igor Ansoff: »Strategies for Diversification«, in: *Harvard Business Review*, September–Oktober 1957, S. 113 - 124. Die Matrix läßt sich auf neun Felder vergrößern, wenn man modifizierte Produkte und Märkte hinzufügt. Vgl. S. C. Johnson und Conrad Jones: »How to Organize for New Products«, in: *Harvard Business Review*, Mai–Juni 1957, S. 49–62.
15 Vgl. Michael E. Porter: *Competitive Strategy: Techniques for Analyzing Industries and Competitors*, New York: Free Press, 1980, Kapitel 2.

16 Vgl Thomas J. Peters und Robert H. Waterman: *In Search of Excellence: Lessons from America's Best-Run Companies*, New York: Harper & Row, 1982, S. 9 – 12. Dasselbe Schema findet sich bei Richard Tanner Pascale und Anthony G. Athos: *The Art of Japanes Management: Applications for American Executives*, New York: Simon & Schuster, 1981.

17 Vgl. Terrence E. Deal und Allan A. Kennedy: *Corporate Cultures: The Rites and Rituals of Corporate Life*, Reading, Mass.: Addison-Wesley, 1982; »Corporate Culture« in: *Business Week*, 27. Oktober 1980, S. 148–160; und Stanley M. Davis: *Managing Corporate Culture*, Cambridge, Mass.: Ballinger Publishing Co., 1984.

Marketing-Management-Prozeß und Marketingplanung

Kapitel 3

Pläne sind nichts; Planung ist alles.
Dwight D. Eisenhower

Aus den Kapiteln 1 und 2 ist ersichtlich, daß das *Marketingkonzept* und die *strategische Planung* die Ausgangsbasis für das Management fortschrittlicher Unternehmen auf wettbewerbsintensiven Märkten bilden. Die *Unternehmensleitung* muß ihre einzelnen strategischen Geschäftseinheiten vergleichend beurteilen und jeder Einheit – bei realistischen Zielen – angemessene Mittel zugestehen; jede *strategische Geschäftseinheit* wiederum muß ihr externes Umfeld und ihre Fähigkeiten sorgfältig überwachen und einen strategischen Geschäftsplan entwickeln. Da im Regelfall jede strategische Geschäftseinheit mehrere Produkte im Angebot hat, die eine Reihe von Marktsegmenten ansprechen sollen, muß sie für jedes Zielmarktsegment einen Marketingplan erarbeiten.

Marketingpläne sind im Unterschied zu *strategischen Geschäftsplänen* auf ein engeres Produkt-/Markt-Zielfeld gerichtet. Durch sie werden die Marketingstrategien und -programme zur Erreichung der mit dem Produkt verbundenen Marktziele in konkreter Form gestaltet. *Der Marketingplan ist das zentrale Instrument zur Steuerung und Koordination der Marketingaktivitäten des Unternehmens.* Unternehmen, die ihre Marketingleistung verbessern wollen, müssen lernen, gut durchdachte Marketingpläne zu erarbeiten und durchzuführen.

Die folgenden Ausführungen zur Marketingplanung sollen dem Leser eine Übersicht zu den gedanklichen Grundlagen des Marketing-Management bringen. Dieses Kapitel behandelt vor allem drei Fragen:

- Was sind die wesentlichen Schritte im Marketing-Management-Prozeß?
- Was sind die wesentlichen Bestandteile eines Marketingplans?
- Was sind die theoretischen Ansätze für den effektiven Einsatz der Marketingmittel?

Nach diesem Überblick zu Marketing-Management und Marketingplanung werden in den darauffolgenden Kapiteln die Einzelschritte eingehend behandelt, die zur Analyse, Planung, Durchführung und Steuerung des Marketingprozesses erforderlich sind.

Der Marketing-Management-Prozeß

In Abbildung 3-1 wird das Zusammenspiel der Marketingabteilungen der einzelnen Geschäftseinheiten und der strategischen Planungsabteilung dargestellt. Jede Marketingabteilung liefert der strategischen Planungsabteilung Informationen und Empfehlungen (Schritt 1) zur Analyse und Auswertung (Schritt 2). Aus der strategischen

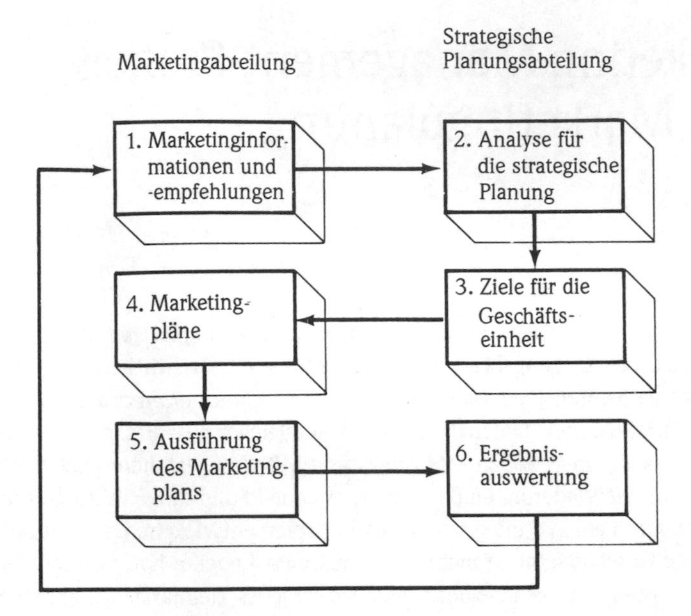

Abbildung 3-1
Das Zusammenspiel von Marketingabteilung und strategischer Planungsabteilung

Planung ergeben sich dann für jede Geschäftseinheit generelle Geschäftsziele (Schritt 3). Die Marketingabteilung jeder Geschäftseinheit formuliert dann auf der Grundlage dieser Zielsetzungen ihre Marketingpläne (Schritt 4) und bringt diese zur Ausführung (Schritt 5). Die erzielten Ergebnisse werden in der strategischen Planung ausgewertet, und der Prozeß beginnt von neuem.

Der erste Schritt bei der Geschäftsplanung ist ein Marketingschritt. Von der Marketingfunktion werden die Zielmärkte, die Absatzziele und auch die erforderlichen Mittel zur Erreichung dieser Ziele festgelegt. Die Finanzierungs-, Einkaufs-, Herstellungs-, Warenverteilungs- und Personalfunktionen dienen dazu, das Vorhaben des Marketingplans mit genügend finanziellen Mitteln, Materialien, Maschinen und Personal zu unterstützen und zu realisieren.

In Wahrnehmung seiner Aufgaben bewirkt der Marketing-Manager einen Marketing-Management-Prozeß, den wir wie folgt definieren:

Der Marketing-Management-Prozeß besteht aus der Analyse von Marketingchancen, der Ermittlung und Auswahl von Zielmärkten, der Erarbeitung von Marketingstrategien, der Planung des taktischen Vorgehens mit Marketingprogrammen sowie der Organisation, Durchführung und Steuerung der Marketingaktivitäten.

Diese Schritte in diesem Prozeß sind in Abbildung 3-2 unter Angabe der Kapitel, in denen sie im Detail behandelt werden, dargestellt. Hier bringen wir zunächst einen Überblick über die Schritte des Marketing-Management-Prozesses und erläutern sie anhand des folgenden Szenarios:

Die Thor AG (fiktiver Name) ist ein großes Unternehmen und in vielen Branchen mit strategischen Geschäftseinheiten vertreten. Die Unternehmensleitung steht vor der Entscheidung, was sie mit ihrem Schreibmaschinengeschäft tun soll, das unter dem Firmennamen Falke AG

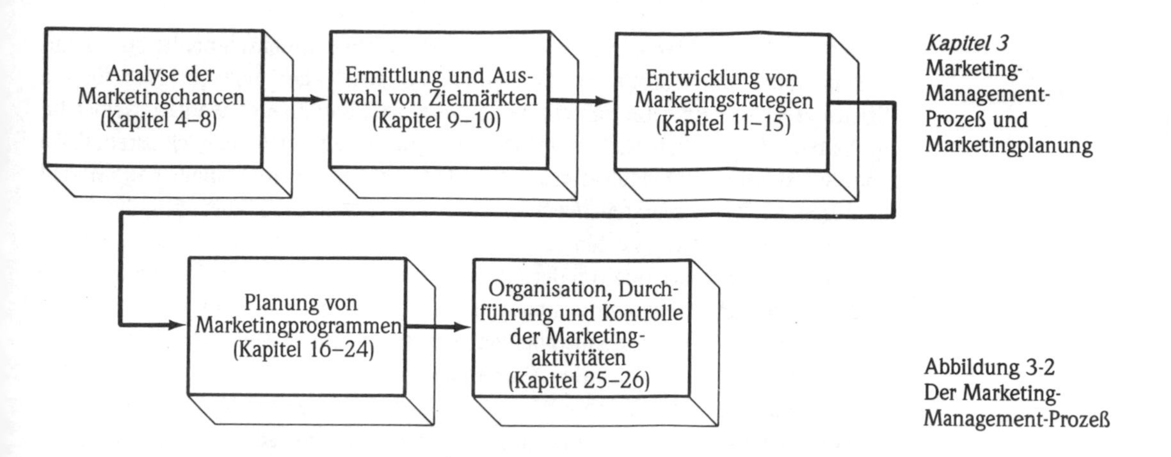

Abbildung 3-2
Der Marketing-Management-Prozeß

betrieben wird. Zur Zeit produziert Falke normale elektrische Büroschreibmaschinen, vergleichbar mit denen von IBM und Olivetti, verkauft sie jedoch billiger. Der Markt für diese Schreibmaschinen wächst nur noch langsam. Falke ist im Vergleich zum Marktführer IBM ein Zwerg. Die Darstellung in einer Portfolio-Matrix (mit Wachstum und relativem Marktanteil) würde diese Geschäftseinheit als »armen Hund« ausweisen. Die Unternehmensleitung der Thor AG erwartet von der Falke AG, daß sie einen Plan zur Erstarkung dieser Produktlinie vorlegt, wenn sie als Geschäftseinheit nicht von der Thor AG abgestoßen werden will. Das Marketing-Management von Falke muß einen überzeugenden Marketingplan erarbeiten, die Unternehmensleitung von dem Plan überzeugen, ihn dann in die Tat umsetzen und in der Durchführung richtig steuern.

Analyse von Marktchancen

Als erstes muß das Marketing-Management von Falke langfristige Chancen im Zielmarkt zur Verbesserung seiner Leistung als Geschäftseinheit der Thor AG suchen und analysieren. Falke sieht große Chancen im aufstrebenden Büromaschinenmarkt. Unternehmen und Behörden erwarten aufgrund von Investitionen in das *Büro der Zukunft* große Produktivitätssteigerungen – in ähnlicher Weise wie früher bei der Fabrikation (die robotergesteuerte Fabrikation ist natürlich weiterhin ein zukunftsträchtiges Gebiet). Die industrialisierten Länder wie die USA, Westeuropa und Japan, entwickeln sich zunehmend zur Dienstleistungswirtschaft, und es gibt dort bereits heute mehr Angestellte in den Büros als in den Fabriken. Büroarbeiten können durch Einsatz der Technik noch wesentlich rationalisiert werden, z. B. Schreibarbeiten, Ablage oder Speicherung und Übertragung von Informationen, wofür immer modernere Technologien entwickelt werden. Viele Hersteller sind in diesem Markt tätig und bieten dem Kunden integrierte Systeme an, die aus Schreibmaschinen, Mikrocomputern, Kopier- und Vervielfältigungsmaschinen, Telefax-Geräten, elektronischer Post etc. bestehen. Dazu gehören Unternehmen wie Siemens, IBM, Xerox, Olivetti und auch mehrere japanische Anbieter. Sie alle entwickeln Hardware- und Software-Produkte zur Erhöhung der Arbeitsproduktivität – dem wichtigsten Kaufmotiv bei Industrieabnehmern und Behörden. Xerox z. B. sieht sich selbst kaum noch als Unternehmen im Kopiergerätegeschäft, sondern eher als Unternehmen für die Produktivitätsverbesserung im Büro.

Das langfristige Marketingziel von Falke ist es, ein Büromaschinenhersteller mit einem umfassenden Sortiment zu werden. Zunächst aber muß ein Plan für die Leistungsverbesserung im Schreibmaschinengeschäft erarbeitet werden. Selbst innerhalb der Produktlinie »Schreibmaschinen« gibt es dafür viele Möglichkeiten. Falke könnte z.B. sein Büromodell etwas »abspecken« und an Privathaushalte das »Modell in Büroqualität« vermarkten. Doch noch größere Chancen bieten sich durch bestimmte technologische Fortentwicklungen. Die Schreibleistung im Büro stieg bereits durch die Entwicklung von der mechanischen zur elektrischen Schreibmaschine und dann zur Schreibmaschine mit automatischer Korrektureinrichtung. Der schreibtechnische Fortschritt ist damit aber noch nicht abgeschlossen. Falke könnte eine elektronische oder »intelligente« Schreibmaschine entwickeln, also bei einer der aussichtsreichsten Produktinnovationen auf dem Büromaschinenmarkt dabei sein. Im Vergleich zu den rund eintausend Hebeln, Federn, Zahnrädern und Schrauben in einer elektrischen Schreibmaschine hat eine elektronische Schreibmaschine nur noch vierundzwanzig bewegliche Teile, viel mehr Sonderzeichen, einen Speicher zur Sicherung der zuletzt getippten Zeilen, kann automatisch korrigieren, klemmt nicht und verfügt über eine ganze Reihe weiterer nützlicher Ausstattungsmerkmale. Die Preise von elektronischen Schreibmaschinen reichen von ein paar hundert bis zu mehreren tausend Mark, und es gibt bereits viele Anbieter auf dem Markt. Falke könnte aber auch einen Schreibcomputer entwickeln; dieser hätte dann eine viel größere Speicherkapazität und mehr Textbearbeitungsfunktionen als eine elektronische Schreibmaschine und würde einige tausend Mark kosten. Falke könnte auch einen kompletten Computerarbeitsplatz mit vielen Funktionen – wie z.B. das IBM-System »Displaywriter« – entwickeln. Und schließlich könnte man sich auch mit der Entwicklung von Schreibsystemen befassen, die auf die menschliche Stimme reagieren, so daß die zu verarbeitenden Texte nur noch in die Maschine »gesprochen« werden müssen.

Zur Ermittlung und Bewertung seiner Marktchancen würde Falke ein verläßliches Marketinginformationssystem von Nutzen sein (siehe Kapitel 4). Die Marketinginformationen sind zur Absicherung eines Marketingkonzepts unverzichtbar, da man einen Zielmarkt mit größeren Erfolgsaussichten bearbeiten kann, wenn man die Bedürfnisse und Wünsche der Kunden, ihre geographische Verteilung, ihr Kaufverhalten etc. kennt. Der Umfang der von Falke betriebenen formalen Informationssuche kann unterschiedlich groß sein. Zumindest muß Falke über ein gutes innerbetriebliches Rechnungswesen verfügen, das schnelle und genaue Informationen über die laufenden Umsätze – aufgeschlüsselt nach Modellen, Kunden mit Unteraufschlüsselung nach Branchenzugehörigkeit und Größe, Kundenstandort, Verkäufer und Distributionskanal – liefert. Darüber hinaus muß Falke laufend Marktnachrichten über Kunden, Konkurrenten, Händler etc. zusammentragen. Durch formale Marketingforschung sollten Sekundärdaten gesammelt und Datenerhebungen vorgenommen werden, z.B. durch Interviews mit sogenannten »Fokus-Gruppen« und Einzelpersonen durch Befragungen per Telefon und auf dem Postweg. Durch sorgfältige Analyse der gesammelten Daten mit Hilfe von fortschrittlichen statistischen Methoden und durch Entscheidungsunterstützungsmodelle kann das Unternehmen entscheidungsrelevante Informationen über den Markt gewinnen.

Durch Forschung könnte Falke in regelmäßigen Abständen aussagekräftige Informationen über das für Falke relevante Marketingumfeld (siehe Kapitel 5) erhalten. Das Marketingumfeld besteht aus dem Mikroumfeld und dem Makroumfeld. Das *Mikroumfeld* des Unternehmens wiederum setzt sich aus allen Gestaltungskräften zusammen, welche die Fähigkeit des Unternehmens zur Herstellung und zum Verkauf von Schreibmaschinen beeinflussen, d. h. Lieferanten, Mitglieder des Händlersystems, Kunden, Konkurrenten und verschiedene Interessengruppen. Hier stellen sich Fragen wie: Was wollen und worauf achten die Kunden beim Kauf von Schreibmaschinen vor allem? Welche Distributionskanäle gewinnen bzw. verlieren an Bedeutung? Welche Lieferanten stellen die besten Teile her? Was machen die Konkurrenten?

Auch die übergeordneten Entwicklungstrends im *Makroumfeld* des Unternehmens, sprich demographische, gesamtwirtschaftliche, ökologische, technologische, politisch-rechtliche und sozio-kulturelle Entwicklungen sollten Falke geläufig sein. Es wäre kurzsichtig, seine Aufmerksamkeit nur auf das Mikroumfeld zu richten und dabei die übergeordneten Gestaltungskräfte des gesellschaftlichen Wandels zu ignorieren. Hier tauchen Fragen auf wie: Mit welchen Regionen und Märkten geht es aufwärts bzw. abwärts? Wie verläuft die gesamtwirtschaftliche Entwicklung, und welche Absatzchancen ergeben sich daraus für Schreibmaschinen und speziell für die Modelle von Falke? Welche neuen Technologien könnten zu höheren Schreibleistungen führen? Diese übergeordneten Einflußfaktoren können beträchtliche Auswirkungen auf den Zielmarkt von Falke haben.

Wenn die Falke AG privaten Haushalten eine Schreibmaschine verkaufen will, muß sie das Geschehen auf dem *Konsumgütermarkt* und das Käuferverhalten verstehen lernen (siehe Kapitel 6). Folgendes muß Falke hier wissen: Wieviele Haushalte haben vor, eine neue Schreibmaschine zu kaufen? Wer sind die Käufer und warum kaufen sie? Welche Ausstattungsmerkmale und welchen Preis wollen sie? Wo kaufen sie ein? Wie schätzen sie unsere aktuellen Konkurrenten ein? Welche möglichen Auswirkungen haben Faktoren wie Preis, Werbung, Verkaufsförderung, persönlicher Verkauf etc. auf die Markenwahl der Käufer?

Der wichtigste Markt von Falke sind die *gewerblichen Abnehmer*. Dazu gehören z.B. die freien Berufe, Großunternehmen, Wiederverkäufer, Behörden etc. (siehe Kapitel 7). Großunternehmen verfügen über professionelle Einkäufer, die in der Bewertung der technischen Leistung und des Nutzens von Maschinen und Ausrüstungen geübt sind. Dort werden Entscheidungen über umfangreiche Anschaffungen gelegentlich auch von speziellen Einkaufsgremien getroffen; die Mitglieder dieser Gremien kommen aus verschiedenen Abteilungen, haben unterschiedliche Ziele und unterschiedlichen Einfluß auf den endgültigen Kaufbeschluß. Das Geschäft mit gewerblichen Abnehmern wird im wesentlichen über den persönlichen Verkauf durch geschulte Verkäufer abgewickelt, die das Produkt angemessen präsentieren und dem Abnehmer den Produktnutzen vermitteln können. Folglich muß Falke alles über das Kaufverhalten gewerblicher Abnehmer wissen.

Ferner muß die Falke AG sorgfältig ermitteln, wer ihre Konkurrenten sind und sie dann überwachen (siehe Kapitel 8). Sie muß auf überraschende Schritte der Konkurrenz vorbereitet sein, z. B. plötzliche Preissenkungen, Produktverbesserungen und neue Methoden der Absatzförderung, die allesamt Marktanteile kosten könnten. Folglich muß Falke auf die möglichen Schritte der Konkurrenten vorbereitet sein.

Dann muß Falke schnell und entschlossen reagieren können. Vielleicht will Falke auch selbst seine Konkurrenten überraschen; dann müssen zuvor die Gegenmaßnahmen der Konkurrenz abgeschätzt werden. Hierbei hilft ein gut organisiertes Nachrichtensystem mit Informationen über die Wettbewerber.

Ermittlung und Auswahl von Zielmärkten

Als nächstes kann sich Falke mit der Ermittlung und Auswahl von Zielmärkten beschäftigen. Es muß ermittelt werden, wie attraktiv jeder mögliche Zielmarkt ist (siehe Kapitel 9). Die Attraktivität eines Marktes wird von dessen Gesamtgröße, Wachstum und Profitabilität bestimmt. Der Marketer muß also die wichtigsten Techniken zur Ermittlung des Marktpotentials und zur Prognose der zukünftigen Nachfrage kennen. Jede Technik hat bestimmte Vorteile und Grenzen, die es zur Vermeidung von Anwendungsfehlern sorgfältig zu beachten gilt.

Die ermittelten und prognostizierten Werte sind wichtig für die Entscheidung darüber, auf welche Märkte und Neuprodukte man sich konzentrieren soll. Es gehört zum fortschrittlichen Marketing, daß das Unternehmen in seinem Markt die wichtigsten Marktsegmente kennt und bewertet und dann auswählt, welche Segmente es am besten und erfolgreichsten bedienen kann (siehe Kapitel 10).

Die Marktsegmentierung, d.h. die Unterteilung des Gesamtmarktes (der für eine erfolgreiche Bearbeitung oft zu groß ist) in einzelne Segmente mit bestimmten gemeinsamen Eigenschaften, kann auf verschiedene Weise erfolgen. So könnte Falke den Schreibmaschinenmarkt nach *Kundengröße* (klein, mittel, groß), *Einkaufskriterien der Kunden* (Qualität, Preis, Service), *Kundenbranche* (Banken, freie Berufe, Unternehmen des produzierenden Gewerbes) etc. segmentieren.

Märkte lassen sich auch anhand von zwei oder mehr Trennvariablen segmentieren. In Abbildung 3-3 ist z.B. der Schreibmaschinenmarkt anhand von zwei Variablen segmentiert, nämlich nach Kundengruppen und Kundenbedürfnissen (repräsentiert durch drei Produkte). Den hier gezeigten Modellrahmen bezeichnet man als *Produkt-/Markt-Matrix.* Das Marketing-Management kann für jedes der neun Felder der Matrix die Segmentattraktivität und die Stärken des eigenen Unternehmens

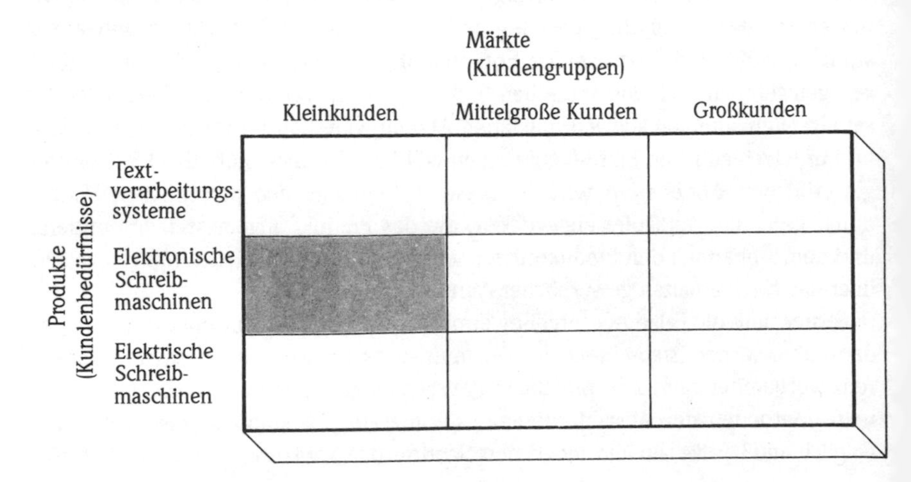

Abbildung 3-3 Produkt-/Markt-Matrix für den Schreibmaschinenmarkt

abschätzen. Im wesentlichen will Falke damit ermitteln, welche der Produkt-/Markt--Felder am ehesten zu den Zielen und Ressourcen des Unternehmens passen.

Nehmen wir an, das attraktivste Segment für Falke wäre der Markt für elektronische Schreibmaschinen, die von Kleinkunden gekauft werden; dieses Segment ist in Abbildung 3-3 dunkel schraffiert. Sogar dieses Marktsegment könnte für Falke zu groß sein; in diesem Fall muß der Markt in weitere *Teilsegmente* aufgegliedert werden. So könnte man bei Falke zu der Überzeugung gelangen, daß man mit einer preisgünstigen Schreibmaschine, deren Ausstattungsmerkmale für kleine Freiberufler-Firmen besonders attraktiv sind, die größten Chancen hätte. Damit gewinnt Falke durch Marktsegmentierung eine klare Vorstellung von seinem *Zielmarkt*.

Entwicklung von Marketingstrategien

Wenn der Zielmarkt festgelegt ist, müssen die Marketing-Manager eine Strategie entwickeln. Sie liefert den »Spielplan« zur Erreichung der Geschäftsziele oder produkt-/ marktspezifischen Ziele. Wir sehen den Begriff der Marketingstrategie wie folgt:

> Die Marketingstrategie definiert die wesentlichen Grundlagen, mit denen die Geschäftseinheit ihre Marketingziele in einem Zielmarkt erreichen will. Dazu gehören die grundlegenden Entscheidungen über die Höhe der Marketingaufwendungen, den Marketing-Mix und die Verteilung der verfügbaren Marketingmittel.

Wenn die Falke AG den Kleinkundenmarkt für elektronische Schreibmaschinen erfolgreich ansprechen will, muß für diesen Zielmarkt eine geeignete *Positionierungsstrategie* entwickelt werden (siehe Kapitel 11). Falke muß bestimmen, wie seine Marken von den Kunden im Vergleich zur Konkurrenz auf demselben Markt gesehen werden. Sollte man sich bemühen, als »Mercedes« unter den Schreibmaschinen angesehen zu werden, aufgrund eines überlegenen Produkts zu einem gehobenen Preis mit hervorragendem Service, welches – gestützt durch Werbung – die besser bestuchten Abnehmer anspricht? Oder sollte man seine Position im Markt mit einer einfachen, preisgünstigen elektronischen Schreibmaschine suchen, die eher preisbewußte Abnehmer anspricht?

Falke muß sorgfältig die Positionen studieren, die von den wichtigsten Konkurrenten auf demselben Zielmarkt eingenommen werden. Wenn sich die Wettbewerber auf diesem Markt z.B. anhand der Kriterien Produktqualität und Preis positionieren, lassen sich in einem zweiachsigen *Produktpositionierungsdiagramm* (siehe Abbildung 3-4) die Positionen der Falke-Konkurrenten einzeichnen. Vom Absatzvolumen her unterscheiden sich die vier Konkurrenten A, B, C und D, was in der Abbildung durch die unterschiedliche Größe der Kreise zum Ausdruck kommt. So ist Konkurrent A im rechten oberen Quadranten des Feldes positioniert, d.h. sein Angebot wird im Markt als qualitativ hochwertig und hochpreisig wahrgenommen. Konkurrent B wird vom Markt als Anbieter eines Produkts durchschnittlicher Qualität zu einem durchschnittlichen Preis wahrgenommen. Mit Konkurrent C verbindet man

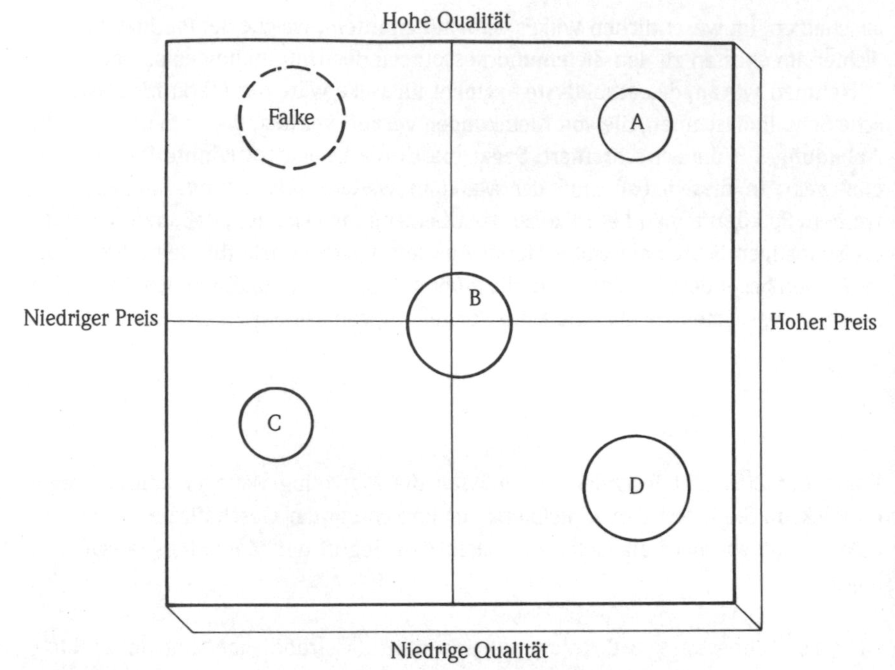

Abbildung 3-4
Produktpositionierungsdiagramm (zeigt, wie Angebote der Konkurrenten wahrgenommen werden und welche Position Falke einnehmen könnte)

unterdurchschnittliche Qualität zu einem niedrigen Preis, und Konkurrent D wird vom Markt als »Geldschneider« wahrgenommen, da er ein Produkt geringer Qualität zu einem hohen Preis anbietet.

Welche Position soll nun Falke beim Markteintritt anstreben? Normalerweise wäre es wenig sinnvoll, sich direkt neben Konkurrent A anzusiedeln, da man dann gegen ein fest etabliertes Unternehmen um eine begrenzte Zahl der Kunden kämpfen muß, welche die allerbeste Schreibmaschine wollen, die für Geld zu kriegen ist. Bietet allerdings besagter Konkurrent A einen schlechten Service oder tut zu wenig für die Werbung, könnte sich Falke trotzdem auf eine Auseinandersetzung mit ihm einlassen. Die meisten marketingorientierten Unternehmen gehen in der Regel nicht direkt gegen einen bereits auf dem Markt etablierten Konkurrenten vor (es sei denn, dieser ist schwach), sondern ermitteln statt dessen einige wichtige Kundenbedürfnisse, die von den Konkurrenten nicht ausreichend befriedigt werden. So könnte Falke ernsthaft ins Auge fassen, sich in einer Hochqualitäts-/Mittelpreis-Lage (in der Matrix durch den Kreis mit gestrichelter Umrandung dargestellt) zu positionieren. Damit würde man eine »Lücke im Markt ausfüllen«. Dabei muß man sich allerdings dreier Dinge vergewissern. Erstens muß Falke von seinen Ingenieuren in Erfahrung bringen, ob diese eine qualitativ hochwertige Schreibmaschine bauen können, die man zu einem mittleren Preis anbieten und mit der man trotzdem noch Geld verdienen kann. Zweitens muß Falke feststellen, ob es überhaupt eine ausreichende Zahl von Kunden gibt, die eine Qualitätsmaschine zu einem mittleren Preis wollen. Theoretisch wäre das der Fall, doch kann der Preis auf die Qualität ausstrahlen. Viele Kunden glauben nämlich nicht, daß niedrigpreisige Geräte ebenso gut sein können wie höherpreisige. Und als letztes muß Falke die Kunden davon überzeugen, daß Qualität und Service der angebotenen Schreibmaschine ähnlich gut sind wie bei Konkurrent A.

Zusammenfassend heißt das, daß ein Unternehmen nicht nur seine Zielkunden, sondern auch seine »Zielkonkurrenten« sorgfältig auswählen muß. Vor allem in einer Periode verlangsamten Marktwachstums ist es wichtig, die Wettbewerber ebenso wie die Kunden in die Planung einzubeziehen.

Hat die Falke AG über ihre Positionierung entschieden, steht sie vor der schwierigen Aufgabe, neue Produkte zu entwickeln, zu testen und einzuführen (siehe Kapitel 14). Ein solcher Entwicklungsprozeß birgt viele Stolpersteine und Fallgruben. Zu viele Produkte verlassen erst gar nicht die Forschungslabors, und viele, die dann auf den Markt kommen, scheitern dort – zum Schaden für das betroffene Unternehmen und die Gesellschaft. In der Produktentwicklung beherrscht man seine Kunst dann, wenn man den gesamten Entwicklungsprozeß gut organisiert und in jeder Prozeßphase die geeigneten Entscheidungs- und Kontrollinstrumente einsetzt. In unserem Beispiel muß also Falke bei der Entwicklung einer neuen elektronischen Schreibmaschine auf viele Fallgruben achten, die sich dabei auftun können.

Nachdem ein Produkt mit einer bestimmten anfänglichen Strategie auf den Markt gebracht worden ist, wird oft eine Strategieänderung nötig. Die Strategie muß modifiziert werden, wenn das Produkt unterschiedliche Phasen im Produkt-Lebenszyklus durchläuft – nämlich die Einführungs-, Wachstums-, Reife- und Rückgangsphase (siehe Kapitel 13). Die Strategie ist auch unterschiedlich, wenn ein Unternehmen auf dem Markt die Position des Marktführers, des Herausforderers, des »Nachfolgers« oder des Nischenspezialisten sucht (siehe Kapitel 14). Und schließlich muß die Marketingstrategie auch die sich verändernden globalen Marktchancen und -herausforderungen berücksichtigen (siehe Kapitel 15).

Planung von Marketingprogrammen

Die Marketingverantwortlichen müssen nicht nur die übergeordneten Strategien formulieren, mit denen sie die gesteckten Marketingziele zu erreichen gedenken, sondern auch die programmatische Umsetzung planen.

Zur Programmplanung muß das Marketing-Management entscheiden, wie hoch die *Gesamtausgaben* sein müssen, um die gesteckten Marketingziele zu erreichen. Viele Unternehmen bestimmen das Marketingbudget, indem sie einen branchengängigen Prozentsatz des Umsatzes dafür ansetzen. Unternehmen, die neu auf einen Markt kommen, sind daher bestrebt zu ermitteln, wieviel Prozent vom *Umsatz* die Konkurrenten an *Marketingaufwendungen* ausgeben. Einige Unternehmen geben in der Hoffnung auf neue Marktanteile mehr als den gängigen Prozentsatz aus. Am besten stellt man fest, was an Marketingaktivitäten erforderlich ist, um einen bestimmten Umsatz oder Marktanteil zu erreichen; daraus ergibt sich dann das erforderliche Marketingbudget.

Weiterhin muß das Unternehmen entscheiden, wie es das Marketingbudget auf die einzelnen Instrumente des *Marketing-Mix* verteilt. Der Marketing-Mix ist einer der Schlüsselbegriffe im Marketing, und wir definieren diesen Begriff wie folgt:

Der Marketing-Mix ist die Kombination aus den Marketinginstrumentarien, die das Unternehmen zur Erreichung seiner Marketingziele auf dem Zielmarkt einsetzt.

Es gibt Dutzende von Marketing-Mix-Instrumenten. McCarthy popularisierte eine Einteilung der Instrumente in vier Gruppen – die sogenannten »vier Ps«: *product, price, place and promotion* (also Produkt, Preis, Distribution und Absatzförderung). [1] Die »vier Ps im Marketing-Mix« sowie die einzelnen Instrumente, die jedem »P« zugeordnet sind, werden in Abbildung 3-5 dargestellt.

Der Marketing-Mix eines Unternehmens zum Zeitpunkt t für ein bestimmtes Produkt läßt sich durch den Vektor

$$(P_1, P_2, P_3, P_4)_t$$

ausdrücken, wobei

P_1 für die Produktleistung, P_2 für den Preis, P_3 für die Distribution und P_4 für die Absatzförderung steht.

Wenn Falke nun ein Produkt mit einem Leistungsindex von 1,2 (Wettbewerbsdurchschnitt 1,0) entwickelt, einen Preis von 2.000 DM dafür festlegt, 60.000 DM/Monat für die Distribution und 40.000 DM für die Absatzförderung ausgibt, dann ist der Marketing-Mix zur Zeit t ein Vektor mit

$$(1{,}2;\ 2.000\ \text{DM};\ 60.000\ \text{DM};\ 40.000\ \text{DM})_t.$$

Abbildung 3-5
Die vier »Ps« des Marketing-Mix

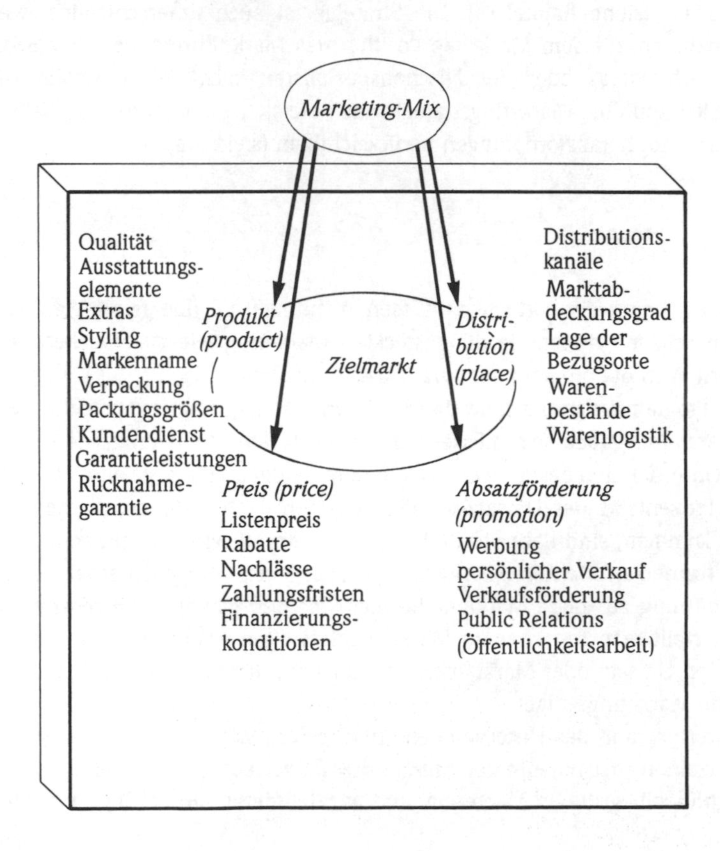

Offensichtlich muß ein Marketing-Mix aus einer Vielzahl von Möglichkeiten ausgewählt werden. Für unser Beispiel gäbe es 550 Kombinationsmöglichkeiten im Marketing-Mix, wenn wir bereits vereinfachend von folgenden Möglichkeiten ausgehen würden: zwei Stufen in der Produktleistung; elf Stufen beim Preis, der zwischen 1.000 DM und 3.000 DM liegen würde und in Schritten von je 200 DM variiert würde; fünf Stufen sowohl für die Distribution als auch für die Absatzförderung, die bei einem Minimum von 20.000 und einem Maximum von 100.000 DM/Monat liegen und um jeweils 20.000 DM variiert würden. Die Falke AG müßte dann also aus 550 (2 × 11 × 5 × 5) Kombinationsmöglichkeiten einen Marketing-Mix wählen.

In der Praxis wird es noch komplexer, denn die Falke AG muß im Marketing-Mix den Handel und auch die Endverbraucher als anzusprechende Zielkunden berücksichtigen. Abbildung 3-6 zeigt, daß Falke ein *Angebots-Mix* bestehend aus Produkten, Serviceleistungen und Preisen sowie ein *Absatzförderungs-Mix* bestehend aus Verkaufsförderung, Werbung, Vertrieb, Public Relations, Direct-Mail- und Telemarketing-Aktionen einsetzt, um sowohl die Distributoren als auch die Endverbraucher anzusprechen.

Nicht alle Marketing-Mix-Variablen können kurzfristig geändert werden; hier gibt es unterschiedliche Freiheitsgrade. Im Regelfall kann ein Unternehmen den Preis und die Werbeausgaben kurzfristig ändern. Eine Änderung beim Umfang des Vertriebspersonals und eine Änderung der Werbeaussage dauert bereits etwas länger, da dies sorgfältig vorbereitet und erforscht werden muß. Die Entwicklung neuer Produkte und eine Umgestaltung der Handelsbeziehungen dauert am längsten. Folg-

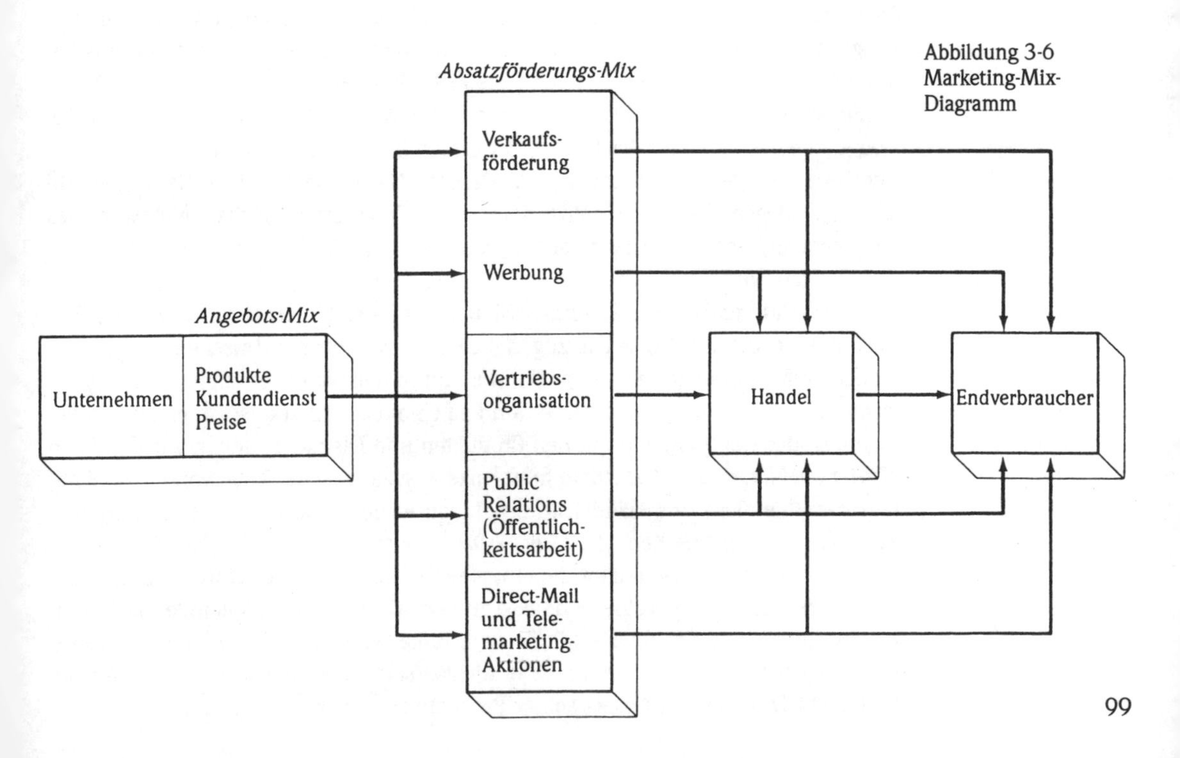

Abbildung 3-6
Marketing-Mix-Diagramm

lich können zwischen den Entscheidungsperioden nicht so viele kurzfristige Änderungen im Marketing-Mix vorgenommen werden, wie dies aus der Zahl der theoretischen Gestaltungselemente geschlossen werden könnte.

Weiterhin müssen die Marketer über die *Verteilung* der verfügbaren Marketingmittel auf die einzelnen Produkte, Distributionskanäle, Werbeträger und Absatzgebiete entscheiden. Wieviel Geld soll auf die elektrischen Schreibmaschinen von Falke, und wieviel auf die elektronischen verwendet werden? Wieviel auf den Direktverkauf bzw. den Absatz über den Handel? Wieviel auf Direct-Mail-Werbung bzw. Anzeigenwerbung in Fachzeitschriften? Wieviel auf die Märkte Deutschland, Österreich, Schweiz, Frankreich oder Holland? Jede Kombination können wir durch einen Vektor ausdrücken: Nehmen wir z.B. an, daß Falke die Produktleistung bei 1,2 ansetzt, den Preis bei 2.000 DM, das monatliche Distributionsbudget bei 10.000 DM und das monatliche Werbebudget bei 20.000 DM, und zwar für Produkt i für den Kundentyp j im Absatzgebiet k und zum Zeitpunkt t, dann erhalten wir folgenden Vektor:

$$(1{,}2;\ 2.000\ \text{DM};\ 10.000\ \text{DM};\ 20.000\ \text{DM})_{i,j,k,t}$$

Bei der Entscheidung über die strategische Mittelzuteilung auf Werkzeuge im Marketing-Mix und auf Marktgebiete nützt es den Marketing-Managern, Nachfragereaktionsfunktionen abzuschätzen, die anzeigen, wie die Umsatzhöhe bei unterschiedlichem Mitteleinsatz verändert würde.

Auch der Einsatz der Elemente des Marketing-Mix erfordert eine detaillierte Planung. Das grundlegendste Element des Marketing-Mix ist das *Produkt*, d.h. das konkrete Angebot des Unternehmens an den Markt, einschließlich der Ausstattungsmerkmale, der Verpackung, des Markenimages und des Kundendienstes. So bietet Falke dem Markt eine Produktlinie von Schreibmaschinen mit gewissen Ausstattungs-, Qualitäts- und Stylingmerkmalen (siehe Kapitel 16) und bestimmte Dienstleistungen wie Reparatur und Schulung (siehe Kapitel 17) an.

Ein weiteres wichtiges Element im Marketing-Mix ist der *Preis*, d.h. der Geldbetrag, den die Kunden für das Produkt zu zahlen haben (siehe Kapitel 18). Falke muß den Groß- und den Einzelhandelspreis, Rabatte, Nachlässe und Finanzierungskonditionen festlegen. Der Preis sollte dem vom Käufer empfundenen Nutzwert des Angebots angemessen sein, da sich dieser sonst für die Produkte der Konkurrenz entscheiden wird.

Distribution umfaßt die einzelnen Maßnahmen des Unternehmens, um das Produkt für die Zielkunden leicht zugänglich und verfügbar zu machen. Zu diesem Zweck muß Falke viele Partner im Handel und in der Warenverteilung und -logistik ausfindig machen, für sich gewinnen und zu einem Distributionssystem zusammenfügen, so daß der Zielmarkt mit den Produkten und Dienstleistungen wirtschaftlich effizient versorgt wird. Außerdem muß Falke wissen, welche Typen von Einzelhändlern, Großhändlern und Handelsunternehmen es gibt, und ihre Entscheidungsprozesse verstehen (siehe Kapitel 19 und 20).

Die *Absatzförderung* umfaßt die einzelnen Maßnahmen des Unternehmens, um dem Markt die Vorzüge seiner Produkte zu vermitteln und die Zielkunden zum Kauf zu bewegen (siehe Kapitel 21–24). So muß Falke Werbeausgaben tätigen, Verkaufsförderungsaktionen durchführen, Öffentlichkeitsarbeit betreiben und seine Verkäufer losschicken, um den Absatz seiner Produkte zu fördern.

Organisation, Durchführung und Steuerung der Marketingaktivitäten

Schließlich muß der Marketing-Management-Prozeß durch die Organisation, Durchführung und Steuerung des Marketingprogramms zur Wirkung gebracht werden. Ein Plan bringt nichts, wenn er nicht umgesetzt wird.[2] Folglich muß man eine Marketingorganisation schaffen, die zur *Durchführung* des Marketingplans in der Lage ist (siehe Kapitel 25). In einem kleinen Unternehmen ist es durchaus möglich, daß eine einzelne Person alle anstehenden Marketingaufgaben durchführt, also Marketingforschung, Verkauf, Werbung, Kundendienst etc. Ein großes Unternehmen dagegen braucht mehrere Marketingspezialisten. So verfügt unser fiktives Unternehmen Falke über Verkäufer, Verkaufsleiter, Marketingforscher, Werbefachleute, Produktmanager, Marktmanager und Kundendienstpersonal.

In der Regel steht an der Spitze der Marketingorganisation ein »Marketingvorstand« oder Marketingdirektor, der zwei Aufgaben zu erfüllen hat. Erstens muß er die Arbeit des gesamten Marketingstabs koordinieren. In unserem Beispiel müßte der Marketingdirektor von Falke dafür sorgen, daß der Werbeleiter eng mit dem Verkaufsleiter zusammenarbeitet, so daß die Verkäufer in der Lage sind, Kundenanfragen nachzukommen, die durch die Werbung bewirkt werden.

Weiterhin muß der Marketingdirektor eng mit den Verantwortlichen der Bereiche Finanzen, Produktion, F + E, Einkauf und Personal zusammenarbeiten und damit die Gesamtanstrengungen des Unternehmens zum Nutzen des Kunden koordinieren.

Wenn also das Falke-Marketing die neue elektronische Schreibmaschine als Qualitätsprodukt ankündigt, die F + E-Abteilung jedoch kein Qualitätsprodukt entwickelt oder die Fertigungsabteilung es nicht einwandfrei produziert, kann das Marketing sein Qualitätsversprechen – zum Schaden des Unternehmens – nicht einlösen. Der Marketingverantwortliche muß darauf hinarbeiten und bewirken, daß alle Abteilungen des Unternehmens gemeinsam dahin streben, das Versprechen des Unternehmens an die Kunden einzulösen.

Die Wirkung der Marketingabteilung hängt nicht nur davon ab, wie sie gegliedert ist, sondern auch davon, wie gut die Mitarbeiter im Marketing ausgewählt, geschult, geführt, motiviert und bewertet werden. Der Leistungsunterschied zwischen einer engagierten und einer ohne Engagement arbeitenden Marketingabteilung ist gewaltig. Die Mitarbeiter im Marketing sind auf ein konstruktives Feedback angewiesen. Die Führungskräfte im Marketing müssen in regelmäßigen Abständen mit ihren Untergebenen zur Leistungsbeurteilung zusammenkommen, dabei ihre Stärken hervorheben, auf ihre Schwächen hinweisen und Wege aufzeigen, um diese Schwächen zu korrigieren.

Bei der Ausführung des Marketingplans durch die Marketingorganisation sollte man auf viele Überraschungen vorbereitet sein. Daher benötigt man regelmäßige Kontrollen, um die gesteckten Marketingziele tatsächlich zu erreichen (siehe Kapitel 26). Verschiedene Führungskräfte müssen daher neben ihren Analyse-, Planungs- und Ausführungsaufgaben auch Kontrollfunktionen übernehmen. Man kann dabei drei Arten von Marketingkontrollverfahren unterscheiden: Die Jahresplankontrolle, die Rentabilitätskontrolle und die strategische Kontrolle.

Die *Jahresplankontrolle* soll gewährleisten, daß das Unternehmen die im Jahresplan abgesteckten Umsatz-, Ertrags- und sonstigen Ziele insgesamt erreicht. Diese Aufgabenstellung läßt sich in vier Einzelschritte unterteilen: Zunächst müssen im Jahresplan konkrete Sollvorgaben für jeden Monat, jedes Quartal oder einen anderen

Zeitraum innerhalb des Geschäftsjahres abgesteckt werden. Zweitens müssen Verfahren erarbeitet werden, durch die der Markterfolg des Unternehmens ständig beobachtet werden kann. Drittens müssen die tieferen Ursachen für alle gravierenden Leistungsdefizite ermittelt werden. Und zum vierten ist über die bestmöglichen Korrektivmaßnahmen zur Schließung eventueller Lücken zwischen Soll- und Ist-Leistung zu befinden. Dies kann sowohl Verbesserungen in der Plandurchführung als auch eine Änderung der Sollvorgaben erforderlich machen.

Des weiteren sollte man die tatsächliche *Rentabilität* einzelner Produkte, Zielgruppen, Distributionskanäle und Bestellgrößen regelmäßig untersuchen. Dies ist keine einfache Aufgabe. Nur selten legen die Unternehmen ihr betriebliches Rechnungswesen darauf an, die wirklichen Erträge einzelner Bezugsgrößen und Aktivitäten im Marketing voll zu erfassen und darzustellen. Will Falke z. B. die Profitabilität unterschiedlicher Schreibmaschinenmodelle ermitteln, so müßten die Kostenrechner abschätzen, wieviel Zeit die Verkäufer bei jedem Modell für die Verkaufsförderung aufwenden, wie hoch der Werbeaufwand bei jedem Modell ist etc. Die *Marketingrentabilitätsanalyse* dient auch zur Messung der Rentabilität einzelner Marketingaktivitäten. Weiterhin braucht man *Marketingeffizienzstudien*, um zu ermitteln, wie unterschiedliche Marketingaktivitäten leistungsstärker zu gestalten sind.

Von Zeit zu Zeit muß Falke auf Distanz gehen, seinen Gesamtplan im Marketingumfeld kritisch überprüfen und feststellen, ob der Marketingplan auch weiterhin *strategisch* sinnvoll ist. Im Marketing können Ziele, Vorgehensweisen, Strategien und Programme schnell überholt sein. Unternehmen wie AEG, Telefunken, Chrysler und International Harvester oder Unternehmen in der Schuhindustrie, der Unterhaltungselektronik oder der Kohle- und Stahlindustrie hatten schwere Zeiten zu überstehen, da sie es nicht verstanden, Marktveränderungen rechtzeitig zu erkennen und sich entsprechend darauf einzustellen. Angesichts des sich rapide wandelnden Marketingumfelds ist jedes Unternehmen gezwungen, seine Marketingleistung regelmäßig anhand eines als *Marketing-Audit* bezeichneten Kontrollinstruments zu überprüfen.

Abbildung 3-7 liefert eine Gesamtdarstellung des Marketing-Management-Prozesses und der Einflußfaktoren auf die Formulierung der Marketingstrategie. Im Mittelpunkt stehen die Kunden, und das Unternehmen konzentriert seine Anstrengungen auf die Zufriedenstellung eines spezifischen Zielfelds im Markt. Anhand der von ihm steuerbaren Gestaltungselemente Produkt, Preis, Distribution und Absatzförderung bestimmt das Unternehmen seinen Marketing-Mix. Zur Durchführung des Marketing-Mix nutzt das Unternehmen vier Systeme: ein Marketinginformationssystem, ein Marketingplanungssystem, ein Marketingorganisations- und durchführungssystem und ein Marketingkontroll- und -steuerungssystem. Diese Systeme sind miteinander verknüpft: Marketinginformationen werden zur Entwicklung von Marketingplänen benötigt, die wiederum von der Marketingorganisation ausgeführt und deren Ergebnisse erneut überprüft und kontrolliert werden, um steuernd einzugreifen.

Mit diesen Systemen beobachtet das Unternehmen sein Marketingumfeld und paßt sich daran an. Es muß sich dabei sowohl an seinem Mikroumfeld – bestehend aus der Welt des Handels, aus Lieferanten, Konkurrenten und verschiedenen Interessengruppen – als auch an seinem Makroumfeld – bestehend aus demographisch-ökonomischen, politisch-rechtlichen, technologisch-umweltpolitischen sowie sozio-

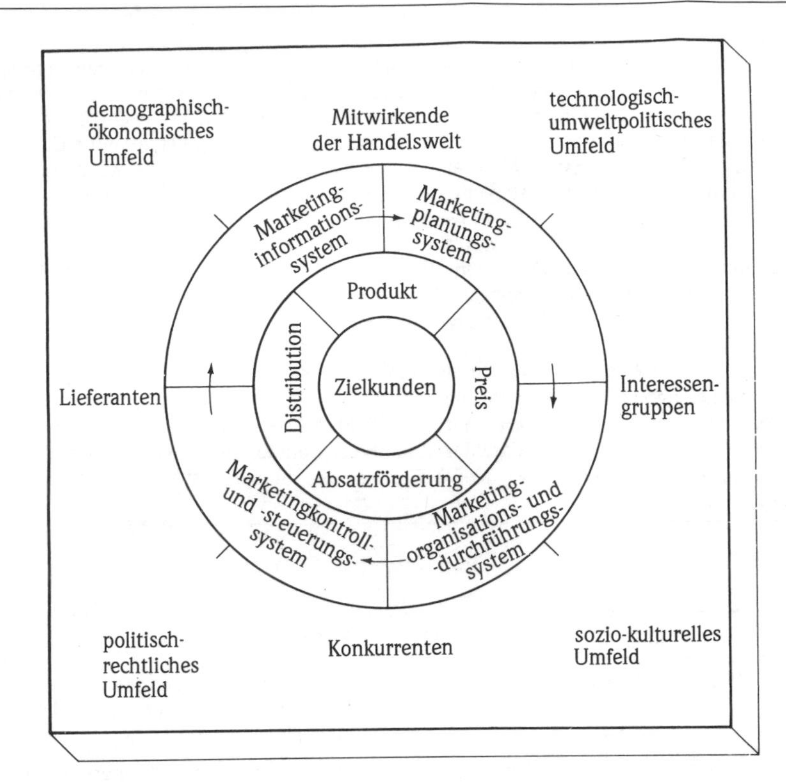

Abbildung 3-7
Einflußfaktoren auf die Marketingstrategie

kulturellen Einflußfaktoren – ausrichten. Das Unternehmen muß all diese Kräfte und Einflußfaktoren des Marketingumfelds bei der Entwicklung der Marketingstrategie und eines möglichst wirkungsvollen Marktangebots berücksichtigen.

Wesen und Inhalte eines Marketingplans

Wie wir gesehen haben, ist eines der wichtigsten Ergebnisse des Marketing-Management-Prozesses der *Marketingplan.* Daher lautet die nächste Frage: Wie sieht ein solcher Marketingplan aus?

Ein Marketingplan weist mehrere Bestandteile auf, deren Anzahl davon abhängt, über wie viele Einzelheiten die Unternehmensleitung von seinen Führungskräften Auskunft verlangt. Im Regelfall lassen sich Marketingpläne, vor allem Produkt- und Markenpläne, in folgende Bestandteile zerlegen: *Plansynopsis (Kurzfassung), Analyse der aktuellen Marketingsituation, Analyse der Chancen, Gefahren und Problemfragen, Planziele, Marketingstrategie, Aktionsprogramme, Ergebnisprognose und Planfortschrittskontrollen.* In Tabellenform stellt sich dies wie in Tabelle 3-1 aufgeührt dar.

Zur Erläuterung der einzelnen Planabschnitte soll uns folgendes Fallbeispiel dienen: [3]

Das Elektronikunternehmen Maxtron operiert mit weitgehend selbständigen Produktgruppenbereichen in Eustranien, einem kulturell und technisch hochentwickelten Wirtschaftsgebiet des gleichen Sprach- und Kulturkreises mit ca. 100 Mio. Einwohnern. Die wichtigsten Produktgruppen sind elektrische und elektronische Industrieausrüstungen, elektronische Großrechenanlagen mit Peripheriegeräten, Büromaschinen, Unterhaltungselektronik sowie Mikrocomputern. Innerhalb dieser Bereiche stehen einzelne Produktlinien in der Verantwortung von Produktmanagern, die langfristige Planungen und Jahrespläne erstellen. Sie sind gehalten, in diesen Plänen die Finanzziele von Maxtron zu erfüllen.

Das Sortiment an Personal Computern (PCs) besteht aus drei Produktlinien, nämlich professionellen Geräten, semi-professionellen Geräten und Homecomputern. Die Endverbraucherpreise für diese Geräte liegen je nach Produktlinie und Ausstattungselementen zwischen 300 und 3.000 Eu$.

Peter Conrad ist Produktmanager für die Homecomputerlinie »EasyMax«. Diese wird weitgehend unabhängig von der professionellen und semi-professionellen Produktlinie vermarktet. Maxtron hat sich zum Ziel gesetzt, auf dem PC-Markt seine Marktanteile und Erträge zu steigern. Dies gilt auch für die EasyMax-Linie. Peter Conrad hat als Produktmanager einen Marketingplan zu erarbeiten, der die Wachstumsziele mit der EasyMax-Linie verfolgt und erfüllt.

Tabelle 3-1
Bestandteile eines Marketingplans

	Bezeichnung	*Zweck*
I.	Plansynopsis (Kurzfassung)	Gesamtüberblick über den vorgesehenen Plan zur schnellen Information für die Geschäftsleitung
II.	Analyse der aktuellen Marketingsituation	Lieferung wichtiger Hintergrunddaten über den Markt, das Produkt, die Konkurrenz, das Distributionssystem und das Makroumfeld.
III.	Analyse der Chancen, Gefahren und Problemfragen	Zusammenfassende Darstellung der wichtigsten Chancen und Gefahren, Stärken und Schwächen und der Problemfragen für das Produkt, die im Plan zu berücksichtigen sind.
IV.	Planziele	Definition der Planziele für Umsatz, Marktanteil und Gewinn
V.	Marketingstrategie (»die richtige Sache machen«)	Festlegung der grundsätzlichen strategischen Optionen in Verfolgung der Planziele (»*was insgesamt* getan werden soll«)
VI.	Taktische Aktionsprogramme (»Die Sachen richtig machen«)	Die Festlegung, *was im einzelnen* getan wird, *wer* es tun wird und *wieviel* es kosten wird.
VII.	Ergebnisprognose	Zusammenfassende Darstellung des voraussichtlichen Ertrags und wie er sich zusammensetzt.
VIII.	Planfortschrittskontrollen	Darstellung der einzelnen Planüberwachungsmaßnahmen

Plansynopsis (Kurzfassung)

Der Marketingplan sollte mit einer kurzen Zusammenfassung der wichtigsten Ziele und Vorschläge beginnen, die dann später, im Hauptteil des Planberichts, detailliert erläutert werden. Hierzu ein Beispiel:

Der Marketingplan für 1991 sieht eine beträchtliche Erhöhung der zu verkaufenden Stückzahlen und damit des Umsatzes und Gewinns vor. Das Gewinnziel beträgt 3,2 Mio. DM. Das Umsatzziel beträgt 39,9 Mio. DM. Dies ist ein Zuwachs von 25% gegenüber dem laufenden Jahr. Dieser Zuwachs kann durch erhebliche Preisreduktionen und beträchtliche Vergrößerungen der Marketingaufwendungen erreicht werden. Das erforderliche Marketingbudget beträgt 7,3 Mio. DM, d.h. 80% mehr als im laufenden Jahr ... (Es werden weitere wichtige Einzelpunkte aufgeführt.)

Anhand dieser Kurzfassung können die vorgesetzten Produktgruppenmanager, der Marketing-Manager und die Top-Manager das Wesentliche des Marketingplans schnell erfassen. Der Plansynopsis sollte dann eine Inhaltsangabe folgen.

Analyse der aktuellen Marketingsituation

Dieser Planabschnitt soll wichtige Hintergrunddaten über den Markt, das Produkt, die Konkurrenz, die Distributionskanäle und das Makroumfeld liefern.

Marktsituation

Dieser Teilabschnitt liefert Daten und Informationen über den Zielmarkt. Er zeigt Größe und Wachstum des Zielmarktes (entweder in Stückzahlen oder in Geldeinheiten) über die letzten Jahre hinweg auf, und zwar sowohl für den Gesamtmarkt als auch nach Marktsegmenten und demographischen Segmenten gegliedert. Des weiteren werden hier Angaben über Kundenbedürfnisse, Kundenwahrnehmungen und Käuferverhalten eingebracht. Ein Beispiel:

Der Absatz im PC-Markt insgesamt wird in diesem Jahr etwa 2,45 Mio. Stück erreichen, davon 700.000 Homecomputer. Für 1991 wird ein Gesamtabsatz von 2,6 Mio. PCs erwartet (+6%), davon 780.000 Homecomputer (+11%). Das Marktwachstum für PCs wird sich in den nächsten drei Jahren ständig verlangsamen und schließlich stagnieren, wie dies bereits durch die Entwicklung in den USA vorgezeichnet wird. Im Segment der Homecomputer ist allerdings für die nächsten drei Jahre noch ein Wachstum von durchschnittlich 9–14% zu erwarten. Als zusätzliche Kunden treten hier vorwiegend computerinteressierte Jugendliche aus Haushalten mit relativ hohem Einkommen auf. Das Alter, in dem sich Jugendliche zum ersten Mal mit Computern befassen und von Spielcomputern auf Homecomputer umsteigen, sinkt ständig. Das Absatzwachstum in diesem Marktsegment wird durch sinkende Preise für Homecomputer, die zu mehr Erstkäufen führen, und durch Leistungsverbesserungen und zusätzliche preisgünstige Ausstattungselemente (z.B. die Festplatte) positiv beeinflußt, was fortgeschrittene Nutzer zum Ersatz ihres Gerätes durch ein besseres veranlaßt.

Produktsituation

An dieser Stelle des Berichts werden Angaben über Umsätze, Kosten, Preise, Marketingaufwendungen, Deckungsbeiträge und Nettoerträge für alle wichtigen Artikel innerhalb der Produktlinie über die letzten Jahre hinweg eingebracht. Ein Beispiel dafür, wie sich diese Angaben tabellarisch darstellen lassen, liefert uns Ta-

Tabelle 3-2
Datenübersicht zur Entwicklung der Produktsituation

Kenngröße	Zeile	1987 (ist)	1988 (ist)	1989 (ist)	1990 (geschätzt bis Jahresende)	1991 (zu planen)
1 Industrieabsatz (Stk) (Homecomputer)		580000	550000	620000	700000	
2 Marktanteil Maxtron (EasyMax)		0,10	0,10	0,11	0,10	
3 Erlös pro Stück (Eu$)		550	505	480	455	
4 Variable Kosten pro Stück (Eu$)		275	225	230	230	
5 Deckungsbeitrag 1 pro Stück (Eu$)	3–4	275	280	250	225	
6 Absatzvolumen (Stück)	1×2	58000	55000	68000	70000	
7 Umsatz (Eu$)	3×6	31900000	27775000	32640000	31850000	
8 Deckungsbeitrag 1 (Eu$)	5×6	15950000	15400000	17000000	15750000	
9 Produktweiterentwicklung und Verbesserung (Eu$)		2000000	2500000	2500000	2000000	
10 Produktkostenreduktionsprogramm (Eu$)		1500000	500000	500000	850000	
11 Deckungsbeitrag 2 (Eu$)	8–9–10	12450000	12400000	14000000	12600000	
12a Gemeinkosten (Eu$)		5000000	5300000	5700000	5100000	
12b davon Abschreibungen		3500000	3800000	4000000	3800000	
13 Deckungsbeitrag 3 (Eu$)	11–12	7450000	7100000	8300000	7500000	
14 Werbung (Eu$)		2000000	2000000	2400000	2400000	
15 Verkaufsförderung (Eu$)		500000	500000	600000	600000	
16 Vertriebskosten (Eu$)		2400000	2400000	2500000	2500000	
17 Marktforschung (Eu$)		200000	250000	250000	350000	
18 Gewinn vor Steuern (Eu$)	13–14–15–16	2350000	1950000	2550000	1650000	
19 Cash-flow vor Steuern (Eu$)	17+12b	5850000	5750000	6550000	4250000	

belle 3-2, in der die wichtigsten produktrelevanten Angaben über den EasyMax-Homecomputer zusammengefaßt sind:

Zeile 1 zeigt den Branchenabsatz (Stück) an Homecomputern in Eustranien; nach einem Einbruch im Jahre 1988 lag die jährliche Zuwachsrate bei knapp 13%. Zeile 2 zeigt, daß der Maxtron EasyMax über die letzten Jahre einen Marktanteil von etwa 10% behaupten konnte. Zeile 3 zeigt, daß der Erlös pro Stück für Maxtron über die letzten Jahre kontinuierlich von 550 Eu$ auf 455 Eu$ sank. Zeile 4 zeigt die variablen Kosten pro Stück, nämlich die Kosten für Materialien, zugekaufte Komponenten, direkt zurechenbare Arbeits-, Energie- und andere Kosten. Diese Kostenentwicklung wird beeinflußt durch die in Zeile 10 angezeigten Aufwendungen für Produktkostenreduktionsprogramme, welche zusammen mit Lern- und Erfahrungseffekten kostenreduzierend wirken. Auch inflationäre Tendenzen bei bestimmten einzelnen Kostenkomponenten bestimmen die Kostenentwicklung. Zeile 5 zeigt den Deckungsbeitrag 1 pro Stück, nämlich den durchschnittlichen Erlös pro Stück minus die durchschnittlichen variablen Kosten pro Stück. Die Zeilen 6 und 7 zeigen das Absatzvolumen in Stück und das Umsatzvolumen in Eu$, gefolgt von Zeile 8 mit dem Deckungsbeitrag 1 für das gesamte verkaufte Volumen. Zeile 9 zeigt die Aufwendungen für Produktweiterentwicklungen und -verbesserungen, die direkt für den EasyMax ausgegeben wurden. Diese Aufwendungen und die Aufwendungen aus Zeile 10 für Kostenreduktionsprogramme werden von Deckungsbeitrag 1 abgezogen und ergeben den Deckungsbeitrag 2 in Zeile 11. Zeile 12a zeigt die Gemeinkosten an, die in den Jahren 1987–1989 beim Aufbau größerer Fertigungskapazitäten anstiegen und im Jahr 1990 eingedämmt wurden. Die Entwicklung der Abschreibungen, in Zeile 12b angezeigt, ergibt sich aus dem Aufbau von Fertigungskapazitäten sowie technologischer Veralterung und Ausmusterung von Ausrüstungs- und Produktionsvorrichtungen und Komponenten. Der Deckungsbeitrag 3 in Zeile 13 ergibt sich, indem die Gemeinkosten von Deckungsbeitrag 2 abgezogen werden. Aus diesem werden die Marketingaufwendungen bestritten, nämlich Werbung, Verkaufsförderung, Vertriebskosten und Marktforschung, wie in den Zeilen 14–17 ausgewiesen. Diese Aufwendungen wurden insbesondere im Jahr 1989 merklich erhöht, was sich in einem Marktanteilzugewinn niederschlug, der nach den letzten Schätzungen im laufenden Jahr 1990 wieder auf 10% sinken wird. Zeile 18 schließlich zeigt den Gewinn vor Steuern, der durch alle vorherigen Variablen mitgeprägt wird. Zeile 19 zeigt den Cash-flow vor Steuern, der errechnet wird, indem der Gewinn und die Abschreibungen zusammengezählt werden. Er zeigt an, welche mögliche Finanzierungskraft aus dieser Produktlinie für das Gesamtunternehmen abgezogen werden kann. Als Gesamtbild zeigt sich, daß die Gewinnentwicklung ein Auf und Ab aufweist, im laufenden Jahr gegenüber den Vorjahren unbefriedigend ist, und daß der Produktmanager von EasyMax für das Jahr 1991 eine Strategie entwickeln muß, die eine Verbesserung im Umsatz und Ertrag bewirken soll.

Wettbewerbssituation

An dieser Stelle werden die wichtigsten Konkurrenten aufgeführt und anhand der Kriterien Größe, Ziele, Marktanteile, Produktqualität, Marketingstrategie sowie aller anderen Charakteristika, die zu einem besseren Verständnis für ihre Absichten und Verhaltensweisen führen, beschrieben. Hier ein Beispiel dazu:

Maxtrons Hauptkonkurrenten auf dem Markt für Homecomputer sind Atlantis, Hercules und Bitnix. Jeder Konkurrent verfolgt seine eigenständige Strategie und besitzt eine eigene Marktnische. Atlantis beispielsweise bietet fünf unterschiedliche Homecomputermodelle jeweils als Paket an, statt wie die anderen Konkurrenten ein bis zwei Modelle anzubieten, die durch Zusatzelemente aufgerüstet werden können. Atlantis deckt mit diesen Modellen den gesamten Bereich vom Grundmodell bis zum vollaufgerüsteten Modell ab, verkauft die höherpreisigen Modelle hauptsächlich über Kaufhäuser und die niedrigpreisigen Modelle über Discounter und gibt viel für die Verbraucherwerbung aus. Atlantis will sich über eine große Produktvielfalt und Billigpreise eine marktbeherrschende Stellung sichern ... (Hier werden dann auf ähnliche Weise auch die anderen Konkurrenten beschrieben.)

Distributionssituation

An dieser Stelle werden Angaben über die in jedem Distributionskanal abgesetzten Stückzahlen und die zunehmende bzw. abnehmende Bedeutung eines jeden Distributionskanals gemacht. Auch Veränderungen in der Marktmacht der Distributoren und Händler oder auch bei den Preisen und Konditionen zu ihrer stärkeren Motivation werden hier zu Papier gebracht. Auch dazu ein Beispiel:

Homecomputer werden über eine Vielzahl von Absatzkanälen vertrieben. Der EasyMax läuft mit folgendem Anteil über folgende Kanäle:

PC-Fachhandel	24,3 %
Büromaterial- und Buchhandel	4,5 %
Kaufhäuser (ohne Versandhandel)	14,3 %
Elektrofachgeschäfte	23,0 %
Versandhandel (inkl. Kaufhäuser mit Versandhandel)	25,9 %
Gemischtwarenhandel	2,3 %
Sonstige	5,1 %

Der EasyMax wird in fast allen Handelskanälen weit unter dem empfohlenen Listenpreis von 799 Eu$ verkauft. Es herrscht ein scharfer Preiswettbewerb der Absatzkanäle untereinander, der hauptsächlich von Discountern mit Billigimporten initiiert wurde. Viele Händler geben im Preiswettbewerb die Hälfte ihrer Handelsspanne und mehr an den Verbraucher als Preisreduktion weiter. Maxtron ist mit dem EasyMax in den preisaggressivsten Absatzkanälen mit den höchsten Zuwachsraten noch schwach vertreten, und die vorhandenen Absatzpartner zeigen den Außendienstmitarbeitern von Maxtron immer wieder an, daß sie Maxtron in der Absatzförderung nicht unterstützen würden, wenn der EasyMax unter die äußerst preisaggressiven Marken bei den Discountern geraten würde. Maxtron gewährt seinen Händlern auf den Listenpreis eine Handelsspanne von etwa 45 %, welche in der Praxis aber durch Preisreduktionen auf 20 % und weniger reduziert wird.

Makroumfeld

An dieser Stelle des Plans werden die übergeordneten Entwicklungstrends im Makroumfeld des Unternehmens beschrieben, d.h. demographische, gesamtwirtschaftliche, technologische, politisch-rechtliche und sozio-kulturelle Faktoren, die sich auf die Zukunftsaussichten der beschriebenen Produktlinie auswirken. Hierzu ein Beispiel:

Etwa 15 % der Haushalte in Eustranien besitzen heute einen semiprofessionellen Computer oder Homecomputer. Es wird erwartet, daß der Markt der einkommensstärkeren Haushalte in etwa 3–5 Jahren gesättigt ist. Dann müssen entweder einkommensschwächere Haushalte hinzugewonnen oder die jetzigen Besitzer davon überzeugt werden, bis dahin entwickelte leistungsstärkere Homecomputer mit besserer Ausstattung zu kaufen. Die wirtschaftliche Gesamtsituation in Eustranien ist stabil mit einem leichten Aufwärtstrend. Es werden für die nächsten Jahre jährliche Wachstumsraten des Bruttosozialprodukts von 3–5 % bei Inflationsraten von 2–4 % erwartet. Bei entsprechend wachsenden Einkommen der privaten Haushalte wird die Zahl derer steigen, die sich einen Homecomputer leisten können. Aufgrund neuerer politischer Veränderungen und einer zu erwartenden Beseitigung von Handelsschranken könnte sich das Marktgebiet um etwa 6 Mio. Haushalte erweitern, welche im Durchschnitt allerdings eine wesentlich geringere Kaufkraft haben als die Haushalte des bisherigen Marktgebietes. Der technologische Fortschritt führte zu bisher immer leistungsfähigeren kompakteren PCs. Dieser Trend wird auch weiterhin erwartet.

Analyse der Chancen, Gefahren und Problemfragen

Mit der Beschreibung der laufenden Marketingsituation als Basis muß der Produktmanager herausarbeiten, mit welchen Chancen und Gefahren, mit welchen Stärken und Schwächen und mit welchen Problemfragen das Unternehmen während des Planungszeitraums des Produkts rechnen muß.

Analyse der Chancen und Gefahren (C/G-Analyse)

An dieser Stelle führt der zuständige Produktmanager die wichtigsten Chancen und Gefahren für das Unternehmen auf. Diese beziehen sich auf organisationsexterne Faktoren, die auf die Zukunftsaussichten des Unternehmens einwirken können. Sie sind so zu formulieren, daß auch mögliche eigene Gegenmaßnahmen aufgezeigt werden. Der Planverfasser sollte die einzelnen Chancen und Gefahren nach ihrem Bedeutungsgewicht auflisten und den wichtigsten Punkten besondere Aufmerksamkeit widmen.

Die wesentlichsten Chancen für Maxtrons EasyMax-Linie sind:

- Jugendliche immer jüngeren Alters zeigen ein wachsendes Interesse an Homecomputern. Dieses Interesse basiert zum Teil auf immer raffinierteren Telespielen und zum Teil auf dem Interesse am Computer als nützliches Instrument zum Lernen in der Schule, zur Erledigung privater Arbeiten und als mögliches Telekommunikationsinstrument. Maxtron könnte aus dem EasyMax heraus in die entsprechenden Marktsegmente vorstoßen und dafür spezielle Angebotspakete mit unterschiedlichen Produktausstattungen und Softwarepaketen zusammenstellen.
- Zwei ausführliche Markttests haben gezeigt, daß eine Senkung des Listenpreises für den EasyMax von 799 Eu$ auf unter 500 Eu$ mit einer entsprechenden Preisreduktion für den Handel erhebliche Absatzsteigerungen und Marktanteilszugewinne möglich machen könnte. Mutmaßlich gerät bei einem solch niedrigen Preis der EasyMax in den Bereich der preislich gehobenen Geschenkartikel. Es besteht für Maxtron die Chance, das Geschäft und die Marktanteile für sich saisonal zu steigern, wenn ein entsprechendes Programm dafür auf Gesamtmarktebene entwickelt würde.
- Eine große Kaufhauskette ist bereit, den EasyMax in ihr Programm aufzunehmen, wenn Maxtron dafür einen Extra-Werberabatt genehmigt.
- Eine große Discounterkette ist bereit, den EasyMax zu vertreiben, wenn ihr bei größerem Absatzvolumen ein spezieller Mengenrabatt zugestanden wird.

Die wesentlichen Gefahren für Maxtrons EasyMax-Linie sind:

- Eine wachsende Anzahl von Kunden kauft Homecomputer in Discountgeschäften und Gemischtwarenläden, wo Maxtron bisher nur schwach vertreten ist.
- Im Markt für Homecomputer sind viele neue Wettbewerber mit Produktneuerungen, Erweiterungen ihrer Distributionswege und Preissenkungen eingetreten. Insbesondere aus Fernost drängen noch viele Billiganbieter auf den Markt. Ein dadurch bedingter starker Rückgang der Preise und der Handelsspannen (empfohlene Endverbraucherpreise liegen oft weit entfernt von wirklich verlangten Preisen) läßt insbesondere die niedrigpreisigen Homecomputer für den traditionellen Fachhandel uninteressant werden, wo Maxtron bisher besondere Stärken hatte. Von Regierungsseite kommen möglicherweise strenge Produktsicherheitsvorschriften, die gegen befürchtete Strahlen- und Gasemissionen von Computermonitoren und sog. »elektromagnetischen Müll« ganzer Computeranlagen gerichtet sind. Dies könnte erhebliche Produktmodifizierungskosten erfordern.

Analyse von Stärken und Schwächen (S/S-Analyse)

Der Produktmanager sollte auch die produktlinienspezifischen Stärken und Schwächen des eigenen Unternehmens darstellen. Stärken und Schwächen sind organisationsintern veranlaßt, im Gegensatz zu den Chancen und Gefahren, die organisationsextern begründet sind. Die Stärken weisen auf Strategien hin, die das Unternehmen mit Erfolg zum Einsatz bringen könnte, während die Schwächen anzeigen, wo das Unternehmen sich verbessern sollte.

Die wesentlichen *Stärken* der EasyMax-Linie von Maxtron sind:

- Der Bekanntheitsgrad des Markennamens Maxtron ist hoch, und das Unternehmen gilt als Hersteller qualitativ hochwertiger Produkte.
- Die Händler, die die EasyMax-Linie führen, sind kompetent und verkaufstechnisch gut geschult.
- Maxtron verfügt über ein ausgezeichnetes Servicenetz, und die Verbraucher wissen, daß ihr Gerät bei Bedarf schnell repariert wird.

Die wesentlichen *Schwächen* der EasyMax-Linie von Maxtron sind:

- Die Bildschirmqualität von EasyMax ist nicht demonstrierbar besser als die konkurrierender Produkte, obwohl dies ein wichtiger Kaufaspekt ist.
- Maxtrons Außendienst scheint zuviel Zeit auf die Pflege von kleinen Händlern (C-Kunden) zu verwenden, während das Großkunden-Management (Key-account-Management) erst schwach ausgeprägt ist. Eine Umstrukturierung der Außendienstorganisation muß in Erwägung gezogen werden.
- Maxtrons EasyMax-Linie ist im Vergleich zu Hercules (»Qualität«) und Atlantis (»Innovationen«) nicht klar konzipiert. Maxtron muß für den EasyMax noch einen besonderen Kundenvorteil erarbeiten. Die derzeitige Werbekampagne ist in dieser Hinsicht nicht kreativ und ansprechend.
- Der empfohlene Einzelhandelspreis von 799 Eu$ für den EasyMax ist im Wettbewerbsvergleich relativ hoch. Verbraucher sehen im EasyMax ein teures Gerät, ohne ihm gleichzeitig eine höhere Leistung zuzuschreiben. Dadurch besteht die Gefahr, daß das preisbewußte Käufersegment für EasyMax verlorengeht. Der tatsächlich niedrige Preis, zu dem der EasyMax gekauft wird, bringt den Händlern nur eine kleine Marge und motiviert sie wenig, einen guten Kundendienst für das Gerät aufrechtzuerhalten. Die Preisstrategie muß überdacht werden.

Analyse der Problemfragen

In diesem Abschnitt des Plans sollen, aufbauend auf den Erkenntnissen der C/G-Analyse und der S/S-Analyse, die wesentlichsten Problemfragen herausgestellt werden, auf die der Plan eingehen muß. Entscheidungen zu diesen Problemfragen führen dann zur Formulierung von Planzielen, Strategien und Durchführungstaktiken.

Maxtron muß für die EasyMax-Linie die folgenden Grundsatzfragen bewältigen:

- Soll Maxtron im Markt für Homecomputer bleiben? Ist man hier wettbewerbsfähig? Oder sollte man diese Produktlinie »abernten« oder gar eliminieren?
- Falls Maxtron in diesem Geschäftsfeld verbleibt, sollte man dann im wesentlichen die Produkte, Distributionskanäle sowie die Preis- und Absatzförderungspolitik unverändert lassen und diese nur weiter verfeinern (wenn möglich)?
- Sollte Maxtron dazu übergehen, mit aufstrebenden Distributoren (z.B. Discountern) zusammenzuarbeiten, und läßt sich dies bewerkstelligen, ohne daß dadurch die Loyalität der bisherigen Distributoren leidet?
- Sollte der EasyMax mehr durch eine direkte Motivation der Verbraucher über Werbung und verbraucherbezogene Verkaufsförderung oder über die Vergabe von Demonstrationsmodellen an Schulen unterstützt werden (Marketing-Pull), oder sollte der Handel durch günstigere Einkaufspreise und die Bereitstellung von Displaymaterial am Point of Sale dazu motiviert

werden, den EasyMax gegenüber anderen Geräten hervorzuheben (Marketing-Push)? Würde eine Veränderung zu ausreichenden Marktanteils- und Gewinnzuwächsen führen?
- Sollte Maxtron mehr Geld in die Forschung, Weiterentwicklung und Kostenreduzierung der EasyMax-Linie stecken, oder sollte es diese Linie auslaufen lassen und das Geld lieber in eine neue Nachfolgeproduktlinie stecken?

Planziele

Nun kennt das Management die Problemfragen und muß einige grundlegende Entscheidungen über die Planziele treffen. Diese bestimmen dann die nachfolgende Suche nach angemessenen Strategien und Aktionsprogrammen.

Die Ziele sind auf zwei Ebenen festzulegen, nämlich als Finanzziele und als Marketingziele.

Finanzziele

Jedes Unternehmen bemüht sich um die Erreichung bestimmter finanzieller Ziele. So werden die Eigentümer des Unternehmens sowohl eine bestimmte langfristige Kapitalrendite als auch einen bestimmten Gewinn für das laufende Geschäftsjahr anstreben.

Die Gesamtunternehmensleitung von Maxtron will, daß jede Produktgruppe einen bestimmten Gewinn und eine bestimmte Kapitalrendite erwirtschaftet. Und sie will, daß die EasyMax-Linie hier stärker wird. Also stellt der Produktmanager Peter Conrad für die EasyMax-Linie folgende Finanzziele auf:

- Über die nächsten 5 Jahre hinweg will ich eine durchschnittliche Kapitalrendite von 20% nach Steuern erreichen.
- Im Jahr 1991 will ich einen Gewinn vor Steuern von 2.700.000 Eu$ erwirtschaften.
- Im Jahr 1991 will ich einen Cash-flow vor Steuern von 4.250.000 $ erwirtschaften.

Marketingziele

Die Marketingziele und Finanzziele müssen aufeinander abgestimmt sein. Wenn Peter Conrad einen Gewinn von 2,7 Mio. Eu$ erwirtschaften und die angestrebte Umsatzrendite auf etwa 7% verbessern will, dann muß er sich ein Umsatzziel von etwa 40 Mio. Eu$ setzen. Rechnet er aufgrund einer neuen Preisstrategie mit einem verminderten durchschnittlichen Erlös von 399 Eu$ pro Gerät, dann muß er insgesamt 100.000 Geräte absetzen. Beträgt das zu erwartende Gesamtabsatzvolumen an Homecomputern der Branche 780.000 Geräte, so muß er seinen Marktanteil auf 13% erhöhen. Um diesen Marktanteil erreichen zu können, muß er konkrete Ziele über die Bekanntheit des EasyMax bei den Verbrauchern, die Dichte und die Motivation des Vertriebsnetzes usw. festsetzen. Die Marketingziele im Planbericht könnten wie folgt formuliert sein:

- Wir wollen im Jahr 1991 Umsatzerlöse von 39,9 Mio. Eu$ erzielen. Das bedeutet eine Steigerung von 25% gegenüber dem für 1990 erwarteten Umsatz.
- Dies bedeutet ein Absatzvolumen von 100.000 Stück oder 13% Anteil am für 1991 projektierten Markt. Der Zugewinn an Marktanteilen erfolgt in einem wachsenden Markt durch ein aggressives Marketingprogramm.
- Die Markenbekanntheit der EasyMax-Linie soll in der Zielgruppe der Käufer von 60% auf

80% gesteigert werden. Die Vertrautheit der Kunden mit dem Produkt wird durch Aufstellung von Demonstrationsgeräten mit interessanter Software bei den Händlern gesteigert.

Dieser Zielekatalog sollte bestimmte Kriterien erfüllen. Erstens sollte jedes Planziel in eindeutiger und meßbarer Form dargelegt und jeweils auch ein bestimmter Zeitraum für die Erreichung dieses Ziels festgelegt werden. Zweitens sollten die einzelnen Ziele untereinander stimmig sein. Drittens sollten sie nach ihrer Bedeutung geordnet aufgeführt werden, so daß – wenn möglich – aus den übergeordneten Zielen die jeweils nachgeordneten Ziele eindeutig abgeleitet werden können. Und viertens müssen sie erreichbar sein und gleichzeitig alle durchführenden Personen zu höchstem Einsatz anspornen.

Marketingstrategie

Nun legt der Planverfasser die übergeordnete Marketingstrategie, d.h. den »Spielplan« dar. Bei der Erarbeitung einer Marketingstrategie hat er eine Reihe von Wahlmöglichkeiten, da sich jedes gesteckte Planziel auf mehrerlei Weise erreichen läßt. So könnte z.B. das Ziel *Steigerung des Umsatzes* dadurch erreicht werden, daß man den durchschnittlichen Preis für alle Geräte erhöht, das Absatzvolumen steigert oder mehr Geräte mit Zusatzausstattung absetzt. Und auch jedes dieser Ziele kann wiederum auf verschiedene Weise erreicht werden. Das *Absatzvolumen* läßt sich steigern, indem man entweder das Marktwachstum stimuliert oder sich einen höheren Marktanteil erkämpft. *Mehr Marktwachstum* wiederum läßt sich erreichen, wenn man entweder mehr neue Kunden davon überzeugen kann, sich einen Homecomputer zuzulegen, oder vorhandene Nutzer dazu bringt, ihre älteren Geräte häufiger zu ersetzen. Folgt man dieser Zielpyramide nach unten, kann man die wesentlichsten strategischen Möglichkeiten für die beschriebene Produktlinie ermitteln.

Als nächstes muß man eine Grundsatzentscheidung darüber fällen, welche dieser strategischen Optionen man wählt. Diese grundlegende strategische Aussage kann z.B. als laufender Text ausformuliert werden, wie das im folgenden Beispiel der Fall ist:

Die Marketingstrategie für den EasyMax zielt auf Eltern von Jugendlichen über 13 Jahren, die den Homecomputer als Ausbildungsinvestition für ihre Kinder sehen. Durch ein neues Preisprogramm soll das Grundmodell des EasyMax den Verbrauchern für knapp unter 500 Eu$ zur Verfügung stehen, so daß er in den Preisbereich anderer aufwendiger Geschenke für Jugendliche kommt. Der EasyMax soll als erschwinglicher, aber leistungsfähiger und zuverlässiger Homecomputer positioniert werden. Zum Grundmodell werden preisgünstige Zusatzausrüstungen angeboten. Durch erhöhte Aufwendungen für Werbung und Absatzförderung soll diese Positionierung beim Verbraucher gefördert werden. Der Abgabepreis an den Handel pro Grundgerät wird um 50 Eu$ verringert und so die Handelsmarge des Händlers und seine Motivation gestärkt, das Gerät im Verkauf voranzustellen. Durch eine Umstrukturierung des Außendienstes werden Großkunden noch öfter besucht und motiviert, mehr für unser Produkt zu tun. Durch fortlaufende Produktweiterentwicklungs- und -verbesserungsprogramme werden der EasyMax und sein Zubehör im äußeren Styling, in der Leistung und im Angebot zusätzlicher Ausstattungselemente noch attraktiver gemacht. Verstärkte Kostenreduktionsprogramme und angestrebte Erfahrungseffekte durch eine höhere Produktausbringungsmenge zielen auf eine Kostenreduzierung von 10% pro Stück hin.

Alternativ zu dieser Form kann die Grundstrategie auch durch eine Auflistung von Aussagen für die wesentlichsten Marketingelemente dargelegt werden:

Grundstrategie:

Marketing-element:	*Aussage:*
Zielmarkt	Haushalte mit Jugendlichen über 13 Jahren mit hohem und mittlerem Einkommen
Positionierung	Der EasyMax ist ein erschwinglicher, aber leistungsfähiger und zuverlässiger Homecomputer mit hoher Benutzerfreundlichkeit und großen Ausbaumöglichkeiten.
Produktlinie	Ein niedrigpreisiges Grundmodell mit preiswerten Zusatzausstattungen wie Festplatte, Speichererweiterung, Graphics Board.
Preis	Knapp unter dem Preis anderer hochwertiger Markengeräte, aber immer noch merklich über dem Preis namenloser Billiganbieter.
Distributions-kanäle	Stark im PC-Fachhandel und im Handel über Versandhäuser. Verstärkte Anstrengungen, bei Discountern Fuß zu fassen, ohne dadurch in den »Preisverhau« zu kommen, mit merklichem Preisabstand zu den Billiglieferanten.
Vertriebs-organisation	Umstrukturierung der Vertriebsorganisation, Einführung des Key-account-Management für Großkunden mit verstärkter Kundenbetreuung durch 18 Mitarbeiter. Zusammenfassung der Kleinkunden in 3 statt wie bisher 4 Verkaufsgebiete.
Service	Breit verfügbar und schnell; neue Produktservicespezialisten arbeiten insbesondere eng mit den Großkunden zusammen
Werbung	Entwicklung einer neuen Werbekampagne für das definierte Zielsegment, die die Positionierung des Produkts stützt. Erhöhung der Werbeaufwendungen um 33 %.
Verkaufs-förderung	Erhöhung der Verkaufsförderung um 65 %, Entwicklung eines speziellen Produktdisplays und Einsatz im Einzelhandel an mindestens 60 % der Verkaufsstellen; verbilligte Vergabe von Geräten für den Schulunterricht.
Produktweiterentwicklung und -verbesserung	Halten des Entwicklungsbudgets auf 2 Mio. Eu$; Zielrichtung: verbessertes Styling und ergonomische Gestaltung des Keyboards, des Monitors und der Monitorstütze.
Marktforschung	Aufstockung der Marktforschung um 15 % zur Verbesserung unserer Kenntnis über die Kaufentscheidungsprozesse bei Homecomputern und zur Beobachtung der Wettbewerber.

Der verantwortliche Manager muß bei der Strategieentwicklung auch die anderen Führungskräfte mit einbeziehen, deren Mitwirkung an dem Projekt über Erfolg oder Mißerfolg entscheidet. Daher wird er mit den Verantwortlichen für den Einkauf und die Produktion reden, um Kostenreduktionen zu bewirken und sicherzustellen, daß diese Personen ausreichendes Material beschaffen und ausreichend große Stückzahlen produzieren können, um das geplante Absatzvolumen erreichen zu können; des weiteren wird er sich mit dem Verkaufsleiter absprechen, damit er auch von dort die nötige Unterstützung bekommt, und auch mit dem Finanzdirektor, damit er sicher sein kann, daß ausreichendes Mittel bereitgestellt werden.

Aktionsprogramme

Die strategische Aussage definiert die übergeordneten Marketingschwerpunkte, die der Produktmanager zur Erreichung der Geschäftseinheitsziele setzt. Nun muß jedes Element der Marketingstrategie so ausgearbeitet werden, daß die folgenden vier Fragen beantwortet werden: *Was* wird im einzelnen getan? *Wann* wird es getan? *Wer* wird etwas tun? *Wieviel* wird es kosten? Im folgenden nun ein Beispiel für ein Verkaufsförderungsprogramm für den EasyMax:

Das Verkaufsförderungsprogramm wird in zwei Teile gegliedert: Der eine Teil ist auf den Handel, der andere auf die Konsumenten gerichtet. Das Händlerprogramm besteht aus folgenden Aktionen:

Januar – April: Ausstattung aller kooperationswilligen Verkaufsstellen mit einem Displaystand für den EasyMax durch den Außendienst. Hierfür ist Herr Müller, Handels-Promotion-Dienste, verantwortlich. Dafür sind 250.000 Eu$ budgetiert.

September: Ein Verkaufswettbewerb wird durchgeführt. Der ausgesetzte Preis besteht in einer Reise nach Hawaii für die drei Händler, die die größte prozentuale Umsatzsteigerung bei EasyMax-Geräten in dieser Zeit erzielten. Dieser Wettbewerb wird ebenfalls von Herrn Müller organisiert – mit einem Budget von 25.000 Eu$.

Das verbrauchergerichtete Verkaufsförderungsprogramm besteht aus folgenden Elementen:

Februar: Durch die Werbung wird auch mitgeteilt, daß jeder Käufer eines EasyMax in diesem Monat eine freie Diskette mit neuen Computerspielen erhält. Handzettel und Produktinformationsmaterial beim Handel geben dies ebenfalls bekannt. Frau Weber, Consumer-Promotions, führt das Projekt mit einem Budget von 50.000 Eu$ durch.

Über die Medienwerbung wird bekanntgemacht, daß jeder, der im September und Oktober einer EasyMax-Vorführung beim Händler oder in Schulen, die bei diesem Programm mitmachen, beiwohnt, eine Verlosungskarte bekommt. Die Hauptpreise sind 50 vollausgerüstete EasyMax PCs. Diese Aktion wird ebenfalls von Frau Weber durchgeführt – mit einem Budget von 100.000 Eu$.

Ergebnisprognose

Mit dem Aktionsplan stellt der Produktmanager ein vorläufiges Budget auf, das zur Ergebnisprognose dient. Auf der Erlösseite werden das prognostizierte Absatzvolumen in Stückzahlen und der im Durchschnitt erzielte Verkaufspreis ausgewiesen. Auf der Aufwandsseite werden die Kosten der Produktion, der Marketing-Logistik und des Marketing, aufgeschlüsselt in die jeweils zugehörigen Unterposten, ausgewiesen. Auch hier kann der Produktmanager durch die Anregung von Kostenreduktionsprogrammen gezielt auf die Kosten einwirken. Er muß dies sogar tun, wenn die Konkurrenzlage es erfordert und er sich durch Kostenreduktionen für das Agieren im Markt »den Rücken freihalten« muß. Der Unterschiedsbetrag zwischen Erlös und Aufwand ergibt den prognostizierten Gewinn. Die vorgesetzten Manager werden dann mit dem Plan auch das Budget überprüfen und es genehmigen bzw. abändern. Ist das geforderte Budget zu hoch, wird der Produktmanager an einigen Stellen den Rotstift ansetzen müssen. Wird das Budget gebilligt, bildet es die Grundlage für die Materialbeschaffungsplanung, die Produktionsplanung, die erforderlichen Personaleinstellungen und die Marketingoperationen.

Planfortschrittskontrollen

Im letzten Planabschnitt werden die Kontrollen dargelegt, die zur Überwachung des Planfortschritts durchgeführt werden. In der Regel wird das geplante Jahresergebnis und das Budget nach Monaten oder Quartalen unterteilt. Die obere Führungsebene kann dann die in jeder Planperiode erzielten Resultate begutachten und die Geschäftseinheiten herausfinden, welche die gesteckten Ziele nicht erreicht haben. Die dafür verantwortlichen Manager haben dann die Gründe für die schlechten Ergebnisse und die Maßnahmen, die sie zur besseren Planerfüllung zu unternehmen gedenken, darzulegen.

In einigen Fällen gehört zu den Planfortschrittskontrollen auch ein Eventualplan oder »Schubladenplan«. Er beinhaltet Maßnahmen, die bei Eintritt bestimmter negativer Ereignisse zu treffen sind, z.B. bei einem Preiskrieg oder einem Streik. Der Zweck solcher Eventualpläne liegt darin, die zuständigen Manager anzuhalten, eventuell vor ihnen liegende Schwierigkeiten zu erkennen und darauf vorbereitet zu sein.

Zusammenfassung

Marketingpläne befassen sich näher mit einem Produktmarkt und legen Details der Marketingstrategien und -programme fest, über die die Produktziele im Markt erreicht werden sollen. Der Marketingplan ist ein wesentliches Instrument, um Marketinghandlungen koordiniert zu lenken.

Der Marketingplanungsprozeß beinhaltet 5 Schritte: Analysieren der Marktchancen, Erforschung und Auswahl der Zielmärkte, Entwerfen von Marketingstrategien, Planung von Marketingprogrammen, Organisieren, Umsetzen und Kontrollieren der Marketingvorhaben. Jeder dieser Schritte wurde in diesem Kapitel kurz beschrieben und wird in späteren Kapiteln ausführlich behandelt.

Die Marketingplanung wird durch einen Marketingplan dokumentiert, der folgende Unterabschnitte hat oder haben sollte: übersichtliche Zusammenfassung für das Management, Beschreibung der Marktlage, Analyse der Chancen und Problemstellungen, Zielsetzungen, die gewählte Marketingstrategie, Durchführungsprogramme, vorläufige Gewinn-und-Verlust-Rechnung, Kontroll- und Eingreifmöglichkeiten im Ablauf.

Zur effektiven Planung muß der Marketing-Manager die wesentlichen Zusammenhänge zwischen den unterschiedlichen Marketingaufwendungen und ihren Auswirkungen auf Absatz und Ertrag vor Augen haben. Diese Zusammenhänge werden durch die Ertragsgleichung und die Verkaufsmengengleichung erfaßt. Zur Planung der Ertragsoptimierung müssen die Höhe der gesamten Marketingaufwendungen, die Zusammensetzung des Marketing-Mix und die Zuteilung der Marketingaufwendungen auf einzelne Gebiete optimal festgelegt werden.

Anmerkungen

1 E. Jerome McCarthy: *Basic Marketing: A Managerial Approach* 9. Auflage, Homewood, Ill.: Richard D. Irwin, 1981. Zwei alternative Klassifizierungen verdienen, erwähnt zu werden. Frey schlug vor, alle Marketingentscheidungsvariablen in zwei Gruppen einzuteilen: *Angebot* (Produkt, Verpackung, Marke, Preis und Service) und *Methoden und Instrumente* (Distributionskanäle, persönlicher Verkauf, Werbung, Verkaufsförderung und Publizität). Vgl. Albert W. Frey: *Advertising*, 3. Aufl., New York: Ronald Press, 1961, S. 30. Lazer und Kelly schlugen eine Dreiteilung vor: *Güter- und Service-Mix, Distributionsmix* und *Kommunikationsmix*. Vgl. William Lazer und Eugene J. Kelly: *Managerial Marketing: Perspectives and Viewpoints*, überarb. Aufl., Homewood, Ill.: Richard D. Irwin, 1962, S. 413.

2 Peter F. Drucker: *Management: Tasks, Responsbilities, Practices,* New York: Harper & Row, 1973, S. 128.

3 Dieses Beispiel wurde mit einigen Änderungen und Zusätzen aus der Fallstudie »Maxtron (A)« entwickelt, zusammengestellt von Friedhelm Bliemel, Lehrstuhl für Marketing, Universität Kaiserslautern, 1989/1990.

Anhang zu Kapitel 3 Theoretische Ansätze für den effektiven Einsatz von Marketingmitteln

Nachdem wir beschrieben haben, wie Marketingpläne in der Praxis zusammengestellt werden, bringen wir nun einige wichtige Methoden und Konzepte, mit denen man als Manager die Marketingplanung verbessern kann. Die Marketingplanung kann heute mit Hilfe von Mikrocomputern und speziell dafür erstellten Computerprogrammen vorgenommen werden. In immer mehr Unternehmen arbeiten die Produktmanager, wenn sie mit Hilfe von Computerprogrammen den besten Marketingplan zusammenstellen wollen, alternative Marketingstrategien aus und schätzen deren Kosten ab. In diese Computerprogramme sind einfache Gleichungen über die Zusammenhänge zwischen Absatzmengen und Gewinnhöhe sowie andere funktionale Marketingzusammenhänge eingebaut. Mit ihrer Hilfe kann man sich besser verdeutlichen, wie Absatzmengen und Ertrag sich bei unterschiedlichem Mitteleinsatz im Marketing-Mix verhalten würden. Einige Konzepte und dazugehörige Gleichungen werden im folgenden beschrieben, und zwar

- die Ertragsgleichung,
- die Verkaufsmengengleichung,
- die Planungsgrundlagen zur Ertragsoptimierung,
- die kurzfristige Ertragsoptimierung,
- die Optimierung der Mitteleinteilung im Marketing-Mix und
- die Optimierung der Mittelzuteilung auf unterschiedliche Zielmärkte.

Ertragsgleichung

Jede Marketing-Mix-Strategie führt zu einem Ertrag in bestimmter Höhe. Der Ertrag kann mit Hilfe der Ertragsgleichung abgeschätzt werden. Der Ertrag (Z) eines Produktes ist definiert als die Differenz zwischen dem Erlös (E) des Produkts und seinen Kosten (C):

$$Z = E - C \qquad (3\text{-}1)$$

Der Erlös wird bestimmt, indem man den Nettopreis (P') des Produktes mit der verkauften Menge (Q) multipliziert:

$$E = P' . Q \qquad (3\text{-}2)$$

Der Nettopreis (P') wird gebildet, indem man den Listenpreis (P) nimmt und davon den durchschnittlichen Nachlaß (k) pro verkaufte Einheit abzieht. Der Nachlaß ergibt sich durch die Zahlungskonditionen, Mengenrabatte, Verkaufsförderungsrabatte und ähnliches mehr:

$$P' = P - k \qquad (3\text{-}3)$$

Die Kosten eines Produktes werden üblicherweise eingeteilt in variable Stückkosten (c), fixe Kosten (F) und Vermarktungskosten (M):

$$C = cQ + F + M \qquad (3\text{-}4)$$

Die Ertragsgleichung erhält man, wenn man die Gleichungen (3-2), (3-3) und (3-4) in die ursprüngliche Gleichung (3-1) einsetzt und dabei zu folgender Gesamtgleichung vereinfacht:

$$Z = [(P-k)-c]Q-F-M \tag{3-5}$$

Dabei bedeuten:
Z = Gesamtertrag (Gewinnhöhe)
P = Listenpreis
k = durchschnittlicher Nachlaß pro Stück
c = variable Kosten der Produktion und physischen Distribution
Q = verkaufte Menge in Stück
F = fixe Kosten, die mit dem Produkt verbunden werden
M = festgesetzte Marketingkosten

Der Ausdruck $[(P-k)-c]$ ist der Bruttodeckungsbeitrag pro Stück, d.h. der Beitrag, den das Unternehmen im Durchschnitt pro Stück erzielt, nachdem die Nachlässe und die variablen Kosten für Produktion und physische Distribution abgezogen werden. Der Ausdruck $[(P-k)-c]Q$ ist der gesamte Bruttodeckungsbeitrag, d.h. der Anteil der Einnahmen, der zur Deckung von fixen Kosten und Vermarktungsausgaben und darüber hinaus als Ertrag übrigbleiben.

Verkaufsmengengleichung

Um die Ertragsgleichung in der Planung anwenden zu können, braucht der Produktmanager ein Modell für die Bestimmungsfaktoren der verkauften Menge (Q). Wie die Bestimmungsfaktoren in die verkaufte Menge eingehen, wird durch die Verkaufsmengengleichung angezeigt (auch Mengenreaktionsfunktion oder Absatzreaktionsfunktion genannt):

$$Q = f(X_1, X_2, \ldots, X_n, Y_1, Y_2, \ldots Y_m) \tag{3-6}$$

Dabei bedeuten:
$(X_1, X_2, \ldots, X_n)$ = Bestimmungsfaktoren, die das Unternehmen unter Kontrolle hat und beeinflussen kann;
$(Y_1, Y_2, \ldots, Y_m)$ = Bestimmungsvariablen, die das Unternehmen nicht steuern kann.

Zu den Y-Variablen gehören z.B. der Lebenshaltungsindex sowie die Marktgröße und die Einkommensverteilung im bedienten Markt. Wenn diese Variablen sich ändern, so ändert sich auch die Verkaufsmenge. Der Manager hat keinen Einfluß auf die Y-Variablen, und trotzdem muß er sie abschätzen, um eine Aussage über das relevante Marketingumfeld treffen zu können. Wir fahren hier fort unter der Annahme, daß der Manager die Y-Variablen und ihre Auswirkung auf die Verkaufsmenge bereits abgeschätzt hat. Dies wird ausgedrückt in der Gleichungsform

$$Q = f(X_1, X_2, \ldots, X_n / Y_1, Y_2, \ldots Y_m) \tag{3-7}$$

Der Schrägstrich in der Formel (3-7) drückt aus, daß die Verkaufsmenge jetzt als eine Funktion der X-Variablen bei einem gegebenen Ausprägungsniveau der Y-Variablen betrachtet wird.

Die X-Variablen kann der Manager steuern; somit kann er auch die Verkaufsmenge steuern. Zu den X-Variablen gehören der Listenpreis (P), die Nachlässe (k), die variablen Kosten (c) (die variablen Kosten können durch die Produktqualität, die Lieferfähigkeit und den Kundendienst geändert werden) und die Vermarktungsaufwendungen (M). So kann nun vereinfachend die Verkaufsmenge als Funktion der durch den Manager zu steuernden Variablen wie folgt ausgedrückt werden:

$$Q = f(P,k,c,M) \tag{3-8}$$

Diese Gleichung kann noch weiter detailliert werden. Das Marketingbudget M kann unterschiedlich angewandt werden, z.B. in der Werbung (A), der Verkaufsförderung (S), der Größe des Außendienstes (D) und der Marktforschung (R).

Die neue Gleichung, in der jetzt die Elemente des Marketing-Mix explizit aufgeführt werden, lautet damit

$$Q = f(P,k,c,A,S,D,R) \tag{3-9}$$

Planung zur Ertragsoptimierung

Wir gehen zunächst davon aus, daß der Produktmanager den Marketing-Mix herausfinden will, der den Ertrag im nächsten Jahr maximieren wird. Hierzu müssen Vorstellungen entwickelt werden, wie jedes Element des Marketing-Mix auf die Absatzmenge einwirkt. Diese Wirkungszusammenhänge werden mit der Absatzreaktionsfunktion beschrieben. Diese Funktion muß der Form nach festgelegt werden und größenordnungsmäßig kalibriert werden. Die Absatzreaktionsfunktion projiziert die zu erwartende Verkaufsmenge für einen bestimmten Zeitabschnitt, wenn dabei jeweils nur ein Element des Marketing-Mix variiert wird, während die anderen Elemente konstant gehalten werden. Diese Funktion beschreibt *nicht* den zeitlichen Ablauf einer Beziehung zwischen zwei Variablen. In dem Ausmaß, in dem Manager die für sie relevante Absatzreaktionsfunktion einschätzen können, sind sie in der Lage, effektivere Marketingpläne zu entwickeln.

Welche unterschiedlichen Kurvenformen sind für die Absatzreaktionsfunktion zu erwarten? Abbildung 3A zeigt mehrere Alternativen. Abbildung 3 A-1 (a) zeigt die weithin bekannte Funktionsform zwischen Preis und Absatzmenge, auch Preismengenfunktion genannt. Hier wird angezeigt, daß die Absatzmenge sich erhöht, wenn die Preise gesenkt werden und sonst weiter nichts verändert wird. Die Illustration in Abbildung 3 A-1 (a) zeigt eine Kurve bestimmter Krümmung. Auch andere Krümmungsformen sowie eine lineare Ausprägung sind möglich.

Abbildung 3A-1 (b) zeigt vier unterschiedliche Funktionsformen zwischen Absatzmenge und Marketingaufwendungen. Die Funktionsform (A) ist am wenigsten plausibel, denn sie würde bedeuten, daß die Absatzmenge nicht durch die Höhe der Marketingaufwendungen beeinflußt wird. Dann könnte die Anzahl der Kunden und deren Kaufrate nicht mit Hilfe von Verkaufsbesuchen, Werbung, Verkaufsförderungsmaßnahmen oder Marktforschung verändert werden. Die Funktionsform (B) bedeutet, daß das Absatzvolumen linear mit den Marketingaufwendungen anwachsen würde. Die Darstellung in Abbildung 3A-1 (b) zeigt, daß die Kurve im Koordinaten-

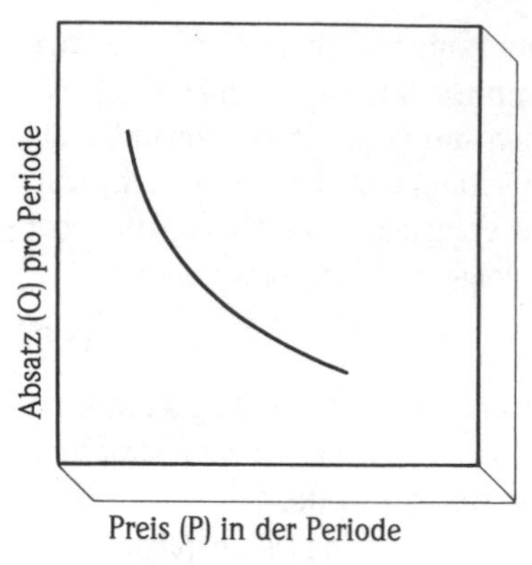

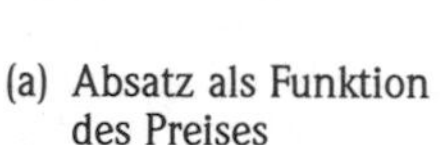

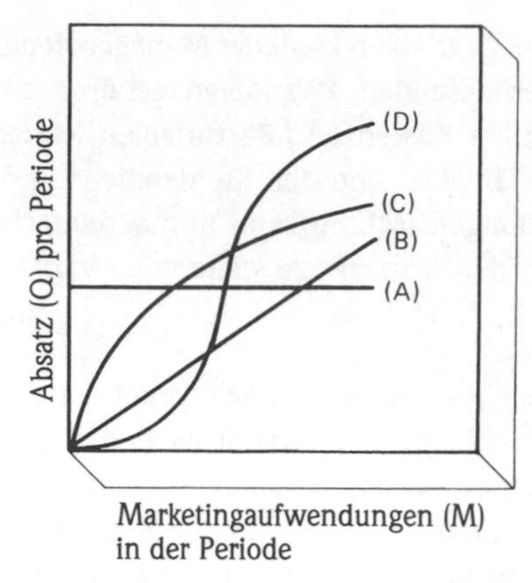

Abbildung 3A-1
Absatzreaktionsfunktionen

(a) Absatz als Funktion des Preises

(b) Verschiedene Absatzreaktionsfunktionen in Abhängigkeit der Marketingaufwendungen

ursprung beginnt. Diese Darstellung würde nicht zutreffen, wenn eine gewisse Menge, sei sie noch so gering, auch ohne Marketingaufwendungen verkauft würde.

Die Funktionsform (C) ist konkav. Diese Form trifft dann zu, wenn der Absatz mit höheren Marketingaufwendungen zunimmt und die Zunahme bei größeren Marketingaufwendungen verhältnismäßig geringer wird. Dies wäre eine plausible Beschreibung für die Zunahme der Absatzmenge bei einem größeren Außendienst. Die Plausibilitätsbegründung verläuft wie folgt: Bestünde der Außendienst aus nur einem Mitarbeiter, dann würde dieser nur die aussichtsreichsten Kunden besuchen, und das Ergebnis seiner Bemühungen pro Besuch wäre das höchstmögliche. Ein zweiter Außendienstmitarbeiter würde seine Bemühungen auf die aussichtsreichsten der verbleibenden Kunden richten, und die Ergebnisse seiner Verkaufsbemühungen pro Besuch wären etwas geringer als die des ersten Mitarbeiters. Jeder weitere Außendienstmitarbeiter würde schrittweise auf weniger aussichtsreiche Kunden treffen, und damit würde sein Beitrag zur Verkaufsmenge immer geringer.

Die Funktionsform (D) ist S-förmig. Damit wird angezeigt, daß das Absatzvolumen zu Anfang mit einer steigenden Rate und später mit einer fallenden Rate wächst. Ein solcher Funktionsverlauf ist plausibel für die Absatzreaktion auf zunehmende Werbeausgaben. Die Plausibilitätsbegründung verläuft folgendermaßen: Mit kleinen Werbebudgets erkauft man nicht genügend Werbeeindrücke, um mehr als eine geringe Markenbekanntheit zu erreichen. Dies bringt wenig Absatz. Größere Werbebudgets können einen hohen Markenbekanntheitsgrad, Verbraucherinteresse und Präferenzen für das Produkt aufbauen, was zu einer verstärkten Kaufreaktion führen kann. Extrem große Budgets jedoch bringen oft nur noch wenig zusätzliche Kaufreaktionen, da die Marke im Zielmarkt bereits sehr bekannt ist.

Absatzmengen steigen bei höheren Marketingaufwendungen oft immer weniger an. Ein solcher Funktionsverlauf erklärt sich aus folgenden Gründen:

1. Für jedes Produkt gibt es eine Obergrenze an potentieller Nachfrage. Leicht zugängliche potentielle Kunden kaufen sehr bald, wodurch dann die zögernden

potentiellen Kunden übrigbleiben. Je näher man der Obergrenze kommt, desto aufwendiger wird es, die übriggebliebenen zögernden Kunden zum Kauf zu bewegen.
2. Wenn ein Unternehmen seine Marketingaufwendungen erhöht, so ist es sehr wahrscheinlich, daß die Wettbewerber gleichziehen. Dadurch erfährt jedes Unternehmen einen wachsenden Widerstand bei seinen Absatzförderungsmaßnahmen.
3. Wenn das Absatzwachstum durch Marketingaufwendungen ständig beschleunigt werden könnte, würden damit Monopole im Wettbewerb entstehen. Ein einziges Unternehmen würde bald die Branche übernehmen. Dies ist in der Praxis bei einer wettbewerbsgelenkten Wirtschaft jedoch nicht der Fall.

Wie kann nun ein Marketing-Manager versuchen, die Absatzreaktionsfunktion zu kalibrieren, nachdem er die Funktionsform bestimmt hat, die für sein Geschäft angemessen ist? Hier gibt es drei Methoden. Als erstes bietet sich die *statistische Methode* an. Der Manager sammelt Daten von früheren Perioden über die Absatzhöhe sowie die Höhe der Marketingaufwendungen und schätzt mit Hilfe von statistischen Methoden die Parameter der Absatzreaktionsfunktionen für die einzelnen Variablen im Marketing-Mix. Viele Forscher haben diese Methode angewandt, wobei der Erfolg der Methode von der Menge und der Qualität der verfügbaren Daten und auch von der Robustheit und Stabilität der zugrundeliegenden Funktion abhängt. [1]

Als zweites bietet sich die *Experimentalmethode* an. Hierbei werden die Marketingaufwendungen und die Zusammensetzung im Marketing-Mix in vergleichbaren Testgebieten variiert und die resultierenden Absatzmengen systematisch festgehalten. [2] Die Experimentalmethode bringt die zuverlässigsten Resultate, wird jedoch nicht weitverbreitet genutzt, weil sie teuer und in ihrer Anwendung komplex ist und das Management oft dagegen ist.

Als drittes bietet sich die *Expertenschätzung* an. Experten werden gebeten abzuschätzen, wieviel an Marketingaufwendungen für eine bestimmte Absatzmenge nötig ist. Hier kommt es darauf an, sowohl die Experten als auch die Methode sorgfältig auszusuchen, mit der die Schätzungen eingeholt und zusammengeführt werden, wie z.B. die Delphi-Methode. [3] Die Schätzmethode ist oft die einzig durchführbare und kann sich als sehr nützlich erweisen. Wir sind der Meinung, daß es besser ist, Expertenschätzungen vorzunehmen, als überhaupt keine formale Analyse zur Planung der Ertragsoptimierung durchzuführen.

Bei der Schätzung der Absatzreaktionsfunktion muß man achtgeben. Die Absatzreaktionsfunktion suggeriert, daß andere Variablen konstant bleiben, während die beeinflussende Variable verändert wird. So wird oft unterstellt, daß die Preise des Unternehmens und die Preise der Wettbewerber konstant bleiben, ganz gleich, wieviel das Unternehmen für das Marketing ausgibt. Da diese Annahme in der Praxis oft nicht stimmt, muß die Absatzreaktionsfunktion modifiziert werden, um die zu erwartende Preisreaktion der Wettbewerber miteinbauen zu können. Des weiteren wird bei der Absatzreaktionsfunktion oft angenommen, daß die Effizienz des Unternehmens bei der Anwendung von Marketingmitteln gleichbleibt. Wenn jedoch die Effizienz mit der Höhe der Mittel steigt oder fällt, dann muß auch hier die Absatzreaktionsfunktion modifiziert werden. Zudem muß die Absatzreaktionsfunktion modifiziert werden, um die verzögerte Wirkung von Marketingaufwendungen zu berücksichtigen, die dem Absatz im Folgejahr zugute kommen. Diese und weitere Charakteristika der Absatzreaktionsfunktion werden in der Literatur an anderer Stelle detailliert behandelt. [4]

Kurzfristige Ertragsoptimierung

Wenn die Absatzreaktionsfunktionen von der Form her bestimmt und von der Ausprägung her kalibriert sind, können sie zur Ertragsoptimierung genutzt werden. In graphischer Form ist ihre Nutzung am einfachsten. Hierzu wandelt man die Absatzreaktionsfunktion durch Multiplikation der Menge mit dem Preis in eine Umsatzreaktionsfunktion um. In Abbildung 3A-2 zeigen wir zusätzliche Kurven zur Bestimmung der optimalen Höhe der Marketingaufwendungen. Die hier gezeigte Umsatzreaktionsfunktion ist S-förmig. Die darauf aufbauende Analyse, die in gleicher Weise auch für andere Formen der Umsatzreaktionsfunktion gültig ist, wird ebenfalls in Abbildung 3A-2 illustriert. Als erstes zieht der Manager über den Verlauf der Umsatzreaktionsfunktion alle Kosten bis auf die Marketingaufwendungen ab und erhält so die Bruttoertragsfunktion. Als nächstes wird die Marketingausgabenfunktion aufgetragen. Sie besteht aus einer geraden Linie, die im Koordinatenursprung beginnt und deren Steigung allein durch die unterschiedlichen Skalen von Ordinate und Abszisse bestimmt wird. Die Marketingausgabenfunktion wird dann von der Bruttoertragskurve abgezogen und ergibt die Nettoertragskurve. Die Nettoertragskurve zeigt in unserem Beispiel positive Erträge, wenn die Marketingaufwendungen zwischen M_N und M_H liegen, wodurch der Bereich abgesteckt wird, in dem die Marketingausgaben liegen sollen. Die Nettoertragskurve zeigt ein Maximum bei M_{Max}. Folglich wird der Nettoertrag mit Marketingaufwendungen der Höhe M_{Max} maximiert.

Dieses graphische Verfahren kann alternativ auch numerisch oder algebraisch durchgeführt werden. Dies muß sogar geschehen, wenn der Umsatz als Funktion von mehr als einer Variablen im Marketing-Mix betrachtet wird. Ein numerisches Beispiel zeigt an, wie hier vorgegangen wird.

Abbildung 3A-2
Funktionaler Zusammenhang von Umsatz, Marketingaufwendungen und Ertrag

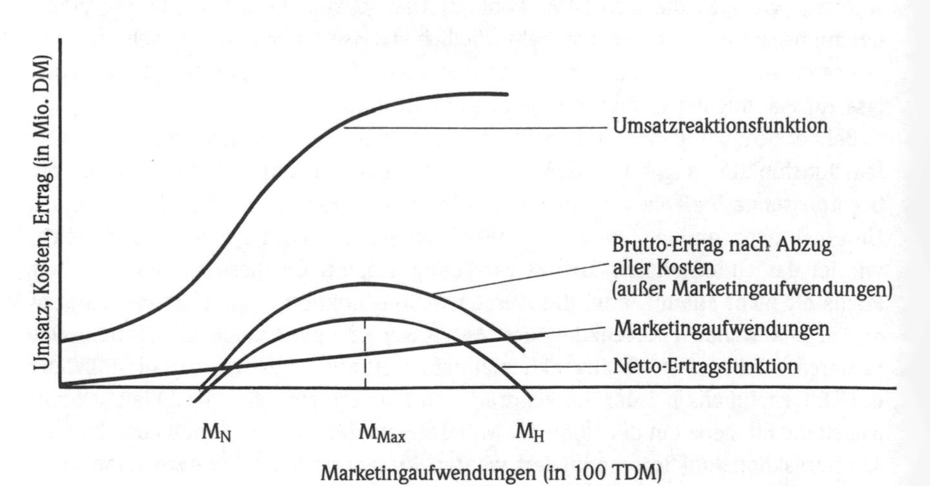

Ein Beispiel für die numerische Methode:
Ulla Lustig, Produktmanager bei »Blondschopf«, ist u.a. verantwortlich für das Marketing eines Haartrockners, der zur Zeit für 16 DM verkauft wird. Seit einigen Jahren wendet sie eine Strategie mit niedrigem Preis und wenig Absatzförderung an. Im Vorjahr gab sie 10.000 DM für Werbung aus und weitere 10.000 DM für die Verkaufsförderung. Der Absatz betrug 12.000 Stück und der Ertrag 14.000 DM. Ihr Chef denkt, daß mit diesem Produkt ein hoher Gewinn erwirtschaftet werden kann. Ulla Lustig bemüht sich, eine bessere Strategie mit einem höheren Ertrag zu finden.

Ihr erster Schritt besteht darin, sich einige alternative Marketing-Mix-Strategien vorzustellen und zahlenmäßig sichtbar zu machen. Sie stellt sich 8 mögliche Strategien vor, deren unterschiedliche Ausprägung in Tabelle 3A-1 gezeigt werden, wobei Nr. 1 die augenblickliche Strategie ist. Hier wurden für 3 Marketinginstrumente jeweils ein hohes und ein niedriges Niveau genommen und alle sich ergebenden Kombinationen ($2^3 = 8$) zusammengestellt.

Im nächsten Schritt schätzt sie die zu erwartende Verkaufsmenge für die unterschiedlichen Kombinationen im Marketing-Mix. Sie meint, daß die erstrebten Schätzwerte sich hier nicht durch eine Extrapolation aus vergangenen Daten oder durch ein Marketingexperiment gewinnen lassen. Sie bittet daher den Verkaufsmanager, für jedes der möglichen Marketingprogramme den Absatz zu schätzen, da er in der Vergangenheit in der Projektion von Absatzmengen immer sehr gut lag. Die so hervorgebrachten Schätzwerte des Absatzes sind in der letzten Spalte von Tabelle 3A-1 aufgeführt. Zum Schluß muß der Marketing-Mix mit dem maximalen Ertrag bestimmt werden, unter der Annahme, daß die Absatzschätzungen einigermaßen zuverlässig sind. Dazu brauchen wir eine Ertragsgleichung, in die wir die unterschiedlichen Marketing-Mix-Aufwendungen einsetzen.

Im Beispiel nehmen wir an, daß die Kostenstruktur folgendermaßen aussieht: Fixe Kosten (F) 38.000 DM, variable Kosten pro Stück (c) 10 DM, durchschnittlich geplante Nachlässe vom Listenpreis (k) 0 DM/Stück. Wenn wir die oben aufgeführte Ertragsgleichung (3-5) anwenden, ergibt sich:

$$Z = (P-10)Q-38.000-A-S \qquad (3\text{-}10)$$

So wird ein funktioneller Zusammenhang hergestellt zwischen dem Ertrag, dem gewählten Preis und den für Werbung und Verkaufsförderung angesetzten Budgets.

Jetzt kann der Manager die Zahlen eines jeden Marketing-Mix und des dafür geschätzten Absatzes aus Tab. 3A-1 in diese Gleichung einsetzen. Für die einzelnen Planungsalternativen zeigen sich folgende Erträge: # 1 (16.400 DM), # 2 (13.000 DM), # 3 (–7.400 DM), # 4 (–2.400 DM), # 5 (19.000 DM), # 6 (16.800 DM), # 7 (–4.200 DM) und # 8 (2.000 DM). Der Marketing-Mix aus Plan 5 mit einem Preis von 24 DM, einer Werbeunterstützung von 10.000 DM und einer Verkaufsförderungsunterstützung von 10.000 DM zeigt den höchsten zu erwartenden Ertrag mit 19.000 DM.

Der Produktmanager kann noch einen Schritt weitergehen. Andere mögliche Kombinationen im Marketing-Mix, die noch nicht berücksichtigt wurden, könnten einen höheren Ertrag bringen. Um hier systematisch vorzugehen, kann der Produktmanager die Daten aus Tab. 3A-1 mit einer erweiterten Absatzreaktionsfunktion analysieren. Dabei werden die geschätzten Absatzwerte nur als Stichproben betrach-

Tabelle 3A-1
Marketing-Mix unterschiedlicher Ausprägung und geschätzte Absatzmenge

Marketing-Mix Nr.	Preis (P/DM)	Werbung (A/DM)	Verkaufsförderung (S/DM)	Absatz (Q/Stück)
1	16	10000	10000	12400
2	16	10000	50000	18500
3	16	50000	10000	15100
4	16	50000	50000	22600
5	24	10000	10000	5500
6	24	10000	50000	8200
7	24	50000	10000	6700
8	24	50000	50000	10000

tet, die aus einer Gesamtmenge von möglichen Expertenschätzungen über die Verkaufsmengengleichung $Q = f(P,A,S)$ hervorgehen. Die folgende Exponentialgleichung könnte z. B. als plausible mathematische Form für die hier zugrundeliegende Absatzreaktionsfunktion dienen:

$$Q = bP^{p}A^{a}S^{s} \qquad (3\text{-}11)$$

Dabei bedeuten:
b = ein Skalenfaktor
p, a, s = jeweilige Elastizität von Preis, Werbung und Verkaufsförderung

Mit Hilfe einer Regressionsanalyse (hier nicht weiter illustriert) kann der Manager die Skalen und Elastizitätskoeffizienten kalibrieren, so daß die kalibrierte Gleichung mit den beobachteten Daten am besten übereinstimmt. In unserem Beispiel ergibt dies:

$$Q = 100.000\ P^{-2}A^{1/8}S^{1/4} \qquad (3\text{-}12)$$

Diese exponentielle Gleichung stimmt ziemlich genau mit den geschätzten Absatzmengen in Tabelle 3A-1 überein. Die Preiselastizität beträgt dabei –2. Dies bedeutet, daß eine Preisreduktion von 1% eine Vergrößerung der Absatzmenge von 2% mit sich bringt, wenn alle anderen Faktoren konstant bleiben. Die Werbeelastizität beträgt 1/8 und die Verkaufsförderungselastizität beträgt 1/4. Der Gleichungskoeffizient 100.000 ist ein Skalenfaktor zur Dimensionierung und Kalibrierung der Gleichung, mit dem die in DM dimensionierten Werte auf der rechten Seite der Gleichung in Absatzmengeneinheiten auf der linken Seite der Gleichung umgerechnet werden.

Der Produktmanager kann nun diese Verkaufsmengengleichung für den Wert Q in die Ertragsgleichung (3-10) einsetzen. Mathematisch vereinfacht ergibt sich dann:

$$Z = 100.000\ A^{1/8}S^{1/4}[P^{-1} - 10P^{-2}] - 38.000 - A - S \qquad (3\text{-}13)$$

Hiermit wird der Ertrag als Funktion des gewählten Marketing-Mix ausgedrückt. Der Produktmanager kann nun alle beliebigen Ausprägungen im Marketing-Mix (auch solche, die nicht in Tab. 3A-1 gezeigt wurden) in diese Gleichung einsetzen und damit den erwarteten Ertrag schätzen. Zur Ermittlung des gewinnmaximierenden Marketing-Mix kann er auch die Differentialrechnung auf die Gleichung (3-13) anwenden. Der gewinnoptimale Marketing-Mix (P,A,S) beträgt im Beispiel 20 DM,

12.947 DM, 25.894 DM. An Verkaufsförderung wird dabei doppelt soviel ausgegeben wie an Werbung, weil die Elastizität doppelt so groß ist. Der Produktmanager würde jetzt einen Absatz von 10.358 Stück und einen Ertrag von 26.735 DM schätzen. Mit anderen Ausprägungen des Marketing-Mixes ließen sich höhere Absätze erzielen, jedoch würde kein anderer Marketing-Mix einen höheren Ertrag bringen. Mit dieser Gleichung hat der Produktmanager nicht nur die Frage nach dem optimalen Marketing-Mix gelöst, sondern auch die Frage nach dem optimalen Marketingbudget (A+S = 38.841 DM).

Um die Planung auf Ertragsoptimierung hin zu erleichtern, haben bereits einige Unternehmen Computerprogramme erstellt, die speziell den Marketing-Managern dabei helfen, die Auswirkungen alternativer Marketingpläne auf die Erträge und Absatzvolumina abzuschätzen. Der Manager hat dann einen Computer-Terminal an seinem Schreibtisch, ruft ein bestimmtes Berechnungs- und Prognoseprogramm auf und beginnt, einen Plan für den Einsatz von Marketingmitteln zu erarbeiten und zu testen. Das Computerprogramm kann z. B. aus vier Unterprogrammen bestehen. [5] Als erstes ruft der Produktmanager die wichtigsten statistischen Informationen ab, die zu seinem Produkt für die letzten vergangenen Jahre zur Verfügung stehen. Dieses Material stellt die historische Basis für das Produkt dar und könnte ähnlich aufgebaut sein wie in Tab. 3A-1 gezeigt. Als zweites läßt er per Computer von den wichtigsten Statistiken einige Extrapolationen für die nächsten Jahre erstellen, die als erste einfache Projektionen für die Zukunft angesehen werden können. Dann modifiziert er diese Projektionen, indem er einbringt, was er sonst noch zusätzlich weiß, und erstellt damit die Grundlage zur Planung von Gewinn und Verlust. Hierin werden im Normalfall die Marketingaufwendungen, der Preis, die Absatzmengen und die sich ergebenden Erlöse extrapolativ fortgeschrieben. Wenn die damit projizierten Erlöse zufriedenstellend sind, kann der Marketing-Manager hier die Planung beenden. Es steht jedoch ein viertes Unterprogramm zur Verfügung, oft Marketing-Plan-Simulator genannt, um damit alternative Marketingpläne auszuprobieren und Umsätze und Erträge abzuschätzen. Der Simulator stellt eine Gleichung zur Schätzung der Verkaufsmenge dar. Der Marketing-Manager kann hiermit alternative Marketingpläne ausprobieren, bis er einen zufriedenstellenden gefunden hat.

Optimierung der Mitteleinteilung im Marketing-Mix

Bei der Ertragsoptimierung suchten wir nach dem optimalen Niveau der gesamten Marketingaufwendungen. Nun wollen wir uns der optimalen Aufteilung des gesamten Marketingbudgets auf die einzelnen Einsatzwerkzeuge im Marketing-Mix zuwenden. Offensichtlich kann man einzelne Elemente im Marketing-Mix zumindest teilweise untereinander austauschen. Ein Unternehmen, das eine Absatzsteigerung zu erreichen sucht, kann dafür niedrigere Preise einsetzen oder aber einen vergrößerten Außendienst, mehr Werbung oder ein größeres Verkaufsförderungsbudget. Die Aufgabe besteht nun darin, den optimalen Mix beim Einsatz dieser Marketingwerkzeuge zu finden.

Nehmen wir an, ein Produktmanager hat festgestellt, daß die Werbung und die Ausgaben für die Verkaufsförderung die zwei bedeutendsten Elemente in seinem Marketingbudget sind. Grundsätzlich könnte das Marketingbudget in unendlich vielfältiger Art zwischen diesen beiden Werkzeugen aufgeteilt werden. Dies wird in Abbildung 3A-3 (a) illustriert. Wenn es keine Einschränkungen zur Größe der Werbung und der Verkaufsförderung gibt, dann stellt jeder Punkt in der A-S Ebene in Abbildung 3A-3 (a) einen möglichen Marketing-Mix dar. Zieht man eine gerade Linie vom Koordinatenursprung in diese Ebene, genannt »Linie des konstanten Mix«, dann repräsentiert diese bei einem veränderlichen Gesamtbudget alle möglichen Ausprägungen für den Marketing-Mix unter konstanten Proportionen zwischen Werbung und Verkaufsförderung.

Eine andere Linie, genannt »Linie des konstanten Budgets«, zeigt alle Ausprägungsmöglichkeiten des Marketing-Mix für ein vorher festgelegtes Marketingbudget.

Für jeden Marketing-Mix ergibt sich eine bestimmte Absatzmenge. Drei Absatzmengen mit dem dazugehörigen Marketing-Mix werden in Abbildung 3A-3 (a)

Abbildung 3A-3
Absatzreaktionsfunktion bei zwei Elementen im Marketing-Mix

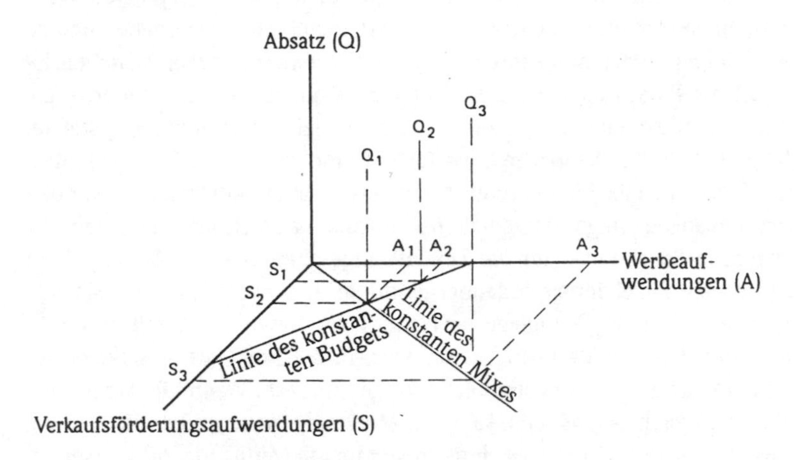

(a) Absatz als Funktion des Marketing-Mix bestimmt durch Werbung und Verkaufsförderung

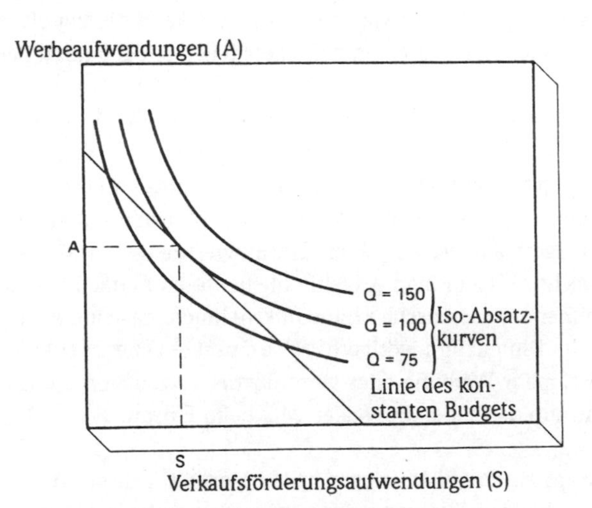

(b) Ermittlung des optimalen Marketing-Mix bei einem gegebenen Budget an Marketingaufwendungen illustriert. Der Marketing-Mix (A_1S_2) bei kleinem Budget und etwa gleicher Aufteilung zwischen Werbung und Verkaufsförderung läßt die Absatzmenge Q_1 erwarten. Der Marketing-Mix (A_2S_1) mit dem gleichen kleinen Gesamtbudget wie vorher, aber mit größeren Ausgaben für die Werbung als für die Verkaufsförderung, läßt eine leicht höhere Absatzmenge, Q_2, erwarten. Der Mix (A_3S_3) soll mit einem größeren Gesamtbudget und gleicher Aufteilung zwischen Werbung und Verkaufsförderung die Absatzmenge Q_3 hervorbringen. Da es nun so sehr viele Möglichkeiten zur Kombination im Marketing-Mix gibt, muß der Marketer sich anstrengen, um eine Verkaufsmengengleichung zu finden, mit welcher die Absatzmengen projiziert werden können.

Bei einem festgelegten Marketingbudget sollten die Mittel zwischen den Marketingwerkzeugen so aufgeteilt werden, daß der Grenzerlös pro eingesetzter Mark für alle Werkzeuge gleich ist. Dieser Lösungsansatz wird in Abbildung 3A-3 (b) in geometrischer Form illustriert. Hier blicken wir von oben auf die A-S Ebene von Abbildung 3A-3(b). Die konstante Budgetlinie zeigt alle Kombinationen im Marketing-Mix, die bei festgelegtem Budget genutzt werden könnten. Die gekrümmten Linien in der Abbildung werden Iso-Absatzkurven genannt. Die Iso-Absatzkurve zeigt die verschiedenen Kombinationen zwischen Werbung und Verkaufsförderung, welche die gleiche Absatzmenge hervorbringen würden. Diese Linie entsteht, indem man die mehrdimensionale Absatzmengenfunktion aus Abbildung 3A-3 (a) bei einer bestimmten Absatzhöhe durchschneidet und die Schnittlinie in die A-S Ebene projiziert. Abbildung 3A-3 (b) zeigt die Iso-Absatzkurven für drei verschiedene Absatzhöhen, nämlich 75, 100 und 150 Einheiten. Bei dem hier vorgegebenen Budget ist es nicht möglich, mehr als 100 Einheiten abzusetzen. Der optimale Marketing-Mix ist dort, wo die Budgetlinie die höchstmögliche Iso-Absatzkurve tangiert. In unserem Beispiel erfordert dieser Marketing-Mix (A^*S^*) etwas mehr an Werbung als an Verkaufsförderungsaufwand. In dem Beispiel bringt dieser Marketing-Mix einen maximalen Absatz und einen maximalen Ertrag.

Diese Art des analytischen Vorgehens kann auf mehr als zwei Marketingwerkzeuge erweitert werden. Ferber und Verdoorn drückten dies so aus: »Ein Optimum ist dann gegeben, wenn die Grenzerlöse bei einer Veränderung von Auslagen für alle Marketingwerkzeuge (außer dem Preis) gleich sind ...« [6]

Dorfman und Steiner hingegen gehen über diese Verallgemeinerung hinaus und stellen Formeln für die Bedingungen auf, unter welchen Preis, Absatzförderung und auch Produktqualität optimal kombiniert sind. [7] Weitere neuerliche Arbeiten von Marketing-Wissenschaftlern untersuchen, wie die verschiedenen Variablen im Marketing-Mix in ihren Auswirkungen auf die Absatzmenge zusammenwirken. Exkurs 3-1 legt weitere Überlegungen zu diesem interaktiven Zusammenwirken von Elementen im Marketing-Mix dar.

Exkurs 3-1: Interaktives Zusammenwirken von Elementen im Marketing-Mix

Viele Marketing-Manager haben in ihrem Kopf gewisse Vorstellungen, wie bestimmte Paarungen von Marketingvariablen interaktiv zusammenwirken. Einige der Meinungen, die man oft antrifft, lauten wie folgt:

- Mit höheren Werbeausgaben wird die Preisempfindlichkeit der Käufer verringert. Daher sollte ein Unternehmen, das seinen Preis erhöhen will, mehr Geld in die Werbung stecken.
- Werbeausgaben sind bei niedrigpreisigen Produkten von größerer Auswirkung als bei hochpreisigen Produkten.
- Eine trennschärfere Positionierung eines Produktes durch passende Werbebotschaften verringert die Preisempfindlichkeit der Käufer.
- Höhere Werbeausgaben verringern die Gesamtkosten des Vertriebs. Durch Werbung findet beim Kunden bereits ein Vorverkauf statt, und die Verkäufer verwenden damit ihre Zeit produktiver, indem sie den Restwiderstand des Kunden gegen den Kauf überwinden und den Kauf abschließen.
- Bei einem Produkt von höherer Qualität kann man überproportional höhere Preise verlangen.
- Bei höheren Preisen schließen die Käufer auf höhere Produktqualität.
- Preisreduktionen oder verstärkte Verkaufsanstrengungen beanspruchen das Distributionssystem sehr stark und erfordern unter Umständen dessen Vergrößerung oder Neugestaltung.
- Bei strengeren Zahlungsbedingungen ist ein viel größerer Aufwand an Verkaufsarbeit und Werbung nötig, um das gleiche Volumen an Waren abzusetzen, als bei konzilianteren Zahlungsbedingungen.

Wenn sich auch viele dieser Aussagen bei vielen Produkten als wahr erweisen, so sollten doch die Manager bei bestimmten Produkten sehr vorsichtig damit umgehen. Sasieni z. B. sammelte Daten über die Werbeelastizität von vielen Marken und fand heraus, daß bei hohen Preisen eine stärkere Reaktion auf die Werbung stattfand, während bei anderen die Werbung bei niedrigen Preisen wirkungsvoller war. Er folgerte, daß Art und Richtung eines interaktiven Zusammenwirkens nicht vorhergesagt werden könnten, ohne daß man ein klares Verständnis über die Natur der Werbeaussage und deren Wirkung sowie über die Struktur des Marktes besitzt (Maurice Sasieni: »*Pricing and Advertising for Profit*«, Paper vorgetragen bei der Pennsylvania State University, Oktober 1981).

Marketing-Mix-Variablen können nicht nur miteinander interaktiv zusammenwirken, sondern auch mit Variablen außerhalb des Marketingbereichs. Ein Manager kann nicht ohne weiteres den Preis eines Produktes und seine Qualität auf ein beliebiges Niveau festsetzen. Die Abbildung auf der nächsten Seite zeigt, daß der Preis des Produktes und seine Qualität voneinander abhängige Variablen sind, deren Zusammenwirken nicht mehr im Marketingbereich, sondern außerhalb bestimmt wird. Japanische Unternehmen bemühen sich speziell darum, das Zusammenwirken von Marketingvariablen und Nicht-Marketingvariablen zu beherrschen. Ihr Preis hängt von der Produktivität der Fertigung ab, diese wiederum wird beeinflußt durch die Personalpolitik und durch die Investitionsentscheidungen. In ähnlicher Art wird die Produktqualität durch die Zuverlässigkeit in der Produktion und durch die Technologie geprägt, welche wiederum durch das

Personalmanagement und durch die Investitionen in Forschung und Entwicklung beeinflußt wird. Deshalb können Marketing-Manager eine gewollte Bestimmung von Preis und Produktqualität nicht als selbstverständlich voraussetzen, sondern müssen auf diejenigen Nicht-Marketingvariablen einwirken, die es dem Unternehmen ermöglichen, die Kosten niedrig zu halten und Produkte hoher Qualität herzustellen.

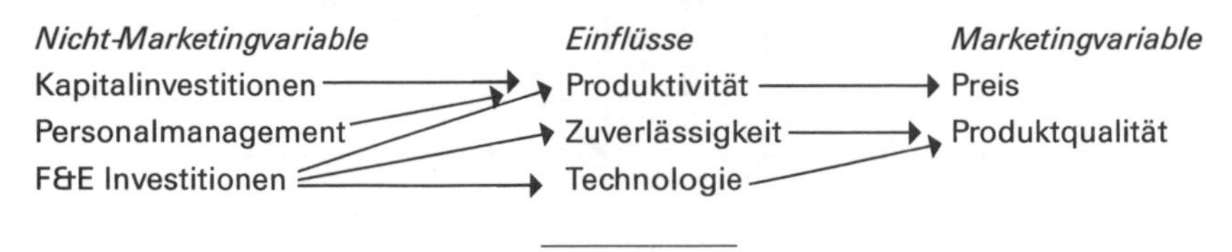

Optimierung der Mittelzuteilung auf verschiedene Zielmärkte

Schließlich muß der Marketingplaner sich mit einer optimalen Mittelzuteilung eines gegebenen Marketingbudgets auf verschiedene Zielmärkte (ZMs) befassen. Die ZMs könnten aus verschiedenen Verkaufsgebieten, Kundengruppen oder Marktsegmenten bestehen. Bei gegebenem Marketingbudget und Marketing-Mix kann es möglich sein, den Gesamtabsatz und den Ertrag zu verbessern, indem man Mittel unter verschiedenen Märkten umverteilt.

Viele Marketing-Manager verteilen ihr Marketingbudget auf die verschiedenen ZMs prozentual zur laufenden oder erwarteten Verkaufsmenge. Dieses Verhalten zeigt sich in folgendem Beispiel:

Der Marketing-Manager der Kaiser Öl AG (fiktiver Name) schätzt zunächst, wieviel Tonnen an Normal- und Super-Benzin er insgesamt absetzen wird. Dann zählt er nochmals die Tonnage an Super-Benzin hinzu und erhält eine Zahl, die er »Profit-Tonnage« nennt. In dieser Planzahl ist also dem Super-Benzin eine doppelte Gewichtung gegeben. Dann teilt er das gesamte Werbebudget durch die Profit-Tonnage und errechnet, wieviel an Werbeaufwendungen pro Profit-Tonne im Durchschnitt ausgegeben werden soll. Er nennt diese Zahl »Stützungsprämie«. Jedem seiner Märkte teilt er dann ein Werbebudget zu, indem er die Stützungsprämie mit der Profit-Tonnage multipliziert, die im Jahr zuvor in diesem Markt verkauft wurde. Damit bestimmt sich das Werbebudget in jedem Verkaufsgebiet nach der Menge des Absatzes im Vorjahr. [8]

In der Regel sind mengenmäßig orientierte Zuteilungsmechanismen nicht optimal. Sie werfen die Konzepte der durchschnittlichen und der marginalen Absatzreaktion (Grenzrate der Absatzreaktion) durcheinander. Abbildung 3A-4(a) illustriert die Unterschiede zwischen den beiden Konzepten und zeigt klar, daß man sie nicht in einen Topf werfen sollte. Die beiden Punkte in der Abbildung zeigen den Umsatz und die Werbeausgaben für zwei Zielmärkte. Das Unternehmen gibt für jeden der beiden Märkte 3 Mio. DM für Werbung aus. Der Umsatz im Zielmarkt 1 beträgt 40 Mio. DM und 20 Mio. DM im Zielmarkt 2. Das durchschnittliche Absatzergebnis pro DM Marketingaufwendungen ist daher in Zielmarkt 1 größer als in Zielmarkt 2. Es ist dort 40/3 verglichen mit 20/3 in ZM 2. Auf den ersten Blick liegt es auf der Hand, Marketingmittel von ZM 2 auf ZM 1 zu verlagern, wo die Ergebnisse im Durchschnitt besser sind. Hierbei wird jedoch die marginale Absatzreaktion außer acht gelassen. Die marginale Absatzveränderung (Grenzrate der Absatzveränderung) wird durch die Steigung der Geraden in den Punkten ZM 1 und ZM 2 angezeigt. In

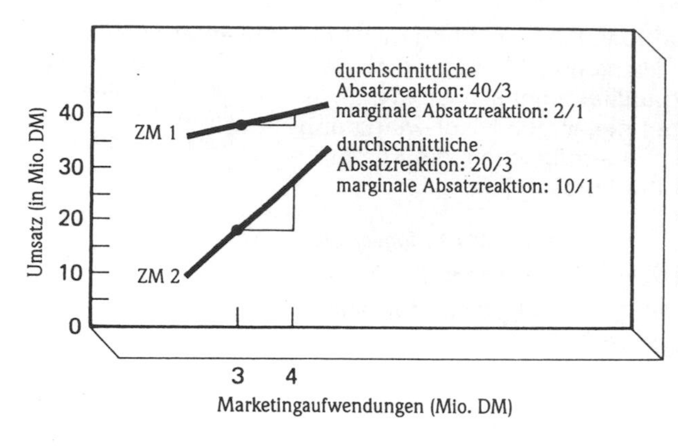

(a) durchschnittliche und marginale Absatzreaktion in zwei Zielmärkten (ZMs)

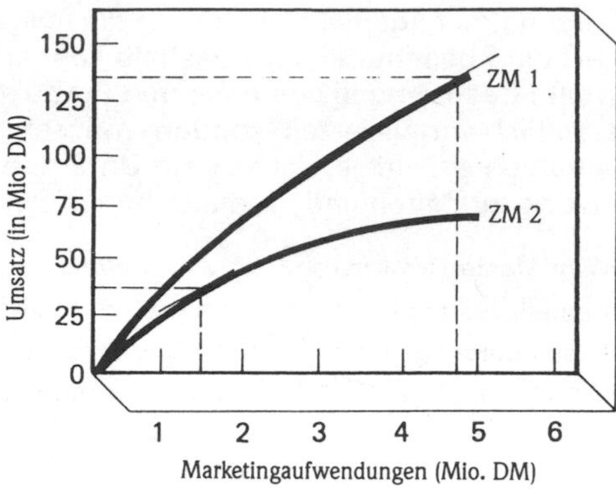

(b) Absatzreaktionsfunktion in zwei Zielmärkten (ZMs)

Abbildung 3A-4
Absatzreaktionsfunktionen für zwei Zielmärkte (ZMs)

unserem Beispiel ist die Steigung durch ZM 2 steiler als die durch ZM 1. Die dort eingezeichneten Steigungen bedeuten, daß in ZM 2 eine weitere Million an Marketingausgaben 10 Mio. Absatzzuwachs bringen würde, während in ZM 1 nur 2 Mio. an Absatzzuwachs zu erwarten wären. Damit ist ganz offensichtlich, daß marginale Veränderungen und nicht durchschnittliche Reaktionswerte die Zuteilung von Marketingmitteln auf die Zielmärkte bestimmen sollten.

Die Grenzrate der Veränderung wird durch den Verlauf der Absatzreaktionsfunktion für jedes Gebiet angezeigt, wenn diese Absatzreaktionsfunktion für die einzelnen Gebiete erst einmal geschätzt werden konnte. Nehmen wir an, es bestehen zwei Absatzreaktionsfunktionen für zwei Zielmärkte, wie Abbildung 3A-4(b) zeigt. Das Unternehmen möchte nun ein festgelegtes Gesamtbudget auf die beiden Zielmärkte verteilen, um seine Erträge zu optimieren. Bei gleichen Kosten pro Tonne in beiden Gebieten wird der Gesamtertrag maximiert, wenn der Gesamtumsatz maximiert wird. Das Budget ist dann optimal verteilt, wenn es so festgelegt wird, daß die marginalen Absatzveränderungen in beiden Zielmärkten gleich sind. Geometrisch zeigt sich das, wenn die Steigung der Tangenten an zwei bestimmten Punkten der beiden Absatzreaktionsfunktionen gleich und damit das Budget erschöpft ist. Abbildung 3A-4 (b) zeigt, daß ein Budget von 6 Mio. DM mit 4,6 Mio. für ZM 1 und 1,2 Mio. DM für ZM 2 optimal aufgeteilt wäre und so den maximalen Umsatz von 180 Mio. DM bringen würde. Die Grenzrate in der Absatzreaktionsfunktion wäre dann in beiden Zielmärkten die gleiche.

Dem Prinzip der Zuteilung von Mitteln auf Zielmärkte, so daß die Grenzrate des Ertrages dort gleich ist, liegt eine Planungstechnik zugrunde, die *Zero-Base-Budgeting* genannt wird. [9] Der Manager für jeden Zielmarkt muß dann einen Marketingplan erstellen und die zu erwartenden Umsätze schätzen, die mit Marketingmitteln unterschiedlicher Höhe zu erreichen wären wie z. B. 30 % weniger als im Vorjahr, das gleiche wie im Vorjahr oder 30 % mehr als im Vorjahr. Ein Beispiel in Tabelle 3A-2 zeigt an, was der Marketing-Manager eines Unternehmens bei unterschiedlichen Budgethöhen jeweils tun würde und wie sich das auf den Umsatz auswirken würde. Dann sehen sich übergeordnete Manager diese Aufstellung an, vergleichen

Budget (M)	Marketingplan	projizierter Absatz (Q)
1400000 DM	Halten des Absatzes und des Marktanteils auf kurze Sicht wie folgt: Konzentration der Verkaufsbemühungen auf die größten Handelsketten, nur Fernsehwerbung, zwei Verkaufsförderungsaktionen im Jahr, starke Einschränkungen in der Marktforschung	60000 Sück
2000000 DM	Ausweitung des Marktanteils durch koordinierte Anstrengungen wie folgt: Verkäuferbesuch bei 80% aller Einzelhandelsgeschäfte, Hinzunehmen von Zeitschriftenwerbung, Hinzunehmen von Displaymaterial am Point of Sale, drei Verkaufsförderungsaktionen pro Jahr	70000 Stück
2600000 DM	Markt und Marktanteil erweitern durch: zwei neue Produktgrößen, mehr Außendienstmitarbeiter, mehr Makrtforschung, Aufstockung des Werbebudgets	90000 Stück

Tabelle 3A-2
Illustration des Zero-Base-Budgeting in der Marketingplanung

sie mit den Aufstellungen anderer Produktmanager und bilden sich eine Meinung, ob und wieviel Mittel von einem Zielmarkt in den anderen verlagert werden sollen, wo die marginalen Veränderungen höher sind.

Die Ermittlung von Absatzreaktionsfunktionen kann zu erheblichen Veränderungen in der Marketingstrategie eines Unternehmens führen. So z.B. hatte eine Ölfirma Tankstellen in jeder größeren Stadt.[10] In vielen Marktgebieten hatte sie jedoch nur einen sehr geringen Anteil an allen vorhandenen Tankstellen. Das Management des Unternehmens stellte sich die Frage, ob es gut sei, eine so breit angelegte Auffächerungsstrategie zu betreiben. Man machte sich daran, eine Marktreaktionsfunktion zu erarbeiten. Zunächst wurde der Marktanteil des Unternehmens in jeder Stadt erfaßt. Auch der Anteil des Unternehmens an den Marketingaufwendungen in jeder Stadt, repräsentiert durch ihren dortigen Anteil an Tankstellen, wurde gemes-

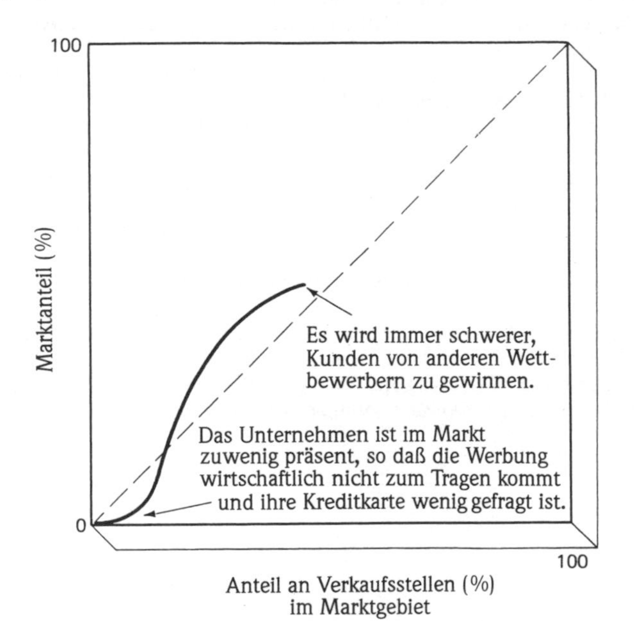

Abbildung 3A-5
Marktanteil als Funktion des Anteils an Verkaufsstellen im Marktgebiet

sen. Die Anteile an Tankstellen und die Marktanteile in den verschiedenen Städten wurden als Punkte in ein Diagramm eingetragen und eine Kurve durch diese Punkte gezogen. Die Kurve zeigte eine S-Form wie in Abbildung 3A-5. Damit wurde klar, daß ein niedriger Anteil an Tankstellen in einer Stadt einen noch niedrigeren Anteil im Absatzvolumen brachte. Die praktischen Konsequenzen: Das Unternehmen sollte sich entweder aus den schwachen Märkten zurückziehen oder sie ausbauen, z. B. auf 15 % aller Tankstellen. Statt in jeder Stadt einige wenige Tankstellen zu unterhalten, wäre es für die Ölfirma wirtschaftlicher, in einer geringeren Anzahl von Gebieten für einen größeren Anteil an Tankstellen zu sorgen. Eine solche Konzentrationsbewegung findet in der Tat statt. In der Vergangenheit versuchten die meisten Ölfirmen, national und international weitgefächert aufzutreten. Heute konzentrieren sich viele auf bestimmte Marktgebiete, wo sie eine Führungsrolle einnehmen wollen.

Anmerkungen

1 Beispiele für empirische Untersuchungen unter Einsatz von bestpassenden Absatzreaktionsfunktionen finden sich bei: Doyle L. Weiss: »Determinants of Market Share«, in: *Journal of Marketing Research*, August 1968, S. 290–295; Donald E. Sexton, Jr.: «Estimating Marketing Policy Effects on Sales of A Frequently Purchased Product«, in: *Journal of Marketing Research*, August 1970, S. 338–347; und Jean-Jacques Lambin: »A Computer On-Line Marketing Mix Model«, in: *Journal of Marketing Research*, Mai 1972, S. 119–126.
Ergänzung zu Anmerkung 1:
Neuere Studien wurden kritisch zusammengefaßt in Dominique M. Haussens, Leonard J. Persons und Randall L. Schultz: *Market Response Models: Econometric and Time Series Analysis*, Boston: Kluwer Academic Publishes, 1990, Kap. 6.

2 Vgl. Russell Ackoff und James R. Emshoff: »Advertising Research at Anheuser-Busch«, in: *Sloan Management Review,* Winter 1975, S. 1–15.

3 Vgl. Philip Kotler: »A Guide To Gathering Expert Estimates«, in: *Business Horizons*, Oktober 1970, S. 79–87.

4 Vgl. Gary L. Lilien und Philip Kotler: *Marketing Decision Making: A Model Building Approach*, 2. Aufl., New York: Harper & Row, 1983.

5 Vgl. »Concorn Kitchens«, in: *Marketing Management Casebook*, Hrsg. Harper W. Boyd, Jr. und Robert T. Davis, Homewood, Ill.: Richard D. Irwin, 1971, S. 125–136.

6 Robert Ferber und P.J. Verdoorn: *Research Methods in Economics and Business*, New York: Macmillan, 1962, S. 535.

7 Robert Dorfman und Peter O. Steiner: »Optimal Advertising and Optimal Quality«, in: *American Economic Review*, December 1954, S. 826–836.

8 Donald C. Marschner: »Theory versus Practice in Allocating Advertising Money«, in: *Journal of Business*, Juli 1967, S. 286–302.

9 Vgl. Paul J. Stonich: *Zero-Base Planning and Budeting: Improved Cost Control and Resource Allocation,* Homewood, Ill.: Dow-Jones-Irwin, 1977.

10 Vgl. John C. Cardwell: »Marketing and Management Science – A Marriage on the Rocks?«, in: *California Management Review*, Sommer 1968, S. 3–12.

Analyse der Marketingchancen

Teil II

Marketing-Informationssysteme und Marketingforschung

Kapitel 4

Ein kluger Mann erkennt zwar den Wert einer Verallgemeinerung, aber er verläßt sich mehr auf die Kraft konkreter Fakten. Oliver Wendell Holmes, Jr.

Ein Unternehmen gut zu führen heißt, seine Zukunft zu lenken; und die Zukunft zu lenken heißt, richtig mit Information umzugehen. Marion Harper

Aus den vorhergehenden Kapiteln ist ersichtlich, daß das Marketing und die strategische Planung am besten nach dem »Outside-Inside«-Ansatz in Angriff genommen werden sollten – d.h. von außerbetrieblichen Sachverhalten ausgehend die innerbetrieblichen Entscheidungen zu gestalten. Das Unternehmen muß daher das weitere Marketingumfeld verstehen und überwachen, um sein Leistungsprogramm für den Markt aktuell gestalten zu können. Wie aber kann das Unternehmen den Wandel in den Kundenwünschen, Aktivitäten der Wettbewerber, Distributionsformen etc. »erspüren«? Die Antwort liegt auf der Hand: Das Unternehmen muß ein Marketing-Informationssystem einrichten und betreiben sowie über die notwendigen Fertigkeiten zur Durchführung der Marketingforschung verfügen. Dieses Kapitel zeigt auf, wie der Marketer Informationsmaterial über das Marketingumfeld sammeln und aufbereiten kann. Die darauffolgenden vier Kapitel legen dar, was durch Marketingforschung über das Marketingumfeld und speziell über das Verhalten von Verbrauchern, gewerblichen Abnehmern und Wettbewerbern an Wissen erworben werden kann.

Die Wirtschaftstheorie und -praxis befaßt sich seit jeher intensiv mit dem Einsatz von *monetären Ressourcen* und auch von *Materialien, Maschinen* und *Menschen.* Das *Informationswesen* als fünfte entscheidende Unternehmensressource hingegen wurde nicht systematisch entwickelt, so daß heute viele Führungskräfte mit den verfügbaren Marketinginformationen nicht ganz zufrieden sind. Sie bemängeln, daß ihnen nutzloses Datenmaterial in großen Mengen aufgetischt wird, daß brauchbare Daten nicht erfaßt werden oder aus verschiedenen Stellen des Unternehmens nur mit großer Mühe zu nützlichen Informationen zusammengefaßt werden können und daß wichtige Informationen oft zu spät kommen oder von zweifelhafter Qualität sind. Ein Beispiel belegt diese Problematik:

Der Verkäufer eines Computerlieferanten bemühte sich um den Auftrag eines Kunden, der sein Computersystem leistungsmäßig verbessern wollte. Der Kunde erbat ein Angebot von ihm und seinem Hauptkonkurrenten. Der Verkäufer brauchte drei Tage, um ein zuverlässiges Angebot zu erstellen. Er konnte die Preise für einige der benötigten Komponenten nicht gleich feststellen und erhielt für andere Komponenten zunächst unterschiedliche Preisauskünfte. Der Konkurrent dagegen legte sein Angebot bereits am nächsten Tag vor und nutzte die zwei verbleibenden Tage, um einen Verkaufsabschluß mit dem Kunden einzuleiten.
Paradoxerweise vermarktete das Unternehmen des Verkäufers computergestützte Informationssysteme, ohne selbst über ein gut geführtes System zu verfügen.

Zahlreiche Unternehmen haben sich nur in ungenügendem Umfang auf die steigenden Informationsanforderungen eingerichtet, die ein effektives Marketing stellt. Aus folgenden drei Entwicklungstendenzen ergibt es sich, daß marketingrelevante Informationen immer wichtiger werden:

- **Die Fortentwicklung vom lokalen über das nationale hin zum internationalen Marketing**
  Der Wettbewerb führt die Unternehmen in immer größere geographische Marktgebiete und steigert ihren Informationsbedarf.
- **Die Verschiebung vom Kundenbedürfnis zum Kundenwunsch**
  Mit steigendem Einkommen gehen die Käufer bei der Produktauswahl selektiver vor. Für die Anbieter wird es immer schwieriger abzuschätzen, wie die Verbraucher auf die unterschiedlichen Leistungsmerkmale, Stilvarianten und sonstigen Produkteigenschaften reagieren, wenn sie ohne Marktforschung arbeiten.
- **Tendenz vom preislichen zum nicht-preislichen Wettbewerb**
  Mit verstärkter Betonung der Markenpolitik, der Produktdifferenzierung sowie von Werbe- und Verkaufsförderungsmaßnahmen müssen die Anbieter mehr Informationen über die Durchschlagskraft dieser Marketinginstrumente sammeln.

Den explosionsartig steigenden Informationsanforderungen steht die Entwicklung leistungsfähiger moderner Informationstechnologien gegenüber. Innovationen wie Computer, Mikrofiche, elektronische Bildübertragungsnetze, Telefax, Videorecorder oder Bildplattenspieler führten zu einer Revolution in der Informationsaufnahme und -verarbeitung. Trotz alledem fehlt es den meisten Unternehmen an ausgefeilten Informationssystemen. Viele Unternehmen haben noch nicht einmal eine Marketingforschungsabteilung. In anderen Unternehmen ist die Marketingforschung beschränkt auf die Routineprognostik, Verkaufsanalysen und gelegentliche Umfragen. Nur wenige Unternehmen entwickelten anspruchsvolle Systeme zur Versorgung der Geschäftsleitung und anderer Entscheidungsträger mit aktuellen Marketinginformationen und -analysen.

Konzept und Bausteine eines Marketing-Informationssystems

Jedes Unternehmen sollte den Informationsfluß für Marketingentscheidungen gut organisieren. Zu diesem Zweck stellt man den Informationsbedarf der Entscheidungsträger fest und richtet für diesen Bedarf ein *Marketing-Informationssystem* (MAIS) ein. Wir definieren ein *Marketing-Informationssystem* wie folgt:

> Ein *Marketing-Informationssystem* besteht aus Personen, technischen Einrichtungen und Verfahren zur Gewinnung, Zuordnung, Analyse, Bewertung und Weitergabe zeitnaher und zutreffender Informationen, die dem Entscheidungsträger bei Marketingentscheidungen helfen.

Der konzeptionelle Rahmen für ein Marketing-Informationssystem (MAIS) wird in Abbildung 4-1 veranschaulicht. Die Marketing-Manager brauchen für ihre Analyse-,

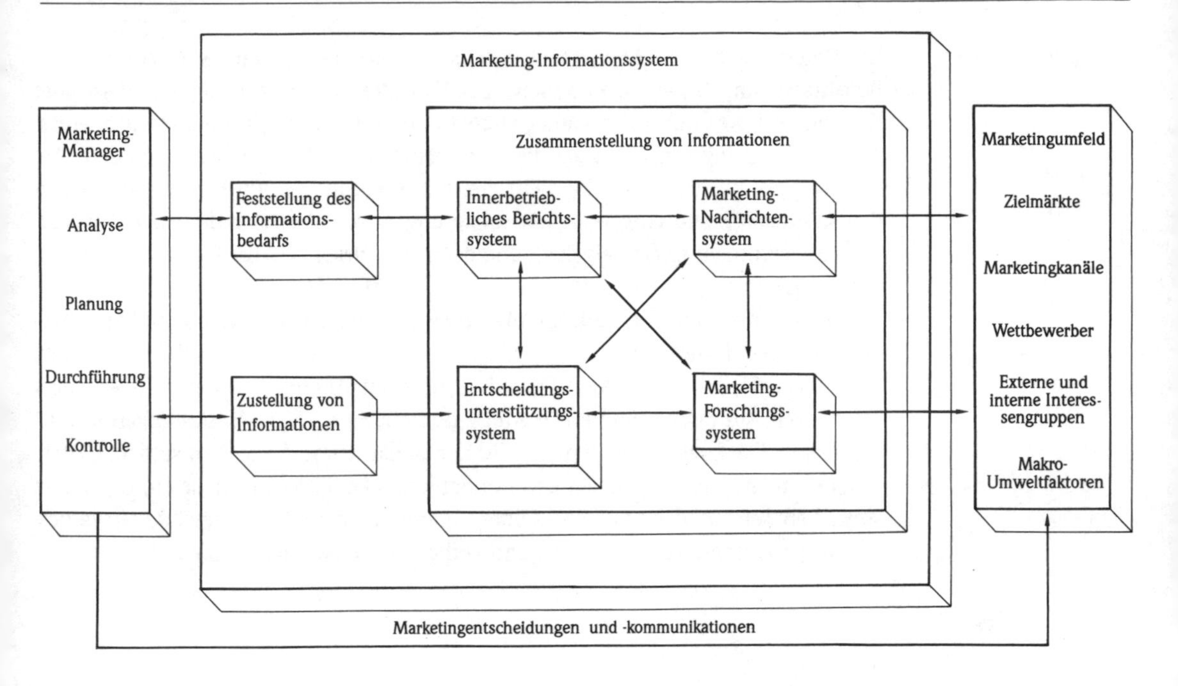

Abbildung 4-1
Marketing-Informationssystem

Planungs-, Durchführungs- und Kontrollaufgaben (linker Kasten) Informationen über das Marketingumfeld (rechter Kasten). Das Marketing-Informationssystem muß so ausgelegt sein, daß es den Informationsbedarf der Manager feststellt, die benötigten Informationen zusammenstellt und diese den Managern rechtzeitig zur Verfügung stellt. Die Zusammenstellung der benötigten Informationen erfolgt durch vier Subsysteme des MAIS, nämlich das innerbetriebliche Berichtssystem, das Marketing-Nachrichtensystem, das Marketing-Forschungssystem und das Entscheidungsunterstützungssystem zur Vorbereitung von Marketingentscheidungen. Diese Subsysteme sehen wir uns im folgenden näher an.

Innerbetriebliches Berichtssystem

Im allereinfachsten Fall kann das innerbetriebliche Berichtssystem dem Marketing-Manager als Informationssystem dienen. Hier findet er die Daten über Auftragseingänge, Absatzentwicklung, Lagerbestand, Höhe der Forderungen und Verbindlichkeiten usw. Durch die Analyse dieses Materials kann der Marketing-Manager bedeutende Marktchancen und Problemstellungen erkennen.

Abwicklungszyklus: Auftrag – Versand – Fakturierung

Die Daten aus diesem Abwicklungszyklus spielen eine zentrale Rolle im internen Berichtssystem. Bestellungen gehen über Vertreter oder direkt von Händlern oder Kunden ein; die Auftragsabteilung erstellt daraufhin Auftragsformulare in mehrfacher Ausfertigung und leitet sie den verschiedenen Abteilungen zur weiteren Abwicklung zu. Bestellungen, die nicht gleich ausgeführt werden können, werden in den Auftragsbestand eingereiht. Der Lieferung werden die erforderlichen Versand- und Abrechnungspapiere beigelegt, und daran mitwirkende Abteilungen werden per Kopie informiert.

Die Unternehmen sind bestrebt, diesen Prozeß möglichst zügig und präzise abzuwickeln, denn Kunden bevorzugen Lieferanten, die schnell und pünktlich arbeiten. Vertreter melden die erwirkten Bestellungen jeden Abend, in einigen Fällen sogar sofort nach Auftragserteilung. Die Auftragsabteilung muß die Bestellungen schnell bearbeiten. Die Logistikabteilung hat für den pünktlichen Versand zu sorgen. Gleichzeitig sollte die Fakturierung an den Kunden erfolgen. Fortschrittliche Unternehmen versuchen den Abwicklungszyklus über unternehmensumfassende Qualitätsverbesserungsprogramme zu optimieren, und verbessern dabei ihre Effizienz. [1]

Verkaufsmelde- und -informationssystem

Die Marketingverantwortlichen erhalten Verkaufsmeldungen oft mit zeitlichem Verzug. Dieser Verzug ist branchen- und organisationsabhängig und besonders groß bei Unternehmen, die nicht direkt, sondern über ein Händlernetz an Endverbraucher verkaufen. In der Lebensmittelbranche z.B. werden die Manager zwar regelmäßig und schnell über Lagerabgänge informiert, doch die Meldungen über Verkäufe an die Endverbraucher erhalten sie erst nach zwei Monaten, nachdem diese durch ein Verbraucher- oder Handelspanel erfaßt wurden. Bei einem Absatzeinbruch wird der Marketer verstärkte Anstrengungen unternehmen und dann bis zum nächsten Verkaufsbericht viele schlaflose Nächte verbringen. Viele Manager meinen, daß Verkaufsberichte in ihrem Unternehmen nicht schnell genug zur Verfügung stehen.

Das Verkaufsmeldesystem sollte aber nicht nur die Marketingleitung mit Berichten von der Verkaufsfront versorgen, sondern auch den Verkäufern nützliche Kundeninformationen liefern. In den folgenden Beispielen werden nun drei Unternehmen vorgestellt, die ein schnelles und umfassendes Verkaufsmelde- und -informationssystem einrichteten:

- **Colonia Versicherungs AG**
  Ab Anfang 1984 hat die Colonia ihr Verkaufsinformationssystem wesentlich verbessert. Die Außendienstler erfassen Kundendaten aus ihren Verkaufsgesprächen mittels Personal Computer und übertragen sie von unterwegs oder von ihrem Büro aus an die Zentraldatenbank in Köln. Dort werden die Daten systematisch aufbereitet und stehen dem Außendienstler zur Verfügung. Kundenspezifische Daten können für individuelle Angebotserstellungen genutzt werden. Der Außendienstler kann sich z.B. Kunden nennen lassen, deren Versicherungsschutz in den Augen des Unternehmens Lücken aufweist oder nicht mehr zeitgemäß ist, und sich dafür spezielle Angebote ausdrucken lassen. [2]
- **Lucas Bols GmbH**
  Der Spirituosenhersteller und -vermarkter Bols rüstete 1984 seinen Außendienst mit mobilen Datenterminals aus. Damit wurde der Verwaltungsaufwand in den regionalen Verkaufsbüros wesentlich verringert. Die Verkaufsleiter wurden in die Lage versetzt, mit Hilfe rechtzeitiger und leicht verfügbarer Informationen (z.B. Zahlen über Marktausschöpfung, Absatz,

Umsatz, Rabatte oder Kennziffern nach Kunden, Kundengruppen, Produkten oder Produktgruppen) den Einsatz des Außendienstes besser zu steuern. Das Verkaufsmeldesystem wurde als erster Schritt zum weiteren Ausbau eines Marketing-Informationssystems gesehen, mit dem es Bols z.B. durch Beobachtungen der Außendienstler über Konkurrenzpreise ermöglicht wird, schneller zu reagieren.[3]

- **Mead Paper (USA)**
  Die Verkaufsvertreter von Mead können nach Kundenanfragen zur Verfügbarkeit bestimmter Papiersorten mit einer sofortigen Antwort rechnen, indem sie einfach das Computerzentrum von Mead Paper anwählen. Der Computer stellt fest, ob diese Papiersorte im nächstgelegenen Auslieferungslager vorrätig und wann sie lieferbar ist. Ist sie zur Zeit nicht auf Lager, überprüft der Computer die Lagerbestände anderer umliegender Depots, bis das gewünschte Papier ausfindig gemacht ist. Sollte es in keinem Lager vorhanden sein, wird ermittelt, wo und wann das Papier hergestellt werden kann. Der Verkaufsvertreter erhält innerhalb weniger Sekunden eine Auskunft und sichert sich damit einen Wettbewerbsvorsprung.

Gestaltung eines anwenderfreundlichen Berichtssystems

Bei der Gestaltung eines fortschrittlichen Absatzinformationssystems sollten bestimmte Probleme vermieden werden. Zum einen kann ein System zu viel Informationsmaterial liefern. Der Marketing-Manager würde sich dann täglich einer Flut von Verkaufsstatistiken gegenübersehen, die er entweder ignoriert oder für die er zu viel Zeit aufwendet. Zum anderen kann ein System allzu aktuelle Daten in den Vordergrund stellen, was schon bei minimalen Veränderungen der Absatzentwicklung zu Überreaktionen des Managers führen kann.

Ein Marketing-Informationssystem muß einen Ausgleich finden zwischen dem, was Manager gerne möchten, was sie unbedingt brauchen und was wirtschaftlich angemessen ist. Oft ist es nützlich, diese Arbeit einem *Planungsausschuß* zu übertragen. Seine Aufgabe wäre es, durch eine repräsentative Befragung der Anwender im Marketingbereich wie etwa Produktmanager, Verkaufsleiter und Verkäufer, den Informationsbedarf festzustellen (vgl. Tabelle 4-1). Wünsche und Kritikpunkte der Befragten, die mit Nachdruck formuliert werden, sollten dabei besondere Beachtung finden. Zugleich sollte der Ausschuß jedoch auf bestimmte Informationswünsche nicht eingehen. Extrem informationshungrige Manager neigen nämlich dazu, diverse Wunschlisten aufzustellen, ohne dabei zu unterscheiden, *was man so alles wissen könnte* und *was sie unbedingt wissen müssen.* Andere wiederum sind viel

Tabelle 4-1
Fragebogen zur Ermittlung des Marketing-Informationsbedarfs

1. Welche Entscheidungen haben Sie für gewöhnlich zu treffen?
2. Welche Informationen brauchen Sie für diese Entscheidungen?
3. Welche Informationen werden Ihnen üblicherweise geliefert?
4. Welche Sonderberichte fordern Sie von Zeit zu Zeit an?
5. Welches Informationsmaterial, das Sie eigentlich gerne hätten, erhalten Sie gegenwärtig nicht?
6. Welche Informationen benötigen Sie täglich, wöchentlich, monatlich oder jährlich?
7. Welche Veröffentlichungen (z.B. Fachzeitschriften, Marktberichte und Branchenberichte) würden Sie von Zeit zu Zeit gern lesen?
8. Über welche spezifischen Themenbereiche wollen Sie stets auf dem laufenden gehalten werden?
9. Welche Datenanalyseprogramme sollte man Ihnen zur Verfügung stellen?
10. Welches wären nach Ihrer Meinung die vier nützlichsten Änderungen, die am gegenwärtigen Marketing-Informationssystem vorgenommen werden könnten?

zu beschäftigt, um sich mit der Befragung ernsthaft zu befassen, und lassen viel Wissenswertes unberücksichtigt. Aus diesem Grunde muß der Planungsausschuß einen Schritt weiter gehen und feststellen, was die Manager *unbedingt wissen müssen,* um vertretbare Entscheidungen fällen zu können. Welche Informationen sind beispielsweise für einen Produktmanager unentbehrlich, um die Höhe des Werbebudgets festlegen zu können? Angenommen, dazu sind Kenntnisse über den Grad der Marktsättigung, den Umfang des Absatzrückgangs bei fehlenden Werbemaßnahmen und die geplanten Werbeausgaben der Konkurrenz nötig. Das Informationssystem sollte dann so ausgelegt sein, daß es diese – für wichtige Marketingentscheidungen notwendigen – Daten liefert.

Marketing-Nachrichtensystem

Während das innerbetriebliche Berichtssystem auf Daten der eigenen Verkaufsergebnisse aufbaut, stellt das Marketing-Nachrichtensystem Daten über Geschehnisse und Ereignisse bereit. Wir definieren das Marketing-Nachrichtensystem wie folgt:

Das Marketing-Nachrichtensystem ist eine Zusammenstellung von Verfahren und Informationsquellen, die der Marketer einsetzt, um laufend Informationen über entscheidungsrelevante Entwicklungen im Marketingumfeld abrufen zu können.

Die Erfassung des Umfeldes kann auf vier verschiedene Arten vorgenommen werden: [4]

- **Nicht eingegrenztes Sichten**
  Hier wird ein allgemeines Informationsangebot zusammengestellt, ohne daß ein bestimmter Zweck vorgegeben ist.
- **Eingegrenztes Sichten**
  Hier wird das Informationsangebot bereits durch Ausrichtung auf einen mehr oder weniger klar umrissenen Themenbereich oder Informationstypus gelenkt, ohne daß dabei aktiv nach bestimmten Fakten gesucht wird.
- **Informelle Informationssuche**
  Hier werden ganz bestimmte Daten oder Informationen für einen bestimmten Zweck in beschränktem Ausmaß und durch unstrukturiertes Vorgehen zusammengetragen.
- **Formelle Informationssuche**
  Hier werden bestimmte Daten oder Informationen zur Lösung eines bestimmten Marketingproblems systematisch und gezielt zusammengetragen.

In vielen Unternehmen erhalten die Marketing-Manager ihre Marketing-Nachrichten vorwiegend aufgrund ihrer eigenen Bemühungen wie z.B. durch die Lektüre von Büchern, Zeitungen und Branchenpublikationen, durch Gespräche mit Kunden, Lieferanten, Händlern und anderen unternehmensexternen Personen, aber auch durch Gespräche mit anderen Mitarbeitern des eigenen Unternehmens. Ein solches Nachrichtensystem ist zufallsabhängig, und wertvolle Informationen werden möglicherweise verpaßt oder kommen zu spät. So könnte z.B. der Marketing-Manager von den

Aktivitäten eines Wettbewerbers, einem neuen Kundenbedürfnis oder einem Problem im Handel zu spät erfahren, um noch optimal gegensteuern zu können.

Gut geführte Organisationen gehen über die lediglich informelle Behandlung von Marketing-Nachrichten hinaus. Sie versuchen, ihr Nachrichtensystem durch organisatorische Maßnahmen qualitativ und quantitativ zu verbessern. Zum ersten kann die Verkaufsorganisation darin geschult und dazu motiviert werden, neue Trends aufzuspüren und darüber zu berichten. Die Verkäufer des Unternehmens sind also dazu aufgerufen, Augen und Ohren offenzuhalten. Gerade sie sind bestens in der Lage, Informationen aufzunehmen, die einem sonst leicht entgehen. Leider sind sie meist sehr beschäftigt und unterlassen es, wichtige Informationen weiterzuleiten. Daher muß das Unternehmen seinen Verkäufern deutlich machen, wie wichtig sie als Informationslieferanten sind und sie für nützliche Informationen belohnen. Den Verkäufern sollten Meldezettel ausgehändigt werden, die leicht auszufüllen sind und anzeigen, welche Informationen an wen gehen. Ein innovatives Konzept ist die Bildung thematischer oder objektbezogener Schwerpunktgruppen innerhalb des Vertriebs. Das Unternehmen erhält dadurch wertvolle Marketing-Nachrichten, fördert das Engagement vieler Beschäftigter für Kundenprobleme und regt zum Nachdenken darüber an, welche Kundenbedürfnisse bisher unberücksichtigt blieben. [5]

Zum zweiten können auch die Handelspartner des Unternehmens wie z. B. Groß- und Einzelhändler zur Weitergabe wichtiger Informationen veranlaßt werden. Folgendes Beispiel veranschaulicht dies: [6]

Die Lufthansa AG stellte den Reiseagenturen ein computergesteuertes Vertriebssystem zur Verfügung, mit dem Berater im Reisebüro Flüge buchen, Flugpläne nachschlagen und weitere Lufthansa-Dienste während des Verkaufsgesprächs in Anspruch nehmen konnten. Die Eingabedaten der Agenturen enthielten wichtige Informationen für die Marktforschung der Lufthansa und für die Planung von Konkurrenzmaßnahmen, denn auch die Buchungen von Konkurrenzflügen liefen über dieses System und gaben Auskunft über Hauptflugzeiten, häufig frequentierte Strecken, Angebote und Preise der Konkurrenz.

Manche Unternehmen beauftragen Spezialisten mit der Sammlung von Nachrichten. Als »Otto Normalverbraucher« getarnt, beobachten sie Verkaufspräsentationen. Durch den Einkauf bei Konkurrenten, einen Besuch am Tag der offenen Tür oder Besuche von Leistungsausstellungen und Aktionärsversammlungen läßt sich viel über den Wettbewerb erfahren. Weitere Informationen werden aus Veröffentlichungen der Konkurrenten wie z. B. Jahresberichten, PR-Botschaften und Anzeigenwerbung, aus Gesprächen mit ehemaligen und gegenwärtigen Angestellten der Konkurrenzunternehmen oder mit deren Vertrags- und Großhändlern, Lieferanten und Spediteuren gewonnen.

Zum dritten stellen auch betriebsfremde Organisationen gegen Entgelt entsprechendes Datenmaterial zur Verfügung. Die A. C. Nielsen (Deutschland) z. B. offeriert alle zwei Monate einen Bericht, der die Ergebnisse einer Datenerhebung im Einzelhandel zusammenfaßt. Die Daten werden in einem für den Lebensmitteleinzelhandel repräsentativen Querschnitt von über 1.000 Geschäften erhoben. Die Analysen sind u. a. nach Marktanteilen der einzelnen Marken, Preisentwicklungen im Einzelhandel, Anzahl der Geschäfte, die einen bestimmten Artikel führen, Verkaufsförderungsmaßnahmen, Lagerbeständen in den Geschäften und Anteilen der Geschäfte mit Bestandslücken aufgeschlüsselt. Die A.C. Nielsen Company bietet diese Datenerhebung durch Handelspanels in vielen Ländern mit hochentwickelten Handelsstrukturen an.

Datenerhebungen durch Konsumentenpanels werden in vielen Ländern als Alternative zum Handelspanel angeboten. So unterhält z.B. die G&I Forschungsgemeinschaft für Marketing (eine Tochtergesellschaft der GfK – Nürnberg) zwei Haushaltspanels zu je 5.000 Haushalten. Beide Panels sind repräsentativ für die Konsumenten in der Bundesrepublik. Die Datenerhebung erfolgt wöchentlich über Einkaufstagebücher und Sonderfragebogen bei den Panelhaushalten. Die Analysen geben u.a. Auskunft über Marktanteile, Konsumausgaben, Markenwahl, bevorzugte Geschmacksrichtungen, bezahlte Preise und wahrgenommene Sonderangebote. Durch die Verbindung von Werbe- und Paneldaten kann man auch die Wirksamkeit von Werbemaßnahmen abschätzen.

Zum vierten richtete so manches Unternehmen eine *Marketing-Nachrichtenzentrale* ein (siehe Exkurs 4-1). Hier werden wichtige Publikationen durchforstet, marketingrelevante Nachrichten herausgefiltert, gesammelt und abgelegt oder die auf diese Weise gewonnenen Erkenntnisse in Form von Informationsblättern an die Führungskräfte weitergegeben. Die für diesen Aufgabenbereich verantwortlichen Personen stehen den Managern auch bei der Auswertung neuen Datenmaterials beratend zur Seite. Zusammenfassend kann gesagt werden, daß sich durch diese Dienste die Qualität der dem Marketing-Manager zur Verfügung gestellten Informationen wesentlich verbessern läßt.

Exkurs 4-1 zu Marketing-Strategien: Eine innovative Lösung zur Deckung von Informationsbedürfnissen: die Nachrichten- und Informationszentrale

Zwar wurde das Konzept eines integrierten Management-Informationssystems in den 60er Jahren ausgiebig erörtert, doch nur wenige Unternehmen ergriffen tatsächlich entsprechende Maßnahmen, um den Informationsfluß im Unternehmen zu zentralisieren und zu koordinieren. Ein Großteil der Manager beklagte sich darüber, daß die notwendigen Informationen zwar im Unternehmen vorhanden seien, es jedoch zu viel Zeit in Anspruch nähme, sie zu finden. Es gäbe noch immer keine zentrale Stelle, von der aus man alle im Hause verfügbaren Dateien abrufen könne.

Ab 1979 empfahl IBM dann seinen Kunden, derartige Informationszentralen an die bereits vorhandenen EDV-Abteilungen anzugliedern. Viele Großkunden von IBM folgten diesem Rat. Die Travelers Insurance Company z.B. eröffnete im Dezember 1981 eine Informationszentrale mit einem Stab von zehn Beratern, die monatlich 200 »Hilferufe« bearbeiteten. Nur ein Jahr später beschäftigte Traveler bereits zwanzig Berater, die monatlich 4.000 Anfragen erledigten.

Die Manager bemerkten bald, daß durch diese Zentren viel Zeit eingespart werden konnte. Ein Manager mußte z.B. in Erfahrung bringen, warum die Versicherungsnehmer einer bestimmten Region ihre Policen nicht erneuerten. Die Informationszentrale sammelte sofort entsprechendes Datenmaterial, analysierte es und erbrachte den Beweis dafür, daß die Beitragssätze im Vergleich zur Konkurrenz einfach zu hoch waren.

Einer der Vorzüge einer derartigen Zentrale besteht darin, daß damit systematisch erfaßt wird, welche Daten existieren, wo sie zu finden sind und welche möglichen Informationslücken es bei regelmäßigen Anfragen der Führungskräfte gibt. Im übrigen wird hier die Datenanalyse gründlicher durchgeführt, als dies sehr beschäftigte Führungskräfte selbst könnten. Nach Ansicht von Montgomery und Weinberg erfüllt die Nachrichten- und Informationszentrale zahlreiche Funktionen wie z.B. die Datenauswertung, die Verarbeitung der Daten zu Informationen, die Datenübertragung, -sammlung, -analyse und die Ermittlung von Strukturen.

Quellen: »Helping Decision Makers Get at Data«, in: *Business Week*, 13. September 1982, S. 118; David B. Montgomery und Charles B. Weinberg: »Toward Strategic Intelligence Systems«, in: *Journal of Marketing*, Herbst 1979, S. 41–57.

Marketing-Forschungssystem

Neben dem innerbetrieblichen Berichtssystem und dem Marketing-Nachrichtensystem benötigt der Marketing-Manager oft auch Untersuchungen, die sich auf bestimmte Marketingprobleme und Marktchancen konzentrieren. Einige Beispiele hierzu sind: Marktstudien, Produktpräferenztests, regionale Absatzprognosen oder Untersuchungen über die Werbewirksamkeit. Manager haben in der Regel weder die Zeit noch die Spezialkenntnisse zur Durchführung solcher Studien, sondern geben sie als Auftrag an die Marketingforschung weiter. *Marketingforschung* läßt sich wie folgt definieren:

> *Marketingforschung* ist die systematische Anlage und Durchführung von Datenerhebungen sowie die Analyse und Weitergabe von Daten und Befunden, die in bestimmten Marketingsituationen vom Unternehmen benötigt werden.

Quellen der Marketingforschung

Das Unternehmen hat mehrere Alternativen zur Durchführung der Marketingforschung. Kleinunternehmen können Studenten oder Professoren einer örtlichen Hochschule darum bitten, ein Forschungsprojekt zu gestalten und durchzuführen. Es können jedoch auch die Dienste von Marktforschungsinstituten in Anspruch genommen werden. Großunternehmen verfügen für gewöhnlich über eine eigene Marketingforschungsabteilung. Darin ist in manchen Fällen nur ein Marketingforscher beschäftigt, in anderen bis zu einem Dutzend. Der Leiter einer solchen Marketingforschungsabteilung untersteht in der Regel dem Marketingdirektor. Er leitet Untersuchungen und betreut sie verwaltungsmäßig; er gibt Ratschläge zu Marketingfragen und setzt sich für bestimmte Problemlösungen ein.

Bei Procter & Gamble (in den USA und auch in Deutschland) untersteht jedem Produktbereich eine bestimmte Anzahl von Marketingforschern, die für die Durchführung einer produktbezogenen und produktgruppenbezogenen Marketingforschung verantwortlich sind. Zu den Marketingforschern gehören Manager, Assistenten und Sekretärinnen sowie Spezialisten wie z.B. Statistiker, Verhaltensforscher, Experten für die Gestaltung von Untersuchungen und Feldforscher, die mit der Durchführung und Überwachung der Befragung betraut sind. Procter & Gamble realisiert jährlich weltweit über 1.000 Forschungsprojekte, wobei über eine Million Menschen persönlich oder telefonisch befragt werden.

Das Marketingforschungsbudget vieler Unternehmen liegt bei 1 bis 2 % des Umsatzes. Etwa 50 bis 80 % davon gehen in die unternehmenseigene Marketingforschung, falls vorhanden, während die verbleibenden Mittel für Dienstleistungen externer Marketingforscher ausgegeben werden. Die Anbieter im Bereich der Marketingforschung lassen sich in mehrere Kategorien einteilen:

- **Vollservice-Institute**
  Diese führen hauptsächlich Umfragen, Datenerhebungen und -auswertungen nach ihrer eigenen Systematik von der Planung bis zur Ergebnispräsentation durch. Zu diesem Kreis zählen Institute wie A.C. Nielsen (Frankfurt), Infratest (München), Ifo (München), GfK (Nürnberg), Kehrmann (Hamburg) und das Institut für Demoskopie (Allensbach).
- **Forschungs-Dienstleister**
  Hier unterscheidet man Feldorganisationen und Testorganisationen (Studios). Die Feldorganisationen führen Befragungen für Unternehmen durch, die ihnen den Fragebogen dazu liefern und die Auswertung der Befragung selbst vornehmen. Die Feldorganisationen sind meist aber auch in der Lage, statistische Auswertungen mitzuliefern. Dazu zählen z.B. die GDS, Gesellschaft für Datenerhebung und Statistik mbH (Dortmund), und die Field Research Schreiber GmbH (Münster). Die Teststudios verfügen über Studioräume, in welchen apparative oder bestimmte methodologisch gebundene Einzelbefragungen und Gruppendiskussionen unter Anleitung von Experten durchgeführt werden können. Die Testpersonen dazu werden nach festgelegten Quoten entweder direkt von der Straße oder gezielt über Einladungen gewonnen. Hierzu zählen z.B. Basis Research GmbH (Frankfurt), Marplan Forschungsgesellschaft (Offenbach) und Marmos-Bonn GmbH.
- **Marketingforschungsberater**
  sind häufig kleinere Gesellschaften oder Einzelpersonen mit detaillierten Kenntnissen und Erfahrungen in bestimmten Methoden und Märkten. Sie wirken beratend bei der Marketingforschung mit oder führen in Zusammenarbeit mit anderen Forschungsdienstleistern ganze Studien durch. Dazu zählen z.B. Marketing Systems GmbH (Essen), intra-Marketingberatung GmbH (Düsseldorf), Diebold GmbH (Frankfurt), Oppermann (Bonn) sowie zahlreiche Marketinglehrstühle an den Hochschulen.

Wirkungsbereich der Marketingforschung

Die Methoden und Aktivitäten der Marketingforschung wurden im Laufe der Zeit immer umfangreicher. In Tabelle 4-2 sind 31 Arten von Forschungsaktivitäten und der Anteil der Unternehmen aufgelistet, die darauf zurückgreifen. Zu den häufigsten Aktivitäten zählen: *Absatzanalysen, Trendbeobachtungen, Marktstrukturanalysen, Marktpotentialuntersuchungen, Kurz- und Langfristprognosen, Untersuchungen von Konkurrenzprodukten, Absatzpotentialschätzungen für neue Produkte, Vertriebsuntersuchungen, Untersuchungen zur Preispolitik, Werbemittelforschung* und *Untersuchungen über Verkaufsförderungsmaßnahmen.* [7]

Durch eine permanente Verfeinerung der Informationsgewinnungsmethoden konnte auch der Aussagewert der einzelnen Studien wesentlich verbessert werden. Tabelle 4-3 zeigt, von welchem Jahrzehnt an die jeweiligen Methoden in nennenswertem Ausmaß in der Marketingforschung eingesetzt wurden. Zahlreiche Techniken – u.a. strukturierte Fragebögen oder Stichproben nach dem Quotenverfahren –

Projekte	durchgeführt von ... %
1. Werbeforschung	
Werbemittelforschung, Anzeigentest	79
Copytests	64
Mediaforschung	62
Werbewirkungsforschung	72
vergleichende Werbeforschung	62
2. Strategische Planung und Unternehmenspolitik	
Kurzfristprognosen (bis zu 12 Monaten)	90
Langfristprognosen (länger als 1 Jahr)	90
Trendbeobachtungen	98
Untersuchungen zur Preispolitik und betriebswirtschaftlichen Ergebnisanalysen	87
Standortanalysen	57
Diversifikationsuntersuchungen und Analysen zur Vorbereitung von Akquisitionen	74
Beobachtungen der Exportmärkte	59
MIS (Management-Informationssysteme)	72
Operations Research	56
Betriebsklima-Untersuchungen	36
3. Gesellschaftspolitische Untersuchungen	
Studien, die der allg. Verbraucheraufklärung dienen	41
Studien zu Umweltfragen	7
Studien zum Wertewandel und anderen gesellschaftspolitischen Fragen	48
Studien zur sozialen Verantwortung der Unternehmen	36
4. Marktforschung	
Absatzpotentialschätzungen für neue Produkte	90
Untersuchungen zu Konkurrenzprodukten	90
Produkttests (für eingeführte Produkte)	72
Packungstests	39
5. Absatz- und Marketingforschung	
Marktpotentialuntersuchungen	97
Marktstrukturanalysen	97
Absatzanalysen	98
Berechnung von regionalen Absatzvorgaben	82
Vertriebsuntersuchungen	87
Testmarktuntersuchungen und Store Audits	51
Haushaltspanels	48
Untersuchungen von Verkaufsförderungsmaßnahmen	74

Quelle: adaptiert nach der Darstellung der Studie CONTEXT 22/85, Manfred Hüttner: *Grundzüge der Marktforschung*, 4. Auflage, Berlin u. New York: de Gruyter, 1989, S. 342

Tabelle 4-2
Durchführung von Forschungsprojekten in deutschen Unternehmen

wurden sehr früh entwickelt und von Marketingforschern angewandt. Andere wiederum – z. B. die Motivationsforschung oder die mathematischen Methoden – konnten sich nicht so leicht durchsetzen. Sie wurden im Hinblick auf ihren praktischen Nutzen in Marketingforscherkreisen lange und heftig diskutiert. Schließlich wurden diese Methoden dann doch in das Instrumentarium der Marketingforschung aufgenommen.

Zeitraum	Methodik
vor 1910	direkte Beobachtung einfache Umfrage
1910–1920	Verkaufsanalyse einfache Kostenanalyse
1920–1930	strukturierte Fragebögen Untersuchungstechniken
1930–1940	Stichprobenauswahl nach Quotenverfahren einfache Korrelationsanalysen Distributionskostenanalyse Absatzmessung im Einzelhandel
1940–1950	Stichprobenauswahl nach der Wahrscheinlichkeitsmethode Regressionsmethoden Methoden der folgernden Statistik Verbraucher- und Handelspanels
1950–1960	Motivationsforschung Operations Research multiple Regressions- und Korrelationsanalyse experimentelles Design Methoden der Einstellungsmessung Varianzanalyse (ANOVA)
1960–1970	Faktoren- und Diskriminanzanalyse mathematische Modelle Bayessche statistische Analyse und Entscheidungstheorie Skalierungstheorie computerisierte Datenverarbeitung und -analyse Marketingsimulation Informationsspeicherungs- und -zugriffssysteme
1970–1980	multidimensionale Skalierung ökonometrische Modelle umfassende Marketing-Planungsmodelle Testmarketing mit Simulationslabor Multiattribut-Attitüden-Modelle
ab 1980	Conjoint Measurement (CM) und Trade-off-Analyse kausale Strukturgleichungssysteme (z. B. LISREL) und Programme computergestützte Befragungsverfahren Produktkodierung und Lesegeräte für Strichkodierungen kanonische Korrelationsanalyse

Tabelle 4-3
Entwicklungsverlauf der Methodenanwendung in der Marketingforschung

Marketingforschungsprozeß

Die Marketingforschung wird eingesetzt, um ein Marketingproblem besser verstehen und beurteilen zu können. In der Praxis sieht das so aus, daß z. B. ein Produktmanager von Procter & Gamble jährlich drei bis vier grundlegende Studien in Auftrag gibt. Die Marketing-Manager kleinerer Unternehmen versuchen, mit bedeutend weniger Marketingforschung auszukommen. Selbst bei den Nonprofit-Organisationen setzt sich in zunehmendem Maße die Erkenntnis durch, daß auch ihnen die Marketingforschung nützen kann. So möchte z. B. ein Krankenhaus gern wissen, ob die Bevölkerung seines Versorgungsgebietes ihm und seinem Leistungsangebot positiv gegenübersteht. Eine Stadtverwaltung möchte wissen, mit welchen kommunalen Leistungen die Bürger und Industriebetriebe zufrieden sind und in welchen Bereichen

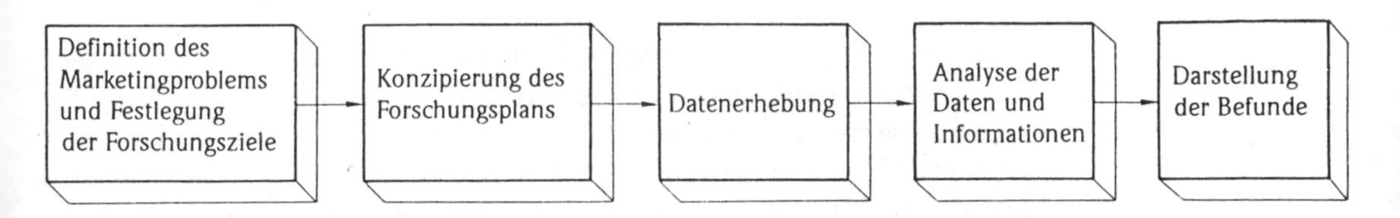

Abbildung 4-2
Der Marketingforschungsprozeß

Verbesserungen gewünscht werden. Und eine politische Organisation versucht, in Erfahrung zu bringen, wie die Wähler die aufgestellten Kandidaten beurteilen.

Zu einem systematischen Vorgehen in der Marketingforschung gehören die folgenden fünf Phasen (vgl. Abbildung 4-2):

1. Definition des Marketingproblems und der Forschungsziele
2. Konzipierung des Forschungsplans
3. Datenerhebung
4. Analyse der Daten und Informationen
5. Darstellung der Befunde

Diese Phasen sollen nun anhand des folgenden hypothetischen Fallbeispiels erläutert werden:

Die Lufthansa AG hält ständig Ausschau nach neuen Wegen, um den Bedürfnissen ihrer Fluggäste gerecht zu werden. Vor diesem Hintergrund wollte nun das Management den Umfang des Serviceangebots erweitern und sich damit einen Wettbewerbsvorteil verschaffen. Zu diesem Zweck wurde eine »Brainstorming«-Sitzung einberufen, in der man viele Verbesserungsvorschläge unterbreitete, u. a. hinsichtlich der Bordverpflegung, des Unterhaltungsangebots und der Versorgung der Passagiere mit Zeitungen und Zeitschriften. Einer der anwesenden Manager wartete mit der Idee auf, daß ein Telefonservice an Bord dem Wunsch der Fluggäste Rechnung tragen würde, während des Fluges Verbindung mit der Außenwelt aufzunehmen. Die übrigen Sitzungsteilnehmer stimmten zu und kamen überein, diesen Vorschlag eingehender zu prüfen. Der Marketing-Manager erklärte sich bereit, die notwendigen Voruntersuchungen einzuleiten. Er beauftragte ein führendes Telekommunikationsunternehmen, einen Kostenvoranschlag für diesen Service im innereuropäischen Verkehr zu erstellen. Das Ergebnis war, daß die Fluggesellschaft bei Einrichtung des Bordtelefons mit Kosten in Höhe von etwa 1.000 DM pro Flug rechnen mußte. Weiterhin ging man davon aus, daß die Lufthansa kostendeckend wirtschaften könnte, wenn 50 DM für ein Gespräch von drei Minuten Dauer berechnet würden und mindestens 20 Reisende pro Flug von der Möglichkeit des Telefonierens Gebrauch machten. Der Marketing-Manager setzte sich daraufhin mit der Marketingforschung in Verbindung. Diese sollte feststellen, welchen Anklang dieser neue Service bei den Fluggästen finden würde.

Definition des Marketingproblems und der Forschungsziele

Die erste Phase der Marketingforschung setzt voraus, daß sowohl Marketing-Manager als auch Marketingforscher die Aufgabenstellung genauestens konkretisieren und aus der Problemdefinition das entsprechende Forschungsziel ableiten. Jedes Problem kann auf eine Vielzahl von Aspekten hin durchleuchtet werden. Wenn das Problem nicht klar definiert wird, kann dies zu Forschungskosten führen, die den Wert der Befunde bei weitem übersteigen. Je klarer die Definition des Problems ist, desto genauer werden die Ziele der Untersuchung auf die Lösung des Problems ausgerichtet, was Untersuchungskosten spart.

Das Management muß einen Mittelweg finden, um das jeweilige Marketingproblem und die Untersuchungsziele weder zu eng noch zu weit abzustecken. Wird beispielsweise der Marketingforscher vom Marketing-Manager aufgefordert, alles über die Bedürfnisse der Fluggäste in Erfahrung zu bringen, wird er sicherlich eine Unmenge überflüssigen Materials ohne wirklichen Informationswert für das vorliegende Problem zusammentragen. Lautet die Anweisung des Marketing-Managers hingegen, »Stellen Sie fest, ob eine ausreichende Anzahl von Fluggästen eines innereuropäischen Linienfluges bereit wäre, für ein Telefongespräch 50 DM zu zahlen, so daß die Lufthansa diesen Service kostendeckend anbieten kann«, wird das eigentliche Marketingproblem von einem zu engen Blickwinkel her in Angriff genommen. Der Marketingforscher könnte dem entgegenhalten: »Warum müssen die Systemkosten vollständig von den Nutzern dieses Serviceangebots getragen werden? Warum soll ein Gespräch 50 DM kosten? Die Lufthansa könnte doch durch diesen Service neue Kunden gewinnen, so daß – selbst wenn die Fluggäste davon nur in geringem Umfang Gebrauch machen – die Systemkosten gedeckt wären. Manche Kunden könnten schon deshalb die Lufthansa wählen, weil sie es beruhigend finden, an Bord der Maschine ein Telefon zu haben, auch wenn sie es im Normalfall nicht benutzen wollen«.

Bei der Diskussion des Problems und der Untersuchungsziele tauchte eine weitere Frage auf. Gesetzt den Fall, dieser neue Service erweist sich als Erfolg; wie lange wird es dann dauern, bis andere Fluggesellschaften nachziehen? Die Entwicklung im Marketing von Flugreisen zeigt viele Fälle, in denen neue Serviceleistungen so schnell von der Konkurrenz imitiert wurden, daß kein Konkurrent einen Wettbewerbsvorteil auf Dauer halten konnte. Deshalb ist es wichtig abzuschätzen, welchen Nutzen der erste Anbieter daraus ziehen und wie lange ein Wettbewerbsvorsprung erhalten bleiben würde.

Marketing-Manager und Marketingforscher legten in unserem Fall folgende Problemdefinition fest: »Schafft die Einrichtung eines Bordtelefons ein ausreichend höheres Nachfrage- und Gewinnpotential, so daß die Kosten im Vergleich zu anderen Investitionsmöglichkeiten der Lufthansa gerechtfertigt sind?« Schließlich verständigte man sich auf folgende Untersuchungsziele:

1. Welche wichtigen Gründe haben die Passagiere für Telefongespräche während des Fluges, statt danach?
2. Welche Fluggäste würden das Bordtelefon höchstwahrscheinlich in Anspruch nehmen?
3. Wieviele Fluggäste würden wahrscheinlich Telefongespräche während eines Fluges führen? Welchen Einfluß hat dabei der Preis? Welcher Preis wäre optimal?
4. Mit wieviel zusätzlichen Fluggästen könnte Lufthansa aufgrund des neuen Dienstes rechnen?
5. Wie hoch müßte der Zuwachs an Goodwill aus diesem Telefonservice ausfallen, damit das Image der Lufthansa langfristig gesteigert würde?
6. Welches Gewicht haben andere Faktoren wie Flughäufigkeit, Bordverpflegung und Gepäckabfertigung im Vergleich zum Bordtelefon für die Wahl der Fluggesellschaft?

Längst nicht alle Forschungsprojekte lassen eine derart präzise Formulierung der Untersuchungsziele zu. Man unterscheidet drei Forschungstypen. Bei der *explorativen* Forschung werden Daten im Vorfeld einer möglichen Nachfolgestudie erhoben, um zugrundeliegende Probleme besser erkennen und damit erforschbare Hypothesen aufstellen sowie neue Ideen gewinnen zu können. Durch die *deskriptive* Forschung will man Sachverhalte oder Tatbestände quantitativ beschreiben wie z. B. die Anzahl der Fluggäste, die bereit wären, für ein Telefongespräch 50 DM zu zahlen. Die *kausale* Forschung versucht, Zusammenhänge zwischen Ursache und Wirkung zu ergründen, z. B. ob eine Preissenkung von 50 DM auf 40 DM die Telefonnutzung um mindestens 20 % steigern würde.

Konzipierung des Forschungsplans

In der zweiten Phase des Forschungsprozesses soll ein effizienter Plan zur Deckung des Informationsbedarfs entwickelt werden. Es würde nicht ausreichen, wenn der Manager dem Marketingforscher folgende Anweisung geben würde: »Suchen Sie ein paar Passagiere und fragen sie, ob sie während des Fluges telefonieren würden, wenn dies möglich wäre«. Der Forschungsplan muß professionell entworfen werden. Der Marketing-Manager muß genug über Marketingforschung wissen, um die Professionalität des Plans beurteilen und die Art der zu erwartenden Befunde abschätzen zu können.

Üblicherweise verlangt der Manager vom Marketingforscher einen Kostenvoranschlag, ehe er dem Plan zustimmt. Durch Marketingforschung sollen die Risiken des Unternehmens verringert und die Gewinnaussichten verbessert werden. Zur Illustration nehmen wir für unser Beispiel folgendes an:

Die Lufthansa erwartet eine langfristige Gewinnverbesserung von 150.000 DM, wenn sie die Bordtelefone ohne vorheriges Marktforschungsprojekt einführt. Bei dieser Gewinnabschätzung ist berücksichtigt, daß eine Einführung ohne Wissen aus der Forschung erhöhte Risiken mit sich bringt. Der Marketing-Manager schätzt weiterhin, daß er mit Hilfe eines Forschungsprojektes den Bordtelefonservice verkaufswirksamer einführen könnte, was zu einer langfristigen Gewinnverbesserung von 270.000 DM führen würde. Er wäre folglich bereit, bis zu 120.000 DM für das Projekt auszugeben. Liegen die Kosten des Forschungsplans darüber, dann wird er als zu kostspielig verworfen. [8]

Tabelle 4-4 zeigt, daß bei der Konzipierung eines Forschungsplans eine Reihe von Entscheidungen zu fällen sind, z. B. über die Art der *Datenquellen, der Datenerhebung, der Forschungsinstrumente, des Stichprobenplans und der Befragungsformen.*

Datenquellen:	Datenerhebungsmethoden:	Erhebungsinstrumente:	Stichprobenplan:	Befragungsformen:
Sekundärquellen Primärquellen	Beobachtung Befragung Experiment Gruppendiskussion	Fragebogen technische Geräte	Grundgesamtheit Stichprobengröße Stichproben-Auswahlverfahren	schriftlich telefonisch persönlich

Tabelle 4-4
Detailentscheidungen zum Forschungsplan

A. Interne Datenquellen
Zu den firmeninternen Datenquellen gehören Gewinn- und Verlustrechnung, Absatz- und Umsatzstatistik, Deckungsbeitragsrechnungen, Kundenkartei, Außendienstberichte, Lagerabgänge, Preislisten sowie Berichte aus früheren Sekundär- oder Primäruntersuchungen.

B. Externe Datenquellen
1. Berichte von öffentlichen Stellen und Wirtschaftsverbänden
   a. Amtliche Quellen
   - Berichte des Statistischen Bundesamtes: Daten zur Entwicklung von Bevölkerung, Verbrauch, Preisen, Einkommen, Umsatz und Produktion einzelner Wirtschaftszweige, Konkurse, usw.
   - Statistische Landesämter: regionale Wirtschafts- und Bevölkerungsdaten.
   - Kommunale statistische Ämter: Wirtschafts- und demographische Daten auf Kreis- und Stadtebene.
   - Bundesministerien, Landesministerien, Regionalverwaltung: Analysen und Prognosen ihres jeweiligen räumlichen und fachlichen Zuständigkeitsgebiets.
   - Internationale Behörden und ausländische Statistische Ämter: Daten wie oben aufgeführt im internationalen Vergleich und für fremde Gebiete.

   b. Verbände und Organisationen
   - Industrie- und Handelskammern: vor allem regional gegliederte Daten und Berichte zu einzelnen Wirtschaftszweigen und deren Probleme, aber auch Hinweise auf Handelsbräuche und Verbrauchergewohnheiten.
   - Fachverbände, z. B. ZVEI (Zentralverband Elektrotechnik und Elektronikindustrie e. V.): verbandsbezogene Daten und Statistiken. Bei vielen Verbänden melden die Verbandsmitglieder monatlich ihre Produktions- oder Absatzmengen, so daß der Verband die Entwicklung des Gesamtmarktes veröffentlichen kann. Daraus wiederum können die Mitglieder schneller und detaillierter als durch amtliche Statistiken ihre Marktanteilsentwicklung feststellen.

2. Veröffentlichungen spezieller Institute und Marktforschungsdienstleister
   - Wirtschaftsinstitute z. B. bringen Auswertungen sekundärstatistischen Materials in Form einer Fortschreibung von Konjunkturdaten und -prognosen.
   - Marktforschungsdienstleister wie Nielsen oder die GfK veröffentlichen oft Daten von Allgemeininteresse aus ihren Panelerhebungen.

3. Wirtschaftspresse, Fachzeitschriften, Bücher
   Die Wirtschafts- und Fachpresse bringt hauptsächlich Nachrichten, aber auch Meinungen und Analysen. Beispiele dafür sind: Handelsblatt, Wirtschaftswoche, Frankfurter Allgemeine Zeitung, Neue Züricher Zeitung, Financial Times und Wall Street Journal. Tiefergehende und grundsätzlichere Analysedaten findet man in Fachjournalen wie Absatzwirtschaft, Marketing Journal, Journal of Marketing u. a. m. Schließlich finden sich noch nützliche Daten in Büchern, insbesondere in Messekatalogen, Adreßbüchern, Nachschlagewerken, Handbüchern und Branchenverzeichnissen.

4. Firmenveröffentlichungen
   Sie bringen im gesetzlich vorgeschriebenen Rahmen Jahresbilanzen und – aus bestimmten anderen Gründen – Aktionärsberichte, PR-Berichte zur Selbstdarstellung, Kundeninformationen wie Prospekte, Preislisten, Produktankündigungen und Salesfolder mit Produktvorteilsargumenten; Anzeigen in Fernsehen, Funk und Printmedien usw. zeigen die Werbestrategien an.

C. Neuere Datenquellen: Elektronische Datenbanken, -vermittlungsorganisationen und »Information-Broker«
Im Mittelpunkt dieser Neuerungen steht die Datensuche per Computer, die besonders zeitsparend und treffsicher gestaltet werden kann. Hier bildeten sich drei Organisationstypen heraus: die Datenbasenproduzenten, die »Hosts« und die »Information-Broker«.

Die *Datenbasenproduzenten* sammeln Daten und Informationen, speichern sie elektronisch und entwickeln Betriebssysteme für den Zugriff auf diese Daten per Computer. Sie stellen den Benutzern meist mehrere Datenbanken auf Großrechnern zur Verfügung, in der Regel mit den entsprechenden Suchsprachen. Im folgenden beispielhaft einige für den Marktforscher nützliche Datenbasenproduzenten und ausgewählte Datenbanken:

- GBI (Gesellschaften für Betriebswirtschaftliche Informationen mbH; mit den Datenbanken BLISS (Betriebswirtschaftliche Literatur), FITT (Firmeninformationen), PRODUKT (Produkt und Marktinformationen),
- PREDICASTS (London) mit den Datenbanken PROMT (Predicast Overview of Markets & Technology), PTS-MARS (Marketing & Advertising Reference Service), FORECAST (Products & Markets),
- FIZ-Technik e.V. mit z.B. den Datenbanken SENSOR (Produktinformationen auf dem Gebiet Meß-und Regeltechnik), MEDITEC (Medizinische Technik).

Die *Hosts* bieten einen Zutrittsdienst zu vielen Datenbanken. Sie erleichtern den Zugang zu Datenbanken, indem über das von ihnen betriebene Kommunikationsnetz die Datenbanken vieler Datenbasenhersteller angewählt werden können. So erreicht man z.B. über den Host DATA-STAR etwa 200 Datenbanken. Beispiele für Hosts sind: GENIOS (Bundesrepublik Deutschland) mit Schwerpunkt auf Wirtschaftsdatenbanken bis hin zum Volltext von Zeitungen und Zeitschriften wie Handelsblatt und Wirtschaftswoche, DATA-STAR (Schweiz), DIALOG (USA), FIZ-Technik (Bundesrepublik Deutschland), STN International (Bundesrepublik Deutschland, USA), ORBIT SEARCH SERVICE (USA). Einige Organisationen wie z.B. FIZ-Technik sind sowohl Hosts als auch Datenbasenproduzenten.
Auf diesem Gebiet ist eine deutliche Expansion zu beobachten. Im Jahr 1989 gab es weltweit über 4.000 verschiedene Datenbanken von etwa 600 Anbietern (Hosts), davon 30 in der Bundesrepublik Deutschland. In Europa wurden monatlich etwa 10 neue Datenbanken eingerichtet. Das Angebot teilt sich etwa so auf: 50% Wirtschaftsdatenbanken, 15% Technik, 11% Naturwissenschaften, 24% sonstige.
Die *Information-Broker* recherchieren im Kundenauftrag in Datenbanken und verkaufen aufbereitete Daten und Informationen; sie vermitteln Wissen, das sie den Datenbanken entnehmen und mit ihrem eigenen Fachwissen verbinden. Sie sind Experten in der Anlage von Daten- und Informationssuchstrategien. Sie sind meist kleinere private Unternehmen oder Einzelpersonen, die oft auch als Serviceeinrichtungen an größere Organisationen angegliedert sind wie z.B. an eine Industrie- und Handelskammer oder eine Hochschule.

Tabelle 4-5
Sekundärquellen

Datenquellen

Der Untersuchungsplan kann sowohl sekundäre als auch primäre Datenerhebungen erforderlich machen. *Unter Sekundärdaten versteht man bereits vorhandenes Informationsmaterial, das in der Regel für einen anderen Zweck zusammengetragen wurde. Ansonsten sind Primärdaten zu erheben. Dies sind neue und speziell für den vorgegebenen Plan erhobene Daten.*

Sekundärdaten: Der Marketingforscher leitet seine Untersuchung für gewöhnlich mit der Analyse des Sekundärmaterials ein, um Aufschluß darüber zu erhalten, ob sich das Marketingproblem ganz oder zumindest teilweise ohne die teure Gewinnung von Primärmaterial bewältigen läßt. Tabelle 4-5 vermittelt einen Eindruck von der ungeheuren Vielfalt an Sekundärquellen. Man unterscheidet dabei zwischen *unternehmensinternen Quellen* wie die Gewinn- und Verlustrechnung, Berichte über Vertreterbesuche oder frühere Studien, und *unternehmensexternen Quellen* wie Regierungsveröffentlichungen, On-Line-Datenbanken, Zeitschriften, Bücher und kommerzielle Informationsanbieter. [9]

In unserem Beispiel steht den Marketingforschern von Lufthansa eine Fülle von Sekundärmaterial über den Markt für Flugreisen zur Verfügung. Das Statistische Bundesamt z.B. bietet monatliche Statistiken über nach Starts, Landungen, Art, Datum und Nummer des Fluges, Sitzplatz- und Nutzlastkapazitäten, Anzahl der Fluggäste, Herkunfts- und Zielflughäfen der Fluggäste usw. aufgeschlüsselte Luftfahrzeugbewegungen.

Auch das Bundesministerium für Verkehr, das Luftfahrt-Bundesamt, die Gewerkschaft ÖTV, Reiseveranstalter und Reisebüros verfügen über Statistiken und Berichte. Schließlich kann man auch in Verkehrszeitschriften und -fachmagazinen sowie bei den Verkehrsgewerbeverbänden (z.B. bei der Arbeitsgemeinschaft Deutscher Verkehrsflughäfen oder beim Verband Deutscher Luftfahrtunternehmen) Beobachtungen und Analysen über das Verhalten, die Charakteristika und Präferenzen von Flugreisenden finden.

Die Vorteile des Sekundärmaterials liegen in der kostengünstigen Gewinnung und relativ kurzen Zugriffszeit, weshalb es auch den Ausgangspunkt in der Marketingforschung bildet. Sekundäre Daten sind jedoch möglicherweise noch nicht gesammelt worden bzw. sind zwar vorhanden, aber vielleicht längst überholt, ungenau, unvollständig oder gar unzuverlässig. In diesem Fall bleibt dem Marketingforscher nur der mit hohem Kosten- und Zeitaufwand verbundene Weg der Informationsgewinnung über die Primärerhebung, die genauere und für die Entscheidungsfindung relevantere Daten liefert.

Primäre Daten: Die meisten Marketingforschungsprojekte erfordern die Erhebung von Primärdaten. Dies ist teurer als die Erhebung von Sekundärdaten; die erhobenen Daten lassen im allgemeinen jedoch genauere Aussagen über das vorliegende Marketingproblem zu. Vor einer größeren Primärdatenerhebung werden normalerweise einige Personen einzeln oder in Gruppen befragt, um ein »Vorverständnis« für die Problemstellung aus der Sicht der Befragten zu entwickeln, z.B. darüber, wie die einzelnen Fluggesellschaften bzw. bestimmte Serviceleistungen beurteilt werden. Anhand dieser Voruntersuchung wird dann ein formalisiertes und umfassendes Befragungskonzept entwickelt, über die Art des Forschungsinstrumentariums entschieden und der Forschungsplan von potentiellen Schwachstellen befreit. Erst im Anschluß daran setzt die eigentliche »Feldforschung« ein. Im weiteren Verlauf dieses Kapitels wird nun auf die möglichen Informationsgewinnungsmethoden detailliert eingegangen.

Datenerhebungsmethoden

In der Primärforschung kommen hauptsächlich vier Erhebungsverfahren zum Einsatz: Beobachtung, Focus-Gruppen, Befragungen und Experimente.

Beobachtung: Durch Beobachtung der Marktteilnehmer in ihrem Umfeld lassen sich sehr gut neue Daten sammeln. Die Marketingforscher der Lufthansa könnten z.B. verschiedene Flughäfen, Fluggesellschaften und Reisebüros aufsuchen und beobachten, wie Reisende über die einzelnen Luftlinien reden bzw. Reiseveranstalter die Flüge einzelner Luftlinien anbieten. Die Marketingforscher können jedoch auch selbst mit der Lufthansa oder einer Konkurrenzgesellschaft fliegen, um sich ein Bild von der Qualität des Serviceangebots an Bord zu machen und Bemerkungen der Fluggäste dazu einzuholen. Dieses explorative Verfahren führt u.U. zu interessanten Hypothesen über das Verhalten von Reisenden bei der Auswahl zwischen den Fluggesellschaften.

Focus-Gruppe: Mit der Focus-Gruppe führt man beurteilende oder explorative Gruppendiskussionen über ein bestimmtes Thema durch. Im Kreis von etwa sechs bis zehn Personen wird unter Anleitung eines erfahrenen Diskussionsleiters mehrere Stunden lang über ein Projekt, eine Serviceleistung, eine Organisation oder andere Marketingobjekte gesprochen. Objektivität, Fachwissen über den branchenspezifischen Themenbereich sowie Kenntnisse auf dem Gebiet der Gruppendynamik und des Verbraucherverhaltens – dies sind Anforderungen, die an den Diskussionsleiter gestellt werden, damit es zu keiner Verfälschung von Meinungen kommt. Das Treffen wird meist in einem angenehmen Ambiente (z.B. in einer Wohnung) veranstaltet; Erfrischungen werden gereicht, um eine möglichst zwanglose Atmosphäre zu schaffen. Und die Teilnehmer erhalten meist auch ein kleines Honorar.

In unserem Beispiel beginnt der Diskussionsleiter vielleicht mit einer ganz allgemeinen Frage, beispielsweise: »Woran denken Sie kurz vor Antritt Ihrer Flugreise?« Anschließend kann er zu Fragen übergehen, die Aufschluß darüber geben sollen, wie die Befragten die verschiedenen Fluggesellschaften und Serviceleistungen beurteilen bzw. was sie von der Einrichtung eines Bordtelefons halten würden. Der Diskussionsleiter versucht, eine freie und ungezwungene Diskussion einzuleiten, in der Hoffnung, daß die Gruppendynamik zu spontanen Gefühls- und Gedankenäußerungen führt. Gleichzeitig lenkt er die Diskussion auf bestimmte Themenschwerpunkte. Die Antworten werden entweder notiert oder mit einem Tonbandgerät bzw. Videorecorder aufgezeichnet. Danach wird das auf diese Weise gewonnene Datenmaterial auf Einstellung und Kaufverhalten der Verbraucher hin analysiert.

Eine Untersuchung mittels Focus-Gruppen ist wegen ihres explorativen Charakters besonders vor einer groß angelegten Umfrage angebracht. Sie liefert Erkenntnisse über Perzeption, Einstellung und Zufriedenheitsgrad der Verbraucher und hilft, das Forschungsproblem für die formelle Untersuchung genauer zu definieren. Die Konsumgüterindustrie nutzt das Instrument der Focus-Gruppen seit vielen Jahren. Auch Zeitungsverlage, Anwaltskanzleien, Krankenhäuser und öffentliche Dienste haben sie als Forschungsmittel entdeckt. Bei aller Nützlichkeit der Focus-Gruppen muß vermieden werden, die Meinung der Befragten als repräsentativ für den Gesamtmarkt anzunehmen, da die Stichprobe sehr klein ist und nicht nach zufallsgesteuerten Methoden ausgewählt wurde. [10]

Befragung: Die Befragung knüpft in ihrer Aussagekraft über Marketingzusammenhänge auf halbem Wege zwischen Beobachtung und Focus-Gruppe einerseits und dem Experiment andererseits an. Im allgemeinen eignen sich Beobachtung und Focus-Gruppe am besten für die explorative Forschung, Befragungen für die deskriptive Forschung und Experimente für die kausale Forschung. Die Unternehmen nutzen Befragungen, um sich bei der Zielgruppe über deren Produktkenntnisse, Ansichten, Präferenzen und Zufriedenheit zu informieren und den Grad der Veränderung festzustellen. Eine Umfrage der Marketingforscher der Lufthansa wäre möglicherweise darauf ausgerichtet, in Erfahrung zu bringen, wieviele und welche Personen diese Fluggesellschaft kennen, damit bereits geflogen sind, sie bevorzugen etc. Weitere Einzelheiten zur Befragungsmethode werden später besprochen, wenn es um die Erhebungsinstrumente, den Stichprobenplan und die Befragungsformen geht.

Experiment: Die Experimentalmethode hat als wissenschaftliche Methode die höchste Validität. Bei der Experimentalforschung werden vergleichbare Experimentalgruppen zusammengestellt und unterschiedlichen Behandlungen unterzogen. Die Reaktionen auf die unterschiedlichen Behandlungen werden beobachtet und beobachtete Wirkungseffekte auf ihre statistische Signifikanz überprüft. Äußere, nicht gewollte Beeinflussungsvariablen werden in der Versuchsanordnung ausgeschaltet oder zumindest auf konstantem Niveau gehalten. Wenn dies gelingt, lassen sich zwischen den beobachteten Wirkungen und den variierten Stimuli Wirkungszusammenhänge aufzeigen. Die Experimentalforschung verfolgt den Zweck, kausale Zusammenhänge nach dem Prinzip von Ursache und Wirkung festzustellen und alternative Erklärungsmöglichkeiten für die beobachteten Effekte auszuschließen.

Die Lufthansa könnte beispielsweise auf den Linienflügen der Strecke Frankfurt-Athen ein Bordtelefon einrichten und pro Gespräch 50 DM berechnen. Am darauffolgenden Tag bietet sie diesen Service auf derselben Route für nunmehr 30 DM an. Wenn in beiden Fällen die gleiche Anzahl von Passagieren mitfliegen würde und auch der unterschiedliche Wochentag ohne Einfluß wäre, könnte jede signifikante Veränderung in der Anzahl der Telefongespräche auf den Preisunterschied zurückgeführt werden. Die Versuchsanordnung ließe sich durch Variieren des Preises und Wiederholung auf mehreren Flügen hintereinander oder auf anderen Flugrouten erweitern. In dem Maße, in dem die Versuchsanordnung und -durchführung den Einfluß des Preises vom Einfluß anderer Variablen trennen kann, können alternative Erklärungsmöglichkeiten von Preiseffekten ausgeschlossen werden. Damit kann das Vertrauen der Manager in ihre Entscheidungen zur Preisgestaltung gestärkt werden.

Erhebungsinstrumente

Für die Erhebung und Aufzeichnung von Primärdaten stehen dem Marketingforscher im wesentlichen zwei Instrumente zur Auswahl: Fragebogen und technische Geräte.

Fragebogen: Der Fragebogen ist das am weitesten verbreitete Instrument zur Gewinnung von Primärdaten. Im allgemeinen enthält er eine Reihe von Fragen, die dem Probanden zur Beantwortung vorgelegt werden. Der Fragebogen ist ein besonders flexibles Instrument, da die Art der Fragestellung vielfach variiert werden kann. Ehe er jedoch in größerem Umfange zum Einsatz kommt, muß er systematisch erarbeitet, getestet und von Fehlern befreit werden. Nachlässigkeiten in der Gestaltung von Fragebögen bringen in der Regel eine Reihe von Fehlern mit sich (siehe Exkurs 4-2 zu Marketingkonzepten und -verfahren).

Der professionelle Marketingforscher entscheidet bei der Gestaltung des Fragebogens mit großer Sorgfalt über Auswahl, Form, Wortlaut und Reihenfolge der Fragen.

Nicht selten ist die Auswahl der Fragen schlecht, d. h. es werden Fragen gestellt, auf die eine Antwort nicht möglich bzw. nicht nötig ist oder verweigert wird; oder es werden Fragen weggelassen, die wichtige Antworten beinhalten. Jede Frage sollte auf ihren Beitrag zur Erreichung der Forschungsziele geprüft werden. Solche, die lediglich interessant erscheinen, sollten weggelassen werden, da sie nur unnötig viel Zeit erfordern und die Geduld der Auskunftsperson strapazieren.

Die Form der *Fragestellung* kann die Antwort beeinflussen. Der Marketingforscher unterscheidet zwischen offenen und geschlossenen Fragen. Bei *geschlossenen Fragen* sind mögliche Antworten vorgegeben, und der Befragte wählt eine davon aus. In Tabelle 4-6A sind die gebräuchlichsten Formen geschlossener Fragen zusammengefaßt.

A. Geschlossene Fragestellung
Bezeichnung
Beschreibung
Beispiel

Dichotome Fragen
Diese Fragen bieten nur zwei Antworten zur Auswahl.
»Haben Sie sich bei der Planung Ihrer Reise selbst telefonisch mit der Lufthansa in Verbindung gesetzt?« Ja/Nein

Alternativfragen (Multiple Choice)
Drei oder mehr Antwortalternativen stehen zur Auswahl.
»Wer begleitet Sie auf der Flugreise?«
Niemand/Ehegatte(in)/Ehegatte(in) und die Kinder
Nur die Kinder/Kollegen/Freunde/Verwandte/Eine Reisegruppe

Likert-Skala
Eine Aussage, mit der die Befragten den Grad ihrer Zustimmung bzw. Ablehnung angeben.
»Kleine Fluggesellschaften bieten im allgemeinen einen besseren Service.«
Stimme überhaupt nicht zu/Stimme nicht zu/Weiß nicht genau
Stimme zu/Stimme voll zu

Semantisches Differential
Bipolare Skala mit adjektivischen Gegensatzpaaren. Der Befragte sucht sich eine Stelle auf der Skala aus, die tendenziell oder graduell seine Meinung anzeigt.
Die Lufthansa ist:
groß ----- klein
erfahren ----- unerfahren
modern ----- altmodisch

Gewichtungsskala
Skala zur Gewichtung einer Eigenschaft von »überhaupt nicht wichtig« bis »ausgesprochen wichtig«.
»Die Bordverpflegung ist für mich«
ausgesprochen wichtig
sehr wichtig
ziemlich wichtig
nicht sehr wichtig
überhaupt nicht wichtig

Beurteilungsskala (Rating-Skala)
Skala mit vorgegebenen Beurteilungswerten, z. B. von »schlecht« bis »ausgezeichnet«.
»Die Bordverpflegung von Lufthansa ist«
ausgezeichnet
sehr gut
gut
genügend
ungenügend

B. Offene Fragestellung
Bezeichnung
Beschreibung
Beispiel

Unstrukturierte Fragestellung
Der Befragte hat so gut wie unbeschränkte Antwortmöglichkeiten.
»Was halten Sie von der Lufthansa?«

Wortassoziationstest
Dem Befragten werden Reizworte genannt, und er reagiert auf jedes dieser Worte mit einem Begriff, der ihm spontan dazu einfällt.
»Welches Wort fällt Ihnen zuerst ein, wenn Sie folgendes hören?«
Fluggesellschaft
Lufthansa
Reise

Satzergänzungstest
Dem Befragten wird ein Satztorso vorgelegt, den er jeweils vervollständigen soll.
»Bei der Auswahl der Fluggesellschaft ist für mich besonders wichtig, daß. . .«

Story-Ergänzungstest
Dem Befragten wird eine unvollständige Geschichte mit der Bitte um Vervollständigung vorgelegt.
»Vor einigen Tagen flog ich mit der Lufthansa. Mir fiel auf, daß Rumpf und Innenraum der Maschine in hellen Farben gestrichen waren. Dies weckte in mir folgende Gedanken und Gefühle: . . .«
Vervollständigen Sie nun die Geschichte.

Ballon-Test/Picture-Frustration-Test
Dem Befragten wird eine Zeichnung vorgelegt, in der sich zwei Personen unterhalten, wobei die erste eine bestimmte Aussage macht. Der Befragte wird gebeten, in die leere Sprechblase zu schreiben, was die zweite Person dazu sagen oder denken würde.

Füllen Sie nun die leere Sprechblase aus.

Thematischer Apperzeptionstest (Bilder-Erzähl-Test)
Dem Befragten wird ein Bild vorgelegt, und er wird aufgefordert, sich zu dem, was im Bild vorgeht oder vorgehen könnte, eine kleine Geschichte auszudenken.

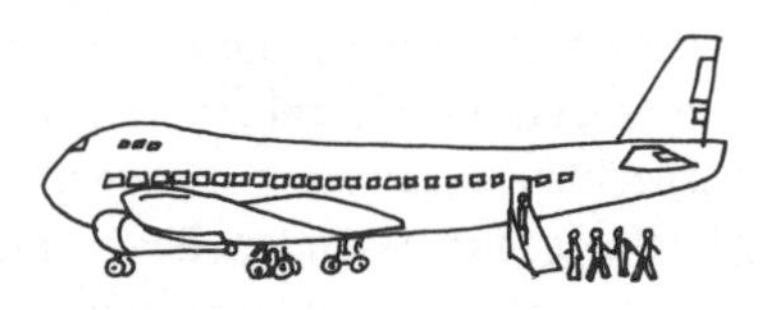

Erzählen Sie eine kurze Geschichte zu dem, was Sie hier sehen.

Tabelle 4-6
Formen der Fragestellung (Fortsetzung)

Exkurs 4-2 zu Marketingkonzepten und -verfahren: Ein »fragwürdiger« Fragebogen

Gesetzt den Fall, eine Fluggesellschaft richtet die folgenden sechs Fragen an die Flugreisenden. Was würden Sie persönlich davon halten? (Beantworten Sie bitte erst jede Frage, ehe Sie den kursiv gedruckten Kommentar lesen.)

1. Wie hoch ist Ihr auf die nächsten hundert Mark aufgerundetes Jahreseinkommen?
   Die meisten Leute wissen weder auf den Hunderter genau, wie hoch ihr Jahreseinkommen ist, noch sind sie bereit, darüber genaue Angaben zu machen. Überdies sollte kein Fragebogen mit einer derart persönlichen Frage beginnen.
2. Fliegen Sie nur gelegentlich oder öfter?
   Wie definieren Sie »gelegentlich« und »öfter«?
3. Finden Sie diese Fluggesellschaft angenehm? Ja ( ) Nein ( )
   »Angenehm« ist ein sehr dehnbarer Begriff. Kann man hier ehrliche Antworten erwarten? Außerdem – ist eine Vorgabe von »ja« oder »nein« bei dieser Frage angebracht? Warum wird diese Frage überhaupt gestellt?
4. Wieviele TV-Werbespots von Fluggesellschaften haben Sie diesen Monat und im selben Monat des Vorjahres gesehen?
   Wer kann sich daran schon erinnern?
5. Welche Attribute sind, wenn Sie Fluggesellschaften beurteilen, besonders herausragend und bestimmend?
   Was bedeutet »herausragend« und »bestimmend«? Hehre Wortschöpfungen sind in jedem Falle zu vermeiden.
6. Halten Sie es für richtig, wenn die Regierung das Fliegen besteuert und damit vielen Menschen diese Erfahrung vorenthält?
   Diese Frage ist suggestiv. Wie soll man eine derart voreingenommen formulierte Frage beantworten?

Bei *offenen Fragen* wird die Formulierung der Antwort ganz der Auskunftsperson überlassen. Eine Auswahl verschiedener Formen der Fragestellung liefert Tabelle 4-6B. Oft ist der Gehalt offener Fragen größer, da der Befragte in der Formulierung seiner Antwort nicht eingeschränkt wird. Offene Fragen sind vor allem in der explorativen Phase eines Forschungsprojekts nützlich, wenn der Marketingforscher zunächst herauszufinden versucht, was die Leute denken, statt festzustellen, wieviele Leute etwas Bestimmtes denken. Geschlossene Fragen dagegen führen zu Antworten, die leichter auszuzählen, zusammenzufassen und zu interpretieren sind.

Dem *Wortlaut der Fragestellung* muß besondere Beachtung geschenkt werden. Er muß einfach, eindeutig und frei von Einflußnahme durch den Befrager sein. Der Wortlaut sollte in einem Pretest erprobt und verbessert werden, ehe die Frage endgültig in den Fragebogen aufgenommen wird.

Auch die *Reihenfolge der Fragen* muß bei der Befragung sorgfältig gestaltet werden. Nach Möglichkeit soll die einleitende Frage das Interesse des Befragten wecken; schwierige und persönliche Fragen sollten erst gegen Ende des Interviews gestellt werden, damit der Befragte sich nicht schon vorher weiteren Fragen verschließt. Die Fragen sollten einer logischen Anordnung folgen. Fragen, die eine Klassifizierung des Befragten beinhalten, sollten am Ende stehen, da sie persönlichen Charakter haben und für den Befragten selbst kaum interessant sind.

Technische Geräte: Technische Geräte werden zur Gewinnung empirischer Daten in der Marketingforschung weniger oft eingesetzt. Ein Galvanometer mißt z. B. über die Änderung des Hautwiderstandes bioelektrische Vorgänge, die Aufschluß über die Intensität des Interesses bzw. der Gefühlsregung geben, die in einer Testperson hervorgerufen wird, wenn sie eine bestimmte Anzeige oder ein bestimmtes Bild auf sich einwirken läßt. Der Galvanometer erfaßt dabei den kleinsten Grad der Schweißabsonderung, die mit der inneren Erregung einhergeht und den Hautwiderstand ändert. Durch das Tachistoskop wird der Testperson eine Anzeige für einen kurzen Zeitintervall zur Ansicht vorgelegt, das von einer Millisekunde bis hin zu mehreren Sekunden dauern kann. Nach jeder Ansicht beschreibt die Versuchsperson, woran sie sich erinnern kann. Mit Augenkameras werden die Pupillenbewegungen der Testperson verfolgt, um Aussagen darüber machen zu können, welches Element einer Reizvorlage zuerst wahrgenommen wird bzw. wie lange die Augen darauf verweilen etc. Das Audiometer ist eine elektronische Einrichtung, die an das Fernsehgerät von Testhaushalten angeschlossen wird, um die Einschaltzeit sowie den eingestellten Kanal aufzuzeichnen. [11]

Stichprobenplan

Der Marketingforscher muß einen Stichprobenplan aufstellen und dabei Entscheidungen zur Grundgesamtheit, zur Größe und zum Auswahlverfahren treffen.

1. Die Grundgesamtheit mit ihren Elementen

Aus der Grundgesamtheit und der Definition ihrer Elemente ergibt sich, wer in die Stichprobe einbezogen werden kann. Der Marketingforscher muß die Grundgesamtheit nach der Zielgruppe definieren, für die ein bestimmtes Marketingproblem erforscht und gelöst werden soll. Wer zur Grundgesamtheit zählt, ist nicht immer offensichtlich; dies muß vielmehr gemeinsam mit der Aufgabenstellung des Forschungsprojekts genau erarbeitet werden. Sollten z. B. bei der Umfrage der Lufthansa nur Geschäftsreisende, nur Urlaubsreisende oder alle Reisenden zur Stichprobe gehören? Sollten auch Kinder und Jugendliche dazuzählen? Sollten Ehepaare und Familien zusammen als eine »Reiseeinheit«, also als ein Element der Grundgesamtheit, definiert werden, oder sollten sie getrennt behandelt und einzeln als Elemente der Grundgesamtheit in die Befragung einbezogen werden? Sobald die Grundgesamtheit und ihre Elemente definiert sind, muß ein Erhebungsrahmen entworfen werden, durch den jedes Element der Grundgesamtheit die gleiche oder eine rechnerisch festgelegte Chance erhält, in die Stichprobe aufgenommen zu werden.

2. Die Größe der Stichprobe

Mit der Entscheidung zur Stichprobengröße wird festgelegt, wieviele Personen in die Untersuchung einbezogen werden sollen. Große Stichproben führen zu zuverlässigeren Informationen als kleine. Das heißt jedoch nicht, daß eine Vollerhebung über alle Elemente der Grundgesamtheit erfolgen oder ein großer Teil der Elemente in die Stichprobe aufgenommen werden muß, um zuverlässige Ergebnisse zu erzielen. Bei Untersuchungen, die quantitative Zusammenhänge erfassen sollen, wird die Größe der Stichprobe je nach Anforderungen an die Genauigkeit der Meßergebnisse mit Hilfe statistischer Methoden errechnet. Bei Zielgruppen, die viele Mitglieder haben, gewährleisten oft Stichproben von weniger als 1 % der Grundgesamtheit eine ausreichende Zuverlässigkeit der Resultate, vorausgesetzt, daß ein sachgerechtes Auswahlverfahren verwendet wird.

3. Das Stichproben-Auswahlverfahren

Mit der Entscheidung zum Auswahlverfahren wird festgelegt, wie die Stichprobe gezogen wird (vgl. Tab. 4-4). Wenn die Stichprobe repräsentativ für die Grundgesamtheit sein soll, muß die Auswahl mit einer wahrscheinlichkeitsgesteuerten Methode erfolgen. Die wahrscheinlichkeitsgesteuerte Stichprobenentnahme ermöglicht es, den zu erwartenden Wert des Stichprobenfehlers zu berechnen, d. h. es kann die Streubreite berechnet werden, innerhalb der ein gesuchter wahrer Durchschnittswert der Grundgesamtheit mit einer bestimmten Wahrscheinlichkeit liegt. In Tabelle 4-7A werden drei Methoden der wahrscheinlichkeitsgesteuerten Auswahl kurz beschrieben. Wenn wahrscheinlichkeitsgesteuerte Methoden zu teuer oder zeitaufwendig sind, greift der Marketingforscher auch auf nicht-wahrscheinlichkeitsgesteuerte Methoden (vgl. Tabelle 4-7) zurück. Einige Marketingforscher empfinden diese Verfahren in vielen Anwendungssituationen als nützlich, obwohl sich damit Stichprobenfehler und Aussagegenauigkeit der Resultate nicht berechnen lassen.

Befragungsformen

Hier stehen dem Marketingforscher die telefonische, schriftliche und persönliche Befragung zur Auswahl. Bei dieser Auswahlentscheidung muß berücksichtigt werden, *daß ein Kontaktweg zur Auskunftsperson gefunden werden muß.*

Das *telefonische Interview* ist die beste Methode für eine schnelle Informationsgewinnung. Auch kann der Interviewer der Auskunftsperson im Bedarfsfall Fragen erläutern, die diese nicht verstanden hat. Die Nachteile bestehen darin, daß nur Telefonbesitzer befragt werden können, daß das Interview kurz gefaßt sein muß und die Fragen nicht sehr persönlich werden dürfen.

A. *Wahrscheinlichkeitsgesteuerte Methoden*
Einfache Zufallsauswahl
Jedes Element der Grundgesamtheit besitzt die gleiche und rechnungsmäßig feststehende Wahrscheinlichkeit, in die Stichprobe zu gelangen.
Geschichtete Zufallsauswahl
Die Grundgesamtheit wird in möglichst homogene Teilgesamtheiten (z.B. nach Altersgruppen) zerlegt bzw. geschichtet. Aus jeder Schicht werden dann die in die Stichprobe eingehenden Elemente mittels eines einfachen Zufallsverfahrens gezogen.
Klumpen- oder Flächen-Auswahl
Bei diesem Verfahren teilt man die Grundgesamtheit ebenfalls in möglichst homogene Untergruppen (Klumpen oder Flächen) und zieht aus diesen Untergruppen einige heraus, aus welchen eventuell wiederum jeweils Stichproben nach der einfachen Zufallsauswahl gezogen werden.

B. *Nicht-wahrscheinlichkeitsgesteuerte Methoden*
»Convenience Sample«
Der Befrager wählt zur Datenerhebung besonders leicht zu erreichende Auskunftspersonen aus. Die Mühelosigkeit der Erhebung steht hier im Vordergrund.
Ermessensverfahren
Bei diesem Verfahren sucht sich der Marketingforscher aus der Grundgesamtheit die Elemente heraus, die nach seinem Ermessen wahrscheinlich genaue Informationen liefern werden.
Quotenverfahren
Beim Quotenverfahren werden Merkmale der zu Befragenden ausgesucht und Quoten für die Häufigkeit der Merkmale in der Stichprobe festgelegt. Es kann z.B. vorgegeben werden, daß bei einer Stichprobe von 100 Personen 80% männlich und 20% weiblich und davon jeweils die Hälfte verheiratet und ledig sein sollen. Der Interviewer muß die nach dem Quotenplan vorgegebene Anzahl von Personen für jede der Untergruppen finden und befragen, d.h. 40 verheiratete Männer, 40 ledige Männer, 10 verheiratete Frauen und 10 ledige Frauen.

Tabelle 4-7
Zufallsgesteuerte und nicht-zufallsgesteuerte Auswahlverfahren

Die *schriftliche Befragung* (z.B. mittels eines per Post verschickten Fragebogens) ist besonders geeignet, wenn zu erwarten ist, daß persönliche Interviews verweigert oder daß Antworten durch den Interviewer beeinflußt oder verzerrt aufgezeichnet würden. Die schriftliche Befragung erfordert eine besonders einfache und klare Formulierung der Fragen. Auf dem Postweg durchgeführte Erhebungen weisen erfahrungsgemäß geringe Rücklaufquoten auf.

Die *persönliche Befragung* ist die wohl vielseitigste der drei Methoden. Der Interviewer kann hier mehr Fragen als bei einer schriftlichen oder telefonischen Befragung stellen und zusätzliche, im Verlauf der Befragung gemachte Beobachtungen festhalten wie etwa Eindrücke über Erscheinungsbild und Körpersprache des Probanden. Die persönliche Befragung ist aber auch die teuerste Methode und erfordert einen höheren Grad an administrativer Planung und Überwachung. Hinzu kommt, daß Suggestivwirkungen oder Voreingenommenheit des Interviewers die Antworten beeinflussen und systematisch verzerren können.

Die persönliche Befragung kann in Form der *Passantenbefragung* und des *geplanten Interviews* erfolgen. Im Rahmen des geplanten Interviews werden die Auskunftspersonen nach dem Verfahren der Zufallsauswahl ausgewählt und per Anschreiben, Telefon oder Hausbesuch um ein Interview gebeten. In vielen Fällen erhält der Proband für seine Zusage ein kleines Honorar oder eine andere Anerkennung. Trotzdem muß damit gerechnet werden, daß viele Probanden zum geplanten

Interview nicht antreten. Bei der Passantenbefragung werden die zu befragenden Personen auf Fußgängerzonen oder stark belebten Straßen angesprochen. Die Stichprobe ist hier in der Regel nicht repräsentativ für die Grundgesamtheit, und das Interview muß verhältnismäßig kurz gehalten werden.

Erhebung der Daten

Bei den meisten Forschungsprojekten fallen im Rahmen der Datenerhebung die meisten Kosten und auch die meisten Fehler an. Bei der Durchführung von Befragungen gibt es z.B. vier Probleme, die Kosten und Untersuchungsgenauigkeit beeinflussen. Einige der zu Befragenden sind nicht zu Hause anzutreffen und müssen deshalb erneut aufgesucht oder durch andere Personen ersetzt werden. Andere verweigern Auskünfte; wieder andere geben durch Vorurteile geprägte oder bewußt falsche Antworten. Schließlich kann der Interviewer selbst eine bestimmte Voreingenommenheit in die Erhebung und Aufzeichnung der Daten einbringen oder Interviews vortäuschen. Diese Möglichkeit muß durch eine Nachkontrolle minimiert werden.

Bei experimentellen Untersuchungen muß der Marketingforscher den strukturgleichen Aufbau der Experimentalgruppen sicherstellen, darf die Untersuchungsteilnehmer durch seine Gegenwart nicht beeinflussen, muß die Experimentalbehandlungen auf gleiche Art durchführen und den Einfluß äußerer Faktoren auf das Experiment gering halten.

Die Datenerhebung verändert sich durch den Einsatz der Telekommunikation und Elektronik rapide. Computer und elektronische Kommunikations-Hardware haben in der Marketingforschung eine stille Revolution bewirkt. Einige Marktforschungsinstitute haben sich bereits darauf spezialisiert, telefonische Befragungen von einer zentralen Stelle aus durchzuführen. Dazu bedienen sie sich z.B. in den USA des sog. *WATS-Fernsprechdienstes* (Wide Area Telefone Service), eines *Monitors* und eines *Eingabegeräts.* Die Befragung verläuft dann dergestalt, daß der professionelle Interviewer von einer Einzelkabine aus beliebig herausgegriffene Telefonnummern von Haushalten in allen Landesteilen anwählt. Dabei nimmt er das WATS-System in Anspruch, d.h. das Marktforschungsinstitut entrichtet im voraus eine feste Gebühr, für die es kostengünstig viele Ferngespräche führen kann. Ist die Auskunftsperson zu erreichen, stellt der Interviewer mehrere Fragen, die er von einem Monitor abliest. Er tippt die Antworten des Befragten direkt in den Computer ein. Mit diesem Verfahren entfällt das Redigieren und Kodieren der Antworten als getrennter Vorgang, die Zahl der Fehler wird verringert, es wird Zeit gespart, und alle gewünschten Statistiken werden erstellt.

Andere Marktforschungsinstitute installierten Dialogsysteme in Einkaufszentren. Wer bereit ist, sich befragen zu lassen, setzt sich an ein Terminal, liest die Fragen vom Monitor ab und gibt die Antworten gleich ein. Der Großteil der Befragten findet Vergnügen an dieser Form der »maschinellen Befragung«.[12] Im nun folgenden Exkurs geht es um einen noch aktuelleren und revolutionäreren Durchbruch in der »elektronischen Marketingforschung«.

Exkurs 4-3 zu Marketingkonzepten und -verfahren: Der Traum des Marketers: Die Analyse der Kundenreaktion auf Werbung

Eine ganze Reihe technischer Neuentwicklungen ermöglicht es seit kurzem, die Wirkung von Werbe- und verkaufsfördernden Maßnahmen auf die Absatzentwicklung zu überprüfen. Einige dieser Innovationen sind: einheitliche Produktkodierung, optische Lesegeräte, elektronische Registrierkassen, Chip-Karten (d.h. Kundenkarten mit eingebautem programmierbarem Mikroprozessor zur beliebigen Anwendung – auch *smart card* genannt), Kabelfernsehen sowie Bildsichtgeräte. Wie aber kann man all diese Neuerungen harmonisch miteinander verzahnen? Hier ist die Antwort:

Das Marktforschungsinstitut GfK-Nürnberg hat in Haßloch in der Pfalz den ersten Mikrotestmarkt in Europa aufgebaut, wo mit modernsten Methoden Werbewirksamkeitsforschung betrieben wird. Seit 1986 beobachtet die GfK mit Hilfe des »Behavior Scan Verfahrens« das Einkaufsverhalten von 3.000 Haushalten, die Kabelfernsehen besitzen. Dabei wird der Einfluß von Fernsehwerbung untersucht. In 2.000 der 3.000 Testhaushalte werden während der normalen Fernsehwerbezeit statt einiger regulärer Spots besondere Werbespots eingespeist, ohne daß die Zuschauer darauf aufmerksam gemacht werden. Der Verkaufserfolg der Werbespots wird unmittelbar an den Haßlocher Supermarktkassen ermittelt. In sechs Supermärkten, die 95% des gesamten Einzelhandelsumsatzes von Haßloch machen, werden die umworbenen Produkte plaziert. Kauft ein Mitglied eines Testhaushaltes hier ein, zeigt es an der Kasse eine Karte vor. Seine Haushaltsnummer wird zu den gekauften Produkten dazugetippt und im Computer gespeichert. Der Einfluß des Werbespots auf die Kaufrate läßt sich dann mit Hilfe von Werbewirkungsmodellen und statistischen Auswertungen abschätzen.

Neben den Vorteilen, die der Werbende aus diesen innovativen Techniken ziehen kann, profitiert auch der Einzelhändler in hohem Maße schon allein vom Einsatz der optischen Lesegeräte, die die abgesetzten Waren maschinell einlesen. Der Einzelhändler kann somit die Warenbewegungen zum Zwecke der verbesserten Lagerbestandskontrolle und Regalplatzzuteilung schneller überprüfen, was sich wiederum positiv auf die Rentabilität auswirkt.

Quelle: Vgl. Heinrich A. Litzenroth: »Neue Perspektiven für die Panelforschung durch hochentwickelte Technologien«, in: *Jahrbuch der Absatz- und Verbraucherforschung*, März 1986, S. 212–240; J. Zehntes: *EDV-gestütztes Marketing*, Berlin: Springer Verlag, 1987, S. 28–34.

Analyse der Erhebungsergebnisse

Der nächste Schritt im Marketingforschungsprozeß besteht darin, die vorliegenden Daten auf die wesentlichen Informationen zu verdichten. Die Daten werden tabellarisiert, und es werden ein- oder zweidimensionale Häufigkeitsverteilungen erstellt. Mittelwerte und Streuungsbreite für die wichtigsten Variablen werden errechnet. Schließlich wendet der Marketingforscher auch höhere statistische Methoden und Entscheidungsmodelle aus dem analytischen Informationssystem an, um so weitere Befunde zu erhalten.

Darstellung der Forschungsergebnisse

In einem Forschungsbericht sollten die wesentlichen Ergebnisse des Forschungsprojekts dargestellt werden, die dem Management bei Entscheidungen über Marketingprobleme nützlich sind. Dabei kann der Marketingforscher das Management durch eine Fülle detaillierter Zahlen oder durch Erklärungen zu ausgefallenen statistischen Verfahren gebührend »beeindrucken«. Das Forschungsprojekt ist dann von Nutzen, wenn es die Entscheidungssicherheit des Managements zu bestehenden Marketingproblemen stärkt.

Die wesentlichen Umfrageergebnisse im Falle der Lufthansa könnten wie folgt lauten:

- Ein Bordtelefon würde hauptsächlich für Notfälle, dringende Geschäftsabschlüsse, für die Klärung von Flugverbindungen und einige weitere Anlässe benutzt. Telefonate zum Zeitvertreib wären selten. Den Großteil der Gespräche würden Geschäftsleute auf Spesenrechnung führen.
- Etwa 5 von 200 Flugreisenden würden das Bordtelefon in Anspruch nehmen, wenn man dafür 50 DM berechnet, und etwa 12 Fluggäste bei 30 DM. Bei einer Gebühr von 30 DM könnte man also einen höheren Erlös (12 × 30 DM = 360 DM) erzielen als bei 50 DM pro Gespräch (5 × 50 DM = 250 DM). Trotz alledem liegt dieser Wert noch weit unter der Kostendeckungsschwelle von 1.000 DM pro Flug.
- Als verkaufsfördernde Maßnahme könnte das Bordtelefon etwa einen Fluggast pro Flug hinzugewinnen. Der Netto-Erlös betrüge dann etwa 600 DM, wodurch eine Kostendeckung noch immer nicht erreicht wäre.
- Die Aufnahme eines Bordtelefons in das Leistungsprogramm würde die Reputation der Lufthansa als innovative und leistungsstarke Fluggesellschaft erhöhen. Zur Sicherstellung dieses zusätzlichen Reputationsgewinnes müßten jedoch für etwa ein Jahr zusätzliche Werbeausgaben von umgerechnet 100 DM pro Flug getätigt werden.

Die Aussagekraft dieser Befunde könnte durch Stichprobenfehler geschmälert werden, und die Unternehmensleitung könnte eine weitere Studie verlangen. Es sieht jedoch ganz so aus, als ob die Kosten für das Bordtelefon höher sind als die langfristig erzielbaren Gewinne, und das Projekt daher noch nicht realisiert werden sollte. So kann ein wohldurchdachtes Forschungsprojekt dazu beitragen, daß die Manager fundierte und bessere Entscheidungen treffen können, als dies »rein nach Gefühl« möglich wäre.

Eigenschaften guter Marketingforschung

Nachdem die wichtigsten Schritte im Marketingforschungsprozeß dargestellt wurden, sollen nun fünf Eigenschaften der guten Marketingforschung beschrieben werden.

Wissenschaftliche Methodik

Eine wirkungsvolle Marketingforschung arbeitet nach den Grundsätzen der wissenschaftlichen Methodik. Dazu gehört insbesondere, gründlich zu beobachten, Hypothesen abzuleiten oder aufzustellen, Vorhersagen zu treffen sowie Hypothesen und Vorhersagen empirisch zu testen. Zur Veranschaulichung soll folgendes Beispiel dienen:

Ein Versandhaus verzeichnete über längere Zeit einen hohen Anteil (30 %) von Warenrücksendungen. Dies veranlaßte das Management, den Marketingforscher damit zu beauftragen, der Sache auf den Grund zu gehen. Untersucht wurden die für die Rücksendungen potentiell ausschlaggebenden Faktoren wie etwa Kundenstandort, Umfang der Rücksendungen und Warenkategorie. Eine der aufgestellten Hypothesen lautete: Je länger die Kunden auf ihre Lieferung warten müssen, desto größer ist die Wahrscheinlichkeit, daß die Ware retourniert wird. Eine statistische Analyse testete und erhärtete diese Hypothese. Daraufhin ermittelte der Marketingforscher, wie stark sich die Rückgabequote bei einer bestimmten Verkürzung der Auftragsabwicklung reduzieren ließe. Das Unternehmen leitete entsprechende Maßnahmen ein, und die Prognose wurde empirisch bestätigt. [13]

Kreativität

Gute Marketingforschung zeichnet sich, wenn erforderlich, durch forscherische Kreativität in Form innovativer Wege zur Lösung von Problemen aus. Hierzu ein klassisches Beispiel, das als Einkaufslistenverfahren bezeichnet wird:

Als der lösliche Kaffee auf den Markt kam, klagten die Hausfrauen darüber, daß er nicht wie echter Kaffee schmecke. In Blindverkostungen konnten jedoch viele dieser Hausfrauen keinen Unterschied zwischen löslichem und echtem Kaffee feststellen. Daraus ließ sich der Schluß ableiten, daß ihre Abneigung gegen löslichen Kaffee vorwiegend psychologisch bedingt war. Um etwas über das psychologische Problem herauszufinden, nahm der Marketingforscher zwei nahezu identische Einkaufslisten, die sich nur darin unterschieden, daß sich herkömmlicher Kaffee auf der einen und löslicher Kaffee auf der anderen Liste befand. Jede Einkaufsliste wurde einer Gruppe von Hausfrauen vorgelegt. Sie wurden gebeten, die Hausfrau zu charakterisieren, deren Einkaufszettel ihnen vorlag. Die Charakterisierung fiel in vielen Aspekten gleich aus – mit einem signifikanten Unterschied: Die Gruppe der Befragten, auf deren Liste löslicher Kaffee stand, beschrieb die Hausfrau vergleichsweise häufiger als »faul, knauserig, schlechte Ehefrau und nicht imstande, die Familie gut zu versorgen«. Sie projizierten offenbar ihre eigenen Ängste und negativ ausgeprägten Vorstellungen zur Verwendung löslichen Kaffees auf andere Hausfrauen. Der Anbieter des löslichen Kaffees wußte nun, was der Grund für die starke Abneigung gegen löslichen Kaffee war, und konnte nun eine Werbekampagne starten, die das Image der Hausfrau, die löslichen Kaffee serviert, positiv verändern sollte. [14]

Flexibilität im Forschungsansatz

Der versierte Marketingforscher verläßt sich nicht auf nur einen Forschungsansatz. Er richtet sich in seinem Forschungsansatz nach dem vorliegenden Marketingproblem und nicht umgekehrt. Gleichwohl überprüft er, ob Datenmaterial von größerer Qualität und größerer Zuverlässigkeit aus einer Vielzahl von unterschiedlichen Informationsquellen oder aber aus ein und derselben Datenquelle zu gewinnen ist. Letzteres trifft bei gewissen Forschungsprojekten zu, z. B. wenn in der Werbewirkungsforschung mit sogenannten »Single-Source-Data« bessere Analysen möglich sind.

Berücksichtigung der Interdependenzen zwischen Daten und Modellen

Kompetente Marketingforscher wissen und berücksichtigen in ihrem Forschungsansatz, daß Daten erst durch das Analysemodell des zu lösenden Problems zu informativen Aussagen umgeformt werden. Die Auswahl des Modells entscheidet über die erforderlichen Daten. Die Verfügbarkeit von Daten grenzt ein, welche Modelle in die Auswahl kommen dürfen.

Kosten-Nutzen-Analyse
Kompetente Marketingforscher wägen den Wert von Informationen und der Kosten ihrer Beschaffung gegeneinander ab. Das Kosten-Nutzen-Verhältnis bestimmt die Entscheidung der Marketingforschungsabteilung, welches Forschungsprojekt durchgeführt, welcher Forschungsplan angewandt und ob eine Untersuchung nach Vorlage der ersten Ergebnisse weitergeführt werden soll. Während sich die Kosten der Informationsbeschaffung relativ leicht quantifizieren lassen, bereitet die Ermittlung des Informationswertes doch eher Schwierigkeiten. Dies liegt darin begründet, daß der Wert der beschafften Informationen sowohl vom Grad der Zuverlässigkeit und Validität der Untersuchungsergebnisse als auch von der Bereitschaft des Managements abhängt, diese Resultate zu akzeptieren und den gewonnenen Erkenntnissen entsprechende Taten folgen zu lassen.

Anwendung der Marketingforschung durch das Management

Trotz der zunehmenden Bedeutung der Marketingforschung sind zahlreiche Unternehmen nicht in der Lage, sie richtig und in ausreichendem Maß einzusetzen. Dafür gibt es viele Gründe. Hier eine Auswahl:

- **Die Marketingforschung wird zu eng gesehen**
  Viele Manager sehen für die Marketingforschung nur eine Aufgabe, nämlich die Suche nach Marktfakten. Der Marketingforscher soll für sie den Fragebogen gestalten, eine Stichprobe ziehen, Befragungen durchführen und einen Bericht liefern, auch ohne daß ihm das Marketingproblem und die Entscheidungsalternativen präzise dargelegt wurden. Das führt dann oft zu Forschungsergebnissen von geringem Nutzen. Dadurch werden diese Manager in ihrer Ansicht bestärkt, daß die Marketingforschung eben doch nur einen begrenzten Nutzen hat.
- **Unzureichende Qualifikation des Personals in der Marketingforschung**
  Einige Manager sehen in der Marketingforschung nicht viel mehr als eine einfache Verwaltungstätigkeit und vergüten sie dementsprechend. Dann wird Personal mit unzureichender Qualifikation für die Marketingforschung eingestellt, dessen unzulängliche Ausbildung und mangelnde Kreativität sich in wenig beeindruckenden Forschungsresultaten ausdrückt. Damit wird das Vorurteil, daß man von der Marketingforschung nicht allzu viel erwarten sollte, bestätigt. Zudem stuft das Management das Marketingforschungspersonal gehaltsmäßig zu niedrig ein und läßt das Problem der unzureichenden Qualifikation ungelöst.
- **Überholte und gelegentlich falsche Befunde der Marketingforschung**
  Manager möchten frühzeitig genug genaue und aufschlußreiche Befunde vorliegen haben, um entsprechend handeln zu können. Gründliche Marketingforschungsprojekte erfordern jedoch Zeit und Geld. Über späte oder auch schnelle und dann gelegentlich falsche Befunde zeigen sich die Manager enttäuscht, und ihre Wertschätzung für die Marketingforschung nimmt ab.
- **Verständnisgräben**
  Die Denkweisen des Linienmanagers und des Marketingforschers sind oft zu unterschiedlich, als daß ein produktives Arbeitsklima entstehen könnte. Der vorgelegte Untersuchungsbericht wirkt zuweilen abstrakt, kompliziert oder unverbindlich. Dies steht im Widerspruch zu dem, was der Linienmanager will, nämlich konkrete, leicht verständliche und zuverlässige Ergebnisse. In progressiveren Unternehmen wird der Marketingforscher jedoch in zunehmendem Maße als Teammitglied in das Marketing-Management eingebunden und gewinnt an Einfluß auf die Marketingstrategie.

Entscheidungsunterstützungssystem

Eine wachsende Anzahl von Unternehmen richtet zur Unterstützung ihrer Marketing-Manager einen vierten Informationsdienst ein, nämlich das Entscheidungsunterstützungssystem, das wir wie folgt definieren:

Ein Marketing-Entscheidungsunterstützungssystem (MEUS) besteht aus statistischen Analysemethoden und Entscheidungsmodellen sowie der zugehörigen Computersoftware und -hardware, die den Marketing-Managern zugänglich gemacht werden, um sie bei der Datenanalyse und der Vorbereitung von Marketingentscheidungen zu unterstützen (siehe auch Abbildung 4-3).

Aufgrund der immer höheren Komplexität von Marktstrukturen und Marketingvorgängen müssen sich die Marketing-Manager mit fortschrittlichen Verfahren der Analyse und der Entscheidungsvorbereitung vertraut machen (die wesentlichen Verfahren werden später beschrieben). Dies ist erforderlich, denn Manager beziehen Studien von der Marketingforschung und anderen Stellen, in denen fortschrittliche Verfahren angewandt wurden wie z.B. die multiple Regressionsanalyse, andere multivariate Analyseverfahren, Optimierungsanalysen und anderes mehr. Manager müssen über solche Verfahren genug wissen, um die damit erzielten Befunde kritisch beurteilen zu können.

Des weiteren werden in den Unternehmen immer mehr Computerarbeitsplätze eingerichtet und zu einem Informationsnetz verknüpft, so daß die Marketing-Manager in die Lage versetzt werden, fortschrittliche Analysen selbst durchzuführen. Sie oder ihre Assistenten können nach Bedarf entscheidungsrelevante Analysen erstellen. Ihr eigenes und das Wissen ihrer Mitarbeiter und Kollegen über Marketingzusammenhänge kann in Form von Expertensystemen systematisch erfaßt und wiederholt greifbar gemacht werden. Nach Meinung von Experten wird der Computerarbeitsplatz in der Zukunft für den Marketing-Manager eine ähnliche Funktion haben wie das Cockpit für den Piloten, nämlich seine Marketingprojekte zu steuern und ihnen »Flügel zu verleihen«. [15]

Immer mehr Computersoftware steht zur Verfügung, um Marketing-Managern bei der Analyse, Planung und Steuerung ihrer Tätigkeiten zu helfen. Solche Programme gibt es bereits für fast alle Entscheidungsbereiche und Aktivitäten im Marketing wie z.B. für den Entwurf von Marketingforschungsstudien, für die Marktsegmentierung, die Preisfindung, die Erstellung von Werbebudgets, die Medienanalyse, die Einsatzplanung der Verkaufsorganisation usw. Es gibt Softwaresysteme zur besseren Bewäl-

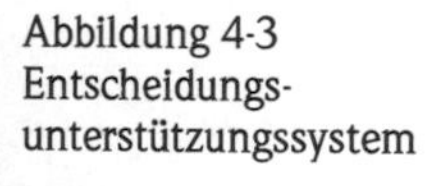
Abbildung 4-3
Entscheidungsunterstützungssystem

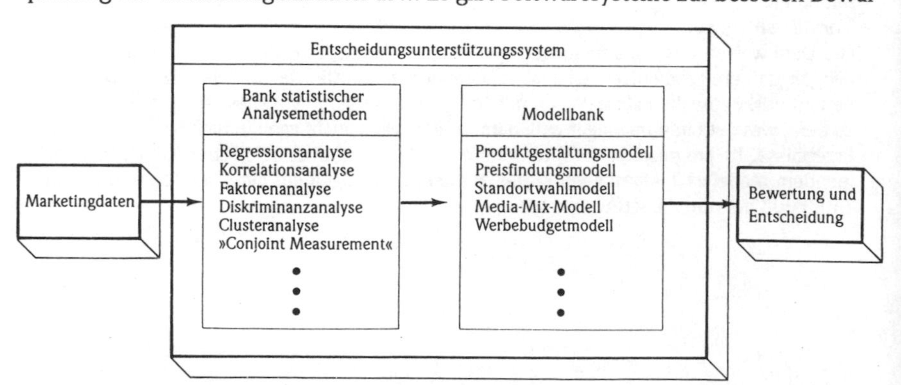

tigung der Arbeit mit internen und externen Datenbasen, um zu schnelleren und besseren Entscheidungen der Produktmanager beitragen zu können. [16] In weiteren Softwareprogrammen wird das Wissen aus Expertensystemen und der künstlichen Intelligenz angewandt, z.B. zur Auswahl des besten Werbethemas für häufig gekaufte Konsumgüter [17] oder zur Planung von Verkaufsförderungsprogrammen. [18]

In der kommenden Dekade sind neue, wesentlich verbesserte und umfangreichere Softwareprogramme zu erwarten, und Unternehmen, die ihren Marketing-Managern überlegene Informationsmöglichkeiten an die Hand geben, werden im Wettbewerb vorne stehen. Exkurs 4-4 beschreibt, wie der Arbeitstag eines Marketing-Managers in den 90er Jahren durch die Entwicklungen in der Informationstechnologie bestimmt werden könnte.

Exkurs 4-4 zum Marketingumfeld und zu Entwicklungstendenzen: Der Umgang des Marketing-Managers der 90er Jahre mit Informationen

Der Arbeitstag des Marketing-Managers der 90er Jahre könnte wie folgt aussehen: Am Arbeitsplatz angekommen, schaltet der Manager seinen Computer an, ruft eingegangene Botschaften ab, prüft seinen Terminkalender und Tagesplan, informiert sich über den Fortgang einer per Computer geführten Verhandlung, liest mehrere Nachrichten über möglicherweise einschneidende Ereignisse, blättert Berichtszusammenfassungen oder -abschnitte durch, erstellt selbst einen kurzen Bericht, von dem er Kopien an Kollegen und Mitarbeiter schickt, die ebenfalls elektronisch an das Informationsnetz angeschlossen sind, und läßt seinen Computer eine Kopie des Berichts auf Mikrofilm ablegen. Ehe er sich zu einer Ausschußsitzung begibt, reserviert der Manager einen Tisch für eine mittägliche Besprechung mit einem wichtigen Kunden und bucht Flug sowie Hotelzimmer für eine Konferenz nächste Woche in Zürich.

Am Nachmittag arbeitet er an Umsatz- und Ertragsprognosen für ein neues Produkt. Dazu holt er sich Testmarktdaten aus der firmeneigenen Datenbank und Informationen über Nachfrageentwicklungen, Produkte von Wettbewerbern sowie Prognosen zum wirtschaftlichen Umfeld aus externen Datenbanken, mit denen das Unternehmen eine Subskriptionsvereinbarung getroffen hat. Diese Daten dienen als Input für ein Umsatzprognosemodell aus der Modellbank des Unternehmens. Der Manager spielt das Modell mit den Daten durch, wobei er mehrere mögliche Annahmen zum Markteinführungsprogramm und zur Wettbewerbsreaktion zugrundelegt und prüft, wie dadurch jeweils die Umsätze beeinflußt würden.

Später am Abend arbeitet der Manager zu Hause an einem Laptop-Computer, schaltet sich in das Informationsnetz des Unternehmens ein, erstellt einen Bericht über das Produkt sowie die geplante Markteinführung und sendet davon Kopien an andere, am Produktentwicklungsprozeß beteiligte Manager, so daß sie den Bericht am nächsten Morgen lesen können. Wenn der Manager die Computersitzung beendet, stellt der Computer automatisch den Weckalarm für den nächsten Morgen ein.

Zusammenfassung

Marketingrelevante Informationen sind entscheidend für ein effektives Marketing. Das Bedürfnis danach wird verstärkt durch den Trend zum nationalen und internationalen Marketing, durch die Umstellung von der »Befriedigung von Kundenbedürfnissen« auf die »Erfüllung von Kundenwünschen« und durch die Erweiterung des Wettbewerbs vom Preis auf alle Variablen des Marketing-Mix. Jedes Unternehmen besitzt ein Marketing-Informationssystem, das eine Art Bindeglied zwischen dem Management und der unternehmensexternen Umwelt darstellt. Die einzelnen Systeme unterscheiden sich jedoch in hohem Maße hinsichtlich ihres Entwicklungsstandes. In zu vielen Fällen stehen Informationen überhaupt nicht zur Verfügung, kommen zu spät oder sind unzuverlässig. Viele Unternehmen tun zu wenig für die Verbesserung ihrer Informationssysteme.

Ein gut durchdachtes Marketing-Informationssystem besteht aus vier Subsystemen. Das erste ist das innerbetriebliche Informations-und Berichtssystem, das aktuelle Daten über Absatz, Kostenstruktur, Lagerbestand, Cash-flow sowie Forderungen und Verbindlichkeiten liefert. Zahlreiche Unternehmen haben bereits fortschrittliche innerbetriebliche Berichtssysteme entwickelt, die – da computergestützt – eine schnellere und umfassendere Datenauswertung gestatten.

Das zweite Teilsystem wird als Marketing-Nachrichtensystem bezeichnet. Es versorgt den Marketing-Manager mit aktuellen Informationen über Ereignisse in der externen Marketingumwelt. Eine hervorragend geschulte Verkaufsmannschaft, der Nachrichtenspezialist, von Marktforschungsinstituten erworbenes Datenmaterial sowie die Nachrichtenzentrale können das von der Unternehmensleitung in Anspruch genommene Marketing-Nachrichtensystem vervollkommnen.

Das dritte Subsystem umfaßt die Marketingforschung, die sich mit der Gewinnung von relevanten Informationen zur Lösung spezifischer Marketingprobleme beschäftigt. Der Marketing-Forschungsprozeß erfordert fünf Arbeitsschritte: Problemdefinition, Festlegung der Untersuchungsziele, Konzipierung des Forschungsplans, Erhebung der Daten, Analyse der Erhebungsergebnisse und Darstellung der Forschungsergebnisse. Gute Marketingforschung erfordert wissenschaftliche Methodik, Kreativität, Flexibilität im Forschungsansatz, Berücksichtigung der Interdependenz von Daten und Analysemodellen und ein ausgewogenes Kosten-Nutzen-Verhältnis.

Beim vierten Subsystem handelt es sich um das Entscheidungsunterstützungssystem, das sich aus fortgeschrittenen statistischen Verfahren und Modellen zusammensetzt, deren Einsatz eine gründlichere Informationsgewinnung aus Daten und eine bessere Entscheidungsvorbereitung ermöglicht.

Anmerkungen

1 Vgl. »The Payoff from Teamwork: The Gains in Quality are Substantial – So Why Isn't It Spreading Faster?«, in: *Business Week*, 10. Juli 1989, S. 56–62.
2 »Verkaufen nach Daten«, in: *Absatzwirtschaft*, April 1985, S. 94–95.
3 »Mikrocomputer statt Verkaufsbüro«, in: *Absatzwirtschaft*, März 1984, S. 48–50.
4 Francis Joseph Aguilar: *Scanning the Business Environment*, New York: Macmillan, 1967.
5 Eugene H. Fram: »How Focus Groups Unlock Market Intelligence: Tapping In-House Researchers«, in: *Business Marketing*, Dezember 1985, S. 80–82.
6 Stefan Gölz: »Wettbewerbsvorteile durch Informationstechnik«, in: *WiSt*, Heft 6, Juni 1988, S. 312–313.
7 Manfred Hüttner: *Grundzüge der Marktforschung*, 4. Auflage, Berlin und New York: de Gruyter, 1989, S. 342.
8 Siehe hierzu einen Beitrag über den Wert des entscheidungstheoretischen Ansatzes für die Marketingforschung: Donald R. Lehmann: *Market Research and Analysis*, Homewood, Ill.: Richard D. Irwin, 1985, Kap. 2.
9 Vgl. das ausgezeichnete, mit Anmerkungen versehene Nachschlagewerk über die wichtigsten sekundärstatistischen Quellen für unternehmens- und marketingorientierte Informationen: Thomas C. Kinear und James R. Taylor: *Marketing Research: An Applied Approach*, New York: McGraw-Hill, 1983, S. 134–139., 146–156, 169–184.
10 Amanda Bernett: »Once a Tool of Retail Marketers, Focus Groups Gain Wider Usage«, in: *Wall Street Journal*, 3. Juni 1986.
11 Ein Überblick über die mechanischen Instrumente findet sich in Roger D. Blackwell, James S. Hensel, Michael B. Phillips und Brian Sternthal: *Laboratory Equipment for Marketing Research*, Dubuque, Iowa: Kendall/Hunt Publishing Co., 1970, S. 7–8. Neuere Instrumente finden sich in Wally Wood: »The Race to Replace Memory«, in: *Marketing and Media Decisions*, Juli 1986, S. 166–167.
12 Selwyn Feinstein: »Computers Replacing Interviewers for Personnel and Marketing Tasks«, in: *Wall Street Journal*, 9. Oktober 1986, S. 35.
13 Horace C. Levinson: »Experiences in Commercial Operations Research«, in: *Operations Research*, August 1953, S. 220–239.
14 Mason Haire: »Projective Techniques in Marketing Research«, in: *Journal of Marketing*, April 1950, S. 649–656.
15 Vgl. »Information Power: How Companies Are Using New Technologies to Gain a Competitive Edge«, in: *Business Week*, 14. Oktober 1985, S. 108–114, und Valerie Free: »Ready Aim Computer, The Marketing War Gets Automated«, in: *Marketing Communications*, Juni 1988, S. 41 ff.
16 Vgl. Bob Goligoski: »Brand Leaders, Clorox Product Managers, Aided by Decision Support Systems, Won a $ 1. Billion Share«, in: *Business Computer Systems*, Juni 1986.
17 Arvind Rangaswamy, Raymond Burke, Jerry Wind und Jehoshua Eliashberg: »Expert Systems for Marketing«, *Arbeitspapier Nr. 86–036*, Wharton School, University of Pennsylvania, November 1986.
18 John W. Keon und Judy Bayer: »An Expert Approach to Sales Promotion Management«, in: *Journal of Advertising Research*, Juni–Juli 1968, S. 19–26.

Anhang zu Kapitel 4
Das Marketing-Entscheidungsunterstützungssystem und seine Komponenten

Bereits heute gibt es in einigen fortschrittlichen Unternehmen Entscheidungsunterstützungssysteme für den Marketing-Manager. Sie ermöglichen es den Mitarbeitern im Marketing, per Computerarbeitsplatz auf statistische Analyseverfahren und Marketingmodelle zuzugreifen und damit verfügbare Daten sinnvoll zu Informationen und Entscheidungshilfen aufzubereiten. Die beiden Hauptblöcke des Systems sind die Bank statistischer Analysemethoden und die Modellbank. Im folgenden werden einige wesentliche und gebräuchliche Einzelelemente dieser Banken zusammengestellt.

Bank statistischer Analysemethoden

Die Bank stellt statistische Verfahren bereit, mit denen sich wertvolle Marketinginformationen aus dem Datenbestand extrahieren lassen. Sie beinhaltet die üblichen statistischen Methoden zur Berechnung von Mittelwerten und Streuparametern sowie zur Kreuzauswertung von zwei oder mehreren Variablen. Darüber hinaus besteht die Möglichkeit, mit Hilfe *multivariater Verfahren der Datenanalyse* die Beziehungsstruktur zwischen mehreren Einflußgrößen offenzulegen. Die wichtigsten multivariaten Auswertungsverfahren werden im folgenden beschrieben. [1]

Multiple Regressionsanalyse

Bei jedem Marketingproblem spielen mehrere Variablen mit. Normalerweise richtet sich das Hauptinteresse des Marketingforschers auf eine bestimmte Variable wie etwa das Absatzvolumen; er will die Gründe für deren Veränderung erfassen. Diese Variable wird als *abhängige* oder *zu erklärende Variable* bezeichnet. Der Marketingforscher stellt Hypothesen über den Einfluß anderer Variablen auf, welche die Ausprägung der abhängigen Variablen verändern könnten. Diese anderen Variablen werden als *unabhängige Variablen* oder *erklärende Variablen* bezeichnet. Die Regressionsanalyse ist eine Analysetechnik, bei der eine Gleichung den strukturellen Zusammenhang zwischen der abhängigen Variable und den unabhängigen Variablen formell beschreibt und bei der eine mathematische Schätzmethode die Größe und statistische Signifikanz des strukturellen Zusammenhangs feststellt. Wenn nur eine unabhängige Variable vorliegt, spricht man von einfacher Regression, und bei mehreren unabhängigen Variablen von multipler Regression.

Diskriminanzanalyse

Bei vielen Problemstellungen im Marketing hat die abhängige, zu erklärende Variable keinen numerischen, sondern vielmehr einen klassifizierenden Charakter. Folgende Beispiele zeigen dies:

- Ein Automobilhersteller möchte in Erfahrung bringen, welche Merkmalsunterschiede zwischen den Käufern eines Volkswagen und eines Ford bestehen.
- Ein Hersteller von Desinfektionsmitteln möchte die Eigenschaften der Kunden ermitteln, die von seiner Marke starken, durchschnittlichen und wenig Gebrauch machen.
- Eine Einzelhandelskette möchte für die Ansiedlung neuer Läden potentiell gewinnbringende von potentiell verlustträchtigen Standorten unterscheiden können.

In all diesen Fällen wird versucht, Personen oder Objekte aufgrund ihrer Merkmalsausprägungen zwei oder mehreren Gruppen zuzuordnen. Die Herausforderung besteht darin, die unabhängigen Variablen mit der größten Klassifizierungskraft zu finden und damit eine Voraussagefunktion zu formulieren, mit deren Hilfe man die Gruppenzugehörigkeit noch nicht eingeordneter Objekte mit maximaler Trefferwahrscheinlichkeit angeben kann. Das Verfahren, mit dem diese Aufgabe zu bewältigen ist, bezeichnet man als Diskriminanzanalyse. Sie wird z.B. verwendet, um die Profile von Innovatoren zu definieren, um valide Trennungskriterien für die Marktsegmentierung abzuleiten und um das Käuferverhalten hinsichtlich der Markenpräferenz zu untersuchen. [2]

Faktorenanalyse

Bei der Regressions- und auch bei der Diskriminanzanalyse gibt es Probleme, wenn die einzelnen erklärenden Variablen stark miteinander korrelieren und deswegen im Grunde genommen das gleiche zugrundeliegende Phänomen messen. Das führt dazu, daß eine Schätzung der Wirkung dieser erklärenden Variablen auf die abhängige Variable zu verzerrten Ergebnissen kommt und daß die zugrundeliegende wirkliche Zusammenhangsstruktur nicht erkannt wird. Die Faktorenanalyse ist ein statistisches Verfahren, das einige wenige Faktoren aufzudecken versucht, welche die Variation der zugrundeliegenden Variablen möglichst gut erklären sollen. Bei diesen Bestimmungsfaktoren wird unterstellt, daß sie zwar nicht direkt beobachtet oder gemessen wurden, aber aus den beobachteten Variablen konstruiert werden können. Per Computeranalyse werden dann diese Faktoren identifiziert. Die Analyse zeigt auch noch, wie die Bestimmungsfaktoren aus den beobachteten Variablen konstruiert werden. Im Marketing wird die Faktorenanalyse eingesetzt, um z.B. aus vielen Variablen die übergreifenden Bestimmungsfaktoren festzustellen, die der Einstellung zu Flugreisen, alkoholischen Getränken und TV-Programmen zugrunde liegen.

Clusteranalyse

Zahlreiche Marketingprobleme stellen den Marketingforscher vor die Aufgabe, aus einer gegebenen Menge von Merkmalsträgern wie z.B. Produkten, Personen oder geographischen Einheiten, Untergruppen oder Cluster zu bilden, ohne daß diese von vornherein aus natürlichen Merkmalen ersichtlich waren. Mehrere Autotypen lassen sich beispielsweise so in Gruppen zusammenfassen, daß die einzelnen Gruppen *in sich* möglichst ähnlich bzw. homogen, die Unterschiede *zwischen* den Gruppen aber möglichst groß sind. Man kann also davon ausgehen, daß die Autos innerhalb der gleichen Gruppe am stärksten miteinander konkurrieren. Auch kann der Marketingforscher mit der Clusteranalyse Personengruppen bilden, so daß die Mitglieder der einzelnen Gruppen in etwa das gleiche Verhalten zeigen, während zwischen den Gruppen große Unterschiede bestehen. So werden z. B. mit der Clusteranalyse Marktsegmente festgestellt. Voraussetzung für die Clusteranalyse ist, daß jedes Element der Grundgesamtheit anhand einer Vielzahl von Kriterien beschrieben wurde. Es gibt unterschiedliche Clustertechniken. Bei vielen dieser Techniken gibt der Forscher dem Programm vor, in wieviele unterschiedliche Gruppen die Elemente der Stichprobe eingeteilt werden sollen. Nach Durchführung der Analyse muß er beurteilen, ob die mathematisch-statistisch vorgenommene Gruppeneinteilung sinnvoll ist. [3]

»Conjoint Measurement« (CM)

Mit Hilfe des Conjoint Measurement ermittelt der Marketer, wie ein Produkt für einen bestimmten Zielmarkt attraktiv zu gestalten ist. Es geht dabei um die Entscheidung, welche Attribute in welcher Ausprägung zu gestalten sind. Zu diesem Zweck werden die Konsumenten gebeten, eine Reihe von hypothetischen Produkten mit unterschiedlichen Eigenschaften in eine Präferenzordnung einzureihen. Aus dieser Ordnung ermittelt der Marketingforscher anschließend, welches Gewicht die einzelnen Merkmalsausprägungen für den empfundenen Nutzen des Produkts haben und welche Kombination von Merkmalsausprägungen am effektivsten ist. Das Conjoint Measurement hat sich als ein in zunehmendem Maße nützliches Forschungsinstrument erwiesen und wurde in der Marketingpraxis bereits in Tausenden von Fällen eingesetzt. [4]

Modellbank

Die Modellbank enthält die verfügbaren Marketingmodelle, die der direkten Unterstützung der vom Management zu treffenden Entscheidungen dienen. Das Modell selbst setzt sich aus *mehreren Variablen und ihren Verknüpfungen zusammen und soll Systeme und Prozesse aus der Wirklichkeit abbilden.* Modelle werden mit wissenschaftlicher Methodik (z. B. Operations Research) entwickelt, um Managementprobleme zu strukturieren, funktionell darzustellen, Auswirkungen von Entscheidungen vorherzusagen und Probleme zu steuern.

Die Anwendung des Operations Research ist im Marketing relativ neu, hat jedoch bereits brauchbare Modelle hervorgebracht wie z. B. Modelle zur Erstellung von Absatzprognosen für neue Produkte [5] zur Auswahl geeigneter Standorte für Distributionssysteme [6] zur Einsatzplanung von Vertretern [7] und des Medien-Mix [8] sowie zur Budgetierung des Marketing-Mix. [9]

In großen Unternehmen werden bereits viele Modelle angewandt. [10] Wenn auch die Führungskräfte im Marketing oft nicht über die notwendige Ausbildung verfügen, um die höhere Mathematik der teilweise recht komplexen Modelle zu verstehen, können sie doch die Grundidee hinter den einzelnen Modellen verstehen und deren Relevanz für ihre Arbeit ermessen. Die Modellgrundtypen sind in Tabelle 4A-1 zusammengefaßt und werden in den folgenden Abschnitten einzeln behandelt.

I. Nach dem Zweck	II. Nach der Technik
A. Deskriptive Modelle 1. Markoff-Prozeß-Modelle 2. Warteschlangentheorie B. Entscheidungsmodelle 1. Differentialrechnung 2. Mathematisches Programmieren 3. Statistische Entscheidungstheorie 4. Spieltheorie	A. Verbale Modelle B. Graphische Modelle 1. Flußdiagramme 2. Netzplantechnik 3. Kausalmodell 4. Entscheidungsbaumverfahren 5. Darstellung funktionaler Beziehungen 6. Rückkopplungssysteme C. Mathematische Modelle 1. Lineare/nicht-lineare Modelle 2. Statische/dynamische Modelle 3. Deterministische/stochastische Modelle

Tabelle 4A-1
Modellklassifizierung

Deskriptive Modelle

Mit deskriptiven oder beschreibenden Modellen kann man Zusammenhänge besser kommunizieren, erklären und auch vorhersagen. Sie lassen sich auf drei verschiedenen Ebenen der Detaillierung konstruieren. Ein *makro-analytisches Modell* erfaßt nur wenige Variablen und deren Interdependenzen. Als Beispiel hierfür läßt sich ein Umsatzmodell anführen, das aus nur einer Gleichung besteht, wobei der Gesamtumsatz als abhängige Variable und das Volkseinkommen, der Durchschnittspreis und der Werbeaufwand des Unternehmens als unabhängige Variablen modelliert sind. Makromodelle werden angelegt, indem für die vorhandene Ausprägung der Variablen die Gleichung gesucht wird, die dieser Ausprägung am besten entspricht.

In einem *mikro-analytischen Modell* wird die Beziehungsstruktur zwischen einer abhängigen Variablen und ihrer Determinanten detaillierter spezifiziert. Ein anschauliches Beispiel ist das DEMON-Modell (*Decision Mapping via Optimum Go-No-Networks*), in dem die Werbewirkung auf den Absatz durch sequentielle Verknüpfungsfolgen von Werbeausgaben, Gesamtanzahl der Werbemittelkontakte, Kontaktreichweite und -häufigkeit, Wahrnehmungsgrad der Werbung, Erstkaufrate, Produktnutzungsgrad und Nutzungshäufigkeit erklärt wird. [11]

Ein *Mikro-Verhaltensmodell* stellt hypothetische Individuen (Konsumenten, Händler usw.) dar, die in Interaktion stehen und einem bestimmten Verhaltensmuster folgen, dessen Konsequenzen dann analysiert werden. Ein treffendes Beispiel dazu ist das von Amstutz entwickelte Verbrauchermodell, in dem eine Gruppe potentieller Käufer in wöchentlichen Abständen Marketingimpulsen ausgesetzt wird und ein Teil davon das Produkt kauft. [12]

Zwei deskriptive Modelle, die aus dem Operations Research kommen, sind für die Analyse bestimmter Marketingprobleme besonders passend. Das erste, als *Markoff-Prozeß* bekannte Modell erfaßt den Wahrscheinlichkeitsgrad, mit dem ein gegenwärtiger Marktanteilszustand in einen neuen Zustand übergeht. Angenommen, es stehen drei Kaffeemarken – A, B und C – in Konkurrenz zueinander. Von den Konsumenten, die beim letzten Einkauf die Marke A wählten, werden 70 % diese Marke wahrscheinlich wieder erwerben; 20 % werden zur Marke B und 10 % zur Marke C greifen. Abbildung 4A-1 gibt neben diesen Daten, die in der ersten Zahlenreihe der Matrix dargestellt sind, auch die Wahrscheinlichkeitswerte des Markenwechsels und

		Wechsel nach		
		A	B	C
	A	0.70	0.20	0.10
Wechsel von	B	0.17	0.33	0.50
	C	0.00	0.50	0.50

Abbildung 4A-1
Eine Markenwechsel-Matrix am Beispiel dreier Kaffeesorten (Markoff-Prozeß-Modell)

der Markentreue für die Marken B und C an. Diese Markenwechsel-Matrix liefert Informationen über

- die *Wiederkaufrate* der einzelnen Marken. Sie wird durch die Zahlen auf der Diagonalen von links oben nach rechts unten ausgedrückt. Unter bestimmten Annahmen kann die Wiederkaufrate als Meßgröße für die Markentreue interpretiert werden.
- die *Zu- und Abwanderungsrate* der einzelnen Marken, die durch die Zahlen außerhalb der Diagonalen angegeben wird.

Angenommen, die Raten des Markenwechsels bleiben konstant; dann kann anhand der Matrix die Marktanteilsentwicklung jeder Marke vorhergesagt werden. [13]

Auch die *Warteschlangentheorie* bietet dem Marketing ein interessantes Modell. Sie beschreibt Warteschlangensituationen und kann Antworten auf folgende Fragen liefern: Mit welcher Wartezeit ist für den durchschnittlichen Benutzer in einem bestimmten System zu rechnen? Wie verändert sich die Wartezeit bei einer Modifizierung des Systems? Die Beantwortung derartiger Fragen ist vor allem in Bereichen interessant, wo sich Kundenschlangen bilden, z. B. in Supermärkten, an Tankstellen und an Flugscheinschaltern. Wo immer ein Kunde warten muß, besteht die Gefahr einer für ihn untragbaren Wartezeit, die ihn zur Konkurrenz überwechseln läßt.

Führt ein System zu Warteschlangen, kann der Analytiker die Wirkung unterschiedlicher Lösungsansätze am Modell erproben. Im Falle eines Supermarktes sind vier Alternativen denkbar. Der Supermarkt kann durch Preissenkungen an betriebsruhigen Tagen einige Kunden veranlassen, an diesen Tagen einzukaufen. Zusätzliche Einpacker an der Kasse könnten die Wartezeit verkürzen. Es könnten weitere Kassen eingerichtet werden. Und schließlich kann die Abfertigung reorganisiert werden, indem einige Kassen für Käufer mit geringen Einkaufsmengen reserviert werden.

Entscheidungsmodelle

Entscheidungsmodelle unterstützen den Marketing-Manager bei der Bewertung von Handlungsalternativen und bei der Ermittlung fundierter Lösungen. In *Optimierungsmodellen* werden mit Hilfe mathematischer Methoden »optimale Lösungen« bestimmt. In *heuristischen Modellen* werden »annehmbare Lösungen« gesucht. Heuristische Modelle können komplexere Problemstellungen behandeln. Der Marketing-Analytiker nutzt heuristische Regeln, d. h. Suchregeln, um mit weniger Arbeits- und Zeitaufwand »annehmbare Lösungen« zu finden. Soll beispielsweise ein Modell zur Bestimmung geeigneter Lagerstandorte formuliert werden, könnte eine der heuristischen Regeln lauten: »Nur Standorte in großen Städten kommen in Frage«. Ein möglicherweise guter Standort in einer Kleinstadt wird dabei außer acht gelassen. Doch der geringere Aufwand für die auf große Städte begrenzte Suche kann diese verpaßte gute Gelegenheit ausgleichen.

Vier Entscheidungsmodelle mit Optimierungscharakter sind im Marketing besonders relevant. Dazu gehört erstens die Differentialrechnung, mit der bei exakt definierter mathematischer Formulierung des Problems funktionelle Maxima bzw. Minima errechnet werden. Gesetzt den Fall, ein Marketing-Analytiker hat eine Gewinngleichung (vgl. Abb. 4A-2(a)) aufgestellt. Er steht nun vor der Aufgabe, den optimalen Preis zu ermitteln, d. h. den Preis (P), der den Gewinn (Z) maximiert. Zum einen kann die Gleichung graphisch dargestellt werden, um den gewinnmaximierenden Preis, der im angeführten Beispiel bei 150 $ liegt, zu ermitteln. Schneller und einfacher geht es jedoch, wenn auf diese Gleichung die Differentialrechnung angewandt wird.

Ein zweiter Typ des Entscheidungsmodells ergibt sich aus der *mathematischen Programmierung.* Hierbei wird die Zielgröße als Variable ausgedrückt, die unter Einhaltung explizit dargestellter Restriktionen zu optimieren ist. Die Problemstellung in Abb. 4A-2(b) zeigt den Gewinn als Funktion von Werbe- und Vertriebskosten. Demnach bringt jeder zusätzliche Dollar in der Werbung 10 $ Gewinn und 1 $ im Vertrieb 20 $ Gewinn. In dieser Gewinnfunktion sind jedoch noch eine Reihe von Restriktionen zu berücksichtigen. Zunächst soll das Marketingbudget, aufgeteilt in Werbe- und Vertriebskosten, 100 $ nicht überschreiten (1. Restriktion). Von diesem Betrag sollen mindestens 40 $ (2. Restriktion) bzw. höchstens 80 $ (3. Restriktion) in die Werbung fließen. Dem Vertrieb werden mindestens 10 $ (4. Restriktion) und höchstens 70 $ (5. Restriktion) zugestanden. Aufgrund der Einfachheit dieser Problemstellung läßt sich die optimale Marketingentscheidung auch ohne den Einsatz der höheren Mathematik entwickeln. Da Vertriebsmittel das Doppelte von Werbemitteln bringen, wäre es sinnvoll, zunächst an die obere Grenze der Vertriebsmittel zu gehen, also 70 $. Dann würden noch 30 $ für die Werbung bleiben. Die 2. Restriktion sieht jedoch vor, daß mindestens 40 $ für die Werbung aufgewendet werden sollten. Daher müßten bei einem optimalen Marketing-Mix 40 $ für die Werbung und 60 $ für den Vertrieb eingeplant werden. Die Gewinnfunktion würde dann lauten: 10 (40 $) + 20 (60 $) = 1.600 $. Stünden komplexere Probleme zur Lösung an, müßte der Marketing-Analytiker fortgeschrittene Verfahren der mathematischen Programmierung einsetzen.

Ein dritter Typ des Entscheidungsmodells ergibt sich aus der *statistischen Entscheidungstheorie* und, darauf aufbauend, aus der Bayes'schen Entscheidungstheorie (hier nicht erläutert). Die statistische Entscheidungstheorie erfordert das

- Festlegen der zu erwägenden Entscheidungs- und Handlungsalternativen des Unternehmens
- Erkennen der unterschiedlichen Umfeldbedingungen, die bei Ergreifung jeder Alternative eintreten können und die zu unterschiedlichen Ergebnissen führen
- Abschätzen, mit welcher Wahrscheinlichkeit jede Umfeldbedingung eintreten kann
- Abschätzen, welches Ergebnis für das Unternehmen bei jeder möglichen Kombination aus Handlungsalternative und Umfeldbedingung herauskommen wird

Gegeben ist: $Z = -56.000 + 1.200\,P - 4P^2$

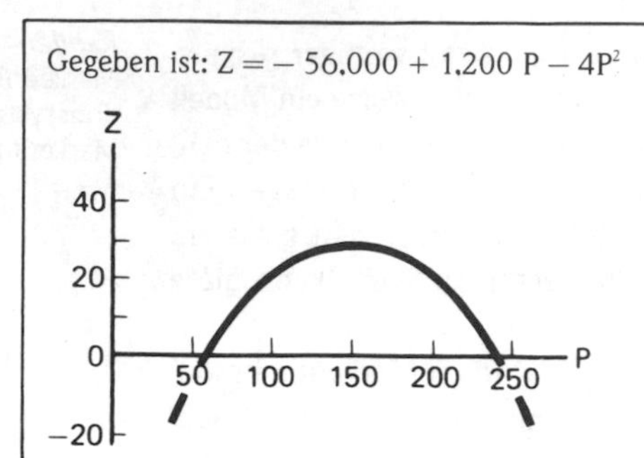

Gesucht ist der Preis P (wobei $P \geqq 0$), der den Gewinn Z maximiert.

a) Differentialrechnung

Gegeben ist die Zielfunktion
$Z = 10A + 20\,D$ und die Restriktionen

(1) $A + D \leqq 100$
(2) $A \geqq 40$
(3) $A \leqq 80$
(4) $D \geqq 10$
(5) $D \leqq 70$

Gesucht ist die Mittelverteilung für Werbung (A) und Vertrieb (D), die so gestaltet sein soll, daß das Marketingbudget von 100 $ nicht überschritten und der Gewinn (Z) maximiert wird.

b) Mathematische Programmierung

Gegeben ist folgende Ergebnismatrix:

	0,7 Rezession	0,3 Hochkonjunktur
Preis nicht anheben	$ 50	$ 70
Preis anheben	−$ 10	$ 100

Gesucht ist die Handlungsalternative, die den Erwartungswert für den Ergebnisnutzen des Unternehmens maximiert.

c) Statistische Entscheidungstheorie

Gegeben ist die Spielmatrix

		Wettbewerber B kein neues Styling	 neues Styling
Unternehmen A	Kein neues Styling	$ 0	−$ 10
	neues Styling	$ 20	$ 5

Gesucht ist die Handlungsalternative, bei der der maximal mögliche Verlust minimiert wird.

d) Spieltheorie

Abbildung 4A-2
Vier Entscheidungsmodelle mit Optimierungscharakter

- Berechnen des statistischen Erwartungswertes, den jede Handlungsalternative mit ihren verschiedenen möglichen Ergebnissen nach sich zieht, und die
- Entscheidung für die Alternative mit dem größten Erwartungswert.

All diese Punkte können im in Abbildung 4A-2(c) veranschaulichten Marketingproblem betrachtet werden. Angenommen, ein Produktmanager hat die Entscheidungsalternative, den Preis anzuheben oder zu lassen, wie er ist. Er hat dabei zu berücksichtigen, daß das Ergebnis dieser Entscheidung durch das konjunkturelle Umfeld beeinflußt werden könnte. Die Wahrscheinlichkeit, daß sich ein konjunktureller Abschwung einstellt, schätzt er auf 0,7. Tritt nun der Abschwung bei unverändertem Preis ein, beläuft sich der Gewinn auf 50 $. Bei einem angehobenen Preis ist mit einem Verlust von 10 $ zu rechnen. Bei einem Konjunkturaufschwung und gleichbleibendem Preis schätzt er den Gewinn auf 70 $. Bei angehobenem Preis wäre der Gewinn 100 $. Diese Schätzungen sind in der Nutzen-Matrix zusammengestellt.

Nach der statistischen Entscheidungstheorie muß der Produktmanager nun den Erwartungswert der einzelnen Handlungsalternativen berechnen. Der Erwartungswert ist das gewichtete Mittel der mit einer Handlungsalternative möglichen Ergebnisse. Als Gewichtung dient für jedes der Ergebnisse die Wahrscheinlichkeit der zugeordneten Umfeldbedingungen. Bei Nicht-Anhebung des Preises errechnet sich der Erwartungswert aus 0,7 (50 $) + 0,3 (70 $) = 56 $, während er sich bei einer Anhebung über die Formel 0,7 (-10 $) + 0,3 (100 $) = 23 $ bestimmen läßt. Daraus wird klar ersichtlich, daß es sich im statistischen Mittel nicht lohnt, auf die bestmögliche Kombination (Preiserhöhung und konjunktureller Aufschwung) zu spekulieren, und daß der Preis nicht angehoben werden sollte. Hier gilt die Annahme, daß die Maximierung des Erwartungswertes als Entscheidungskriterium genügt. Dieses Kriterium ist vernünftig bei Großunternehmen, wo häufig wiederkehrende Entscheidungssituationen ähnlichen Typs vorliegen. Es ist weniger geeignet für Kleinunternehmen, die eine einmalige Entscheidung zu treffen haben, die im ungünstigsten Fall das Unternehmen ruinieren könnte. [14] Bei komplexer strukturierten Entscheidungsproblemen werden die Handlungsalternativen und Umfeldbedingungen anhand eines mehrstufigen Entscheidungsbaums dargestellt (vgl. Abbildung 4A-3(d)).

Die *Spieltheorie* bietet einen vierten Modelltyp zur Entscheidung zwischen einzelnen Handlungsalternativen. Ähnlich der statistischen Entscheidungstheorie setzt die Spieltheorie voraus, daß zunächst die Handlungsalternativen, die unsicheren Umfeldbedingungen und die möglichen Ergebnisse daraus festgestellt werden. Sie unterscheidet sich von der statistischen Entscheidungstheorie darin, daß die Unsicherheiten des Umfelds in Form eines »böswilligen Gegenspielers« auftreten, z.B. eines Wettbewerbers. Die Wahrscheinlichkeit, daß sich jeder Spieler (also der Entscheidende und auch der böswillige Gegenspieler) so verhält, daß er den größten Nutzen aus seinem Vorgehen zieht ist gleich 1. Dies wird anhand des Beispiels in Abbildung 4A-2(d) deutlich. Ein Automobilhersteller A steht vor der Entscheidung, ob er ein Auto mit neuem Styling anbieten soll. Er weiß, daß sein Konkurrent B eventuell dieselbe Handlung plant. Wenn beide das Styling nicht ändern, dann ergeben sich für beide keine Gewinnveränderungen. Wenn nun Unternehmen A die in Erwägung gezogene Maßnahme einleitet und Konkurrent B von seinem Vorhaben Abstand nimmt, kann A auf Kosten des Konkurrenten B einen zusätzlichen Gewinn von 20 $ erwirtschaften (wir gehen davon aus, daß der Wettbewerber B einen Verlust von 20 $ erleidet, d.h. der Gewinn des einen Unternehmens ist der Verlust des anderen). In der umgekehrten Situation würde sich jedoch der Verlust von Unternehmen A auf 10 $ belaufen. Wenn schließlich beide Unternehmen ein Modell mit neuem Styling anbieten, macht das Unternehmen A einen Gewinn von 5 $ und der Konkurrent B einen Verlust von 5 $, da man davon ausgehen kann, daß Unternehmen A ein attraktiveres Modell herstellt.

Ein Lösungsweg des Entscheidungsproblems durch die Spieltheorie ist möglich, wenn man annimmt, daß beide Rivalen die Strategie verfolgen werden, die ihnen den geringsten Maximalschaden bringen könnte. Dieses Verhaltenskriterium heißt auch Minimax-Kriterium (Minimierung des Maximalverlustes). Es unterstellt, daß sich beide Gegner vorsichtig verhalten. Unter Berücksichtigung dieses Kriteriums zieht es Unternehmen A vor, die Handlungsalternative zur Herstellung eines Modells mit neuem Styling wahrzunehmen, und erhöht den Gewinn um mindestens 5 $. Andernfalls könnte es 10 $ verlieren. Auch Konkurrent B wird sich für ein neues Styling entscheiden und dabei den maximalen Verlust auf 5 $ minimieren – verglichen mit einem 20-$-Verlust, wenn er diesen Weg nicht einschlägt. Aus diesem Grunde entscheiden sich beide Wettbewerber für die Herstellung eines Modells mit neuem Styling, was für das Unternehmen A zu einem Gewinn von 5 $ und für den Konkurrenten B zu einem Verlust von 5 $ führt. Keiner der beiden Gegner kann also auf Gewinne hoffen, indem er einseitig und ungestört die Strategie wechselt. [15]

Verbale Modelle

Modelle, in denen die Variablen und ihre Beziehungsstruktur in Worten beschrieben werden, nennt man verbale Modelle. Die Mehrzahl der großen Theorien, die u. a. Freud, Darwin oder Marx über das individuelle und gesellschaftliche Verhalten aufgestellt haben, sind verbal formuliert. In der Marketingpraxis gibt es viele verbale Modelle zum Konsumentenverhalten. Eines davon lautet z. B. wie folgt: Die Werbung führt potentielle Käufer über die Stufen *Bewußtsein, Wissen, Anklang, Präferenz* und *Überzeugung* zum *Kauf.* [16]

Graphische Modelle

Graphische Modelle erweisen sich als äußerst nützlich, wenn ein verbales Modell in Form von Symbolen dargestellt werden soll. Sechs solcher Modelle stehen dabei zur Auswahl.

Ein *Diagramm der logischen Schrittfolge* zeigt logische Abfolge- und Entwicklungsprozesse (siehe Abbildung 4A-3(a)). Einzelne Prozeßschritte sind im Diagramm als Felder dargestellt und miteinander in einfacher Sequenz oder durch zwei Grundoperationen verbunden. Eine dieser Grundoperationen ist die *»Verzweigung«*. Wir finden sie im Prozeß dort, wo eine Frage steht. Die möglichen Antworten werden als vom Fragefeld wegführende Alternativen aufgezeigt. Die zweite Operation nennt man *»Schleifenbildung«*. Sie entsteht, wo Antworten den Prozeß zu einem vorausgegangenen Schritt zurückführen. Das Flußdiagramm in Abbildung 4A-3(a) zeigt auf, wie ein Unternehmen ermittelt, wie viele Konkurrenten eine Preissenkung beabsichtigen. Zunächst betrachtet man das Konkurrenzunternehmen und stellt die Frage, ob es der Wahrscheinlichkeit nach seinen Preis senken wird. Ist die Antwort ja, so wird dies tabelliert. Daraufhin untersucht das Unternehmen, ob noch weitere Wettbewerber in Betracht zu ziehen sind. Ist die Antwort ja, dann erweitert es die Liste der Wettbewerber um einen weiteren. Wenn ein weiterer Wettbewerber berücksichtigt werden muß, kehrt die logische Schrittfolge zum ersten Schrittfeld zurück; ansonsten endet sie. Solche Diagramme finden im Marketing zunehmend Verbreitung, weil sie mit großer Klarheit logische Abläufe darstellen.

Abbildung 4A-3(b) zeigt ein *Netzplandiagramm* , das den Ablauf von Ereignissen (Abschluß von Tätigkeiten) darstellt, die zur Durchführung eines Projekts durchlaufen werden müssen. Die durch Kreise symbolisierten Ereignisse sind durch Pfeile miteinander verbunden. Die Pfeile zeigen die Abhängigkeit eines Ereignisses von vorausgegangenen Tätigkeiten an. In diesem Ablaufdiagramm kann das Ereignis 6 erst eintreten, wenn die Ereignisse 4 und 5 vollzogen sind; Ereignis 5 kann nicht eintreten, ehe Ereignis 2 abgeschlossen ist; Ereignis 4 beginnt erst, wenn die Ereignisse 2 und 3 vollzogen sind usw. Der Modellanalytiker kann die erforderliche

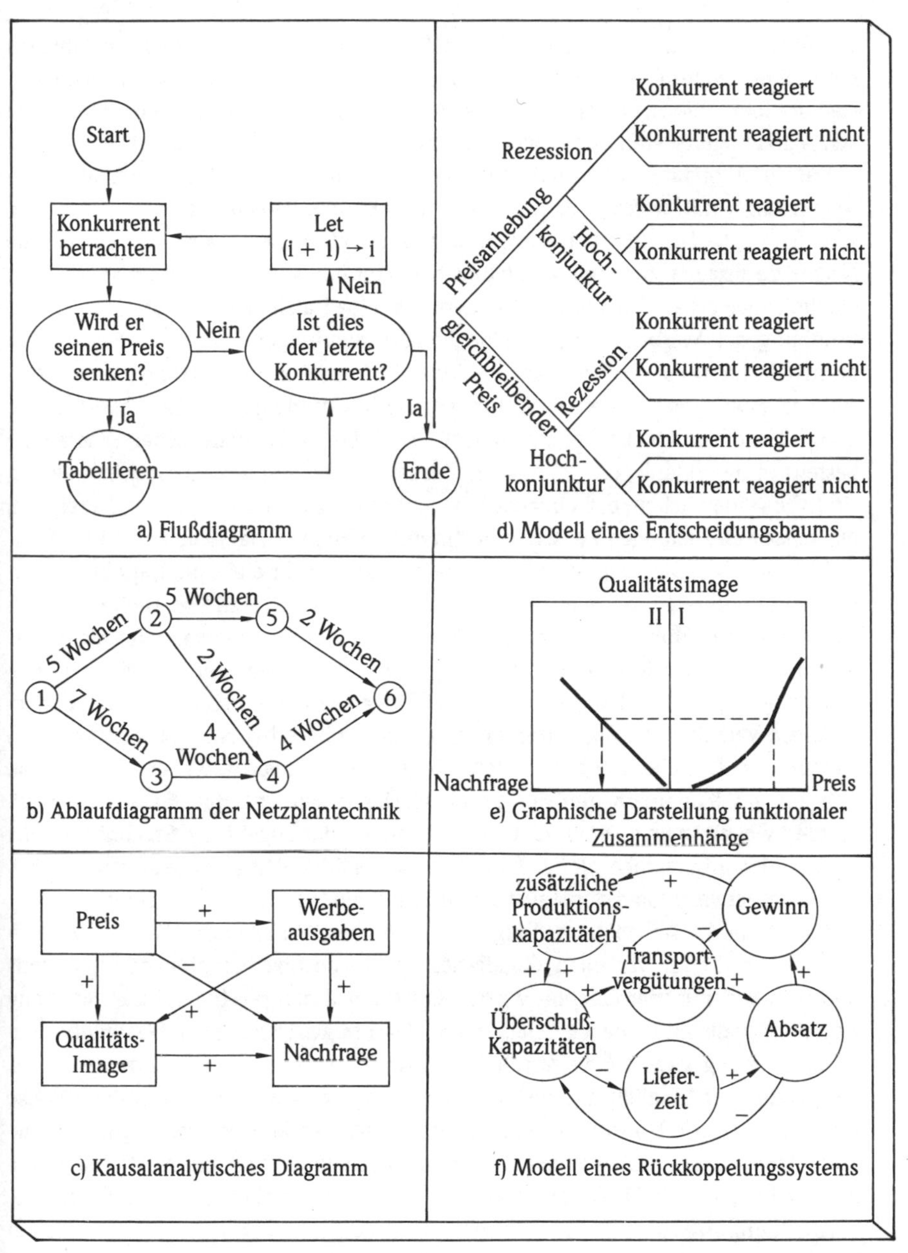

Abbildung 4A-3
Sechs graphische Modelle für die Marketing-Analyse

Durchführungszeit der Tätigkeiten zwischen den einzelnen Ereignissen schätzen (gelegentlich auch begleitet von einer optimistischen und einer pessimistischen Schätzung) und auf diese Weise den frühestmöglichen Endtermin des Gesamtprojekts ermitteln. Durch den Netzplan führt der sogenannte *kritische Pfad*, d.h. jene Folge von Tätigkeiten, die den größten Zeitaufwand erfordert und damit den frühestmöglichen Zeitpunkt für das Schlußereignis bestimmt, der in unserem Beispiel nach

15 Wochen eintritt. Wenn dieser kritische Pfad nicht verkürzt werden kann, läßt sich der Endtermin des Gesamtprojekts auch nicht vorverlegen. Diese schematische Darstellung bildet die Grundlage für die Ablauf- und Zeitplanung sowie die Steuerung von Marketingprojekten wie etwa die Einführung eines neuen Produkts.

Das in Abbildung 4A-3(c) dargestellte *kausalanalytische Diagramm* gibt Aufschluß darüber, in welcher Richtung sich bestimmte Variablen gegenseitig beeinflussen. Es zeigt, daß der Preis sowohl einen direkten (negativen) Einfluß auf die Nachfrage als auch einen indirekten (positiven) Einfluß auf das Werbebudget und das Qualitätsimage hat. Ein hoher Preis hebt das Qualitätsimage und ermöglicht eine Erhöhung der Werbeausgaben. Beide Folgeerscheinungen haben wiederum eine positive Wirkung auf die Nachfrage (in der Abbildung wird nicht dargestellt, daß sich aus der daraus resultierenden Nachfrage eine Rückwirkung auf die Werbeaufwendungen und das Qualitätsimage ergibt). Der Wert kausalanalytischer Diagramme besteht in der Offenlegung komplexer Zusammenhänge, die in Betracht zu ziehen sind. Sie verdeutlichen, daß einfache Gleichungsfunktionen nicht immer ausreichen, um kausale Beziehungen zwischen bestimmten Variablen darstellen zu können.

Abbildung 4A-3(d) zeigt einen *Entscheidungsbaum*. Er stellt die Handlungsalternativen und deren Konsequenzen dar. Das Management eines Unternehmens muß hier die Entscheidung treffen, ob der Preis angehoben werden soll oder nicht. Das Ergebnis jeder Handlungsalternative hängt von nicht-steuerbaren Umfeldbedingungen ab – hier beispielsweise von der künftigen konjunkturellen Lage und dem reaktiven Verhalten der Konkurrenten. Der gezeigte Entscheidungsbaum kann durch weitere, mit Unsicherheiten behaftete Umfeldbedingungen erweitert werden, die sich auf das Käuferverhalten, die Produktverfügbarkeit und dgl. mehr auswirken. Werden weiterhin an jedem Endzweig des Baumes das zugehörige Ergebnis und die jeweilige Wahrscheinlichkeit des Eintreffens abgebildet, läßt sich die optimale Handlungsalternative anhand der statistischen Entscheidungstheorie errechnen.

Abbildung 4A-3(e) zeigt ein Diagramm *funktionaler Zusammenhänge* zwischen zwei oder mehreren Variablen. Quadrant I gibt die positive Funktion zwischen Preis und wahrgenommener Qualität wieder, Quadrant II den positiven Zusammenhang zwischen wahrgenommener Qualität und Nachfrage. Diese zwei Quadranten zusammen ermöglichen es, die Verbindung zwischen einem ganz bestimmten Preis, der perzipierten Qualität und der Nachfragemenge aufzuzeichnen. Auf diese Weise läßt sich aus zwei bekannten funktionalen Zusammenhängen eine Nachfragefunktion bilden. Funktionsdiagramme dienen der Darstellung von Marktreaktionsfunktionen, Wahrscheinlichkeitsverteilungen und einer Vielzahl anderer Zusammenhänge.

Abbildung 4A-3(f) zeigt ein *Rückkopplungsdiagramm*. Das Diagramm stellt ein System dar, in dem der Output durch Rücklauf in den Funktionskreis auf den nachfolgenden Output einwirkt. Dieser Rückkopplungsprozeß sollte jedoch nicht mit der Schleifenbildung im Falle von Diagrammen der logischen Schrittfolge verwechselt werden, in denen zu einem vorangegangenen Prozeßschritt zurückgekehrt wird, ohne dabei auf diesen einzuwirken. Im gezeigten Beispiel werden die Wechselbeziehungen zwischen Absatz, Gewinn, Produktionskapazität und anderen Marketingvariablen veranschaulicht. Kapazitätsüberschüsse führen dazu, daß man die Lieferzeit verkürzt und dem Kunden höhere Transportvergütungen anbietet. Dadurch läßt sich ein höherer Absatz erzielen. Die Gewinnsituation des Unternehmens verbessert sich, und der Kapazitätsüberschuß wird abgebaut. Gleichzeitig wirken die Transportvergütungen verschlechternd auf die Ertragslage. Wenn per Saldo ein Gewinnzuwachs herauskommt, investiert das Unternehmen in zusätzliche Kapazitäten, und der Zyklus verstärkt sich. So ist das Rückkopplungsdiagramm ein nützliches Hilfsmittel zur Veranschaulichung von Variablen, die durch interaktive Merkmale und Rückkopplungseffekte verbunden sind. [17]

Graphische Modelle besitzen alle Vorzüge, die eine bildliche Darstellung mit sich bringt. Das wesentliche zugrundeliegende Phänomen wird herausgestellt. Sie ermöglichen es dem Betrachter, auf einen Blick alles zu überschauen und bestimmte Zusammenhänge näher zu betrachten. Sie verbessern die Darstellbarkeit, erleichtern eine Diskussion und leiten zur Analyse an.

Mathematische Modelle

Mathematische Modelle lassen sich nach einer Vielzahl verschiedener Kriterien klassifizieren. So unterscheidet man zwischen *linearen* und *nichtlinearen Modellen.* In einem linearen Modell werden alle Beziehungsstrukturen zwischen den einzelnen Variablen in Form von Geraden ausgedrückt, d. h. die Änderung der Merkmalswerte einer Variablen hat eine gleichbleibende marginale Wirkung auf die Merkmalswerte einer korrelierenden Variablen. Somit würde z. B. ein linearer Zusammenhang zwischen Werbeausgaben und Preis bestehen, wenn bei einer Erhöhung der Werbeausgaben um je 100 $ der Umsatz um 1.000 $ steigt, und zwar unabhängig davon, wie hoch der Werbemittelaufwand vorher schon war. Solch eine lineare Umsatzsteigerung ist jedoch über einen größeren Funktionsbereich hinweg nicht zu erwarten. Eher ist damit zu rechnen, daß die Werbewirkung je nach Ausgangslage zunimmt oder abklingt. Ebenso ist es wahrscheinlich, daß auch andere Marketingwerkzeuge, wie z. B. der Preis und der Verkaufsdruck, nichtlineare Umsatzwirkungen zeigen. Es ist jedoch nützlich, Linearität als erste Annäherung an die wahre Funktionsform anzunehmen, da sich dann die mathematischen Modelle leichter berechnen lassen.

Als zweites kann man mathematische Modelle in die *statischen* und die *dynamischen Modelle* einteilen. Das *statische* Modell betrachtet Endzustände (oder Lösungen) eines Systems, die zeitlich unabhängig sind. In einem *dynamischen* Modell hingegen wird die »Zeit« als relevante Größe explizit miteinbezogen. Das ermöglicht es, den Systemzustand während des Zeitablaufes zu verfolgen. Das Modell von Angebot, Nachfrage und Marktpreisbildung, das in den ersten Vorlesungen jedes Wirtschaftsstudiums behandelt wird, ist beispielsweise ein statisches Modell. Es zeigt als Endzustand den Preis, der ein Marktgleichgewicht bringt, ohne den zeitlichen Prozeßablauf zum Gleichgewichts-Endzustand zu zeigen. Markoffsche Markenwechselmodelle dagegen sind dynamisch, da sie Änderungen in der Markenwahl von Periode zu Periode prognostizieren und nachverfolgen können.

Als drittes kann man zwischen *deterministischen* und *stochastischen* Modellen unterscheiden. In einem *deterministischen Modell* gibt es keine Zufallsabweichungen. Die Lösung wird durch exakt definierte Funktionen bestimmt. Das Simplex-Modell aus der linearen Programmierung, das z. B. zur Bestimmung von optimalen

Produktmischungen (Erdölprodukte, Tierfutter oder Molkereiprodukte) angewandt wird, ist deterministisch, da alle Funktionen und auch die Kosten genau feststehen. Markenwechselmodelle dagegen sind *stochastisch,* weil die Markenwahl des einzelnen Kunden nicht genau feststeht, sondern nur einer Wahrscheinlichkeitsverteilung folgt.

Durch Zusammenwirken von Wissenschaft und Praxis werden weitere statistische Verfahren und Entscheidungsmodelle entwickelt werden, die den Marketing-Manager bei seinen Entscheidungen besser unterstützen. Auf dem Weg zu diesem Ziel ist es weiterhin erforderlich, daß Wissenschaftler und Marketing-Manager in ständigem Kontakt stehen, um herauszufinden, was der andere braucht und was er kann. [18]

Anmerkungen

1 Vgl. eine Zusammenstellung bei Nieschlag, Dichtl, Hörschgen: *Marketing,* 14. Auflage, Berlin: Duncker & Humblot, 1985, S. 730–786; eine ausführliche Beschreibung findet sich bei R. Backhaus, B. Erichson, W. Plinke und R. Weiber: *Multivariante Analysemethoden,* 4. Aufl., Berlin: Springer-Verlag, 1987.

2 William R. Dillon, Matthew Goldstein und Leon G. Schiffman: »Appropriateness of Linear Discriminant and Multinominal Classification Analysis in Marketing Research«, in: *Journal of Marketing Research,* Februar 1978, S. 103–112; Edward R. Bruning, Mary l. Kovacic und Larry E. Oberdick: »Segmentation Analysis of Domestic Airline Passenger Markets«, in: *Journal of Academy of Marketing Science,* Winter 1985, S. 17–31.

3 Girish Punj und David W. Stewart: »Cluster Analysis in Marketing Research: Review and Suggestions for Application«, in: *Journal of Marketing Research,* Mai 1983, S. 134–148.

4 Philippe Cattin und Dick R. Wittink: »Commercial Use of Conjoint Analysis: A Survey«, in: *Journal of Marketing,* Sommer 1982, S. 44–53; Thomas W. Leigh, David B. MacKay und John O. Summers: »Reliability and Validity of Conjoint Analysis and Self-explicated Weights: A Comparison«, in: *Journal of Marketing Research,* November 1984, S. 456–462.

5 Vgl. Glen L. Urban und John R. Hauser: *Design and Marketing of New Products,* Englewood Cliffs, N.J.: Prentice-Hall, 1980; Glen L. Urban und Gerald M. Katz: »Pre-Test-Market Models: Validation and Managerial Implications«, in: *Journal of Marketing Research,* August 1983, S. 221–234; Fred S. Zufryden: »PROD II: A Model for Predicting from Tracking Studies«, in: *Journal of Advertising Research,* April–Mai 1985, S. 45–51.

6 T.E. Hlavac, Jr., und J.D.C. Little: »A Geographic Model of an Automobile Market«, *Working Paper No. 186–66,* Massachusetts Institute of Technology, Alfred P. Sloan School of Management, Cambridge, 1966; Philippe A. Naert und Alain V. Bultez: »A Model of a Distribution Network Aggregate Performance«, in: *Management Science,* Juni 1975, S. 1102–1112.

7 Leonard M. Lodish: »Callplan: An Interactive Salesman's Call Planning System«, in: *Management Science,* Dezember 1971, S. 25–40; Arthur Meidan: »Optimizing the Number of Industrial Salespersons«, in: *Industrial Marketing Management,* Februar 1982, S. 63–74; Andris A. Zoltners und Prabhakant Sinha: »Sales Territory Alignment: A Review and Model«, in: *Management Science,* November 1983, S. 1237–1256.

8 Vgl. John D.C. Little und Leonard M. Lodish: »A Media Planning Calculus«, in: *Operations Research,* Januar-Februar 1969, S. 1–35.

9 John D.C. Little: »BRANDAID: A Marketing Mix Model, Structure, Implementation, Calibration, and Case Study«, in: *Operations Research,* Juli-August 1975, S. 628–673.

10 Anwendungsgebiete für Marketingmodelle werden analysiert in Jean-Claude Lerreche und David B. Montgomery: »A Framework for the Comparison of Marketing Models: A Delphi Study«, in: *Journal of Marketing Research,* November 1977, S. 487–498; Randall L. Schultz und Andris A. Zoltners, Herausgeber von *Marketing Decision Models,* New York: Elsevier North Holland, 1981.

11 David B. Learner: »Profit Maximization through New-Product Marketing Planning and Control«. In: *Applications of the Sciences to Marketing Management*, herausgegeben von Frank M. Bass et al. New York: John Wiley, S. 151–167.
12 Arnold E. Amstutz: *Computer Simulation of Competitive Market Response*; Cambridge, Mass.: MIT Press, 1967.
13 David B. Montgomery und Adrian B. Rejans: »Stochastic Models of Consumer Choice Behavior«, in: *Consumer Behavior: Theoretical Sources*, herausgegeben von S. Ward und T.S. Robertson, Englewood Cliffs, N.J.: Prentice-Hall, 1973, S. 521–576.
14 Siehe Frank M. Bass: »Marketing Research Expenditures: A Decision Model«, in: *Journal of Business*, Januar 1963, S. 77–90; Rex V. Brown: »Do Managers Find Decision Theory Useful?« in: *Harvard Business Review*, Mai-Juni 1970, S. 78–89.
15 R. Duncan Luce und Howard Raiffa: *Games and Decisions*, New York: John Wiley, 1957, S. 453–455.
16 Robert J. Lavidge und Gary A. Steiner: »A Model for Predictive Measurements of Advertising Effectiveness«, in: *Journal of Marketing*, Oktober 1961, S. 59–62.
17 Vgl. Jay W. Forrester: »Modeling of Market and Company Interactions«, in: *Marketing and Economic Development*, herausgegeben von Peter D. Bennett, Chicago: American Marketing Association, 1965, S. 353–364.
18 Einen Überblick über die statistischen und entscheidungstheoretischen Marketingmodelle liefern Gary L. Lilien und Philip Kotler: *Marketing Decision Making: A Model-Building Approach*, 2. Auflage, New York: Harper & Row, 1983. Ein Überblick über die Anwendungsmöglichkeiten des Computers im Marketing findet sich bei John M. McCann: *The Marketing Workbench: Using Computers for Better Performance,* Homewood, Ill.: Dow Jones-Irwin, 1986.

Analyse des Marketingumfeldes

Kapitel 5

»Wer hohe Türme bauen will, muß lange beim Fundament verweilen«.
Anton Bruckner

»Der Ausgangspunkt für die großartigen Unternehmen liegt oft in kaum wahrnehmbaren Gelegenheiten«.
Demosthenes

Ein wirklich gut geführtes Unternehmen leitet seinen Zweck und seinen Grundauftrag aus seinem Umfeld ab. Es verfolgt die Veränderungen in seinem Umfeld samt den sich bietenden Chancen und paßt sich daran an. In diesem und den folgenden drei Kapiteln untersuchen wir den »äußeren Teil« des Marketingumfeldes. In diesem Kapitel befassen wir uns speziell mit den Mitspielern des näheren Umfeldes sowie den Gestaltungskräften im weiteren Marketingumfeld, die Einfluß auf die Leistungserbringung des Unternehmens haben.

Die Aufgabe, bedeutsame Veränderungen im Unternehmensumfeld rechtzeitig zu erkennen, fällt in den Verantwortungsbereich des Marketers. Im Umfeld eröffnen sich laufend neue Chancen, und zwar in guten wie in schlechten Jahren. Tabelle 5-1 enthält eine Auswahl großer Marketingerfolge der 60er, 70er, 80er und frühen 90er Jahre. Obwohl gerade die 70er und 80er Jahre durch ein verlangsamtes Wirtschaftswachstum gekennzeichnet waren, fanden sich genug dynamische und einfallsreiche Unternehmer, die sich neue Tätigkeitsfelder erschlossen und neue Produkte hervorbrachten. Betrachtet man rückblickend die Konzepte, auf die sie sich dabei stützten, erscheint ihr Erfolg vorprogrammiert.

Oft sieht sich ein Unternehmen aber auch ernsthaften Bedrohungen aus dem Umfeld heraus ausgesetzt, z.B. einer Energiekrise, einem starken Anstieg der Zinsen oder einer einschneidenden Rezession. Schrumpfende Märkte und Unternehmenszusammenbrüche sind die Folge. Gerade die vergangenen Jahre waren von zahlreichen plötzlichen Veränderungen im Unternehmensumfeld gekennzeichnet, die Peter Drucker dazu veranlaßten, von einem *»Age of Discontinuity«* zu sprechen; [1] Toffler charakterisiert diese Entwicklung als *»Zukunftsschock«* [2].

Tabelle 5-1
Große Marketingerfolge

60er Jahre	70er Jahre	80er Jahre	90er Jahre
McDonalds' Honda Motorräder Playboy Avon Kosmetika Levi Jeans (Levi Strauss) Marlboro (Philip Morris) Atomic (Ski) BIC Kugelschreiber Rodenstock (Brillen)	Hannen Alt (Bier) Jever Pils (Bier) Club Mediterranée Adidas und Nike (Sportschuhe) Boeing 747 Texas Instruments (Taschenrechner)	Intel (»Chip«) Pac Man Krügerrand-Münzen Pampers (P & G) Penthouse Sony (Walkman) Mövenpick (Restaurant) Boss (Herrenmode)	Atari (Videospiele) Apple (Computer) Kleinstfernseher CD-Plattenspieler Anrufbeantworter Geldautomaten Videorecorder Camcorder Mikrowellenherde Swatch (Uhren) Goretex (Stoffbeschichtung)

Der Marketer muß durch Informationssammlung und Marketingforschung das Umfeld systematisch überwachen. Mit Hilfe eines Frühwarnsystems kann er dann seine Marketingstrategien rechtzeitig so umgestalten, daß das Unternehmen die neuen Bedrohungen und Chancen des Umfeldes meistern kann.

Was verstehen wir unter dem Begriff Marketingumfeld? Er umfaßt die Mitspieler und Gestaltungskräfte, die das Unternehmen nicht steuern kann, die jedoch Auswirkungen auf den Markt und das Marketing haben. Genauer gesagt:

> Das Marketingumfeld des Unternehmens besteht aus den unternehmensexternen Mitspielern und Gestaltungskräften, welche die Fähigkeit des Unternehmens beeinflussen, seine geschäftlichen Transaktionen und Beziehungen mit den gewünschten Kunden mit Erfolg weiterzuführen und auszubauen.

Abbildung 5-1 zeigt die Einflußgrößen im Marketingumfeld. Dieses läßt sich wiederum in das nähere Umfeld (Mikroumfeld) und das weitere Umfeld (Makroumfeld) unterteilen. Ersteres umfaßt alle Mitspieler in unmittelbarer Nähe des Unternehmens, die für die erfolgreiche Bearbeitung seiner Märkte wichtig sind. Es sind dies das Unternehmen selbst, seine Lieferanten, Absatzhelfer, Kunden, Konkurrenten und diverse Interessengruppen. Das Makroumfeld setzt sich aus den weitreichenden gesellschaftlichen Gestaltungskräften zusammen, die sich wiederum auf sämtliche Mitspieler des Mikroumfeldes auswirken. Diese Gruppe umfaßt eine demographische, volkswirtschaftliche, naturgebundene, technologische, politisch-rechtliche und sozio-kulturelle Komponente. Im folgenden soll zunächst das Mikroumfeld und anschließend das Makroumfeld eines Unternehmens untersucht werden.

Abbildung 5-1
Wichtigste Mitspieler und Gestaltungskräfte im Marketingumfeld

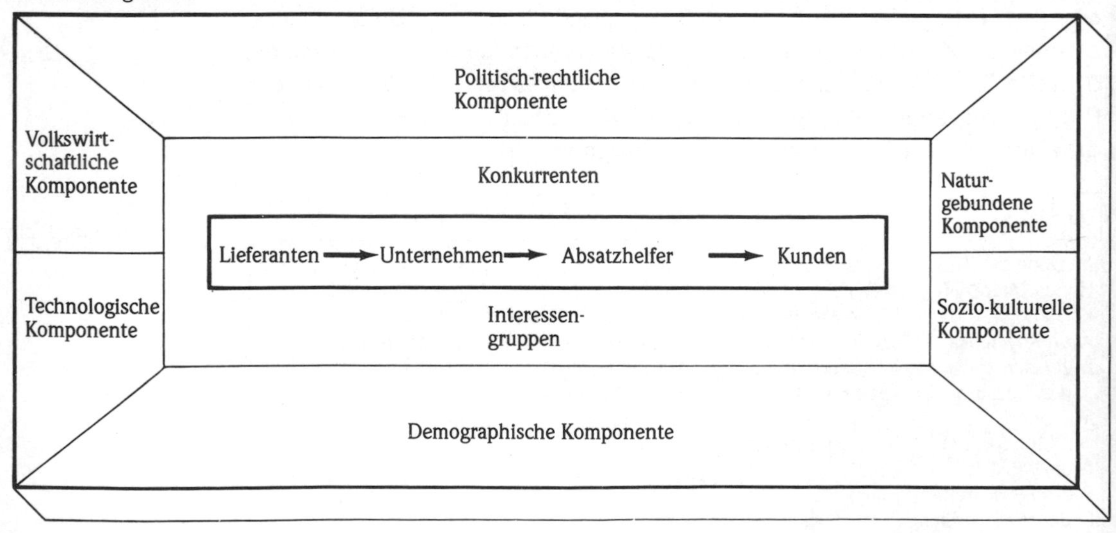

Mitspieler im näheren Umfeld

Das wichtigste Ziel eines jeden Unternehmens besteht darin, bestimmte Bedürfnisse der Kunden auf einigen ausgewählten Zielmärkten mit Gewinn zu befriedigen. Im Rahmen seiner Tätigkeit geht das Unternehmen Verbindungen mit einer Gruppe von Lieferanten und einer Reihe von Absatzhelfern ein, mit deren Hilfe es seine Kunden erreichen kann. Diese aus den Lieferanten, dem Unternehmen selbst, den Absatzhelfern und den Kunden bestehende Kette bildet den Kernbereich des Marketingsystems. Der Erfolg des Unternehmens hängt jedoch noch von weiteren Mitspielern ab, nämlich den Konkurrenten und einer Reihe von Interessengruppen. In Abbildung 5-1 werden all diese Mitspieler dargestellt. Ihre praktische Bedeutung soll nun anhand eines konkreten Beispiels erläutert werden, in dessen Mittelpunkt die Schweizer Firma Jacobs-Suchard AG steht, ein bedeutender Hersteller von Süßwaren (z. B. Milka-Schokolade) und anderen Nahrungsmitteln. In unserem Beispiel geht es um die Produktlinie Süßwaren und die relevanten Lieferanten, Absatzhelfer, Konkurrenten und Interessengruppen.

Das Unternehmen selbst

Die Jacobs-Suchard AG hat in Zürich ihren Hauptsitz und ist in vielen Ländern vertreten. Die Umsätze des Unternehmens in der Produktgruppe Schokolade und andere Süßwaren belaufen sich auf etwa 3,5 Milliarden Schweizer Franken jährlich. Für das Marketing des Unternehmens ist eine umfangreiche Marketing- und Verkaufsabteilung zuständig, in der u. a. Produktmanager, Marketingforscher, Werbe- und Absatzförderungsspezialisten, Verkaufsleiter und Verkaufsvertreter beschäftigt sind. In den Aufgabenbereich dieser Abteilung fallen sowohl die Erstellung der Marketingpläne für sämtliche Produkte des Unternehmens als auch die Entwicklung neuer Produktideen und Markenartikel.

Bei der Erarbeitung eines Marketingplans muß das Marketing-Management die Belange der anderen Geschäftsbereiche, also z. B. des Topmanagements, der Finanzverwaltung, der Forschungs– und Entwicklungsabteilung, des Einkaufs, der Fertigung und des Rechnungswesens berücksichtigen. Diese Funktionsbereiche machen in ihrer Gesamtheit das *interne Mikroumfeld* des Marketing aus.

Die *Geschäftsleitung* setzt sich aus dem Vorsitzenden des Verwaltungsrates, der indirekt maßgeblich am Kapital des Unternehmens beteiligt ist, und den restlichen Mitgliedern des Verwaltungsrates zusammen. Auf dieser Führungsebene werden das unternehmerische Aufgabenprofil und die entsprechenden Zielsetzungen, die grundlegenden Strategiekonzepte und die Unternehmenspolitik festgelegt. Innerhalb dieses von der Unternehmensführung abgesteckten Rahmens liegen die Kompetenzen und Entscheidungsbefugnisse der Marketing-Manager. Einschneidende Marketingvorhaben müssen von der Unternehmensleitung abgesegnet werden, bevor sie in die Praxis umgesetzt werden können.

Darüber hinaus arbeiten die Führungskräfte im Marketing eng mit den anderen Funktionsbereichen zusammen, so z. B. mit der *Finanzierung*, wenn es darum geht, die Verfügbarkeit von Marketingmitteln festzustellen, den finanziell lohnendsten

Einsatz und die effiziente Verteilung dieser Mittel auf die einzelnen Produkte, Marken und Marketingaktivitäten abzuwägen, die zu erwartende Rentabilität abzuschätzen und das in den Absatzprognosen und Marketingplänen enthaltene Risiko auszuloten. Zusammen mit der *F&E-Abteilung* werden neue Produkte entwickelt. Der *Einkauf* muß ausreichende Mengen der erforderlichen Rohmaterialien (Kakao, Zukker usw.) und die übrigen für die Produktion notwendigen Einsatzgüter beschaffen. In den Aufgabenbereich der *Fertigung* fällt die Bereitstellung der Produktionskapazität und des Personals, mit deren Hilfe das durch den Marketingplan gesetzte Produktionsziel erreicht werden kann. Das *Rechnungswesen* schließlich stellt fortlaufend die Einnahmen und Kosten fest, um dem Marketing anzuzeigen, ob und inwieweit die Gewinnziele erreicht sind.

All diese Bereiche beeinflussen die Planung und die Aktivitäten des Marketing. Die verschiedenen Produktmanager müssen zunächst die Verantwortlichen in der Fertigung und der Finanzabteilung von ihren Vorhaben überzeugen, bevor sie diese der Unternehmensleitung vorlegen können. Wenn nicht genügend Produktionskapazität zur Verfügung gestellt wird oder die erforderlichen Finanzierungsmittel verweigert werden, muß der Produktmanager entweder seine Umsatzziele revidieren oder seine Vorstellungen mit Hilfe der Unternehmensleitung durchsetzen. Zwischen der Marketingabteilung und den übrigen Bereichen kann es aus den verschiedensten Anlässen zu Konflikten kommen, so daß sie im Laufe der Entwicklung und Durchführung ihrer Marketingpläne ständig mit den einzelnen Abteilungen verhandeln und diskutieren muß.

Lieferanten

In die Gruppe der Lieferanten gehören diejenigen Firmen und Einzelpersonen, von denen das Unternehmen und seine Konkurrenten die zur Erstellung ihrer Güter und Dienstleistungen erforderlichen Produktionsfaktoren beziehen. So benötigt die Jacobs-Suchard AG für die Herstellung und Verpackung ihrer Süßwaren u.a. Kakao, Zucker, Zellophan und Papier. Daneben ist sie auf Arbeitskräfte, Produktionsanlagen, Brennstoff, Elektrizität, Computer und verschiedene andere Produktionsfaktoren angewiesen. Die Einkaufsabteilung muß mit Hilfe technischer Experten die erforderlichen Güter spezifizieren, geeignete Lieferanten ausfindig machen und beurteilen und schließlich jeweils den Lieferanten auswählen, dessen Leistungspaket eine optimale Kombination aus Produktqualität, zuverlässiger Lieferung, günstigen Zahlungsbedingungen, umfassenden Garantieleistungen und niedrigen Preisen darstellt.

Die Entwicklungen im Umfeld der Zulieferer selbst haben oft gravierende Auswirkungen auf die Marketingaktivitäten eines Unternehmens. So muß der Marketing-Manager unbedingt die Preisentwicklungen der wichtigsten Einsatzgüter im Auge behalten. Steigen die Kosten für Zucker oder Kakao, muß Jacobs-Suchard entweder die Preise erhöhen oder die Packungsgrößen seiner Schokoladenriegel reduzieren – beides Maßnahmen, die vermutlich dem Umsatz schaden. Auch die Verfügbarkeit der Produktionsfaktoren ist ein Thema, mit dem die Marketingabteilung sich auseinandersetzen muß. Lieferengpässe, Streiks und ähnliche Ereignisse führen häufig dazu, daß ein Unternehmen seinen eigenen Lieferverpflichtungen nicht nachkommen kann, kurzfristige Umsatzeinbußen hinnehmen muß und auf lange Sicht das Vertrauen der Kunden verliert. Viele Unternehmen beschaffen jedes benötigte Einsatzgut von mehreren Lieferanten, um nicht von einer einzigen Bezugsquelle abhängig zu sein und damit willkürliche Preiserhöhungen oder Liefereinschränkungen zu riskieren. Die Einkäufer des Unternehmens bemühen sich darum, mit den wichtigsten Zulieferern eine langfristige Beziehung aufzubauen. In Zeiten der Verknappung eines Produktionsfaktors stehen die Einkäufer vor der Aufgabe, bei den Lieferanten eine bevorzugte Behandlung ihres Unternehmens zu »vermarkten«.[3]

Gelingt es einem Unternehmen, durch besseres Beschaffungsmanagement die Kosten zu senken bzw. die Qualität seiner Produkte zu erhöhen, so bringt dies einen Wettbewerbsvorteil. Einige Unternehmen greifen sogar zum Mittel der Rückwärtsintegration, um die Herstellung ihrer wichtigsten Einsatzgüter selbst in der Hand zu haben. Wieder andere Unternehmen arbeiten mit einem fertigungssynchronen Materialwirtschaftssystem (»Just-in-Time-System«): Sie verlangen von ihren Lieferanten, daß sie sich in unmittelbarer Nähe ihrer Produktionsanlagen niederlassen und die Einsatzgüter praktisch synchron zur Fertigung anliefern, so daß diese sofort verarbeitet werden können und nicht gelagert werden müssen. In diesem Fall muß der Zulieferbetrieb unbedingt die Qualitätsanforderungen des Unternehmens erfüllen. Um dies zu gewährleisten, arbeiten viele Firmen enger als früher mit ihren Lieferanten zusammen und führen z.B. Qualitätssicherungsprogramme an deren Standort durch, um zuverlässige Qualitäts- und Leistungsstandards des Zulieferunternehmens sicherzustellen.

Einige Dienstleistungen, die für das Marketing erforderlich sind, werden von der Marketingabteilung direkt erworben, so z.B. Leistungen in den Bereichen Werbung und Marketingforschung, Schulung des Verkaufspersonals und Marketingberatung. Der Marketer führt zuvor jeweils einen Leistungsvergleich unter den verschiedenen Werbeagenturen, Marketingforschungsdiensten, Verkaufsschulungsanbietern und Marketingberatern durch. Ihm obliegt zuweilen auch die Entscheidung, welche Dienste von externen Anbietern erworben werden sollen und welche das Unternehmen durch Einstellung entsprechender Spezialisten künftig selbst erbringt.

Absatzhelfer

Zu den Absatzhelfern zählen die Organisationen, die ein Unternehmen bei der Absatzförderung, beim Verkauf und bei der Distribution seiner Waren an die Endverbraucher unterstützen. Dazu gehören Absatzmittler, Spediteure, Marketing-Dienstleistungsunternehmen und Finanzinstitute.

Absatzmittler

Ein Absatzmittler ist ein gewerbliches Unternehmen, das dem Anbieter hilft, Kunden zu akquirieren bzw. Geschäfte mit ihnen abzuschließen. Hierbei unterscheidet man Handelsvertreter und Händler. Die *Handelsvertreter* – also z.B. Kommissionäre, Makler und Industrievertreter im Investitionsgüterbereich – werben Kunden an oder erarbeiten Verträge mit ihnen, werden jedoch nicht Eigentümer der Ware. Jacobs-Suchard kann beispielsweise Handelsvertreter einsetzen, die in verschiedenen, neu zu erschließenden Ländern Händler für den Verkauf von Jacobs-Suchard-Produkten gewinnen sollen, wobei die Höhe der gezahlten Provision sich nach ihrem Erfolg richtet. Diese Vertreter erwerben die Ware also nicht selbst, sondern bahnen auf fremde Rechnung und in fremdem Namen das Geschäft an; Jacobs-Suchard liefert dann direkt an die Handelsgeschäfte. Die Gruppe der *Händler* dagegen – sie umfaßt Groß- und Einzelhändler sowie andere Wiederverkäufer – erwerben die Ware und verkaufen sie anschließend weiter. So liefert Jacobs-Suchard seine Süßwaren hauptsächlich an Großhändler, Supermarktketten und die Betreiber von Verkaufsautomaten, die sie ihrerseits mit Gewinn an die Endverbraucher weiterverkaufen.

Der Grund dafür, daß Jacobs-Suchard überhaupt die Dienste von Absatzmittlern in Anspruch nimmt, besteht darin, daß diese verschiedene Marketingfunktionen effizienter ausführen können als Jacobs-Suchard selbst. In seiner Eigenschaft als Hersteller ist das Unternehmen in erster Linie daran interessiert, Süßwaren in großen Mengen zu produzieren und abzusetzen. Der Endverbraucher dagegen ist interessiert, Süßigkeiten in kleinen Mengen zu kaufen, und zwar in einem bequem erreichbaren Geschäft mit günstigen Öffnungszeiten, einfachen Zahlungsmodalitäten und einem Sortiment, das auch weitere, vom Kunden benötigte Waren umfaßt. Es besteht also ein deutliches Gefälle zwischen den großen Mengen an Süßwaren, die das Fabrikgelände verlassen, und den kleinen Mengen, die ein Kunde kauft. Dieses läßt sich mit Hilfe der Partner im Handel überbrücken. Sie beseitigen die *Diskrepanzen* zwischen den Interessen des Herstellers und denen der Kunden in bezug auf die Menge, den Ort, den Zeitpunkt, das Sortiment und die Kaufmodalitäten.

Im einzelnen stellen die Absatzmittler in Erfüllung ihrer Funktion folgendes Nutzenbündel bereit: Sie schaffen *Standortnutzen*, sorgen also dafür, daß die Süßwaren an einem für den Kunden bequem erreichbaren Ort verfügbar sind. Sie schaffen *Zeitnutzen* durch für den Kunden günstige Öffnungszeiten. Sie bieten *Quantitätsnutzen* durch Bereitstellung der Süßigkeiten in den richtigen Mengen. Sie sorgen für *Sortimentsnutzen*, denn ihr Angebot umfaßt weitere Produkte, die der Kunde beim gleichen Einkauf erwerben kann. Sie ermöglichen *Besitzergreifungsnutzen*, indem sie dem Kunden die Ware in einer einfachen Transaktion überlassen, nämlich gegen einfache Barzahlung, ohne Rechnungsstellung oder ähnlich komplizierte Vorgänge. Wollte die Jacobs-Suchard AG dieses Nutzenbündel selbst bereitstellen, müßte sie ein weitmaschiges Netz von Einzelhandelsgeschäften eröffnen und Verkaufsautomaten aufstellen. Natürlich ist es für das Unternehmen sinnvoller, sich der etablierten Absatzkanäle zu bedienen.

Die Auswahl der geeigneten Absatzmittler und die Zusammenarbeit mit ihnen ist jedoch keine leichte Aufgabe. Früher sah es so aus, daß ein Hersteller mit einer Vielzahl kleiner selbständiger Absatzmittler zu tun hatte. Heute dagegen steht er wenigen großen Handelsunternehmen gegenüber. Ein immer größerer Anteil der gesamten Lebensmitteldistribution wird von firmierten Einzelhandelsketten (z.B. Aldi, Massa und Meinl), führenden Großhandelsfirmen und auch freiwilligen Ketten (wie Edeka und Spar) abgewickelt. Die Schweiz liefert ein extremes Beispiel für diese Konzentration: Dort liegen 70 % des gesamten Nahrungsmittelabsatzes in den Händen zweier riesiger Handelsgesellschaften, nämlich Migros und Coop. Große Absatzmittler verfügen über ein beträchtliches Machtpotential; sie können einem Hersteller ihre Bedingungen diktieren oder ihm den Zugang zu mengenträchtigen Märkten verwehren. Der Hersteller wiederum muß große Anstrengungen unternehmen, um genügend Regalfläche für seine Waren in Selbstbedienungsgeschäften zu erobern und diese auch zu verteidigen. Er muß lernen, mit seinen Geschäftspartnern auf dem Weg zum Endverbraucher richtig umzugehen und sie zufriedenzustellen – andernfalls verliert er deren Unterstützung, und schlimmstenfalls wird ihm sogar der Weg versperrt.

Dienstleister für die Warenlogistik
Diese Absatzhelfer erfüllen Speditionsfunktionen. Sie unterstützen einen Hersteller bei Lagerung und Transport seiner Ware von der Produktionsstätte bis an ihren Bestimmungsort. Die *Lagerfunktion* beispielsweise besteht aus Unterbringung und Bewachung von Waren, die für den Weitertransport bestimmt sind. Ein Hersteller kann entweder selbst ausreichende Lagerräume bauen oder zusätzliche Flächen von einem Lagerbetrieb mieten. Die *Transportfunktion* wird z.B. von Eisenbahn oder Lkw-Unternehmen, Fluggesellschaften, Betreibern von Lastschiffen und allen übrigen Frachtführern erfüllt. Viele Speditionsunternehmen erbringen diese beiden Funktionen und noch zusätzliche Logistikleistungen. Jeder Hersteller muß die für ihn günstigste Beförderungsart auswählen und dabei Faktoren wie Kosten, Zuverlässigkeit, Geschwindigkeit und Sicherheit berücksichtigen (siehe auch Kapitel 19).

Marketingdienstleister
Marketingdienstleister – also Marketingforschungsfirmen, Werbeagenturen, Medienunternehmen und Marketingberater – unterstützen den Hersteller bei der zielrichtigen Zusammenführung von Märkten und Produkten sowie bei der Absatzförderung. Auch hier steht das Unternehmen vor der Wahl, die Dienste externer Anbieter in Anspruch zu nehmen oder selbst die nötigen Fachleute einzustellen. Einige Großunternehmen, wie z.B. Siemens und BASF, setzen in großem Maße unternehmenseigene Werbeagenturen und Marketingforschungsabteilungen ein. Die meisten Unternehmen arbeiten jedoch überwiegend mit selbständigen Dienstleistern zusammen. Sie müssen bei der Auswahl der Marketingdienstleister sorgfältig vorgehen, denn es gibt große Unterschiede in Kreativität und Qualität, Leistung und Preisniveau. Jedes Unternehmen sollte die Leistung seiner Marketingdienstleister regelmäßig überprüfen und sie bei einem schlechten Abschneiden durch andere ersetzen.

Finanzdienstleister
Hierzu gehören Banken, Kreditgesellschaften, Versicherungen und andere Unternehmen, die den An- und Verkauf von Gütern finanzieren bzw. Versicherungen gegen die damit verbundenen Risiken anbieten. Im allgemeinen sind Hersteller und Abnehmer gleichermaßen auf die Dienste dieser Finanzierungsinstitute angewiesen. Die Leistungsfähigkeit eines Unternehmens kann durch steigende Kreditkosten bzw. einen eingeschränkten Kreditrahmen erheblich beeinträchtigt werden. Bevor sich ein Unternehmen Kapital in großem Umfang beschaffen kann, muß es einen Gesamtplan aufstellen und den Kreditgeber von dessen Güte überzeugen. Aus diesem

Grund ist es empfehlenswert, enge und vertrauensvolle Beziehungen zu einigen Finanzinstituten aufzubauen.

Kunden

Ein Hersteller arbeitet also mit Lieferanten und Absatzhelfern zusammen, um seine Produkte und Leistungen auf dem Markt anbieten zu können. Hier lassen sich fünf Kundenkategorien unterscheiden:

- **Private Haushalte**
  Diese bestehen aus Einzelpersonen und Haushalten, die Güter und Dienstleistungen für den persönlichen Verbrauch erwerben.
- **Industrielle Kunden**
  Hierzu zählen sämtliche Organisationen, die Güter und Dienstleistungen erwerben, um damit ihre eigenen Produkte und Dienstleistungen zur Erreichung von Gewinn- oder anderen Zielen zu produzieren.
- **Wiederverkäufer**
  In diese Gruppe gehören alle Organisationen, die Güter und Dienstleistungen erwerben, um sie weiterzuverkaufen.
- **Die Öffentliche Hand und der Nonprofit-Sektor, institutionelle Abnehmer**
  Behörden und Wohltätigkeitsorganisationen erwerben Güter und Dienstleistungen, um damit z.B. öffentliche Versorgungsleistungen zu erbringen, um sie an Bedürftige weiterzuleiten oder um ihre Angestellten zu versorgen.
- **Internationale Kunden**
  Diese Kategorie beinhaltet sämtliche Konsumenten, Produzenten, Wiederverkäufer und staatlichen Organe im Ausland.

Jacobs-Suchard verkauft seine Produkte an eine Reihe dieser Kundenkategorien, in der Hauptsache aber an Wiederverkäufer, von denen aus die Süßwaren an die Konsumenten weitergeleitet werden. Eine weitere wichtige Kundengruppe sind die institutionellen Abnehmer wie beispielsweise Fabriken, Krankenhäuser, Schulen und Behörden, welche die Süßwaren in ihren Kantinen und Cafeterias anbieten. Auch an internationale Kunden verkauft Jacobs-Suchard einen beträchtlichen Teil seiner Produkte, und zwar an alle dort vertretenen Kundengruppen. Jede der genannten Kategorien weist eine Reihe charakteristischer Markteigenheiten auf, die der Anbieter sorgfältig analysieren muß. Das Käuferverhalten in Konsumgütermärkten und Organisationsmärkten (Produzenten, Wiederverkäufer, Öffentliche Hand und Nonprofit-Organisationen) wird in den folgenden beiden Kapiteln behandelt. Die internationalen Märkte stehen in Kapitel 14 im Mittelpunkt.

Konkurrenten

Nur selten hat ein Unternehmen bei der Bedienung seiner Kundengruppe eine Alleinstellung. Meist bemühen sich auch Konkurrenten um diese Kunden. Das Unternehmen muß also seine Konkurrenten identifizieren, beobachten und ausstechen, um Kunden zu halten und zu gewinnen.

Die Konkurrenz besteht nicht nur aus den unmittelbaren Konkurrenten; vielmehr spielen auch andere Dinge mit, die das Unternehmen am besten erkennen kann, wenn es sich in die Lage des Kunden versetzt. Welche Überlegungen stellt jemand an, bevor er etwas kauft? Nehmen wir an, er hat hart gearbeitet und möchte eine Pause machen. Wie soll er diese Pause nutzen? Verschiedene Möglichkeiten kommen

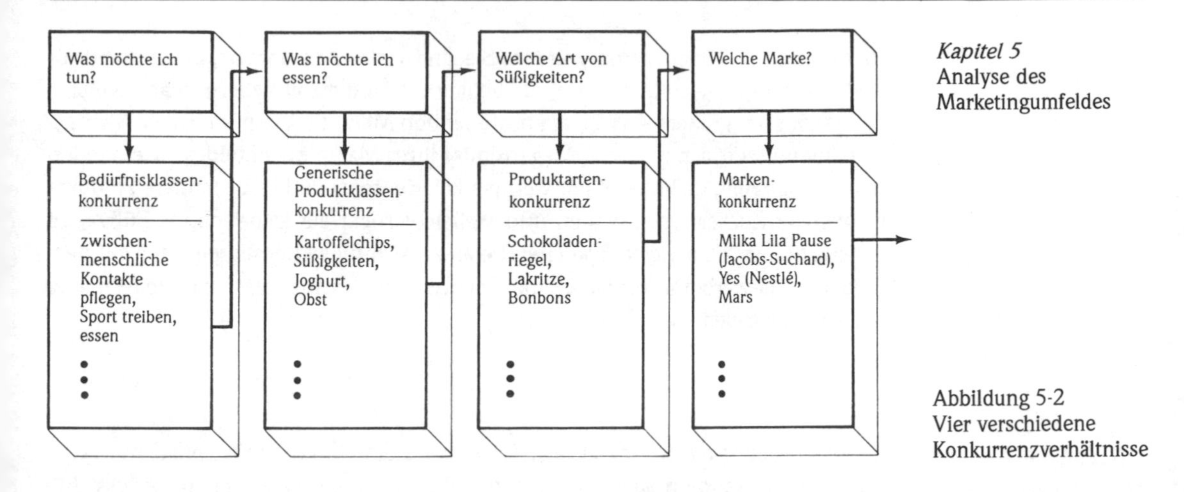

Abbildung 5-2
Vier verschiedene Konkurrenzverhältnisse

ihm in den Sinn: Er könnte zwischenmenschliche Kontakte pflegen, ein wenig Sport treiben oder etwas essen (siehe Abbildung 5-2). So entsteht eine *Bedürfnisklassenkonkurrenz.* Er entscheidet schließlich, daß er jetzt vor allem etwas essen muß, und steht nun vor der Frage, was er auswählen soll. Auch hier kommen ihm wieder verschiedene Ideen: Er könnte sich Kartoffelchips, Süßwaren, Joghurt oder Obst kaufen. So entsteht eine *generische Produktklassenkonkurrenz*, denn alle diese Nahrungsmittel können die gleiche Bedürfniskategorie (nämlich Essen) befriedigen. Der Kunde entscheidet sich für etwas Süßes und hat nun u.a. die Wahl zwischen Schokolade, Lakritze und Bonbons. Zwischen diesen Angeboten besteht eine *Produktartenkonkurrenz*, denn sie alle dienen dazu, den Appetit auf Süßigkeiten zu stillen. Die Wahl des Kunden fällt schließlich auf einen Schokoladenriegel. Hier kann er aus einem breiten Sortiment verschiedener Marken wie z.B. Milka Lila Pause (von Jacobs-Suchard), Yes (von Nestlé) und Mars wählen. Jetzt erst wird die unmittelbare *Markenkonkurrenz* relevant.

Wenn die Marketing-Manager bei Jacobs-Suchard diese gedanklichen Schritte nachzuvollziehen versuchen, können sie sämtliche Konkurrenten ausmachen, die dem Verkauf von mehr eigenen Süßwaren im Wege stehen. Viele Manager konzentrieren sich fast ausschließlich auf die unmittelbaren Konkurrenten und kämpfen mit ihnen um die Markenpräferenzen der Kunden. Die Manager von Suchard wollen vielleicht für die Marke Milka das Image des Marktführers erobern. Der Kunde soll das Gefühl haben, für sein Geld hohe Qualität zu erhalten. Neben der Produktqualität selbst setzt Suchard für Milka die Werbung, Absatzförderung und ein universelles Vertriebsnetz ein, um die Markenpräferenz aufzubauen. Die Haltung des Unternehmens gegenüber den Konkurrenten Mars, Nestlé usw. richtet sich vielleicht in der Regel nach dem Leitspruch »Leben und leben lassen« – mit gelegentlichen direkten Angriffen auf die Position eines Konkurrenten. Meistens allerdings ist der Marktführer in der Defensive und muß sich gegen die aggressiven Strategien seiner Konkurrenten zur Wehr setzen.

Es wäre kurzsichtig, wenn sich die Schokoladenriegelhersteller nur auf den Markenwettbewerb konzentrieren würden. Sie sind vielmehr gefordert, ihren Markt für die Produktklasse (also Süßwaren) zu behaupten und zu erweitern, statt lediglich miteinander um größere Anteile am bestehenden Markt zu kämpfen. Die Süßwarenhersteller müssen sich mit den »Megatrends« ihres Marketingumfeldes auseinandersetzen, z. B. damit, daß Menschen weniger kalorienreich und insbesondere Produkte mit weniger Zucker essen wollen und vielleicht sogar auf kalorienarme Süßwaren umsteigen... In allzu vielen Branchen befassen sich die Unternehmen nur mit dem Markenwettbewerb und verpassen die Chance, den Gesamtmarkt zu erweitern oder wenigstens vor dem Verfall zu bewahren.

Interessengruppen

Bei der Befriedigung der Marktbedürfnisse muß ein Unternehmen nicht nur seine Konkurrenten, sondern auch eine ganze Reihe von Interessengruppen berücksichtigen. Eine Interessengruppe läßt sich in diesem Zusammenhang wie folgt definieren:

> Als Interessengruppe gilt jede Gruppe mit Interesse an und Einwirkungsmöglichkeiten auf die Arbeit und den Erfolg des Unternehmens.

Eine Interessengruppe kann es dem Unternehmen erschweren oder erleichtern, seine Ziele zu erreichen. Ein umsichtiges Unternehmen ergreift rechtzeitig konkrete Maßnahmen, um seine Beziehungen zu den wichtigsten Interessengruppen positiv zu gestalten. Die meisten Unternehmen haben eine Abteilung für Öffentlichkeitsarbeit, die Meinungsänderungen in den wichtigsten Interessengruppen beobachtet, Informationsmaterial verteilt und Nachrichten mitteilt, die Wohlwollen schaffen sollen. Gerät das Unternehmen in Mißkredit, versucht die PR-Abteilung gegenzusteuern. Sie berät aber auch die Unternehmensleitung bei Programmen für die Öffentlichkeit, damit das Unternehmen gar nicht erst in öffentlichen Mißkredit gerät.

Es wäre allerdings ein Fehler, die Öffentlichkeitsarbeit ausschließlich der PR-Abteilung zu überlassen. Alle Mitarbeiter tragen ihren Teil zum öffentlichen Ansehen des Unternehmens bei – vom Generaldirektor, der in den Schlagzeilen auftaucht, über den »Schatzmeister«, der die Finanzwelt informiert, und den Verkaufsvertreter, der die Kunden aufsucht, bis hin zur Telefonistin, die die Anrufe entgegennimmt.

Die Öffentlichkeitsarbeit ist unserer Meinung nach im Grunde Teil des Marketing und sollte nicht im engen Sinne als einseitige Kommunikation betrachtet werden. [4] Das Unternehmen will bestimmte Reaktionen von seinen Interessengruppen. Jedes Unternehmen hat mit einer Reihe wichtiger wirtschaftlicher und gesellschaftlicher Interessengruppen zu tun:

- **Finanzwelt**
  Die Finanzdienstleister – also die Banken, Investmenthäuser, Wertpapiermakler und Versicherungen – üben Einfluß auf die Mittelbeschaffung des Unternehmens aus. Um das Vertrauen dieser Gruppe zu gewinnen, kann Jacobs-Suchard positiv gestimmte Jahresberichte herausgeben und die finanzielle Situation sowie den Umgang mit Geld und Kapital klar darstellen.

- **Medien**
  Ein Unternehmen muß sich auch das Wohlwollen der Medien sichern, d.h. der Zeitungen, Zeitschriften, Radiosender und Fernsehstationen. Jacobs-Suchard kann eine umfangreichere und bessere Berichterstattung über seine Tätigkeit anstreben, und zwar in Form von positiven Meldungen, Reportagen und Kommentaren.
- **Staat**
  Bei der Erstellung des Marketingplans muß das Unternehmen die Entwicklungen im gesetzgeberischen Bereich im Auge behalten. Jacobs-Suchards Marketingabteilung muß sich gemeinsam mit der Rechtsabteilung über anstehende Gesetzesvorhaben zum Thema Produktinhaltsdeklarationen, Form und Inhalt von Werbebotschaften u. ä. informieren. Wäre ein Gesetzesentwurf darunter, der den Interessen der Süßwarenhersteller schaden könnte, würde man gemeinsam mit anderen Unternehmen eine Lobby bilden und den Entwurf im eigenen Interesse zu beeinflussen versuchen.
- **Bürgerinitiativen**
  Zuweilen werden die Marketingpraktiken eines Unternehmens von Verbraucherverbänden, Umweltschutzgruppen, Minderheitenorganisationen und ähnlichen Zusammenschlüssen angegriffen. So haben einige Verbraucheranwälte Lebensmittel mit hohem Zuckergehalt als nährwertarm, voll leerer Kalorien und schlecht für die Zähne angeprangert. Suchard kann diese Attacken entweder ignorieren oder ihnen die Schlagkraft zu nehmen versuchen und der Öffentlichkeit positive Befunde über den Nutzen von Süßigkeiten präsentieren. (In Exkurs 5-1 wird anhand eines konkreten Falles beschrieben, wie z.B. die Verbraucherschutzbewegung die Marketingpraxis eines Unternehmens beeinflussen kann.)
- **Öffentlichkeit als Ganzes**
  Auch das Image, das die Produkte und Praktiken eines Unternehmens in der breiten Öffentlichkeit genießen, kann dem Unternehmen nicht gleichgültig sein. Die Öffentlichkeit als Ganzes kann zwar nicht organisiert handeln, doch das Bild, das sie von einem Unternehmen hat, beeinflußt dessen Kundschaft. Um einen möglichst positiven Eindruck zu vermitteln, stellen manche Unternehmen leitende Angestellte ganz oder teilweise frei, um an Lösungen für öffentliche oder wohltätige Anliegen mitzuwirken, machen großzügige Spenden für gemeinnützige Zwecke und befassen sich systematisch mit Verbraucherbeschwerden.
- **Unternehmensinterne Gruppen**
  Hierzu gehören die Arbeiter und Angestellten ebenso wie die Führungskräfte und die Unternehmensspitze. Um diese verschiedenen internen Gruppen zu informieren und zu motivieren, geben viele Großunternehmen regelmäßig Rundschreiben und andere Mitteilungen heraus. Wenn ein Angestellter sich in seinem Unternehmen wohlfühlt, färbt seine positive Einstellung auch auf Außenstehende ab.

Exkurs 5-1: Der Einfluß der Verbraucherschutzbewegung auf die Marketingpraxis von Unternehmen

In den 60er Jahren begann sich in den USA eine Verbraucherbewegung zu formieren, mit der sich die Unternehmen auseinandersetzen mußten. Einerseits war der durchschnittliche Konsument gebildeter und informierter als früher, andererseits wurden die angebotenen Produkte immer komplexer und gefährlicher. Zudem herrschte eine weitverbreitete Unzufriedenheit mit den amerikanischen Institutionen. Vor diesem Hintergrund stießen die auch im deutschsprachigen Raum veröffentlichten Publikationen von John Kenneth Galbraith, Vance Packard (»Die geheimen Verführer«) und Rachel Carson, in denen den Großunternehmen Verschwendung und Manipulation der Verbraucher vorgeworfen wurde, auf große Resonanz. Im Jahre 1962 erklärte John F. Kennedy in einer Ansprache vor dem amerikanischen Kongreß, der Verbraucher habe das Recht auf Produktsicherheit und umfassende Informationen; er müsse die Möglichkeit haben, aus einer breiten Palette unterschiedlicher Angebote zu wählen und gegebenenfalls Beschwerden vorzubringen. Der Kongreß ließ in einigen Branchen Untersu-

chungen der dort gängigen Praktiken durchführen, die zum Teil beschämende Ergebnisse zutage förderten.
Seit diesen ersten Anfängen sind in den USA zahlreiche private Verbraucherorganisationen gegründet worden. Der amerikanische Kongreß hat diverse Verbraucherschutzgesetze erlassen, und auf bundesstaatlicher und lokaler Ebene sind entsprechende Behörden eingerichtet worden. Inzwischen hat sich die Verbraucherbewegung, der sog. Konsumerismus, auch international ausgebreitet und besonders in Skandinavien und in den Beneluxländern erheblichen Einfluß gewonnen. Auch in Frankreich, Japan und in der Bundesrepublik Deutschland spielt der Konsumerismus eine gewisse Rolle, wenngleich seine Bedeutung bei weitem nicht so stark ist wie in den USA.
Aber was genau ist eigentlich die Verbraucherbewegung? *Es handelt sich dabei um organisierte Zusammenschlüsse von Bürgern und staatlichen Organen, die das Ziel verfolgen, den Kunden mehr Macht und mehr Rechte gegenüber den Anbietern zu erkämpfen.* Dazu gehört beispielsweise, daß der Kunde mehr Informationen über die einzelnen Angebote erhält und besser gegen unlautere Geschäftspraktiken und gefährliche Produkte geschützt wird. Die Verfechter des Verbraucherschutzes haben bereits zahlreiche Forderungen gestellt und sie in vielen Fällen auch durchsetzen können: So verlangten sie, daß ein Kreditnehmer voll über den effektiven Jahreszins seines Kredits informiert werden soll, daß die Preise konkurrierender Produkte pro Mengeneinheit angegeben werden, daß die wichtigsten Bestandteile bzw. Zutaten eines Produkts auf der Verpackung deklariert werden und über den Nährwert eines Nahrungsmittels auf der Packung Auskunft gegeben wird. Weitere Forderungen der Verbraucherorganisationen betrafen die Frische von Lebensmitteln und anderen verderblichen Produkten (*Angabe von Herstellungs- und Verfallsdatum*) und den Inhalt von Werbebotschaften (*wahrheitsgemäße Werbung*). Der Staat hat nach Ansicht der Verbraucherverbände die Aufgabe, die Sicherheit potentiell gefährlicher Produkte zu überprüfen und diejenigen Hersteller zu belangen, die hier eine zu geringe Sorgfalt erkennen lassen. Manche Organisationen fordern sogar, daß die Unternehmen gewählte Verbrauchervertreter in ihre Leitungsorgane aufnehmen sollen, die dann bei den geschäftlichen Entscheidungen für die Interessen der Konsumenten eintreten.
Die bedeutendste bundesdeutsche Organisation zur Wahrnehmung von Verbraucherinteressen ist die Stiftung Warentest. Die 1964 gegründete, teils aus öffentlichen Mitteln teils aus eigenen Mitteln finanzierte Organisation genießt in der Bevölkerung einen Bekanntheitsgrad von über 80%. Als staatliche Stiftung richtet sie sich nach den Prinzipien der Wissenschaftlichkeit, Neutralität und Unabhängigkeit. Die Hauptaufgabe der Stiftung Warentest besteht darin, die Verbraucher besser mit Informationen zu versorgen und somit eine Verbesserung der Kaufentscheidungen herbeizuführen. Hierdurch kommt es zur Förderung der Produktion bzw. Innovation echter Problemlösungen.
Zur Bewältigung dieser Aufgaben bedient sich die Stiftung Warentest des vergleichenden Warentests. Hierbei werden typischerweise verschiedene Fabrikate einer Produktgattung (z.B. Waschmaschinen) anhand mehrerer, vorab definierter Kriterien (z.B. Waschleistung, Haltbarkeit, Preis) verglichen. Die Veröffentlichung der Ergebnisse erfolgt vor allem über die monatlich erscheinende Test-Zeitschrift sowie über das zugehörige Jahrbuch. Hinzu kommen Sonderpublikationen, Pressekonferenzen und ein Telefondienst der Stiftung Warentest. Neben materiellen Gütern (z.B. Elektroge-

räte) untersucht die Organisation zunehmend auch vergleichbare Alternativen aus dem Dienstleistungsbereich (z. B. Reparaturwerkstätten für Kraftfahrzeuge) und stellt gelegentlich Sonderuntersuchungen an, die ganz allgemein der Daseinsbewältigung dienen (Städtevergleiche, Unfallursachenanalysen, Steuerspartips usw.).
Die Stiftung Warentest stellt eine erhebliche Herausforderung insbesondere für die Industrie dar. Fritz (1985) untersuchte die Verhaltensänderung der Kunden, des Handels und der Hersteller auf Warentestergebnisse bezüglich Waschmaschinen und Geräten der Unterhaltungselektronik. Es stellte sich heraus, daß bei den betrachteten Unternehmen deutliche Einflüsse der Warentestergebnisse auf den Umsatz festzustellen waren. Positive Warentestergebnisse führten im Mittel zu einem Umsatzplus von 23% in den folgenden 6 Monaten, während negative Ergebnisse in den 7 Folgemonaten eine Umsatzeinbuße von 35% nach sich zogen. Bei den Herstellern geprüfter Produkte zeigten sich gravierende Testwirkungen bezüglich fast aller Aktions- und Informationsinstrumente des Marketing. Die Wirkungen reichten vom Einsatz positiver Testergebnisse für die Produktwerbung über die Verwendung von Testergebnissen im Verkaufsgespräch bis hin zur Berücksichtigung der Prüfkriterien bei Produktinnovationen. Fritz kommt allerdings zu dem Ergebnis, daß die Warentestergebnisse nicht einseitig als Drohpotential zu sehen sind, sondern daß sich in vielen Branchen bei entsprechender Nutzung Chancenpotentiale ergeben.
Man kann heute sagen, daß die meisten Unternehmen die Verbraucherschutzbewegung prinzipiell akzeptieren und eingesehen haben, daß der Konsument ein Recht auf umfassende Informationen und ausreichenden Schutz hat. Diejenigen Unternehmen, die sich auf diesem Gebiet besonders engagieren, haben erkannt, daß der Verbraucherschutz auch auf der obersten Führungsebene Beachtung finden muß, daß die Richtlinien der Unternehmenspolitik entsprechend abgewandelt werden müssen und das gesamte Personal in Schulungskursen auf diese neue Aufgabe hingeführt werden muß. Einige Unternehmen haben daher bereits Verbraucherabteilungen eingerichtet, die an der Gestaltung der Unternehmenspolitik mitwirken und sich mit aktuellen Fragen des Verbraucherschutzes beschäftigen.
Ein Produktmanager muß sich heute viel intensiver als früher mit der Sicherheit der Bestandteile und Eigenschaften sowie der Verpackung seines Produktes befassen. Er ist für eine informative Packungsaufschrift zuständig, muß für sachlich fundierte Werbebotschaften sorgen, die Methoden der Verkaufsförderung überprüfen und ausreichende, unmißverständlich formulierte Garantien anbieten. All das erfordert auch eine engere Zusammenarbeit mit den Firmenanwälten, als dies bisher der Fall war.
Im Grunde genommen stellt der Verbraucherschutz die Verwirklichung des Marketingkonzepts bis zur letzten Konsequenz dar, denn er zwingt die Marketing-Manager eines Unternehmens, sich in die Rolle des Konsumenten zu versetzen. Auf diese Weise erkennen sie seine Bedürfnisse und Wünsche, auch die, die bisher vielleicht von der gesamten Branche übersehen wurden. Ein einfallsreicher Manager jedenfalls sieht die Chancen, die das Thema Verbraucherschutz seinem Unternehmen bietet und versteht sie zu nutzen, statt über die Erschwernisse, die sich daraus für seine Tätigkeit ergeben, zu lamentieren.

Quellen: Ein wichtiges Sammelwerk zum Thema Verbraucherschutz stellt das Buch von O. Hansen, B. Strauss und M. Riemer: *Marketing und Verbraucherpolitik*, Stuttgart: C. E. Poeschel Verlag, 1982, dar. Zum Thema »Wirkungen des vergleichenden Warentests« sind aufschlußreich: W. Fritz: »Der vergleichende Warentest als Herausforderung für das strategische Marketing – Ergebnisse einer empirischen Untersuchung«, in: *zfbf – Schmalenbachs Zeitschrift für betriebswirtschaftliche Forschung*, 37. Jg., Nr. [3], 1985, S. 232–249; H. Raffée, G. Silberer (Hrsg.): *Warentest und Unternehmen. Nutzung, Wirkungen und Beurteilung des vergleichenden Warentests in Industrie und Handel*, Frankfurt/Main: Campus, 1982; H. Raffée, G. Silberer (Hrsg.): *Warentest und Konsument*, Frankfurt/Main: Campus, 1984.

Ein Unternehmen muß zwar seine Energien in erster Linie darauf konzentrieren, erfolgreiche Geschäftsbeziehungen zu seinen Kunden, Partnern im Handel und Lieferanten aufzubauen und zu erhalten, doch letztlich hängt sein Erfolg auch davon ab, wie die externen Interessengruppen seine Tätigkeit beurteilen. Es wäre den Unternehmen daher anzuraten, sämtliche für sie relevanten Interessengruppen im Auge zu behalten, ihre Anliegen und Ansichten zu verstehen und zu respektieren.

Gestaltungskräfte im weiteren Umfeld

Das Unternehmen und seine Lieferanten, Absatzhelfer, Kunden, Konkurrenten und relevanten Interessengruppen bewegen sich in einem Umfeld (dem Makroumfeld), das durch Gestaltungskräfte und Entwicklungstrends geprägt ist, die für ein Unternehmen Chancen und Bedrohungen bedeuten. Diese Gestaltungskräfte kann das Unternehmen nicht steuern. Es muß sie rechtzeitig erkennen und auf sie eingehen. Sechs Komponenten sind es, denen man Beachtung schenken soll: der demographischen, volkswirtschaftlichen, naturgegebenen, technologischen, politisch-rechtlichen und sozio-kulturellen Komponente. Diese sollen im folgenden einzeln untersucht werden; besonders berücksichtigt werden dabei jeweils ihre Konsequenzen für das Marketing.

Demographische Komponente

Unter den externen Einflußfaktoren interessiert die Bevölkerungsentwicklung am meisten, denn ein Markt besteht schließlich aus Menschen. Deshalb beschafft sich der Marketer jeweils aktuelles Zahlenmaterial über die Bevölkerung, ihre geographische Verteilung und Dichte, ihre Mobilität und Altersstruktur, ihre rassische, ethnische und religiöse Zusammensetzung sowie die Geburten-, Heirats- und Sterberaten. An dieser Stelle sollen nun die wichtigsten demographischen Entwicklungen der Gegenwart und ihre Konsequenzen für die Marketingplanung beschrieben werden. [5]

Explosives Wachstum der Weltbevölkerung

Die Weltbevölkerung vermehrt sich explosionsartig. Im Jahr 1986 lebten 5 Mrd.

Menschen auf der Erde, und derzeit beträgt die Zuwachsrate 1,7 % jährlich. Wenn sich diese Entwicklung fortsetzt, werden im Jahr 2000 über 6 Mrd. und im Jahr 2010 über 7 Mrd. Menschen unseren Planeten bevölkern.

Die Bevölkerungsexplosion ruft bei zahlreichen Regierungen und den verschiedensten Organisationen ernste Besorgnis hervor, und zwar hauptsächlich aus zwei Gründen: Erstens kann man davon ausgehen, daß die Ressourcen der Erde begrenzt sind und für die Versorgung derart vieler Menschen nicht ausreichen werden – erst recht nicht, wenn man den Lebensstandard betrachtet, den die meisten Menschen anstreben. Dennis und Donella Meadows stellen in ihrem Buch »Die Grenzen des Wachstums – Bericht des Club of Rome zur Lage der Menschheit« eindrucksvoll dar, daß ein unkontrolliertes Bevölkerungswachstum und uneingeschränkter Konsum schließlich zu einer unzureichenden Nahrungsmittelversorgung, Erschöpfung der Rohstoffvorräte, Übervölkerung, gefährlicher Umweltverschmutzung und einer allgemeinen Verschlechterung der Lebensqualität führen müssen. [6] Sie fordern daher ein weltweites *Sozial-Marketing* auf dem Gebiet der Geburtenkontrolle und Familienplanung. [7]

Der zweite Grund zur Sorge ist folgender: Das Bevölkerungswachstum ist gerade in den Ländern und Regionen am größten, die es sich am wenigsten leisten können. In den weniger entwickelten Regionen der Erde leben derzeit 76 % der Gesamtbevölkerung, und ihre Zuwachsrate beträgt 2 % im Jahr, während sich die Bevölkerung im entwickelten Teil der Welt nur um 0,2 % jährlich vermehrt. Dank der modernen Medizin ist in den Entwicklungsländern zwar die Sterblichkeit rückläufig, die Geburtenziffern sind jedoch unvermindert hoch. Für diese Länder ist es unmöglich, Ernährung, Kleidung und Bildungseinrichtungen für ihre wachsende Bevölkerung zur Verfügung zu stellen und gleichzeitig den Lebensstandard anzuheben. Hinzu kommt noch, daß im allgemeinen die armen Familien die meisten Kinder haben, so daß ein wahrer Teufelskreis entsteht.

Auch für die Wirtschaft hat die Bevölkerungsexplosion gravierende Konsequenzen. Mit der Bevölkerung wächst zwar auch der Bedarf an Gütern, jedoch nicht unbedingt der Markt, denn dafür wäre auch eine zunehmende Kaufkraft erforderlich. Wenn – bei wachsender Bevölkerung – die Ressourcen und Nahrungsmittel knapp werden, schnellen die Preise in die Höhe, oder es kommt zur Zwangsbewirtschaftung, die das Marktprinzip offiziell außer Kraft setzt und zu Schwarzmärkten führt.

Sinkende Geburtenziffern in industrialisierten Ländern

Der »Babyboom« ist in den industrialisierten Ländern dem »Pillenknick« gewichen. In der Bundesrepublik Deutschland ist dies besonders ausgeprägt. [8] Die Geburtenrate in den »alten« Bundesländern hat sich seit den fünfziger Jahren erheblich verringert. Im Jahr 1965 erreichte sie mit über 1 Mio. Geburten ihren Spitzenwert, sank dann aber bis Mitte der 70er Jahre auf knapp 0,6 Mio. Geburten pro Jahr. Seit kurzem ist wieder eine leichte Zunahme (auf etwas über 0,6 Mio. Geburten) zu verzeichnen. Für die Zukunft gehen fast alle Bevölkerungsprognosen für die BRD von einem Schrumpfen der Bevölkerung aus; Zuwanderungen aus dem Ausland wirken einem Bevölkerungsrückgang in manchen Jahren entgegen. In der Dekade 1977–

1986 gab es pro 1.000 Einwohner in Deutschland etwa 10 Lebendgeburten, in Österreich und der Schweiz etwa 12 im Jahr. Ein offensichtlicher Trend zur kleineren Familie hat zahlreiche Ursachen, u.a. das Streben nach einem höheren Lebensstandard, den Wunsch vieler Frauen, einen Beruf auszuüben, die verbesserten Methoden zur Empfängnisverhütung und weit verbreitete Kenntnisse darüber sowie die allgemeine wirtschaftliche und soziale Benachteiligung von kinderreichen Familien.

Für manche Wirtschaftszweige stellen die sinkenden Geburtenziffern eine Bedrohung dar, andere profitieren davon. Die Hersteller von Kinderartikeln aller Art (Spielzeug, Kleidung, Möbel, Nahrung) machen sich darüber Sorgen und müssen sich rechtzeitig nach gangbaren Auswegen umsehen. Der schwäbische Spielzeugfabrikant Märklin, durch »Knabenmangel« in Absatznot geraten, versucht für seine Modelleisenbahnen mit immer weiteren technischen Verfeinerungen wie digitale Steuerungen, schon längst erwachsene Männer zu begeistern. Neben dem Spielzeugmarkt erschließt er sich damit auch den Hobbymarkt. Johnson & Johnson will sich ebenfalls gegen die Folgen der rückläufigen Geburtenziffern absichern. Das Unternehmen empfiehlt seine Produkte (Babypuder, Babyöl, Babyshampoo) nun auch den Erwachsenen zum Gebrauch. Indessen profitieren andere Branchen von der gegenwärtigen Bevölkerungsentwicklung: Für Hotels, Fluggesellschaften und Restaurants etwa zahlt es sich aus, daß viele junge, kinderlose Paare jetzt mehr Zeit und Geld für Reisen, Restaurantbesuche u. ä. aufwenden können.

Überalterung der Bevölkerung

Die durchschnittliche Lebenserwartung ist in den vergangenen Jahrzehnten erheblich angestiegen. In den alten Bundesländern Deutschlands hat sie sich von 1935 bis 1985 um 14 Jahre (auf 75) erhöht. Der Mann erreicht im Durchschnitt ein Lebensalter von 71, die Frau von 78 Jahren. Dieser Anstieg der Lebenserwartung führt gemeinsam mit den sinkenden Geburtenziffern zu einer Überalterung der Bevölkerung. In Österreich und der Schweiz zeichnen sich ähnliche Entwicklungen ab.

Die einzelnen Altersgruppen weisen unterschiedliche Zuwachsraten auf. So wird die Gruppe der 15- bis 21jährigen bis zum Jahr 2000 – gesehen ab 1985 – um 40% schrumpfen – eine Entwicklung, die ein verlangsamtes Umsatzwachstum für die Hersteller von Motorrädern, Fußballschuhen, Jeanskleidung und Schallplatten mit sich bringen dürfte. Auch die Zahl der Studienanfänger wird abnehmen.

Die Altersgruppe der 20- bis 30jährigen wird im kommenden Jahrzehnt um 33% abnehmen. Davon sind vor allem die Möbelhersteller, Reiseveranstalter, Lebensversicherer sowie die Produzenten von Tennis- und Skiausrüstungen betroffen, deren Erzeugnisse hauptsächlich auf diese Altersgruppe zugeschnitten sind.

Die 30- bis 40jährigen werden bis zum Jahr 2000 die größte Zuwachsrate zu verzeichnen haben: Sie beläuft sich auf 31%. Die Mitglieder dieser Altersgruppe sind im allgemeinen fest im Berufsleben etabliert und bilden einen großen Markt für Eigenheime, Autos und Kleidung.

Die Gruppe der 40- bis 60jährigen wird in den kommenden zehn Jahren fast konstant bleiben. Es handelt sich hier häufig um Menschen, deren Kinder aus dem Haus sind und die daher mehr Zeit und Geld zur Verfügung haben. Sie bilden einen wichtigen Zielmarkt für die Gastronomie, die Reiseveranstalter, Hersteller teurer

Kleidung sowie Unternehmen, die in anderen Bereichen der Freizeitindustrie tätig sind.

Die zweitgrößte Zuwachsrate überhaupt, nämlich 16%, wird im kommenden Jahrzehnt die Altersgruppe der über 65jährigen zu verzeichnen haben. Damit steigt der Bedarf nach Altersruhesitzen und -heimen, Wohnmobilen, ruhigeren Formen der Freizeitgestaltung (wie z.B. Angeln und Golf), portionierten Fertigmahlzeiten sowie medizinischen Artikeln (z.B. Medikamente, Brillen, Gehstöcke, Hörgeräte) und Leistungen (Genesungsheime). Die Mitglieder dieser Altersgruppe sind heute »ichbezogener«, aktiver und freizeitorientierter als frühere Generationen. Sie geben mehr Geld für ihre persönlichen Wünsche aus, statt es für ihre Kinder zu sparen.

Viele Unternehmen, die sich mit ihren Produkten ursprünglich vor allem an junge Leute wandten, haben mittlerweile als Reaktion auf die Überalterung der Bevölkerung ihre Erzeugnisse neu positioniert bzw. neue Produkte in ihre Angebotspalette aufgenommen. Hersteller von Säuglingsnahrung wie z.B. Milupa wenden ihr Knowhow über Leichtverdauliches auch zur Problemlösung bei anderen Altersgruppen oder bestimmten Zielgruppen an. So entwickelte Milupa unter dem Markennamen Forsana eine kohlehydratarme Diät für Übergewichtige, eine spezielle Schonkost für Leberkranke und leichtverdauliche, mit Mineralien und Spurenelementen angereicherte Gerichte für alte Menschen. Wrigley brachte für die Träger von Zahnprothesen einen garantiert nicht klebenden Kaugummi namens Freedent auf den Markt. Und Helena Rubinstein hat für die Frau über Fünfzig eine spezielle Serie von Hautpflegemitteln entwickelt.

Veränderungen der Familienstruktur

Der Anstieg des Heiratsalters, die rückläufige Kinderzahl der Ehen, die größere Scheidungsrate und die zunehmende Zahl berufstätiger Ehefrauen haben dazu geführt, daß sich die Struktur der Durchschnittsfamilie in Deutschland gewandelt hat. Im einzelnen ist zu diesen Punkten folgendes zu sagen:

- **Anstieg des Heiratsalters**
  Heiraten ist zwar in den 80er Jahren wieder »in«, doch das Durchschnittsalter der Partner bei der ersten Eheschließung ist im Laufe der vergangenen Jahre angestiegen. 1986 betrug es bei den Männern 27,5 und bei den Frauen 24,9 Jahre. Die zunehmende Zahl unverheirateter Frauen sowie die Zunahme geschiedener und dauernd vom Partner getrennt lebender Frauen sind Ausdruck einer weitreichenden »Krise der Ehe«[9], die wiederum zu einem Anstieg der Haushalte mit alleinstehendem weiblichen Familienvorstand führen wird. Gleichzeitig sinken die Umsätze der Anbieter von Verlobungs- und Eheringen, Brautausstattungen und Lebensversicherungen.
- **Rückläufige Kinderzahl**
  Die durchschnittliche Familiengröße in Deutschland nimmt ab. Im Jahr 1987 machten Ehepaare ohne Kinder unter 18 Jahren 27% aller Familien aus. Darüber hinaus warten Jungverheiratete heute länger als früher mit dem ersten Kind, und die durchschnittliche Kinderzahl pro Familie mit Kindern beträgt nur noch 1,6. Infolgedessen sinkt die Nachfrage nach Babynahrung, Spielzeug, Kinderkleidung sowie anderen Gütern und Dienstleistungen für Kinder.
- **Höhere Scheidungsrate**
  Etwa 30% aller Ehen in der Bundesrepublik enden vor dem Scheidungsrichter. Aus diesem Grunde gibt es in der Bundesrepublik Deutschland etwa 1,8 Mio. Familien mit einem alleinerziehenden Elternteil – eine Entwicklung, die einen erhöhten Bedarf an Wohnungen, Möbeln, Hausgeräten und anderen Produkten für den Haushalt ausgelöst hat.

- **Mehr berufstätige Ehefrauen**
  Etwa ein Drittel aller Frauen in der Bundesrepublik Deutschland ist berufstätig. Die Hälfte aller erwerbstätigen Frauen ist verheiratet. Heutzutage wird es nicht mehr mißbilligt, wenn die Ehefrau berufstätig ist; außerdem stehen der Frau mehr Arbeitsmöglichkeiten offen, und durch die Möglichkeiten der Geburtenkontrolle ist sie in ihrer Lebensplanung freier. Die große Zahl der berufstätigen Frauen schafft eine steigende Nachfrage nach Markenkleidung, Kindertagesstätten, Reinigungsdiensten und Tiefkühlkost. Die berufstätige Ehefrau steuert im Durchschnitt etwa 40% zum Familieneinkommen bei, wodurch der Erwerb teurerer Produkte und Dienstleistungen ermöglicht wird. Die Hersteller von Autoreifen und Pkw's sowie die Versicherungsgesellschaften und Reiseveranstalter sprechen in ihrer Werbung immer gezielter die berufstätige Frau an. Dieser Entwicklung liegt ein Wandel der traditionellen Werte und eine Verschiebung der Rollenverteilung zwischen den Geschlechtern zugrunde: Heute übernimmt auch der Ehemann Haushaltspflichten, z.B. das Einkaufen (über die Hälfte aller Lebensmitteleinkäufe) und die Kinderbetreuung. Das wiederum hat zur Folge, daß die Ehemänner zu einer bedeutenden Zielgruppe für die Lebensmittelhersteller, Hausgeräteproduzenten und Einzelhändler werden.

Zunahme der Nichtfamilienhaushalte

Die Zahl der Nichtfamilienhaushalte weist eine steigende Tendenz auf. Im einzelnen lassen sich diese Haushalte verschiedenen Kategorien zuordnen, von denen wiederum jede ein spezielles Marktsegment mit eigenen Bedürfnissen darstellt.

- **Einpersonenhaushalte**
  Viele junge Leute verlassen heutzutage ihr Elternhaus früh und ziehen in eine eigene Wohnung. Hinzu kommt die große Zahl der Geschiedenen und Verwitweten, die allein leben. Im Jahr 1986 umfaßte die Gruppe der Alleinstehenden in der Bundesrepublik beinahe 9,2 Mio. Menschen, das sind 34% aller Haushalte, verglichen mit 5,5 Mio. Menschen oder 25% im Jahr 1970. Unter den Wohnungssuchenden in den Stadtgebieten bildet diese Kategorie das am schnellsten wachsende Segment. Sie besteht aus Ledigen, Getrenntlebenden, Verwitweten und Geschiedenen, die allesamt kleinere Wohnungen, weniger aufwendige, preisgünstige Haushaltsgeräte, Möbel und Einrichtungsgegenstände sowie Lebensmittel in kleineren Mengen benötigen. Diese »Singles« bilden auch einen Markt für die verschiedensten Dienstleistungen, die es ihnen ermöglichen, untereinander Kontakte zu knüpfen, wie z.B. Lokale für Singles, Fitneßclubs, Gruppenreisen und Kreuzfahrten.
- **Zweipersonenhaushalte**
  Auch die Anzahl der nichtehelichen Lebensgemeinschaften wächst rapide. Außerdem gibt es zahlreiche Haushalte, in denen zwei Personen desselben Geschlechts zusammenwohnen. Diese sind zumeist nicht auf Dauer angelegt und bilden somit einen Markt für niedrigpreisige bzw. zu mietende Möbel und andere Einrichtungsgegenstände.
- **Mehrpersonenhaushalte**
  Mehrpersonenhaushalte bestehen aus drei oder mehr Menschen beiderlei oder desselben Geschlechts, die eine Wohngemeinschaft bilden und sich die Kosten der Haushaltsführung teilen. In dieser Kategorie findet man vor allem Studenten aber auch die Mitglieder weltanschaulicher oder religiöser Gruppen, die in Kommunen zusammenleben. Die Anzahl der Zwei- und Mehrpersonenhaushalte unter den Nichtfamilienhaushalten beträgt in der BRD etwa 1 Mio.

Der Marketer sollte sich also nicht in die Vorstellung verrennen, daß die »typische Familie« sein einziger oder auch nur der wichtigste Zielmarkt sei. Er sollte vielmehr die speziellen Bedürfnisse der Nichtfamilienhaushalte in seine Überlegungen einbeziehen, da diese Gruppe eine höhere Zuwachsrate aufweist als die Familienhaushalte.

Geographische Bevölkerungsverlagerungen

Im Zuge der Vereinigung der beiden deutschen Staaten, der Öffnung der osteuropäischen Länder und des Vollzugs des Europäischen Binnenmarkts entsteht ein riesiges Potential an Wanderbewegungen. Die sich abzeichnenden Bewegungen müssen noch statistisch erfaßt und analysiert werden. Hier sollen beispielhaft die Bevölkerungswanderungen der alten Länder der Bundesrepublik Deutschland bis 1986 erläutert werden. Die sich abzeichnenden Trends – so kann man annehmen – werden weiter Bestand haben, auch wenn sie von den neuen Ereignissen überlagert werden.

Für 1986 hat das Statistische Bundesamt 646.579 Wanderungsbewegungen innerhalb der Bundesrepublik registriert. Jeder hundertste Bürger hat also seinen Wohnsitz gewechselt.

- **Nord-Süd-Wanderung**
  Analysiert man die Wanderungsbewegungen zwischen den Bundesländern, so bestätigt sich die Vermutung, daß es die Deutschen gen Süden zieht. Der gesamte Wanderungssaldo der fünf nördlich gelegenen Länder Schleswig-Holstein, Hamburg, Niedersachsen, Bremen und Nordrhein-Westfalen war zwischen 1980 und 1986 stets negativ, wobei die Zahl der Fortzüge sogar von etwa 24.000 im Jahr 1980 auf 44.000 im Jahr 1986 zunahm. Umgekehrt weisen die beiden südlichen Bundesländer Bayern und Baden-Württemberg traditionell positive Salden auf. Die Zahl der Zuzüge in den Süden wuchs von 33.000 im Jahr 1980 auf 45.000 im Jahr 1986, so daß etwa ein Drittel der westdeutschen Wohnbevölkerung in diesen beiden Bundesländern lebt.
  Diese geographischen Bevölkerungsverlagerungen sind für den Marketing-Manager vor allem deshalb interessant, weil die Bewohner der verschiedenen Regionen der Bundesrepublik unterschiedliche Kaufverhaltensweisen an den Tag legen. So erhöht sich im Süden Deutschlands die Nachfrage nach Skiern, die aufgrund der Nähe zu den alpenländischen Skigebieten ohnehin erheblich höher ist als in den anderen Regionen, durch den positiven Wanderungssaldo nochmals. Umgekehrt müssen sich die Brauereien Gedanken darüber machen, wie sich der starke Abwanderungstrend aus Nordrhein-Westfalen auf den Absatz von »Alt«-Bier auswirkt, da in keinem anderen Bundesland auch nur annähernd so viel Bier dieser Sorte getrunken wird.
- **Land-Stadt-Wanderung**
  Die Wanderungsbewegung von den ländlichen in die städtischen Gebiete läßt sich daran ermessen, daß immer mehr Bundesbürger in Gemeinden über 5.000 Einwohner leben und immer weniger in zumeist ländlichen Gemeinden unter 5.000 Einwohnern. Während das Statistische Bundesamt 1960 noch 36% der Bevölkerung in Orten mit weniger als 5.000 Personen registrierte, sank dieser Anteil bis 1986 auf 15%. Entsprechende Zuwächse erzielten die größeren Gemeinden, wobei weniger die Großstädte als vor allem die Klein- und Mittelstädte profitierten. Das städtische Leben ist rasanter und abwechslungsreicher, erfordert oft einen aufwendigen Pendelverkehr zwischen Wohnung und Arbeitsplatz und bietet dem Verbraucher eine breitere Palette an Gütern und Dienstleistungen als in den ländlichen Gemeinden, die über ganz Deutschland verstreut sind. In größeren Städten der Bundesrepublik – wie Düsseldorf, Frankfurt, Stuttgart oder München – werden bei Produkten wie teuren Pelzen, Parfums und Kunstwerken die höchsten Umsätze im ganzen Land erzielt. Außerdem fördern diese Städte die Oper, das Ballett und andere Formen der »anspruchsvollen Kultur«. Seit einiger Zeit jedoch ist eine leichte Gegenströmung zur Land-Stadt-Wanderung zu beobachten: Es ziehen wieder mehr Menschen aufs Land.
- **Wanderung aus den Innenstädten in die Vororte**
  Die Verbreitung des Pkw's, der Ausbau der Schnellstraßen und das vermehrte Angebot an zeitsparenden Zug- und Busverbindungen haben dazu geführt, daß viele Menschen heute weit von ihrem Arbeitsplatz entfernt wohnen. Im Umkreis der Städte sind Vororte entstanden, und diese wiederum sind von »Vor-Vororten« umgeben. In einer Untersuchung aus dem Jahr 1987 kommt die Bundesforschungsanstalt für Landeskunde und Raumordnung zu folgenden Schlüssen: »Der Suburbanisierungsprozeß hält sowohl in der Rezessionsphase der frühen 80er Jahre als auch unter den günstigeren wirtschaftlichen Rahmenbedingungen der

folgenden Jahre an. Hinsichtlich der Suburbanisierung von Bevölkerung und Wohnungen zeigt sich allerdings eine sinkende Tendenz«. [10]
Das Leben in den Vororten ist im allgemeinen lässiger, man hält sich mehr an der frischen Luft auf und hat engeren Kontakt zur Nachbarschaft. Hier leben jüngere Familien und Menschen mit höherem Einkommen als in den Stadtkernen. Sie bilden einen Markt für Kombiwagen, Heimwerkergeräte, Rasen- und Gartenwerkzeuge oder Grillgeräte. Der Einzelhandel hat erkannt, daß die Vororte der Großstädte wichtige Märkte darstellen, und Zweigstellen und Einkaufszentren in diesen Gebieten eröffnet.
Inzwischen ist jedoch auch hier eine Gegenströmung zurück in die Innenstädte zu beobachten, die dem Marketing-Manager nicht entgehen darf. Dieser Trend ist vor allem dort ausgeprägt, wo erfolgreiche Stadtsanierungsprogramme durchgeführt wurden. Junge Leute, aber auch ältere Menschen, deren Kinder aus dem Haus sind, finden plötzlich wieder mehr Geschmack am weitgefächerten kulturellen Angebot und den abwechslungsreichen Freizeitmöglichkeiten der Innenstädte und haben weniger Interesse an der Gartenarbeit und am »Pendlerdasein«.

Bei der Erstellung eines geographischen Marketingplans muß der Marketing-Manager sehr sorgfältig vorgehen. Die Marketingforschung hat verschiedene Kategorien entwickelt, mit deren Hilfe ein Unternehmen den Markt nach geographischen Kriterien segmentieren kann. Dazu gehören die Ergebnisse von Volkszählungen und vor allem die regionale Aufgliederung, wie sie z. B. das Marktforschungsunternehmen Nielsen nach Nielsen-Gebieten, Nielsen-Standardregionen und Nielsen-Ballungsräumen vornimmt (vgl. Abbildung 5-3). Nielsen ist dabei, auch die neuen Bundesländer in sein Forschungsprogramm aufzunehmen.

<table>
<tr><th>Nielsen-Gebiete</th><th>Nielsen-Standard-Regionen</th><th>Nielsen-Ballungsräume</th></tr>
<tr><td>1</td><td>Nord: Schleswig-Holstein, Hamburg
Süd: Niedersachsen, Bremen</td><td>(1) Hamburg
(2) Bremen
(3) Hannover</td></tr>
<tr><td>1</td><td>Ost: Westfalen
West: Nordrhein</td><td>(4) Ruhrgebiet</td></tr>
<tr><td>3a</td><td>Ost: Hessen
West: Rheinland-Pfalz, Saarland</td><td rowspan="2">(5) Rhein-Main
(6) Rhein-Neckar
(7) Stuttgart</td></tr>
<tr><td>3b</td><td>Nord: Nord-Baden, Nord-Württemberg
Süd: Süd-Baden, Süd-Württemberg</td></tr>
<tr><td>4</td><td>Nord: Ober-, Mittel-, Unterfranken, Oberpfalz
Süd: Ober-, Niederbayern, Schwaben</td><td>(8) Nürnberg
(9) München</td></tr>
<tr><td>5a</td><td>Berlin (West)</td><td rowspan="2">(10) Berlin</td></tr>
<tr><td>5b</td><td>Berlin (Ost)</td></tr>
<tr><td>6</td><td>Mecklenburg-Vorpommern, Brandenburg, Sachsen-Anhalt</td><td></td></tr>
<tr><td>7</td><td>Thüringen, Sachsen</td><td></td></tr>
</table>

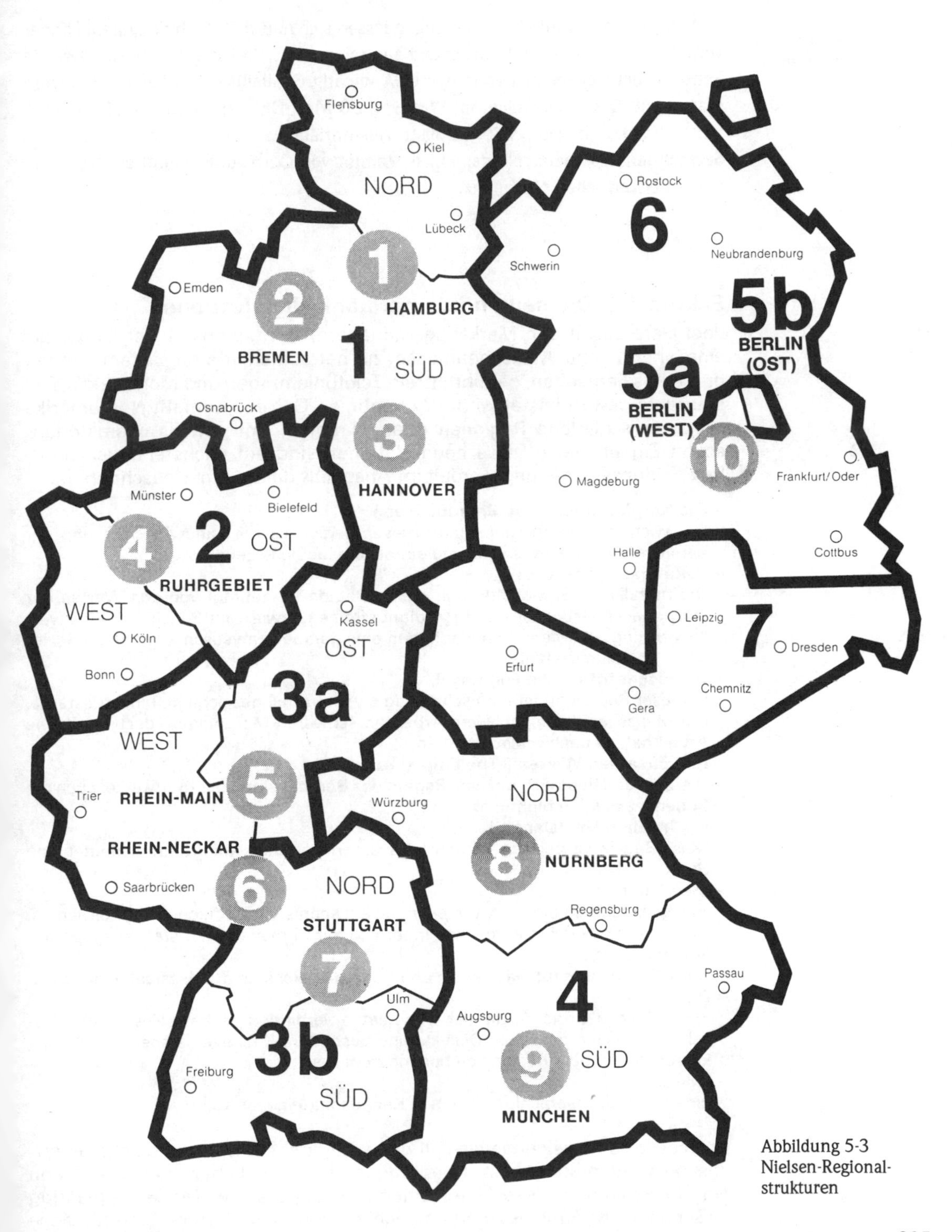

Abbildung 5-3
Nielsen-Regionalstrukturen

(Quelle: Nielsen Marketing Research)

Ähnliche geographische Einteilungen lassen sich natürlich auch für andere Länder vornehmen. Für den von Deutschland aus agierenden Marketer ist insbesondere die Kenntnis der Gegebenheiten in den USA wichtig. Schließlich wurden 1987 dorthin Waren und Dienstleistungen im Wert von 50 Mrd. DM exportiert, womit die USA hinter Frankreich das zweitwichtigste Ausfuhrland waren. Ein sehr interessantes Segmentierungsschema Nordamerikas stammt von Garreau. Er nennt es »Die neun nordamerikanischen Nationen«.

Exkurs 5-2: Die neun nordamerikanischen Nationen

Joel Garreau rät den Marketing-Managern, Nordamerika nicht länger als eine »homogene Menschenmasse zu betrachten, deren Zusammenhalt durch das Fernsehen, gebührenfreie Telefonleitungen und McDonald's-Restaurants gewährleistet wird«. Vielmehr, so Garreau, umfaßt Nordamerika »neun verschiedene Regionen oder ›Nationen‹ mit jeweils charakteristischen Eigenheiten«. Diese neun Nationen sind auf nachstehender Landkarte eingezeichnet und werden im Anschluß daran näher beschrieben.

- **Die Kornkammer (»The Breadbasket«)**
  Der wichtigste Integrationsfaktor dieser Region ist die Landwirtschaft und der damit verbundene natürliche und einfache bäuerliche Lebensstil.
- **»Ökotopia« (»Ecotopia«)**
  Die moralische Grundhaltung in dieser Region ist geprägt von den Werten der individuellen Gedanken- und Handlungsfreiheit sowie vom Prinzip der Eigenverantwortung. Die Menschen hier haben eine geradezu mystisch anmutende Beziehung zur Heimatscholle.
- **Die Eisenhütte (»The Foundry«)**
  In dieser Region findet man schmutzige, vom Verfall gezeichnete Industriestädte. Die Menschen leisten schwere Arbeit an schweren Maschinen – doch wer keine Arbeit hat, ist noch schlechter dran.
- **Die Einsamen Weiten (»The Empty Quarter«)**
  Hierbei handelt es sich um eine Region des Bergbaus und der Kraftwerke; auch die Bodenspekulation blüht hier.
- **Die Inseln (»The Islands«)**
  Diese Region ist geprägt von der lateinamerikanischen Kultur; ihre bedeutendste Stadt ist Miami.
- **MexAmerika**
  Hier gründen sich die Wertvorstellungen auf spanische Traditionen. Katholizismus, Familienstolz und Zusammenhalt innerhalb der Gemeinde sind stark ausgeprägt.
- **Neuengland**
  Diese Region umfaßt die ältesten und traditionsreichsten Bundesstaaten der USA.
- **Dixieland**
  Ein Gebiet, das die Kultur der Südstaaten verbindet; es hat seine eigene Geschichte, seinen typischen Dialekt, eine besondere Küche, eine spezielle Mode – kurzum, es ist eine Region von besonderem Reiz.
- **Quebec**
  Eine französischsprachige Region in Kanada mit eigener Kultur.

Garreau zufolge zeichnen sich all diese Regionen jeweils durch charakteristische Wertvorstellungen, Handlungsmuster und Lebensstile aus. Wenn ein Unternehmen diese Unterschiede im Zuge seiner Marketingplanung außer acht läßt, kann es zu groben Fehlern kommen. Garreau führt für diese These u.a. folgende Beispiele an:

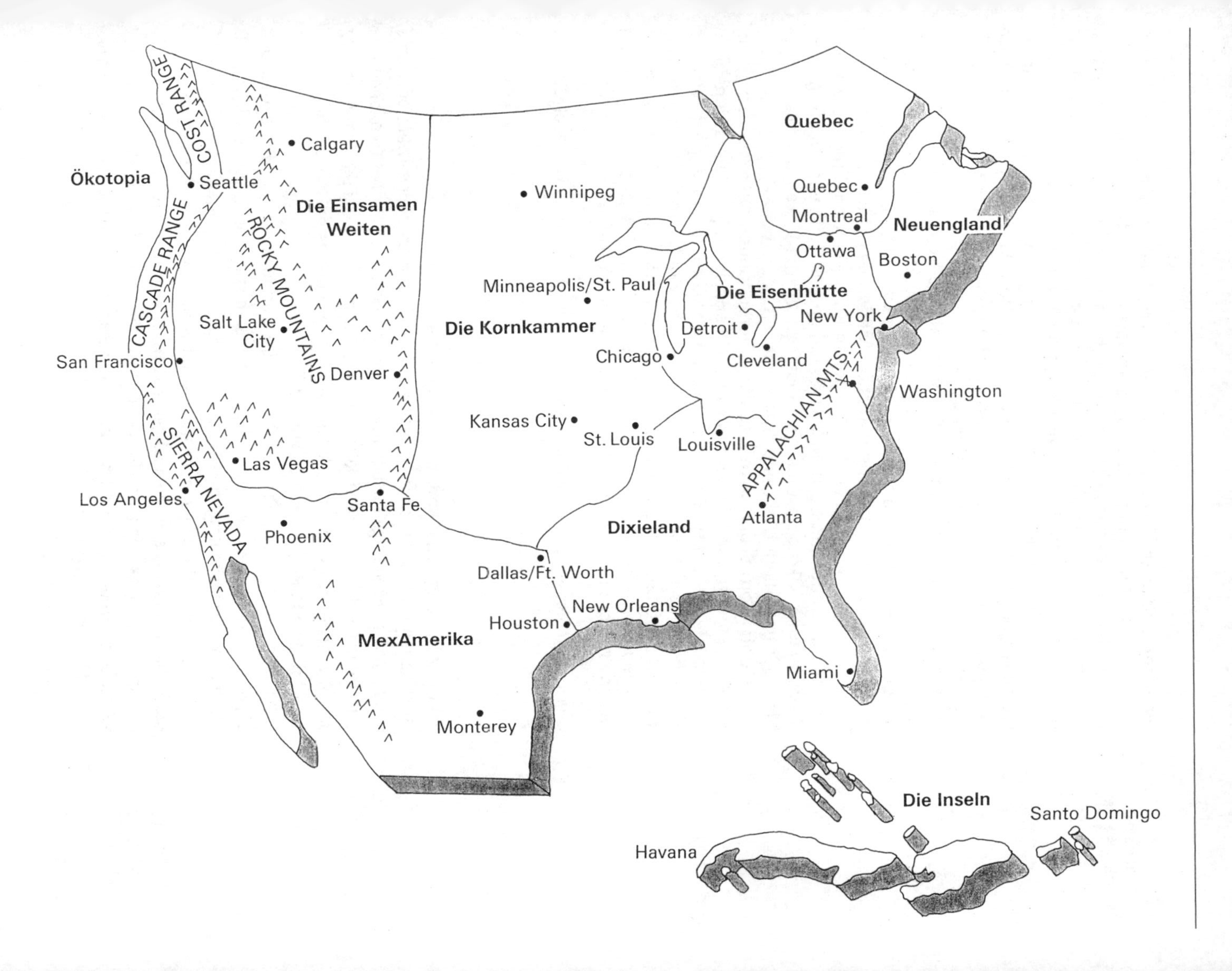

COST RANGE
Calgary
Ökotopia
Seattle
Die Einsamen Weiten
CASCADE RANGE
ROCKY MOUNTAINS
Salt Lake City
San Francisco
Denver
Las Vegas
SIERRA NEVADA
Los Angeles
Santa Fe
Phoenix
MexAmerika
Monterey
Winnipeg
Minneapolis/St. Paul
Die Kornkammer
Kansas City
St. Louis
Chicago
Dallas/Ft. Worth
Houston
New Orleans
Dixieland
Quebec
Quebec
Montreal
Ottawa
Neuengland
Boston
Die Eisenhütte
Detroit
Cleveland
New York
Washington
Louisville
APPALACHIAN MTS.
Atlanta
Miami
Die Inseln
Santo Domingo
Havana

Einer der Gründe dafür, daß die amerikanische Automobilindustrie so langsam auf die Bedrohung durch ausländische Importwagen reagierte, ist darin zu sehen, daß das Zentrum dieser Branche in Detroit angesiedelt ist. Würden die Führungskräfte der Autofirmen in Kalifornien leben, hätten sie den Trend zum japanischen Wagen frühzeitig erkannt. Wenn sie jedoch in Detroit aus ihren Bürofenstern blickten, sahen sie auf den Straßen nur die typischen, benzinschluckenden »Straßenschiffe«. Darum begriffen sie lange Zeit nicht, daß die importierten japanischen Autos zu einer Bedrohung für die amerikanischen Hersteller wurden.
Viele der Etiketten, mit denen die Geschäftswelt einst die verschiedenen Regionen der USA belegte, sind heute überholt oder irreführend. Der »Sonnengürtel«, der »Mittlere Westen« oder die »Westküste« sind keineswegs homogene Regionen mit einheitlichen Merkmalen. Selbst die einzelnen Bundesstaaten sind als Planungseinheiten für die Unternehmen in vielerlei Hinsicht unbrauchbar. So umfaßt z.B. Kalifornien Teile von drei Regionen (MexAmerika, Ökotopia und die Einsamen Weiten), was der Marketing-Manager unbedingt berücksichtigen muß.
Der Begriff »Vorort« und sämtliche damit verbundenen Assoziationen gilt in seiner ursprünglichen Bedeutung ausschließlich für die Industriegebiete der »Eisenhütte«. Dort bildeten sich um die Städte herum Vororte, weil die Menschen aus den vom Verfall gezeichneten Stadtkernen fortzogen, was ihnen die Abneigung der Zurückgebliebenen eintrug. Im Südwesten der USA jedoch haftet diesem Begriff keinerlei negative Bedeutung an; im Grunde genommen wohnt dort jeder in einem »Vorort«.

Quelle: Entnommen aus *»The Nine Nations of North America«* von Joel Garreau, 1981.

Höherer Bildungsstand und mehr Angestellte

1987 hatten 63,5% der bundesdeutschen Erwerbspersonen eine Lehre oder eine mindestens gleichwertige Ausbildung abgeschlossen und 9,9% besaßen einen akademischen Grad – eine Entwicklung, die sich zunehmend verstärkt. Dieser Anstieg des Bildungsstands dürfte die Nachfrage nach Qualitätsprodukten, Büchern, Fachzeitschriften und Reiseangeboten erhöhen.

Im April 1986 betrug die Anzahl der Erwerbstätigen in der Bundesrepublik 26,94 Mio. Menschen. Der Anteil der Angestellten stieg von 29,6% im Jahr 1970 auf 40,2%, der Prozentsatz der Arbeiter sank im gleichen Zeitraum von 47,4% auf 39,3%. Die Beschäftigungszahl im Kredit- und Versicherungswesen nahm von 2,5% auf 3,6% zu, und die sonstigen Dienstleistungen wuchsen von 13,4% auf 20,7%. Der Anteil der in der Land- und Forstwirtschaft Tätigen hingegen sank von 9,1% auf 4,6%. Diese Trends sind nicht nur in der Bundesrepublik, sondern in allen entwikkelten Ländern zu beobachten.

Veränderungen in der ethnischen Bevölkerungsstruktur

Der Ausländeranteil an der deutschen Wohnbevölkerung schwankt seit Anfang der 80er Jahre um die 7,5 %-Marke. Die wichtigste ausländische Volksgruppe stellen die Türken dar, deren Zahl sich 1987 auf etwa 1,5 Mio. belief, gefolgt von den Jugoslawen (ca. 600.000), den Italienern (ca. 540.000) und den Griechen (ca. 280.000). Jede dieser Gruppen hat ganz bestimmte Bedürfnisse und Kaufgewohnheiten, was in den Bereichen Nahrung und Bekleidung besonders deutlich wird. Dementsprechend gibt es speziell an den nationalen Gewohnheiten orientierte Einzelhändler. Hierzu kommen die Einflüsse auf die angestammten heimischen Konsumgewohnheiten, die vom Marketer beachtet werden müssen und die sich z.B. widerspiegeln in der großen Beliebtheit italienischer oder griechischer Restaurants bei der deutschen Wohnbevölkerung.

Vom Massenmarkt zum Mikromarkt

Alle hier aufgeführten Entwicklungen – rückläufige Kinderzahl bei Ehepaaren, Zunahme der Nichtfamilienhaushalte, Überalterung der Bevölkerung sowie das ständig steigende Bildungsniveau – werden letztlich dazu führen, daß eine Zersplitterung des ursprünglichen Massenmarktes in zahlreiche *Mikromärkte* stattfindet, die sich u.a. im Hinblick auf Alter und Geschlecht, Wohnort und Lebensstil, ethnische Zugehörigkeit und Bildungsniveau der Konsumenten unterscheiden. Jedes dieser Marktsegmente weist ganz bestimmte Präferenzen und Eigenheiten auf und kann mit Hilfe immer differenzierterer Medien direkt angesprochen werden. Viele Unternehmen haben die »Schrotflintenmethode«, die auf den sprichwörtlichen »Durchschnittsverbraucher« abzielt, bereits aufgegeben und richten ihre Produkte und Marketingprogramme zunehmend an der »Scharfschützenmethode«, d.h. den speziellen Bedürfnissen ganz bestimmter Mikromärkte, aus.

Die kurz- und mittelfristigen Prognosen über die demographischen Trends können als zuverlässig betrachtet werden. Ein Unternehmen, das auf diesem Gebiet von der Entwicklung überrascht wird, muß die Schuld in erster Linie bei sich selbst suchen. So hätte man im Hause Pfaff längst wissen können, daß die Nähmaschinenumsätze unter der rückläufigen Kinderzahl und der gestiegenen Zahl berufstätiger Frauen leiden würden. Ein wachsames Unternehmen weiß die wichtigsten demographischen Trends und ihre Auswirkungen auf den Absatz zu ermitteln und ergreift frühzeitig die notwendigen Maßnahmen.

Volkswirtschaftliche Komponente

Neben den Menschen, die einen Markt konstituieren, ist auch die Kaufkraft eine wichtige Voraussetzung für das Wirtschaftsleben. Sie ergibt sich aus der Höhe der Einkommen, Preise und Spareinlagen sowie an den Zugriffsmöglichkeiten auf Kredite. Der Marketing-Manager sollte die wichtigsten volkswirtschaftlichen Entwicklungen stets im Auge behalten.

Wachstum der Realeinkommen

Im Jahr 1986 betrug das durchschnittliche Erwerbs- und Vermögenseinkommen der privaten Haushalte 23.958 DM je Einwohner bzw. 56.719 DM je Erwerbstätiger. Seit 1980 ist das Einkommen je Einwohner jährlich nominal um 4,8 % und real um 1,5 % gestiegen.

Addiert man zum Erwerbs- und Vermögenseinkommen die empfangenen Übertragungen, also insbesondere die Sozialleistungen, und subtrahiert die geleisteten Übertragungen (u.a. direkte Steuern und Sozialbeiträge), erhält man das verfügbare Einkommen. Dieses belief sich 1988 insgesamt auf 1,333 Billionen DM. Das mittlere Realeinkommen der Haushalte sank zwischen 1980 und 1986 um real 0,3 %, was sich im wesentlichen durch die steigende Zahl der Einpersonenhaushalte erklären läßt. Andererseits aber waren in vielen Haushalten beide Ehepartner erwerbstätig; diese Doppelverdiener standen häufig finanziell besser da und bildeten eine attraktive Zielgruppe für Produkte gehobener Ansprüche.

Der Anteil, den der private Verbrauch am verfügbaren Einkommen ausmacht, liegt seit Jahren um die 87 %. Den Rest, etwa 12–13 %, sparen die Deutschen. Dies bedeutet insbesondere für Anlage- und Vermögensberater gute Marktaussichten.

Veränderungen in der Verbrauchsstruktur

Die Verbrauchsstruktur von verschiedenen Haushaltstypen wird vom Statistischen Bundesamt erfaßt und ausgewiesen. Abbildung 5-4 zeigt beispielhaft die Veränderungen für den Vier-Personen-Arbeitnehmerhaushalt mit mittlerem Einkommen.

Man sieht, daß infolge des steigenden Wohlstandes eine Verlagerung von den Grundbedürfnissen Nahrung und Bekleidung hin zu höherwertigen Bedürfnissen

Abbildung 5-4
Veränderungen in der Verbraucherstruktur

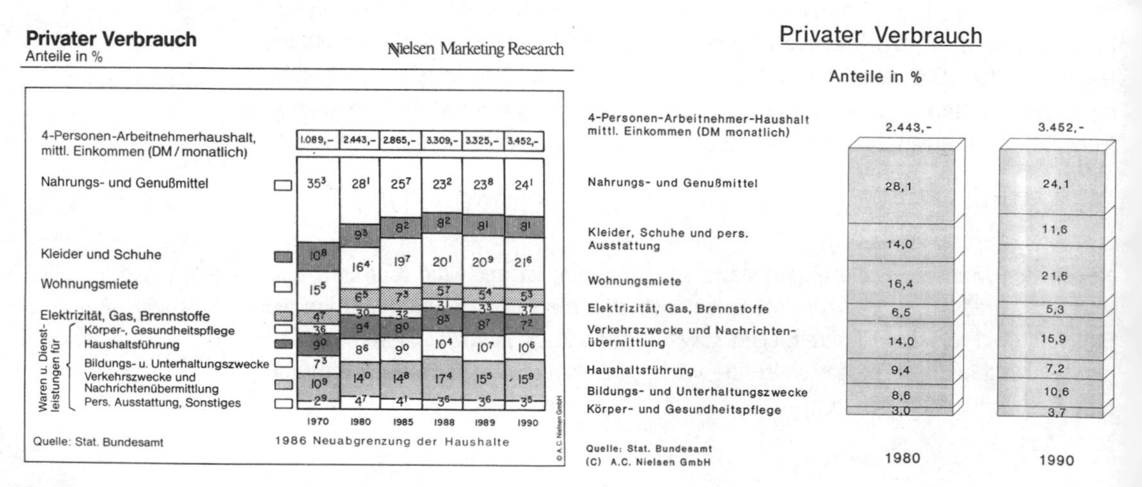

wie Verkehr, Nachrichtenübermittlung, Bildung und Wohnen stattfindet. Einige dieser typischen Verschiebungen wurden bereits vor über 100 Jahren von Ernst Engel, einem deutschen Statistiker, erkannt, der die Frage untersuchte, wie sich bei steigendem Einkommen die Ausgaben entwickeln. Er fand heraus, daß *bei steigendem Familieneinkommen der für Lebensmittel aufgewendete Anteil abnimmt, die Ausgaben für Wohnung und Hauswirtschaft prozentual gleichbleiben und der Prozentsatz, der für andere Kategorien (Verkehrsmittel, Freizeitgestaltung, Gesundheitspflege und Bildung) ausgegeben wird, ebenso wie die Ersparnisse zunimmt.* Diese »Gesetzmäßigkeiten« wurden durch spätere Untersuchungen bestätigt.

Die gesamte Höhe des privaten Verbrauchs hängt sehr stark vom wirtschaftlichen Klima ab. Während der zweiten Ölpreisexplosion Anfang der 80er Jahre nahm beispielsweise der private Verbrauch real um 0,5% (1981) und 1,3% (1982) ab, während er in allen anderen Jahren zwischen 1975 und 1987 stieg. In Rezessionszeiten kaufen die Verbraucher mehr Billigmarken als hochpreisige Marken. Viele Unternehmen reagieren mit Sparpackungen und »abgespeckten« Produktvarianten und werben über den Preis.

Doch der Marketing-Manager sollte nicht nur das Durchschnittseinkommen und andere globale Durchschnittsgrößen im Auge behalten, sondern auch die Einkommensverteilung in seine Überlegungen einbeziehen.

Das Statistische Bundesamt differenziert beispielsweise in drei Haushaltstypen, die sich hinsichtlich ihrer Einnahmen- und Ausgabenstruktur beträchtlich unterscheiden:

- **Haushaltstyp 1**
  Zwei-Personen-Haushalte von Renten- und Sozialhilfeempfängern mit geringem Einkommen.
- **Haushaltstyp 2:**
  Vier-Personen-Haushalte von Angestellten und Arbeitern mit mittlerem Einkommen der alleinverdienenden Bezugsperson.
- **Haushaltstyp 3:**
  Vier-Personen-Haushalte von Beamten und Angestellten mit höherem Einkommen.

Der Haushaltstyp 3 bildet im Vergleich zu den anderen Typen die wichtigste Zielgruppe für Banken und Versicherungen, da er die höchste Sparquote und die größte Ausgabenquote für private Versicherungen aufweist und auch in absoluten Größen die größte Kaufkraft hat. Umgekehrt ist dieser Haushaltstyp ein relativ unattraktives Segment was Tabakwaren angeht, denn nur 0,3% des Einkommens werden hierfür verwendet. Die monatlichen Ausgaben für Tabak liegen mit durchschnittlich 20,33 DM sogar absolut unter denen des Haushaltstyps 2 (25,37 DM).

Auch geographische Einkommens- und Verbrauchsunterschiede sind für den Marketer von Bedeutung. Das Gefälle zwischen den Ländern des zukünftigen europäischen Binnenmarktes ist enorm, wenn man den Pro-Kopf-Verbrauch vergleicht. Am konsumfreudigsten sind die Dänen, die 1986 12.875 ECU je Einwohner ausgaben, gefolgt von den Bundesbürgern (11.264 ECU) und den Franzosen (10.640 ECU). Als weniger kaufkräftig zeigen sich die Spanier (4.673 ECU), die Griechen (3.483 ECU) und, als Schlußlicht, die Portugiesen (2.362 ECU).

Sparquote und Nettogeldvermögen

Im Gegensatz zu den Amerikanern sind die Deutschen ein außerordentlich sparfreudiges Volk. 1984 beispielsweise lag die Sparquote in der Bundesrepublik bei 11%, während sie in den USA lediglich 6% betrug. Ende 1988 belief sich das gesamte private Geldvermögen der Deutschen auf 2,6 Billionen DM. Die wichtigste Anlageform war dabei das Sparkonto mit 715 Mrd. DM, gefolgt von Versicherungen (541 Mrd.), festverzinslichen Wertpapieren (387 Mrd.) und Termingeldern/Sparbriefen (277 Mrd.). Diese Ersparnisse bilden eine wichtige Geldquelle für die Finanzierung größerer Anschaffungen.

Kurzfristig verfügbar für den Verbraucher waren 205 Mrd. DM, denn auf diesen Betrag beliefen sich im Jahr 1984 die Bargeldreserven und Einlagen auf Girokonten.

Daneben kann der Verbraucher seine Kaufkraft durch die Inanspruchnahme von Krediten stärken. Zum zügigen Wirtschaftswachstum in der Bundesrepublik haben nicht zuletzt die Konsumentenkredite beigetragen, mit deren Hilfe der Verbraucher den Erwerb von Gütern und Leistungen zeitlich vorverlagern kann. Insgesamt führt dies zu einer höheren Nachfrage. Auf diese Weise werden mehr Arbeitsplätze geschaffen, die Einkommen steigen und die Nachfrage erhöht sich weiter. Im Jahr 1987 machten die ausstehenden Kredite der inländischen Institute an Privatpersonen 622 Mrd. aus, darunter 503 Mrd. DM langfristige Kredite. Dies entspricht einer Pro-Kopf-Verschuldung von 8.200 DM.

Die höher verschuldeten Amerikaner wenden etwa 21% ihres Einkommens für die Abzahlung ihrer Schulden auf. Darunter leiden die Immobilien- und Gebrauchsgütermärkte, denn für Anschaffungen in diesem Bereich sind meistens Kredite erforderlich.

Ein interessanter Aspekt ist auch die Tatsache, daß in Deutschland der größte Anteil des Nettogeldvermögens bei den über 70jährigen liegt. Bis zum Jahr 2000 werden in der Bundesrepublik zwischen 200 und 300 Mrd. DM aus Lebensversicherungen frei, die zum größten Teil den Senioren zugute kommen und die Attraktivität dieses Marktes unterstreichen.

Die Veränderungen so bedeutender volkswirtschaftlicher Variablen wie Einkommen, Lebenshaltungskosten, Zinsniveau, Sparquote und Verschuldungsgrad wirken sich unmittelbar auf den Markt aus. Ein Unternehmen, dessen Produkte in hohem Maße einkommens- bzw. preisempfindlich sind, tut gut daran, zuverlässige und differenzierte Konjunkturprognosen anzustellen. Es muß nicht sein, daß ein wirtschaftlicher Abschwung ein solches Unternehmen gleich in den Konkurs treibt. Mit Hilfe eines funktionierenden Frühwarnsystems kann es die notwendigen Maßnahmen ergreifen, also sein Produkt abwandeln bzw. die Kosten reduzieren und so die angespannte Situation unbeschadet überstehen.

Die Umweltbelastung entwickelt sich zu einem der wichtigsten Themen, mit denen sich Staat und Wirtschaft in den 90er Jahren auseinandersetzen müssen. In vielen Städten der Welt sind Luft und Wasser zu einem gefährlichen Grad durch Schmutz und Gifte belastet. Es herrscht große Besorgnis, daß bestimmte Chemikalien (wie Fluor-Kohlenwasserstoffe) das Loch im Ozonschild der Erde vergrößern, zum Treibhauseffekt beitragen und damit die Erde in eine ökologische Katastrophe führen können. Umweltprobleme werden in Westeuropa seit geraumer Zeit durch politische Parteien und weltweit durch Vordenker und Wissenschaftler an die Öffentlichkeit herangetragen. Die Umweltschutzbewegung fordert mit wachsendem Erfolg die Berücksichtigung von Umweltbelangen bei Produktions- und Marketingentscheidungen der Unternehmen (siehe Exkurs 5–3).

Naturgebundene Komponente

Der Marketer muß das wachsende Umweltbewußtsein und die Veränderungstendenzen im naturgegebenen Marketingumfeld erkennen. Hier ergeben sich für ihn vor allem aus vier Entwicklungstrends Gefahren, aber auch Chancen.

Exkurs 5-3: Der Einfluß der Umweltschutzbewegung auf die Marketingentscheidungen der Unternehmen

Während sich die Verbraucherschutzbewegung dafür einsetzt, daß die Unternehmen die materiellen Bedürfnisse der Verbraucher wirksam befriedigen, beschäftigt sich die Umweltschutzbewegung mit den Schäden, welche die Industriebetriebe der Natur zufügen. In der Umweltschutzbewegung haben sich zahlreiche engagierte Bürger und auch staatliche Organe zusammengeschlossen, um für den Schutz und die Erhaltung der natürlichen Umwelt einzutreten. Die schädlichen Auswirkungen des Tagebaus, die Zerstörung der Wälder, die Fabrikabgase, das Aufstellen riesiger Reklametafeln in der Landschaft, das Abfallproblem, der Verlust natürlicher Erholungsgebiete, die durch Luft- und Wasserverseuchung sowie durch chemisch behandelte Lebensmittel hervorgerufenen gesundheitlichen Schäden – das sind nur einige der Themen, mit denen sich die Umweltschutzorganisationen beschäftigen.

Die Umweltschützer sind nicht gegen Marketing und Konsum an sich; sie setzen sich lediglich dafür ein, daß die Unternehmen und Verbraucher sich stärker von ökologischen Prinzipien leiten lassen. Das eigentliche Ziel des Marketing sollte darin bestehen, die Lebensqualität der Menschen zu verbessern, wobei der Begriff *Lebensqualität* nicht nur immer mehr und bessere Güter und Leistungen umfaßt, sondern auch die Qualität der natürlichen Umwelt einschließt.

Die Umweltschutzorganisationen fordern, daß die Auswirkungen eines bestimmten Handelns auf die Umwelt bei der Entscheidungsfindung in den Unternehmen, aber auch in den Privathaushalten, berücksichtigt werden müssen. Sie verlangen die Erhebung von Steuern und die Verabschiedung gesetzlicher Regelungen, mit deren Hilfe die Kosten und Nachteile, die der Gesellschaft durch umweltschädigendes Verhalten entstehen, begrenzt werden. Um die Unternehmen ebenso wie die Verbraucher zu umweltbewußtem Verhalten anzuregen, schlagen die Umweltschützer vor, die Industriebetriebe zum Einbau von Abgasentgiftungsanlagen zu zwingen, Einwegflaschen aus den Regalen zu verbannen und Autos ohne Katalysator zu verbieten.

Die Umweltschutzbewegung steht dem Marketing insgesamt kritischer gegenüber als die Verbraucherschutzbewegung. Die ökologisch engagierten Gruppen protestieren gegen den verschwenderischen Einsatz von Verpackungsmaterial, während die Verfechter des Verbraucherschutzes die Annehmlichkeiten der modernen Verpackungsmöglichkeiten begrüßen. Die Umweltschützer werfen der Werbung vor, sie veranlasse die Konsumenten, mehr zu kaufen, als sie eigentlich bräuchten; die Verbraucherschutzgruppen dagegen befassen sich eher mit dem Wahrheitsgehalt von Werbebotschaften. Die Umweltorganisationen sind prinzipiell gegen den Bau neuer Einkaufszentren, während die Verbraucherinitiativen eine Zunahme der Einkaufsmöglichkeiten positiv bewerten.

Die Umweltschutzbewegung hat einige Industriezweige in erhebliche Schwierigkeiten gebracht. Die Stahlproduzenten und öffentlichen Versorgungsbetriebe sahen sich gezwungen, Milliardenbeträge in Umweltschutzanlagen und kostspieligere Brennstoffe zu investieren. Die Automobilindustrie mußte teure Vorrichtungen zur Abgaskontrolle und -entgiftung in ihre Wagen einbauen, die Wasch- und Reinigungsmittelhersteller standen vor der Aufgabe, das Produktionsabfallaufkommen zu verringern und biologisch abbaubare Erzeugnisse zu entwickeln, und die Mineralölunternehmen mußten den Bleigehalt im Benzin verringern bzw. völlig auf »bleifrei« umstellen. All diese Branchen lehnen gesetzliche Umweltschutzmaßnahmen ab, vor allem, wenn sie kurzfristig in Kraft treten und den Unternehmen keine Zeit lassen, in Ruhe die notwendigen Anpassungsmaßnahmen zu treffen. All diese Unternehmen mußten gewaltige Kostensteigerungen in Kauf nehmen, die sie an ihre Kunden weitergaben.

Die Arbeit des Marketing-Managers hat sich durch diese Entwicklung kompliziert. Er muß sich nun auch mit den Auswirkungen, die sein Produkt, die Verpackung und der Herstellungsprozeß auf die Umwelt haben, befassen. Um die zusätzlichen Kosten aufzufangen, muß er die Verkaufspreise erhöhen, auch wenn das Produkt dann schwerer abzusetzen ist. Allerdings haben viele Manager bereits die Bedeutung des Umweltschutzes erkannt und berücksichtigen die ökologischen Aspekte von sich aus, wenn es um Inhaltsstoffe, Design und Verpackung eines Produktes geht. Manche Unternehmen richten ihre Forschungsarbeit darauf aus, umweltfreundliche Produkte zu entwickeln und die entsprechenden Eigenschaften dann als starkes Verkaufsargument ins Feld zu führen. So brachten alle großen Waschmittelhersteller wenigstens ein phosphatfreies Waschmittel auf den Markt, Tengelmann strich sämtliche FCKW-haltigen Spraydosen aus dem Sortiment, und alle Automobilhersteller nahmen Katalysatorautos in ihr Angebot auf.

Verknappung von Rohstoffen

Die natürlichen Ressourcen unserer Erde lassen sich in drei Gruppen einteilen: die allgemein zugänglichen, die erneuerbaren und die begrenzt zugänglichen, nicht erneuerbaren Ressourcen. Zu den *allgemein zugänglichen Ressourcen* gehört z.B. die Luft. In diesem Bereich zeigen sich bereits Probleme, die neue Produktentwicklungen erfordern. So verlangen verschiedene Umweltschutzorganisationen ein Verbot bestimmter Treibgase in Sprühdosen, die die Ozonschicht der Atmosphäre schädigen. Diese müssen durch Neuentwicklungen abgelöst werden. Auch Wasserknappheit und Wasserreinheit werden zu einem akuten Problem, zu dessen Lösung neue Produkte und Technologien entwickelt werden müssen.

In die Gruppe der *erneuerbaren Ressourcen* gehören u.a. die Wälder und Nahrungsmittel. Sie müssen umsichtig und sorgsam eingesetzt werden. Forstunternehmen haben die Aufgabe, abgeholzte Waldgebiete rechtzeitig wieder aufzuforsten, um der Bodenerosion vorzubeugen und die Holzbestände für die Zukunft zu sichern. Bei der Nahrungsmittelversorgung könnten sich insofern Probleme ergeben, als die verfügbaren Ackerflächen praktisch nicht mehr ausgedehnt werden können und der Verstädterungsprozeß immer mehr auf das ländliche Umland übergreift. Hier besteht die Herausforderung in der Entwicklung produktiver und umweltschonender Fertigungsmethoden und Produkte.

Die Vorräte an *begrenzt zugänglichen, nicht erneuerbaren Ressourcen* – wie z.B. Öl, Kohle und die verschiedensten anderen Bodenschätze – nehmen ständig ab.

Für das Marketing ergeben sich aus dieser Entwicklung zahlreiche Konsequenzen. Diejenigen Unternehmen, die für ihre Produktion auf die zunehmend knapper werdenden Rohstoffe angewiesen sind, werden erhebliche Kostensteigerungen in Kauf nehmen müssen. Es dürfte nicht ganz einfach sein, diese an die Abnehmer weiterzugeben. Die Unternehmen hingegen, die durch Forschung neue Substitutionsprodukte entwickeln, haben große Marktchancen.

Schwankende Energiepreise

Einer der begrenzt zugänglichen Rohstoffe, das Erdöl, hat der Weltwirtschaft bereits in der Vergangenheit erhebliche Probleme bereitet. Der Ölpreis schnellte von 2 $ pro Faß im Jahr 1970 auf 34 $ im Jahr 1981 nach oben und löste damit eine hektische Suche nach alternativen Energiequellen aus. Einige Unternehmen besannen sich wieder auf die Kohle, andere versuchten, die Sonnen-, Atom- oder Windenergie nutzbar zu machen. Allein im Bereich der Solarenergie brachten Hunderte von Unternehmen völlig neue Produkte auf den Markt, mit deren Hilfe man die Sonnenenergie zu Heiz- oder anderen Zwecken nutzen kann. Andere Unternehmen begannen, nach Möglichkeiten für die Entwicklung eines vernünftigen Elektroautos zu forschen. Sollte einem Unternehmen hier eines Tages der Durchbruch gelingen, winken ihm Gewinne in Milliardenhöhe.

Die Suche nach alternativen Energiequellen, die Bemühungen der Unternehmen um einen sparsameren Energieverbrauch und die intensivierte Forschung dämpften im Laufe der Zeit die Ölnachfrage und ließen eine Ölschwemme entstehen. Anfang 1986 begannen die Preise wieder zu sinken und lagen 1988 schließlich bei 16 $ pro Faß. Diese Entwicklung wirkte sich für die Ölbranche negativ aus, bescherte dafür aber den Fluggesellschaften höhere Gewinne. Ein Unternehmen darf die Auswirkungen schwankender Energiepreise auf das Kaufverhalten auf keinen Fall außer acht lassen. In den USA hatte Chrysler beispielsweise nicht damit gerechnet, daß aufgrund der steigenden Benzinpreise die Nachfrage nach Kleinwagen in die Höhe schnellen würde, konnte seine umfangreichen Bestände an großen Wagenmodellen nicht mehr absetzen und geriet an den Rand des Konkurses. In der Folgezeit stieg bei wieder niedrigeren Benzinpreisen die Nachfrage nach großen und leistungsstarken Autos wieder an.

Zunehmende Umweltverschmutzung

Einige industrielle Prozesse führen zwangsläufig zu Umweltschäden. Man denke an die Lagerung chemischer und nuklearer Abfälle, die gefährlich hohen Quecksilberkonzentrationen in den Weltmeeren, die Verseuchung des Erdbodens und der Nahrungsmittel mit DDT und anderen Chemikalien oder die nicht biologisch abbaubaren Flaschen, Kunststoffe und andere umweltbelastende Verpackungsmaterialien.

In der Öffentlichkeit herrscht zunehmend Besorgnis über diese Entwicklung. Ein umsichtiges Unternehmen weiß dies für sich zu nutzen, denn diese Situation führt zu einem umfangreichen Bedarf an den verschiedensten Techniken zur Verringerung der Umweltverschmutzung wie z. B. Rieseltürmen zur Gasreinigung oder Abfallverwertungsanlagen, und auch zur Suche nach umweltfreundlichen Produktions- und Verpackungsalternativen. [11]

Durchgriff des Staates beim Umweltschutz

Während der 60er und 70er Jahre arbeiteten die verschiedensten Behörden getrennt an Teilproblemen des Umweltschutzes. Mit der Gründung eines eigenen bundesdeutschen Ministeriums für Umwelt, Naturschutz und Reaktorsicherheit im Juli 1986 wurden die verschiedenen Bereiche des Umweltschutzes (Luftreinhaltung, Lärmbekämpfung, Wasserwirtschaft und Gewässerschutz, Abfallwirtschaft u. a. m.) gebündelt.

Viele Politiker und Wissenschaftler behaupten, es bestehe ein Konflikt zwischen dem Engagement für den Umweltschutz einerseits und wirtschaftlicher Weiterentwicklung andererseits. Die Bundesregierung trägt dieser Anschauung dadurch Rechnung, daß sie eine zweigleisige Umweltpolitik verfolgt: »Die größte Bedeutung haben weiterhin ordnungsrechtliche Gebote und Verbote. Mit ihnen wird das angestrebte umweltschonende Verhalten in der Regel zuverlässig und schnell erreicht. Auch für die Umweltpolitik gilt jedoch der Grundsatz: So viel Vorschriften wie nötig, so viel Eigeninitiative wie möglich. Markt und Paragraphen müssen sinnvoll genutzt werden; sie schalten sich gegenseitig keineswegs aus. Mit wirtschaftlichen Anreizen fördert der Staat das Eigeninteresse von Unternehmen, Kommunen und Bürgern an einem umweltschonenden Verhalten und schafft die Voraussetzungen, Umweltschutzmaßnahmen auch über die gesetzlichen Anforderungen hinaus durchzuführen und den technischen Fortschritt zu beschleunigen.« [12] Beispiele solcher wirtschaftlichen Anreizinstrumente sind etwa zinsgünstige Kredite für Umweltschutzmaßnahmen, Steuererleichterungen für schadstoffarme Kraftfahrzeuge sowie erhöhte steuerliche Abschreibungsmöglichkeiten für bestimmte Umweltschutzinvestitionen.

Selbstverständlich müssen sich die Unternehmen auch weiterhin mit der Umweltproblematik auseinandersetzen, und zwar sowohl im Hinblick auf ihren Zugriff auf die erforderlichen Ressourcen als auch in bezug auf die Verhinderung von Umweltschäden. Die Industrie hat in Zukunft mit strengeren Kontrollen von seiten des Staates und der Interessengruppen zu rechnen und sollte, statt sich jeder Regelung entgegenzustellen, an der Erarbeitung praktikabler Lösungen für die Umwelt- und Energieprobleme mitwirken.

Nichts greift so massiv in das Leben der Menschen ein wie die Technik. Sie hat im Laufe der Zeit Wunderbares hervorgebracht – z.B. das Penicillin, die Offenherzchirurgie und das elektrische Licht –, aber auch Erschreckendes geschaffen wie etwa die Wasserstoffbombe und das Nervengas. Welche Einstellung der Einzelne zur Technik hat, hängt davon ab, ob er ihren Leistungen zum Wohle der Menschheit oder den von ihr freigesetzten Schrecknissen größere Bedeutung beimißt.

Technologische Komponente

Jede neu entwickelte Technik setzt einen Prozeß der »Schöpfung *und* Zerstörung« in Gang. Die Erfindung des Transistors schadete der Vakuumröhrenindustrie, die Verbreitung des Autos schadete der Eisenbahn, und das Aufkommen des Fernsehens schadete dem Kino. Statt sich die neue Technik jeweils selbst zunutze zu machen, kämpften viele alteingesessene Industrien erfolglos dagegen an oder ignorierten sie, wofür sie meistens mit Umsatzrückgängen büßen mußten.

Auch das Wirtschaftswachstum wird vom technischen Fortschritt und neuen Entdeckungen beeinflußt. Nicht immer bringen Erfindungen ein kontinuierliches Wachstum. Die Erfindung der Eisenbahn führte in ihrer Anfangszeit zu erheblichen Investitionen, doch dann setzte eine Flaute ein. Das gleiche gilt für das Radio: Auch hier kam es zunächst zu einem schnellen Aufschwung, der dann nachließ, bis schließlich das Fernsehen der Unterhaltungselektronikbranche wieder einen Aufschwung brachte. In den Phasen zwischen bedeutenden Innovationen können die Märkte stagnieren.

In diesen Zwischenphasen muß man sich mit weniger bahnbrechenden Erfindungen begnügen. Die Entwicklung von gefriergetrocknetem Kaffee oder schweißhemmenden Deodorants hat die Menschheit sicher nicht viel weitergebracht, doch sie hat neue Märkte geschaffen und Investitionsmöglichkeiten eröffnet.

Neue Technologien bringen langfristige Auswirkungen mit sich, die zunächst nicht immer offensichtlich sind. So hat die Antibabypille zu kleineren Familien, einer Zunahme der Zahl berufstätiger Frauen und höheren disponiblen Familieneinkommen geführt – was wiederum den Reiseveranstaltern, den Herstellern von Gebrauchsgütern und anderen Branchen höhere Umsätze bescherte.

Der Marketer sollte auf folgende Entwicklungen im technischen Bereich achten:

Beschleunigung des technischen Fortschritts

Viele der heute gängigen Produkte gab es vor hundert Jahren überhaupt noch nicht. Bismarck kannte weder Autos noch Flugzeuge, weder Plattenspieler noch Radios oder elektrisches Licht. Zur Zeit Friedrich Eberts gab es noch kein Fernsehen, keine Sprühdosen, elektrischen Kühlschränke, Geschirrspülmaschinen, Klimaanlagen, Antibiotika oder Computer. Theodor Heuß kannte noch keine Xerographie, keine synthetischen Reinigungsmittel, Tonbandgeräte, Antibabypillen oder erdnahe Satelliten, Konrad Adenauer wußte noch nichts von Personal Computers, digitalen Armbanduhren, Videorecordern oder Telefaxgeräten.

Alvin Toffler setzt sich in seinem Buch »Der Zukunftsschock« mit der beschleunigten Erfindung, Anwendung und Verbreitung neuer Technologien auseinander.[13] Die Wissenschaft beschäftigt sich mit immer mehr neuen Ideen und Konzepten. Die Zeitspanne zwischen dem schöpferischen Einfall und seiner erfolgreichen Umsetzung in die Praxis wird immer kürzer, und der zeitliche Abstand zwischen der

Markteinführung eines Produktes und seinem höchsten Absatz wird zunehmend kleiner. 90% aller Wissenschaftler, die die Menschheit je hervorgebracht hat, leben in unserer Zeit, und der technische Fortschritt hat längst eine Eigendynamik entwikkelt.

In seinem späteren Buch »Die dritte Welle« sagt Toffler die Entstehung des »elektronischen Heims« voraus, durch das Arbeit und Freizeit in der Gesellschaft der Zukunft völlig neu organisiert werden. [14] Telekopierer, Personal Computer und audiovisuelle Telekommunikation würden es laut Toffler vielen Menschen ermöglichen, zu Hause zu arbeiten und sich die tägliche Fahrt ins Büro zu sparen. Auf diese Weise würde eine Revolutionierung der Arbeit durch das elektronische Heim die Umweltverschmutzung verringern, die Familienmitglieder als Arbeitsgruppe zusammenführen und die häusliche Freizeitgestaltung und Aktivität fördern. Auch für das Konsumverhalten und die Marketingsysteme wird diese Entwicklung erhebliche Konsequenzen haben.

Unbegrenzte Innovationschancen

Die moderne Wissenschaft arbeitet an einer immensen Palette neuer Technologien, die über kurz oder lang unsere Produkte und Produktionsprozesse revolutionieren werden. Besonders interessant ist die Forschung auf den Gebieten Biotechnologie, Festkörperelektronik, Robotertechnik und Materialwissenschaft. [15] Unsere Wissenschaftler arbeiten an Heilmitteln für Krebserkrankungen, neuen Therapien für Lungen- und Leberleiden, chemischen Hilfen für psychisch Kranke, Glückspillen, Nutzungsmöglichkeiten der Sonnenenergie, effizienten Elektroautos, Robotern für den Haushalt, hundertprozentig zuverlässigen Verhütungsmitteln und nährstoffreichen, dabei jedoch kalorienarmen und wohlschmeckenden Lebensmitteln. Daneben träumt so mancher Forscher von einem Phantasieprodukt wie z. B. einem fliegenden Kleinwagen, einem Flugdüsengürtel für jedermann, dem dreidimensionalen Fernsehen, Weltraumkolonien und menschlichen Klonen. Das größte Problem in jedem dieser Fälle ist weniger technischer als vielmehr kommerzieller Natur: Alle diese Produkte müssen in erschwinglichen, praktisch sinnvollen Ausführungen vorliegen, um auch tatsächlich genutzt werden zu können.

Hohe Forschungs- und Entwicklungsausgaben

Im internationalen Vergleich der F&E-Ausgaben liegen die USA an der Spitze. Im Jahr 1985 betrug die für diese Zwecke aufgewendete Summe 112 Mrd. $ (2,8% des Bruttoinlandsprodukts). In Japan wurden zur gleichen Zeit 40 Mrd. $ (ebenfalls 2,8% des BIP) aufgewendet. In Europa ist die Bundesrepublik mit 20 Mrd. (2,7% des BIP) führend, während in Frankreich 15 Mrd. (2,3% des BIP) und in Großbritannien 14 Mrd. (2,3% des BIP) ausgegeben wurden. Die durchschnittliche reale Wachstumsrate der F&E-Ausgaben beträgt in der Bundesrepublik etwa 4%.

Bund und Länder steuerten 1987 zu den Forschungsausgaben etwa 38% bei. 400.000 Menschen beschäftigten sich 1985 in der Bundesrepublik Deutschland mit F&E-Aufgaben. Der Großteil der Forschung, nämlich 71% (1987), findet in der Wirtschaft statt, der Rest verteilt sich im wesentlichen zu etwa gleichen Teilen auf Hochschulen und sonstige Institutionen ohne Erwerbszweck.

In folgenden fünf Wirtschaftszweigen sind die bundesdeutschen F&E-Ausgaben am höchsten: Stahl-, Maschinen-, Flugzeugbau, Elektronische Datenverarbeitung; Elektrotechnik, Feinmechanik, Optik und chemische Industrie, Mineralöl. Geringen F&E-Aufwand betreiben die Leder-, Textil- und Bekleidungsbranche und das Baugewerbe. In den Branchen mit den höchsten Forschungsausgaben werden dafür 5 bis 7% der Umsätze, in den am wenigsten forschungsorientierten Industrien weniger als 1% des Umsatzes investiert. Eine 1978 in Amerika durchgeführte Untersuchung belegt einen engen Zusammenhang zwischen der Höhe der Forschungsausgaben und der Rentabilität eines Unternehmens. Bei sechs Unternehmen – Merck, AT&T, Dow, Eastman Kodak, IBM und Lilly – betrug das Verhältnis der F&E–Ausgaben zu den Umsätzen durchschnittlich 5,7%, und ihre Rendite lag im Durchschnitt bei 15,3%. In sechs anderen Unternehmen – Boeing, Chrysler, Goodyear, McDonnell-Douglas, Signal Companies und United Technologies – betrugen die durchschnittlichen Forschungsaufwendungen 3,5% des Umsatzes; ihre Umsatzrendite lag wesentlich niedriger als die der erstgenannten Unternehmen. [16] Allerdings gibt es bei einzelnen Unternehmen und ganzen Industriebranchen keinen Automatismus zwischen F&E-Aufwendungen und Unternehmenserfolg, wie die außerordentlich hohen F&E-Aufwendungen auf dem Gebiet der ehemaligen DDR zeigen, die kaum Erfolge zeitigten. F&E-Anstrengungen sind notwendig, aber nicht ausreichend für erfolgreiches Wachstum mit Innovation.

Die eigentliche Forschungsarbeit spielt sich heutzutage hauptsächlich in Forschungslabors ab, in denen mehrere Wissenschaftler in Gruppen zusammenarbeiten. Die Zeiten der einsamen Erfinder wie Gottlieb Daimler, Rudolph Diesel, Thomas Edison oder Conrad Roentgen sind vorbei. Darüber hinaus haben sich aufgrund der hohen Forschungskosten und des intensivierten internationalen Wettbewerbs manche Unternehmen, die auf dem Markt miteinander konkurrieren, zu Forschungsgemeinschaften zusammengeschlossen. [17] Ein Beispiel für ein solches Projekt ist der Versuch von Siemens, zusammen mit dem französischen Unternehmen SAT und dem schwedischen Unternehmen Ericsson auf dem Gebiet mobiler Funkgeräte ein paneuropäisches D-Netz (in der Regel in Kraftfahrzeugen) zu entwickeln.

Es ist keine leichte Aufgabe für ein Unternehmen, mit seinen Wissenschaftlern richtig umzugehen. Häufig setzen sie sich gegen eine zu strenge Kostenkontrolle zur Wehr. Außerdem sind sie oft an der Lösung wissenschaftlicher Probleme mehr interessiert als an der Entwicklung kommerziell verwertbarer Produkte. Manche Unternehmen sind inzwischen dazu übergegangen, den Forschungsteams einige Marketingfachleute beizustellen, um auf diese Weise eine stärkere Marketingorientierung der Forschung sicherzustellen.

Kleine Fortschritte statt großer Entdeckungen

Angesichts der hohen Forschungs- und Entwicklungskosten beschränken sich viele Unternehmen auf die Erarbeitung geringfügiger Produktverbesserungen, statt auf eine umwälzende Innovation hinzuarbeiten. Selbst die in der Grundlagenforschung tätigen Unternehmen wie Siemens, Schering, Hoechst und Ciba-Geigy betreiben viel Aufwand für viele kleine Verbesserungsschritte. Zahlreiche Unternehmen geben sich damit zufrieden, mit ihrem Forschungsetat ein Konkurrenzprodukt zu kopieren und lediglich einzelne funktionale oder stilistische Merkmale ein wenig zu verbessern. Ein großer Teil dieser Forschungsarbeit ist eher defensiver denn offensiver Natur. Die Projekte, die auf einen wirklichen Durchbruch abzielen, werden in zunehmendem Maße von mehreren Unternehmen gemeinsam getragen, die sich zu Forschungszwecken zusammentun, z. B. bei der Entwicklung von Mikrochips.

Zunehmende Reglementierung des technischen Fortschritts
Mit der wachsenden Komplexität der technischen Produkte wächst auch das Interesse der Öffentlichkeit an Sicherheitsgarantien für diese Produkte. Infolgedessen haben die staatlichen Behörden im Laufe der Zeit mehr Kompetenzen für die Kontrolle und das Verbot potentiell gefährlicher Produkte erhalten.

Für die Chemieriesen Bayer, BASF, Hoechst und Schering ist beispielsweise das »Gesetz zum Schutz der Kulturpflanzen« vom 1. Januar 1987 von größter Bedeutung. Gegenüber dem älteren Gesetz von 1968 wird in den neuen Bestimmungen insbesondere der Gefährdung der Umwelt Rechnung getragen, indem die Anwendung von Pflanzenschutzmitteln auf Kulturflächen beschränkt bzw. deren Einsatz in und an Gewässern und in Wasserschutzgebieten verboten wird. Auch das vorgeschriebene Zulassungsverfahren, also die Prüfung der Toxizität und des Abbauverhaltens eines Mittels, wurde verschärft. Neben der »Biologischen Bundesanstalt für Land- und Forstwirtschaft« und dem »Bundesgesundheitsamt« ist jetzt auch das »Umweltbundesamt« am Zulassungsverfahren beteiligt.

Diese Unternehmen sehen die zunehmende Reglementierung im Pflanzenschutz mit als Ursache dafür, daß der Anteil der Forschungskosten bei mehr als 10 % des Umsatzes liegt. Die Entwicklungszeit von der ersten Synthese bis zur Marktreife eines Präparates wird mit 9–10 Jahren angesetzt, und die Forschungskosten pro Präparat liegen bei gut 100 Mio. DM.

Auch in anderen Bereichen, u. a. der Lebensmittelindustrie, der Automobilherstellung, der Bekleidungsindustrie, der Elektrogeräteproduktion und im Baugewerbe, wurden im Laufe der Zeit schärfere Regelungen in bezug auf die Sicherheit und Verträglichkeit der Produkte erlassen. Der Marketer muß die für sein Unternehmen relevanten Bestimmungen kennen, wenn er an der Konzeption für die Entwicklung und Markteinführung eines neuen Produkts arbeitet.

Oft wird der technische Fortschritt auch kritisiert: Er schädige die Umwelt und beeinträchtige die Privatsphäre des Menschen, kompliziere das Leben und gefährde letzten Endes die ganze Menschheit. In der Vergangenheit protestierten bereits verschiedene Bürgerinitiativen gegen den Bau von Kernkraftwerken, Hochhäusern und Straßen sowie gegen die Genforschung. Diese Gruppen fordern ein *kritisches Abschätzen* der Folgen neuer Technologien, bevor sie auf den Markt gebracht werden dürfen.

Der Marketer muß den technischen Fortschritt mit seinen Folgen im Dienste der Bedürfnisse der Menschen verstehen und einschätzen. Er muß eng mit den Forschern in seinem Unternehmen zusammenarbeiten, um sie zur marktorientierten Forschung anzuhalten. Gleichzeitig darf er nicht die negativen Aspekte von Innovationen übersehen, die dem Benutzer möglicherweise schaden können und bei den Verbrauchern Mißtrauen oder Protest hervorrufen.

Politisch-rechtliche Komponente

Die Marketing-Praktiken der Unternehmen werden wesentlich durch Entwicklungen im politisch-rechtlichen Bereich beeinflußt. Eine kurze Darstellung des Rechtsrahmens der Bundesrepublik Deutschland, der das Marktgeschehen beeinflußt, sowie Entwicklungen in der Europäischen Gemeinschaft zeigen dies beispielhaft.

Die Zahl der Bestimmungen, die in den Wirtschaftsablauf eingreifen, ist ständig erhöht worden. Diese gesetzlichen Bestimmungen haben mehrere Aufgaben. Sie sollen erstens den Wettbewerb aufrechterhalten, zweitens den Verbraucher vor unlauteren Geschäftspraktiken schützen und drittens das Bestreben der Gesellschaft nach Ausgewogenheit zwischen wirtschaftlichen und anderen Interessen (z. B. der Umwelt) fördern.

Wettbewerb wird als leistungsfördernd und fortschrittsdienlich angesehen. Er soll zu höherer Leistung zum Nutzen des Verbrauchers führen. Wettbewerb kann nur stattfinden, wenn tatsächlich Wettbewerber vorhanden sind und auch erhalten bleiben. Deshalb will die Gesetzgebung die Wettbewerber gegen gezielt ruinöse Wettbewerbsmaßnahmen der Konkurrenz schützen.

In der Bundesrepublik Deutschland werden wirtschaftliche Machtkonzentrationen durch das Kartellrecht (Gesetz gegen Wettbewerbsbeschränkungen, kurz GWB) in Grenzen gehalten. Das GWB ist auch anwendbar, wenn der Wettbewerb durch Fusionen, Kollaborationen und Absprachen beeinträchtigt wird oder werden könnte. Zahlreiche Mißbrauchsverbote (§ § 22 IV, 26 I, 27a III GWB), die in das Kartellgesetz eingebracht wurden, beinhalten aber auch den Schutz der Konkurrenten von marktmächtig gewordenen Unternehmen gegen eine Schädigung durch den sog. »Behinderungswettbewerb«. Folgender Rechtsprechungsfall zeigt dies:

Grundsätzlich ist jede Form der Preisunterbietung erlaubt, selbst wenn dadurch die Konkurrenten noch so sehr geschädigt werden. Unerheblich ist dabei, ob der Gewerbetreibende seine Selbstkosten oder seinen Einstandspreis unterschreitet (BGHZ 96, 337, 336 ff.). Die Grenze zum Behinderungswettbewerb ist aber überschritten, wenn ein systematischer Verkauf unter dem Einstandspreis in Vernichtungsabsicht vorgenommen wird, worunter man gezielte Preisunterbietungen marktbeherrschender Unternehmen mit dem eindeutigen Zweck der Verdrängung von Konkurrenten versteht. So wurde die Praxis des Reiseveranstalters TUI verboten, allein für einzelne Zielgebiete seine Preise weit unter seinen Kosten zu kalkulieren, um auf diese Zielgebiete spezialisierte Konkurrenten zu verdrängen (BkartA TB 1975, S. 76 ff.).

Neben dem GWB dient auch das Gesetz gegen den unlauteren Wettbewerb (UWG) dem Schutz des Wettbewerbs. Den Schutz eines funktionsfähigen Wettbewerbs will das UWG in erster Linie durch einen Schutz der Verbraucher vor unlauteren Geschäftspraktiken erreichen. Die »Schiedsrichterfunktion« des Verbrauchers soll gesichert werden. Manche Firmen würden, wenn man sie ließe, ihre Produkte verfälschen, in der Werbung unwahre Behauptungen aufstellen, Mogelpackungen auf den Markt bringen und die Verbraucher durch bestimmte Preisauszeichnungspraktiken täuschen. Dagegen richtet sich das Gesetz gegen den unlauteren Wettbewerb (UWG). 1987 wurde das Gesetz erneut novelliert und enthält nun auch das Verbot der Werbung bei mengenmäßiger Beschränkung und mit Preisgegenüberstellung. Es regelt auch die Modalitäten von besonderen Verkaufsveranstaltungen im Handel und das Rücktrittsrecht bei irreführender Werbung. Das UWG wird durch zahlreiche Sondergesetze ergänzt: Das Rabattgesetz erlaubt nur bestimmte Preisnachlässe (Barrabatt 3 %, handelsübliche Mengenrabatte, Sondernachlässe – insbesondere für gewerbliche Großabnehmer). Die Zugabeverordnung verbietet es, Zugaben unentgeltlich anzubieten, soweit nicht ein zugelassener Ausnahmetatbestand vorliegt. Die Preisangabeverordnung begründet die Pflicht, die Preisangabe bei Angeboten von Waren und Leistungen an den Endverbraucher vollständig zu gestalten, d.h. Endpreise anzugeben.

Für den Ausgleich rein wirtschaftlicher und anderer gesellschaftlicher Interessen sorgt insbesondere die Gesetzgebung des Umweltschutzes. Schwerpunkt des Umweltschutzrechts ist das Verwaltungsumweltschutzrecht, und zwar das Bundesemissionsschutz-, Atom-, Wasserhaushalts-, Abfall-, Bundesnaturschutz-, Tierschutz-, Pflanzenschutz-, Chemikalien- und Gefahrenschutzgesetz. Ohne eine solche Gesetzgebung würde wahrscheinlich das wirtschaftliche Wachstum auf Kosten der Lebensqualität vorangetrieben werden. Der Hauptzweck dieser Gesetzgebung und deren Überwachung ist es, den Unternehmen soziale und Umweltkosten aufzubürden, die durch ihre Produktionsprozesse und Produkte erzeugt werden.

Das für die Praxis wichtigste Gesetz ist wohl das Bundesemissionsschutzgesetz aus dem Jahr 1974. Es ist das zentrale Gesetz zum Schutz vor schädlichen Umwelteinwirkungen durch Luftverunreinigungen, Lärm, Erschütterungen und ähnliche Vorgänge. In Verschärfung dieses Anliegens wurde zum 01.01. 1980 der Abschnitt »Straftaten gegen die Umwelt« ins Strafgesetzbuch aufgenommen (§§ 324–330 des Strafgesetzbuches). Die Strafen gelten für folgende Verhaltensweisen: Verunreinigung von Gewässern, Luftverunreinigung, Lärmerzeugung, umweltgefährdende Abfallbeseitigung, unerlaubtes Betreiben von Anlagen, unerlaubter Umgang mit Kernbrennstoffen, Gefährdung schutzbedürftiger Gewässer und die sog. »schwere Umweltgefährdung«, insbesondere die schwere Gefährdung durch Freisetzung von Giften.

Der Marketer sollte Grundkenntnisse über die wichtigsten gesetzlichen Vorschriften haben, die den Wettbewerb, die Verbraucher und die gesellschaftlichen Interessen schützen. Die wichtigsten Gesetze der Bundesrepublik Deutschland sind in Exkurs 5-4 aufgeführt.

Einige Länder gehen insbesondere in ihrem Bestreben, die Verbraucher zu beschützen, in ihrer Gesetzgebung noch weiter. Norwegen untersagt viele Formen der Verkaufsförderung wie z.B. Rabattmarken, Verbraucherwettbewerbe und Teilnahmepreise für die Verbraucher als unangemessene oder unfaire Instrumente des Verkäufers zur Förderung seines eigenen Interesses. Thailand fordert von den großen Herstellern nationaler Marken im Lebensmittelsektor, daß sie auch niedrigpreisige Marken auf dem Markt anbieten, so daß Verbraucher mit niedrigem Einkommen Zugang zu gleichartigen, niedrigpreisigen Produkten haben. In Indien brauchen Lebensmittelhersteller eine spezielle Erlaubnis, wenn sie eine Marke auf den Markt bringen wollen, die bereits auf dem Markt befindliche Marken dupliziert wie z.B. ein weiteres Cola-Getränk oder eine bestimmte Reissorte.

Solche Gesetze, die in Deutschland nicht existieren, zeigen, wie weit die Gesetzgebung möglicherweise noch ausgedehnt werden kann, um Produktion und Vermarktung einzuschränken. Eine grundlegende Frage ist dabei: Wann ist der Punkt erreicht, an dem die Kosten einer regulativen Maßnahme ihren Nutzen übersteigen? Gesetzliche Bestimmungen werden auch nicht immer fair auf ihre Einhaltung überwacht und interpretiert. Durch restriktive Gesetze können einzelnen Unternehmen

Schäden entstehen, neue Investitionen verhindert und Marktneulinge abgeschreckt werden. Auch können dadurch die Verbraucherpreise steigen. Obwohl sich jedes neue Gesetz in der Regel auf ein berechtigtes Anliegen gründet, kann die Gesetzgebung in ihrer Gesamtheit und ihre Interpretation durch die Rechtsprechung doch auch unternehmerische Initiative dämpfen und den wirtschaftlichen Fortschritt und Verbesserungen in der Lebensqualität stärker als beabsichtigt bremsen.

Die Gesetzgebung macht aber auch Marketing in seiner heutigen Form überhaupt erst möglich. Der Großteil aller vermarkteten Produkte ist mit Warenzeichen als Markenware ausgewiesen. Die Idee der Marke ist das zentrale Element aller Marketing-Aktivitäten. Mit einem Markennamen wird ein bestimmtes Leistungsprofil des Produkts erwartet und auch kommuniziert. Während sich Produkte und Produktformen im Laufe der Zeit ändern, bleibt die Bedeutung der Marke konstant. So wurden unter der Marke »Mercedes« im Laufe der Zeit immer wieder verbesserte Autos angeboten. Die Produkte wurden den technologischen Gegebenheiten und den sich wandelnden Kundenansprüchen angepaßt. Die Marke »Mercedes« wurde damit zum Begriff mit hoher Wertbedeutung aufgebaut. Auch andere Marken wie »Rolex«-Uhren und »Persil«-Waschmittel zeigen, daß mit Marken auf effiziente Weise Marktgeltung aufgebaut werden kann. Dies ist jedoch nur durch die Gesetzgebung für Patente, Warenzeichen und Gebrauchs- und Geschmacksmuster möglich, die den jeweiligen Inhabern eine exklusive rechtliche Stellung sichert. Ohne diesen Sicherungsmechanismus wären der Aufbau von Marken und die damit verbundenen gesicherten Produktleistungsprofile der Unternehmen in Frage gestellt, da Nachahmer die durch die Gesetzgebung geschaffenen Anreize außer Kraft setzen würden.

Exkurs 5-4: Wichtige wirtschaftsrechtliche Gesetze in der Bundesrepublik Deutschland mit Einfluß auf die Marketing-Praxis

A. Marktrecht

Gesetz gegen Wettbewerbsbeschränkungen (GWB)
Das Kartellrecht unterscheidet Wettbewerbsbeschränkungen durch Kartelle, durch sonstige Verträge, meistens Individual- oder Austauschverträge genannt, durch einseitige Maßnahmen besonders mächtiger Unternehmen sowie durch Unternehmenszusammenschlüsse. Nach dem Kartellgesetz sind Unternehmenszusammenschlüsse verboten, wenn zu erwarten ist, daß sie zur Entstehung oder Verstärkung einer marktbeherrschenden Stellung führen werden. Dies wird laut GWB vermutet, wenn große Unternehmen in mittelständisch strukturierte Märkte eindringen sowie beim Zusammenschluß von Großunternehmen mit marktbeherrschenden Unternehmen, von Umsatzmilliardären und von Spitzengruppen eines Oligopols. Die Vermutung kann entkräftet werden. Letztlich ist eine Sondererlaubnis durch den Wirtschaftsminister möglich. Der Einsatz der Marketinginstrumente wird insbesondere durch §§ 15 und 22 beschränkt.
§ 15 GWB verbietet unter anderem die vertikale Preisbindung, d.h. Abreden zwischen Herstellern und Händlern über die Preise, welche die Händler von ihren Kunden nehmen dürfen. Ausgenommen vom Verbot der Preisbin-

dung sind Verlagserzeugnisse. Erlaubt ist ebenfalls die Preisempfehlung für Markenware. Die Geschäfte der Handelsvertreter und Kommissionäre sind vom Anwendungsbereich des § 15 GWB ausgenommen; diese sind grundsätzlich an die Weisungen des Geschäftsherrn hinsichtlich der Preise und Konditionen gebunden.
§ 22 GWB ermächtigt die Kartellbehörden zur »Marktergebniskontrolle«, insbesondere gegenüber mißbräuchlich überhöhten Preisen. Ein Mißbrauch liegt z.B. vor, wenn ein marktbeherrschendes Unternehmen Entgelte fordert, die von denjenigen abweichen, die sich bei wirksamem Wettbewerb mit hoher Wahrscheinlichkeit ergeben würden.

Gesetz gegen den unlauteren Wettbewerb (UWG)
Das UWG hat als Teilgebiet des Wettbewerbsrechts gleiche Aufgaben wie das Kartellrecht, d.h. die Funktionsfähigkeit des Wettbewerbs zu erhalten. Die Stoßrichtung ist jedoch eine andere. Das UWG greift ein, wenn der Wettbewerb durch ein Gegeneinanderarbeiten aufgrund konkurrenzbedingter Konfrontation beeinträchtigt wird.
Im UWG wird die Lauterkeit des Wettbewerbs gefordert. Gemäß § 1 UWG kann auf Unterlassung und Schadensersatz in Anspruch genommen werden, wer »im geschäftlichen Verkehr zu Zwecken des Wettbewerbs Handlungen vornimmt, die gegen die guten Sitten verstoßen«. § 1 ist eine Generalklausel, die durch die Rechtsprechung zu interpretieren ist. Eine umfangreiche Rechtsprechung dazu hat – unter jeweils weiteren Voraussetzungen – folgendes Geschäftsgebaren für sittenwidrig erklärt: psychologischer Kaufzwang, progressive Kundenwerbung, vergleichende Werbung, Boykott, Anschwärzung, sklavische Nachahmung u.a. m. Neben dieser Generalklausel beinhaltet das UWG spezielle Vorschriften über die Werbung und über Verkaufsveranstaltungen besonderer Art.

Das Rabattgesetz (RabattG)
Das Rabattgesetz regelt die Gewährung von Preisnachlässen an den Endverbraucher. Grundsätzlich darf dem Endverbraucher kein Preisnachlaß eingeräumt werden. Ausnahmen hierzu sind – in engem gesetzlichem Rahmen – vorgesehen:
a. Barzahlungsnachlaß, max. 3%,
b. Mengennachlaß, sofern dieser nach Art und Umfang sowie nach der verkauften Stückzahl oder Menge als handelsüblich anzusehen ist.

Verordnung zur Regelung von Preisangaben
Diese Verordnung verpflichtet u.a. Kreditgeber, die Gesamtbelastung pro Jahr als Prozentsatz des Kredits anzugeben (effektiver Jahreszins).

B. Immaterialgüterrechtsschutz, Markenrecht und Qualitätssicherung

Regulative Grundlagen der Qualitätssicherung
Das *Urheberrechtsgesetz*, das *Patentgesetz* und das *Gebrauchsmustergesetz* sichern dem Erfinder bzw. Schöpfer ein exklusives Nutzungsrecht an der Erfindung etc. Jede Nutzung der Erfindung muß auf die Zustimmung des Erfinders zurückführbar sein. Eine Ausnahme ist das Gesetz über Arbeitnehmererfindungen. Der Arbeitgeber darf die Erfindung seines Arbeitnehmers unbeschränkt oder beschränkt in Anspruch nehmen.
Das *Warenzeichengesetz* sichert »Kennzeichen«, die ein Gewerbetreibender benutzt, um seine Waren von den Waren anderer zu unterscheiden.
Der Qualitätssicherung von Produkten dienen neben warenspezifischen Gesetzen und Verordnungen auch

a. Normen, z.B. DIN-Normen,
b. staatliche Prüf- und Gewährzeichen, z.B. Prüfzeichen des TÜV (Technischer Überwachungsverein e. V.),
c. Gütezeichen, z.B. die Gütezeichen des RAL-Ausschusses für Lieferbedingungen und Gütesicherung beim Deutschen Normenausschuß,
d. markenrechtlich geschützte Gütezeichen von Unternehmen.

C. Beispiele für produktspezifische Rechtsgrundlagen

Lebensmittel- und Bedarfsgegenständegesetz
Das Gesetz schützt u.a. vor Gefahren, die sich daraus ergeben, daß Lebensmittel und Zusatzstoffe unter irreführenden Bezeichnungen, Angaben oder Aufmachungen angeboten werden. Zusammensetzung oder Beschaffenheit, Lagerbedingungen und Hersteller sind auf der Verpackung anzugeben. Ähnliches gilt nach diesem Gesetz für Kosmetika und Bedarfsgegenstände, z.B. Reinigungs- und Pflegemittel.
Spielsachen und Scherzartikel unterliegen ebenfalls den Vorschriften dieses Gesetzes und den dazu ergangenen Verordnungen (Kennzeichnungsverordnung, Fertigpackungsverordnung).
Für den Verkauf von Tabakwaren enthält das Lebensmittel- und Bedarfsgegenständegesetz weitreichende Werbeverbote: keine Fernseh- oder Rundfunkwerbung, keine Werbung, die den Genuß von Tabakwaren als gesundheitlich unbedenklich erscheinen läßt. Die Zigarettenindustrie hat für die Werbung auf dem Zigarettenmarkt ein Selbstbeschränkungsabkommen getroffen. Die Angabe »Rauchen gefährdet Ihre Gesundheit« auf der Packung ist vorgeschrieben.

Arzneimittelgesetz
Dieses Gesetz verbietet, Arzneimittel herzustellen oder in den Verkehr zu bringen, die irreführend gekennzeichnet oder durch Abweichung von den anerkannten pharmazeutischen Regeln in ihrer Qualität nicht unerheblich gemindert sind.

Wachsender Einfluß des EG-Rechts
Auch die politisch-rechtlichen Institutionen der Europäischen Gemeinschaft arbeiten an wirtschaftspolitischen Steuerungsimpulsen. Das Gemeinschaftsrecht wirkt auf das innerstaatliche Recht der bislang 12 Mitgliedstaaten durch die Römischen Verträge ein, insbesondere durch den Vertrag zur Gründung der Europäischen Wirtschaftsgemeinschaft und die in Vollzug der Verträge erlassenen Richtlinien und Verordnungen.

Mit der 1987 in Kraft getretenen einheitlichen Europäischen Akte haben sich die Mitgliedstaaten verpflichtet, die Rechtsharmonisierung, d.h. die Anpassung nationalen Rechts an europäisches Recht, zügig voranzutreiben, um bis Ende 1992 den Vollzug des Europäischen Binnenmarkts zu ermöglichen. Nach den Verträgen umfaßt der Binnenmarkt den freien Verkehr von Personen, Waren, Dienstleistungen und Kapital innerhalb der Grenzen der Mitgliedstaaten.

Ziel der Rechtsharmonisierung ist die Beseitigung aller Handelshemmnisse, die aufgrund unterschiedlicher nationalstaatlicher Rechtsvorschriften bestehen. Nach dem Konzept der Europäischen Kommission, von der die Rechtsetzungsvorschläge ausgehen, ist eine Mindestharmonisierung vorgesehen. Richtlinien und Verordnungen werden dort erlassen, wo wichtige nationale Vorbehalte (Gesundheitsschutz, Verbraucherschutz, lauterer Wettbewerb) gemeinsame Mindeststandards erforderlich machen. Außerhalb dieser Bereiche ist das Harmonisierungskonzept auf eine gegenseitige Anerkennung der nationalen Regelungen und Normen gestützt.

Nach dem Konzept der Rechtsharmonisierung wird es auch weiterhin unterschiedliche Regelungen und Normen innerhalb der einzelnen Mitgliedstaaten geben. Den Mitgliedstaaten wird es jedoch verwehrt sein, die Waren und Dienstleistungen europäischer Wettbewerber anhand dieser innerstaatlichen Normen zu bewerten. So darf dänisches Bier nicht aus Deutschland ferngehalten werden, weil es dem deutschen Reinheitsgebot nicht entspricht. Es genügt hier die europäische Mindestnorm für Biere, falls vorhanden, oder aber die dänische Norm für dänisches Importbier muß anerkannt werden.

Es gibt Stimmen, die die Befürchtung äußern, daß sich mit unterschiedlichen Normen vielfach Wettbewerbsverzerrungen zu Lasten der Länder mit höheren Produktsicherheitsvorschriften ergeben werden. Die Grundannahme bei dieser Befürchtung besteht darin, daß Kunden ausländische Waren bevorzugen werden, die nach weniger anspruchsvollen Vorschriften hergestellt wurden, da sie entweder die Unterschiede, z.B. in der Produktsicherheit, nicht erkennen oder aber nicht bereit sind, unterschiedliche Preise zu zahlen. Bei diesem Verhaltensmuster würden Unternehmer die Normen, denen die Produkte ihrer Konkurrenten im Ausland unterliegen, überprüfen, Kostenvorteile durch weniger anspruchsvolle Vorschriften feststellen und unter Verschleierung von Qualitäts- und Sicherheitsunterschieden oder im Vertrauen auf eine hohe Preissensibilität der Kunden in Märkte mit höherem Anspruchsniveau vorstoßen.

Auch wird angenommen, daß sich die Handelsströme aus Drittländern in die EG verlagern könnten; Unternehmen aus Drittländern (Nicht-EG-Mitglieder) können sich das EG-Land mit dem niedrigsten Sicherheitsniveau aussuchen, die Waren zunächst dort einführen und sie von dort aus auf die Länder mit höherem Sicherheitsniveau verteilen. Ob eine solche Strategie erfolgreich ist und ob die Befürchtungen einer Anpassung der Produktsicherheit auf den niedrigsten Standard tatsächlich zutreffen werden, hängt davon ab, inwieweit dem Kunden sowohl Sicherheitsvorteile als auch Kostenvorteile bekannt gemacht werden können und wie sie von ihm bewertet werden.

Für bestimmte Warengruppen wurden bereits europäische Normen und Sicherheitsvorschriften erlassen, für andere sind sie in Vorbereitung. Bei Kraftfahrzeugen verabschiedete man Richtlinien über Abgase, Schadstoffe aus Dieselmotoren und Partikelemissionen von Dieselmotoren. Zur Diskussion stehen weiterhin Richtlinien über die Sicherheit von Autoreifen und die Verwendung von Sicherheitsscheiben; Endziel ist die einheitliche europäische Bauartzulassung.

Bei Lebensmitteln ist eine Angleichung der Rechtsvorschriften für jedes Lebensmittelprodukt aufgegeben worden. Die Kommission hat statt dessen Prioritäten gesetzt, d.h. Konzentration auf die Vereinheitlichung der Bestimmungen zum Schutz der Volksgesundheit, zur verständlichen Kennzeichnung und zur Gewährleistung eines fairen Handels. Nach diesem Konzept sind bisher Richtlinien über Lebensmittelzusatzstoffe sowie eine Globalrichtlinie, die es verbietet, nicht in Einzelrichtlinien aufgeführte Zusatzstoffe zu verwenden, verabschiedet worden.

Sozio-kulturelle Komponente

Die Gesellschaft, in der ein Mensch aufwächst, prägt seine Überzeugungen, Wertvorstellungen und Normen. Praktisch unbewußt übernimmt er das Weltbild, das ihm die Gesellschaft vermittelt und das seine Beziehungen zu sich selbst, seinen Mitmenschen, zur Natur und zum Universum bestimmt. Für den Marketer sind folgende kulturspezifischen Phänomene und Entwicklungstendenzen relevant:

Beständigkeit der Grundwerte

In jeder Gesellschaft gibt es bestimmte Grundwerte und -überzeugungen, die sich im allgemeinen als sehr beständig erweisen. So sind Arbeit, Ehe, Wohltätigkeit und Ehrlichkeit noch immer Werte, an denen die meisten Menschen festhalten. Diese grundlegenden Wertvorstellungen und Überzeugungen werden von Generation zu Generation weitergegeben und von den wichtigsten Institutionen der Gesellschaft – Schule, Kirche, Wirtschaft und Staat – hochgehalten.

Daneben gibt es aber auch »sekundäre« Wertvorstellungen, die sich im Laufe der Zeit wandeln können. Die Institution der Ehe ist ein Grundwert, die Überzeugung, daß man jung heiraten sollte, dagegen ein Sekundärwert. Wer also eine vernünftige Familienplanung propagieren will, tut besser daran, den Leuten zu einer späteren Heirat zu raten, als die Ehe grundsätzlich zu verurteilen. Der Marketer kann einen gewissen Einfluß auf die Sekundärwerte ausüben, es wird ihm jedoch kaum gelingen, einen Grundwert anzutasten.

Subkulturen

In jeder Gesellschaft gibt es »Subkulturen«, d.h. verschiedene Gruppen von Menschen mit gemeinsamen Werthaltungen, die sich aus ihrer speziellen Lebenserfahrung oder Lebenssituation ergeben. Die Mitglieder der Heilsarmee, die Teenager oder auch die Rockerbanden der Hell's Angels – jede dieser Gruppen bildet eine Subkultur mit gemeinsamen Überzeugungen, Vorlieben und Verhaltensweisen. Wenn eine solche Gruppe ganz bestimmte Bedürfnisse hat oder ein besonderes Konsumverhalten an den Tag legt, kann der Marketer sie als einen speziellen Zielmarkt anvisieren.

Wandel der Sekundärwerte

Die Grundwerte einer Gesellschaft zeichnen sich, wie bereits gesagt, durch hohe Beständigkeit aus, doch erlebt jede Gesellschaft auch ganz bestimmte charakteristische Kultur- oder Zeitgeistphasen, die sich oft deutlich voneinander unterscheiden. So waren die 60er Jahre geprägt von den Hippies, den Beatles, Elvis Presley, der Zeitschrift *Playboy* und anderen kulturellen Phänomenen, die einen entscheidenden Einfluß auf die Frisuren, die Kleidung, das Sexualverhalten und die Lebensziele der jungen Generation ausübten. Heute hat die Jugend andere Idole und frönt anderen Modetrends. Dafür scheinen die Symbole der Vergangenheit, z.B. der *Playboy*, unterzugehen. Die Ideale der 68er Generation wurden abgelöst vom Phänomen der »Yuppies«, also der jungen Aufsteiger aus den Städten, das die stark karriereorientierte und konservative Ausrichtung der heutigen Jugend charakterisiert.

Der Marketer hat natürlich großes Interesse daran, die kulturellen Trends möglichst rechtzeitig auszumachen, um die sich daraus ableitenden neuen Chancen oder Bedrohungen für sein Unternehmen richtig einschätzen zu können. Es gibt einige Unternehmen, die sich auf die Erstellung sozio-kultureller Prognosen spezialisiert haben. Die bekannteste Prognose dieser Art in den USA erscheint unter der Bezeichnung »Yankelovich Monitor« und wird vom Marketingforschungsunternehmen Yankelovich, Skelly & White erstellt. Für diese Studie werden jährlich 2.510 Menschen über insgesamt 35 gesellschaftliche Trends befragt, z.B. »die Ablehnung alles Großen«, »Mystizismus«, »Leben für das Heute«, »weg vom Besitz« und »Sinnlichkeit«. In der Studie wird anschließend festgehalten, welcher Bevölkerungsanteil sich den einzelnen Trends anschließt und welcher nicht. Auch für andere Länder liegen genügend Studien zur Wertestruktur der Einwohner vor, auch wenn diese oft in unregelmäßigen Abständen erstellt werden und in der Erhebungsabwicklung nicht immer übereinstimmen. [18]

Die kulturellen Grundwerte einer Gesellschaft zeigen sich am Verhältnis des Menschen zu sich selbst, zu seinen Mitmenschen, den Institutionen, zur Gesellschaft, zur Natur und zum Universum.

Verhältnis der Menschen zu sich selbst

Hier ist zunächst grundsätzlich zu klären, ob für einen Menschen die Erfüllung der eigenen Wünsche und Bedürfnisse oder die Wünsche seiner Mitmenschen im Mittelpunkt stehen, ob Selbstgefälligkeit oder Dienst am Mitmenschen sein Handeln bestimmen. Besonders in der Gesellschaft der 60er und 70er Jahre war ein starker Trend hin zur Selbsterfüllung zu beobachten. Viele strebten nach Lustgewinn durch Spaß, Abwechslung und Flucht aus dem Alltag. Andere strebten nach Selbstverwirklichung durch therapeutische oder religiöse Zusammenkünfte. Die Abwertung von Pflicht- und Akzeptanzwerten (z.B. Fleiß, Treue, Leistung) sowie die Aufwertung von Selbstentfaltungswerten (Autonomie des Einzelnen, Genuß, Abenteuer etc.) ist von zahlreichen Sozialforschern als markantester Wertewandlungsschub der letzten Jahrzehnte herausgestellt worden und dauert auch nach neuerlichen Untersuchungen an. [19] Aus dieser starken Ich-Bezogenheit ergaben sich zahlreiche Folgerungen für das Marketing. Die Produkte und Markenartikel, die jemand kaufte, die Dienstleistungen, die er in Anspruch nahm, waren für ihn Ausdruck der eigenen Persönlichkeit. Man kaufte sich sein »Traumauto«, machte eine »Traumreise«, widmete sich intensiv der eigenen Gesundheit und Fitneß (z.B. durch Tennis oder Jogging), der Selbstbeobachtung und den Künsten. Die Freizeitindustrie (die Hersteller von Campingausrüstungen, die Bootsbauer, das Kunstgewerbe und die Sportartikelfirmen) profitierten von diesem starken Trend zur Selbsterfüllung.

Verhältnis der Menschen zu ihren Mitmenschen

Trotz des Trends zur Selbstentfaltung spielen im System der persönlichen Lebenswerte traditionelle zwischenmenschliche Werte wie z.B. Treue, Liebe und gute Manieren nach wie vor eine entscheidende Rolle. Für über 90% der Bevölkerung der Bundesrepublik sind diese Werte von sehr oder ziemlich großer Bedeutung. Angesichts einer sich immer schneller wandelnden Umwelt, die für den Einzelnen immer unüberschaubarer wird, stehen speziell diese zwischenmenschlichen Traditionswerte hoch im Kurs; sie geben dem Bürger ein Stück Geborgenheit und Beständigkeit. Mitunter wird in diesem Zusammenhang auf den Trend des »Rückzugs ins Private« hingewiesen. [20] Immer mehr Menschen streben nach ernsthaften und beständigen Beziehungen zu anderen, statt nur an sich zu denken. Die Werbung ist bereits teilweise dazu übergegangen, Menschen in Gruppen darzustellen, die etwas teilen bzw. gemeinsam genießen. Auch in einer Untersuchung von Doyle Dane Bernbach (USA) heißt es, daß sich immer mehr Menschen besorgt über eine soziale Isolation äußern und ein heftiges Verlangen nach zwischenmenschlichen Kontakten haben. [21] Dieser Trend verheißt den Industrien, deren Produkte und Dienstleistungen die direkte Kommunikation und die Pflege sozialer Kontakte unterstützen, eine rosige Zukunft – also u. a. den Betreibern von Fitneßclubs, Reiseveranstaltern und Anbietern von Gesellschaftsspielen. Wachsende Märkte sind aber auch für diejenigen Produkte und Dienstleistungen zu erwarten, die einen Ersatz für die unmittelbaren menschlichen Kontakte darstellen und einem Menschen das Gefühl des Alleinseins nehmen, z. B. das Fernsehen, Videospiele und Computer.

Verhältnis der Menschen zu den Institutionen

Die Bürger haben unterschiedliche Einstellungen zu den großen Organisationen und Institutionen der Gesellschaft, also den Wirtschaftsunternehmen, Behörden, Gewerkschaften usw. Die meisten Menschen akzeptieren diese Institutionen, auch wenn sie einigen davon vielleicht kritisch gegenüberstehen, und sind im großen und ganzen bereit, für sie zu arbeiten. Die *Loyalität gegenüber den Institutionen* nimmt allerdings ab; man traut ihnen weniger und setzt sich weniger für sie ein als früher. Die Arbeitsmoral läßt immer mehr zu wünschen übrig. Viele Menschen betrachten die Arbeit nicht mehr als eine Quelle der persönlichen Befriedigung, sondern eher als ein notwendiges Übel, mit dessen Hilfe man die Freizeitgestaltung finanziert.

Gleichzeitig wird von den Unternehmen ein höheres Maß an sozialer Verantwortung erwartet; dennoch stellt die Öffentlichkeit keine überzogenen Ansprüche an die Wirtschaft. [22]

Auch aus diesem Trend muß das Marketing bestimmte Konsequenzen ziehen. Die Unternehmen müssen das Vertrauen der Verbraucher zurückzugewinnen versuchen und zu diesem Zweck u. a. ihre Werbebotschaften auf ihre Ehrlichkeit hin prüfen. Darüber hinaus muß jedes Unternehmen all seine Aktivitäten neu bewerten, so daß es sich der Öffentlichkeit als »nützliches Gesellschaftsmitglied« präsentiert. In den USA z. B. arbeiten immer mehr Unternehmen mit Hilfe des sog. *social auditing*[23] sowie ihrer *Öffentlichkeitsarbeit* an einem positiven Image. Peter Drucker geht davon aus, daß es bei der »gesellschaftlichen Verantwortung der Unternehmen« in Zukunft nicht mehr darum gehen wird, »Gutes zu tun« bzw. »Schaden zu vermeiden«[24] sondern daß die Entwicklung im Grunde genommen darauf hinausläuft, die gesellschaftlichen Probleme in gewinnbringende Marktchancen zu verwandeln.

Auch Raffée und Wiedemann empfehlen den Unternehmen, zunächst in den Kernbereichen ihrer Tätigkeit soziale Verantwortung zu übernehmen und in einer durchgängig sozial verantwortlichen Unternehmenspolitik Image- und Wettbewerbsvorteile »einzuspielen«. [25]

Verhältnis der Menschen zur Gesellschaft

Auch zur Gesellschaft als Ganzes hat jeder eine andere Einstellung: Da gibt es die Patrioten, die das System verteidigen, die Reformer, die es ändern wollen, und die Unzufriedenen, die es verlassen wollen. Im allgemeinen weicht der Patriotismus einer zunehmenden Kritikbereitschaft und einem wachsenden Zynismus in bezug auf die Zukunft des Landes bzw. der Welt. Von Mitchell stammt das Konzept der *Lebenseinstellungen*, mit dessen Hilfe man die Beziehung eines Menschen zur Gesellschaft beschreiben kann. Dieses Konzept unterscheidet sechs Kategorien:

- **Macher**
  Diese Personengruppe erhält das gesellschaftliche System aufrecht und funktionsfähig. Die Macher bekleiden die Führungspositionen, sie sind die Aufsteiger. Sie sind in weltlichen Angelegenheiten engagiert, im allgemeinen wohlhabend und auch ehrgeizig. Häufig handelt es sich um Angehörige der freien Berufe; aber auch in führenden Positionen der Wirtschaft sind sie zu finden – entweder als Manager oder Firmeneigentümer.
- **Bewahrer**
  Diese Menschen fühlen sich in der Gesellschaft, in die sie hineingeboren wurden, wohl und sind stolz auf ihre Traditionen. In einer Welt des Wandels bilden sie ein Bollwerk der Stabilität.
- **Nehmer**
  Sie nehmen von der Gesellschaft, was sie bekommen können. In der Arbeitswelt engagieren sie sich kaum, sondern suchen ihr Vergnügen in der Freizeit. Sie fühlen sich besonders wohl in bürokratischen Organisationen und gesicherten Lebensstellungen.
- **Veränderer**
  Sie haben auf viele Fragen und Probleme eine Antwort parat und wollen die Verhältnisse in ihrem Sinne ändern. Sie sind die Kritiker, Protestler, Radikalen, Meckerer und Verfechter einer guten Sache – stellen aber auch einen bedeutenden Anteil der aktiv Engagierten. Ihre Aktivitäten richten sich im allgemeinen nach außen.
- **Suchende**
  Diese Menschen streben nach dem besseren Verständnis, der tieferen Einsicht, dem größeren Erfahrungsschatz, der universalen Perspektive. Ihre Suche nach Antworten und Erkenntnisfortschritten ist meist ein eher introvertierter Vorgang. Neue Ideen nehmen häufig in dieser Gruppe ihren Ursprung.
- **Aussteiger**
  Sie wollen am liebsten allem entfliehen und alles hinter sich lassen. Ihre Flucht kann verschiedene Formen annehmen – vom regelrechten Ausstieg aus dem Alltagsleben über die Abhängigkeit von einem Suchtmittel bis hin zu psychischen Erkrankungen oder der Flucht in den Mystizismus. [26]

Diese sechs Gruppen finden sich in jeder Gesellschaft, doch ihre jeweilige Größe und Bedeutung verändert sich im Laufe der Zeit. Mitchell beobachtet in der amerikanischen Gesellschaft einen wachsenden Anteil der Nehmer gegenüber den Machern, eine Entwicklung, die für die wirtschaftlichen Wachstumsaussichten wenig Gutes verheißt. Außerdem vergrößert sich Mitchell zufolge der Anteil der Aussteiger gegenüber den Veränderern, so daß die Gesellschaft insgesamt konservativer und selbstzufriedener werden dürfte.

Der Marketer kann diese sechs Gruppen durchaus als spezifische Marktsegmente betrachten, die jeweils typische materielle Bedürfnisse und eigene Statussymbole haben. So ist der Macher ein Erfolgstyp, der sich gerne mit den Früchten seines Erfolges schmückt und sich darum ein elegantes Haus, ein schnelles Auto und teure Kleidung leistet. Der Veränderer dagegen lebt bescheidener, fährt ein kleineres Auto und kleidet sich einfacher. Der Aussteiger setzt auf Motorräder, modische Kleidung, Surfen und Discobesuche. Grundsätzlich läßt sich feststellen, daß die Konsumgewohnheiten des Einzelnen seine Einstellung zur Gesellschaft widerspiegeln.

Verhältnis der Menschen zur Natur
Die Einstellungen der Menschen zur naturgegebenen Umwelt sind ebenfalls unterschiedlich. Manche fühlen sich der Natur gegenüber hilflos, andere leben mit ihr in Harmonie, und wieder andere wollen sie bezwingen. Der Mensch hat sich im Laufe der Zeit die Natur mit Hilfe der Technik in immer größerem Maße untertan gemacht, und über eine sehr lange Zeit hinweg hielt man ihr Reservoir für unerschöpflich. Neuerdings dringt jedoch die Verletzlichkeit der Natur und die begrenzte Verfügbarkeit ihrer Ressourcen immer mehr ins Bewußtsein der Öffentlichkeit. Man hat erkannt, daß die natürliche Umwelt durch menschliches Handeln geschädigt und zerstört werden kann.

Zwischen Umweltbewußtsein und Umweltverhalten klafft aber immer noch eine deutliche Lücke. Es gibt mehr Menschen, die die Verwirklichung ökologischer Ziele durch die Gesellschaft für wichtig erachten, als solche, die bereit sind, sich selbst umweltfreundlich zu verhalten.

Die Liebe zur Natur führt zu Freizeitaktivitäten wie Campen, Wandern, Rudern und Fischen. Die Industrie hat mit einem großen Angebot an Wanderstiefeln, Campingzubehör und anderen Ausrüstungen für den Naturfreund auf diesen Trend reagiert. Immer mehr Reiseveranstalter bieten Touren in unberührte Gebiete an. Auch in der Nahrungsmittelindustrie hat sich der Trend hin zu einer natürlichen Lebensweise bemerkbar gemacht: Die Nachfrage nach Produkten wie natürlicher Getreidekost, Speiseeis ohne chemische Zusätze und anderer Biokost ist deutlich gestiegen. Auch bei der Gestaltung von Werbeplakaten u. ä. wird immer häufiger ein ansprechender, natürlicher Hintergrund gewählt.

Verhältnis der Menschen zum Universum
Es existieren verschiedene Vorstellungen über den Ursprung des Universums und den Platz, den der Mensch darin einnimmt. Die meisten Menschen der westlichen Welt sind Monotheisten – trotz eines Nachlassens der religiösen Überzeugung und der praktischen Religionsausübung. Die Zahl der Kirchenbesucher geht in den industrialisierten Ländern seit Jahren zurück, wenn man vom Zulauf für einige spezielle Glaubensgemeinschaften absieht, die es sich zur Aufgabe gemacht haben, die Menschen wieder für die organisierte Religionsausübung zu gewinnen. Zum Teil hat sich religiöses Streben auch auf fernöstliche Religionen, den Mystizismus und den Okkultismus gerichtet.

Bei nachlassender religiöser Orientierung der Menschen wächst ihr Bestreben, das irdische Leben so ausgiebig wie möglich zu genießen. Sie wollen Güter und Erlebnisse, die Spaß und Vergnügen bereiten. Selbsterfüllung und die sofortige Befriedigung von Bedürfnissen sind Trends, die immer mehr in den Vordergrund treten.

Der Marketer darf allerdings nicht übersehen, daß es zu jedem Trend auch Ausnahmen gibt. Auf lange Sicht zeigt sich, daß sich der kulturelle Wandel in einer Gesellschaft eher in Form von Pendelbewegungen vollzieht, als stetig in ein und dieselbe Richtung zu weisen. Jede Zeitgeistströmung scheint bereits die Gegenströmung in sich zu tragen, und in vielen Fällen gewinnt diese schließlich die Oberhand.

Vor diesem Hintergrund erscheint von Zeit zu Zeit ein »Futurist« auf der Bildfläche und präsentiert der interessierten Öffentlichkeit eine Reihe von Entwicklungstendenzen, die er im Rahmen seiner Forschungen ausgemacht hat. Der folgende Exkurs enthält die zehn »Megatrends«, die John Naisbitt für die künftige Entwicklung der amerikanischen Gesellschaft als bestimmend ansieht und die für den Marketer von großem Interesse sind.

Exkurs 5-5: Die zehn »Megatrends« von John Naisbitt

Seit fünfzehn Jahren veröffentlicht John Naisbitt regelmäßig seinen »Trend Report«, und verschiedene Großunternehmen zahlen jährlich über 15.000 $ für diese Prognose. Zur Ermittlung der gesellschaftlichen Entwicklungstendenzen setzen Naisbitt und sein Team die Inhaltsanalyse ein – genauer gesagt, sie zählen die Häufigkeit, mit der bestimmte Themen in Form »harter Nachrichten« in den wichtigsten Zeitungen auftauchen. Diese Themen werden in 13 grobe Kategorien und über 200 Untergruppen eingeteilt. Im Jahr 1982 veröffentlichte Naisbitt ein Buch über seine bisherigen Erkenntnisse: *Megatrends: Ten New Directions Transforming Our Lives* (erschienen bei Warner Books, New York). Hier ein kurzer Überblick über die zehn »Megatrends«, die Naisbitt ausgemacht hat:

1. Die amerikanische Wirtschaft durchläuft einen »Megaschub« – von der Industriegesellschaft hin zu einer Informationsgesellschaft.
   - Nur noch 13% der Erwerbsbevölkerung arbeiten in der Produktion, während 60% Informationen erstellen oder verarbeiten.
2. Das Vordringen von Hochtechnologien (*High-Tech*) wird zu einer steigenden Empfindlichkeit (*High-Touch*) der Menschen gegenüber diesen Technologien führen.
   - Die Telekonferenz, durch High-Tech ermöglicht, hat sich nicht durchgesetzt, weil die Leute zwischenmenschliche Kontakte (High-Touch) in Form von persönlichen Treffen schätzen.
   - Viele Unternehmen versuchen, ihre High-Tech-Produkte mit einer High-Touch-Note zu umgeben, um ihre Akzeptanz zu vergrößern. So nutzte beispielsweise Apple Computer Co. den Apfel und den Regenbogen als Symbol der Benutzerfreundlichkeit.
3. Amerika entfernt sich von der Position der Isolation und Eigenständigkeit und sieht sich in das System der globalen Interdependenzen eingebunden. Das Land ist dabei, seine Dominanz als Wirtschaftsmacht einzubüßen.
   - Japan liegt an erster Stelle der Produktivitätsrangliste; als Herausforderer zeichnen sich allerdings bereits Singapur, Südkorea und Brasilien ab.
   - Die Amerikaner müssen anfangen, global zu denken, und auf lokaler Basis zu handeln. So unterhalten die Bundesstaaten Illinois und Florida Außenhandelsbeziehungen rund um die Welt.
4. Die Führungskräfte in den amerikanischen Unternehmen gehen dazu über, langfristig – und nicht nur bis zum Quartalsende – zu denken.
   - Die Betonung des Kurzfristigen war hauptsächlich auf den Druck der Aktionäre zurückzuführen, aber auch auf die Tatsache, daß Manager eher für den schnellen Erfolg als für die langfristige Planung belohnt wurden.
   - Die amerikanischen Autohersteller leiden unter den Folgen ihrer kurz-

fristigen Ausrichtung, wodurch die Kosten zu Lasten der Qualität und Haltbarkeit der Produkte gesenkt wurden.

5. Die Amerikaner sind dabei, ihre Unternehmen von der Basis her neu aufzubauen, weg von zentralistischen Strukturen und hin zur Dezentralisierung.
   - In der Industriegesellschaft müssen die Erwerbstätigen in den Betrieb kommen und dort mit anderen zusammenarbeiten. In der Informationsgesellschaft kann man seine Arbeit per Telefon und Schreibgerät völlig dezentral zu Hause erledigen.

6. Die Amerikaner wenden sich wieder dem eigenständigen Handeln zu und verlassen sich weniger auf die Hilfe von Institutionen.
   - Viele Leute sind nicht mehr damit zufrieden, ihr Leben und ihre Energie einem Arbeitgeber zu widmen. Das Ergebnis ist die Gründung einer enormen Anzahl kleiner, selbständiger Firmen.

7. Die Erwerbstätigen und die Verbraucher fordern mehr Gehör in der Regierung, der Wirtschaft und auf dem Markt.

8. Das Vordringen des Computers führt zu einer radikalen Umgestaltung des betrieblichen Organisationsplans. Anstelle von Hierarchien bilden sich Vernetzungen.
   - Mitarbeiter vernetzen sich zu informellen Gruppen, innerhalb derer ein Gedanken-, Informations- und Ressourcenaustausch stattfindet; diese Vernetzungen überspannen bestehende Hierarchien.
   - Wissen ist Macht: Wer Zugang zu guten Informationen hat, vergrößert seinen Einfluß im Unternehmen.

9. Immer mehr Erwerbstätige ziehen aus dem Norden und Nordosten in den Süden und Südwesten der USA.

10. Die Amerikaner legen Wert auf Abwechslung und lehnen jede Form von »Einheitsbrei« ab.
   - Nur noch 7 % der US-Bürger leben in einer Familie, die den traditionellen Vorstellungen entspricht (der Vater berufstätig, die Mutter Hausfrau, zwei Kinder).
   - Heute sind 752 verschiedene Pkw- und Lkw-Modelle und 2.500 Arten von Glühlampen auf dem Markt; das Kabelfernsehen bietet 200 Fernsehprogramme an.

   Naisbitt faßt seine Forschungsergebnisse am Ende des Buches in einem Satz zusammen: »Mein Gott, in was für einer phantastischen Zeit leben wir!«

Quelle: John Naisbitt: *Megatrends: Ten New Directions Transforming Our Lives*, New York: Warner Books, 1982.

Zusammenfassung

Das Marketingumfeld ist voller Chancen und Bedrohungen, die es rechtzeitig zu erkennen gilt. Es setzt sich aus sämtlichen Mitspielern und Gestaltungskräften zusammen, welche die Tätigkeit eines Unternehmens und die Bedienung seiner Zielmärkte beeinflussen. Man unterscheidet dabei zwischen dem Mikroumfeld und dem Makroumfeld eines Unternehmens.

Das Mikroumfeld umfaßt die Mitspieler im näheren Umfeld des Unternehmens. Es sind dies das Unternehmen selbst, seine Lieferanten, Absatzhelfer, Kunden, Konkurrenten und verschiedene Interessengruppen. Das Unternehmen selbst besteht aus mehreren wichtigen Abteilungen, die alle auf die Entscheidungsfindung der Führungskräfte im Marketing einen gewissen Einfluß ausüben. Das gleiche gilt für die Lieferanten, welche die Preise und die Verfügbarkeit der erforderlichen Einsatzgüter kontrollieren. Das Unternehmen verwendet diese Einsatzgüter zur Herstellung von Produkten oder zur Bereitstellung von Dienstleistungen und arbeitet mit Absatzhelfern (Absatzmittler, Spediteure, Marketingdienstleister und Finanzinstitute) zusammen, um Kunden für seine Ware zu finden und die Ware an ihren Bestimmungsort zu transportieren. Der Zielmarkt eines Unternehmens – er kann sowohl im Inland als auch im Ausland liegen – besteht aus Verbrauchern, industriellen Abnehmern, Wiederverkäufern oder Behörden. Im Rahmen ihrer Marketingfunktion muß sich das Unternehmen mit vier verschiedenen Formen der Konkurrenz auseinandersetzen: der Bedürfnisklassenkonkurrenz und der generischen Produktklassenkonkurrenz, der Produktartenkonkurrenz und der Markenkonkurrenz. Daneben hat jedes Unternehmen mit den verschiedensten wirtschaftlichen und gesellschaftlichen Interessengruppen zu tun, die ein Interesse an der Tätigkeit des Unternehmens haben bzw. seinen Erfolg bis zu einem gewissen Grade beeinflussen können. Dazu gehören die Finanzwelt, die Medien, der Staat, die Bürgerinitiativen, die breite Öffentlichkeit und die firmeninternen Gruppen. All diese Mitspieler machen in ihrer Gesamtheit das Mikroumfeld eines Unternehmens aus.

Das Makroumfeld setzt sich aus sechs für das Unternehmen relevanten Komponenten zusammen: der demographischen, volkswirtschaftlichen, naturgegebenen, technologischen, politisch-rechtlichen und sozio-kulturellen Komponente. Die demographische Entwicklung ist durch ein explosionsartiges Wachstum der Weltbevölkerung, sinkende Geburtenziffern in der Bundesrepublik, eine Überalterung der deutschen Bevölkerung, diverse Veränderungen der deutschen Familienstruktur, eine Zunahme der Nichtfamilienhaushalte, geographische Bevölkerungsverlagerungen, ein höheres Bildungsniveau und eine steigende Zahl von Angestellten, Veränderungen in der ethnischen Bevölkerungsstruktur sowie eine Zersplitterung des Massenmarktes in zahlreiche Mikromärkte gekennzeichnet. Im volkswirtschaftlichen Bereich sind in der BRD ein gemäßigtes Wachstum der Realeinkommen, hohe Spareinlagen und Veränderungen in den Verbraucherausgaben festzustellen. Im naturgegebenen Umfeld droht die Gefahr der Verknappung verschiedener Rohstoffe; außerdem ist es geprägt von den schwankenden Energiepreisen, der zunehmenden Umweltverschmutzung und der veränderten Rolle des Staates beim Umweltschutz. Im technologischen Bereich sind besonders der beschleunigte technische Fortschritt, die unbegrenzten Innovationsmöglichkeiten, die hohen Forschungs- und Entwicklungsaufwendungen, die Konzentration vieler Unternehmen auf kleine Fortschritte statt großer Entdeckungen und die zunehmende Reglementierung des technischen Fortschritts zu erwähnen. Der politisch-rechtliche Sektor zeichnet sich durch eine umfangreiche wirtschaftsrechtliche Gesetzgebung, die strenge Anwendung der Gesetze durch die Behörden und eine wachsende Zahl von Bürgeraktivisten aus. Die sozio-kulturelle Entwicklung schließlich ist geprägt durch das Streben nach Selbsterfüllung, unmittelbare Befriedigung, einem leichten Leben, informellen, offenen Beziehungen und einer weltlichen Orientierung.

Die Verknüpfung zwischen dem Umfeld, dem Marketingsystem und der Marketingstrategie eines Unternehmens wird in seiner ganzen Vielschichtigkeit im Anhang zu diesem Kapitel am Beispiel eines Süßwarenherstellers illustriert.

Anmerkungen

1 Peter Drucker: *Age of Discontinuity*, New York: Harper & Row, 1969.
2 Vgl. Alvin Toffler: *Zukunftsschock*, München: Droemer, 1970.
3 Dieses Thema wird ausführlich behandelt bei Philip Kotler und Sidney J. Levy: »Buying Is Marketing, Too«, in: *Journal of Marketing*, Januar 1973, S. 54 – 59.
4 Die Wechselbeziehungen zwischen Marketing und Öffentlichkeitsarbeit untersuchen Philip Kotler und William Mindak: »Marketing and Public Relations: Partners or Rivals?«, in: *Journal of Marketing*, Oktober 1978, S. 13 – 20.
5 Die Anwendung demographischer Daten bei der Strukturierung einer Marketingstrategie beschreibt Louis G. Pol: »Marketing and the Demographic Perspective«, in: *Journal of Consumer Marketing*, Winter 1986, S. 57 – 64.
6 Donella H. Meadows, Dennis L. Meadows, Jorgen Randers und William W. Behrens III.: *The Limits to Growth*, New York: New American Library, 1972, S. 41.
7 Vgl. Eduardo Roberto: *Strategic Decision–Making in a Social Program: The Case of Family–Planning Diffusion*, Lexington, Mass.: Lexington Books, 1975.
8 Ein großer Teil der in diesem Kapitel angegebenen statistischen Daten stammt aus den Veröffentlichungen des Statistischen Bundesamtes der Bundesrepublik Deutschland für die alten Bundesländer (bis 1989).
9 Vgl.: »Too Late for Prince Charming?«, in: *Newsweek*, 2. Juni 1986, S. 54 – 61; und Joann S. Lublin: »Rise in Never–Marrieds Affects Social Customers and Buying Patterns«, in: *Wall Street Journal*, 28. Mai 1986, S. 1.
10 F. Böltgen et al.: »Aktuelle Daten zur Entwicklung der Städte, Kreise und Gemeinden 1986«, *Bundesforschungsanstalt für Landeskunde und Raumordnung*, Heft 28, Bonn, 1987.
11 Vgl. Karl E. Henion II.: *Ecological Marketing*, Columbus, Ohio: Grid, 1976.
12 Bundesministerium für Umwelt, Naturschutz und Reaktorsicherheit (Hrsg.): *Umweltpolitik. Bilanz des Bundesministeriums für Umwelt, Naturschutz und Reaktorsicherheit*, Bonn 1987, S. 18.
13 Alvin Toffler: *Zukunftsschock.*
14 Alvin Toffler: *Die Dritte Welle – Zukunftschancen, Perspektiven für die Gesellschaft des 21. Jahrhunderts*, München: Goldmann, 1980.
15 Eine ausgezeichnete und umfassende Aufzählung möglicher Produkte der Zukunft stammt von Charles Panat: *Breakthroughs*, Boston: Houghton Mifflin, 1980; vgl. außerdem: »Technologies for the 80's«, in: *Business Week*, 6. Juli 1981, S. 48 ff.
16 »Corporate Growth, R&D, and the Gap Between«, in: *Technology Review*, März–April 1978, S. 39.
17 »Cooperative R&D for Competitors«, in: *Harvard Business Review*, November–Dezember 1985, S. 60.

18 Ausführliche Untersuchungen zur Wertestruktur in der Bundesrepublik sind veröffentlich in z. B. folgenden Studien:
a. *Lebensziele – Potentiale und Trends alternativen Verhaltens*, Gruner & Jahr, 1981.
b. Klaus P. Wiedmann und Hans Raffée: *Gesellschaftsbezogene Werte, persönliche Lebenswerte, Lebens- und Konsumstile der Bundesbürger. Untersuchungsergebnisse der Studie Dialoge 2 und Skizze von Marketing Konsequenzen*, Arbeitspapier Nr. 46 des Instituts für Marketing, Universität Mannheim, 1986.

19 Vgl. Hans Raffée und Klaus P. Wiedmann: *Wertewandel im Marketing*, Arbeitspapier Nr. 49, des Instituts für Marketing, Universität Mannheim, 1986, S. 27 ff.

20 Ebenda, S. 29.

21 Vgl. Bill Abrams: »›Middle Generation‹ Growing More Concerned With Selves«, in: *Wall Street Journal*, 21. Januar 1982, S. 25.

22 Vgl. Hans Raffée und Klaus P. Wiedmann: *Wertewandel im Marketing*, S. 14.

23 Vgl. Raymond A. Bauer und Dan H. Fenn, Jr.: »What Is a Corporate Social Audit?«, in: *Harvard Business Review*, Januar–Februar 1973, S. 37 – 48.

24 Peter F. Drucker: »Converting Social Problems into Business Opportunities: The New Meaning of Corporate Social Responsibility«, in: *California Management Review*, Winter 1984, S. 53 – 63.

25 Vgl. Hans Raffée und Klaus P. Wiedmann: *Wertewandel* S. 14.

26 Arnold Mitchell vom *Stanford Research Institute*, eigene Veröffentlichung.

Anhang zu Kapitel 5 Verknüpfung zwischen dem Umfeld, dem Marketingsystem und der Marketingstrategie eines Unternehmens

In diesem Kapitel wurden die Beziehungen behandelt, die ein Unternehmen zu den verschiedensten Organisationen und Gruppierungen aufbauen muß, um seine Marketingfunktion erfüllen zu können, und ausgeführt, daß alle Beteiligten unter dem Einfluß verschiedener externer Faktoren und Gestaltungskräfte stehen. Die Verknüpfung zwischen dem Umfeld, dem Marketingsystem und der Marketingstrategie eines Unternehmens soll nun anhand eines konkreten Beispiels illustriert werden, in dessen Mittelpunkt wieder Jacobs-Suchard steht.

Abbildung 5A-1 zeigt die wichtigsten Komponenten und Beziehungen im Marketingsystem eines Süßwarenherstellers. Das Schaubild ist in sechs Spalten gegliedert:

1. Das *Umfeld* – genauer gesagt, diejenigen externen Faktoren, die das Süßwarenangebot und die Nachfrage beeinflussen, also das Bevölkerungswachstum, das Pro-Kopf-Einkommen, die Einstellungen der Verbraucher zum Verzehr von Süßigkeiten sowie die Verfügbarkeit und die Kosten der erforderlichen Rohmaterialien.
2. Die *Marketingstrategien des Unternehmens und der Mitbewerber.*
3. Die *wichtigsten Entscheidungsvariablen im Marketing*: Produktausstattung, Preis, Vertriebsorganisation und physische Distribution, Kundendienst, Werbung und Absatzförderung.
4. Die *wichtigsten Absatzkanäle*, die das Unternehmen für sein Produkt einsetzt.
5. Das *Käuferverhalten*, d.h. die Reaktion der Verbraucher auf die Aktivitäten des Unternehmens, die Vorgänge innerhalb der Absatzwege und die Gestaltungskräfte der Makroumwelt.
6. Die *Umsätze der gesamten Branche sowie Umsatz und Kostenstruktur des Unternehmens.*

Die verschiedenen Pfeile in Abbildung 5A-1 stellen die wichtigsten Verknüpfungen im Marketingsystem dar. Im folgenden soll nun ein Element des Schaubildes, der Kasten »Marketingstrategie des Unternehmens«, herausgegriffen und näher untersucht werden. In Abbildung 5A-2 sind rechts von diesem Kasten sämtliche relevanten Entscheidungen aufgelistet, die das Unternehmen in bezug auf das Marketing zu treffen hat. Diese lassen sich in zwei Gruppen unterteilen: Entscheidungen, die auf den Handel gerichtet sind, und Entscheidungen, die auf den Konsumenten gerichtet sind. In die erste Kategorie gehört die Festsetzung des Großhandelspreises, der Händlerrabatte sowie der Zahlungs- und Lieferbedingungen. Die zweite Gruppe umfaßt die Produktausstattung, die Verpackung, die Einzelhandelspreise und Sonderangebote sowie die Konsumentenwerbung.

Auf der linken Seite des Kastens werden die verschiedenen Faktoren aufgeführt, welche die Marketingentscheidungen des Unternehmens beeinflussen. Diese wiederum kann man drei Kategorien zuordnen:

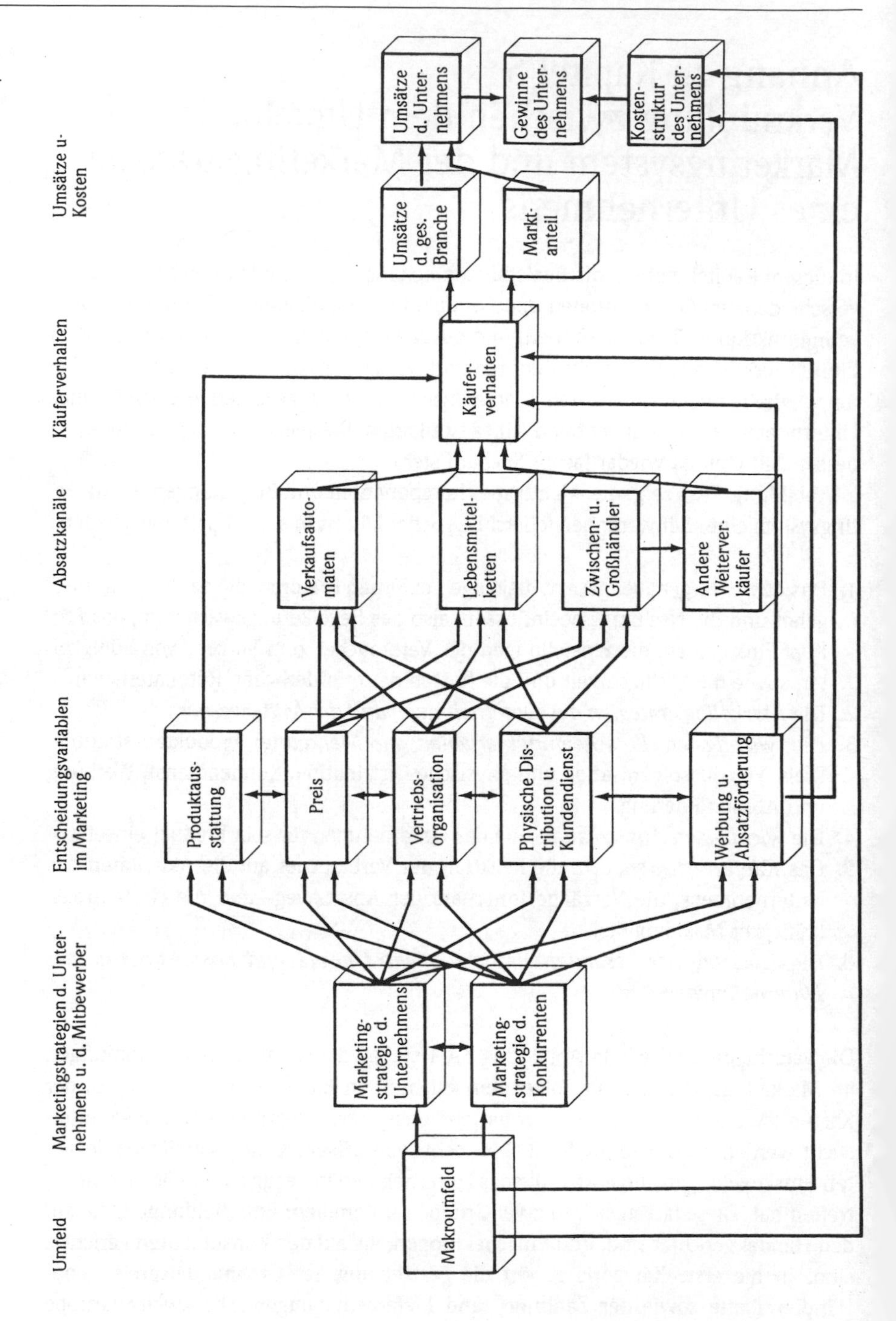

Abbildung 5A-1
Umfassende Darstellung des Marketingsystems eines Süßwarenherstellers

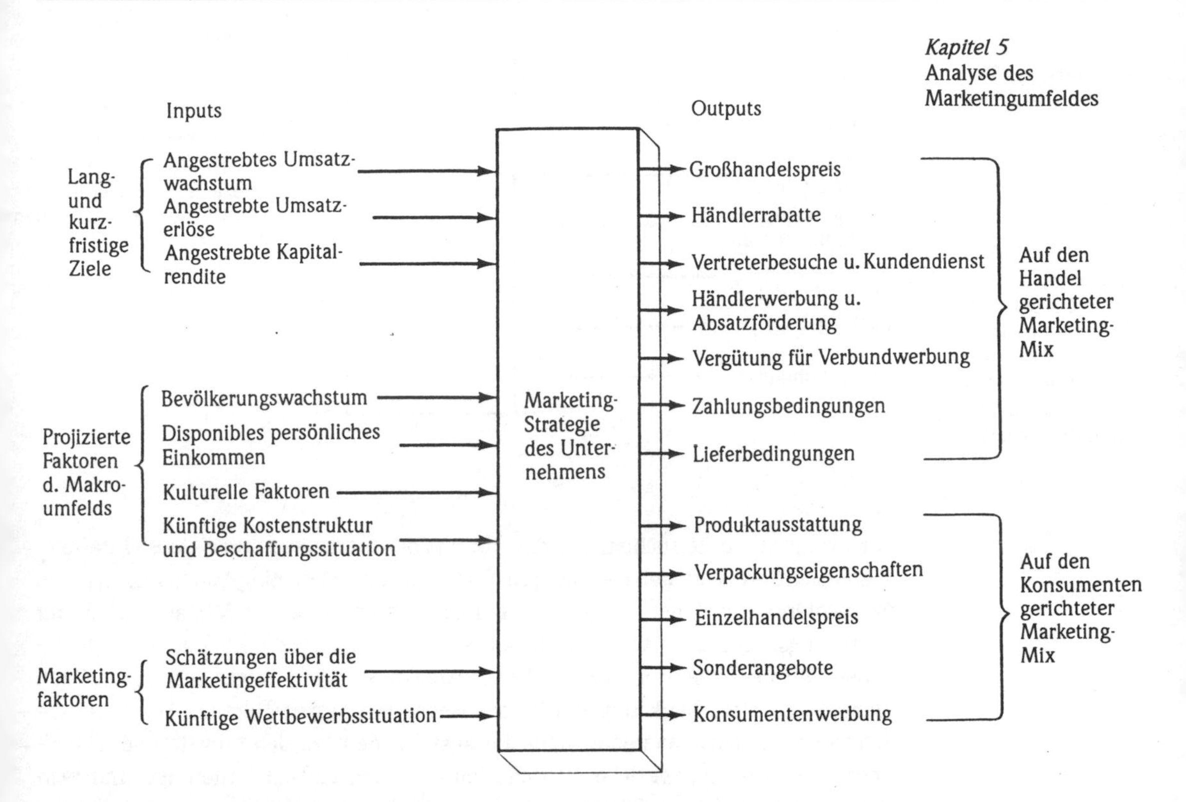

Abbildung 5A-2
Input-Output-Darstellung der Marketingentscheidungen eines Süßwarenherstellers

1. Die lang- und kurzfristigen Ziele, die sich das Unternehmen im Hinblick auf das Umsatzwachstum, die Umsatzerlöse und die Kapitalrendite gesetzt hat.
2. Die voraussichtliche Entwicklung bestimmter Faktoren im Makroumfeld, z.B. des Bevölkerungswachstums, des disponiblen persönlichen Einkommens, der kulturellen Einflüsse, der Kostenstruktur und der Beschaffungssituation.
3. Die Schätzungen in bezug auf die Effektivität der verschiedenen Marketinginstrumente und die Hypothesen über das künftige Vorgehen der Konkurrenz.

Jeder dieser Einflußfaktoren läßt sich bei Bedarf weiter aufschlüsseln. So kann man vier kulturelle Trends ausmachen, die sich erheblich auf den künftigen Süßwarenkonsum auswirken dürften:

- **Die Idealfigur**
  Sollte das Schlankheitsprinzip aus der Mode kommen, werden die Süßwarenumsätze deutlich ansteigen.
- **Die Angst vor Karies**
  Dank der Entwicklung immer besserer Zahncremes sorgen sich die Leute weniger darum, ob Zucker ihren Zähnen schadet. Andererseits nehmen einige Unternehmen die Angst vor dem Zahnverfall zum Anlaß, wohlschmeckende Süßigkeiten ohne Zucker zu entwickeln.
- **Das Ernährungsbewußtsein**
  Sollten die Veröffentlichungen über schädliche Wirkungen von raffiniertem Zucker auf den menschlichen Stoffwechsel weiterhin zunehmen, werden immer mehr Menschen auf Süßigkeiten verzichten.
- **Der Zigarettenkonsum**
  Je mehr Menschen ihren Zigarettenkonsum reduzieren bzw. das Rauchen ganz aufgeben, desto stärker wird die Nachfrage nach Süßigkeiten, Kaugummi und anderen »Gaumengenüssen« ansteigen.

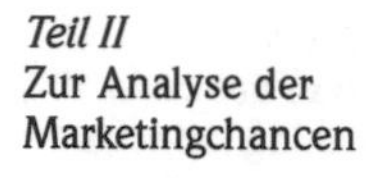

Inputs

Großhandelspreis
Händlerrabatte
Vertreterbesuche u. Kundendienst
Händlerwerbung u. Absatzförderung
Vergütungen für Verbundwerbung
Zahlungsbedingungen
Lieferbedingungen

Lebensmittelkette

Outputs

Günstige u. ansprechende Plazierung in den Regalen
Spezielle Aufsteller u. Verkaufsförderungsmaßnahmen
Werbemaßnahmen im Einzelhandel
Unterhaltung ausreichender Lagerbestände

Abbildung 5A-3
Input-Output-Darstellung der Entscheidungen von Lebensmittelketten zum Angebot des Süßwarenherstellers

Man kann nun untersuchen, wie die Outputs der Marketingstrategie des Unternehmens sich ihrerseits auf die anderen Elemente des Marketingsystems auswirken. Betrachten wir z.B. den auf den Handel gerichteten Marketing-Mix als Output der Marketingstrategie. Er wirkt als Input auf jeden der Absatzkanäle, wie z.B. im Modell für die Lebensmittelketten (siehe Abbildung 5A-3) dargestellt. Der auf den Handel gerichtete Marketing-Mix ist der Hebel, mit dessen Hilfe der Hersteller die Einzelhändler dazu veranlaßt, seine Produkte in den Regalen günstig und ansprechend zu plazieren, spezielle Aufsteller einzusetzen, Verkaufsförderungs- und Werbemaßnahmen durchzuführen und stets ausreichende Vorräte des Produkts auf Lager zu haben.

Wie sich die Entscheidungen des Einzelhandels gemeinsam mit diversen anderen Elementen des Marketingsystems wiederum auf den Endverbraucher auswirken, zeigt Abbildung 5A-4. Die verschiedenen Einflußfaktoren lassen sich in drei Kategorien einteilen: Einflüsse der Produktgestaltung und Absatzförderung (Resultate der Marketingentscheidungen des Unternehmens), Einflüsse der Absatzkanäle und Einflüsse des Makroumfelds (Resultate bestimmter weitreichender Entwicklungen). All diese Faktoren wirken sich auf das Kaufverhalten der Konsumenten und damit auf die Umsätze der gesamten Branche und des einzelnen Unternehmens sowie auf dessen Gewinne aus.

Schließlich müssen die mengenmäßigen Verknüpfungen zwischen den verschiedenen Schlüsselelementen abgeschätzt werden. Abbildung 5A-5 zeigt die geschätzte Wirkung einer Produkteigenschaft – des Schokoladegehalts – auf die Umsätze eines mit Schokolade überzogenen Gebäckriegels unseres Süßwarenherstellers. Das Unternehmen würde den Schokoladenüberzug gern möglichst sparsam halten, denn Schokolade ist im Vergleich zu den übrigen Zutaten, die für die Füllung verwendet werden, teuer. Verbrauchertests zeigen jedoch, daß der Riegel mit abnehmendem Schokoladenüberzug an Beliebtheit verliert und die Umsätze zurückgehen. Die Füllung schimmert nämlich nun durch die Schokoladenglasur hindurch, und der Konsument hat den Eindruck, daß der Riegel nicht sachgemäß hergestellt wurde. Außerdem schätzen die Verbraucher die Schokolade als geschmackliche Ergänzung zur Füllung. Wird der Schokoladenüberzug jedoch zu dick (das ist der Fall, wenn er mehr

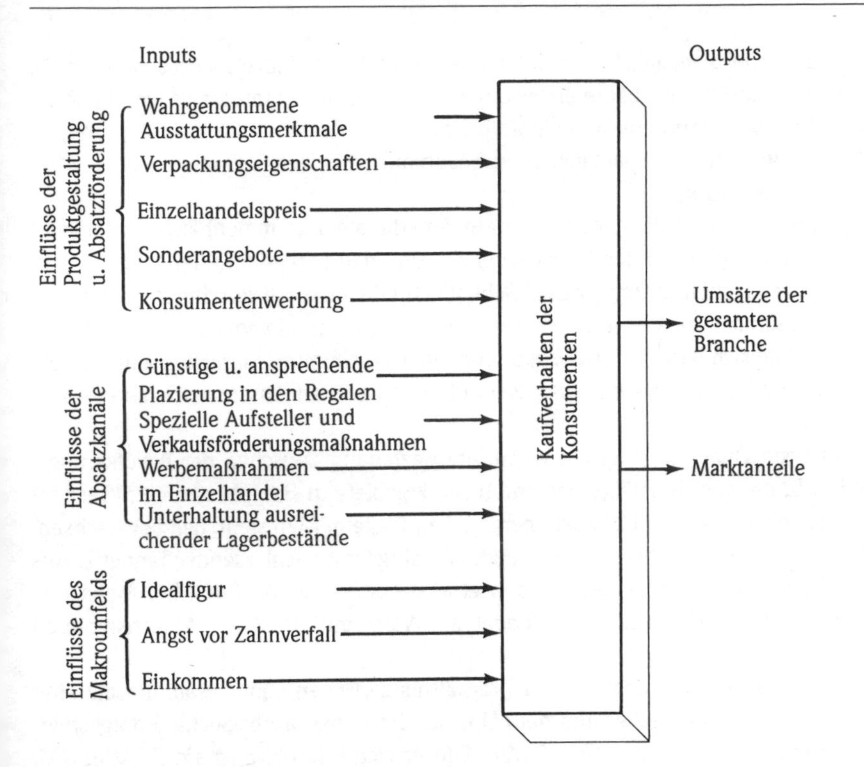

Abbildung 5A-4
Input-Output-Darstellung des Kaufverhaltens der Konsumenten zum Angebot des Süßwarenherstellers

als 35 % des Gesamtgewichts ausmacht), sinkt die Beliebtheit des Riegels ebenfalls. Der Verbraucher betrachtet ihn dann nicht mehr als schokoladenüberzogenen Gebäckriegel, sondern als Schokolade »mit irgendwas drin«. Im Vergleich zu reiner Schokolade schneidet er dann schlecht ab. Abbildung 5A-5 zeigt also die geschätzte mengenmäßige Verknüpfung einer bestimmten Produkteigenschaft – des Schokoladegehalts – mit dem Umsatz in Form einer Funktion. Jede Funktion, welche die Wirkung einer bestimmten, vom Unternehmen beeinflußbaren Marketingvariablen auf den Umsatz angibt, nennt man *Umsatzreaktionsfunktion.*

Anhand dieser Reaktionsfunktion läßt sich nun der für den Umsatz optimale Schokoladegehalt ermitteln. Will das Unternehmen seine Umsätze maximieren,

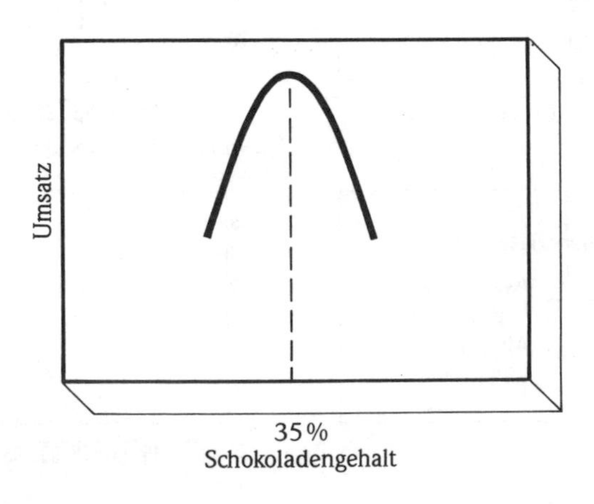

Abbildung 5A-5
Darstellung einer funktionalen Verknüpfung

sollte der Schokoladegehalt 35 % am Gesamtgewicht des Riegels ausmachen. Da die Unternehmensleitung aber in erster Linie eine Gewinnmaximierung sucht, benötigt sie neben der Umsatzreaktionsfunktion auch die Kostenfunktionen der übrigen Zutaten, um den Schokoladegehalt zu bestimmen, mit dem der maximale Gewinn erzielt werden kann.

Darüber hinaus sollten noch weitere funktionale Zusammenhänge untersucht werden, z.B. zwischen den Werbeausgaben und den daraus resultierenden Umsätzen, Vertreterzahl und Umsatz usw. Schließlich müssen diese verschiedenen funktionalen Zusammenhänge in einem Prognosemodell zusammengefaßt werden, mit dessen Hilfe sich dann die Auswirkungen eines bestimmten Marketingplans auf die Umsätze und Gewinne ermitteln lassen. Einen nützlichen Ansatz dafür bietet Abbildung 5A-6.

Der erste Quadrant zeigt die vermutete Beziehung zwischen der Bevölkerungszahl (z.B. der vom Hersteller bedienten Marktgebiete in Europa) und dem Gesamtumsatz an gefüllten, schokoladenüberzogenen Riegeln. Man sieht, daß bei wachsender Bevölkerung auch der Umsatz steigt, allerdings mit nachlassender Tendenz. Aus dem Schaubild läßt sich ablesen, daß eine Bevölkerung von 240 Mio. Menschen gefüllte, schokoladenüberzogene Riegel im Wert von 110 Mio. DM konsumieren würde.

Im zweiten Quadranten wird das Verhältnis zwischen dem Gesamtumsatz aller Schokoladenriegelhersteller und dem Umsatz der Firma Jacobs-Suchard dargestellt. Bei einem Gesamtumsatz von 110 Mio. DM erreichte Jacobs-Suchard 75 Mio. DM, also einen Marktanteil von etwa 68 %. Der untere Teil der Kurve, mit niedrigen

Abbildung 5A-6
Gewinnprognose und -planung am Beispiel eines Süßwarenherstellers

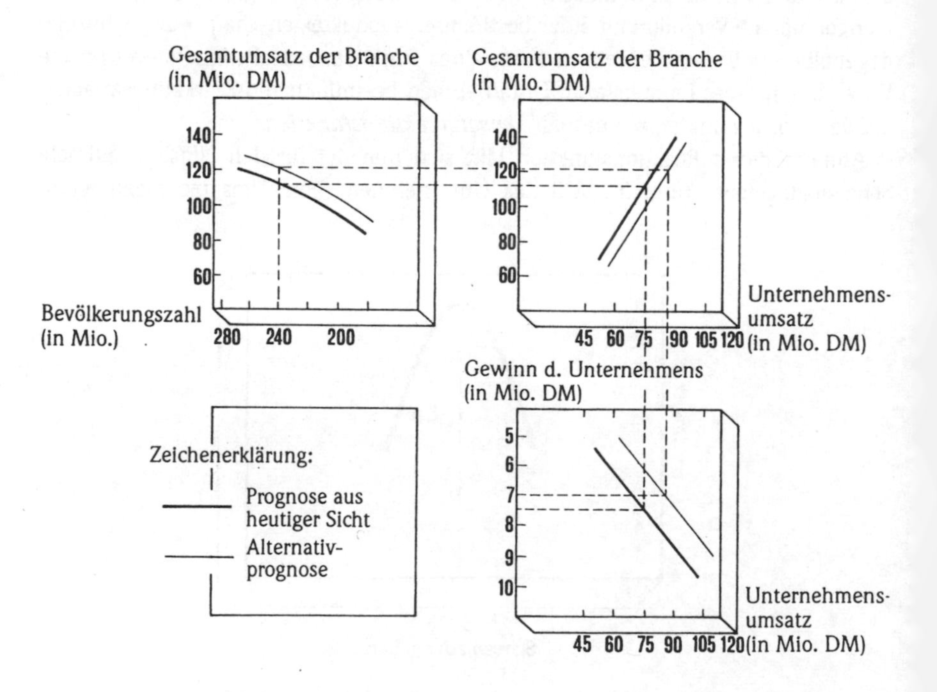

Zahlen für den Branchenumsatz, wurde mit historischen Daten errechnet. Der obere Kurvenverlauf, mit hohen Branchenumsätzen, beruht auf einer Extrapolation unter der Annahme keiner tiefgreifenden Veränderungen im Marketing des Unternehmens und seiner Mitbewerber. Der Verlauf der Kurve zeigt, daß das Unternehmen bei steigenden Gesamtumsätzen der Branche leichte Marktanteilseinbußen erwartet. Wenn z.B. der Umsatz der gesamten Branche 140 Mio. DM erreicht, betrüge der Unternehmensumsatz 90 Mio. DM; der Marktanteil wäre damit von 68 auf 64% gesunken.

Der dritte Quadrant zeigt eine lineare Beziehung zwischen den Umsätzen des Unternehmens und seinen Gewinnen. Derzeit beträgt bei einem Umsatz von 75 Mio. DM der Gewinn 7,5 Mio. DM, also 10%. Wenn die Umsätze des Unternehmens auf 105 Mio. DM ansteigen, ist mit einem Gewinn von 10,2 Mio. DM oder 9,7% zu rechnen.

Mit Hilfe dieser graphischen Darstellungsweise kann der Marketer die Auswirkungen eines bestimmten Umweltfaktors und seines Marketingplans auf die Umsätze und Gewinne des Unternehmens veranschaulichen. Nehmen wir an, das Unternehmen geht davon aus, daß sich eine neue Nichtraucherkampagne positiv auf den Schokoladenriegelumsatz auswirken werde, und verschiebt daraufhin die Kurve im ersten Quadranten nach oben (siehe Abbildung 5A-6). Nehmen wir weiter an, das Unternehmen plant eine Intensivierung seiner Marketinganstrengungen, um zusätzliche Marktanteile zu erobern. Die vermutliche Wirkung dieser beiden Faktoren auf den Marktanteil des Unternehmes läßt sich anzeigen, wenn man die Kurve im zweiten Quadranten nach rechts verlagert, wie in Abbildung 5A-6 dargestellt. Gleichzeitig aber steigen die Marketingkosten des Unternehmens, weshalb die Kurve im dritten Quadranten, die das Verhältnis zwischen Umsatz und Gewinn angibt, ebenfalls nach rechts verschoben werden muß. Was ergibt sich nun tatsächlich aus all diesen Verschiebungen? Es stellt sich heraus, daß bei dieser Entwicklung die Umsätze zwar steigen, die Gewinne jedoch sinken. Offensichtlich übersteigen die zur Eroberung weiterer Marktanteile notwendigen Kosten die Gewinne aus den Umsatzzuwächsen. Das Unternehmen täte also gut daran, auf eine Intensivierung seiner Marketinganstrengungen zu verzichten, solange diese sich nicht stärker auf die Umsätze und Gewinne auswirken.

Im vierten Quadranten würde der Marketer seine den Prognosen zugrundeliegenden Annahmen über das Marketingumfeld eintragen. Mit Hilfe dieses Vier-Quadranten-Schemas können die Entscheidungsträger eines Unternehmens die Konsequenzen bestimmter Umweltfaktoren und spezieller Marketingpläne für die Umsätze und Gewinne anschaulich darstellen. Man kann das Schema durch die Einführung zusätzlicher Variablen weiter verfeinern und ihre Beziehungen zueinander in einem umfassenden mathematischen Modell des Marketingsystems unseres Süßwarenherstellers verdeutlichen.

Analyse des Käuferverhaltens in Konsumgütermärkten

Kapitel 6

Um Stierkämpfer zu werden, muß man erst lernen, Stier zu sein. Spanisches Sprichwort

»Was will ich?« fragt der Verstand. »Worauf kommt es an?« fragt die Urteilskraft. »Was kommt heraus?« fragt die Vernunft«. Kant

Es gehört zum Marketingkonzept, daß der Marketing-Manager das Kaufverhalten des Zielmarktes versteht. Die Kaufdynamik im Konsumgütermarkt wird im vorliegenden und das Kaufverhalten von Organisationen im nachfolgenden Kapitel behandelt.

Der Konsumgütermarkt setzt sich aus allen Individuen und Haushalten zusammen, die Güter und Dienstleistungen für den persönlichen Verbrauch erwerben. Im Jahr 1987 umfaßte der Konsumgütermarkt der Europäischen Gemeinschaft 324 Mio. Personen. Die Bundesrepublik Deutschland hatte 61 Millionen Einwohner mit einem verfügbaren Einkommen von insgesamt 1,3 Bio. DM oder 21.000 DM pro Kopf. Das verfügbare Einkommen in diesem Markt wächst durchschnittlich um etwa 50 Mrd. DM pro Jahr und macht damit diesen Markt zu einem der lukrativsten Konsumgütermärkte der Welt.

Die Konsumenten unterscheiden sich stark in bezug auf ihr Alter, Einkommen, Bildungsniveau, Mobilitätsmuster und ihren Geschmack. Für den Marketer ist es zweckmäßig, zwischen verschiedenen Konsumentengruppen oder Segmenten zu unterscheiden und Produkte und Dienstleistungen zu entwickeln, die auf deren spezifische Bedürfnisse zugeschnitten sind. Wenn ein Marktsegment groß genug ist, können die Unternehmen spezielle, auf dieses Segment gerichtete Marketingprogramme entwickeln. Exkurs 6-1 enthält zwei Beispiele für Konsumentengruppen, die als Marktsegmente von speziellem Interesse sind.

Exkurs 6-1: Ausgewählte Segmente im Konsumgütermarkt: Senioren und ausländische Arbeitnehmer

Die Gruppe der älteren Konsumenten

Die Zahl der Senioren nimmt in fast allen Ländern deutlich zu. Insbesondere in der Bundesrepublik Deutschland zeigt sich dies dramatisch. Ein Fünftel aller Einwohner ist über 60 Jahre alt, und im Jahr 2000 wird sich ihr Anteil auf ein Viertel vergrößern. Obwohl sich diese Entwicklung schon seit langem andeutet, ist diese Gruppe marketingmäßig bisher noch stark vernachlässigt worden. Marketingverantwortliche begehen hier zwei Fehler: Entweder ignorieren sie die gestiegenen frei verfügbaren Geldmittel dieser Gruppe oder halten die Senioren für ein homogenes Gebilde. Im Durchschnitt haben die über 60jährigen heute pro Kopf mehr frei verfügbares Geld als ihre jüngeren Mitbürger zur Hand; sie verfügen als Gruppe (in der Bundesrepublik) über einen monatlichen Betrag von über 11 Mrd. DM, was ca. 31 % des gesamten Ausgabenpotentials der über 20jährigen darstellt. Unter den älteren Konsumenten wurden insbesondere drei neue einkommensstarke und konsumfreudige Zielgruppen festgestellt: [1]

– »Die Nachkarrieristen«:
vorzeitig aus dem Berufsleben ausgeschieden, zwischen 55 und 64 Jahre alt; überdurchschnittliches Ruhestandseinkommen von mindestens 2.500 DM pro Monat; aktive Lebenseinstellung und Suche nach neuen Betätigungsfeldern; dazu gehören in Westeuropa etwa sechs Mio. Personen mit einem jährlichen Nachfragepotential von etwa 180 Mrd. DM.

– »Die jugendlichen 60er«:
dynamische Alterszielgruppe zwischen 60 und 69 Jahren mit konsumfreudigem Lebensstil, selbstbewußt, initiativ, Neuem gegenüber aufgeschlossen; hier findet man viele Freiberufler, leitende Angestellte, höhere Beamte und Pensionäre; in Westeuropa umfaßt diese Gruppe etwa 6 Mio. Personen, und ihre Kaufkraft von etwa 190 Mrd. DM jährlich schlägt sich bei exklusiven Markenartikeln in Sport und Freizeit, Gesundheit, Reisen und Ernährung nieder.

– »Die aktiven 70er«:
Ruheständler, 70 Jahre oder älter, meist aus gehobenen Berufen, deren monatliches Haushaltsnettoeinkommen mindestens 3.000 DM beträgt; sozial gut integriert und kontaktfreudig, mit vielerlei kulturellen Interessen und aktivem Freizeitverhalten, wofür sie ihr Geld gerne ausgeben. Die Hauptnachfrage konzentriert sich auf gesundheitsbewußte Ernährung, auf Reise- und kollektive Erholungserlebnisse. Diese Personengruppe umfaßt in Westeuropa etwa 3,5 Mio. Personen, und ihr Nachfragepotential liegt bei über 120 Mrd. DM jährlich.

Für die Bedienung dieser und anderer Zielgruppen unter den älteren Menschen gibt es noch viele, bisher noch nicht entwickelte Produkte, Dienstleistungen und Kommunikationsmethoden zu entdecken und auf den Markt zu bringen. Dabei ist zu beachten, daß das Gefühl, alt oder älter zu sein, nur wenig mit dem tatsächlichen Lebensalter zu tun hat, daß viele sich nicht gern als alte Menschen ansprechen lassen und daß die Persönlichkeitsunterschiede vielfältiger, komplexer und individueller sind als bei jüngeren Menschen. [2]

Die ausländischen Arbeitnehmer in der Bundesrepublik Deutschland

Der Ausländeranteil in der Bundesrepublik entwickelte sich von rund 1 % im Jahr 1960 auf über 7 % seit etwa 1980. Von den 4,5 Mio. Ausländern sind etwa 1,5 Mio. Türken und 1,5 Mio. andere ausländische Arbeitnehmer aus den südlichen Ländern Europas, die sich insbesondere in großen Städten konzentrieren. So erreichte z. B. 1987 der Ausländeranteil an der Wohnbevölkerung in Frankfurt etwa 25 % und nähert sich in Stuttgart, München und Düsseldorf der 20-Prozent-Marke. Von den ausländischen Arbeitnehmern leben 28 % in Einpersonenhaushalten und 24 % in Haushalten mit über 4 Personen. Die durchschnittliche Haushaltsgröße beträgt 3,1 Personen. Die Vergleichszahlen bei den Deutschen liegen bei 16,5 %, 1,7 % und 2,0 Personen. Die Kinderzahl pro Familie, insbesondere bei den Türken, liegt deutlich über dem deutschen Durchschnitt, obwohl auch bei den ausländischen Arbeitnehmern die vormals sehr hohen Geburtenraten rapide zurückgehen und sich an deutsche Verhältnisse anpassen.

Das persönliche Nettoeinkommen berufstätiger Ausländer liegt immer noch wesentlich unter dem der Deutschen. Ausländische Arbeitnehmer decken ihren täglichen Bedarf an Lebensmitteln vornehmlich in Super- und

Verbrauchermärkten sowie in nationalitätsspezifischen Einzelhandelsgeschäften. Insbesondere Lebensmittel kaufen sie im Vergleich zu den Deutschen sehr preisbewußt und achten weniger auf die Marke; etwa 70 % der ausländischen Arbeitnehmer sehen sich hier als preisbewußte und 30 % als markenbewußte Käufer. Bei den Deutschen stellen sich diese Proportionen mit 33 % und 67 % genau umgekehrt dar. Bei Gebrauchsgütern verhalten sich die Ausländer mit einem Anteil von durchschnittlich etwa 55 % an Markenbewußtsein wie die Deutschen. Allerdings zeigt eine differenziertere Betrachtung, daß das Markenbewußtsein unter den ausländischen Arbeitnehmern mit besser werdenden Deutschkenntnissen bei Lebensmitteln leicht ansteigt, während es bei Gebrauchsgütern um etwa 11 % der Käufer sinkt. [3]
Um die verschiedenen Nationalitätengruppen unter den ausländischen Arbeitnehmern werbemäßig besonders zu erreichen, stehen für die größeren Gruppen jeweils mehrere heimatsprachliche Printmedien zur Verfügung. Dies soll dem Marketer insbesondere bei der Vermarktung erklärungsbedürftiger Produkte an die weniger deutschgewandten Gruppen helfen.

Man könnte auf die gleiche Weise auch andere Konsumgüterteilmärkte wie die der jungen Berufstätigen [4] oder Frauen [5] analysieren, um herauszufinden, ob auch hier gezielte Marketingprogramme zweckmäßig sind.

Die 324 Mio. Käufer in der Europäischen Gemeinschaft konsumieren eine unglaubliche Vielfalt an Waren und Dienstleistungen. Im folgenden versuchen wir zu klären, wie sie bei diesem breiten Angebot zur Kaufentscheidung gelangen.

Konsumentenverhalten als Modell

Früher kannte der Marketer die Konsumenten deshalb gut, weil er im Verkauf täglich mit ihnen in Berührung kam. Doch bedingt durch das Wachstum vieler Unternehmen und Märkte verloren viele Entscheidungsträger im Marketing diesen direkten Kontakt zum Kunden. Mehr und mehr mußten deshalb die Manager auf die Konsumentenforschung vertrauen, um Antworten auf die wichtigsten Fragen, die sich in jedem Markt stellen, zu erhalten. Diese Fragestellungen werden als die »sieben W« bezeichnet:

Wer bildet den Markt?	Kunden	*Wie* wird gekauft?	Kaufprozesse
Was wird gekauft?	Kaufobjekte	*Wann* wird gekauft?	Kaufanlässe
Warum wird gekauft?	Kaufziele	*Wo* wird gekauft?	Kaufstätten
Wer spielt mit im Kaufprozeß?	Kaufbeeinflusser		

Im Mittelpunkt des Interesses steht folgende Frage: Wie reagieren die Konsumenten auf die verschiedenen, vom Marketer gesteuerten Anreize? Wenn ein Unternehmen die Reaktionen der Verbraucher auf Produktmerkmale, Preise, Werbebotschaften etc. kennt, verschafft es sich einen enormen Wettbewerbsvorteil gegenüber der Konkurrenz. Aus diesem Grund haben die Marketingforscher auch so viel Mühe auf die

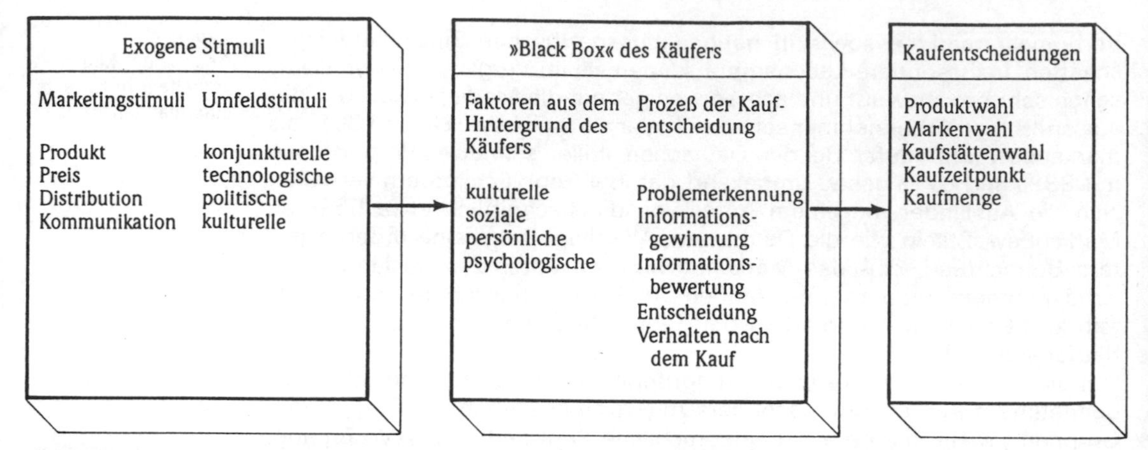

Abbildung 6-1
Modell des Käuferverhaltens

Untersuchung der zwischen Marketingstimuli und Konsumentenreaktion bestehenden Beziehung verwendet.

Ausgangspunkt der Marketingforschung ist das in Abbildung 6-1 dargestellte Modell. Das Diagramm zeigt Marketing- und andere Stimuli, die in die »Black Box« des Konsumenten eindringen und eine Reaktion hervorrufen. Die Anreize im linken Kasten sind von zweierlei Art: Die Marketingstimuli – im Englischen die sogenannten »vier P« (*product, price, place, promotion*) – stehen für den Einsatz der vier Hauptgestaltungsinstrumente jedes Marketingprogramms, nämlich Produkt, Preis, Distribution und Kommunikation. Die Umfeldstimuli kommen von den Gestaltungskräften und Ereignissen des konjunkturellen, technologischen, politischen und kulturellen Umfelds. All diese Stimuli durchlaufen den als »Black Box« dargestellten Reaktionsorganismus des Konsumenten und bewirken die im Kasten rechts aufgeführten Kaufentscheidungen: Produktwahl, Markenwahl, Kaufstättenwahl, Kaufzeitpunkt und Kaufmenge.

Der Marketer muß versuchen zu verstehen, was in der »Black Box« geschieht, die im Modell zwischen die exogenen Stimuli und die Kaufentscheidungen gestellt wurde. Wenn der Marketer sich lediglich dafür interessiert, was an Input in die »Black Box« hineingeht und was an Output aus ihr herauskommt, dann arbeitet er mit einem Stimulus-Response-Modell. Interessiert er sich aber auch dafür, wie der Reaktionsorganismus innerhalb der »Black Box« aussieht, so arbeitet er mit einem Stimulus-Organismus-Response-Modell. Wir wählen letzteren Modellansatz und befassen uns in diesem Kapitel mit zwei Fragen zum Reaktionsmechanismus:

1. Wie beeinflussen Faktoren aus dem kulturellen, sozialen, persönlichen und psychologischen Hintergrund des Käufers sein Verhalten?
2. Wie läuft der Prozeß der Kaufentscheidung ab?

Einflußfaktoren auf das Konsumentenverhalten

Das Stimulus-Organismus-Response-Modell in Abbildung 6-1 zeigt an, daß Kaufentscheidungen von den ganz spezifischen kulturellen, sozialen, persönlichen und

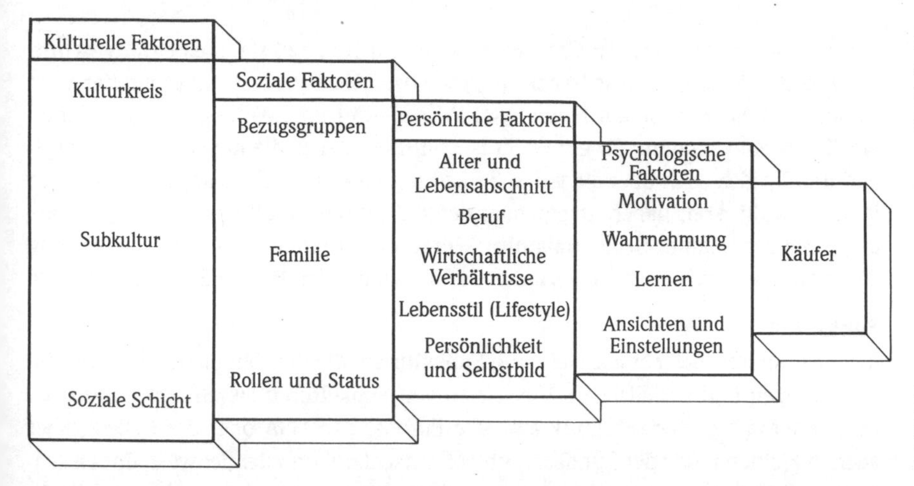

Abbildung 6-2
Detailmodell der Einflußfaktoren auf das Kaufverhalten

psychologischen Faktoren aus dem Hintergrund des individuellen Konsumenten beeinflußt werden. Auf diese Faktoren wird in Abbildung 6-2 noch näher eingegangen. Zum großen Teil handelt es sich dabei um vom Marketer nicht steuerbare Faktoren, die aber dennoch in seine Überlegungen miteinbezogen werden müssen. Wir werden nun den Einfluß jedes dieser Faktoren auf das Kaufverhalten untersuchen, und zwar illustriert am Beispiel einer hypothetischen Konsumentin namens Linda Braun:

Linda Braun ist 35 Jahre alt, verheiratet, und als Markenmanager in einem führenden Unternehmen der Konsumgüterbranche tätig. Ihren Diplom-Betriebswirt erwarb sie einige Jahre vor der Zeit, als Computer zum Allgemeingut wurden. Linda Braun beabsichtigt nun, ihre Qualifikationen zu verbessern und für berufliche und private Zwecke einen Computer zu erwerben. Sie denkt an einen PC, doch die Markenvielfalt ist groß: IBM, Commodore, Apple, Schneider, Atari, Compaq und so weiter. Die Entscheidung, die sie letztendlich treffen wird, hängt von vielerlei Faktoren ab.

Kulturelle Faktoren

Kulturelle Faktoren beeinflussen das Konsumentenverhalten auf die umfassendste und nachhaltigste Weise. Wir werden im einzelnen betrachten, welche Rollen Kulturkreis, Subkultur und soziale Schicht des Käufers dabei spielen.

Kulturkreis

Der Kulturkreis bestimmt die Wünsche und Verhaltensweisen eines Menschen auf die grundsätzlichste Weise. Während niedere Lebewesen weitgehend von ihren Instinkten gesteuert werden, ist menschliches Verhalten zum großen Teil erlernt. Während des Heranwachsens in einem bestimmten Kulturkreis eignet man sich als Kind fundamentale Werte, Vorstellungen, Präferenzen und Verhaltensweisen an. Dies geschieht durch einen Prozeß der Sozialisierung, bei dem die Familie und andere Institutionen eine Schlüsselrolle spielen. So lernt z.B. ein Kind in der Bundesrepublik folgende Wertbegriffe: Treue, Liebe, Humor, Fleiß, Selbstverantwortung und Eigeninitiative, Höflichkeit, Vorwärtskommen, Besitz, Kreativität, Naturverbundenheit und Heimatliebe, Bildung und attraktives Aussehen.[6]

Linda Brauns Interesse an Computern kommt daher, daß sie in einer fortgeschrittenen technologischen Gesellschaft aufgewachsen ist. Interesse am Computer setzt voraus, daß ein Konsument bereits viel Wissensstoff und Werte erlernt hat. Linda weiß, was ein Computer für ein Gerät ist, kann mit der Bedienungsanleitung umgehen und ist sich auch über die große Bedeutung im klaren, die Computerkenntnisse in ihrem Kulturkreis haben. In einem anderen Kulturkreis, z. B. bei einem abgeschieden lebenden Stamm in Zentralafrika, würde dem Computer keinerlei Bedeutung zukommen – er wäre ein merkwürdiges Ding, wofür sich keine Käufer fänden.

Subkultur

Jeder Kulturkreis besteht aus kleineren Subkulturen, die ihre Mitglieder noch spezifischer prägen und sozialisieren. Vier Arten von Subkulturen lassen sich unterscheiden. Innerhalb größerer Kulturkreise wie Europa, den USA oder der UDSSR, aber auch in kleineren wie der Bundesrepublik Deutschland und der Schweiz, finden sich *Nationalitätengruppen* mit besonderen, ethnisch geprägten Merkmalen und Präferenzen. *Konfessionsgruppen* wie Katholiken, Protestanten, Moslems oder Juden stehen für Subkulturen mit spezifischen religiös geprägten Präferenzen und Tabus. *Stammesgruppen* wie z. B. die Bayern oder die Ostfriesen, besitzen klar abgrenzbare stammesgeprägte Eigenarten und Einstellungen. Und schließlich stellen auch *geographische Regionen,* wie das »Flache Land« im Norden der Bundesrepublik, »Mainhattan« in Frankfurt oder das »Ländle« in Stuttgart, eindeutig Subkulturen mit charakteristischer Lebensweise dar.

Das Interesse, das Linda für verschiedene Produkte zeigen wird, unterliegt der Beeinflussung durch ihre nationale, religiöse, ethnische und geographische Herkunft. Diese Faktoren bestimmen, welche Speisen sie bevorzugt zu sich nimmt und wie sie sich kleidet, was sie in ihrer Freizeit macht und wie ihre Karrierevorstellungen aussehen. Die Merkmale ihrer Subkultur können Linda Brauns Interesse an einem Personal Computer gesteuert haben, denn möglicherweise entstammt sie einer Subkultur, die hohen Wert auf Bildung und Vorwärtskommen legt. Dies würde ihre Offenheit für Computer zum Teil erklären.

Soziale Schicht

Soziale Schichten gibt es in nahezu jedem Kulturkreis. Eine mögliche Ausprägung davon ist das indische Kastenwesen. Die Angehörigen der verschiedenen Kasten wachsen von Kindheit an in festgelegte Rollen hinein und haben keine Möglichkeit, an ihrer Kastenzugehörigkeit etwas zu ändern. Häufiger ist allerdings die Schichtenbildung in Form gesellschaftlicher Klassen. *Gesellschaftliche Klassen sind Unterteilungen einer Gesellschaft in relativ homogene, stabile und hierarchisch aufgebaute Gruppen, deren Mitglieder ähnliche Wertvorstellungen, Interessen und Verhaltensweisen gemeinsam haben.* Die Sozialwissenschaft unterscheidet in fast jedem Kulturkreis unterschiedliche gesellschaftliche Klassen. Tabelle 6-1 zeigt beispielhaft die in den USA geläufigen Abgrenzungen.

Soziale Schichten weisen eine Reihe von Merkmalen auf. Erstens neigen die Mitglieder der gleichen sozialen Schicht stärker zu ähnlichen Verhaltensweisen als Mitglieder unterschiedlicher Schichten. Zweitens wird einer Person je nach Schichtzugehörigkeit ein sozial höherer oder niedriger Rang zugestanden. Drittens wird die Zuordnung zu einer bestimmten Klasse weniger durch eine einzelne als durch eine

1. **Die obere Oberschicht (unter 1%)**
   Die soziale Elite mit ererbtem Wohlstand und berühmtem Familiennamen. Die Angehörigen dieser Schicht spenden große Summen für wohltätige Zwecke, veranstalten Debütantinnenbälle, haben mehr als einen Wohnsitz und schicken ihre Kinder auf die besten Schulen. Sie sind ein Markt für Schmuck, Antiquitäten, Immobilien und Ferienreisen. Kaufverhalten und Kleidung dieser Gruppe sind oft konservativ, weil sie nicht an protziger Zurschaustellung interessiert ist. Trotz ihrer begrenzten Größe fungiert diese Schicht als Bezugsgruppe für andere Schichten. Ihre Kaufentscheidungen »sickern nach unten durch« und werden imitiert.

2. **Die untere Oberschicht (ca. 2%)**
   Zu dieser Schicht zählen Personen, die durch ihre außerordentlichen Leistungen in Beruf und Wirtschaft zu hohem Einkommen und Wohlstand gekommen und meist aus dem Mittelstand aufgestiegen sind. Diese Gruppe neigt zu ausgeprägtem gesellschaftlichen und staatsbürgerlichen Engagement und strebt nach Statussymbolen für sich und ihre Sprößlinge: teure Häuser, Jachten, Swimming-Pools, Luxuswagen und die bestmögliche Ausbildung. Zu dieser Schicht gehören auch die Neureichen, die mit ihrem auffälligen Konsumverhalten die sozial niedriger Stehenden zu beeindrucken suchen. Die Angehörigen der unteren Oberschicht streben danach, in die obere Oberschicht aufgenommen zu werden; doch diesen Status erreichen meist erst ihre Kinder.

3. **Die obere Mittelschicht (12%)**
   Die Angehörigen dieser Schicht besitzen weder statusträchtige Familiennamen noch außergewöhnlichen Reichtum. Ihr Hauptanliegen ist es, »Karriere zu machen«, und sie sind als Selbständige, unabhängige Unternehmer oder Manager in hohe Positionen aufgerückt. Sie legen großen Wert auf gute Ausbildung und wollen, daß ihre Kinder auf eine erfolgreiche berufliche Karriere vorbereitet werden, damit sie nicht in eine tiefer liegende soziale Schicht abrutschen. Sie beschäftigen sich viel mit »Ideen« und Kultur. Sie sind bereit, bei vielen Dingen mitzumachen, und ihr staatsbürgerliches Engagement ist groß. Sie zählen zum Markt für hochwertige Wohnungen, Bekleidung, Möbel und technische Geräte. Ihr Ehrgeiz ist ein kultiviertes Zuhause, in dem sie persönliche und Geschäftsfreunde entsprechend bewirten können.

4. **Die Mittelschicht (31%)**
   Die Schicht der Angestellten und Arbeiter mit durchschnittlichem Einkommen, die ihren Wohnsitz »in den besseren Stadtvierteln« haben und sich bemühen, »immer alles richtig zu machen«. Die Angehörigen dieser Gruppe kaufen oft Dinge, die gerade populär sind, »um mit der Zeit zu gehen«. 25% fahren ausländische Autos, und die große Mehrheit interessiert sich für modische Kleidungstrends, wobei »die besseren Marken« bevorzugt werden. Unter besseren Lebensumständen versteht diese Gruppe »ein hübsches Zuhause« in »netter Umgebung in einem der besseren Viertel der Stadt«, wo es auch »gute Schulen« gibt. Mit Überzeugung wird in »lohnenswerte Erfahrungen« für die Kinder investiert, die einmal die Universität besuchen sollen.

5. **Die Arbeiterklasse (38%)**
   Hierunter fallen Arbeiter mit durchschnittlichen Löhnen sowie Personen, die – unabhängig von ihrem Einkommen, Ausbildungshintergrund und Beruf – »wie Arbeiter leben«. Die Angehörigen dieser Schicht sind stark auf wirtschaftliche und emotionale Unterstützung (Hinweise auf offene Stellen, Beratung bei Einkäufen, Beistand in schweren Zeiten etc.) durch Verwandte angewiesen. Der Urlaub wird für gewöhnlich »daheim« verbracht, und unter »wegfahren« versteht man einen Abstecher an einen See oder Erholungsort, der nicht weiter als zwei Fahrstunden entfernt ist. Zwischen den Geschlechtern besteht eine klare Rollentrennung mit stereotypen Rollenbildern. Beim Autokauf werden normale bis große Modelle bevorzugt, Kleinwagen inländischer und ausländischer Produktion hingegen werden abgelehnt.

6. **Die obere Unterschicht (9%)**
   Die Angehörigen dieser Schicht gehen einer Arbeit nach und beziehen keine Sozialhilfe, doch ihr Lebensstandard liegt nur knapp über der Armutsgrenze. Sie verrichten ungelernte, äußerst schlecht bezahlte Tätigkeiten, versuchen aber, auf der sozialen Leiter nach oben zu klettern. Ihre Schulbildung ist häufig unzureichend. Zwar lebt diese Gruppe finanziell gesehen an der Grenze zur Armut, doch gelingt es ihr, »Selbstdisziplin und Sauberkeit« auszustrahlen.

7. **Die untere Unterschicht (7%)**
   Die Angehörigen dieser Gruppe sind auf Sozialhilfe angewiesen, leben auch äußerlich erkennbar in Armut und sind meist ohne Arbeit oder verrichten »die schmutzigsten Jobs«. Sie sind selten daran interessiert, Arbeit zu finden, und permanent abhängig von der finanziellen Hilfe durch Staat und Wohlfahrtsorganisationen. Die Wohnungen, Kleidungsstücke und Habseligkeiten dieser Personengruppe sind »schmutzig«, »zerlumpt« und »kaputt«.

Tab. 6-1
Merkmale der sieben sozialen Hauptschichten der Vereinigten Staaten

Weiterführende Literatur: Richard P. Coleman: »The Continuing Significance of Social Class to Marketing«, in: *Journal of Consumer Research*, Dezember 1983, S. 265ff; Richard P. Coleman und Lee P. Rainwater: *Social Standing in America: New Dimensions of Class*, New York: Basic Books, 1978.

Anzahl von Variablen bestimmt: Beruf, Einkommen, Wohlstand, Ausbildung, Wertorientierung etc. Viertens ist sozialer Auf- oder Abstieg möglich, das heißt ein Individuum kann während seines Lebens von einer Schicht in eine andere wechseln. Das Ausmaß dieser sozialen Mobilität schwankt mit dem Starrheitsgrad der Klasseneinteilung je nach Gesellschaft.

Soziale Schichten zeigen eindeutige Produkt- und Markenpräferenzen bei Bekleidung, Wohnungsausstattung, Freizeitgestaltung, Automobilen und in anderen Bereichen. Die Marketinganstrengungen eines Unternehmens richten sich gelegentlich nur auf eine einzige Schicht. So spricht das Hotel »Vier Jahreszeiten« in München oder der »Frankfurter Hof« in Frankfurt gezielt Gäste aus der Oberschicht an, während die Restaurantkette »Wienerwald« und zahlreiche Kioske hauptsächlich Kunden aus den mittleren und unteren Schichten versorgen. Die sozialen Schichten unterscheiden sich auch hinsichtlich der von ihnen bevorzugten Medien. Während Angehörige der oberen Schichten Zeitschriften und Büchern den Vorzug geben, ist bei den unteren Schichten das Fernsehen Medium Nummer eins. Selbst innerhalb eines spezifischen Mediums wie dem Fernsehen unterscheiden sich die von den verschiedenen Schichten bevorzugten Sendungen. Die Zuschauer der sozial hochstehenden Klassen schalten ihr Gerät in erster Linie für Nachrichtensendungen und Theaterübertragungen ein, während die unteren Schichten lieber leichte Unterhaltung wie »Seifenopern« und Ratespiele sehen. Darüber hinaus gibt es auch sprachliche Unterschiede zwischen den Schichten. Werbetexte und -dialoge müssen so verfaßt sein, daß sie für die angesprochene Schicht glaubwürdig klingen.

Lindas Hintergrund ist die mittlere bis gehobene soziale Schicht. Ihre Familie legt viel Wert auf Bildung und hoch angesehene Berufe wie den des Angestellten, Rechtsanwaltes, Wirtschaftsprüfers oder Arztes. Dementsprechend hat Linda Braun gute verbale Ausdrucksfähigkeiten und mathematische Kenntnisse erworben. Ein Computer ist für sie nichts, wovor man sich fürchten müßte – was bei jemandem mit einer weniger guten Ausbildung durchaus anders sein könnte.

Auch soziale Faktoren prägen das Verhalten eines Konsumenten. Bezugsgruppen, Familie, soziale Rollen und sozialer Status sind solche Faktoren.

Soziale Faktoren

Bezugsgruppen

Das Verhalten einer Person wird von zahlreichen Gruppen beeinflußt. *Bezugsgruppen sind all jene Personengemeinschaften, die einen direkten (unmittelbar persönlichen) oder indirekten Einfluß auf die Einstellungen und Verhaltensweisen eines Menschen ausüben.* Als *Mitgliedschaftsgruppen* bezeichnet man Gruppen mit direktem Einfluß, zu denen eine Person gehört und mit deren Mitgliedern sie in Kontakt steht. Sie unterteilen sich in *Primärgruppen* mit häufigem bzw. ständigem Kontakt zwischen den Mitgliedern (Familie, Freundeskreis, Nachbarn, Kollegen) und *Sekundärgruppen* (Religionsgemeinschaft, Berufsverbände, Gewerkschaften u. a.). In Primärgruppen sind die Beziehungen unter den Mitgliedern eher informeller, in Sekundärgruppen eher formeller Art und weniger häufig.

Beeinflußt werden Menschen jedoch auch von Gruppen, denen sie nicht persönlich angehören. *Leitbildgruppen* sind solche, zu denen eine Person gerne gehören würde. So kann sich zum Beispiel ein Junge im Teenager-Alter wünschen, eines Tages für die Fußballmannschaft von Bayern München zu spielen oder dem »Jet-Set« anzugehören. *Anti-Leitbildgruppen* dagegen vertreten Werte oder Verhaltensweisen, die das Individuum ablehnt. So könnte es sein, daß der soeben erwähnte Teenager jeden Kontakt mit der »Alternativ-Szene« vermeiden möchte.

Der Marketer versucht, die Bezugsgruppen seiner Zielkunden festzustellen. Diese Bezugsgruppen sind in mindestens dreierlei Hinsicht von Einfluß: Sie zeigen dem Einzelnen neue Verhaltens- und Lebensweisen, wirken aus dem Wunsch heraus, »auch dazuzugehören«, prägend auf seine Einstellungen und sein Selbstbild und schaffen einen Konformitätsdruck, der direkt auf die Produkt- und Markenwahl zurückwirken kann.

Die Bedeutung des Bezugsgruppeneinflusses schwankt von Produkt zu Produkt und von Marke zu Marke. Hendon z. B. bat 200 Konsumenten um genaue Auskunft darüber, welche ihrer Produkt- und Markenentscheidungen stark durch andere beeinflußt worden waren. [7] Er fand heraus, daß bei Automobilen und Farbfernsehgeräten sowohl die Produktentscheidung als auch die Markenwahl stark von der Beeinflussung durch Bezugsgruppen bestimmt wurden. Dagegen unterlag bei Möbeln und Kleidungsartikeln nur die Markenwahl und bei Bier und Zigaretten nur die Produktentscheidung erheblichem Bezugsgruppeneinfluß.

Hendon beobachtete auch, daß sich der Bezugsgruppeneinfluß mit dem Produktlebenszyklus wandelt. In der Einführungsphase eines Produkts wird die Entscheidung über seinen Kauf stark vom Einfluß anderer geprägt, die Wahl der Marke hingegen weniger stark. In der Wachstumsphase des Marktes ist der Gruppeneinfluß dann sowohl bei der Produktentscheidung als auch bei der Markenwahl groß. Er verringert sich in der Reifephase bei der Produktentscheidung, während er bei der Markenwahl stark zunimmt. In der Rückgangsphase schließlich werden die Käufer von ihren Bezugsgruppen hinsichtlich ihrer Produktentscheidung und Markenwahl nur noch schwach beeinflußt.

Die Hersteller von Produkten und Marken, bei denen ein starker Gruppeneinfluß vorhanden ist, müssen ermitteln, wie die *Meinungsführer* der betreffenden Bezugsgruppen zu erreichen und beeinflussen sind. Früher nahm man an, daß es sich bei Meinungsführern in erster Linie um sozial hochstehende Führungspersönlichkeiten in einer Gemeinschaft handelte, die dann wegen des »Snob-Effekts« von der Masse imitiert würden. Doch Meinungsführer finden sich in allen gesellschaftlichen Schichten, und es kommt vor, daß eine Person in bestimmten Produktbereichen die Meinung vorgibt, sich in anderen jedoch fremden Meinungen anschließt. Der Marketer versucht, die Meinungsführer für sein Produkt anhand demographischer und psychographischer Merkmale zu identifizieren, die von diesen Personen genutzten Medien ausfindig zu machen und dann entsprechende Werbebotschaften an sie zu richten.

Der Gruppeneinfluß ist besonders stark bei Produkten, die von Personen gesehen werden, deren Meinung der Käufer achtet. Lindas Interesse an einem Computer und auch ihre Haltung gegenüber verschiedenen Marken unterliegt folglich stark dem Einfluß einiger Personen ihrer Mitgliedschaftsgruppen. Die Einstellungen und die Markenwahl ihrer Kollegen werden sich prägend auf ihre Entscheidung auswirken. Je stärker der Gruppenzusammenhalt, je wirksamer ihr Kommunikationsprozeß und je mehr sich ein Mitglied von der Gruppe anerkannt fühlt, desto größer ist der Gruppeneinfluß auf die Produktentscheidung und Markenwahl. [8]

Familie

Familienmitglieder sind die das Kaufverhalten am stärksten beeinflussende Primärbezugsgruppe. Im Leben eines Konsumenten lassen sich zwei Familien unterscheiden. Die *Familie der Prägung* besteht aus den Eltern. Die Eltern prägen die Einstellung zu religiösen, politischen und wirtschaftlichen Fragen sowie Gefühle wie persönlichen Ehrgeiz, Selbstwert und Liebe. [9] Selbst wenn ein Käufer nicht mehr viel Kontakt mit seinen Eltern hat, kann ihr Einfluß auf sein unbewußtes Verhalten bedeutend bleiben. In Ländern, wo auch erwachsene Kinder bei den Eltern bleiben, kann dieser Einfluß beträchtlich sein.

Der Einfluß der vom Konsumenten mit Ehepartner und Kindern gebildeten *Familie der Fortpflanzung* auf das tägliche Kaufverhalten ist direkter. Die Familie als Haushalt ist die wichtigste Einkaufseinheit im Wirtschaftsgefüge und als solche eingehend untersucht worden. [10] Den Marketer interessieren die Rollen und der Einfluß des Ehemanns, der Ehefrau und der Kinder beim Erwerb vieler Produkte und Dienstleistungen.

Je nach Produktart beschäftigen sich Mann und Frau unterschiedlich stark mit dem Einkauf. In der herkömmlichen Familie tätigt die Frau den Großteil der Einkäufe, besonders bei Nahrungsmitteln, Alltagsgegenständen und Konfektionskleidung. Ist die Frau berufstätig, kaufen Mann und Frau für die Familie ein. Der Marketer, der Güter des täglichen Bedarfs anbietet, würde also einen Fehler begehen, sähe er weiterhin die Frauen als einzige oder Hauptkunden für seine Produkte an.

Bei kostspieligen Waren und Dienstleistungen werden die Kaufentscheidungen häufiger von den Ehepartnern gemeinsam getroffen. Dem Marketer obliegt es, herauszufinden, welcher der beiden Ehepartner beim Erwerb verschiedener Produkte den größeren Einfluß hat. Dies hängt oft stärker von Machtstrukturen oder spezifischem Fachwissen ab als von der Rolle des Ehemanns bzw. der Ehefrau per se. Manchmal dominiert der Mann, manchmal die Frau, manchmal ist der Einfluß beider Partner gleich groß. Hier einige typische Muster:

- Ehemann dominiert beim Kauf von: Lebensversicherung, Auto, Fernsehgerät
- Ehefrau dominiert beim Kauf von: Waschmaschine, Teppich, Möbeln (außer Wohnzimmer), Küchenutensilien
- Einfluß ist gleich groß beim Kauf von: Wohnzimmermöbeln, Urlaubsreisen, Wohnung/Haus, Unterhaltung außer Haus

Der Einfluß eines Familienmitglieds kann jedoch bei einem Produkt je nach Kaufphase unterschiedlich groß sein. Davis stellte fest, daß der Haupteinfluß bei der Entscheidung über den *Kaufzeitpunkt für ein Automobil* in 68 % aller Fälle vom Ehemann, zu 3 % von der Ehefrau und zu 29 % von beiden gemeinsam ausgegangen war. [11] Dagegen war die Entscheidung über die *Farbe des Wagens* in 25 % der Fälle stärker vom Mann, bei gleichfalls 25 % stärker von der Frau und bei 50 % von beiden gemeinsam beeinflußt. Ein Automobilhersteller sollte diese wechselnden Entscheidungsrollen beim Design seiner Fahrzeuge und bei der Werbung für sie berücksichtigen. Exkurs 6-2 zeigt auf, daß in den USA der Einfluß von Frauen im Automarkt vernachlässigt wurde. Die darin enthaltenen Vorwürfe treffen auch auf die deutschen Autohersteller zu, die das Segment der Frauen als Autokäufer hier und im Ausland lange vernachlässigten.

Unsere »Beispielfrau« Linda wird beim Kauf eines Personal Computers von ihrem Mann beeinflußt werden. Vielleicht gefällt es ihm, daß seine Frau sich ein neues Hobby zulegt, und es ist möglich, daß er – im Hinblick auf seine eigene Karriere – auch für sich selbst bestimmte Anwendungsmöglichkeiten für den Rechner sieht. Der Vorschlag für den Kauf eines PC könnte sogar von ihm ausgegangen sein. Die Bedeutung seines Einflusses hängt davon ab, wie stark er für den Erwerb des Gerätes eintritt und welchen Wert Linda auf seine Meinung legt.

Exkurs 6-2: Frauen als wichtiger Zielmarkt bei Automobilen

Laurie Ashcraft, Marketing-Managerin bei Minnetonka, Inc., gab anläßlich einer im Mittleren Westen der Vereinigten Staaten stattfindenden Konferenz für Marketing und Marktforschung folgende Beobachtungen bekannt: »Der typische Platz für Frauen in der Autowerbung ist die Kühlerhaube, nicht der Fahrersitz ... Detroit hinkt anscheinend den sich ändernden Wünschen und Forderungen der Verbraucher permanent hinterher ... Nun versucht man, Versäumtes im Marketing nachzuholen. 1980 spielten Frauen bei 80 % aller Neuwagenkäufe eine beeinflussende Rolle, und 40 % dieser Käufe tätigten sie selbst. Die Zahl der Autos im Besitz von Frauen steigt beständig und schnellte von 21 % im Jahr 1972 auf gegenwärtig 40 % in die Höhe ... Manche Autohersteller versuchen nun fast panisch, ihre Werbung der Realität anzupassen, daß Frauen heute nicht mehr nur über die Farbe der Polster befinden ... Eine Untersuchung ... zeigte, daß 47 % der Frauen sich von Autowerbung nicht wirksam angesprochen fühlen. Ihren Aussagen zufolge gingen die Hersteller in ihren Anzeigen davon aus, daß sich Frauen vorrangig für die äußere Erscheinung des Wagens interessierten; während einerseits unterbewertet bliebe, daß auch Frauen ein »Gefühl« für Autos besitzen, werde andererseits die Bedeutung des auf weibliche Fahrer ausgeübten männlichen Einflusses überschätzt ... 60 % aller Wartungsaufträge werden beispielsweise von Frauen vergeben, und Erhebungen zeigten, daß Frauen ganz anders angesprochen werden sollten als Männer, weil sie in viel höherem Maße Wert auf Aspekte wie z.B. Sicherheit legten.

Das Topmanagement in Detroit und anderswo krankt an Trägheit und läßt sich nicht so leicht davon überzeugen, daß sich tatsächlich Veränderungen vollziehen ... Detroits Marketing-Manager schließen zu sehr von sich auf alle anderen.«

Quelle: Laurie Ashcraft: »Marketers Miss Their Target When They Eschew Research«, in: *Marketing News*, 7. Januar 1983, S. 10. Vgl. auch J. Gilbert: »Marketing Cars to Women«, in: *Madison Avenue*, August 1985, S. 52ff.

Rollen und Status

Ein Mensch gehört im Laufe seines Lebens zahlreichen Gruppen an: der Familie, Vereinen, Organisationen. Seine Position in jeder dieser Gruppen läßt sich mit den Begriffen *Rolle* und *Status* definieren. Im Elternhaus spielt Linda die Rolle der Tochter, in ihrer eigenen Familie ist sie Ehefrau und im Betrieb Markenmanager. Eine Rolle besteht aus den Aktivitäten, die andere von einer Person erwarten. Jede der von Linda übernommenen Rollen wirkt sich zum Teil auf ihr Kaufverhalten aus.

Jede Rolle ist mit einem Status behaftet, der ihr Ansehen in der Gesellschaft widerspiegelt. Ein Senator der Hansestadt Hamburg genießt einen höheren Status als ein Schuldirektor, der wiederum über dem einfachen Verwaltungsangestellten steht. Als Konsumenten wählen die Menschen Produkte, die ihre Rolle und ihren Status in der Gesellschaft signalisieren. Folglich fahren Firmenchefs Mercedes, tragen teure Maßanzüge und trinken Chivas Regal Scotch. Der Marketer weiß um das Potential von Produkten und Marken, die als *Statussymbole* fungieren. Allerdings ändern sich die Statussymbole je nach sozialer Schicht, regional und im Laufe der Zeit. Gegenüber den 70er Jahren ist bei der Bevölkerung der Bundesrepublik das Auto als Statussymbol von einem der vorderen Plätze auf den vorletzten Rang abgerutscht. Die fünf neuen wichtigsten Statuskriterien sind aus der Sicht des Zeitgenossen:

1. der Bekanntenkreis, in dem man verkehrt;
2. die Kleidung, die man trägt;
3. die Bücher, die man liest;
4. der Beruf, den man ausübt;
5. die Gegend, in der man lebt.

Die Kleidung ist an die zweite Stelle gerückt, insbesondere bei der jungen Generation. Die Cartier-Uhr, das Daniel-Hechter-Etikett am offen getragenen Sakko, das Lacoste-Krokodil am Hemd, all das signalisiert, daß man »dazugehört«. Der Markenartikel erhält damit eine erweiterte Funktion, nämlich den vermeintlichen individuellen Status in der Masse identifizieren zu helfen. [12]

Persönliche Faktoren

Die Entscheidungen des Käufers werden auch durch persönliche Merkmale wie Alter, Lebensabschnitt, Beruf, wirtschaftliche Situation, Lebensstil, Persönlichkeit und Selbstbild mit geprägt.

Alter und Lebensabschnitt

Je nach Alter kaufen die Konsumenten andere Waren und Dienstleistungen. In früher Kindheit essen die Menschen Babynahrung, während des Heranwachsens und im Erwachsenenleben so gut wie alle Nahrungsmittel und im Alter dann wieder spezielle diätetische Erzeugnisse. Eine Altersabhängigkeit besteht auch bei Kleidung, Möbeln und Erholung.

Konsummuster werden auch vom jeweiligen Abschnitt im *Lebenszyklus der Familie* geformt. Neun Abschnitte im Familienzyklus einschließlich Angaben zur finanziellen Situation und spezifischen Produktinteressen in jeder Phase sind in Tabelle 6-2 aufgeführt. Der Marketer definiert seine Zielmärkte häufig nach solchen Abschnitten im Familienzyklus und entwickelt entsprechende Produkte und Marketingpläne.

Neuere Forschungsarbeiten grenzen auch *psychologische Lebensabschnitte* ab. Im Laufe ihres Erwachsenenlebens durchwandern die Menschen bestimmte *Übergangs- und Wandlungsphasen.*[13] Linda könnte sich also von einer zufriedenen Markenmanagerin und Ehegattin zu einer unzufrieden nach einer neuen Karriere Ausschau haltenden Person entwickeln. Vielleicht rührt ihr Interesse an einem Computer genau daher. Der Marketer sollte die Lebensumstände, die zu Übergangs- und Wandlungsphasen führen (Scheidung, Tod des Ehegatten, Einberufung zum Militärdienst etc.) und ihre jeweiligen Auswirkungen auf das Kaufverhalten kennen und berücksichtigen.

Beruf

Auch der Beruf eines Menschen wirkt sich auf sein Konsummuster aus. So kauft ein Arbeiter spezielle Berufskleidung, Arbeitsschuhe, den »Henkelmann« für sein Mittagessen, und in der Freizeit geht er zum Kegeln. Der Vorstandsvorsitzende dagegen erwirbt Anzüge aus blauem Serge, Flugtickets, die Mitgliedschaft in einem exklusiven Club und ein großes Wochenendhaus. Der Marketer versucht nun, die Berufsgruppen zu ermitteln, die ein überdurchschnittliches Interesse an ihren Produkten und Dienstleistungen zeigen. Ein Unternehmen kann sich sogar darauf spezialisieren, die von einer bestimmten Berufsgruppe benötigten Produkte herzustellen. So entwickeln zum Beispiel Softwarehäuser spezielle Computerprogramme für Markenmanager, Ingenieure, Rechtsanwälte und Ärzte.

Wirtschaftliche Verhältnisse

Die wirtschaftliche Situation des Konsumenten hat bedeutenden Einfluß auf seine Produktwahl. Die wirtschaftlichen Verhältnisse definieren sich über das *frei verfügbare Einkommen* (dessen Höhe und Dauerhaftigkeit), die *Ersparnisse*, die *Vermögenswerte* (mit einem Anteil an flüssigen Mitteln), *Kreditrahmen* und *Spar- bzw. Ausgabeneigung.* Linda Braun kann also den Erwerb eines Computers in Erwägung ziehen, wenn sie über ausreichend ungebundenes Einkommen, Ersparnisse oder Kreditwürdigkeit verfügt und lieber Geld ausgibt, als es auf die Seite zu legen. Beim Marketing von Produkten, deren Erwerb stark vom Einkommen der Konsumenten abhängig ist, muß man ständig die Einkommens-, Spar- und Zinsentwicklung im Auge behalten. Kündigen die Konjunkturindikatoren eine Rezession an, kann der Marketer Schritte zur Produktneugestaltung, -neupositionierung und Änderung der Preispolitik ergreifen, um seinen Zielkunden weiterhin attraktive Angebote unterbreiten zu können.

Tabelle 6-2
Familienlebenszyklus und Kaufverhalten – eine Übersicht

I. Stadium des Familienlebenszyklus	II. Kauf- und Verhaltensmuster
1. Junggesellenstadium: junge, alleinstehende Menschen, die nicht mehr zu Hause wohnen.	Wenig finanzielle Verpflichtungen; Meinungsführer in bezug auf Modetrends; freizeitorientiert. Gekauft werden: Küchengrundausstattung und Grundmobiliar, Autos, Kleidung, Kosmetika etc. für die Partnersuche, Urlaubsreisen.
2. Frisch verheiratete Ehepaare, jung und ohne Kinder.	Finanziell noch besser gestellt, als das in einigen Jahren der Fall sein wird; höchste Kaufrate und im Durchschnitt betrachtet die höchste Erwerbsrate bei Gebrauchsgütern. Gekauft werden: Autos, Kühlschränke, Herde, zweckmäßiges und dauerhaftes Mobiliar, Urlaubsreisen.
3. »Volles Nest I«: Das jüngste Kind ist unter sechs.	Höhepunkt des Eigenheimerwerbs; flüssige Mittel knapp; Unzufriedenheit mit der finanziellen Situation und dem Ersparten; Interesse an neuen Produkten; Produkte aus der Werbung sind beliebt. Gekauft werden: Waschmaschinen und Trockner, Fernsehgeräte, Babynahrung, Einreibe- und Hustenmittel, Vitaminpräparate, Puppen, Kombiwagen, Schlitten und Schlittschuhe.
4. »Volles Nest II«: Das jüngste Kind ist sechs oder älter.	Finanziell besser gestellt; ein Teil der Ehefrauen ist berufstätig; Beeinflussung durch die Werbung ist weniger stark; Groß- und Vielfachpackungen werden bevorzugt. Gekauft werden: viele Lebensmittel, Reinigungsmittel, Fahrräder, Musikunterricht, Klaviere.
5. »Volles Nest III«: ältere Ehepaare mit abhängigen Kindern.	Finanziell noch besser gestellt; noch mehr Ehefrauen berufstätig; Kinder beginnen z. T. zu arbeiten; schwer beeinflußbar durch Werbung; durchschnittliche Erwerbsrate bei Gebrauchsgütern hoch. Gekauft werden: neues, geschmackvolleres Mobiliar, Autoreisen, nicht unbedingt notwendige Geräte, Boote, Zahnbehandlung, Zeitschriften.
6. »Leeres Nest I«: ältere Ehepaare, Kinder aus dem Haus, Familienoberhaupt noch berufstätig.	Höhepunkt des Eigenheimbesitzes; Zufriedenheit mit finanzieller Lage und Erspartem; Interesse an Reisen, Erholung, autodidaktischer Fortbildung; Geschenke und Spenden beliebt; kein Interesse an neuen Produkten. Gekauft werden: Urlaubsreisen, Luxusartikel, Produkte zur Veredelung des Eigenheims.
7. »Leeres Nest II«: ältere Ehepaare, Kinder aus dem Haus, Familienoberhaupt im Ruhestand.	Spürbarer Einkommensrückgang; Sicherung des Eigenheims. Gekauft werden: medizinische Vorrichtungen und gesundheits-, schlaf- und verdauungsfördernde Mittel.
8. Alleinstehend, noch im Berufsleben, den Partner überlebend.	Einkommen weiterhin gut, Neigung zum Eigenheimverkauf.
9. Alleinstehend, im Ruhestand.	Gleicher Bedarf an medizinischer Versorgung und gleiche Produktansprüche wie andere Gruppen im Ruhestand; starker Einkommensrückgang; besonderes Aufmerksamkeits-, Zuneigungs- und Sicherheitsbedürfnis.

Quellen: William D. Wells und George Gubar: »Life-Cycle Concepts in Marketing Research« in: *Journal of Marketing Research*, November 1966, S. 362. Vgl. auch Patrick E. Murphy und William A. Staples: »A Modernized Family Life Cycle« in: *Journal of Consumer Research*, Juni 1979, S. 12ff. sowie Frederick W. Derrick und Alane E. Linfeld: »The Family Life Cycle: An Alternative Approach« in: *Journal of Consumer Research*, September 1980 S. 214ff.

Lebensstil
Es kann durchaus sein, daß Menschen zwar derselben Subkultur, sozialen Schicht und sogar Berufsgruppe angehören, doch einen völlig anderen Lebensstil pflegen. Linda Brauns Lebensweise ist vielleicht sehr traditionsverbunden, was sich darin ausdrücken würde, daß sie eher konservative Kleidung trägt, viel Zeit gemeinsam mit ihrer Familie verbringt und sich für ihre Kirche engagiert. Vielleicht hat sie sich aber auch für einen dynamisch-erfolgsorientierten Lebensstil entschieden. In diesem Fall würde sie zum Beispiel viel Zeit für die Arbeit an wichtigen Projekten opfern, aber auch mit höchstem Einsatz Sport betreiben oder Urlaubsreisen voll auskosten.

Unter *Lebensstil* versteht man also *das sich in den Aktivitäten, Interessen und Einstellungen manifestierende Muster der Lebensführung einer Person.* Der Lebensstil zeigt den »ganzen Menschen« in Interaktion mit seiner Umwelt. Der Lebensstil eines Menschen umfaßt mehr als seine soziale Schicht und seine Persönlichkeit. Wenn man die soziale Schicht kennt, zu der eine Person gehört, kann man daraus zwar eine Reihe von wahrscheinlichen Verhaltensweisen ableiten, läßt dabei jedoch ihre Individualität außer acht. Kennt man andererseits die Persönlichkeit eines Menschen, läßt sich daraus zwar auf charakteristische psychologische Merkmale schließen, doch sagt dies nicht sehr viel über die tatsächlichen Aktivitäten, Interessen und Meinungen dieser Einzelperson. Mit dem Lebensstil versucht man also menschliche Existenz- und Handlungsprofile darzustellen (vgl. Exkurs 6-3).

Exkurs 6-3: Klassifizierungsansätze für den Lebensstil

Die Forschung richtete große Anstrengungen auf die Entwicklung eines auf psychographischen Messungen basierenden Klassifikationssystems für den Lebensstil. Bisher wurden eine Reihe solcher Systeme für unterschiedliche Anwendungsgebiete entwickelt. Zwei Ansätze der Life-Style-Forschung, die in den USA entwickelt wurden und dort weit verbreitet sind – der AIO- und der VALS-Ansatz – sollen hier näher beschrieben werden:

Der AIO-Ansatz
Dieser Ansatz beruht auf einer umfangreichen Messung von *Aktivitäten, Interessen* und *Einstellungen* per Fragebogen. AIO steht für *activities, interests, opinions*. Untenstehende Tabelle zeigt, zu welchen Themen und demographischen Merkmalen die Befragung vorgenommen wird.

Aktivitäten bezüglich	*Interessen bezüglich*	*Einstellungen betreffend*	*Demographische Merkmale*
Arbeit	Familie	sich selbst	Alter
Hobbys	Zuhause	soziale Belange	Ausbildung
soziale Ereignisse	Beruf	Politik	Einkommen
Urlaub	Gemeinschaften	Geschäftswelt	Beruf
Unterhaltung	Erholung	Wirtschaft	Familiengröße
Vereinsmitgliedschaft	Mode	Erziehung und Bildung	Wohnverhältnisse
Gemeinschaften	Essen	Produkte	geographischer Hintergrund
Einkaufen	Medien	Zukunft	Größe der Stadt
Sport	Leistungserreichung	Kultur	Lebensabschnitt

Quelle: Joseph T. Plummer: »The Concept and Application of Life-Style Segmentation«, in: *Journal of Marketing*, Januar 1974, S. 34.

Viele der Fragen sind als Aussagen formuliert, die mit »ja« oder »nein« zu beantworten sind, z. B.:
- Ich würde gern Schauspieler werden.
- Ich besuche gern Konzerte.
- Ich ziehe mich gern modisch an und nicht so, wie ich es als bequem empfinde.
- Vor dem Abendessen trinke ich oft einen Cocktail.

Die Daten werden zur Ermittlung klar abgrenzbarer Lebensstilgruppen anwendungsgebietsbezogen und per Computerprogramm analysiert. So identifizierte z. B. die in Chicago ansässige Werbeagentur Needham, Harper and Steers zur geschickteren Planung von Werbekampagnen zehn Lebensstilgruppen, die mit folgenden Namen versehen wurden:

Weibliche Lebensstiltypen:
- Cathy, die zufriedene Hausfrau (18%)
- Candice, die schicke Vorstadtbewohnerin (20%)
- Eleanor, die elegante Dame der Gesellschaft (17%)
- Mildred, die streitbare Mutter (20%)
- Thelma, die altmodische Traditionalistin (25%)

Männliche Lebensstiltypen:
- Ben, der »self-made businessman« (17%)
- Scott, der im Beruf Erfolgreiche (21%)
- Dale, der hingebungsvolle Familienvater (17%)
- Fred, der frustrierte Fabrikarbeiter (19%)
- Herman, der unauffällige Stubenhocker (26%)

Bei der Planung einer Werbekampagne forderte die Werbeagentur Needham vom Marketer ausdrücklich, zu erklären, auf welche Lebensstilgruppe(n) sein Produkt abzielt, um eine Werbebotschaft zu entwickeln, die Zielgruppen mit diesen AIO-Merkmalen anspricht.

Der VALS-Ansatz

Arnold Mitchell von SRI International entwickelte diesen Ansatz und nutzte ihn zur Klassifizierung der amerikanischen Bevölkerung in neun *Value Lifestyle Groups (VALS)*; dazu analysierte er die Antworten von 2.713 Befragten auf einen Katalog von über 800 Fragen. Im folgenden sind diese neun Gruppen unter Angabe ihres geschätzten derzeitigen Prozentanteils an der erwachsenen US-Bevölkerung aufgeführt:

- »Survivors«, die »Existenzgefährdeten« (4%): Benachteiligte Menschen, die zu »Verzweiflung, Depression und Introversion« neigen.
- »Sustainers«, die »Durchhalter« (7%): Benachteiligte Menschen, die sich nach Kräften bemühen, der Armut zu entrinnen.
- »Belongers«, die »Traditionsverbundenen« (33%): Am Konventionellen orientierte, konservative, nostalgische und experimentierunlustige Menschen, die sich lieber anpassen als aufzufallen.
- »Emulators«, die »Streber« (10%): Ehrgeizige, statusbewußte Aufsteigertypen, die »ganz groß rauskommen« wollen.
- »Achievers«, die »Erfolgstypen« (23%): Die Führungspersönlichkeiten des Landes, die dafür sorgen, daß etwas passiert. Sie arbeiten innerhalb des Systems und wissen die angenehmen Seiten des Lebens zu genießen.
- »I-am-me«, die »Egozentriker« (5%): Meist junge, ganz mit sich selbst beschäftigte Menschen, die zu Launenhaftigkeit neigen.

- »Experientials«, die »Erfahrungssucher« (7 %): Menschen mit facettenreichem Innenleben, die alles, was das Leben zu bieten hat, direkt erfahren wollen.
- »Societally conscious«, die »sozial Engagierten« (9 %): Menschen, die hohes soziales Verantwortungsgefühl besitzen und die in der Gesellschaft vorhandenen Bedingungen verbessern wollen.
- »Integrateds«, die »Ausgeglichenen« (2 %): Psychologisch vollkommen gereifte Menschen, die die Vorzüge innerer Klarheit und persönlicher Offenheit nach außen hin vereinigen konnten.

Diese Klassifizierung geht von der Vorstellung aus, daß jedes Individuum eine Reihe von Entwicklungsstadien durchläuft, die jeweils seine Einstellungen, Verhaltensweisen und psychologischen Bedürfnisse beeinflussen. Nach Durchwanderung einer Phase, in der das Individuum (als »Existenzgefährdeter« oder »Durchhalter«) der reinen Not gehorcht, tritt es entweder in eine Abfolge nach außen oder nach innen gerichteter Stadien ein (die Kategorien der »Traditionsverbundenen«, »Streber« und »Erfolgstypen« bzw. der »Egozentriker«, »Erfahrungssuchenden« und »sozial Engagierten«), wobei nur wenige das Stadium der Ausgeglichenheit erreichen.
Marketer schenken Bevölkerungssegmenten, deren Leben von Not bestimmt ist, aufgrund ihrer mangelnden wirtschaftlichen Mittel nur wenig Beachtung. Die anderen Gruppen sind für den Marketer interessanter. Sie besitzen spezifische demographische, berufliche und medienrelevante Merkmale. So möchte ein Hersteller teurer Koffer und Taschen über die Charakteristika von Erfolgsmenschen informiert sein und wissen, wie diese Zielgruppe effektiv zu erreichen ist. Ein Fabrikant neuartiger Badewannen benötigt eine möglichst zielgenaue Kampagne für die Personengruppe, die immer offen für neue Erfahrungen ist. Ein Anbieter von Müllschluckern würde an traditionsverbundene und an sozial engagierte Personen unterschiedliche Werbebotschaften aussenden. Mehr als 40 große Unternehmen nehmen den VALS-Ansatz in Anspruch und verwenden die erhaltenen Daten, um die jeweiligen Lebensstilgruppen wirksamer zu erreichen. Der AIO- und der VALS-Ansatz können auch gezielt regional, marktgebunden oder themengebunden eingesetzt werden, also zur gezielten Life-Style-Forschung für bestimmte Untergruppen einer Bevölkerung.

Quellen: Eine weitergehende Behandlung der AIO-Typologie findet sich bei William D. Wells: »Psychographics: A Critical Review«, in: *Journal of Marketing Research*, Mai 1975, S. 196ff und Peter W. Bernstein: »Psychographics is Still an Issue on Madison Avenue«, in: *Fortune* vom 16. Januar 1978, S. 78ff. Näheres zur VALS-Typologie bei Arnold Mitchell: *The Nine American Life Styles*, New York: Macmillan, 1983.

Der Marketer sucht nach den zwischen seinen Produkten und den einzelnen Lebensstilgruppen bestehenden Beziehungen. Ein Hersteller von Personal Computern könnte zum Beispiel feststellen, daß große Teile seiner Zielgruppe die Wertorientierung und den Lebensstil des in Exkurs 6-3 beschriebenen Erfolgstypen besitzen. Seine Marketingabteilung würde die Marke dann noch unmißverständlicher auf den Lebensstil des Erfolgreichen ausrichten. Die Werbung könnte in Text und Bild symbolische Qualitäten aufgreifen, auf die der Erfolgstyp von seinem Lebensstil her anspricht. Folgendes Beispiel zeigt dies:

Er bewohnt ein helles Apartment in einem modernen Hochhaus. Seine Möbel sind kostbar und modern, aber nicht in dänischem Stil gehalten. Kleidung kauft er bei Brooks Brothers, und er ist Besitzer einer hochwertigen Hi-Fi-Anlage. Er fährt Ski, und er segelt mit seinem eigenen Boot. Er kauft gerne Limburger und andere hochwertige Käsesorten, die er zu einem Bier verzehrt. Außerdem ißt er gern und häufig selbst zubereitete Steaks und tischt seinen Gästen Filet Mignon auf. Seine Hausbar ist mit Jack Daniels Bourbon, Beefeater Gin und einem guten Scotch bestückt. [14]

Die aus dem Lebensstilkonzept zu ziehenden Folgerungen wurden von Boyd und Levy treffend formuliert:

Marketing ist ein Prozeß, bei dem man die Kunden mit Steinchen für ein potentielles Mosaik versorgt, aus dem sie – die Gestalter ihres eigenen Lebensstils – die geeigneten Bausteine für den Aufbau der zum jeweiligen Zeitpunkt am besten erscheinenden Gesamtkomposition aussuchen und entnehmen können. Wer als Marketer seine Produkte unter diesem Gesichtspunkt betrachtet, will auch deren potentielle Beziehungen zu anderen Elementen des Lebensstils eines bestimmten Konsumenten erkennen, um dadurch die Zahl der Möglichkeiten für eine sinnvolle Einordnung seiner Produkte in das Muster weiter zu erhöhen. [15]

Persönlichkeit und Selbstbild

Jeder Mensch besitzt eine individuelle Persönlichkeit, von der sein Kaufverhalten beeinflußt wird. Unter *Persönlichkeit* verstehen wir *die charakteristischen psychologischen Merkmale eines Menschen, die relativ konsistente und gleichbleibende Reaktionen auf seine Umwelt bewirken.* Persönlichkeit wird in der Regel mit Eigenschaften wie Selbstvertrauen, Dominanz, Selbständigkeit, Nachgiebigkeit, Geselligkeit, Abwehrverhalten und Anpassungsfähigkeit beschrieben. [16] Sie läßt sich unter der Voraussetzung, daß man Persönlichkeitstypen klassifizieren und starke Wechselbeziehungen zwischen bestimmten dieser Typen und der Produkt- und Markenwahl feststellen kann, als nützliche Variable bei der Analyse des Kaufverhaltens verwenden. So könnte ein Hersteller von Personal Computern herausfinden, daß sich viele seiner potentiellen Kunden durch großes Selbstvertrauen, Dominanz und Selbständigkeit auszeichnen. Die Verwendung dieser Appelle bei der Werbung für PCs ist die naheliegende Konsequenz.

Viele Marketer arbeiten mit einem der Persönlichkeit verwandten Konzept, dem *Selbstbild* (oder Selbstverständnis) eines Menschen. Jeder einzelne besitzt eine komplexe Vorstellung von sich selbst. Linda Braun sieht sich vielleicht als hochkultivierten Menschen, für den nur das Beste in Frage kommt. In diesem Falle würde sie einen Computer bevorzugen, der eben diese Eigenschaften aufweist. Wird der IBM-PC als das Gerät für Leute, die nur das Beste wollen, propagiert, paßt sein Markenimage exakt zu Linda Brauns Selbstbild. Im Marketing sollte man versuchen, jeweils ein Markenimage zu entwickeln, das mit dem Selbstbild der Angehörigen des Zielmarktes übereinstimmt.

Die Theorie ist zugegebenermaßen nicht ganz so einfach. Das Bild, das Linda Braun tatsächlich von sich hat (*tatsächliches Selbstbild*), sieht anders aus als das Bild, das ihr als Ideal vor Augen schwebt (*Idealbild von sich selbst*), und das Bild, das sich ihrer Ansicht nach andere von ihr machen (*vermutete Fremdeinschätzung*). Welchem Bild will sie nun beim Kauf eines Computers gerecht werden? Manche Marketer meinen, Kaufentscheidungen hängen hauptsächlich vom tatsächlichen Selbstbild des Konsumenten ab, während andere dem Idealbild oder der vermuteten Fremdeinschätzung das größte Gewicht beimessen. Die Selbstbildtheorie führt also bei der Vorhersage von Konsumentenreaktionen auf das Markenimage nicht in jedem Fall zum Erfolg.[17]

Psychologische Faktoren

Kaufentscheidungen werden auch von vier wichtigen psychologischen Faktoren beeinflußt: Motivation, Wahrnehmung, Lernen sowie Ansichten und Einstellungen. Im folgenden Abschnitt wird erläutert, welche Rolle jeder dieser Faktoren im Kaufprozeß spielt.

Motivation

Wir haben verfolgt, daß in Linda Braun das Interesse für einen Computer erwachte. Wie kam es dazu? Wonach sucht sie wirklich? Welche Bedürfnisse möchte sie befriedigen?

Der Mensch verspürt stets eine Vielzahl von Bedürfnissen. Ein Teil dieser Bedürfnisse ist *biogen*, entsteht also aus physiologischen Spannungszuständen wie Hunger, Durst oder körperlichem Unbehagen. Andere sind *psychogen* – d.h. bedingt durch psychologische Spannungszustände wie dem Wunsch nach Anerkennung, Ansehen oder Zugehörigkeit. Die meisten dieser Bedürfnisse sind nicht stark genug, um unmittelbar Handlungen auszulösen. Ein Bedürfnis wird zu einem *Motiv* (oder Trieb), wenn es einen hinreichenden Intensitätsgrad erreicht, also als so dringend empfunden wird, daß es den Menschen zur Handlung veranlaßt. Die Befriedigung des Bedürfnisses reduziert dann das Spannungsgefühl.

Die Psychologie entwickelte verschiedene Theorien über die menschliche Motivation. Drei der bekanntesten – die Motivationstheorien von Sigmund Freud, Abraham Maslow und Frederick Herzberg – ziehen in bezug auf Konsumentenanalyse und Marketingstrategie ganz unterschiedliche Folgerungen nach sich.

Freudsche Motivationstheorie

Freud geht davon aus, daß die wirklichen psychologischen Kräfte, die das menschliche Verhalten prägen, größtenteils im Unbewußten liegen. Der Mensch unterdrückt beim Heranwachsen und Akzeptieren sozialer Regeln viele Triebe, die jedoch niemals gänzlich beseitigt oder voll kontrollierbar werden, sondern in Form von Träumen, Versprechern und neurotischem Verhalten an die Oberfläche kommen.

Ein Mensch kann demnach seine eigenen Motivationen niemals vollkommen verstehen. Linda Braun will einen Personal Computer kaufen. Sie selbst sieht als Motiv dafür den Wunsch, ein neues Hobby zu pflegen oder ihre beruflichen Aussichten zu verbessern. Auf einer tieferen Ebene möchte sie möglicherweise den Rechner erwerben, um damit anderen zu imponieren. Und noch tiefer mag das Motiv liegen, den Computer zu erwerben, weil er ihr Gefühl unterstützt, modern und intelligent zu sein.

Wenn Linda Braun sich einen Computer ansieht, reagiert sie nicht nur auf seine Leistungsmerkmale, sondern auch auf andere Signale wie Form, Größe, Gewicht, Material, Farbe, Markenname und Verpackung des Gerätes, die alle bestimmte Emotionen auslösen können. Der Computerhersteller sollte sich also bei der Konstruktion eines Gerätes darüber im klaren sein, welchen Einfluß die Augen, Gehör und

Tastsinn ansprechenden Elemente darauf haben, beim Konsumenten kaufstimulierende oder -hemmende Emotionen auszulösen.

Der führende moderne Exponent der Freudschen Motivationstheorie ist Ernest Dichter, der schon seit mehr als drei Jahrzehnten Kaufsituationen und Produktauswahl mit unterschwelligen, unbewußten Motivationskriterien in Zusammenhang bringt. Der von Dichter als *Motivationsforschung* bezeichnete Ansatz besteht darin, »Tiefeninterviews« mit einigen Dutzend Konsumenten zusammenzutragen, um aus diesen die von einem Produkt ausgelösten tieferen Beweggründe der Käufer herauszulesen. Dichter verwendet Projektionstechniken wie Wortassoziation, Vervollständigung von Sätzen, Bildinterpretation und Rollenspiel, um das Unbewußte, hinter dem Ego Verborgene, zum Vorschein zu bringen. [18]

Die Motivforschung hat interessante bis absonderliche Hypothesen dazu hervorgebracht, was beim Erwerb bestimmter Dinge im Gemüt des Käufers vor sich geht. Man äußerte zum Beispiel folgende Vermutungen:

- Konsumenten haben etwas gegen Dörrpflaumen, weil diese so runzlig aussehen und ans Alter denken lassen.
- Männer rauchen Zigarren als Ersatz für das Daumenlutschen. Der strenge Geruch von Zigarrenrauch ist ihnen als Männlichkeitsbeweis willkommen.
- Frauen verwenden lieber pflanzliche als tierische Fette, weil letztere ihnen Schuldgefühle wegen der Tötung von Tieren verursachen.
- Eine Frau nimmt das Backen eines Kuchens sehr ernst, weil sie dabei unbewußt eine symbolische Geburt durchmacht. Sie empfindet Abneigung gegen Fertigbackmischungen, weil ein Leben ohne Mühen bei ihr Schuldgefühle hervorruft.

Maslowsche Motivationstheorie

Abraham Maslow versuchte zu ergründen, warum der Mensch zu bestimmten Zeiten von bestimmten Bedürfnissen getrieben wird. [19] Warum investiert der eine viel Zeit und Energie in seine persönliche Sicherheit, während der andere mit dem gleichen Aufwand nach Anerkennung strebt? Nach Maslow geschieht dies deshalb, weil die menschlichen Bedürfnisse in einer vom höchsten bis zum geringsten Dringlichkeitsgrad abgestuften Hierarchie angeordnet sind. Diese Bedürfnishierarchie wird in Abbildung 6-3 gezeigt. In der Reihenfolge ihrer Wichtigkeit werden physiologische, Sicherheits- und soziale Bedürfnisse sowie Anerkennungs- und Selbstverwirklichungsbedürfnisse unterschieden. Ein Mensch versucht immer, die dringlichsten Bedürfnisse zuerst zu befriedigen. Gelingt die Befriedigung eines wichtigen Bedürfnisses, verliert dieses bis auf weiteres seine motivierende Wirkung, und der Mensch versucht, das nächstdringliche Bedürfnis zu stillen.

So wird ein Mensch, der Hunger leidet (Bedürfnisstufe 1), weder an den jüngsten Ereignissen in der Welt der Kunst Interesse zeigen (Bedürfnisstufe 5), noch daran interessiert sein, wie er von anderen gesehen oder welche Anerkennung ihm zuteil wird (Bedürfnisstufen 3 bzw. 4) – ja noch nicht einmal daran, ob die Luft, die er atmet, sauber ist (Bedürfnisstufe 2). Erst wenn das jeweils wichtigste Bedürfnis befriedigt ist, rückt das nächstdringliche in den Vordergrund.

Maslows Theorie hilft dem Marketer zu verstehen, wie sich verschiedene Produkte in die Pläne, die Ziele und das Leben der potentiellen Kunden einfügen. Welches Licht wirft dieses Konzept nun auf Linda Browns Interesse am Erwerb eines Computers? Wahrscheinlich können wir voraussetzen, daß Linda Brauns physiologi-

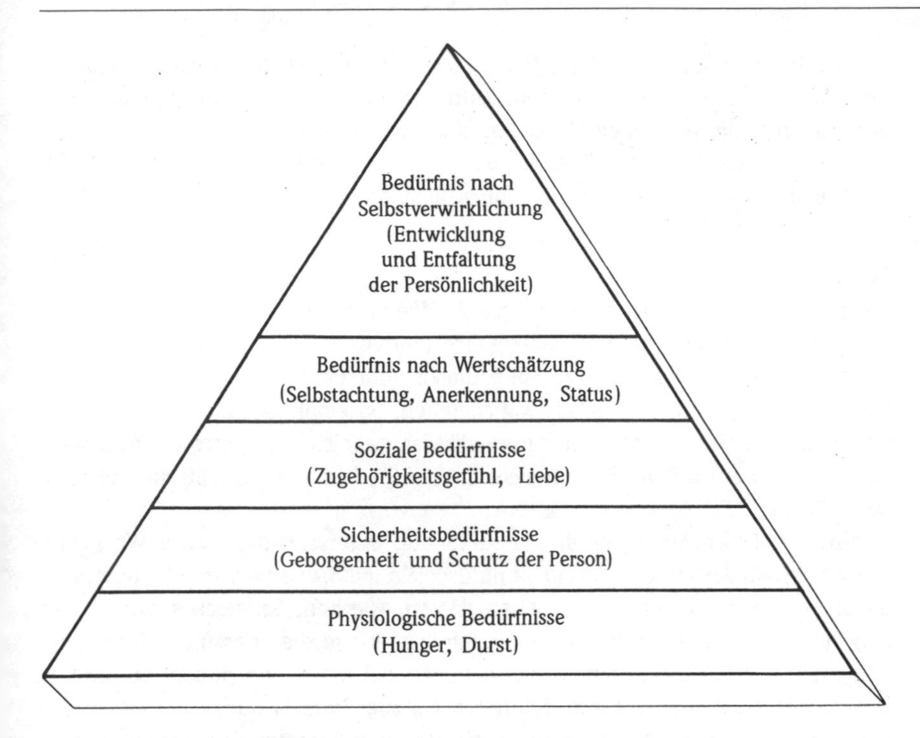

Abbildung 6-3
Maslowsche Bedürfnishierarchie

sche, sicherheitsrelevante und soziale Bedürfnisse befriedigt und somit nicht Motiv des Interesses am Computer sind. Möglicherweise ist dieses Interesse also durch ein starkes Bedürfnis nach höherer Wertschätzung durch andere oder das noch höher rangierende Streben nach Selbstverwirklichung bedingt. Linda Braun möchte vielleicht ihr persönliches Kreativitätspotential entfalten, indem sie lernt, den Computer zu beherrschen.

Herzbergsche Motivationstheorie

Frederick Herzberg formulierte eine »Zwei-Faktor-Motivationstheorie«, die zwischen »Dissatisfaktoren« (Unzufriedenheit verursachende Faktoren) und »Satisfaktoren« (Befriedigung verursachende Faktoren) unterscheidet.[20] Wenn zum Beispiel ein Apple-Computer ohne Garantie geliefert würde, wäre dies ein Unzufriedenheit verursachender Faktor. Würde für das Gerät jedoch eine Garantie geboten, wäre dies gleichwohl kein Faktor, der bei Linda Befriedigung hervorrufen und sie zum Kauf motivieren würde, da die Produktgarantie keine Quelle intrinsischer Zufriedenheit mit dem Apple-Computer darstellt. Dagegen wären zum Beispiel die mit dem Apple-Gerät erstellbaren guten Farbgraphiken ein Zufriedenheit auslösender, Lindas Freude am Computer steigernder Faktor.

Diese Motivationstheorie zieht zwei Folgerungen nach sich. Zum einen sollten beim Marketing Unzufriedenheit verursachende Faktoren nach besten Kräften vermieden werden. Dissatisfaktoren können z.B. ein schlechtes Handbuch oder unzureichender Kundendienst sein. Ausgeschaltete Dissatisfaktoren führen zwar nicht unbedingt dazu, daß der Computer tatsächlich gekauft wird; ihr Vorhandensein könnte aber sehr leicht bewirken, daß er *nicht* gekauft wird. Zum anderen sollte der Computerhersteller die wesentlichen, Zufriedenheit und Kaufmotivation auslösenden Faktoren, die für seinen Markt zutreffen, genauestens ausfindig machen und dann auch wirklich bereitstellen. Sie bilden die Hauptdifferenzierung hinsichtlich der Markenentscheidung, die der Kunde schließlich treffen wird.

Wahrnehmung

Der motivierte Mensch ist handlungsbereit. Wie er handelt, wird von seiner Situationswahrnehmung beeinflußt. Zwei gleich motivierte Personen in einer objektiv identischen Situation können zu vollkommen anderen Handlungsformen greifen, weil sie die Lage unterschiedlich wahrnehmen. So empfindet Linda Braun einen schnell auf sie einredenden Computerverkäufer vielleicht als aggressiv und unehrlich, während ein anderer Kaufinteressent dieselbe Person für intelligent und hilfsbereit hält.

Warum nehmen Menschen dieselbe Situation unterschiedlich wahr? Wir gehen davon aus, daß das Individuum ein Stimulusobjekt mit *Sinneswahrnehmungen*, also durch den über die fünf Sinne Sehen, Hören, Riechen, Schmecken und Tasten eingehenden Informationsfluß erfaßt. Allerdings erfolgt die Erfassung, Einordnung und Interpretation dieser Sinnesinformationen bei jedem Individuum auf andere Weise. *Wahrnehmung* läßt sich definieren als »der Prozeß, durch den ein Individuum eingehende Informationen auswählt, ordnet und interpretiert, um sich daraus ein sinnvolles Bild der Welt anzulegen.«[21] Die Wahrnehmung hängt nicht allein von der Art der physikalischen Stimuli ab, sondern auch von der Beziehung dieser Stimuli zur Umgebung (Suche nach ganzheitlicher Gestalt) und von den Bedingungen, die im Individuum selbst herrschen.

Daß Menschen dasselbe Stimulusobjekt unterschiedlich wahrnehmen können, liegt an den drei folgenden Wahrnehmungsprozessen: selektive Beachtung, selektive Verzerrung und selektive Erinnerung.

Selektive Beachtung

Jeder Mensch ist täglich einer Flut von Reizen ausgesetzt. Betrachtet man allein die kommerziellen Stimuli, so dürfte die Durchschnittsperson über 1.500 Werbebotschaften pro Tag ausgesetzt sein. Es ist ihr unmöglich, all diese Reize zu erfassen – die meisten werden nicht wahrgenommen. Aber auf welche Stimuli reagieren die Verbraucher mit Beachtung? Dies zu erklären, ist das große Problem. Hier einige Erkenntnisse:

- *Eine höhere Beachtungswahrscheinlichkeit liegt bei aktuellen Bedürfnissen durch ansprechende Stimuli vor.*
  Linda registriert Computerwerbung, weil sie bereits für den Erwerb eines solchen Gerätes motiviert ist. Anzeigen für Stereoanlagen würde sie wahrscheinlich übersehen.
- *Eine höhere Beachtungswahrscheinlichkeit liegt bei erwarteten Stimuli vor.*
  Linda beachtet in einem Computergeschäft eher Rechner als Radiogeräte, weil sie nicht darauf eingestellt ist, daß der Laden auch Rundfunkgeräte führt.
- *Eine höhere Beachtungswahrscheinlichkeit liegt bei Stimuli vor, die vom normalen Anreizausmaß erheblich abweichen.*
  Linda Braun wird eher auf Werbung für einen Apple-Computer ansprechen, wenn diese einen Nachlaß von 100 DM und nicht nur von 5 DM auf den Listenpreis verspricht.

Die selektive Beachtung bedeutet für den Marketer, daß er besondere Anstrengung darauf verwenden muß, vom Konsumenten beachtet zu werden. Die von ihm ausgesandten Werbebotschaften werden bei den meisten Personen außerhalb des Interessentenkreises für das jeweilige Produkt nicht ankommen. Und selbst innerhalb des Zielmarktes kann die Botschaft unbemerkt untergehen, wenn sie sich von der Umgebungsreizflut nicht genügend abhebt. Größerformatige Anzeigen und solche, die im Gegensatz zum großen Rest vierfarbig und nicht schwarzweiß gedruckt sind oder durch Neuartigkeit oder Andersartigkeit herausragen, werden mit höherer Wahrscheinlichkeit beachtet.

Selektive Verzerrung

Selbst die vom Konsumenten beachteten Stimuli werden nicht immer so aufgenommen, wie das der Fall sein sollte. Jeder Mensch versucht, die eingehenden Informationen in seine bereits bestehenden Denkschemata einzupassen. Der Begriff der selektiven Verzerrung beschreibt diese menschliche Neigung, Informationen durch persönliche Deutungen zu verzerren. Linda hört ihren Verkaufsberater möglicherweise von den Stärken und Schwächen eines IBM-Computers sprechen. Wenn sie bereits stark zum Kauf des betreffenden Gerätes neigt, wird sie diese Angaben innerlich verzerren, um den Erwerb des IBM-Produkts zu rechtfertigen. Informationen werden von Menschen so ausgelegt, daß sie ihre Voreingenommenheit stützen und nicht in Frage stellen.

Selektive Erinnerung

Menschen vergessen vieles von dem, was sie lernen. Sie neigen dazu, solche Informationen im Gedächtnis zu speichern, die im Hinblick auf mögliche Alternativen ihre Einstellungen und Überzeugungen stützen. Aufgrund der selektiven Erinnerung wird Linda Braun wahrscheinlich die positiven Aussagen über den IBM-Computer im Gedächtnis behalten und positive Aussagen zum Konkurrenzprodukt wieder vergessen. Sie erinnert sich selektiv an die Stärken des IBM-Gerätes, weil sie diese jedesmal, wenn sie über die Wahl eines Computers nachdenkt, gewissermaßen »einstudiert«.

Diese drei Faktoren der Wahrnehmung – selektive Beachtung, selektive Verzerrung und selektive Erinnerung – machen intensive Marketinganstrengungen erforderlich, damit Werbebotschaften vom Konsumenten aufgenommen werden. Dies erklärt, warum der Marketer Werbung mit so viel Dramatik und wiederholt an seinen Zielkunden richtet.

Lernen

Wenn Menschen handeln, lernen sie. *Lernen ist die Änderung des Verhaltens eines Individuums aufgrund von Erfahrungen.* Menschliches Verhalten ist zum größten Teil erlernt.

Die Lerntheorie besagt, daß Lernen durch das *Zusammenspiel von Bedürfnissen, Stimuli, Auslösern, Reaktionen und Bestärkung* erfolgt.

Wir haben festgestellt, daß Linda das Bedürfnis zur Selbstverwirklichung verspürt. Es stellt einen starken inneren Stimulus dar, der zur Handlung drängt. Lindas Bedürfnis wird zu einem *Motiv*, wenn es sich auf ein spezifisches, bedürfnisreduzierendes *Stimulusobjekt* richtet, in unserem Fall auf einen Computer. Ihre Reaktion auf den Einfall, einen Computer zu erwerben, wird von den sie umgebenden Auslösern beeinflußt. Auslöser sind schwächere Stimuli, die Zeitpunkt, Ort und Art der Reaktion bestimmen. Wenn Lindas Ehemann den Computerkauf befürwortet, wenn sie bei Freunden ein Gerät sieht, Anzeigen und Artikel darüber liest, von einem Sonderangebot hört, so können all diese Dinge als Reaktionsauslöser wirken.

Angenommen, Linda erwirbt einen IBM-Computer. Fühlt sie sich durch seine Benutzung *belohnt*, dann wird sie ihn wiederholt benutzen – das heißt, sie würde in ihrer Reaktion auf Computer bestärkt.

Zu einem späteren Zeitpunkt möchte sich Linda vielleicht ein Kopiergerät kaufen. Verschiedene Marken stehen zur Auswahl, darunter auch IBM. Da Linda Braun nun weiß, daß IBM gute Computer herstellt, folgert sie, daß auch IBM-Kopierer gut sein müssen. In diesem Fall spricht man von der *Generalisierung* der Reaktion auf naheliegende Stimuli.

Das Gegenstück zur Stimulus-Generalisierung ist die *Stimulus-Trennung*. Linda Braun sieht sich einen Kopierer von Olivetti an und stellt fest, daß er leichter und kompakter ist als das Produkt von IBM. Die Stimulus-Trennung muß erlernt werden, um bei ähnlichen Stimuli Unterschiede zu erkennen und darauf zu reagieren.

Die Lerntheorie besagt, daß der Marketer die Nachfrage nach einem Produkt steigern kann, wenn ein starkes Bedürfnis vorliegt, wenn er motivierende Auslöser einsetzt und für positive Bestärkung sorgt. Wenn ein Unternehmen in einen neuen Markt eintritt, kann es an die gleichen Bedürfnisse appellieren wie die Konkurrenz, ähnliche Auslöserkombinationen verwenden wie diese, und den Erfolg in der Stimulus-Generalisierung suchen. Andererseits kann es seine Marke auch so gestalten, daß eine Stimulus-Trennung stattfindet und der Verbraucher das Besondere an seiner Marke erkennt.

Ansichten und Einstellungen

Durch ihr Handeln und Lernen eignen sich die Menschen Ansichten und Einstellungen an. Diese wirken sich wiederum auf ihr Kaufverhalten aus.

Unter *Ansicht* versteht man *die gedankliche Beschreibung des Bildes, das sich ein Mensch von etwas macht.* So ist Linda vielleicht der Ansicht, daß ein Personal Computer von IBM über eine größere Speicherkapazität verfügt, auch unsanfte Behandlung gut verkraftet und 4.000 DM kostet. Diese Ansichten können auf tatsächlichem Wissen, persönlicher Meinung oder reinem Glauben beruhen und eventuell emotional besetzt sein. Linda Braun kann z. B. der Ansicht sein, daß ein IBM-Computer schwerer ist als ein Apple, ohne daß dies für ihre Entscheidung von Bedeutung wäre.

Hersteller sind natürlich stark an den ihre Produkte und Dienstleistungen betreffenden Ansichten der Konsumenten interessiert. Aus diesen Ansichten setzt sich das Image jedes Produkts und jeder Marke zusammen, und daran wiederum sind die Handlungen der Käufer ausgerichtet. Wenn ein Teil dieser Ansichten falsch ist und damit die Kaufbereitschaft hemmt, ist es Aufgabe des Herstellers, eine Kampagne zur Korrektur des fehlerhaften Bildes zu starten. [22]

Unter *Einstellung* versteht man *die dauerhaft günstigen oder ungünstigen kogni-*

tiven Beurteilungen und Handlungstendenzen einer Person gegenüber einem materiellen oder immateriellen Objekt.[23] Die Einstellungen der Menschen betreffen so gut wie alle Bereiche: Religion, Politik, Kleidung, Musik, Ernährung und vieles mehr. Sie versetzen eine Person in einen Gemütszustand, der sie bestimmte Dinge mögen oder ablehnen, sich diesen zu- oder abwenden läßt. Linda Braun hält vielleicht an folgenden Einstellungen fest: »Kaufe stets das Beste«, »IBM macht die besten Computer der Welt« und »Kreativität und Ausdruck der eigenen Persönlichkeit gehören zu den wichtigsten Dingen im Leben«. Der IBM-Computer spricht sie also direkt an, da er sich sehr gut in ihre bereits bestehenden Einstellungen einfügt. Ein Computerhersteller kann großen Nutzen aus der Erforschung der unterschiedlichen Einstellungen ziehen, die bei den Verbrauchern gegenüber dem Produkt und insbesondere gegenüber der eigenen Marke festzustellen sind.

Einstellungen führen zu relativ konsequentem Verhalten gegenüber ähnlichen Objekten. Sie bewirken, daß die Menschen nicht jedes Objekt neu interpretieren und auf andere Weise darauf reagieren müssen, sondern daß mit Energie und Denkaufwand sparsam umgegangen wird. Aus diesem Grund sind Einstellungen sehr schwer zu ändern. Alle Einstellungen einer Person verschmelzen zu einem konsistenten Einstellungssystem, und die Änderung einer einzelnen Einstellung könnte auch die Änderung anderer Einstellungen erforderlich machen.

Ein Unternehmen wäre also gut beraten, sein Produkt an bereits bestehende Einstellungen anzupassen, anstatt Einstellungsänderungen bei den Konsumenten anzustreben. Natürlich gibt es Ausnahmen, bei denen sich der Versuch lohnt, die Einstellungen zu ändern:

Beim Einstieg in den amerikanischen Motorrad-Markt mußte Honda eine schwerwiegende Entscheidung fällen. Das Unternehmen stand vor der Wahl, seine Maschinen entweder an den kleinen bereits an Motorrädern interessierten Personenkreis zu verkaufen, oder den Versuch zu unternehmen, die Zahl der Motorradfreunde zu erhöhen. Die zweite Möglichkeit hätte höhere Kosten bedeutet, denn bei vielen Konsumenten herrschte eine negative Einstellung gegenüber Motorrädern vor: Sie wurden mit schwarzen Lederjacken, Schnappmessern und Kriminalität in Verbindung gebracht. Dennoch entschied man sich bei Honda für diese Alternative und startete eine groß angelegte Werbekampagne mit dem Slogan: »You meet the nicest people on a Honda (Auf einer Honda trifft man die nettesten Leute)«. Diese Kampagne kam gut an; viele Konsumenten machten sich eine neue Einstellung gegenüber Motorrädern zu eigen und kauften Hondas.

Wir können uns nun einen Begriff von den vielen Kräften machen, die auf das Käuferverhalten einwirken. Die Kaufentscheidung ist das Ergebnis komplexer Wechselwirkungen zwischen kulturellen, sozialen, persönlichen und psychologischen Faktoren. Viele davon entziehen sich der Einflußnahme des Marketers. Allerdings sind sie von Nutzen, um die Zielgruppe mit dem stärksten Interesse am Produkt ausfindig zu machen. Andere Faktoren sind für den Marketer steuerbar und geben ihm Hinweise darauf, wie Produkt, Preis, Distribution und Kommunikation zu gestalten sind, damit sie eine starke Konsumentenreaktion hervorrufen.

Der Kaufprozeß

Der Marketer muß über die verschiedenen, auf die Konsumenten einwirkenden Faktoren hinausblicken und verstehen, wie es zu Kaufentscheidungen kommt. Dabei muß festgestellt werden, wer die Kaufentscheidung trifft, welcher Art diese Entscheidung ist und welche Schritte dazu führen.

Käuferrollen

Bei vielen Produkten ist es einfach, den Käufer festzustellen. So suchen Männer im allgemeinen ihren Tabak und Frauen ihre Strumpfhosen selbst aus. Bei anderen Produkten hingegen ist am Entscheidungsprozeß mehr als eine Person beteiligt. Nehmen wir als Beispiel den Kauf des Familienwagens. Dabei könnte das älteste Kind die Anregung für den Kauf eines neuen Autos geben, ein Freund der Familie zu einer bestimmten Wagenklasse raten, der Ehemann das Fabrikat wählen und die Ehefrau konkrete Wünsche zur Ausstattung des Fahrzeuges anmelden. Die endgültige Entscheidung würde dann vielleicht vom Ehemann mit Billigung seiner Frau getroffen, und letzten Endes könnte es dazu kommen, daß die Frau das Auto häufiger benutzt als der Mann.

Wir können also eine Reihe von Rollen unterscheiden, die einzelne Personen im Kaufprozeß spielen:

- Der Initiator: Die Person, die als erste vorschlägt, ein bestimmtes Produkt zu erwerben oder eine bestimmte Dienstleistung in Anspruch zu nehmen.
- Der Einflußnehmer: Eine Person, deren Ansichten oder Ratschläge für die endgültige Kaufentscheidung von Gewicht sind.
- Der Entscheidungsträger: Die Person, die endgültig darüber befindet, ob, was, wie und wo gekauft wird, und zwar entweder im Ganzen oder über einzelne dieser Aspekte.
- Der Käufer: Die Person, die den Kauf tatsächlich ausführt.
- Der Benutzer: Die Person (oder Gruppe), die das Produkt schließlich verwendet.

Ein Unternehmen muß diese verschiedenen Rollen klar erkennen, denn sie haben Konsequenzen für die Produktgestaltung, die Formulierung der geeigneten Werbebotschaften und die Verteilung des Werbebudgets. Wenn es der Ehemann ist, der über das Fabrikat des Wagens entscheidet, dann muß der Autohersteller seine Werbung größtenteils darauf abstimmen, ihn zu erreichen. Darüber hinaus kann das Unternehmen bestimmte Ausstattungsdetails so gestalten, daß sie der Ehefrau gefallen. Die Kenntnis der Rollenverteilung im Kaufprozeß hilft dem Marketer bei der Feinabstimmung seines Marketingprogramms.

Arten des Kaufverhaltens

Es gibt unterschiedliche Arten des Kaufverhaltens. So bestehen beträchtliche Unterschiede zwischen dem Erwerb einer Tube Zahnpasta, eines Tennisschlägers, eines Personal Computers und eines neuen Wagens. Bei einem komplexen und kostspieligen Kauf sind in der Regel viele Faktoren zu berücksichtigen und viele Personen am Kauf beteiligt. Assael unterscheidet vier Arten von Kaufverhalten – je nach Unterschiedlichkeit der Marken und je nachdem, wie intensiv sich der Käufer mit dem Kauf beschäftigt. [24] Diese vier in Tabelle 6-3 aufgeführten Verhaltensarten werden im folgenden beschrieben.

Tabelle 6-3
Vier Arten des Kaufverhaltens

	Intensive Beschäftigung mit dem Kauf	Geringe Beschäftigung mit dem Kauf
Bedeutende Unterschiede zwischen den Marken	Komplexes Kaufverhalten	Abwechslung suchendes Kaufverhalten
Wenig Unterschiede zwischen den Marken	Dissonanzminderndes Kaufverhalten	Habituelles Kaufverhalten

Quelle: Henry Assael: *Consumer Behavior and Marketing Action*, Boston: Kent Publishing Co., 1987, S. 87 (abgewandelt).

Komplexes Kaufverhalten

Die Konsumenten zeigen ein komplexes Kaufverhalten, wenn sie sich mit einer Anschaffung persönlich intensiv beschäftigen und erhebliche Unterschiede zwischen den einzelnen Marken erkannt haben. Eine intensive Beschäftigung mit dem Kauf liegt vor, wenn das Anschaffungsobjekt teuer und mit Risiken behaftet ist, selten gekauft wird und in hohem Maße die Persönlichkeit des Käufers widerspiegelt. In der Regel fehlen hier dem Käufer ausgeprägte Kenntnisse über die Produktkategorie, und er hat großen Lernbedarf. Zum Beispiel kann es sein, daß jemand beim Kauf eines Personal Computers nicht weiß, auf welche Eigenschaften des Gerätes überhaupt zu achten ist. Viele der Produkteigenschaften wie »Laufwerk«, »Festplatte«, »Bildschirmauflösung« etc. haben für ihn keine Bedeutung.

Der Käufer durchläuft in diesem Fall einen Lernprozeß, in dessen Verlauf er zuerst Ansichten, dann Einstellungen über das Produkt entwickelt und schließlich eine überlegte Kaufentscheidung trifft. Beim Marketing von Produkten, mit denen sich der Käufer intensiv beschäftigt (*High-Involvement-Produkte*), muß man das Informationsgewinnungs- und -verarbeitungsverhalten des Konsumenten verstehen. Der Marketer muß hier Strategien entwickeln, die dem Käufer helfen, die Leistungsmerkmale der betreffenden Produktklasse, deren relative Bedeutung sowie die hohe Leistung der Marke bei den wesentlichen Produkteigenschaften festzustellen. Der Marketer sollte die Ausstattung seiner Marke differenzieren, sie in erster Linie in Print-Medien darstellen und sie in ausführlichen Texten beschreiben sowie das Verkaufspersonal und die Freunde des Käufers dazu veranlassen, auf die Markenwahl Einfluß auszuüben.

Dissonanzminderndes Kaufverhalten

Gelegentlich ist die persönliche Beschäftigung des Konsumenten mit der geplanten Anschaffung intensiv, doch er sieht nicht viel Unterschied zwischen den einzelnen Marken. Die intensive Beschäftigung rührt wiederum daher, daß das Kaufobjekt teuer ist, selten erworben wird und die Anschaffung mit Risiken verbunden ist. In diesem Fall erkundigt sich der Käufer in der Regel, was zur Auswahl steht, entscheidet sich dann aber ziemlich schnell zum Kauf, weil ausgeprägte Markenunterschiede fehlen. Ein günstiges Angebot oder die Bequemlichkeit eines bestimmten Kaufortes bzw. -zeitpunktes geben den Hauptausschlag für den Erwerb. Ein Beispiel ist der Kauf von industriell gefertigten Teppichen: Die Beschäftigung des Konsumenten mit dem Kauf ist dabei intensiv, weil das Produkt teuer ist und eine Rolle für seine Selbstdarstellung spielt, doch er geht sehr wahrscheinlich davon aus, daß die meisten Teppiche unterschiedlicher Hersteller in einer bestimmten Preisklasse gleich gut sind.

Nach Kaufabschluß können im Bewußtsein des Konsumenten Dissonanzen auftreten, weil er Merkmale am gekauften Teppich entdeckt, die ihn beunruhigen, oder ihm Positives über andere Fabrikate zu Ohren kommt. Er wird sich weiter informieren und bemüht sein, seine Entscheidung zu rechtfertigen, um so die nach dem Kauf entstandenen Dissonanzen abzubauen. Bei diesem Beispiel stand die Kaufhandlung am Anfang; ihr folgte die Herausbildung von Ansichten, und am Schluß wurden Einstellungen entwickelt. Hier sollte die Kundenkommunikation um Ansichten und Produktbewertungen bemüht sein, die den Konsumenten mit seiner Markenwahl zufrieden sein lassen.

Habituelles Kaufverhalten

Bei vielen Produkten ist die Beschäftigung des Konsumenten mit dem Kauf gering, und bedeutende Unterschiede zwischen den Marken sind nicht vorhanden. Ein gutes Beispiel ist der Kauf von Salz. Die persönliche Beschäftigung der Käufer mit dieser Produktklasse ist gering: Sie gehen in den Laden und nehmen irgendeine Marke. Wenn sie immer zur selben Marke greifen, geschieht dies aus Gewohnheit und nicht aufgrund ausgeprägter Markentreue. Alles deutet darauf hin, daß sich Kunden mit billigen und häufig gekauften Produkten meist nur sehr wenig beschäftigen.

Der Konsument durchläuft in diesem Fall nicht die übliche Folge der Herausbildung von Ansichten, Einstellungen und Handlungsakten. Statt sich mit großem Aufwand Kenntnisse über die verschiedenen Marken zu verschaffen, um dann deren Eigenschaften zu prüfen und schließlich eine schwerwiegende Entscheidung zu fällen, übernimmt er passiv Informationen aus Fernsehwerbung oder Print-Anzeigen. Eine häufige Wiederholung von Werbung bewirkt denn auch eher *Markenvertrautheit* als *Markenüberzeugung*. Es wird gegenüber einer bestimmten Marke also keine wirkliche Einstellung aufgebaut, sondern die Käufer nehmen einfach, was sie schon kennen. Nach dem Erwerb erfolgt vielleicht nicht einmal eine Bewertung der Anschaffung, weil die Beschäftigung mit dem Produkt fehlt. Der Kaufprozeß sieht also wie folgt aus: Durch passives Lernen bilden sich Markenansichten, denen ein Kaufakt und eventuell, jedoch nicht notwendigerweise, noch eine Bewertung folgt.

Beim Marketing von Produkten, mit denen sich die Konsumenten nur wenig beschäftigen (*Low-Involvement-Produkte*), hat es sich als wirkungsvoll herausgestellt, Sonderpreise und Verkaufsförderungsmaßnahmen als Anreiz für Probekäufe einzusetzen, da die Käufer keiner bestimmten Marke besonders stark verbunden sind. Bei der Werbung für ein »Low-Involvement-Produkt« ist eine Reihe von Dingen zu beachten. Der Werbetext sollte nur wenige, wesentliche Punkte hervorheben. Wichtig sind Symbole und Bilder, weil diese leicht im Gedächtnis bleiben und mit der Marke assoziiert werden. Die Kampagne sollte auf die häufige Wiederholung kurzer Botschaften abgestellt sein. Dabei ist das Fernsehen wirkungsvoller als die Print-Werbeträger, weil es als Medium mit geringen Konzentrationsanforderungen für passives Lernen gut geeignet ist. [25] Die Werbeplanung sollte auf der klassischen

Theorie der Konditionierung aufbauen, d.h. der Käufer lernt durch Wiederholung, sein präferiertes Produkt sofort an einem Symbol zu erkennen.

Der Marketer kann auch versuchen, die Beschäftigung der Konsumenten mit einem Produkt zu intensivieren. Dies läßt sich erreichen, indem man das Produkt mit einem »beschäftigungswerten« Problem verknüpft, z.B. Zahnpasta der Marke Crest mit dem Kampf gegen Karies. Man kann das Produkt auch an eine Situation binden, in der man sich eher mit dem Produkt beschäftigt: Man kann z.B. am frühen Morgen, wenn der Konsument seine Schläfrigkeit abschütteln will, im Radio für eine bestimmte Kaffeemarke werben. Das Interesse des Käufers kann auch geweckt werden, wenn Werbung starke emotionale Reaktionen auslöst, die mit seinen persönlichen Wertvorstellungen oder der Verteidigung seines Egos zu tun haben. Darüber hinaus ist es möglich, ein »Low-Involvement-Produkt« in einer wichtigen Eigenschaft zu verbessern, zum Beispiel, indem man ein simples, wohlschmeckendes Getränk durch Vitamine anreichert. Man sollte sich allerdings darüber im klaren sein, daß all diese Strategien die Beschäftigung der Konsumenten mit dem Produkt im besten Fall von einem niedrigen auf ein mittelmäßiges Niveau anheben, sie dadurch aber keineswegs in den Bereich komplexen Kaufverhaltens katapultieren werden.

Abwechslung suchendes Kaufverhalten

Bei bestimmten Kaufsituationen beschäftigen sich die Konsumenten nur in geringem Maße mit dem Kauf, obwohl große Unterschiede zwischen den Marken vorhanden sind. Hier wird häufig die Marke gewechselt. So mancher Verbraucher tut dies bei Käse, Wein oder Schokoladeriegeln. Der Käufer hat sich bereits seine Ansicht zum Produkt gebildet, erwirbt ohne viel Überlegung irgendeine bestimmte Marke und bewertet sie dann während des Verzehrs. Beim nächsten Mal wird er jedoch eine andere Marke aus dem Regal nehmen – aus Langeweile oder weil er eine andere Geschmacksrichtung wünscht. Der Markenwechsel erfolgt hier weniger aus Unzufriedenheit als aus Lust an der Abwechslung.

Für den Marktführer finden wir hier eine andere Marketingstrategie als für kleinere Marken in derselben Produktgruppe. Der Marktführer versucht, das Gewohnheitsverhalten der Konsumenten zu fördern, indem er im Einzelhandel den meisten Regalraum besetzt, immer für volle Bestände sorgt und häufig durch Werbung an sich erinnert. Seine Herausforderer dagegen ermuntern den Verbraucher mit niedrigeren Preisen, Sonderangeboten, Gutscheinen und Gratisproben zur Abwechslung, indem sie in ihrer Werbung Gründe dafür bieten, warum man einmal etwas Neues ausprobieren sollte.

Erforschung des Kaufprozesses

Die Unternehmen müssen den Kaufprozeß erforschen, mit dem sie es in ihrer Produktkategorie zu tun haben. Die Konsumenten können direkt gefragt werden, wann sie die Produktkategorie und die Marken darin kennenlernten, wie ihre Ansichten zu den Marken sind, wie intensiv sie sich mit dem Produkt beschäftigen, wie sie ihre Marken wählen und wie zufrieden sie sich nach dem Kauf fühlen.

Natürlich wird ein bestimmtes Produkt nicht von allen Konsumenten auf die gleiche Weise gekauft. Manche Kunden suchen mit großem Zeitaufwand nach vielen

Informationen und stellen Vergleiche an. Andere gehen in ein Fachgeschäft und kaufen ein Gerät, das ihnen empfohlen wird. So lassen sich die Konsumenten nach verschiedenen *Verhaltenstypen* beim Kauf in Segmente gruppieren – z.B. abwägende Käufer im Gegensatz zu Impulskäufern. Das Unternehmen kann für jedes dieser Segmente unterschiedliche Marketingstrategien anwenden.

Wie kann der Marketer die typischen Phasen im Kaufprozeß ermitteln? Nun, zum einen kann er sich ansehen, wie er sich selbst verhalten würde, obwohl dies nur von begrenztem Nutzen ist (*introspektive Methode*). Dann kann er Kunden, die das Produkt vor kurzer Zeit erworben haben, befragen und sich von ihnen im Rückblick die Vorgänge, die zum Kauf führten, erläutern lassen (*retrospektive Methode*). Er kann auch Konsumenten ausfindig machen, die den Kauf des Produkts erwägen, und sie bitten, ihre Gedanken dazu, wie sie den Kaufprozeß ablaufen sehen, zu offenbaren (*prospektive Methode*). Schließlich kann er Konsumenten beschreiben lassen, wie man den Kaufentscheidungsprozeß gestalten sollte (*präskriptive Methode*). Mit jeder dieser Vorgehensweisen erhält er ein Bild über die Schritte und Phasen im Kaufprozeß.

Tabelle 6-4 beschreibt den Bericht eines Computerkäufers im Rückblick. Es handelt sich um einen verheirateten Mann, dessen Interesse an Computern geweckt wird, als sich sein Nachbar solch ein Gerät kauft. Er findet daraufhin Gründe, die es rechtfertigen, sich selbst einen Computer anzuschaffen. Ein paar Tage später fällt ihm eine Anzeige für einen Apple-Computer ins Auge, und nach weiteren zwei Wochen betritt er ein Computergeschäft, um sich ein bißchen umzusehen. Da ihm der Verkäufer dort sympathisch ist und er meint, sich einen Computer leisten zu können, schließt er den Kauf ab. Er ist jedoch mit dem Gerät nicht voll zufrieden, und die Anzeige für ein Konkurrenzmodell läßt ihn eine gewisse Dissonanz verspü-

Tabelle 6-4
Bericht eines Konsumenten über einen Computerkauf

17. März	Mein Nachbar hat sich gerade einen Computer gekauft. Er sagt, für ihn sei das eine Herausforderung. Es wäre eigentlich ganz praktisch, auch einen Computer zu haben. Ich könnte damit meine Finanzplanung machen.
19. März	Sehe eine Anzeige für Apple-Computer. Darin werden Anwendungsmöglichkeiten gezeigt, die mich interessieren würden.
2. April	Habe heute abend noch nichts vor. Werde mal bei Computerland reinsehen und mich ein bißchen über Computer informieren. Ein Verkäufer kommt zu mir. Er ist sehr hilfsbereit. Finde es gut, daß er mich nicht zum Kauf drängt. Glaube nicht, daß ich mir einen Computer leisten kann. Wie hoch wäre die monatliche Belastung? Doch, das kann ich mir leisten. Meine Frau möchte auch, daß ich einen Computer kaufe. Bin wirklich beeindruckt von diesem Apple. Werde ihn kaufen und gleich mitnehmen.
5. April	Wußte nicht, daß es so lange dauert, bis man damit umgehen kann. Wünschte, der Bildschirm könnte 80 Zeichen darstellen und nicht nur 40.
6. April	Hier machen sie Werbung für den neuen IBM. Sieht so aus, als ob er ein paar recht nette Funktionen besitzt.
8. April	Mein anderer Nachbar will sich auch einen Computer kaufen. Habe ihn über die Stärken und Schwächen des Apple aufgeklärt.
11. April	Habe den Computerverkäufer angerufen, weil ich mich wegen einer klemmenden Taste erkundigen wollte. Er hat mir nicht geholfen, sondern gesagt, daß ich mich an die Kundendienstabteilung wenden soll.

ren. Einige Tage darauf hat er ein paar Fragen und ärgert sich über den Verkäufer, der nicht sehr hilfsbereit zu sein scheint. Der Marketinganalyst sollte solche Erfahrungsberichte auch von anderen Kunden einholen und versuchen, ein passendes Modell zum Kaufprozeß zu finden. [26]

Phasen des Kaufprozesses

Anhand der Untersuchung zahlreicher Konsumentenberichte über Kaufepisoden haben Kaufverhaltensforscher »Phasenmodelle« zur Beschreibung des Kaufprozesses entwickelt. Solche Phasenmodelle treffen in erster Linie auf komplexe Kaufprozesse zu, d.h. beim Kauf teurer »*High-Involvement-Produkte*«. Wir werden das in Abbildung 6-4 gezeigte Modell verwenden, wonach der Käufer die folgenden fünf Phasen durchläuft: *Problemerkennung*, *Informationssuche*, *Bewertung der Alternativen*, *Kaufentscheidung* und *Verhalten nach dem Kauf*. Dieses Modell hebt besonders hervor, daß der Kaufprozeß schon lange vor dem tatsächlichen Kaufakt beginnt und noch lange danach Auswirkungen hat. Es legt dem Marketer nahe, sich stärker auf den *Kaufprozeß* als nur auf die *Kaufentscheidung* zu konzentrieren. [27]

Dieses Modell impliziert, daß Konsumenten im Kaufprozeß alle fünf Stufen durchwandern. Wie bereits festgestellt, ist dies nicht immer der Fall, insbesondere bei »Low-Involvement-Produkten«. Es ist weiterhin möglich, daß der Käufer manche Phasen überspringt oder sie in veränderter Reihenfolge durchläuft. So springt eine Frau beim Kauf ihrer gewohnten Zahnpastamarke von der Bedarfserkennung direkt zur Kaufentscheidung und läßt die Phasen der Informationssuche und Alternativenbewertung aus. Wir werden dennoch mit dem in Abbildung 6-4 dargestellten Modell arbeiten, weil es das Gesamtspektrum der Verbrauchererwägungen, insbesondere bei Neuanschaffungen, wiedergibt.

Zur Verbildlichung des Modells werden wir ein weiteres Mal Linda Braun bemühen und zu verstehen versuchen, wie ihr Interesse am Kauf eines Personal Computers entstand und welche Stadien sie bis zur Endstufe des Prozesses durchlaufen hat.

Problemerkennung

Der Kaufprozeß beginnt damit, daß der Käufer ein Problem oder Bedürfnis erkennt. Er verspürt eine Diskrepanz zwischen seinem tatsächlichen Zustand und einem Wunschzustand. Ein Bedürfnis kann von inneren oder äußeren Reizen ausgelöst werden. Im ersteren Fall erreicht eines der normalen menschlichen Bedürfnisse – wie Hunger oder Durst – einen Schwellenwert und wird dann zu einem konkreten Trieb, der befriedigt werden will. Der Mensch weiß aus Erfahrung, wie mit diesem Trieb umzugehen ist, und seine Motivation richtet sich auf eine bestimmte Klasse von Objekten, von denen er weiß, daß sie den Trieb befriedigen werden.

Im anderen Fall wird das Bedürfnis durch einen externen Stimulus ausgelöst.

Abbildung 6-4
Fünf-Phasen-Modell des Kaufprozesses

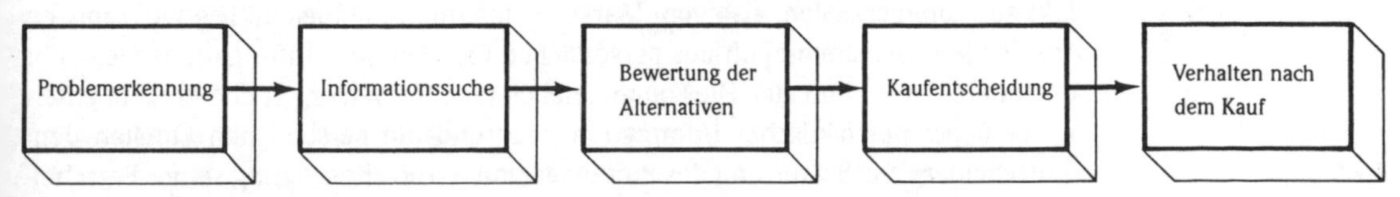

Linda Braun geht an einer Bäckerei vorbei, und der Anblick von frisch gebackenem Brot weckt ihren Hunger. Sie bewundert den neuen Wagen eines Nachbarn oder sieht im Fernsehen einen Werbespot, der einen Urlaub auf Jamaika anpreist. Auch dies sind Stimuli, die sie ein Problem oder Bedürfnis erkennen lassen können.

Der Marketer muß ermitteln, welche Umstände beim Konsumenten ein spezifisches Bedürfnis wecken.

Linda Braun würde vielleicht antworten, daß sie an ihrem Arbeitsplatz die anstrengendste Zeit allmählich hinter sich habe und das Bedürfnis verspüre, sich einem neuen Hobby zuzuwenden. Computer seien ihr in den Sinn gekommen, als ein Kollege sich einen kaufte. Durch Sammeln von Informationen über eine Anzahl von Konsumenten kann der Marketer die häufiger auftretenden Stimuli identifizieren, die das Interesse an einer bestimmten Produktkategorie wecken. Daraufhin kann er Marketingstrategien entwickeln, die das Konsumenteninteresse wecken.

Informationssuche

Der einmal stimulierte Konsument tendiert dazu, zusätzliche Informationen einzuholen.

Wir können zwei Suchzustände unterscheiden. Den weniger intensiven Suchzustand bezeichnet man als *erhöhte Wachsamkeit.* In diesem Fall wird Linda Braun einfach empfänglicher für Informationen, die Computer betreffen. Sie schenkt Computerwerbung, von Freunden gekauften Geräten und Gesprächen zum Thema Computer Beachtung.

Im anderen Fall geht Linda auf *aktive Informationssuche*: Sie hält Ausschau nach Lesestoff, ruft Freunde an und befaßt sich mit anderen Suchaktivitäten, um mehr über Computer zu erfahren. Die Intensität ihrer Suche hängt davon ab, wie stark ihr Trieb ist, von welcher anfänglichen Informationsmenge sie ausgeht, wie leicht sie an weitere Informationen gelangt, welchen Wert sie zusätzlichen Informationen beimißt und wie befriedigend sie den Suchprozeß empfindet. Normalerweise steigert der Konsument den Umfang der Suchaktivitäten, wenn er in Entscheidungssituationen von einer *beschränkten Problemlösung* zu einer *umfassenden Problemlösung* übergeht.

Der Marketer ist an den Informationsquellen interessiert, die der Konsument nutzt, und auch am Einfluß dieser Quellen auf die Kaufentscheidung. *Die Informationsquellen der Konsumenten lassen sich in vier Gruppen unterteilen:*

- Persönliche Quellen (Familie, Freunde, Nachbarn, Bekannte)
- Kommerzielle Quellen (Werbung, Verkäufer, Händler, Verpackung, Ausstellungen)
- Öffentliche Quellen (Massenmedien, Testinstitute, Verbraucherverbände)
- Erfahrungsquellen (das Produkt »begreifen«, untersuchen und benutzen)

Wie viele Informationsquellen der Konsument nutzt und welchen Einfluß sie haben, hängt von der Produktkategorie und den Charakteristika des Konsumenten ab. Im allgemeinen erhält der Konsument die meisten Informationsanstöße über ein Produkt aus kommerziellen, also vom Marketer dominierten Quellen. Die wirksamsten Anstöße jedoch stammen oft aus persönlichen Quellen. Jede Informationsquelle übt auf andere Art Einfluß aus. Die kommerziellen Quellen versorgen den Konsumenten in der Regel mit faktischer Information, während die persönlichen Quellen dem »Entscheider« zur Bewertung des Produktes und zur Rechtfertigung seiner Entschei-

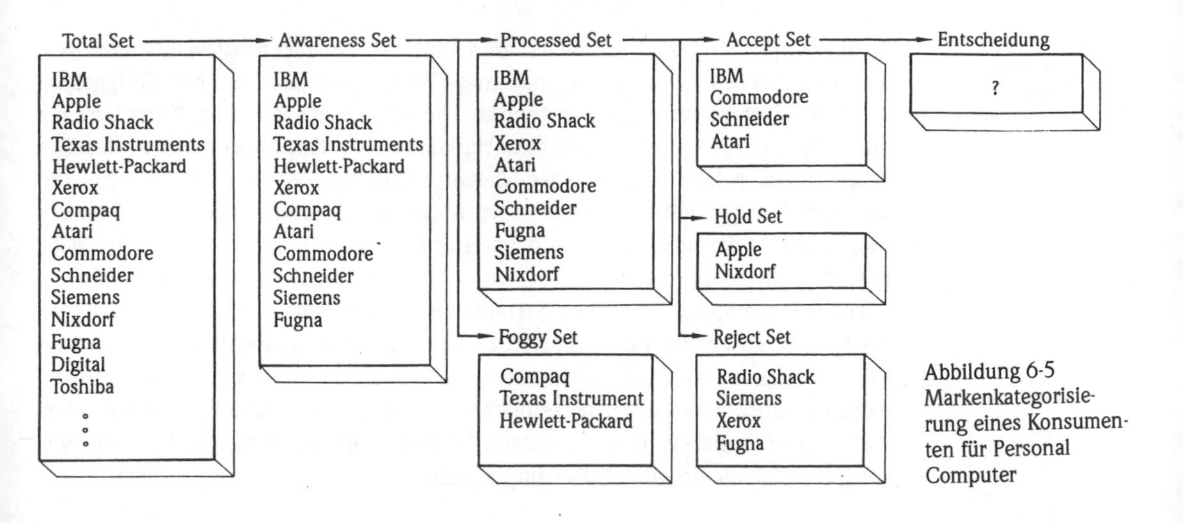

Abbildung 6-5 Markenkategorisierung eines Konsumenten für Personal Computer

dung dienen. So erfahren Ärzte häufig aus kommerziellen Quellen die Fakten über neue Medikamente, wenden sich jedoch an Kollegen, um bewertende Informationen einzuholen.

Durch Informationssammlung lernt der Konsument die auf dem Markt angebotenen Marken und ihre Eigenschaften kennen. Der in Abbildung 6-5 ganz links stehende Kasten beinhaltet die Gesamtmenge der zur Auswahl stehenden Marken (»*total set*«). Linda wird jedoch nur eine Teilmenge daraus zur Kenntnis nehmen, nämlich die ihr dann bekannten Marken (»*awareness set*«). Wiederum nur ein Teil davon wird von Linda im Bewertungsprozeß näher betrachtet (»*processed set*«). Der andere Teil wird nicht genauer bewertet, da z.B. dem Verbraucher nicht genügend Information von Interesse vorliegt oder Informationen nur umständlich zu beschaffen wären. Dem Verbraucher ist die Existenz der Marken zwar bekannt, aber da es an weiteren Informationen fehlt, empfindet er diese Marken als »nebulös« (»*foggy set*«). Unter den betrachteten Marken sind für Linda Braun einige, die von vornherein ausscheiden (»*reject set*«), andere, die in die engere Wahl kommen (»*accept set*« oder »*choice set*«) [28], da sie Lindas Kriterien für Akzeptabilität erfüllen, und solche Marken, die von vornherein weder verworfen noch als akzeptabel angesehen werden (»*hold set*«). Im »*hold set*« befinden sich Marken, die eventuell akzeptabel wären, wenn ihre Leistung oder ihr Preis verbessert würden. Die Einordnung der Marken durch den Verbraucher in die verschiedenen Kategorien wird durch den Informationsfluß über sie gesteuert. Der Konsument fühlt sich am besten über die Marken im »accept set« informiert und hat das höchste Vertrauen in seine diesbezügliche Informationsbeurteilung. Er sieht ein positives Preis-Qualitätsverhältnis bei den Marken im »*accept set*« und ein negatives bei Marken des »*reject set*«. [29]

Die praktische Folgerung für ein Unternehmen ist, strategisch so vorzugehen, daß es seine Marke in das Bewußtsein, in die konkrete Erwägung und schließlich in die Endauswahl des potentiellen Käufers bringt. Gelingt dies nicht, hat das Unternehmen die Chance vergeben, sein Produkt zu verkaufen. Das Unternehmen muß darüber hinaus ermitteln, welche anderen Marken bis in die Endauswahl des Konsumenten vorstoßen, um sich durch geeignete Werbebotschaften von den übriggebliebenen Konkurrenten absetzen zu können. Die Stärke einer Marke im Markt wird oft nur nach deren Bekanntheitsgrad und Marktanteil beurteilt. Beides sind zwar nützliche Zahlen, jedoch versäumt der Marketer Chancen, wenn er nicht weiß, bei welchem Anteil potentieller Kunden und warum seine Marke in die nähere Betrachtung sowie in das »choice set« kommt, und bei welchen Konsumenten dies nicht gelingt.

Die Informationsquellen der Konsumenten müssen vom Marketer ausfindig gemacht und hinsichtlich ihrer relativen Bedeutung analysiert werden. Konsumenten sollten befragt werden, auf welche Weise sie zum ersten Mal vom Produkt erfuhren, welche Informationen sie später erhielten und welchen Einfluß die einzelnen Informationsquellen haben. Dies zu wissen ist ausschlaggebend für die Planung wirkungsvoller Kommunikation mit dem Zielmarkt.

Bewertung der Alternativen

Die Frage ist nun: Auf welche Weise verarbeitet der Konsument die Informationen über diese Markenalternativen, um schließlich eine endgültige Entscheidung zu treffen? Es existiert nun leider kein einfacher, für alle Konsumenten identischer Bewertungsprozeß, ja nicht einmal der einzelne Kunde bedient sich in allen Kaufsituationen derselben Auswahlprozedur. Vielmehr bestehen mehrere Bewertungsprozesse. Die meisten Modelle zum Bewertungsprozeß des Konsumenten sind kognitiver Art, d.h. sie gehen davon aus, daß der Konsument ein Produkt auf weitgehend bewußte, rationale Weise beurteilt.

Einige Grundkonzepte können uns helfen, die Bewertungsprozesse der Konsumenten zu verstehen. Sie lauten wie folgt: Der Konsument versucht, ein Bedürfnis zu befriedigen oder ein Problem zu lösen. Vom Produkt, das ihm hier helfen soll, erwartet er Nutzenvorteile. In jedem Produkt erkennt er ein Bündel von Eigenschaften (*Produktattribute)*, welche die gewünschten Nutzenvorteile in unterschiedlichem Maße bringen und sein Bedürfnis befriedigen können. Im folgenden sind einige Produktattribute aufgeführt, die für die Kunden bei verschiedenen Produkten von Interesse sind:

- *Käse:* Sorte, Form, Konsistenz, Aussehen, Beschaffenheit, Reifegrad.
- *Computer:* Speicherkapazität, Graphikfähigkeit, Verfügbarkeit von Software.
- *Hotel:* Lage, Sauberkeit, Atmosphäre, Preisklasse.
- *Mundwasser:* Farbe, Wirksamkeit, Desinfektionswirkung, Preis, Geschmack/Aroma.
- *Lippenstift:* Farbe, Behälter, Auftragbarkeit, Prestigewert, Geschmack/Aroma.
- *Reifen:* Sicherheit, Laufleistung, Fahrkomfort, Preis.

Die Kunden halten die verschiedenen Produkteigenschaften für unterschiedlich relevant oder ausschlaggebend. Am stärksten sind sie an den Attributen interessiert, welche die gewünschten Nutzenvorteile bringen können. Der Markt für eine Produktkategorie läßt sich häufig nach den Produkteigenschaften segmentieren, die für verschiedene Konsumentengruppen besonders ausschlaggebend sind.

Man darf nicht den Schluß ziehen, daß die ausschlaggebenden Produkteigenschaften gleichzeitig auch die wichtigsten sind. Ein Teil der Attribute ist für den Konsumenten möglicherweise deswegen ausschlaggebend, weil er kurz zuvor durch Werbung darauf gestoßen wurde, oder weil er ein Problem hatte, bei dem sie eine Rolle spielten, so daß sie ganz oben auf seine gedankliche Prioritätenliste kamen. Darüber hinaus können zu den nicht ausschlaggebenden Produkteigenschaften auch solche gehören, die der Konsument vergessen hat, aber deren Wichtigkeit er wiedererkennen würde, wenn darauf hingewiesen wird. Der Marketer sollte bei Produktattributen größeren Wert auf deren wirkliche Wichtigkeit für den Konsumenten legen als auf deren oft situationsbedingten Ausschlag. Der Marketer muß jedoch herauszufinden versuchen, welches *Bedeutungsgewicht* die Konsumenten den auf den ersten Blick ausschlaggebenden Eigenschaften wirklich beimessen. [30]

Der Konsument neigt dazu, sich seine *Markeneinschätzung* anhand des Vergleichs von Produkteigenschaften verschiedener Marken zu bilden. Die Summe der Eigenschaftseinschätzungen einer bestimmten Marke bildet das *Markenimage.* Diese Einschätzungen werden durch Erfahrungen mit der Marke und den Effekt der selektiven Beachtung, Verzerrung und Erinnerung mit beeinflußt.

Man nimmt an, daß jede Produkteigenschaft für den Konsumenten eine bestimmte *Nutzenfunktion* hat. [31] Diese Funktion beschreibt, wie die Ausprägung der Produkteigenschaften in die Zufriedenstellung des Kunden mit dem Produkt eingeht. Linda Braun erwartet möglicherweise eine umso stärkere Zufriedenstellung, je besser die Speicherkapazität, Graphikfähigkeit und Software-Verfügbarkeit eines Computers ist, sieht andererseits jedoch ihre Zufriedenstellung durch den Preis des Gerätes beeinträchtigt. Kombiniert man den Ausprägungsgrad aller Attribute so, daß der höchste Nutzen erreicht wird, erhält man Lindas idealen Computer. Der erwartete Nutzen auf dem Markt erhältlicher Computer wird unter diesem für einen Idealcomputer festgestellten Maximalnutzen liegen.

Der Konsument bildet durch ein *Bewertungsverfahren* seine Einstellung (seine Attitüden, seine Präferenzen) zu verschiedenen Markenalternativen heraus. Man hat festgestellt, daß es unterschiedliche Bewertungsverfahren gibt, anhand derer Konsumenten zwischen Objekten mit mehreren Attributen ihre Wahl treffen. [32]

Diese aufgeführten Grundkonzepte sollen nun am Beispiel von Linda Brauns Computerkauf veranschaulicht werden. Wir gehen davon aus, daß ihre Endauswahl sich auf vier Computer eingeengt hat und sie hauptsächlich an den folgenden vier Produktattributen interessiert ist: Speicherkapazität, Graphikfähigkeit, Software-Verfügbarkeit und Preis. Tabelle 6-5 zeigt ihre persönliche Bewertung dieser Merkmale. Dem Computer der Marke A gibt sie zum Beispiel folgende Punktzahlen in einer Skala von 1 bis 10: Speicherkapazität 10, Graphikfähigkeit 8, Software-Verfügbarkeit 6, Preis 4 (also etwas teuer). Auf dieselbe Weise schätzt sie auch die Eigenschaften der drei anderen Computer ein. Der Marketer würde gern vorhersagen können, welchen Computer Linda Braun kaufen wird.

Wenn einer der Computer den übrigen in allen Punkten überlegen wäre, könnte man selbstverständlich voraussagen, daß Linda Brauns Wahl auf ihn fallen würde. Tatsächlich jedoch setzt sich ihre Endauswahl aus Marken zusammen, die unterschiedliche Stärken und Schwächen aufweisen. Wenn Linda den größten Wert auf die Speicherkapazität legt, sollte sie Computer A nehmen. Wenn sie das Gerät mit der besten Graphikfähigkeit wünscht, müßte sie dagegen Computer B wählen; wenn es ihr um das breiteste Software-Angebot geht, Computer C, und wenn sie das preisgünstigste Gerät will, Computer D. Manche Konsumenten treffen ihre Kaufent-

Tabelle 6-5
Markeneinschätzung verschiedener Computer durch einen Konsumenten

Computer	Produktattribute			
	Speicher-kapazität	Graphik-fähigkeit	Software-Verfügbarkeit	Preis
A	10	8	6	4
B	8	9	8	3
C	6	8	10	5
D	4	3	7	8

Erläuterung: Die Ausprägung jedes Attributs wird mit Punkten auf einer Skala von 1 bis 10 benotet, wobei 10 den Höchstwert darstellt. Computer A besitzt demnach die größte Speicherkapazität. Beim Preis bezeichnet 10 den niedrigsten, nicht den höchsten Preis.

scheidung nur aufgrund einer einzigen Produkteigenschaft – und in diesem Fall ist ihre Wahl leicht vorherzusagen.

Die meisten Käufer jedoch beziehen mehrere Produkteigenschaften in ihre Bewertung mit ein und geben diesen ein unterschiedliches Gewicht. Wenn wir wüßten, welches Gewicht jede der vier Eigenschaften für Linda Braun hat, könnten wir eine verläßlichere Voraussage über ihre Kaufentscheidung treffen.

Nehmen wir an, Linda Braun gewichtet die Speicherkapazität mit 40 %, die Graphikfähigkeit mit 30 %, die Software-Verfügbarkeit mit 20 % und die Preisgünstigkeit mit 10 %. Zur Ermittlung, wie hoch Linda Braun den Gesamtnutzen jedes zur Auswahl stehenden Computers sieht, multipliziert man diese Gewichtungen (Bewertungen) mit dem geschätzten Ausprägungsgrad der Attribute für die einzelnen Geräte. Damit zeigt sich, welchen Wert für den Gesamtnutzen Linda von jedem der Computer erwartet.

Computer A = 0,4(10) + 0,3(8) + 0,2 (6) + 0,1(4) = 8,0
Computer B = 0,4 (8) + 0,3(9) + 0,2 (8) + 0,1(3) = 7,8
Computer C = 0,4 (6) + 0,3(8) + 0,2(10) + 0,1(5) = 7,3
Computer D = 0,4 (4) + 0,3(3) + 0,2 (7) + 0,1(8) = 4,7

Wir würden also prognostizieren, daß Linda Brauns Wahl auf Computer A fiele. Man bezeichnet dieses Bewertungsverfahren als *Erwartungswertmodell.* [33] Es handelt sich dabei um eines von mehreren möglichen Strukturmodellen zur Beschreibung, wie der Konsument Alternativen (vgl. Anhang zu Kapitel 6) bewertet. Wie bereits angemerkt, sollte der Marketer durch Interviews mit Computerkäufern feststellen, mit welchem Verfahren sie alternative Marken bewerten.

Angenommen, die meisten Interviews mit Computerkäufern lassen erkennen, daß Markenpräferenzen aufgrund des oben beschriebenen Erwartungswertmodells gebildet werden. Mit dieser Information eröffnen sich einem Computerhersteller eine Reihe von Möglichkeiten zur Beeinflussung von Kaufentscheidungen. Der Marketer von Computer C könnte z. B. folgende Strategien anwenden, um bei Konsumenten wie Linda Braun ein verstärktes Interesse für sein Produkt zu wecken: [34]

- *Modifikation des Computers:* Der Computer kann so verändert werden, daß er mehr Speicherkapazität oder andere Eigenschaften bietet, auf die dieser Käufertypus Wert legt. Man bezeichnet dies als *reale Repositionierung.*
- *Änderung der Einschätzung der eigenen Marke:* Der Marketer kann versuchen, die Einschätzung der Käufer über die Ausprägung der Eigenschaften seines Produkts zu ändern. Dies ist insbesondere dann zu empfehlen, wenn die Käufer z. B. die Qualitäten von Computer C unterschätzen, jedoch nicht unbedingt anzuraten, wenn ihre Beurteilung des Gerätes

genau zutrifft. Übertriebene Behauptungen über die Produkteigenschaften würden nämlich zu Unzufriedenheit nach dem Kauf und unvorteilhafter Mundpropaganda führen. Das Bestreben, die Einschätzung einer Marke durch den Konsumenten zu ändern, nennt man *psychologische Repositionierung.*

- *Änderung der Einschätzung von Konkurrenzmarken:* Man kann auch versuchen, beim Konsumenten die Einschätzung der Produkteigenschaften von Konkurrenzprodukten zu ändern. Diese Vorgehensweise kann sinnvoll sein, wenn die Konsumenten irrtümlicherweise eine höhere Qualität der Konkurrenzmarke annehmen, als diese tatsächlich zu bieten hat. Diese Strategie bezeichnet man als *Depositionierung der Wettbewerber.* In den USA kann man dazu vergleichende Werbung einsetzen, die jedoch in Deutschland untersagt ist.
- *Änderung der Attributgewichtung:* Eine weitere Möglichkeit ist es, die Käufer dazu zu bewegen, den ausgeprägtesten Eigenschaften der Marke größeres Gewicht beizumessen. Der Marketer von Computer C könnte z.B. die reichhaltige, für dieses Gerät erhältliche Software als besonders wichtig herausstellen, weil C in dieser Hinsicht überlegen ist.
- *Die Aufmerksamkeit auf vernachlässigte Attribute lenken:* Der Marketer könnte versuchen, beim Kunden Aufmerksamkeit für nicht beachtete Produkteigenschaften zu erregen. Wenn der Computer der Marke C ein bequem tragbares Modell ist, könnte diese Eigenschaft in der Werbung als Vorzug herausgestellt werden.
- *Änderung der Idealvorstellungen des Käufers:* Der Marketer könnte auch eine Änderung der idealen Ausprägung anstreben, die der Käufer bei einer oder mehreren Produkteigenschaften vor Augen hat. Der Marketer von Computer C könnte z.B. versuchen, die Konsumenten davon zu überzeugen, daß Computer mit großem Speicher eher abstürzen und deshalb ein mittelgroßer Speicher wünschenswert ist.

Kaufentscheidung

In der Bewertungsphase bildet der Konsument Präferenzen unter den Marken der Endauswahl heraus, und möglicherweise faßt er eine Kaufabsicht mit Neigung zu der am meisten bevorzugten Marke. Zwischen dieser Kaufabsicht und der tatsächlichen Kaufentscheidung können allerdings, wie in Abbildung 6-6 dargestellt, noch zwei Faktoren zur Geltung kommen.[35]

Der erste dieser Faktoren ist die *Einstellung anderer.* Nehmen wir an, Linda Brauns Mann möchte unbedingt, daß sie den billigsten Computer, also D, erwirbt, um die Ausgaben möglichst niedrig zu halten. Dadurch würde sich die Wahrscheinlichkeit, daß Linda Braun Computer A erwirbt (die »Kaufwahrscheinlichkeit«), etwas verringern. In welchem Ausmaß die Haltung Dritter die Wahrscheinlichkeit des Erwerbs der von einer Person bevorzugten Markenalternative mindert, hängt von zwei Dingen ab: Erstens von der Intensität der negativen Einstellung des Dritten gegenüber der vom Konsumenten bevorzugten Alternative, und zweitens von der Bereitschaft dieser Person, den Wünschen des Dritten zu entsprechen.[36] Je stärker die negative Haltung des Dritten ist, und je näher der Konsument dieser Person

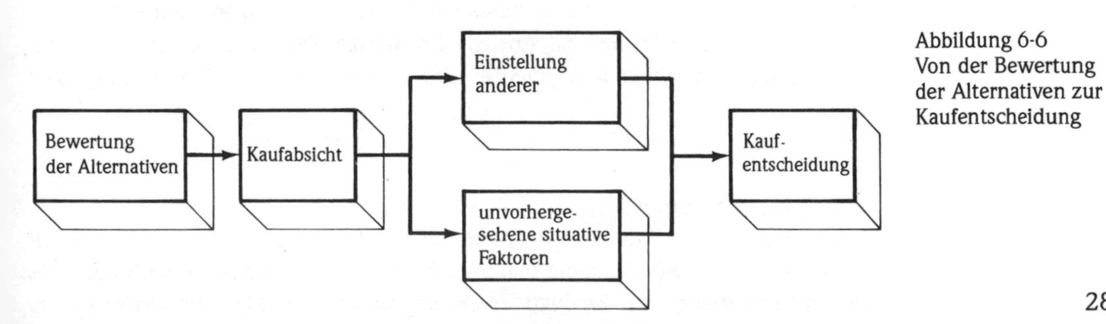

Abbildung 6-6
Von der Bewertung der Alternativen zur Kaufentscheidung

steht, desto mehr wird er seine ursprüngliche Kaufabsicht ändern. Es gibt aber auch den umgekehrten Effekt: Die Präferenz eines Käufers für eine bestimmte Marke wird noch verstärkt, wenn eine von ihm geschätzte Person dieselbe Marke bevorzugt. Die Beeinflussung eines Käufers durch andere nimmt komplexe Formen an, wenn mehrere ihm nahestehende Personen widersprüchliche Auffassungen vertreten und der Käufer gern die Zustimmung aller finden möchte.

Auch *unvorhergesehene situative Faktoren* beeinflussen die Kaufabsicht. Der Konsument entwickelt seine Kaufabsicht auf der Basis des erwarteten Haushaltseinkommens, des erwarteten Preises für das Produkt, der von ihm erhofften Vorteile und ähnlicher Faktoren. Eine kurz vor dem Kaufakt eintretende unerwartete Situation kann durchaus eine Änderung der Kaufabsicht bewirken. Es könnte zum Beispiel sein, daß Linda Braun ihren Arbeitsplatz verliert, eine andere Anschaffung plötzlich Vorrang hat, oder ein Bekannter über schlechte Erfahrungen mit dem von ihr bevorzugten Computer berichtet. Weder Präferenzen noch konkrete Kaufabsichten sind also absolut verläßliche Voraussageindikatoren für das tatsächliche Kaufverhalten.

Der Beschluß des Konsumenten, die endgültige Kaufentscheidung zu modifizieren, aufzuschieben oder ganz zu unterlassen, wird stark vom *subjektiv wahrgenommenen Risiko* beeinflußt. Teure Anschaffungen werden als risikoreich angesehen.[37] Die Konsumenten wissen nicht mit Sicherheit, wie das Kaufresultat aussehen wird, und dies ruft Angst hervor. Wie groß das perzipierte Risiko ist, hängt davon ab, wieviel Geld auf dem Spiel steht, wie groß die Unsicherheit in bezug auf die Produkteigenschaften ist und welches Selbstvertrauen der Käufer besitzt. Der Konsument eignet sich ein bestimmtes Risikominderungsverhalten an, z.B. das Aufschieben von Entscheidungen, die Informationsgewinnung bei Freunden oder die Bevorzugung von Marken, die bekannt sind und Garantien bieten. Der Marketer sollte die Faktoren kennen, die bei den Konsumenten ein Gefühl des Risikos hervorrufen, und Informationen und Hilfen zur Verfügung stellen, um dieses wahrgenommene Risiko abzubauen.

Beschließt ein Konsument, seine Kaufabsicht auszuführen, trifft er bis zu fünf *Kaufteilentscheidungen* : über die Marke (im Falle von Linda zum Beispiel Computer A), Einkaufsstätte (Händler 2), Kaufmenge (ein Computer), Kaufzeitpunkt (Wochenende) und Zahlungsweise (Kreditkarte). Die verschiedenen Teilentscheidungen fallen nicht notwendigerweise in der angegebenen Reihenfolge. Außerdem denkt der Konsument beim Kauf von alltäglichen Produkten viel weniger intensiv nach, und ein Teil dieser Entscheidungen entfällt. Wenn Linda Braun beispielsweise Zigaretten kauft, dürfte sie sich wenig Gedanken über die Einkaufsstätte oder Zahlungsweise machen. Wir haben zur Veranschaulichung des vollständigen, beim Kauf zu beobachtenden Verhaltensspektrums mit Absicht das Beispiel Personal Computer gewählt, also ein Produkt, das beim Konsumenten einen umfassenden Problemlösungsprozeß bedingt.

Verhalten nach dem Kauf

Nach dem Kauf eines Produkts setzt beim Käufer ein gewisses Maß an Zufriedenheit oder Enttäuschung ein. Auch die sich an den Kauf anschließenden Handlungen des Konsumenten sowie seine Produktverwendung sind für den Marketer von Interesse.

Das Marketing endet also nicht mit dem Verkauf des Produkts, sondern umfaßt auch noch die Phase danach.

Zufriedenheit nach dem Kauf
Es ist möglich, daß der Käufer nach dem Kauf eines Produkts entdeckt, daß es einen Makel hat. Manche wollen unter keinen Umständen ein fehlerhaftes Produkt, während andere den Fehler einfach hinnehmen. Es gibt auch Käufer, die einen Makel gar als Besonderheit und damit als wertsteigernd empfinden. Produktfehler können allerdings manchmal den Konsumenten gefährden. Unternehmen der Automobil-, Spielzeug- und Arzneimittelbranche ist hier schon mancher Fehler unterlaufen. Sobald der Fehler erkannt ist, müssen sie das Produkt schnellstens aus dem Markt nehmen, wenn auch nur die geringste Gefahr besteht, daß der Verbraucher Schaden erleiden könnte. [38]

Wovon hängt es ab, wie zufrieden oder unzufrieden der Käufer mit dem erworbenen Produkt ist? Dies ist eine Funktion der vom Käufer auf das Produkt gerichteten *Erwartungen* (E) und der *perzipierten Produktleistung* (P): $S = f(E, P)$. [39] Wird das Produkt den Erwartungen gerecht, ist der Konsument zufrieden; übertrifft es seine Erwartungen, ist er erfreut und begeistert; bleibt es dagegen hinter den Erwartungen zurück, ruft dies Unzufriedenheit hervor. Diese Zufriedenheitsgefühle sind ausschlaggebend dafür, ob der Kunde das Produkt wieder kauft und ob er sich positiv oder negativ darüber äußert.

Die Erwartungen der Konsumenten basieren auf den Informationen, die sie von Verkäufern, Freunden und aus anderen Quellen erhalten. Stellt der Verkäufer die Produktvorzüge übertrieben dar, bauen sich übersteigerte Erwartungen auf, die nicht erfüllt werden, was zur Unzufriedenheit des Käufers führt. Je größer die Diskrepanz zwischen den Erwartungen und der tatsächlich erbrachten Produktleistung ist, desto stärker wird die Unzufriedenheit des Käufers. Hier gibt es unterschiedliche Verhaltensmuster, wie ein Käufer Unzufriedenheit bewältigt. Während manche Konsumenten in ihrem Innern die Kluft zwischen ihren Erwartungen und einem enttäuschenden Produkt noch vergrößern und folglich extrem unzufrieden sind, versuchen andere, sie als weniger gravierend zu betrachten, und vermindern so ihre Unzufriedenheit. [40]

Dieses Konzept legt nahe, daß wirklich nur solche Werbebehauptungen aufgestellt werden sollten, die die wahrscheinliche Leistung des Produkts wahrheitsgetreu darstellen, damit die Kunden dann auch zufrieden sind. Man kann die Produktleistung sogar zurückhaltend darstellen, um so zu erreichen, daß die Zufriedenheit der Käufer mit dem Produkt ihre Erwartungen übertrifft.

Laut Festinger und Bramel ist nach Kaufentscheidungen, die nicht routinemäßig getroffen werden, eine gewisse kognitive Dissonanz zu erwarten:

> Wenn eine Person zwischen zwei oder mehreren Alternativen wählt, entsteht bei ihr aufgrund des Bewußtseins, daß die getroffene Entscheidung zwar gewisse Vorteile, ebenso aber auch gewisse Nachteile hat, fast zwangsläufig Unbehagen oder Dissonanz. Diese Dissonanz tritt nach nahezu jeder Entscheidung auf, und die betroffene Person wird mit Bestimmtheit Schritte zu ihrem Abbau ergreifen. [41]

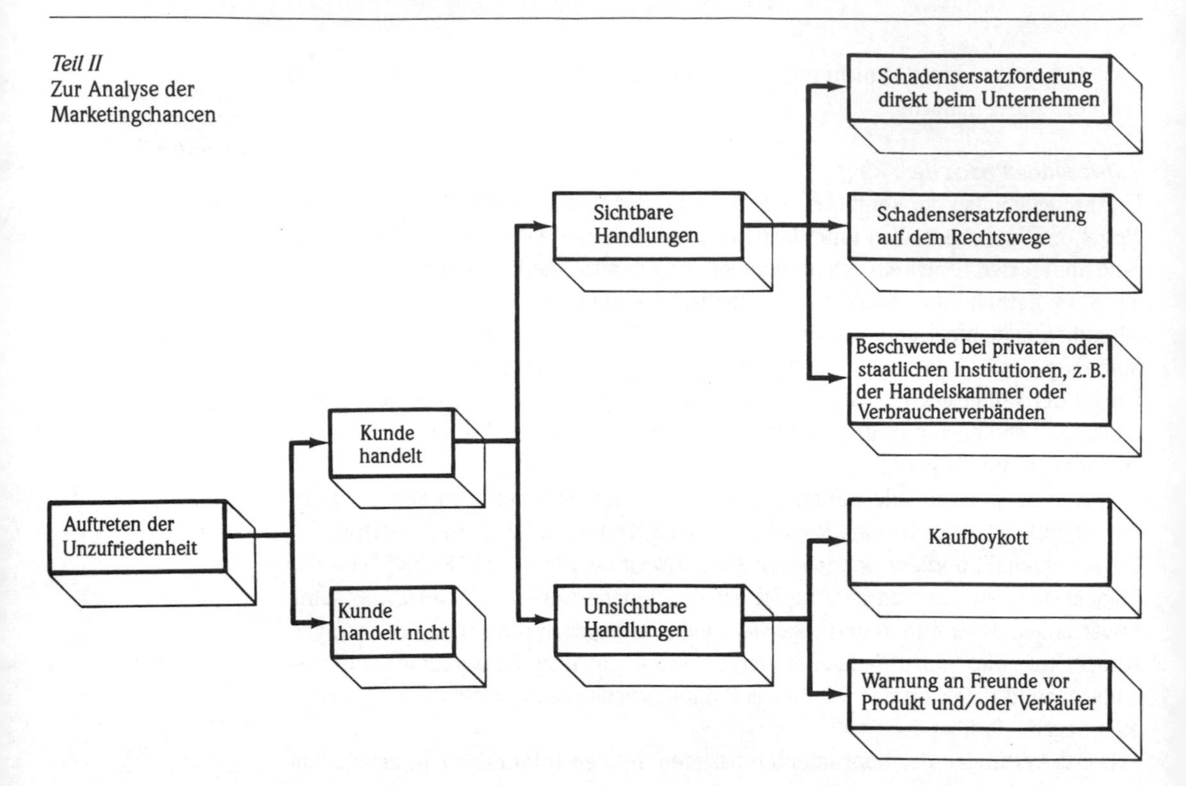

Abbildung 6-7
Mögliche Handlungsweisen unzufriedener Kunden

Quelle: Ralph L. Day und E. Laird Landon, Jr.: »Toward a Theory of Consumer Complaining Behavior«, in: *Consumer and Industrial Buying Behavior*, Hrsg. Arch G. Woodside, Jagdish N. Sheth und Peter D. Bennett, New York: Elsevier North-Holland, 1977, S. 432.

Handlungen nach dem Kauf

Die Zufriedenheit bzw. Unzufriedenheit des Kunden mit dem Produkt bestimmt seine weiteren Handlungen. Ist der Käufer zufrieden, dann steigt die Wahrscheinlichkeit, daß er sich auch bei der nächsten Gelegenheit für das gleiche Produkt entscheiden wird. Außerdem wird er sich anderen gegenüber positiv über das Produkt und die Herstellerfirma äußern. Der Marketer sagt: »Ein zufriedener Kunde ist die beste Werbung«. [42]

Ein unzufriedener Kunde handelt anders. Er versucht, die verspürte Dissonanz abzubauen, weil der Mensch nach innerer Harmonie, Widerspruchsfreiheit und Kongruität seiner Meinungen, Kenntnisse und Werte strebt. [43] Konsumenten, bei denen Dissonanzen auftreten, behelfen sich mit einer bzw. zwei Handlungsweisen. Der Dissonanzabbau kann zum einen durch *Rückgabe* oder *Wegwerfen* des Produkts oder zum anderen über die Suche nach Informationen, die seinen *Wert hoch halten* (bzw. der Vermeidung von Informationen, die seinen Wert mindern) erfolgen. Linda Braun würde also ihren Computer entweder zurückgeben oder sich um solche Informationen bemühen, die sie mit dem Gerät zufrieden sein lassen.

Der Marketer sollte die Handlungsmöglichkeiten erkennen, die seine Kunden bei Unzufriedenheit wahrnehmen (Abbildung 6-7). Der Konsument steht vor der Wahl, aktiv zu werden oder inaktiv zu bleiben. Entscheidet er sich dazu, aktiv zu werden, kann er Handlungen vornehmen, die für den Marketer sichtbar oder aber unsichtbar

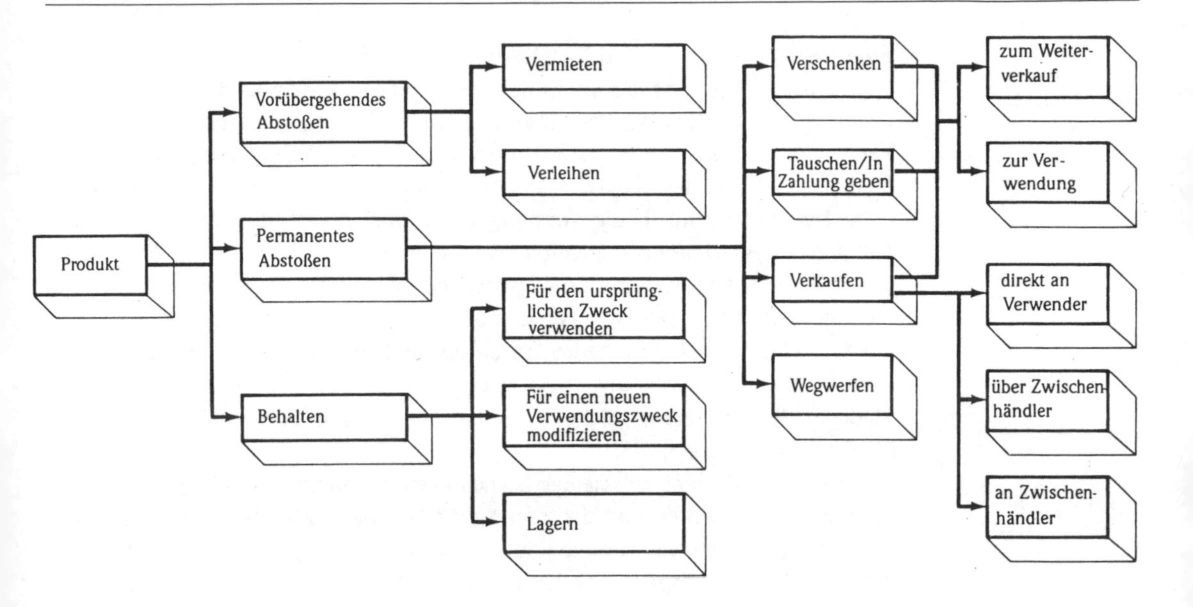

Abbildung 6-8
Verwenden oder Abstoßen von Produkten durch den Kunden

sind. Zu den sichtbaren Handlungen gehören Schadensersatzforderungen auf dem Rechtswege oder direkt beim Unternehmen und Beschwerden bei privaten oder staatlichen Institutionen, die sich eventuell für die Sache des Kunden engagieren werden. Dazu gehören Handwerkskammer, Handelskammer, Ärztekammer, bestimmte Fernsehprogramme und Zeitschriften sowie Verbraucherverbände. Der Käufer kann auch Handlungen vornehmen, die für den Hersteller im Verborgenen bleiben. Er kann z.B. die Marke, den Hersteller oder den Vertreiber boykottieren (dies wäre die sogenannte »Ausstiegsoption«) oder Freunde und Bekannte vor dem Produkt, dem Hersteller oder Vertreiber warnen (die »Stimmoption«).[44] In all diesen Fällen steht der Verkäufer als Verlierer da, da er den Kunden nicht hinreichend zufriedenstellen konnte.[45]

Der Marketer kann natürlich Schritte zur Minimierung der beim Kunden nach dem Kauf auftretenden Unzufriedenheit ergreifen. Computerhersteller können z.B. neuen Kunden per Brief zum Kauf eines hervorragenden Gerätes gratulieren; sie können Anzeigen schalten, die zufriedene Computerbesitzer zeigen, bei den Kunden um Verbesserungsvorschläge bitten und ihnen Adressen von Service-Einrichtungen zukommen lassen. Sie können die Bedienungsanleitungen so abfassen, daß sie dissonanzreduzierend wirken, oder den Gerätebesitzern Broschüren mit Beiträgen über neue Anwendungen zusenden. Kommunikationen mit dem Kunden nach dem Kauf können erwiesenermaßen die Produktrückgaben und Auftragsstornierungen verringern.[46] Außerdem kann man auch funktionierende Kommunikationskanäle für Kundenbeschwerden einrichten und dafür sorgen, daß Beschwerdepunkte rasch bereinigt werden.

Produktverwendung und Produktabstoßung
Noch einen weiteren Aspekt des Kundenverhaltens nach dem Kauf sollte der Marketer im Auge behalten: die Verwendung bzw. Abstoßung des Produkts durch den Käufer (Abbildung 6-8). Wenn die Kunden einen neuen Verwendungszweck für ein Produkt finden, ist dies für das Marketing von Interesse, denn diese neue Anwendung kann wiederum in die Werbung aufgenommen werden. Wenn die Käufer dagegen ihre Anschaffung ungenutzt lagern oder wegwerfen, ist dies ein Indiz dafür, daß das Produkt nicht sehr zufriedenstellend ist und die Mundpropaganda dafür nicht gut sein dürfte. Der Weiterverkauf oder Tausch des Produkts durch den Konsumenten würde den Absatz neuer Waren beeinträchtigen. Alles in allem kann also eine Analyse zur Verwendung und Weitergabe von Produkten durch die Käufer dem Marketer Hinweise auf mögliche Probleme geben und ihm eventuell günstige neue Möglichkeiten eröffnen. [47]

Für die Entwicklung wirksamer Marketingstrategien ist es wichtig, die Bedürfnisse der Konsumenten und die zum Kauf führenden Prozesse zu verstehen. Aus dem Verständnis heraus, wie die Käufer Probleme erkennen, Informationen gewinnen, Alternativen bewerten, die Kaufentscheidung treffen und sich nach dem Kauf verhalten, ergeben sich für den Marketer viele Hinweise darauf, wie den Bedürfnissen der Konsumenten entsprochen werden kann. Das Wissen um die Rollen verschiedener Teilnehmer am Kaufprozeß und die wesentlichen Einflußkräfte gibt dem Marketer die Möglichkeit, wirksame Marketingprogramme für seine Zielmärkte zu entwerfen.

Zusammenfassung

Fundierte Kenntnisse über das Kaufverhalten der Konsumenten sind eine wesentliche Voraussetzung für die Entwicklung solider Marketingpläne.

Waren und Dienstleistungen für den persönlichen Gebrauch werden auf dem Konsumgütermarkt bewegt. Um ihn kreist das Wirtschaftsgeschehen. Der Konsumgütermarkt setzt sich aus vielen Teilmärkten zusammen, z.B. den jungen Erwachsenen oder den Senioren. Für die Analyse eines dieser Konsumgüterteilmärkte ist die Kenntnis der Kunden, Kaufobjekte, Kaufziele, Kaufbeeinflusser, Kaufprozesse, Kaufanlässe und Kaufstätten erforderlich.

Das Konsumentenverhalten wird in vier wichtigen Bereichen beeinflußt, nämlich im kulturellen (Kultur, Subkultur, soziale Schicht), sozialen (Bezugsgruppen, Familie, Rollen und Status), persönlichen (Alter und Lebensabschnitt, Beruf, wirtschaftliche Verhältnisse, Lebensstil, Persönlichkeit und Selbstbild) und psychologischen Bereich (Motivation, Wahrnehmung, Lernen, Ansichten und Einstellungen). Alle diese Einflußfaktoren geben Hinweise darauf, wie der Zielmarkt wirksamer zu erreichen und bedienen ist.

Ehe ein Unternehmen Marketingpläne aufstellt, muß es seine Zielkunden bestimmen und herausfinden, welche Art von Kaufprozeß bei ihnen dominiert. Während viele Kaufentscheidungen von nur einer Person getroffen werden, gibt es andere, an denen mehrere Personen mitwirken und dabei Rollen wie die des Initiators, Einflußnehmers, Entscheidungsträgers, Käufers und Benutzers übernehmen. Aufgabe des

Marketers ist es, diese anderen Mitwirkenden am Kaufprozeß ausfindig zu machen und ihre Kaufkriterien sowie die Stärke ihres Einflusses auf den eigentlichen Käufer zu bestimmen. Das Marketingprogramm sollte so gestaltet sein, daß es diese Schlüsselpersonen erreicht und anspricht – und auch den Kaufausführenden selbst.

Der Marketer muß seine Marketingpläne für die folgenden vier Kaufverhaltensarten unterschiedlich gestalten: komplexes, dissonanzminderndes, habituelles und Abwechslung suchendes Kaufverhalten. Diese vier Verhaltenstypen sind davon abhängig, wie intensiv sich der Käufer mit dem Kauf beschäftigt (*high involvement* bzw. *low involvement*) und wie groß die Unterschiede zwischen den konkurrierenden Marken sind.

Beim komplexen Kaufverhalten verläuft der Kaufprozeß in ausgeprägten Phasen: Problemerkennung, Informationssuche, Bewertung von Alternativen, Kaufentscheidung und Verhalten nach dem Kauf. Der Marketer muß das Verhalten des Käufers in jeder dieser Phasen und die dabei auf ihn einwirkenden Einflüsse erkennen. Diese Erkenntnisse ermöglichen es ihm, ein umfassendes und wirkungsvolles Marketingprogramm für den betreffenden Zielmarkt zu entwickeln.

Anmerkungen

1 »Leader-Zielgruppen in Westeuropa«, Dr. Höfner & Partner Management Beratung, in: *Marketing Journal*, Heft 3/ 87, S. 196–201.

2 Vgl. Renate Hensel: »Der Markt der Alten: Ein junger Markt mit Zukunftschancen«, in: *Marketing Journal*, Heft 6/88, S. 614–626 und »Das dritte Leben – Konsumstrukturen in höheren Altersgruppen«, Hamburg: Axel Springer Verlag, Marketing Anzeigen, Febr. 1988.

3 Vgl. »Der Markt der drei Millionen Gastarbeiter und ihre Medien in Deutschland und West Berlin«, Bericht der T.E.T. Marketing-Spezialagentur für Gastarbeitermedien, Frankfurt a.M., 1987/88.

4 Vgl. Stephen Kindel: »The Last Yuppie Story You Will Ever Have to Read«, in: *Forbes*, 25. Februar 1985, S. 134–136; und: Stewart Alter: »Yuppie Pursuit: It's Too Trivial for Marketers«, in: *Advertising Age*, 18. Juli 1985, S. 3.

5 Vgl. »Special Report: Marketing to Women«, in: *Advertising Age*, 2. April 1984, S. 9–36; und Alladi Venkatesh: »Changing Roles of Women – A Life-Style Analysis«, in: *Journal of Consumer Behavior*, September 1980, S. 189–197.

6 Vgl. Hans Raffée und Klaus-Peter Wiedmann: *Wertwandel im Marketing: Ausgewählte Untersuchungsergebnisse der Studie Dialoge 2 und Skizze von Marketing-Konsequenzen*, Arbeitspapier Nr. 49, Institut für Marketing, Universität Mannheim, 1986.

7 Vgl. Donald W. Hendon: »A New Empirical Look at the Influence of Reference Groups on Generic Product Category and Brand Choice: Evidence from Two Nations«, in: *Proceedings of the Academy of International Business: Asia-Pacific Dimension of International Business*, Honolulu: University of Hawaii, College of Business Administration, 18. bis 20. Dezember 1979, S. 752–761.

8 Vgl. Linda L. Price und Lawrence F. Feick: »The Role of Interpersonal Sources in External Search: An Informational Perspective«, in: *Advances in Consumer Research*, Hrsg. Thomas C. Kinnear, XI (1984), S. 250; und: David Brinberg und Linda Plimpton: »Self-Monitoring and Product Conspicuousness on Reference Group Influence«, in: *Advances in Consumer Research*, Hrsg. Richard Lutz, XIII (1986), S. 297–300.

9 Vgl. George Moschis: »The Role of Family Communication in Consumer Socialization of Children and Adolescents«, in: *Journal of Consumer Research*, März 1985, S. 898–913.

10 Vgl. Rosann L. Spiro: »Persuasion in Family Decision Making«, in: *Journal of Consumer Research*, März 1983, S. 393–402; Lawrence H. Wortzel: »Marital Roles and Typologies as Predictors of Purchase Decision Making for Everyday Household Products: Suggestions for

Research«, in: *Advances in Consumer Research* , Hrsg. Jerry C. Olson, VII (1980), S. 212–215.

11 Vgl. Harry L. Davis: »Dimensions of Marital Roles in Consumer Decision-Making«, in: *Journal of Marketing Research* , Mai 1970, S. 168–177.

12 Vgl. Rüdiger Szallies: »Auf dem Weg in die Postmoderne? Zwischen Individualismus und Irrationalität: Die neuen Wertstrukturen der Konsumenten«, in: *Die neuen Bausteine des Konsumes – das Chancenpotential der 90er Jahre*, Bericht der GfK-Tagung, Juni 1988, Nürnberg, S. 33–51.

13 Vgl. Lawrence Lepisto: »A Life Span Perspective of Consumer Behavior«, in: *Advances in Consumer Research* , Hrsg. Elizabeth Hirshman und Morris Holbrook, XII (1985), S. 47.

14 Sidney J. Levy: »Symbolism and Life Style«, in: *Toward Scientific Marketing* , Hrsg. Stephen A. Greyser, American Marketing Organization, Chicago, 1964, S. 140–150.

15 Harper W. Boyd, Jr., und Sidney J. Levy: *Promotion: A Behavioral View* , Englewood Cliffs, N. J.: Prentice-Hall, 1967, S. 38.

16 Vgl. Harold H. Kassarjian und Mary Jane Sheffet: »Personality and Consumer Behavior: An Update«, in: *Perspectives in Consumer Behavior* , Hrsg. Harold H. Kassarjian und Thomas S. Robertson, Glenview, Ill.: Scott, Foresman, 1981, S. 160–180.

17 Vgl. M. Joseph Sirgy: »Self-Concept in Consumer Behavior: A Critical Review«, in: *Journal of Consumer Research* , Dezember 1982, S. 287–300.

18 Vgl. Ernest Dichter: *Handbook of Consumer Motivations*, New York: McGraw-Hill, 1964.

19 Vgl. Abraham H. Maslow: *Motivation and Personality*, New York: Harper & Row, 1954, S. 80–106.

20 Vgl. Frederick Herzberg: *Work and the Nature of Man*, Cleveland: William Collins Publishers, 1966; Henk Thierry und Agnes M. Koopman-Iwerna: »Motivation and Satisfaction«, in: *Handbook of Work and Organizational Psychology*, Hrsg. P. J. Drenth, New York: John Wiley, 1984, S. 141–142.

21 Bernard Berelson und Gary A. Steiner: *Human Behavior: An Inventory of Scientific Findings*, New York: Harcourt Brace Jovanovich, 1964, S. 88.

22 Vgl. Alice M. Tybout, Bobby J. Calder und Brian Sternthal: »Using Information Processing Theory to Design Marketing Strategies«, in: *Journal of Marketing Research*, Februar 1981, S. 73–79.

23 Vgl. David Krech, Richard Crutchfield und Egerton L. Ballachey: *Individual in Society*, New York: McGraw-Hill, 1962, Kap. 2.

24 Vgl. Henry Assael: *Consumer Behavior and Marketing Action*, Boston: Kent Publishing, 1987; ausführliche Behandlung dieser vier Arten des Kaufverhaltens in Kap. 4 · Eine frühere, drei Arten von Kaufverhalten beinhaltende Klassifizierung (umfassendes und begrenztes Problemlösungs- sowie routinemäßiges Reaktionsverhalten) findet sich bei John A. Howard und Jagdish N. Sheth: *The Theory of Buyer Behavior*, New York: John Wiley, 1969, S. 27–28.

25 Vgl. Herbert E. Krugmann: »The Impact of Television Advertising: Learning without Involvement«, in: *Public Opinion Quarterly*, Herbst 1965, S. 349–356.

26 Vgl. James R. Bettmann: *Information Processing Theory of Consumer Behavior*, Reading, Mass.: Addison-Wesley, 1979.

27 Marketingwissenschaftler haben eine Reihe von Modellen des Kaufprozesses entwickelt. Am berühmtesten sind jene von Howard und Sheth: *Theory of Buyer Behavior*; Francesco M. Nicosia: *Consumer Decision Processes*, Englewood Cliffs, N. J.: Prentice-Hall, 1966; sowie: James F. Engel, Roger D. Blackwell und Paul W. Miniard: *Consumer Behavior*, 5. Auflage, New York: Holt, Rinehart & Winston 1986.

28 Ursprünglich verwendeten Howard und Sheth zur Beschreibung der vom Käufer in Betracht gezogenen Alternativen den Begriff *evoked set* (»hervorgerufene Auswahl«; vgl. Howard und Sheth: *Theory of Buyer Behavior*, S. 26). Wir sind der Ansicht, daß die Zusammensetzung der vom Käufer in Erwägung gezogenen Markenauswahl sich mit den Informationen, die er erhält, ständig verändert und es zweckmäßiger ist, zwischen verschiedenen sich im Verlaufe des Entscheidungsfindungsprozesses ausprägenden Auswahlarten zu unterscheiden. Vgl. Chem L. Narayana und Rom J. Markin: »Consumer Behavior and Product Performance: An Alternative Conceptualization«, in: *Journal of Marketing*, Oktober 1975, S. 1–6.
Vgl. Jacque E. Brisoux und Michel Laroche: »A Proposal Consumer Strategy of Simplification for Categorising Brands«, John D. Summer und R. D. Taylor, Editors: *Evolving Marke-*

ting Thought for 1980, Proceedings at the Annual Meeting of the Soutern Marketing Association, Carbondale, Illenois, S. 112–114.
29 Vgl. Friedhelm Bliemel und Michel Laroche: »Consumer Brand Categorization and Price – Quality Evaluation«, in: Herman Simon (Hrsg.): *European Marketing Academy Conference Proceedings*, Bielefeld, April 1985.
30 Vgl. James H. Myers und Mark L. Alpert: »Semantic Confusion in Attitude Research: Salience vs. Importance vs. Determinance«, in: *Advances in Consumer Research* , Proceedings of the Seventh Annual Conference of the Association of Consumer Research, Oktober 1976, IV, S. 106–110.
31 In der Messung der Nutzenfunktionen von Individuen und Märkten wurden inzwischen einige Fortschritte gemacht. Vgl. Exkurs 14-3.
32 Vgl Paul E. Green und Yoram Wind: *Multiattribute Decisions in Marketing: A Measurement Approach*, Hinsdale, Ill.: Dryden Press, 1973, Kap. 2; und: Leigh McAlister: »Choosing Multiple Items from a Product Class«, in: *Journal of Consumer Research*, Dezember 1979, S. 213–224.
33 Dieses Modell entwickelte Martin Fishbein in: »Attitudes and Prediction of Behavior«, in: *Readings in Attitude Theory and Measurement*, Hrsg. Martin Fishbein, New York: John Wiley 1967, S. 477–492. Eine kritische Betrachtung dieses Modells findet sich bei Paul W. Miniard und Joel B. Cohen: »An Examination of the Fishbein-Ajzen Behavioral-Intentions Model's Concepts and Measures«, in: *Journal of Experimental Social Psychology*, Mai 1981, S. 309–339.
34 Vgl. Harper W. Boyd, Jr., Michael L. Ray und Edward C. Strong: »An Attitudinal Framework for Advertising Strategy«, in: *Journal of Marketing*, April 1972, S. 27–33; Richard E. Petty und John T. Cacioppo: *Attitudes and Persuasion: Classic and Contemporary Approaches*, Dubuque, Iowa: W.C. Brown Company, 1981, S. 60–86.
35 Vgl. Jagdish N. Sheth: »An Investigation of Relationships among Evaluative Beliefs, Affect, Behavioral Intention, and Behavior«, in: *Consumer Behavior: Theory and Application*, Hrsg. John U. Farley, John A. Howard und L. Winston Ring, Boston: Allyn & Bacon, 1974, S. 89–114.
36 Vgl. Martin Fishbein: »Attitudes and Prediction«.
37 Vgl. Raymond A. Bauer: »Consumer Behavior as Risk Taking«, in: *Risk Taking and Information Handling in Consumer Behavior*, Hrsg. Donald F. Cox, Boston: Harvard Business School, Division of Research, 1967; James W. Taylor: »The Role of Risk in Consumer Behavior«, in: *Journal of Marketing*, April 1974, S. 54–60; und: Arniram Gafin und George W. Torrance: »Risk Attitude and Time Preference in Health«, in: *Management Science*, April 1981, S. 440–451.
38 Vgl. Philip Kotler und Murali K. Mantrala: »Flawed Products: Consumer Responses and Marketer Strategies«, in: *Journal of Consumer Marketing*, Sommer 1985, S. 27–36.
39 Vgl. Priscilla A. La Barbera und David Mazursky: »A Longitudinal Assessment of Consumer Satisfaction/ Dissatisfaction: The Dynamic Aspect of the Cognitive Process«, in: *Journal of Marketing Research*, November 1983, S. 393–404.
40 Vgl. Ralph L. Day: »Modeling Choices among Alternative Responses to Dissatisfaction«; in: *Advances in Consumer Research*, Hrsg. Thomas C. Kinnear, XI (1984), S. 496–499.
41 Leon Festinger und Dana Bramel: »The Reactions of Humans to Cognitive Dissonance«, in: *Experimental Foundations of Clinical Psychology*, Hrsg. Arthur J. Bachrach, New York: Basic Books, 1962, S. 251–262.
42 Vgl. Barry L. Bayus: »Word of Mouth: The Indirect Effects of Marketing Efforts«, in: *Journal of Advertising Research*, Juni–Juli 1980, S. 31–39.
43 Vgl. Leon Festinger: *A Theory of Cognitive Dissonance*, Stanford: Stanford University Press, Calif., 1957, S. 260. und: Everett M. Rogers: *Diffusion of Innovations*, New York: Free Press, 1983, S. 185–188.
44 Vgl. Albert O. Hirschmann: *Exit, Voice, and Loyalty*, Cambridge Mass.: Harvard University Press, 1970.
45 Vgl. Mary C. Gilly und Richard W. Hansen: »Consumer Complaint Handling as a Strategic Marketing Tool«, in: *Journal of Consumer Marketing*, Herbst 1985, S. 5–16.
46 Vgl. James H. Donnelly, Jr. und John M. Ivancevich: »Post-Purchase Reinforcement and Back-Out Behavior«, in: *Journal of Marketing Research*, August 1970, S. 399–400.
47 Vgl. Jacob Jacoby, Carol K. Berning und Thomas F. Dietvorst: »What about Disposition«, in: *Journal of Marketing*, Juli 1977, S. 23.

Anhang zu Kapitel 6 Verschiedene Strukturmodelle für die Bewertung von Markenalternativen durch den Konsumenten

Im Text wurde das Erwartungswertmodell der Alternativenbewertung durch den Konsumenten beschrieben. Es läßt sich mit folgender Formel ausdrücken: wobei

$$A_{jk} = \sum_{i=1}^{n} W_{ik} B_{ijk}$$

A_{jk} = berechneter Wert der Gesamteinstellung des Konsumenten k zu Marke j,
W_{ik} = die Gewichtung des Attributes i durch den Konsumenten k,
B_{ijk} = Ausprägung von Attribut i der Marke j wie vom Konsumenten k eingeschätzt
n = die Anzahl der bei der Wahl einer bestimmten Marke relevanten Attribute

ist. Dieses Modell wird als »Fishbein-Modell« bezeichnet.

Die Gesamteinstellung des Konsumenten zur jeweiligen Marke läßt sich also durch eine Wertzahl ausdrücken. Diese Wertzahl ergibt sich, indem man für alle relevanten Attribute deren Einschätzung und Gewichtung durch den Konsumenten miteinander multipliziert und die entstehenden Teilwerte zum Gesamtwert addiert. Im folgenden werden noch andere Modelle vorgestellt:

Idealabstandsmodell
Dieses Strukturmodell besagt, daß der Konsument das Bild einer idealen Marke vor Augen hat und die tatsächlich existierenden Marken mit diesem Idealbild vergleicht. Je kleiner die Distanz (der Abstand) zwischen Idealbild und tatsächlich existierender Marke ist, desto stärker wird die Präferenz für diese Marke ausgeprägt sein.

Nehmen wir an, Linda wünscht Speicherkapazität nur bis zu einem gewissen Punkt. Für alles, was darüber hinausgeht, hätte sie keine Verwendung, und außerdem würde dies zu den Kosten beitragen. Nehmen wir weiter an, daß ihr ein bestimmter Idealpreis vorschwebt. Linda Brauns Idealbewertung der vier Merkmale wäre also nicht 10, 10, 10, 10, wie beim Erwartungswertmodell, sondern beispielsweise 6, 10, 10, 5. Mit folgender Formel läßt sich die Distanz ihrer Zufriedenheit mit jeder einzelnen Markenalternative verglichen mit der Idealmarke berechnen:

$$D_{jk} = \sum_{i=1}^{n} W_{ik} |B_{ijk} - I_{ik}|$$

wobei D_{jk} die Distanz zur vollen Zufriedenheit des Kunden k mit Marke j (verglichen mit seiner Idealmarke) und I_{ik} der Idealwert des Attributes i ist (restliche Symbole wie oben). Je niedriger der Wert von D, desto günstiger die Einstellung des Konsumenten k gegenüber Marke j. Wenn es eine Marke gäbe, deren sämtliche Merkmale den Idealen entsprächen, würde $B_{ijk} - I_{ik}$ für alle Merkmale i gleich null sein; sie wäre somit die Idealmarke. Im folgenden die Distanz zur vollen Zufriedenheit zur Idealmarke Linda Brauns für ihre Markenalternativen:

Computer A = 0,4 | 10 − 6 | + 0,3 | 8 − 10 | + 0,2 | 6 − 10 | + 0,1 | 4 − 5 | = 3,1
Computer B = 0,4 | 8 − 6 | + 0,3 | 9 − 10 | + 0,2 | 8 − 10 | + 0,1 | 3 − 5 | = 1,7
Computer C = 0,4 | 6 − 6 | + 0,3 | 8 − 10 | + 0,2 | 10 − 10 | + 0,1 | 5 − 5 | = 0,6
Computer D = 0,4 | 4 − 6 | + 0,3 | 3 − 10 | + 0,2 | 7 − 10 | + 0,1 | 8 − 5 | = 3,8

In diesem Fall wäre Linda Brauns Präferenz für Computer C am stärksten, d.h. die Distanz zur vollen Zufriedenheit verglichen mit der Idealmarke am geringsten.

Bei beabsichtigter Verwendung des Idealabstandsmodells würde der Marketer eine stichprobenartige Auswahl von Käufern befragen und um die Beschreibung ihrer Idealmarke bitten. Die dabei erhaltenen Antworten zerfallen häufig in drei Kategorien. Während ein Teil der Konsumenten klare Vorstellungen von der Beschaffenheit der idealen Marke hat und ein anderer mindestens für zwei Merkmale eine ideale Ausprägung nennen kann, hat der dritte Schwierigkeiten, ideale Ausprägungen zu definieren, und empfindet eine große Palette von Marken als gleichermaßen akzeptabel. Das Fishbein-Modell und das Idealabstandsmodell werden beide als linear kompensatorische Modelle bezeichnet, da eine Produkteigenschaft den Mangel an einer anderen kompensieren kann.

Konjunktives Modell

Manche Konsumenten bewerten die zur Auswahl stehenden Alternativen, indem sie Mindestanforderungen an die Merkmale stellen, welche die für sie annehmbaren Marken aufweisen müssen. In Frage kommen dann nur solche Marken, die alle Mindestanforderungen erfüllen. So wird Linda Braun möglicherweise nur einen Computer erwerben, der hinsichtlich der Merkmale Speicher, Graphik, Software und Preis mindestens die Werte 7, 6, 7, 2 aufzuweisen hat. Die Marken A, C und D würden bei Anlegen dieses Maßstabs ausscheiden. Im Extremfall führt das konjunktive Modell dazu, daß überhaupt keine Marke in der Auswahl verbleibt. Der Käufer würde dann also ganz auf den Erwerb eines Computers verzichten, weil kein Fabrikat seine Mindestanforderungen erfüllt. Zu beachten ist, daß bei diesem Bewertungsverfahren die Höhe der Ausprägung einer Produkteigenschaft unberücksichtigt bleibt, solange sie nur über der Mindestgrenze liegt. Genügt ein Attribut nicht den Minimalanforderungen, wird dies nicht durch die hohe Bewertung eines anderen wettgemacht.

Disjunktives Modell

Linda Braun könnte auch nur Computer in Erwägung ziehen, die hinsichtlich eines oder weniger Merkmale eine festgesetzte Bewertungsstufe überschreiten, und die von den übrigen Merkmalen erreichten Werte vernachlässigen. Zum Beispiel könnte sie beschließen, nur Computer mit großem Speicher (>9) *oder* guter Graphikfähigkeit (>9) in die nähere Auswahl zu ziehen. Von den in Tabelle 6-5 aufgeführten Alternativen würden so nur noch die Computer A und B in Frage kommen. Auch bei diesem Modell gibt es keine Kompensation: Hohe Bewertungsergebnisse bei den anderen Variablen führen nicht dazu, daß die entsprechenden Alternativen in der Endauswahl verbleiben.

Lexikographisches Modell

Ein weiterer, nicht kompensatorischer Prozeß läuft ab, wenn Linda Braun die einzelnen Attribute nach Wichtigkeit ordnet und die zur Auswahl stehenden Marken dann anhand des für sie bedeutendsten Merkmals vergleicht. Ist ein Fabrikat hinsichtlich dieses ersten Merkmals allen anderen überlegen, so fällt darauf ihre Wahl. Schneiden zwei oder mehr Marken gleich gut ab, betrachtet Linda Braun das für sie zweitwichtigste Merkmal. Auf diese Weise fährt sie fort, bis nur noch eine Marke verbleibt. Nehmen wir an, Linda Brauns Prioritätenliste sieht folgendermaßen aus: Preis, Software, Speicher, Graphikfähigkeit. Beim Preisvergleich stellt sie fest, daß Computer D am günstigsten ist. Damit hat sie ermittelt, daß Computer D das von ihr bevorzugte Gerät ist.

Determinanzmodell

Dieses Modell besagt, daß eine Produkteigenschaft für den Käufer zwar wichtig sein kann, seine Wahl aber nicht beeinflussen würde, wenn sie bei allen Produkten gleich stark ausgeprägt wäre. So legt Linda Brown vielleicht großen Wert auf die Verarbeitungsgeschwindigkeit eines Rechners. Wenn nun alle vier Computer in ihrer Endauswahl gleich schnell wären, würde dies ihre Entscheidung nicht erleichtern. Ironischerweise sind viele Produkte hinsichtlich der wichtigen Merkmale auf gleichem Stand, und häufig spielen gerade die weniger wichtigen Eigenschaften bei der Produktwahl die entscheidende Rolle. Die Marketingforschung muß also nicht einfach die wichtigen, sondern auch die entscheidenden determinierenden Merkmale identifizieren.

Folgerungen für das Marketing

Die beschriebenen Strukturmodelle zeigen, daß die Käufer auf einer Reihe von Wegen zu Produktpräferenzen gelangen können. In einer spezifischen Kaufsituation und mit einer bestimmten Produktklasse konfrontiert, könnte sich ein Käufer dem konjunktiven, dem disjunktiven oder einem anderen Modell entsprechend verhalten. Beim Erwerb eines teuren Kaufobjekts würde dieselbe Person vielleicht zunächst mit Hilfe des konjunktiven Verfahrens eine Vorauswahl zwischen den zahlreichen Alternativen treffen, die endgültige Entscheidung dann aber gemäß dem Idealabstandsmodell fällen. Ein Markt setzt sich aus vielen Käufern zusammen, und es ist deshalb erforderlich, die wichtigsten Kaufgepflogenheiten ausfindig zu machen.

Möglicherweise stellt man fest, daß die Mehrheit der einen spezifischen Markt bildenden Käufer über einen bestimmten Bewertungsprozeß zur Entscheidung gelangt. Man kann dann versuchen, seine Marke so zu gestalten, daß sie für diesen Konsumenten nicht nur die wichtigen, sondern auch die ausschlaggebenden Produktattribute bietet.

Quelle: Eine detaillierte Erörterung dieser Modelle findet sich bei Paul E. Green und Yoram Wind: *Multiattribute Decisions in Marketing: A Measurement Approach*, Hinsdale, Ill.: Dryden Press, 1972, Kap. 2. Vgl. auch James H. Myers und Mark I. Alpert: »Determinant Buying Attitudes: Meaning and Measurement«, in: *Journal of Marketing*, Oktober 1968, S. 13 ff.

über 2,5 Millionen Organisationen, die Güter und Dienstleistungen kaufen. Unternehmen, die Stahl, Computer, Kernkraftwerke und anderes verkaufen, müssen die Bedürfnisse, Ressourcen, Strategien und die Einkaufspolitik der organisationellen Kunden kennen. Dabei sind eine Reihe von Aspekten zu berücksichtigen, die beim Konsumgütermarketing kaum eine Rolle spielen:

- Organisationen kaufen Güter und Dienstleistungen, um damit eine Vielzahl von Zielen zu erreichen: Es sind Gewinne zu erzielen und Kosten zu senken, den Anforderungen der Beschäftigten ist gerecht zu werden, und soziale und gesetzliche Verpflichtungen sind einzuhalten.
- An den Kaufentscheidungen von Organisationen wirken im Normalfall mehr Personen mit als an den Kaufentscheidungen der Konsumenten, insbesondere wenn es um bedeutende Anschaffungen geht. Die einzelnen Entscheidungsträger haben meist unterschiedliche betriebliche Verantwortungsbereiche und bewerten die Kaufentscheidung nach jeweils anderen Kriterien.
- Die Einkäufer sind an die von ihren Organisationen vorgegebenen formalen Beschaffungsstrategien und deren Einschränkungen und Bedingungen gebunden.
- Die Kaufinstrumente wie Aufforderungen zur Angebotsabgabe, Angebote und Kaufverträge, spielen hier eine größere Rolle als im Konsumgütermarkt.

Webster und Wind definieren den *Einkauf durch Organisationen* als den »Entscheidungsprozeß, durch welchen Organisationen den Bedarf an einzukaufenden Produkten und Dienstleistungen feststellen und die alternativ verfügbaren Marken und Lieferanten identifizieren, beurteilen sowie zwischen diesen wählen«. [1] Wenn jede Organisation dabei auch auf andere Weise vorgeht, so hofft der Verkäufer doch, im Einkaufsverhalten von Organisationen einige Gesetzmäßigkeiten festzustellen, um damit die Marketingstrategie besser planen zu können.

In diesem Kapitel betrachten wir drei Organisationsmärkte: die industriellen Abnehmer, die Wiederverkäufer und die öffentlichen Institutionen. Während industrielle Abnehmer Güter und Dienstleistungen erwerben, um andere Güter zu produzieren und Dienstleistungen zu erstellen, kaufen Wiederverkäufer diese Güter und Dienstleistungen, um sie mit Gewinn abzusetzen. Öffentliche Institutionen erwerben Güter und Dienstleistungen, um ihnen übertragene Funktionen zu erfüllen.

Wir werden für jeden dieser Märkte die folgenden fünf Fragen untersuchen: *Wer gehört zu diesem Markt? Welche Kaufentscheidungen werden getroffen? Wer wirkt am Kaufprozeß mit? Welchen wesentlichen Einflüssen sind die Käufer ausgesetzt? Wie treffen die Käufer ihre Kaufentscheidungen?*

Industrielle Abnehmer

Wer gehört zum industriellen Markt?

Der *industrielle Markt* (auch als Industriegüter-, Produzenten- oder Unternehmensmarkt bezeichnet) besteht aus allen Individuen und Organisationen, die für die Produktion von Gütern und Dienstleistungen, die verkauft, vermietet oder auf sonstige Weise anderen zur Verfügung gestellt werden, selbst Güter und Dienstleistungen erwerben. Die wesentlichen Industriezweige, aus denen sich der industrielle Markt zusammensetzt, sind die Land-, Forst- und Fischereiwirtschaft, der Bergbau, die verarbeitende Industrie, das Bau- und Transportgewerbe, die Kommunikationsindustrie, die öffentlichen Versorgungseinrichtungen, die Kredit-, Finanz- und Versicherungswirtschaft sowie die Dienstleistungsindustrie.

Der Gesamtwarenumschlag im Industriegütermarkt ist geld- und mengenmäßig höher als im Konsumentenmarkt. Für die Herstellung und den Verkauf von Lederschuhen muß zunächst der Tierhäutehandel die Häute an Gerbereien verkaufen, die das Leder an die Schuhhersteller liefern. Diese verkaufen ihre Produktion an den Großhandel, der die Schuhe an den Einzelhandel weiterleitet. So gelangen sie zum Endverbraucher. Jedes Glied der Produktions- und Vertriebskette muß daneben eine Vielzahl anderer Güter und Dienstleistungen erwerben. Dies erklärt, warum der Gesamtwarenumschlag hier wesentlich höher ist als im Konsumentenmarkt, der nur die letzte von vielen Austauschstufen darstellt.

Industrielle Märkte besitzen bestimmte Merkmale, durch die sie sich deutlich von den Konsumgütermärkten unterscheiden. [2] Dazu gehören:

Weniger Käufer

Der Marketer hat es auf dem industriellen Markt normalerweise mit viel weniger Käufern zu tun als auf dem Konsumgütermarkt. Das Schicksal des Reifenherstellers Continental hängt z.B. in entscheidendem Maße davon ab, ob er Erstausstattungsaufträge von einem der großen Automobilkonzerne Deutschlands erhält. Beim Verkauf von Ersatzreifen dagegen kann sich Continental an die Besitzer der etwa 30 Mio. Kraftfahrzeuge in der Bundesrepublik oder der über 150 Mio. Kraftfahrzeuge in Westeuropa wenden.

Größere Käufer

Viele industrielle Märkte zeichnen sich durch eine starke Käuferkonzentration aus, d.h., das Gros der Produktion wird von wenigen Großkunden gekauft. In Branchen wie der Kraftfahrzeug-, Fernmelde- und Zigarettenindustrie, bei Flugzeugtriebwerken und -triebwerksteilen sowie organischen Fasern sind es jeweils die vier Spitzenhersteller, die mehr als 70% des Gesamtmarktes ausmachen.

Enge Beziehung zwischen Lieferanten und Kunden

Aufgrund der geringeren Zahl von Kunden und der Macht, die diese wichtigen Großabnehmer über ihre Zulieferer haben, besteht auf den industriellen Märkten eine enge Beziehung zwischen den Käufern und den Verkäufern. Es wird von den Zulieferern häufig erwartet, kundenspezifische Angebote für einzelne Kunden zu erarbeiten. Den Zuschlag erhalten diejenigen Lieferanten, die bei den technischen Spezifikationen und Liefervorschriften, zum Beispiel für die Just-in-Time-Produktion, eng mit dem Auftraggeber kooperieren. Mehr und mehr erwarten die Industriekunden auch von ihren Lieferanten, daß sie an speziellen, vom Auftraggeber veranstalteten Seminaren teilnehmen, bei denen sie sich mit den Qualitätsanforderungen und dem Beschaffungsbedarf des Kunden vertraut machen sollen.

Geographische Käuferkonzentration

Bei Zulieferern vieler Industriebranchen ist der Großteil der Kunden auf wenige geographische Gebiete konzentriert. So sind in der Bundesrepublik die Betriebe der Schwerindustrie, insbesondere Kohle und Stahl, auf das Rhein-Ruhrgebiet und das Saarland konzentriert. Die chemische und pharmazeutische Industrie ist hauptsächlich entlang des Rheins angesiedelt. Bei bestimmten landwirtschaftlichen Betrieben, z.B. Wein- und Hopfen-Betrieben, finden wir eine Konzentration entlang des Rheins und seiner Nebenflüsse bzw. auf Bayern. Diese geographische Ballung der Abnehmer bestimmter industrieller Produkte wie z.B. Hochöfen, Traubenerntemaschinen und Hopfenstangen trägt dazu bei, die Kosten des Verkaufs niedrig zu halten. Gleichzeitig sollte der Industriegütermarketer auch die regionalen Konzentrationsveränderungen beachten wie z.B. die vermehrte Ansiedlung von High-Tech-Firmen in Hessen, Baden-Württemberg und Bayern.

Abgeleitete Nachfrage

Die Nachfrage nach Industriegütern leitet sich letztlich von der Nachfrage nach Konsumgütern ab. So werden Tierhäute gekauft, weil die Verbraucher Schuhe, Geldbörsen und andere Ledererzeugnisse erwerben. Geht die Nachfrage nach diesen Konsumgütern zurück, so läßt auch die Nachfrage nach all den für ihre Herstellung benötigten Industriegütern nach. Aus diesem Grunde muß der Industriemarketer die Kaufmuster der Endverbraucher und die auf sie einwirkenden Umweltfaktoren ständig genau überwachen. [3]

Preisunelastische Nachfrage

Die Gesamtnachfrage nach vielen Industriegütern und -dienstleistungen wird durch Preisschwankungen nicht wesentlich beeinflußt. Die Schuhhersteller decken sich nicht erheblich stärker mit Leder ein, wenn der Lederpreis sinkt. Ebensowenig schränken sie bei steigendem Preis ihre Ledereinkäufe stark ein, es sei denn, sie können zufriedenstellende Lederersatzmaterialien einsetzen. Kurzfristig gesehen ist die Nachfrage besonders unelastisch, wenn es den Produzenten nicht möglich ist, ihre Fertigungsverfahren schnell umzustellen. Unelastisch ist auch die Nachfrage nach Gütern, die nur einen geringen prozentualen Anteil an den Gesamtkosten eines Artikels ausmachen. Zum Beispiel wird eine Erhöhung des Preises von Metallösen für Schuhe kaum auf die Gesamtnachfrage nach Metallösen durchschlagen.

Gleichzeitig ist es aber möglich, daß die Produzenten als Reaktion auf Preisunterschiede ihre Bezugsquellen für Ösen wechseln.

Unbeständige Nachfrage

Die Nachfrage nach Industriegütern und -dienstleistungen ist tendenziell unbeständiger als die Nachfrage nach Konsumgütern und -dienstleistungen. Dies gilt insbesondere für die Nachfrage nach Investitionsgütern, also neuen technischen Anlagen und Maschinen. Eine Steigerung der Verbrauchernachfrage um einen bestimmten Prozentsatz kann dazu führen, daß die Nachfrage nach Anlagen und Maschinen, die für eine Bewältigung des zusätzlichen Produktionsvolumens erforderlich sind, um einen erheblich höheren Prozentsatz nach oben schnellt. Die Wirtschaftswissenschaft bezeichnet dies als *Akzelerationsprinzip*. Gelegentlich kann ein Anstieg der Verbrauchernachfrage um nur 10% eine explosionsartige Steigerung des industriellen Bedarfs um 200% auslösen, und ein Rückgang der Verbrauchernachfrage um ebenfalls 10% kann den vollständigen Zusammenbruch der Nachfrage nach Investitionsgütern zur Folge haben. Viele Industriemarketer begegneten dieser unbeständigen Absatzsituation mit einer Diversifizierung ihrer Produkte und Märkte, um so die Absatzsituation im Verlauf des Konjunkturzyklus ausgewogener zu gestalten.

Professionelles Beschaffungsmanagement

Industriegüter werden durch professionelle Einkäufer erworben, die inner- und außerhalb ihres Berufes ständig dazulernen. In vielen Ländern haben sich professionelle Einkäufer zu Berufsverbänden zusammengeschlossen, um ihre Effektivität und den Status als Berufseinkäufer zu verbessern. Ihre professionelle Vorgehensweise und ihre Fähigkeit, auch technische Details zu berücksichtigen, führt zu einem kosteneffizienten Kaufverhalten. Dies bedeutet, daß der industrielle Marketer die Leistungsdaten und technischen Informationen zu seinem Produkt beherrschen muß.

Multiple Kaufeinflüsse

Kennzeichnend für betriebliche Kaufentscheidungen ist auch die im Vergleich zu Konsumentenkaufentscheidungen höhere Zahl von Mitwirkenden. Einkaufsausschüsse, bestehend aus Fachleuten und Angehörigen der obersten Führungsebene, bestimmen üblicherweise über den Kauf bedeutender Güter. Folglich müssen Unternehmen, die industrielles Marketing betreiben, ihre Verkäufer gut ausbilden. Sie begegnen den gleichfalls gut ausgebildeten Einkäufern häufig mit speziellen Verkaufsteams. Obwohl Werbung, Verkaufsförderung und Öffentlichkeitsarbeit im industriellen Absatzförderungsmix eine wichtige Rolle spielen, hat hier der persönliche Verkauf das größte Gewicht.

Weitere Merkmale

Im folgenden einige weitere Merkmale des industriellen Einkaufs:

- Direkteinkauf: Industrielle Einkäufer kaufen häufig direkt bei den Herstellern und nicht über Zwischenhändler, insbesondere, wenn es um technisch komplexe und/oder kostspielige Anschaffungen geht.
- Reziprozität: Die Einkäufer wählen oft solche Lieferanten, die umgekehrt auch bei ihnen kaufen. Ein Beispiel für diese Reziprozität wäre ein Papierhersteller, der die von ihm benötigten Chemikalien bei einem Chemieunternehmen erwirbt, das wiederum eine beträchtliche

Menge des produzierten Papiers abnimmt. Rechtswidrig ist das Prinzip der Reziprozität, wenn eine der Parteien zu Zwangsmaßnahmen greift und das Resultat eine Beschränkung des Wettbewerbs ist. Gegenseitigkeit ohne Zwangsmaßnahmen ist legal. In den USA, wo die Wettbewerbsgesetze besonders weitgehend sind, muß über die getätigten Einkäufe bei anderen bzw. die Verkäufe an andere Parteien detailliert Buch geführt werden. [4]

- Leasing: Viele gewerbliche Abnehmer leasen ihre Ausrüstung, statt sie käuflich zu erwerben. Gebräuchlich ist dies bei Computern, Maschinen und Produktionsanlagen aller Art, schwerem Baugerät, Lieferwagen und Autos für den Verkaufsaußendienst. Der Leasingnehmer hat eine Reihe von Vorteilen: Kapitalersparnis, Zugriff auf die jeweils neuesten Produkte des Verkäufers, besserer Service und gewisse Steuervorteile. Für den Leasinggeber kommt unter dem Strich häufig ein größerer Nettoertrag heraus. Außerdem hat er die Chance, an Kunden zu verkaufen, denen für den direkten Kauf das Kapital fehlt. [5]

Welche Kaufentscheidungen treffen industrielle Abnehmer?

Der industrielle Abnehmer muß beim Einkauf zahlreiche Entscheidungen treffen. Die Zahl der Entscheidungen hängt von der Art der Kaufsituation ab.

Wichtige Kaufsituationen

Robinson und andere unterscheiden zwischen drei als *»Kaufklassen«* (*buyclasses*) bezeichneten Arten von Kaufsituationen: [6] dem reinen Wiederholungskauf, dem modifizierten Wiederholungskauf und dem Erstkauf.

Reiner Wiederholungskauf

Als reiner Wiederholungskauf wird eine Kaufsituation beschrieben, bei der die Einkaufsabteilung routinemäßig nachbestellt (Bürobedarf, chemische Grundstoffe). Der Einkäufer trifft seine Wahl zwischen den in einer »genehmigten Liste« aufgeführten Lieferanten, wobei er bei der Auftragsvergabe die Zufriedenstellung mit früheren Belieferungen berücksichtigt. Die in den Lieferantenkreis aufgenommenen Unternehmen (»In-Lieferanten«) bemühen sich, die Produkt- und Dienstleistungsqualität konstant hoch zu halten. Häufig bieten sie automatische Nachbestellverfahren an, um den Zeitaufwand des Einkäufers für die Wiederbestellung gering zu halten. Die nicht zum festen Lieferantenkreis gehörenden Unternehmen (»Out-Lieferanten«) versuchen, in diesen Kreis einzubrechen, indem sie etwas Neues bieten oder eine aufkommende Unzufriedenheit des Abnehmers mit einem In-Lieferanten ausnutzen, um einen ersten Auftrag zu erhalten. Dabei sind diese Anbieter bemüht, zunächst durch einen kleinen Auftrag einen Fuß in die Tür zu bekommen, um dann im Laufe der Zeit ihren Bestellanteil auszubauen.

Modifizierter Wiederholungskauf

Der modifizierte Wiederholungskauf bezeichnet eine Kaufsituation, bei der der Käufer Änderungen der Produktspezifikationen, Preise, Lieferbestimmungen und anderer Bedingungen wünscht. Bei einem modifizierten Wiederholungskauf wirken auf Käufer- wie auf Verkäuferseite in der Regel zusätzliche Entscheidungsteilnehmer mit. Die In-Lieferanten sind beunruhigt, wenn eine solche Situation entsteht, und setzen alles daran, sich den Kunden zu erhalten. Die Out-Lieferanten sehen dann die Chance, über ein »besseres Angebot« mit dem Kunden ins Geschäft zu kommen. Sie versuchen sogar, eine derartige Kaufsituation beim Kunden aktiv herbeizuführen, um die Routine des reinen Wiederholungskaufs zu durchbrechen.

Erstkauf

Ein Käufer steht vor dieser Situation, wenn er ein Produkt oder eine Dienstleistung zum ersten Mal erwirbt (z. B. ein nach seinen Wünschen errichtetes Bürogebäude oder eine neue Fertigungstechnologie). Je höher die Kosten und Risiken sind, desto mehr Personen wirken an der Entscheidung mit, und je intensiver die Informationssuche ist, um so länger dauert es, bis schließlich die Entscheidung gefällt wird. [7] Die Erstkaufsituation ist für den Marketer die größte Chance und Herausforderung zugleich. Er versucht, möglichst viele Entscheidungsmitwirkende beim Käufer zu erreichen und Informationen bzw. Unterstützung zu bieten. Aufgrund der komplexen Kundenbearbeitung bei einer Erstkaufsituation gruppieren viele Unternehmen ihre Spitzenverkäufer speziell für diese »missionarische Verkaufsarbeit« bei den Erstkäufern.

Der Prozeß des Erstkaufs durchläuft eine Reihe von Phasen, die den Marketer vor unterschiedliche Herausforderungen und Aufgaben stellen. Ozanne und Churchill haben die Erstkaufsituation im Rahmen des Diffusionsprozesses neuer Produkte untersucht und folgende Phasen ermittelt: *Bekanntheit, Interesse, Bewertung, Erprobung* und *Übernahme.* [8] Sie stellten fest, daß die Wirkung der verschiedenen Informationsquellen von Phase zu Phase unterschiedlich stark ausgeprägt war. In der am Anfang stehenden Phase des Bekanntwerdens waren die Massenmedien die wichtigste Informationsquelle. In der Phase bereits bestehenden Interesses erzielten die Verkaufsvertreter die stärkste Wirkung. Fachliche Quellen waren in der Bewertungsphase vorrangig. Diese Ergebnisse geben dem Marketer Hinweise darauf, welche Kommunikationsmittel in den verschiedenen Phasen eines Erstkaufprozesses wirkungsvoll einzusetzen sind.

Wichtige Teilentscheidungen im Kaufprozeß

Der Käufer trifft beim reinen Wiederholungskauf nur wenige, beim Erstkauf dagegen viele Teilentscheidungen. In der Erstkaufsituation entscheidet der Käufer über *Produktspezifikationen, Preisgrenzen, Lieferbedingungen und -fristen, Kundendiensterfordernisse, Zahlungsbedingungen, Bestellmengen* sowie die *in Frage kommenden Lieferanten und den letztendlich gewählten Lieferanten.* Jede dieser Teilentscheidungen wird von unterschiedlichen Entscheidungsteilnehmern beeinflußt, und die Reihenfolge, in der sie getroffen werden, kann sich ändern.

Systemkäufe und -verkäufe

Viele Abnehmer kaufen lieber eine Gesamtlösung für ihr Problem, als sich mit umfangreichen Teilentscheidungen aufzuhalten. Diese Vorgehensweise wird als *Systemkauf* bezeichnet und geht auf die staatliche Beschaffungspraxis – z. B. bei der Beschaffung von großen Waffen- und Kommunikationssystemen – zurück. Statt selbst alle Systemkomponenten zu erwerben und zusammenzustellen, fordert die Beschaffungsstelle Angebote von potentiellen Generalunternehmern an, die dann die Zusammenstellung des Pakets oder Systems übernehmen. Der Generalunternehmer, der den Zuschlag erhält, führt dann in eigener Regie die Ausschreibung für die einzelnen Systemteile durch, d. h. er bietet eine *schlüsselfertige Lösung* an. Darüber hinaus wird z. B. bei Bezug von Kraftwerken im arabischen Raum und in Entwicklungsländern meist vom Lieferanten verlangt, daß er das Kraftwerk für einige Jahre selbst betreibt, bis bodenständiges Personal dafür ausgebildet ist.

Auf der Verkäuferseite hat man die Vorliebe der Kunden für solche Beschaffungsformen mehr und mehr erkannt und deshalb als Marketinginstrument den *Systemverkauf* eingeführt. Der Systemverkauf ist in unterschiedlichen Ausprägungen zu beobachten. So kann ein Lieferant ein Sortiment komplementärer Produkte führen, ein Anbieter von Klebstoffen also zum Beispiel auch die zugehörigen Verarbeitungs- und Trockenmittel. Der Lieferant kann dem Kunden auch Fertigungs-, Bestandskontroll-, Vertriebs- und andere Dienste anbieten. Eine weitere Variante sind Systemverträge: Der Beschaffende bezieht seinen gesamten Ausrüstungsbedarf für Betrieb, Wartung und Reparatur von einer einzigen Quelle. Dies bedeutet für ihn Kostenersparnisse, da die Lagerhaltung auf den Verkäufer abgewälzt wird. Einsparungen ergeben sich auch aus dem geringeren Zeitaufwand für die Auswahl von Zulieferern und aus Festpreisen für die vereinbarte Laufzeit des Vertrags. Der Marketer hat bei Systemverträgen aufgrund einer gewissen Nachfrage und eines reduzierten Verwaltungsaufwands den Vorteil niedrigerer Betriebskosten. [9]

Der Systemverkauf ist eine essentielle Marketingstrategie für die Beteiligung an Ausschreibungen für industrielle Großprojekte wie Staudämme, Stahlhütten, Bewässerungsanlagen, sanitäre Einrichtungen, Pipelines, Versorgungseinrichtungen und komplette neue Städte. Unternehmen wie Hochtief, Holzmann, Uhde und andere Großanlagenbauer müssen bei Preis, Qualität, Betriebssicherheit und anderen Punkten miteinander konkurrieren, wenn sie den Zuschlag erhalten wollen. Häufig erhält derjenige den Zuschlag, der den tatsächlichen Bedarf des Kunden am besten deckt. Hierzu folgendes Beispiel:

Die indonesische Regierung führte eine Ausschreibung zur Errichtung eines Zementwerks in der Nähe von Jakarta durch. Ein amerikanisches Unternehmen unterbreitete ein Angebot, das unter anderem die Wahl des Standorts, die Planung der Fabrik, die Einstellung der Bautrupps, die Bau- und Montagearbeiten sowie die Übergabe der fertiggestellten Anlage an die indonesische Regierung beinhaltete. Das Angebot eines japanischen Konkurrenzunternehmens umfaßte alle diese Punkte und darüber hinaus die Einstellung und Ausbildung der Fabrikarbeiter, den Export des Zements über eines seiner Handelshäuser und die Nutzung des produzierten Zements für den Bau einer Anzahl erforderlicher Ausfallstraßen und Bürogebäude in Jakarta. Die Japaner waren zwar teurer, doch das Angebot war auch attraktiver, und so erhielt das japanische Unternehmen den Zuschlag. Ganz offensichtlich sah man seine Aufgabe nicht allein im Bau einer Zementfabrik (die begrenzte Sichtweise des Systemverkaufs), sondern darüber hinaus auch in deren Betrieb, um damit einen Beitrag zur gesamtwirtschaftlichen Entwicklung des Auftraggeberlandes zu leisten. Das Unternehmen betrachtete sich also nicht als Baufirma, sondern als eine Art Agentur für wirtschaftliche Entwicklung. Es machte sich das umfassendste Bild von den Bedürfnissen des Kunden. Und dies ist wahrer Systemverkauf.

Wer ist am industriellen Beschaffungsprozeß beteiligt?

Wer bewirkt eigentlich den Kauf der Güter und Dienstleistungen im Werte von vielen Billionen, die der Industriegüter-Weltmarkt benötigt? Eine Reihe von Untersuchungen wurde durchgeführt, um diese Frage zu beantworten. Bei reinen und modifizierten Wiederholungskäufen sind es die Einkaufsmanager und deren Sachbearbeiter, die stärkeren Einfluß ausüben, bei Erstkaufsituationen sind es andere Mitglieder der Organisation. Bei der Entscheidung über die Produktwahl hat in der Regel das technische Personal den größten Einfluß, während die Einkaufsabteilungen dominieren, wenn es um die Wahl des Lieferanten geht. [10] Daraus ist ersichtlich, daß der Marketer in Erstkaufsituationen die Produktinformationen zuerst zum technischen Personal leiten muß. Bei Wiederholungskäufen und in der Phase der Lieferantenauswahl bei Erstkäufen müssen dagegen die Informationen vorrangig an den Einkaufssachbearbeiter gehen.

Webster und Wind bezeichnen die Entscheidungseinheit einer einkaufenden Organisation als das *Buying Center* (Beschaffungsteam), das sie als »alle Individuen und Gruppen, die am Kaufentscheidungsprozeß beteiligt sind, dabei eine Reihe von gemeinsamen Zielen verfolgen und die aus den Entscheidungen resultierenden Risiken gemeinsam tragen«, definieren. [11]

Das Beschaffungsteam umfaßt alle Mitglieder der Organisation, die im Kaufentscheidungsprozeß eine der folgenden sechs Rollen übernehmen: [12]

- *Anwender*: Organisationsangehörige, die das zu beschaffende Produkt oder die Dienstleistung in Anspruch nehmen werden. In vielen Fällen sind es die Anwender, von denen der Vorschlag zum Kauf ausgeht und die auch bei der Definition der Produkteigenschaften mitwirken.
- *Einflußnehmer*: Personen, die Einfluß auf die Kaufentscheidung haben. Häufig definieren sie die Spezifikationen und stellen auch Informationen für die Bewertung von Alternativen bereit. Die Angehörigen des technischen Personals spielen hier eine besonders wichtige Rolle.
- *Entscheidungsträger*: Personen mit der Autorität, über Produktbedarf und/oder Lieferanten zu entscheiden.
- *Genehmigungsinstanzen*: Personen, welche die von Entscheidungsträgern oder Einkäufern vorgeschlagenen Maßnahmen genehmigen müssen.
- *Einkäufer*: Personen, die mit der formalen Autorität für die Wahl des Lieferanten und die Festlegung der Kaufbedingungen ausgestattet sind. Einkäufer können u. U. auch an der Ausgestaltung der Produktspezifikationen beteiligt sein, wirken jedoch vornehmlich an der Auswahl der Anbieter und an den Verhandlungen mit. Bei komplexeren Anschaffungen können auch hochrangige Führungskräfte zu den Einkäufern zählen und an den Verhandlungen teilnehmen.
- *Informations- und Kontaktselektierer*: Personen, die Informationen oder Kontaktaufnahmen zu Mitgliedern des Beschaffungsteams selektiv sperren können. So können zum Beispiel Mitarbeiter in der Einkaufsabteilung, an der Rezeption oder in der Telefonzentrale verhindern, daß Gespräche zwischen Vertretern und Anwendern oder Entscheidungsträgern zustande kommen. Oder Assistenten von Entscheidungsträgern selektieren für die Entscheidungsvorbereitung die ihnen wichtig scheinenden Informationen.

Größe und Zusammensetzung des Beschaffungsteams schwanken in jeder Organisation je nach Produktklasse. Bei der Anschaffung eines Großcomputers werden z. B. mehr Personen zur Entscheidung hinzugezogen als beim Kauf von Büroklammern. Der Marketer muß folgende Fragen klären: *Welche Personen sind wesentlich am Entscheidungsprozeß beteiligt? Bei welchen Teilentscheidungen bringen sie ihren Einfluß zur Geltung? Wie groß ist ihr Einfluß? Welche Bewertungskriterien legt der Entscheidungsbeteiligte jeweils an?* Hierzu folgendes Beispiel:

Ein Zulieferer für Klinikbedarf verkauft ein breites Spektrum von Produkten. Für öffentlichrechtliche Kliniken in der Bundesrepublik Deutschland versucht er ausfindig zu machen, wer an Kaufentscheidungen mitwirkt. Als Mitwirkende werden die Beschaffungsstelle, die Stationsschwester, die Pflegedienstleiter, die Fachärzte und der Chefarzt erkannt.

Jede dieser Parteien spielt eine andere Rolle, je nach dem zu kaufenden Artikel. Bei Verbrauchsmaterial wie Watte, Binden, Injektionsnadeln und Gummihandschuhen bestellt die Stationsschwester mit Genehmigung der Pflegedienstleitung in der Regel ohne Markenbenennung, nur unter dem Gattungsbegriff wie z. B. »Heftpflaster, 1.000 Stück, Größe A«. Die Auswahl der Lieferanten und Marken wird in der Beschaffungsabteilung nach dem Niedrigpreisprinzip

getroffen. Hersteller werden leicht gewechselt, eine Rückmeldung an die Hersteller über die Produktzufriedenheit ist nicht vorgesehen.
Medikamente können nur von den Fachärzten angefordert werden, im Regelfall von einer vorgegebenen Markenliste der Beschaffungsabteilung. Eine Abweichung von diesen Marken ist nur auf begründeten Antrag hin möglich. Einmalige, systemverändernde Beschaffungen und Artikel hohen Wertes müssen über den Chefarzt laufen und werden in der Regel durch Einholen mehrerer Angebote preislich und leistungsmäßig überprüft.

Wenn sich ein Beschaffungsteam aus einer Vielzahl von Mitwirkenden zusammensetzt, verfügt der Marketer weder über die Zeit noch über die Mittel, mit allen in Kontakt zu treten. Kleinere Unternehmen konzentrieren sich daher darauf, die Schlüsselfiguren anzusprechen. Größere Unternehmen versuchen einen »tiefgreifenden Multi-Stufen-Ansatz«, d.h. so viele Entscheidungsbeteiligte wie möglich zu bearbeiten. Ihre Vertreter »leben« praktisch bei ihren Großabnehmern.

Mit dem Erstkauf, speziell wenn es sich um größere, systemverändernde Beschaffungen handelt, sind oft organisatorische Veränderungen verbunden. Hier ist für den Industriemarketer das von Witte aus der Innovationsforschung heraus entwickelte und empirisch belegte Promotorenmodell von besonderem Nutzen. [13] Witte unterscheidet zwei Rollen, welche bei Veränderungen ausgefüllt werden müssen – nämlich die des »Fachpromotors« und die des »Machtpromotors«. Diese Rollenträger werden als »Promotoren« bezeichnet, da sie den ablaufenden Veränderungsprozeß von der Initiierung bis zum Endresultat hin aktiv fördern. Sie fördern den Prozeß energisch und identifizieren sich mit dem Prozeßerfolg. Die Fachpromotoren bringen in sehr detaillierter Form ihr objektspezifisches Wissen und Interesse in den Entscheidungsprozeß ein. Die Machtpromotoren bewirken insbesondere formalen Einfluß, der mit ihrer Position verbunden ist. Witte beobachtete, daß beide Typen meist in einem ausgewogenen Verhältnis vorhanden sind. Beide Rollen können auch in einer Person vereint werden; dies ist in den meisten Fällen jedoch nicht so effektiv wie die Zusammenarbeit im Promotorengespann.

Je nach Besetzung der beiden Rollen im »Buying Center« ergeben sich Unterschiede in der Dauer des Entscheidungsprozesses, in der Anzahl der dabei unternommenen Aktivitäten, in der Effizienz des Prozesses (Gründlichkeit, Reibungslosigkeit der Zusammenarbeit) und im Umfang der Problemlösung, die beim systemeingreifenden Erstkauf als Ziel im Vordergrund steht.

Der industrielle Marketer muß seine Annahmen über Rolle und Einfluß verschiedener an der Entscheidung beteiligter Personen regelmäßig überprüfen. So verfolgte Kodak beim Verkauf von Röntgenfilmen an Krankenhäuser jahrelang die Strategie, über die Labortechniker zu verkaufen. Das Unternehmen übersah dabei, daß die Kaufentscheidung in zunehmendem Maße von Verwaltungsfachkräften getroffen wurde. Erst als die Verkaufszahlen absackten, erkannte der Fotokonzern die geänderte Einkaufspraxis und beeilte sich, seine Zielgruppenstrategie entsprechend zu ändern.

Welchen wesentlichen Einflüssen sind industrielle Käufer ausgesetzt?

Die industriellen Käufer unterliegen bei ihrer Kaufentscheidung zahlreichen Einflüssen. Viele Marketer gehen davon aus, daß die wirtschaftlichen Einflußfaktoren am wichtigsten sind. Das heißt, die Abnehmer bevorzugen den Lieferanten, der den günstigsten Preis, das beste Produkt oder die umfassendste Dienstleistungspalette bietet. Dann liegt es nahe, das Hauptgewicht beim industriellen Marketing darauf zu legen, den Käufern bedeutende wirtschaftliche Vorteile zu bieten.

Andere Marketer vertreten die Auffassung, daß die Einkäufer auf persönliche Faktoren wie Gefälligkeiten, Respekt oder geringes persönliches Risiko reagieren. Eine Untersuchung bei Einkäufern aus zehn großen Unternehmen ergab folgendes:

> Die Entscheidungsträger legen ihre menschlichen Eigenschaften nicht ab, sobald sie das Büro betreten. Sie sprechen auf ein »Image« an, kaufen gerne von Unternehmen, mit denen sie sich »verbunden« fühlen und bevorzugen Lieferanten, die ihnen Respekt und persönliche Aufmerksamkeit entgegenbringen und bereit sind, sich »speziell für sie« besonders einzusetzen. Sie reagieren überempfindlich auf tatsächliche oder vermeintliche Mißachtung und tendieren dazu, Lieferanten, die angeforderte Angebote gar nicht oder verspätet vorlegen, die kalte Schulter zu zeigen. [14]

In der Praxis sprechen die Einkäufer der Industrie sowohl auf wirtschaftliche als auch auf persönliche Faktoren an. Wenn es keine wesentlichen Unterschiede zwischen den Angeboten der Lieferanten gibt, bleibt den Einkäufern kaum eine Grundlage für eine rein rational gelenkte Wahl. Da jeder Anbieter die wirtschaftlichen Anforderungen erfüllt, steht es den Einkäufern frei, mehr Gewicht auf persönliche Beziehungen zum Anbieter zu legen. Sind dagegen beträchtliche Unterschiede zwischen den Konkurrenzprodukten vorhanden, können die Einkäufer eher für die von ihnen getroffene Wahl zur Rechenschaft gezogen werden, und sie achten folglich besonders auf die wirtschaftlichen Gesichtspunkte.

Webster und Wind unterteilten die verschiedenen, auf den industriellen Einkäufer einwirkenden Einflüsse in vier Hauptgruppen: umfeldbedingte, organisationsspezifische, interpersonelle und intrapersonale (individuelle) Faktoren. [15] Diese Kategorien sind in Abbildung 7-1 aufgeführt und werden nachfolgend beschrieben.

Umfeldbedingte Faktoren

Die Einkäufer werden insbesondere von der Situation und Entwicklung im wirtschaftlichen Umfeld beeinflußt. Dazu gehören das Niveau der Nachfrage, allgemeine Konjunkturdaten und die Zinsentwicklung. In Rezessionszeiten verringern die Industriekunden ihre Anlageinvestitionen und bauen die Lagerbestände ab. Die Industriemarketer können unter solchen Umfeldbedingungen wenig tun, um die Gesamtnachfrage zu stimulieren. Es bleibt ihnen die Möglichkeit, mit noch größerem Einsatz um die Steigerung oder Verteidigung ihres Anteils an der Gesamtnachfrage zu kämpfen.

Unternehmen, die einen Versorgungsengpaß befürchten, sind bereit, größere Lagerbestände anzulegen. Zur Sicherung ihrer Materialerfordernisse schließen sie auch gern langfristige Verträge mit den Lieferanten ab. Daimler, Bayer und eine Reihe anderer Großunternehmen sehen die *Beschaffungsplanung* als Schlüsselaufgabe ihres Beschaffungsmanagements an.

Die industriellen Käufer sind des weiteren von den Entwicklungen in Technik, Politik und Wettbewerb betroffen. Der Industriemarketer muß all diese Faktoren in

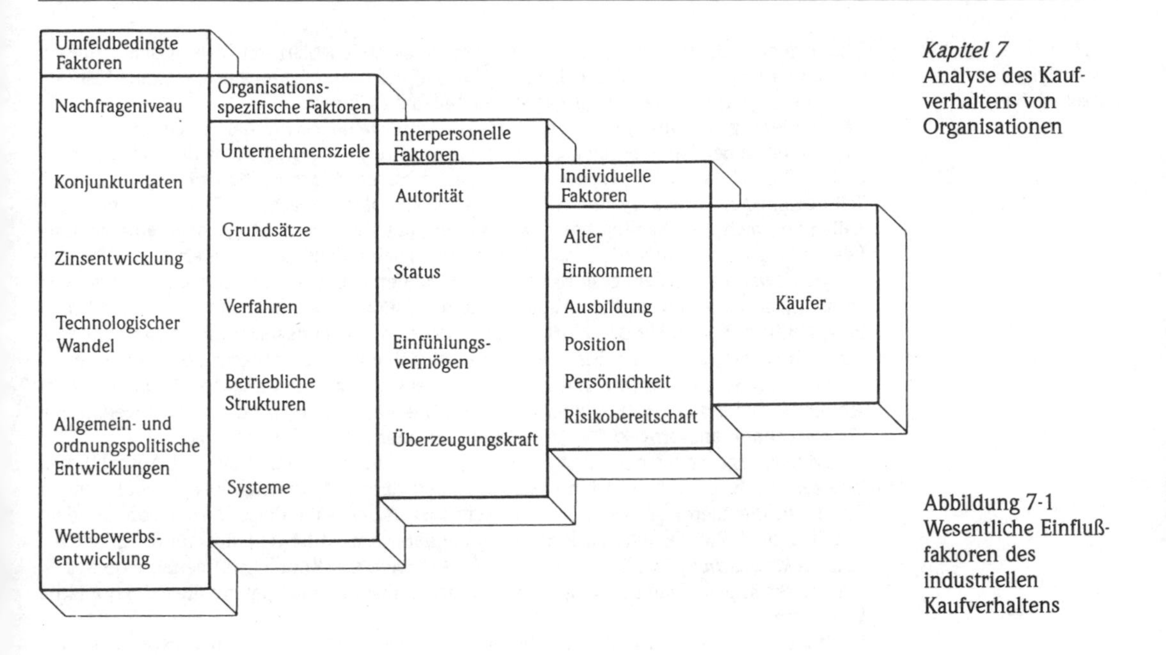

Abbildung 7-1
Wesentliche Einflußfaktoren des industriellen Kaufverhaltens

seinem Umfeld aufmerksam verfolgen, ihre Wirkung auf die Käufer ermitteln und versuchen, in Problemen Marktchancen zu sehen.

Organisationsspezifische Faktoren

Jede kaufende Organisation hat spezifische Ziele, Grundsätze, Verfahren, betriebliche Strukturen und Systeme. Der Marketer muß über all diese Faktoren möglichst genaue Kenntnisse haben. Dabei werden unter anderem folgende Fragen aufgeworfen: Wieviele Personen sind an der Kaufentscheidung beteiligt? Um wen handelt es sich dabei? Welche Bewertungskriterien legen sie an? Welchen Grundsätzen und Einschränkungen unterliegt der Einkäufer?

Der Industriemarketer sollte beachten, daß sich bei Industrieunternehmen im Beschaffungsbereich folgende Tendenzen abzeichnen:

- Aufwertung der Einkaufsabteilung: Einkaufsabteilungen nehmen in der Managementhierarchie häufig einen unteren Rang ein, obwohl über sie nicht selten mehr als die Hälfte der Ausgaben des Unternehmens läuft. Inflations- und Verknappungsschübe haben viele Unternehmen zu einer Aufwertung der Beschaffungsfunktion veranlaßt. Sie wandelten die traditionelle *Einkaufsabteilung*, die gehalten war, Produkte zu den niedrigsten Kosten einzukaufen, in eine *Beschaffungsabteilung* mit einer erweiterten Aufgabenstellung um. Deren Aufgabe besteht nun darin, das insgesamt beste Wertpaket an Produkten und Nebenleistungen von ausgewählten Lieferanten zu besorgen. Der Leiter dieser Abteilung nimmt in der Regel den Rang eines Vorstandsmitgliedes ein. Einige multinationale Unternehmen gehen noch einen Schritt weiter, indem sie eine Abteilung für strategische Materialbeschaffung einrichten, die dafür verantwortlich ist, Bezugsquellen in aller Welt nach strategischen Gesichtspunkten auszusuchen und mit ihnen partnerschaftlich zusammenzuarbeiten. In anderen Unternehmen wie z. B. Caterpillar, wurden die Funktionen Einkauf, Bestandskontrolle, Produktionsplanung und Logistik zum *Bereich »strategisches Materialmanagement«* zusammengefaßt. Viele Unternehmen suchen aktiv nach talentierten und gut ausgebildeten Leuten für die Beschaffung, stellen Personen mit Universitätsausbildung dafür ein und bieten hohe Gehälter. Dies bedeutet für den industriellen Marketer, daß er seine Außendienstmitarbeiter von ihrer Qualifikation her aufwerten muß, um den hochqualifizierten Einkäufern gleichwertige Partner gegenüberstellen zu können.

- Zentralisierung des Einkaufs: In mehrspartigen Unternehmen wird der Einkauf größtenteils von den einzelnen Unternehmensbereichen in Eigenregie abgewickelt, da diese einen unterschiedlichen Bedarf haben. In den letzten Jahren haben jedoch einige Unternehmen einen Teil des Einkaufs wieder zentralisiert. Die Hauptverwaltung macht ausfindig, welche Materialien von mehreren Sparten beschafft werden, und strebt nach Möglichkeit eine zentrale Beschaffung an. Dadurch stärkt das Unternehmen seine Kaufmacht. Die einzelnen Sparten könnten zwar auch bei anderen Bezugsquellen kaufen, wenn sie dort bessere Bedingungen erhalten, doch im allgemeinen kann die Zentralisierung des Einkaufs zu beträchtlichen Einsparungen führen. Für den Marketer bedeutet dies, daß er es mit weniger und höherrangigen Einkäufern zu tun hat. Statt regional an einzelne Betriebe zu verkaufen, kann sich der Marketer ein System der Großkundenbetreuung einrichten. Der Verkauf an Großkunden ist schwierig und erfordert eine höchst kompetente Vertreterorganisation mit sogenannten »Key-Account-Managern« sowie eine extrem verfeinerte Marketingplanung.[16]
- Langzeitverträge: Industrielle Abnehmer regen in zunehmendem Maße den Abschluß von Langzeitverträgen mit bewährten Lieferanten an. General Motors zum Beispiel will weniger Zulieferer, die allerdings bereit sein müssen, sich in der Nähe der GM-Werke anzusiedeln und Bauteile hoher Qualität zu fertigen. Ein anderer Aspekt bezieht sich auf die Bereitstellung *elektronischer Bestellsysteme* durch die Anbieter. Der Kunde kann dabei seine Bestellung direkt in den Computer eingeben, und der Verkäufer empfängt sie über elektronische Vernetzung.
- Leistungsbeurteilung im Einkauf: Zahlreiche Unternehmen führen Anreizsysteme ein, um ihre Einkaufsmanager für gute Leistungen zu belohnen – ebenso wie die Verkaufsvertreter einen Bonus auf ihre Abschlüsse erhalten. Diese Anreizsysteme werden den Einkauf dazu veranlassen, den Druck auf die Vertreter zu erhöhen, um die besten Bedingungen herauszuholen.

Der Vormarsch der Just-in-Time-Produktion (JIT) wird wahrscheinlich erhebliche Auswirkungen auf die Beschaffungspolitik von Organisationen haben. Welche Folgen und Nebenwirkungen dies nach sich ziehen wird, ist in Exkurs 7-1 beschrieben.

Exkurs 7-1: Das Just-in-Time-Konzept verändert das Kaufverhalten von Organisationen

Im Verlauf der letzten Jahrzehnte waren japanische Unternehmen besonders erfolgreich in der Durchdringung von Exportmärkten und der Erweiterung ihres Marktanteils in Branchen wie der Stahl-, Büromaschinen-, Elektronik- und Automobilindustrie. Europäische und amerikanische Unternehmen machten sich daran, die Gründe für diesen Erfolg der Japaner im Fertigungsbereich zu untersuchen und stießen auf eine Reihe von Konzepten: Just-in-Time (JIT), frühzeitige Miteinbeziehung des Lieferanten, Qualitätszirkel, Wertanalyse, Gesamtqualitätskontrolle (»Total Quality Control«) und flexible Fertigung.

Besonders das von Toyota seit Anfang der 50er Jahre entwickelte JIT-Konzept läßt einen bedeutenden Wandel in der Beziehung zwischen den Zulieferern und ihren industriellen Abnehmern erwarten. Ziel des JIT-Konzepts ist es, die Lagerbestände bei hundertprozentiger Qualität auf Null zu reduzieren. In der Praxis bedeutet dies, daß die Materialien exakt zu dem Zeitpunkt im Werk des Kunden eintreffen, zu dem sie benötigt werden.

Dabei wird jedoch nicht einfach die Vorratshaltung von der Abnehmer- auf die Zuliefererseite verlagert, weil dies die Systemgesamtkosten nicht verringern würde. Statt dessen erfordert das Konzept die Synchronisierung der Fertigungspläne von Zulieferern und Abnehmern, so daß Sicherheitsbestände überflüssig werden. Das JIT-Konzept soll bei effektiver Umsetzung eine Verminderung der Bestände und Beschaffungszeiten einerseits, eine Steigerung der Qualität, Produktivität und Anpassungsfähigkeit andererseits zum Ergebnis haben.
Etwa ein Drittel der deutschen Unternehmen wandte im Jahre 1984 das JIT-Konzept bereits an. Dabei wurden Produktivitätssteigerungen bis zu über 20% und Verkürzungen von Materialdurchlaufzeiten von über 50% erreicht. Der Produktionsausschuß wurde verringert und die Produktion von Varianten effizienter bewältigt.
Die Industriemarketer müssen sich im klaren darüber sein, welche Veränderungen die JIT-Produktion im Kaufverhalten der Organisationen mit sich bringen wird, und sich so positionieren, daß sie die Chancen des JIT-Konzepts tatsächlich nutzen können. Nun zu den Hauptmerkmalen und -konsequenzen des JIT-Konzepts:

- *Strenge Qualitätskontrolle*: Die größten Kosteneinsparungen werden durch JIT dann erzielt, wenn dem Käufer qualitätsgeprüfte Güter übergeben werden. Der Abnehmer setzt also das Vorhandensein strenger Qualitätskontrollverfahren wie z.B. SPC (»Statistical Process Control«) oder TQC (»Total Quality Control«) beim Lieferanten voraus. Für die Lieferanten ergibt sich daraus die Notwendigkeit der engen Zusammenarbeit mit ihren Industriekunden. Sie müssen diese davon überzeugen, daß sie in der Lage sind, deren Qualitätsansprüchen gemäße Produkte zu liefern.
- *Regelmäßige und zuverlässige Lieferung*: Tägliche oder sogar stündliche Lieferungen sind nicht selten die einzige Möglichkeit, ein Hochfahren der Lagerbestände zu umgehen. Die Kunden gehen mehr und mehr dazu über, statt eines Versanddatums ein Übergabedatum festzulegen, dessen Nichteinhaltung mit einer Vertragsstrafe belegt wird. Bei Apple führt selbst die verfrühte Lieferung zu einer Vertragsstrafe. Und Keiper-Recaro beliefert das Daimler-Benz-Werk in Bremen halbstündlich mit Autositzen und anderen Teilen. Für die Zulieferer ergibt sich daraus die Notwendigkeit, zuverlässige Transportlösungen zu erarbeiten.
- *Kundennähe*: Da bei der JIT-Produktion sehr häufig geliefert werden muß, kann ein kundennaher Standort für den Zulieferer von großem Vorteil sein. Kundennähe bedeutet größere Effektivität bei der Lieferung kleinerer Posten und mehr Zuverlässigkeit bei widrigen Wetterverhältnissen. Der Zulieferer Keiper-Recaro errichtete ein Werk in nur 7 km Entfernung vom Daimler-Werk in Bremen. Ein Industriemarketer muß für seine Großkunden unter Umständen also gewaltige Verpflichtungen eingehen.
- *Einsatz der Telekommunikationstechnik*: Neue Kommunikationstechniken geben den Zulieferern die Möglichkeit, computergestützte Bestellsysteme einzurichten, auf die der Kunde direkten Zugriff hat. Ein Großabnehmer verlangt von seinen Lieferanten stets abrufbereite Bestandszahlen und Preise. Dies ermöglicht ihm die fertigungssynchrone elektronische Bestellung, wobei der Computer aus den verfügbaren Beständen die billigsten Angebote aussucht. Dadurch werden einerseits die Transaktionskosten gesenkt und andererseits die Anbieter dem Druck ausgesetzt, stets konkurrenzfähige Preise zu bieten.

- *Verläßliche Produktionspläne*: Im Rahmen der fertigungssynchronen Beschaffung geben die Abnehmer den Zulieferern ihre Produktionspläne bekannt, damit die Lieferung genau an dem Tag erfolgt, an dem die Materialien benötigt werden. Eine täglich von Daimler-Benz an Keiper-Recaro übermittelte Bedarfsrechnung zeigt die Entwicklung der Aufträge für die kommenden neun Tage, so daß die Disposition für alle Komponenten, Materialbestände, Maschinenkapazität und Personal ohne Schwierigkeiten durchgeführt werden kann.
- *Alleinstellung der Bezugsquellen (»Single Sourcing«)*: JIT-Beschaffung bedeutet, daß die kaufenden und verkaufenden Organisationen eng zusammenarbeiten, um die Kosten zu senken. Häufige Konsequenz ist ein langfristiges Bezugsabkommen mit nur einer Bezugsquelle für das gleiche Produkt. Dies bringt dem auserwählten Lieferanten hohe Renditen und nimmt seinen Konkurrenten fast jede Aussicht, nach Ablauf des Vertrags selbst einsteigen zu können. Die Verträge werden nämlich so gut wie automatisch verlängert, solange der Zulieferer die Lieferfristen einhält und Qualität gewährleistet. Mit dem JIT-Konzept gewinnt das »Single Sourcing« rasch an Bedeutung. So wurde z.B. General Motors noch von über 3.500 Zulieferern versorgt, während Toyota, wo man vollkommen auf die fertigungssynchrone Beschaffung umgestellt hatte, nur noch einen Stamm von weniger als 250 Lieferanten unterhielt. Auch Harley Davidson reduzierte in zwei Jahren die Zahl seiner Zulieferer von 320 auf 180.
- *Wertanalyse*: Die Hauptziele der JIT-Produktion sind Kostensenkungen und Qualitätssteigerungen, und die Wertanalyse ist für deren Erreichung von entscheidender Bedeutung. Um die Kosten für ein Erzeugnis zu senken, muß der Abnehmer nicht nur auf seiner Seite Kostensenkungen durchsetzen, sondern auch seine Zulieferer dazu bewegen, die bei ihnen anfallenden Kosten zu reduzieren. Aus diesem Grund halten einige große Hersteller Wertanalyse-Seminare für ihre Zulieferer ab. Zulieferer mit einem guten Wertanalyse-Programm verfügen über einen Wettbewerbsvorsprung, da sie zum Wertanalyse-Programm ihrer Kunden beitragen können.
- *Frühzeitige Miteinbeziehung des Zulieferers*: Bei den industriellen Abnehmern setzt sich mehr und mehr die Einsicht durch, daß ihre Anbieter Experten auf ihrem Gebiet sind und bereits bei der Produktentwicklung eingebunden werden sollten. Die Anbieter müssen also qualifizierte Fachkräfte zur Mitarbeit im Entwicklungsteam des Kunden stellen können. Aus einer 1986 unter 1.000 Führungskräften im Einkauf durchgeführten Befragung ergaben sich folgende Hauptkriterien für die Einbeziehung von Zulieferern in ihre Produktentwicklung: Qualität, erbrachte Vorleistungen, Empfehlungen der eigenen technischen Abteilung und Mithilfe bereits vor der Wertanalyse.
- *Enge Beziehung*: Alle genannten Merkmale der JIT-Beschaffung tragen mit dazu bei, daß zwischen industriellem Abnehmer und Marketer eine enge Beziehung entsteht. Damit das JIT-Konzept ein Erfolg wird, koordinieren beide Parteien ihre Anstrengungen, um die Anforderungen des Kunden so gut wie möglich zu erfüllen. Durch JIT wird der Zulieferer als ein der Fertigung des Kunden angegliederter Teilbetrieb gesehen. Um Erfolg zu haben, muß der Lieferant sein Angebot spezifisch auf diesen einen industriellen Abnehmer ausrichten. Als Gegenleistung erhält er dafür einen Vertrag mit einer festen Laufzeit. Aufgrund der von beiden Seiten investierten Zeit, der erforderlichen Standortentscheidungen und

Telekommunikationseinrichtungen liegen die transaktionsspezifischen Investitionen hoch. Da eine spätere Umstellung dem Industriekunden hohe Kosten verursachen würde, geht er bei der Wahl seiner Zulieferer äußerst bedachtsam vor. Eine wichtige Konsequenz daraus ist, daß die Industriemarketer ihre Kompetenz im *»Beziehungsmarketing«* steigern müssen, und nicht reines *»Transaktionsmarketing«* betreiben dürfen. Gewinnmaximierung im Verlauf der Geschäftsbeziehung, und nicht bei jeder Einzeltransaktion, sollte das Ziel sein, weil der Zulieferer andernfalls den Kunden unter Umständen endgültig verliert.

Weitere Informationen hierzu finden sich bei: G.H. Manoochehri: »Suppliers and the Just-in-Time Concept«, in: *Journal of Purchasing and Materials Management,* Winter 1984, S. 16–21; Somerby Dowst: »Buyers Say VA Is More Important Than Ever«, in: *Purchasing,* 26. Juni 1986, S. 64–83; Ernest Raia: »Just-in-Time USA«, in: *Purchasing,* 13. Februar 1986, S. 48–62; Eric K. Clemons und F. Warren McFarlan: »Telecom: Hook Up or Lose Out«, in: *Harvard Business Review,* Juli–August 1986, S. 91–97; Somerby Dowst und Ernest Raia: »Design Team Signals for More Supplier Involvement«, in: *Purchasing,* 27. März 1986, S. 76–83; Günter Fandel und Peter Francois: »Just-in-Time-Produktion und -Beschaffung: Funktionsweise, Einsatzvoraussetzungen und Grenzen», in *ZfB, Zeitschrift für die Betriebswirtschaftslehre,* 1989, Heft 5, S. 531–544; »Just-in-Time« bei der Produktentwicklung«, eine Serie von Arbeiten im Handelsblatt, jeweils Dienstagsausgabe vom 4. 7. 1989 bis 15. 8. 1989.

Interpersonelle Faktoren

Zum Beschaffungsteam gehören in der Regel eine Anzahl von Personen, die sich hinsichtlich Status, Autorität, Einfühlungsvermögen und Überzeugungstalent voneinander unterscheiden. Der Industriemarketer wird kaum einen Einblick darüber bekommen, welche gruppendynamischen Prozesse im Verlauf der Kaufentscheidungsfindung ablaufen, doch jede Information, die er über die verschiedenen Persönlichkeiten und die interpersonellen Faktoren erhalten kann, ist von Nutzen.

Individuelle Faktoren

Jeder Entscheidungsbeteiligte hat seine persönlichen Motive, Wahrnehmungen und Vorlieben. Diese werden von seinem Alter und Einkommen, seiner Ausbildung und Identifikation mit dem Beruf, seiner Persönlichkeit und Risikobereitschaft beeinflußt. Es gibt klare Stilunterschiede bei den einzelnen Einkäufern. Einige der jüngeren Einkäufer mit akademischem Hintergrund sind »Computer-Freaks«, die Konkurrenzangebote mit peinlichster Genauigkeit analysieren, ehe sie einen der Anbieter auswählen. Andere wiederum sind »harte Burschen« der »alten Schule«, die die Verkäufer gegeneinander ausspielen.

Der Industriemarketer muß seine Kunden kennen und seine Taktiken den bekannten umweltbedingten, organisationsspezifischen, interpersonellen und individuellen Determinanten der Kaufsituation anpassen.

Wie treffen industrielle Abnehmer ihre Kaufentscheidungen?

Industrielle Abnehmer erwerben Güter und Dienstleistungen nicht für den persönlichen Verbrauch oder Nutzen. Sie kaufen Güter, um damit Geld zu verdienen, ihre Betriebskosten zu senken oder einer gesellschaftlichen oder gesetzlichen Verpflichtung nachzukommen. So errichtet ein Stahlunternehmen einen weiteren Hochofen, wenn es die Chance sieht, seine Umsätze zu steigern; es stellt seine Buchhaltung auf Computer um, um die Betriebskosten zu senken; und es ergreift Umweltschutzmaßnahmen, um gesetzliche Auflagen einzuhalten. Der Kauf der benötigten Güter durch industrielle Abnehmer durchläuft einen mehrstufigen Prozeß. Robinson et al. grenzten acht Phasen des industriellen Kaufprozesses voneinander ab und bezeichneten diese als *Kaufphasen.* [17] Diese Phasen sind in Tabelle 7-1 aufgeführt. Bei einem Erstkauf sind alle acht Phasen voll ausgeprägt, bei den anderen beiden Kaufsituationen nur ein Teil. Diese Modelldarstellung wird als *Kaufraster* bezeichnet. Im folgenden werden alle acht Phasen am Beispiel einer Erstkaufsituation beschrieben.

Tabelle 7-1 Hauptabschnitte (Kaufphasen) des industriellen Kaufprozesses und deren Aktivierung in den Hauptkaufsituationen (Kaufklassen)

		Kaufklassen		
		Erstkauf	Modifizierter Wiederholungskauf	Reiner Wiederholungskauf
Kaufphasen	1. Problemerkennung	ja	möglich	nein
	2. Generelle Bedarfsbeschreibung	ja	möglich	nein
	3. Produktspezifizierung	ja	möglich	nein
	4. Lieferantensuche	ja	möglich	nein
	5. Einholung von Angeboten	ja	möglich	nein
	6. Wahl des Lieferanten	ja	möglich	nein
	7. Festlegung der Auftragsmodalitäten	ja	möglich	nein
	8. Leistungsbewertung	ja	möglich	nein

Quelle: Patrick J. Robinson, Charles W. Faris und Yoram Wind: *Industrial Buying and Creative Marketing*, Boston: Allyn & Bacon, 1967, S. 14 (in veränderter Form).

Problemerkennung

Der Kaufprozeß beginnt, wenn ein Angehöriger des Unternehmens einen Bedarf oder ein Problem feststellt, das durch den Erwerb eines Produkts oder einer Dienstleistung gelöst werden kann. Die Problemerkennung kann durch interne oder externe Stimuli ausgelöst werden. Die häufigsten internen Ereignisse, die zur Feststellung eines Problems führen, sind:

- Das Unternehmen beschließt die Entwicklung eines neuen Produkts und benötigt zu dessen Herstellung neue Anlagen und Materialien.
- Ein Maschinenausfall macht den Erwerb von Neu- oder Ersatzteilen erforderlich.
- Angeschafftes Material stellt sich als unzureichend heraus, und das Unternehmen sucht einen neuen Lieferanten.
- Ein Einkaufsmanager sieht die Gelegenheit, günstigere Preise oder bessere Qualität zu erhalten.

Externe Anregungen erhält der Käufer z. B. auf einer Fachmesse, durch die Werbung oder den Kontakt mit Vertretern, die ihm ein besseres Produkt oder einen günstigeren Preis bieten. Der Industriemarketer kann also durch die Entwicklung geeigneter Anzeigen, mit Anrufen bei potentiellen Kunden etc. einen Anstoß zur Problemerkennung geben.

Generelle Bedarfsbeschreibung

Nachdem der Käufer einen bestehenden Bedarf erkannt hat, bestimmt und beschreibt er als nächstes in allgemeiner Form, wie das Bedarfsproblem gelöst werden soll und in welchem Umfang der Bedarf besteht. Bei Problemlösungen durch Standardartikel ist dies kein großes Problem. Bei Problemen, die komplexere Produkte erfordern, geschieht dies in Zusammenarbeit zwischen dem Einkäufer und anderen Beteiligten wie Ingenieuren, Anwendern etc. Diese versuchen, die Zuverlässigkeit, Dauerhaftigkeit, Kosten und andere erwünschte Attribute der Problemlösung nach ihrer Bedeutung zu gewichten und Prioritäten zu setzen.

Der Industriemarketer kann dem kaufenden Unternehmen in dieser Phase Unterstützung gewähren. Häufig weiß der Käufer nicht in vollem Umfang, welchen Nutzen bestimmte Produktmerkmale bieten. Ein aufmerksamer Marketer kann ihm bei der Beschreibung des unternehmensspezifischen Bedarfsprofils behilflich sein.

Produktspezifizierung

Als nächstes nimmt die kaufende Organisation die genauere Spezifikation der technischen Merkmale des zu beschaffenden Produkts vor. Ein aus technischen Experten bestehendes Wertanalyse-Team befaßt sich mit dieser Aufgabe. Die *Wertanalyse* ist ein von General Electric Ende der 40er Jahre eingeführtes *Verfahren der Kostensenkung, bei dem Produktkomponenten daraufhin untersucht werden, ob sie durch Konstruktionsänderungen, Standardisierungen oder andersgeartete Fertigung kostengünstiger gestaltet werden können.* Das Team analysiert dabei die kostspieligen Komponenten eines Produkts – meistens entfallen 80 % der Kosten auf 20 % der Komponenten. Außerdem versucht die Arbeitsgruppe die Komponenten zu erkennen, deren Bauweise die Anforderungen übererfüllt und die folglich langlebiger sind als das Produkt an sich. In Tabelle 7-2 sind die wesentlichen Fragestellungen der Wertanalyse aufgeführt. Das Analyseteam legt die optimalen Produktmerkmale fest und faßt die Spezifizierung des Produkts ab. Exakt formulierte Spezifikationen geben dem Käufer die Möglichkeit, Ware abzulehnen, die den gestellten Ansprüchen nicht genügt.

Auch der Lieferant kann die Wertanalyse als Mittel einsetzen, um einen Kunden zu gewinnen. Wenn er im Kaufprozeß des Kunden bereits in einer frühen Phase mit dabei ist, kann er nicht nur die Problemlösung, sondern insbesondere auch die Produktspezifizierung beeinflussen. Damit kann er die Problemlösung des Kunden und sein Angebot in Einklang bringen, was ihm in der späteren Phase der Lieferantenauswahl hilft.

Lieferantensuche

In dieser Phase versucht der Käufer, die am besten geeigneten Anbieter zu finden. Er kann zu diesem Zweck Branchenverzeichnisse zu Rate ziehen, in elektronischen Datenbanken suchen oder andere Unternehmen anrufen, um sich Empfehlungen geben zu lassen. Einige Anbieter werden nicht in Frage kommen, weil sie nicht über

1. Bringt diese Produktkomponente einen Wertbeitrag?
2. Besteht ein angemessenes Kosten-Nutzen-Verhältnis?
3. Sind alle Merkmale erforderlich?
4. Gibt es eine bessere Lösung für den beabsichtigten Zweck?
5. Läßt sich ein verwendbares Teil auf kostengünstigere Weise herstellen?
6. Läßt sich ein verwendbares Normteil finden?
7. Wird angesichts der benötigten Stückzahlen die geeignetste Fertigungsmethode genutzt?
8. Würde ein anderer zuverlässiger Lieferant das Produkt preisgünstiger bereitstellen?
9. Kann irgend jemand das Produkt noch günstiger beziehen?

Tabelle 7-2
Fragestellungen bei der Wertanalyse

Quelle: Albert W. Frey: *Marketing Handbook*, 2. Auflage, New York: Ronald Press, 1965, Abschnitt 27, S. 21.

die erforderlichen Produktionskapazitäten verfügen oder hinsichtlich pünktlicher Lieferung oder Service-Leistung in schlechtem Ruf stehen. Die Lieferanten, die dem ersten Anschein nach geeignet sind, werden eventuell aufgesucht, um die Produktionsanlagen zu begutachten und die Mitarbeiter kennenzulernen. Am Ende hat der Käufer dann eine kleine Liste geeigneter Lieferanten zur Auswahl.

Je neuartiger das Beschaffungsproblem und je komplexer und kostenträchtiger das zu beschaffende Produkt, desto mehr Zeit investiert der Einkäufer in die Suche nach Lieferanten und deren Beurteilung. Eine Umfrage unter Einkaufsleitern der Elektronikindustrie ergab folgende Hauptinformationsquellen, die hier in der Reihenfolge ihrer Bedeutung aufgeführt sind: [18]

1. Interne Informationsquellen wie Beschaffungsunterlagen, Hinweise anderer Abteilungen und Lieferantenlisten.
2. Anrufe und Besuche von Vertretern.
3. Externe Informationsquellen wie Recherchen über die Fähigkeiten der Anbieter, Einkaufsmanager anderer Unternehmen, Bankauskünfte sowie Mitglieder der Ortsgruppe des Einkaufsverbandes.
4. Externe Informationsquellen wie Anzeigen und Artikel in Fachzeitschriften, Werbebriefe, Kataloge, Branchenverzeichnisse und Fachmessen.

Der Anbieter muß in den wichtigen Verzeichnissen aufgeführt sein, ein schlagkräftiges Werbe- und Verkaufsförderungsprogramm entwickeln, sich auf dem Markt einen guten Ruf erwerben und Abnehmer, die auf der Suche nach neuen Lieferanten sind, ausfindig machen.

Einholen von Angeboten

Der Einkäufer fordert die geeigneten Lieferanten nun zur Einreichung von Angeboten auf. Ein Teil der Anbieter wird darauf nur mit der Zustellung eines Katalogs oder der Entsendung eines Vertreters reagieren. Im Falle komplexer oder kostspieliger Problemlösungen fordert der Interessent von jedem potentiellen Lieferanten ein detailliertes schriftliches Angebot an. Wieder scheidet ein Teil der Anbieter aus, und die noch verbleibenden werden um eine förmliche Präsentation ihres Angebots gebeten.

Der Industriemarketer muß also seine Angebote geschickt zusammenstellen, schriftlich abfassen und mündlich präsentieren. Angebote sollten als Marketingdo-

Tabelle 7-3
Beispiel für Lieferantenbewertungsschemata

Eigenschaften	Bewertungsskala				
	unannehmbar	mangelhaft	annehmbar	gut	hervorragend
Kompetenz in Technik und Produktion					×
Finanzielle Bonität			×		
Produktzuverlässigkeit					×
Lieferzuverlässigkeit			×		
Fähigkeit zum Kundendienst					×
Gesamtergebnis: 4 + 2 + 4 + 2 = 16					
Durchschnitt: 16/5 = 3.2					

Anmerkung: Dieser Anbieter schneidet, abgesehen von zwei Beurteilungspunkten, gut ab. Der Einkäufer muß bestimmen, wie er diese beiden Schwächen gewichtet. Die Analyse kann auch mit einer unterschiedlichen Gewichtung der fünf Eigenschaften erstellt werden.

Quelle: Richard Hill, Ralph Alexander und James Cross: *Industrial Marketing*, 4. Auflage, Homewood, Illinois: Richard D. Irwin, S. 101–104 (in überarbeiteter Form).

kumente und nicht als rein technische Aufstellungen gesehen werden. Die persönliche Präsentation soll Zuversicht ausstrahlen. Der Marketer sollte die Leistungen und Ressourcen seines Unternehmens in den Vordergrund stellen, bei denen er der Konkurrenz überlegen ist.

Wahl des Lieferanten

In dieser Phase nimmt sich das Beschaffungsteam nochmals die Angebote vor, um seine endgültige Lieferantenwahl zu treffen. Es analysiert die Anbieter eingehend. Dabei geht es nicht allein um deren technische Kompetenz, sondern auch um ihre Fähigkeit, termingerecht zu liefern und den notwendigen Kundendienst zu erbringen. Das Beschaffungsteam legt hier häufig eine Liste gewünschter Lieferanteneigenschaften an, gestaffelt nach ihrer Wichtigkeit. Eine Befragung bei den Einkaufsmanagern ergab bei den acht wichtigsten Eigenschaften folgende Reihenfolge: [19] Lieferfähigkeit, Qualität, Preis, Reparaturdienst, technische Kompetenz, früher gezeigte Leistungen, Fertigungsanlagen, Unterstützung und Beratung.

Das Beschaffungsteam bewertet die einzelnen Lieferanten anhand dieser Kriterien und identifiziert so die attraktivsten von ihnen. Oft wird auch ein Lieferantenbewertungsschema, wie in Tabelle 7-3 dargestellt, verwendet.

Lehmann und O'Shaughnessy stellten fest, daß die Gewichtung der Lieferanteneigenschaften je nach Kaufsituation unterschiedlich ist. [20] Bei *routinemäßig bestellten Produkten* waren die zuverlässige Lieferung, der Preis sowie der Ruf des Lieferanten am wichtigsten. Bei *Produkten mit Bedienungsproblemen* wie einem Kopiergerät sind der technische Kundendienst, die Flexibilität des Lieferanten und die Verläßlichkeit des Produkts die drei wichtigsten Kriterien. Bei *Produkten mit »politischen« Problemen*, die organisationsinterne Rivalitäten aufkeimen lassen können wie z. B. Computersysteme, zählen die Kriterien Preis, Ruf des Lieferanten, Zuverlässigkeit des Produkts und Kundendienstes sowie Flexibilität des Lieferanten am meisten.

Das Beschaffungsteam versucht vor der endgültigen Entscheidung eventuell noch, mit den bevorzugten Lieferanten bessere Preise und Bedingungen auszuhandeln. Der Marketer kann der Forderung nach niedrigeren Preisen vielfältig begegnen. Er kann zum Beispiel auf den Wert des gebotenen Leistungspakets verweisen, insbesondere, wenn dieses besser ist als das der Konkurrenz. Oder dem Verkäufer gelingt der Nachweis, daß die »Lebenszykluskosten« bei seinem Produkt niedriger liegen als bei Konkurrenzerzeugnissen, auch wenn der Anschaffungspreis höher ist. Auch mit anderen innovativen Ansätzen kann man intensivem Preiswettbewerb begegnen, wie folgendes Beispiel zeigt: [21]

Lincoln Electric hat für seine Vertragshändler eine »Kostensenkungsgarantie« eingeführt. Verlangt ein Endnutzer von Lincolns Elektroausrüstungen von einem Vertragshändler, daß die Preise einem Konkurrenzangebot angepaßt werden, so geben Lincoln Electric und der betreffende Vertragshändler dem Kunden die Garantie, im Laufe des folgenden Jahres in seinem Werk Einsparungsmöglichkeiten ausfindig zu machen, die den Preisunterschied zwischen Lincoln-Produkten und anderen Anbietern wettmachen oder sogar übersteigen. Vertreter von Lincoln und der Vertragshändler analysieren dann gemeinsam den Betrieb des Kunden und helfen auch bei der Realisierung erkannter Kostensenkungschancen. Am Ende des Jahres werden die Ergebnisse durch einen unabhängigen Experten überprüft. Können die versprochenen Einsparungen nicht belegt werden, erstatten Lincoln Electric und der Vertragshändler die Differenz zum Preis des Wettbewerbsangebots, wobei Lincoln 70 % übernimmt und der Händler den Rest.

Das Beschaffungsteam muß auch entscheiden, mit wie vielen Zulieferern überhaupt gearbeitet werden soll. Viele industrielle Abnehmer verlassen sich lieber auf mehrere Bezugsquellen pro Artikel, weil sie dadurch nicht in vollkommener Abhängigkeit von einem Zulieferer stehen, wenn Probleme auftreten, und weil außerdem die Möglichkeit zu Preis- und Leistungsvergleichen zwischen den verschiedenen Lieferanten besteht. In der Regel sucht man einen Hauptlieferanten und mehrere Nebenlieferanten. Ein Hauptlieferant könnte z. B. 60 % und zwei Nebenlieferanten 30 bzw. 10 % der Aufträge erhalten. Der *Hauptlieferant* wird immer bemüht sein, seine dominierende Position zu verteidigen, während die *Nebenlieferanten* die Ausweitung ihres Auftragsanteils zum Ziel haben. Gleichzeitig werden die nicht zum festen Lieferantenstamm gehörenden Anbieter (»Out-Supplier«) mit preislich besonders attraktiven Angeboten aufwarten, um sich Zugang zum Kunden zu verschaffen, und anschließend alles daran setzen, ihren Auftragsanteil auszubauen.

Festlegung der Auftragsmodalitäten

Der Einkäufer formuliert nun den endgültigen Auftrag an den ausgewählten Lieferanten mit den technischen Spezifikationen, der benötigten Menge, der voraussichtlichen Lieferzeit, Rücktrittsregelungen, Gewährleistungen etc. Bei Produkten für die Wartung, Reparatur und Betriebsversorgung geht die Tendenz immer mehr weg von *periodisch wiederkehrenden Aufträgen* und hin zu *Rahmenverträgen*. Jedesmal von neuem Bestellungen aufzugeben, wenn ein Ersatzteil oder Betriebsmaterial benötigt wird, ist teuer. Der Abnehmer will sich auch nicht auf einige wenige Massenbestellungen einlassen, weil dies eine umfangreichere Lagerhaltung erfordert. Mit einem Rahmenvertrag wird eine langfristige Beziehung hergestellt, in der der Lieferant sich bereit erklärt, den Abnehmer über einen vereinbarten Zeitraum hinweg zu einem festgelegten Preis seinen Anforderungen entsprechend mit Nachschub zu versorgen.

Da die Lagerbestandshaltung dabei dem Verkäufer obliegt, bezeichnet man dieses Verfahren als *Nullbestandsversorgung*. Der Computer der Abnehmer löst automatisch einen Abruf beim Zulieferer aus, wenn Nachschub gebraucht wird. Solche Rahmenverträge führen verstärkt zum »Single Sourcing« und zum Kauf einer größeren Zahl von Artikeln bei dieser einen Quelle. Dies bindet Zulieferer und Abnehmer fester aneinander und macht es den nicht zum festen Lieferantenstamm gehörenden Unternehmen sehr schwer, mit diesem Kunden ins Geschäft zu kommen, es sei denn, man wird unzufrieden mit Preis, Qualität oder Kundendienst eines festen Lieferpartners.[22]

Leistungsbewertung

In dieser Phase beurteilt der Einkäufer die Leistung der Lieferanten. Drei verschiedene Verfahren sind hier gebräuchlich. Der Abnehmer kann mit den Endanwendern in Kontakt treten und deren Urteil einholen. Er kann den Lieferanten anhand bestimmter Kriterien und Gewichtungsverfahren beurteilen. Er kann die Folgekosten schlechter Qualität ermitteln und den Kaufpreis berichtigen.[23] Die Leistungsbewertung kann ergeben, daß der Abnehmer mit einem Zulieferer unter denselben Bedingungen weiter zusammenarbeitet, daß er diese Bedingungen ändert oder den Lieferanten ganz fallen läßt. Aufgabe des Lieferanten ist es, die Kriterien zu beachten, die Abnehmer und Endanwender zur Bewertung heranziehen.

Hiermit sind nun die Phasen des industriellen Kaufprozesses beschrieben, so wie sie bei einer Erstkaufsituation ablaufen würden. Bei einem modifizierten oder reinen Wiederholungskauf würden manche dieser Phasen verkürzt oder ganz ausgelassen. In jeder Phase scheiden mögliche Lieferanten aus. Cardozo benutzte die Phasen des Kaufprozesses zur Entwicklung eines Modells, aus dem die Wahrscheinlichkeit, daß ein Lieferant *i* den Auftrag für ein Produkt *j* von einem bestimmten Käufer erhält, abzulesen ist. Im Modell muß der Industriemarketer wie folgt vorgehen:[24]

1. Festlegung der Phasenabfolge im Entscheidungsprozeß für eine bestimmte Kaufsituation.
2. Abschätzung der Wahrscheinlichkeit, bei jeder Entscheidung in der Phasenfolge weiterhin als Lieferant berücksichtigt zu werden.
3. Multiplikation dieser Wahrscheinlichkeiten zur Berechnung der Gesamtwahrscheinlichkeit, den Auftrag zu erhalten.

Das oben beschriebene Modell teilt den industriellen Kaufprozeß in acht Schritte ein. In jeder realen Situation können weitere Schritte hinzukommen. Der Industriemarketer muß sich für jede Situation ein Modell schaffen. Jede Kaufsituation hat ihren eigenen Ablauf von Vorgängen, der dem Marketer Hinweise geben kann. Ein Kaufablaufdiagramm für den Kauf einer Verpackungsmaschine in Japan ist in Abb. 7–2 dargestellt. Hier nehmen mehr als 20 Personen am Kaufprozeß des Unternehmens teil. Dazu gehören der Produktionsleiter und seine Mitarbeiter, der Entscheidungsausschuß für neue Produkte, Personen aus dem Labor, aus der Marketingabteilung und der Abteilung für Marktentwicklung. Der Entscheidungsprozeß dauerte in diesem Fall 121 Tage.

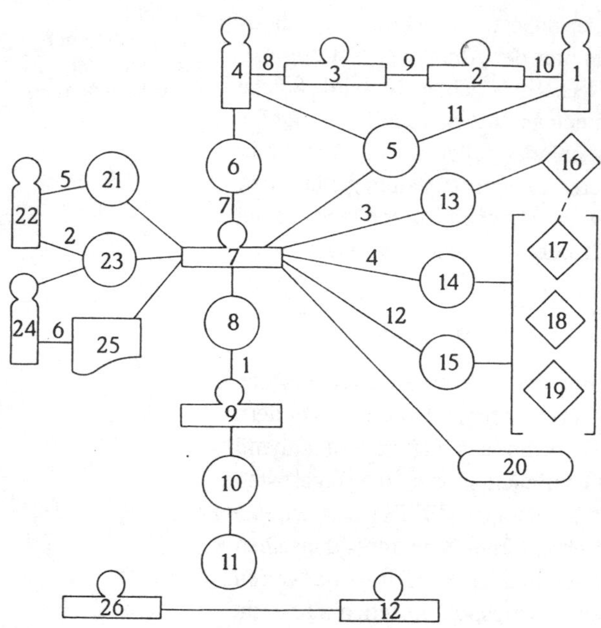

1 Präsident
2 Finanzabteilung
3 Zentrale Verkaufsabteilung
4 Produktionsleiter
5 Entscheidung
6 Diskussion der Produktions- und Marketingpläne
7 Produktionsabteilung
8 Planerstellung für das Verpackungsverfahren
9 Ausschuß für Neuproduktentwicklung
10 Beratungsanfrage
11 Erstellung des Marketingplans für neue Produkte
12 Produktentwicklungsabteilung
13 Konzeptdiskussion über Prototypen der Maschine
14 Prototyp der Maschine
15 Auftragsvergabe
16 Konstrukteure und Techniker der Lieferanten
17 Lieferant A
18 Lieferant B
19 Lieferant C
20 Maschinenausstellungen in Übersee
21 Anfrage, den Prototyp der Maschine zu testen
22 Forschungspersonal
23 Herstellung des Grundtypen
24 Meister in der Fertigungsabteilung
25 Herstellung technischer Zeichnungen
26 Marketingabteilung

Abbildung 7-2
Kaufablaufdiagramm: Modellierungsbeispiel zum Kaufprozeß einer Verpackungsmaschine in Japan

Quelle: »Japanese Firms Use Unique Buying Behavior«, in: *The Japan Economic Journal*, 23. Dezember 1980, S. 29, genehmigter Nachdruck.

Exkurs 7-2: Anpassung der Marketingstrategie an unterschiedliche Gruppen industrieller Abnehmer am Beispiel des Mikroprozessormarktes

Der Markt für Mikroprozessoren setzt sich aus drei Teilmärkten zusammen: Käufer im militärischen, industriellen und Konsumgüterbereich. Jedes Segment weist ein ganz anderes Kaufverhalten auf.

Der militärische Kunde legt höchsten Wert auf eine angemessene Qualität und genügend Produktionskapazität beim Hersteller.

Erst wenn diese beiden Punkte erfüllt sind, beginnt auch der Preis eine Rolle zu spielen.

Qualität ist auch für Kunden im industriellen Bereich, wie z.B. Computerhersteller, sehr wichtig. Durch hohe Produkt- und Servicequalität läßt sich in diesem Segment Kundentreue erreichen. Der Preis selbst ist weniger ausschlaggebend, solange er nicht vollkommen aus dem Rahmen fällt.

Kunden im Konsumgüterbereich, wie die Hersteller von Taschenradios, befinden sich in einem Markt mit äußerst scharfem Wettbewerb und müssen sich beim Kauf ihrer Komponenten folglich hauptsächlich am Preis und der Lieferfähigkeit orientieren. Loyalität gegenüber bestimmten Lieferanten gibt es nicht, und die Qualitätsanforderungen sind nur selten hochgesteckt.

Aufgrund dieser Unterschiede müssen die Marketingstrategien entsprechend variiert werden. Um Mikroprozessoren auf dem Rüstungsmarkt abzusetzen, müssen die Hersteller beträchtliche Summen in Forschung und

Entwicklung investieren, mit Vertretern arbeiten, die den militärischen Beschaffungsprozeß kennen, und sich auf ein begrenztes Produktsortiment spezialisieren. Für das Industriegütersegment dagegen ist der erforderliche Forschungs- und Entwicklungsaufwand geringer. Vertreter brauchen hier Fachkenntnisse über das Produkt, und das Produktsortiment muß groß sein. Das Konsumgütersegment schließlich erfordert wenig Forschungs- und Entwicklungsanstrengungen. Es können Vertreter ohne besondere Fachkenntnisse eingesetzt werden, und man sollte die gebräuchlichsten, in großen Mengen herstellbaren Produktlinien im Sortiment haben.

Das Industriegütermarketing ist ein Gebiet voller Herausforderungen. Hier muß man die Kunden und ihren Bedarf, die am Kaufprozeß beteiligten Personen, die Einflußkriterien und den Kaufprozeß kennen, wenn man erfolgreich sein will. Mit diesem Wissen kann der Industriemarketer die Entwicklung geeigneter Marketingpläne für verschiedene Kundentypen in Angriff nehmen (vgl. Exkurs 7-2).

Wiederverkäufer

Wer gehört zum Markt der Wiederverkäufer?

Der *Markt der Wiederverkäufer* besteht aus *allen Individuen und Organisationen, die Güter zum Zwecke des gewinnbringenden Wiederverkaufs oder der gewinnbringenden Vermietung an andere erwerben.* Anstelle eines Nutzens aus der Formveränderung eines Gutes erzeugen Wiederverkäufer einen räumlichen und zeitlichen Nutzen sowie einen Nutzen aus dem Besitz eines Gutes. Der bundesdeutsche Markt der Wiederverkäufer z.B. umfaßte 1985 etwa 41.000 Großhandelsinstitutionen mit 970.000 Beschäftigten und 142.000 Einzelhandelsunternehmen mit 1.930.000 Beschäftigten und einem Gesamterlös von 255 Mrd. DM.

Wiederverkäufer erwerben Güter für den Weiterverkauf sowie Güter und Dienstleistungen für die eigene Betriebstätigkeit, letztere in ihrer Funktion als »Produzenten«. An dieser Stelle sollen nur die zur Weiterveräußerung erworbenen Waren besprochen werden.

Die Bandbreite der von Wiederverkäufern veräußerten Güter ist enorm und umfaßt im Prinzip alles, was produziert wird, mit Ausnahme jener wenigen Produktkategorien, bei denen der Hersteller direkt an den Endabnehmer verkauft: schweres oder komplexes Gerät, Maßanfertigungen und Produkte, die im Direktversand oder von Haus zu Haus verkauft werden. Von diesen Ausnahmen abgesehen gelangen die meisten Produkte über Zwischenhändler an den Endabnehmer.

Die Lieferanten sollten die Wiederverkäufer als Einkäufer für ihre Kunden, nicht als Verkäufer für sich selbst ansehen. Sie haben in diesem Markt Erfolg, wenn sie die Wiederverkäufer dabei unterstützen, die Endkunden besser mit ihren Produkten zu bedienen, als die Konkurrenz es kann.

Welche Kaufentscheidungen treffen die Wiederverkäufer?

Wiederverkäufer müssen folgende Kaufentscheidungen treffen: *Welches Sortiment soll geführt werden? Von welchen Anbietern soll gekauft werden? Welche Preise und Bedingungen sind auszuhandeln?* Die Sortimentsentscheidung ist am wichtigsten; sie bestimmt die Positionierung des Wiederverkäufers im Markt. Groß- und Einzelhändler können eine der folgenden vier Sortimentsstrategien wählen:

- Exklusivsortiment: besteht aus der Produktlinie eines einzigen Herstellers
- Tiefensortiment: umfaßt eine Produktfamilie in großer Vollständigkeit und greift auf die Erzeugnisse vieler Hersteller zurück
- Breitensortiment: besteht aus einer Reihe von Produktlinien innerhalb des breiteren Geschäftsfeldes des Wiederverkäufers
- Mischsortiment: besteht aus vielen zusammenhanglosen Produktlinien

Ein Fotofachgeschäft könnte also zum Beispiel ausschließlich Kodak-Kameras führen (Exklusivsortiment), Kameras vieler verschiedener Hersteller (Tiefensortiment), Kameras, Kassettenrekorder, Radios und Stereoanlagen (Breitensortiment) oder alle letztgenannten Geräte und zusätzlich Elektroherde und Kühlschränke (Mischsortiment). Die vom Wiederverkäufer gewählte Angebotspalette wirkt sich auf sein Kunden-, Marketing- und Lieferanten-Mix aus.

Wiederverkäufer stehen drei Arten von Kaufsituationen gegenüber:
Bei der *Erstkaufsituation* muß der Wiederverkäufer entscheiden, ob er eine ihm angebotene Neuheit in sein Sortiment aufnimmt. Dies wird er entweder tun oder lassen, je nach den Gewinnaussichten, die das Produkt seinem Eindruck nach bietet. Die Situation ist hier anders als beim Erstkauf eines industriellen Abnehmers, der ein bestimmtes Produkt zur Lösung seines Problems unbedingt von irgend jemandem benötigt.

Bei der *Wahl der besten Anbieter* muß der Wiederverkäufer die am besten geeigneten Lieferanten für einen von ihm gewünschten Artikel ermitteln. Diese Situation entsteht, wenn der Wiederverkäufer a) aus räumlichen Gründen nicht alle Marken dieses Artikels führen kann, und wenn er b) den Artikel als Hausmarke führen will und dafür einen Hersteller sucht. Wiederverkäufer wie Quelle, Otto und Migros verkaufen eine bedeutende Zahl von Artikeln unter ihrem eigenen Namen. Ihre Beschaffungsabteilung beschäftigt sich deshalb eingehend mit Entscheidungen zur Lieferantenauswahl.

Die *Situation der Konditionsverbesserung* entsteht, wenn der Wiederverkäufer bei seinen Lieferanten eine Vergünstigung der ihm gewährten Bedingungen zu erreichen sucht. Viele aggressive Wiederverkäufer des dynamischen Handels suchen ständig nach neuen Ansätzen, um von ihren Lieferanten mit allem Nachdruck eine bevorzugte Behandlung, zum Beispiel bessere Bedienung, günstigere Kreditkonditionen und höhere Mengenrabatte, zu fordern.

Wer ist am Kaufprozeß des Wiederverkäufers beteiligt?

Wer erledigt den Einkauf für Groß- und Einzelhandelsorganisationen? In kleinen Betrieben kümmert sich meist der Inhaber oder Geschäftsführer selbst um die Auswahl der Ware und den Einkauf. Große Unternehmen haben Einkaufsspezialisten. Kaufhäuser, Supermärkte, Arzneimittelgroßhändler etc. haben den Einkauf unterschiedlich organisiert, und selbst innerhalb der gleichen Branche gibt es Unterschiede.

In großen Einzelhandelsorganisationen tragen z.B. Einkaufsexperten in der Hauptverwaltung (manchmal auch als *Merchandise Manager* oder *Markt-Manager* bezeichnet) die Verantwortung für die Zusammenstellung neuer Markensortimente. Ihnen stellen die Vertreter der Lieferanten Neuheiten vor. Manche Organisationen übertragen diesen Einkäufern die unmittelbare Befugnis, neue Artikel ins Sortiment aufzunehmen oder abzulehnen. In den meisten Organisationen aber sollen die Einkaufsspezialisten nur bei »eindeutigen Nieten« und »eindeutigen Rennern« über Annahme und Ablehnung entscheiden und müssen die anderen Produkte einem Einkaufsausschuß zur Genehmigung vorlegen. Nach Borden hat die Empfehlung des Einkäufers dabei großen Einfluß auf die vom Ausschuß gefällte Entscheidung. [25] Nach Pfeiffer werden im Großhandel 75 % und im Einzelhandel 35 % der Einkaufsentscheidungen kollektiv in einem Einkaufsgremium gefällt. In diesem Einkaufsgremium dominieren im Großhandel die Einkaufsleiter und Einkäufer und im Einzelhandel der Inhaber/Geschäftsführer. [26]

Auch wenn der Einkaufsausschuß einer Kette die Einführung eines neuen Artikels beschlossen hat, ist es möglich, daß einzelne Läden der Kette diesen nicht führen werden. Ein Manager einer Supermarktkette formulierte es so: »Ganz egal, was die Vertreter verkaufen oder was die Einkäufer abnehmen – die Person mit dem größten Einfluß auf den Verkauf eines neuen Artikels bleibt bei uns immer der einzelne Filialleiter.«

Die Entscheidungsgewalt einzelner Funktionsträger ist bei verschiedenen Handelsorganisationen jedoch unterschiedlich. In einigen Organisationen hat der Einkäufer für seinen Produktbereich auch die volle Verantwortung dafür, wie seine Artikel an die Kunden weiterverkauft werden. Damit hat er auch eine große Entscheidungsmacht im Einkauf. In anderen Organisationen darf der Einkäufer nur die Einkaufsfunktion wahrnehmen und das beschaffen, was von anderen angefordert wird.

Für die Hersteller ist es also eine schwierige Aufgabe, neue Artikel in die Läden des Einzelhandels zu bringen. Jede Woche werden den großen Supermärkten Hunderte von neuen Artikeln angeboten, aber aufgrund des begrenzten Raums können nur wenige davon aufgenommen werden, und alte Artikel müssen dafür aus dem Sortiment gestrichen werden.

Über die Aufnahme neuer Produkte im Handel gibt es eine Vielzahl von Untersuchungen. Nach Bauer zeigen diese Untersuchungen, daß insbesondere bei der Neuproduktaufnahme fünf Beweggründe mitspielen, und zwar in folgender Rangfolge: [27]

1. Werbung und Verkaufsförderung des Herstellers für das Produkt
2. Verbrauchernutzen
3. Verbrauchernachfrage
4. Einführungsrabatte und
5. Verpackung

Demzufolge haben die Anbieter die besten Chancen, wenn sie einen Kundennutzen bieten, ihn in der Werbung bekannt machen, schlagkräftige Beweise für die Kundenakzeptanz vorlegen können, über einen gutdurchdachten Werbe- und Absatzförderungsplan verfügen und dem Einzelhändler überzeugende finanzielle Anreize bieten.

Welchen wesentlichen Einflüssen sind Wiederverkäufer beim Einkauf ausgesetzt?

Auch Wiederkäufer unterliegen den in Abbildung 7-1 gezeigten Einflußfaktoren umfeldbedingter, organisationsspezifischer, interpersoneller und individueller Art. Der Verkäufer muß diese Faktoren erkennen und Strategien entwickeln, die bei den Wiederverkäufern umsatzsteigernd oder kostensenkend wirken.

Auch der Einkaufsstil des einzelnen Einkäufers sollte berücksichtigt werden. Dikkinson erarbeitete sieben Einkäufermentalitäten. Diese sind: [28]

- Der loyale Einkäufer: Er hält einer Bezugsquelle Jahr für Jahr die Treue.
- Der opportunistische Einkäufer: Er wählt diejenigen Verkäufer, die seinen langfristigen Interessen am ehesten dienlich sind, und holt dabei die bestmöglichen Bedingungen heraus.
- Der »Schnäppchen«-Einkäufer: Er schließt das im Augenblick bestmögliche Geschäft ab.
- Der kreative Einkäufer: Er teilt dem Verkäufer seine Wünsche in bezug auf Produkte, Dienstleistungen und Preise mit.
- Der Werbungseinkäufer: Er versucht, bei jedem Abschluß einen Zuschuß für die Werbung zu bekommen.
- Der Feilscher: Er handelt ständig preisliche Sondervergünstigungen aus.
- Der praktische Einkäufer: Er kauft die technisch beste Ware.

Wie treffen Wiederverkäufer ihre Kaufentscheidungen?

Bei neuen Artikeln durchlaufen Wiederverkäufer ungefähr den gleichen Kaufprozeß wie industrielle Abnehmer. Standardartikel werden einfach nachbestellt, wenn die Bestände zur Neige gehen, und zwar immer bei denselben Lieferanten, solange deren Bedingungen, Waren und Dienstleistungen zufriedenstellend sind. Die Aushandlung neuer Preise wird dann versucht, wenn die Wiederverkäufer ihre Umsatzrendite aufgrund steigender Betriebskosten schrumpfen sehen. Bei vielen Einzelhandelsketten ist die Umsatzrendite so gering (in Supermärkten z.B. 1 bis 2% vom Umsatz), daß ein jäher Absatzeinbruch oder ein Anstieg der Betriebskosten sofort rote Zahlen zur Folge hat.

Die Wiederverkäufer entwickeln sich im Laufe der Zeit zu immer geschickteren Einkäufern. Sie beherrschen die Prinzipien der Bedarfsprognose, Warenauswahl, Lagersteuerung, Raumnutzung und Warenpräsentation meisterhaft. Verstärkt verwenden sie auch Computer zur Aufzeichnung der Bestandsveränderungen, zur Berechnung optimaler Bestellmengen, zur Aufgabe von Bestellungen und zur Erstellung von Statistiken über den Umsatz pro Lieferant und Produkt. Sie können damit feststellen, ob es rentabel ist, ein bestimmtes Produkt im Angebot zu führen oder nicht. Hier wurde die »direkte Produktprofitabilität« als Analyseverfahren entwickelt (siehe Exkurs 7-3).

Exkurs 7-3: Direkte Produktprofitabilität (DPP) – Ein neues Verfahren für Wiederverkäufer

Wiederverkäufer verwenden zunehmend ein neues Verfahren zur Bewertung der Profitabilität neuer Produkte. Das Verfahren heißt direkte Produktprofitabilität (DPP). DPP ermöglicht es dem Wiederverkäufer, die Logistikkosten eines Produkts zu erfassen, und zwar vom Zeitpunkt der Anfuhr zum Warenlager bis zum Zeitpunkt, zu dem der Kunde kauft und das Produkt aus dem Geschäft mitnimmt. DPP erfaßt nur die direkten Kosten, die durch Logistikvorgänge des Produkts zustande kommen – Warenannahme, Einlagerung, Abfertigung der Begleitpapiere, Warenzusammenstellung und -überprüfung, Verladung und Lagerungskosten. Diese Kosten werden dann mit der Handelsspanne abgeglichen, um die direkte Profitabilität festzustellen. Wiederverkäufer, die DPP anwandten, fanden zu ihrer Überraschung heraus, daß die direkte Produktprofitabilität oft sehr wenig mit der Handelsspanne eines Produkts korrelierte. So waren z. B. bei einigen Produkten mit hohem Umschlag die Logistikkosten so hoch, daß diese Produkte weniger profitabel waren als andere Produkte mit niedrigem Umschlag.

Das amerikanische *Food-Marketing-Institute (FMI)* ist dabei, nach diesem Ansatz ein Standardverfahren zu entwickeln und seine Anwendung zu fördern. DPP kann auf mehrfache Weise zur Effizienzverbesserung beitragen. Erstens kann DPP den Wiederverkäufern zu einem verbesserten Management ihrer Lagerflächen verhelfen. Zweitens zeigt DPP, wo und wie die Logistikkosten durch gemeinsames Handeln von Hersteller und Wiederverkäufer verringert werden können wie z. B. durch Verbesserung der Pakkungsgrößen, der Gebindeformen und der Belieferungsmethoden. Drittens kann man mit DPP die Profitabilitätsauswirkungen alternativer Regalbestückungspläne und andere Logistikmaßnahmen verläßlicher testen.

Einige Hersteller fühlen sich durch dieses Verfahren gefährdet, denn es gibt den Wiederverkäufern starke Argumente in die Hand, bestehende oder neue Produkte für ihr Warensortiment auszuwählen oder abzulehnen. Vorausschauende Hersteller befassen sich selbst mit diesem Verfahren und setzen es ein, um ihren Wiederverkäufern zu Kosteneinsparungen zu verhelfen und somit bessere Handelsbeziehungen aufzubauen.

Die Anbieter haben es mit immer besser gerüsteten Wiederverkäufern zu tun. Dies ist einer der Gründe für die Machtverlagerung von den Herstellern zu den Wiederverkäufern. Die Anbieter müssen die sich wandelnden Anforderungen der Wiederverkäufer erfassen und konkurrenzfähige Angebote formulieren, mit deren Hilfe die Wiederverkäufer ihre Abnehmer noch besser bedienen können. Tabelle 7-4 nennt eine Reihe von Marketinginstrumenten, derer sich Anbieter zur Steigerung der Attraktivität ihrer Angebote an die Wiederverkäufer bedienen.

Tabelle 7-4
Marketinginstrumente des Anbieters für den Einsatz bei Wiederverkäufern

Gemeinschaftswerbung: Der Verkäufer trägt einen Teil der Werbekosten des Wiederverkäufers für sein Produkt.
Vorausetikettierung: Der Verkäufer versieht jedes Produkt mit einem Etikett, von dem Preis, Hersteller, Kennummer und Farbe abzulesen sind. Diese Etiketten erleichtern dem Wiederverkäufer die Nachbestellung.
Kauf ohne Lagerhaltung: Die Lagerhaltung wird vom Verkäufer übernommen, der auf Abruf des Wiederverkäufers liefert.
Automatische Nachbestellsysteme: Der Verkäufer stellt Formulare und Computerverbindungen für die automatische Nachbestellung durch den Wiederverkäufer bereit.
Werbehilfen: Fotovorlagen, Texte für Werbespots etc.
Sonderpreise für die Absatzförderung im Wiederverkaufsgeschäft.
Rückgabe- und Umtauschrechte für den Wiederverkäufer.
Rabatte für Preisreduzierungen durch den Wiederverkäufer.
Sponsern von Produktvorführungen am Verkaufsort.

Öffentliche Institutionen

Der *Beschaffungsmarkt der öffentlichen Institutionen* besteht aus *den staatlichen Organen auf Gemeinde-, Länder- und Bundesebene, die Güter für die Ausführung der wesentlichen staatlichen Funktionen erwerben oder mieten.* Das Volumen der Käufe, das von den öffentlichen Haushalten und nach Maßgabe des öffentlichen Haushaltsrechts abgewickelt wird, nimmt einen sehr wesentlichen Teil der volkswirtschaftlichen Gesamtaktivität ein. Im Jahre 1985 ergaben sich für die Bundesrepublik Deutschland im Vergleich folgende Zahlen:

- Bruttosozialprodukt: 1.846 Mrd. DM;
- Ausgaben aller öffentlichen Haushalte insgesamt: 907 Mrd. DM; davon für Sachausgaben, Baumaßnahmen und Investitionen: 306 Mrd. DM.[29]

Welche Kaufentscheidungen treffen die öffentlichen Institutionen?

Die öffentliche Beschaffung befaßt sich mit dem Erwerb von Gütern und Dienstleistungen, die zur Realisierung staatlicher Aufgaben gebraucht werden. Die öffentliche Hand kauft eine verblüffend breite Palette von Produkten und Dienstleistungen: Büroeinrichtungen, Computer, Skulpturen, Schultafeln, Bücher, Möbel, Kleidung, Beförderungs- und Transportmittel, Feuerwehrfahrzeuge, Polizeiausrüstung, militärische Ausrüstungen, Kraftstoffe, Bauleistungen usw. Von den Aufwendungen von 306 Mrd. DM im Jahre 1985 flossen 204 Mrd. DM in den Erwerb unbeweglicher Sachen, 7 Mrd. DM in den Erwerb beweglicher Sachen und 48 Mrd. DM in Investitionszuschüsse für Gebäude, Anlagen und Ausrüstungen der öffentlichen Hand, Krankenhäuser und andere Bereiche. Für viele Lieferanten ergibt sich aus dem Beschaffungsmarkt der öffentlichen Hand ein sehr wesentlicher Anteil an ihrem gesamten Geschäftsvolumen. Dies trifft insbesondere für Industrieunternehmen zu, die sich auf die Produktion militärischer Güter und Weltraumtechnologien verlegt haben.

Jeder von der öffentlichen Hand beschaffte Artikel erfordert Entscheidungen, wieviel davon und zu welchen Preisen zu kaufen ist und welche Dienstleistungen erwartet werden. Die Organe der öffentlichen Hand sind angewiesen, sich bei der Beschaffung an eine Reihe von Gesetzen und Verordnungen zu halten: Allgemeine Rechtsgrundlagen werden durch das Haushaltsgrundsätze-Gesetz (HGrG), die Bundeshaushaltsordnung (BHO) und das Grundgesetz (GG) vorgegeben. Hierin sind verschiedene Grundsätze festgelegt, welche bei der Aufstellung und Ausführung des Haushaltsplans zu beachten sind wie z.B. das Prinzip der Vollständigkeit. Dieses Prinzip verlangt, daß alle zu erwartenden Einnahmen und Ausgaben sowie Verpflichtungsermächtigungen berücksichtigt werden.

Auch die Prinzipien der Wirtschaftlichkeit und Sparsamkeit sind wichtig. Nach dem Prinzip der Sparsamkeit wird gefordert, daß nur soviel ausgegeben werden darf, wie zur Erfüllung der Aufgaben des Staates notwendig ist. Es sind also zunächst die notwendigen staatlichen Aufgaben festzustellen und diese dann mit möglichst geringen finanziellen Mitteln zu erfüllen. Dies steht oft im Widerspruch zum Prinzip der Wirtschaftlichkeit, das in den Vorschriften nicht genau definiert ist, nach dem im allgemeinen aber ein optimales Verhältnis von Leistung und Aufwand anzustreben wäre.

Weitere Details und Vorgehensfragen sind durch spezielle Verwaltungsanweisungen und ergänzende Richtlinien vorgezeichnet, und zwar wie folgt:

Die Beschaffung von Leistungen, außer Bauleistungen, richtet sich nach der Verdingungsordnung für Leistungen (VOL), der Verordnung über Preise bei öffentlichen Aufträgen (VPÖA) und den Leitsätzen für Preisermittlung aufgrund von Selbstkosten (LSP). Die Beschaffung von Bauleistungen richtet sich nach der Verdingungsordnung für Bauleistungen (VOB), der Verordnung über Preise bei öffentlichen und mit öffentlichen Mitteln finanzierten Bauaufträgen (VPÖA-Bau) und nach den Leitsätzen für Preisermittlung aufgrund von Selbstkosten (LSP-Bau). Spezielle wirtschaftliche und politische Interessen werden durch ergänzende Richtlinien berücksichtigt wie Richtlinien der Bundesregierung zur angemessenen Beteiligung kleinerer und mittlerer Unternehmen bei der Vergabe öffentlicher Aufträge nach der VOL, Richtlinien für die bevorzugte Berücksichtigung von Personen und Unternehmen aus wirtschaftlich schwachen Gebieten, Richtlinien für die Berücksichtigung bevorzugter Bewerber bei der Vergabe öffentlicher Aufträge und die Richtlinie des Rates der EG. Durch die Richtlinien und Verordnungen werden unterschiedliche Beschaffungsverfahren mit ihren Ausschreibungs- und Verfahrensmodalitäten aufgezeichnet, nach denen die Institutionen der öffentlichen Hand in der Regel einkaufen. Es handelt sich dabei jedoch um Verwaltungsanweisungen ohne Gesetzeskraft, deren Einhaltung folglich nicht vom Anbieter eingeklagt werden kann.

Wer ist am Kaufprozeß der öffentlichen Institutionen beteiligt?

Beschaffungsorganisationen finden wir auf Bundes-, Länder- und Kommunalebene. Die Beschaffung ist in der Regel dezentralisiert und liegt bei den einzelnen Organisationseinheiten wie Ministerien, Ämtern und öffentlich-rechtlich gestalteten öffentlichen Betrieben. Zu den letzteren gehören öffentlich-rechtliche Anstalten wie z.B. die Rundfunkanstalten, öffentlich-rechtliche Körperschaften wie z.B. die Bundesanstalt für Arbeit, das Bundeskartellamt, die physikalisch-technische Bundesanstalt, öffentlich-rechtliche Stiftungen (VW-Stiftung), kommunale Gebietskörperschaften und kommunale Betriebe (z.B. Schwimmbad, Schlachthof), autonome Wirtschaftseinheiten (Bundespost, Bundesbahn) und organisatorisch unselbständige Regiebetriebe (Müllabfuhr).

Es gibt keine zentrale Beschaffungsstelle für den öffentlichen Bedarf und keinen alleinverantwortlichen Einkäufer, welcher allein den Bedarf an bestimmten Artikeln, Ausrüstungen oder Dienstleistungen einer bestimmten öffentlichen Organisation in der Hand hätte. Das Beschaffungsamt in Koblenz ist die größte Einkaufsorganisation in der Bundesrepublik und in Europa. Es beschafft den Bedarf an Materialien, die vom Militär benötigt werden. Bei der Beschaffung kann es jedoch nicht eigenständig handeln, sondern wird vom Verteidigungsministerium gelenkt und muß in seinen Beschaffungsentscheidungen die festgelegten Produktanforderungen berücksichtigen. Bei der Festlegung des Gesamtbudgets für die Beschaffung spielen auf höherer Ebene noch das Finanzministerium, das Kabinett, das Parlament, der Haushaltsausschuß des Parlaments, der Bundesrat und evtl. ein Vermittlungsausschuß eine Rolle. Die Durchführung der Beschaffung unterliegt neben einer internen Aufsicht auch noch der Kontrolle durch den Bundesrechnungshof und den parlamentarischen Ausschuß für die Haushaltskontrolle.

In ähnlicher Form gibt es auch in kleineren Beschaffungseinheiten, wie z.B. den Universitäten, viele Teilnehmer am Beschaffungsprozeß. Bei der Beschaffung eines Großgeräts für die universitäre Forschung z.B. nehmen teil: die anwendende Forschungsgruppe selbst, der Fachbereichsrat, ein Budgetausschuß des Senats, der Universitätssenat, die Einkaufsabteilung der Universität, der Kanzler, der Präsident, das Kultus- und das Finanzministerium des jeweiligen Bundeslandes, das Bundesforschungsministerium, die Deutsche Forschungsgemeinschaft, eventuell Sponsoren, die Drittmittel in die universitäre Forschung einbringen sowie schließlich der Rechnungshof in der Nachkontrolle. Anbieter von Produkten und Dienstleistungen an die Institutionen der öffentlichen Hand sollten sich also zuerst im klaren sein, wer bei der Beschaffung mitwirkt, wie der Beschaffungsprozeß abläuft und welche Einflüsse dabei ausgeübt werden.

Welchen wesentlichen Einflüssen sind die staatlichen Einkäufer ausgesetzt?

Die staatlichen Einkäufer werden durch politische, umfeldbedingte, organisationsspezifische, interpersonelle und individuelle Faktoren beeinflußt. Insbesondere unterliegt die öffentliche Beschaffung einer strengen Beobachtung durch viele Stellen. Der Bundes- bzw. Landesrechnungshof führt routinemäßig Nachkontrollen durch. Ein parlamentarischer Kontrollausschuß kann routinemäßige oder Sonderuntersuchungen durchführen, um Fragen nachzugehen, die durch die Öffentlichkeit oder durch Parlamentarier aufgeworfen werden, wenn sie Beispiele für staatliche Verschwendungssucht oder Mittelvergeudung aufzuzeigen versuchen. Auch private Gruppen, wie z.B. der Bund der Steuerzahler, beobachten die Ausgabenpolitik und -praxis staatlicher Institutionen sehr kritisch.

Da die Entscheidungen über die Verwendung der Mittel einer öffentlichen Überprüfung standhalten müssen, ergibt sich für staatliche Organe ein beträchtlicher Verwaltungsaufwand. Umfangreiche und detailintensive Formulare sind auszufüllen und zu unterzeichnen, ehe Anschaffungen genehmigt werden. Dabei entsteht ein ausgeprägter Bürokratismus, durch den sich der Marketer seinen Weg wie durch einen Dschungel bahnen muß. Eine immer bedeutendere Rolle in der öffentlichen Beschaffungspolitik spielen Kriterien, die sich nicht direkt aus den Aufgaben des Staates ableiten und welche die zu beschaffenden Gegenstände oder Dienstleistungen zusätzlich erfüllen sollen. Mit der öffentlichen Beschaffungspolitik werden oft gesamtwirtschaftliche, politische und soziale Ziele verfolgt. Bei den gesamtwirtschaftlichen Zielen steht eine möglichst wirtschaftliche Verwendung von Produktionsfaktoren zur Steigerung der Allokationseffizienz und eine Stärkung der dynamischen Effizienz der Wirtschaft durch Rationalisierung und Innovation im Mittelpunkt. Aus politischen und sozialen Gründen werden Anbieter besonders berücksichtigt, die in bestimmten Regionen (frühere Zonenrandgebiete, West-Berlin) angesiedelt sind, eine genügende Anzahl von Behinderten beschäftigen und von kleiner und mittlerer Größe sind. Aus regionalpolitischen Gesichtspunkten erfolgt insbesondere die Verteilung von Großprojekten auf die verschiedenen Länder der Bundesrepublik. Anbieter, die mit dem Staat Geschäftsbeziehungen aufnehmen wollen, berücksichtigen auch diese Kriterien und suchen die Unterstützung der Politiker ihrer Region.

Bei großen Militär- und Raumfahrtprojekten spielen zudem internationale politische Beziehungen eine ganz offensichtliche Rolle, da in Gemeinschaftsarbeiten und in deren Verteilung auf die einzelnen Länder die Realisierung der angestrebten Integration Europas bzw. der NATO-Verbündeten ihren Ausdruck findet.

Wie verfahren die öffentlichen Institutionen bei ihren Kaufentscheidungen?

Im Gegensatz zu den Beschaffungspraktiken der Industrie wirken die Beschaffungspraktiken der öffentlichen Institutionen auf die Anbieter komplex und nicht selten frustrierend. Der Beschaffungsprozeß der öffentlichen Institutionen ist besonders weitläufig (siehe Abb. 7–3). Haushaltsrechtliche und sonstige Regelungen bewirken insbesondere eine Ausweitung des Beschaffungsprozesses in den Fragen der Bedarfsfeststellung, der Suche nach potentiellen Lieferanten, der Angebotsprüfung und der Vertragsabwicklung. Das Formularwesen führt zum »Papierkrieg«, der durch die Vielzahl von Verfahrensvorschriften inhaltlich und formal stark reglementiert ist.

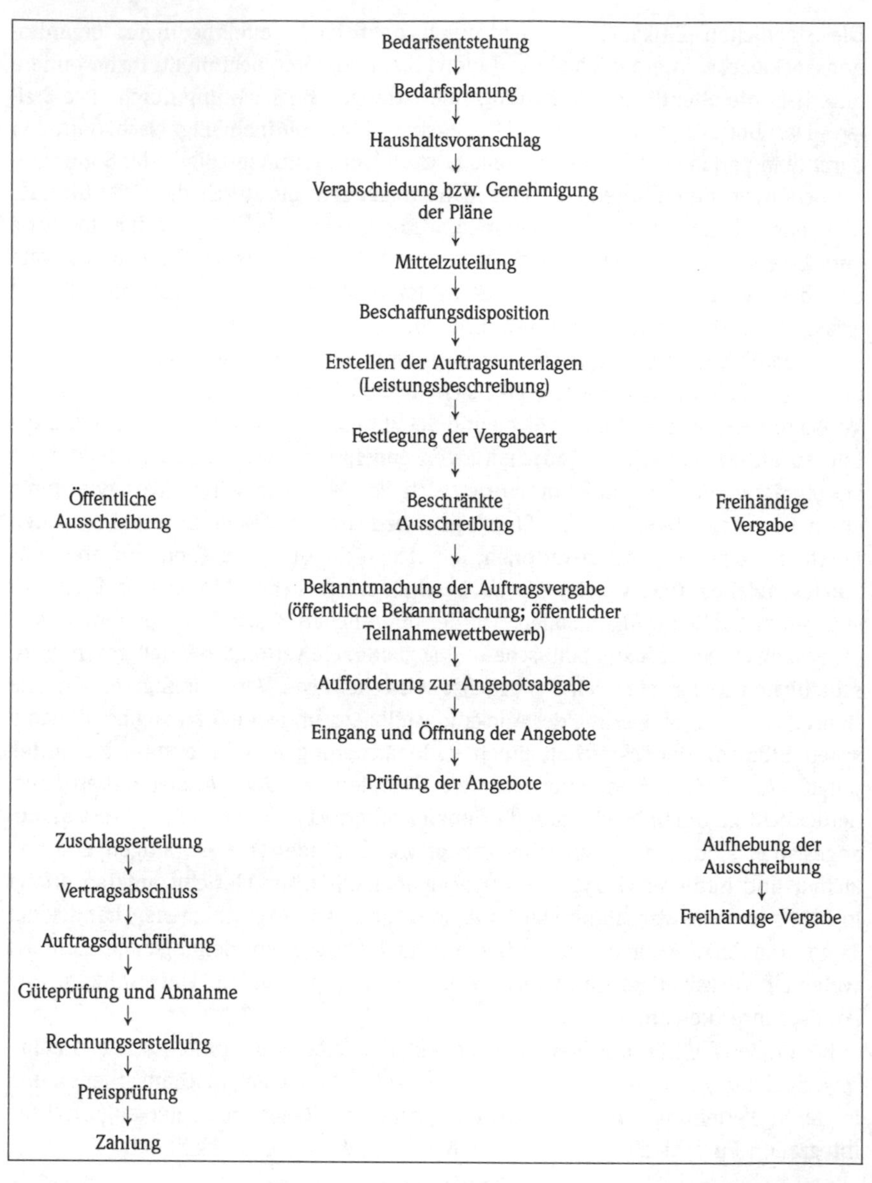

Abbildung 7-3
Beschaffungsprozeß in öffentlichen Institutionen

Quelle: Hammann, P., Lohrberg, W.: *Beschaffungsmarketing*, Stuttgart: Poeschel Verlag 1986.

Die langen Instanzenwege öffentlicher Institutionen bewirken einen zeitaufwendigen und langsamen Entscheidungsprozeß. Die Gruppe der an der Beschaffung teilnehmenden Personen läßt sich vom Anbieter nur schwer überschauen. Gemeinsam mit den politischen Einflüssen führen diese Fakten trotz der erheblichen Reglementierung zu einer Intransparenz des Beschaffungsprozesses für den Anbieter und oft zu dem Gefühl, daß hier Inkompetenz und Arroganz herrscht und nach Vorschrift statt nach Zweckmäßigkeit eingekauft wird. Trotz alledem lassen sich die Schwierigkeiten und Besonderheiten des Verkaufs an die öffentliche Hand bei gutem Willen auch von einem Neuanbieter in den Griff bekommen. In der Praxis und basierend auf den Verwaltungsanweisungen und Verordnungen haben sich in der öffentlichen Beschaffung drei unterschiedliche Ausschreibungs- und Vergabeverfahren von besonderer Bedeutung entwickelt:

1. die vollständige öffentliche Ausschreibung,
2. die beschränkte öffentliche Ausschreibung unter einer beschränkten Anzahl von privaten Anbietern (z.B. in der Fernmeldeindustrie) und
3. die freihändige Vergabe von Aufträgen.

Grundsätzlich soll in der Bundesrepublik Deutschland eine Auftragsvergabe aufgrund einer *vollständigen öffentlichen Ausschreibung* vorgenommen werden; dabei wird eine unbegrenzte Anzahl von Anbietern durch Ausschreibungsveröffentlichung aufgefordert, ein Angebot für die nachgefragte Leistung abzugeben. Der Ausgangspunkt der öffentlichen Ausschreibung ist eine genaue Leistungsbeschreibung der technischen Erfordernisse und der gewünschten Vertragsbedingungen. Es können konstruktive und funktionale Leistungsbeschreibungen vorgegeben werden. Bei *konstruktiven Leistungsbeschreibungen* werden die nachgefragten Leistungen so eindeutig und erschöpfend beschrieben, daß alle Wettbewerber die Beschreibung gleich verstehen müssen. Bei *funktionalen Leistungsbeschreibungen* wird angegeben, welche Anforderungen an die Funktionen der nachgefragten Leistungen gestellt werden. Damit wird dem Anbieter viel Freiheit in der konkreten Gestaltung der Waren/Dienstleistungen eingeräumt. Eine konstruktive Leistungsbeschreibung für ein Schwimmbad könnte z.B. festlegen, daß dieses mit einer Ölheizung genau definierter Größe zu betreiben ist. Eine funktionale Beschreibung würde angeben, daß das Schwimmbad auf eine bestimmte Temperatur zu beheizen ist, und überließe es dem Anbieter, ob z.B. Öl-, Gas- oder Solarheizungen dafür verwendet werden sollen.

Die öffentliche Ausschreibung ist in Tageszeitungen, amtlichen Veröffentlichungsblättern, Fachzeitungen oder in sonstiger geeigneter Weise bekanntzumachen. Daneben können bestimmte Anbieter auch persönlich auf die Ausschreibung hingewiesen werden, wenn dem Auftraggeber an deren Teilnahme besonders gelegen ist.

Die beschaffende Stelle ist gehalten, die erhaltenen Angebote bis zum Ende der Angebotsfrist *geheimzuhalten* und *Nachverhandlungen* auszuschließen. Speziell bei Bauaufträgen erfolgt nach Ablauf der Angebotsfrist am Eröffnungstermin die Öffnung und Verlesung der Angebote. Daran können alle Anbieter teilnehmen und sich so über sämtliche Angebote informieren. Bei anderen Aufträgen sind bei der Öffnung der Angebote Anbieter nicht zugelassen.

Die beschaffende Stelle muß überprüfen, ob die Bewerber, die zur Ausschreibung zugelassen sind, über die für die Ausführung des Auftrages notwendigen Kenntnisse verfügen, ob der entsprechende Betrieb leistungsfähig ist und ob sich die staatliche Nachfrage darauf verlassen kann, daß der Anbieter den Auftrag auch ohne ständige Überwachung mit fachmännischer Sorgfalt ausführt. Außerdem ist festzustellen, ob einzelne Bewerber wegen Betrugs, Preisabsprachen oder aktiver Bestechung aus dem Verfahren auszuschließen sind.

Den Zuschlag soll das *»angenehmste« Angebot* erhalten. Dies ist nicht immer das Angebot mit dem geringsten Preis. Angebote, deren Preise in offenbarem Mißverhältnis zur Leistung stehen, sind auszuschalten. Dies betrifft sowohl Niedrigst- als auch Höchstpreise. Bei Niedrigstpreisen kann geargwöhnt werden, daß der Anbieter ruinösen Wettbewerb betreiben will oder seine Gewinneinbußen durch minderwertige Leistung ausgleichen möchte. Bei der *Zuschlagserteilung* werden außerdem relevante Richtlinien zur bevorzugten Berücksichtigung bestimmter Anbietergruppen (kleine und mittlere Unternehmen, frühere Zonenrandgebiete, West-Berlin) berücksichtigt.

Die *Annahmeerklärung* soll dem Anbieter innerhalb einer festgelegten *Zuschlagsfrist* zugehen. Dann ist der Vertrag zwischen dem öffentlichen Auftraggeber und dem privaten Auftragnehmer abgeschlossen. Der Anbieter ist also während der Zuschlagsfrist an sein Angebot gebunden.

Bei der *beschränkten Ausschreibung* sucht die Beschaffungsstelle zunächst Anbieter aus, die zur Angebotsabgabe aufgefordert werden sollen. Es sollen dabei mindestens drei voneinander unabhängige Anbieter herangezogen werden. Bei den Bewerbern muß festgestellt werden, daß sie fachkundig, leistungsfähig und zuverlässig sind, was anhand ihrer Erfahrung in der Leistungserstellung, ihren technischen Produktionseinrichtungen und fachkundigen Arbeitskräften beurteilt wird. Im übrigen verläuft der Prozeß wie bei der vollständigen öffentlichen Ausschreibung.

Die beschränkte Ausschreibung wird durchgeführt, wenn die öffentliche Ausschreibung kein annehmbares Ergebnis gebracht hat, wenn die Eigenart oder der Umfang der Leistung bzw. besondere Umstände eine vollständige öffentliche Ausschreibung nicht erlauben (z.B. militärische Entwicklungsaufträge) und wenn der Aufwand einer öffentlichen Ausschreibung in keinem Verhältnis zum Wert der nachgefragten Leistung steht.

Bei der *freihändigen Vergabe* erfolgt die Auftragsvergabe nach freiem Ermessen der Beschaffungsstelle. Das entscheidende Merkmal hierbei ist die Formfreiheit. Die Beschaffungsstelle ist lediglich verpflichtet, vorher möglichst in allen Fällen eine formlose Preisermittlung, d.h. eine Anfrage nach relevanten Anbietern durchzuführen. Die freihändige Vergabe wird insbesondere dann angewandt, wenn nach einer bereits durchgeführten öffentlichen oder beschränkten Ausschreibung kein »angenehmes« Ergebnis erbracht wurde, bei Angebotsmonopolen, bei Leistungen, die unter Patent- oder Musterschutz stehen, bei Leistungen, die besondere Fähigkeiten, Erfahrung oder Geheimhaltung erfordern, bei besonderer Dringlichkeit, bei einer besonders vorteilhaften Gelegenheit und wenn Leistungen nicht ausreichend genau und eindeutig festgelegt werden können.

Für die *Preisfindung* von Leistungen aus öffentlichen Aufträgen gibt es eine eingehende, detaillierte Regulierung (VPÖA), ergänzt durch Kalkulations-, Kostenabgrenzungs- und Bewertungsrichtlinien, die in den »Leitsätzen für die Preisermittlung aufgrund von Selbstkosten« (als Anlage zur VPÖA) erfaßt sind. Der Beschaffungsstelle stehen damit weitreichende *Kontrollrechte* und *Einsichtnahme* in die Kalkulation des Anbieters zu. Diese Rechte werden insbesondere dann ausgeübt, wenn aufgrund der Angebotssituation oder der Komplexität der nachgefragten Güter die Preise auf der Basis von Kostenkalkulation und Gewinnzuschlag ermittelt werden sollen.

Die Überprüfung durch die Beschaffungsstelle richtet sich dann insbesondere auf die *Angemessenheit und Notwendigkeit* der anfallenden Kosten beim Anbieter.

Wenn große Unternehmen öffentliche Aufträge erhalten, dann haben kleine Unternehmen meist eine gute Chance, als Subunternehmer herangezogen zu werden. Die Einbindung von kleinen und mittleren Unternehmen in die Angebotsabgabe erhöht die Chancen des Großunternehmens, den Auftrag zu erhalten. Subunternehmen müssen allerdings in der Regel bereit sein, dem Generalunternehmen Leistungsgarantien zu geben und auf diese Weise einen Teil des Risikos zu tragen.

Nach Bemühungen der Kommission der Europäischen Gemeinschaft sollen zukünftig Ausschreibungen der öffentlichen Hand europaweit ausgeschrieben und vergeben werden. Dadurch erhofft man sich, den Wettbewerb stärken und etwa 40 Mrd. ECU pro Jahr einsparen zu können. Rund 11–18 % des Bruttoinlandsprodukts der EG werden über öffentliche Aufträge erwirtschaftet. Ein Teil der öffentlichen Aufträge wird bereits jetzt gesamteuropäisch ausgeschrieben. Über die Datenbank TED (»Tenders Electronic Daily«) können sich Unternehmen schnell und direkt per Computer oder Telex über öffentliche Ausschreibungen in der EG informieren. Die entsprechende Information markiert jedoch nur den Anfangspunkt der Marketinganstrengungen der interessierten Unternehmen. Sie müssen dann noch entsprechende Kenntnisse über die Verfahren der einzelnen Staaten, über die am Beschaffungsprozeß Mitwirkenden und über die Entscheidungseinflüsse erwerben, um sich auf die Ausschreibungen konzentrieren zu können, bei denen ihr Angebot eine Erfolgschance hat. Eine systematische Beobachtung des öffentlichen Marktes führt dazu, daß Unternehmen Nachfragetrends erkennen, Wettbewerbsinformationen systematisch sammeln, ihre eigenen Fähigkeiten der Nachfrage anpassen und sie besser kommunizieren.

Zusammenfassung

Die Beschaffungsmärkte der Organisationen bestehen aus allen Individuen und Organisationen, die Güter mit dem Ziel der Weiterverarbeitung, des Weiterverkaufs oder der Umverteilung erwerben. Organisationen (auch staatliche und Non-Profit-Organisationen) bilden einen Markt für Roh- und Werkstoffe, weiterverarbeitete Materialien und gefertigte Teile, technische Anlagen, Zusatzausstattungen sowie Versorgungsgüter und Dienstleistungen.

Die industriellen Abnehmer kaufen Güter und Dienstleistungen, um Umsatzsteigerungen und Kostensenkungen zu erreichen oder sozialen und gesetzlichen Verpflichtungen nachzukommen. Verglichen mit dem Konsumgütermarkt ist der Markt der industriellen Abnehmer durch weniger, größere und geographisch stärker konzentrierte Käufer gekennzeichnet; die Nachfrage ist abgeleitet, weniger preiselastisch und stärker fluktuierend; der Einkauf erfolgt professionell und ist durch eine größere Zahl von Kaufeinflüssen geprägt. Industrielle Abnehmer treffen Entscheidungen, die je nach Kaufsituation oder Kaufklasse (»buyclass«) anders ausfallen. Es gibt drei Arten von Kaufsituationen: reine Wiederholungskäufe, modifizierte Wiederholungskäufe und Erstkäufe. Die Entscheidungseinheit einer einkaufenden Organisation, das Beschaffungsteam (»Buying Center«), besteht aus allen Personen, denen eine der folgenden sechs Rollen zufällt: Anwender, Beeinflusser, Entscheidungsträger, Genehmigungsinstanzen, Einkäufer und Informations- und Kontaktselektierer. Für den Industriemarketer sind folgende Informationen entscheidend: Welche Personen sind am Kaufprozeß beteiligt? Bei welchen Entscheidungen üben sie Einfluß aus? Wie stark ist ihr relativer Einfluß? Welche Bewertungsmaßstäbe legt jeder Entscheidungsbeteiligte an? Der Marketer muß auch die wichtigen umfeldbedingten, organisationsspezifischen, interpersonellen und individuellen Einflußfaktoren im Kaufprozeß kennen. Der Kaufprozeß läßt sich in acht Kaufphasen unterteilen: Problemerkennung, generelle Bedarfsbeschreibung, Produktspezifizierung, Suche nach Lieferanten, Einholung von Angeboten, Wahl des Lieferanten, Festlegung der Auftragsmodalitäten und Leistungsbeurteilung. In dem Maße, in dem die industriellen Abnehmer ihr Geschick im Einkauf steigern, müssen die Industriemarketer ihre Marketingfähigkeiten ausbauen.

Der Beschaffungsmarkt der Wiederverkäufer besteht aus Individuen und Organisationen, die produzierte Güter erwerben und weiterveräußern. Wiederverkäufer treffen Entscheidungen über ihr Sortiment, ihre Lieferanten, die Preise und die Konditionen. Für sie sind drei Arten von Kaufsituationen wichtig: Entscheidung über einen neuen Artikel, Wahl eines neuen Lieferanten und Aushandlung neuer Bedingungen. In kleinen Groß- und Einzelhandelsorganisationen kann der gesamte Einkauf von einer einzigen Person oder einer kleinen Gruppe ausgeführt werden, in größeren Betrieben von einer Einkaufsabteilung. In großen Einzelhandelsorganisationen sind am Kaufprozeß Einkaufsfachkräfte in der Hauptverwaltung, betriebsübergreifende Einkaufsausschüsse und die einzelnen Filialleiter beteiligt. Bei der Entscheidung über neue Artikel durchlaufen die Einkäufer dieses Sektors einen ähnlichen Prozeß wie die Abnehmer in der Industrie.

Der Beschaffungsmarkt der öffentlichen Institutionen ist äußerst umfangreich: Jährlich werden in der Bundesrepublik Deutschland Güter und Dienstleistungen im Wert von über 300 Mrd. DM abgesetzt, die der Staat für die Verteidigung, das Bildungswesen, die soziale Versorgung der Bevölkerung und andere öffentliche Aufgaben benötigt. Die Einkaufspraxis der öffentlichen Hand ist durch formale Regulierungen und genaueste Bedarfsbeschreibungen gekennzeichnet, und die Beschaffung wird meist über öffentliche Ausschreibungen abgewickelt. Die staatlichen Einkäufer verrichten ihre Tätigkeit unter den wachsamen Augen des Parlaments, des Bundes- und der jeweiligen Landesrechnungshöfe und einiger privater »Aufpasser«. Aus diesem Grunde müssen in der Regel viele Formulare ausgefüllt und Anträge zur Unterschrift vorgelegt werden, und die Auftragserteilung geht recht schwerfällig vor sich.

Anmerkungen

1 Frederick E. Webster, Jr. und Yoram Wind: *Organizational Buying Behavior*, Englewood Cliffs, New Jersey: Prentice-Hall, 1972, S. 2.

2 Das entgegengesetzte Argument, daß sich Konsumenten- und Industriemarketing nicht wesentlich unterscheiden, entwickeln Edward F. Fern und James R. Brown »The Industrial/Consumer Marketing Dichotomy: A Case of Insufficient Justification«, in: *Journal of Marketing,* Frühling 1984, S. 68–77.

3 Vgl. William S. Bishop, John L. Graham und Michael H. Jones: »Volatility of Derived Demand in Industrial Markets and Its Management Implications«, in: *Journal of Marketing,* Herbst 1984, S. 95–103.
4 Vgl. Louis Stern and Thomas L. Eovaldi: *Legal Aspects of Marketing Strategy,* Englewood Cliffs, New Jersey: Prentice-Hall, 1984.
5 Vgl. Russell Hindin: »Lease Your Way to Corporate Growth«, in: *Financial Executive,* Mai 1984, S. 20–25.
6 Patrick J. Robinson, Charles W. Faris und Yoram Wind: *Industrial Buying and Creative Marketing,* Boston: Allyn & Bacon, 1967.
7 Vgl. Peter Boyle, Arch G. Woodside und Paul Mitchell: »Organizations Buying in New Task and Rebuy Situations«, in: *Industrial Marketing Management,* Februar 1979, S. 7–11.
8 Urban B. Ozanne und Gilbert A. Churchill, Jr.: »Five Dimensions of the Industrial Adoption Process«, in: *Journal of Marketing Research,* 1971, S. 322–328.
9 Marsha A. Schiedt, Frederick T. Trawick und John E. Swan: »Impact of Purchasing Systems Contracts on Distributors and Producers«, in: *Industrial Marketing Management,* Oktober 1982, S. 283–289.
10 Vgl Donald W. Jackson, Jr., Janet E. Keith und Richard K. Burdick: »Purchasing Agents' Perceptions of Industrial Buying Center Influence: A Situational Approach«, in: *Journal of Marketing,* Herbst 1984, S. 75–83.
11 Webster und Wind: *Organizational Buying Behavior,* S. 6.
12 Ebenda, S. 78–80.
13 Eberhard Witte: *Organisation für Innovationen & Leistungen – Das Promotoren-Model,* Göttingen: Otto Schwarz & Co., 1973.
14 Vgl. Murray Harding: »Who Really Makes the Purchasing Decision?«, in : *Industrial Marketing,* September 1966, S. 76. Die dort vertretene Ansicht wurde weitergeführt von Ernest Dichter: »Industrial Buying Is Based on Same »Only Human« Emotional Factors that Motivate Consumer Market's Housewife«, in: *Industrial Marketing,* Februar 1973, S. 14–16.
15 Webster und Wind: *Organizational Buying Behavior,* S. 33–37.
16 Vgl. Thomas H. Stevenson und Albert L. Page: »The Adoption of National Account Marketing by Industrial Firms«, in: *Industrial Marketing Management,* VIII, 1979, S. 94–100; Benson P. Shapiro und Rowland T. Moriarty: *National Account Management: Emerging Insights«,* Cambridge, Massachusetts: Marketing Sience Institute, März 1982.
17 Robinson, Faris und Wind: *Industrial Buying.*
18 Vgl. William A. Dempsey: »Vendor Selection and the Buying Process«, in: *Industrial Marketing Management,* VII (1978), S. 257–267.
19 Ebenda.
20 Vgl. Donald R. Lehmann und John O'Shaughnessy: »Difference in Attribute Importance for Different Industrial Products«, in: *Journal of Marketing,* April 1974, S. 36–42.
21 Vgl. James A. Narus und James C. Anderson: »Turn Your Industrial Distributors Into Partners«, in: *Harvard Business Review,* März–April 1986, S. 66–71.
22 Vgl. Leonard Groeneveld: »The Implications of Blanket Contracting for Industrial Purchasing and Marketing«, in: *Journal of Purchasing,* November 1972, S. 51–58; außerdem H. Lee Mathews, David T. Wilson und Klaus Backhaus: »Selling to the Computer Assisted Buyer«, in: *Industrial Marketing Management,* VI, 1977, S. 307–315.
23 Vgl. C. David Wieters und Lonnie L. Ostrom: »Supplier Evaluation as a New Marketing Tool«, in: *Industrial Marketing Management,* VIII, 1979, S. 161–166.
24 Vgl. Richard N. Cardozo: »Modelling Organizational Buying as a Sequence of Decisions«, in: *Industrial Marketing Management,* XII, 1983, S. 75–81.
25 Neil H. Borden, Jr.: *Acceptance of New Food Products by Supermarkets,* Boston: Harvard University, Graduate School of Business Administration, Division of Research, 1968.
26 Simone Pfeiffer: *Die Akzeptanz von Neuprodukten im Handel; Eine empirische Untersuchung zum Innovationsverhalten des Lebensmittelhandels,* Wiesbaden: Gabler, 1981.
27 Hans H. Bauer: *Die Entscheidung des Handels über die Aufnahme neuer Produkte;* Eine verhaltenstheoretische Analyse, Berlin: Duncker & Humblot, 1980.
28 Roger A. Dickinson: *Buyer Decision Making,* Berkeley, Kalifornien: Institute of Business and Economic Research, 1967, S. 14–17.
29 Vgl. *Statistisches Jahrbuch für die Bundesrepublik,* 1988.

Analyse der Konkurrenten

Kapitel 8

Auch vom Gegner kommt häufig ein guter Rat.
Aristophanes

Die Klage über die Stärke des Wettbewerbs ist in Wirklichkeit meist nur eine Klage über den Mangel an Einfällen.
Walter Rathenau

Die Analyse der Kunden reicht heute nicht mehr aus. Während der wachstumsintensiven 60er Jahre konnten es sich die Unternehmen noch leisten, ihre Konkurrenten zu ignorieren, da die meisten Märkte expandierten. In den turbulenten 70er Jahren und den weniger bewegten 80er Jahren erkannten die Unternehmen, daß Absatzsteigerungen zum großen Teil auf Kosten des Marktanteils der Konkurrenten zu erreichen sein würden. In den 90er Jahren wird sich der Wettbewerb verschärfen. Die Europäische Gemeinschaft ist dabei, nationale Wettbewerbsbeschränkungen in den einzelnen Ländern abzubauen und einen europaweiten Wettbewerb der Unternehmen zu stimulieren. Die osteuropäischen Länder streben nach der Einführung der Marktwirtschaft und werden letztendlich auch Unternehmen hervorbringen, die aggressiv als Wettbewerber im Weltmarkt auftreten. Multinationale Unternehmen weiten ihr Geschäft global auf immer mehr Märkte aus, in die sie ihr Technologie- und Marketing-Know-how tragen. Die Konsequenz daraus ist, daß Unternehmen gar keine andere Wahl haben, als ihre eigene Wettbewerbswilligkeit und -fähigkeit zu steigern. Sie müssen ihre Wettbewerber mindestens genauso gut analysieren wie die Kunden in ihrem Zielmarkt.

Dies erklärt, warum auch in der Marketingliteratur viel über Themen wie »Marketing-Kriegsführung«, »Nachrichtensysteme über die Konkurrenz« etc. gesprochen wird. [1] Doch nicht jedes Unternehmen investiert genug in die Beobachtung der Wettbewerber. Manche meinen, daß sie ihre Konkurrenten schon allein deshalb kennen, weil sie täglich mit ihnen im Wettbewerb stehen. Andere Unternehmen glauben, es sei sowieso nie möglich, seine Konkurrenz richtig zu kennen. Warum also dieser Aufwand? Doch Unternehmen mit einem feinen Gespür wissen den Wert der Konkurrentenanalyse zu schätzen und richten dafür Nachrichtensysteme ein.

Das Wissen um die Wettbewerber ist ein wesentliches Element für eine effektive Marketingplanung. Das Unternehmen sollte seine Produkte, Preise, Absatzwege und Verkaufsförderungsmaßnahmen ständig mit denen seiner engeren Konkurrenten vergleichen. So kann es Bereiche feststellen, wo potentielle Wettbewerbsvor- und -nachteile vorhanden sind. Es kann gezielter gegen die Konkurrenten vorgehen und sich besser gegen Angriffe wappnen.

Was aber müssen nun die Unternehmen tatsächlich über ihre Konkurrenten wissen? Mindestens fünf Dinge: Wer sind unsere *Konkurrenten*? Was sind ihre *Strategien*? Was sind ihre *Ziele*? Wo liegen ihre *Stärken und Schwächen*? Was ist ihr *Reaktionsprofil*?

Im folgenden wird nun untersucht, wie diese Informationen zur Formulierung der Marketingstrategie des Unternehmens beitragen können.

Identifizierung der Konkurrenten

Es scheint eigentlich eine einfache Aufgabe zu sein, die eigenen Konkurrenten zu identifizieren. Coca Cola weiß, daß Pepsi-Cola sein Hauptkonkurrent ist, und Volkswagen weiß, daß Fiat einer seiner Hauptkonkurrenten ist. Doch das Feld der tatsächlichen und latenten Konkurrenten eines Unternehmens ist weitaus größer. Die Unternehmen dürfen bei der Wettbewerbsanalyse nicht kurzsichtig sein, denn es ist ebenso möglich, daß sie von den latenten Konkurrenten aus dem Sattel geworfen werden wie von den bereits vorhandenen.
Hierzu zwei Beispiele:

Die Unternehmen Kodak und Agfa machen sich in ihrem Geschäftsbereich Fotographische Filme große Sorgen über die wachsende Konkurrenz von Fuji aus Japan. Kodak und Agfa sind jedoch in einem weitaus höheren Maß von der Erfindung und Entwicklung der »filmlosen Kamera« bedroht. Eine solche Kamera, von Canon und Sony auf den Markt gebracht, macht Video-Einzelbildaufnahmen, die auf dem Fernsehempfänger gezeigt, auf Papier oder auf Dias übertragen und sogar wieder überspielt werden können. Welche Bedrohung könnte für den fotographischen Film größer sein als die Kamera ohne Film!
Henkel, Procter & Gamble und andere Waschmittelhersteller sind besorgt über Forschungsfortschritte bei der Ultraschallwaschmaschine. Wenn sie voll entwickelt ist, könnte diese Maschine Textilien in Wasser ohne jegliche Waschmittel reinigen. Bis jetzt kann sie nur bestimmte Arten von Schmutz entfernen und nur bestimmte Textilien reinigen. Welche Bedrohung könnte für die Waschmittelbranche größer sein als die Ultraschallwaschmaschine!

Wir können vier Kategorien von Wettbewerbern unterscheiden, wenn wir mit dem Konzept der *Produktsubstituierung* arbeiten:

1. Ein Unternehmen kann seine Konkurrenten in anderen Unternehmen sehen, die demselben Kundenkreis ein vergleichbares Produkt oder vergleichbare Dienstleistungen zu vergleichbaren Preisen anbieten. So könnte z.B. Opel seine Hauptkonkurrenten in Ford, VW, Fiat, Renault und anderen Herstellern sehen, die Autos der gemäßigten Preisklasse anbieten. Dagegen würde sich Opel nicht als Konkurrent von Mercedes einerseits oder Lada am anderen Ende des Spektrums verstehen.
2. Eine breiter angelegte Sichtweise ist es, wenn das Unternehmen seine Konkurrenten in allen Unternehmen sieht, die dasselbe Produkt oder dieselbe Produktklasse anbieten. Hier würde sich Opel als Konkurrent aller anderen Automobilhersteller verstehen.
3. Eine noch breiter angelegte Sichtweise ist es, wenn das Unternehmen seine Konkurrenten in allen Unternehmen sieht, die Produkte herstellen, welche dieselbe Grundfunktion erbringen, z.B. Transport. Hier würde sich Opel nicht nur als Konkurrent aller Automobilhersteller, sondern auch der Motorrad-, Motorroller- oder Lkw-Hersteller verstehen.
4. Und eine erneut noch breiter angelegte Sichtweise ist es, wenn das Unternehmen seine Konkurrenten in allen Unternehmen sieht, die mit ihm um die gleiche »Verbraucher-Mark« wetteifern. Hier würde sich Opel als Konkurrent der Unternehmen verstehen, die aufwendige Gebrauchsgüter, Reisen, neue Eigenheime, Wohnungsrenovierungsdienste etc. anbieten.

Im folgenden soll nun genauer dargestellt werden, wie man die Konkurrenten eines Unternehmens aus der Sichtweise der *Branche* und des *Marktes* identifizieren kann.

Branchenkonzept

Eine *Branche* definiert man als *eine Gruppe von Unternehmen, die Produkte oder Produktgruppen anbieten, die untereinander in einer engen Substitutionsbeziehung stehen.* Normalerweise spricht man von der Kraftfahrzeug-Branche, der Öl-Branche, der Pharma-Branche etc. Die Wirtschaftswissenschaft definiert den Begriff »enge Substitutionsprodukte« als Produkte mit einer *hohen Kreuzpreiselastizität der Nachfrage.* Wenn der Preis eines Produkts steigt und dies zur Erhöhung der Nachfrage für ein anderes Produkt führt, sind die beiden Produkte enge Substitutionsprodukte. Wenn z.B. der Kaffeepreis steigt und dies die Leute dazu veranlaßt, auf Tee

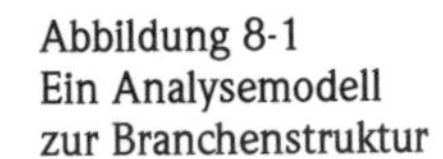

Abbildung 8-1
Ein Analysemodell
zur Branchenstruktur

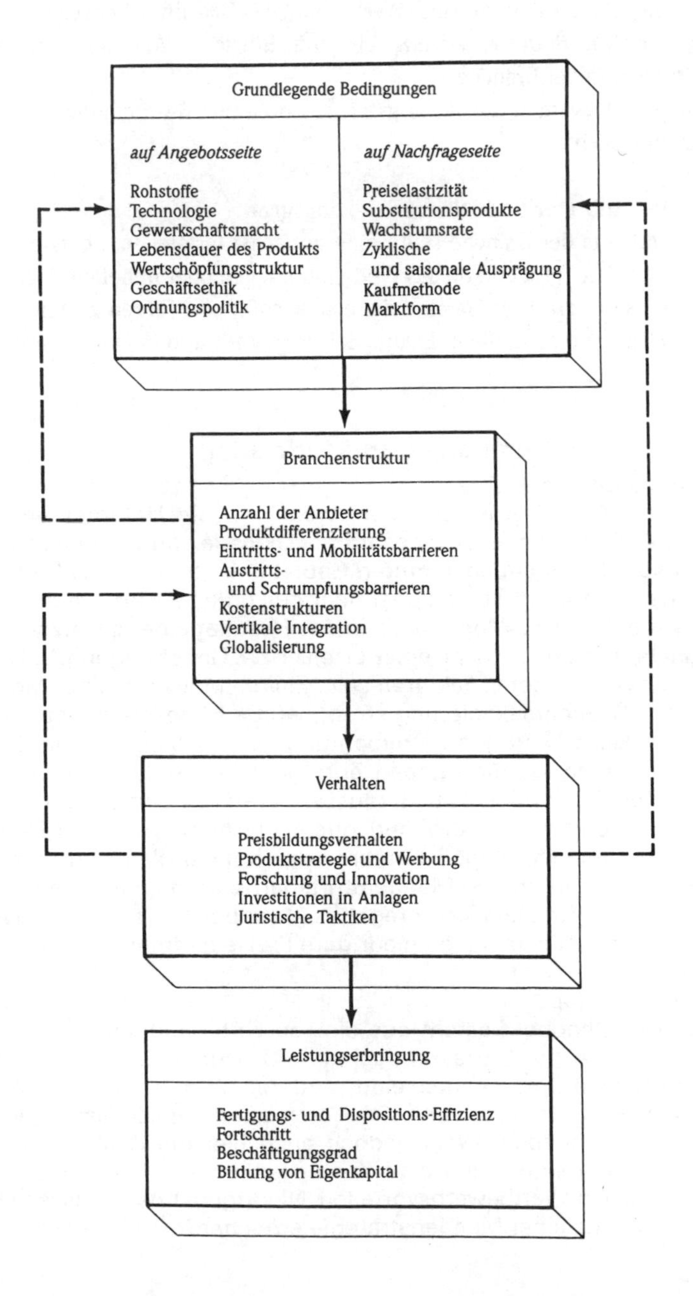

umzusteigen, sind Kaffee und Tee enge Substitutionsprodukte, auch wenn es sich um physisch unterschiedliche Güter handelt.

Die Wirtschaftswissenschaft hat einen nützlichen Modellrahmen zum Verständnis der Branchendynamik geschaffen. Dieses Modell ist in Abbildung 8-1 dargestellt. Im wesentlichen ist daraus abzuleiten, daß die Analyse der Wettbewerbsdynamik einer Branche bei den grundlegenden Bedingungen für *Angebot und Nachfrage* einsetzen muß. Diese Bedingungen beeinflussen wiederum die *Branchenstruktur.* Die Branchenstruktur beeinflußt ihrerseits das *Branchenverhalten*, z.B. die Produktentwicklung, Preisgestaltung und Werbestrategie. Das Branchenverhalten schließlich bestimmt die *Branchenleistung*, also u.a. Effizienz, Wachstum und Beschäftigungssituation in der Branche.

Im folgenden werden die wichtigsten Faktoren zur Bestimmung der Branchenstruktur untersucht.

Anzahl der Anbieter und Differenzierungsgrad

Zur Beschreibung der Branche sollte man zunächst feststellen, ob es einen, einige oder viele Anbieter gibt und ob das Produkt homogen oder in hohem Maße differenziert ist. Diese Charakteristika sind äußerst wichtig und führen zu fünf bekannten Branchenstrukturformen, die in Exkurs 8-1 dargestellt und erläutert werden.

Exkurs 8-1: Fünf Branchenstrukturformen

- Das reine Monopol

  Ein reines Monopol ist gegeben, wenn nur ein Unternehmen ein bestimmtes Produkt oder eine bestimmte Dienstleistung in einem bestimmten Land oder einem bestimmten Gebiet anbietet (z.B. die Briefbeförderung der deutschen Bundespost oder das örtliche Stromversorgungsunternehmen). Dieses Monopol kann das Resultat einer gesetzgeberischen Maßnahme, eines Patents, einer Lizenz bzw. Genehmigung, von Größenvorteilen oder anderen Faktoren sein. Ein uneingeschränkter Monopolist, der nach Gewinnmaximierung strebt, würde hohe Preise nehmen, kaum oder gar keine Werbung betreiben und nur ein Minimum an Serviceleistungen bieten, da die Kunden aufgrund des Fehlens enger Substitutionsgüter sein Produkt kaufen müssen. Wenn es partielle Substitutionsgüter gibt und eine Bedrohung durch die Konkurrenz ins Haus steht, könnte der reine Monopolist mehr in den Kundendienst und die Technologie investieren und so Markteintrittsbarrieren gegen neue Konkurrenten errichten. Ein staatlich geregeltes Monopol müßte normalerweise im Interesse der Allgemeinheit niedrigere Preise nehmen und mehr Service bieten.
- Das reine Oligopol

  Ein reines Oligopol besteht aus einigen Unternehmen, die im wesentlichen die gleiche Ware produzieren (Öl, Stahl etc.). Nur schwerlich könnte hier ein Unternehmen einen anderen als den gängigen Marktpreis nehmen, es sei denn, es kann sich durch seine Serviceleistungen von der Konkurrenz abheben. Wenn jedoch auch hier die Konkurrenten gleich leistungsfähig sind, dann sind Kostensenkungen der einzige Weg zur Erlangung von Wettbewerbsvorteilen. Niedrigere Kosten lassen sich über die Verfolgung einer Mengenstrategie erreichen, die von einer effizienten

Massenfertigung und einem ausgeprägten Erfahrungskurveneffekt getragen wird.

- Das differenzierte Oligopol
  Ein differenziertes Oligopol besteht aus wenigen Anbietern, die partiell differenzierte Produkte herstellen (Autos, Kameras etc.). Die Differenzierung kann bei der Qualität, den Eigenschaften, dem Styling oder den Serviceleistungen ansetzen. Jeder Wettbewerber könnte bei einem dieser Hauptmerkmale eine Führungsposition anstreben, Kunden gewinnen, die dieses Merkmal bevorzugen, und dafür einen höheren Preis nehmen.
- Monopolistischer Wettbewerb
  Beim monopolistischen Wettbewerb besteht die Branche aus vielen Wettbewerbern, die zur vollständigen oder teilweisen Differenzierung ihres Angebots in der Lage sind (z.B. Restaurants oder Schönheitssalons). Viele Wettbewerber konzentrieren sich dabei auf Marktsegmente, in denen sie bei der Erfüllung der Kundenbedürfnisse überlegen sind, und nehmen dafür höhere Preise.
- Vollkommener Wettbewerb
  Beim vollkommenen Wettbewerb besteht die Branche aus vielen Wettbewerbern, die das gleiche Produkt und die gleiche Leistung anbieten (z.B. die Wertpapier- oder Warenterminbörse). Da es keine Basis für eine Differenzierung gibt, sind die Preise der Wettbewerber identisch. Keiner von ihnen wird Werbung betreiben, es sei denn, dies könnte eine psychologische Produktdifferenzierung (z.B. bei Zigaretten oder Bier) bewirken; in diesem Fall wäre es korrekter, die Branche dem monopolistischen Wettbewerb zuzuordnen. Die Gewinnspannen der Anbieter werden sich nur in dem Maße unterscheiden, in dem sie niedrigere Produktions- oder Distributionskosten erreichen.

	Ein Anbieter	Einige Anbieter	Viele Anbieter
Undifferenzierte Produkte	Reines Monopol	Reines Oligopol	Vollkommener Wettbewerb
Differenzierte Produkte		Differenziertes Oligopol	Monopolistischer Wettbewerb

Die Wettbewerbsstruktur einer Branche kann sich mit der Zeit ändern. Nehmen wir den Fall, daß ein Unternehmen ein völlig neues Produkt entwickelt, wie z.B. Sony den Walkman. Zunächst tritt Sony als Monopolist auf. Doch schon bald treten andere Unternehmen mit leicht abgewandelten Produktvarianten in den Markt ein, was nunmehr zu monopolistischem Wettbewerb führt. Wenn sich der Nachfrageanstieg verlangsamt, kommt es zu einem »shakeout«, d.h. einem Umstrukturierungs- und Gesundschrumpfungsprozeß, und die Branche wird u.U. zum differenzierten Oligopol. Und schließlich könnte es dazu kommen, daß die Käufer die Produkte der Wettbewerber als im wesentlichen identisch wahrnehmen und ihr Interesse nur noch dem Preis gilt. Damit ist die Branche praktisch ein reines Oligopol.

Eintritts- und Mobilitätsbarrieren

Im Idealfall sollten neue Wettbewerber ungehindert in Branchen eintreten können, in denen die Gewinnspannen attraktiv sind. Dies würde zu mehr Wettbewerb, einem erhöhten Angebot, niedrigeren Preisen und einer Rentabilität normaler Größenordnung führen. Bei freiem Branchenzugang würde verhindert, daß Unternehmen langfristig übermäßige Gewinne abschöpfen. Der Zugang ist je nach Branche unterschiedlich schwer. So ist es einfach, ein neues Restaurant zu eröffnen, doch schwierig, in die Automobil-Produktion einzusteigen. Zu den Haupteintrittsbarrieren zählen *hoher Kapitalbedarf, »economies of scale« (oder Größenvorteile), Patent- und Lizenzauflagen, Knappheit an geeigneten Standorten, Rohstoffen oder Händlern, besondere Image-Erfordernisse* etc. Manche dieser Barrieren sind in bestimmten Branchen von selbst vorhanden, andere werden durch Einzelschritte oder »konzertierte Aktionen« der etablierten Unternehmen errichtet, die wissen, daß neue Konkurrenten ihrem eigenen Umsatz und Gewinn schaden werden. Auch nach dem Brancheneintritt kann es ein Unternehmen noch mit Mobilitätsbarrieren zu tun haben, nämlich dann, wenn es versucht, in attraktivere Teilbereiche der Branche vorzudringen.

Austritts- und Schrumpfungsbarrieren

Im Idealfall sollte es den Unternehmen freistehen, sich aus Branchen zurückzuziehen, in denen die Gewinne nicht attraktiv sind; doch häufig stehen sie hier vor Austrittsbarrieren. [2] Zu den Austrittsbarrieren zählen *rechtliche oder moralische Verpflichtungen gegenüber den Kunden, Gläubigern und Mitarbeitern; staatliche Restriktionen; geringer Liquidationswert der Produktionsanlagen als Folge von Überspezialisierung oder wirtschaftlich-technischer Überholung; das Fehlen alternativer Chancen; ein hoher vertikaler Integrationsgrad; emotionale Barrieren, etc.* Viele Unternehmen bleiben in einer Branche, so lange sie die variablen Kosten ganz und die Fixkosten ganz oder zumindest zum Teil decken können. Ihre Präsenz wirkt jedoch für alle als Gewinnbremse. Es liegt daher im Interesse aller Unternehmen, die in dieser Branche bleiben wollen, die Austrittsbarrieren für die anderen abzubauen. Sie können z.B. anbieten, die Anlagen anderer Unternehmen zu kaufen, Kundenverpflichtungen zu übernehmen, etc. Und auch wenn einige Unternehmen nicht zum Branchenaustritt veranlaßt werden können, zu einem Schrumpfungsprozeß kann man sie vielleicht doch veranlassen. Aber auch hier gibt es *Schrumpfungsbarrieren,* zu deren Beseitigung die aggressiveren Unternehmen beitragen können. [3]

Kostenstrukturen

In jeder Branche gibt es einen bestimmten Kostenmix, der das strategische Verhalten in der Branche stark beeinflußt. Die Stahlbranche hat z.B. hohe Fertigungs- und Rohmaterialkosten, während in der Spielzeugbranche hohe Distributions- und Marketingkosten üblich sind. Die Unternehmen in einer Branche werden streng auf die größten Kostenblöcke achten und strategisch auf deren Eingrenzung und Senkung der Kosten hinwirken. So verschafft sich das Stahlunternehmen mit den modernsten Anlagen einen großen Vorteil gegenüber den anderen »Stahlkochern«.

Vertikale Integration

In einigen Branchen werden die Unternehmen eine Rückwärts- und/oder Vorwärtsintegration für vorteilhaft halten. Ein gutes Beispiel dafür ist die Ölbranche, wo die großen Ölkonzerne die Erdölexploration, -förderung, -raffinierung und petrochemische Verarbeitung unter einem Dach betreiben. Die vertikale Integration bewirkt häufig niedrigere Kosten und eine bessere Kontrolle über die einzelnen Stufen der Wertschöpfung. Darüber hinaus können diese Unternehmen Preise und Kosten in unterschiedlichen Unternehmenssegmenten so lenken, daß Gewinne dort gemacht werden, wo die Steuern am niedrigsten sind. Insofern haben Unternehmen, die nicht zur vertikalen Integration in der Lage sind, Wettbewerbsnachteile.

Globalisierung

Einige Branchen haben einen stark lokalen Charakter (z.B. Gartenpflege), während es sich bei anderen um *globale Branchen* handelt (z.B. Öl, Flugzeugtriebwerke, Kameras). Unternehmen in globalen Branchen müssen sich dem weltweiten Wettbewerb stellen, wenn sie sich Größenvorteile erarbeiten und mit dem technischen Fortschritt Schritt halten wollen. [4]

Marktkonzept

Statt die Unternehmen, die das gleiche Produkt herstellen, als Wettbewerber zusammenzufassen (das Branchenkonzept), kann man auch diejenigen als Wettbewerber ansehen, die dasselbe Kundenbedürfnis zufriedenstellen oder dieselbe Kundengruppe erreichen wollen. Normalerweise sieht ein Schreibmaschinenhersteller andere Schreibmaschinenhersteller als seine Konkurrenten. Aus der Sichtweise des Kunden ist jedoch das, was er wirklich will, die Schreibleistung. Dieses Bedürfnis kann durch Bleistifte, Kugelschreiber, Computer, etc. erfüllt werden. Im allgemeinen weist das Marktkonzept ein Unternehmen auf ein breiteres Feld tatsächlicher und potentieller Konkurrenten hin und liefert Anstöße für eine längerfristig angelegte strategische Marktplanung.

Abbildung 8-2
Wettbewerbsmatrix für Zahnpasta-Hersteller in den USA

Produkte	Kinder/ Heranwachsende	Altersstufe 19–35	Altersstufe 36 und aufwärts
herkömmliche Zahnpasta	Colgate-Palmolive Procter & Gamble	Colgate-Palmolive Procter & Gamble	Colgate-Palmolive Procter & Gamble
Zahnpasta mit Fluor	Colgate-Palmolive Procter & Gamble	Colgate-Palmolive Procter & Gamble	Colgate-Palmolive Procter & Gamble
Gel	Colgate-Palmolive Procter & Gamble Lever Bros.	Colgate-Palmolive Procter & Gamble Lever Bros.	Colgate-Palmolive Procter & Gamble Lever Bros.
Gestreifte Zahncreme	Beecham	Beecham	
Zahncreme für Raucher		Topol	Topol

Kundengruppen

Man kann die Konkurrenten noch klarer identifizieren, wenn man die Branchen- und Marktanalyse verknüpft und in einer *Wettbewerbsmatrix* darstellt. Abbildung 8-2 zeigt eine solche für den US-Zahnpasta-Markt, gegliedert nach Produkten und Kundengruppen. Die Abbildung zeigt, daß Procter & Gamble und Colgate-Palmolive neun Segmente besetzen, Lever Brothers drei sowie Beecham und Topol jeweils zwei. Will Topol in andere Segmente eindringen, müßte das Unternehmen die Marktgröße jedes Segments, die Marktanteile der Konkurrenten in jedem Segment sowie deren Fähigkeiten, Ziele und Strategien abschätzen.

Strategien der Konkurrenten

Am härtesten ist die Konkurrenz zwischen Unternehmen, die die gleiche Marktstrategie verfolgen. In den meisten Branchen lassen sich die Konkurrenten nach ihren Strategien in Gruppen einteilen. *Eine »Strategische Gruppe« ist eine Gruppe von Unternehmen innerhalb einer Branche, die eine identische oder ähnliche Strategie verfolgen.[5]*

Zur Verdeutlichung nehmen wir nun an, daß ein Unternehmen in die Branche für Haushaltsgeräte eintreten und die wichtigsten strategischen Gruppen bestimmen will. Nehmen wir weiterhin an, das Unternehmen stellt fest, daß drei wichtige strategische Dimensionen dieser Branche *Qualitätsimage, vertikale Integration* und *Sortimentsumfang* sind. Es analysiert, wie in Abbildung 8-3 dargelegt ist, die Strategien der Wettbewerber. Dort gibt es vier strategische Gruppen. Zur strategischen Gruppe A zählen Konkurrenten wie Miele, Bauknecht, Krups und Braun. Zur strategischen Gruppe B zählen Großunternehmen wie Siemens, Bosch und AEG. Die strategische Gruppe C besteht aus Unternehmen, die sich bei mittlerem Leistungsniveau auf ausgewählte Geräte konzentriert haben, und zwar bei Fremdbezug vieler Bauelemente. Die strategische Gruppe D besteht aus Billiganbietern von vielen Geräten mit geringem Eigenfertigungsanteil.

Aus der Bestimmung der strategischen Gruppen lassen sich einige wichtige Erkenntnisse ableiten. Erstens: Die Höhe der Eintrittsbarrieren differiert bei jeder strategischen Gruppe. Für einen Branchenneuling wäre es am einfachsten, sich der Gruppe D anzuschließen, da hier die geringsten Investitionen für die vertikale Integration, für Qualitätskomponenten und für den Aufbau einer Reputation erforderlich sind. Umgekehrt wäre es für das Unternehmen am schwersten, in die Gruppe A oder B einzutreten. Zweitens: Sollte dem Unternehmen der Zutritt zu einer der Gruppen gelingen, werden die Mitglieder der Gruppe zu seinen Hauptkonkurrenten. Wenn also das Unternehmen in Gruppe B eintritt, wird es sich vor allem gegen Siemens, AEG und Bosch behaupten müssen. Will es Aussicht auf Erfolg haben, müßte es beim Eintritt einige zusätzliche strategische Vorteile mitbringen. Der verschärfte Wettbewerb innerhalb der strategischen Gruppe ist darauf zurückzuführen, daß ihre Mitglieder für gewöhnlich dieselben Kunden anziehen, da sie den Markt mit den gleichen Anreizen ansprechen.

Obwohl der Wettbewerb innerhalb einer strategischen Gruppe am intensivsten

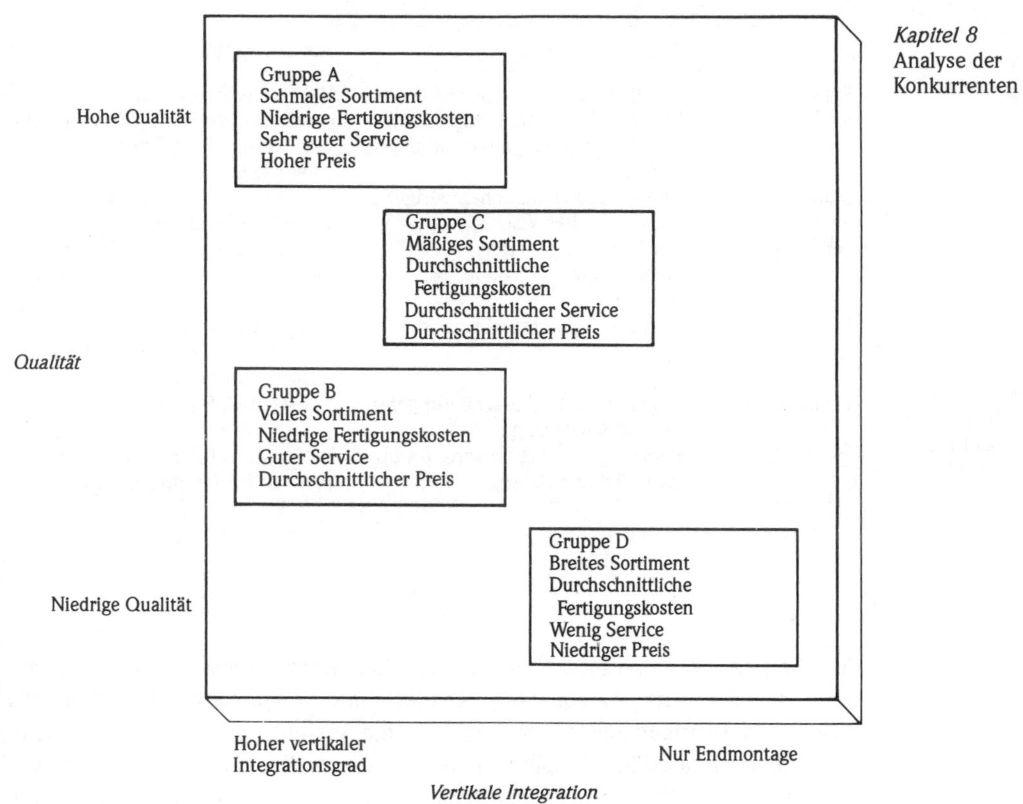

Abbildung 8-3
Strategische Gruppen in der Haushaltsgerätebranche

ist, gibt es auch zwischen den einzelnen Gruppen Rivalitäten. Erstens könnten sich die Vertriebswege und Kundengruppen überschneiden, die sie ansprechen. So werden z.B. die Elektrogerätehersteller, auch wenn sie unterschiedliche Strategien verfolgen, trotzdem alle hinter den Küchenmöbelherstellern und Wohnungseinrichtern her sein, um sie als Absatzhelfer zu gewinnen. Zum zweiten kann es sein, daß die Kunden keine großen Unterschiede zwischen all den Angeboten sehen. Und zum dritten will vielleicht jede Gruppe ihr Betätigungsfeld im Markt ausdehnen, vor allem, wenn die einzelnen Gruppen in Größe und Macht etwa gleich stark und die Mobilitätsbarrieren zwischen den Gruppen niedrig sind.

In Abbildung 8-3 sind nur drei Dimensionen zur Analyse der strategischen Gruppen innerhalb der Branche aufgeführt. Andere Dimensionen wären z.B. das Niveau des technologischen Know-how, geographische Reichweite, Fertigungsverfahren etc. In der Tat müßte das strategische Profil jedes Wettbewerbers umfassender dargestellt werden, als drei Dimensionen dies tun können. In Tabelle 8-1 werden daher zwei große Elektronikunternehmen, Texas Instruments und Hewlett-Packard, detaillierter verglichen. Zweifellos verfolgt jedes der Unternehmen eine andere Strategie und spricht unterschiedliche Kundensegmente an. Das Unternehmen muß jedoch noch

Tabelle 8-1
Gegenüberstellung des strategischen Profils von Texas Instruments und Hewlett-Packard

	Texas Instruments	*Hewlett-Packard*
Kern der Strategie	Wettbewerbsvorteil auf großen Märkten durch Standardprodukte und die langfristig niedrigsten Kosten	Wettbewerbsvorteil auf ausgewählten kleinen Märkten durch hochwertige Produkte mit Alleinstellung
Marketing	Hohes Absatzvolumen/niedriger Preis, schnelles Wachstum	Hoher Nutzen/hoher Preis, gezügeltes Wachstum
Fertigung	Mit Erfahrungskurveneffekt auf Kostenreduktion aus, Vertikale Integration	Lieferzuverlässigkeit und Qualität, beschränkte vertikale Integration
F & E	Produktdesign kostensparend	Ausstattungsmerkmale und Qualität im Vordergrund, Produktdesign leistungsbetont
Finanzierung	Aggressiv, volle Ausschöpfung der Fremdfinanzierung	Konservativ, Eigenfinanzierung
Personalführung	Betonung auf Wettbewerb, Anreize für Individualleistung	Betonung auf Zusammenarbeit, Anreize zur Gruppenleistung

detailliertere Daten und Informationen über jeden Konkurrenten sammeln. Es muß über Produktqualität, Produkteigenschaften und Produktmix, Kundendienst, Preispolitik, Distributionsnetz, Strategie für die Verkaufsorganisation sowie über Werbe- und Verkaufsförderungsprogramme eines jeden Konkurrenten Bescheid wissen. Das gleiche gilt für die Strategiedetails eines jeden Konkurrenten in den Bereichen Forschung und Entwicklung, Fertigung, Einkauf, Finanzen, etc.

An erster Stelle muß ein Unternehmen wissen, welche Strategien seine Konkurrenten im Markt verfolgen. Daneben sollte es aber auch seine Konkurrenten beobachten und zudem noch analysieren, welche Rolle es selbst einnimmt und welche Rolle seine Konkurrenten unter den Wettbewerbern einnehmen, d.h. ob sie die Marketingführung übernehmen wollen, als Herausforderer des Marktführers wirken wollen, ob sie als Mitläufer oder als Nischenbesetzer ihren Erfolg suchen. Zudem sollte das Unternehmen analysieren, welche Arten der strategischen »Kampfführung« ihm selbst offenstehen und welche von seinen Konkurrenten eingesetzt werden – wie z.B. Angriffs- und Verteidigungspläne unterschiedlicher Art. Eine Reihe von Konzepten zum strategischen Rollenspiel und zur strategischen Kampfführung wurden seit den frühen 80er Jahren aus dem Gedankengut der Kriegskunst übernommen. In der Praxis haben sie eher im nordamerikanischen als im europäischen Raum Anerkennung gefunden. Im Anhang zu diesem Kapitel sind nähere Einzelheiten dazu enthalten.

Ziele der Konkurrenten

Neben den Strategien der Hauptkonkurrenten sollte man ermitteln, welche Zielsetzung das Verhalten eines jeden Wettbewerbers bestimmt.

Eine nützliche Ausgangsannahme lautet, daß die Konkurrenten nach dem maximalen Gewinn streben und dementsprechend handeln. Einige Konkurrenten werden kurzfristigen, andere langfristigen Gewinnen den Vorzug einräumen. Wieder andere sind auf »ausreichende und zufriedenstellende«, und nicht auf »maximale« Gewinne eingestellt. Sie setzen sich konkrete Gewinnziele und sind zufrieden, wenn sie diese erreichen, auch wenn durch andere Strategien und Anstrengungen höhere Gewinne möglich gewesen wären.

Eine andere Annahme lautet, daß jeder Konkurrent innerhalb seiner Zielvorstellungen einen Mix von unterschiedlich wichtigen Teilzielen hat. Dann möchte man das Gewicht wissen, das ein Konkurrent Teilzielen wie gegenwärtige Rentabilität, Marktanteilsausdehnung, Cash-flow, technologische Führerschaft, Führerschaft im Kundendienst etc. beimißt. Kennt man den gewichteten Mix der Teilziele eines Konkurrenten, kann man abschätzen, ob er mit seinen Ergebnissen zufrieden ist, wie er auf diverse Angriffe der Wettbewerber reagieren würde etc. So wird z. B. ein Konkurrent, der die Kostenführerschaft anstrebt, wesentlich stärker auf einen fertigungstechnischen Durchbruch eines Konkurrenten als auf eine Intensivierung der Werbung durch denselben Konkurrenten reagieren.

Wie sehr sich die Zielvorstellungen der einzelnen Konkurrenten voneinander unterscheiden können, läßt sich gut durch einen Vergleich von amerikanischen und japanischen Unternehmen darstellen:

Im wesentlichen arbeiten die US-Unternehmen nach dem Prinzip der kurzfristigen Gewinnmaximierung, und zwar vor allem deshalb, weil ihre Leistung ständig von Aktionären bewertet wird, die im Falle eines Vertrauensverlustes ihre Anteile abstoßen. Der Marktwert des Unternehmens würde dann sinken und seine Kapitalkosten steigen. Die japanischen Unternehmen hingegen arbeiten im wesentlichen nach dem Prinzip der Marktanteilsmaximierung. Sie müssen in einem rohstoffarmen Land Arbeitsplätze für mehr als 100 Millionen Menschen bereitstellen. Die Gewinnerwartungen japanischer Unternehmen sind niedriger, da der Großteil des Kapitals von Banken kommt, denen ein zuverlässiger Ertrag lieber ist als kurzfristig hohe Gewinne bei erhöhtem Risiko. So können die japanischen Unternehmen niedrigere Preise nehmen und sich bei der Erschließung und Durchdringung neuer Märkte geduldiger zeigen. Wettbewerber, die sich mit geringeren Gewinnen zufriedengeben können, sind ihren Gegenspielern voraus.

Die Zielvorstellungen eines Konkurrenten werden durch viele Dinge bestimmt, z. B. durch die Unternehmensgröße, die Firmengeschichte, den Willen der Unternehmensleitung und durch die wirtschaftliche Situation. Gehört der Konkurrent als Einheit zu einem Konzern, ist es wissenswert, wonach die Muttergesellschaft bei dieser Geschäftseinheit trachtet: nach Wachstum, »Cash« aus dem laufenden Geschäft oder dem größtmöglichen Abzug liquider Mittel. Ist die Geschäftseinheit nicht von zentraler Bedeutung für die Muttergesellschaft (dient sie z. B. nur dem »Dumping« überschüssiger Kapazitäten oder der Ausnutzung bestehender Absatzwege), hätte ein Angriff mehr Erfolgsaussichten, als wenn es sich um ein Kernstück im Imperium des Konkurrenten handeln würde. Rothschild behauptet, daß man sich einen Konkurrenten zum ärgsten Feind macht, wenn man dessen einziges oder wichtigstes Geschäftsfeld angreift, und wenn der Konkurrent dazu noch global operiert. [6] Dies wird anhand der Wettbewerbs-Matrix in Abbildung 8-4 verdeutlicht. Es wäre sinnlos, im Mikrocomputer-Geschäft eine Attacke auf IBM zu starten, da es sich hier um einen multinationalen Spezialisten handelt; doch ein Angriff auf Zenith wäre durchaus sinnvoll, da das Computergeschäft nur eines der Geschäftsfelder des Unternehmens ist und Zenith im wesentlichen auf seinem heimischen Markt operiert.

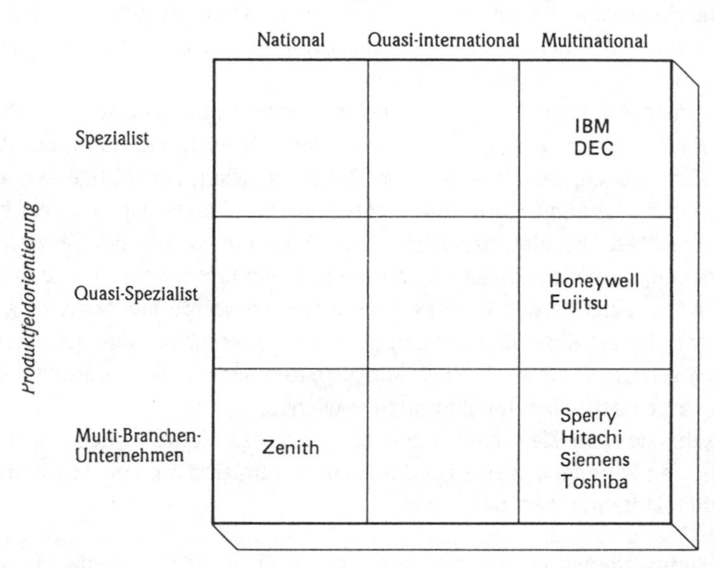

Abbildung 8-4
Wettbewerbs-Matrix für den Mikrocomputer-Markt

Man muß auch abschätzen, welche Expansionspläne die Wettbewerber haben könnten. In Abbildung 8-5 wird dies anhand der Wettbewerbs-Matrix für die TV-

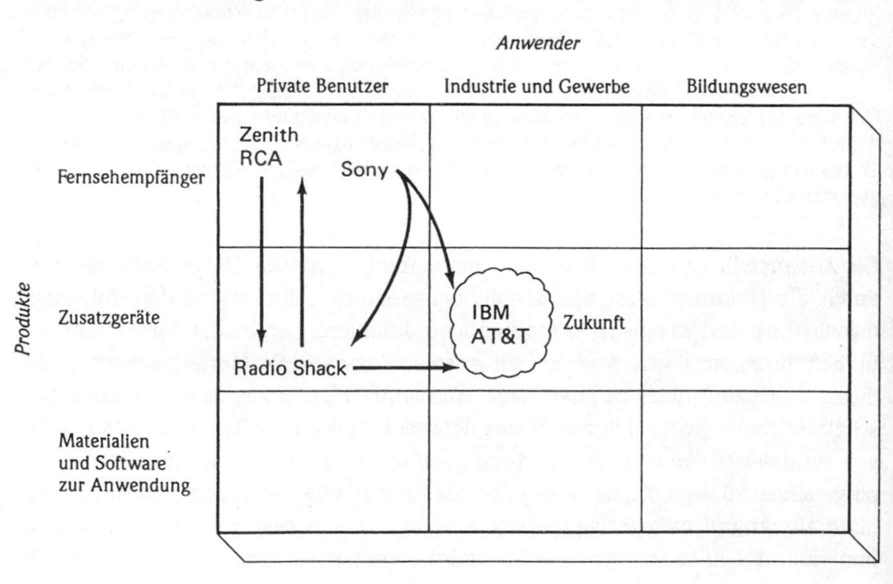

Abbildung 8-5
Wettbewerbs-Matrix und erwartete Expansionsausrichtung ausgewählter Konkurrenten in der amerikanischen TV-Branche

Branche in den USA verdeutlicht. Die Matrix zeigt die Stellung wichtiger Wettbewerber sowie die wahrscheinliche Richtung ihres Vordringens in andere Segmente. Wahrscheinlich wird Zenith in das Zusatzgeräte-Segment für private Benutzer eindringen und Radio Shack seine Aktivitäten in das Zubehör-Geschäft auf gewerbliche Benutzer ausweiten. Die »Etablierten« in diesen Segmenten sollten sich auf dieses Vorgehen einstellen und Gegenmaßnahmen planen.

Stärken und Schwächen der Konkurrenten

Können nun die Konkurrenten ihre Strategien ausführen und die gesetzten Ziele erreichen? Dies hängt von ihren Ressourcen und Fähigkeiten ab. Daher muß das Unternehmen die Stärken und Schwächen eines jeden Konkurrenten möglichst genau aufdecken.

Als erstes müssen die wichtigsten Kennzahlen über den Geschäftsverlauf bei den Konkurrenten gesammelt werden. Dies sind (1) *Umsatz*, (2) *Marktanteil*, (3) *Gewinnspanne*, (4) *Kapitalrendite*, (5) *Cash-flow*, (6) *Neuinvestitionen* und (7) *Kapazitätsauslastung*. Diese Informationen werden zum Teil schwer zu beschaffen sein. Für Investitionsgüterhersteller z.B. ist es schwer, die Marktanteile der Konkurrenten abzuschätzen, da es hier nicht dieselben Informationsdienste gibt wie in der Konsumgüterindustrie (z.B. Nielsen). Trotzdem hilft ihnen jede Information, z.B. Inserate zur Gewinnung neuer Mitarbeiter, die Stärken und Schwächen eines Konkurrenten besser abzuschätzen. Wie wichtig solche Informationen sein können, wenn es zu entscheiden gilt, mit welchen Konkurrenten man den Kampf aufnehmen soll, zeigt folgendes Beispiel:

Ein Unternehmen entschloß sich, in den Markt für programmierbare Steuerungen einzutreten. Man wußte, daß man es mit drei fest etablierten Konkurrenten zu tun haben würde. Die Recherchen ergaben, daß Rivale A den ausgezeichneten Ruf der technologischen Führerschaft in der Branche genoß; Rivale B nutzte den Vorteil niedriger Produktionskosten und führte einen erbitterten Kampf um Marktanteile; Rivale C leistete durchwegs gute Arbeit, tat sich aber in nichts besonders hervor. Daraus schloß man, daß Rivale C am ehesten angegriffen werden konnte.

Die Stärken und Schwächen eines Konkurrenten werden meist durch Sekundärdaten, persönliche Beobachtungen und Hören-Sagen offenbar. Erkenntnisse daraus können durch Nachforschungen bei Kunden, Lieferanten und Händlern erweitert werden. Tabelle 8-2 zeigt die Resultate der Untersuchung eines Marktforschungsunternehmens, das mit einer Kundenbefragung über drei Konkurrenten – A, B und C – beauftragt worden war. Fünf Beurteilungskriterien wurden verwendet. Konkurrent A ist gut bekannt, gilt als Hersteller von Qualitätsprodukten, und sein Verkaufsteam wird von den Kunden geschätzt. Beim Merkmal Produktverfügbarkeit und technische Unterstützung schneidet jedoch Konkurrent A schlecht ab. Konkurrent B schneidet durchgängig gut ab, und bei den Merkmalen Produktverfügbarkeit und Verkaufsorganisation sogar exzellent. Konkurrent C wird bei den meisten Merkmalen schlecht bis durchschnittlich beurteilt. Daraus läßt sich ableiten, daß unser

Unternehmen den Konkurrenten A in den Bereichen Produktverfügbarkeit und technische Unterstützung und den Konkurrenten C in fast allen Bereichen angreifen könnte, während Konkurrent B keinerlei auffällige Schwächen erkennen läßt.

Die in Tabelle 8-2 zusammengefaßten Untersuchungsergebnisse könnten jedoch noch aussagekräftiger gemacht werden. Als erstes sollte das Unternehmen selbst in die Konkurrentenbewertung mit aufgenommen werden. So war z.B. ein Unternehmen geschockt, als es erfuhr, daß es von den Kunden bei den meisten Merkmalen in das untere Drittel der Wettbewerber eingestuft wurde. Zweitens sollten in den einzelnen Zellen der Bewertungstabelle weitere Details dargelegt werden. Offensichtlich verbindet nicht jeder Käufer mit Konkurrent B gute Produktqualität. Der Tabelleneintrag ist vielmehr ein Durchschnittswert aus den Wahrnehmungen aller Befragten. Dahinter könnte sich die Erkenntnis verbergen, daß 20% der Befragten mit »sehr gut« antworteten, 40% mit »gut«, 30% mit »durchschnittlich« und 10% mit »schlecht«. Es wäre nun interessant, zu ermitteln, welche Kundenkategorien die gute Meinung über die Produktqualität des Konkurrenten B nicht teilten. Drittens sollten die Kunden auch weitere, in der Tabelle nicht erfaßte Variablen bewerten, z.B. Preis, Qualität der Führungsmannschaft und Fertigungs-Know-how.

Tabelle 8-2
Kundeneinschätzung der Wettbewerber A, B und C anhand von fünf Kriterien

	Bekanntheitsgrad	Produktqualität	Produktverfügbarkeit	Technische Unterstützung	Vertriebspersonal
A	sehr gut	sehr gut	schlecht	schlecht	gut
B	gut	gut	sehr gut	gut	sehr gut
C	durchschnittlich	schlecht	gut	durchschnittlich	durchschnittlich

In die Konkurrenzanalyse gehören noch weitere marketingrelevante Variablen. Dazu zählen:

- **Anteil am Markt** (»share of market«)
  Eine Meßgröße für den Anteil des Konkurrenten am Umsatz im relevanten Markt.
- **Anteil am Kundenbewußtsein** (»share of mind«)
  Eine Meßgröße für den prozentualen Anteil der Kunden, die den Konkurrenten auf die Frage nannten: »Welches Unternehmen in dieser Branche fällt Ihnen zuerst ein?« Diese Größe ist ein Maß für den Grad der psychologischen Führungsrolle des Konkurrenten.
- **Anteil an der Kundenzuneigung** (»share of heart«)
  Eine Meßgröße für den prozentualen Anteil der Kunden, die den Konkurrenten auf die Frage nannten: »Von welchem Unternehmen würden Sie das Produkt am liebsten kaufen?«

Diese drei Meßgrößen enthüllen Interessantes. Die Zahlen in Tabelle 8-2 und Tabelle 8-3 beziehen sich auf die drei selben Konkurrenten. Konkurrent A hat den höchsten Marktanteil – bei rückläufiger Tendenz. Dieser Rückgang kann teilweise durch die

Tabelle 8-3
Marktanteil, Bewußtseinsanteil und Zuneigungsanteil von drei Wettbewerbern

	Marktanteil			Bewußtseinsanteil			Zuneigungsanteil		
	1988	1989	1990	1988	1989	1990	1988	1989	1990
A	50%	47%	44%	60%	58%	54%	45%	42%	39%
B	30%	34%	37%	30%	31%	35%	44%	47%	53%
C	20%	19%	19%	10%	11%	11%	11%	11%	8%

nachlassende psychologische Führungsrolle und Kundenzuneigung erklärt werden. Diese lassen wahrscheinlich auch deshalb nach, weil Konkurrent A zwar ein gutes Produkt abliefert, doch bei den Merkmalen Produktverfügbarkeit und technische Unterstützung schlecht abschneidet. Konkurrent B steigert seinen Marktanteil ständig, was auf Strategien zurückzuführen sein dürfte, die ihn im Bewußtsein und der Zuneigung der Kunden stärken. Konkurrent C hat sich aufgrund seiner schlechten Produkt- und Marketingleistungen offensichtlich sowohl beim Marktanteil als auch beim Kundenbewußtsein und bei der Kundenzuneigung auf einem niedrigen Niveau festgefahren. Verallgemeinernd könnte man folgern: *Unternehmen, die ihre psychologische Führungsrolle und ihren Kundenzuneigungsanteil ständig ausbauen, werden unweigerlich auch bei Marktanteil und Rentabilität zulegen.* Dann ist es weniger wichtig, ob das Unternehmen in einem bestimmten Geschäftsjahr hohe oder niedrige Gewinne macht. Dies könnte ja durch eine Vielzahl von Faktoren beeinflußt werden. Es ist vielmehr wichtig, daß *das Unternehmen im Bewußtsein und in der Zuneigung der Kunden hinzugewinnt.*

Auch die finanziellen Stärken und Schwächen der Konkurrenten sollten untersucht werden. Die finanzielle Situation eines Konkurrenten läßt sich erfassen, wenn man die Entwicklung von fünf wichtigen Kennzahlen analysiert: [7]

1. Liquiditätsgrad
   Der Liquiditätsgrad zeigt an, ob der Konkurrent seinen kurzfristigen finanziellen Verpflichtungen bei Fälligkeit ohne größere Probleme nachkommen kann.
2. Verschuldungsgrad/Kapitalisierungshebel
   Diese Kennzahl zeigt an, ob der Konkurrent in der Lage ist, seinen langfristigen Verpflichtungen gegenüber den Gläubigern nachzukommen. Für den Konkurrenten könnte dies dann ein Problem darstellen, wenn seine Kapitalstruktur so beschaffen ist, daß im Verhältnis zum Eigenkapital die langfristigen Verbindlichkeiten zu hoch sind.
3. Rentabilität
   Diese Kennzahl zeigt an, ob der Konkurrent angemessene Gewinne erwirtschaftet. Man unterscheidet hier die Renditen bezogen auf das Gesamtkapital, das Eigenkapital und den Umsatz.
4. Kapitalumschlag
   Diese Kennzahl zeigt an, ob der Konkurrent sein Kapital effizient einsetzt. Der Kapitalumschlag errechnet sich aus dem Verhältnis von Umsatz zum durchschnittlichen Gesamtkapital während des Untersuchungszeitraums. Ein sinkender Kapitalumschlag würde in der Regel auch die Rentabilität nach unten drücken.
5. Kurswertvergleich
   Der Wert der Aktien des Wettbewerbers zeigt an, ob ihm auf dem Wertpapiermarkt großes oder geringes Vertrauen entgegengebracht wird. Dem Vergleich liegt die Entwicklung des Kurs-Gewinn-Verhältnisses und das Verhältnis von Markt- und Buchwert der Aktie zugrunde.

Durch Umsatzrendite und Kapitalumschlag kann man in einer Graphik das Finanzprofil der Schlüsselkonkurrenten vergleichend abbilden und im besonderen darlegen, worauf die Rentabilität des Konkurrenten beruht: auf einer guten Umsatzrendite oder auf einem hohen Kapitalumschlag. Dazu mehr in Exkurs 8-2.

Exkurs 8-2: Die Rentabilitätsanalyse von Du Pont

Die Rendite auf das Betriebskapital (»return on operating assets, ROA«) eines Unternehmens ist eine Funktion aus *Umsatzrendite* und *Umschlag des Betriebskapitals*. Es ist sehr gut möglich, daß Unternehmen dieselbe Kapi-

talrendite auf gänzlich unterschiedliche Weise erwirtschaften. Die Graphik zeigt 3 Konkurrenten, A, B und C, sowie ihre Kapitalrendite. Die Konkurrenten A und B erwirtschaften jeweils eine Rendite von 20% auf das eingesetzte Betriebskapital, tun dies jedoch auf ganz unterschiedliche Weise. Konkurrent A erreicht dies bei einer niedrigen Umsatzrendite durch einen hohen Kapitalumschlag; Konkurrent B erreicht dies über eine hohe Umsatzrendite bei einem niedrigen Kapitalumschlag. Konkurrent C schlägt sein Kapital in etwa mit der gleichen Geschwindigkeit um wie Konkurrent A, hat jedoch eine viel geringere Umsatzrendite und erreicht daher lediglich eine Rendite von 10%. Der Branchendurchschnitt zeigt eine Kapitalrendite von 15% bei einer Umsatzrendite von 15% und einem Kapitalumschlag von 1,00.
Jedes Unternehmen trachtet danach, seine Umsatzrendite und seinen Kapitalumschlag so zu verändern, daß die Kapitalrendite verbessert wird. Die Abbildung zeigt, daß Konkurrent C hofft, nach C' (höhere Kapitalrendite) zu gelangen, indem er die Umsatzrendite wesentlich verbessert und gleichzeitig einen niedrigeren Kapitalumschlag in Kauf nimmt.

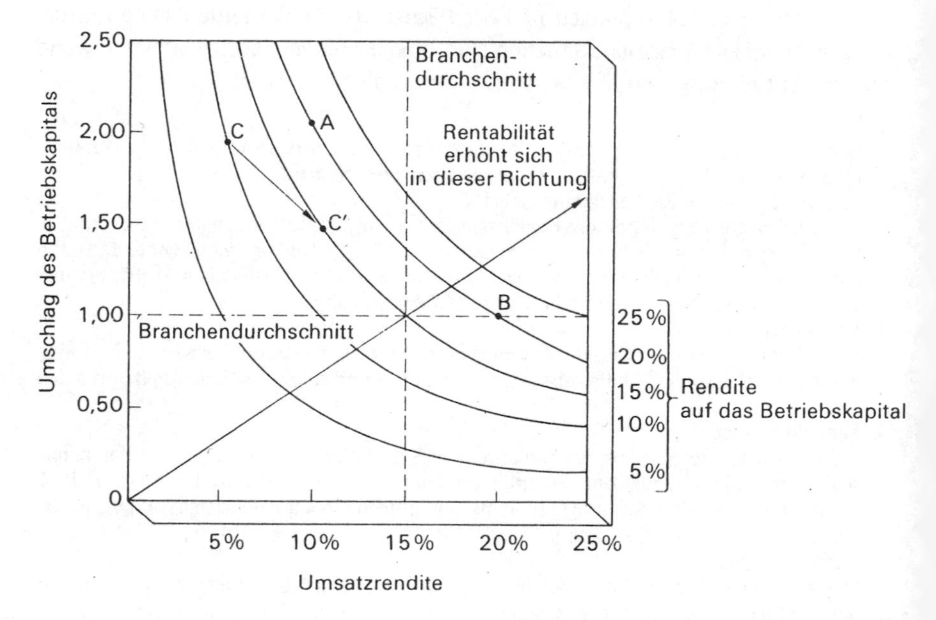

Quelle: In abgewandelter Form aus William L. Sammon, Mark A. Kurland und Robert Spitalnic: *Business Competitor Intelligence*, New York: John Wiley, 1984

Zuletzt sollte man – als potentielle Schwachpunkte der Konkurrenz – auch nach allen nicht mehr gültigen Prämissen der Konkurrenten über sich selbst und den Markt suchen, nach denen sie handeln. Einige Unternehmen sind z.B. davon überzeugt, die besten Produkte in der ganzen Branche zu bieten, auch wenn dies nicht mehr stimmt. Andere Unternehmen werden zum Opfer unangebrachter Verallgemeinerungen wie z.B. »die Kunden bevorzugen Voll-Sortimenter«, »der Außendienst ist das einzig wichtige Marketinginstrument«, »die Kunden halten den Service für wichtiger als den Preis«. Wenn man erkennt, daß ein Konkurrent im wesentlichen von einer falschen Prämisse ausgeht, kann man dies zum eigenen Vorteil nutzen.

Reaktionsprofil der Konkurrenten

Kennt man die Ziele und das Stärken-Schwächen-Profil eines Konkurrenten, kann man schon viel über sein zu erwartendes Verhalten im Markt und seine Reaktionen auf Schritte eines anderen Unternehmens wie z. B. auf Preissenkungen, intensivierte Verkaufsförderung oder Einführung eines neuen Produkts vorhersagen. Das Verhalten jedes Unternehmens wird jedoch auch noch durch die ihm eigene Philosophie, eine bestimmte Unternehmenskultur und bestimmte Grundüberzeugungen und Leitmotive mitbestimmt. Man muß die Mentalität des Konkurrenten gründlich verstehen, um hoffen zu können, daß die eigenen Erwartungen über das Verhalten und die Reaktionen des Wettbewerbers auch eintreffen.
Im folgenden einige gängige Reaktionsprofile von Konkurrenten:

1. **Der zurückhaltende Konkurrent**
   Einige Konkurrenten reagieren auf einen konkreten Schritt des Wettbewerbs weder schnell noch intensiv. Vielleicht glauben sie, daß ihnen ihre Kunden treu bleiben werden; vielleicht wollen sie in diesem Geschäftsbereich »ernten«, ihn also nicht weiter ausbauen; vielleicht nehmen sie die Initiative des Wettbewerbs nur mit Verzögerung wahr; vielleicht fehlen ihnen aber auch die erforderlichen Ressourcen für eine Reaktion. Man sollte stets die Gründe für die Zurückhaltung des Konkurrenten ermitteln.
2. **Der selektive Konkurrent**
   Er reagiert nur auf ganz bestimmte Angriffsformen. Vielleicht reagiert er stets auf Preissenkungen, um damit zu signalisieren, daß sie zu nichts führen werden. Andererseits reagiert er vielleicht überhaupt nicht auf eine Erhöhung der Werbeausgaben, da er dies für weniger bedrohlich hält. Wenn das Unternehmen weiß, worauf ein Schlüsselkonkurrent reagiert, erhält es damit Hinweise auf geeignete Angriffsformen.
3. **Der »Tiger«**
   Er reagiert schnell und intensiv auf alle Übergriffe auf sein Territorium. Procter & Gamble z. B. läßt kein fremdes Waschmittel kampflos auf seine Marktsegmente. Der »Tiger« signalisiert dem Rivalen, daß er besser von vornherein auf jeglichen Angriff verzichten sollte, da er als Angegriffener in jedem Fall bis zum bitteren Ende kämpfen würde. Ein sanftes Schaf ist sicher leichter anzugreifen als ein kampfbereiter Tiger.
4. **Der unberechenbare Konkurrent**
   Einige Konkurrenten zeigen kein vorhersehbares Reaktionsprofil. Ein solcher Konkurrent könnte oder auch nicht, in bestimmten Fällen zu Vergeltungsmaßnahmen greifen. Aus Wirtschaftlichkeitsbetrachtungen und auch aus früheren Reaktionen läßt sich nicht ableiten, wie er handeln wird.

In einigen Branchen herrscht relative Harmonie zwischen den Konkurrenten, während in anderen ständig gekämpft wird. Bruce Henderson, der Gründer der Boston Consulting Group, ist der Ansicht, daß sehr viel vom »Wettbewerbsgleichgewicht« innerhalb der Branche abhängt. Im folgenden einige seiner Beobachtungen über vermutete Wettbewerbsbeziehungen:[8]

1. *Sind die Konkurrenten sich sehr ähnlich und behaupten ihre Existenz auf die gleiche Weise, ist das Wettbewerbsgleichgewicht instabil.*
   In Branchen mit Wettbewerbern gleicher Fähigkeiten sind Dauerkonflikte wahrscheinlich.

Dies trifft bei Grunderzeugnissen und ihren Branchen zu, wo die Anbieter keinen erwähnenswerten Weg gefunden haben, um sich von den Kosten oder vom Leistungsangebot her von der Konkurrenz abzuheben. Hier würde das Wettbewerbsgleichgewicht gestört werden, falls ein Unternehmen seine Preise senkt. Diese Versuchung ist natürlich stark, besonders für einen Wettbewerber mit Überkapazitäten. Dies erklärt, warum in Branchen dieses Typs häufig Preiskriege ausbrechen.

2. *Wo ein einzelner wichtiger Faktor über den Erfolg entscheiden kann, ist das Wettbewerbsgleichgewicht instabil.*
   Dies trifft auf Branchen zu, wo Kostenvorteile nur durch einen Faktor, wie die Ausnutzung von Größenvorteilen, einen technologischen Fortschritt oder einen Erfahrungskurveneffekt erwirkt werden können. In solchen Branchen kann jedes Unternehmen, das einen Kostendurchbruch schafft, die Preise senken und seinen Marktanteil zu Lasten der anderen Wettbewerber ausweiten, die ihren Marktanteil nur unter hohem Aufwand verteidigen könnten. In solchen Branchen gibt es bei Kostendurchbrüchen häufig Preiskriege.
3. *Bei mehreren kritischen Faktoren besteht für jeden Wettbewerber die Möglichkeit, sich seine eigenen Wettbewerbsvorteile zu verschaffen und sein Angebot im Vergleich zur Konkurrenz zu differenzieren. Je zahlreicher die Faktoren sind, die zu einem Wettbewerbsvorteil führen könnten, desto größer ist die Zahl der Wettbewerber, die mit differenzierten Angeboten nebeneinander existieren können. Jeder Wettbewerber besetzt sein Segment im Wettbewerbsfeld aufgrund der Kundenpräferenz, die er mit seiner Faktorkombination verdient.*
   Dies gilt für Branchen, wo es viele Chancen gibt, sich über Qualität, Service, Anwenderfreundlichkeit etc. zu profilieren. Wenn die Kunden diese Faktoren in unterschiedlichem Maß schätzen, können viele Unternehmen in Marktnischen nebeneinander existieren.
4. *Je kleiner die Zahl von kritischen Wettbewerbsfaktoren, desto kleiner ist die Zahl der Wettbewerber.*
   Ist nur ein Faktor kritisch, dann können wahrscheinlich nicht mehr als zwei oder drei Konkurrenten nebeneinander existieren. Umgekehrt gilt: Je größer die Zahl der Wettbewerbsvariablen, desto größer ist die Zahl der Wettbewerber, die dann umsatzmäßig im Durchschnitt kleiner sind.
5. *Ein Marktanteils-Verhältnis von 2 zu 1 zwischen zwei beliebigen Wettbewerbern scheint der Gleichgewichtspunkt zu sein, an dem es für jeden der Wettbewerber weder praktikabel noch vorteilhaft ist, seinen Marktanteil auszuweiten oder zu vermindern.*

Henderson gibt zusätzlich dem Unternehmen im Wettbewerb noch folgende Ratschläge: Sei sicher, daß der Rivale sich voll bewußt ist, was er durch kooperatives Verhalten gewinnen kann und was ein Streit ihn kostet. Überzeuge ihn davon, daß deine Position dir gefühlsmäßig viel bedeutet und du vollständig davon überzeugt bist, daß diese Position vernünftig ist. Vermeide es, die Gefühle des Konkurrenten zu verletzen, denn es ist wichtig, daß sein Verhalten von Logik und Vernunft bestimmt wird.

Informationssystem für die Konkurrenzanalyse

Die wichtigsten Daten und Informationen, die dem Entscheidungsträger für die Konkurrentenanalyse bekannt sein sollten, wurden vorstehend beschrieben. Diese müssen gesammelt, ausgewertet, weitergegeben und genutzt werden. Zwar sind die Kosten und der Zeitaufwand für die Sammlung von Wettbewerbsinformationen hoch, doch die Kosten der Unterlassung sind noch höher. Das Wettbewerbsinformationssystem sollte jedoch kosteneffektiv gestaltet werden. Hier gibt es vier Stufen:

1. **Einrichtung des Systems**
   Hier werden die wichtigsten Informationstypen, die besten Informationsquellen und eine Person bestimmt, die für das System und seine Leistungserbringung verantwortlich ist.
2. **Datensammlung**
   Die Datensammlung erfolgt kontinuierlich im Feld (Vertrieb, Absatzkanäle, Lieferanten, Marktforschungsunternehmen, Berufsverbände, etc.) und anhand publizierter Daten (Regierungsveröffentlichungen, Reden, Artikel, etc.). Das Unternehmen muß wirksame Methoden zur Sammlung der benötigten Wettbewerbsdaten entwickeln, ohne dabei rechtliche oder ethische Normen zu verletzen (vgl. Exkurs 8-3).
3. **Auswertung und Analyse**
   In dieser Stufe werden die Daten auf ihre Validität und Verläßlichkeit geprüft, ausgewertet, interpretiert und geordnet.
4. **Weitergabe und Feedback**
   Informationen mit Schlüsselcharakter werden an die Entscheidungsträger weitergegeben und Anfragen von Führungskräften über die Konkurrenz werden beantwortet.

Exkurs 8-3: Informationssammlung zur Konkurrenzerkundung

Die Sammlung von Informationen über Wettbewerber hat drastisch zugenommen, da mehr und mehr Unternehmen darauf achten müssen, was ihre Konkurrenten tun. Bekannte Unternehmen wie Ford, Westinghouse, General Electric, Gillette, Revlon, Del Monte, General Foods, Kraft oder J.C. Penney gehören zu jenen, die ihre Konkurrenten »gehörig beschnuppern«. Ein kürzlich in der Zeitschrift *Fortune* erschienener Artikel listet mehr als 20 Techniken auf, die von den Unternehmen zur Informationssammlung eingesetzt werden. Diese Techniken lassen sich in vier große Kategorien unterteilen:

1. Informationen durch mögliche neue Mitarbeiter und Angestellte der Konkurrenz

Die Unternehmen können bei Bewerbungs- oder anderen Gesprächen mit Angestellten der Konkurrenz Informationen erhalten. *Fortune* drückte dies so aus:

Einige Unternehmen achten bei Bewerbungsgesprächen mit Studenten besonders auf diejenigen, die bereits, wenn auch nur zeitweise, für Konkurrenten gearbeitet haben. Ein Stellenbewerber ist immer bemüht, Eindruck zu machen, und wurde in vielen Fällen nie davor gewarnt, vertrauliche Informationen weiterzugeben. Gelegentlich tut er dies sogar ganz von selbst ... Einige Unternehmen entsenden inzwischen nicht mehr Führungskräfte aus der Personalabteilung, sondern hochqualifizierte Techniker an die Universitäten, um dort neue Mitarbeiter anzuwerben.

Die Unternehmen entsenden Ingenieure auf Tagungen und Fachmessen, um die Techniker der Konkurrenz zu befragen. Oft beginnt es ganz harmlos – es handelt sich ja schließlich nur um ein paar Ingenieurkollegen, die über technische Probleme und Verfahren diskutieren ... Und doch prahlen die Ingenieure und Wissenschaftler der Konkurrenz häufig mit technischen Durchbrüchen und geben dabei vertrauliche Informationen preis.

Gelegentlich schreiben die Unternehmen Stellen aus und führen Einstellungsgespräche durch, obwohl es gar keine freie Stelle gibt, um Mitarbeiter der Konkurrenz dazu zu bewegen, aus der Schule zu plaudern ... In vielen Fällen haben sich diese Kandidaten bisher in untergeordneten Positionen abmühen müssen oder haben das Gefühl, daß ihre Laufbahn an einem toten Punkt angelangt ist. Diese Leute sehnen sich regelrecht danach, jemanden mit ihren Fähigkeiten beeindrucken zu können.

Am ältesten ist wohl die Taktik der Unternehmen, Führungskräfte in Schlüsselfunktionen von der Konkurrenz abzuwerben, um herauszufinden, was sie wissen.

2. Informationen durch Personen, die mit der Konkurrenz Geschäftsbeziehungen unterhalten.
Schlüsselkunden sind in der Lage, das Unternehmen über die Konkurrenz auf dem laufenden zu halten. Vielleicht sind sie sogar gewillt, Informationen über Konkurrenzprodukte anzufordern und weiterzugeben. Gillette z.B. teilte vor einiger Zeit einem kanadischen Großkunden den Termin mit, für den der Verkaufsbeginn des neuen Wegwerf-Rasierers »Good News« auf dem US-Markt geplant war ... Der kanadische Händler griff sofort zum Telefon und informierte Bic über die bevorstehende Produkteinführung. Bic stellte sofort ein Blitzprogramm auf die Beine und schaffte es, kurz nach Gillette einen eigenen neuen Rasierer auf den Markt zu bringen.
Auch durch das Eindringen in das Innere des Kundenunternehmens lassen sich Wettbewerbsinformationen sammeln:
Es ist möglich, daß ein Unternehmen den Kunden seine Ingenieure kostenlos zur Verfügung stellt ... Die enge und vertrauensvolle Beziehung, die diese »Leih-Ingenieure« mit den Konstrukteuren des Kunden aufbauen können, ermöglicht es ihnen häufig, in Erfahrung zu bringen, welche neuen Produkte die Konkurrenz im Programm hat.

3. Informationen aus Veröffentlichungen und amtlichen Dokumenten
Die regelmäßige Sichtung scheinbar bedeutungsloser Veröffentlichungen kann ebenfalls Wettbewerbsinformationen liefern. So kann die Art von Mitarbeitern, die über Inserate gesucht werden, etwas über die technischen Schwerpunkte und Produktinnovationen eines Konkurrenten aussagen. Behörden sind eine weitere nützliche Informationsquelle. Hier ein Beispiel:
Obwohl es meist verboten ist, Luftaufnahmen von den Produktionsanlagen der Konkurrenz zu machen, gibt es doch legitime Wege, um an diese Aufnahmen heranzukommen ... Solche Aufnahmen werden häufig beim zuständigen Luftamt oder bei der Umweltschutzbehörde aufbewahrt und sind damit öffentliche Dokumente, die gegen eine geringe Schutzgebühr erhältlich sind.
Unter Berufung auf den Rechtsgrundsatz der Informationsfreiheit können die Unternehmen wertvolle Informationen von staatlichen Stellen erhalten oder sich diese diskret über Spezialfirmen beschaffen.

4. Informationen durch Beobachtung der Konkurrenten und Analyse physischer Hinweise
Ein Unternehmen kann mehr über seine Konkurrenten erfahren, wenn es deren Produkte kauft oder andere physische Hinweise untersucht.
In zunehmendem Maße kaufen die Unternehmen Konkurrenzprodukte und zerlegen sie, um so die Fertigungskosten oder gar die Produktionsverfahren in Erfahrung bringen zu können.
In Ermangelung besserer Informationen über den Marktanteil und den Umfang der Lieferungen des Konkurrenten haben manche Unternehmen bereits den Rost auf den Schienen zum Werksgelände des Konkurrenten untersucht oder gar die Sattelschlepper gezählt, welche die Verladestationen verließen.
Einige Unternehmen kaufen sogar Abfälle der Konkurrenz auf:
Juristisch gesehen sind Abfallprodukte, sobald sie sich nicht mehr auf dem Werksgelände des Konkurrenten befinden, verlassener oder derelinquierter Besitz. Einerseits ist so manches Unternehmen inzwischen dazu überge-

gangen, das Papier aus der Konstruktionsabteilung durch den Reißwolf zu schicken, vergißt aber andererseits in vielen Fällen, das gleiche auch mit dem Papier aus der Marketing- oder Public Relations-Abteilung zu tun, die ja meist ebenso aufschlußreiche Informationen zu bieten hat.
Obwohl sich die meisten dieser Praktiken im Rahmen des gesetzlich Erlaubten bewegen und einige gerade noch als harte Gangart im Wettbewerb durchgehen könnten, offenbaren sie doch in vielen Fällen zweifelhafte ethische Grundsätze. Zwar sollte ein Unternehmen öffentlich zugängliche Informationen verwerten, doch in jedem Falle Praktiken vermeiden, die als illegal oder unmoralisch eingestuft werden könnten. Das Unternehmen muß keine Gesetze brechen oder allgemein anerkannte ethische Grundsätze verletzen, um Wettbewerbsinformationen sammeln zu können – und das mit solch zweifelhaften Methoden verbundene Risiko steht in keinem Verhältnis zum erzielten Nutzen.

Quelle: Steven Flax: »How to Snoop on Your Competitors«, in: *Fortune*, 14. Mai 1984, S. 29–33.

Mit Hilfe eines solchen Systems erhalten die Führungskräfte durch Telefongespräche, Informationsbulletins, News Letters und Berichte zeitnahe Informationen über die Konkurrenten. Überdies können sie sich an die Nachrichtenabteilung wenden, wenn sie eine plötzliche Maßnahme der Konkurrenz analysiert haben wollen oder Informationen über die Stärken und Schwächen eines Konkurrenten bzw. seine voraussichtliche Reaktion auf einen bestimmten Schritt des eigenen Unternehmens benötigen. Die Wettbewerbsinformationen könnten dann so geordnet werden, wie dies in Tabelle 8-4 dargestellt ist. Diese Tabelle zeigt, was der Manager über die Konkurrenten in jedem Produktmarkt wissen sollte.

In kleineren Betrieben, die sich die Einrichtung eines formellen Wettbewerbsinformationsdienstes nicht leisten können, wäre es zweckmäßig, jeweils einen bestimmten Manager mit der Beobachtung eines bestimmten Konkurrenten zu betrauen. So

Tabelle 8-4
Informationsschema zum Profil von Konkurrenten

	Wettbewerber A	Wettbewerber B	Wettbewerber C
Deskriptoren: Produktlinie, Marktsegmente, Umsatz, Marktanteile, Gewinnspanne, Kapitalrendite, Umfang der Neuinvestitionen, Kapazitätsauslastung etc.			
Strategien: Forschung und Entwicklung, Fertigung, Marketing, Finanz- und Personalwesen;			
innerhalb des Marketing: Produkt-, Preis-, Vertriebs- und Absatzförderungsstrategien			
Zielvorstellungen: Marketing, Finanzwesen etc.			
Stärken /Schwächen			
Reaktionsprofile			
Folgerungen für das Marketing			

könnte ein Manager, der früher für einen bestimmten Konkurrenten tätig war, nun alle Entwicklungen im Zusammenhang mit diesem Konkurrenten verfolgen; er wäre dann sozusagen der »hausinterne« Experte für diesen Konkurrenten. Und jeder, der sich mit der Denkweise eines bestimmten Konkurrenten vertraut machen will, könnte den zuständigen hausinternen Experten kontaktieren.

Wen bekämpfen und wen meiden?

Verfügt das Unternehmen über ein gutes Wettbewerbsinformationssystem, wird es den Führungskräften leichter fallen, ihre Wettbewerbsstrategie zu formulieren. Sie werden dann ein besseres Gespür dafür haben, mit wem sie auf dem Markt erfolgreich in Konkurrenz treten können. Der Manager muß entscheiden, gegen welchen Konkurrenten er am härtesten kämpfen will. Diese Entscheidung wird durch eine *Kundennutzen-Analyse* erleichtert, welche die Stärken und Schwächen des eigenen Unternehmens im Vergleich zu mehreren Konkurrenten offenlegt (In Exkurs 8-4 wird die Methodik der Kundennutzen-Analyse eingehender beschrieben). Das Unternehmen kann die Wettbewerber in Typen einteilen, wie dies die folgenden Kategorisierungen zeigen.

Starke oder schwache Konkurrenten

Die meisten Unternehmen ziehen es vor, gegen schwache Konkurrenten anzutreten. Hier können mit weniger Aufwand Marktanteilszugewinne erzielt werden. Andererseits entwickelt man im Kampf mit schwachen Konkurrenten die eigene Leistungsfähigkeit nur wenig. Daher sollte man auch mit starken Konkurrenten kämpfen, weil man so in der Leistungsentwicklung mit »vorne dran« bleibt. Überdies haben auch starke Konkurrenten einige Schwächen, so daß man sich selbst als respektabler Wettbewerber zeigen kann.

Exkurs 8-4: Die Kundennutzen-Analyse: der Schlüssel zum Wettbewerbsvorteil

Auf der Suche nach Wettbewerbsvorteilen ist die Durchführung einer *Kundennutzen-Analyse* wichtig. Ziel einer Kundennutzen-Analyse ist es, zu bestimmen, welche Leistungsvorteile die Kunden in einem Segment des Zielmarktes wünschen und wie sie im Vergleich den relativen Nutzen konkurrierender Angebote wahrnehmen. Die wichtigsten Schritte der Kundennutzen-Analyse sind:

1. Feststellung der für den Kunden wichtigsten Leistungsmerkmale

Im Unternehmen herrschen oft unterschiedliche Meinungen darüber, was für den Kunden wichtig ist. Das Spitzenmanagement wird sagen: Qualität und Service; die Verkäufer werden sagen: der Preis etc. Die Meinungsauflistungen dazu werden meist kurz sein und nicht übereinstimmen. Daher ist es ein wesentlicher Punkt, die Kunden selbst zu fragen, auf welche Funktionen und Leistungen sie bei der Produkt- und Anbieterwahl achten. Unterschiedliche Kunden werden dabei auch unterschiedliche Leistungsmerkmale nennen. Wird die Liste allzu lang, kann der Analytiker redundante Merkmale ausschließen. Trotzdem kann die endgültige Liste von Leistungsmerkmalen, die für den Kunden wichtig sind, durchaus zehn oder zwanzig Punkte beinhalten.

2. Abschätzung, wie wichtig die einzelnen Leistungsmerkmale vergleichsweise für den Kunden sind
Die Meinungen darüber, wie wichtig einzelne Merkmale für die Kunden sind, fallen ebenfalls oft unterschiedlich aus. Die F&E-Abteilung wird das Produktdesign für wichtig halten, die Fertigung die Kosten und der Vertrieb den Preis. Doch es ist die Bewertung oder Rangliste der Kunden zur Bedeutung der einzelnen Produkteigenschaften, die gebraucht wird. Wenn die Bewertungen große Unterschiede zeigen, sollte man ähnliche Kunden zu unterschiedlichen Kundensegmenten zusammenfassen.

3. Abschätzung der Leistung des eigenen Unternehmens und der Konkurrenten bei einzelnen Leistungsmerkmalen und Vergleich mit der Wichtigkeit für die Kunden
Hier befragt man die Kunden, wie sie die Leistungsausprägung jedes Wettbewerbers bei jedem Merkmal sehen. Im Idealfall sollte die Leistungsausprägung bei den am meisten geschätzten Eigenschaften hoch und bei den am wenigsten geschätzten Eigenschaften niedrig sein. Es wäre schlimm, wenn man herausfindet, daß man (a) bei einigen unwichtigen Eigenschaften zu viel leistet oder (b) bei einigen wichtigen Eigenschaften zu wenig leistet. Man muß auch vergleichen, wie die Konkurrenten bei den Leistungsmerkmalen abschneiden.

4. Detaillierter Leistungsvergleich mit einem bestimmten Hauptkonkurrenten aus der Sicht der Kunden in einem bestimmten Segment
Der Schlüssel zum Wettbewerbsvorteil liegt darin, segmentbezogen zu ermitteln, wie das eigene Leistungsangebot im Vergleich zu dem des Hauptkonkurrenten abschneidet. Ist das Angebot dem des Konkurrenten in allen wichtigen Punkten überlegen, kann das Unternehmen einen höheren Preis nehmen und damit höhere Gewinne erzielen, oder es kann denselben Preis wie die Konkurrenz verlangen und den Marktanteil ausweiten. Stellt das Unternehmen hingegen fest, daß es bei einigen wichtigen Leistungsmerkmalen hinter dem Hauptkonkurrenten zurückbleibt, muß es sich anstrengen, um sich hier zu verbessern oder um den Konkurrenten bei anderen wichtigen Leistungsmerkmalen zu übertrumpfen. Diese Anstrengungen können in zwei Richtungen gehen. Falls das Unternehmen bei einem wichtigen Merkmal tatsächlich leistungsmäßig unterlegen ist, muß es hier reale Verbesserungen vornehmen. Ist die Merkmalsausprägung jedoch gleichauf mit der des Konkurrenten, und dies wurde den Kunden bisher weder angemessen noch überzeugend vermittelt, muß man nicht die Leistungsausprägung selbst verbessern, sondern vielmehr das Marketing-Kommunikationsprogramm.

5. Beobachtung von Änderungen der Leistungsmerkmale und ihrer Wichtigkeit aus der Sicht der Kunden
Kurzfristig ändert sich wenig bei dem, was die Kunden schätzen; langfristig ändert sich vieles, insbesondere dann, wenn konkurrierende neue Technologien und Produkte aufkommen und wenn sich das wirtschaftliche Klima

wandelt. Ein Unternehmen, das davon ausgeht, daß die Nutzenbeurteilung der Kunden konstant bleibt, spielt mit dem Feuer. Es muß den Nutzen der einzelnen Produkteigenschaften für den Kunden und die Einstufung der Konkurrenten regelmäßig untersuchen, wenn es strategisch erfolgreich bleiben will.

»Enge« oder »entfernte« Konkurrenten

Die meisten Unternehmen sehen sich mit den Konkurrenten im Wettbewerb, die ihnen am ähnlichsten sind. Daher steht Opel z.B. in härterem Wettbewerb mit Ford als mit Porsche. Gleichzeitig sollte das Unternehmen von dem Versuch Abstand nehmen, den engen Konkurrenten »vernichten« zu wollen. Bei Porter sind zwei Fallbeispiele solch kontraproduktiver »Siege« nachzulesen: [9]

1. Bausch und Lomb ging Ende der 70er Jahre ebenso aggressiv wie erfolgreich gegen andere Hersteller von weichen Kontaktlinsen vor. Dies führte jedoch dazu, daß ein Konkurrent nach dem anderen die Eingliederung in größere Unternehmen wie Revlon, Johnson & Johnson und Schering-Plough anstrebte, mit dem Ergebnis, daß Bausch und Lomb es nun mit viel größeren Konkurrenten zu tun hatte.
2. Ein Hersteller von Spezialgummi zog gegen einen anderen Spezialgummihersteller, den er als seinen Erzfeind betrachtete, ins Feld und entriß ihm Marktanteile. Die Schwächung, die dieser dadurch erlitt, ermöglichte es großen Reifenkonzernen, mit ihren Abteilungen für Spezialprodukte rascher in die Spezialgummimärkte vorzudringen – und zwar zum »Dumping« ihrer Überkapazitäten.

In beiden Fällen rief die erfolgreiche Schwächung des engsten Konkurrenten noch mächtigere entfernte Konkurrenten auf den Plan.

»Gute« oder »böse« Konkurrenten

Porter argumentiert, daß in jeder Branche »gute« und »böse« Konkurrenten tätig sind. [10] Ein Unternehmen wäre gut beraten, die guten Konkurrenten zu unterstützen und die bösen zu bekämpfen. Gute Konkurrenten weisen eine Reihe von Merkmalen auf: Sie halten sich an die Branchenregeln, schätzen das Branchenwachstumspotential sehr realistisch ein, ihre Preise stehen in einem vernünftigen Verhältnis zu den Kosten, sie sind für eine gesunde Branchenstruktur, beschränken sich auf einen Teilbereich oder ein Segment der Branche, motivieren andere, die Kosten zu senken oder sich stärker zu profilieren und akzeptieren im allgemeinen ihre Marktanteils- und Gewinnposition innerhalb der Branche. Die bösen Konkurrenten halten sich hingegen nicht an die Regeln: Sie versuchen, sich Marktanteile zusammenzukaufen, statt sie sich zu verdienen, gehen hohe Risiken ein, investieren in Überkapazitäten und bringen im allgemeinen das Branchengleichgewicht durcheinander. IBM hält z.B. Cray Research für einen guten Konkurrenten, da Cray sich an die Regeln hält, nicht aus seinem Marktsegment ausbricht und nicht in die Kernmärkte von IBM eindringt; Fujitsu dagegen ist für IBM ein böser Konkurrent, da Fujitsu IBM auf seinen Kernmärkten angreift, und zwar über subventionierte Preise und ähnliche Produkte. Die Folgerung daraus ist, daß die guten Konkurrenten die Branche so konfigurieren sollten, daß sie nur aus guten Konkurrenten besteht. Über eine umsichtige Lizenzpolitik, selektive Vergeltungsmaßnahmen und ein Zusammenwirken können sie die Branche so lenken, daß (1) die einzelnen Wettbewerber nicht bestrebt sind, sich gegenseitig zu eliminieren und sich irrational zu verhalten, (2) daß sie sich an die Regeln halten, (3) daß jeder sich etwas differenziert, und (4) daß sie bestrebt sind, sich Marktanteile zu verdienen, statt sie sich zusammenzukaufen.

Hinter all dem steht auch noch ein übergeordneter Aspekt, nämlich daß ein Unternehmen tatsächlich Konkurrenten braucht und von ihrer Präsenz profitiert. Die Konkurrenten bringen durch ihr Vorhandensein z.B. folgende strategische Vorteile mit sich: (1) Sie können den Markt erweitern, (2) führen zu mehr Differenzierung, (3) stecken den weniger effizienten Herstellern einen engen Kostenrahmen, (4) tragen gemeinsam die Kosten einer Marktentwicklung für neue Produkte und verhelfen neuen Technologien zum Durchbruch, (5) stärken die Verhandlungsmacht gegenüber Gewerkschaften oder dem Gesetzgeber, (6) führen eher zur Bedienung von ansonsten vernachlässigten Marktsegmenten und (7) vermindern in Ländern mit starker Kartell- und Monopolaufsicht, wie z.B. in den USA, staatliche Markteingriffe durch Unternehmenszerschlagung und andere Maßnahmen.

Berücksichtigung von Kunden und Konkurrenten

In den vorstehenden Ausführungen wurde die sorgfältige Berücksichtigung der Konkurrenten in der strategischen Planung als besonders wichtig hervorgehoben. Es stellt sich die Frage, ob dies möglicherweise zu viel Zeit, Energie und Ressourcen erfordert und dabei die Kundenorientierung leidet. Die Antwort lautet: Ja! Ein Unternehmen kann derart auf die Konkurrenz fixiert sein, daß es dabei seine Ausrichtung am Kunden vernachlässigt. [11]

Von einem *wettbewerberfixierten Unternehmen* spricht man dann, wenn es bei seinen Maßnahmen ausschließlich die Aktionen und Reaktionen der Konkurrenten berücksichtigt. Das Unternehmen wendet viel Zeit dafür auf, das Vorgehen und die Marktanteilsentwicklung der Konkurrenten auf allen Märkten zu verfolgen. Es bestimmt seinen Weg etwa so, wie dies in folgendem Beispiel gezeigt wird:

Situationsanalyse

- Konkurrent W tut alles, um uns in Holland aus dem Feld zu schlagen.
- Konkurrent X baut sein Vertriebsnetz in Deutschland aus und beeinträchtigt unsere Umsätze.
- Konkurrent Y hat seine Preise in Österreich gesenkt, was uns drei Prozent unseres Marktanteils kostete.
- Konkurrent Z hat in der Schweiz eine neue Serviceleistung eingeführt, und unsere Kunden gehen dazu über, bei diesem Konkurrenten zu kaufen.

Vorgehensweise

- Wir werden uns aus Holland zurückziehen, da wir uns diese Schlacht nicht leisten können.
- Wir werden unseren Werbeaufwand in Deutschland steigern.
- Wir werden die Preissenkung unseres Konkurrenten Y in Österreich mitmachen.
- Wir werden das Verkaufsförderungsbudget in der Schweiz erhöhen.

Diese Methode der strategischen Führung hat einige Vor-, aber auch einige Nachteile. Positiv ist, daß das Unternehmen Kämpferqualitäten entwickelt. Es schult seine Marketer darin, ständig wachsam zu sein, nach Schwachstellen im eigenen Unternehmen Ausschau zu halten und auch nach den Schwächen der Konkurrenten zu suchen. Negativ ist, daß sich das Unternehmen eher reaktiv verhält. Statt eine konsequente, am Kunden ausgerichtete Strategie zu verfolgen, richtet es sein Vorgehen an den Aktionen der Konkurrenten aus. Es bewegt sich nicht in eine vorher festgesetzte Richtung auf ein konkretes Ziel zu. Es weiß nicht, wohin es geführt wird, da sehr viel von dem abhängt, was die Konkurrenten wollen.

Im Gegensatz dazu konzentriert sich ein *kundenorientiertes Unternehmen* bei der Formulierung seiner Strategien mehr auf die Entwicklungen beim Kunden. Ein solches Unternehmen würde etwa auf folgendes achten:

Situationsanalyse

- Der Gesamtmarkt wächst um 4 Prozent jährlich.
- Das am schnellsten wachsende Segment ist das qualitätsbewußte; es wächst um 8 Prozent pro Jahr.
- Auch das Segment der preisbewußten Kunden wächst, doch diese Kunden bleiben bei keinem Lieferanten sehr lange.
- Eine steigende Zahl von Kunden hat Interesse an einer 24-Stunden-Hot-Line zur Lösung anfallender Probleme durch die Lieferanten gezeigt. Diesen Service bietet niemand in der Branche.

Vorgehensweise

- Wir werden stärker bestrebt sein, das qualitätsbewußte Marktsegment anzusprechen und zufriedenzustellen, indem wir bessere Komponenten einkaufen, die Qualitätskontrolle verbessern und Qualität als Werbethema aufgreifen.
- Wir werden einen »Preisverhau« und den Verkauf über Preisnachlässe vermeiden, da wir auf Kunden, die nur über den Preis kaufen, keinen Wert legen.
- Wir werden die Kosten und die möglichen Marktanteilsgewinne durch eine 24-Stunden-Hot-Line untersuchen und diesen Service einrichten, wenn die Zahlen vielversprechend sind.

Das kundenorientierte Unternehmen fährt besser bei der Suche nach neuen Marktchancen und beim Abstecken eines langfristig sinnvollen strategischen Kurses. Durch die Berücksichtigung sich neu entwickelnder Kundenbedürfnisse kann es entscheiden, welche Kundengruppen und neu auftauchenden Bedürfnisse es mit den Ressourcen, die es einsetzen kann, und den Zielen, die es verfolgt, bedienen soll.

In der Praxis muß man sowohl seine Kunden als auch seine Konkurrenten berücksichtigen. Es muß davor gewarnt werden, durch ein Übermaß an Konkurrenzanalysen den Blick auf den Kunden zu verlieren. Abbildung 8-6 zeigt die verschiedenen Orientierungsalternativen, die manche Unternehmen als Entwicklungsphasen durchlaufen haben. In der ersten Phase analysieren sie die Kunden und Konkurrenten nur wenig; sie sind *produktorientiert.* In der zweiten Phase beginnen sie, die Kunden zu analysieren; sie werden *kundenorientiert.* In der dritten Phase beginnen sie, die Konkurrenten zu analysieren; sie werden *wettbewerberorientiert.* In Phase vier müssen sie beides in ausgewogenem Maße tun und in der Strategie berücksichtigen. Wir bezeichnen dies als *marktkräfteorientiert.*

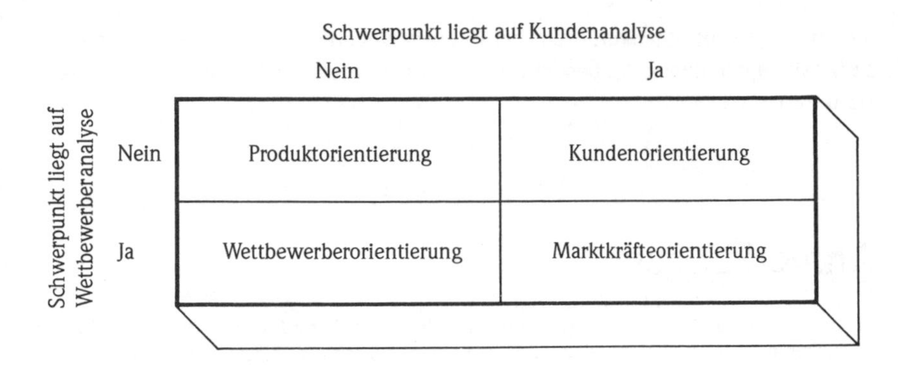

Abbildung 8-6
Analyseschwerpunkte und Orientierung der Unternehmen

Zusammenfassung

Zur Erarbeitung einer effektiven Marketingstrategie muß ein Unternehmen sowohl seine Konkurrenten als auch seine gegenwärtigen und potentiellen Kunden berücksichtigen. In wachstumsschwachen Märkten ist dies besonders wichtig, da das eigene Wachstum dann auf Kosten der Konkurrenten erfolgen muß. Zu den Konkurrenten eines Unternehmens zählen in erster Linie diejenigen, die mit einem ähnlichen Leistungsprogramm auf dieselben Kunden und Kundenbedürfnisse abzielen. Aber auch auf die latenten Konkurrenten muß man achten, die sich anschicken, die gleichen Bedürfnisse auf eine neue oder andere Weise zufriedenzustellen. Wer die Konkurrenten sind, sollte nach dem Branchenkonzept und dem Marktkonzept analysiert werden.

Ein Unternehmen muß Informationen über die Strategien, Zielvorstellungen, Stärken, Schwächen und das Reaktionsprofil der Konkurrenten sammeln. Man muß die Strategien der Konkurrenten kennen, um die engsten Konkurrenten ermitteln und entsprechende Maßnahmen ergreifen zu können. Man sollte die Ziele eines Konkurrenten kennen, dessen weiteres Vorgehen und Reaktionen man abschätzen will. Kennt man die Stärken und Schwächen der Konkurrenten, kann man die eigene Strategie verfeinern, dort Vorteile ausnutzen, wo die Konkurrenten Einschränkungen unterliegen, und dort einen Kampf vermeiden, wo der Konkurrent stark ist. Kenntnisse über das typische Reaktionsprofil des Konkurrenten helfen bei der Wahl und zeitlichen Abstimmung des eigenen Vorgehens.

Das Unternehmen muß systematisch Wettbewerbsinformationen sammeln, auswerten und verwenden. Die Marketingverantwortlichen im Unternehmen sollten mit vollständigen und verläßlichen Informationen über jeden Konkurrenten versorgt werden, der bei anstehenden Entscheidungen berücksichtigt werden muß.

So wichtig die Wettbewerberorientierung auf den Märkten von heute auch ist – die Unternehmen sollten nicht ausschließlich auf die unmittelbaren Konkurrenten fixiert sein. Unternehmen erleiden eher durch neu entstehende Kundenwünsche und latente Konkurrenten als durch bereits vorhandene Konkurrenten ernstlichen Schaden. Die Unternehmen, denen es gelingt, die Kundenanalyse und die Konkurrentenanalyse gut durchzuführen und in ausgewogenem Maße in ihrer Strategie zu berücksichtigen, haben die besten Erfolgsaussichten, da sie die wesentlichen Marktkräfte beachten.

Anmerkungen

1 Vgl. Al Ries und Jack Trout: *Marketing Warfare*, New York: McGraw-Hill, 1986; William L. Sammon, Mark A. Kurland und Robert Spitalnic: *Business Competitor Intelligence*, New York: Ronald Press, 1984; Leonard M. Fuld: *Competitor Intelligence: How to Get It – How to Use It*, New York: John Wiley, 1985.
2 Vgl. Kathryn Rudie Harrigan: »The Effect of Exit Barriers upon Strategic Flexibility«, in: *Strategic Management Journal I*, 1980, S. 165–176.
3 Vgl. Michael E. Porter: *Competitive Advantage*, New York: Free Press, 1985, S. 225 u. 485.
4 Vgl. Michael E. Porter: *Competitive Strategy*, New York: Free Press, 1980, Kap. 13.
5 Vgl. George Foster: *Financial Statement Analysis*, New York: Prentice-Hall, Englewood Cliffs, 1986.
6 Vgl. William E. Rothschild: *How to Gain (and) Maintain the Competitive Advantage*, New York: McGraw-Hill, 1984, Kap. 5.
7 Vgl. Porter: *Competitive Strategy*, Kap. 7.
8 Die folgende Aufstellung wurde aus verschiedenen Veröffentlichungen von Bruce Henderson entnommen, u.a. aus: »The Unanswered Question, The Unsolved Problems« (eine nicht veröffentlichte Rede an der Northwestern University im Jahre 1986); *Henderson on Corporate Strategy*, New York: Mentor, 1982; und »Understanding the Forces of Strategic and Natural Competition«, in: *Journal of Business Strategy*, Winter 1981, S. 11–15.
9 Vgl. Porter: *Competitive Advantage*, S. 226–227.
10 Vgl. Ebenda, Kap. 6.
11 Vgl. Alfred R. Oxenfeldt und William L. Moore: »Customer or Competitor: Which Guidelines for Marketing?«, in: *Management Review*, August 1978, S. 43–48.

Anhang zu Kapitel 8
Marketingstrategien für Marktführer, Herausforderer, Mitläufer und Nischenbesetzer

Welche Strategien einem Unternehmen gegenüber seinen Wettbewerbern offenstehen, hängt von der Größe und der Stellung des Unternehmens in seiner Branche ab. Neben ihrer Größe unterscheiden sich Unternehmen auch in ihrem Rollenverständnis gegenüber den Wettbewerbern. Einige streben eine Führungsrolle an, während andere dies nicht tun. In der Regel befinden sich in fast jedem Zielmarkt die Wettbewerber in unterschiedlichen Ausgangspositionen.

Die Unternehmensberatungsfirma Arthur D. Little unterscheidet sechs mögliche Ausgangspositionen der Wettbewerber einer Branche: [1]

- **Beherrschend**
  Das Unternehmen dominiert so stark, daß es das Verhalten der Konkurrenz kontrollieren kann. Es hat eine breite Auswahl strategischer Optionen.
- **Stark**
  Das Unternehmen kann im Markt ohne Schaden für seine langfristige Stellung unabhängig von den Wettbewerbern handeln.
- **Günstig**
  Das Unternehmen hat eine starke Seite, aus der es mit bestimmten Strategien Nutzen ziehen kann, und hat dadurch überdurchschnittliche Chancen, seine Position zu verbessern.
- **Tragbar**
  Die Leistung des Unternehmens ist ausreichend, um sich im Markt zu halten, solange das marktbeherrschende Unternehmen dies duldet. Die Chancen zur Positionsverbesserung sind nicht besonders gut.
- **Schwach**
  Die Leistung des Unternehmens ist unzureichend, doch es gibt Verbesserungschancen; es muß sich verändern oder aus dem Markt ausscheiden.
- **Unzulänglich**
  Die Leistung des Unternehmens ist unzureichend, und es gibt keine Verbesserungsmöglichkeiten.

Jedes Unternehmen bzw. jede Geschäftseinheit kann sich in einer dieser Positionen wiederfinden. Diese und die Produkt-Lebenszyklus-Phase, in der sie sich befindet, hilft der Geschäftseinheit, zu entscheiden, ob sie investieren, die Stellung halten, »ernten« oder sich aus der Branche zurückziehen soll.

Im folgenden befassen wir uns mit einer anderen Einteilung der Wettbewerber und ihrer Position zueinander, nämlich der des *Marktführers, Herausforderers, Mitläufers* und des *Nischenbesetzers.*

Dabei wollen wir die Optionen für jede dieser Rollen als Wettbewerber näher betrachten.

Strategien für Marktführer

In fast allen Branchen gibt es ein Unternehmen, das als Marktführer betrachtet wird. In der Regel hält er einen großen Marktanteil und ist führend bei Preisänderungen, neuen Produkten, im Vertrieb und der Absatzförderung. An ihm orientieren sich die Konkurrenten; er wird entweder herausgefordert, kopiert oder gemieden. Ein Marktführer darf sich nicht auf dem Erreichten ausruhen. Er muß ständig daran arbeiten, seine Position zu halten.

Dazu kann er in drei Richtungen aktiv werden: Erweiterung des Gesamtmarktes, Verteidigung des Marktanteils und Erweiterung des Marktanteils.

Erweiterung des Gesamtmarktes

Der Marktführer kann von einer Erweiterung des Gesamtmarktes am meisten profitieren, da er in der Regel auch den größten Teil des Marktzuwachses für sich verbuchen kann. Er sollte deshalb neue Verwender anwerben, neue Verwendungsmöglichkeiten finden und stimulieren oder die Verwendungsmenge pro Verwender steigern.

Neue Verwender

Jede Produktklasse hat das Potential, einen Käufer anzusprechen, der entweder das Produkt nicht kennt oder es wegen seines Preises oder eines fehlenden Leistungsmerkmals nicht schätzt. Ein Hersteller kann neue Verwender auf dreierlei Weise ansprechen. Ein Parfumhersteller beispielsweise kann Frauen, die kein Parfum benutzen, davon überzeugen, dies doch zu tun (*Marktdurchdringungsstrategie*), die Männer ebenfalls zum Griff zur Parfumflasche bewegen (*Strategie der Markterschließung*) oder auch in anderen Ländern sein Parfum verkaufen (*Strategie der geographischen Expansion*).

Neue Verwendungsmöglichkeiten

Der Absatzmarkt läßt sich auch dadurch erweitern, daß für ein Produkt neue Verwendungsmöglichkeiten erschlossen und in der Werbung bekanntgemacht werden. Die Nylonfaser von Du Pont ist ein klassisches Beispiel für die Markterweiterung über neue Verwendungsmöglichkeiten. Jedesmal, wenn Nylon im Produkt-Lebenszyklus die Reifephase erreicht hatte, entdeckte man eine neue Verwendungsmöglichkeit. Zunächst diente Nylon als Kunstfaser für Fallschirme, dann als Kunstfaser für Damenstrümpfe, später als wichtiges Material für Damenblusen und Herrenhemden; danach wurde es zur Herstellung von Autoreifen, Polstergarnituren und Teppichen verwendet. [2] Mit jeder neuen Anwendung trat das Produkt in einen neuen Produkt-Lebenszyklus ein. Du Pont erreichte das durch die ununterbrochene Suche nach neuen Verwendungsmöglichkeiten.

Häufiger ist jedoch die Entdeckung einer neuen Verwendung den Kunden zu verdanken. Das Paraffinöl von Vaseline wurde zunächst als Schmiermittel in Werkstätten verwendet. Über die Jahre hinweg berichteten die Verbraucher von immer neuen Verwendungsmöglichkeiten, z. B. als Hautsalbe, als Heilmittel für die Hausapotheke oder als Haarwaschmittel.

Das Unternehmen muß ständig beobachten, wie der Verbraucher das Produkt verwendet. Das gilt sowohl für Industrie- als auch für Konsumgüter. Die Untersuchungen Von Hippels zeigen, daß die meisten neuen Industrieerzeugnisse auf Kundenvorschlägen basieren und nicht auf der Arbeit der Forschungslaboratorien in den Unternehmen. [3] Das unterstreicht den wichtigen Beitrag der Marktforschung zur Wachstumsstrategie des Unternehmens.

Steigerung der Verwendungsmenge

Eine dritte Möglichkeit der Markterweiterung besteht darin, die Verbraucher davon zu überzeugen, *ein Produkt bei jedem Verwendungsanlaß in größeren Mengen zu verwenden.*

Einfallsreichtum bewies hier auch der französische Reifenhersteller Michelin. Michelin wollte, daß die französischen Autofahrer mehr Kilometer pro Jahr zurücklegten – womit natürlich mehr Reifen verbraucht würden. Dabei entstand die Idee, die Restaurants in Frankreich nach dem »Drei-Sterne-System« zu bewerten. Michelin machte publik, daß viele der besten Restaurants im Süden Frankreichs lägen, was viele Autofahrer aus Paris dazu veranlaßte, per Auto Wochenendausflüge in den Süden ihres Landes zu unternehmen. Michelin veröffentlichte darüber hinaus auch Reiseführer mit Landkarten und einem Plan der Sehenswürdigkeiten entlang der Straßen nach Süden, um das Reisen mit dem Auto noch verlockender zu machen.

Verteidigung des Marktanteils

Der Marktführer muß seine Position dauernd gegen Angriffe der Konkurrenz verteidigen, oft sogar gleichzeitig gegen mehrere Wettbewerber. Es ist schwierig für ein Unternehmen, sich an allen möglichen Angriffspunkten gleichzeitig zu verteidigen, d. h. es muß in der Regel Schwerpunkte setzen und Konzepte für die Verteidigung finden.

Was kann nun ein Marktführer tun, um seine Stellung zu verteidigen? Vor 2.000 Jahren sagte Sun Tzu: »Man verläßt sich nicht darauf, daß der Gegner nicht angreifen wird, sondern darauf, daß man selbst unangreifbar ist.« Am besten erreicht man dies durch *kontinuierliche Innovation.* Der Marktführer gibt sich also nicht mit dem Lauf der Dinge zufrieden, sondern stellt sich an die Spitze der Branche, wenn es um neue Produktideen, Kundendienstleistungen, ein wirkungsvolles Distributionssystem und Kostensenkungen geht. Er erhöht seine Schlagkraft im Wettbewerb und den Nutzen für den Kunden. Der Marktführer handelt nach dem »militärischen Prinzip der Vorwärtsverteidigung«: Er behält die Initiative, bestimmt das Tempo des Fortschritts und nutzt die Schwachstellen des Gegners aus.

Auch wenn er sich »nach vorne« verteidigt, darf der Marktführer den Gegnern möglichst keine Angriffspunkte bieten. Er muß die Kosten niedrig halten, und der Preis, den er nimmt, muß mit dem vom Kunden wahrgenommenen Nutzen der Marke in Einklang stehen. Er muß Löcher im Sortiment stopfen, durch die ein Angreifer an seine Kunden herankommen könnte. Der Marktführer in einer Konsumgüterbranche wird daher z.B. seine Produkte in mehreren Packungsgrößen und Formen anbieten, um den unterschiedlichen Verbraucherpräferenzen gerecht zu werden, und sich soviel kostbaren Platz in den Ladenregalen sichern wie möglich.

Dieses »Löcher-Stopfen« kann teuer sein. Ein schwaches Produkt-/Marktsegment aufzugeben, kann jedoch u.U. noch teurer werden. General Motors war aus Angst vor Verlusten nicht gewillt, Kleinwagen ins Sortiment zu nehmen. Diese Entscheidung erleichterte es den japanischen Automobilherstellern, sich auf dem amerikanischen Markt eine starke Position aufzubauen. Kodak und Agfa zogen sich aus dem Markt für 35mm-Kameras zurück, da man hier Verluste befürchtete. Sie können diesen Markt von der erstarkten japanischen Konkurrenz nicht mehr zurückgewinnen.

Der Marktführer muß prüfen, welche Bereiche eine Verteidigung rechtfertigen – auch wenn damit Kosten verbunden sind – und welche bei geringem Risiko aufgegeben werden können. Das Ziel einer Defensivstrategie ist es, die Wahrscheinlichkeit eines Angriffs zu vermindern, Attacken auf ungefährlichere Bereiche zu lenken und die Angriffsintensität zu vermindern.

Die zunehmenden Kämpfe zwischen den Wettbewerbern fachten – insbesondere in den USA – das Interesse von Managern an den Konzepten der militärischen Kriegsführung an, vornehmlich an den Werken von Sun Tzu, Mushashi, von Clausewitz und Liddell-Hart.[4] Danach gibt es sechs Defensivstrategien, die einem Marktführer offenstehen.[5]

Stellungssicherung

Das Grundkonzept besteht hier darin, den eigenen Markt durch Barrieren gegen Feindangriffe zu sichern. Im Marketing ist dieses Konzept kurzsichtig, wie alle statischen Konzepte. Wenn der Marktführer alle Ressourcen dafür aufbietet, einen Schutzwall um seinen gegenwärtigen Produktmarkt zu ziehen, verpaßt er neue Entwicklungen und wird letztendlich überrannt.

Flankensicherung

Der Marktführer schützt nicht nur sein angestammtes Gebiet, sondern errichtet Vorposten als Flankenschutz, zur vorgeschobenen Verteidigung von Schwachpunkten oder als Basis für einen Gegenschlag. Der Flankenschutz nützt nicht viel, wenn er mit wenig Aufwand vom Angreifer gebunden wird und der Wettbewerber mit seiner Hauptmacht ungehindert daran vorbeiziehen kann. Um den Flankenschutz sinnvoll aufzubauen, muß man das Bedrohungspotential des Angreifers mit Sorgfalt analysieren und festlegen, wie stark der Flankenschutz im Ernstfall sein muß.

Verteidigung durch Präventivschlag

Bei einer eher vorwärtsgerichteten Verteidigungsstrategie muß das Unternehmen bereit sein, den Gegner mit einem Präventivschlag zu überraschen, kurz bevor dieser sich zum Angriff anschickt. Hier wird unterstellt, daß es weniger aufwendig ist, einen Präventivschlag zu führen, als eine breit angelegte Verteidigungsstellung aufzubauen. Präventivschläge können breitgefächert angelegt sein: So kann der Marktführer z. B. mit vielen neuen Produkten gleichzeitig alle Konkurrenten überraschen. Alternativ dazu können Präventivschläge ähnlich der Guerillastrategie auch aus vielen Einzelaktionen bestehen, die die verschiedenen Wettbewerber verunsichern sollen.

Manchmal ist der Präventivschlag mehr eine psychologische Maßnahme als eine echte Aktion. Der Marktführer sendet *Marktsignale* aus, um die Konkurrenten von einem Angriff abzuhalten.[6] Sobald z. B. ein großer amerikanischer Pharmakonzern, der bei einem bestimmten Medikament marktbeherrschend ist, erfährt, daß ein Rivale dabei ist, in diesem Bereich in die Produktion einzusteigen, läßt er durchsickern, daß er plant, den Preis für dieses Produkt zu senken und seinerseits die Produktionskapazitäten zu erweitern. Das schüchtert den Rivalen ein, der sich nun gegen einen Einstieg in diesen Produktbereich entscheidet. So braucht der Marktführer seine Preise nicht zu senken und auch seine Kapazitäten nicht zu erweitern. Ein solcher »Bluff« wirkt jedoch nur begrenzt.

Unternehmen mit starken Wettbewerbsvorteilen, wie z. B. ausgeprägte Markenloyalität, technologische Führerschaft etc., würden es wohl als Nachteil empfinden, eine zu breit angelegte Präventivstrategie zu verfolgen. Sie können manchen Angriff überstehen, und manchmal kommt es ihnen sogar gelegen, wenn sich der Gegner in einen teuren Kampf locken läßt, der ihn langfristig schwächt.

Verteidigung durch Gegenoffensive

Wenn ein Marktführer trotz Flankensicherung und Präventivschlag angegriffen wird, kann er zur Gegenoffensive schreiten. Er kann den gegnerischen Preissenkungen, Verkaufsförderungsaktionen, Produktverbesserungen oder einem Eindringen in seine Absatzmärkte nicht tatenlos zusehen. Er hat die Wahl, der gegnerischen Angriffsspitze frontal entgegenzutreten, dem Gegner in die Flanke zu fallen oder durch eine Zangenbewegung die Angriffsformationen des Gegners von ihrer Operationsbasis abzuschneiden.

Bei drastischen Marktanteilseinbußen muß ein Gegenangriff auf breiter Front erfolgen. Ein Verteidiger mit genügend »strategischer Tiefe« kann jedoch den ersten Angriff »aussitzen« und den besten Moment für einen Gegenschlag abwarten. In vielen Fällen kann es sich lohnen, einige kleinere Rückschläge in Kauf zu nehmen, bis sich die gegnerische Offensive klar abzeichnet und man die Absichten des Gegners und seine Schwachpunkte voll erkannt hat, bevor man den Angriff erwidert.

Wenn ein Marktführer auf seinem Territorium angegriffen wird, kann er wirksam zurückschlagen, indem er in das zentrale Geschäftsfeld des Angreifers eindringt, so daß dieser einen Teil seiner Kräfte zur Verteidigung des Zentrums zurückziehen muß.

Mobile Verteidigung

Die mobile Verteidigung bedeutet für den Marktführer eine Ausdehnung seiner Reichweite auf neue Gebiete, die dann zum Zentrum für Verteidigungs- und Angriffsmaßnahmen von morgen werden können. Diese größere Reichweite bewirkt der

Marktführer weniger durch größere Markenvielfalt, sondern durch Innovationsaktivitäten zur breiteren Anlage und Diversifizierung seiner Marktbasis. Damit erwirbt das Unternehmen »strategische Tiefe« und die Fähigkeit, Angriffen immer wieder standzuhalten und Vergeltungsschläge zu führen.

Um eine *Marktverbreiterung* umzusetzen, muß das Unternehmen seinen Produktmarkt eher nach einem Grundbedürfnis als nach einem speziellen Produkt definieren und bei allen mit diesem Bedarf zusammenhängenden Technologien Forschung und Entwicklung betreiben. Demzufolge würde sich eine Molkerei als Lebensmittelproduzent definieren und über Milch und Milchprodukte hinaus auch Technologien zur Herstellung anderer Lebensmittel entwickeln müssen. Oder ein Hersteller von Bodenbelägen würde sein Geschäftsfeld nun als »behagliche Raumausstattungen« definieren.

Man sollte bei dieser Marktverbreiterungsstrategie jedoch nicht zu weit gehen, da sonst zwei fundamentale militärische Prinzipien – das *Prinzip der Zielvorgabe* (»Verfolge ein klar definiertes und erreichbares Ziel«) und das *Prinzip der Masse* (»Konzentriere deine Kräfte auf einen gegnerischen Schwachpunkt«) verletzt würden.

Marktdiversifizierung ist die andere Möglichkeit zur Schaffung »strategischer Tiefe«. Dies erfordert einen Einstieg in neue Produktbereiche, denen andere Grundbedürfnisse zugrunde liegen.

Verteidigung durch Kontraktion und Umgruppierung der Kräfte

Wenn ein Unternehmen seine Kräfte über ein zu weites Gebiet verstreut hat, ist es im Verteidigungsfall oft am besten, die zerstreuten Kräfte zu sammeln, indem man sich aus schwachen Stellungen zurückzieht und die gesammelten Kräfte von starken Gebieten aus neu einsetzt. Solch eine Kontraktion der Kräfte bedeutet nicht, daß der Kampf um Marktanteile aufgegeben wird, sondern eine Umgruppierung der Kräfte von schwächeren in stärkere Bereiche.

Erweiterung des Marktanteils

Ein Marktführer kann auch versuchen, sich durch Erweiterung seines Marktanteils weitere Vorteile zu erarbeiten.

Über den Zusammenhang zwischen Marktanteil und Rentabilität führte das *Strategic Planning Institute* eine Untersuchung namens *Profit Impact of Management Strategies* (PIMS) durch, bei der Daten von über 600 Geschäftseinheiten aus einer Vielzahl von Branchen gesammelt und die wichtigsten Faktoren für die Rentabilität ermittelt wurden.

Eine wichtige Schlüsselgröße für die Rentabilität ist u.a. der Marktanteil, da gemäß den Ergebnissen der PIMS-Studie die Rentabilität linear zum relativen Marktanteil ansteigt. [7/8] Im Durchschnitt bringt eine Differenz von 10 % beim Marktanteil einen Unterschied von ungefähr 5 % beim ROI vor Steuern (Return on Investment) mit sich. Dieses Ergebnis veranlaßte manches Unternehmen, sich eine Marktanteilserweiterung zum Ziel zu setzen, weil dies nicht nur einen höheren Gesamtertrag, sondern auch eine höhere Kapitalrendite verspricht.

Diverse Wissenschaftler kritisierten die PIMS-Untersuchung als schwach oder nicht ausreichend fundiert, da es z.B. zahlreiche Unternehmen mit kleinem Marktanteil und einem hohen ROI gibt. [9/10] In einigen Branchenstudien wurde außerdem eine v-förmige Beziehung zwischen Marktanteil und Rentabilität ermittelt. Diese unterschiedlichen Befunde beruhen darauf, daß es bei den linearen Beziehungen der PIMS-Studie um eine Gegenüberstellung von Konkurrenten im gleichen bedienten Markt geht, während es sich bei der V-Kurve um eine Betrachtung aller Konkurrenten im Gesamtmarkt einer Branche handelt.

Man darf jedoch nicht annehmen, daß Marktanteilszugewinne die Rentabilität eines Unternehmens zwangsläufig verbessern. Viel hängt dabei von der Strategie ab, die zur Erweiterung des Marktanteils eingesetzt wird. Die Kosten für die Erweiterung können u.U. die Erträge weit überschreiten.

Strebt das Unternehmen eine Erweiterung des Marktanteils an, so muß es drei Dinge beachten:

- Es dürfen keine kartellrechtlichen Maßnahmen der Konkurrenten provoziert werden.
- Die Wirtschaftlichkeit des Marktanteilszugewinns muß beachtet werden. In manchen Branchen gibt es einen optimalen Marktanteil, über den hinaus es sich nicht mehr lohnt, Anteile zu erobern. Dafür gibt es viele Gründe, z.B. Kunden, die ein marktbeherrschendes Unternehmen ablehnen, sein Angebot für ihre Bedürfnisse nicht als angemessen betrachten und kleine Anbieter bevorzugen, oder z.B. Wettbewerber, die ihren Anteil härter verteidigen, wenn er sinkt. Ein Streben nach höheren Marktanteilen ist dort wenig sinnvoll, wo Größe und Erfahrung keine wirtschaftlichen Vorteile bringen, wo zusätzliche Marktsegmente unattraktiv sind, wo Käufer lieber mit mehreren Lieferanten arbeiten wollen und wo die Marktaustrittsbarrieren hoch sind. Für den Marktführer kann es lohnender sein, anstelle des Marktanteils den Markt zu erweitern. In einigen Fällen haben führende Unternehmen gerade dadurch Vorteile erlangt, daß sie ihren Marktanteil selektiv in schwächeren Geschäftsfeldern verringerten. [11]
- Als drittes muß die richtige Marketingstrategie angewandt werden. Ein höherer Marktanteil kann zu einem größeren Gesamtgewinn und zu einer größeren Kapitalrendite führen, wenn die Stückkosten mit steigendem Marktanteil sinken. Dies ist z.B. der Fall, wenn eine Kostenführerschaft angestrebt wird oder wenn das Unternehmen ein qualitätsmäßig überlegenes Produkt anbietet und dafür einen höheren Preis nimmt, der die Kosten für den erzielten Qualitätsvorsprung überkompensiert. [12]

Zusammenfassend kann man sagen, daß ein Marktführer, der sich an der Spitze behauptet, gelernt hat, den Gesamtmarkt zu erweitern, seinen Anteil zu verteidigen und ihn auf lohnende Weise zu erweitern.

Exkurs 8A-1: Wie zwei Großunternehmen – Procter & Gamble und Caterpillar – ihre Marktführerschaft behaupten

Unternehmen wie Procter & Gamble, Caterpillar, IBM, McDonald's und Hertz sind Beispiele dafür, wie man sich über lange Zeit als Marktführer behaupten kann. Diesen Unternehmen gelingt es immer wieder, ihre Marktanteile gegen die Angriffe fähiger Herausforderer zu verteidigen. Ihr Erfolg beruht nicht darauf, daß sie auf einem Gebiet gut sind, sondern darauf, daß sie in allem gut sind. Schwächen lassen sie erst gar nicht aufkommen. Im folgenden werden die Grundlagen untersucht, die hinter dem Erfolg zweier Firmen – Procter & Gamble und Caterpillar – stehen.

P & G gilt allgemein als der fähigste amerikanische Konsumgüter-Marketer und hat in vielen Ländern eine führende Stellung inne. In vielen Produktkategoren, wie Wasch- und Spülmittel, Papiertücher und -windeln, Zahnpasta und Shampoos, ist eine Marke von P & G die Nummer eins im Markt. Diese Marktführerschaft beruht auf mehreren Grundsätzen des Unternehmens:

Kundenkenntnis
P & G kennt seine Kunden – und zwar sowohl die Endverbraucher als auch den Handel – durch kontinuierliche Marktforschung und Nachrichtensammlung. Unter einer gebührenfreien Telefonnummer können die Kunden jederzeit ihre Anregungen und Beschwerden über P & G-Produkte direkt weitergeben.

Langfristige Perspektive
P & G nimmt sich Zeit, um eine Marktchance zu analysieren und das bestmögliche Produkt zu entwickeln; dann legt sich das Unternehmen langfristig darauf fest, sein Produkt zu einem Markterfolg zu machen. So kämpfte P & G lange Zeit darum, seine Kartoffelchips der Marke Pringles trotz vieler Rückschläge zum Erfolg zu führen.

Produktinnovation
P & G sucht aktiv nach Produktinnovationen und Nutzensegmenten. Das Unternehmen bringt Marken mit neuen Nutzenangeboten für den Kunden auf den Markt, statt mit hohem Werbeaufwand »Me-too-Marken« durchzusetzen. So wandte P & G zehn Jahre dafür auf, um die erste wirksame kariesvorbeugende Zahnpasta, die Marke Crest, zu entwickeln. Die Marke Pampers wurde entwickelt, weil P & G herausfand, daß die Eltern kleiner Kinder den Umgang mit waschbaren Windeln lästig fanden und bereit waren, bei einem erschwinglichen Preis auf Papierwindeln überzuwechseln. Bei neuen Produkten werden gründliche Verbrauchertests durchgeführt, und erst wenn sich eine echte Verbraucherpräferenz zeigt, kommt das Produkt in den USA auf den Markt.

Qualitätsstrategie
P & G entwickelt qualitativ überdurchschnittliche Produkte. Auch die Qualität eingeführter Produkte wird ständig verbessert. Die P & G-Ankündigung »Neu und Besser« kann man jederzeit wörtlich nehmen. Bei anderen Unternehmen ist dies nicht so: Haben sie einmal ein bestimmtes Qualitätsniveau festgelegt, heben sie dieses Niveau nur selten weiter an. Wieder andere vermindern sogar die Qualität des Produkts, in dem Bestreben, mehr Gewinne »herausquetschen« zu können.

Flankierung der Produktmarke
P & G bietet Produktmarken in mehreren Verpackungsgrößen und Varianten an, um unterschiedliche Verbraucherpräferenzen zufriedenstellen zu können. Das verschafft seinen Produkten mehr Regalplatz und hindert die Konkurrenten daran, im Bereich dieser Marke unbefriedigte Bedürfnisse ausfindig zu machen und in diese Lücke hineinzustoßen.

Mehr-Marken-Strategie
P & G beherrschte als erstes Unternehmen die Kunst, mehrere Marken in derselben Produktkategorie anzubieten. So produziert man z. B. zehn verschiedene Waschmittel, von denen jedes einzelne im Bewußtsein des Verbrauchers etwas unterschiedlich positioniert wird. Das Ziel dabei ist, Marken für unterschiedliche Verbraucherwünsche zu entwickeln und mit bestimmten Wettbewerbern zu konkurrieren.
Jeder Markenmanager arbeitet getrennt von den anderen Marken und muß intern um die erforderlichen Marketingmittel kämpfen. Mit mehreren P & G-

Marken im Ladenregal »zieht das Unternehmen Regalfläche auf sich« und hat damit ein stärkeres Gewicht im Handel.

Markenbereichserweiterung

P & G baut oft auf bekannte Marken, um neue Produkte einzuführen. So brachte man z.B. nach der Seife Ivory auch eine Flüssigseife und ein Waschmittel der gleichen Marke heraus. Die Markteinführung eines neuen Produkts unter einem bereits bekannten Markennamen verschafft diesem Produkt bei viel geringerem Werbeaufwand schneller mehr Anerkennung und Glaubwürdigkeit und vergrößert den Bereich des unter der Marke realisierbaren Verbrauchernutzens.

Massive Werbung

P & G tätigt mit die größten Werbeaufwendungen unter den Konsumgüterherstellern: Im Geschäftsjahr 1989 betrug der Werbeetat von P & G in den USA mehr als 1 Mrd. $ und in Deutschland weit über 100 Mio. DM. Es wird nie daran gespart, den Bekanntheitsgrad und die Verbraucherpräferenz zu stützen.

Aggressiver Verkauf

P & G verfügt über einen erstklassigen Verkaufsaußendienst, der mit großem Erfolg Regalplatz für die P & G-Produkte erobert und den Handel für POP-Displays und andere Verkaufsförderungsmaßnahmen gewinnt.

Wirksame Verkaufsförderung

P & G verfügt über eine eigene Verkaufsförderungsabteilung; diese berät die einzelnen Markenmanager bei der Entscheidung, mit welchen Verkaufsförderungsaktionen die jeweils gesteckten Ziele am wirksamsten erreicht werden können. Diese Abteilung analysiert ständig die Ergebnisse von verbraucher- und handelsbezogenen Verkaufsförderungsaktionen und entwikkelt so Expertenwissen für deren Wirksamkeit. Gleichzeitig versucht P & G, den Verkaufsförderungsaufwand so gering wie möglich zu halten und zieht es vor, durch Werbung langfristige Verbraucherpräferenzen aufzubauen.

Härte im Wettbewerb

P & G führt ein strenges Regiment, wenn es gilt, Angreifer in ihre Schranken zu weisen. Man ist bereit, neue Konkurrenzmarken mit großem Aufwand zu übertrumpfen und sie daran zu hindern, sich im eigenen Marktsegment festzusetzen.

Effiziente Produktion

Der Ruf von P & G als Produzent kommt seinem Ruf als marketingorientiertes Unternehmen gleich. P & G setzt viel Geld für die Entwicklung und Verbesserung der Produktionsprozesse ein; seine Produktionskosten sind mit die niedrigsten in der Branche.

Marken-Management-System

P & G erfand das Marken-Management-System, nach dem jeweils eine Führungskraft – der Markenmanager – für eine bestimmte Produktmarke verantwortlich ist. Dieses System wurde von vielen Konkurrenten kopiert, allerdings häufig nicht mit denselben Erfolgen, die P & G durch die Perfektionierung seines Systems über die Jahre hinweg verzeichnen konnte.

In jüngerer Zeit modifizierte Procter & Gamble die Führungsstruktur des Unternehmens: Nun steht jeder Produktkategorie ein »General Manager« vor, der für deren Umsatz und Profitabilität verantwortlich ist. Dadurch wird der Markenmanager als verantwortlicher Unternehmer für seine Marke nicht ersetzt, sondern es wird bewirkt, daß die Produktkategorie, in der das Unternehmen mehrere Marken haben kann, durch strengere Beachtung der Verbraucherbedürfnisse und des Wettbewerbs strategisch besser geführt wird.

Zusammenfassend kann man sagen, daß die Marktführerschaft von P & G nicht darauf beruht, daß das Unternehmen auf einem Gebiet gut ist, sondern vielmehr auf der erfolgreichen Konzentration aller Faktoren, die bei der Erringung der Marktführerschaft mitwirken.
Im Jahr 1985 hatte P & G zum ersten Mal in seiner 33-jährigen Geschichte aufgrund erfolgreicher Angriffe von Colgate, Lever Brothers, Beecham und Kimberly-Clark auf einige der führenden Marken einen rückläufigen Jahresertrag zu verzeichnen. Procter & Gamble stieß daraufhin erneut mit Innovationen und Produktverbesserungen vor und konnte seine führende Stellung weiter behaupten.

Seit den 40er Jahren ist Caterpillar das dominierende Unternehmen auf dem Markt für schwere Baumaschinen. Seine Traktoren, Raupen und Ladefahrzeuge, alle in wohlbekannter gelber Farbe, sind auf vielen Baustellen zu sehen. 50% der weltweiten Verkäufe von schweren Baumaschinen werden von Caterpillar bestritten. Das Unternehmen hat seine Spitzenposition trotz hoher Preise für seine Geräte und Maschinen und trotz der Herausforderungen durch eine Anzahl fähiger Konkurrenten, z.B. John Deere, Massey-Ferguson, J.I. Case und Komatsu, behauptet. Eine Kombination mehrerer Grundprinzipien erklärt den Erfolg von Caterpillar:

Spitzenqualität
Caterpillar stellt qualitativ hochwertige Baumaschinen her, die für ihre Zuverlässigkeit bekannt sind. Zuverlässigkeit ist bei der Anschaffung schwerer Baumaschinen ein Schlüsselfaktor in der Entscheidungsfindung des Käufers. Caterpillar verwendet in der Herstellung hochwertigeren Stahl, um die Käufer von der überlegenen Qualität seiner Produkte zu überzeugen.

Umfassendes und effizientes Vertriebssystem
Caterpillar verfügt über den größten Stamm unabhängiger Baumaschinenhändler in der Branche. Seine 260 Händler sind über die ganze Welt verteilt und führen das komplette Sortiment von Caterpillar-Maschinen. Sie können ihre gesamte Aufmerksamkeit auf diese konzentrieren und müssen keine Produkte anderer Hersteller anbieten, während die Händler der Konkurrenz normalerweise kein komplettes Sortiment anbieten und auf komplementäre, nicht-konkurrierende Produkte zurückgreifen müssen. Caterpillar kann sich aus mehreren Bewerbern für den Status eines Caterpillar-Händlers die besten aussuchen (um sich als Händler zu etablieren, muß ein Franchise-Nehmer etwa 5 Mio. $ ausgeben) und steckt auch das meiste Geld in Schulung, Service und Motivation der Händler.

Überlegener Kundendienst
Caterpillar hat eine in der Branche einmalige weltweite Ersatzteil- und Kundendienstorganisation aufgebaut. Innerhalb weniger Stunden nach Ausfall eines Gerätes oder einer Maschine kann Caterpillar die benötigten Ersatzteile und Service-Techniker an jeden Ort der Welt senden. Die Konkurrenten können hier nur mit beträchtlichen Investitionen gleichziehen. Ein Wettbewerber, der dieses Service-Niveau erreicht, könnte damit allenfalls den Wettbewerbsvorteil von Caterpillar neutralisieren, sich jedoch keinen Vorteil verschaffen.

Überlegenes Ersatzteil-Management
Dreißig Prozent des Umsatzvolumens von Caterpillar und über 50% seiner Gewinne stammen aus dem Verkauf von Ersatzteilen. Caterpillar hat ein überlegenes Ersatzteil-Managementsystem aufgebaut, um die Gewinnspanne im Ersatzteilgeschäft auf hohem Niveau zu halten.

›Premium-Preise‹
Caterpillar kann im Vergleich zur Konkurrenz aufgrund des von den Käufern wahrgenommenen zusätzlichen Produktnutzens einen Aufpreis von 10 bis 20% für seine Maschinen und Geräte verlangen.
Voll-Sortiment
Caterpillar bietet ein komplettes Sortiment; die Kunden können alle benötigten Baumaschinen bei einem Caterpillar-Händler kaufen.
Gute Finanzierungsbedingungen
Caterpillar räumt seinen Kunden großzügige Finanzierungsbedingungen ein. Aufgrund der hohen Geldbeträge, die hier im Spiel sind, ist dies ein wichtiger Punkt.

Aufgrund eines schwächeren Marktes für Baumaschinen und eines Verdrängungswettbewerbs in der Branche hat Caterpillar einige Schwierigkeiten. Das Hauptproblem von Caterpillar heißt Komatsu, der führende japanische Baumaschinenhersteller, der innerhalb des Unternehmens die Parole »Umzingelt Caterpillar« ausgegeben hat. Komatsu ist bestrebt, Marktnischen ausfindig zu machen und zu besetzen. Er baut sein Produktangebot kontinuierlich aus, verbessert seine Produktqualität und verlangt für seine Baumaschinen bis zu 40% weniger. Caterpillar weist zwar seine Kunden darauf hin, daß die niedrigeren Preise von Komatsu Ausdruck einer geringeren Produktqualität sind, aber nicht alle glauben das oder sind bereit, einen so hohen Preis zu zahlen. Caterpillar trat zum Kampf an: Man reduzierte die Kosten um 27%, zog mit den Preisen von Komatsu gleich und unterbot sie manchmal sogar. Preiskämpfe trieben andere Wettbewerber wie International Harvester und Clark Equipment an den Rand des Ruins; Caterpillar selbst erlitt in den Jahren 1982 bis 1984 Verluste von fast 1 Mrd. Dollar. Das Unternehmen erholte sich jedoch rasch und gewann auf dem Weltmarkt Marktanteile zurück. Komatsu war gezwungen, in den Jahren 1985 bis 1988 seine Preise siebenmal anzuheben, während der Marktanteil von 12% im Jahre 1986 auf 9% im Jahre 1988 fiel. Nach langen und verlustreichen Preiskämpfen scheinen sich nun beide Wettbewerber auf eine friedlichere Koexistenz und eine verbesserte Profitabilität einzurichten.

Quellen: Vgl. auch Faye Rice: »The King of Suts Reigns Again«, in: *Fortune*, 4. August 1988, S. 130–134; Bill Kalley: »Komatsu in Cat Fight«, in: *Sales and Marketing Management*, April 1986, S. 50–53; Ronald Hankoff: »This Cat is Acting Like a Tiger«, in: *Fortune*, 19. Dezember 1988, S. 71–76.

Strategien für Herausforderer

Unternehmen, die in einer Branche den zweiten oder einen niedrigeren Rang einnehmen, werden als Verfolger bezeichnet. Sie können entweder als Herausforderer den Marktführer und andere Konkurrenten durch aggressives Streben nach Marktanteilsgewinnen bekämpfen oder sich als Mitläufer mit ihrem Rang begnügen und alle gewagten Manöver vermeiden. Dolan stellte fest, daß sich Rivalitäten zwischen Wettbewerbern am stärksten in Branchen zeigen, wo die fixen Kosten sowie die Lagerhaltungskosten hoch sind und die Nachfrage stagniert. [13] Im folgenden werden zunächst die Angriffsstrategien untersucht, die einem Herausforderer zur Verfügung stehen. [14]

Bestimmung des strategischen Ziels und der möglichen Gegner

Ein Herausforderer muß zunächst sein strategisches Ziel definieren – z.B. Vergrößerung des Marktanteils – sowie seine Gegner bestimmen:

- Er kann den Marktführer angreifen, indem er z.B. vernachlässigte Marktbereiche zur besseren Zufriedenheit der Kunden erobert oder den Marktführer durch Produktinnovationen übertrifft.
- Er kann Unternehmen gleicher Größe angreifen, die leistungsschwach oder unterkapitalisiert sind.
- Er kann kleine, örtliche oder regional operierende Unternehmen aus dem Markt drängen, die im Markt nachlässig oder unterkapitalisiert sind.

Wahl der Angriffsstrategie

Stehen Gegner und Ziel fest, kann die Angriffsstrategie gewählt werden. Von der militärischen Denkweise her kann man das Prinzip der *Massierung der Kräfte* anwenden, das besagt, daß zum kritischen Zeitpunkt und am kritischen Ort für einen entscheidenden Zweck überlegene Kampfkraft konzentriert und eingesetzt wird. Stellt man sich nun einen Gegner vor, der ein bestimmtes Marktterritorium besetzt hält, so können aus dieser Denkweise heraus fünf mögliche Angriffsstrategien unterschieden werden: Frontal-, Flanken-, Umzingelungs-, Vorbei- und Guerilla-Angriff.

Frontalangriff

Beim Frontalangriff richtet das Unternehmen all seine Kräfte direkt auf die Hauptmacht des Gegners, d.h. es zielt direkt auf die Stärken des Konkurrenten. Das Ergebnis des Angriffs hängt davon ab, wer stärker und ausdauerner ist. Bei einem vollen Frontalangriff würde der Angreifer seinen Gegner über die Produktqualität, die Werbeunterstützung, den Preis usw. angreifen. Um hier erfolgreich zu sein, muß der Angreifer wesentlich stärker sein als der Wettbewerber.

Alternativ zum vollen Frontalangriff könnte ein modifizierter Frontalangriff stattfinden, z.B. durch Preisunterbietung. Hier kommt es oft vor, daß der Angreifer in der Produktqualität und Werbeunterstützung mit dem Marktführer gleichzieht und ihn beim Preis zu unterbieten versucht. Dies kann erfolgreich sein, wenn der Marktführer nicht mit einer Preissenkung nachzieht und wenn der Angreifer den Markt davon überzeugen kann, daß sein Produkt dem des Wettbewerbers gleichkommt und daher der niedrigere Preis dem Kunden per Saldo einen größeren Nettonutzen bringt. Alternativ zum einfachen Preisangriff kann der Angreifer zunächst niedrigere Produktionskosten anstreben und dann seine Gegner über den Preis angreifen.

Flankenangriff

Die militärische Regel besagt, daß der Gegner dort am stärksten ist, wo er einen Angriff erwartet, d.h. seine Flanken sind oft wenig gesichert und daher natürliche Angriffspunkte. Der Angreifer handelt dabei zunächst so, als wolle er den Gegner auf seiner starken Seite attackieren, um dort dessen Kräfte zu binden, und richtet dann seine wirkliche Offensive auf die Flanke des Konkurrenten. Der Flankenangriff wird besonders dann bevorzugt, wenn der Angreifer weniger Ressourcen in den Kampf zu werfen hat als sein Gegner. Er kann diesen dann nicht durch Stärke überwinden, sondern muß ihn durch geschickte Manöver überraschen und überwältigen. Im Markt kann der Flankenangriff geographisch oder segmentspezifisch erfolgen. Bei der geographischen Offensive ermittelt der Angreifer Gebiete im In- oder Ausland, in denen die Leistung des Gegners nicht überzeugend ist. Bei einer segmentspezifischen Attacke werden vom Marktführer nicht befriedigte Marktbedürfnisse ermittelt und gedeckt.

Umzingelungsangriff

Beim Umzingelungsangriff erfolgt eine Großoffensive an mehreren Angriffspunkten, und zwar frontal, an den Flanken und im Rücken des Gegners, so daß sich dieser an allen Seiten gleichzeitig verteidigen muß. Diese Form des Angriffs ist dann sinnvoll, wenn der Angreifer über mehr Ressourcen als der Gegner verfügt und davon überzeugt ist, daß das Umzingelungsmanöver so erfolgreich ausfällt, daß der Widerstand des Gegners gebrochen wird und diese Aktion letztendlich weniger kostet als ein direkter Frontalangriff.

Vorbeiangriff

Dies ist die indirekteste Form der Angriffsstrategie, bei der auf direkte feindselige Handlungen gegen das momentane Territorium des Konkurrenten verzichtet wird. Am Gegner vorbei werden Märkte angegriffen, die leicht zu erobern sind und die Ausgangsbasis des Angreifers stärken. Hier gibt es drei Ansätze: Diversifizierung in nicht verwandte Produktbereiche, Diversifizierung in neue geographische Märkte oder Ausmanövrieren des Gegners durch Vorstoß in neue Technologiefelder, mit denen existierende Produktmärkte unterwandert werden können.

Guerilla-Angriff

Dieses Vorgehen ist besonders für kleinere, unterkapitalisierte Angreifer geeignet. Der Guerilla-Angriff besteht aus kleinen, immer wiederkehrenden Offensiven in verschiedenen Geschäftsbereichen des Gegners, um diesen zu demoralisieren und sich mit der Zeit selbst dauerhaft zu etablieren.

Neben diesen durch militärisches Gedankengut geprägten Angriffsstrategien gibt es, insbesondere im Zusammenhang mit dem Markteintritt, unterschiedliche Strategieoptionen für den *Pionier*, der zunächst Marktführer ist und dies eventuell auch bleibt, und für seinen Herausforderer, den *schnellen Verfolger*.

Die *Pionierstrategie* baut auf Marktführerschaft, also auf die Vorteile des Ersten im Markt. Der Pionier muß bei der Wahl seiner dynamischen Preisstrategie im Lebenszyklus zwischen der Skimming- und der Penetrationsstrategie entscheiden.

Die *Strategie des schnellen Verfolgers* baut darauf auf, daß er den Pionier zunächst einmal die Risiken der ersten Markterschließung tragen läßt und dann nachsetzt, sobald sich aus den ursprünglichen Anfängen des Kundeninteresses heraus ein Wachstum sichtbar abzeichnet. Die Strategieoptionen des schnellen Nachfolgers sind:

1. Imitatives Überbieten (Out-Imitating) und
2. Direktes »Überspringen« (Leap Frogging)

Imitatives Überbieten heißt, zu versuchen, den Pionier mit einer verbesserten Imitation des Produktes und des Marketingprogramms zu übertreffen. Diese Strategie zielt darauf ab, ein durch den Pionier bereits erschlossenes Marktsegment mit einem Produkt anzusprechen, das mindestens bei einer Eigenschaft bessere Leistungen bietet. Der Erfolg dieser Strategie baut darauf, bewußt auf die Führungsrolle bei der Einführung einer unerprobten Technologie auf einem unerprobten Markt zu verzichten und sich zum Ziel zu setzen, mit einer verbesserten Imitation die Kundenbedürfnisse besser zu befriedigen. Die Kundenbedürfnisse und -wünsche müssen sich in vielen Fällen erst klar herausbilden und bekannt werden, damit sich zeigt, wo der Marktführer Fehler gemacht hat und Schwachstellen offenbart.

Beim *direkten »Überspringen«* zielt der schnelle Verfolger darauf ab, durch wesentliche Fortschritte in der Technologie oder bei den Produkten am Marktführer vorbeizuziehen oder ihm in Marktsegmenten zuvorzukommen, die bisher schlecht bedient waren; die japanische Firma Matsushita ging z.B. so vor. Im Videorecordermarkt folgte sie zunächst dem Marktführer Sony und anderen und »übersprang« diese dann durch ein geschickteres Marketing, um ihrem VHS-System schnell einen dominanten Anteil zu sichern. Ein erfolgreiches »Überspringen« durch Produkte ist schwierig, denn der Herausforderer muß dabei schneller als der Marktführer neue Innovationen entwickeln und realisieren. Die besten Voraussetzungen dafür sind gegeben, wenn das führende Unternehmen sich auf eine bestimmte Technologie der »ersten Generation« festlegen mußte, die höhere Kosten mit sich bringt, und ihm dann die Mittel fehlen, den Sprung zur Technologie der zweiten Generation schnell zu vollziehen. Ansonsten kann der Marktführer ein »Überspringen« durch den schnellen Verfolger antizipieren, selbst zur zweiten Produktgeneration vorstoßen und den Herausforderer, der zum Sprung ansetzt, abschütteln.

Realisierung der Angriffsstrategien

Der Herausforderer kann seine Angriffsstrategien auf mehrere Arten umsetzen:

– Preisunterbietung

Eine der wichtigsten Strategien für Herausforderer ist das Angebot eines mit dem des Marktführers vergleichbaren Produkts zu einem niedrigeren Preis. Für eine erfolgreiche Preisunterbietung müssen drei Bedingungen erfüllt sein: Erstens muß der Herausforderer die Kunden davon überzeugen, daß sein Produkt und sein Service mit dem des Marktführers gleichzusetzen sind. Zweitens müssen die Kunden auf den Preisunterschied ansprechen, und drittens darf der Marktführer nicht den Preis senken.

- **Billigangebot**
  In diesem Fall wird – verglichen mit dem Marktführer – ein Produkt durchschnittlicher oder geringerer Qualität zu einem viel niedrigeren Preis angeboten. Diese Vorgehensweise hat Erfolg, falls eine ausreichend große Kundenschicht am niedrigen Preis interessiert ist.
- **Prestigeangebot**
  Der Herausforderer bietet ein qualitativ hochwertigeres Produkt an und verlangt einen höheren Preis als der Marktführer.
- **Produktvielfalt**
  Der Herausforderer fordert den Marktführer durch das Angebot einer großen Zahl von Produktvarianten heraus, mit denen er den Kunden eine größere Auswahl bietet.
- **Produktinnovation**
  Der Herausforderer greift durch Produktinnovationen die Position des Marktführers an.
- **Verbesserte Serviceleistungen**
  Der Herausforderer bietet seinen Kunden neue oder bessere Serviceleistungen.
- **Innovativere Vertriebswege**
  Der Herausforderer baut neue Vertriebswege auf.
- **Herstellungskostensenkung**
  Der Herausforderer achtet auf niedrigere Herstellungskosten als seine Konkurrenten durch einen effizienteren Einkauf, niedrigere Lohnkosten und modernere Produktionsanlagen. Der Kostenvorsprung kann dazu genutzt werden, über eine aggressive Preispolitik Marktanteilsgewinne zu erreichen.
- **Intensivere Werbung und Verkaufsförderung**
  Der Herausforderer kann durch erhöhte Ausgaben für Werbung und Verkaufsförderung Marktanteile gewinnen, wenn das Produkt oder die Werbebotschaft des Angreifers den Konkurrenten überlegen ist.

Strategien für Mitläufer

Vor einigen Jahren schrieb Professor Levitt einen Artikel mit dem Titel »*Innovative Imitation*«, in dem er darlegte, daß eine Strategie der »Produktimitation« ebenso erfolgreich sein könne wie eine Strategie der *Produktinnovation.* [15] Schließlich muß ja der »Innovator« die hohen Kosten für die Entwicklung des neuen Produkts, für den Vertrieb sowie die Information und sachliche Schulung der Kunden tragen. Die Belohnung für all diesen Aufwand und diese Risiken ist üblicherweise die Marktführerschaft. Doch es kann jederzeit ein anderes Unternehmen auftauchen, das neue Produkt einfach kopieren oder verbessern und dann auf den Markt bringen. Wenn es auch den Marktführer nicht überrunden kann, lukrativ kann dieses »Mitlaufen« immer sein, da dem Unternehmen ja keine Kosten für die Produktinnovation entstanden sind.

Nicht alle Unternehmen im Feld der Verfolger werden den Marktführer herausfordern, denn dieser wird keinem Versuch, ihm Kunden wegzunehmen, tatenlos zusehen. Wenn ein Verfolger für sich keine guten Chancen als Herausforderer sieht, übernimmt er eher die Rolle des Mitläufers, als den Marktführer anzugreifen.

Ein Mitläufer muß wissen, wie er seinen gegenwärtigen Kundenstamm halten und einen angemessenen Anteil an Neukunden hinzugewinnen kann. Jeder Mitläufer ist bestrebt, seinen Zielmarkt mit individuellen Wettbewerbsvorteilen – Standort, Service, Finanzierung etc. – anzusprechen. Er ist durch potentielle und wirkliche Herausforderer gefährdet. Daher muß er seine Produktionskosten niedrig halten und gute Produkt- und Service-Qualität bieten. Wenn er die Möglichkeit hat, sich neue Märkte zu erschließen, muß er sie nutzen. Ein Mitläufer zu sein heißt nicht, sich passiv zu verhalten oder ausschließlich den Marktführer zu kopieren. Auch der Mitläufer muß einen Wachstumspfad für sich festlegen, allerdings einen, der nicht zu Vergeltungsaktionen der Konkurrenz führt. Man kann hier zwischen drei strategischen Ansätzen für den Mitläufer unterscheiden:

– **Nachbildung**
Hier versucht der Mitläufer, alles »nachzubilden«, was der Marktführer hat, nämlich Produkt, Distribution, Verpackung, Werbung usw. Er bringt von sich aus nichts Neues, sondern lebt parasitär vom Marktführer. Im Extremfall fälscht er Produkte und Marken des Marktführers. Unternehmen wie Apple Computer, Rolex oder Lacoste haben Probleme mit solchen Fälschern, die vom fernen Osten oder der Türkei aus operieren. Sie müssen sich anstrengen, solche Markenfälscher ausfindig zu machen und auszuschalten, wo immer dies möglich ist.

– **Nachahmung (Imitation)**
Der Nachahmer imitiert einige der vom Marktführer stammenden Dinge, beläßt jedoch auch einige Unterschiede, z.B. in der Verpackung, bei der Werbung, beim Preis usw. Der Marktführer stört sich weniger am Nachahmer, solange dieser als Imitator erkenntlich ist und dem Marktführer nicht schadet. Wenn der Marktführer Nachahmer zuläßt, kann man ihm nicht vorwerfen, eine Monopolstellung anzustreben oder auszunutzen.

– **Anpassung (Adaptation)**
Der Mitläufer verhält sich adaptiv, indem er die Produkte des Marktführers mit leichten Abweichungen und oft auch Verbesserungen an die Bedürfnisse naheliegender Marktsegmente anpaßt und so eine Konfrontation mit dem Marktführer vermeidet. Oft erwächst aus dem adaptiven Mitläufer ein zukünftiger Herausforderer. Dies war bei manchen japanische Unternehmen der Fall, die expandierten, nachdem sie Produkte adaptiert und verbessert hatten.

Strategien für Nischenbesetzer

Nischenbesetzer sind kleinere Unternehmen, die sich auf bestimmte Teilmärkte beschränken. Sie besetzen Marktnischen, die sie durch Spezialisierung erfolgreich bearbeiten können und die von den größeren Konkurrenten entweder übersehen oder vernachlässigt wurden. Im günstigsten Falle liegen folgende Voraussetzungen vor:

- Die Nische ist groß genug; es ist genügend Kaufkraft vorhanden, damit sie rentabel ist.
- Die Nische hat ein ausreichendes Wachstumspotential.
- Die Nische ist kaum von Interesse für größere Konkurrenten.
- Der Nischenbesetzer verfügt über die erforderlichen Fähigkeiten und Ressourcen, um die Nische erfolgreich besetzen und halten zu können.
- Der Nischenbesetzer kann durch den Goodwill, den er sich aufgebaut hat, Angriffe eines größeren Konkurrenten abwehren.

Nischenbesetzer können sich auf Märkte, Kunden, Produkte oder Marketing-Mix-Elemente spezialisieren. Im einzelnen besteht die Möglichkeit der vertikalen Spezialisierung, der geographischen Spezialisierung, der Spezialisierung auf die Auftragsfertigung sowie der Spezialisierung nach Endverwendern, Kundengröße, Einzelkunden, Produkten, Produktmerkmalen, Qualität, Preis, Serviceleistungen und nach Vertriebswegen.

Nischenbesetzer müssen berücksichtigen, daß eine Mehr-Nischen-Strategie einer Einzel-Nischen-Strategie vorzuziehen ist, da jede Marktnische angegriffen oder unrentabel werden könnte.

Generell gilt, daß ein Unternehmen in unterschiedlichen Geschäftsfeldern gleichzeitig die Rolle des Marktführers, Herausforderers, Mitläufers und Nischenbesetzers einnehmen kann.

Zusammenfassung

Die Strategie als Wettbewerber hängt stark davon ab, ob ein Unternehmen die Position des Marktführers, Herausforderers, Mitläufers oder Nischenbesetzers einnimmt.

Ein Marktführer steht vor drei Herausforderungen: Erweiterung des Gesamtmarktes, Verteidigung des Marktanteils und Erweiterung des Marktanteils. An einer Erweiterung des Gesamtmarktes ist er deshalb interessiert, weil er der größte Nutznießer eines erhöhten Absatzvolumens auf dem Gesamtmarkt ist. Zu diesem Zweck sucht er nach neuen Verwendern seines Produkts, nach neuen Verwendungsmöglichkeiten und ist bestrebt, die Verwendungsmenge zu steigern. Um den erreichten Marktanteil zu halten, hat der Marktführer mehrere Verteidigungsmöglichkeiten: Stellungssicherung, Flankensicherung, Präventivschlag, Gegenoffensive, mobile Verteidigung sowie Kontraktion und Umgruppierung. Die geschicktesten unter ihnen schützen sich dadurch, daß sie alles richtig machen und damit gegnerischen Angriffen kein Ziel bieten. Sie können auch versuchen, ihren Marktanteil zu erhöhen. Dies ist dann sinnvoll, wenn sich die Gewinne bei steigendem Marktanteil ebenfalls erhöhen und wenn taktische Schritte des Marktführers keine kartellrechtlichen Maßnahmen provozieren.

Ein Herausforderer versucht, seinen Marktanteil durch Angriffe auf den Marktführer, andere Konkurrenten im Verfolgerfeld oder kleinere Unternehmen der Branche auszuweiten. Er kann zwischen einer Reihe von Angriffsstrategien wählen: Frontalangriff, Flankenangriff, Umzingelungsangriff, Vorbeiangriff und Guerilla-Angriff.

Ein Mitläufer will weder angreifen noch angegriffen werden. Er weiß, daß er mehr zu verlieren als zu gewinnen hat. Aber auch er hat eine Strategie und ist bestrebt, seine speziellen Kompetenzen zur aktiven Teilnahme am Marktwachstum einzusetzen. Einige Mitläufer erzielen eine höhere Kapitalrendite (ROI) als der Marktführer.

Ein Nischenbesetzer entscheidet sich für einen bestimmten Teilmarkt, der spezielle Kenntnisse erfordert und größere Unternehmen in der Regel nicht interessiert. Er kann sich nach Endverbrauchern, einer vertikalen Wertschöpfungsstufe, Kundengröße, Einzelkunden, geographischen Gebieten, Produkten oder Produktlinien, Produktmerkmalen, Auftragsfertigung, Qualitäts- bzw. Preisniveau, Serviceleistungen oder Vertriebswegen spezialisieren. Zur Risikominderung ist eine Mehr-Nischen-Strategie einer Einzel-Nischen-Strategie vorzuziehen. Viele der erfolgreichsten kleinen und mittelständischen Unternehmen verdanken ihre Erfolge einer Nischenbesetzungsstrategie.

Anmerkungen

1 Vgl. Robert V.L. Wright: *A System for Managing Diversity,* Cambridge, Mass.: Arthur D. Little, Dezember 1974.

2 Vgl. Jordan P. Yale: »The Strategy of Nylon's Growth«, in: *Modern Textiles Magazine*, Februar 1964, S. 32 ff., sowie Theodore Levitt: »Exploit the Product Life Cycle«, in: *Harvard Business Review*, November-Dezember 1965, S. 81–94.

3 Vgl. Eric von Hippel: »A Customer-Active Paradigm for Industrial Product Idea Generation«, unveröffentlichtes Arbeitspapier, *Sloan School of Management*, MIT, Cambridge, Mass., Mai 1977.

4 Sun Tsu: *Über die Kriegskunst* (Sun Tsu, übersetzt und kommentiert von Klaus Leibnitz), 1. Aufl., Karlsruhe: Info Verlagsgesellschaft 1990; Carl von Clausewitz: *Vom Kriege*, Berlin: Verlag der Ministerien für nationale Verteidigung, 1957; Miyamoto Mushashi: *A Book of Five Rings*, Woodstock, N.Y.: Overlook Press, 1974; B.H. Liddell-Hart: *Strategy,* New York: Praeger, 1967.

5 Diese sechs Verteidigungsstrategien, ebenso wie die fünf Angriffsstrategien für Herausforderer, stammen aus Philip Kotler und Ravi Singh: »Marketing Warfare in the 1980s«, in: *Journal of Business Strategy,* Winter 1981, S. 30–41.

6 Vgl. Michael E. Porter: *Wettbewerbstrategie*, 6. Aufl., Frankfurt: Campus, 1990.

7 Unter dem *relativen Marktanteil* ist der prozentuale Marktanteil des Unternehmens auf dem von ihm bedienten Markt im Vergleich zum kombinierten Marktanteil seiner drei größten Konkurrenten zu verstehen. Hat das Unternehmen z.B. einen Marktanteil von 30% und von seinen drei größten Konkurrenten der eine 20% und die beiden anderen jeweils 10%, so ergibt sich folgendes: $30/(20 + 10 + 10) = 75\%$.

8 Vgl. Sidney Schoeffler, Robert D. Buzzell und Donald F. Heany: »Impact of Strategic Planning on Profit Performance«, in: *Harvard Business Review*, März-April 1974, S. 137–145; sowie Robert D. Buzzell, Bradley T. Gale und Ralph G.M. Sultan: »Market Share – A Key to Profitability«, in: *Harvard Business Review*, Januar-Februar 1975, S. 97–106.
9 Vgl. Richard G. Hamermesh, M.J. Anderson, Jr. und J.E. Harris: »Strategies for Low Market Share Businesses«, in: *Harvard Business Review*, Mai-Juni 1978, S. 95–102.
10 Vgl. Carolyn Y. Woo und Arnold C. Cooper: »The Surprising Case for Low Market Share«, in: *Harvard Business Review*, November-Dezember 1982, S. 106–113; sowie »Market-Share Leadership – Not Always So Good«, in: *Harvard Business Review*, Januar-Februar 1984, S. 2–4.
11 Vgl. Philip Kotler und Paul N. Bloom: »Strategies for High Market-Share Companies«, in: *Harvard Business Review*, November-Dezember 1975, S. 63–72; sowie Michael E. Porter: Competitive Advantage, New York: Free Press, 1985, S. 221–226.
12 Vgl. Robert D. Buzzell und Frederick D. Wirsema: »Successful Building Strategies«, in: *Harvard Business Review*, Januar-Februar 1981, S. 135–144; vgl. auch Philip B. Crosby: »Quality is Free«, New York: McGraw-Hill, 1979.
13 Vgl. Robert J. Dolan: »Models of Competition: A Review of Theory and Empirical Evidence«, in: *Review of Marketing*, hrsg. von Ben M. Enis und Kenneth J. Roering, Chicago: American Marketing Association, 1981, S. 224–234.
14 Vgl. C. David Fogg: »Planning Gains in Market Share«, in: *Journal of Marketing*, Juli 1974, S. 30–38; sowie Bernard Catry and Michael Chevalier: »Market Share strategy and the Product life Cycle«, in: *Journal of Marketing*, Oktober 1974, S. 29–34.
15 Theodore Levitt: »Innovative Imitation«, in: *Harvard Business Review*, September-Oktober 1966, S. 63 ff.

Teil III

Untersuchung und Auswahl von Zielmärkten

Messung und Vorhersage der Marktgröße und Nachfrage

Kapitel 9

Man muß die Zukunft im Sinn haben, und die Vergangenheit in den Akten. Talleyrand

Die Zukunft hat viele Namen. Für den Schwachen ist sie das Unerreichbare, für den Furchtsamen ist sie das Unbekannte. Für den Tapferen ist sie die Chance.
Victor Hugo

Nachdem wir die Konzepte zur Analyse von Kunden und Konkurrenten kennengelernt haben, arbeiten wir weiter an der Frage, wie ein Unternehmen attraktive Märkte auswählen und Erfolgsstrategien für diese Märkte entwickeln kann. Die meisten Unternehmen haben viele Marktchancen, die sie bewerten und vergleichen müssen, um die richtigen Zielmärkte auswählen zu können. Dazu brauchen sie das Rüstzeug, mit dem sie die Marktgröße, das Marktwachstum und das Ertragspotential der verschiedenen Marktchancen messen und schätzen können.

Das Unternehmen muß möglichst genau die Nachfrage für seine Zielmärkte prognostizieren. Solche Vorhersagen sind die Grundlage, auf der die Finanz- und Investitionsplanung, die Planung der Produktionsmengen und -kapazitäten, die Beschaffungsplanung und die Personalplanung beruhen. Nachfrageschätzungen sind in der Regel eine Teilaufgabe der Marketingfunktion. Wenn eine Vorhersage von der Wirklichkeit stark abweicht und wenn sich das Unternehmen in seiner Planung und Durchführung bei Abweichungen nicht schnell genug anpassen kann, dann wird es entweder unter Überkapazitäten und hohen Fertigwarenbeständen leiden oder die Chance verpassen, Geld zu verdienen, da es nicht in genügendem Maß lieferfähig ist.

In diesem Kapitel wenden wir uns im wesentlichen drei Fragen zu: Welche Konzepte braucht man zur Ermittlung der Nachfrage? Wie schätzt man die laufende Nachfrage? Wie prognostiziert man die zukünftige Nachfrage?

Begriffliche Grundlagen und Konzepte der Nachfragemessung

Als Manager muß man mit Sorgfalt festlegen, wie man seinen Markt und die Nachfrage definiert. Hier gibt es Begriffsunterschiede, die bewußt sein müssen, damit die Manager das gleiche meinen, wenn sie über Markt und Nachfrage reden. Vor allem müssen die Bezugsgrößen für die Ermittlung der Nachfrage eindeutig sein.

Zunächst muß das Unternehmen sorgfältig definieren, was es unter Marktnachfrage versteht.

Dimensionierung von Marktgröße und Nachfrage

Für Planungszwecke stellen die Unternehmen vielfältige Schätzungen der Marktgröße und Nachfrage an. Die Vielfalt kommt daher, daß es mehrere Dimensionen (Bezugsebenen) mit jeweils vielen Aufgliederungsmöglichkeiten gibt. Je nach Zweck der Nachfrageschätzung kann der Markt unterschiedlich dimensioniert werden. Die wichtigsten Dimensionen sind die Produkt-Ebene, die räumliche und die zeitliche Ebene. Abbildung 9-1 zeigt ein Beispiel zur Dimensionierung des Marktes auf diesen drei Ebenen. Auf der *Produktebene* gibt es sechs Einteilungen (Artikel, Produktform, Produktlinie, Unternehmenssortiment, Branchensortiment, Gesamtkaufkraft aller Produkte). Für die *räumliche Ebene* sind es fünf Einteilungen (Kundenstandort, Bezirk, Landesregion, Land, Welt) und für die *zeitliche Ebene* drei Einteilungen (kurzfristig, mittelfristig und langfristig).

Jede Definition der Marktgröße und Nachfrage dient einem bestimmten Zweck. So kann eine kurzfristige Vorhersage der Weltnachfrage nach einem bestimmten Artikel als Grundlage für die Rohmaterialbeschaffung, die Produktionsplanung und die kurzfristige Finanzplanung dienen; eine langfristige Vorhersage der regionalen Nachfrage für ein wichtiges Produkt des Unternehmens kann z. B. für mögliche Marktexpansionspläne in neue Regionen benötigt werden.

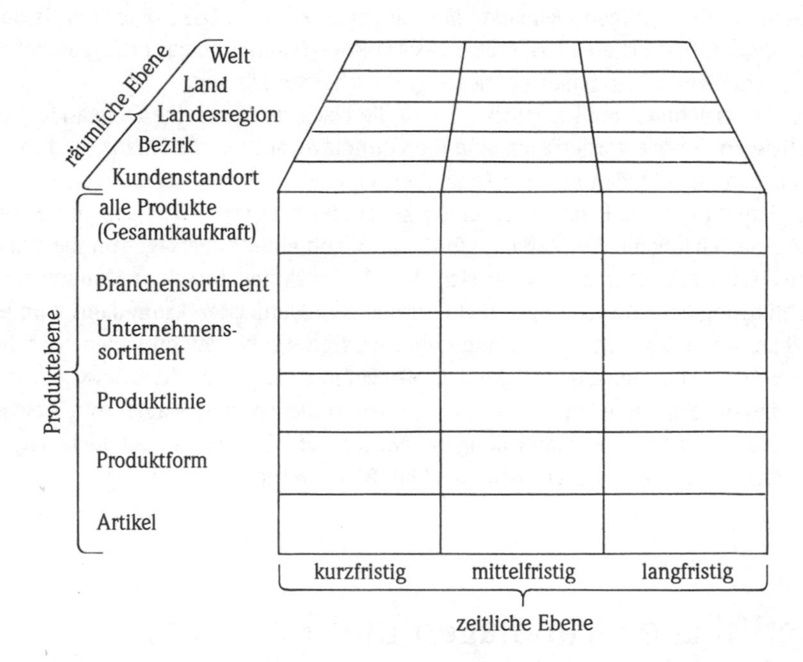

Abbildung 9-1
Drei Marktdimensionen mit neunzig Alternativen zur Nachfragedefinition (6×5×3)

Grundbegriffe zur Marktgröße

Der Marketing-Manager bedient sich vieler Begriffe, die sich auf die Marktgröße beziehen, wie z.B. *potentielle Märkte, zugängliche Märkte, bearbeitete Märkte* und *penetrierte Märkte.* Zur Klärung dieser Begriffe definieren wir zunächst den Marktbegriff wie folgt: *Ein Markt ist die Gesamtheit der möglichen Käufer eines Produkts.* Die *Größe* eines Marktes hängt also von der Zahl der möglichen Käufer ab, die man einem bestimmten Marktangebot begrifflich zuordnet. Die möglichen Käufer sollte man nach drei Merkmalen beurteilen: *Interesse, Kaufkraft* und *Zugang zum Marktangebot.*

Wir werden die geläufigsten Grundbegriffe am Beispiel des Marktes für Motorräder erläutern. Dabei beschränken wir uns auf die Privatabnehmer und lassen gewerbliche Abnehmer von Motorrädern außer acht. Aus der Bevölkerungsstatistik kennen wir die Gesamtzahl aller Konsumenten. Zunächst müssen wir die Zahl der Konsumenten abschätzen, die ein bestimmtes *Interesse* an einem Motorrad haben. Um diese zu erfassen, könnten wir eine Zufallsstichprobe ziehen und folgende Frage stellen: »Sind Sie sehr daran interessiert, ein Motorrad zu besitzen?« Antwortet eine von zehn befragten Personen auf diese Frage mit »Ja«, hätten wir den potentiellen Markt für Motorräder mit 10% aller Konsumenten gemessen. Generell kann man den *potentiellen Markt* als die Gesamtheit der Verbraucher definieren, die ein durch die Meßmethode spezifiziertes Interesse an einem konkreten Marktangebot zum Ausdruck bringen.

Doch das Verbraucherinteresse ist nur ein Aspekt der Definition der Marktgröße. Die potentiellen Käufer müssen über eine ausreichende *Kaufkraft* verfügen, so daß sie sich das Produkt leisten können. Daher müssen sie in der Lage sein, die folgende Frage mit »Ja« zu beantworten: »Können Sie sich den Kauf eines Motorrads leisten?« Je höher der Preis des Produkts, desto geringer ist die Zahl der potentiellen Käufer, die diese Frage bejahen können. Der potentielle Markt wird also durch die Kaufkraft und das Preisniveau zusätzlich eingeschränkt.

Durch *Zugangsbarrieren* wird die Marktgröße noch weiter reduziert. Wenn z.B. Motorräder eines Herstellers in einem bestimmten Land nicht angeboten werden, weil sie dorthin nicht exportiert werden dürfen, sind die in diesem Gebiet lebenden potentiellen Verbraucher für den Marketer nicht zugänglich. Folglich ist der *zugängliche Markt* die Gesamtheit der Verbraucher, die Interesse an, Kaufkraft für und Zugang zu einem konkreten Marktangebot haben.

Bei bestimmten Angeboten muß das Unternehmen seine Verkaufsaktivitäten auch auf Personen mit bestimmten qualifizierenden Voraussetzungen beschränken. So müssen Motorradfahrer volljährig sein und einen Führerschein besitzen. Das Unternehmen könnte von sich aus weitere Qualifikationen festlegen, z.B. eine bestandene Sicherheitsprüfung. Die dann verbleibenden Erwachsenen mit Motorradführerschein und absolviertem Sicherheitstraining bilden den *qualifizierten zugänglichen Markt,* d.h. die Gesamtheit der Verbraucher, die Interesse an, die Kaufkraft für, Zugang zu und die Qualifikationen für ein konkretes Marktangebot aufweisen.

Der Anbieter kann sich nun wiederum entweder an den gesamten, qualifizierten zugänglichen Markt oder nur an bestimmte Marktsegmente wenden. Sein *bearbeiteter Markt* (oder auch *Zielmarkt*) ist der Teil des qualifizierten zugänglichen Marktes, den das Unternehmen ansprechen will. So kann sich z.B. ein Unternehmen dafür entscheiden, seine Marketing- und Vertriebsanstrengungen auf den deutschsprachigen Raum zu beschränken und damit die Größe seines bearbeiteten Marktes festzulegen.

Schließlich werden das Unternehmen und seine Konkurrenten dann eine bestimmte Zahl von Kunden auf dem Zielmarkt für ihre Produkte gewinnen. Der *penetrierte Markt* ist dann die Gesamtheit der möglichen Verbraucher, die das Produkt bereits gekauft haben.

Abbildung 9-2 illustriert diese Begriffseinteilung anhand eines Zahlenbeispiels. Der linke Balken zeigt den Anteil des potentiellen Marktes – d. h. aller interessierter Personen – an der Gesamtbevölkerung: in diesem Fall 10 %. Der rechte Balken zeigt eine weitergehende Unterteilung des potentiellen Marktes. Der zugängliche Markt, d. h. die Verbraucher mit Interesse, Kaufkraft und Zugang zum Markt, beläuft sich auf 40 % des potentiellen Marktes. Der qualifizierte zugängliche Markt, d. h. die Verbraucher, welche die Qualifikationen für einen Kauf erfüllen, beläuft sich auf 20 % des potentiellen Marktes (oder 50 % des zugänglichen Marktes). Das Unternehmen beschränkt sich auf die Bearbeitung von 10 % des potentiellen Marktes (oder 50 % des qualifizierten zugänglichen Marktes). Insgesamt haben das Unternehmen und seine Konkurrenten bereits 5 % des potentiellen Marktes (oder 50 % des bearbeiteten Marktes) penetriert.

Eine solche Begriffspräzisierung der Marktgröße ist – in Verbindung mit entsprechenden Meßzahlen – für die Marketingplanung nützlich. Ist das Unternehmen z. B. mit den gegenwärtigen Umsätzen nicht zufrieden, kann es damit unterschiedliche Maßnahmen in Erwägung ziehen und beurteilen. Es kann z. B. einen größeren prozentualen Anteil der im bearbeiteten Markt anzutreffenden Käufer auf sich ziehen wollen; es kann die Qualifikationen, die von den potentiellen Käufern zu erfüllen sind, senken; es kann seine Aktivitäten auf andere zugängliche Märkte, in unserem Fall z. B. auf andere europäische Länder, ausdehnen; oder es kann die

Abbildung 9-2
Begriffseinteilung zur Marktgröße

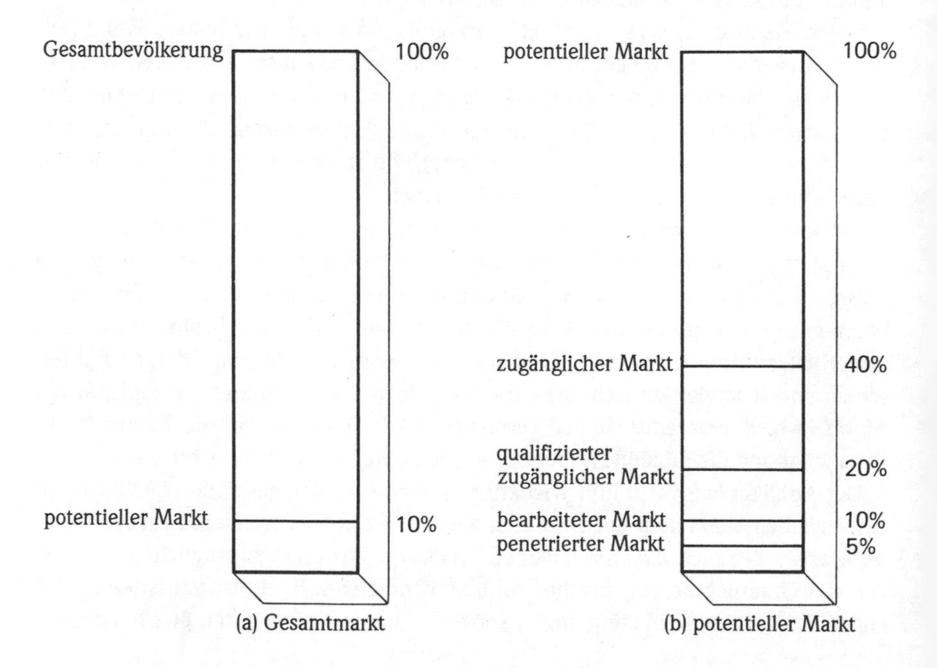

Preise senken, um so den potentiellen Markt zu vergrößern; schließlich kann es auch versuchen, den potentiellen Markt durch eine umfassende Werbekampagne zu vergrößern, d.h. aus nicht interessierten Verbrauchern interessierte zu machen.

Grundbegriffe zur Nachfragemessung

Im Bereich der Nachfragemessung herrscht eine große Begriffsvielfalt. Fachleute sprechen von Prognosen, Vorhersagen, Potentialen, Schätzungen, Projektionen, Zielen, Sollzahlen, Quoten und Budgets. Viele dieser Ausdrücke haben eine identische Bedeutung. Die wichtigsten Begriffskonzepte der Nachfragemessung lauten *Gesamtnachfrage des Marktes* und *unternehmensspezifische Nachfrage* des Marktes. Innerhalb dieser zwei Begriffskonzepte unterscheiden wir zwischen *Nachfragefunktion*, *Vorhersage* und *Potential*.

Gesamtnachfrage des Marktes

Der erste Schritt zur Bewertung der Marktchancen ist die Schätzung der Gesamtnachfrage des Marktes, die wir im folgenden kurz als Gesamtnachfrage oder Marktnachfrage bezeichnen werden. Dieses Begriffskonzept ist nicht einfach. Das zeigt schon der Umfang folgender Definition:

Die *Gesamtnachfrage* nach einem *Produkt* ist das *Gesamtvolumen*, das von einer spezifischen *Kundengruppe* in einem spezifischen *geographischen Gebiet* innerhalb eines spezifischen *Zeitraums* in einem spezifischen *Marketingumfeld* und unter Einsatz eines spezifischen *Marketingprogramms gekauft* würde.

Um eine Nachfragemessung durchführen zu können, müssen die aufgeführten Dimensionen dieser Definition berücksichtigt und die Bezugselemente jeder Dimension genau spezifiziert werden. Das Produkt muß genau umrissen sein; es muß feststehen, ob das Gesamtvolumen in Stückzahlen oder Geld gemessen wird; es muß festgelegt werden, ob »gekauft« heißen soll, daß die Bestellung erteilt, das Produkt versandt oder bereits bezahlt wurde; die Annahmen zum Marketingumfeld und das Marketingprogramm müssen genauestens beschrieben werden, und vieles mehr.

Es ist wichtig, sich klar zu machen, daß hinter der Gesamtnachfrage keine feste numerische Größe, sondern eine Funktion der quantifizierten Bezugsgrößen steht. Aus diesem Grunde sollte man jeden Wert der Gesamtnachfrage als einen Punkt auf der *Marktnachfragefunktion* oder *Marktreaktionsfunktion* betrachten. Die Gesamtnachfrage ist als Funktion ihrer Bezugsgrößen in Abbildung 9-3 (a) dargestellt. Die Horizontalachse zeigt die Höhe der Marketingaufwendungen der Gesamtbranche in einem gegebenen Zeitraum. Die vertikale Achse zeigt die daraus resultierende Nachfrage. Die Funktion zeigt die geschätzte Marktnachfrage, die jede mögliche Höhe an Marketingaufwendungen der Gesamtbranche ergibt. Einen bestimmten Basisumsatz (das *Marktminimum*) würde es auch ohne den Einsatz nachfragestimulierender Aufwendungen geben. Höhere Marketingaufwendungen der Gesamtbranche bewirken eine höhere Nachfrage, und zwar zunächst eine stärkere und später eine schwächere Zunahme. Marketingaufwendungen über eine bestimmte Höhe hinaus würden dann die Nachfrage nicht mehr weiter steigern. Damit ist eine Obergrenze der Gesamtnachfrage angezeigt, die man als *Marktpotential* bezeichnet.

Der Abstand zwischen dem Marktminimum und dem Marktpotential sowie die

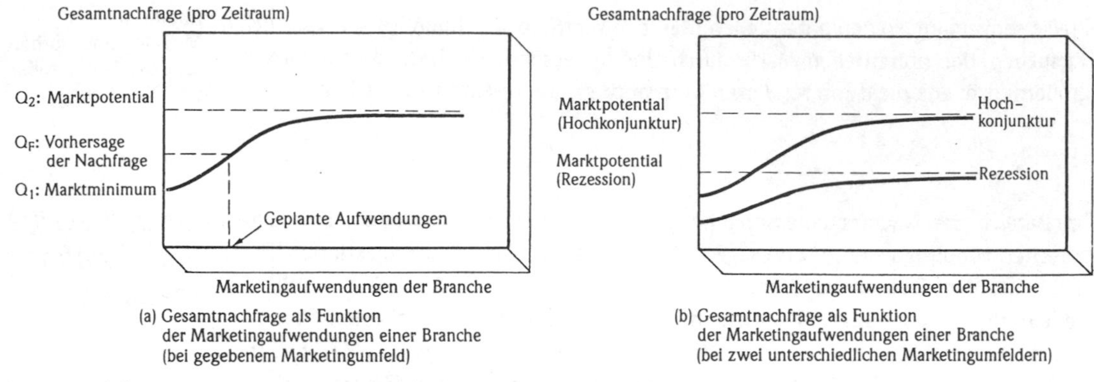

(a) Gesamtnachfrage als Funktion der Marketingaufwendungen einer Branche (bei gegebenem Marketingumfeld)

(b) Gesamtnachfrage als Funktion der Marketingaufwendungen einer Branche (bei zwei unterschiedlichen Marketingumfeldern)

Abbildung 9-3
Gesamtnachfrage

Steigung der Nachfragereaktionsfunktion zeigen an, in welchem Ausmaß die Nachfrage durch Marketingmittel beeinflußt werden kann. Im Extremfall kann man von zwei Markttypen sprechen, und zwar von expansiblen und nicht-expansiblen Märkten. Ein hochexpansibler Markt, wie z.B. der Markt für Tennisturniere oder Rockkonzerte, kann durch die Höhe der Marketingaufwendungen und die Preisgestaltung aller Anbieter dieser Branche in seiner Teilnehmerzahl stark ausgedehnt werden. In unserer Abb. 9–3(a) wäre der Abstand zwischen Q_1 und Q_2 dann relativ groß. Ein nicht-expansibler Markt, wie der Markt für klassische Opern oder Maschinenschmieröl, würde in seiner Gesamtgröße durch die Höhe der Marketingaufwendungen nicht sehr beeinflußt werden. Dort wäre der Abstand zwischen Q_1 und Q_2 relativ klein. Die Anbieter in einem nicht-expansiblen Markt können die Höhe der Gesamtnachfrage (*Primärnachfrage*) als gegeben hinnehmen und ihre Marketingmittel zur Erreichung eines bestimmten gewünschten Marktanteils (*selektive Nachfrage*) einsetzen.

Es ist wichtig zu betonen, daß die *Marktnachfragefunktion* nicht die Gesamtnachfrage im *Zeitablauf* abbildet. Die Kurve zeigt vielmehr alternative Vorhersagewerte, die sich für unterschiedliche branchenweite Marketingaufwendungen in einer laufenden Periode ergeben.

Vorhersage der Gesamtnachfrage

Eine bestimmte Höhe an branchenweiten Marketingaufwendungen wird in einer laufenden Periode erreicht. Die für dieses Niveau an Aufwendungen geschätzte Nachfrage bezeichnen wir als *Vorhersage der Gesamtnachfrage.*

Marktpotential

Die Vorhersage zeigt die erwartete Gesamtnachfrage, nicht aber das Maximum an Gesamtnachfrage auf. Um das Maximum zu erhalten, müssen wir uns das Gesamtnachfrageniveau bei äußerst hohen branchenweiten Marketingaufwendungen vorstellen, wo weitere Aufwendungen praktisch keine zusätzliche Nachfrage zur Folge hätten. *Das Marktpotential ist die Obergrenze der Gesamtnachfrage, wenn die branchenweiten Marketingaufwendungen auf dem höchsten machbaren Niveau liegen, und zwar bei einem gegebenen Umfeld.*

Der Zusatz «bei gegebenem Umfeld» ist wichtig. So ist das Marktpotential für Automobile in einer Rezessionsphase anders als in einer Phase der Hochkonjunktur. In der Phase der Hochkonjunktur ist das Marktpotential höher. Die Gesamtnachfrage ist einkommenselastisch. Diese Abhängigkeit des Marktpotentials und der Nachfragekurve vom Umfeld wird in Abbildung 9-3 (b) illustriert. Folglich unterscheidet der Analytiker zwischen der umfeldbedingten Lage der Marktnachfragefunktion und der Bewegungsfreiheit der Branche entlang einer Nachfragefunktion. Die Lage der Funktion können die Unternehmen der Branche nicht beeinflussen, da diese vom Marketingumfeld bestimmt wird. Doch die einzunehmende Position auf der Nachfragefunktionskurve kann man durchaus beeinflussen, und zwar durch die Entscheidung über die Höhe der Marketingaufwendungen.

Unternehmensspezifische Nachfrage

Nun umreißen wir den Begriff *unternehmensspezifische Nachfrage.* Die unternehmensspezifische Nachfrage ist der *Anteil eines Unternehmens an der Gesamtnachfrage*, symbolisch ausgedrückt durch:

$$Q_i = s_i Q \qquad (9\text{–}1)$$

Dabei sind:

Q_i = Nachfrage nach Produkten des Unternehmens i (unternehmensspezifische Nachfrage)
s_i = Marktanteil des Unternehmens i
Q = Gesamtnachfrage

Die *unternehmensspezifische Nachfrage* ist wie die Gesamtnachfrage eine Funktion, die wir *Unternehmensnachfragefunktion* oder *Unternehmensreaktionsfunktion* nennen. Sie wird durch alle Einflußfaktoren auf die Gesamtnachfrage und die Einflußfaktoren auf den Marktanteil bestimmt. Dies ist im Anhang zu diesem Kapitel detailliert dargestellt.

Vorhersage der unternehmensspezifischen Nachfrage

Die Unternehmensnachfragefunktion beschreibt den geschätzten Unternehmensumsatz bei unterschiedlichen Marketingaufwendungen. Die Höhe der jeweiligen Aufwendungen wird von der Unternehmensleitung festgelegt[1] und führt dann zu einem erwarteten Nachfrageniveau. Dies nennt man auch unternehmensspezifische Umsatzprognose. In komprimierter Form heißt das:

> Die *unternehmensspezifische Umsatzprognose* beschreibt, ausgehend von einem festgelegten Marketingplan und spezifischen Annahmen über das Marketingumfeld, den erwarteten Unternehmensumsatz.

Die unternehmensspezifische Umsatzprognose läßt sich graphisch auf die gleiche Weise darstellen wie die Vorhersage der Gesamtnachfrage in Abbildung 9-3(a): Auf der vertikalen Achse sind in diesem Fall der Unternehmensumsatz und auf der horizontalen Achse die Marketingaufwendungen des Unternehmens abgebildet.

Die unternehmensspezifische Umsatzprognose und der Marketingplan des Unternehmens werden in ihrer logischen Reihenfolge häufig vertauscht. Oft hört man, daß man seinen Marketingplan auf der Grundlage der Umsatzprognose erarbeiten soll.

Diese Reihenfolge ist dann zulässig, wenn unter *Prognose* das Abschätzen der konjunkturellen Entwicklung im Lande verstanden wird oder wenn die unternehmensspezifische Nachfrage nicht expansibel ist. Andererseits ist diese Reihenfolge nicht zulässig, wenn die Marktnachfrage expansibel ist oder wenn unter *Prognose* das Abschätzen des Unternehmensumsatzes verstanden wird. Die unternehmensspezifische Umsatzprognose liefert keine Entscheidungsgrundlage für das Niveau der Marketingaufwendungen – im Gegenteil: Die Umsatzprognose muß sich als *Resultat* der geplanten Marketingaufwendungen ergeben.

Im Zusammenhang mit der Umsatzprognose sind noch zwei andere Begriffe zu nennen, nämlich die *Umsatzquote* und das *Umsatzbudget*.

Die *Umsatzquote* beschreibt das Umsatzziel für eine Produktlinie, einen Geschäftsbereich des Unternehmens oder einen bestimmten Mitarbeiter im Vertrieb. In der Hauptsache handelt es sich dabei um ein Steuerungsinstrument zur Festlegung und Stimulierung der Verkaufsanstrengungen.

Das Management legt die Umsatzquoten auf der Basis der Umsatzprognose fest und berücksichtigt dabei auch psychologische Effekte. Im Regelfall liegt die Umsatzquote etwas höher als der vorhergesagte Umsatz.

Das *Umsatzbudget* ist eine vorsichtige Schätzung des erwarteten Umsatzvolumens und wird vornehmlich als Entscheidungshilfe für die Beschaffungs-, Produktions- und Cash-flow-Planung eingesetzt.

Das Umsatzbudget bewertet die Umsatzprognose mit Vorsicht, um mögliche Risiken zu vermeiden. Im Regelfall wird der budgetierte Umsatz etwas niedriger angesetzt als der vorhergesagte.

Unternehmensspezifisches Umsatzpotential

Das unternehmensspezifische Umsatzpotential beschreibt *die Obergrenze, der sich die unternehmensspezifische Nachfrage nähert, bei höchstmöglichen Marketingaufwendungen im Vergleich zu den Konkurrenten.* Die absolute Obergrenze der unternehmensspezifischen Nachfrage wäre theoretisch das Potential des Gesamtmarktes. Dazu müßte man einen Marktanteil von 100 % erreichen, d.h. zum Monopolisten werden. Dies ist in den allermeisten Fällen kurzfristig nicht möglich, auch wenn man seine Marketingaufwendungen im Vergleich zu den Konkurrenten übermäßig anhebt, denn fast jeder Konkurrent hat einen harten Kern von Stammkunden, die sich auch durch hohe Marketingaufwendungen nicht weglocken lassen.

Schätzung der laufenden Nachfrage

Als nächstes wollen wir einige geläufige Methoden zur Schätzung der laufenden Nachfrage beschreiben. Das Marketing-Management wird dabei bestrebt sein, das *ausschöpfbare Gesamtpotential*, *Teilpotentiale* sowie *Branchenumsätze* und *Marktanteile* abzuschätzen.

Ausschöpfbares Gesamtpotential

Das ausschöpfbare Gesamtpotential entspricht dem höchstmöglichen Absatz oder Umsatz, den alle Unternehmen einer Branche in einem gegebenen Zeitraum bei einem gegebenen branchenweiten Niveau an Marketingaufwendungen und gegebenen Umfeldbedingungen erreichen können. Ein gängiger Ansatz zur Schätzung dieses Potentials ist folgender:

$$Q = nqp \qquad (9\text{–}2)$$

Dabei gilt:

Q = Ausschöpfbares Potential des Gesamtmarktes (als Branchenumsatz in DM)
n = Anzahl der Käufer in diesem spezifischen Produktmarkt angesichts der angenommenen Umfeldbedingungen
q = die durchschnittlich gekaufte Menge pro Käufer
p = Durchschnittspreis pro Mengeneinheit

Wenn es also pro Jahr z.B. 38 Mio. Buchkäufer gibt, der Buchkäufer durchschnittlich drei Bücher im Jahr erwirbt, der Durchschnittspreis pro Buch bei 10 DM liegt, dann beträgt das ausschöpfbare Gesamtpotential für den Büchermarkt 1,14 Mrd. DM (= 38.000.000 × 3 × 10 DM).

Oft ist es schwierig, die Anzahl der Käufer *(n)* abzuschätzen. Beginnen kann man hier mit der Gesamteinwohnerzahl des Landes; das wären – wenn wir z.B. die Bundesrepublik nehmen – 80.000.000 Menschen. Diese kann man als *»Gesamtmenge der in Frage kommenden Käufer«* bezeichnen. Als nächstes muß man dann die Käuferschichten ausschließen, die das Produkt mit Sicherheit nicht kaufen würden. So können wir davon ausgehen, daß z.B. Analphabeten, Kinder unter 8 Jahren und Menschen, die schlecht sehen, keine Bücher kaufen. Sagen wir, sie machen 20% der Gesamtbevölkerung aus. Damit verbleiben 80% der Bevölkerung, im Falle der BRD also 64.000.000 Menschen, als *»Menge der möglichen Käufer«*. Nun kann man weiter nachforschen und z.B. ermitteln, daß die Bürger mit niedrigerem Einkommen und mit geringerem Bildungsinteresse keine Bücher kaufen und daß diese Schicht mehr als 40% der Menge der möglichen Käufer ausmacht. Schließen wir nun diese ebenfalls aus, ergibt sich schließlich eine Zahl von rund 38.000.000 Buchkäufern. Diese Zahl setzen wir dann in Formel 9–2 zur Berechnung des ausschöpfbaren Potentials als *n* ein.

Eine Variante zur Formel 9–2 ist die sogenannte Proportions-Verknüpfungs-Methode. Bei diesem Ansatz wird aus einer Grundgröße und verknüpften Verhältniszahlen das ausschöpfbare Potential geschätzt.

Nehmen wir an, eine Brauerei möchte das Marktpotential für eine neue Diätbiersorte abschätzen. Diese Schätzung könnte wie folgt aussehen: [2]

Nachfrage nach dem neuen Diätbier ∴
Gesamtbevölkerung
× persönliches verfügbares Pro-Kopf-Einkommen
× durchschnittlicher Anteil der Ausgaben für Nahrungsmittel am verfügbaren Gesamteinkommen
× durchschnittlicher Anteil der Ausgaben für Getränke am insgesamt für Nahrungsmittel ausgegebenen Betrag
× durchschnittlicher Anteil der Ausgaben für alkoholische Getränke am insgesamt für Getränke ausgegebenen Betrag
× durchschnittlicher Anteil der Ausgaben für Bier am insgesamt für alkoholische Getränke ausgegebenen Betrag
× geschätzter Anteil der Ausgaben für Diätbier am insgesamt für Bier ausgegebenen Betrag.

Teilpotentiale

Im Marketing besteht das Problem, die chancenreichsten Teilmärkte auszuwählen und die Marketingmittel über diese Teilmärkte optimal aufzuteilen. Folglich muß man die Nachfrage der einzelnen Teilmärkte abschätzen, wofür es zwei wesentliche Ansätze gibt: die *branchenbezogene Aufbaumethode*, die vor allem von Anbietern auf Industriegütermärkten verwendet wird, und *Indexmethoden*, die in der Hauptsache bei Anbietern auf Konsumgütermärkten Anwendung finden.

Branchenbezogene Aufbaumethode

Bei der Aufbaumethode ermittelt man alle potentiellen Käufer in jedem Teilmarkt und schätzt ihre potentiellen Käufe. Diese Methode kann zügig angewandt werden, wenn man eine Liste aller potentiellen Käufer und eine gute Schätzung ihres Kaufvolumens zur Verfügung hat. Unglücklicherweise sind diese Daten in den meisten Fällen nicht griffbereit, sondern müssen erst aus verschiedenen Informationsquellen erarbeitet werden.

Nehmen wir als Beispiel eine Eisengießerei, die das Marktpotential in einem bestimmten Absatzgebiet für Eisengußprodukte abschätzen will. Als erstes muß festgestellt werden, wer die potentiellen Käufer in dem Gebiet sind. Der Markt besteht hauptsächlich aus Herstellungsbetrieben des produzierenden Gewerbes, speziell des Maschinenbaus, des Fahrzeugbaus und der Bauindustrie.

Nehmen wir an, die Gießerei will speziell das Marktpotential im Maschinenbau abschätzen. Sie würde dann mit Hilfe von Unternehmens- und Branchenregistern eine Liste von allen Unternehmen des Maschinenbaus in ihrem Gebiet erstellen und zu ermitteln versuchen, wie groß diese Unternehmen insgesamt oder im Durchschnitt sind, z. B. gemessen am Jahresumsatz oder an der Anzahl der Beschäftigten.

1	2	3	4	5
Kundenbranche	Anzahl potentieller Kunden	durchschn. Jahresumsatz der potentiellen Kunden (Mio. DM)	potentieller Bedarf an Eisengußprodukten pro Mio. DM Umsatz (t)	Marktpotential (2×3×4)
Antriebstechnik	12	15	6	1.080
Baumaschinen	3	73	2	438
Kraftmaschinen	4	120	4	1.920
Landmaschinen	2	75	7	1.050
Werkzeugmaschinen	20	25	3	1.500
sonstige Maschinenbauer	9	28	2	504
				6.492

Tabelle 9-1
Branchenbezogene Aufbaumethode für das Absatzgebiet einer Eisengießerei (hypothetische Zahlen)

Als nächstes müßte sie schätzen, wie groß der Bedarf an Gußprodukten in jeder Branche ist. Dies könnte mit branchenüblichen Verhältniszahlen geschehen, z.B. bezogen auf 1 Mio. DM Umsatz oder pro 1.000 Beschäftigte.

Tabelle 9-1 zeigt ein Beispiel für diese Eisengießerei und deren Kundenbranchen Antriebstechnik, Baumaschinen, Kraftmaschinen, Landmaschinen, Werkzeugmaschinen und sonstige Maschinenbauer. Im Marktgebiet der Gießerei befinden sich 12 Unternehmen der Antriebstechnik mit einem durchschnittlichen Jahresumsatz von 15 Mio. DM pro Unternehmen, die einen potentiellen Bedarf von 6 t Eisengußprodukten pro Mio. DM Umsatz haben. Daraus ergibt sich das Teilpotential von 1.080 t für diese Kundenbranche. In ähnlich abgeleiteter Form ergeben sich die Marktpotentiale für die anderen Kundenbranchen, in unserem Beispiel insgesamt 6.492 t für Maschinenbauunternehmen im Absatzgebiet der Gießerei.

Bei der Zusammenstellung dieser Daten stehen dem Unternehmen die statistischen Unterlagen zur Verfügung, die von öffentlichen Einrichtungen oder von den einzelnen Branchen selbst gesammelt werden. In den USA werden beispielsweise Branchenstatistiken unter dem sogenannten *Standard Industrial Classification System (SIC)* gesammelt und veröffentlicht. In Deutschland sammeln das Statistische Bundesamt und die Landesämter sowie andere Einrichtungen branchenbezogene Daten, die nach der sogenannten *Systematik im produzierenden Gewerbe (SYPRO)* aufgegliedert sind. Mit Hilfe solcher Statistiken und zusätzlicher Informationen einzelner Industriebranchen können die in Tabelle 9-1 aufgeführten Verhältniszahlen zusammengeführt oder zumindest grob abgeschätzt werden.

Das Unternehmen kann mit der gleichen Methode das Marktpotential für andere Gebiete oder Branchengruppierungen abschätzen, um so festlegen zu können, welcher Anteil der Marketingaufwendungen in ein bestimmtes Gebiet oder in eine bestimmte Branche fließen sollte. Für die praktische Anwendung braucht das Unternehmen zusätzliche Informationen über jeden Teilmarkt, wie z.B. den Grad der Marktsättigung, die Anzahl der dort tätigen Wettbewerber, die Wachstumsrate und den durchschnittlichen Ersatzbedarf für ihre Produkte.

Wenn sich das Unternehmen entscheidet, sein Produkt in einem bestimmten Teilmarkt zu vertreiben, dann muß es feststellen, wer dort die aussichtsreichsten

Kunden sind. Früher wurden dafür Vertreter losgeschickt, um »Klinken zu putzen«. Eine solche Vorgehensweise ist heute zu kostspielig. Ein Unternehmen sollte hier mit Unternehmensdateien arbeiten, mit denen es feststellen kann, wer die geeignetsten Kunden wären. Es sollte diese dann per Post oder Telefon ansprechen und sie bei weiterhin vorhandenem Interesse in persönlichen Verhandlungen als Kunden zu gewinnen versuchen. Zum Zusammenstellen von Unternehmensdateien stehen Firmenregister, Ortsregister und Branchenregister zur Verfügung, die je nach Land von unterschiedlichen Anbietern stammen, im deutschsprachigen Raum z.B. von der Firma Hoppenstedt oder in Nordamerika von der Firma Dun & Bradstreet, die in ihren *Dun's Market Identifiers* jeweils 27 Schlüsseldaten über 3.250.000 Betriebe in den USA und Kanada anbietet. [3]

Indexmethoden

Auch die Anbieter auf Konsumgütermärkten müssen Teilpotentiale schätzen. Angesichts der großen Zahl von potentiellen Kunden wäre es unpraktisch, diese in einer Liste zu erfassen. Daher ist zur Erfassung der Teilpotentiale eine *einfache Indexierung* üblich. Nehmen wir als Beispiel einen Hersteller von Kosmetika. Dieser könnte zugrunde legen, daß das Marktpotential für Kosmetika in Teilgebieten eines Landes in direktem Verhältnis zur Bevölkerungszahl steht. Wenn z.B. das Saarland 1,4% der Gesamtbevölkerung der Bundesrepublik stellt, könnte unser Produzent davon ausgehen, daß der Markt »Saarland« 1,4% aller in der BRD abgesetzten Kosmetika aufnehmen wird.

Leider reicht ein einzelner Faktor als zufriedenstellender Indikator für die Absatzchancen eines Unternehmens nur selten aus, denn der regionale Absatz an Kosmetika wird z.B. auch durch Faktoren wie das Pro-Kopf-Einkommen und die Altersverteilung der Bevölkerung beeinflußt. Daher ist es zu empfehlen, einen Mehr-Faktoren-Index zusammenzustellen und dabei jedem einzelnen Faktor ein spezifisches Bedeutungsgewicht zuzuordnen.

Unternehmen können hier oft auf Indizes zurückgreifen, die unter Einbeziehung mehrerer Faktoren von statistischen Ämtern oder privaten Instituten errechnet wurden.

Der in den USA bekannteste Mehr-Faktoren-Index zur Ermittlung von Gebietspotentialen ist in der jährlichen Untersuchung »Annual Survey of Buying Power« enthalten, die von der Zeitschrift *Sales and Marketing Management* [4] veröffentlicht wird. Dieser Index beschreibt die relative Kaufkraft der Konsumenten in den einzelnen Regionen, Bundesstaaten und städtischen Ballungsgebieten der USA und wird nach folgender Formel errechnet:

$$B_i = 0{,}5y_i + 0{,}3r_i + 0{,}2p_i \qquad (9\text{–}3)$$

Dabei gilt:

B_i = prozentualer Anteil des Gebiets i an der Gesamtkaufkraft
y_i = prozentualer Anteil des Gebiets i am nationalen verfügbaren persönlichen Einkommen
r_i = prozentualer Anteil des Gebiets i am landesweiten Einzelhandelsumsatz
p_i = prozentualer Anteil des Gebiets i an der Gesamtbevölkerung

In Deutschland behilft man sich weitgehend mit den Kaufkraftkennzahlen der GfK, Gesellschaft für Konsumforschung, Nürnberg, die unter Berücksichtigung des Einkommens, der Sparquote und der Ausgabenstruktur der Bevölkerung für regionale Gebiete sowie für Städte, Kreise und Länder ermittelt werden. Wenn z. B. im Saarland der Kaufkraftindex je Einwohner 92 % des Bundesdurchschnittes beträgt, dann könnte unser Hersteller von Kosmetika für das Saarland ein Teilpotential von 1,29 % (1,4 % × 0,92 %) des Gesamtpotentials der Bundesrepublik schätzen.

Es ist jedoch offensichtlich, daß die Anwendung des Kaufkraftindexes und anderer Indizes eine Ermessenssache ist, denn die Indizes sind nie so ganz auf das Schätzproblem zugeschnitten. Es steht dem Hersteller offen, weitere Einflußfaktoren einzuarbeiten, wie z. B. die Stärke des Wettbewerbs, die Absatzförderungsmöglichkeiten im Teilgebiet, saisonale Faktoren und regionale Marktbesonderheiten.

In vielen Fällen werden die Unternehmen als Entscheidungshilfe für die Verteilung der Marketingmittel weitere gebietsbezogene Indizes zusammenstellen. Nehmen wir an, ein Unternehmen bearbeitet die in Tabelle 9-2 aufgeführten acht Städte als besondere Absatzgebiete.

Die ersten drei Spalten der Tabelle zeigen für jede der acht Städte den jeweiligen prozentualen Anteil an der Gesamtbevölkerung, am Gesamtabsatz der untersuchten Produktkategorie und am Absatz bei Marke A. Spalte 4 zeigt den *Marktentwicklungsindex der Produktkategorie*, d. h. das Verhältnis zwischen Verbrauchsintensität und Bevölkerungsdichte. So weist in unserem Beispiel die Stadt Hamburg eine Indexzahl von 221 auf, da ihr Anteil am bundesdeutschen Gesamtverbrauch in dieser Produktkategorie 6,94 % beträgt, während ihr Bevölkerungsanteil sich lediglich auf 3,14 % beläuft. Spalte 5 zeigt den *Marktentwicklungsindex der Marke*, d. h. die Verhältniszahl zwischen Markenverbrauchsintensität und Bevölkerungsdichte. Für Hamburg beträgt diese Indexzahl 252, da sich der Verbrauchsanteil hier auf 7,91 % beläuft, während die Stadt 3,14 % der Gesamtbevölkerung auf sich vereint. Spalte 6 zeigt den *Marktchancenindex der Marke*, d. h. das Verhältnis zwischen Produktkategorieentwicklung und Markenentwicklung. Diese Indexzahl beläuft sich im Falle von Hamburg auf 0,88, was darauf hinweist, daß die Marke in Hamburg stärker entwickelt ist als in anderen Städten. Hamburg ist folglich ein Gebiet mit geringen zusätzlichen Marktchancen. In Hannover hingegen liegt der Marktchancen-

Tabelle 9-2
Indizes zum Vergleich des Marktentwicklungsstandes von Produktkategorie und Marke sowie deren Entwicklungschance

Gebiet	Bevölkerungsanteil [%] (1)	Absatzanteil der Produktkategorie [%] (2)	Absatzanteil der Marke [%] (3)	Marktentwicklungsindex der Produktkategorie (4) = (2:1)	Marktentwicklungsindex der Marke (5) = (3:1)	Marktchancenindex der Marke (6) = (4:5)
Hamburg	3,14	6,94	7,91	221	252	0,88
Bremen	1,13	2,40	2,73	212	242	0,88
Hannover	1,40	2,63	1,71	188	122	1,54
Düsseldorf	1,08	1,91	1,73	177	160	1,11
Köln	1,51	2,64	2,99	175	198	0,88
Frankfurt/ Offenbach	1,36	1,39	1,67	102	123	0,83
Stuttgart	1,20	1,22	1,72	102	143	0,71
München (Stadt + Land)	3,00	3,39	3,51	113	117	0,97

index bei 1,54, was auf ein Entwicklungsgebiet mit großen zusätzlichen Ausschöpfungsmöglichkeiten hindeutet. Trotzdem sollte ein Unternehmen nicht alle verfügbaren Mittel nur in die chancenreichen Gebiete stecken. Auch andere Faktoren müssen hier berücksichtigt werden.

Je feinmaschiger man Marktsegmente erfassen kann, desto genauer können Teilpotentiale der Nachfrage angeschätzt werden. Auf geographischen Faktoren basierende Marktsegmentierungen können in der Praxis heute mit mikrogeographischen Datenbanken sehr feinmaschig, z. B. aufgegliedert nach einzelnen Straßenzügen, vorgenommen werden. Erfahrungsgemäß gibt es in jedem Absatzgebiet Wohnviertel, deren Einwohner sich im Lebensstil, im Konsumverhalten und im Nachfragepotential stark unterscheiden. Im Gastarbeiterviertel wird anders nachgefragt als in Villenvororten, in Reihenhauskolonien anders als in Studentenwohnheimen. In Ländern, in denen die Volkszählungsdaten in sehr kleine Wohnbezirke untergliedert auf EDV-Bändern zur kommerziellen Nutzung freigegeben werden, wie z. B. in den USA, Kanada, England, Frankreich und Schweden, wurden bereits Ende der 70er Jahre mikrogeographische Marktsegmentierungssysteme entwickelt und bald darauf intensiv genutzt. In den USA beispielsweise werden von verschiedenen Anbietern Datenbanken mit marketingrelevanten Informationen aus den Erhebungszellen der Volkszählung (*Census Tracts*) und auch aus Postleitzahlengebieten angeboten. Marktplaner fanden diese Daten äußerst nützlich zur Ermittlung von Gebieten mit großem Absatzpotential innerhalb größerer Städte und bei der Entscheidung, für welche Gebiete man Adressenlisten für Direct-Mail-Aktionen kaufen sollte. [5] Auch im deutschsprachigen Raum werden mikrogeographische Datenbanken entwickelt und angeboten. Exkurs 9-1 beschreibt amerikanische mikrogeographische Datenbanken für Marketingzwecke und einige der neueren Entwicklungen im deutschsprachigen Gebiet.

Exkurs 9-1: Mikrogeographische Datenbanken: Neue Verfahren zur Ermittlung der chancenreichsten Zielmärkte

Seit Ende der 70er Jahre sind zur Unterstützung der Marketingplanung in den USA einige neue Informationsdienste entstanden, die Volkszählungsdaten mit dem amerikanischen Postleitzahlensystem, dem *»zip-code system«*, verknüpfen und auf marketingrelevante Verbrauchs- oder Lebensstilmuster durchforsten. Die größten dieser Dienste in den USA sind PRIZM (von *Claritas*), Cluster Plus (von *Donnelley Marketing Information Services*) und Acorn (von *C. A. C. I., Inc.*). Sie unterstützen die Marketingplaner bei der Ermittlung der chancenreichsten geographischen Absatzgebiete, auf die sie dann ihre Marketingaktivitäten konzentrieren können.

Die Entwickler von PRIZM haben z. B. alle amerikanischen »Zip-Code-Märkte« in 40 Cluster von Wohngebietstypen unterteilt, denen sie dann phantasievolle Bezeichnungen gaben, wie z. B. »die Betuchten«, »Geld und Geist« oder »Knarre und Karre«. Die Cluster wurden durch Kombination von jeweils acht Merkmalen gebildet. So weisen z. B. Wohngebiete der »Betuchten« folgende Merkmale auf: mittlere Wohndichte, Vorstadtcharakter, hohe Gleichartigkeit der Bewohner, weiße Hautfarbe, starke Ausrichtung auf die Familie, Hochschulabschluß, vorrangig leitende Angestellte, vornehmlich freistehende Einfamilienhäuser. Andererseits ist z. B. das Cluster »Großstadt-Singles« durch folgende Merkmale gekennzeichnet: hohe Wohndichte, wohnhaft in der Stadt, gemischte Bevölkerungsstruktur, weiß mit Minderheiten, viele Alleinstehende und Paare, einige Hochschulabsolventen, sowohl Angestellte wie Arbeiter und Tendenz zu Mehrfamilienhäusern. Auch die restlichen 38 Gebietstypen weisen jeweils eine spezifische Merkmalskombination auf. Diese nach mikrogeographischen Daten zusammengestellten Cluster können auch mit anderen Datenbanken über Produktpräferenzen, Lebensstilmerkmale etc. verknüpft werden. So weist z.B. das »gemischt-hispanische« Cluster folgendes Präferenzmuster auf: Trägt qualitativ hochwertige Kleidung, trinkt gerne Tequilla, raucht gerne Zigaretten ohne Filter, nimmt gerne Lippenstift etc.; durch die Verknüpfung dieser Daten mit den entsprechenden Lebensstilangaben erhält der Marketingplaner wertvolle Hilfen.

Nach der erfolgreichen Entwicklung und dem Einsatz mikrogeographischer Datenbanken im englischsprachigen Raum werden auch im deutschsprachigen Raum ähnliche Datenbanksysteme entwickelt. Speziell in der Bundesrepublik (noch ohne die fünf neuen Bundesländer) basieren diese Systeme nicht auf Volkszählungsdaten und den statistischen Untereinheiten der Volkszählung, sondern auf den Untereinteilungen der Wahlbezirke oder Automobilzulassungsstatistiken oder anbieterspezifischen willkürlichen Einteilungen. Die in der Bundesrepublik vorgenommenen geographischen Mikroeinteilungen verlaufen größenordnungsmäßig wie folgt: 600.000–700.000 Straßenabschnitte, 50.000–60.000 Wohnzellen mit etwa 400 Haushalten oder 1.000 Einwohnern, 10.000–15.000 Ortsteile, 8.000–9.000 Städte und Gemeinden, 500–1.000 Marktbeobachtungsgebiete. Zu den wichtigsten angebotenen Datenbanken gehören LOCAL (Infas), Regio Select (Bertelsmann) und CAS (Clustertypologisches Analyse- und Selektionssystem der Postreklame). Bei der Datenbank LOCAL wurde beispielsweise ein feinstes Gebietsraster von 700.000 Straßenabschnitten gewonnen. Bei der Einteilung wurden Faktoren wie Lage des Straßenabschnitts innerhalb der Gemeinde, Art seiner Bebauung, Alter und exklusiver, einfacher oder Substatus der Gebäude, Dichte des Kfz- und Fußgängerverkehrs, Anteil der dort wohnenden Ausländer sowie eine Schätzung des Einkommens der Einwohner zugrundegelegt. Die Wohnviertel sind bei dieser Datenbank mit dem zugehörigen Wahl- oder Stimmbezirk identisch. Eine marketingrelevante Qualifizierung der mikrogeographischen Marktzellen erfolgt durch Umfragen und Auswertung der Umfragedaten nach weiteren Merkmalen der Marktzellen.

Die Weiterentwicklung mikrogeographischer Datenbanken zu nutzbringenden Marketinginformationsgrundlagen erfolgt aus dem Bestreben heraus, Zielkunden genau identifizieren und mit ihnen effizienter kommunizieren zu können.

Quellen: Heribert F. Butterhoff: »Supergenau – Superteuer«, in: *Absatzwirtschaft* 4, 1988, S. 116–123; Holger Witt: »Nicht alle Briefkästen sind gleich«, in: *Absatzwirtschaft* 4, 1988, S. 124–126; Thomas Moore: »Different Folks, Different Strokes«, in: *Fortune*, 16. September 1985, S. 65–68; »PRIZM-Guided Retail Plan Yields Dynamic Results«, in: *Direkt Marketing*, November 1985, S. 116; Hugh M. Cannon und Gerald Linda: »Beyond Media Imperatives: Geodemographic Media Selection«, in: *Journal of Advertising Research*, Juni–Juli 1982, S. 31–36; und »Marketing Firm Slices U.S. into 240,000 Parts to Spur Clients' Sales«, in: *Wall Street Journal*, 3. November 1986, S. 1. Das Beispiel stammt aus: *The North American Division Marketing Program, Vol. 1: Profiling Adventist Members and Baptisms*, veröffentlicht durch mimeographische Vervielfältigung, 1986.

Schätzung der Branchenumsätze und Marktanteile

Das Unternehmen muß jedoch nicht nur das ausschöpfbare Gesamtpotential des Marktes und die Teilpotentiale abschätzen, sondern auch die in der Branche getätigten Umsätze kennen. Das bedeutet, daß man seine Konkurrenten ermitteln und ihre Umsätze abschätzen muß.

In vielen Fällen wird der branchenspezifische Berufsverband die Gesamtumsätze erfassen und veröffentlichen, ohne die Umsätze jedes einzelnen Unternehmens separat auszuweisen. Damit kann jedes Unternehmen seine eigene Leistung mit der Branchenentwicklung vergleichen. Wenn z.B. bei einer Branchenentwicklung von plus 10% der Umsatz eines Unternehmens pro Jahr um nur 5% steigt, so hat das Unternehmen Marktanteile verloren und seine Stellung in der Branche verschlechtert.

Alternativ zu diesem Branchenvergleich kann man Berichte von Marktforschungsinstituten kaufen, die das Marktgeschehen einzelner Marken und ganzer Branchen laufend ermitteln. A.C. Nielsen Company z.B. sammelt Daten über die Umsätze, die im Lebensmittelhandel bei bestimmten Produktkategorien erzielt werden, und verkauft diese Daten an interessierte Unternehmen. Auf diese Weise erhält man sowohl Angaben über den Gesamtumsatz einer Produktkategorie als auch die jeweiligen Umsätze einer bestimmten Marke und kann auf der Grundlage dieser Daten die eigene Leistung mit der der Gesamtbranche oder bestimmten Konkurrenten vergleichen.

Für den Industriegüter-Marketer ist es im Regelfall schwieriger als für den Konsumgüter-Marketer, Branchenumsätze und Marktanteile abzuschätzen. Für Industriegütermärkte gibt es keine Informationsdienste, die ähnlich wie Nielsen arbeiten und von denen man sich die benötigten Daten beschaffen kann. Industrievertretungen machen in der Regel keine Angaben darüber, welche Mengen an Konkurrenzprodukten sie abgesetzt haben. Folglich muß der Industriegüter-Marketer entweder mit weniger Marktanteilsinformationen auskommen oder aber besonders einfallsreich sein. Einige wollen lediglich wissen, ob sie im Vergleich zu ihrem größten Konkurrenten Marktanteile eingebüßt oder hinzugewonnen haben und sind weniger daran interessiert, wie sie im Vergleich zum Gesamtmarkt abschneiden. Folglich können sie sich auf die Schätzung der Umsätze eines einzelnen Konkurrenten beschränken und u.U. ihre Umsatzergebnisse mit denen des Konkurrenten vergleichen.

Schätzung der zukünftigen Nachfrage

Als nächstes wenden wir uns den Verfahren zur Schätzung der zukünftigen Nachfrage nach einem Produkt zu. Nur bei einigen wenigen Produkten ist es leicht, Vorhersagen zu treffen. Die Nachfrage ist dort leicht vorherzusagen, wo sich Bedarf und Bedarfsentwicklung nicht viel ändern und wo kaum Wettbewerb herrscht (wie z.B. bei öffentlichen Versorgungsunternehmen). Auf den meisten Märkten verläuft jedoch die Entwicklung der Gesamtnachfrage und der unternehmensspezifischen Nachfrage nicht gleichförmig. Somit tragen gute Vorhersageleistungen entscheidend zum Unternehmenserfolg bei. Schlechte Vorhersageleistungen können zu überhöhten Lagerbeständen, kostspieligen Preisabschlägen oder zu Absatzverlusten durch Fehlbestände führen. Je diskontinuierlicher die Nachfrage, desto wichtiger ist die Genauigkeit der Vorhersage und desto aufwendiger ist auch das Prognoseverfahren.

Die Bandbreite an Prognoseverfahren reicht dabei von der Grobschätzung bis zu äußerst aufwendigen Methoden. Obwohl dabei viele methodische Aspekte in den Aufgabenbereich von Experten fallen, muß auch der Marketing-Manager mit den wichtigsten Prognosemethoden vertraut sein und die Vorteile und Grenzen jedes Verfahrens kennen.

In der Regel wird zur Umsatzprognose ein Drei-Stufen-Verfahren eingesetzt. Man beginnt mit einer *Umfeldprognose*, geht über zu einer *Branchenprognose* und erstellt dann schließlich eine *unternehmensspezifische Prognose*. Die Umfeldprognose beinhaltet eine Vorschau zu folgenden Faktoren: Inflation, Arbeitslosigkeit, Zinsniveau, Verbraucherausgaben und Sparquote, Investitionen der Wirtschaft, Staatsausgaben, Außenhandelsbilanz und andere umfeldspezifische Größen und Ereignisse von Bedeutung für das Unternehmen (vgl. auch Exkurs 9-2). Das Endresultat ist eine Prognose des *Bruttosozialprodukts*, das gemeinsam mit anderen umfeldspezifischen Indikatoren zur Prognose des Branchenumsatzes herangezogen wird. Dann kann das Unternehmen den eigenen Umsatz vorhersagen unter der Annahme, daß es einen bestimmten Marktanteil erzielt.

Alle Prognosen beruhen auf einer von drei möglichen Informationsgrundlagen: *Was im Markt gesagt wird*, *was getan wird* und *was getan wurde*. Zur Nutzung der ersten Grundlage – *was gesagt wird* – muß man die Meinungen der Käufer oder derjenigen, die ihnen nahestehen, z.B. des eigenen Vertriebspersonals oder von externen Experten untersuchen. Hier gibt es wiederum drei Methoden: Analyse der Käuferabsichten, Einholung und Zusammenfassung der Meinungen des Vertriebspersonals sowie Expertenbefragungen. Die Erstellung einer Vorhersage aufgrund dessen, *was getan wird*, erfordert eine andere Methode, nämlich einen Markttest des Produkts, um so Hinweise auf die Käuferreaktion zu erhalten. Zur Nutzung der dritten Grundlage schließlich – *was getan wurde* – muß man das bisherige Kaufverhalten analysieren. Dies tut man z.B. mit einer Zeitreihenanalyse oder einer statistischen Nachfrageanalyse.

Exkurs 9-2: Methoden zur Umfeldprognose

Jede Organisation findet den Schlüssel zum Überleben und zum Wachstum in ihrer eigenen Fähigkeit, ihre Strategien auf das sich wandelnde Umfeld einzustellen. Den Managern obliegt die große Verantwortung, zukünftige Entwicklungen korrekt abzuschätzen und in die Planung einzubeziehen. Der Schaden durch einen Fehler kann hier enorm sein. Deshalb bemüht sich eine wachsende Anzahl von Unternehmen darum, Umfeldprognosen zu erstellen.

Wie entwickelt man eine Umfeldprognose? Große Unternehmen haben Planungsabteilungen, die langfristige Prognosen über Faktoren von wesentlichem Einfluß auf ihre Märkte entwickeln. Die Firma General Electric beispielsweise hat viele Experten, die weltweit die Kräfte beobachten und analysieren, die ihr Geschäft beeinflussen. General Electric stellt diese Prognosen seinen Tochtergesellschaften zur Verfügung und verkauft bestimmte Prognosen auch an andere Unternehmen.

Kleinere Unternehmen können Prognosen von unterschiedlichen Anbietern beziehen. Marktforschungsinstitute erstellen für sie Prognosen aufgrund von Interviews mit Kunden, Handelsbetrieben und anderen Marktteilnehmern. Vorhersagespezialisten erarbeiten langfristige Prognosen für bestimmte Teile des Makroumfeldes, wie z.B. die Entwicklung der Wirtschaft, Bevölkerung, Rohstoffmärkte und Technologien. Schließlich gibt es auch noch auf Futurologie spezialisierte Forschungsunternehmen, die spekulative Zukunftsszenarios erstellen. Zu diesen gehören z.B. das Hudson Institute, die Futures Group und das Institute for the Future.

Einige der methodischen Ansätze zur Erstellung von Umfeldprognosen verlaufen wie folgt:

- *Expertenmeinungen*
  Experten werden ausgesucht und gebeten, unterschiedliche mögliche Entwicklungen der Zukunft nach deren Wahrscheinlichkeit und Bedeutung zu bewerten. Bei einer erprobten Methode, der Delphi-Methode, durchlaufen die Experten mehrere Runden der Bewertung möglicher zukünftiger Ereignisse, wobei sie jedesmal ihre Grundannahmen und Beurteilungen verfeinern können.
- *Trendextrapolationen*
  Forscher arbeiten mit Zeitreihen-Daten aus der Vergangenheit und suchen die Kurvenform, die am besten mit diesen Daten übereinstimmt (linear, quadratisch oder S-förmig), um damit Zukunftsentwicklungen zu extrapolieren. Diese Methode ist dann unzuverlässig, wenn neuartige Einflüsse die Entwicklungsrichtung für die Zukunft völlig ändern.
- *Trendkorrelationen und Frühindikatoren*
  Die Forscher arbeiten daran, verschiedene Zeitreihen-Daten miteinander zu verknüpfen, um herauszufinden, welche Daten dem Charakter nach als Früh- oder Spätindikatoren angesehen werden können, um diese dann zur Vorhersage zu benutzen. So hat z.B. das amerikanische National Bureau of Economic Research zwölf Wirtschaftsindikatoren, die am besten zur Konjunkturentwicklung Auskunft geben, festgestellt, und veröffentlicht deren Werte monatlich in der Schrift »Survey of Current Business«. Das Ifo-Institut, München, veröffentlicht regelmäßig einen »Konjunkturtest« unter Berücksichtigung von Elementen, die Frühwarncharakter haben.
- *Dynamische Modelle*
  Hier stellen die Forscher ein System von mathematischen Gleichungen auf, um damit ein zugrundeliegendes Funktionssystem zu beschreiben. Die Koeffizienten in diesen Gleichungen werden durch statistische Methoden aus Daten der Vergangenheit abgeschätzt. Es gibt ökonometrische Modelle mit mehr als 300 Gleichungen, die zur Vorhersage der wirtschaftlichen Entwicklung einzelner Länder und im internationalen Bereich benutzt werden.
- *Interdependenz-Analysen*
  Die Forscher stellen aus unterschiedlichen Bereichen die wichtigsten Trends zusammen, denen eine große Bedeutung und Eintreffenswahrscheinlichkeit zugemessen wird. Dann wird folgende Frage untersucht: »Wenn Ereignis A in Trend 1 eintrifft, wie wird das alle anderen Trends beeinflussen?« Die Antworten darauf werden gesammelt und zu sogenannten »Domino-Verkettungen« verknüpft, wo sich Ereignisse nacheinander auslösen – und zwar auch solche, die zunächst vielleicht als unabhängig voneinander angesehen wurden.

- *Multiple Szenarios*
  Die Forscher entwickeln alternative, breit angelegte Zukunftsbilder, die intern konsistent sind und mit einer gewissen Wahrscheinlichkeit eintreffen könnten. Der Hauptzweck der Szenarios besteht darin, eine »Schubladen-Planung« zur Vorbereitung auf unterschiedliche Entwicklungen anzuregen.
- *Prognose von Risikofällen*
  Die Forscher ermitteln mögliche Zukunftsereignisse von großer Bedeutung für das Unternehmen. Jedes Ereignis wird danach beurteilt, wie stark es mit einem der Haupttrends in der Gesellschaft konvergiert. Es wird weiterhin danach beurteilt, wie sehr es durch Interessengruppen innerhalb der Gesellschaft befürwortet würde. Je stärker die Konvergenz und Befürwortung, desto höher ist die Wahrscheinlichkeit, daß es eintritt. Die Ereignisse mit der höchsten Wahrscheinlichkeit des Eintretens werden dann detailliert weiteruntersucht.

Ermittlung der Käuferabsichten

Die Vorhersage ist die Kunst vorwegzunehmen, was die Käufer unter bestimmten Bedingungen voraussichtlich tun werden. Hier liegt es nahe, die Käuferabsichten zu untersuchen. Dies ist besonders dann nützlich, wenn die Käufer klar umrissene Absichten haben, die sie ausführen werden und die sie bereit sind, offenzulegen.

Es gibt Forschungsinstitute, die regelmäßig die Kaufabsichten der Verbraucher bezüglich *größerer Anschaffungen* messen. Dabei benutzt man eine Kaufwahrscheinlichkeitsskala zur Erfassung der Antworten z.B. auf folgende Frage:

Haben Sie die Absicht, innerhalb der nächsten sechs Monate ein Automobil zu kaufen?

0 unter keinen Umständen	0,20 sehr unwahrscheinlich	0,40 vielleicht	0,60 gut möglich	0,80 sehr wahrscheinlich	1,0 sicher

Bei solchen Untersuchungen wird auch nach der gegenwärtigen und zukünftigen finanziellen Lage des Konsumenten oder seinen Erwartungen zur gesamtwirtschaftlichen Entwicklung gefragt. Die Antworten aller Befragten werden dann zu einer *Meßzahl des Konsumklimas* verknüpft. Die Hersteller von Konsumgütern beziehen diese Untersuchungen, um damit größere Veränderungen bei den Kaufabsichten der Verbraucher rechtzeitig erkennen und ihre Produktions- und Marketingpläne entsprechend anpassen zu können. [6]

Im *Industriegüterbereich* gibt es mehrere Forschungsinstitute, von denen die Käufer zu ihren Investitions- und Beschaffungsabsichten bei Materialien und Ausrüstungen befragt werden. Dazu gehören z.B. Infratest-Industria und Roland Berger in München, Intermarket in Düsseldorf, McGraw-Hill Research of New York und Opinion Research Corporation of Princeton.

Eine Untersuchung der Käuferabsichten ist dann besonders nützlich, wenn es wenige Käufer gibt, wenn es wenig kostet, sie erfolgreich anzusprechen, wenn sie eindeutige Absichten haben, diese Absichten tatsächlich ausführen und auch gewillt sind, sie offenzulegen. Demzufolge sind solche Untersuchungen bei Industrie- und auch Konsumgütern für Produktkäufe, die eine Vorausplanung erforderlich machen, sowie für Produktinnovationen, wo keine Erfahrungswerte existieren, von höchstem Nutzen.

Zukunftsschätzungen des Vertriebspersonals

Ist eine Befragung der Käufer unpraktisch, kann das Unternehmen sein Vertriebspersonal befragen. Jeder Vertreter soll abschätzen, wieviel jeder der von ihm bearbeiteten und noch zu bearbeitenden Kunden kaufen wird.

Allerdings setzen nur wenige Unternehmen die Schätzungen ihres Vertriebspersonals ein, ohne zuvor bestimmte Korrekturen oder Berichtigungen vorzunehmen. Schließlich sind Verkäufer oft aus ihrer Interessen- oder Stimmungslage heraus voreingenommen. Sie können von Natur aus pessimistisch oder optimistisch sein oder aufgrund eines besonderen Rückschlags oder Erfolgs in jüngster Zeit in das eine oder andere Extrem verfallen. Auch wissen sie häufig nicht allzu viel über die gesamtwirtschaftlichen Entwicklungen oder darüber, wie die Marketingpläne ihres Unternehmens die zukünftigen Umsatzchancen in ihrem Gebiet beeinflussen werden. Vielleicht setzen sie auch mit Absicht das Nachfrageniveau zu niedrig an, um ihren Manager dazu zu bewegen, eine niedrige Umsatzquote für sie festzusetzen, oder sie haben einfach nicht die Zeit zur Erarbeitung sorgfältiger Prognosen bzw. sind der Meinung, die Mühe lohne sich nicht.

Das Unternehmen sollte dem Vertriebspersonal bestimmte Hilfen oder Anreize zur sorgfältigen Erarbeitung ihrer Prognosen geben. Man könnte z. B. jedem Befragten einen Vergleich seiner bisherigen Prognosen mit seinen tatsächlichen Umsätzen zur Verfügung stellen, ihm die wichtigsten Eckdaten und Annahmen des Unternehmens zur Entwicklung der Wirtschaftslage und andere für ihn bedeutsame Informationen vorlegen.

Die Einbeziehung der Außendienstmitarbeiter in den Prognoseprozeß bringt eine Reihe von Vorteilen. Verkäufer können in vielen Fällen bestimmte Entwicklungstrends schneller erfahren als andere. Die Teilnahme am Prognoseprozeß kann ihr Vertrauen in ihre persönlichen Umsatzquoten stärken und sie dazu motivieren, die Quoten zu erreichen. [7] Des weiteren liefert ein Prognoseverfahren, das auch die »Basis« miteinbezieht, weitgehende Untergliederungen, z. B. nach einzelnen Produkten, Gebieten, Kunden oder Verkäufern.

Expertenmeinungen

Unternehmen können auch aufgrund von Expertenmeinungen Vorhersagen erhalten. Experten kann man in den Handelsbetrieben, bei den Zulieferern, Marketingberatern und Industrieverbänden finden. So befragen Automobilhersteller regelmäßig ihre Händler zur kurzfristigen Nachfrageentwicklung. Die Schätzungen der Händler haben jedoch die gleichen Stärken und Schwächen wie die Schätzungen der eigenen Außendienstmitarbeiter.

Viele Unternehmen kaufen Vorhersagen zur Gesamtwirtschaft und zur Branche bei bekannten Wirtschaftsforschungsinstituten, wie dem Ifo-Institut in München, dem Institut für Weltwirtschaft in Kiel und Prognos in Basel. Die Experten dieser Institute haben bessere Voraussetzungen zur Erstellung von Vorhersagen als das Unternehmen, denn sie haben Zugriff auf mehr Daten und größere Erfahrung mit Vorhersagen.

Gelegentlich setzt ein Unternehmen eine spezielle Expertengruppe ein, um eine ganz bestimmte Prognose zu erarbeiten. Die Experten werden dann gebeten, ihre Meinungen auszutauschen und eine Gruppenmeinung zu erarbeiten (*Gruppendiskussions-Methode*). Oder sie sollen bestimmte Schätzwerte liefern, die dann ein Analyst zu einem Schätzwert zusammenfaßt (*Pooling individueller Schätzwerte*), oder ihre individuellen Einschätzungen und Grundannahmen darlegen, die dann von einem Analysten überarbeitet und zur möglichen Revidierung oder Verfeinerung für eine weitere Runde der Zukunftseinschätzung (*Delphi-Methode*) zurückgespielt werden.[8]

Eine interessante Variante der Expertenmeinungsmethode wird von der Lockheed Aircraft Corporation durchgespielt. Eine Gruppe von Lockheed-Managern versetzt sich in die Rolle unterschiedlicher Kunden. Dann bewerten sie knallhart das Angebot von Lockheed im Vergleich zu seinen Wettbewerbern. Für jeden Kunden wird die Entscheidung getroffen, was und bei wem gekauft werden soll. Die Käufe von Lockheed werden zusammengezählt, um abzuschätzen, welchen Erfolg Lockheeds Angebot im Markt haben wird.

Markttest-Methode

Wo Kunden ihre Käufe wenig vorherplanen, nicht in vorhersehbarem Maße ihren geäußerten Absichten folgen oder Expertenmeinungen unzureichend sind, da ist ein direkter Markttest angebracht. Ein direkter Markttest ist besonders vorteilhaft bei Vorhersagen für neue Produkte oder wenn man mit bestehenden Produkten in ein neues Gebiet oder einen neuen Absatzkanal gehen will. Diese Methode wird in Kapitel 12 näher beschrieben.

Zeitreihen-Analyse

Bei vielen Unternehmen beruhen die Vorhersagen auf den Umsatzentwicklungen der Vergangenheit. Die Annahme besteht darin, daß die zugrundeliegenden Einflußkräfte wie bisher weiterwirken werden und daß die Zeitreihen-Analyse das Wirken dieser Kräfte in die Zukunft projizieren kann.

Eine Zeitreihe vergangener Nachfrage kann analytisch in vier Komponenten zerlegt werden. Die erste Komponente, der *Trend (T)*, ergibt sich aus den Entwicklungen in der Bevölkerungsgröße, der Kapitalbildung und der Technologie. Sie wird ermittelt, indem eine bestpassende gerade oder gekrümmte Linie durch die Zahlen der Vergangenheit gezogen wird.

Die zweite Komponente, der *Zyklus (C)*, zeigt wellengleiche zyklische Veränderungen der Nachfrage an. Viele Produkte werden durch periodische oder zyklische Wirtschaftsveränderungen, den Konjunkturzyklus, beeinflußt. Die Ermittlung der zyklischen Komponente kann besonders für mittelfristige Vorhersagen nützlich sein.

Die dritte Komponente, *Saisonalität (S)*, betrifft die wiederkehrenden Abläufe der Nachfrageveränderung innerhalb des Jahres. Die saisonale Komponente kann stündlich, wöchentlich, monatlich, vierteljährlich oder jährlich wiederkehrende Muster im Nachfrageverlauf anzeigen. Die Ursachen der saisonalen Komponente findet man in klimatischen Faktoren, Schulferien, Handelsbräuchen und staatlichen regulierenden Einflüssen. Mit dem saisonalen Muster lassen sich gute kurzfristige Nachfragevorhersagen treffen.

Die vierte Komponente, *Zufallsereignisse (E)*, ergibt sich aus Streiks, Katastrophen, Stürmen, Unruhen, Kriegsdrohungen und anderen Störgrößen. Diese zufälligen Ereignisse sind von ihrer Natur her nicht vorhersagbar. Der Einfluß von früheren Zufallsereignissen muß durch die Analyse möglichst ausgeschaltet werden, um so die normale Umsatzentwicklung besser abschätzen zu können.

Durch die Zeitreihen-Analyse wird aus den Vergangenheitsdaten, *Y*, abgeleitet, wie stark und in welcher Form die Komponenten *T*, *C*, *S* und *E* ausgeprägt sind. Dann werden diese Komponenten für eine Vorhersage genutzt,[9] wie im folgenden Beispiel gezeigt wird:

Ein Versicherungsunternehmen verkaufte dieses Jahr bis Dezember 12.000 neue Verträge für Lebensversicherungen. Es möchte die Anzahl der verkauften Verträge bis Dezember des nächsten Jahres vorhersagen. Der langfristige Wachstumstrend zeigt ein Wachstum von 5% pro Jahr. Demnach würden im nächsten Jahr 12.600 (= 12.000 × 1,05) Verträge verkauft werden. Man erwartet jedoch einen Konjunkturrückgang für das nächste Jahr, der wahrscheinlich zu einem Wachstumsrückgang von 10% auf die ansonsten im Trend liegende Nachfrage zu erwarten ist. Daher dürfte die Anzahl der verkauften Verträge im nächsten Jahr eher bei 11.340 (= 12.600 × 0,9) liegen. Wäre die Nachfrage jeden Monat gleich, dann würden monatlich 945 (= 11.340/12) Verträge verkauft. Im Dezember werden jedoch überdurchschnittlich viele Verträge verkauft. Der Monatsindex für Dezember liegt bei 1,30. Deshalb müßten sich im Dezember etwa 1.228 (= 945 × 1,30) Verträge verkaufen lassen. Es werden keine Störeffekte wie Streiks oder neue Versicherungsgesetze erwartet. Also bleibt die beste Schätzung für den Verkauf neuer Verträge für nächsten Dezember 1.288 Stück.

Wenn ein Unternehmen hunderte von Artikeln in seinem Produktsortiment hat und schnell und wirtschaftlich kurzfristige Vorhersagen treffen will, dann bietet sich eine Variante der Zeitreihen-Analyse, die *exponentielle Glättung* an. In ihrer einfachsten Form erfordert die exponentielle Glättung zur Vorhersage nur drei Daten: die Verkaufsmenge dieser Periode (Q_t), den geglätteten Wert für die Verkaufsmenge dieser Periode ($\overline{Q}_t$) und einen Glättungsparameter (α). Die Verkaufsmengenvorhersage für die nächste Periode ergibt sich aus der Formel

$$\overline{Q}_{t+1} = \alpha Q_t + (1-\alpha)\overline{Q}_t \qquad (9\text{–}4)$$

Dabei sind:

$\overline{Q}_{t+1}$ = vorhergesagte Verkaufsmenge für die nächste Periode
α = Glättungskonstante, wobei $0 \leqq \alpha \leqq 1$
Q_t = die tatsächliche Verkaufsmenge in Periode t
$\overline{Q}_t$ = geglättete Verkaufsmenge in Periode t (die aus der gleichen Formel in der Vorperiode für Periode t vorhergesagt wurde)

Nehmen wir an, die Glättungskonstante beträgt 0,4, das tatsächliche Verkaufsvolumen 50.000 DM und der geglättete Wert des Verkaufsvolumens 40.000 DM. Dann erhält man die Vorhersage für das Verkaufsvolumen der nächsten Periode:

$$\overline{Q}_{t+1} = 0{,}4(50.000\ \text{DM}) + 0{,}6(40.000\ \text{DM}) = 44.000\ \text{DM}$$

Mit anderen Worten: Mit dieser Methode liegt die Vorhersage für die nächste Periode immer zwischen den beiden Extremwerten und zwar der tatsächlichen Verkaufsmenge und der geglätteten Verkaufsmenge der laufenden Periode. Die beiden Extremwerte gehen mit unterschiedlicher Gewichtung in diese Rechnung ein, bestimmt durch die Glättungskonstante, in unserem Beispiel 0,4.

Für jedes ihrer Produkte muß das Unternehmen einen Anfangswert für die geglättete Menge und auch die Glättungskonstante bestimmen. Als Anfangswert nimmt man der Einfachheit halber den Durchschnittswert der letzten Perioden. Die Glättungskonstante wird durch Ausprobieren verschiedener Werte zwischen 0 und 1 herausgefunden, indem man den Wert nimmt, der in der Vergangenheit die besten Vorhersagen geliefert hätte. Die Methode kann durch saisonale und Trendfaktoren verfeinert werden, indem man zwei weitere Konstanten in die Gleichung einfügt. [10]

Statistische Nachfrageanalyse

In der Zeitreihen-Analyse behandelt man die Entwicklung der Nachfrage als reine Funktion der Zeit, ohne andere Faktoren neben der Zeit explizit in die Analyse aufzunehmen. Es beeinflussen jedoch viele meßbare Faktoren die Nachfrage jedes Produkts. Sie können in der *statistischen Nachfrageanalyse* berücksichtigt werden. Zur statistischen Nachfrageanalyse gehören viele statistische Verfahren, die feststellen, welche der meßbaren Faktoren für die Bestimmung der Nachfrage am wichtigsten sind und wie groß ihr relativer Einfluß ist. Die Faktoren, die hierbei am häufigsten analysiert werden, sind Preis, Einkommen, Bevölkerungsdaten und Absatzförderungsaufwendungen.

In der statistischen Nachfrageanalyse wird die Verkaufsmenge (Q) als abhängige Variable betrachtet. Ihre Höhe soll als Funktion einer Anzahl unabhängiger, die Nachfrage beeinflussender Variablen $(X_1, X_2, \ldots, X_n)$ dargestellt und erklärt werden. In symbolischer Schreibweise heißt das

$$Q = f(X_1, X_2, \ldots, X_n) \qquad (9\text{–}5)$$

Mit Hilfe der statistischen Analysemethode der *multiplen Regression* können unterschiedliche Gleichungsformen mit vorhandenen statistischen Daten ausprobiert werden, um so herauszufinden, welche Gleichungsform und welche Variablen in Kombination die besten Vorhersagen liefern würden.

So fand z.B. Palda heraus, daß die folgende Nachfragefunktion die historische Entwicklung des Umsatzes der Lydia Pinkham Company zwischen 1908 und 1960 gut darstellte: [11]

$$Y = -3.649 + 0{,}665X_1 + 1.180 \log X_2 + 774X_3 + 32X_4 - 2{,}83X_5 \qquad (9\text{–}6)$$

Dabei bedeuten:
Y = Jahresumsatz des laufenden Jahres [1000 $]
X_1 = Umsatz des vorhergehenden Jahres [1000 $]
X_2 = Werbeaufwendungen im laufenden Jahr [1000 $]
X_3 = eine »Dummy-Variable«, die zwischen 1908 und 1925 den Wert 1 und ab 1926 den Wert 0 annimmt
X_4 = Jahreszahl (1908 = 0, 1909 = 1 usw.)
X_5 = persönlich verfügbares Einkommen (in den USA, in Mrd. $)

Die fünf unabhängigen Variablen auf der rechten Seite der Gleichung können 94% der jährlichen Variation im Umsatz der Lydia Pinkham Company zwischen 1908 und 1960 erklären. Um diese Gleichung zur Umsatzvorhersage von 1961 anzuwenden, mußte man nur die Zahlenwerte für die fünf unabhängigen Variablen entsprechend einsetzen. Der Wert für den Umsatz im Jahr 1960 würde die Stelle der Variable X_1 einnehmen, die der geplanten Werbeausgaben für 1961 kämen auf X_2; eine 0 käme auf X_3; die Jahreszahl für 1961 käme auf X_4; das geschätzte persönlich verfügbare Einkommen für 1961 käme auf X_5. Durch Multiplikation dieser Zahlen mit ihren jeweiligen Koeffizienten und anschließender Summierung erhält man dann die Umsatzvorhersage (Y) für 1961.

Da statistische Berechnungen durch den Einsatz von Computern immer leichter durchzuführen sind, gewinnt die statistische Nachfrageanalyse immer mehr an Bedeutung. Als Anwender sollte man jedoch wissen, daß es fünf Probleme gibt, die die Gültigkeit und den Nutzen der statistischen Nachfragegleichung mindern können: Es sind zu wenig Beobachtungen zur statistischen Auswertung vorhanden; es besteht eine zu starke Korrelation zwischen den unabhängigen Variablen; die der mathematischen Berechnung zugrundeliegende Gauß'sche Normalverteilung der Variablen liegt in Wirklichkeit nicht vor; die Kausalitätsbeziehung der Variablen kann in entgegengesetzter Richtung laufen, als dies in der Gleichung formuliert wurde; und es können neue, die Zukunft bestimmende Variablen auftauchen.

Zusammenfassung

Um seine Arbeit verantwortungsvoll durchzuführen, braucht der Marketing-Manager Schätzungen verschiedener Art zur laufenden und zur zukünftigen Nachfrage. Die quantitative Messung der Nachfrage ist sehr wesentlich für die Analyse von Marktchancen, für die Planung von Marketingprogrammen und für die Kontrolle der Marketingdurchführung. Je nach Anwendungszweck werden mehrere Nachfrageprognosen mit Unterschieden in der Produktgruppierung sowie im räumlichen und zeitlichen Bezug erstellt.

Ein Markt besteht aus der Gesamtheit der möglichen Käufer für ein konkretes Marktangebot. Die Größe des Marktes hängt davon ab, wie viele Kunden Interesse, Einkommen und Zugang zum Marktangebot haben. Der Marketer muß zwischen dem potentiellen Markt, dem zugänglichen Markt, dem qualifizierten zugänglichen Markt, dem bearbeiteten Markt und dem penetrierten Markt unterscheiden.

Eine weitere Abgrenzung erfolgt zwischen Gesamtnachfrage und unternehmensspezifischer Nachfrage sowie, innerhalb dieser beiden Größen, zwischen Potentialen und Prognosen. Die Nachfrage ist keine einzelne numerische Größe, sondern eine Funktion und als solche in hohem Maße abhängig von der Ausprägung anderer variabler Größen.

Sehr wichtig ist die Schätzung der laufenden Nachfrage. Das ausschöpfbare Gesamtpotential kann durch die Proportions-Verknüpfungs-Methode geschätzt werden, die auf einer Grundgröße und verknüpften Verhältniszahlen beruht. Teilpotentiale können mit der branchenbezogenen Aufbaumethode (für Industriegüter) und mit Index-Methoden (für Konsumgüter) geschätzt werden. Hier erweisen sich mikrodemographische Datenbanksysteme als besonders vorteilhaft. Um getätigte Branchenumsätze und Marktanteile zu erfassen, muß man die relevanten Wettbewerber identifizieren und methodisch den Umsatz jedes Wettbewerbers abschätzen.

Zur Schätzung der zukünftigen Nachfrage kann ein Unternehmen sieben Vorhersagemethoden einsetzen: Umfeldprognosen, Ermittlung der Käuferabsichten, Zukunftsschätzungen des Vertriebspersonals, Expertenmeinungen, Markttests, Zeitreihen-Analysen und statistische Nachfrageanalysen. Je nach Zweck der Vorhersage, nach Produkttyp, nach Verfügbarkeit und Zuverlässigkeit der Daten sind unterschiedliche Methoden einzusetzen.

Anmerkungen

1 Die theoretischen Grundlagen zur Ermittlung der geeigneten Höhe an Marketingaufwendungen werden in Kapitel 3 beschrieben.
2 Vgl. Russell L. Ackoff: New York: *A Concept of Corporate Planning*, Wiley-Interscience, 1970, S. 36–37.
3 *Dun's Market Identifiers (DMI)*, New York: Dun & Bradstreet, 1982.
4 Eine hilfreiche Darstellung zum Einsatz dieser Untersuchungsmethode und dreier weiterer von *Sales and Marketing Management* veröffentlichter Untersuchungen findet sich in: »Putting the Four to Work«, in: *Sales Management*, 28. Oktober 1974, S. 13 ff.
5 Vgl. Bob Stone: *Successful Direct Marketing Methods*, 2. Aufl., Chicago: Crain Books, 1979.
6 Zu den Forschungsinstituten zählen in Deutschland Infratest Forschung GmbH in München, Emnid GmbH in Bielefeld, G&I in Nürnberg, und in den USA das *Survey Research Center* an der Universität von Michigan, *Sindlinger & Company* in Norwood, Pa., *The Conference Board, Inc.* und die *Commercial Credit Corporation.*
7 Vgl. Jacob Gonik: »Tie Salesmen's Bonuses to Their Forecasts«, in: *Harvard Business Review*, Mai-Juni 1978, S. 116–123.
8 Vgl. Norman Dalkey und Olaf Helmer: »An Experimental Application of the Delphi Method to the Use of Experts«, in: *Management Science*, April 1963, S. 458–467. Vgl. auch Roger J. Best: »An Experiment in Delphi Estimation in Marketing Decision Making«, in: *Journal of Marketing Research*, November 1974, S. 447–452.
9 Vgl. Ya-Lun Chou: *Statistical Analysis with Business and Economic Applications*, 2. Aufl., New York: Holt, Rinehart & Winston, 1975, Kap. 2. Was die Computer-Programme anbelangt, vgl. Julius Shiskin: *Electronic Computers and Business Indicators* , New York: National Bureau of Economics Research, 1957. Eine Anwendung findet sich bei Robert L. McLaughlin in: »The Breakthrough in Sales Forecasting«, in: *Journal of Marketing*, April 1963, S. 46–54.
10 Vgl. Nick T. Thomopoulos: *Applied Forecasting Methods for Management*, Englewood Cliffs, N.J.: Prentice-Hall, 1980, S. 186–193. Ein weiteres interessantes Verfahren, die sog. »Box-Jenkins-Methode«, wird auf den Seiten 214–244 beschrieben.
11 Kristian S. Palda: *The Measurement of Cumulative Advertising Effects*, Englewood Cliffs, N.J.: Prentice-Hall, 1964, S. 67–68.

Anhang zu Kapitel 9 Bestimmungsgrößen des Marktanteils

Was bestimmt den Marktanteil eines Unternehmens? Das am weitesten verbreitete Konzept darüber besagt, daß die Marktanteile der verschiedenen Wettbewerber proportional zum *Anteil ihrer Marketingaufwendungen* sind. Diese allgemeine Ansicht kann man als *fundamentales Theorem der Marktanteilsbestimmung* ansehen und wie folgt ausdrücken:

$$s_i = \frac{M_i}{\Sigma M_i} \qquad (9\text{–}7)$$

Dabei sind:
S_i = Marktanteil von Unternehmen i
M_i = Marketingaufwendungen von Unternehmen i
ΣM_i = Summe der Marketingaufwendungen aller Mitbewerber

Wenn hier z. B. zwei gleichartige Unternehmen das gleiche Produkt vermarkten und dabei unterschiedliche Marketingaufwendungen tätigen, nämlich 60.000 DM bzw. 40.000 DM, dann ergibt sich aus Gleichung 9–7 für das erste Unternehmen ein vorhergesagter Marktanteil von 60 %:

$$s_i = \frac{60.000 \text{ DM}}{60.000 \text{ DM} + 40.000 \text{ DM}} = 0{,}60$$

Wenn das Unternehmen diesen Marktanteil von 60 % nicht erreicht, dann müssen zusätzliche Einflußfaktoren mitwirken. Es kann z. B. Unterschiede im *Wirkungsgrad*, mit dem die Unternehmen ihre Marketingaufwendungen einsetzen, geben. Dann muß Gleichung 9–7 erweitert werden auf:

$$s_i = \frac{\alpha_i M_i}{\Sigma\, \alpha_i M_i} \qquad (9\text{–}8)$$

Dabei sind:
α_1 = Wirkungsgrad der aufgewandten Marketingmittel vom Unternehmen i (mit $\alpha = 1{,}00$ für den branchendurchschnittlichen Wirkungsgrad)
$\alpha_i M_i$ = wirksame Marketingaufwendungen von Unternehmen i

Wenn in unserem Beispiel Unternehmen 1 seine Marketingmittel weniger wirksam einsetzt als Unternehmen 2, mit $\alpha_1 = 0{,}90$ und $\alpha_2 = 1{,}20$, dann ergibt sich ein Marktanteil für Unternehmen 1 von 53 % wie folgt:

$$s_i = \frac{0{,}90(60.000 \text{ DM})}{0{,}90(60.000 \text{ DM} + 1{,}20(40.000 \text{ DM})} = 0{,}53$$

Gleichung 9–8 setzt aber eine direkte Proportionalität zwischen dem Marktanteil und dem Anteil an durchschnittlich wirksamen Marketingaufwendungen voraus. Jedoch sollte man im Normalfall erwarten, daß die Grenzrate der Wirkung von Marketingaufwendungen abnimmt, wenn die Marketingaufwendungen immer höher werden. Die Gleichung 9–8 müßte daraufhin erweitert werden. Die abnehmende Grenzrate der Wirkung kann durch eine Exponentialfunktion ausgedrückt werden. Dabei sollte der Exponent für die Marketingaufwendungselastizität kleiner als 1 sein:

$$s_i = \frac{(\alpha_i M_i)^{e_{m_i}}}{\Sigma\ (\alpha_i M_i)^{e_{m_i}}} \quad \text{wobei } 0 < e_{m_i} < 1 \qquad (9\text{–}9)$$

Dabei ist:

e_{m_i} Elastizität des Marktanteils in Reaktion auf die wirksamen Marketingaufwendungen von Unternehmen i

Wäre z. B. der Elastizitätsexponent für alle Wettbewerber 0,8, dann hätte Unternehmen 1 einen Marktanteil von 50 %:

$$s_i = \frac{[(0{,}90)(60.000\ \text{DM})]^{0,8}}{[(0{,}90)(60.000\ \text{DM})]^{0,8} + [(1{,}20)(40.000\ \text{DM})]^{0,8}} = 0{,}50$$

Damit wird also bei der Schätzung des Marktanteils für Unternehmen 1 die abnehmende Grenzrate der Wirkung berücksichtigt. Obwohl Unternehmen 1 in der Branche 60 % der Marketingaufwendungen tätigt, erreicht es wegen seines geringeren Wirkungsgrades und der abnehmenden Grenzrate der Wirkung nur einen Marktanteil von 50 %.

Eine weitere Verfeinerung kann vorgenommen werden, indem man die Marketingaufwendungen der einzelnen Unternehmen in ihre Hauptbestandteile zerlegt und für alle Bestandteile getrennt die Wirksamkeit und die Elastizität zum Ausdruck bringt. Dann ergibt sich folgende Gleichung:

$$S_{it} = \frac{R_{it}^{e_{Ri}}\ \overline{P}_{it}^{\,e_{Pi}}\ (\alpha_{it} A_{it})^{e_{Ai}} (d_{it} D_{it})^{e_{Di}}}{\Sigma\ (R_{it}^{e_{Ri}}\ \overline{P}_{it}^{\,e_{Pi}} (\alpha_{it} A_{it})^{e_{Ai}} (d_{it} D_{it})^{e_{Di}}} \qquad (9\text{–}10)$$

Dabei bedeuten:

s_{it} = Marktanteil für Unternehmen i geschätzt für die Periode t
R_{it} = Qualitätsindex für das Produkt von Unternehmen i im Jahre t
P_{it} = Preis des Unternehmens i für sein Produkt im Jahre t
A_{it} = Werbe- und andere Absatzförderungsaufwendungen des Unternehmens i im Jahre t
D_{it} = Distributions- und Vertriebsaufwendungen des Unternehmens i im Jahre t
α_{it} = Index für den Werbewirkungsgrad des Unternehmens i in der Periode t
d_{it} = Index für den Distributionswirkungsgrad des Unternehmens in der Periode t
e_{Ri}, e_{Pi} = Elastizitätsexponenten für Qualität, Preis,
e_{Ai}, e_{Di} = Absatzförderung und Distribution des Unternehmens i

Die Gleichung 9–10 beinhaltet damit vier Einflußblöcke auf den Marktanteil des Unternehmens, nämlich die Marketingaufwendungen, den Marketing-Mix, die Wirkungsgrade der Marketingaufwendungen und die Marketingelastizitäten. Obwohl diese Gleichung schon sehr detailliert ist, kann sie noch weiter ausgedehnt werden (was wir hier nicht tun werden), um folgendes zu berücksichtigen:

1. die geographische Aufteilung von Marketingaufwendungen
2. verzögerte Wirkungseffekte von Marketingaufwendungen vorhergehender Perioden und
3. synergetische Wirkungen von den Variablen im Marketing-Mix.

Quellen: Weitere Ausführungen dazu finden sich bei Gary Lilien und Philip Kotler: *Marketing Decision Making: A Model Building Approach*, New York: Harper & Row, 1983; vgl. auch David E. Bell, Ralph L. Keeney und John C. Little: »A Market Share Theorem«, in: *Journal of Marketing Research*, Mai 1975, S. 136–141.

Ermittlung von Marktsegmenten und Auswahl von Zielmärkten

Kapitel 10

Man kann es nicht jedem recht machen.
Volksmund

Nur wer das Ziel kennt, kann treffen.
Griechisches Sprichwort

Ein Unternehmen, das auf einem weitläufigen Markt wirken will – sei es der Konsumgüter-, der Industriegüter-, der Wiederverkäufer- oder der Beschaffungsmarkt der öffentlichen Hand –, stellt fest, daß es in diesem Markt nicht allen Kunden gleichermaßen dienen kann. Diese sind zu zahlreich, weit verstreut und haben zu unterschiedliche Kaufanforderungen. Zudem gibt es oft Wettbewerber, die bestimmte Segmente des Gesamtmarktes besser bedienen können als alle anderen. Statt in allen Bereichen den Wettbewerb aufzunehmen – und das oft gegen Konkurrenten mit besseren Chancen – sollte das Unternehmen die attraktivsten Marktsegmente ermitteln, die es erfolgreich bedienen kann.

Im wesentlichen beinhaltet modernes *strategisches Marketing* das sogenannte *STP-Marketing* (*segmenting, targeting, and positioning*, d.h. Marktsegmentierung, Zielmarktfestlegung und Positionierung).

Nicht immer haben die Anbieter diese Ansicht zur Marketingstrategie vertreten. Ihr Denken durchlief drei Phasen:

- **Massen-Marketing**
  In diesem Fall betreibt der Anbieter Massenproduktion, Massendistribution und Massenabsatzförderung für ein Produkt, das alle Käufer ansprechen soll. Diese Marketingstrategie wurde von Henry Ford verkörpert, der sein »Model T« sämtlichen Käufern anbot. Sie könnten, so hieß es seinerzeit, »den Wagen in jeder Farbe haben, solange er schwarz ist«. Auch der VW-Käfer wurde im wesentlichen unter diesem Denkansatz konzipiert und zunächst auch so vermarktet. Das traditionelle Argument für Massen-Marketing lautet, daß es zu den niedrigsten Herstellungskosten und Verkaufspreisen führt und den größten potentiellen Markt schafft.
- **Produktvarianten-Marketing**
  Hier produziert der Anbieter Produktvarianten mit oft trivialen Unterschieden in den Ausstattungselementen, im Styling, in der Qualität, Größe etc. Die Varianten sollen den Käufern Abwechslung bieten. An unterschiedliche Marktsegmente wird hier noch nicht gedacht. Mars z.B. praktiziert diese Marketingstrategie. Das Unternehmen bietet Schokoladen- und Knusperriegel in vielen Varianten an – mit leicht abgeänderten Ausstattungselementen und unterschiedlichen Namen (Mars, Milky Way, Bounty, Snickers, Raider, Balisto). Auch die Hersteller von Tafelschokolade verfolgen mit ihren Produktvarianten fast alle dieses Konzept. Das gebräuchlichste Argument für Produktvarianten-Marketing lautet, daß Kunden wechselhafte Geschmacksansprüche haben, die sich im Laufe der Zeit ändern. Sie suchen die Abwechslung.
- **Zielgruppenorientiertes Marketing**
  Hier unterteilt der Anbieter den Markt in die wichtigsten Segmente, wählt davon eines oder mehrere aus und entwickelt Produkte und Marketingprogramme, die speziell auf die einzelnen Segmente zugeschnitten sind. Die Autohersteller BMW, Mercedes und Porsche sind Beispiele für Unternehmen, die klar abgegrenzte Marktsegmente ausgewählt haben. Selbst

Volkswagen mit seiner breiteren Produktlinie bietet Spezialmodelle (wie etwa den Scirocco und den Corrado) an, die für bestimmte Zielgruppen gedacht sind.

In den Märkten von heute stellen immer mehr Unternehmen fest, daß die Konzepte des Massen-Marketing und des Produktvarianten-Marketing immer weniger gefragt sind. Massenmärkte verlieren ihre Massenkundschaft. Ein treffendes Beispiel dafür sind die Fertighaushersteller. Ihr ursprüngliches Konzept war es, mit einem kostengünstigen Haustyp den Massenmarkt zu befriedigen. Dann gingen sie dazu über, verschiedene Häuservarianten anzubieten. Die Erfolgreichsten unter ihnen haben sich heute in der Regel auf bestimmte Marktsegmente spezialisiert. Die Massenkundschaft löst sich in hunderte von *Mini-Märkten* mit Gruppen unterschiedlichen Lebensstils auf, die jeweils unterschiedliche Produkte in unterschiedlichen Distributionskanälen suchen und unterschiedliche Kommunikationswege bevorzugen. Dazu Stephen P. Arbeit:

> Künftig werden alle Werbetreibenden ihre Produkte so gestalten müssen, daß sie der Vielfalt der Kommunikationswege, Verkaufsstellen im Einzelhandel und Zielgruppen gerecht werden. McDonald's hat diese wichtige Lektion der 80er Jahre verstanden – nämlich die, daß das Marketing in den 80er Jahren einem Guerilla-Krieg gleicht. Man kann nicht alle Leute bis zum Überdruß nach dem Gießkannenprinzip über Massenmedien in allen Regionen mit denselben Werbebotschaften »zuschütten« und auf eine positive Reaktion hoffen. Im Marketingwettbewerb der 80er Jahre wird der Kampf um Zuneigung, Verständnis und die Brieftasche der Verbraucher Gruppe um Gruppe, in jedem Geschäft und bei jeder einzelnen Kaufentscheidung geführt. [1]

Die Anbieter verlegen sich mehr und mehr auf zielgruppenorientiertes Marketing, das ihnen hilft, ihre Marktchancen besser zu ermitteln. Sie können das richtige Angebot für den jeweiligen Zielmarkt entwickeln und die Preise, Distributionskanäle und Werbemaßnahmen gut darauf abstimmen. Statt ihre Marketinganstrengungen breit zu streuen (»Schrotflinten«-Konzept), konzentrieren sie sich auf die Käufer, die sie am ehesten zufriedenstellen können (»Scharfschützen«-Konzept).

Das zielgruppenorientierte Marketing umfaßt drei wichtige Schritte (siehe Abbildung 10–1). Der erste ist die *Marktsegmentierung*, also die Unterteilung eines Marktes in klar abgegrenzte Käufergruppen, die jeweils spezielle Produkte bzw. einen eigenen Marketing-Mix erfordern. Es gibt mehrere Methoden, um den Markt zu segmentieren und Profile der daraus resultierenden Marktsegmente zu entwikkeln. Der zweite Schritt ist die *Zielmarktfestlegung*; das Unternehmen erarbeitet dabei seine Bewertungsmaßstäbe für die Attraktivität der Segmente und wählt dann

Abbildung 10-1
Schrittfolge bei der Marktsegmentierung, der Zielmarktfestlegung und Positionierung

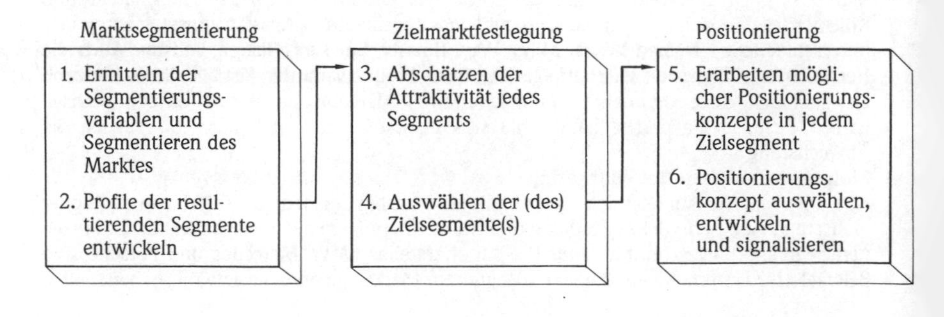

eines oder mehrere aus, um darin Fuß zu fassen. Der letzte Schritt ist die *Positionierung*, also der Aufbau einer tragfähigen Wettbewerbsposition für das Unternehmen und sein Leistungsprogramm in jedem Zielmarkt. Das Thema Positionierung wird im nächsten Kapitel behandelt. Hier, in diesem Kapitel, beschreiben wir die Grundsätze und Methoden der Marktsegmentierung und Zielmarktfestlegung.

Marktsegmentierung

Märkte bestehen aus Käufern, und Käufer unterscheiden sich in einem oder mehreren Aspekten voneinander – z. B. in ihren Wünschen, Ressourcen, Wohnorten, ihren Kaufeinstellungen und ihren Kaufgepflogenheiten. Anhand jeder dieser Variablen läßt sich ein Markt segmentieren.

Grundansatz für die Marktsegmentierung

Abbildung 10–2(a) zeigt einen Markt, der aus sechs Käufern besteht. Potentiell stellt jeder einzelne Käufer aufgrund seiner individuellen Bedürfnisse und Wünsche einen gesonderten Markt dar. Im Idealfall würde der Anbieter für jeden Käufer ein spezielles Produktangebot bzw. Marketingprogramm entwickeln. Flugzeughersteller wie Airbus, Boeing und McDonnell-Douglas haben es beispielsweise nur mit wenigen großen Fluggesellschaften als Kunden zu tun und gestalten ihre Produkte jeweils nach deren Anforderungen. Diese weitestgehendste Form der Marktsegmentierung, das *kundenindividuelle Marketing*, wird in Abbildung 10–2(b) dargestellt und in Exkurs 10-1 näher beschrieben.

Die meisten Anbieter werden es nicht für lohnenswert halten, ihr Produkt speziell auf jeden einzelnen Kunden abzustimmen. Statt dessen ermitteln sie breitere Käuferschichten, die sich untereinander in ihren Produkterfordernissen und Reaktionen auf Marketingmaßnahmen unterscheiden. Der Anbieter könnte z. B. herausfinden, daß sich einzelne Einkommensgruppen hinsichtlich ihrer Wünsche unterscheiden. In Abbildung 10–2(c) werden die sechs Käufer mit Hilfe einer Zahl (1, 2 oder 3) verschiedenen Einkommensgruppen zugeordnet, die durch Linien um die Käufer derselben Einkommensgruppe herum voneinander abgegrenzt werden. Durch die Segmentierung nach Einkommen entstehen drei Marktsegmente, von denen Nummer 1 das zahlenmäßig größte ist.

Ebenso kann es sein, daß der Anbieter erhebliche Unterschiede zwischen jüngeren und älteren Käufern ausmacht. In Abbildung 10–2(d) wird ein Buchstabe (A und B) als Hinweis auf zwei Altersgruppen verwendet. Aus der Segmentierung nach Altersgruppen ergeben sich zwei Marktsegemente mit jeweils drei Käufern.

Nun ist es möglich, daß das Einkommen *und* das Lebensalter von Einfluß auf das Käuferverhalten gegenüber dem Produkt sind. In diesem Fall läßt sich der Markt in fünf Segmente unterteilen: 1A, 1B, 2B, 3A und 3B. Segment 1A umfaßt laut Abbildung 10–2(e) zwei Käufer, die anderen jeweils einen.

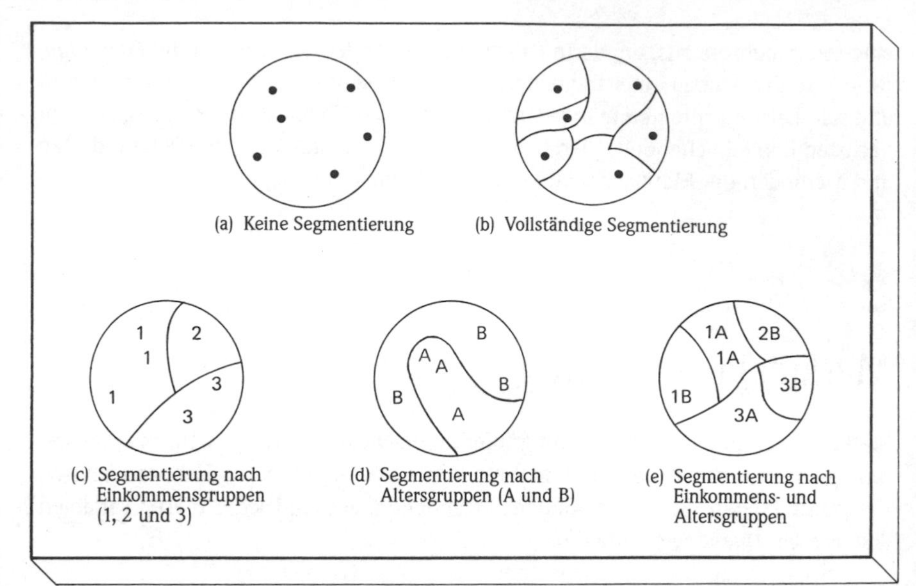

(a) Keine Segmentierung (b) Vollständige Segmentierung

(c) Segmentierung nach Einkommensgruppen (1, 2 und 3) (d) Segmentierung nach Altersgruppen (A und B) (e) Segmentierung nach Einkommens- und Altersgruppen

Abbildung 10-2
Verschiedene Segmentierungen des Marktes

Exkurs 10-1: Das kundenindividuelle Marketing wird wiederentdeckt

Früher fertigten viele Anbieter ihre Waren nach den individuellen Kundenwünschen. Der Schneider fertigte für jede seiner Kundinnen ein Kleid nach Maß, und der Schuster stellte für jeden Fuß den passenden Schuh her. Diese Handwerker hatten keine Warenlager, sondern arbeiteten nur auf Bestellung, weil sie im voraus nicht wissen konnten, in welcher Größe und in welchem Material der Kunde das Produkt wünschte. Auch heute noch tragen manche Leute nur Anzüge, Hemden und Schuhe, die nach Maß angefertigt worden sind und damit ihre ganz persönlichen Ansprüche erfüllen. Im allgemeinen hat jedoch die Massenproduktion dazu geführt, daß die Hersteller ihre Erzeugnisse in Standardgrößen produzieren und zum Verkauf lagern. Damit verlor die Auftragsfertigung für viele Anbieter ihre Bedeutung.

Heute ist das kundenindividuelle Marketing wieder im Kommen, und zwar in einer Form, die Stanley Davis als *Massenindividualisierung* bezeichnet. Das ist eigentlich eine Verbindung widerstreitender Begriffe, ähnlich wie der »alte Knabe« oder der »beständige Wandel«, doch sie liefert eine zutreffende Beschreibung der neuen Marketingmöglichkeiten, die sich dank der Fortschritte in der Fertigungstechnik eröffnen. *Massenindividualisierung ist die Fähigkeit, in großem Umfang individuell gestaltete Produkte herzustellen, die den Erfordernissen des einzelnen Kunden entsprechen.* Hier einige Beispiele:

Im Rahmen des Projekts »Saturn« bietet General Motors den Autokäufern in den USA die Möglichkeit, sich bei einem GM-Vertragshändler an den Bildschirm zu setzen und ihre Wünsche hinsichtlich Farbe, Motorleistung, Polstermaterial, Radio etc. in den Computer einzugeben. Die Bestellung wird dann dem Werk übermittelt, das den gewünschten Wagen herstellt.

In Japan kann sich jeder, der ein Haus kaufen möchte, mit einem Verkaufs-

berater zusammen an den Computer setzen und sein künftiges Heim selbst entwerfen. Er hat die Wahl zwischen 20.000 verschiedenen standardisierten Bauteilen, kann die Größe der Zimmer bestimmen und den Grundriß gestalten. Sämtliche Angaben werden anschließend auf elektronischem Wege an den Herstellungsbetrieb weitergeleitet, wo die Teile an einem mehr als 500 Meter langen Fließband zu Baugruppen zusammengefügt werden. Die Baugruppen werden innerhalb von 30 Tagen geliefert, die Innen- und Außenwände an einem Tag hochgezogen. Die abschließenden Arbeiten nehmen noch ein paar Tage in Anspruch, und dann kann man in sein »maßgeschneidertes« Heim einziehen.
In Japan und den USA gibt es Bekleidungsgeschäfte, die Maßkleidung auf völlig neue Art herstellen. Nachdem am Kunden »elektronisch Maß genommen wurde«, gehen die entsprechenden Informationen an eine Werkstatt, wo das Zuschneiden und Nähen mit Hilfe von Laserstrahlen automatisch vonstatten geht. Am nächsten Tag kann sich der Kunde seine Maßbekleidung abholen. Eine weitere Besonderheit ist der elektronische Spiegel, in dem man durch Bildüberlagerung auf den eigenen Körper Kleidung in verschiedenen Farben, Ausführungen und Materialien »anprobieren« kann. Hat der Kunde die passende Kombination gefunden, geht die Information elektronisch an den Herstellungsbetrieb.
Beim kundenspezifischen Marketing kann der Kunde an der Gestaltung des von ihm gewünschten Produkts selbst mitwirken. Das kommt bei den Verbrauchern gut an, wie zahlreiche Beispiele zeigen: Im Restaurant erfreuen sich die Salattheken zunehmender Beliebtheit, weil sich der Gast dort seinen Salat individuell zusammenstellen kann. Es gibt auch bereits Eisdielen, die dem Kunden die Zusammenstellung des Eisbechers überlassen.
Ebenso wie Produkte lassen sich auch Dienstleistungen kundenspezifisch gestalten. Jack Whittle entwirft folgendes Szenario für die Finanzdienstleistungen der Zukunft:
Der Kunde betritt das Gebäude, setzt sich an die Verkaufstheke und wird von einem hochqualifizierten Fachmann beraten. Gemeinsam erarbeiten sie am Computer die Grundlage ihrer finanziellen Zusammenarbeit, legen die Bedingungen und Kosten fest. Wenn der Kunde beispielsweise ein Einlagenkonto eröffnen möchte, stellt ihm der Berater eine Reihe grundsätzlicher Fragen: Welches Gewicht legt der Kunde auf Zinsen, Scheckfähigkeit, Überweisungsmöglichkeiten und Überziehungskredite? Auf der Basis der vom Kunden geäußerten Prioritäten werden dann das Dienstleistungsangebot und die anfallenden Gebühren individuell festgelegt.
Im allgemeinen ist zu erwarten, daß immer mehr Unternehmen zum kundenindividuellen Marketing übergehen werden, wenn die Kosten der Individualisierung sich den Kosten der Segmentierung annähern.

Quellen: Vgl. Stanley M. Davis: *Future Perfect*, Reading, Mass.: Addison-Wesley, 1987; Jack W. Whittle: »Beyond Segmentation: Customized Products for Individuals«, in: *American Banker*, 22. Januar 1986, S. 4; und Philip Kotler: »Prosumers: A New Type of Customer«, in: *Futurist*, September–Oktober 1986, S. 24–28; Page Hill Starzinger: »Fashion Chips«, in: *Vogue*, Dezember 1989, S. 6.

Marktsegmente und Marktnischen

Wenn Anbieter den Segmentierungsprozeß sehr weit treiben, indem sie immer mehr Segmentierungskriterien einsetzen, dann gehen sie über die normale Unterteilung in Segmente hinaus und suchen sich Marktnischen. Unter Marktsegment verstehen wir ein relativ großes Teilstück eines Marktes, wie z.B. das Segment der Familien mit hohem Einkommen im Automobilmarkt. Unter Marktnische verstehen wir ein kleineres, speziell ausgeprägtes Teilstück des Marktes, wie z.B. Personen mit hohem Einkommen, die leistungsstarke Sportautos kaufen wollen. Während ein Segment in der Regel viele Wettbewerber auf sich zieht, streben im Normalfall nur wenige Wettbewerber danach, eine bestimmte Nische zu besetzen.

Im Idealfall würde ein Unternehmen seinen Zielmarkt so festlegen, daß es als einziger Anbieter eine Nische besetzt. So glaubt Porsche, daß es eine Nische besetzt hat, daß nämlich Porsche-Käufer von einem anderen teuren Sportauto nicht in gleicher Weise zufriedengestellt würden. Die Enge der Nische bringt jedoch ein wesentliches Problem mit sich. Je enger die Nische abgesteckt wird, desto weniger Käufer finden sich darin und desto geringer ist das Ertragspotential.

Präferenzstruktur als Segmentierungsgrundlage

Im vorstehenden Beispiel wurde der Markt anhand der Faktoren Alter und Einkommen segmentiert, so daß sich verschiedene *demographische Segmente* ergaben. Man könnte auch erfragen, welches Ausmaß an zwei bestimmten Produkteigenschaften die Käufer wollen (z.B. Herbheit und Stärke eines Bieres). Als Ergebnis daraus ermittelt man die *Präferenzstruktur* im Markt. Dabei können sich folgende Strukturtypen herausstellen:

- **Homogene Präferenzen**
  Abbildung 10–3(a) zeigt anhand einer Punktewolke einen Markt, in dem alle Konsumenten etwa die gleichen Präferenzen haben. Es lassen sich keine *natürlichen Segmente* feststellen, zumindest nicht im Hinblick auf diese beiden Produkteigenschaften. Man muß erwarten, daß die Marken in einem solchen Markt ähnlich sind und mitten in der Punktewolke der gemessenen Kundenpräferenzen stehen.
- **Gestreute Präferenzen**
  Abbildung 10–3(b) stellt das andere Extrem dar: Die Präferenzen sind über den gesamten Eigenschaftsraum gestreut. Das bedeutet, daß die Kunden äußerst unterschiedliche Anforderungen an das Produkt stellen. Wird auf diesem Markt nur eine Marke angeboten, ist sie sehr wahrscheinlich im Zentrum des Eigenschaftsraums positioniert, um möglichst viele Leute anzusprechen. Mit einer solchen zentral positionierten Marke sind die Verbraucher insgesamt am wenigsten unzufrieden. Ein neu hinzukommender Konkurrent könnte sein Produkt in der Nähe des ersten positionieren und den Kampf um Marktanteile aufnehmen. Eine zweite Möglichkeit wäre, daß der neue Konkurrent mit seinem Produkt eine Ecke besetzt und all diejenigen Kunden für sich zu gewinnen sucht, die mit dem zentral positionierten Produkt sehr unzufrieden sind. Werden mehrere Marken angeboten, verteilen sie sich wahrscheinlich über den gesamten Eigenschaftsraum, sind merklich verschieden und den unterschiedlichen Verbraucherpräferenzen angemessen.
- **Gebündelte Präferenzen**
  In diesem Fall würde der Markt mehrere, klar abgegrenzte Präferenzbündel oder Präferenz-Cluster, die man auch als *natürliche Marktsegmente* bezeichnet (Abbildung 10–3(c)). Das Unternehmen, das als erstes in einen solchen Markt eintritt, hat drei Möglichkeiten. Es kann sein Produkt im Zentrum positionieren, in der Absicht, alle Gruppen anzusprechen (undifferenziertes Marketing). Oder es positioniert sein Produkt im größten Marktsegment (konzentriertes Marketing). Die dritte Möglichkeit besteht darin, mehrere Marken zu entwickeln und

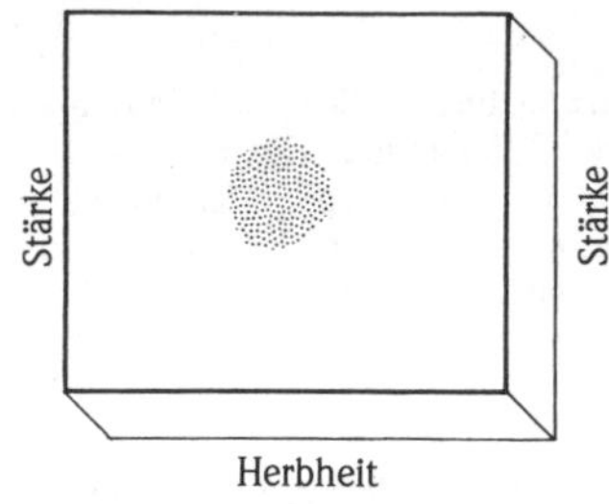

(a) Homogene Präferenzen

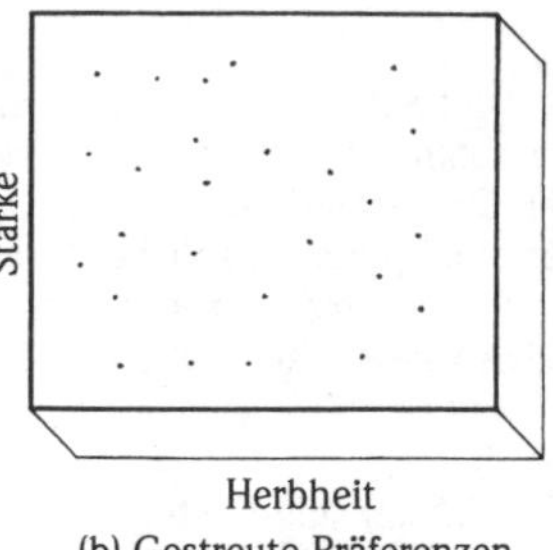

(b) Gestreute Präferenzen

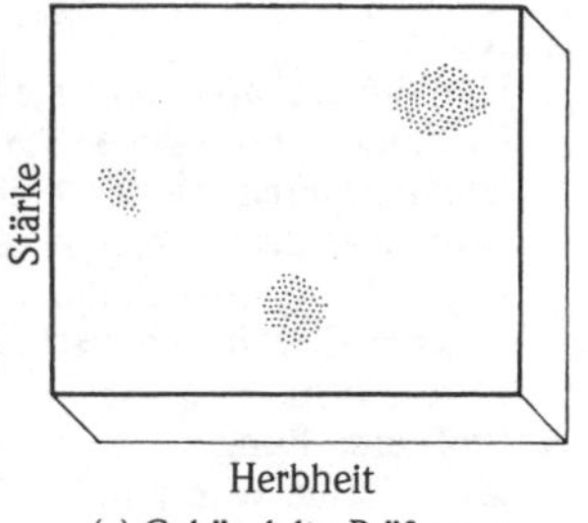

(c) Gebündelte Präferenzen

Abbildung 10-3
Grundformen der Präferenzstruktur im Markt

jede in einem anderen Segment zu positionieren (differenziertes Marketing). Würde das Unternehmen nur eine Marke entwickeln, würden bald Konkurrenten in den Markt eintreten und mit ihren Marken die freien Segmente besetzen.

Segmentierungsverfahren

Ein Markt kann mit Hilfe verschiedener Variablen schrittweise unterteilt werden, um Segmente zu gewinnen. Dazu ein Beispiel:

Eine Fluggesellschaft möchte Kunden aus dem Kreis derjenigen gewinnen, die bisher noch nie geflogen sind (Segmentierungsdimension: *Anwenderstatus*). In dieser Personengruppe befinden sich Leute, die vor dem Fliegen Angst haben, solche, die der Fliegerei gleichgültig gegenüberstehen, und solche, die grundsätzlich eine positive Einstellung zum Fliegen haben (Segmentierungsdimension: *Einstellung*). Diese letzte Gruppe wiederum besteht zum Teil aus Leuten mit relativ hohem Einkommen, die sich Flugreisen leisten können (Segmentierungsdimension: *Einkommen*). Die Fluggesellschaft könnte also auf das Segment der Besserverdienenden abzielen, die grundsätzlich eine positive Einstellung zum Fliegen haben, aber einfach noch nie geflogen sind.

Nun stellt sich die Frage, ob es ein formelles Verfahren gibt, mit dem sich die wichtigsten Segmente eines Marktes ermitteln lassen. Die Antwort lautet »ja«, und verschiedene Marketingforschungsunternehmen führen regelmäßig formelle Segmentierungsstudien durch, in denen die bedeutendsten Marktsegmente systematisch offengelegt werden. Das Verfahren umfaßt drei Phasen:

1. **Datenerhebung**
   Der Forscher führt zunächst mit Verbrauchern informelle, explorative Interviews durch und arbeitet mit Focus-Gruppen, um sich Einblick in ihre Motivationen, Einstellungen und Verhaltensweisen zu verschaffen. Auf der Basis seiner Befunde erstellt er einen formellen Fragebogen, der bei einer Stichprobe von Verbrauchern angewandt wird und Daten über folgende Punkte bringen soll:
   - Produktmerkmale und ihre Beurteilung
   - Bekanntheit und Beurteilung von Marken
   - Produktverwendungsprofile
   - Einstellungen zur Produktkategorie
   - Demographische, psychographische und Mediennutzungsdaten der Befragten

   Die Stichprobe sollte so groß sein, daß die gesammelten Daten für die Erstellung präziser Profile der einzelnen Marktsegmente ausreichen. Wenn der Forscher z. B. schätzt, daß es, sagen wir, vier Marktsegmente geben wird, und jeweils 200 Befragungen pro Segment gewünscht werden, könnte er mit 800 Befragungen auskommen, wenn die Befragten sich gleichmäßig auf die vier Segmente verteilen.

2. **Analyse**
Eine *Faktoranalyse* der Daten dient dazu, die Variablen auszuschließen, die in hohem Maße mit anderen korrelieren und somit denselben Einflußfaktor darstellen. Die ermittelten Einflußfaktoren werden einer *Clusteranalyse* unterzogen, die unter den Befragten eine zuvor spezifizierte Anzahl maximal unterschiedlicher Segmente ermittelt. Jedes dieser so ermittelten Cluster sollte in sich homogen sein und sich nach außen sehr stark von allen anderen Clustern unterscheiden (Diese statistischen Verfahren werden auch in Kapitel 4 beschrieben).
3. **Profilerstellung**
Jedes Cluster wird nun im Hinblick auf seine unterschiedlichen Einstellungen, Verhaltensweisen, demographischen und psychographischen Merkmale sowie der Mediennutzungsgewohnheiten der Befragten profiliert. Jedes Segment kann anhand seines auffallendsten Wesenszugs benannt werden. So stießen z.B. Andreasen und Belk bei der Untersuchung des Freizeitmarktes auf folgende sechs Marktsegmente: [2]
   - der passive Stubenhocker
   - der sportbegeisterte Aktive
   - der introvertierte Einzelgänger
   - der Bildungsbürger
   - der häusliche Aktive
   - der gesellige Aktive

   Die beiden Forscher stellten z.B. fest, daß das Segment der Bildungsbürger die beste Zielgruppe für Theater- und Konzertabonnements darstellt. Der gesellige Aktive läßt sich unter Umständen auch ins Konzert (allerdings nicht ins Theater) locken, um seine sozialen Bedürfnisse zu befriedigen.

Ein solches Marktsegmentierungsverfahren muß ab und zu wiederholt werden, da sich die Marktsegmente mit der Zeit verändern. Die Unternehmen innerhalb einer Branche verhalten sich oft so, als ob eine bestimmte angenommene Segmentierung zutrifft. Henry Ford nahm z.B. an, daß es nur auf den Preis ankäme. General Motors konnte später Ford überrunden, weil man verschiedene Einkommens- und Präferenzgruppen erkannte und begann, die Wagenmodelle nach deren Wünschen zu gestalten. Volkswagen und die japanischen Autohersteller erkannten dann als erste, daß auch auf dem amerikanischen Markt die Größe und der Benzinverbrauch eines Pkw's bei der Kaufentscheidung des Verbrauchers eine wichtige Rolle spielen und besetzten das entsprechende Käufersegment. Wenn es einem neuen Wettbewerber gelingt, in einen etablierten Markt einzudringen, dann liegt das häufig daran, daß er neue Segmentierungsmöglichkeiten wahrnimmt. Er läßt die gängigen Segmentierungsschemata der im Markt etablierten Anbieter hinter sich.

Eine Möglichkeit, neue Segmente zu entdecken, besteht darin, die hierarchische Folge der Produktmerkmale neu zu untersuchen, die bei der Kaufentscheidung der Verbraucher genutzt wird. In den 60er Jahren wählten z.B. die meisten Autokäufer in den USA zunächst einen bestimmten Hersteller und dann eine seiner Modellreihen. Diese sogenannte *markendominante* Hierarchie wird in Abbildung 10–4(a) dargestellt. In diesem Fall bevorzugt der Käufer etwa die Wagen von General Motors und innerhalb dieser Kategorie z.B. den Pontiac. Heute ist für viele amerikanische Käufer zunächst das Herkunftsland eines Autos ausschlaggebend (siehe Abbildung 10–4(b)). Immer mehr Kunden entscheiden sich zunächst für ein japanisches Auto, bevorzugen innerhalb dieser Kategorie beispielsweise die Marke Toyota und von den Modellen dieses Anbieters wiederum den Corolla. Tiefer hinter dieser *herkunftsland-dominanten Hierarchie* steht die Dominanz der Produkteigenschaft Qualität und die Überzeugung, daß die Qualität eines Autos je nach Herkunftsland unter-

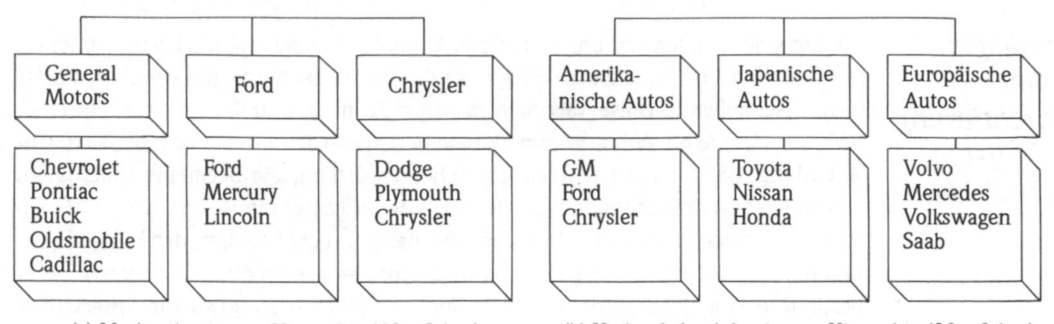

(a) Markendominante Hierarchie (60er Jahre) (b) Herkunftsland-dominante Hierarchie (80er Jahre)

Abbildung 10-4
Hierarchie der Produktmerkmale im amerikanischen Automarkt

schiedlich ist. Hätten die amerikanischen Pkw-Hersteller rechtzeitig begriffen, daß der Erfolg der japanischen Wagen auf dem US-Markt Ausdruck eines neuen Qualitäts- und Nutzenbewußtseins der Verbraucher war, hätten sie sich nicht so sehr auf Appelle zum Kauf einheimischer Produkte als vielmehr auf eine schnellere Verbesserung der Qualität ihrer Wagenmodelle verlassen. Ein Unternehmen muß also darauf achten, ob sich die Hierarchie der Entscheidungskriterien des Verbrauchers verschiebt, um sich den veränderten Prioritäten der Kunden anpassen zu können.

Die Hierarchie der Produktmerkmale zeigt Käufersegmente an. Wer als erstes auf den Preis eines Produktes schaut, handelt preisdominant; wer sich als erstes für einen bestimmten Wagentyp entscheidet (Sport-, Familien- oder Kombiwagen), handelt typendominant; und wer von vornherein einem speziellen Hersteller den Vorzug gibt, handelt markendominant. Man kann auch noch einen Schritt weitergehen und z.B. ermitteln, wer zunächst den Typ, dann den Preis und schließlich die Marke eines Autos berücksichtigt und diese Gruppe dann als ein Marktsegment ansehen. Diejenigen, die ihre Entscheidung erstens von der Qualität, zweitens vom Service des Herstellers und drittens vom Wagentyp abhängig machen, bilden ein weiteres Segment, etc. Jedes der Segmente hat spezielle demographische und psychographische Merkmale sowie eigene Mediennutzungsgewohnheiten. Auf diesen Denkansatz gründet sich die *Marktunterteilungsmethode.* Die New Yorker Hendry Corporation hat ein erfolgreiches Marken-Prognosemodell entwickelt, das auf der Ermittlung der primären Unterteilungskriterien der Käufer beruht. [3]

Grundlagen für die Segmentierung von Konsumgütermärkten

Im folgenden wollen wir uns diejenigen Variablen betrachten, die beim Segmentieren von Konsumgütermärkten üblich sind (eine Betrachtung industrieller Märkte folgt anschließend). Diese Variablen lassen sich in zwei große Gruppen einteilen, nämlich allgemeine Verbrauchermerkmale und spezielle Verhaltensmerkmale (siehe Abbildung 10–5). Einige Marketingforscher versuchen, die Segmente unabhängig von einem bestimmten Produkt auf der Basis der *allgemeinen Verbrauchermerkmale* zu bilden. Dabei stützen sie sich auf eine Reihe geographischer, demographischer und psychographischer Merkmale. Dann überprüfen sie, ob diese Segmente für eine bestimmte Produktkategorie geeignet sind. So könnten sie etwa die unterschiedlichen Einstellungen von Facharbeitern, Beamten und anderen sozio-demographisch definierten Käuferschichten gegenüber ausländischem Bier analysieren.

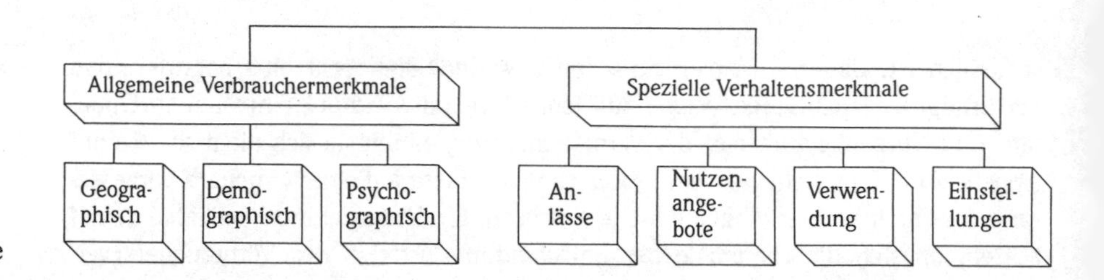

Abbildung 10-5
Zwei wichtige Segmentierungsansätze

Andere Forscher versuchen, die Marktsegmente anhand der *speziellen Verhaltensmerkmale* gegenüber einem Produkt zu bilden. Sie untersuchen z. B. die Nutzenangebote, die Verwendungsanlässe und die Markentreue. Nachdem er Segmente gebildet hat, sucht der Forscher danach, ob sich jedes dieser Segmente auch durch allgemeine Verbrauchermerkmale zutreffend beschreiben läßt. Der Forscher fragt z. B. danach, ob sich das Segment, das beim Autokauf größeren Wert auf die Qualität als auf den niedrigen Preis legt, auf geographischer, demographischer und psychographischer Basis von den anderen Verhaltenssegmenten unterscheiden läßt.

Im folgenden werden wichtige Trennvariablen zur Segmentierung, wie sie in Tabelle 10–1 aufgeführt sind, und ihre Anwendung zur Marktsegmentierung erläutert.

Trennvariablen	Gängige Untergliederungen/Beispiele
Geographisch	
Region/Gebiet	– Nielsen-Gebiete (siehe Kap. 5), insbesondere im Lebensmittelhandel – Bundesländer – Postleitzahlgebiete (insbesondere im Direktmarketing/Versandhandel)
Ortsgröße	unter 5.000 5.000 bis 20.000, 20.001 bis 50.000, 50.001 bis 100.000, 100.001 bis 200.000, 200.001 bis 500.000, über 500.000
Bevölkerungsdichte	– Großstädte – Nielsen-Ballungsräume – kreisfreie Städte und Landkreise

Trennvariablen	Gängige Untergliederungen/Beispiele
Demographisch	
Alter	viele Einteilungen, Spezifizierung je nach Zielmarkt und Marketingproblem unterschiedlich
Geschlecht	männlich, weiblich
Familiengröße	1, 2, 3, 4, 5 und mehr
Familienzyklus	jung, ledig; jung, verheiratet, keine Kinder; jung, verheiratet, jüngstes Kind unter 6 Jahren; jung, verheiratet, jüngstes Kind 6 Jahre oder älter; älter, verheiratet, mit Kindern; älter, verheiratet, keine Kinder unter 18 Jahren; älter, alleinstehend; (auch andere Phasen möglich)
Einkommen/Kaufkraft	– Haushaltsnettoeinkommen – Anzahl der Personen im Haushalt mit eigenem Einkommen – Pro-Kopf-Haushaltseinkommen – persönliches Nettoeinkommen – verfügbares Einkommen genauere Unterteilungen je nach Zielmarkt und Marketingproblemstellung spezifiziert;
Berufsgruppen	einfache Arbeiter; Facharbeiter; Landwirte; einfache Angestellte und Beamte; mittlere, gehobene Angestellte, Beamte; freie Berufe, Selbständige; leitende Angestellte; höhere Beamte; (viele verschiedene Einteilungen üblich)
Berufsausübung	– in Ausbildung (Schule, Lehre, Uni); ganztags berufstätig; teilzeitbeschäftigt; nicht berufstätig – Hausfrau; berufstätig, nicht berufstätig
Ausbildung	Schule: – ohne Abschluß Volks- und Hauptschule; Realschulabschluß oder gleichwertiges; Hochschulreife Beruflich: – Lehre; Anlernabschluß; Fachschulabschluß; Fachhochschulabschluß; Hochschulabschluß
Konfession	evangelisch; katholisch; andere christliche; mosaisch; andere; keine
Nationalität	Deutsche, Türken, Jugoslawen, Italiener, Griechen; u.a.
Rolle im Haushalt	haushaltsführende Person; Hausfrau; Haushaltsvorstand
Psychographisch	
Soziale Schicht (*social class*)	in den USA üblich: Unterste Unterschicht, gehobene Unterschicht, Arbeiterschicht, Mittelschicht, gehobene Mittelschicht, untere Oberschicht, Oberschicht
Lebensstil	niveauvoll, konventionell, aufgeschlossen
Persönlichkeit	zwanghaft, gesellig, autoritär, ehrgeizig, u.a.
Verhaltensbezogen	
Anlässe	gewöhnliche Anlässe, spezielle Anlässe
Nutzenangebot	Qualität, Service, Wirtschaftlichkeit
Verwenderstatus	Nichtverwender, ehemaliger Verwender, potentieller Verwender, Erstverwender, regelmäßiger Verwender
Verwendungsrate	stark, mittel, schwach
Markentreue	ungeteilt, geteilt, wechselhaft, gleichgültig
Stadium der Kaufbereitschaft	Produkt unbekannt, Produkt bekannt, informiert, interessiert, Produktwunsch vorhanden, Kaufabsicht vorhanden
Einstellung	stark positiv, leicht positiv, gleichgültig, leicht negativ, stark negativ

Tabelle 10-1
Wichtige Trennvariablen zur Segmentierung von Konsumgütermärkten

Geographische Segmentierung

Geographische Segmentierung erfordert eine Einteilung des Marktes in verschiedene geographische Einheiten, z.B. die Nielsen-Gebiete (siehe Kap. 5), Länder, Landkreise, Städte oder Stadtviertel. Das Unternehmen kann in einem, in mehreren oder in allen geographischen Segmenten tätig werden und muß dabei auf Unterschiede in den Bedürfnissen und Präferenzen eingehen.

Insbesondere bei den Eßgewohnheiten gibt es ausgeprägte regionale Unterschiede. In der Bundesrepublik Deutschland wird der Main beispielsweise als die »Weißwurst-Grenze« bezeichnet. Dies drückt die regionalen Präferenzen zwischen Nord- und Süddeutschland aus. Je nach Region werden unterschiedliche Varianten des gleichen Produktes bevorzugt, z.B. bei Bier, Wurst oder Senf; es werden unterschiedliche Mengen des gleichen Produkts verbraucht, z.B. bei Mineralwasser, Wein oder Knödel; bestimmte Produkte sind fast ausschließlich auf wenige Regionen beschränkt und haben außerhalb dieser Regionen höchstens Seltenheitscharakter, wie z.B. Apfelwein oder Spekulatius-Kekse.

Einige Unternehmen ziehen aus regionalen Unterschieden organisationelle Konsequenzen für ihre Marktbearbeitung. In den USA z.B. stellte die Campbell Soup Company regionale Marktmanager ein und wies ihnen die notwendigen Budgets zu, um die jeweiligen regionalen Märkte untersuchen und die Produkte und Absatzförderungsmaßnahmen des Unternehmens an die regionalen Gegebenheiten anpassen zu können. [4]

Eine sehr feinmaschige Regionaltypologie nach Wohngebieten wurde mit dem ACORN-System (*A* *C*lassification *o*f *R*esidential *N*eighbourhoods) im Jahre 1975 vom Beratungsunternehmen C.A.C.J. entwickelt und hat sich seither in den USA und in England, aber auch in der Bundesrepublik in vielen Marketinganwendungen bewährt. [5] Der ACORN-regionaltypologische Ansatz beruht auf der Erfahrungstatsache, daß sich Menschen mit ähnlichem Konsum- und Lebensstil häufig an bestimmten Wohnorten konzentrieren. Beispiele dafür sind Studenten- und Künstlerviertel, Gastarbeiterviertel, die Villenvororte der Wohlhabenden und die »Schlafstädte« des Mittelstands, die sich zwar unter verschiedenen Namen, jedoch mit sehr ähnlichen Strukturen in nahezu allen Ballungsgebieten wiederfinden. ACORN geht über diese intuitiven Einteilungen hinaus und objektiviert, differenziert und systematisiert Verbraucherverhaltensassoziationen mit Hilfe einer Regionaldatenbank, welche die Bundesrepublik in ca. 10.000 Orte und Ortsteile gliedert, die jeweils durch ca. 60 Kenndaten beschrieben sind. Mit ACORN lassen sich z.B. Marktsegmente als Marketingzielgruppen für »Do-it-yourself«-Produkte lokalisieren. Andere Anwendungsbeispiele sind die Lokalisierung von unterschiedlichen Käufersegmenten für Einfamilienhäuser und die Bildung von lokalen Sortimentsschwerpunkten im Einzelhandel.

Demographische Segmentierung

Demographische Segmentierung bedeutet die Aufteilung des Marktes auf der Basis demographischer Variablen wie Alter, Geschlecht, Familiengröße, Familienlebenszyklus, Einkommen, Beruf, Ausbildung, Konfession, und nationaler Herkunft. Demographische Variablen werden bei der Abgrenzung von Kundengruppen am häufigsten eingesetzt. Ein Grund dafür ist, daß Wünsche und Präferenzen der Kunden sowie die Verwendungsrate in hohem Maße mit den demographischen Variablen korrelieren. Ein weiterer Grund ist, daß die demographischen Variablen leichter zu messen sind als die meisten anderen Segmentierungsvariablen. Selbst wenn die Beschreibung eines Zielmarktes nicht anhand demographischer Faktoren erfolgt (sondern z.B. anhand von Persönlichkeitstypen), ist eine Rückverbindung zu den demographischen Faktoren erforderlich, um die Größe des Zielmarktes zu ermitteln und in Erfahrung zu bringen, wie man ihn am besten erreicht.

Es folgen einige Beispiele für die Marktsegmentierung mit Hilfe bestimmter demographischer Variablen:

Alter und Lebensabschnitt

Die Wünsche und Fähigkeiten des Verbrauchers ändern sich mit dem Alter. Schon ein sechs Monate altes Baby weist ein anderes Konsumpotential auf als ein Säugling, der erst halb so alt ist. Die Spielzeughersteller haben das erkannt und verschiedene Spielzeuge für Babys im Alter von drei Monaten bis zu einem Jahr entwickelt. Mit dieser Segmentierungsstrategie erleichtert das Unternehmen es den Eltern und Verwandten, das zur Entwicklungsstufe des Kindes passende Spielzeug auszusuchen. Lego, eines der bekanntesten Spielsysteme, nimmt vom »Duplo« als Babyspielzeug über verschiedene Lego-Grund- und Ausbausysteme bis hin zum »Techno-Lego« gezielt altersbedingte Segmentationen vor.

Auch für Lebensmittelhersteller gibt es offensichtliche altersbedingte Segmentierungen. Beispiele sind die Firma Hipp mit Babynahrung und Alterskost und die Firma Ferrero mit Kinderschokolade und Überraschungseiern sowie mit der alkoholgefüllten Praline Mon Chéri und anderen Produkten für Erwachsene.

Doch Alter und Lebensabschnitt können als Segmentierungsvariablen ihre Tücken haben. Das mußte z.B. Ford in den USA feststellen, als man den Zielmarkt für den Mustang anhand des Alters der Käufer definierte; das Auto war für junge Leute konzipiert, die einen preisgünstigen, sportlichen Wagen suchten. Doch dann stellte sich heraus, daß der Mustang von Kunden jeden Alters gekauft wurde. Nun realisierte Ford, daß seine Zielgruppe nicht nur die biologisch jungen Leute waren, sondern auch diejenigen, die sich jung fühlten.

Die Untersuchungen der Neugartens in den USA zeigen, daß man sich in bezug auf die verschiedenen Altersgruppen vor Klischeevorstellungen hüten muß:

> Das Alter ist kein zuverlässiges Indiz mehr, wenn es darum geht, bestimmte Ereignisse im Leben eines Menschen zeitlich vorherzusagen; ebensowenig treffgenau sind altersbezogene Prognosen über die Gesundheit, die Stellung am Arbeitsplatz, den Familienstand, die Interessen, Besorgnisse und Bedürfnisse. Zwei gleichaltrige Menschen können völlig verschieden leben: Mancher 70jährige sitzt im Rollstuhl, während ein Altersgenosse sich auf dem Tennisplatz fithält. Ebenso gibt es 35jährige, deren Kinder gerade mit dem Studium beginnen, und andere, die in diesem Alter ihr erstes Baby erwarten. So kommt es, daß es 35jährige ebenso wie 75jährige Großeltern gibt. [6]

Geschlecht

Die geschlechtsbezogene Marktsegmentierung wird in den Bereichen Kleidung, Haarpflege, Kosmetik und Zeitschriften schon lange praktiziert. Ab und zu sehen auch Marketer in anderen Bereichen eine Chance zur geschlechtsbezogenen Segmentierung. Ein gutes Beispiel dafür ist die Zigarettenindustrie. Die meisten Marken werden zwar von Männern und Frauen gleichermaßen konsumiert. Doch seit einiger Zeit kommen immer mehr typisch weibliche Zigarettensorten, wie z. B. »Eve« und »Virginia Slims«, auf den Markt, deren Geschmacksrichtung, Verpackung und Werbung verstärkt ein weibliches Image betonen. Kaum ein Mann raucht »Eve«, ebensoselten greifen Frauen zur »Marlboro«. Eine weitere Branche ist gerade dabei, die Chancen einer geschlechtsbezogenen Marktsegmentierung zu erkennen: die Automobilindustrie. Früher wurden die Wagenmodelle in erster Linie für die männliche Zielgruppe konzipiert. Da jedoch heute immer mehr Frauen ein eigenes Auto fahren, bieten inzwischen einige Unternehmen, wie Fiat und Suzuki, Modelle an, deren Eigenschaften besonders die weiblichen Fahrer ansprechen, und stellen sie in ihrer Werbung als »Lieblinge der Frauen« dar.

Einkommen

Die Segmentierung des Marktes nach dem Einkommen ist in vielen Produkt- und Dienstleistungsbranchen, wie etwa in der Automobil-, Boots-, Bekleidungs-, Kosmetik- und Touristikindustrie, seit langem gängige Praxis. Auch andere Branchen erkennen gelegentlich ihre Möglichkeiten. So sind Spirituosen wie Chivas Regal und Remy Martin, aber auch der echte Champagner, für die anspruchsvollsten und zahlungskräftigsten Kunden gedacht.

Doch das Einkommen ist nicht immer ein Hinweis auf die geeignetste Zielgruppe für ein Produkt. So sollte man annehmen, daß der Opel und der Ford vor allem von Arbeitern und Angestellten und der Mercedes in erster Linie von Managern gekauft wird. Tatsächlich besitzen aber viele Manager einen Opel oder Ford (häufig als Zweitwagen), und so mancher Arbeiter fährt einen Mercedes. Als der Farbfernseher aufkam, waren die Arbeiter unter den ersten Käufern: Es war für sie billiger, sich ein solches Gerät anzuschaffen, als häufig Kinos und Kneipen zu besuchen. Coleman unterschied zwischen den »unterprivilegierten« und den »überprivilegierten« Segmenten der einzelnen sozialen Schichten. [7] Er weist darauf hin, daß die wirtschaftlichsten Autos nicht etwa von den Leuten mit geringerem Einkommen gekauft werden, sondern vielmehr von denen, »die sich für unterbezahlt halten – gemessen an ihren Statusambitionen und ihren Bedürfnissen nach Kleidung, Mobiliar und Wohnraum auf einem bestimmten Niveau, das sie sich nicht leisten könnten, wenn sie ein teureres Auto kaufen würden«. Andererseits werden die Wagen der mittleren und gehobenen Preiskategorien eher von den überprivilegierten Segmenten einer sozialen Schicht gekauft.

Demographische Segmentierung anhand mehrerer Merkmale

Die meisten Unternehmen segmentieren einen Markt durch die Kombination zweier oder mehrerer demographischer Variablen. Eine amerikanische Großbank ermittelte beispielsweise, daß Alter und Einkommen die zwei wichtigsten demographischen Variablen bei der Segmentierung ihrer Privatkunden darstellten. Abbildung 10–6 zeigt eine Unterteilung in drei Alters- und drei Einkommensgruppen. Dazu einige Anmerkungen: Erstens könnte die Alterseinteilung präziser sein. Die Kunden, die Anfang vierzig sind, können zum Teil ganz andere finanzielle Bedürfnisse als die Gruppe der Endfünfziger haben, und dennoch werden sie in einen Topf geworfen. Im mittleren Feld wird mit einer zusätzlichen Unterteilung der Tatsache Rechnung getragen, daß zwischen den jüngeren Mitgliedern der mittleren Altersgruppe und denen, die bereits im Vorruhestand sind, Unterschiede bestehen. Zweitens muß das Merkmal »Einkommen« um die Kategorie »Vermögen des Kunden« ergänzt werden. So haben etwa viele Rentner und Pensionäre ein niedriges Einkommen, aber beträchtliches Vermögen, während mancher Gutverdienende nur über ein geringes Vermögen verfügt. Trotzdem stellt dieses demographische Segmentierungsschema einen Ausgangspunkt dar, von dem aus die Bank unterschiedliche Angebote für die einzelnen Kundengruppen erarbeiten kann.

In das untere linke Feld der Abbildung (»Jung, hohes Einkommen«) gehören auch die sogenannten Yuppies (*young, upwardly mobile, urban professionals*), also die *gutverdienenden jungen Großstädter mit Aufstiegschancen*, eine in den USA besonders herausgestellte Gruppe. Demographisch gesehen ist der Yuppie zwischen 25 und 39 Jahre alt, verfügt über ein hohes Einkommen und arbeitet in einer hochqualifizierten Position in der Großstadt. Aus psychographischer Sicht hat der Yuppie eine Vorliebe für die Sportarten Tennis, Skifahren und Segeln; außerdem ist er ein Feinschmecker und Weinliebhaber, interessiert sich für Mode, Kunst und Kultur und unternimmt gerne Auslandsreisen. Doch diese demographischen und psychographischen Merkmale gehen nicht immer Hand in Hand. So gibt es viele, die demographisch als Yuppie einzustufen wären, aber nicht in Neuengland, sondern im Mittleren Westen leben und vorzugsweise Golf spielen, jagen und fischen, gerne Fertiggerichte und Tiefkühlkost essen, Bier trinken und sich kaum für Kunst und kulturelle Ereignisse interessieren. Die amerikanische Bank müßte sich also entscheiden, ob sie die demographischen oder die psychographischen Yuppies ansprechen will; daraus ergeben sich erhebliche Unterschiede im Angebots- und Kommunikationsmix.

Psychographische Segmentierung

Hier werden die Verbraucher anhand ihrer Zugehörigkeit zu einer bestimmten sozialen Schicht, ihres Lebensstils bzw. ihrer Persönlichkeitsmerkmale in verschiedene Gruppen eingeteilt. Die Angehörigen ein und derselben demographischen Gruppe können sehr unterschiedliche psychographische Profile aufweisen.

Jahreseinkommen	Alter: Unter 39	Alter: 40-65		Alter: Über 65
Unter 16.000 $	Jung, niedriges Einkommen	Mittleres Alter, niedriges Einkommen		Im Ruhestand, niedriges Einkommen
16.000 – 44.000 $	Jung, mittleres Einkommen	Mittleres Alter, mittleres Einkommen	Vorruhestand, mittleres Einkommen	Im Ruhestand, mittleres Einkommen
Über 44.000 $	Jung, hohes Einkommen	Mittleres Alter, hohes Einkommen		Im Ruhestand, hohes Einkommen

Abbildung 10-6
Unterteilung der Privatkunden einer amerikanischen Großbank nach Alter und Einkommen

Soziale Schicht

Die sieben sozialen Schichten der USA wurden in Kapitel 6 beschrieben. Es zeigte sich, daß die soziale Schicht großen Einfluß auf die Präferenzen eines Verbrauchers in bezug auf Autos, Kleidung, Wohnungseinrichtung, Freizeitaktivitäten, Lese- und Einkaufsgewohnheiten hat. Viele Unternehmen konzipieren ihre Produkte bzw. Dienstleistungen für eine spezifische soziale Schicht und versehen sie mit denjenigen Eigenschaften, die die anvisierte soziale Schicht ansprechen. In Mittel- und Nordeuropa hat die Sozialschichtforschung im Marketing weniger Bedeutung. Die sozialen Schichten sind hier weniger stark ausgeprägt als in anderen Ländern.

Lebensstil

In Kapitel 6 wurde außerdem aufgezeigt, daß das Interesse eines Kunden an einem bestimmten Produkt von seinem Lebensstil bestimmt wird und daß die Produkte, die er konsumiert, in der Tat Ausdruck seines Lebensstils sind. Immer mehr Marketer unterschiedlicher Produkte und Marken segmentieren ihre Zielmärkte anhand des Lebensstils der Verbraucher:

VW bietet in den USA seine Modelle für verschiedene Lebensstilgruppen an: Das Auto für den »braven Bürger« ist wirtschaflich, sicher und umweltfreundlich; das Modell für den »Autofreak« ist betont sportlich, bedienerfreundlich und wendig. Ein Forschungsinstitut teilt die Autokäufer in sechs Gruppen ein: den »Autofan«, den »vernünftigen Durchschnittstypen«, den »Bequemlichkeitssucher«, den »Zyniker«, den »Fahrer aus Notwendigkeit« und den »Auto-Phoben«.
Die Hersteller von Damenbekleidung richten sich nach Du Ponts Ratschlag und entwerfen unterschiedliche Modelle für die »bescheidene«, die »modebewußte« und die »maskuline Frau«.
Die Zigarettenhersteller entwickeln verschiedene Marken für den »trotzigen Raucher«, den »Gelegenheitsraucher« und den »vorsichtigen Raucher«.
In der Porzellan-Industrie hat die Firma Hutschenreuther AG ein eigenes Segmentierungssschema mit vier Segmenten, nämlich

a. die »Niveauvollen«, die in harmonischem Design klassisch-dezenter Geschmacksrichtung ästhetische Befriedigung im Porzellan suchen,
b. die »Konventionellen«, die in romantischem Design klassisch-schwerer Geschmacksrichtung Porzellan zu Präsentationszwecken suchen,
c. die »Aufgeschlossenen«, die in harmonisch-problemlosem Design klassischer und modern-dezenter Geschmacksrichtung Schönheit und Nutzen im Porzellan suchen, und
d. die »Design-Interessierten«, die in modernem, zweckmäßigem und preisgünstigem Design moderner oder rustikaler Geschmacksrichtung gebrauchstüchtige Gegenstände suchen.

Die Hersteller von Kosmetika, alkoholischen Getränken und Möbeln sind bestrebt, die Chancen der Segmentierung nach Lebensstilen zu nutzen. Doch diese ist nicht immer erfolgreich: Nestlés koffeinfreier Kaffee für den »Nachtmenschen« erwies sich in den USA als Fehlschlag.

Persönlichkeit

Oft wird der Markt auch anhand von Persönlichkeitsvariablen segmentiert. Die Unternehmen verleihen ihrem Produkt eine *Markenpersönlichkeit*, die der *Verbraucherpersönlichkeit* entspricht. So wurden in den USA der Ford und der Chevrolet in der Werbung der späten 50er Jahren als Autos mit unterschiedlichen Persönlichkeitsmerkmalen herausgestellt. Die Ford-Fahrer wurden als »unabhängig, impulsiv, maskulin, aufgeschlossen und selbstbewußt« beschrieben, während die Chevrolet-Besitzer »konservativ, sparsam, geltungsbewußt, weniger maskulin und bemüht waren, Extreme zu vermeiden«. [8] Evans untersuchte die Schlüssigkeit dieser Beschreibung, indem er die Ford- und Chevrolet-Besitzer dem von Edwards entwickelten Persönlichen Präferenztest (*Edwards Personal Preference test*) unterzog, der das

Bedürfnis nach Leistung, Dominanz, Veränderung, Aggression usw. mißt. Es stellte sich heraus, daß die Ford-Fahrer lediglich im Bereich der Dominanz etwas höhere Werte aufwiesen, sich sonst aber nicht signifikant von den Chevrolet-Besitzern unterschieden. Evans schloß daraus, »daß sich die Ergebnisverteilung bei allen Bedürfnissen so sehr überlappt, daß eine Unterscheidung (der Persönlichkeiten) praktisch unmöglich ist«. Spätere Forschungsarbeiten, die sich mit einer breiten Palette von Produkten und Marken befaßten, haben zum Teil Persönlichkeitsunterschiede zwischen den Nutzern unterschiedlicher Marken aufgezeigt.

In der Bundesrepublik fand die sogenannte »Brigitte-Typologie« aus dem Jahre 1977 im Marketing große Aufmerksamkeit. [9] In dieser Typologie werden die Frauen der Bundesrepublik zwischen 14 und 64 Jahren, beruhend auf etwa 4.000 persönlichen Interviews, nach ihren Persönlichkeitsmerkmalen prozentual in 7 Persönlichkeitstypen unterteilt, und zwar wie folgt:

- die solide Ehefrau (14%)
- die beflissene Mutter (13%)
- die Häusliche (14%)
- die Selbstzufriedene (15%)
- die Skeptikerin (14%)
- die selbstbewußte Partnerin (15%)
- die Jugendlich-Aktive (15%).

Neben zusätzlichen Erkenntnissen über Produktpräferenzen und Medienverhalten der einzelnen Typen ergeben sich aus solchen Typologien durchaus Ansätze zu Segmentierungsstrategien in Produktkategorien wie Kosmetika, Nahrungsmittel und Modeartikel.

Die Segmentierung auf der Basis von Persönlichkeitsmerkmalen hat jedoch in den letzten Jahrzehnten an praktischer Bedeutung verloren, da eine Zuordnung von Persönlichkeitsmerkmalen und anderen marketingrelevanten Variablen nicht leicht hergestellt werden kann.

Verhaltensbezogene Segmentierung

Bei der verhaltensbezogenen Segmentierung werden die Käufer auf der Grundlage ihrer Produktkenntnisse, Einstellungen, Verwendungsgewohnheiten oder ihrer Reaktionen auf ein Produkt in Gruppen eingeteilt. Viele Marketer sind der Ansicht, daß die verhaltensorientierten Variablen den besten Ausgangspunkt für die Bildung von Marktsegmenten darstellen.

Anlässe

Die Käufer unterscheiden sich hinsichtlich der Anlässe, zu denen sie ein Bedürfnis entwickeln, ein Produkt kaufen und es verwenden. So kann z.B. ein Fluggast geschäftlich unterwegs sein, in Urlaub fliegen oder aus einem familiären Anlaß reisen. Eine Fluggesellschaft kann sich also auf Personengruppen spezialisieren, bei denen einer dieser Beweggründe dominiert. Die Chartergesellschaften etwa erbringen ihre Leistungen für die Gruppe der Urlauber.

Die Schweizer Bundesbahn unterscheidet z.B. anlaßverursacht zwischen drei Reisemärkten:

- Markt 1 »Beruf«,
- Markt 2 »Freizeit« und
- Markt 3 »Incoming«, der aus Reisenden europäischer und überseeischer Länder besteht.

Der Markt 1, »Beruf«, wird in fünf weitere Segmente unterteilt, aus denen drei anlaßgebunden definiert werden, nämlich »Pendler zur Arbeit«, »Pendler zur Ausbildung« und »Geschäftsreisende im Land«. Für jedes Segment erarbeitete die Schweizer Bundesbahn unterschiedliche Ziele und Programme. Für den Markt »Beruf« und seine Segmente ist das Eisenbahnreisen ein täglicher Gebrauchsgegenstand, bei dem es auf hohe Verfügbarkeit, Zuverlässigkeit, Komfort und Preisgünstigkeit für Stammkunden ankommt. Beim Markt 2 steht der Erlebniswert im Vordergrund. Für den Markt 3 ist es von Bedeutung, Zeit zu gewinnen und seine Zeit beim Reisen sinnvoll einzusetzen. Durch differenziertes, auf die einzelnen Segmente gerichtetes Marketing versucht die Schweizer Bundesbahn, neue Kunden anzusprechen und deren segmentspezifischen Bedürfnissen Rechnung zu tragen und so mehr Kunden für ihr Basiskonzept zu gewinnen, indem die Kunden ein leistungsfähiges Gesamtsystem, das »Swiss Travel System«, als Herzstück des besten Transportsystems der Welt anerkennen und auch nutzen. Im weltweiten Vergleich steht die SBB bei den Eisenbahngesellschaften bezüglich Kundenakzeptanz und Nutzung an der Spitze.

Eine anlaßbezogene Marktsegmentierung bietet den Unternehmen die Möglichkeit, die Verwendungsrate ihres Produktes zu steigern. Müsli wird beispielsweise vor allem zum Frühstück gegessen. Nun könnte sich ein Müslihersteller darum bemühen, daß sein Produkt auch bei anderen Anlässen konsumiert wird, z. B. als Müsliriegel in Schul- und Arbeitspausen oder einfach zwischendurch. Einige Feiertage, wie der Mutter- und der Vatertag, wurden von der Geschäftswelt populär gemacht, um bei diesen Anlässen den Umsatz an Blumen und anderen Geschenken zu erhöhen.

Statt sich auf produktspezifische Anlässe zu konzentrieren, kann ein Unternehmen sein Augenmerk auch auf besondere Anlässe im Leben eines Menschen richten und überprüfen, ob sie von bestimmten Bedürfnissen begleitet werden, zu deren Deckung das Unternehmen ein Produkt- bzw. Dienstleistungspaket zusammenstellen könnte. Dieser Ansatz wird manchmal als »Segmentierung nach kritischen Ereignissen« bezeichnet und bezieht sich etwa auf Heirat, Trennung und Scheidung, den Erwerb eines Hauses, Unfall und Krankheit, Stellen- und Berufswechsel, Pensionierung, den Tod eines Familienmitglieds usw. Zu den Unternehmen, die in diesen Fällen ihre Dienste anbieten, gehören u. a. Ehe- und Berufsberater sowie Bestattungsunternehmen.

Nutzenangebot (»Benefit-Segmentierung«)

Eine wirksame Form der Segmentierung ist die Klassifizierung der Käufer nach dem Nutzen, den sie in einem Produkt suchen. Yankelovich wandte diese Methode bei einer Untersuchung über Uhrenkäufe an. Er fand heraus, daß »sich etwa 23 % der Käufer aufgrund des niedrigsten Preises zum Kauf entschlossen, 46 % aufgrund der Haltbarkeit und der allgemeinen Produktqualität, und 31 % sich eine Uhr zur Erinnerung an ein besonderes Ereignis kauften«. [10] Damals konzentrierten sich alle größeren Uhrenhersteller fast ausschließlich auf das dritte Segment: Ihre Produkte waren teuer, als Prestigeobjekte gedacht und exklusiv nur im Uhrenfachhandel und beim Juwelier zu haben. Die U.S. Time Company beschloß, sich den ersten beiden Segmenten zuzuwenden, und schuf dafür die preisgünstigen Timex-Uhren, die überall und nicht exklusiv auch im fachfremden Einzelhandel erhältlich waren. Mit dieser Segmentierungsstrategie wurde das Unternehmen zu einem der größten Uhren-Unternehmen der Welt.

Bei der Benefit-Segmentierung muß man die wichtigsten Nutzenangebote ermitteln, die die Käufer in einer bestimmten Produktklasse erwarten, die Käufertypen als Segmente identifizieren, die jeweils unterschiedlichen Nutzen suchen, und bestimmen, welche Marken diesen Nutzen liefern. Von einer der erfolgreichsten Benefit-Segmentierungen berichtete Haley in seiner Untersuchung des amerikanischen Zahnpastamarktes (siehe Tabelle 10–2). Er ermittelte vier Nutzenangebotssegmente: das erste wollte Wirtschaftlichkeit, das zweite Schutz vor Karies, das dritte kosmetische Effekte und das vierte einen angenehmen Geschmack. Jede dieser Nutzenangebotsgruppen wies bestimmte demographische, verhaltensbezogene und psychographische Merkmale auf. So hatten die Käufer, denen es um die Kariesvorbeugung ging, meist große Familien mit einem hohen Zahnpastaverbrauch; außerdem waren sie eher konservativ. Auch bevorzugte jedes der vier Segmente eine bestimmte Zahncrememarke. Anhand solcher Untersuchungen kann ein Unternehmen feststellen, in welchem Segment sein Produkt ankommt, welche Merkmale dieses Segment aufweist und welches die wichtigsten Konkurrenzmarken sind. Darüber hinaus kann das Unternehmen nach Nutzenangeboten suchen und eine neue Zahncreme auf den Markt bringen, die diesen Nutzen liefert.

Die Benefit-Segmentierung anwenden heißt, daß das Unternehmen sich bemühen sollte, jeweils *eine bestimmte* Nutzenangebotsgruppe zufriedenzustellen. So bot die Marke »Crest« den Nutzen der Kariesvorbeugung und war damit sehr erfolgreich. Der Schutz vor Karies wurde zu ihrem *unverwechselbaren Nutzenangebot* (im Fachjargon auch als *USP* oder *»unique selling proposition«* bezeichnet, das einen höheren Stellenwert als lediglich ein unverwechselbares Angebot *»unique proposition« – UP*) hat. Viele Unternehmen entwickeln ein unverwechselbares Angebot und vergessen darüber den Nutzen. So ist z.B. eine lila Zahncreme sicher etwas Besonderes, doch wahrscheinlich nicht von besonderem Nutzen.

Tabelle 10–2
Segmentierung des Zahnpastamarktes nach dem Nutzenangebot

Nutzenangebotssegmente	Demographische Merkmale	Verhaltensbezogene Merkmale	Psychographische Merkmale	Bevorzugte Marken
Wirtschaftlichkeit (niedriger Preis)	Männer	Starke Verwender	Sehr selbständig, auf Wert bedacht	Sonderangebote
Gesundheit (Schutz vor Karies)	Große Familien	Starke Verwender	Hypochondrisch, konservativ	Crest
Kosmetik (weiße Zähne)	Jugendliche, junge Erwachsene	Raucher	Sehr gesellig, aktiv	Macleans, Ultra Brite
Geschmack (angenehmer Geschmack beim Putzen)	Kinder	Pfefferminz-Fans	hedonistisch, sehr mit sich selbst beschäftigt	Colgate, Aim

Quelle: Russell J. Haley: »Benefit Segmentation: A Decision Oriented Research Tool«, in: *Journal of Marketing*, Juli 1963, S. 30–35, leicht abgewandelt.

Verwenderstatus

Viele Märkte können in Verwender, Nichtverwender, ehemalige Verwender, potentielle Verwender und Erstverwender eines Produktes unterteilt werden. Unternehmen mit großen Marktanteilen sind vor allem daran interessiert, aus potentiellen Verwendern tatsächliche Verwender zu machen, während kleinere Unternehmen bestrebt sein werden, die Verwender von Konkurrenzmarken zum Umstieg auf die eigene Marke zu veranlassen. Potentielle und tatsächliche Verwender erfordern den Einsatz unterschiedlicher Marketingansätze.

Beim Sozial-Marketing achtet man sehr genau auf den Verwenderstatus. Ehemalige Drogenverwender halten z. B. Vorträge vor jugendlichen Zuhörern, um diese von der Erstverwendung abzuhalten. Entziehungsprogramme richten sich an Drogenverwender, um sie von ihrer Sucht abzubringen.

Verwendungsrate

Eine weitere Möglichkeit der Marktsegmentierung besteht darin, die Kunden nach ihrer Verwendungsrate zu unterteilen. Dann erhält man Segmente, die das Produkt stark, mäßig oder kaum verwenden (*Verwendungsmengen-Segmente*). Die starken Verwender machen oft nur einen geringen Prozentsatz des Marktes aus, haben jedoch einen hohen Anteil am Gesamtkonsum. Abbildung 10–7 zeigt die Segmente mit unterschiedlichen Verwendungsraten bei einer Reihe gebräuchlicher Konsumgüter in den USA. Die Darstellung zeigt u. a., daß 68 % der Befragten kein Bier trinken. Die 32 % der Biertrinker lassen sich in zwei gleich große Gruppen unterteilen: Die eine (16 % der Befragten) besteht aus mäßigen Verwendern, die nur 12 % des gesamten Bierkonsums bestreiten. Die andere Gruppe, das Segment der starken Verwender, konsumiert 88 % des Bierverbrauchs und trinkt damit mehr als siebenmal soviel wie die mäßigen Verwender. Daher wäre es einer Brauerei lieber, einen starken Verwender für ihre Marke zu gewinnen als mehrere schwache. Die meisten

Abbildung 10-7
Verteilung der Verwender und Verwendungsmengen in verschiedenen Produktkategorien

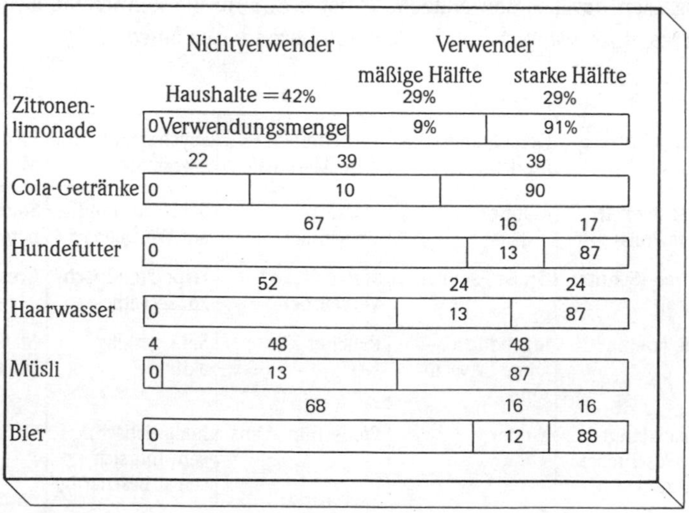

		Nichtverwender	Verwender: mäßige Hälfte	Verwender: starke Hälfte
Zitronenlimonade	Haushalte	=42%	29%	29%
	Verwendungsmenge	0	9%	91%
Cola-Getränke	Haushalte	22	39	39
	Verwendungsmenge	0	10	90
Hundefutter	Haushalte	67	16	17
	Verwendungsmenge	0	13	87
Haarwasser	Haushalte	52	24	24
	Verwendungsmenge	0	13	87
Müsli	Haushalte	4	48	48
	Verwendungsmenge	0	13	87
Bier	Haushalte	68	16	16
	Verwendungsmenge	0	12	88

Quelle: Dik Warren Twedt: »How Important to marketing Strategy is the ›Heavy User‹?«, in: *Journal of Marketing*, Januar 1974, S. 72.

Anbieter konzentrieren sich deshalb auf den starken Biertrinker. Werbesprüche wie »Das einzige Bier, wenn Du mehr als ein einziges trinkst«, zeigen dies.

Die starken Verwender eines Produkts weisen oft gemeinsame demographische, psychographische und Mediennutzungsmerkmale auf. Das Merkmalsprofil der starken Biertrinker sieht in den USA wie folgt aus: Im Vergleich zu den schwachen Verwendern gehört ein größerer Prozentsatz der Arbeiterschicht an; die starken Biertrinker sind zwischen 25 und 50 Jahre alt (die schwachen Verwender dagegen sind entweder unter 25 oder über 50); sie sitzen z.B. durchschnittlich mehr als dreieinhalb Stunden täglich vor dem Fernseher (gegenüber weniger als zwei Stunden in der Gruppe der schwachen Verwender) und bevorzugen Sportsendungen. [11] Ein Profil wie dieses hilft dem Marketer bei Entscheidungen zum Preis, zur Gestaltung der Werbebotschaften und zur Erarbeitung von Medienstrategien.

Die Institutionen des Sozial-Marketing stehen oft vor dem Dilemma, ob sie sich auf starke oder schwache Verwender konzentrieren sollen. Eine Organisation, die Geburtenkontrolle propagiert, sollte sich natürlich in erster Linie an kinderreiche Familien wenden – doch die stehen der Geburtenkontrolle wohl besonders ablehnend gegenüber. Die Verkehrsbehörden wollen vor allem die leichtsinnigen Autofahrer zur Vorsicht mahnen. Dieser Personenkreis ist aber gegenüber Appellen, vorsichtig zu fahren, am unempfindlichsten. Bei Umweltverschmutzern ist dies ähnlich. Die Umweltbehörden müssen sich entscheiden, ob sie sich an wenige, besonders widerspenstige und üble Missetäter oder an eine große Gruppe einsichtigerer und weniger bedrohlicher Umweltsünder wenden sollen.

Markentreue

Ein Markt läßt sich auch anhand der Markentreue und Lieferantentreue segmentieren. Verbraucher können einer bestimmten Marke (Löwenbräu), einem Lieferanten (Karstadt) oder einem anderen Bezugsobjekt gegenüber treu sein. Zur Anwendung in Segmentierungsverfahren muß die Markentreue näher umrissen werden. Nehmen wir an, es gäbe fünf Marken, nämlich A, B, C, D und E, und die Käufer sollten nach ihrer Markentreue in vier Gruppen eingeteilt werden. Dann ergeben sich folgende meßbare Definitionen: [12]

- **Die ungeteilt Markentreuen**
  Diese kaufen immer dieselbe Marke. Zeigen die Kaufgewohnheiten eines Verbrauchers das Muster A, A, A, A, A, A, hält er der Marke A ungeteilt die Treue.
- **Die geteilt Markentreuen**
  Die Markentreue dieser Verbraucher verteilt sich auf zwei oder drei Marken. Das Muster A, A, B, B, A, B, spiegelt das Kaufverhalten eines Verbrauchers wider, dessen Markentreue zwischen A und B geteilt ist.
- **Die wechselhaft Markentreuen**
  In diesem Fall wechselt der Verbraucher die Marke und kauft künftig eine andere. Ein Beispiel dafür wäre das Schema A, A, B, B, B, C, C.
- **Die Untreuen**
  Diese Gruppe hält überhaupt keiner Marke die Treue. Das Kaufmuster A, C, E, B, D, B deutet auf einen Verbraucher ohne Markentreue hin, der auf *Sonderangebote* aus ist (er kauft die Marke, die gerade besonders günstig ist) oder nach *Abwechslung* sucht (d.h. er will immer wieder etwas anderes).

Diese vier Käufertypen trifft man in jedem Markt in unterschiedlicher Zahl an. Große Markentreue herrscht in einem Markt, wo es viele ungeteilt markentreue Käufer gibt, wie z.B. im Zahnpasta- und im Biermarkt. Für die Unternehmen, die in einem markentreuen Markt operieren, ist es schwer, zusätzliche Marktanteile zu erobern; und neu eintretende Unternehmen können dort nur mit Mühe Fuß fassen.

Ein Unternehmen kann viel aus der Analyse der Markentreue in seinem Markt lernen. Es sollte die Merkmale seiner eigenen, ungeteilt markentreuen Kunden untersuchen. So fand z.B. Colgate heraus, daß ihre markentreuen Kunden zum großen Teil der Mittelschicht angehören, relativ große Familien haben und besonders gesundheitsbewußt sind. Damit wird der Zielmarkt für Colgate scharf umrissen.

Durch eine Analyse der geteilt markentreuen Kunden erfährt das Unternehmen, welche Marken die stärkste Konkurrenz darstellen. Wenn beispielsweise viele »Colgate«-Käufer auch die Marke »Crest« benutzen, kann Colgate – etwa mit Hilfe der Werbung – versuchen, seine Positionierung gegenüber »Crest« zu verbessern.

Kunden, die die Marke wechseln, zeigen dem betreffenden Unternehmen seine Marketingschwächen. Und was die Untreuen betrifft: Sie lassen sich durch Sonderangebote gewinnen.

Auch hier ist Vorsicht geboten, denn was sich als Markentreue darstellt, kann auch Ausdruck von *Gewohnheit*, *Gleichgültigkeit*, eines *niedrigeren Preises* oder der Nicht-Verfügbarkeit *anderer Marken* sein. Das Unternehmen muß untersuchen, was wirklich hinter den Kaufmustern der Kunden steht.

Stadium der Kaufbereitschaft

Zu jedem beliebigen Zeitpunkt befinden sich die Verbraucher in verschiedenen Stadien der Bereitschaft, ein Produkt zu kaufen. Einigen ist das Produkt bekannt, anderen nicht; wieder andere sind über das Produkt informiert; manche sind daran interessiert; einige hätten das Produkt gerne, und manche wiederum beabsichtigen, es zu kaufen. Der Anteil der Personen in jedem Stadium ist sehr wichtig für die Gestaltung des Marketingprogramms. Dazu folgendes Beispiel: Eine Gesundheitsbehörde möchte erreichen, daß sich möglichst viele Frauen einem jährlichen Früherkennungstest von Gebärmutterkrebs unterziehen. Zu Beginn der Aktion haben die meisten Frauen noch nichts von diesem Test gehört. Die Marketingmaßnahmen sollten also darauf gerichtet sein, den Früherkennungstest in der Werbung mit einer einfachen Aussage möglichst stark ins Bewußtsein der Zielgruppe zu rücken. Hat dies Erfolg, sollten in der Werbung der Nutzen des Tests und die Risiken, wenn man sich ihm nicht unterzieht, klar herausstellen; so bringt man mehr Frauen in das Stadium des Wunsches nach diesem Test. Nun müssen entsprechende Einrichtungen bereitgestellt werden, um bei der großen Zahl von Frauen, die ihn wollen, den Test auch vornehmen zu können. Ganz allgemein muß das Marketingprogramm den Anteil der Personen in jedem Stadium der Kaufbereitschaft berücksichtigen.

Einstellungen

Die Verbraucher in einem Markt lassen sich auch anhand der Einstellungen zum Produkt in Segmente einordnen. Die Einstellung kann begeistert, positiv, gleichgültig, negativ oder feindlich sein. Ein Beispiel: Die Stimmenwerber der politischen Parteien, die im Wahlkampf von Haus zu Haus gehen, entscheiden anhand der Einstellung des jeweiligen Wählers, wieviel Zeit sie aufwenden wollen. Sie danken demjenigen, der ihre Partei favorisiert, und bitten ihn, am Tag der Wahl auch tatsächlich seine Stimme abzugeben. Sie bestärken diejenigen, die der Partei grundsätzlich positiv gegenüberstehen. Sie bemühen sich auch um die Stimmen der Gleichgültigen, verwenden aber keine Zeit darauf, negativ oder feindlich gesinnte Wähler umzustimmen. Wenn die Einstellungen mit den demographischen Kundenmerkmalen korrelieren, lassen sich die vielversprechendsten unter den Käufern gut ermitteln und als besonderes Marktsegment bearbeiten.

Grundlagen für die Segmentierung von industriellen Märkten

Bei der Segmentierung von industriellen Märkten lassen sich viele Variablen verwenden, die auch für die Segmentierung von Konsumgütermärkten eingesetzt werden, also z.B. geographische Gegebenheiten, Nutzenangebote und Verwendungsraten. Es kommen jedoch noch einige neue Variablen hinzu. Bonoma und Shapiro entwickelten die in Tabelle 10–3 dargestellte Klassifizierung der Segmentierungsvariablen für industrielle Märkte. Sie weisen darauf hin, daß die demographischen Variablen am wichtigsten sind, gefolgt von den operativen, etc. bis hin zu den personengebundenen Eigenschaften des Käufers.

Die Aufstellung enthält wichtige Fragen, die sich der industrielle Marketer bei der Auswahl seiner Kundensegmente stellen sollte. Wenn ein Unternehmen nicht den gesamten Markt bearbeitet, sondern sich auf einzelne Segmente beschränkt, hat es viel bessere Chancen, einen hohen Nutzen zu bieten und im Gegenzug für die strikte Beachtung der Bedürfnisse dieser Segmente höhere Preise nehmen zu können. So sollte sich z.B. ein Reifenproduzent entscheiden, welche *Branchen* er beliefern möchte, und dabei auf folgende Unterschiede achten:

Die Autobranche stellt bei der Ausrüstung von Neufahrzeugen unterschiedliche Anforderungen: Die Sportwagen-Hersteller benötigen Reifen von wesentlich besserer Qualität als die Produzenten von Standardautos. Und die Flugzeugbranche stellt höhere Sicherheitsansprüche an ihre Reifen als die Hersteller von Traktoren für die Landwirtschaft.

Hat sich das Unternehmen für eine Branche als Zielsegment entschieden, kann es diese nach der *Kundengröße* weiter aufschlüsseln und u.U. separate Systeme für die Bearbeitung von Groß- und Kleinkunden einrichten. Steelcase, ein bedeutender amerikanischer Büromöbel-Hersteller, unterteilt seine Kunden in zwei Gruppen:

- **Großkunden:** Für Kunden wie IBM, Prudential und Standard Oil sind landesweit Großkundenmanager zuständig, die mit den einzelnen Bezirksmanagern zusammenarbeiten.
- **Händlerkunden:** Kleinere Kunden werden vom Verkaufsaußendienst in Zusammenarbeit mit Vertragshändlern betreut, die Steelcase-Produkte verkaufen.

Innerhalb der Zielbranche und jeweiligen Kundengröße kann das Unternehmen die Segmentierung auf der Basis der *Kaufkriterien* des Kunden weiter fortsetzen:

Die vom Staat, den Universitäten und der Industrie unterhaltenen Entwicklungslabors richten sich beispielsweise in den USA beim Kauf von Meßgeräten nach unterschiedlichen Kaufkriterien. Die staatlichen Labors legen vor allem Wert auf niedrige Preise (weil ihnen die Mittel für Neuanschaffungen nicht ohne weiteres bewilligt werden) und Wartungsverträge (weil sie dafür problemlos Geld bekommen). Die Universitätslabors dagegen benötigen Geräte, die nur wenig Wartungsaufwand verursachen, weil sie über kein entsprechendes Personal verfügen. Und die

Demographische Variablen
- **Branchen:** Auf welche Branchen, die unser Produkt benötigen, sollten wir uns konzentrieren?
- **Unternehmensgröße:** Auf Unternehmen welcher Größe sollten wir uns konzentrieren?
- **Standort:** Auf welche geographischen Gebiete sollten wir uns konzentrieren?

Operative Variablen
- **Technologie:** Auf welche Kundentechnologien sollten wir uns konzentrieren?
- **Anwenderstatus:** Sollten wird uns auf starke, mittlere oder schwache Verwender oder Nichtverwender konzentrieren?
- **Kundenkompetenz:** Sollten wir uns auf Kunden konzentrieren, die viele Dienstleistungen benötigen, oder auf solche, die wenige benötigen?

Beschaffungskonzepte der Kunden
- **Organisationsform der Beschaffungsfunktion:** Sollten wir uns auf Unternehmen mit einer stark zentralisierten oder einer dezentralisierten Beschaffungsfunktion konzentrieren?
- **Machtstruktur:** Sollten wir uns auf Unternehmen konzentrieren, bei denen die Technikabteilung dominiert, oder auf solche, wo die Finanzabteilung dominiert etc.?
- **Bestehende Beziehungen:** Sollten wir uns auf Unternehmen konzentrieren, mit denen wir bereits intensive Geschäftsbeziehungen unterhalten, oder einfach die attraktivsten Kunden ansprechen?
- **Allgemeine Beschaffungspolitik:** Sollten wir uns auf Kunden konzentrieren, die Leasing, Wartungsverträge, Systemkäufe oder die Beschaffung mittels verschlossener Angebote bevorzugen?
- **Kaufkriterien:** Sollten wir uns auf Kunden konzentrieren, die in erster Linie Wert auf Qualität legen? Oder auf Kundendienst? Oder auf niedrige Preise?

Situationsbedingte Faktoren
- **Dringlichkeit:** Sollten wir uns auf Unternehmen konzentrieren, die auf schnelle und kurzfristige Lieferungen bzw. Kundendienstleistungen angewiesen sind?
- **Spezifische Produktanwendungen:** Sollten wir uns auf bestimmte Anwendungen unseres Produktes konzentrieren, statt auf alle?
- **Auftragsumfang:** Sollten wir uns auf große oder kleine Aufträge konzentrieren?

Personengebundene Eigenschaften
- **Ähnlichkeit zwischen Käufer und Verkäufer:** Sollten wir uns auf Unternehmen konzentrieren, deren Mitarbeiter und Wertvorstellungen Ähnlichkeit mit unseren eigenen aufweisen?
- **Risikobereitschaft:** Sollten wir uns auf risikofreudige oder auf vorsichtige Kunden konzentrieren?
- **Lieferantentreue:** Sollten wir uns auf Unternehmen konzentrieren, die ihren Lieferanten gegenüber besonders treu sind?

Tabelle 10–3
Die wichtigsten Segmentierungsvariablen für industrielle Märkte

Quelle: Thomas V. Bonoma und Benson P. Shapiro: *Segmenting the Industrial Market*, Lexington, Mass.: Lexington Books, 1983; leicht abgewandelt.

Labors der Industrieunternehmen legen bei ihren Meßgeräten Wert auf äußerste Zuverlässigkeit, da sie sich keine Ausfallzeiten leisten können.

Industrieunternehmen beschränken sich im allgemeinen nicht auf eine einzige Segmentierungsvariable, sondern ziehen mehrere Merkmale heran. Dies wird am Beispiel eines Aluminiumproduzenten im folgenden und in Abbildung 10–8 erläutert:

Der Aluminiumhersteller führte zunächst eine aus drei Schritten bestehende *Makrosegmentierung* durch.[13] Er betrachtete die Endverbrauchermärkte, die er bearbeiten wollte: Automo-

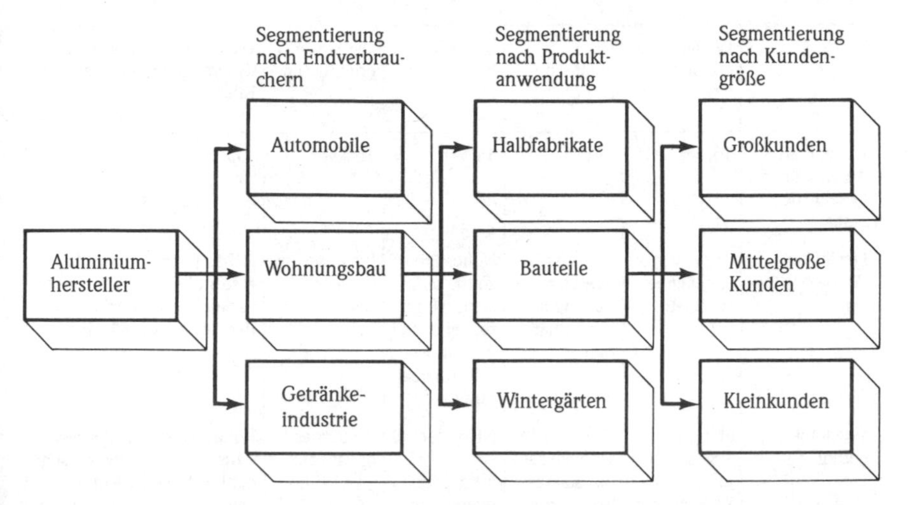

Quelle: Abgeleitet aus einem Beispiel in E. Raymond Corey: »Key Options in Market Selection and Product Planning«, in: *Harvard Business Review,* September–Oktober 1975, S. 119–128.

Abbildung 10-8
Drei-Stufen-Segmentierung des Aluminiummarktes

bile, Wohnungsbau und Getränkeindustrie. Er entschied sich für den Wohnungsbau und ermittelte die attraktivste Anwendung für sein Produkt: Halbfabrikate, Bauteile oder Wintergärten. Das Unternehmen entschied sich für Bauteile und legte als nächstes die Kundengröße fest: Es wählte die Großkunden.
Als zweiten Schritt nahm der Aluminiumproduzent eine *Mikrosegmentierung* innerhalb des Marktes für Aluminiumbauteile für Großkunden vor. Das Unternehmen ermittelte drei Kundengruppen: die preisbewußten, die servicebewußten und die qualitätsbewußten Kunden. Da sich das Unternehmen über seine guten Kundendienstleistungen profilierte, entschied es sich für das Marktsegment, das besonderen Wert auf Service legte.

Entwicklung des Kundensegmentprofils

Von jedem Kundensegment, an dem das Unternehmen Interesse entwickelt, sollte ein detailliertes Profil entwickelt werden. Es reicht nicht, Segmente lediglich als »preisbewußt« und »qualitätsbewußt« gegenüberzustellen. Es sind weitere Faktoren zur Beschreibung der Segmente nötig, z.B. ihre demographischen und psychographischen Eigenschaften, Mediennutzungsgewohnheiten, Einstellungen und Verhaltensweisen.

Als Beispiel kann eine von Freter und Barzen beschriebene Segmentierungsstudie über Automobilkäufer angeführt werden.[14] Die von den befragten Automobilkäufern angegebenen Daten zu den Automobilmarken, den Kaufkriterien und zu sich selbst wurden mit einer Cluster-Analyse untersucht. Dabei wurden sechs Segmente ermittelt. Tabelle 10–4 zeigt ein Teilprofil der sechs Kundensegmente. Die Segmente waren unterschiedlich groß, betonten unterschiedlichen Produktnutzen als Kauf-

	Die familienorientierten Pkw-Nutzer	Die durchschn. Fahrer	Die preisbewußten Frauen	Die Freizeitorientierten	Die techn.-dynamischen Fahrer	Die sicherheitsorientierten Pkw-Nutzer
Prozentualer Anteil an der Gesamtstichprobe	16,1%	31,2%	14,5%	13,3%	15,2%	9,7%
Persönliche Wertvorstellungen	Ausgeprägtes Familienbewußtsein	Geringes Interesse an Bildung u. berufl. Karriere	Hohes Freizeitbewußtsein, rel. geringes Interesse an gesell. Anerkennung	Progressiv u. freizeitbewußt	Hohes Interesse an Sport u. berufl. Karriere	Hohes Sicherheitsbedürfnis, gesell. Anerkennung
Pkw-Kaufgründe	Starkes Interesse an Komfort-Autos, kein Interesse (Int.) an Kleinwagen	Wenig Int. an schnellen Autos, starkes Int. an zuverlässigen Fahrzeugen	Niedriger Anschaffungspreis, weniger Interesse an Autotechnik	Deutsches Fabrikat sehr unwichtig	Hoher technischer Standard, Fahrverhalten	Deutsches Fabrikat sehr wichtig, Komfort und Sicherheit sehr wichtig
Pkw-Nutzungsverhalten	Überdurchschn. hohe jährl. Fahrleistung, Autos mit hoher PS-Zahl	Durchschn. Nutzung des Pkw's	Kleinwagen, Gebrauchtwagen, rel. geringe Fahrleistung	Rel. hohe jährl. Fahrleistung	Durchschn. Nutzungsverhalten	Viele Neuwagenkunden, geringe jährl. Fahrleistung
Markennutzer	Überwiegend Mercedes- u. Audi-Fahrer	Schwerpunktmäßig Opel-Fahrer	Hoher Anteil an Ford- u. VW-Fahrern	Sehr hoher Anteil an Toyota- u. Nissan-Fahrern	Hoher Anteil ausländischer Fahrzeuge	Hoher Anteil an VW- u. Mercedes-Fahrern Keine ausländischen Fahrzeuge
Händler-/Markenwechsler	Hohe Markentreue	Hohe Marken- u. Händlertreue	Geringe Marken- u. Händlertreue	Geringe Markenbindung	Händlertreue	Hohe Markentreue
Zukünftige Ausgabebereitschaft beim Pkw-Kauf	Sehr hohe Ausgabebereitschaft	Durchschn. Ausgabebereitschaft	Geringe Ausgabebereitschaft	Sehr geringe Ausgabebereitschaft	Durchschn. Ausgabebereitschaft	Überdurchschn. Ausgabebereitschaft
Info-Verhalten beim Pkw-Kauf	Probefahrt, Testergeb. in Fachzeitschriften	Beratung durch den Verkäufer, Prospekte	Persönliche Gespräche mit Freunden u. Bekannten	Prospekte u. Kataloge	Prospekte, Testergebnisse	Prospekte u. Kataloge, Beratung durch den Verkäufer
Soziodemographische Daten	Tendenziell mehr Männer ab 45 Jahre	Überwiegend mehr Männer mit geringer Schulbildung	Frauen zwischen 20 u. 45 Jahren	Eher jüngere Männer mit gehobener Schulbildung	Überwiegend mehr Männer mit hoher Schulbildung	Eher ältere Personen mit relativ geringer Schulbildung

Tabelle 10–4
Segmentprofile im Automobilmarkt

Quelle: Hermann Freter und Dietmar Barzen: »Segmentierung im Automobilmarkt«, in: *Marktforschung & Management*, 3, 1988, S. 92 (Auszug).

grund, zeigten Unterschiede im Informationsverhalten beim Pkw-Kauf, in der Markennutzung, im Pkw-Nutzungsverhalten, der Händler- und Markentreue und in der zukünftigen Ausgabenbereitschaft beim Kauf von Pkws.

Aus den vorgefundenen Unterschieden ergeben sich für den Automobil-Marketer viele nützliche Hinweise für die Bestimmung seiner Marketingstrategie und die Gestaltung der Elemente im Marketing-Mix.

Erfordernisse für effektives Segmentieren

Es gibt viele Möglichkeiten, einen Markt zu segmentieren, doch nicht alle sind effektiv. So könnte man z. B. die Käufer von Kochsalz in blonde und brünette Kunden unterteilen; nur ist die Haarfarbe für den Einkauf von Salz nicht von Belang. Wenn darüber hinaus alle Käufer dieselbe Menge Salz im Monat erwerben, die Ansicht vertreten, daß es zwischen den einzelnen Salzangeboten keine Unterschiede gibt, und immer denselben Preis zahlen wollen, ließe sich dieser Markt von der Sichtweise des Marketing aus kaum segmentieren.

Nützliche Segmentierungen ergeben sich, wenn die folgenden Erfordernisse gegeben sind:

- **Meßbarkeit**
  Die Segmente müssen meßbar sein, um ihre Größe, Kaufkraft und andere für das Marketingprogramm wichtige Merkmale zu ermitteln. Manche Segmentierungsvariablen definieren schwer meßbare Segmente: Es wäre z. B. schwierig festzustellen, wie groß das Segment der Jugendlichen ist, die in erster Linie deshalb rauchen, um gegen ihre Eltern zu rebellieren.
- **Substantialität**
  Ein Segment muß von seiner Größe und seinem Gewinnpotential her ausreichend groß (substantiell) sein. Als Segmente sollte man die größtmögliche homogene Kundengruppe betrachten, für die sich ein maßgeschneidertes Marketingprogramm lohnt. Es würde sich z. B. für einen Automobilhersteller nicht lohnen, einen Wagen für das Segment der Kunden zu entwickeln, die weniger als 1,30 m groß sind.
- **Erreichbarkeit**
  Ein Marktsegment muß effektiv erreicht und bedient werden können. Wenn z. B. ein Parfumhersteller ermittelt, daß sein Produkt viel von alleinstehenden Frauen verwendet wird, die gerne spätabends ausgehen und Bars besuchen, wäre es für ihn schwierig, diese Kundengruppe zu erreichen – es sei denn, diese Kundinnen wohnen in ganz bestimmten Gegenden oder kaufen in speziellen Geschäften ein und können gezielt über bestimmte Medien angesprochen werden.
- **Handlungsfähigkeit**
  Die Segmentierung muß den Marketer handlungsfähig machen, so daß er durch effektive Marketingprogramme die Segmente besonders ansprechen und bedienen kann. Dies ist nicht immer gegeben. Ein kleines Luftfahrtunternehmen ermittelte beispielsweise sieben Marktsegmente, hatte jedoch nicht genügend Mitarbeiter, um für die jeweiligen Segmente eigene Marketingprogramme zu entwickeln und durchzuführen.
- **Stabilität**
  Die gefundenen Marktsegmente sollten ausreichend lange stabil bleiben, so daß ihre geplante Bedienung wirtschaftlich lohnend und tragbar ist. Dieses Erfordernis ist z. B. bei Modeprodukten kritisch.

Zielmarktbestimmung

Die Marktsegmentierung zeigt dem Unternehmen mögliche Chancen auf. Nun muß es die Attraktivität der unterschiedlichen Segmente bewerten und entscheiden, wie viele und welche es bedienen will. Im folgenden werden die Methoden der Segmentbewertung und -auswahl näher beschrieben.

Bewertung der Marktsegmente

Bei der Bewertung der verschiedenen Marktsegmente muß das Unternehmen drei Faktoren beachten: (1) Größe und Wachstum des Segments, (2) strukturelle Attraktivität des Segments und (3) Zielsetzungen und Ressourcen des Unternehmens.

Größe und Wachstum des Segments

Zunächst sollte sich das Unternehmen fragen, ob das potentielle Zielsegment die richtigen Größen und Wachstumsmerkmale aufweist. Die »richtige Größe« ist dabei ein relativer Begriff: Die großen Unternehmen bevorzugen Segmente mit hohem Umsatzvolumen und übersehen bzw. vermeiden oft kleinere Segmente, weil sich dort der Aufwand für sie nicht lohnen würde. Die kleineren Unternehmen dagegen vermeiden große Marktsegmente, da deren Bearbeitung zu viele Ressourcen erfordert.

Segmentwachstum ist immer erwünscht, da Unternehmen im allgemeinen eine Steigerung ihrer Umsätze und Gewinne anstreben. Gleichzeitig werden aber auch die Konkurrenten verstärkt in wachsende Segmente vordringen und dadurch das Gewinnpotential jedes Anbieters vermindern.

Strukturelle Attraktivität des Segments

Selbst wenn ein Segment in Größe und Wachstum den Anforderungen genügt, könnte es vom Rentabilitätsgesichtspunkt her trotzdem unattraktiv sein. Laut Porter sind es fünf Kräfte, welche die inhärente langfristige Attraktivität eines gesamten Marktes bzw. eines jeden Segments bestimmen. [15] Dieses Modell ist in Abbildung 10–9 dargestellt.

Das Diagramm zeigt einen aus neun Segmenten bestehenden Markt (drei Kundengruppen mal drei mögliche Produkte), von denen das mittlere auf seine strukturelle Attraktivität hin untersucht wird. Das Unternehmen muß den Einfluß von fünf Kräften auf die langfristige Rentabilität abschätzen: der *Branchen-Konkurrenten, potentiellen neuen Konkurrenten, Substitutionsprodukte, Käufer* und *Zulieferer.* Von ihnen gehen folgende fünf Gefahren aus:

1. Gefahr der starken Rivalität innerhalb des Segments

Ein Segment, in dem bereits zahlreiche, starke oder aggressive Konkurrenten operieren, ist nicht attraktiv. Noch schlechter sieht es aus, wenn das Segment stagniert oder schrumpft, wenn Kapazitätsausweitungen sprungweise in großen Schritten erfolgen müssen, wenn die Fixkosten bzw. die Marktaustrittsbarrieren hoch sind oder wenn die Konkurrenten ein großes Interesse daran haben, in diesem Segment zu verbleiben. Unter derartigen Bedingungen kommt es oft zu Preiskriegen, Werbeschlachten und der Einführung neuer Produkte, so daß es für die Unternehmen teuer ist, im Wettbewerb mitzuhalten.

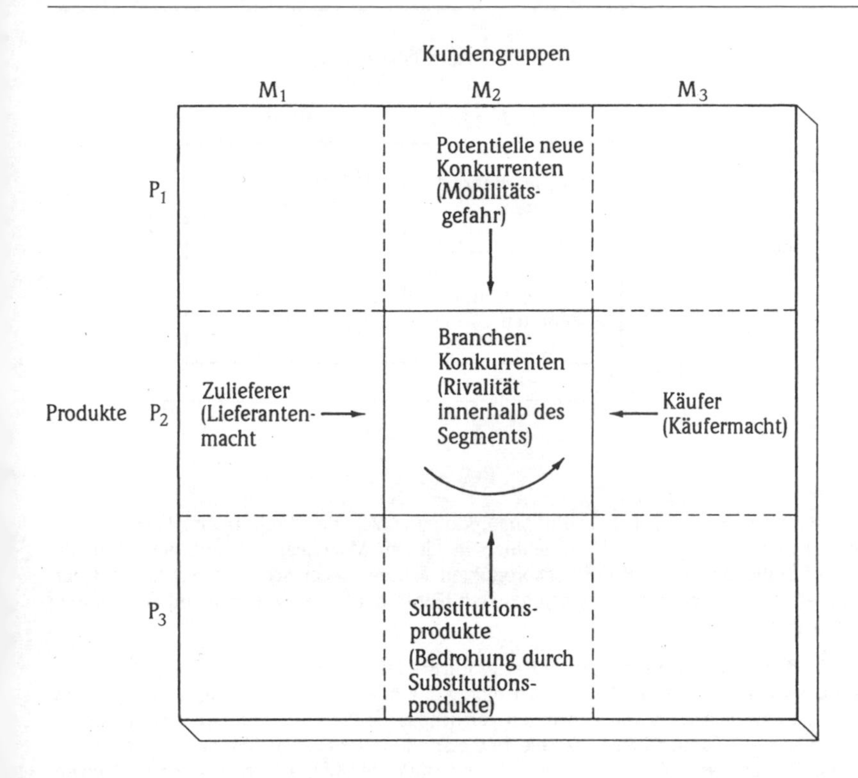

Quelle: Michael E. Porter: *Competitive Advantage: Creating and Sustaining Superior Performance*, New York: Free Press, 1985, S. 235.

Abbildung 10-9
Die fünf Bestimmungskräfte der strukturellen Attraktivität eines Marktsegments

2. Gefahr durch neue Konkurrenten
Ein Segment ist nicht attraktiv, wenn mit hoher Wahrscheinlichkeit neue Konkurrenten in dieses Segment streben, die zusätzliche Kapazitäten und beträchtliche Ressourcen einbringen und deren Politik es ist, größere Marktanteile zu erobern. Die Frage ist im Grunde, ob neue Konkurrenten leicht in das Segment eindringen können; sie werden es schwer haben, wenn die Eintrittsbarrieren hoch sind und gleichzeitig die etablierten Unternehmen scharfe Gegenmaßnahmen ergreifen. Je niedriger die Markteintrittsbarrieren bzw. je schwächer der Verteidigungswille der etablierten Unternehmen, desto weniger attraktiv ist es, in diesem Segment tätig zu sein.
Die Attraktivität eines Marktsegments variiert mit der Höhe der Eintritts- und Austrittsbarrieren.[16] Aus der Sicht der Branchengewinne ist das Segment am attraktivsten, das hohe Eintritts- und niedrige Austrittsbarrieren aufweist (s. Abbildung 10–10). Einige neue Wettbewerber können in die Branche eintreten, während weniger erfolgreiche Wettbewerber sich leicht zurückziehen können. Sind sowohl die Eintritts- als auch die Austrittsbarrieren hoch, eröffnet sich oft ein großes Gewinnpotential, doch gleichzeitig steigt das Risiko, denn die weniger erfolgreichen Unternehmen verlassen den Markt nicht, sondern kämpfen die Sache aus. Sind dagegen die Eintritts- und die Austrittsbarrieren niedrig, können die Unternehmen leicht in die Branche eintreten bzw. ausscheiden. Die Renditen sind stabil und niedrig. Der schlimmste Fall aber ist gegeben, wenn die Eintrittsbarrieren niedrig und die Austrittsbarrieren hoch sind: In guten Zeiten kommen Wettbewerber hinzu, die sich dann in schlechten Zeiten nicht dazu entscheiden können, aus der Branche auszuscheiden. Die Folgen sind chronische Überkapazitäten und verminderte Gewinne für alle.

3. Gefahr von Substitutionsprodukten
Nicht attraktiv ist ein Marktsegment, wenn es für das angebotene Produkt einen tatsächlichen

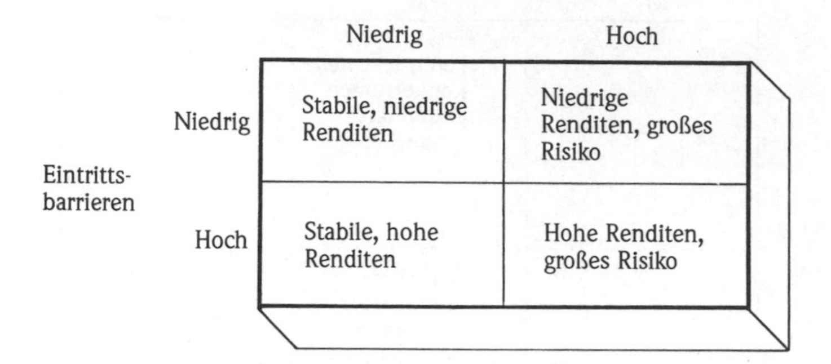

Abbildung 10-10
Eintritts- und Austrittsbarrieren und Rentabilität

oder potentiellen Ersatz gibt. Substitutionsprodukte setzen den Preisen und Gewinnen in diesem Segment Grenzen. Ein Unternehmen in diesem Marktsegment muß genau auf die Preisentwicklung bei den Substitutionsprodukten achten. Technischer Fortschritt und verschärfter Wettbewerb bei Substitutionsprodukten läßt in der Regel die Preise und Gewinne im eigenen Segment sinken.

4. Gefahr der zunehmenden Verhandlungsstärke der Käufer
Ein Marktsegment, in dem die Käufer über eine große oder zunehmende Verhandlungsstärke verfügen, ist unattraktiv. Die Käufer werden versuchen, die Preise zu drücken, fordern bessere Qualität oder mehr Kundendienst und spielen die Konkurrenten gegeneinander aus – all das zu Lasten der Rendite der Anbieter. Die Verhandlungsstärke der Käufer wächst, wenn sie konzentrierter oder organisierter auftreten, wenn das Produkt für die Käufer einen großen Kostenblock darstellt, wenn das Produkt undifferenziert ist, wenn die Kosten des Umstiegs auf einen anderen Anbieter für die Käufer gering sind, wenn die Gewinne der Käufer niedrig und sie daher preisbewußt sind oder wenn sie zur Rückwärtsintegration greifen können. Zur Abwehr der Gefahr kann der Anbieter diejenigen Käufer auswählen, die am wenigsten fähig sind, starke Verhandlungspositionen zu entwickeln oder den Lieferanten zu wechseln. Eine bessere Gegenmaßnahme ist es, überlegene Angebote zu entwickeln, die die Käufer nicht ablehnen können.

5. Gefahr der zunehmenden Verhandlungsstärke der Zulieferer
Ein Segment ist unattraktiv, wenn die Zulieferer des Unternehmens – also die Rohstoff- und Ausrüstungslieferanten, die öffentlichen Versorgungsbetriebe, Banken, Gewerkschaften etc. – in der Lage sind, die Preise zu erhöhen bzw. die Qualität oder Quantität der bestellten Güter und Dienstleistungen zu senken. Die Zulieferer haben eine starke Verhandlungsposition, wenn sie konzentriert bzw. organisiert auftreten, wenn es nur wenige Substitutionsprodukte gibt, wenn das gelieferte Produkt ein wichtiges Einsatzgut ist, wenn die Kosten des Umstiegs auf andere Zulieferer hoch sind und die Zulieferer selbst zur Vorwärtsintegration übergehen können. Die beste Gegenmaßnahme ist es, gute Beziehungen zu seinen Zulieferern aufzubauen und sich mehrere Bezugsquellen offenzuhalten.

Zielsetzungen und Ressourcen des Unternehmens

Auch wenn ein Marktsegment positive Größen- und Wachstumsmerkmale aufweist und strukturell attraktiv ist, muß das Unternehmen mit Blick auf dieses Segment seine Zielsetzungen und Ressourcen überprüfen. Einige attraktive Segmente können ausgeschlossen werden, weil sie nicht mit den langfristigen Zielsetzungen des Unternehmens übereinstimmen. Einzeln betrachtet können diese Segmente durchaus verlockend sein, ohne jedoch das Unternehmen seinen Zielen näher zu bringen.

Im schlimmsten Fall werden sogar verfügbare Energien von den Hauptzielen abgezogen.

Sogar wenn das Segment den Zielvorstellungen des Unternehmens entspricht, muß das Unternehmen abwägen, ob es über die erforderlichen Fähigkeiten und Ressourcen verfügt, um in diesem Segment erfolgreich sein zu können. In jedem Segment gibt es bestimmte Erfordernisse für den Erfolg. Ein Segment sollte übergangen werden, wenn das Unternehmen ein oder mehrere Kompetenzerfordernisse nicht beherrscht und sie sich auch nicht aneignen kann. Aber selbst wenn das Unternehmen alle Kompetenzerfordernisse beherrscht, reicht das nicht aus. Um in einem Marktsegment wirklich erfolgreich sein zu können, muß es sich gegenüber der Konkurrenz besondere Wettbewerbsvorteile erarbeiten. Ein Unternehmen sollte in keinen Markt und kein Marktsegment eintreten, wo es nicht in irgendeiner Form einen besonderen Kundennutzen anbieten kann.

Auswahl der Marktsegmente

Durch die Bewertung der verschiedenen Marktsegmente hofft das Unternehmen, eines oder mehrere zu finden, bei denen sich der Eintritt lohnt. Es muß nun entscheiden, welche und wie viele Segmente es zu Zielmärkten macht. Hier steht es also vor dem Problem der genaueren Auswahl des Zielmarktes. Der *Zielmarkt* besteht aus der Gesamtzahl möglicher Käufer mit gemeinsamen Bedürfnissen und Merkmalen, für die das Unternehmen tätig sein will. Das Unternehmen kann seine Zielmärkte nach fünf verschiedenen Mustern zusammenstellen, um so einen größeren Markt teilweise oder ganz abdecken zu können. Diese Muster sind in Abbildung 10–11 dargestellt.

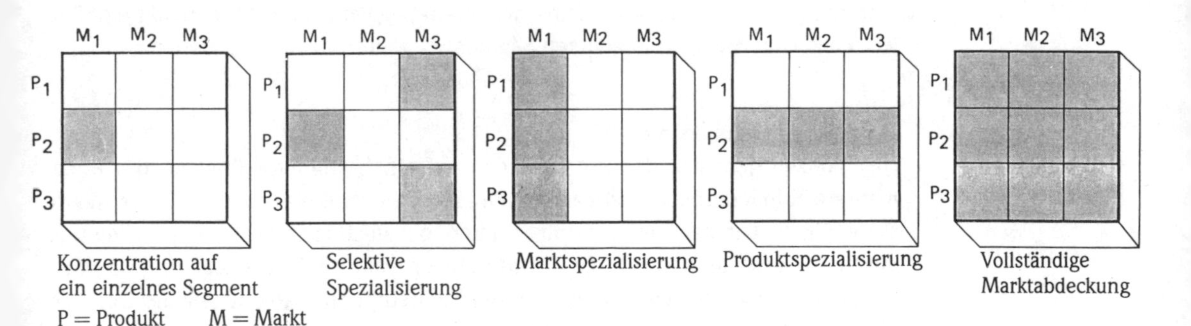

Abbildung 10-11
Fünf Muster der Marktabdeckung

Quelle: Derek F. Abell: *Defining the Business: The Starting Point of Strategic Planning*, Englewood Cliffs, N. J.: Prentice-Hall, 1980, Kap. 8, S. 192–196; leicht abgewandelt.

Konzentration auf ein einzelnes Segment

Im einfachsten Fall wählt das Unternehmen ein einzelnes Marktsegment aus und *konzentriert* sich darauf. Vielleicht harmonisieren das Unternehmen und die Erfolgserfordernisse dieses Segments auf natürliche Weise; vielleicht reichen auch die finanziellen Mittel nur für die Bearbeitung eines einzigen Segments. Es kann auch sein, daß es in diesem Segment keinen anderen Konkurrenten gibt oder daß dieses

Segment eine logische Ausgangsbasis für eine spätere Ausweitung in andere Segmente darstellt.

Für dieses *konzentrierte Marketing* lassen sich mehrere Beispiele anführen: So konzentriert sich Porsche auf den Markt für Sportwagen, Toshiba auf Laptop-Computer, Hewlett-Packard auf teure Taschenrechner und der Poeschel-Verlag auf betriebswirtschaftliche Veröffentlichungen. Mit Hilfe des konzentrierten Marketing baut sich das Unternehmen in seinem Zielsegment eine starke Position auf, die es seinen umfassenderen Kenntnissen der Segmentbedürfnisse und dem besonderen Ruf verdankt, den es sich hier schafft. Außerdem kann das Unternehmen durch Spezialisierung in Produktion, Distribution und Absatzförderung die Arbeitsabläufe rationell gestalten. Füllt es dieses Segment gut aus, kann es eine hohe Kapitalrendite erzielen.

Gleichzeitig birgt das konzentrierte Marketing aber auch überdurchschnittliche Risiken. So kann z. B. das Marktsegment »dahinschmelzen«: Als die modebewußten Frauen plötzlich aufhörten, Pelzkleidung zu kaufen, gerieten viele Gerber, Kürschner und Couturiers tief in die roten Zahlen. Oder ein Konkurrent kann in dasselbe Segment eintreten. Aus diesem Grund bearbeiten viele Unternehmen vorzugsweise mehr als nur ein Segment.

Selektive Spezialisierung

In diesem Fall wählt das Unternehmen mehrere, nach objektiver Beurteilung attraktive Segmente aus, die jeweils zu seinen Zielsetzungen und Ressourcen passen. Selbst wenn keine oder nur geringe synergetische Wechselwirkungen zwischen den Segmenten bestehen, sollten in jedem Segment gute Aussichten auf Gewinne vorhanden sein. Diese Strategie der *selektiven Multi-Segment-Abdeckung* hat gegenüber der *Abdeckung eines einzelnen Segments* den Vorteil, daß das Risiko des Unternehmens gestreut wird. Selbst wenn ein Segment seine Attraktivität einbüßt, kann das Unternehmen in anderen Segmenten weiterhin Geld verdienen.

Produktspezialisierung

Hier konzentriert sich das Unternehmen auf ein bestimmtes Produkt, das es an mehrere Kundengruppen vermarktet. Ein Beispiel wäre ein Produzent, der Mikroskope für die Laboratorien der Universitäten, die staatlichen Forschungsstellen und die freie Wirtschaft herstellt. Das Unternehmen paßt die Mikroskope und die Kundenbetreuung genau den Bedürfnissen der Kundengruppen an und läßt das Geschäft mit weiteren Produkten für den Laborbedarf außer acht. Durch diese Strategie baut sich das Unternehmen einen guten Ruf in diesem spezifischen Produktbereich auf. Die Kehrseite ist die Gefahr, daß das Produkt – in diesem Fall Mikroskope – durch eine völlig neue Technologie zur Vergrößerung von Kleinstobjekten verdrängt wird.

Marktspezialisierung

Hier spezialisiert sich das Unternehmen darauf, zahlreiche Bedürfnisse einer bestimmten Kundengruppe zufriedenzustellen, z. B. auf eine Produktreihe für Universitätslabors: Mikroskope, Oszilloskope, Bunsenbrenner, Kolben etc. Dadurch erlangt das Unternehmen den Ruf, für diese Kundengruppe ein Spezialist zu sein, und wird zum »Mittelsmann« für alle neuen Produkte, die diese Kundengruppe überhaupt verwenden könnte. Als Kehrseite besteht die Gefahr, daß diese Kundengruppe – in diesem Falle die Universitätslabors – möglicherweise plötzlich von Etatkürzungen überrascht werden und daher ihre Einkäufe bei diesem marktspezialisierten Unternehmen drastisch zurückgehen.

Vollständige Marktabdeckung

In diesem Fall ist das Unternehmen bestrebt, alle Kundengruppen mit sämtlichen Produkten zu versorgen, die sie im weitläufiger definierten Produktmarkt brauchen. Die Strategie der vollständigen Marktabdeckung können nur große Unternehmen verfolgen, z.B. IBM (Computer), General Motors (Fahrzeuge) und Coca-Cola (Erfrischungsgetränke).

Großunternehmen können einen Gesamtmarkt auf zwei Arten abdecken: über undifferenziertes oder differenziertes Marketing.

Undifferenziertes Marketing

Das Unternehmen könnte die Unterschiede zwischen den Marktsegmenten ignorieren und dem gesamten Markt ein einziges Angebot vorlegen.[17] Es konzentriert sich dann auf die Gemeinsamkeiten in den Bedürfnissen der Kunden, nicht auf die Unterschiede, und konzipiert ein Produkt und ein Marketingprogramm, das die größtmögliche Anzahl der Käufer ansprechen soll. Es setzt auf Massenvertriebswege und Massenwerbung. Es ist bestrebt, dem Produkt im Bewußtsein der Verbraucher ein überlegenes Image zu verleihen. Ein Beispiel für undifferenziertes Marketing bietet das Unternehmen Coca-Cola, das in seiner Anfangszeit nur eine einzige Cola-Sorte in einer Standardflasche und in einer einzigen Geschmacksrichtung für alle Kunden auf den Markt brachte.

Als Argument für das undifferenzierte Marketing werden die Kosteneinsparungen angeführt. Es wird als »marketingmäßiges Gegenstück zur Standardisierung und Massenproduktion im Herstellungsbereich« betrachtet.[18] Aufgrund der schmalen Produktpalette werden die Produktions-, Lagerhaltungs- und Transportkosten niedrig gehalten. Das undifferenzierte Werbeprogramm hält den Werbeaufwand in Grenzen. Das Fehlen einer segmentbezogenen Marketingforschung und -planung senkt die Kosten für die Marktforschung und das Produktmanagement. Bei geringeren Kosten kann das Unternehmen mit niedrigeren Preisen insbesondere die preisbewußten Segmente des Marktes für sich gewinnen.

Dennoch stehen immer mehr Marketer dieser Strategie sehr skeptisch gegenüber. Gardner und Levy räumten zwar ein, daß »für einige Marken sehr geschickt das Image aufgebaut wurde, daß sie für eine breite Vielfalt von Verbrauchern geeignet seien«, konstatierten jedoch auch:

> In den meisten Produktmärkten unterscheiden sich die Zielgruppen voneinander, und sei es nur deshalb, weil es einige »Abweichler« gibt, die sich weigern, das gleiche zu konsumieren wie alle anderen ... Es ist nicht einfach zu erreichen, daß eine Marke den Angehörigen der soliden unteren Mittelschicht ebenso zusagt wie den anspruchsvollen, intellektuellen Käufern aus der oberen Mittelschicht ... Kaum ein Produkt oder eine Marke kann jedem alles bieten.[19]

Ein Unternehmen, das undifferenziertes Marketing betreibt, entwickelt meist ein Angebot, das auf die größten Marktsegmente zielt. Wenn mehrere Unternehmen das tun, wird der Kampf um die großen Segmente hart, während die kleineren Segmente nicht ausreichend zufriedengestellt werden. So produzierte die amerikanische Automobilindustrie lange Zeit im gegenseitigen Wettbewerb nur große Wagenmodelle. Solche Marketingprogramme, die auf die großen Marktsegmente ausgerichtet sind, werden dann weniger gewinnbringend, weil sie einen unverhältnismäßig starken Wettbewerb auslösen. Kuehn und Day bezeichnen dieses Hinzielen auf das größte Segment in der Marktmitte als den »Irrglauben an das Mittelfeld«.[20] Es gibt Unternehmen, die dies erkannt und sich wieder verstärkt den kleineren Marktsegmenten zugewandt haben. Dies führt zum differenzierten Marketing.

Differenziertes Marketing
Hier bearbeitet das Unternehmen die Mehrzahl der Segmente eines Marktes, entwickelt jedoch für jedes, das sich deutlich von den anderen abhebt, spezielle Programme. General Motors nimmt das für sich in Anspruch und sagt, man habe das richtige Auto für »jede Brieftasche, jeden Zweck und jede Persönlichkeit«. Und IBM bietet für die verschiedenen Segmente des Computermarktes zahlreiche Hardware- und Software-Varianten an. Nixdorf hat sich mit einer solchen stark ausgeprägten Marketingstrategie trotz relativ schwacher technologischer Fähigkeiten weltweit eine beachtliche Position geschaffen, bis das Unternehmen durch ein unausgewogenes Kostenmanagement in die Krise geriet.

Differenziertes Marketing verhilft dem Unternehmen im allgemeinen zu höheren Gesamtumsätzen als undifferenziertes Marketing. »Normalerweise läßt sich leicht belegen, daß man den Gesamtumsatz durch vielfältige Produkte und Distributionswege steigern kann.«[21] Dadurch steigen allerdings auch die Kosten – wahrscheinlich vor allem folgende:

- **Die Produktmodifikationskosten**
  Ein Produkt so zu modifizieren, daß es den Erfordernissen verschiedener Marktsegmente entspricht, bringt normalerweise einigen Forschungs- und Entwicklungsaufwand mit sich und verursacht zusätzliche Kosten für Spezialwerkzeuge.
- **Die Produktionskosten**
  Es ist im allgemeinen teurer, zehn Einheiten von zehn verschiedenen Produkten herzustellen als hundert Einheiten von ein und demselben Produkt. Je länger die Produktionsrüstzeiten und je geringer das Umsatzvolumen für jedes einzelne Produkt, desto teurer wird es. Wenn sich allerdings jedes Modell in ausreichenden Mengen verkaufen läßt, können die höheren Rüstkosten umgerechnet auf jede Einheit sehr gering sein.
- **Die Verwaltungskosten**
  Das Unternehmen muß für jedes Marktsegment einen eigenen Marketingplan erstellen. Dadurch entstehen zusätzliche Kosten für Marketingforschung, Planerstellung, Verkaufsanalysen, Absatzförderung und Management der Distributionswege.
- **Die Lagerhaltungskosten**
  Es ist normalerweise teurer, die Bestände mehrerer differenzierter Produkte zu verwalten als ein Lager mit nur einem Produkt zu führen: Es müssen zusätzliche Verzeichnisse geführt und mehr Bestandskontrollen durchgeführt werden. Außerdem muß jedes Produkt in ausreichender Menge vorhanden sein, um die Grundnachfrage zu decken, wobei noch ein Sicherheitsbestand notwendig ist, um Nachfragespitzen abzufangen. Die Sicherheitsbestände mehrerer Produkte sind insgesamt umfangreicher als der Sicherheitsbestand für ein einziges Produkt gleichen Zwecks.
- **Die Absatzförderungskosten**
  Zum differenzierten Marketing gehört es, die einzelnen Marktsegmente in der Werbung

unterschiedlich anzusprechen. Dadurch werden einzelne Medien in geringerem Umfang genutzt und Mengenrabatte im Medieneinkauf gehen verloren. Da außerdem für jedes Marktsegment eine kreative Werbegestaltung erforderlich ist, steigen auch hierfür die Kosten.

Da differenziertes Marketing sowohl zu einer Steigerung der Umsätze als auch der Kosten führt, lassen sich im voraus keine Prognosen über die Rentabilität dieser Strategie erstellen. Einige Unternehmen müssen erkennen, daß sie ihren Markt *übersegmentiert* haben und zu viele Marken anbieten. Sie würden gerne weniger Marken anbieten, die jeweils eine größere Kundengruppe ansprechen. Diese Unternehmen greifen zur Segmentzusammenlegung (»*Counter-Segmentation*«) oder »Basisausweitung« und streben auf diese Weise ein größeres Umsatzvolumen für die einzelnen Marken an.[22] Wie in einem der früheren Kapitel erwähnt, weitete z.B. das Unternehmen Johnson & Johnson den Zielmarkt für ihr Baby-Shampoo auch auf Erwachsene aus. Und Lingner & Fischer will mit der Zahncreme »Odol-Med 3« gleich drei Nutzenangebotssegmente gewinnen: diejenigen, die Schutz vor Karies, Schutz vor Paradontose und Vorbeugung gegen Zahnsteinbildung wollen.

Die folgende Abbildung 10–12 faßt die Unterschiede zwischen undifferenziertem, differenziertem und konzentriertem Marketing zusammen.

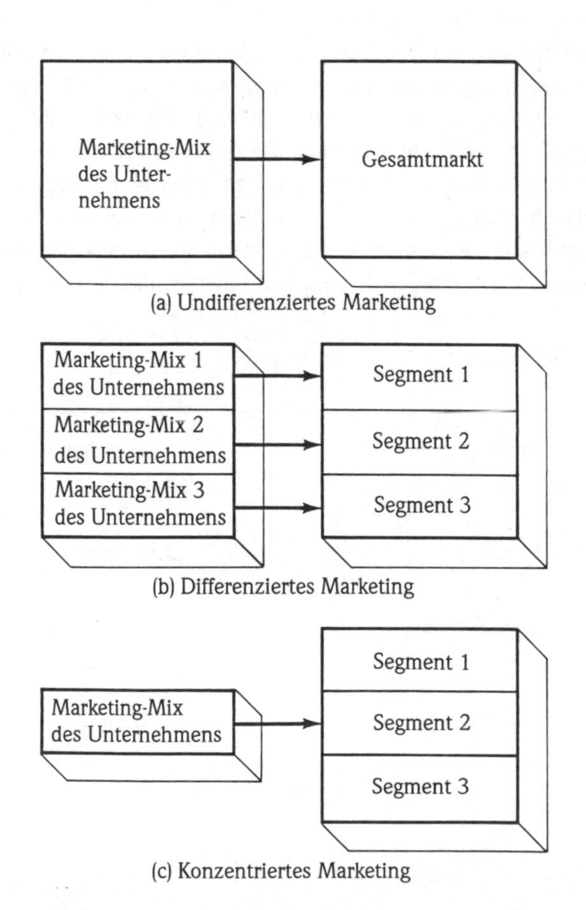

Abbildung 10-12
Drei mögliche Strategien für die Bestimmung und Bearbeitung der Zielmärkte

Weitere Überlegungen zur Bewertung und Auswahl von Marktsegmenten

In die Bewertung und Auswahl von Marktsegmenten müssen drei weitere Überlegungen einfließen.

Segmentübergreifende Wechselbeziehungen und Übersegmente
Entscheidet sich ein Unternehmen dafür, mehr als ein Marktsegment zu bearbeiten, sollte es genau auf *segmentübergreifende Wechselbeziehungen* bei der Kostenstruktur, der Leistungserbringung und der Technologie achten. Es kann sein, daß zwei oder mehr Segmente aufgrund gleicher technischer Erfordernisse, Herstellungsprozesse, Distributionskanäle oder logistischer Systeme gemeinsam bearbeitet werden können. Wenn z.B. ein Unternehmen eine Verkaufsorganisation unterhält, die Vergaser an die Automobilunternehmen verkauft, könnte es über diese Verkaufsorganisation auch Benzinpumpen anbieten. Bei Kostenverteilung auf beide Produkte hätte das Unternehmen niedrigere Kosten für den Verkauf von Vergasern als ein anderes Unternehmen, das ausschließlich Vergaser absetzt.

Wenn die Gesamtkosten für die gleichzeitige Bedienung von zwei (oder mehr) Marktsegmenten niedriger sind als die Kosten für die separate Bearbeitung der Segmente, bestehen sog. *»economies of scope«*, d.h. Wirtschaftlichkeitsvorteile durch Festlegung des Geschäftsfeldes. Diese können oft ebenso wichtig sein wie Größenvorteile (*»economies of scale«*).

Die Unternehmen sollten versuchen, *Übersegmente* zu ermitteln und zu bearbeiten, statt in isolierten Segmenten zu operieren. Abbildung 10–13 zeigt, wie zwölf Einzelsegmente aufgrund bestimmter synergetischer Wechselwirkungen, wie etwa Nutzung der gleichen Rohstoffe, Fertigungsstätten oder Distributionswege, in fünf Übersegmente umgruppiert werden können. Das Unternehmen tut gut daran, sich für ein Übersegment statt für ein einzelnes Segment innerhalb des Übersegments zu entscheiden; sonst könnte es im Vergleich zu denjenigen Konkurrenten, die sich in diesem Übersegment fest etabliert haben, Wettbewerbsnachteile haben.

Abbildung 10-13
Einzelsegmente und Übersegmente

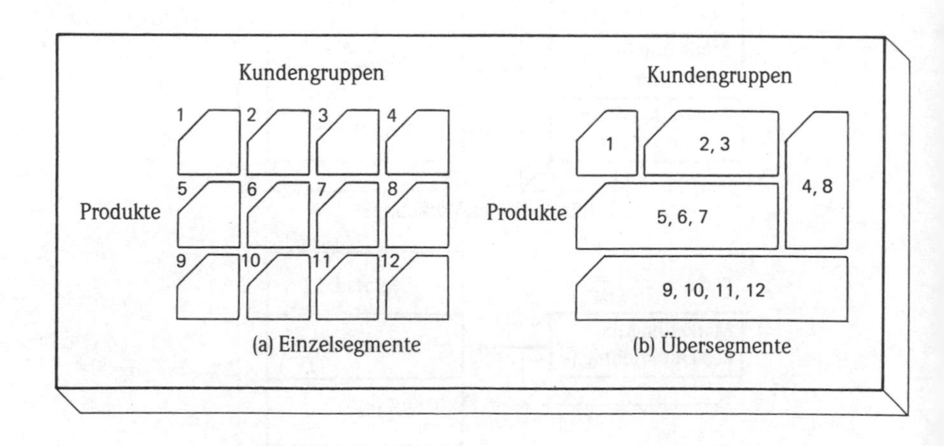

Segmentweises Vordringen

Auch wenn ein Unternehmen vorhat, in ein Übersegment einzudringen, sollte es segmentweise vorgehen und seine großen Pläne geheimhalten. Die Konkurrenten dürfen nicht erfahren, in welches Segment das Unternehmen als nächstes vorrücken will. Diese Situation wird in Abbilung 10–14 dargestellt: Die drei Unternehmen A, B und C haben sich auf Computersysteme spezialisiert, die auf die Bedürfnisse von Transportunternehmen und zwar von Fluggesellschaften, Eisenbahnbetrieben und Lkw-Speditionen zugeschnitten sind. Firma A deckt den gesamten Computerbedarf von Fluggesellschaften. Firma B bietet allen drei Unternehmenstypen Großrechner an. Firma C ist erst vor kurzem in den Markt eingetreten und hat sich auf Mikrocomputer mit Zusatznutzen speziell für die Bedürfnisse der Lkw-Speditionen spezialisiert. Es stellt sich nun die Frage, in welches Segment Firma C als nächstes eindringen soll. Die Pfeile in Abbildung 10–14 zeigen, in welcher Reihenfolge das Unternehmen segmentweise vordringen will; die Konkurrenten kennen diese Pläne nicht. Firma C beginnt mit mittelgroßen Computersystemen für Lkw-Speditionen. Um die Sorgen der Firma B über Angriffe auf das eigene Großrechnergeschäft mit den Speditionen zu zerstreuen, wendet sich C nun den Eisenbahnbetrieben zu und bietet ihnen zunächst spezielle Mikrocomputer und anschließend mittelgroße Systeme an. Dann geht C zum vollen Angriff auf die Position von B bei Großrechnern für Speditionen über. Natürlich ist die geplante Reihenfolge nur vorläufig, weil viel davon abhängt, in welche Segmente die anderen Konkurrenten im Laufe der Zeit vordringen.

Leider versäumen es zuviele Unternehmen, einen Langzeitplan für ein segmentweises Vordringen zu entwerfen, mit dem sie Reihenfolge und Zeitpunkt ihres Eintretens in die einzelnen Marktsegmente festlegen. Eine Ausnahme bildet Pepsi-Cola, und zwar insofern, als sein Angriff auf Coca-Cola in groben Zügen durchdacht war: Zuerst attackierte Pepsi Coca-Cola in den Lebensmittelgeschäften; dann im Automatengeschäft, in den Fast-Food-Restaurants etc. Die japanischen Unterneh-

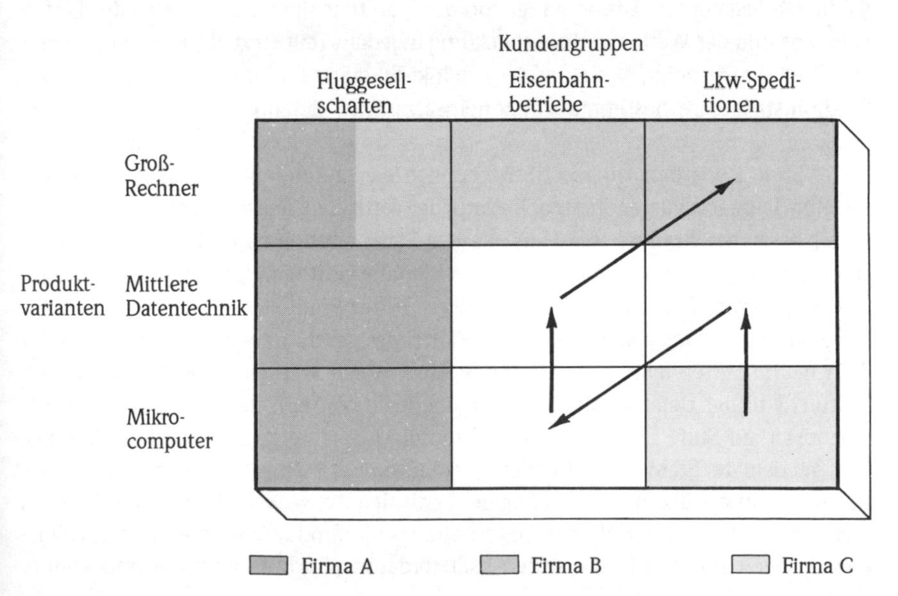

Abbildung 10-14
Ein Plan für das segmentweise Vordringen

men legen ebenfalls den Ablauf ihres Vordringens fest. Zunächst versuchen sie, in einem Markt Fuß zu fassen – Toyota bringt beispielsweise einen Kleinwagen auf den Markt. Bald darauf bietet Toyota weitere Modelle an, dann größere Autos und schließlich Luxusautos. Die amerikanischen und europäischen Unternehmen erschrecken schon, wenn ein japanisches Unternehmen in den Markt eintritt, weil sie wissen, daß es nicht im ersten Segment haltmacht, sondern es nur als Ausgangsbasis für ein weiteres Vordringen nutzt.

Die Frage, wer in den einzelnen Segmenten dominieren wird, ergibt sich ebenfalls aus Abbildung 10–14. Die Unternehmen A und B etwa verkaufen beide Großrechner an Fluggesellschaften. Firma B ist auf diesen Computertyp spezialisiert und hat dank der größeren Absatzmenge wahrscheinlich niedrigere Kosten. Firma A spezialisiert sich auf alle Computerbedürfnisse der Fluggesellschaften und hat den Vorteil, diese und ihre Mitarbeiter besser zu kennen. Die Frage ist also letztlich, welche der beiden Ansätze größere Vorteile für die Bearbeitung dieses Segments bietet.

Detaillierte Segmentanalyse

Um bei der Auswahl eines Segments möglichst sicher zu gehen, muß das Unternehmen das ausgewählte Segment detailliert analysieren. Eine nützliche Analysemethode dafür wird in Abbildung 10–15 dargestellt. Sie zeigt den Markt für das Produktsortiment eines Stahlverarbeiters. Auf Stufe 1 wird eine Segmentierung des Marktes nach Kundengruppen und Produkten vorgenommen. Bei den Kundengruppen handelt es sich um Unternehmen der Baubranche, nämlich Generalunternehmer, Elektro- und Sanitärinstallateure. Der Produktmix besteht aus drei Produktgruppen, die an Unternehmen der Baubranche verkauft werden: Rohrsattel, Betoneinsatzstücke und Leitungsträger. Die Segmentierung zeigt neun Marktsegmente. In jedem Feld steht der Umsatz (in Dollar) des Stahlverarbeiters in diesem Segment.

Der Umsatz gibt allerdings noch keinen Aufschluß über das relative Gewinnpotential in den Segmenten. Dieses hängt von der Marktnachfrage, den Kosten des Unternehmens und der Wettbewerbsentwicklung in jedem Teilmarkt ab. Auf den Stufen 2 und 3 wird aufgezeigt, wie einer der Produkt-Teilmärkte, nämlich der Markt der für Elektroinstallateure bestimmten Betoneinsatzstücke, detailliert untersucht werden kann.

Auf Stufe 2 werden zunächst Schätzungen der laufenden und zukünftigen Umsätze im Teilmarkt vorgenommen. Entlang der vertikalen Achse werden die Umsätze in der gesamten Branche, die Umsätze des Stahlverarbeiters und sein Marktanteil aufgeführt. Auf der horizontalen Achse werden die künftigen Umsätze und Marktanteile abgetragen. Zunächst will der Stahlverarbeiter Produkte im Wert von 200.000 Dollar absetzen – das entspricht einem Viertel des geschätzten Gesamtumsatzes der Branche. Im dritten Jahr hofft er, einen 30prozentigen Marktanteil erobert zu haben.

Stufe 3 dringt tiefer in die Marketingüberlegungen ein, die hinter den Umsatzprognosen auf Stufe 2 stehen. Die horizontale Achse zeigt den Absatzförderungsmix, mit dem der Stahlverarbeiter den Verkauf von Betoneinsatzstücken an Elektroinstallateure unterstützen will. Entlang der vertikalen Achse wird der Distributionsmix dargestellt, mit dessen Hilfe das Unternehmen die Produkte an die Elektroinstallateure bringen will. Der tatsächliche Absatzförderungs- und Distributionsmix könnte

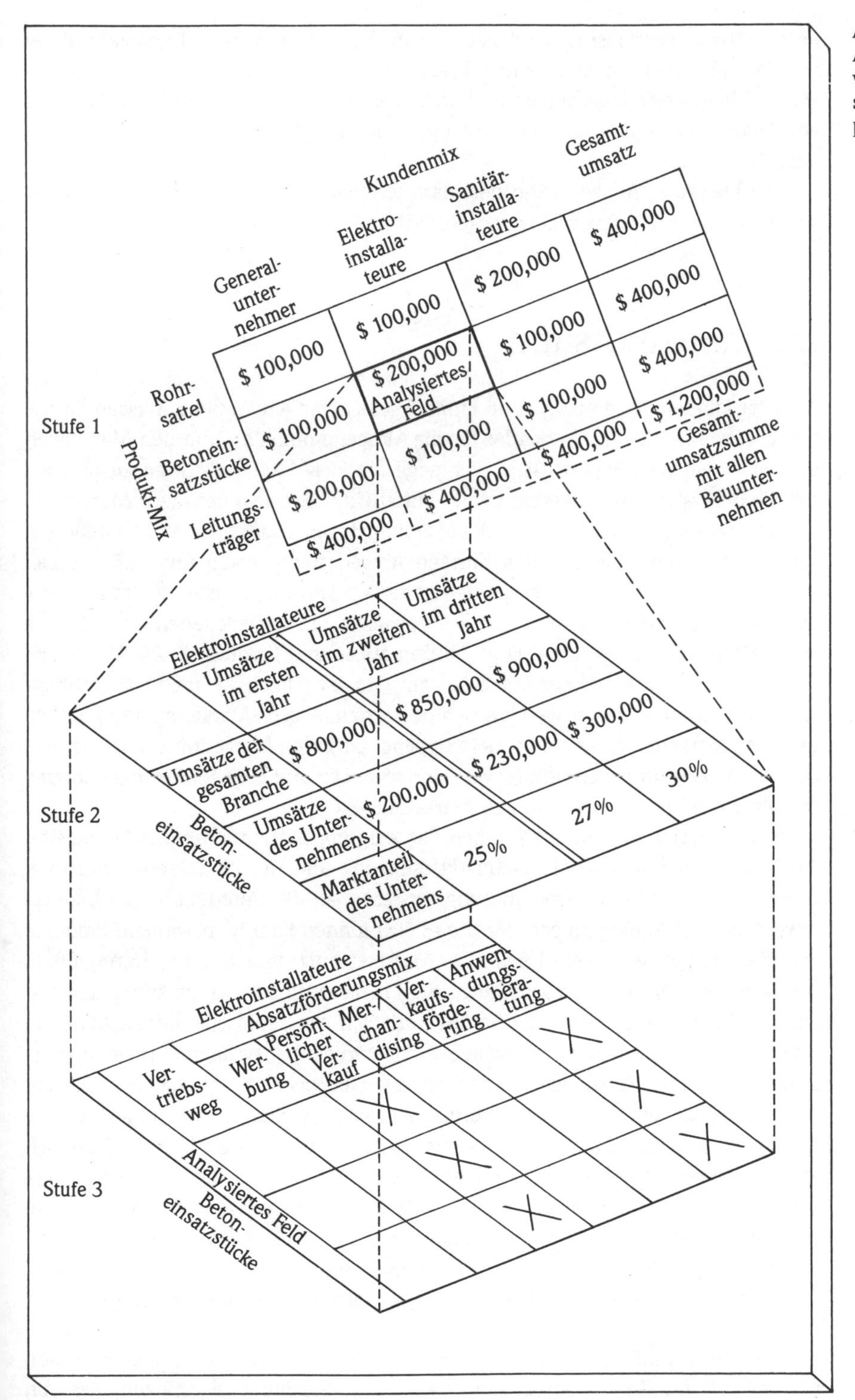

Abbildung 10-15
Analyse des Wertes verschiedener Marktsegmente für Stahlprodukte

noch weiter aufgeschlüsselt werden, indem man die Budgetzahlen (finanzielle Mittel und Personal) in die entsprechenden Felder einträgt. Der Stahlverarbeiter wird dabei alle drei Vertriebsformen nutzen und stützt sich bei der Stimulierung des Absatzes an Elektroinstallateure vor allem auf den persönlichen Verkauf und die Anwendungsberatung.

Mit Hilfe dieser Analyse kann der Marketer seine Strategien auswählen und ihr langfristiges Gewinnpotential bewerten. [23]

Zusammenfassung

Anbieter können auf drei Arten an einen Markt herangehen. Beim Massen-Marketing entscheidet sich der Verkäufer für die Massenproduktion und den Massenvertrieb eines einzigen Erzeugnisses, das möglichst viele Käuferschichten ansprechen soll. Produktvarianten-Marketing ist die Entscheidung, zwei oder mehr Marktangebote zu machen, die sich im Hinblick auf Styling, Eigenschaften, Qualität, Größe etc. voneinander unterscheiden, dem Kunden Abwechslung bieten und dafür sorgen sollen, daß sich seine Produkte von denen der Konkurrenz abheben. Beim zielgruppenorientierten Marketing lautet die Entscheidung, die verschiedenen Gruppen, die einen Markt ausmachen, voneinander abzugrenzen und Produkte sowie Marketingprogramme zu entwickeln, die speziell auf den jeweiligen Zielmarkt abgestimmt sind. Die meisten Anbieter wenden sich heute vom Massen-Marketing und Produktvarianten-Marketing ab und dem zielgruppenorientierten Marketing zu, da letzteres bessere Ansätze für die Ermittlung von Marktchancen und die Entwicklung erfolgreicher Produkte und eines wirksamen Marketing-Mix bietet.

Die wichtigsten Schritte im Rahmen des zielgruppenorientierten Marketing sind die Marktsegmentierung, die Zielmarktfestlegung und die Produktpositionierung. Unter dem Begriff Marktsegmentierung versteht man die Unterteilung des Marktes in verschiedene Käufergruppen, für die es sich lohnen könnte, besondere Produkte und Marketingpläne zu entwickeln. Der Marketer nutzt verschiedene Trenngrößen, um die besten Segmentierungsmöglichkeiten herauszufinden. In Konsumgütermärkten sind die wichtigsten Segmentierungsvariablen geographische, demographische (Alter und Lebensabschnitt, Geschlecht, Einkommen), psychographische (soziale Schicht, Lebensstil, Persönlichkeit) und verhaltensbezogene Kriterien (Verbrauchsanlässe, Nutzenangebote, Verwenderstatus, Verwendungsrate, Markentreue, Stadium der Kaufbereitschaft, Einstellung) zugrundegelegt. Industrielle Märkte lassen sich anhand von demographischen Variablen, operativen Variablen, Beschaffungskonzepten der Kunden, situationsbedingten Faktoren und personengebundenen Eigenschaften segmentieren. Für jedes Segment läßt sich ein Kundensegmentprofil erarbeiten. Die Effektivität der Segmentierungsanalyse zeigt sich darin, ob die ermittelten Segmente meßbar, ausreichend groß, erreichbar, handlungsbefähigend und stabil sind.

Als nächstes muß der Anbieter lohnende Marktsegmente auswählen. Dazu muß er zunächst das Gewinnpotential der einzelnen Segmente abschätzen, das von Größe und Wachstum des Segments, seiner strukturellen Attraktivität (die laut Porter von fünf Kräften bestimmt wird) sowie den Zielsetzungen und Ressourcen des Unternehmens selbst abhängt. Dann muß der Anbieter entscheiden, wie viele Segmente er wählt und wie er sie abdecken will. Dabei kann er die zwischen den Segmenten bestehenden Unterschiede vernachlässigen (undifferenziertes Marketing), für mehrere Segmente jeweils unterschiedliche Angebote entwickeln (differenziertes Marketing) oder sich an eines oder wenige Segmente wenden (konzentriertes Marketing). Bei der Auswahl der Zielsegmente muß der Marketer segmentübergreifende Wechselbeziehungen und potentielle segmentweise Expansionspläne berücksichtigen.

Anmerkungen

1 Stephen P. Arbeit: »Confronting the Crisis in Mass Marketing«, in: *Viewpoint*, II, 1982, S. 2 und 9.
2 Alan R. Andreasen und Russell W. Belk: »Predictors of Attendance at the Performing Arts«, in: *Journal of Consumer Research*, September 1980, S. 112–120.
3 Vgl. Manohar U. Kalwani und Donald G. Morrison: »A Parsimonious Description of the Hendry System«, in: *Management Science*, Januar 1977, S. 467–477.
4 Vgl. »Marketing's New Look: Campbell Leads a Revolution in the Way Consumer Products Are Sold«, in: *Business Week*, 26. Januar 1987, S. 64–69.
5 Klaus D. Wilde: »Differenziertes Marketing auf der Basis von Regionaltypologien«, in: *Marketing*, ZFB, Heft 3, August 1986, S. 153–162.
6 *American Demographics*, August 1986.
7 Richard P. Coleman: »The Significance of Social Stratification in Selling«, in: Martin L. Bell (Hrsg.): *Marketing: A Maturing Discipline*, Chicago: American Marketing Association, 1961, S. 171–184.
8 Zitat aus Franklin B. Evans: »Psychological and Objective Factors in the Prediction of Brand Choice; Ford versus Chevrolet«, in: *Journal of Business*, Oktober 1959, S. 340–69.
9 Gruner und Jahr (Hrsg.): *Brigitte-Typologie 3*, Hamburg: Gruner und Jahr, 1977.
10 Vgl. Daniel Yankelovich: »New Criteria for Market Segmentation«, in: *Harvard Business Review*, März–April 1964, S. 83–90, hier S. 85.
11 Frank M. Bass, Douglas J. Tigert und Ronald T. Lonsdale: »Market Segmentation: Group versus Individual Behavior«, in: *Journal of Marketing Research*, August 1968, S. 276.
12 Diese Klassifizierung stammt, leicht abgewandelt, von George H. Brown: »Brand Loyalty – Fact or Fiction?«, in: *Advertising Age*, Serie von Juni 1952 bis Januar 1953.
13 Wind und Cardozo sind der Ansicht, daß im Rahmen der Segmentierung industrieller Märkte zunächst die Makrosegmente und dann die Mikrosegmente ermittelt werden sollten. Vgl. Yoram Wind und Richard Cardozo: »Industrial Market Segmentation«, in: *Industrial Marketing Management*, III, 1974, S. 153–166. Andere Standpunkte finden sich bei Thomas V. Bonoma und Benson P. Shapiro: *Segmenting the Industrial Market*, Lexington, Mass.: Lexington Books, 1983; und James D. Hlavacek und B.C. Ames: »Segmenting Industrial and High-Tech Markets«, in: *Journal of Business Strategy*, Herbst 1986, S. 39–50.
14 Hermann Freter und Dietmar Barzen: »Segmentierung im Automobilmarkt«, in: *Marktforschung & Management*, 3, 1988, S. 87–92.
15 Michael E. Porter: *Competitive Advantage*, New York: Free Press, 1985, S. 4–8 und 234–36.
16 Michael E. Porter: *Competitive Strategy*, New York: Free Press, 1980, S. 22–23.
17 Vgl. Wendell R. Smith: »Product Differentiation and Market Segmentation as Alternative Marketing Strategies«, in: *Journal of Marketing*, Juli 1956, S. 3–8; und Alan A. Roberts: »Applying the Strategy of Market Segmentation«, in: *Business Horizons*, Herbst 1961, S. 65–72.

18 Smith, a.a.O., S. 4.
19 Burleigh Gardner und Sidney Levy: »The Product and the Brand«, in: *Harvard Business Review*, März–April 1955, S. 37.
20 Alfred A. Kuehn und Ralph L. Day: »Strategy of Product Quality«, in: *Harvard Business Review*, November–Dezember 1962, S. 101–102.
21 Roberts, a.a.O., S. 66.
22 Alan J. Resnik, Peter B.B. Turney und J. Barry Mason: »Marketers Turn to ›Countersegmentation‹«, in: *Harvard Business Review*, September–Oktober 1979, S. 100–106.
23 Eine eingehendere Betrachtung der hier dargestellten Analysetechnik findet sich bei William J. Crissy und Frank H. Mossman: »Matrix Models for Marketing Planning: An Update and Expansion«, in: *MSU Business Topics*, Herbst 1977, S. 17–26.

Planung von Marketingstrategien

Teil IV

Differenzierung und Positionierung als Grundlage der Marketingstrategie

Kapitel 11

Weil wir nicht einfach sind, sind wir nicht nachahmbar.
Ueli Prager

Kein Wind ist demjenigen günstig, der nicht weiß, wohin er segeln will.
Montaigne

Man gewinnt immer, wenn man erfährt, was andere von uns denken.
Goethe

Nehmen wir an, ein Unternehmen hat seine möglichen Zielmärkte erforscht und ausgewählt, in welchem es tätig sein will. Falls es als einziges Unternehmen in einem Zielmarkt tätig ist, kann es in der Regel die Preise so gestalten, daß dabei ein Gewinn erzielt wird. Wenn es die Preise zu hoch ansetzt und der Zielmarkt keine wesentlichen Eintrittsbarrieren aufweist, werden Wettbewerber in diesen Markt eintreten und das Preisniveau senken. Falls mehrere Wettbewerber im gleichen Zielmarkt tätig sind und ihre Produkte nicht differenzieren werden die meisten Käufer den Anbieter mit den niedrigsten Preisen wählen. Die anderen Anbieter sind dann gezwungen, ihre Preise zu senken. Als einzige Alternative zu diesem Preiskampf kann das Unternehmen sein Angebot an den Markt – im Vergleich zu seinen Wettbewerbern – differenzieren. Wenn ihm eine effektive Differenzierung seines Angebots gelingt und die Differenzierung aus Sicht der Käufer einen besonderen Wert hat, kann das Unternehmen sich dem direkten Preisvergleich mit den Konkurrenten entziehen und damit den Preiskampf vermeiden.

In diesem Kapitel werden die vielen Möglichkeiten untersucht, durch die ein Unternehmen sein Angebot an die Zielkunden effektiv differenzieren, sich einen Wettbewerbsvorteil sichern und sich in seinem Zielmarkt preislich von den Wettbewerbern absetzen kann. Dabei befassen wir uns mit den folgenden Fragen:

- Wie bilden sich Käufer ihre Wertauffassung und treffen ihre Wahl unter den Anbietern?
- Wie kann das Unternehmen ermitteln, worin mögliche Wettbewerbsvorteile liegen?
- Was sind die wesentlichen Ansätze zur Differenzierung?
- Wie kann sich das Unternehmen am effektivsten von den Wettbewerbern absetzen und sich selbst im Markt positionieren?
- Wie kann das Unternehmen seine Positionierung im Markt kommunikativ unterstützen?

Wertauffassung und Bezugsquellenwahl aus Sicht der Käufer

Man kann sich langfristig treue Kunden schaffen, wenn man ihre Bedürfnisse und ihr Kaufverhalten besser kennt als die Wettbewerber. Das Kaufverhalten der Konsumenten und der Organisationen wurde bereits in Kapitel 6 und 7 untersucht. An dieser Stelle stützen wir unsere Betrachtungen noch einmal darauf, daß die Käufer nach einer Nutzenmaximierung streben.

Die Grundannahme ist hierbei, daß Käufer sich für das Angebot des Unternehmens entscheiden, das ihnen im Austausch den höchsten Wertgewinn bietet. Der *Wertgewinn durch Austausch* ergibt sich aus dem Unterschied zwischen dem *Kundengesamtwert* des Angebots und den *Kundengesamtkosten.*[1] Abbildung 11–1 zeigt schematisch, wie sich der Wertgewinn aus dem Gesamtwert und den Gesamtkosten sowie deren Unterelementen zusammensetzt.

Wir werden anhand eines Beispiels erläutern, wie sich der Gesamtwert aus Sicht des Käufers zusammensetzt. Der Einkaufsmanager eines großen Bauunternehmens

Abbildung 11-1
Komponenten der Angebotsbewertung durch den Kunden

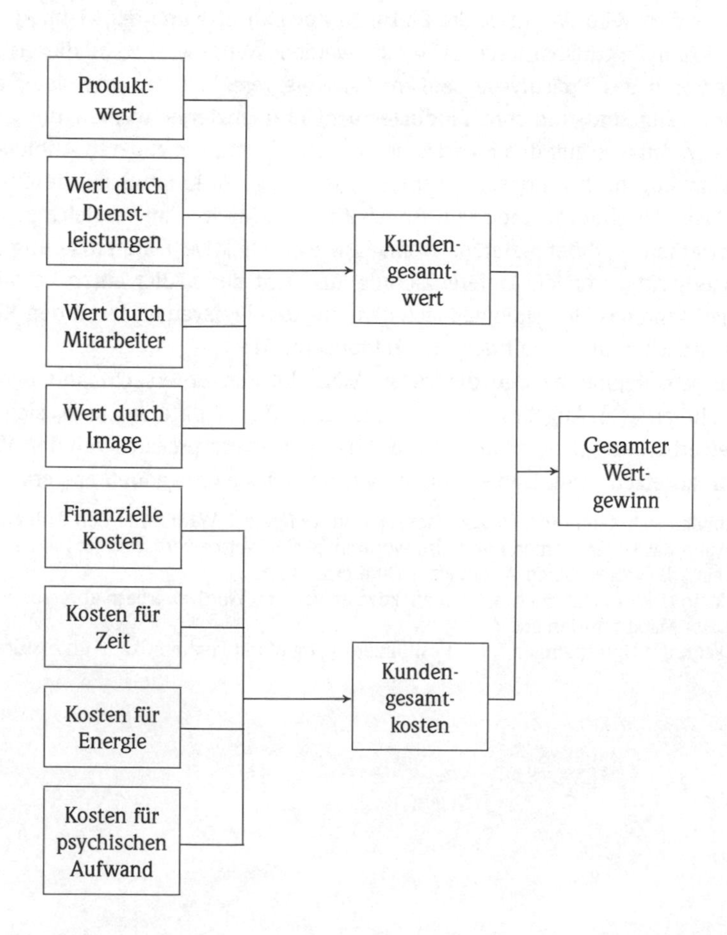

soll z.B. einen Traktor kaufen. Er vergleicht ein Angebot von Caterpillar mit einem von Komatsu. Er weiß, daß der Traktor für eine bestimmte Anwendung vorgesehen ist, nämlich für den Bau von Wohnhäusern. Er bewertet die beiden Traktoren und befindet den Caterpillar-Traktor als besser geeignet für den beabsichtigten Zweck. Des weiteren nimmt er Unterschiede in den produktbegleitenden Dienstleistungen der beiden Anbieter wahr und zwar bezüglich Auslieferung, Schulung im Umgang mit dem Produkt und Instandhaltung. Den Wert der Dienstleistungen von Caterpillar schätzt er höher ein. Zudem hält er die Mitarbeiter der beiden Anbieter für unterschiedlich gut und meint, eine Zusammenarbeit mit den Leuten von Caterpillar für ihn wertvoller sei. Schließlich besteht für ihn noch ein Unterschied im Image der beiden Anbieter, wobei er auch das Image von Caterpillar höher als das von Komatsu bewertet. Er summiert die Teilwerte aus diesen vier Wertquellen – Produkt, Dienstleistungen, Mitarbeiter und Image – und sieht einen höheren *Kundengesamtwert* im Angebot von Caterpillar. Deswegen ist aber noch keine Kaufentscheidung für den Caterpillar-Traktor gefallen. Denn der Einkaufsmanager überprüft auch die *Kundengesamtkosten*, die sich aus dem Austausch mit jedem der Anbieter ergeben würden. Die Kundengesamtkosten umfassen mehr als die *finanziellen Kosten*. Adam Smith bemerkte bereits vor mehr als zwei Jahrhunderten völlig zutreffend: »Zum wirklichen Preis einer jeden Sache gehören Müh' und Plag', sie zu erwerben und zu besitzen«. Zu den Gesamtkosten gehören die zu erwartenden Kosten für Zeit, Energie und psychischen Aufwand. Diese Kosten werden geschätzt und ergeben zusammen mit den finanziellen Kosten die Kundengesamtkosten.

Der Einkaufsmanager muß jetzt abwägen, ob die Kundengesamtkosten von Caterpillar im Vergleich zum Kundengesamtwert zu hoch sind. Wenn ja, könnte er sich für den Komatsu-Traktor entscheiden. Der Käufer wird den Anbieter wählen, der im Austausch den höchsten *Wertgewinn* bietet.

Dieser Modellansatz zum Käuferverhalten kann Caterpillar helfen, seinen Traktor besser zu verkaufen. Caterpillar kann sein Angebot auf drei Arten verbessern. Erstens kann das Unternehmen den Kundengesamtwert erhöhen, indem es dem Produkt, den Leistungen, den Mitarbeitern oder dem Image weitere Vorteile hinzufügt. Es kann zweitens die nicht-finanziellen Kosten des Käufers verringern, indem es den Aufwand des Käufers an Zeit, Energie und psychischen Anstrengungen vermindert. Drittens kann es seinen finanziellen Preis für diesen Käufer senken.

Nehmen wir an, Caterpillar nimmt eine Abschätzung des Kundenwerts vor und gelangt zu dem Schluß, daß das Caterpillar-Angebot für den Kunden maximal einen Gesamtwert von 50.000 DM haben könnte. Nehmen wir weiterhin an, daß Caterpillar den Traktor für 35.000 DM herstellen kann. Das bedeutet, daß Caterpillars Angebot ein *Mehrwertpotential* von 15.000 DM (50.000 DM – 35.000 DM) beinhaltet. [2/3]

Der Preis von Caterpillar sollte zwischen 35.000 DM und 50.000 DM liegen. Liegt er unter 35.000 DM, arbeitet Caterpillar nicht kostendeckend. Ist er höher als 50.000 DM, so überschreitet er den Kundengesamtwert, und der Verkauf findet nicht statt. Durch den Preis bestimmt Caterpillar, welcher Anteil des Mehrwertpotentials an den Käufer und welcher Anteil an Caterpillar selbst geht. Bei einem Preis von 40.000 DM z.B. überläßt Caterpillar 10.000 DM des Mehrwertpotentials dem Kunden und erzielt einen Gewinn von 5.000 DM. Bei einem Preis von 48.000 DM gesteht Caterpillar dem Kunden einen Anteil von 2.000 DM zu und behält für sich 13.000 DM als Gewinn. Je niedriger Caterpillar seinen Preis ansetzt, desto höher ist der Wertgewinn des Kunden und damit auch der Kaufanreiz für den Kunden. Der Wertgewinn kann auch als Wertpotential angesehen werden, der dem Kunden überlassen wird. [4]

Wenn Caterpillar diesen Kunden gewinnen will, muß der Wertgewinn (Nettowert) seines Angebots höher sein als der von Komatsu. Der Wertgewinn kann entweder als Differenz oder als Verhältniszahl ausgedrückt werden. Wenn der Kundengesamtwert bei 50.000 DM und der Kundengesamtpreis bei 40.000 DM liegt, ergibt sich der Wertgewinn entweder als Nettowert von 10.000 DM oder als Nutzen-Kosten-Verhältnis von 1,25 (50.000/40.000). Einige grundlegende Forschungsarbeiten zeigen, daß Kaufentscheidungen zwischen vergleichbaren Alternativen eher auf der Basis des größten Nettowerts als auf der Basis des günstigsten Nutzen-Kosten-Verhältnisses getroffen werden. [5]

Mancher Marketer wird das Argument bringen, daß dieses Modell die Bezugsquellenentscheidung des Käufers zu sehr als rationalen Prozeß sieht. Er wird sogar Beispiele finden, wo Käufer nicht das Angebot mit dem höchsten Wertgewinn wählten, wie z. B. das folgende:

Der Verkäufer von Caterpillar überzeugte den Einkaufsmanager, daß sein Traktor für das Bauunternehmen einen höheren Wert bietet, wenn alle Kosten- und Nutzenbestandteile bis hin zur Zeit der Verschrottung oder des Weiterverkaufs berücksichtigt werden würden. Er machte auch klar, daß der Komatsu-Traktor mehr Treibstoff verbraucht und bei ihm höhere Ausfallzeiten zu erwarten sind. Der Einkaufsmanager erkannte dies zwar an, entschied sich aber trotzdem für den Komatsu-Traktor.

Wie kann dieses anscheinend gegen die Wertmaximierung verstoßende Verhalten erklärt werden? Es gibt mindestens drei Gründe:

- Erstens könnte der Einkäufer die Anweisung erhalten haben, zum niedrigstmöglichen Preis zu kaufen, da das Unternehmen Liquiditätsprobleme hat. Dadurch ist es ihm ganz explizit verwehrt, seine Entscheidung nach dem Wertgewinn zu richten. Die Aufgabe des Verkäufers von Caterpillar wäre es in diesem Fall, die Unternehmensleitung davon zu überzeugen, daß eine Einkaufspolitik zum Niedrigpreis auf längere Sicht die Profitabilität des Unternehmens beeinträchtigt.
- Zweitens könnte der Einkaufsmanager aus dem Unternehmen ausscheiden, ehe es bemerkt, daß der Komatsu-Traktor auf lange Sicht teurer kommt als der von Caterpillar. Der Einkaufsmanager könnte dann darauf hinweisen, daß er günstig eingekauft hat, ohne dabei seine kurzfristige Sichtweise preiszugeben. Caterpillars Verkäufer stünde es zu, andere Mitglieder des Beschaffungsteams davon zu überzeugen, daß sein Angebot einen höheren Wertgewinn bringt.
- Drittens könnte der Einkaufsmanager ein besonders freundschaftliches Verhältnis zum Verkäufer von Komatsu haben. In diesem Fall müßte der Verkäufer von Caterpillar dem Einkaufsmanager klar machen, daß Beschwerden des Traktorbetreibers zu erwarten sind, wenn er herausfindet, daß der gekaufte Komatsu-Traktor hohe Treibstoffkosten und eine große Reparaturanfälligkeit mit sich bringt.

Es ist offensichtlich, daß Einkäufer bei ihren Handlungen verschiedenen Beschränkungen unterliegen und gelegentlich Entscheidungen treffen, die eher aus persönlicher Sicht als aus Unternehmenssicht vorteilhaft sind. Das Modell des maximierten Wertgewinns bietet jedoch einen nützlichen Analyserahmen, der für viele Situationen geeignet ist und gute strategische Analysen ermöglicht. Aus diesem Modell ergeben sich einige Konsequenzen:

1. Der Anbieter muß den Kundengesamtwert und die Kundengesamtkosten der Konkurrenzprodukte schätzen, um sein eigenes Angebot richtig bewerten zu können.
2. Ein Angebot von geringerem Wertgewinn für den Kunden kann auf zwei Arten verbessert werden. Der Anbieter kann sich bemühen, den Kundengesamtwert zu erhöhen, oder die Kundengesamtkosten zu senken. Im ersten Fall muß er das Produkt, die Dienstleistungen, die Mitarbeiter oder das Image durch zusätzlichen Kundennutzen anreichern. Im zweiten Fall kann er den Preis senken, den Bestell- und Zustellprozeß vereinfachen oder dem Käufer einige Risiken abnehmen, indem er zusätzliche Garantien bietet.

Ermittlung möglicher Wettbewerbsvorteile

Wenn Käufer den Anbieter bevorzugen, der den größten Wertgewinn bietet, wie ermittelt dann ein Anbieter, womit er sich Wettbewerbsvorteile verschaffen kann, die das Mehrwertpotential für sich und den Kunden vergrößern? Porter schlug die *Wertkette* als ein wesentliches Instrument zur Ermittlung potentieller Wettbewerbsvorteile durch Vergrößerung des Mehrwertpotentials vor (vgl. Abb. 11–2).[6] In jedem Unternehmen sind Aktivitäten aneinandergeknüpft, durch deren Ausführung sein Produkt entworfen, hergestellt, vermarktet, ausgeliefert und durch Kundendienstleistungen unterstützt wird. Porters Wertkettenansatz unterteilt ein Unternehmen in neun strategisch relevante Aktivitäten, um die Kosten im Unternehmen oder in der Branche sowie die existierenden und potentiellen Differenzierungsquellen gegliedert darzustellen und besser zu verstehen. Die neun Wertbeitragsaktivitäten werden in fünf primäre Aktivitäten und vier unterstützende Aktivitäten unterteilt.

Abbildung 11-2
Modell der Wertkette

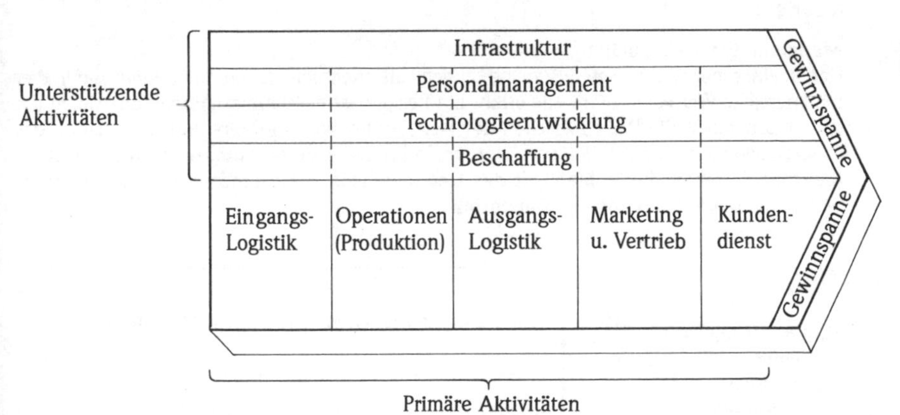

Quelle: Porter: *Competitive Advantage*, New York: Free Press, 1985, S. 37.

Die primären Aktivitäten repräsentieren die Reihenfolge, in der Materialien ins Unternehmen gebracht, zu Produkten verarbeitet, versandt, vermarktet und vom Kundendienst betreut werden. Gleichzeitig mit den primären Aktivitäten laufen auch die unterstützenden Aktivitäten ab. Die Beschaffung sorgt dafür, daß die verschiedenen Einsatzgüter für jede primäre Aktivität verfügbar sind; von den notwendigen Beschaffungsaktivitäten wird jedoch nur ein Teil durch die Einkaufsabteilung abgewickelt. Die Technologieentwicklung durchzieht ebenfalls jede Primäraktivität; nur ein Teil davon findet in der F&E-Abteilung statt. Personalmanagement wird ebenfalls in allen Abteilungen betrieben. Die Infrastruktur bestimmt die Gemeinkosten für Unternehmensführung, Planung, Finanzverwaltung, Buchhaltung, Rechtsangelegenheiten und Pflege der Beziehungen zum Staat, die von allen primären und unterstützenden Aktivitäten getragen werden.

Das Unternehmen muß nun die Kosten und Leistungen jeder Wertbeitragsaktivität analysieren und nach Verbesserungsmöglichkeiten suchen. Es sollte als Orientierungspunkt auch Schätzungen über die vergleichbaren Leistungen und Kosten seiner Konkurrenten anstellen. In dem Maße, in dem das Unternehmen besser als seine Konkurrenten abschneidet, hat es einen Wettbewerbsvorteil erzielt.

Die Suche des Unternehmens nach Wettbewerbsvorteilen sollte über die eigene Wertkette hinausgehen und auch die der Zulieferer, Händler und letztendlich der Kunden einbeziehen. Beispielsweise kann ein Unternehmen in Zusammenarbeit mit einem wichtigen Zulieferer seine Kosten senken und den Zulieferer für diese Einsparungen belohnen. Oder es verhilft einem Kunden dazu, eine seiner Aktivitäten besser oder kostengünstiger auszuüben, um sich dessen Loyalität zu sichern.

Die Wertkette bietet dem Unternehmen einen umfassenden Analyserahmen für die systematische Suche nach Möglichkeiten, den Kunden ein überlegenes Wertangebot zu unterbreiten. Ob damit wenige oder viele Ideen hervorgebracht werden können, hängt zu einem gewissen Grad von der Branche ab. Die Boston Consulting Group schlägt eine Unterteilung der Branchen in vier Kategorien vor (siehe Abbildung 11–3). Die zwei Bemessungsgrundlagen für die Einstufung jeder Branche sind dabei die mögliche Größe der Wettbewerbsvorteile und die mögliche Anzahl der Ansätze, um einen Wettbewerbsvorteil zu realisieren. Es ergeben sich vier Branchenkategorien:

- **Mengenbewegte Branchen**
  Den in einer mengenbewegten Branche tätigen Unternehmen stehen nur wenige, dafür aber umfangreiche Wettbewerbsvorteile offen. Ein Beispiel ist die Baumaschinenindustrie, in der ein Unternehmen die Wahl zwischen der Position des Kostenführers und der Position des Differenzierens hat und in beiden Fällen große Erfolge erzielen kann. In mengenbewegten Branchen korreliert die Profitabilität des Unternehmens ausgesprochen stark mit dem gewonnenen Marktanteil und der Marktgröße.

Abbildung 11-3
Branchen-Matrix der Boston Consulting Group

Anzahl der Möglichkeiten, einen Wettbewerbsvorteil zu realisieren		klein	groß
	viele	Fragmentierte Branchen	Spezialisierte Branchen
	wenige	Festgefahrene Branchen	Mengenbewegte Branchen

Größe des Wettbewerbsvorteils

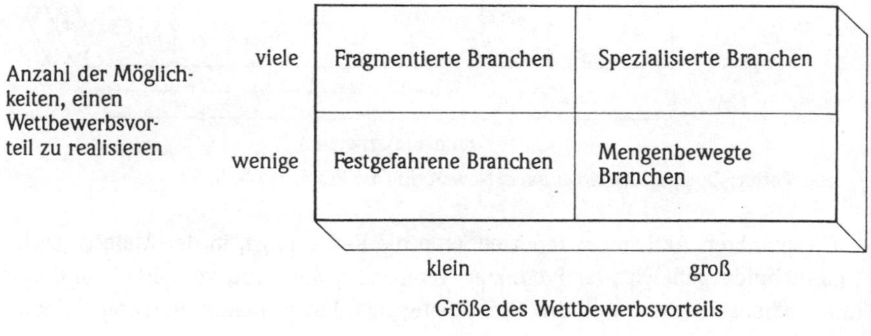

- **Festgefahrene Branchen**
  In einer festgefahrenen Branche gibt es nur wenige potentielle Wettbewerbsvorteile, und jeder von ihnen ist klein. Diese Situation herrscht z.B. in der Stahlindustrie, in der ein Unternehmen bei gegebener Technologie seine Produkte und seine Kosten nicht viel anders gestalten kann als seine Wettbewerber. Hier kann ein Unternehmen etwa durch besseres Verkaufspersonal, intensivere Kundenbetreuung u. a. m. nur sehr geringe Wettbewerbsvorteile erzielen. Es besteht kein direkter Zusammenhang zwischen Marktanteil und Profitabilität.
- **Fragmentierte Branchen**
  Den Unternehmen in fragmentierten Branchen stehen zahlreiche Differenzierungsmöglichkeiten offen, doch jede ist von geringer Bedeutung. So kann sich ein Restaurant auf vielerlei Weise von seinen Konkurrenten abheben, ohne daß es dadurch unbedingt einen großen Marktanteil erobert. Die Rentabilität eines Restaurants hängt nicht von seiner Größe ab. Sowohl große als auch kleine Restaurants können rentabel oder unrentabel sein.
- **Spezialisierte Branchen**
  In einer spezialisierten Branche haben die Unternehmen zahlreiche Möglichkeiten der Differenzierung, und jede davon kann wirtschaftlich lohnend sein. In diese Kategorie gehört z.B. ein Unternehmen, das Spezialmaschinen für ausgewählte Marktsegmente herstellt. In einer spezialisierten Branche können kleine Unternehmen ebenso rentabel arbeiten wie große.

Es stehen also nicht jedem Unternehmen eine Vielzahl von kosten- oder leistungsbezogenen Möglichkeiten zur Erzielung von Wettbewerbsvorteilen offen. Manche Unternehmen werden zahlreiche kleine Wettbewerbsvorteile entdecken, doch alle sind leicht imitierbar und daher sehr kurzlebig. Die Lösung für diese Unternehmen besteht darin, kontinuierlich neue potentielle Wettbewerbsvorteile herauszufinden und sukzessive einzusetzen, um immer an vorderer Stelle zu stehen. Das heißt, die Unternehmen müssen den Innovationsprozeß »zur Gewohnheit machen«. Sie können nicht damit rechnen, einen großen und dauerhaften Wettbewerbsvorteil zu erringen, sondern müssen viele kleine Vorteile ausfindig machen, die nacheinander zur Gewinnung von Marktanteilen führen können.

Ansätze der Wettbewerbsdifferenzierung

Hier interessiert die Frage, wie ein Unternehmen sein Angebot gegenüber dem Wettbewerb differenzieren kann. Es wurde bereits oben ausgeführt, daß das Unternehmen sich selbst oder sein Angebot auf der Ebene der Produkte, der Serviceleistungen, der Mitarbeiter oder des Images differenzieren kann. Im folgenden gehen wir auf nähere Einzelheiten zu diesen Möglichkeiten ein.

Differenzierung durch das Produkt

Als ein Extrem des möglichen Produktspektrums finden wir hochstandardisierte Erzeugnisse mit relativ wenig Möglichkeiten zur Differenzierung, wie z.B. Brathähnchen, Stahlprodukte (z.B. Baustahl), Nägel und Schrauben sowie Glühbirnen. Aber sogar bei solchen Produkten können die Hersteller Differenzierungen herausarbeiten. In den USA behauptet z.B. Frank Perdue, daß seine Brathähnchen besser seien als andere (nämlich zarter), und ist in der Lage, für seine Brathähnchen-Marke einen um 10 % höheren Preis zu erzielen. Die gleiche Stahlsorte von zwei unterschiedlichen Herstellern kann, obwohl beide der Industrienorm entsprechen, in der Konsistenz und anderen Materialeigenschaften Unterschiede aufweisen. Elektromotoren verschiedener Herstellung können, obwohl beide die Industrienorm erfüllen, unterschiedlich zuverlässig oder wartungsintensiv sein. Und Kugellager gleicher Norm können differierende Laufzeiten haben.

Das andere Extrem des Produktspektrums stellen Erzeugnisse mit großen Möglichkeiten zur Differenzierung dar, wie z.B. Automobile, Industriebauten und Möbel. Hier kann der Anbieter durch Variation vieler Parameter das Produktdesign eigenständig gestalten. Die wichtigsten Parameter aus Sicht des Kunden werden im folgenden untersucht. [7]

Produktausstattungselemente

Jedes Produkt kann mit unterschiedlichen Ausstattungselementen angeboten werden. Das sogenannte »nackte« Grund- oder Basismodell, also die Produktausführung ohne jegliche »Extras«, ist der Ausgangspunkt. Durch Hinzufügen eines oder mehrerer Ausstattungselemente hat der Hersteller die Möglichkeit, gehobene Modelle anzubieten. Bei Autos beispielsweise kann der Käufer als »Extras« elektrische Fensterheber, Automatikgetriebe, Klimaanlage, Stereo-Autoradio und vieles andere bestellen. Der Hersteller muß festlegen, welche Ausstattungselemente serienmäßig geboten und welche auf Wunsch eingebaut werden. Jedes Ausstattungsdetail kann das Interesse zusätzlicher Käufer wecken.

Die Produktausstattung ist ein wesentliches Wettbewerbsinstrument zur Differenzierung des eigenen Erzeugnisses gegenüber dem Angebot der Konkurrenz. Manche Unternehmen sind äußerst innovationsfreudig, wenn es darum geht, ein Produkt serienmäßig mit zusätzlichen Ausstattungselementen zu versehen. Japanische Unternehmen haben weltweite Marketingerfolge mit Produkten erzielt, die sie durch neue Ausstattungselemente ständig verbesserten, wie z.B. Kleinbildkameras mit automatischer Scharfeinstellung oder integriertem Blitz. Auch Autos, Taschenrechner, Armbanduhren und Videorecorder zählen dazu. Neue Ausstattungselemente sind im Wettbewerb am wirkungsvollsten, wenn man sie als erster auf den Markt bringt und zuvor getestet hat, ob der Käufer sie tatsächlich für wertvoll hält.

Wie kann nun ein Anbieter neue Ausstattungselemente ausfindig machen und entscheiden, welche davon er seinem Produkt hinzufügen soll? Er sollte zu diesem Zweck in regelmäßigen Abständen mit Käufern Kontakt aufnehmen, die das Produkt bereits verwenden, und ihnen eine Reihe von Fragen stellen:

- Was gefällt Ihnen an dem Produkt?
- Gibt es Ausstattungselemente, die das Produkt zusätzlich haben sollte und die es Ihrer Ansicht nach verbessern würden? Welche sind dies? Wieviel würden Sie für jedes dieser Elemente bezahlen?
- Was halten Sie von folgenden Ausstattungselementen, die andere Käufer genannt haben? (Ein Katalog mit Elementen wird vorgelegt.) Wieviel würden Sie für jedes Ausstattungsdetail, das Sie interessiert, bezahlen?

Auf diese Weise erhält der Anbieter eine reichhaltige Liste von Ideen für Ausstattungselemente. Seine nächste Aufgabe besteht darin, zu entscheiden, welche davon es wert sind, realisiert zu werden. Zuerst sollte der Anbieter für jedes potentielle neue Element den Wert für den Kunden, für den er zu zahlen bereit ist, und die Kosten für das Unternehmen ermitteln und gegenüberstellen. Angenommen, ein Autohersteller zieht die drei in Tabelle 11–1 aufgeführten Verbesserungen der Produktausstattung in Erwägung. Durch die Ausstattung der Fahrzeuge mit einem »Frischluft- und Pollenfilter« würden dem Unternehmen zusätzliche Herstellungskosten in Höhe von 10 DM pro Fahrzeug entstehen. Da der Durchschnittskäufer jedoch angegeben hat, daß ihm dieses zusätzliche Ausstattungselement 20 DM wert sei, könnte das Unternehmen je 1 DM Zusatzkosten 2 DM an Zusatzwert für den Kunden schaffen. Aus der Betrachtung der anderen beiden Elemente geht hervor, daß das Ausstattungselement »Servolenkung« beim durchschnittlichen Kunden den höchsten Zusatzwert pro Kosteneinheit des Anbieters schaffen würde.

Tabelle 11–1
Gegenüberstellung von Kundennutzen und Herstellkosten für drei spezifische Ausstattungselemente eines Autos

Ausstattungselement	Kosten für das Unternehmen (DM) (1)	Wert für den Kunden (DM) (2)	Nutzen-Kosten-Verhältnis (3)=(2):(1)
Frischluftfilter	10	20	2
Geschwindigkeitsregelung	200	200	1
Servolenkung	200	600	3

Diese Ermittlungen sind nur ein Ausgangspunkt. Mit ihrer Hilfe lassen sich einige Ausstattungselemente, deren Wert von den Kunden – verglichen mit den Kosten für den Anbieter – als minimal eingestuft wird, von vornherein ausschließen. In eine endgültige Entscheidung müssen noch weitere Überlegungen einfließen, z.B. wie viele der möglichen Käufer das Ausstattungselement wollen, wie lange es dauern würde, das Ausstattungselement einzuführen und wie lange die Konkurrenz brauchen würde, um gleichzuziehen.

Produktleistung

Die Produktleistung ergibt sich daraus, wie gut das Produkt die wesentlichen Leistungsanforderungen des Kunden erfüllt. Ein Mercedes leistet z.B. mehr als ein Volkswagen, wenn die Fahrt mit ihm den Benutzer weniger anstrengt, wenn sich der Mercedes im Verkehr besser beherrschen läßt, schneller beschleunigt und mehr Sicherheit bietet. Ein IBM-Computer leistet mehr als ein Siemens-Computer, wenn er nutzerfreundlicher ist, Berechnungen schneller durchführt und einen größeren Arbeitsspeicher hat. Die Käufer teurer Produkte vergleichen in der Regel die Leistungseigenschaften unterschiedlicher Marken. Sie sind in der Regel bereit, für ein Produkt mit höherer Leistung mehr zu bezahlen, wenn sie den Leistungsunterschied höher bewerten als den Kostenunterschied.

Die Produktleistung wird durch die Produktqualität bestimmt, wobei Produktqualität als ein umfassender Begriff angesehen wird, der alle leistungsbeeinflussenden Komponenten des Produkts beinhaltet. Die Produktleistung ist somit Ausdruck dessen, was diese Qualität an Leistung für den Kunden bringen kann.

Die meisten Produkte werden auf eine von vier Leistungsstufen hin ausgelegt: niedrig, durchschnittlich, hoch und hervorragend. Die Frage ist, ob Produkte, die durch ihre höhere Qualität auf eine höhere Leistung hin ausgelegt sind, in der Praxis den Anbietern höhere Gewinne bringen.

Das *Strategic Planning Institute*, das sogenannte »PIMS-Untersuchungen« (PIMS steht für *Profit Impact of Market Strategy*) durchführt, ermittelte aus seinen umfangreichen Datenerhebungen, daß bei ansonsten konstant gehaltenen Variablen eine deutlich positive Wechselbeziehung zwischen relativer Produktqualität und Kapitalrendite besteht (vgl. Abbildung 11–4). Eine Stichprobe aus 525 mittelgroßen strategischen Geschäftseinheiten ergab, daß diejenigen mit niedriger relativer Produktqualität eine Kapitalrendite von 17%, die mit mittlerer Qualität 20% und die mit hoher Qualität 27% erzielten. Die Anbieter hoher Qualität übertrafen damit die Anbieter niedriger Qualität um 60%. Sie verdienten mehr, weil sie aufgrund ihres Qualitätsvorsprungs hohe Preise verlangen konnten, den Vorteil von häufigeren Wiederholungskäufen und größerer Kundentreue erwirkten und bei nur geringen Mehrkosten höhere Qualität anbieten konnten als ihre Konkurrenten mit niedriger Produktqualität.

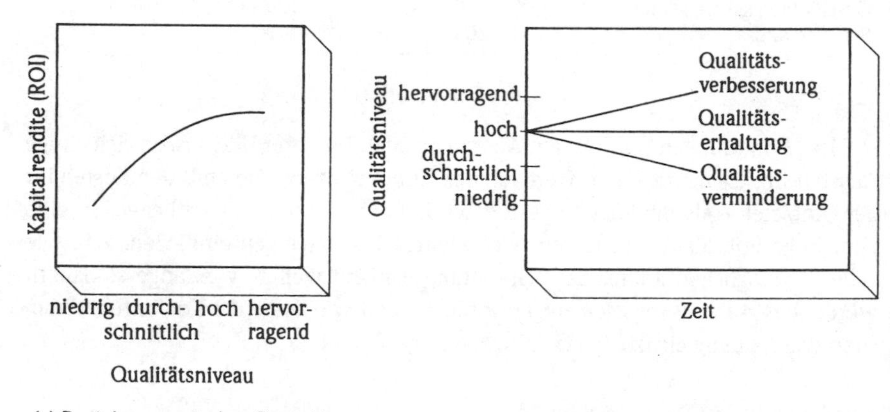

(a) Beziehung zwischen Produktqualität und Kapitalrendite

(b) Drei Strategietypen für das Qualitätsmanagement im Zeitverlauf

Abbildung 11-4
Produktqualitätsstrategien und Kapitalrendite

Man sollte jedoch nicht den voreiligen Schluß ziehen, daß ein Unternehmen stets Produkte höchstmöglicher Qualität entwickeln sollte. Bei immer weiter steigendem Qualitätsniveau nehmen die Gewinnchancen wieder ab, weil immer weniger Konsumenten bereit sind, den Preis dafür zu zahlen, und dann Beschwerden über die »technisch zu aufwendige Ausführung« bestimmter Produkte laut werden. Der Anbieter muß das Qualitätsniveau wählen, das zu seinem Zielmarkt paßt und ihn im Wettbewerb differenziert.

Des weiteren ist zu entscheiden, wohin das Qualitätsmanagement im Zeitverlauf führen soll. Abbildung 11–4(b) zeigt dafür drei Strategietypen. Der erste Typ ist die Strategie der Qualitätsverbesserung. Hierbei investiert der Anbieter kontinuierlich in Forschung und Entwicklung, um die Produktleistung weiter zu erhöhen. Diese Strategie bringt oft die höchsten Gewinne und den größten Marktanteil. Procter &

Gamble ist ein erklärter Verfechter dieser Strategie der Produktverbesserung und hat damit in vielen Märkten eine führende Position erreicht. Der zweite Typ ist die Strategie der Qualitätserhaltung. Viele Unternehmen lassen das Leistungsniveau ihrer Produkte unverändert, solange sich keine gravierenden Mängel zeigen oder sich durch eine Änderung keine großen Marktchancen ergeben. Die dritte Strategie besteht in der allmählichen Senkung der Produktqualität. Zahlreiche Unternehmen wählen diesen Weg, wenn sie Kostensteigerungen abfangen müssen – in der Hoffnung, daß die Verbraucher den Unterschied nicht bemerken werden. Andere senken planmäßig die Qualität, um die laufenden Gewinne zu erhöhen; doch oft hat dies auf lange Sicht nachteilige Folgen.

Konformität

Unter Konformität versteht man das Ausmaß, in dem das Produkt in seinen Eigenschaften mit einem planmäßig aufgestellten Standard übereinstimmt. Es handelt sich also um die Übereinstimmung der Leistungserfüllung und anderer Merkmale mit zuvor aufgestellten Spezifikationen. Wenn z.B. für einen Porsche 911 spezifiziert wurde, daß er von 0 auf 100 Stundenkilometer in 6,5 Sekunden beschleunigt und dann jeder Porsche 911 dies tatsächlich kann, ist die Beschleunigungskonformität des Autotyps sehr hoch. Wenn jedoch innerhalb eines Autotyps von Auto zu Auto Beschleunigungsunterschiede bestehen, ist die Leistungskonformität gering. Bei niedriger Konformität besteht für den Anbieter ein Problem, da das Produkt nach Meinung vieler Käufer nicht die erwartete Leistung erfüllt und sie deshalb enttäuscht. Einer der wesentlichsten Gründe, warum sich japanische Autos insbesondere auf dem amerikanischen Markt den Ruf hoher Qualität erworben haben, liegt in ihrer hohen Konformität.

Haltbarkeit

Die Haltbarkeit ist ein Maß für die erwartete Nutzbarkeitsdauer eines Produkts. Volvo hat z.B. in seiner Werbung darauf hingewiesen, daß seine Automobile in Schweden am längsten gefahren werden, um damit einen hohen Kundennutzen zu zeigen und einen hohen Preis zu rechtfertigen. Käufer sind in der Regel bereit, für das haltbarere Produkt mehr zu zahlen. Es gibt jedoch auch hier einige Einschränkungen. Der Preiszuschlag für Haltbarkeit sollte nicht übertrieben hoch sein. Das haltbare Produkt darf nicht ausgeprägten Modetrends unterworfen sein oder technologisch schnell veralten. In diesen beiden Fällen würden viele Käufer nicht bereit sein, für hohe Haltbarkeit mehr zu bezahlen. Werbung, die die hohe Lebensdauer eines Personalcomputers oder einer Videokamera besonders herausstellt, beeindruckt die Kunden wenig, da die Ausstattungselemente und die Leistung solcher Produkte sich sehr schnell ändern.

Zuverlässigkeit

Die Zuverlässigkeit ist ein Maß für die Wahrscheinlichkeit, daß innerhalb eines bestimmten Zeitraums keine Leistungsstörung auftritt. Beispielsweise wäre ein Mercedes zuverlässiger als ein Ford, wenn die Chance, daß innerhalb von fünf Jahren keine Reparatur notwendig ist, beim Mercedes 90 % und beim Ford 60 % betragen würde. Die Käufer sind bereit, für Produkte mit dem Ruf höherer Zuverlässigkeit mehr zu bezahlen. Sie möchten die Kosten der Leistungsstörung und Ausfallzeiten vermeiden. Produkte aus Deutschland und aus der Schweiz haben diesbezüglich im allgemeinen einen guten Ruf. Japanische Unternehmen waren in den letzten Jahrzehnten besonders erfolgreich bei der Verbesserung der Zuverlässigkeit ihrer Produkte. Beispiele zeigen, welche Chancen es hier gibt:

Toyota hat gemäß ADAC-Pannenstatistik in mehreren Pkw-Klassen die wenigsten Pannen. Toyota wird u.a. deshalb eine von den Kunden immer stärker bevorzugte Automarke.
Ein japanisches Unternehmen importierte amerikanische Küchenmaschinen der Marke Oster und vertrieb sie über 2.500 Einzelhandelsgeschäfte in Japan. Das japanische Unternehmen fand heraus, daß 2 % der Maschinen von den Kunden zurückgebracht wurden, weil die Klinge der Küchenmaschine innerhalb von zwei Jahren Ansätze von Rost zeigte. Es teilte dem amerikanischen Hersteller mit, daß man nicht bereit sei, mehr als 0,5 % reklamierter Ware in Kauf zu nehmen und daß der Hersteller für den japanischen Markt die Klinge aus rostfreiem Stahl höherer Qualität herstellen müsse. Der Hersteller fügte sich und verbesserte sein Produkt nicht nur für den japanischen, sondern auch für den amerikanischen Markt.
Der japanische Konzern Mitsubishi übernahm von dem amerikanischen Konzern Motorola das Tochterunternehmen Quasar, das Fernseher herstellt. Zu Motorolas Zeiten wurden pro 100 Fernseher 141 Defekte festgestellt. Unter Mitsubishi wurde die Anzahl der Defekte auf 6 pro 100 Fernseher reduziert. Die Beanstandungen der Käufer fielen auf ein Zehntel des früheren Niveaus, und das Unternehmen mußte lediglich ein Zehntel der früheren Garantieleistungen erbringen.

Instandsetzbarkeit

Die Instandsetzbarkeit drückt aus, wie leicht und schnell eine Leistungsstörung behoben werden kann. Wenn ein Auto z.B. aus vielen standardisierten Komponenten hergestellt ist, die sich leicht austauschen lassen, ist eine Reparatur relativ einfach. Im Idealfall sollte eine Reparatur so mühelos sein, daß Benutzer das Produkt selbst mit wenig Aufwand an Kosten und Zeit instandsetzen können. Der Käufer nimmt in diesem Fall einfach das defekte Teil heraus und setzt das Ersatzteil ein. An dieses Ideal kommen solche Produkte am nächsten heran, in die eine diagnostische Anzeige eingebaut ist. Diese ermöglicht es Reparaturfachleuten des Unternehmens, per Telefon eine Fehlerdiagnose oder sogar eine Reparatur vorzunehmen, indem sie den Nutzer anweisen, wie die Leistungsstörung zu beheben ist. Am unangenehmsten ist die Situation, wenn ein Produkt ausfällt, der Reparaturdienst kommen muß und viel Zeit vergeht, ehe der Reparaturdienst und die benötigten Teile zur Verfügung stehen.

Styling

Durch das Styling wird im wesentlichen mit bestimmt, wie gut ein Produkt aussieht und wie sich der Käufer damit fühlt. So sind viele Autokäufer bereit, für einen Jaguar einen Aufpreis wegen seines außergewöhnlichen Stylings zu bezahlen, obwohl sein Ruf bezüglich der Zuverlässigkeit nicht besonders gut ist. Automobilunternehmen beanspruchen bisweilen die Dienste von Stylisten wie Pininfarina, um einem Modell ein besonderes Styling zu verpassen. Einige Unternehmen haben einen besonderen Ruf hinsichtlich des Stylings ihrer Produkte, wie z.B. Olivetti bei Büromaschinen und Braun bei Elektrokleingeräten. Stilistische Elemente haben den Vorteil, daß damit Produkte geschaffen werden, die Aufmerksamkeit erregen und nicht so leicht kopiert werden können, da Stilelemente als Warenzeichen rechtlich schützbar sind. Es überrascht daher, wie wenig Unternehmen das Styling ihrer Produkte verbessern. Viele Produkte sehen eher langweilig als auffällig aus. Gleichwohl aber ist anzumerken, daß nicht jedes besondere Styling eine hohe Produktleistung mit sich bringt. Ein Stuhl kann z.B. stilistisch sensationell aussehen, aber gleichzeitig äußerst unbequem sein.

Auch die Verpackung kann als Werkzeug der stilistischen Differenzierung eingesetzt werden. Dies trifft insbesondere im Nahrungsmittelbereich, bei Kosmetika, Körperpflegemitteln und kleineren Haushaltsgeräten zu. Die Verpackung bringt die erste Berührung des Kunden mit dem Produkt und kann auf den Verbraucher entweder anziehend oder abstoßend wirken. Die zur Unilever-Gruppe gehörende Firma Langnese-Iglo brachte z.B. ihre Eiscrememarke Gino Ginelli neu gestylt in italienisch anmutender Aufmachung auf den Markt, um sie so besser zu differenzieren. Einzelheiten zu Verpackungsentscheidungen werden in Kapitel 15 diskutiert.

Produktdesign als integrative Kraft

Alle oben geschilderten Produkteigenschaften sind im Grunde genommen Designparameter. Wird die Vielfalt aller Kombinationsmöglichkeiten einkalkuliert und beachtet, daß viele Eigenschaften aufeinander abgestimmt sein müssen, dann wird klar, wie schwierig die Aufgabe ist, ein gutes Produktdesign zu entwickeln. Der Designer muß herausfinden, wieviel Aufwand in die Entwicklung von Ausstattungsmerkmalen, Produktleistung, Konformität, Zuverlässigkeit, Instandsetzbarkeit, Styling usw. investiert werden soll. Aus Sicht des Herstellers ist das Produktdesign dann gut, wenn es sich leicht herstellen und vertreiben läßt. Aus Sicht des Kunden liegt ein gutes Design vor, wenn das Produkt gut aussieht, sich leicht anwenden läßt, benutzerfreundlich, leicht reparierbar und leicht zu entsorgen ist. Der Designer muß diese Gesichtspunkte berücksichtigen und sich an die Maxime »Form folgt der Funktion« halten. Er muß bei einigen der erstrebenswerten Eigenschaften, die miteinander konfligieren, wie z.B. geringes Gewicht und große Stabilität, Kompromisse erarbeiten. Designentscheidungen sollten davon abhängig gemacht werden, was über den Zielmarkt bekannt ist und wie die Kunden im Zielmarkt den Nutzen der unterschiedlichen Elemente und die Kosten dafür gegeneinander abwägen.

Leider gibt es viele Unternehmen, die nur wenig für gutes Design ausgeben wollen. Einige Unternehmen glauben, daß sich Design im Styling ausdrückt oder daß gutem Design schon Genüge getan wird, wenn zunächst die funktionellen Teile eines Produkts zusammengestellt und dann ein schönes Gehäuse entworfen wird. Andere meinen, daß Zuverlässigkeit durch Qualitätsprüfungen während der Herstellung, und nicht durch das Design zustande kommt. Andere wiederum finden, daß die Designer sich wenig um Kosten kümmern und Produkte entwerfen, die für ihren Markt zu neuartig sind. Analog zu einer Wirtschaftsprüfung sollte eine Designprüfung durch Fachleute als Managementinstrument eingeführt werden, um zu erfassen, ob ein Unternehmen im Design seiner Produkte marktsensibel und effektiv ist. Eine solche Prüfung könnte zeigen, ob das Unternehmen den Produktwert durch

Design in ausreichendem Maße verbessert. Durch gutes Design lenkt man die Aufmerksamkeit der Kunden auf sich, verbessert die Leistung, verringert die Kosten und kommuniziert Werteindrücke an die Kunden im Zielmarkt. [8]

Differenzierung durch Serviceleistungen

Zusätzlich zur Differenzierung der materiellen Eigenschaften des Produkts kann ein Unternehmen sich selbst und sein Angebot auch durch die mit dem Produkt verbundenen Serviceleistungen differenzieren. Wenn das materielle Produkt nicht genügend Differenzierungspotential bietet, liegt der Schlüssel zum Erfolg im Wettbewerb oft bei der Qualität und beim Umfang der Serviceleistungen. Die wichtigsten Komponenten werden im folgenden diskutiert.

Zustellung

Durch seine Zustellungsleistungen bestimmt das Unternehmen, wie gut und effektiv das Produkt dem Kunden zugestellt wird. Hierzu gehören die Lieferzeit, die Einhaltung des gewünschten Zeitpunkts und die Sorgfalt im Zustellungsprozeß. Käufer wählen oft den Anbieter, der den besseren Ruf bezüglich Lieferfähigkeit und pünktlicher Zustellung hat. Die Geschwindigkeit und Verläßlichkeit der Zustellung ist für viele Kunden wichtig, und stellt für manche Unternehmen, insbesondere im Direktmarketing, einen wesentlichen Baustein der Marketingstrategie dar. Viele Versandhäuser bieten deshalb z. B. eine Expreßzustellung der bestellten Ware an (siehe Exkurs 11-1).

Installation

Unter Installation werden die Tätigkeiten zusammengefaßt, die erbracht werden müssen, um ein Produkt am geplanten Einsatzort funktionsfähig zu machen. Käufer von komplexen Ausrüstungsgegenständen und -anlagen erwarten gute Installationsleistungen vom Anbieter. Hier kann es von Anbieter zu Anbieter große Qualitätsunterschiede geben. IBM verfolgt z. B. die Politik, alle bestellten Ausrüstungsgegenstände gleichzeitig zum Einsatzort zu bringen und dort zu installieren, statt schrittweise Teilinstallationen vorzunehmen, wodurch die bereits installierten Anlageteile ungenutzt herumstehen würden. Wenn IBM gebeten wird, IBM-Computerausrüstungen an einen anderen Einsatzort zu bringen und dort zu installieren, so ist das Unternehmen auch bereit, Anlagen von Wettbewerbern und Büromöbel zum gleichen Einsatzort mitzunehmen.

Kundenschulung

Kundenschulung heißt, daß der Anbieter die Mitarbeiter von Kunden darin schult, seine Produkte und Ausrüstungsgegenstände fachgerecht und effizient anzuwenden oder zu bedienen. So sehen es die Firmen Siemens und General Electric als ihre Aufgabe an, teure medizinisch-technische Geräte nicht nur zu verkaufen und in den Krankenhäusern zu installieren, sondern auch die Verantwortung für die Schulung der Benutzer zu übernehmen. Technisch komplexe Anlagen lassen sich an Kunden in Entwicklungsländern ohne Anwenderschulung praktisch nicht verkaufen. Die Qualität der Anwenderschulung entscheidet darüber, ob der Kunde von der Anlage letztendlich den erwarteten Nutzen hat und sich bei zukünftigen Bestellungen an dasselbe Unternehmen wenden wird. Deshalb verkauft IBM nicht nur Rechner aller Größenklassen, sondern bietet auch ein umfangreiches Schulungsprogramm für seine Kunden an.

Kundenberatung

Kundenberatungsleistungen umfassen Daten- und Informationssysteme zur Problemlösungs-, Anwendungs- und Kaufberatung, die der Anbieter den Käufern gratis oder gegen Gebühr zur Verfügung stellt. Viele Hersteller, aber auch Großhändler, helfen ihren direkten Kunden, z.B. den Einzelhändlern, rationelle und computergestützte Bestell- und Lagerverwaltungssysteme, Buchführungssysteme etc. einzuführen. Dadurch wird das Verhältnis zu diesen Kunden verbessert und die Arbeit mit ihnen wirtschaftlich rationeller gestaltet. So bietet die Continental Gummiwerke AG, Hannover, ihren Kunden ein Dienstleistungspaket »Unternehmensberatung« an. Im Mittelpunkt dieses Dienstleistungspakets steht zunächst die Erstellung eines Stärken- und Schwächenprofils des betreffenden Handelsunternehmens. Dann folgt eine weitere Unternehmensberatung durch Conti-Gummi. Gemeinsam mit der Geschäftsleitung des Handelsunternehmens wird analysiert, welche betrieblichen Leistungsprozesse bzw. Teilfunktionen verbessert werden können und in welcher Reihenfolge dazu weitere Teile des angebotenen Dienstleistungspakets eingesetzt werden sollen. [9] Zum Dienstleistungspaket gehört, daß Conti-Gummi seinen Händlern in Fragen der Profilierung und des Corporate Identity, in Fragen der Ladengestaltung, der Marktforschung, der elektronischen Datenverarbeitung, der Werbung und der Absatzförderung beratend zur Seite steht. Mit diesem Dienstleistungspaket wurden im Jahr 1985 in der Bundesrepublik rund 40 Reifenhändler versorgt. Die Umsatz- und Gewinnsituation dieser Handelsunternehmen hat sich danach äußerst positiv entwickelt, was nicht zuletzt Conti-Gummi selbst zugute kam. [10]

Instandsetzung und Instandhaltung

Auch mit diesen Dienstleistungen hat der Anbieter eine Chance, sich zu differenzieren. Caterpillar z.B. behauptet, überall in der Welt einen äußerst schnellen und guten Instandsetzungsdienst für schwere Baugeräte bieten zu können. Für Autokäufer ist die Qualität und Verfügbarkeit der Instandsetzungsdienstleistungen, die sie von ihrem Händler oder Hersteller erwarten, wichtig für die Kaufentscheidung. Rolls-Royce gibt an, daß notfalls ein Automechaniker per Hubschrauber eingesetzt werden würde, wenn das Auto an einem unwegsamen Ort liegenbleiben sollte. Siemens bietet für seine Computertomographen Reparaturdienste per Computerfernverbindung an. IBM hat eine »Hotline« eingerichtet, so daß Kunden im Bedarfsfall per telefonischer Anleitung Reparaturen selbst durchführen können.

Verschiedene andere Dienstleistungen

Die Anbieter können viele andere Wege gehen, um den Wert ihres Angebots durch Dienstleistungen zu differenzieren. Ein Unternehmen kann z.B. bessere Garantieleistungen oder Wartungsverträge anbieten als seine Wettbewerber. Es kann für Stammkunden spezielle Dienstleistungen einrichten, wie dies z.B. die Luftfahrtgesellschaften tun. Die Möglichkeiten für einen Anbieter, durch bestimmte Dienstleistungen dem Kunden einen Zusatznutzen zu verschaffen und sich somit von den Wettbewerbern zu differenzieren, sind fast unbegrenzt.

Exkurs 11-1: Turbomarketing – schnelles Handeln als Waffe im Wettbewerb

Ein Unternehmen kann auf vier Arten versuchen, im Wettbewerb zu siegen: Es kann mit einem besseren, andersartigen, billigeren oder schnelleren Angebot den Kampf aufnehmen. Viele Unternehmen setzen heutzutage auf größere Schnelligkeit. Sie werden dadurch zu »Turbomarketern« und setzen die Erkenntnis um, daß Zeit Geld bedeutet. Sie wenden Turbomarketing auf drei Gebieten an: Innovation, Lieferzeiten und Einzelhandelsleistungen.

Die Beschleunigung von Innovationen ist im Zeitalter kürzerer Produkt-Lebenszyklen überlebensnotwendig. Wettbewerber der gleichen Branche entdecken in der Regel neue Technologien und neue Marktchancen etwa zur gleichen Zeit. So befinden sich heute mehrere Unternehmen im Wettlauf um einen Durchbruch bei der Behandlung von AIDS, der technischen Anwendung von Supraleitern und der Entwicklung von hochauflösenden Fernsehbildschirmen. Das Unternehmen, das zuerst praktische Lösungen entwickelt, hat den »Vorteil des Ersten« im Markt. In der Automobilherstellung wird ein entscheidender Wettbewerbsvorteil der japanischen Unternehmen darin gesehen, daß sie in der Lage sind, neue Modelle innerhalb von drei Jahren zu entwerfen und auf den Markt zu bringen, während der Rest der Wettbewerber fünf und mehr Jahre dafür braucht.

Der Schlüssel zur Innovationsbeschleunigung liegt darin, daß unnötige Verweilzeiten auf jeder Stufe des Entwicklungsprozesses für neue Produkte ausgeschaltet werden. Es muß immer wieder gefragt werden, ob das Unternehmen zu langsam an die Sammlung neuer erforschenswerter Ideen und ihre Auswahl, an die Entwicklung und Erprobung neuer Konzepte und Prototypen oder an die Markteinführung des Produkts herangeht. Wenn jeder Schritt im Entwicklungsprozeß analysiert wird, findet das Unternehmen in der Regel Methoden zur Verkürzung der Innovationszeit.

Die Lieferzeiten bei der Warenverteilung sind ein zweites Gebiet, in dem eine zeitliche Straffung möglich ist. Käufer wollen weder Tage noch Wochen oder Monate auf Produkte warten, die nicht auf Lager sind. Deshalb arbeiten einsichtsvolle Hersteller an der Entwicklung schnellerer Nachschubsysteme. Einige Beispiele zeigen dies:

- Die Levis-Strauss-Company in San Francisco weiß bereits am Abend desselben Tages, wie viele Jeans jeden Stils und jeder Größe landesweit an diesem Tag verkauft wurden. Anhand dieser Informationen wird die Produktion und Materialbeschaffung gesteuert, um die Bestände wieder aufzufüllen. Andere Bekleidungunternehmen, wie Benetton, haben ebenfalls ein Schnellreaktionssystem eingeführt, durch das sie in direkter Verbindung mit ihren Zulieferern, Fertigungsstätten, Distributionszentren und Einzelhandelsgeschäften stehen.

– Der außerordentliche Erfolg der Federal-Express-Company beruht darauf, daß ihr Gründer, Fred Smith, erkannte, wie wichtig Privathaushalten und Geschäftskunden eine schnelle und zuverlässige Auslieferung von Eilsachen ist. Smith richtete ein brillantes Logistiksystem ein, mit dem Federal-Express Briefe und Päckchen, die bis 17.00 Uhr aufgegeben wurden, überall in den Vereinigten Staaten noch vor 11.00 Uhr am nächsten Tag zustellen kann – und zwar mit Garantie. Wird dieser Termin nicht eingehalten, erhält der Kunde sein Geld zurück. Smith ist dabei, sein System der Eilzustellung auch weltweit zu etablieren.

Zur Beschleunigung der Gesamtlieferzeit müssen Möglichkeiten zur Verkürzung folgender Zeiten gefunden werden: die Zeit zwischen dem Verkauf eines Produkts beim Einzelhändler und der Übermittlung des Bestellauftrags an den Hersteller (Bestellungsdurchlaufzeit), die Zeit zwischen dem Eingang der Bestellung und dem Beginn der Herstellung (Produktionsvorlaufzeit), die Zeit von Anfang bis Ende der Fertigstellung (Herstellzeit) und die Zeit von der Fertigstellung bis zur Auslieferung an den Einzelhändler (Lieferzeit). Diese Einzelschritte können beschleunigt werden, indem Bestellungen auch nachts durchgegeben, flexible Fertigungssysteme mit kurzen Rüstzeiten nach dem Just-In-Time-Prinzip organisiert und schnellere Versandtechniken eingeführt werden.
Die Beschleunigung von Einzelhandelsleistungen ist das dritte Terrain im Kampf um Wettbewerbsvorteile. Vor Jahren wartete ein Kunde etwa eine Woche auf die Entwicklung eines Fotofilms und die Abzüge oder auf eine neue Brille. Heute kann er bereits nach einer Stunde den entwickelten Film und die Abzüge bzw. – zumindest mancherorts – auch die Brille abholen. Das neue Konzept bestand darin, das Einzelhandelsgeschäft in eine Kleinstfabrik umzuwandeln. So wird jetzt im Fotogeschäft mit einer Filmentwicklungsmaschine gearbeitet, und das Labor im Optikergeschäft kann Brillengläser auf die gewünschte Fassung zuschneiden, einschleifen und montieren.
Heimauslieferungsdienste sind ebenfalls dabei, ihr Arbeitstempo zu beschleunigen. Der Erfolg der inzwischen international vertretenen Pizzakette »Dominos Pizza« beruhte in den USA auf dem Versprechen, die bestellte Pizza an jeden Kunden im Geschäftsbezirk innerhalb einer Stunde auszuliefern bzw. – wenn dies nicht geschieht – sie umsonst oder zu reduziertem Preis abzugeben. Wenn diese versprochene Lieferzeit noch zu lang ist könnte ein neuer Wettbewerber sie verkürzen, indem er beispielsweise »mobile« Pizzaöfen und Telefone auf Lkws plaziert, so daß die Pizza gebakken wird, während das Auto zum Haus des Kunden fährt.
Nicht in allen Branchen haben die Wettbewerber bisher auf Schnelligkeit gesetzt. Einige Unternehmen sind mit Recht darüber besorgt, daß übergroße Eile die Qualität ihres Angebots mindern könnte. Sie würden Produkte eventuell zu schnell, ohne ausreichendes Testen, auf den Markt bringen oder ihr Distributionssystem überbeanspruchen. Geschickte Unternehmen lassen es nicht so weit kommen. Sie organisieren ihre Arbeit so, daß sie nicht nur schneller, sondern auch besser funktioniert. Wenn nur ein Anbieter in einer Branche herausfindet, wie man die Kunden schneller und besser bedienen kann, werden alle anderen gezwungen, ihre Leistung bezüglich Innovation, Lieferzeiten und Einzelhandelsdienstleistungen zu überprüfen.

Vgl. auch Brian Dumaine: »Speed«, in: *Fortune*, 17. Februar 1989, S. 54–59; und George Stalk jun. und Thomas M. Hout: *Competing Against Time*, New York: The Free Press, 1990.

Differenzierung durch die Mitarbeiter

Unternehmen können einen Wettbewerbsvorteil auch dadurch erringen, daß sie bessere und motiviertere Mitarbeiter einstellen und sie gründlicher ausbilden, als es ihre Wettbewerber tun. So verfügen z.B. Fachgeschäfte im Vergleich zu Kaufhäusern über fachlich besser qualifiziertes Personal, das die Kunden eingehend beraten kann. Die gute Reputation von Singapore Airlines beruht zum großen Teil darauf, daß die Fluggäste durch ausgesprochen gutaussehendes und anmutiges Personal betreut werden. Die Mitarbeiter von McDonald's sind besonders freundlich zu den Kunden, und die Mitarbeiter von IBM zeigen ein sehr professionelles Auftreten. [11] Japanische Kaufhäuser gehen so weit, daß sie an den Türen und Fahrstühlen Mitarbeiter einsetzen, die den Kunden mit einem freundlichen Willkommensgruß empfangen. Die amerikanische Kaufhauskette Wall-Mart hat sich gegenüber anderen Kaufhausketten dadurch differenziert, daß sie in jedem Geschäftsbereich einen Mitarbeiter einsetzt, der die Kunden begrüßt, ihnen Ratschläge gibt, wo gesuchte Artikel zu finden sind, Ware entgegennimmt, die zurückgebracht wird oder ausgetauscht werden soll und den Kindern kleine Geschenke aushändigt.
Wie gut die Mitarbeiter sind, zeigt sich an den folgenden Eigenschaften:

- **Fachkompetenz:** Der Mitarbeiter hat das erforderliche Wissen und fachliche Geschick.
- **Höflichkeit:** Der Mitarbeiter ist den Kunden gegenüber freundlich, rücksichtsvoll und respektvoll.
- **Vertrauenswürdigkeit:** Der Mitarbeiter macht glaubwürdige Aussagen und gibt Ratschläge, denen man vertrauen kann.
- **Zuverlässigkeit:** Der Mitarbeiter erledigt seine Arbeiten für den Kunden pünktlich, korrekt und in der erwarteten Qualität.
- **Geistige Beweglichkeit:** Der Mitarbeiter reagiert umgehend auf Probleme und Anfragen der Kunden.
- **Kommunikation:** Der Mitarbeiter bemüht sich, den Kunden genau zu verstehen und mit ihm leichtverständlich zu kommunizieren. [12]

Differenzierung durch das Unternehmens- oder Markenimage

Selbst wenn die angebotenen Produkte der Wettbewerber und die zugehörigen Dienstleistungen für die Kunden gleich aussehen, ist es doch möglich, daß die Kunden im Image des Anbieters oder seiner Marken Unterschiede wahrnehmen. Ein gutes Beispiel dafür ist die Zigarettenmarke Marlboro. Die meisten Zigaretten sind allein vom Geschmack her kaum zu unterscheiden und werden über die gleichen Kanäle auf die gleiche Weise verkauft. Die einzig plausible Erklärung für den außerordentlichen, weltweiten Erfolg der Zigarettenmarke Marlboro liegt darin, daß Marlboro mit dem Image vom »Macho-Cowboy« behaftet ist und damit die Raucher animiert, zur Marlboro zu greifen. Für Marlboro wurde nicht nur ein Image, sondern darüber hinaus auch eine Markenpersönlichkeit aufgebaut.

Ein aussagekräftiges Image beinhaltet bestimmte Leistungsmerkmale. Es muß eine *einmalige Botschaft* über den Hauptvorzug und die Positionierung der Marke ausstrahlen. Diese Botschaft muß es auf *unverwechselbare Art* übermitteln, so daß ähnliche Botschaften der Wettbewerber die Verbraucher nicht verwirren können. Des weiteren muß es eine *emotionale Unterstützung* bieten, so daß nicht nur die Vernunft, sondern auch die Gefühlswelt des Käufers angesprochen wird.

Zur Entwicklung eines starken Marken- oder Unternehmensimages braucht man viel Kreativität und Fleiß. Ein Image kann nicht über Nacht oder durch ein einziges Kommunikationsmedium geschaffen werden. Es muß von allen eingesetzten Kommunikationsmedien des Unternehmens beständig kommuniziert werden. Wenn z.B. Ford die Botschaft, »Ford heißt Qualität«, übermitteln will, so muß diese Botschaft in Symbolen, in Print- und audiovisuellen Medien, im atmosphärischen Bereich, in besonderen Ereignissen und im Verhalten der Mitarbeiter ausgedrückt werden. Die wesentlichen Medien zur Kommunikation des Images müssen bei Entscheidungen zur Imagedifferenzierung berücksichtigt werden.

Symbole

Zu einem starken Image gehören ein oder mehrere Symbole, welche die Wiedererkennung des Unternehmens oder der Marke fördern. Solche Symbole werden auch Markenlogo oder Firmenlogo genannt. Sie sollten so gestaltet sein, daß man sie sofort wiedererkennt. Auch Objekte, Farben und Töne können eine Symbolfunktion ausüben. So ist der Mercedes-Stern das weltweit bekannteste Markensymbol überhaupt. Weitere gegenständliche Symbole sind der Apfel von Apple-Computer, das Krokodil von Lacoste, der Puma von Puma, der Elch von Ikea u. a. m. Die Farben Gelb und Rot in einer bestimmten Tönung und Proportion sind wesentliche Symbole für das Produktsortiment unter der Marke Maggi, und ein bestimmtes Blau ist die Farbe von IBM. Das »grüne Band der Sympathie« wurde als Symbol der Dresdner Bank lange Zeit in den audiovisuellen Medien durch eine bestimmte Melodie unterstützt. Für Sportartikel, Kosmetikmarken und andere Produkte werden auch die Namen von berühmten lebenden bzw. fiktiv aufgebauten Personen (Jil Sander bzw. Ronald McDonald) symbolhaft eingesetzt.

Printmedien und audiovisuelle Medien

Die gewählten Symbole müssen in Werbebotschaften eingearbeitet werden, die das Persönlichkeitsprofil des Unternehmens oder der Marke übermitteln. Die imagebildende Werbebotschaft soll mit einem Element, das sie hervorhebt und einprägsam wirkt, ausgestattet sein, wie z.B. einem Stimmungsbild, einer Begebenheit oder einem Leistungsversprechen. Die Botschaft sollte auch in anderen Kommunikationsträgern treffend ausgedrückt werden können, wie z.B. in Jahresberichten, Broschüren und Katalogen. Auch die im Geschäftsverkehr des Unternehmens verwendeten Papiere, wie z.B. Briefbögen und Visitenkarten, sollten in ihrer Aufmachung das vom Unternehmen angestrebte Image zum Ausdruck bringen.

Atmosphärische Gestaltung

Die Anlagen und Gebäude, in denen das Unternehmen seine Produkte und Dienstleistungen herstellt oder bereitstellt, können ebenfalls imageprägend gestaltet werden. So wirkte z.B. bei den Hyatt-Hotels die großzügig im Stil eines Atriums angelegte Lobby imageprägend. Banken gestalten die Atmosphäre in ihren Schalterräumen ebenfalls imagefördernd. Bei Restaurants ist die atmosphärische Gestaltung besonders imageprägend. Im China-Restaurant wird z.B. chinesisches Dekor und chinesisches Personal erwartet. Die atmosphärische Gestaltung ergibt sich aus der richtigen Kombination des Designs der Gebäude und der Innenräume, der Farbwahl, der Materialien und der Einrichtungen.

Ereignis-Sponsoring
Das Unternehmen kann sein Image dadurch prägen, daß es bestimmte Arten von Ereignissen und Veranstaltungen als Sponsor fördert. Der Mineralwasseranbieter Perrier machte in den USA z.B. dadurch besonders auf sich aufmerksam, daß er die Einrichtung von Trimm-dich-Pfaden förderte und als Sponsor für Sportereignisse auftrat, die der Gesundheit der Menschen dienen sollten. Andere Organisationen tun sich als Sponsoren von besonderen Sport- und Kulturereignissen, wie Sinfoniekonzerten oder Kunstausstellungen, hervor. Einige Organisationen treten auch durch die Unterstützung bestimmter sozialer Anliegen und Hilfsaktionen mit Sachmitteln oder Geldspenden in den Vordergrund.

Entwicklung der Positionierungsstrategie

Gemäß den vorausgegangenen Ausführungen kann also jedes Unternehmen und jede Marke differenziert werden. Die »einfache Ware«, die nicht differenziert werden kann, existiert so gut wie nie. Levitt und andere Marketingvordenker haben wiederholt darauf hingewiesen, daß es unzählige Wege gibt, sein Angebot zu differenzieren.[13] Um wirkungsvoll zu differenzieren, muß berücksichtigt werden, daß die Käufer unterschiedliche Bedürfnisse und Wünsche haben und entsprechend unterschiedliche Angebote bevorzugen.

Gleichwohl sind nicht alle Markenunterschiede von Bedeutung oder von Wert. Nicht jeder Unterschied stellt eine wirkungsvolle Differenzierung dar. Er birgt einerseits die mögliche Gefahr zusätzlicher Kosten und andererseits die potentielle Chance eines zusätzlichen Nutzens für den Kunden. Deshalb muß das Unternehmen mit Sorgfalt entscheiden, wie es sich von seinen Wettbewerbern absetzen will. Ein Unterschied sollte dann angestrebt werden, wenn er den folgenden Anforderungen in ausreichendem Maße genügt:

- **Substantialität:** Der Unterschied bringt einer genügenden Anzahl von möglichen Käufern einen Zusatznutzen.
- **Hervorhebbarkeit:** Der Unterschied wird von anderen nicht angeboten oder vom eigenen Unternehmen in einer besonders hervorhebenswerten Form geboten.
- **Überlegenheit:** Der Unterschied ist anderen Mitteln zur Erlangung des gleichen Vorteils überlegen.
- **Kommunizierbarkeit:** Der Unterschied ist kommunizierbar und für die Käufer erkennbar.
- **Vorsprungssicherung:** Der Unterschied kann von Wettbewerbern nicht leicht nachgeahmt werden und sichert somit einen Vorsprung.
- **Bezahlbarkeit:** Die Käufer können es sich leisten, für den Unterschied einen Aufpreis zu bezahlen.
- **Gewinnbeitragspotential:** Das Unternehmen sieht in der Einführung des Unterschieds eine gute Chance, zusätzliche Gewinne zu erwirtschaften.

Viele Unternehmen führten Differenzierungen ein, die in einem oder mehreren der genannten Kriterien unzureichend waren. Das Westin Stamford Hotel in Singapur z.B. versucht sich zu positionieren, indem es als Differenzierung in der Werbung hervorhebt, daß es das höchste Hotelgebäude der Welt besitzt; dagegen spielt das aber für Touristen und Geschäftsreisende keine Rolle oder es wird sogar als störend empfunden, wenn das Hotelgebäude sehr hoch ist. Das Bildtelefon von AT & T fiel im Markt zum Teil deshalb durch, weil es nicht genügend Benutzern die hohen Zusatzkosten wert war, den Gesprächspartner am Telefon zu sehen. Polaroids Polarvision-System, das sofortentwickelte Filme produzieren sollte, war ein Mißerfolg. Obwohl das Polarvision-System eine große Besonderheit darstellte und auch durch Patente geschützt war, zog es gegenüber anderen Systemen zur Aufzeichnung beweglicher Vorgänge, insbesondere im Vergleich zur Videokamera, den kürzeren.

Nehmen wir an, ein Hersteller von Schwerlastwagen, z.B. Volvo, macht sich Sorgen darüber, daß die Käufer die meisten im Markt befindlichen Schwerlaster-Marken im wesentlichen als gleich empfinden und deshalb ihre Marke nach dem günstigsten Preis auswählen. Tabelle 11–2 beschreibt diese hypothetische Situation. Die Käufer sehen keine Unterschiede zwischen den Marken, denn jeder Schwerlaster hat eine ausgezeichnete Laufruhe (9 von 10 möglichen Punkten) und Fahrerkabinen mit durchschnittlichem Komfort (6 Punkte). Volvo und die drei Wettbewerber erkennen dies; sie entscheiden sich dafür, ihre Schwerlaster in den materiellen Eigenschaften zu differenzieren.

Tabelle 11–2
Bewertungsschema für Schwerlastwagen bei der Kaufentscheidung von Kunden

Bewertung ohne Produktdifferenzierung im Wettbewerb		Leistungsbewertung			
Produkteigenschaft	Gewicht der Eigenschaft [%]	Volvo	Renault	MAN	Mercedes
Haltbarkeit	35	7	7	7	7
Treibstoffverbrauch	25	8	8	8	8
Kabinenkomfort	20	6	6	6	6
Laufruhe	20	9	9	9	9

Bewertung bei wesentlicher Produktdifferenzierung		Leistungsbewertung			
Produkteigenschaft	Gewicht der Eigenschaft [%]	Volvo	Renault	MAN	Mercedes
Haltbarkeit	35	7	7	8	9
Treibstoffverbrauch	30	9	8	7	7
Kabinenkomfort	20	6	9	7	6
Laufruhe	15	5	7	8	6

Hypothetisches Beispiel

Quelle: in veränderter Form nach Robert D. Buzzell und Bradley T. Gale: *The PIMS Principles: Linking Strategy to Performance*, New York: The Free Press, 1987, S. 122.

Die Differenzierung ist wie folgt definiert:

Differenzierung ist der Vorgang, durch den sinnvolle Unterschiede in das Design eines Produktangebots integriert werden, um das eigene Angebot vom Angebot der Wettbewerber abzuheben.

Die Ergebnisse der Differenzierungsbemühungen der Wettbewerber werden im unteren Teil von Tabelle 11–2 gezeigt. Keine Marke ist ihren Wettbewerbern in allen Eigenschaften überlegen. Volvo hat jetzt zwar den geringsten Treibstoffverbrauch, damit ist jedoch eine schlechtere Laufruhe verbunden. Mercedes ist nun in der Haltbarkeit überlegen, die für die meisten Käufer – wie die durchschnittliche Eigenschaftsgewichtung von 35% zeigt – am wichtigsten ist, hebt sich aber bei den anderen Eigenschaften wenig ab. Als Ergebnis hat jetzt jede Marke unterschiedliche Vorzüge für unterschiedliche Käufer. Jeder der Wettbewerber kann nun mit diesem Vergleichsdiagramm arbeiten und es den Käufern zugänglich machen. In vielen Fällen werden solche Diagramme von anderen, z.B. Berufsgenossenschaften, Branchenverbänden oder Versicherungsgesellschaften, erstellt. Die Zahlenspalte, die unter jedem Markennamen aufgeführt wird, ist Ausdruck für die gesamte Positionierungsstrategie des Unternehmens, vorausgesetzt, sie enthält alle wichtigen Dimensionen des Angebots. Die Positionierung kann auch in graphischer Form oder durch andere Methoden dargestellt werden, z.B. in einem Ähnlichkeitsdiagramm wie in Exkurs 11-2.

Nicht alle Käufer werden erkennen – oder daran interessiert sein zu erfahren – inwiefern sich die Marke von anderen unterscheidet. Es ist auch nicht zweckmäßig, daß das Unternehmen jedem möglichen Käufer alle Unterschiede bis ins letzte Detail beschreibt. Jedes Unternehmen sollte eher die ausgewählten Unterschiede herausstellen, die für seinen Zielmarkt am sinnvollsten sind. Es sollte eine fokussierte Positionierungsstrategie entwickeln, die vereinfachend »Positionierung« genannt und wie folgt definiert wird:

Positionierung ist das Bestreben des Unternehmens, sein Angebot so zu gestalten, daß es im Bewußtsein des Zielkunden einen besonderen und geschätzten Platz einnimmt.

Um sich zu positionieren, muß das Unternehmen entscheiden, wie viele und welche Unterschiede es bei den Zielkunden herausstellen will.

Anzahl der herausgestellten Unterschiede

Viele Marketer setzen sich stark dafür ein, nur einen einzigen Produktnutzen im Zielmarkt – diesen dann aber aggressiv – herauszustellen. Rosser Reeves forderte z.B., daß das Unternehmen ein unverwechselbares Nutzenangebot (*USP = unique selling proposition*) für jede Marke entwickeln und langfristig bei diesem Angebot bleiben sollte.[14] So hebt die Zahncrememarke Colgate konsequent immer wieder den Schutz gegen Karies hervor, und Mercedes betont seine lange Tradition der Qualität. Auch die Autoren Ries und Trout vertreten die Auffassung, daß man sich mit einer bestimmten, immer gleich bleibenden Werbebotschaft positioniert.[15] Laut Ries und Trout sollte man eine Produkteigenschaft bestimmen und möglichst laut verkünden, daß man bei dieser Produkteigenschaft die Nummer eins ist. Die

Käufer neigen dazu, die Nummer eins besser als alle anderen im Gedächtnis zu behalten. Dies trifft besonders in einer Gesellschaft zu, die mit Kommunikationsreizen überflutet wird (vgl. dazu auch Exkurs 11-3, in dem mehr zu den Ansichten von Ries und Trout über Positionierung zu finden ist).

Welche Positionen kann man einnehmen, um sich als die Nummer eins zu präsentieren? Zu den wesentlichsten Positionen gehören: »beste Qualität«, »beste Dienstleistungen«, »niedrigster Preis«, »höchster Wert«, »bestes Preis-Leistungsverhältnis« und »fortschrittlichste Technik«. Wenn das Unternehmen beständig an einer dieser Positionierungen arbeitet und sie überzeugend durch Leistungen belegt, wird es in der Regel sehr bekannt dafür werden, und mit dieser Stärke im Bewußtsein der Kunden bleiben.

Nicht jeder Marketer ist der Meinung, daß eine Einfach-Nutzen-Positionierung immer am günstigsten ist. Das Unternehmen kann auch eine Doppel-Nutzen-Positionierung anstreben. Dies kann dann notwendig sein, wenn zwei oder mehr Wettbewerber beanspruchen, bei der gleichen Eigenschaft die besten zu sein. Mit der Doppel-Nutzen-Positionierung wird die Absicht verfolgt, eine bestimmte Nische innerhalb des Zielsegments zu besetzen. Volvo z.B. versucht, sich auf dem Automobilmarkt als »am sichersten« und »am langlebigsten« zu positionieren. Diese beiden Nutzenangebote sind miteinander kompatibel, denn es wird problemlos akzeptiert, daß ein sicheres Auto auch langlebig sein kann.

Es gibt sogar Beispiele für eine erfolgreiche Dreifach-Nutzen-Positionierung. So wirbt die zur englischen Beecham-Gruppe gehörende Firma Lingner & Fischer GmbH für die Zahncreme der Marke »Odol-med 3« mit drei Nutzenangeboten: Schutz vor Karies, Schutz vor Parodontose und Vorbeugung gegen Zahnsteinbildung. Die Firma Beecham hatte zuvor bereits in den englischsprachigen Märkten mit ihrer Marke »Aquafresh« eine Dreifach-Nutzen-Positionierung erfolgreich durchgeführt. »Aquafresh« trat mit drei Nutzenangeboten – Schutz vor Karies, frischer Atem und strahlend weiße Zähne – auf. Offensichtlich wollten viele Verbraucher alle drei Nutzenangebote. Die Herausforderung für Beecham bestand darin, überzeugend darzustellen, daß die Marke alle drei Nutzenangebote erfüllt. Deshalb wurde das Produkt so konzipiert, daß die Creme in drei parallelen Farbstreifen aus der Tube gedrückt wird und damit die drei Nutzenangebote durch die Farbgebung optisch präsentiert werden. Hierbei wird eine Strategie der Segmentzusammenlegung verfolgt, indem drei Segmente gleichzeitig angesprochen werden. In Zeiten, in denen durch Spezialisierung die Marktsegmente sehr klein werden, ist dies eine mögliche Positionierungsstrategie, die mehrere Segmente umfaßt.

Es ist jedoch für ein Unternehmen riskant, zu behaupten, die eigene Marke sei der Konkurrenz in mehrfacher Hinsicht überlegen. Es läuft damit Gefahr, seine Glaubwürdigkeit und seine eindeutige Positionierung einzubüßen. Mit der Mehrfach-Nutzen-Positionierung wird das Konzept verfolgt, daß der Verbraucher ein Nutzenpaket wünscht. Wer Positionierungen mit einem klar abgegrenzten Nutzenpaket besetzen kann, das von keinem anderen Angebot zufriedenstellend erfüllt wird, hat große Erfolgschancen.

Die Positionierung des Unternehmens erfordert allerdings nicht nur Worte, sondern auch konkrete Handlungen. Die vom Unternehmen gewählte Marktposition muß sich in Wort und Tat widerspiegeln. Drei schwerwiegende Positionierungsfehler muß das Unternehmen vermeiden:

1. **Unterpositionierung**
So manches Unternehmen muß feststellen, daß die Käufer nur eine unklare Vorstellung davon haben, wofür das Unternehmen und sein Angebot steht. Sie betrachten es einfach als eines unter vielen.
2. **Überpositionierung**
Die Käufer sehen das Unternehmen und sein Leistungsangebot zu eng. So werden einige Bekleidungshäuser als zu exklusiv betrachtet – als ob dort z.B. nur Anzüge über 1.000 DM erhältlich wären, obwohl es auch Anzüge ab 300 DM gibt.
3. **Unklare Positionierung**
Von manchen Unternehmen und ihren Produkten haben die Käufer sehr konfuse, unklare Vorstellungen. Autokäufer haben z.B. widersprüchliche Vorstellungen über Renault: Die einen sagen, Autos von Renault sind technisch zuverlässig, die anderen hingegen behaupten das Gegenteil. Manche Fahrer meinen, Renault-Autos haben eine gute Straßenlage, andere wiederum bestreiten dies.
4. **Zweifelhafte Positionierung**
In diesen Fällen ist es für die Käufer schwer zu glauben, daß die Marke von den Ausstattungsmerkmalen, der Preiswürdigkeit etc. her etwas Besonderes ist.

Wenn das Unternehmen sein Positionierungsproblem gelöst hat, ist es auch in der Lage, das Marketing-Mix-Problem zu lösen. Der Marketing-Mix, bestehend aus Gestaltungselementen und einzelnen Entscheidungen über Produkt, Preis, Distribution und absatzfördernde Kommunikation, ergibt sich, wenn man die taktischen Einzelheiten der Positionierungsstrategie ausarbeitet. Will ein Unternehmen z.B. die Position »hohe Qualität« besetzen, muß es Produkte hoher Qualität herstellen, hohe Preise fordern, Vertriebswege zu den Käufern hoher Qualität suchen und seine Werbung durch anspruchsvolle Medienprogramme kommunizieren. So lassen sich die Position und das Image für Spitzenqualität konsistent und glaubwürdig besetzen.

Auswahl der herausgestellten Unterschiede

Ein Unternehmen sollte seine wesentlichen Stärken besonders herausstellen, vorausgesetzt, daß der Zielmarkt diesen Stärken einen Wert beimißt. Das Unternehmen sollte aber auch erkennen, daß es seine Positionierung nur durch einen fortwährenden Prozeß aufrechterhalten oder in eine gewünschte Richtung verschieben kann. Nehmen wir an, ein Unternehmen vergleicht seine durch Positionierung erreichte Stellung bei vier Merkmalen – technisches Know-how, Kosten, Qualität und Kundendienst – mit der Stellung seines wichtigsten Konkurrenten, wie in Tabelle 11–3 gezeigt wird. Beim technischen Know-how erzielen beide Unternehmen den Wert 8; der niedrigste Wert wäre 1, der höchste 10. Beide sind also technologisch sehr fortschrittlich. Das Unternehmen kann durch eine weitere Verbesserung nicht viel gewinnen, insbesondere deshalb, weil die Kosten der Verbesserung sehr hoch wären. Bei den Kosten hat der Konkurrent eine stärkere Stellung (8 verglichen mit 6). Das könnte dem betrachteten Unternehmen schaden, wenn der Markt preisbewußter wird. Bei der Qualität steht das Unternehmen besser da als sein Konkurrent (Wertung 8 gegenüber 6). Beim Kundendienst ist die Stellung beider Unternehmen relativ niedrig (Wertung 4 bzw. 3).

Anscheinend sollte das Unternehmen versuchen, bei den Kosten oder beim Kundendienst seine Marktattraktivität im Vergleich zu seinem Konkurrenten zu verbessern. Doch hier kommen weitere Überlegungen ins Spiel. Erstens muß berücksichtigt werden, was die Verbesserungen dem Zielmarkt bedeuten. Spalte 4 in Tabelle 11–3

(1)	(2)	(3)	(4)	(5)	(6)	(7)
Wettbewerbsvorteil	Stellung des Unternehmens (1–10)	Stellung des Konkurrenten (1–10)	Wichtigkeit der Verbesserung (Gr, M, G)*	Geschwindigkeit und finanzielle Tragbarkeit der Verbesserung (Gr, M, G)	Fähigkeit des Konkurrenten zur Verbesserung (Gr, M, G)	Empfohlenes Vorgehen
Technisches Know-how	8	8	G	G	M	Stellung halten
Kosten	6	8	Gr	M	M	Überwachen
Qualität	8	6	G	G	Gr	Überwachen
Kundendienst	4	3	Gr	Gr	G	Investieren

* Gr = groß, M = mittel, G = gering

Tabelle 11–3
Methode zur Auswahl eines Wettbewerbsvorteils

zeigt, daß für die Kunden Verbesserungen bei den Kosten und beim Kundendienst sehr wichtig wären. Die nächste Frage lautet, ob sich das Unternehmen Verbesserungen überhaupt leisten kann und wie schnell sie zu verwirklichen wären. In Spalte 5 läßt sich ablesen, daß eine Verbesserung des Kundendienstes finanziell tragbar und schnell realisierbar wäre. Weiterhin muß beachtet werden, ob der Konkurrent ebenso schnell nachziehen könnte, wenn das Unternehmen sich zu Verbesserungen beim Kundendienst entschließt. Spalte 6 zeigt, daß die Fähigkeit des Konkurrenten, seine Dienstleistungen zu steigern, gering ist – vielleicht, mißt er dem Kundendienst keine große Bedeutung bei oder ihm fehlen die nötigen finanziellen Mittel bzw. die Organisation dafür. Spalte 7 schließlich gibt an, welches Vorgehen bei jedem Merkmal angebracht ist. Es zeigt sich, daß es für das betrachtete Unternehmen am sinnvollsten ist, in die Verbesserung seines Kundendienstes zu investieren. Denn erstens legen die Kunden darauf großen Wert, zweitens kann das Unternehmen Verbesserungen in diesem Bereich schnell durchführen sowie leicht finanzieren, und drittens kann der Konkurrent wahrscheinlich nicht so schnell nachziehen. Mit Hilfe eines solchen Denkansatzes kann ein Unternehmen also die beste Positionierung im Wettbewerb begründen und auswählen.

Exkurs 11-2: Positionierung von Computeranwendungen im Büro

Als Beispiel wird die Erarbeitung von Positionierungsmöglichkeiten mit Hilfe eines bestimmten Analyseverfahrens – der multidimensionalen Skalierung (MDS) – vorgestellt. Ein Computerhersteller möchte wissen, wo er mit seinem Produktangebot für Computeranwendungen im Büro, verglichen mit den Wettbewerbern, in einem bestimmten, bereits definierten Zielmarkt steht. Wenn er seine Position im Vergleich zu den Wettbewerbern kennt und weiß, in welche Richtung verschiedene Variablen die Position verändern können, kann dieses Wissen zur Verbesserung seiner Positionierungsstrategie eingesetzt werden.
Mit Hilfe des Verfahrens der multidimensionalen Skalierung (MDS) können

Positionsbestimmungen von Unternehmen bzw. Produkten und Interpretationen dieser Positionen vorgenommen werden. Die Positionen der einzelnen Hersteller werden aus einem Ähnlichkeitsdiagramm ersichtlich. Zur Erstellung dieses Ähnlichkeitsdiagramms werden die Kunden im Zielmarkt befragt, wie ähnlich sie die konkurrierenden Unternehmen einschätzen, indem sie jeweils drei unterschiedliche Unternehmen vergleichen, z.B. Olivetti, Nixdorf und IBM. Ein Befragter gibt z.B. an, daß sich Olivetti und Nixdorf ähnlicher sind (z.B. 2 Punkte auf einer 9-Punkte-Skala) als Olivetti und IBM (z.B. 7 Punkte). Ein statistisches Analyseprogramm führt dann zu dem Ähnlichkeitsdiagramm. Zusätzlich werden Eigenschaftsprofile der einzelnen Hersteller bei den Kunden abgefragt.
Das Diagramm enthält zwei wesentliche Informationsteile. Die 8 eingezeichneten Punkte stehen jeweils für einen der Computerhersteller. Die Abstände der einzelnen Punkte zeigen, wie ähnlich die einzelnen Hersteller gesehen werden. Je näher sie einander sind, desto ähnlicher werden sie wahrgenommen. So werden z.B. Unisys, Hewlett Packard (HP) und Digital Equipment Corporation (DEC) als sehr ähnlich angesehen, während die Kunden zwischen IBM und Olivetti nur wenig Gemeinsamkeiten erkennen. Weiterhin zeigt das Diagramm Pfeile. Diese Pfeile stammen aus den abgefragten Eigenschaftsprofilen. Sie zeigen die Richtung an, in welche die Position eines Herstellers durch Veränderung bestimmter Eigenschaften bewegt würde. Wenn z.B. Siemens sein Angebot in Richtung IBM verändern wollte, so müßte es an erster Stelle seine Anstrengungen auf innovativere Produkte und eine größere Produktpalette legen und absichern, daß diese Änderung auch von den Kunden wahrgenommen wird. Wenn dagegen Siemens sein Angebot in Richtung seines Wettbewerbers Bull bewegen wollte, müßte die Qualität seiner Mitarbeiter in diesem Produktbereich verbessert und diese Verbesserungen auch von den Kunden wahrgenommen werden.

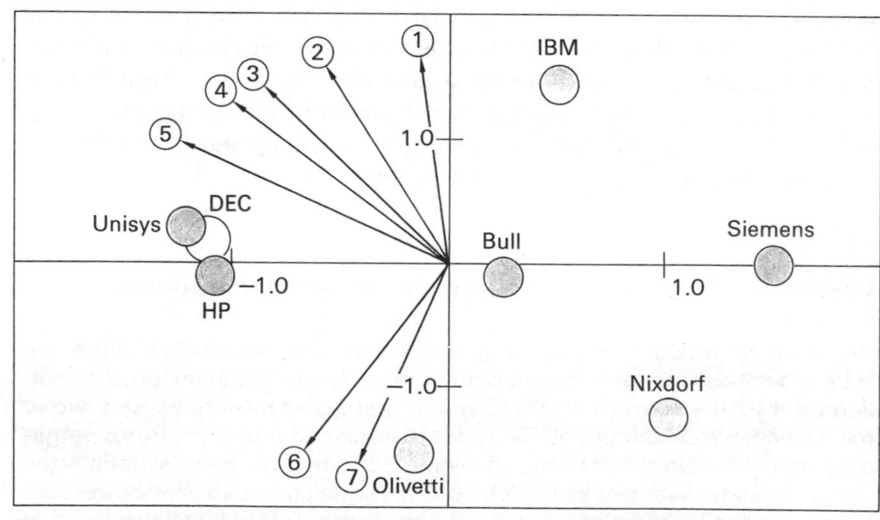

Eigenschaftsvektoren: 1 innovativ
2 große Produktpalette
3 hohe Produktqualität
4 paßt zum Unternehmen
5 Qualität der Mitarbeiter
6 gutes Preis-Leistungs-Verhältnis
7 gute Kundeninformationspolitik

Jede Produktgruppe und jede strategische Geschäftseinheit eines Unternehmens braucht eine Positionierungsstrategie, so daß jedes Angebot bewußt einen bestimmten Platz im Markt einnehmen und diese angestrebte Position kommunikativ vermitteln kann. Professor Wind hat sechs Alternativen für die Planung einer Produktpositionierungsstrategie vorgeschlagen. Sie werden im folgenden aufgeführt und hypothetisch für Computeranwendungen im Büro erläutert.

- **Positionierung mit besonderen Eigenschaftsausprägungen**
  Bull könnte in seinem Angebot die große Robustheit der Produkte herausstellen. Große Robustheit ist eine Eigenschaftsausprägung, die indirekt auch ein Nutzenangebot kommuniziert, nämlich Beanspruchbarkeit, und damit geringere Störanfälligkeit und höhere Wirtschaftlichkeit.
- **Positionierung durch das Angebot einer bestimmten Problemlösung, eines bestimmten Nutzens oder einer Bedürfniserfüllung**
  Olivetti könnte sich so positionieren, daß insbesondere ein gutes Preis-Leistungs-Verhältnis für Computeranwendungen im Büro und damit eine Lösung für das Problem der Produktivitätssteigerung angeboten wird.
- **Positionierung anhand von bestimmten Nutzungsanlässen**
  Nixdorf könnte sich so positionieren, daß das Unternehmen dann die beste Leistung anbietet, wenn Kunden von Einzel-Benutzer-Systemen auf Mehr-Benutzer-Systeme umsteigen wollen (im Ähnlichkeitsdiagramm nicht eingetragene Eigenschaft) und viel Beratung brauchen.
- **Positionierung für bestimmte Anwendergruppen**
  Hewlett Packard könnte sich so positionieren, daß insbesondere gut mit Kunden zusammengearbeitet wird, die einen Lieferanten suchen, der am besten »zu ihnen paßt«, also intensiv auf ihre Bedürfnisse eingeht.
- **Positionierung gegen andere Produkte**
  IBM könnte sich so positionieren, daß es gegenüber anderen Wettbewerbsangeboten eine besonders große Vernetzungskompatibilität von Hardware und Software aufweist (im Ähnlichkeitsdiagramm nicht eingetragene Eigenschaft).
- **Positionierung durch Absetzung von der Produktklasse**
  Siemens könnte sich so positionieren, daß sein Schwerpunkt weniger auf Computeranwendungen im Büro als vielmehr auf den Schnittstellen von Fertigungssteuerung und Büro liegt (im Ähnlichkeitsdiagramm nicht eingetragene Eigenschaft).

Quellen: Arbeitsunterlagen aus einer unveröffentlichten Diplomarbeit am Lehrstuhl Marketing, Universität Kaiserslautern, 1989. Vgl auch Yoram J. Wind: *Product Policy: Concepts, Methods and Strategy*, Reading, Mass.: Addison-Wesley, 1982, S. 79–81.

Exkurs 11-3: Das Positionierungskonzept nach Ries und Trout

Der Begriff *Positionierung* wurde 1972 von zwei führenden Werbefachleuten, Al Ries und Jack Trout, ins Gespräch gebracht. Sie veröffentlichten in der Zeitschrift *Advertising Age* eine Artikelserie mit dem Titel »Das Zeitalter der Positionierung« (»The Positioning Era«) und schrieben später ein Buch mit dem Titel, »Positionierung: Der Kampf um die Gedankenwelt« (»Positioning: The Battle for Your Mind«), zu diesem Thema.

Ries und Trout betrachten die Positionierung als kreativen Akt zur Unterstützung eines bereits existierenden Produkts. Ihre Definition lautet:
»Die Positionierung beginnt bei einem Produkt. Das kann eine Ware, eine Dienstleistung, ein Unternehmen, eine Institution, ja selbst eine Person sein. Aber Positionierung ist nicht das, was man mit einem Produkt tut, sondern

was man mit der Gedankenwelt des potentiellen Käufers tut. Das heißt, ein Produkt wird in der Gedankenwelt des potentiellen Käufers positioniert.«

Ries und Trout argumentieren, daß existierende Produkte im allgemeinen eine bestimmte Position im Bewußtsein der Verbraucher einnehmen. So gilt Hertz als größter Autovermieter der Welt, Coca-Cola als größter Hersteller alkoholfreier Getränke, Porsche als einer der besten Sportwagenproduzenten etc. Diese Marken haben ihre Positionen besetzt, und für einen Konkurrenten wäre es äußerst schwierig, sie ihnen abzujagen. Ihm stehen nur drei strategische Optionen offen.

Die erste besteht darin, die bereits eingenommene Position im Bewußtsein der Verbraucher zu stärken und zu kräftigen. So betonte Avis z.B. seinen zweiten Rang unter den Autovermietern: »Wir sind die Nummer zwei und bemühen uns mehr.« Diese Aussage ist für den Verbraucher glaubwürdig. Und der Hersteller der Limonade 7-Up machte sich die Tatsache zunutze, daß sein Produkt kein Cola-Erzeugnis ist, und warb in den USA für sein Getränk als »*das* Nicht-Cola«.

Die zweite strategische Möglichkeit besteht darin, sich nach einer neuen, noch unbesetzten Position umzusehen, die eine genügend große Zahl von Verbrauchern ansprechen würde, und diese zu erobern. Ries und Trout nennen dieses Vorgehen »Cherchez le créneau«, die Suche nach der Lücke: Finde eine Lücke im Markt und fülle sie aus. Das tat in den USA z.B. Milky Way, um seinen Marktanteil gegenüber Hershey, dem größten Konkurrenten, auszubauen. Die Marketer bei Milky Way stellten fest, daß die meisten Schokoladenriegel nach dem Öffnen innerhalb einer Minute verzehrt werden, daß es aber länger dauert, einen Milky-Way-Riegel zu verspeisen. Sie besetzten also die Position des »längeren Genusses«, die noch kein Konkurrent eingenommen hatte. Ein weiteres Beispiel für diese Strategie bietet die United Jersey Bank, die nach einer Möglichkeit suchte, sich gegenüber den New Yorker Großbanken, wie Citibank und Chase, zu profilieren. Die Marketer der United Jersey Bank fanden heraus, daß die Großbanken bei der Gewährung von Krediten im allgemeinen langsamer waren als United Jersey. Folglich positionierten sie sich als »die schnelle Bank«. Ihr Erfolg beruht natürlich auf der Tatsache, daß United Jersey dann auch tatsächlich zur »schnellen Bank« wurde.

Die dritte strategische Option besteht darin, die Konkurrenz zu de- oder repositionieren. So glaubten z.B. viele amerikanische Verbraucher, daß das Geschirr der Porzellanfirma Lenox ebenso wie das von Royal Dalton aus England käme. Daraufhin veröffentlichte Royal Dalton Anzeigen, auf denen zu sehen war, daß das Lenox-Porzellan in New Jersey hergestellt wurde, während Royal Dalton seine Ware aus England bezog. Ein weiteres Beispiel für die Anwendung dieser Strategie durch die Werbung liefert der Fernsehspot der Fast-Food-Kette Wendy, in dem eine streitbare ältere Frau namens Clara einen Hamburger der Konkurrenz betrachtet und fragt: »Wo ist denn da das Rindfleisch?« Daran wird deutlich, wie ein solcher Angriff das Vertrauen der Verbraucher in den Marktführer erschüttern und im Vergleich zu ihm das eigene Angebot auf einer bestimmten Dimension ausgeprägter positionieren kann als der Marktführer.

In Deutschland, wo vergleichende Werbung als wirksames Mittel zur Repositionierung der Konkurrenten aus gesetzlichen Gründen nicht angewendet werden darf, läßt sich diese Strategie trotzdem, wenn auch nicht in so direkter Weise, einsetzen. Beispielsweise repositionierte BMW seinen Konkurrenten Mercedes-Benz von der ursprünglichen Position als Hersteller der besten Autos auf die neue eingeschränkte Position als Hersteller teurer, aber nicht gerade sportlicher Autos von hoher Qualität und hohem Prestige für konservative Personen und für den Dienstgebrauch konservativer Institutionen. Als Gegenmaßnahme brachte Mercedes das 190er Modell mit betont sportlicher Note heraus und fing an, sich wieder am Autorennsport zu beteiligen, um seine Imageposition »bestes Auto« auch auf der Dimension »Höchstleistung« zurückzugewinnen.

Ries und Trout beschreiben im wesentlichen, wie es relativ gleichartigen Marken gelingen kann, sich auch in einer »reizüberfluteten Gesellschaft«, wo es so viel Werbung gibt, daß der größte Teil der Werbebotschaften von den Verbrauchern abgeblockt wird, ein wenig voneinander abzuheben. Ein Verbraucher kennt vielleicht nur sieben verschiedene alkoholfreie Erfrischungsgetränke, obwohl es auf dem Markt viel mehr gibt. Die Marken, die ihm geläufig sind, haben in seinem Bewußtsein eine ganz bestimmte Rangfolge: Sie bilden für jede Produktkategorie eine sogenannte *Produktleiter*, wie z.B. in den USA Coke/Pepsi/RC Cola oder Hertz/Avis/National. Ries und Trout zufolge kann das Unternehmen auf dem zweiten Platz der Produktleiter etwa die Hälfte des Umsatzes der Nummer eins verbuchen, und der Anbieter auf dem dritten Rang erreicht die Hälfte der Nummer zwei. Außerdem bleibt das Unternehmen auf der obersten Stufe der Produktleiter den Verbrauchern am besten im Gedächtnis.

Menschen erinnern sich am besten an die *Nummer eins*. Auf die Frage: »Wer überflog als erster den Atlantik?«, antwortet jeder sofort: »Charles Lindbergh«. Wird aber gefragt: »Wer war der zweite, dem dies gelang?«, ist die richtige Antwort meist nicht bekannt. Darum kämpfen die Unternehmen so hart um den ersten Platz. Nun kann aber, so argumentieren Ries und Trout, immer nur eine Marke die Position der »Größten« einnehmen. Deshalb kommt es darauf an, in bezug auf ein wichtiges Merkmal die Spitzenposition zu erobern. Man muß nicht unbedingt die Nummer eins in absoluter Größe sein. 7-Up ist z.B. in den USA die beste »Nicht-Cola«, und Porsche ist die Nummer eins nur unter den Sportwagen. In der Bundesrepublik Deutschland positionierte sich z.B. die Holsten-Brauerei erfolgreich mit dem Werbeslogan »Im Norden die Nr. 1«. Der Marketer sollte also ein wichtiges Merkmal oder einen wichtigen Vorteil ermitteln, den sich die Marke auf überzeugende Art sichern kann. Auf diese Weise setzt sich sein Produkt trotz der Überflutung mit Werbebotschaften im Bewußtsein des Verbrauchers fest.

Eine vierte Möglichkeit, die Ries und Trout nicht erwähnen, kann als die »Strategie der Exklusivgruppe« bezeichnet werden. Sie empfiehlt sich für Unternehmen, denen es nicht gelingt, in bezug auf ein wichtiges Produktmerkmal die Spitzenposition zu erringen. Das Unternehmen kann die Vorstellung betonen, es gehöre zu den »Großen Drei«, den »Großen Acht« etc. Die Idee, sich als einer der »Großen Drei« zu bezeichnen, stammt von Chrysler, dem drittgrößten Autohersteller der USA; und das achtgrößte Wirtschaftsprüfungsunternehmen erfand das Schlagwort der »Großen Acht« (der Marktführer ist nie der Urheber). Die Folgerung ist, daß diejenigen, die diesem »Club« angehören, die »besten« sind.

Ries und Trout beschäftigen sich im wesentlichen mit den psychologischen Aspekten der Positionierung bzw. Repositionierung einer existierenden Marke im Bewußtsein der Verbraucher. Sie erkennen an, daß die eingeschlagene Positionierungsstrategie möglicherweise Änderungen des Markennamens, des Preises oder der Verpackung erfordert, doch das sind »nur kosmetische Korrekturen mit dem Ziel, sich eine lohnende Position in der Gedankenwelt des potentiellen Käufers zu sichern«. Andere Marketer legen mehr Gewicht auf die *reale Positionierung,* bei der sie jeden greifbaren Aspekt eines neuen Produkts aufarbeiten, um eine bestimmte Position zu erobern. Die gedankliche Positionierung und die reale Positionierung müssen sich gegenseitig unterstützen. Hier sollte nicht nur mit der Gedankenwelt gespielt werden.

Quelle: Vgl. Al Ries und Jack Trout: *Positioning: The Battle for Your Mind,* New York: Warner Books, 1982.

Kommunizieren der Positionierung

Das Unternehmen muß nicht nur eine klare Positionierungsstrategie entwickeln, sondern muß diese Strategie auch auf effektive Weise kommunikativ unterstützen. Nehmen wir an, ein Anbieter wählt für sich das Positionierungsziel »Qualitätsführer«. Dann muß er sicherstellen, daß er diesen Anspruch auch überzeugend kommunizieren kann. Qualität kann kommuniziert werden, indem besondere Qualitätsindikatoren herangezogen werden, an denen die Kunden in der Regel Qualität erkennen. Dazu einige Beispiele:

Ein Kürschner stattet seine Nobel-Pelzmäntel mit einem Futter aus kostbarer Seide aus, weil er weiß, daß Käuferinnen die Qualität des Pelzes zum Teil auch anhand der Qualität des Futters beurteilen.
Ein Hersteller von Motorrädern konstruiert seine Produkte so, daß sie einen etwas kräftigeren Sound haben, als dies eigentlich sein müßte, weil die Käufer »kräftig« mit »leistungsstark« verbinden.
Ein Lastwagenhersteller versieht das Fahrwerk mit einem auffälligen Schutzanstrich, der zwar nicht erforderlich wäre, aber signalisiert, wie sehr der Fabrikant um gute Qualität bemüht ist.
Ein Pkw-Hersteller achtet darauf, daß die Türen seiner Autos mit einem angenehmen Geräusch zuschlagen, weil viele Käufer damit prüfen, wie gut der Wagen gebaut ist.

Qualität läßt sich auch durch andere Elemente des Marketing-Mix vermitteln. Ein hoher Preis signalisiert dem Käufer meist ein Produkt mit hohem Qualitätsanspruch. Das Qualitätsimage eines Produkts kann auch durch die Verpackung, Distribution, Werbung und Absatzförderung positiv oder negativ beeinflußt werden. In den folgenden Fällen wurde das Qualitätsimage der jeweiligen Marke beschädigt:

Eine Tiefkühlkost-Marke büßte ihr Qualitätsimage ein, weil sie zu häufig als Sonderangebot herausgestellt wurde.
Ein erstklassiges Bier erlitt Imageeinbußen, als die Brauerei neben Flaschen auch Dosen abfüllte.
Eine angesehene Marke eines TV-Geräteherstellers verlor ihr Qualitätsimage, als sie auch bei Discountern vertrieben wurde.

Folglich müssen die Qualitätsanmutung der Verpackung, des Vertriebs, der Absatzförderung etc. in ihrer Gesamtheit dem Markt das Image der Marke vermitteln und dieses Image fördern.

Darüber hinaus trägt auch die Reputation des Herstellers zur vom Markt wahrgenommenen Produktqualität bei. Bestimmte Unternehmen sind peinlichst auf Qualität bedacht; so erwarten die Konsumenten von vornherein, daß ein Produkt von Mercedes-Benz oder IBM gut ist. Und schließlich wirkt sich auch das Ursprungsland des Produkts auf die Wahrnehmungen der Konsumenten aus. Während japanische Erzeugnisse früher als minderwertig galten, wird bei ihnen heute ganz pauschal ein hohes Qualitätsniveau wahrgenommen – auch dann, wenn diese Annahme im Einzelfall nicht gerechtfertigt ist. Deutsche und schweizerische Qualität sind ebenfalls im Weltmarkt weithin akzeptierte Größen.

Zusammenfassung

Positionierung ist das Bemühen, Angebot und Image des Unternehmens so zu gestalten, daß der Zielmarkt das, wofür das Unternehmen im Vergleich zu seinen Wettbewerbern steht, versteht und wertschätzt. Als Voraussetzung für die Wahl seiner Positionierungsstrategie muß der Anbieter wissen, was für die Kunden im Zielmarkt von Wert ist und wie sie die Wahl zwischen den Anbietern treffen. Zur Durchführung der Positionierung müssen drei Schritte getan werden. Erstens muß der Anbieter feststellen, welche Differenzierungsmöglichkeiten er durch sein Produkt, seine Serviceleistungen, sein Personal und sein Image im Vergleich zum Wettbewerb ergreifen könnte. Zweitens muß er bestimmte Bewertungsmaßstäbe anlegen, um die wesentlichsten Unterschiede zur Konkurrenz auszuwählen, die zur Positionierung eingesetzt werden sollen. Drittens muß er im Zielmarkt effektiv kommunizieren, wo Unterschiede zu den Wettbewerbern existieren. Aufgrund der Positionierungsstrategie kann der Anbieter dann die nächsten Schritte tun, nämlich seine Marketingstrategien nach weiteren Gesichtspunkten zu Ende planen.

Anmerkungen

1 Vgl. Friedhelm Bliemel: *Brand Choice under Price-Quality Considerations: An Integrative Theory, Working Paper 84–18*, Queen's University: School of Business, 1984, und Friedhelm Bliemel: »Price-Quality Evaluations of Brands«, in: *ASAC Conference Proceedings, Rapport du Congrès Annuel de la Section Marketing de l'Association des Sciences Administratives du Canada,* Vol. 6, Université Montreal, Mai 1985; vgl. auch Michel Laroche, Jerry A. Rosenblatt, Alan Hochstein und Robert K. Ransom: »The Impact of Price-Quality Evaluations on Brand Categorisation: An Examination of the Microcomputer Market«, in: *Canadian Journal of Administrative Sciences,* Vol. 6, Nr. 3, September 1989, S. 1–11.
2 Der Begriff »Mehrwert« wird hier anders gebraucht als in der Steuerlehre.
3 In diesem Zahlenbeispiel sind die Kundenkosten für Zeit, Energie und psychischen Aufwand als vernachlässigbar klein angenommen.
4 In der volkswirtschaftlichen Literatur wird dieser Wertgewinn, den alle Käufer eines Produkts im Markt erhalten, als Konsumentenrente bezeichnet.
5 Vgl. Michael R. Hagerty: »Model Testing Techniques and Price-Quality Tradeoffs«, in: *Journal of Consumer Research,* Dezember 1970, S. 194–205. Vgl. auch Irwin P. Levin und

Richard D. Johnson: »Estimating Price-Quality Tradeoffs Using Comparative Judgements«, in: *Journal of Consumer Research,* Juni 1984, S. 593–600.

6 Vgl. Michael Porter, *Competitive Advantage*, New York: The Free Press, 1985, S. 37; vgl. auch George S. Day und Robin Wensley: »Assessing Advantage: A Framework for Diagnosing Competitive Superiority«, in: *Journal of Marketing,* April 1988, S. 1–20.

7 Einige dieser Differenzierungsgrundlagen werden dargelegt in David A. Garvin: »Competing on the Eight Dimensions of Quality«, in: *Harvard Business Review,* November – Dezember 1987, S. 101–109.

8 Vgl. Philip Kotler: »Design: A Powerful but Neglected Strategic Tool«, in: *Journal of Business Strategy*, Herbst 1984, S. 16–21. Vgl. auch Robert A. Abler: »The Value-Added of Design«, in: *Business Marketing*, September 1986, S. 96–103.

9 Vgl. auch Gerd Forschner: *Investitionsgüter-Marketing mit funktionellen Dienstleistungen: Die Gestaltung immaterieller Produktbestandteile im Leistungsangebot industrieller Unternehmen*, Berlin: Duncker und Humblot, 1988.

10 Vgl. R.S. Simon: »Marketing-Service als Mittel zur Differenzierung im stagnierenden Reifenmarkt«, in: *Thexis*, 3. Jg., 1986, S. 28–32.

11 Vgl. William Birnes und Gary Markman: *Selling at the Top: The 100 Best Companies to Sell for in America*, New York: Harper & Row, 1985.

12 In abgewandelter Form nach A. Parasuraman, V.A. Zeithaml und L.L. Berry: »A Conceptual Model of Service Quality and its Implications for Future Research«, in: *Journal of Marketing*, Herbst 1985, S. 41–50.

13 Vgl. Theodore Levitt: »Marketing Success Through Differentiation of Anything«, in: *Harvard Business Review*, Januar – Februar 1980, S. 83–91.

14 Vgl. Rosser Reeves: *Reality in Advertising*, New York: Alfred A. Knopf, Inc., 1960.

15 Vgl. Al Ries und Jack Trout: *Positioning: The Battle for Your Mind*, New York: Warner Books, 1982.

Entwicklung und Einführung neuer Produkte

Kapitel 12

Es gibt nichts Mächtigeres auf der Welt als eine Idee, deren Zeit gekommen ist. Victor Hugo

Die Idee ist das Absolute, und alles Wirkliche ist nur Realisierung der Idee. Hegel

Die wichtigste geschäftliche Stärke, und eigentlich die einzige, ist der Vorsprung. Walther Rathenau

Wenn das Unternehmen den Markt segmentiert, seine Zielkunden ausgesucht und über die angestrebte Positionierung seines Angebots im Markt entschieden hat, dann hat es eine gute Ausgangsposition für die Entwicklung und Einführung neuer Produkte. Statt diese Aufgabe allein der F&E-Abteilung zu überlassen, müssen das Marketing und andere Abteilungen des Unternehmens aktiv an jeder Stufe im Produktentwicklungsprozeß teilnehmen. Dem Marketing-Management kommt bei diesem Produktinnovationsprozeß eine Schlüsselrolle zu.

Jedes Unternehmen muß neue Marktbedürfnisse und -chancen erkennen und darauf mit geeigneten und effektiven Produktlösungen reagieren. Dies ist besonders dann geboten, wenn sich einige der gegenwärtigen Produkte des Unternehmens bereits in der Rückgangsphase des Lebenszyklusses befinden oder bald in diese eintreten werden. Neue Produkte und Geschäftsfelder müssen gefunden werden, damit das Unternehmen nicht schrumpft, sondern wächst. Darüber hinaus wollen die Endkunden neue Produkte, und die Konkurrenten werden ihr möglichstes tun, um diese zu liefern. Für die Bundesrepublik Deutschland zeigt der Ifo-Informationstest unter 1.500 teilnehmenden Unternehmen, daß die stark wachsenden Unternehmen deshalb stärker wachsen als andere, weil sie in größerem Umfang neue Produkte einführen. Sie erzielen etwa 10% des Umsatzes mit Produkten in der Markteinführungsphase und etwa 35% mit Produkten in der Wachstumsphase. Bei schrumpfenden Unternehmen bringen die Produkte in der Einführungs- und Wachstumsphase zusammen weniger als 20% vom Umsatz. Die Innovationsaufwendungen aller Unternehmen betragen im Durchschnitt etwa 4 bis 6% vom Umsatz. Davon fließen etwa zwei Drittel in neue Produkte und ein Drittel in die Innovation von Produktionsanlagen. [1] Eine Untersuchung von Booz, Allen & Hamilton unter 700 US-Unternehmen zeigt, daß diese 31% ihrer Gewinne aus den neuen Produkten erwarten, die in den nächsten fünf Jahren auf den Markt kommen. [2]

Ein Unternehmen kann sein Produktangebot durch *Akquisitionen* und durch *Neuproduktentwicklung* erweitern. Akquisitionen können drei verschiedene Formen annehmen. Erstens kann man andere Unternehmen aufkaufen. Auf diese Weise erzielen z.B. Siemens, Mannesmann, Henkel, Nestlé und Unilever einen Großteil ihres Wachstums. Zweitens kann man Patente von anderen Unternehmen erwerben. Und drittens kann das Unternehmen mit einem anderen Unternehmen eine Lizenz-

oder Franchisevereinbarung abschließen und dann dessen Produkte oder Dienstleistungen anbieten. In allen drei Fällen entwickelt das Unternehmen keine neuen Produkte, sondern erwirbt lediglich die Rechte an bereits existierenden.

Die Neuproduktentwicklung kann auf zweierlei Weise erfolgen: Das Unternehmen kann neue Produkte in seinen eigenen Forschungslabors entwickeln, oder es kann mit unabhängigen Forschern oder Produktentwicklungsfirmen einen Vertrag über die Entwicklung spezifischer Produkte schließen.

Viele Unternehmen wollen ihre Wachstumsziele sowohl durch Akquisition als auch durch Neuproduktentwicklung erreichen. Sie glauben, daß in bestimmten Zeiten die Akquisition und in anderen Zeiten die Neuproduktentwicklung die besten Chancen bietet, und wollen in beiden Bereichen versiert sein.

In diesem Kapitel konzentrieren wir uns auf die Neuproduktentwicklung als Wachstumsstrategie, weil das Marketing bei der Ermittlung, Entwicklung und Einführung erfolgreicher neuer Produkte eine wichtige Rolle spielt. Der Begriff »neue Produkte« umfaßt für unsere Zwecke *originäre Produkte, verbesserte Produkte, modifizierte Produkte* und *neue Marken*, die durch unternehmenseigene F&E-Arbeit entwickelt werden. Wir werden uns auch damit befassen, ob die Verbraucher diese Produkte wirklich als »neu« ansehen.

Booz, Allen & Hamilton ermittelten sechs Neuproduktkategorien anhand des Merkmals »Neuheit für das Unternehmen und für den Markt«.[3] Abbildung 12–1 zeigt diese Kategorien und die jeweiligen Prozentzahlen für die neuen Produkte in jeder Kategorie in den vorausgegangenen fünf Jahren. Die sechs ermittelten »Neuproduktkategorien« sind:

- **Weltneuheiten**
  Neue Produkte, für die ein völlig neuer Markt zu schaffen ist.
- **Neue Produktlinien**
  Neue Produkte, die dem Unternehmen den Zugang zu einem bereits existierenden Markt ermöglichen.
- **Produktlinienergänzungen**
  Neue Produkte, die etablierte Produktlinien des Unternehmens ergänzen.
- **Verbesserte/weiterentwickelte Produkte**
  Neue Produkte, die leistungsfähiger sind oder deren vom Kunden wahrgenommener Nutzen größer ist und die bereits existierende Produkte ersetzen.
- **Repositionierte Produkte**
  Existierende Produkte, die auf neuen Märkten oder Marktsegmenten angeboten werden.
- **Kostengünstigere Produkte**
  Neue Produkte, die bei niedrigeren Kosten vergleichbare Leistungen erbringen.

Ein Unternehmen ist meist in mehreren dieser Kategorien aktiv. Eine wichtige Erkenntnis lautet, daß nur 10% aller neuen Produkte wirkliche Innovationen bzw. Weltneuheiten sind. Diese Produkte bringen die größten Kosten und Risiken mit sich, weil sie sowohl für das Unternehmen als auch für den Markt neu sind.
In diesem Kapitel befassen wir uns mit folgenden Fragen:

- Welche wesentlichen Risiken bestehen bei der Entwicklung neuer Produkte?
- Unter welcher Führungsstruktur kann man die Entwicklung neuer Produkte organisieren?
- Welche Phasen sind im Produktentwicklungsprozeß zu bewältigen?
- Welche Faktoren spielen bei der Adoption und Diffusion neuer Produkte bei den Verbrauchern eine merkliche Rolle, nachdem das Produkt erst einmal auf den Markt gebracht wurde?

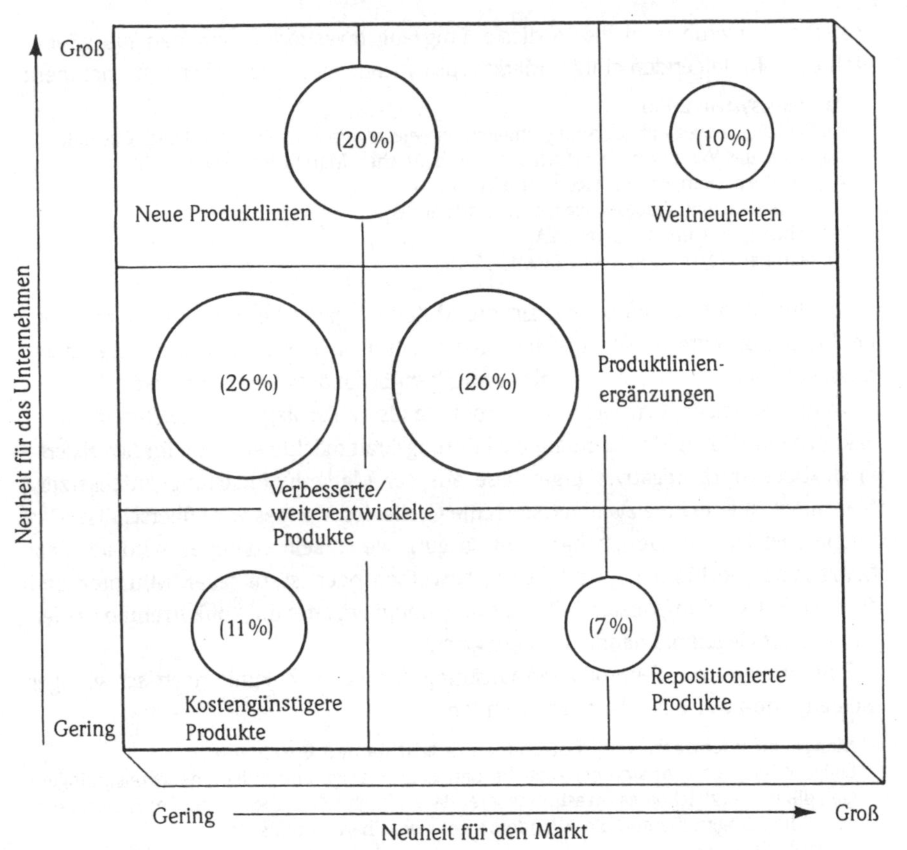

Quelle: *New Products Management for the 1980s*, New York: Booz, Allen & Hamilton, 1982.

Abbildung 12-1
Sechs Neuproduktkategorien

Risikoabwägung bei der Entwicklung neuer Produkte

Angesichts des intensiven Wettbewerbs in den meisten Branchen riskieren die Unternehmen, die keine neuen Produkte entwickeln, sehr viel. Ihre Produkte sind dann anfällig für sich verändernde Verbraucherbedürfnisse und -geschmäcker, neue Technologien, verkürzte Lebenszyklen und zunehmende in- und ausländische Konkurrenz.

Doch auch die Neuproduktentwicklung kann sehr riskant sein. Texas Instruments verlor 660 Mio. $, bis man sich schließlich vom Heimcomputermarkt zurückzog, RCA machte einen Verlust von 575 Mio. $ mit seinen erfolglosen Bildplattenspielern und Ford von 350 Mio. $ mit dem »verunglückten« Modell Edsel; Du Pont verlor schätzungsweise 100 Mio. $ mit einem Kunstleder namens »Corfam«; und die französische Concorde wird die in dieses Flugzeug investierten Summen nie wieder einfliegen. Im folgenden einige »Marktflops« ansonsten erfolgreicher Unternehmen:

- Das Videosystem 2000
- Ein Rechenschieber mit rückseitig eingebautem elektronischem Rechner (Faber Castell)
- »Top Job«, das Waschverstärkertuch auf dem deutschen Markt (Procter & Gamble)
- 400g-Kaffeepackungen von Jacobs und Tchibo
- Eine Limonade auf Teebasis (Nestlé, Deutschland)
- Die Zahnpasta »Cut« (Colgate, USA)
- Windeln der Marke »Babyscott« (Scott, USA)

Einer Untersuchung zufolge beträgt die Mißerfolgsquote bei Konsumgütern 40%, bei Investitionsgütern 20% und bei Dienstleistungen 18%.[4] Dabei ist die Mißerfolgsquote bei neu eingeführten Konsumgütern besonders beunruhigend.

Warum erweisen sich viele neue Produkte als Fehlschlag? Hier spielen mehrere Faktoren eine Rolle: Eine hochrangige Führungskraft möchte eine von ihr favorisierte Produktidee trotz negativer Ergebnisse aus der Marketingforschung durchsetzen. Manchmal ist eine Idee zwar gut, doch die Größe des Marktes wird überschätzt. Das Endprodukt ist vom Design her nicht so gut, wie es sein sollte; es wird auf dem Markt falsch positioniert, nicht richtig beworben oder ist zu teuer. Mitunter sind auch die Entwicklungskosten höher als angenommen, oder die Konkurrenten greifen zu härteren Gegenmaßnahmen als erwartet.

Eine erfolgreiche Neuproduktentwicklung könnte in Zukunft noch schwieriger werden, und zwar aus folgenden Gründen:

- **Mangel an wichtigen Neuproduktideen in bestimmten Bereichen**
  Einige Wissenschaftler sind der Ansicht, daß es zu wenige umsetzbare neue Technologien gibt, die ein vergleichbares Investitionspotential eröffnen wie früher Autos, Fernseher, Computer, die Xerographie und die »Wunderdrogen« der Pharma-Industrie.
- **Fragmentierte Märkte**
  Der intensive Wettbewerb führt zu einer immer stärkeren Fragmentierung der Märkte. Die Unternehmen müssen mit ihren neuen Produkten statt des Massenmarktes kleinere Marktsegmente ansprechen. Das bedeutet weniger Absatzvolumen und Gewinn bei jedem Produkt.
- **Gesellschaftliche und staatliche Beschränkungen**
  Neue Produkte müssen bestimmte, im öffentlichen Interesse liegende Kriterien, wie Verbrauchersicherheit und Umweltverträglichkeit erfüllen. Die gesetzlichen Auflagen haben z.B. die Innovationstätigkeit der Pharma-Industrie verlangsamt und auch bei Industrieausrüstungen sowie in der chemischen Industrie, der Automobil- und der Spielzeugindustrie die Produktgestaltung kompliziert.
- **Hohe Kosten der Neuproduktentwicklung**
  Ein Unternehmen muß normalerweise zahlreiche Produktideen hervorbringen, damit letztendlich ein paar gute Ideen übrig bleiben. Außerdem steigen die Kosten für Forschung, Entwicklung, Produktion und Marketing. Hohe Kosten beschränken die Anzahl der verfolgten Ideen.
- **Kapitalengpässe**
  Manche Unternehmen haben gute Ideen, können jedoch nicht die erforderlichen finanziellen Mittel zu ihrer Erforschung auftreiben. Die Anbieter von Risikokapital (auch »Venture Capital« genannt) z.B. sind in den vergangenen Jahren zunehmend vorsichtiger geworden.
- **Kürzere Zeitspannen für die Entwicklung**
  Viele Wettbewerber kommen u.U. zur gleichen Zeit auf die gleiche Idee, und häufig siegt, wer am zügigsten handelt. Wachsame Unternehmen drücken die Entwicklungszeit mit Hilfe rechnergestützter Entwicklungs-, Konstruktions- und Herstellungsverfahren (CAD und CAM), durch die Zusammenarbeit mit Partnerfirmen, frühzeitige Produktkonzepterprobung und geschickte Marketingplanung. Die japanischen Unternehmen z.B. betrachten es als ihre Herausforderung, »in kürzerer Zeit bei niedrigeren Kosten mehr Qualität zu erzielen als die Konkurrenten«.[5]

- **Kürzerer Lebenszyklus erfolgreicher Produkte**
  Ist ein neues Produkt erfolgreich, wird es von den Rivalen so schnell kopiert, daß sein Lebenszyklus sich erheblich verkürzt. So bieten Dutzende von Nachahmern IBM-kompatible Personal Computer an, und auf den Märkten in Fernost werden Apple-Imitationen verkauft.

Zwei Dinge sind bei der erfolgreichen Neuproduktentwicklung wichtig: Erstens muß das Unternehmen eine effektive Führungsstruktur für die Leitung des Entwicklungsprozesses neuer Produkte aufbauen. Zweitens muß es in jeder Phase dieses Prozesses die bestmöglichen Instrumentarien und Konzepte einsetzen. Beides wollen wir uns im folgenden ansehen.

Führungsstruktur für die Produktentwicklung

Letztendlich ist die Gesamtunternehmensleitung für die Erfolgsbilanz bei neuen Produkten verantwortlich. Es genügt nicht, den Neuproduktmanager zu bitten, sich einfach nur hervorragende Ideen einfallen zu lassen. Bei der Neuproduktentwicklung muß die Unternehmensleitung die Geschäftsfelder und Produktkategorien festlegen, in denen sich das Unternehmen engagieren will. Ein Beispiel: In einem Nahrungsmittelunternehmen hatte der Neuproduktmanager bereits große Summen für die Forschungsarbeit an einem neuen Schnellgericht ausgegeben, um dann vom Chef zu hören: »Lassen Sie die Sache fallen. Wir wollen keine Schnellgerichte.«

Vom Management müssen spezifische Akzeptanzkriterien für neue Produktideen festgelegt werden, besonders in Großunternehmen mit mehreren Sparten und Geschäftsbereichen, wo alle möglichen Projekte – die »Lieblingskinder« der einzelnen Manager – »herumgeistern«. Diese Akzeptanzkriterien können sich z.B. nach der speziellen *strategischen Aufgabe* richten, die dem Produkt zugedacht ist. Booz, Allen & Hamilton ermittelten die im folgenden dargestellten sechs wichtigen strategischen Aufgaben, die den neuen Produkten zugeordnet werden können (die Prozentzahlen geben an, welche Aufgabe den neuen Produkten zugedacht war): [6]

- Erhaltung der Position des Unternehmens als »Produktinnovator« (46%)
- Verteidigung des erreichten Marktanteils (44%)
- Einstieg in einen zukünftigen neuen Markt (37%)
- »Besetzung« eines Marktsegments vor den Konkurrenten (33%)
- Neuartige Anwendung einer Technologie (27%)
- Ausnutzung von Stärken im Vertrieb (24%)

Die amerikanische Gould Corporation legte vor einigen Jahren folgende Akzeptanzkriterien für Produktideen fest, wenn durch sie eine neuartige Basistechnologie im Markt zur Anwendung gebracht werden soll: (1) das Produkt kann innerhalb der nächsten fünf Jahre auf den Markt gebracht werden; (2) das Produkt hat ein Umsatzpotential von mindestens 50 Mio. $ und voraussichtlich eine Wachstumsrate von 15%; (3) das Produkt soll eine Umsatzrendite von mindestens 30% und eine Kapitalrendite von mindestens 40% erwirtschaften; (4) das Produkt wird Technologie- oder Marktführer.

Die Firma Ferrero legte für sich folgende Kriterien für die Produktneuentwicklung fest:

(1) nur Produkte mit hohem Innovationsgrad werden entwickelt;
(2) die Produkte müssen die Chance haben, in sich ein Unternehmen sein zu können;
(3) die Produkte werden erst nach Jahren intensiver Überprüfung national eingeführt.

Eine weitere wichtige Managemententscheidung betrifft die Höhe der Finanzmittel für die Neuproduktentwicklung. Die Resultate der F&E-Anstrengungen sind so ungewiß, daß es schwierig ist, die bei der Investitionsrechnung üblichen Kriterien anzuwenden. Manche Unternehmen lösen dieses Problem, indem sie so viele Projekte wie finanziell möglich aufnehmen, in der Hoffnung, ein paar Erfolge zu erzielen. Andere nehmen als F&E-Budget jeweils einen festen Anteil des Umsatzes oder geben einfach genauso viel aus wie die Konkurrenz. Wieder andere stellen zuerst fest, wieviele erfolgreiche neue Produkte sie benötigen, und schätzen dann den erforderlichen Aufwand für Forschung und Entwicklung.

Booz, Allen & Hamilton haben mehrfach untersucht, wie viele neue Produktideen im Durchschnitt erforderlich sind, um *ein* erfolgreiches Produkt hervorzubringen (in Exkurs 12-1 sind die wichtigsten Ergebnisse einer dieser Studien zusammengefaßt). In den 70er Jahren brauchte man durchschnittlich 58 neue Produktideen, um eine gute Idee hervorzubringen. Die jüngste Untersuchung von Booz, Allen & Hamilton zeigt auf, daß die Unternehmen heute in der Lage sind, jede siebte neu aufgenommene Produktidee in ein erfolgreiches neues Produkt umzusetzen. Abbildung 12–2 zeigt die »Überlebenschance« neuer Produktideen. Booz, Allen & Hamilton folgerten daraus, daß viele Unternehmen gelernt haben, die Ideenvorauswahl und den Planungsprozeß effektiver zu handhaben und nur noch in die besten Ideen investieren, statt ungezielt vorzugehen.

Abbildung 12-2
Die »Überlebenskurve« neuer Produktideen

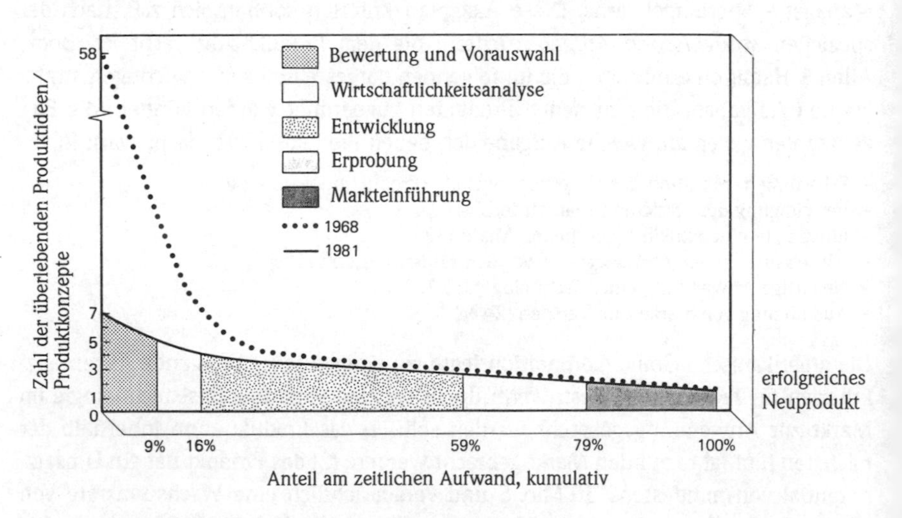

Quelle: *New Products Management for the 1980s*, New York: Booz, Allen & Hamilton, 1982.

Exkurs 12-1: Wichtige Erkenntnisse zum Produktentwicklungsmanagement

Eine Studie von Booz, Allen & Hamilton liefert einige wichtige Befunde, die sich aus einer schriftlichen Befragung von 700 Konsum- und Investitionsgüterunternehmen und aus Interviews mit 150 Neuproduktmanagern ergeben:

1. Die Unternehmen hatten mit 65% ihrer auf dem Markt eingeführten neuen Produkte Erfolg.
2. Die Unternehmen waren in der Lage, jede siebte der von ihnen untersuchten Produktideen in ein erfolgreiches Produkt umzusetzen.
3. 10% der neuen Produkte waren »Weltneuheiten« und 20% »neue Produktlinien«. Diese besonders risikoreichen Produkte machten jedoch 60% der »erfolgreichsten neuen Produkte« aus.
4. Die Entwicklungsaufwendungen werden besser gesteuert als früher: Von den Gesamtausgaben für Produktinnovationen flossen nun 54% in neue Produkte, die sich als Markterfolg erwiesen; im Jahr 1968 hatte diese Zahl bei nur 30% gelegen.
5. In der Produktentwicklung gaben erfolgreiche Unternehmen – bezogen auf ihren Umsatz – nicht mehr für Forschung, Entwicklung und Marketing aus als die weniger erfolgreichen.
6. Der Mittelwert der Marktneueinführungen pro Unternehmen lag im Zeitraum von 1976 bis 1981 bei fünf Produkten. Man erwartete, daß sich innerhalb der folgenden fünf Jahre diese Zahl verdoppeln würde.
7. Die befragten Führungskräfte rechneten damit, daß die neuen Produkte das Umsatzwachstum ihrer Unternehmen in den darauffolgenden fünf Jahren um ein Drittel steigern würden, während der von den neuen Produkten erwirtschaftete Anteil am Gesamtgewinn auf 40% geschätzt wurde.

Quelle: *New Products Management for the 1980s*, New York: Booz, Allen & Hamilton, 1982.

Die Tabelle 12–1 zeigt, wie ein Unternehmen den Umfang der notwendigen Aufwendungen für die Produktentwicklung abschätzen kann. Der Neuproduktmanager eines großen US-Konsumgüterunternehmens analysierte dazu 64 Produktideen, die sein Unternehmen aufgegriffen hatte. Nur jede vierte, also 16, überstanden die Phase der Ideenvorauswahl. In dieser Phase kostete jede untersuchte Idee 1.000 $. Die Hälfte dieser Ideen, also acht überstanden die Konzepterprobungsphase, die 20.000 $ pro Idee kostete. Die Hälfte dieser Ideen, also vier, überstanden die 200.000 $ teure Produktentwicklungsphase. Die Hälfte davon, also zwei, bewährten sich auf den Testmärkten. Die Kosten betrugen hier 500.000 $ pro Produktidee. [7] Als diese beiden mit einem Aufwand von je 5.000.000 $ auf dem Markt eingeführt wurden, war nur eine davon richtig erfolgreich. Die direkten Kosten der Entwicklung dieser einen erfolgreichen Idee betrugen 5.721.000 $. Im Laufe des Entwicklungsprogramms hatten 63 andere Ideen nicht überlebt. Die Gesamtkosten für das Programm zur Entwicklung eines erfolgreichen neuen Produkts summierten sich auf 13.984.400 $. Gelingt es dem Unternehmen nicht, die Überlebensquoten zu verbessern und die Kosten in den einzelnen Phasen zu senken, muß es für jede erfolgreiche

Tabelle 12–1
Schätzung der Kosten eines Entwicklungsprogramms, das zu einem erfolgreichen Neuprodukt führt (ausgehend von ursprünglich 64 Produktideen)

Entwicklungsphase	Anzahl der Produktideen	Ausscheidungsquote	Kosten pro Produktidee	Gesamtkosten
1. Ideenvorauswahl	64	1:4	$ 1.000	$ 64.000
2. Konzepterprobung	16	1:2	$ 20.000	$ 320.000
3. Produktentwicklung	8	1:2	$ 200.000	$ 1.600.000
4. Markterprobung	4	1:2	$ 500.000	$ 2.000.000
5. Landesweite Markteinführung	2	1:2	$ 5.000.000	$ 10.000.000
			$ 5.721.000	$ 13.984.000

neue Idee ein Entwicklungsprogramm in Höhe von 14.000.000 $ einplanen. Strebt das Unternehmen in den kommenden paar Jahren die Einführung von vier erfolgreichen neuen Produkten an, muß es etwa 56.000.000 $ (= 4 × 14.000.000 $) für sein Entwicklungsprogramm budgetieren.

Zur Neuproduktentwicklung braucht man eine effektive Führungsstruktur in der Organisation. Man kann die Neuproduktentwicklung auf verschiedene Weise »führen«: [8]

- **Über Produktmanager**
  Viele Unternehmen übertragen ihren Produktmanagern die Verantwortung dafür, neue Produktideen zu verfolgen. In der Praxis ist dieses Führungssystem mit einigen Mängeln behaftet. Die Produktmanager sind in der Regel so sehr mit den bestehenden Produkten beschäftigt, daß sie nur wenig an neue Produkte denken, die mehr als eine Modifizierung oder Erweiterung der betreuten Produktlinie bedeuten würden; außerdem fehlt es ihnen an Übung und Wissen für die Entwicklung neuer Produkte.
- **Über Neuproduktmanager**
  Einige Unternehmen operieren mit Neuproduktmanagern, die jeweils einem Produktgruppenmanager unterstellt sind. Durch die Schaffung dieser Position wird die Neuproduktentwicklung professionalisiert; allerdings beschränkt sich das Denken der Neuproduktmanager häufig auf Produktmodifikationen und Produktlinienerweiterungen innerhalb des Produktmarktes.
- **Über Neuproduktausschüsse**
  In den meisten Unternehmen befaßt sich ein mit hochrangigen Führungskräften besetzter Ausschuß mit der Prüfung und Genehmigung neuer Produktvorschläge.
- **Über Neuproduktabteilungen**
  Großunternehmen richten häufig eine Neuproduktabteilung ein, der ein Manager mit umfassenden Befugnissen und Zugang zur obersten Führungsebene vorsteht. Zu den wichtigsten Aufgaben dieser Abteilung gehören die Ideengewinnung und -vorauswahl, die Kooperation mit der F&E-Abteilung, die Durchführung von Markttests und die Markteinführung.
- **Über interne Projektgruppen (»Venture Teams«) für die Neuproduktentwicklung**
  Unternehmen wie 3M, Dow, Westinghouse und General Mills beauftragen oft spezielle Projektgruppen mit wichtigen Neuproduktentwicklungsaufgaben. Ein solches »Venture Team« holt sich seine Mitglieder aus verschiedenen operativen Abteilungen und hat die Aufgabe, ein bestimmtes Produkt oder Geschäft aufzubauen. Die Mitglieder nennt man bei 3M »intrapreneurs«, also »interne Unternehmer«. Sie werden von ihren anderen Pflichten freigestellt, erhalten ein Budget, einen Zeitrahmen und firmeninterne Ellbogenfreiheit (vgl. Exkurs 12-2).

Exkurs 12-2: 3M's Führungskonzept bei Produktinnovationen

Einige US-Unternehmen haben sich einen hervorragenden Ruf für erfolgreiche und kontinuierliche Innovationstätigkeit erworben. Zu den meistgenannten gehört die in Minneapolis beheimatete 3M Company. 3M hat sich das unbescheidene Ziel gesetzt, daß jeder seiner 40 Geschäftsbereiche mindestens 25% seiner Erträge aus Produkten erzielen soll, die innerhalb der vorangegangenen fünf Jahre eingeführt wurden. Und erstaunlicherweise gelingt das auch. Jedes Jahr bringt das Unternehmen mehr als 100 neue Produkte auf den Markt.

Der Schlüssel für diese Erfolge liegt in 3M's innovationsorientierter und -fördernder Unternehmenskultur. 3M ermuntert jeden, nicht nur die Entwicklungsingenieure, zum »Produktverfechter« (»product champion«), also zum »Sachpromoter« eines neuen Produkts zu werden. Jeder, der sich für eine Idee begeistert, wird dazu ermuntert, als »Hausaufgabe« herauszufinden, welches Wissen über das Produkt bereits vorhanden ist, wo im Unternehmen es entwickelt werden könnte, ob es patentfähig wäre und wie gewinnbringend es sein könnte. Findet die Idee Anklang, wird ein »Venture Team« mit Freiwilligen aus Forschung und Entwicklung, Herstellung, Verkauf, Marketing und aus der Rechtsabteilung gebildet. An der Spitze eines solchen Teams steht ein übergeordneter Manager als »executive champion« oder »Machtpromoter«, der das Team unterstützt und gegen bürokratische Übergriffe abschirmt. Wird ein »lebensfähiges« Produkt entwickelt, bleibt das Team dran und bringt das Produkt auf den Markt. Wird es ein Fehlschlag, kehrt jedes Team-Mitglied auf seinen alten Posten zurück, ohne daß ihm dadurch Nachteile entstehen. Den 3M-Mitarbeitern ist es erlaubt, etwas auszuprobieren, Fehler zu machen und wieder neu anzufangen. Manche Teams haben beharrlich weitergekämpft und – wenn auch erst im dritten oder vierten Versuch – eine Idee schließlich zum Erfolg geführt.

Jedes Jahr zeichnet 3M die Teams, deren Produkt in den ersten drei Jahren seit Markteinführung Umsätze von mehr als 2 Mio. $ in den USA oder 4 Mio. $ weltweit erzielt hat, mit einem speziellen Preis aus, dem »Golden Step«. 3M setzt also auf die Förderung von »intrapreneurship«, d.h. von Unternehmertum im eigenen Haus – ein Weg, den immer mehr Unternehmen zu beschreiten versuchen.

Sieht die Erfolgsbilanz eines Unternehmens bei der Neuproduktentwicklung schlecht aus, ist die Ursache häufig eine mangelhafte Zusammenarbeit zwischen den einzelnen Abteilungen. Das traditionelle Modell der Innovationstätigkeit sieht so aus, daß zunächst die F&E-Abteilung eine gute Produktidee findet und erforscht; dann erstellen die Ingenieure einen Konstruktionsentwurf; dann geht dieser Entwurf zur Fertigung, und das gefertigte Produkt kommt in den Vertrieb. Doch dieses »serielle« Modell führt zu vielen Problemen. Oft schickt die Fertigung den Konstruktionsentwurf mit der Begründung an die Ingenieure zurück, sie könne das Produkt nicht zu den vorgesehenen Kosten herstellen; dann gestalten die Ingenieure den Entwurf um. Oder später, wenn der Vertrieb das Produkt den Kunden vorführt, stellt sich u.U. heraus, daß es nicht zum vorgesehenen Preis verkauft werden kann, weil die Verbraucherbedürfnisse und -wünsche durch das Produkt nicht ausreichend zufriedengestellt werden. Nun sind die Verkäufer wütend auf die Konstrukteure, die Forschungs- und Entwicklungsabteilung wirft den Verkäufern vor, sie verstünden ihr

Handwerk nicht – kurzum: Jeder schiebt gern die Schuld auf den anderen.

Die Lösung ist einfach. Eine effektive Neuproduktentwicklung erfordert von Anfang an eine engere Zusammenarbeit zwischen der F&E-, Konstruktions-, Fertigungs- und Marketingabteilung. Die Produktidee muß nach Marketinggesichtspunkten erforscht werden. Ein Marketingfachmann muß die Idee während des gesamten Entwicklungsprozesses begleiten und den Beteiligten beratend zur Seite stehen. Die Konstruktionsingenieure und die Fertigungsabteilung müssen gemeinsam am Produktdesign arbeiten, so daß der Prototyp reibungslos in die Fertigung gehen kann. Untersuchungen über japanische Unternehmen zeigen, daß deren Erfolg bei Produktinnovationen zum großen Teil auf mehr »Teamgeist« über den gesamten Produktentwicklungsprozeß hinweg zurückzuführen ist.

Der Studie von Booz, Allen & Hamilton zufolge gingen die erfolgreichsten Unternehmen bei Produktinnovationen wie folgt vor: Sie legten längerfristig bestimmte Ressourcen für die Neuproduktentwicklung fest. Sie planten die Neuproduktstrategie im Rahmen ihres strategischen Gesamtplanungsprozesses. Sie richteten eine formal beschriebene und durchdachte Führungsstruktur für das Management der Produktentwicklung ein. [9]

Als nächstes sollen nun die wichtigsten Aufgaben in jeder Phase des Produktentwicklungsprozesses untersucht werden. Insgesamt gibt es acht Phasen: *Ideengewinnung*, *Ideenvorauswahl*, *Konzeptentwicklung* und *-erprobung*, *Erarbeitung der Marketingstrategie*, *Wirtschaftlichkeitsanalyse*, *Produktentwicklung*, *Markterprobung* und *Markteinführung*.

Ideengewinnung

Der Entwicklungsprozeß beginnt mit der Suche nach Ideen. Diese sollte nicht dem Zufall überlassen werden. Das Unternehmen sollte Schwerpunkte für seine Produkte und Märkte definieren. Es sollte Zielprioritäten für neue Produkte festlegen, sei es ein hoher Cash-flow, ein großer Marktanteil etc. Es sollte bestimmen, wieviel Energie auf die Entwicklung originärer Produkte, die Modifizierung existierender Produkte und das Kopieren von Konkurrenzprodukten verwendet werden darf.

Quellen für neue Produktideen

Ideen für neue Produkte können aus vielen Quellen stammen: von Kunden, Wissenschaftlern, Konkurrenten, den eigenen Verkäufern, Zwischenhändlern oder von den Managern des Unternehmens.

Dem Marketingkonzept zufolge sind die *Bedürfnisse und Wünsche der Kunden* der logische Anknüpfungspunkt für die Suche nach neuen Produktideen. Hippel hat nachgewiesen, daß der größte Teil der Vorschläge für neue Industriegüter seinen Ursprung bei den Kunden hatte. [10] Für die Entwicklung neuer Industriegüter kann man viele neue Ideen aufgreifen, indem man eine spezielle Gruppe von Kunden, nämlich die *Schrittmacherkunden* (Lead Users), beobachtet. Diese Kunden schreiten bei der Anwendung von Industriegütern allen anderen Anwendern voran und erkennen Verbesserungsbedürfnisse am ehesten. Die Unternehmen können die Bedürfnisse und Wünsche der Kunden mit Hilfe von direkten Kundenbefragungen, Projektionstests, »Focus-Gruppen« (d.h. thematischen oder objektbezogenen Schwerpunktgruppen) sowie Vorschlags- und Beschwerdebriefen ermitteln. Viele stoßen auf die besten Ideen, wenn sie die Kunden bitten, ihre Probleme mit den laufenden Produkten zu schildern, statt sie direkt nach neuen Produktideen zu fragen. So kann ein Automobilhersteller die Käufer befragen, was sie an ihrem Auto gut oder schlecht finden, welche Verbesserungen sie wünschen und wieviel sie für jede der Verbesserungen zahlen würden. Diese Befragung könnte eine große Anzahl von Ideen für zukünftige Produktverbesserungen liefern.

Unternehmen stützen sich bei der Erzeugung neuer Produktideen auch auf ihre Wissenschaftler, Ingenieure, Konstrukteure und andere Mitarbeiter. Erfolgreiche Unternehmen haben eine Unternehmenskultur entwickelt, durch die sich jeder Mitarbeiter ermutigt fühlt, neue Ideen zur Verbesserung des Produktionsablaufs sowie der Produkte und Dienstleistungen des Unternehmens vorzuschlagen. Toyota z.B. behauptet, daß seine Mitarbeiter pro Jahr 2 Mio. Ideen einreichen. Das sind pro Mitarbeiter etwa 35 Vorschläge, von denen über 85% in irgendeiner Form berücksichtigt werden. Viele Unternehmen belohnen heute nützliche neue Ideen durch Geldprämien und besondere Auszeichnungen.

Durch die Untersuchung der Leistung der *Konkurrenten* kann man ebenfalls auf neue Ideen stoßen. Man kann von Händlern, Lieferanten und Verkaufsvertretern erfahren, was die Konkurrenten tun, oder feststellen, was den Kunden an den neuen Produkten der Konkurrenten zusagt und was nicht. Man kann die Produkte der Konkurrenten kaufen, sie in zerlegter Form studieren und dann verbessert herstellen. Eine solche Strategie ist auf die *Nachahmung* und *Verbesserung* existierender Produkte gerichtet und nicht auf die *Produktinnovation.* Japanische Unternehmen haben sich als Meister dieser Strategie erwiesen: Sie haben für zahlreiche Produkte aus den westlichen Industrieländern Lizenzen erworben oder sie kopiert und dabei Verbesserungsmöglichkeiten gefunden.

Die *Verkäufer* und *Händler* sind eine gute Quelle für neue Produktideen. Sie erfahren die Bedürfnisse und Beschwerden der Kunden aus erster Hand und hören oft als erste, was die Konkurrenz den Kunden bietet. Immer mehr Unternehmen motivieren ihre Verkäufer und Partner im Handel zur Gewinnung neuer Ideen und belohnen sie dann dafür. Um ein Beispiel zu nennen: Bill Keefer, der Vorstandsvorsitzende von Warner Electric Brake and Clutch, verlangt von seinen Verkäufern, daß sie in jedem ihrer Monatsberichte die drei besten potentiellen Produktideen niederschreiben, von denen sie bei ihren Kundenbesuchen gehört haben. Er liest diese Vorschläge jeden Monat und schreibt Mitteilungen an seine Ingenieure, Produktionsmanager und andere, so daß den guten Vorschlägen auch tatsächlich weiter nachgegangen wird.

Auch die Mitglieder der Geschäftsleitung sind oft eine wichtige Quelle neuer Produktideen. Dies gilt insbesondere in der Gründungs- und Aufbauphase eines Unternehmens. Beispiele dafür sind Ferdinand Porsche, Heinz Nixdorf, Max Grundig, Steven Jobs (Apple Computer) und Edwin H. Land (Polaroid). Manche wollen auch dann, wenn sie einem inzwischen sehr großen Unternehmen vorstehen, wie z.B. Edwin H. Land als ehemaliger Generaldirektor von Polaroid, persönlich die Entwicklung von Innovationen in ihrem Unternehmen leiten. Das ist nicht immer konstruktiv, z.B. dann, wenn ein Spitzenmanager seine persönliche Lieblingsidee durchsetzt, ohne dabei die Größe oder das Interesse des Marktes gründlich zu untersuchen. Diesen Fehler machte Land mit seinem Projekt »Polavision«, bei dem es um die Sofortentwicklung von Schmalfilmen ging. Das Produkt erwies sich als großer Fehlschlag, weil die Kunden für ihre Filmaufnahmen Videobänder bevorzugten.

Neue Produktideen können auch aus anderen Quellen kommen, z.B. von Erfindern und Patentanwälten, aus den Labors der Universitäten und Forschungsinstituten, von Unternehmensberatern, Werbeagenturen, Marketingforschungsinstituten und aus Fachzeitschriften.

Ideen können also aus vielen Quellen stammen, doch die Beachtung, die man ihnen schenkt, hängt oft davon ab, ob sich jemand innerhalb des Unternehmens zum *Verfechter* und »Promoter« dieser Idee macht. Wenn niemand da ist, der sich persönlich für die Produktidee begeistert und sich stark dafür engagiert, wird sie kaum ernsthaft weiterverfolgt werden.

Techniken der Ideengewinnung

Wirklich gute Ideen entstehen durch Inspiration, harte Arbeit und systematisches Vorgehen anhand spezieller Verfahren. Es gibt eine Reihe von »Kreativitätstechniken«, mit denen eine Person oder Gruppe bessere Ideen hervorbringen kann.

Merkmalsauflistung

Bei dieser Technik geht es darum, zunächst die wichtigsten Merkmale eines existierenden Produkts aufzulisten und anschließend die Merkmale zu modifizieren, um ein besseres Neuprodukt zu finden. Nehmen wir einen Schraubenzieher: [11] Seine Merkmale sind: ein runder Stahlschaft; ein hölzerner Griff, der manuell bedient wird; ein Drehmoment, das durch Drehung erzeugt wird. Nun wird eine Gruppe gebeten, mögliche Merkmalsmodifizierungen vorzuschlagen, um die Leistung oder Attraktivität des Produkts zu verbessern. Aus dem runden Schaft könnte dann ein sechseckiger werden, so daß man mit Hilfe eines Schraubenschlüssels das Drehmoment verstärken könnte; elektrische Energie könnte die manuelle Energie ersetzen; das Drehmoment könnte auch durch Druck erzeugt werden. Osborn weist darauf hin, daß die Gewinnung guter Ideen stimuliert werden kann, wenn man an ein Objekt und seine Merkmale mit folgenden Fragen herangeht: *Anders verwenden? Anpassen? Vergrößern? Verkleinern? Ersetzen? Umgestalten? Umkehren? Kombinieren?* [12]

Gegenstandsverknüpfung

Hier werden mehrere Gegenstände aufgelistet und dann in Beziehung zueinander gesetzt. So wollte z.B. ein Büromöbelhersteller einen Schreibtisch für Manager konstruieren. Dafür wurden eine Reihe von Gegenständen aufgelistet: der Schreibtisch selbst, Bildschirm, Uhr, Computer, Kopierer, Bücherablage etc. Das Resultat war ein vollelektronischer Schreibtisch mit einem Steuerpult, das dem im Cockpit eines Flugzeugs ähnelt.

Morphologische Analyse

Morphologie bedeutet Struktur. Mit dieser Methode werden die strukturellen Dimensionen eines Problems ermittelt und ihre Beziehungen zueinander untersucht. Nehmen wir an, das Problem wird so beschrieben: »Ein Objekt ist mit Hilfe eines kraftbetriebenen Beförderungsmittels von einer Stelle an eine andere zu befördern.« Die relevanten Dimensionen sind dann die Art des Beförderungsmittels (z.B. Wagen, Stuhl, Schleuder, Bett), das Medium, auf oder mit dem es bewegt wird (Luft, Wasser, Öl, harte Oberfläche, Rollen, Schienen) und die Kraftquelle (Preßluft, Verbrennungsmotor, Elektromotor, Dampf, Magnetfeld, Seilzug). Dann kann man seiner Phantasie freien Lauf lassen und jede mögliche Kombination durchdenken. Ein wagenartiges Beförderungsmittel, das von einem Verbrennungsmotor betrieben wird und sich auf einer harten Oberfläche fortbewegt, ist z.B. das Automobil. Man hofft also, durch diese Analyseform einige neuartige strukturelle Kombinationen zu finden. [13]

Bedürfnis- und Problemanalyse

Die bisher geschilderten Kreativitätstechniken erfordern keinen Beitrag der Verbraucher zur Ideengewinnung. Die Bedürfnis- und Problemanalyse dagegen setzt beim Verbraucher an. Die Verbraucher werden nach ihren Bedürfnissen, Problemen und Vorstellungen gefragt. Man kann sie z.B. nach ihren Problemen bei der Verwendung eines bestimmten Produkts oder einer Produktkategorie fragen. Landis Group, ein Marketingforschungsinstitut, wendet diese Technik an. Es fragt z.B. 1.000 Versuchspersonen danach, ob sie mit einer bestimmten Produktkategorie »vollständig zufrieden«, »ein wenig unzufrieden«, »ziemlich unzufrieden« oder »äußerst unzufrieden« sind. Sind die Befragten in irgendeiner Weise unzufrieden, beschreiben sie ihre Probleme und Beschwerden mit eigenen Worten. In einer Verbraucherstudie über englische »Muffins« (ein Frühstücks- oder Teegebäck) äußerten 15% der Befragten Unzufriedenheit mit dem Produkt. Am meisten mißfiel ihnen, daß die Muffins nicht bereits aufgeschnitten, daß sie zu trocken oder zu weich waren bzw. einfach nicht gut schmeckten. Die demographischen Daten zeigten, daß die unzufriedensten Verbraucher zwischen 19 und 29 Jahre alt waren und ein niedriges Einkommen hatten. Diese Daten kann sich ein bereits existierender Konkurrent oder ein möglicher »Markteindringling« zunutze machen, um sein Produkt zu verbessern und die unzufriedensten Kundenschichten anzusprechen. Die einzelnen Probleme mit dem Produkt werden dann nach ihrer *Bedeutung*, *Häufigkeit* und dem *Aufwand*, den ihre Beseitigung verursachen würde, gewichtet, um festzustellen, welche Produktverbesserungen vorzunehmen sind.

Diese Technik läßt sich auch umgekehrt anwenden: Die Verbraucher erhalten eine Liste mit Problemen und tragen ein, welche Produkte ihnen bei jedem einzelnen Problem einfallen. [14] Das vorgegebene Problem, »Das Produkt ... paßt aufgrund seiner Packungsform schlecht ins Regal«, könnte also die Verbraucher dazu bringen, z.B. Hundefutter oder Frühstücksflocken zu nennen. Ein Marketingverantwortlicher könnte sich also überlegen, ob er mit kleineren Packungsgrößen oder anderen Pakkungsformen auf den Markt kommen soll.

Laut Hippel kann der Marketer auf Industriegütermärkten neue Produktideen besser bei *Schrittmacherkunden* als bei *Durchschnittsanwendern* einer Produktklasse ermitteln. Schrittmacherkunden sind Einzelpersonen und Unternehmen, die weitergehende Bedürfnisse haben, und zwar bereits Jahre vor der Mehrheit der anderen Verwender. Siemens z.B. könnte als Hersteller programmierbarer Maschinensteuerungen durch die Erforschung der Bedürfnisse der technisch fortgeschrittensten Anwender durchschlagende neue Produktideen gewinnen. [15]

Brainstorming

Die Kreativität einer Arbeitsgruppe kann durch Brainstorming angeregt werden, eine Technik, die von Alex Osborn entwickelt wurde. Brainstorming-Sitzungen werden abgehalten, wenn ein Unternehmen eine große Menge von Ideen gewinnen will. Die Arbeitsgruppe besteht normalerweise aus sechs bis zehn Leuten. Es ist nicht gut, wenn zu viele Experten darunter sind, weil sie oft schon feste Einstellungen zu einem Produkt oder Problem haben. Das anstehende Problem sollte klar umrissen werden. Die Sitzungen, die vorzugsweise morgens abgehalten werden, sollten etwa eine Stunde dauern. Zu Beginn sagt der Gruppenleiter: »Denken Sie daran, wir wollen so viele Ideen sammeln wie möglich – je ausgefallener, desto besser. Und denken Sie daran: Wir wollen hier keine *Werturteile*.« Dann beginnen die Ideen zu sprudeln, eine Idee löst die nächste aus, und innerhalb einer Stunde zeichnet das Tonbandgerät 100 oder mehr Ideen auf. Für den größtmöglichen Erfolg der Sitzung legte Osborn vier Leitlinien fest:

- *Kritik ist nicht zugelassen.* Negative Kommentare über einzelne Ideen müssen auf später verschoben werden.
- *Man soll der Phantasie freien Lauf lassen.* Je ausgefallener die Idee, desto besser; es ist leichter, die Vorschläge später »zurechtzustutzen« als »anzureichern«.
- *Je mehr, desto besser.* Je größer die Zahl der Ideen, desto größer die Wahrscheinlichkeit, daß nützliche darunter sind.
- *Die Verknüpfung und Verbesserung von Ideen ist zu befürworten.* Die Teilnehmer sollten Vorschläge machen, wie die Ideen anderer zu »noch neueren« Ideen verknüpft werden können. [16]

Synektik

William J.J. Gordon war der Ansicht, daß Osborns Brainstorming-Technik zu eilig Problemlösungen anstrebt, ohne daß ausreichend viele Ansätze dazu entwickelt werden. Gordon beschloß, die Problemstellung so allgemein zu definieren, daß die Gruppe keinerlei Hinweis auf das konkrete Problem erhielt.

Ein konkretes Problem war z.B. die Konstruktion eines dampfundurchlässigen Verschlusses für die Schutzkleidung von Arbeitern, die mit hochenergetischen Brennstoffen umgingen. [17] Gordon behielt dieses konkrete Problem für sich und setzte eine Diskussion in Gang, die ganz allgemein das Problem »Verschluß« betraf. Diese führte zur Nennung verschiedener Verschlußmechanismen, wie z.B. Abdekkungen oder Verschlüsse, die mit einer Schnur zugezogen werden. Als der Gruppe die Vorschläge ausgingen, gab Gordon nach und nach weitere Stichworte, die das Problem immer enger eingrenzten. Erst als man sich einer guten Lösung näherte, definierte Gordon das Problem exakt. Dann begann die Gruppe, die Lösung weiter zu »verfeinern«. Diese Sitzungen dauerten mindestens drei Stunden, denn Gordon war der Ansicht, daß man, wenn man der Erschöpfung nahe ist, gute Ideen freisetzen kann. Nach Gordon basiert die Synektik auf fünf Grundlagen:

- **Aufschieben**
  Man muß zuerst nach Ansatzpunkten und dann nach konkreten Lösungen suchen.
- **Autonomie des Problemthemas**
  Das Problemthema muß ein »Eigenleben« entwickeln.
- **Nutzung des Alltäglichen**
  Man muß das alltäglich Vertraute als Sprungbrett zum Fremden nutzen.
- **Wechselspiel zwischen Nähe und Distanz**
  Man muß abwechselnd auf die Details des Problems eingehen und dann wieder Distanz zu ihnen gewinnen, um sie als Teile eines Ganzen zu erkennen.
- **Gebrauch von Metaphern**
  Metaphern lösen oft Analogien zu scheinbar unbedeutenden, nebensächlichen Dingen aus, die neue Ansatzpunkte eröffnen können. [18]

Durch den Einsatz solcher Ansätze der Ideengewinnung ist es jedem Unternehmen möglich, gute Ideen zu gewinnen, wenn es mit Ernst daran arbeitet. Alle Arbeitsgruppen im Unternehmen sollten sich ermutigt fühlen, Ideen einzureichen. Ideen sollten an eine Person im Unternehmen gesandt werden können, die samt Name und Telefonnummer als *Ideenschatzmeister* bekanntgemacht wird. Ideen sollten dort in schriftlicher Form abgefaßt und wöchentlich einem *Ideenausschuß* vorgelegt werden. Der Ideenausschuß sollte die Vorschläge je nach ihrem Nutzenpotential in drei Gruppen einteilen: hohes Nutzenpotential, geringes Nutzenpotential, ohne greifbaren Nutzen. Ideen mit hohem Nutzenpotential sollten von einem Mitglied des Ausschusses kurz geprüft und in einem Bericht bewertet werden. Die Ideen, die dann noch übrigbleiben, können in den Prozeß der Ideenvorauswahl miteinbezogen werden.

Ideenvorauswahl

Der Zweck der Ideengewinnung ist es, eine große Zahl von Ideen hervorzubringen. In den darauffolgenden Phasen der Produktentwicklung werden dann einige attraktive und umsetzbare Ideen herausgefiltert. Dieser Ausleseprozeß beginnt mit der Ideenvorauswahl.

Bei der Vorauswahl muß das Unternehmen zwei Arten von Fehlern vermeiden. Ein sogenannter *Ablehnungsfehler* tritt dann ein, wenn das Unternehmen eine eigentlich gute Idee fallenläßt. Es ist immer am einfachsten, die Ideen anderer einfach als schlecht abzutun (siehe Abbildung 12–3). Manche Unternehmen schaudern noch heute bei dem Gedanken an einige Produktideen, die sie seinerzeit verworfen haben. Hier einige positive und negative Beispiele:

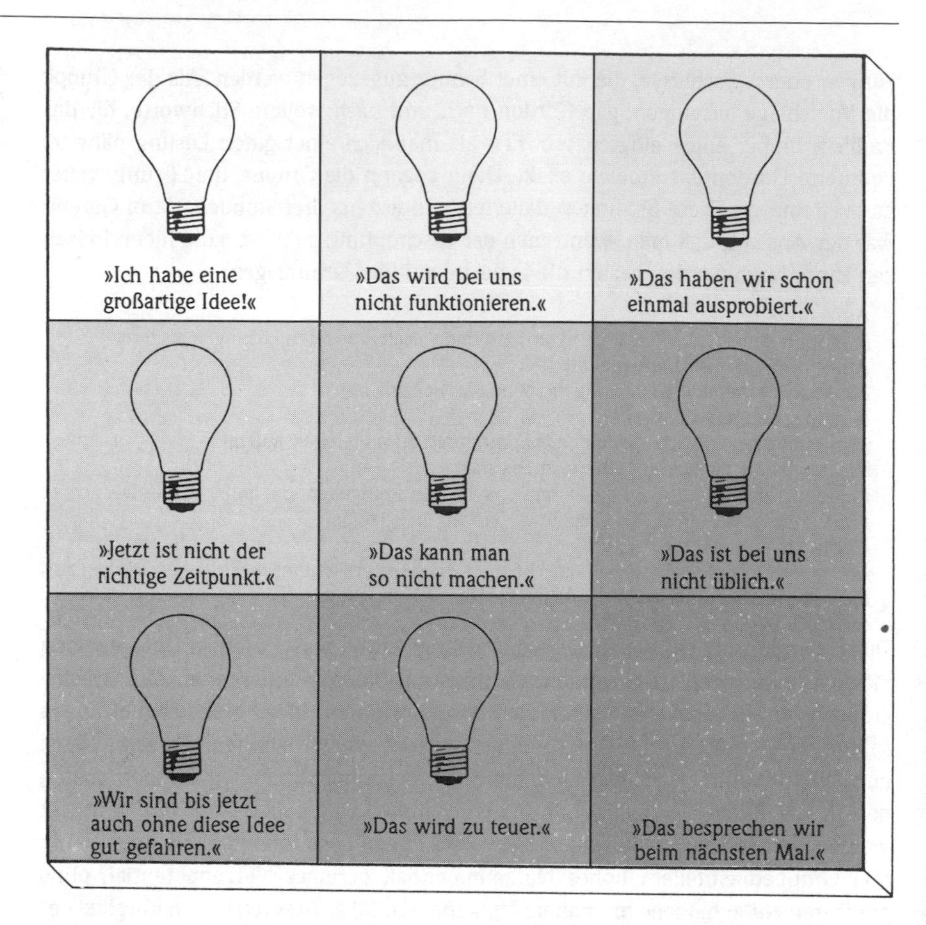

»Ich habe eine großartige Idee!«
»Das wird bei uns nicht funktionieren.«
»Das haben wir schon einmal ausprobiert.«
»Jetzt ist nicht der richtige Zeitpunkt.«
»Das kann man so nicht machen.«
»Das ist bei uns nicht üblich.«
»Wir sind bis jetzt auch ohne diese Idee gut gefahren.«
»Das wird zu teuer.«
»Das besprechen wir beim nächsten Mal.«

Abbildung 12-3
Widerstände gegen neue Ideen

Xerox erkannte, welches neue Potential das von Chester Carlson entwickelte Kopiergerät bot. IBM und Eastman Kodak sahen dies überhaupt nicht und lehnten Carlsons Erfindung ab. Henry Ford erkannte die Chancen des Automobils, doch erst General Motors wurde die Notwendigkeit klar, den Automobilmarkt nach Preis- und Leistungsklassen zu segmentieren und in jedem Segment ein Wagenmodell anzubieten, um alle Chancen voll auszuschöpfen.[19] Heinz Nixdorf erkannte die Chancen des Mikrocomputers für die Bürotechnik; Siemens erkannte sie nicht und kam erst durch den späteren Aufkauf der Firma Nixdorf zu einem nennenswerten Anteil in diesem Markt.

Wenn einem Unternehmen zu viele dieser Ablehnungsfehler unterlaufen, sind seine Maßstäbe eindeutig zu konservativ.

Ein *Annahmefehler* hingegen tritt dann auf, wenn das Unternehmen eine fruchtlose Idee weiterführt und in die Phasen der Produktentwicklung und Markteinführung eintreten läßt. Man unterscheidet drei Arten von Fehlschlägen, die sich daraus ergeben können. Ein *absoluter Fehlschlag* bringt dem Unternehmen Verluste; die Umsätze decken nicht einmal die variablen Kosten. Auch ein *teilweiser Fehlschlag* bringt Verluste, doch die Umsätze decken sämtliche variablen und einen Teil der fixen Kosten. Ein *relativer Fehlschlag* beschert dem Unternehmen einen Gewinn; dieser bleibt jedoch hinter der üblichen bzw. angestrebten Rendite zurück.

Die Vorauswahl soll fruchtlose Ideen so früh wie möglich offenkundig machen und aussondern, denn die Produktentwicklungskosten steigen in jeder der darauffolgenden Phasen erheblich. Wenn das Produkt die späteren Entwicklungsphasen erreicht hat, glaubt die Unternehmensleitung oft, daß man nun bereits so viel in seine Entwicklung investiert habe, daß es auf den Markt gebracht werden müsse, um wenigstens einen Teil der Investitionen wieder hereinzuholen. Doch damit wirft man nur gutes Geld dem schlechten hinterher. Man sollte vielmehr gar nicht erst zulassen, daß schlechte Produktideen so weit kommen.

Bewertungsmethoden für Produktideen

In den meisten Unternehmen werden neue Produktideen in ein Formular eingetragen, das dann einem Neuproduktausschuß zur Beurteilung vorgelegt wird. In dieser Niederschrift werden Produktidee, Zielmarkt und Konkurrenz beschrieben und voraussichtliche Marktgröße, Produktpreis, Entwicklungsdauer und -kosten, Herstellungskosten und Rendite grob geschätzt.

Der Auswahlausschuß beurteilt dann jede neue Produktidee anhand bestimmter Kriterien, wie z.B. folgende: Bringt das Produkt einen wirklichen Nutzen für die Verbraucher und für die Gesellschaft mit sich? Ist es leistungsfähiger als Produkte, die es substituiert? Läßt es sich leicht in der Werbung darstellen und durch das Warenverteilungssystem zu den Kunden bringen? Abbildung 12–4 zeigt ein Frageschema, mit dem festgestellt wird, ob das Produkt zum Unternehmen paßt. Steht es in Einklang mit den Zielvorstellungen, Strategien und Ressourcen des Unternehmens? Fällt die Antwort auf eine oder mehrere Fragen nicht zufriedenstellend aus, sollte die Idee fallengelassen werden.

Ideen, die dieser Überprüfung standhalten, können nun methodisch durch einen gewichteten Index, wie in Tabelle 12–2 gezeigt wird, bewertet werden. In der ersten Spalte der Tabelle werden die Faktoren für eine erfolgreiche Markteinführung des Produkts genannt. In der zweiten Spalte wird jedem dieser Faktoren eine Gewichtung zugeordnet. Das Unternehmen hält also in diesem Fall die Fähigkeiten im Marketing für besonders wichtig (Wert: 0,20), während sie den Fähigkeiten in den Bereichen Einkauf und Beschaffung weniger Bedeutung beimißt (Wert: 0,05). Als nächstes sind nun die vorhandenen Fähigkeiten bei jedem Faktor anhand einer Skala von 0,0 bis 1,0 zu bewerten. In unserem Beispiel schätzt das Unternehmen seine Marketingfähigkeiten sehr hoch ein (0,9) und bewertet den Faktor Produktionsstandort und -anlagen deutlich schlechter (0,3). Dann wird für alle Faktoren die jeweilige Gewichtung mit dem Fähigkeitswert multipliziert, so daß ein Gesamtindex für die Fähigkeit des Unternehmens entsteht, dieses spezifische Produkt erfolgreich auf den Markt zu bringen. Wenn also das Marketing ein wichtiges Erfolgsmerkmal ist und das Unternehmen hier sehr gut ist, wirkt sich das positiv auf die Gesamtbewertung der Produktidee aus. In unserem Beispiel lautet die erreichte Indexzahl 0,72: Die Produktidee erreicht auf der Bewertungsskala den Bereich »recht gut«.

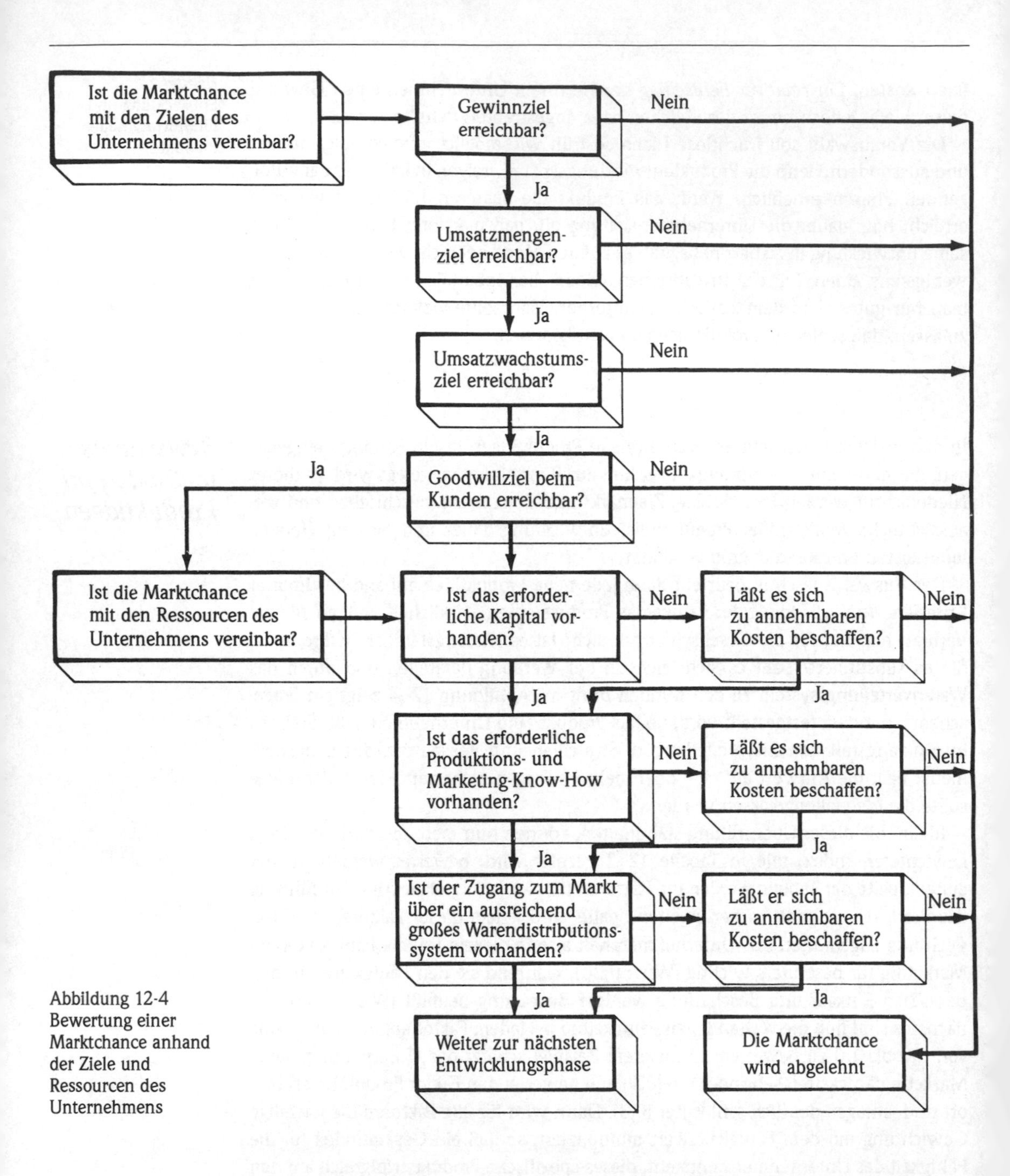

Abbildung 12-4
Bewertung einer Marktchance anhand der Ziele und Ressourcen des Unternehmens

Dieses einfache Bewertungsschema läßt sich natürlich noch weiter verfeinern. [20] Sein Zweck ist es, neue Produktideen systematischer zu bewerten und zu diskutieren, ohne damit automatisch eine Entscheidung abzuleiten, die vom Manager noch getroffen werden muß.

Tabelle 12–2
Ein Bewertungsschema für Produktideen

Kriterien für eine erfolgreiche Markteinführung des Produkts	Gewichtung (A)	Fähigkeitswert des Unternehmens (B)											Index (A×B)
		0,0	0,1	0,2	0,3	0,4	0,5	0,6	0,7	0,8	0,9	1,0	
Image und Goodwill des Unternehmens	0,20							⤙					0,120
Marketing	0,20										⤙		0,180
Forschung und Entwicklung	0,20								⤙				0,140
Personal	0,15							⤙					0,090
Finanzen	0,10										⤙		0,090
Produktion	0,05									⤙			0,040
Produktionsstandort und -anlagen	0,05				⤙								0,015
Einkauf und Beschaffung	0,05										⤙		0,045
Gesamt	1,00												0,720*

Bewertungsskala: 0,00–0,40 schlecht; 0,41–0,75 recht gut; 0,76–1,00 gut. Vorgegebener Mindestwert zur Weiterverfolgung der Produktidee: 0,70

Quelle: Abgewandelt übernommen von Barry M. Richman: »A Rating Scale for Product Innovation«, in: *Business Horizons*, Sommer 1962, S. 37–44.

Konzeptentwicklung und -erprobung

Aus attraktiven Ideen müssen Produktkonzepte entwickelt werden, die durch Testverfahren erprobt werden können. Man unterscheidet zwischen einer Produktidee, einem Produktkonzept und einem Produktimage. Eine *Produktidee* ist die Idee von einem möglichen Produkt, das vom Unternehmen angeboten werden könnte. Ein *Produktkonzept* ist eine im einzelnen erarbeitete Darstellung dieser Idee, und zwar in einer Ausdrucksweise, die den Verbrauchern etwas bedeutet. Das *Produktimage* ist dann das Vorstellungsbild, das die Verbraucher von einem tatsächlichen oder möglichen Produkt entwickeln.

Konzeptentwicklung

Die Konzeptentwicklung soll anhand des folgenden Beispiels dargestellt werden. Ein Nahrungsmittelunternehmen hat die Idee, ein Pulver herzustellen, das in Milch eingerührt wird, um so den Nährwert zu steigern und den Geschmack zu verbessern. Das ist die Produktidee. Aber der Verbraucher kauft keine Produktidee; er kauft ein Produktkonzept.

Aus jeder Produktidee lassen sich mehrere Konzepte entwickeln. Zur Entwicklung des Konzepts stellt man sich eine Reihe von Fragen. Erstens: Wer soll das Produkt verwenden? Das Pulver kann für Säuglinge, Kinder, Jugendliche, junge oder ältere

Erwachsene oder Senioren gedacht sein. Zweitens: Welcher primäre Nutzen soll mit dem Pulver geliefert werden? Guter Geschmack, Nährwert, Erfrischung oder Energie? Drittens: Was wäre der beste Verwendungsanlaß für das Produkt? Frühstück, zweites Frühstück, Mittagessen, Zwischenmahlzeit am Nachmittag, Abendessen oder »Betthupferl« am späten Abend? Das Unternehmen kann z. B. folgende Produktkonzepte entwickeln:

- **Konzept Nr. 1**
  Ein *Instant-Frühstücksgetränk* für Erwachsene, die Wert auf ein nahrhaftes Frühstück ohne lange Zubereitungszeit legen.
- **Konzept Nr. 2**
  Ein *wohlschmeckendes Getränk »zum Naschen«*, das man Kindern im Laufe des Tages als Erfrischung reichen kann.
- **Konzept Nr. 3**
  Ein *gesundheitsförderndes Getränk* für Senioren, das sie am späten Abend vor dem Zubettgehen zu sich nehmen.

Ein so definiertes *Produkt-Kategorie-Konzept* positioniert das Produkt im Wettbewerb der Produktkategorien. Ein *Instant-Frühstücksgetränk* müßte z. B. im Wettbewerb mit Müsli, Cornflakes, Brötchen, belegten Broten etc. bestehen. Ein *wohlschmeckendes Getränk zum Naschen »für zwischendurch«* müßte sich gegenüber Limonaden, Fruchtsäften und anderen beliebten Erfrischungsgetränken behaupten. Das Produktkonzept, nicht die Produktidee, beschreibt also das Wettbewerbsumfeld des Produkts.

Im folgenden soll Konzept Nr. 1, also das Instant-Frühstücksgetränk, näher untersucht werden. Abbildung 12–5(a) bildet das *Produktpositionierungsumfeld* ab, aus dem sich ablesen läßt, welche Position das Getränk im Vergleich zu anderen Frühstücksprodukten einnehmen würde. Dem Positionierungsumfeld wurden die Faktoren »Preis« und »Zubereitungszeit« zugrundegelegt. Ein Instant-Frühstücksgetränk kostet den Käufer wenig und ist schnell zubereitet. Sein engster Konkurrent sind Rohkost-Müslis, der entfernteste Konkurrent sind Schinkenomeletts. Solche Gegensätze können für die Kommunikation und Absatzförderung des Konzepts genutzt werden.

Abbildung 12-5
Produkt- und Markenpositionierung

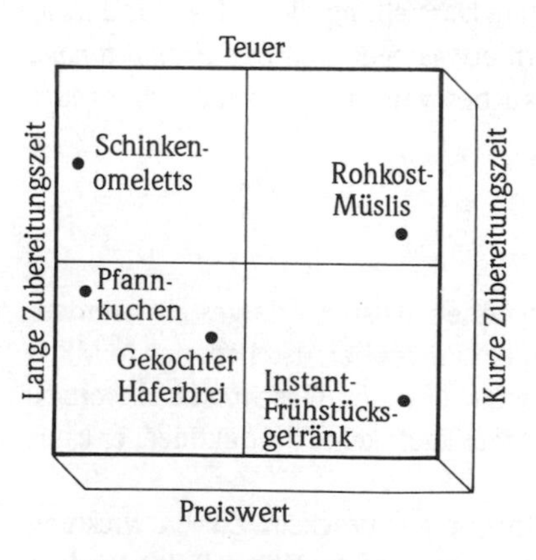

(a) Produktpositionierungsumfeld (für Frühstückskost)

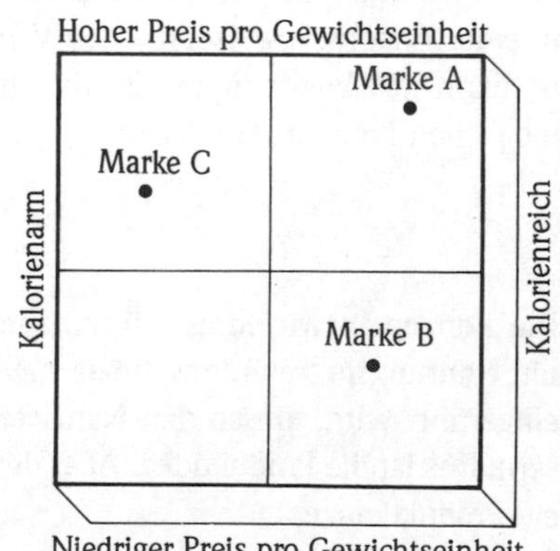

(b) Markenpositionierungsumfeld (für Instant-Frühstücksgetränke)

Das Produkt muß auch als Marke gegenüber den bereits auf dem Markt befindlichen Marken innerhalb der gleichen Produktart positioniert werden. Abbildung 12–5(b) zeigt die Position von drei anderen Instant-Frühstücksgetränken. Das Unternehmen muß Preis und Kaloriengehalt seines Produkts festlegen, wenn dies die beiden wichtigsten Merkmale für den Käufer sind. Die neue Marke könnte z. B. in der mittleren oder unteren Preis- und Kalorienklasse positioniert werden. In beiden Fällen würde sich die neue Marke von den Konkurrenzerzeugnissen abheben. Anders wäre es, wenn die neue Marke direkt neben einer anderen positioniert würde; dann müßte sie direkt gegen diese um Marktanteile kämpfen. Für diese Positionierungsentscheidung muß man erforschen, wie groß die alternativen Präferenzsegmente im Markt sind.

Konzepterprobung

Bei der Konzepterprobung werden die Konzepte durch Tests an einer geeigneten Gruppe von Zielkunden erprobt. Die Konzepte können entweder symbolisch oder in Form eines physischen Produkts präsentiert werden. In dieser Phase reicht eine textliche bzw. bildliche Beschreibung des Konzepts noch aus, obwohl die Zuverlässigkeit der Testergebnisse steigt, je konkreter und greifbarer die Konzeptdarstellung ist. Die Verbraucher erhalten nun eine ausführliche Darstellung jedes einzelnen Konzepts – in unserem Fall für Konzept Nr. 1:

Ein Pulver, das als Instant-Frühstücksgetränk in Milch eingerührt wird, eine vollwertige Mahlzeit darstellt, ist wohlschmeckend und schnell angerichtet. Das Pulver soll in den drei Geschmacksrichtungen Schokolade, Vanille und Erdbeer angeboten und portionsweise abgefüllt werden. Eine Packung soll sechs Portionen enthalten und 1,58 DM kosten.

Die Verbraucher werden nun zu diesem Konzept nach dem Folgenden befragt:

1. Sehen Sie einen klaren und glaubwürdigen Nutzen darin?
   Die Antworten zeigen die *Vermittelbarkeit* und *Glaubwürdigkeit* des Konzepts. Fallen die Antworten negativ aus, muß das Konzept weiter verfeinert oder umgestaltet werden.
2. Würde dieses Produkt für Sie ein Problem lösen oder ein Bedürfnis erfüllen? Wie groß ist dieses Problem/Bedürfnis?
   Die Antworten zeigen die *Bedürfnisstärke.* Je stärker das Bedürfnis, desto größer das voraussichtliche Verbraucherinteresse am Produkt.
3. Wie sehr erfüllen derzeit andere Produkte dieses Bedürfnis? Wie sehr sind Sie mit diesen Produkten zufrieden?
   Hier werden die *Bedürfnislücke* und die *Zufriedenstellungslücke* angezeigt. Je größer diese Lücke ist, desto größer das voraussichtliche Verbraucherinteresse am neuen Konzept.
4. Steht der Preis in einem angemessenen Verhältnis zum Nutzen? Welcher Preis wäre am ehesten angebracht?
   Die Antworten geben Auskunft über den *wahrgenommenen Nutzen.* Je höher der wahrgenommene Nutzen, desto größer das voraussichtliche Verbraucherinteresse.
5. Würden Sie das Produkt (bestimmt/wahrscheinlich/wahrscheinlich nicht/bestimmt nicht) kaufen?
   Hier wird die *Kaufabsicht* gemessen. Diese dürfte bei all jenen Verbrauchern stark ausgeprägt sein, deren vorherige Antworten positiv waren.
6. Wer würde das Produkt verwenden, und wie oft würde es verwendet werden?
   Damit kann man die möglichen *Verwender* und die *Kaufhäufigkeit* ermitteln.

Nun faßt der Marketer die Antworten der Befragten zusammen und stellt fest, ob das Konzept eine ausreichend große Zahl von Verbrauchern anspricht. Die Bedürfnislücke sowie das Ausmaß der Kaufabsicht können mit den in dieser Produktkategorie geltenden Durchschnittswerten verglichen werden. Dies zeigt an, ob das Konzept ein Erfolg, ein riskantes Projekt oder ein Mißerfolg werden könnte. Es gibt z.B. einen Nahrungsmittelhersteller, der jedes Produktkonzept verwirft, bei dem nicht mindestens 40% der Testpersonen angeben, sie würden das Produkt bestimmt kaufen. Fällt die Konzepterprobung positiv aus, erfährt das Unternehmen auch, welche existierenden Produkte das neue Produkt substituieren würde, was die besten Zielgruppen dafür wären etc.

Ein solcher methodischer Ansatz der Konzeptentwicklung und -erprobung läßt sich auf jedes beliebige Produkt, jede Dienstleistung und jede Idee anwenden – sei es ein Elektroauto, eine neue Werkzeugmaschine, ein neues Dienstleistungsangebot einer Bank oder eine neue Krankenversicherung. Zu viele Manager meinen immer noch, ihre Arbeit sei getan, wenn sie eine neue Produktidee erhalten haben. Sie glauben, daß ihre Aufgabe dann nur noch darin besteht, die Idee in ein physisches Produkt umzusetzen und es zu verkaufen. Doch in Theodore Levitts Worten gilt folgendes: »In Wirklichkeit verkauft jeder auf dem Markt immaterielle Güter, egal, was in den Fabriken produziert wird.« Diese Manager vergessen, daß man immer ein *Konzept* verkauft. [21] Später stößt ihr Produkt im Markt auf alle möglichen Probleme, die sie hätten vermeiden können, wenn sie durch Konzeptentwicklung und -erprobung sorgfältig vorgegangen wären. Dazu mehr in Exkurs 12-3.

Exkurs 12-3: Messung von Verbraucherpräferenzen für alternative Produktkonzepte mit Hilfe der Conjoint Analyse

Die Verbraucherpräferenzen für alternative Produktkonzepte lassen sich mit Hilfe der Conjoint Analyse messen. Für die Datensammlung stehen zwei Methoden zur Verfügung: der Gesamtansatz und der paarweise Ansatz. Beim Gesamtansatz (*Full-Profile-Approach*) werden alle zu variierenden Gestaltungselemente in ihrer Ausprägung als Gesamtpaket zu einem Konzept zusammengefügt und als Gesamtheit beurteilt. Alternative Produktkonzepte werden im Vergleich miteinander eingestuft. Aus dieser Einstufung ergeben sich durch die Conjoint Analyse (CA) Rückschlüsse auf die einzelnen Gestaltungselemente des Produktkonzepts.
Beim paarweisen Ansatz werden dem Befragten Gestaltungselemente des Produktkonzepts paarweise in unterschiedlicher Ausprägung als Alternativen angeboten und von ihm bewertet. Beide Ansätze werden im folgenden anhand eines Beispiels erläutert.

Gesamtansatz

Green und Wind erläuterten den Gesamtansatz am Beispiel der Entwicklung eines neuen Teppichreinigers für Privathaushalte. Nehmen wir an, der Neuprodukt-Marketer hat folgende Gestaltungselemente in die engere Wahl gezogen:

- drei Designvarianten (A, B und C, s. Abbildung)
- drei Markennamen (K2R, Glory, Bissell)
- drei Preise (1,19 $; 1,39 $; 1,59 $)
- das Gütesiegel eines bekannten Textilinstitutes (ja oder nein)
- die Garantie »bei Nichtgefallen Geld zurück« (ja oder nein)

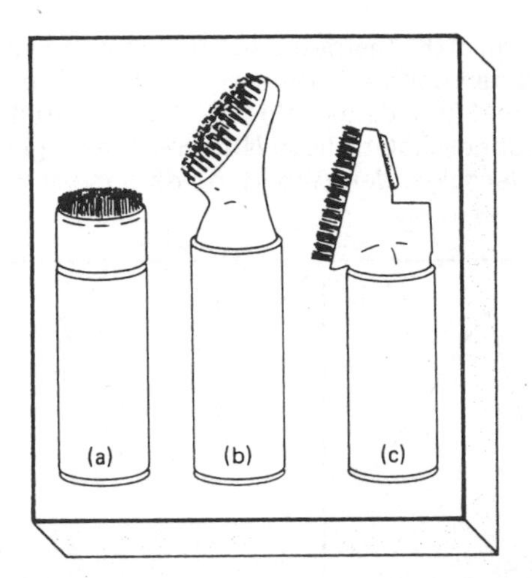

Experimentelle Versuchsanordnung für die Bewertung des Teppichreinigers

Mit diesen fünf Gestaltungselementen und jeweils zwei bis drei Ausprägungen kann man insgesamt 108 verschiedene Produktkonzepte entwickeln (3 × 3 × 3 × 2 × 2). Es wäre zu viel verlangt, die Verbraucher aufzufordern, alle diese Konzepte zu bewerten oder in eine Präferenzhierarchie einzuordnen. Man kann nun z.B. 18 unterschiedliche Produktkonzepte auswählen. Für die Verbraucher ist es relativ einfach, diese Konzepte nach ihren persönlichen Präferenzen in eine Rangordnung einzustufen. Die folgende Tabelle zeigt auf, auf welchen Platz ein bestimmter Verbraucher die 18 Produktkonzepte einstufte. Er setzte Nr. 18 an die erste Stelle; am liebsten wäre ihm also Design C, der Markenname Bissell, ein Preis von 1,19 $, das Gütesiegel des Textilinstitutes und die Rückerstattungsgarantie.

Bewertung von 18 Anreizkombinationen durch eine Testperson

Produktkonzept	Design	Markenname	Preis in $	Gütesiegel des Textilinstitutes?	Rückerstattungsgarantie?	Bewertung durch die Testperson (Platz-Nr.)
1	A	K2R	1,19	Nein	Nein	13
2	A	Glory	1,39	Nein	Ja	11
3	A	Bissell	1,59	Ja	Nein	17
4	B	K2R	1,39	Ja	Ja	2
5	B	Glory	1,59	Nein	Nein	14
6	B	Bissell	1,19	Nein	Nein	3
7	C	K2R	1,59	Nein	Ja	12
8	C	Glory	1,19	Ja	Nein	7
9	C	Bissell	1,39	Nein	Nein	9
10	A	K2R	1,59	Ja	Nein	18
11	A	Glory	1,19	Nein	Ja	8
12	A	Bissell	1,39	Nein	Nein	15
13	B	K2R	1,19	Nein	Nein	4
14	B	Glory	1,39	Ja	Nein	6
15	B	Bissell	1,59	Nein	Ja	5
16	C	K2R	1,39	Nein	Nein	10
17	C	Glory	1,59	Nein	Nein	16
18	C	Bissell	1,19	Ja	Ja	1*

* Höchstbewertung

Nehmen wir nun an, 100 Testpersonen geben ihre Einstufungen ab. Diese Einstufungen werden dann mit Hilfe eines Statistik-programms per Computer analysiert, und für jede einzelne Merkmalsausprägung wird der empfundene Nutzen abgeschätzt. Diese Nutzenschätzungen könnten so aussehen, wie dies in der folgenden Abbildung dargestellt ist.

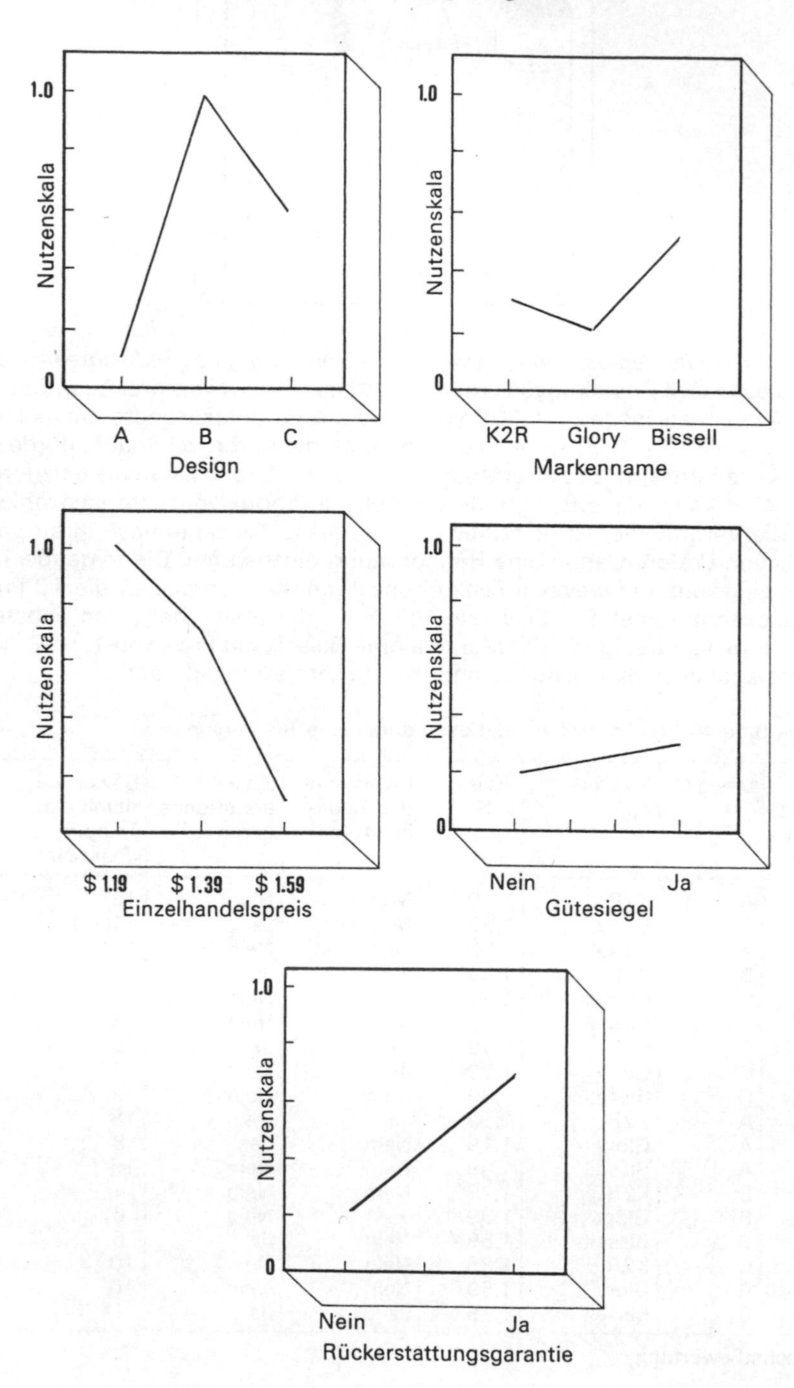

Ergebnisse der vom Computer analysierten experimentellen Daten
Aus den vorstehenden Nutzenfunktionen kann man eine Reihe von Schlußfolgerungen ziehen. Design B ist das beliebteste, gefolgt von C und A. Bei Design A wird eigentlich kaum ein Nutzen empfunden. Der populärste Name ist Bissell, an zweiter Stelle steht K2R und an dritter Glory. Die Nutzenerwartung des Verbrauchers ändert sich gegenläufig zum Preis.
Ein Gütesiegel würde begrüßt, erhöht den empfundenen Nutzen jedoch nicht erheblich, so daß sich der Aufwand dafür u.U. nicht lohnt. Auf die Rückerstattungsgarantie wird viel Wert gelegt. Diese Erkenntnisse führen in ihrer Gesamtheit zu folgendem Ergebnis: Das beste Angebot wäre die Kombination aus Design B, dem Markennamen Bissell, dem Einzelhandelspreis von 1,19 $, dem Gütesiegel und einer Rückerstattungsgarantie. Dieses Beispiel zeigt, wie der Forscher mit Hilfe der Conjoint Analyse die Attraktivität alternativer Produktkonzepte für den Markt testen kann.

Paarweiser Ansatz
Eine weitere Möglichkeit der Datensammlung ist der paarweise Ansatz (auch »Trade-off-Ansatz« oder »paarweise Abwägung« genannt). Die Verbraucher werden gebeten, ihre Präferenzen für verschiedene Merkmalsausprägungen zu nennen, wobei immer zwei Merkmale als Paar zusammengefaßt werden. Die folgende Tabelle zeigt, wie ein Verbraucher sechs dieser Trade-off-Felder ausfüllte. Das Produkt, um das es dabei ging, war ein Automobil:

	Höchst-geschwindigkeit (km/h)			Zahl der Sitzplätze			Garantiezeit (in Monaten)		
Preis									
$ 8,000	1	2	5	2	1	3	1	3	4
$ 12,000	3	4	6	5	4	6	2	5	6
$ 16,000	7	8	9	8	7	9	7	8	9
Höchst-geschwindigkeit									
200 km/h				2	1	3	1	2	5
160 km/h				5	4	6	3	4	6
110 km/h				8	7	9	7	8	9
Zahl der Sitzplätze									
1							2	5	8
4							1	4	7
6							3	6	9

Betrachten wir zunächst das Feld oben links. Es enthält drei Preise und drei Höchstgeschwindigkeiten für ein Auto. Der Verbraucher bewertete die seiner Meinung nach beste Kombination mit einer 1. Das wäre in diesem Fall ein Auto für 8.000 $ mit einer Höchstgeschwindigkeit von 200 km/h. Die Merkmalskombination, die der Verbraucher an die zweite Stelle seiner Präferenzeinstufung setzte, kennzeichnete er im Feld mit einer 2. Er legte hier nach wie vor Wert auf den Preis von 8.000 $ und war bereit, dafür bei der Höchstgeschwindigkeit Abstriche zu machen. Er bewertete auch die übrigen Merkmalskombinationen und legte dabei jedesmal offen, zu welchem Ergebnis seine Abwägungen (*trade-offs*) führen würden. Die übrigen Felder wurden nach demselben Abwägungsverfahren ausgefüllt. Der Forscher faßt nun die Testergebnisse vieler Verbraucher zusammen und ermittelt für jedes Produktmerkmal (Preis, Höchstgeschwindigkeit, Anzahl der Sitzplätze und Garantiezeit) separate Nutzenfunktionen, mit deren Hilfe er die optimale Kombination von Merkmalsausprägungen finden kann.

Quelle: Das erste Beispiel stammt von Paul E. Green und Yoram Wind: »New Ways to Measure Consumers' Judgments«, in: *Harvard Business Review*, Juli–August 1975, S. 107 – 117. Copyright 1975, President and Fellows of Harvard College; alle Rechte vorbehalten. Das zweite Beispiel wurde leicht abgewandelt übernommen von Richard M. Johnson: »Trade-off Analysis of Consumer Values«, in: *Journal of Marketing Research*, Mai 1974, S. 121–127.

Erarbeitung einer vorläufigen Marketingstrategie

Der Neuproduktmanager muß eine vorläufige Marketingstrategie zur Markteinführung des Produkts entwickeln. Die Details dieser Strategie werden in den folgenden Phasen der Produktentwicklung weiter ausgearbeitet.

Die vorläufige Marketingstrategie besteht aus drei Teilen. Der erste Teil beschreibt Größe, Struktur und Verhaltensmuster des Zielmarktes, die vorgesehene Produktpositionierung sowie die Absatz-, Marktanteils- und Gewinnziele der ersten Jahre. In unserem Beispiel könnte dies so aussehen:

Die Zielgruppe für das Instant-Frühstücksgetränk sind Familien mit Kindern, die einer neuen, praktischen, nahrhaften und preisgünstigen Frühstücksidee aufgeschlossen gegenüberstehen. Die Marke des Unternehmens wird als relativ teures Produkt von hoher Qualität positioniert. Das Absatzziel beträgt zunächst 100.000 Kartons, wobei ein Marktanteil von 10% angestrebt wird. Im ersten Jahr wird mit einem Verlust von höchstens 500.000 DM gerechnet. Im zweiten Jahr wird das Absatzziel auf 140.000 Kartons erhöht, womit ein Marktanteil von 14% erreicht und ein Gewinn von 900.000 DM erzielt werden soll.

Im zweiten Teil der Marketingstrategie geht es um den vorgesehenen Preis, die Distributionsstrategie und das Marketingbudget für das erste Jahr:

Das Produkt wird mit Schokoladengeschmack angeboten und in portionierte Tüten abgefüllt, von denen sich jeweils sechs in einer Packung befinden. Der Einzelhandelspreis für eine Packung beträgt 1,58 DM. Die Großhändler erhalten Kartons mit je 48 Packungen zum Preis von 48 DM. In den ersten zwei Monaten bekommen die Händler für vier gekaufte Kisten eine gratis; außerdem wird ihnen ein Nachlaß für Gemeinschaftswerbung eingeräumt. Die Verbraucher erhalten Probepackungen an der Haustür. In den Zeitungen wird auf Beilagezetteln mit Preisausschreiben und Probeangeboten Verkaufsförderung betrieben. Das Verkaufsförderungsbudget wird insgesamt 900.000 DM betragen. Das Werbebudget in Höhe von 2 Mio. DM wird je zur Hälfte für landesweite und lokale Werbung verwendet. Ein Drittel wird für Fernsehwerbung und zwei Drittel für Zeitungsanzeigen ausgegeben. Der Anzeigentext wird als Produktnutzen Nährwert und schnelle Zubereitung betonen. Im Mittelpunkt des Werbekonzepts wird ein kleiner Junge stehen, der dank des Frühstücksgetränks groß und stark wird. Im ersten Jahr werden 100.000 DM für die Marketingforschung aufgewendet, mit denen Einzelhandels- und Konsumentenpanels finanziert werden, um die Reaktion des Marktes und die Kaufhäufigkeit zu ermitteln.

Der dritte Teil der Marketingstrategie beschreibt die langfristigen Umsatz- und Gewinnziele sowie den zeitlichen Ablauf der Marketing-Mix-Strategie:

Das Unternehmen strebt auf lange Sicht einen Marktanteil von 25% und eine Kapitalrendite von 12% nach Steuern an. Deshalb wird die Produktqualität von Anfang an hoch sein und im Laufe der Zeit durch ernährungstechnische Forschung noch gesteigert werden. Der Preis wird zunächst hoch angesetzt, um Kaufkraft abschöpfen zu können, und später allmählich gesenkt, um den Markt zu erweitern und die Konkurrenz zu bekämpfen. Das Gesamtbudget für Werbung und Verkaufsförderung wird jedes Jahr um etwa 20% aufgestockt. Das Verhältnis zwischen Werbung und Absatzförderung soll am Anfang 70 : 30 betragen und sich allmählich auf 80 : 20 einpendeln. Die jährlichen Ausgaben für die Marketingforschung werden nach dem ersten Jahr auf 60.000 DM gesenkt.

Wirtschaftlichkeitsanalyse

Sobald das Unternehmen das Produktkonzept und eine Marketingstrategie entwickelt hat, kann es die wirtschaftliche Attraktivität des Vorschlags bewerten und muß nun die geplanten Umsätze, Kosten und Gewinne daraufhin untersuchen, ob sie den Unternehmenszielen entsprechen. Ist das der Fall, kann das Produkt in die materielle Entwicklungsphase eintreten. Bei neuen Kosten- und Marktinformationen wird die Wirtschaftlichkeitsanalyse immer wieder aufbereitet.

Umsatzschätzung

Das Unternehmen schätzt ab, ob der Umsatz ausreicht, um einen zufriedenstellenden Gewinn zu erzielen. Die Methoden der Umsatzschätzung richten sich danach, ob der Kunde in dieser Produktkategorie Anschaffungen einmalig, selten oder häufig tätigt. Abbildung 12–6(a) zeigt, welche Umsätze in den verschiedenen Lebenszyklusphasen eines Produkts, das für den Käufer eine einmalige Anschaffung darstellt, zu erwarten sind. Am Anfang steigen die Umsätze, erreichen einen Höhepunkt und sinken später praktisch auf null, wenn das Käuferpotential ausgeschöpft ist. Kommen immer wieder neue Käufer auf den Markt, geht der Umsatz nicht auf null zurück.

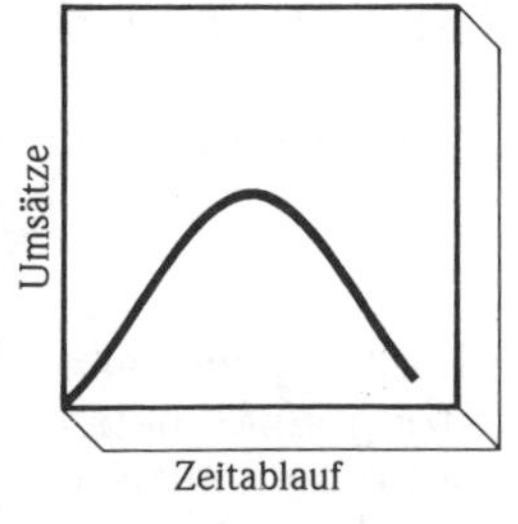

(a) Einmalige Anschaffung

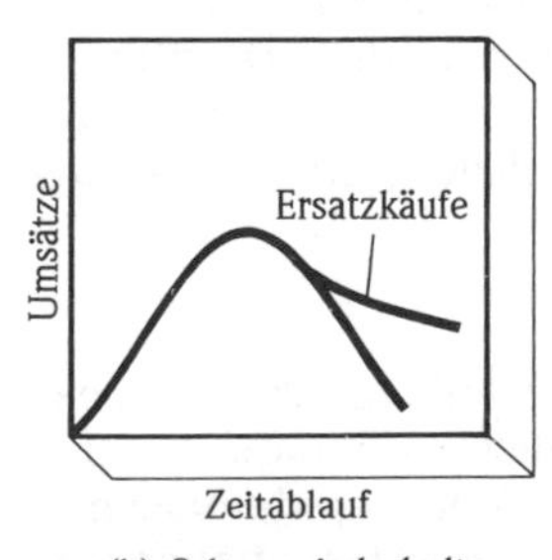

(b) Selten wiederholte Anschaffung

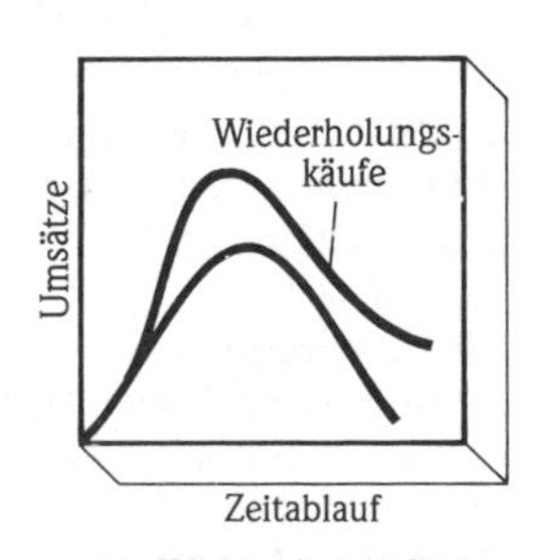

(c) Häufige Anschaffung

Abbildung 12-6
Der Umsatzzyklus von drei Produktarten

Bei langlebigen Produkten, die in die Kategorie der seltenen Anschaffungen gehören (z.B. Autos, Toaster und Industrieausrüstungen) kommt es zu Ersatzbedarfszyklen. Deren Verlauf wird bestimmt durch die Produktabnutzung und die Produktalterung bei sich verändernden Stilrichtungen, Ausstattungselementen und Präferenzen. Die Umsatzprognose für diese Produktkategorie muß Erst- und Ersatzkäufe beachten (s. Abbildung 12–6(b)).

Bei häufig gekauften Produkten, z.B. Verbrauchsgüter für Konsum- und Industriegütermärkte, sieht der Umsatzzyklus etwa so aus wie in Abbildung 12–6(c) dargestellt. Die Anzahl der Erstkäufer steigt zunächst und nimmt dann ab, wenn die potentiellen Käufer (bei gleichbleibender Bevölkerungszahl) mit der Zeit weniger werden. Bald kommt es dann zu den ersten Wiederholungskäufen, vorausgesetzt, das Produkt stellt einen Teil der Verbraucher zufrieden, die dann zu regelmäßigen Kunden werden. Die Umsatzkurve sinkt schließlich auf ein Niveau, das dem Volumen der regelmäßigen Wiederholungskäufe entspricht. Zu diesem Zeitpunkt zählt das Produkt schon nicht mehr zur Klasse der neuen Produkte.

Prognose der Erstkäufe

Die erste Aufgabe bei der Schätzung des Umsatzes ist die Prognostizierung der Erstkäufe im Zeitverlauf. Drei Methoden zur Prognostizierung der Erstkäufe werden in Exkurs 12-4 dargestellt.

Exkurs 12-4: Drei Methodenbeispiele für die Prognostizierung der Erstkäufe von Neuprodukten

Medizinische Geräte

Ein Hersteller von medizinischen Geräten entwickelte einen neuen Apparat für die Analyse von Blutproben. Das Unternehmen ermittelte drei Zielmarktsegmente: Krankenhäuser, Ambulanzstationen und unabhängige Labors. Für jedes Segment ermittelte man zunächst die Mindestgröße der medizinischen Betriebe, die für ein solches Gerät geeignet wäre. Dann ermittelte man die Anzahl der Betriebe in jedem Segment. Diese Zahl wurde auf der Basis der geschätzten Kaufwahrscheinlichkeit, die von Segment zu Segment variierte, reduziert. Übrig blieb die Anzahl der potentiellen Kunden, deren Gesamtheit das Unternehmen als *Marktpotential* bezeichnete. Anschließend wurde die mögliche Marktdurchdringung ermittelt, und zwar auf der Basis der im Planungszeitraum vorgesehenen Werbe- und Direktverkaufsmaßnahmen, der erhofften Mundpropaganda, des Produktpreises und der vermuteten Reaktion der Konkurrenz. Diese beiden Schätzwerte wurden multipliziert, um die Umsätze für das neue Produkt zu prognostizieren.

Klimaanlagen

Epidemische Gleichungsmodelle (auch »Ansteckungsverbreitungsmodelle« genannt) liefern eine nützliche Analogie für die Verbreitung eines neuen Produkts. Mit Hilfe einer solchen epidemischen Gleichung prognostizierte Bass den Absatzverlauf für neue Haushaltsgeräte, darunter Klimaanlagen, Kühlschränke, Gefriertruhen, Schwarz-Weiß-Fernseher und Elektrorasenmäher. Er verwendete die Verkaufsdaten der ersten Jahre nach der Markteinführung als Grundlage für Absatzprognosen für die späteren Jahre, bis zu dem Zeitpunkt, da der Bedarf nach Ersatzgeräten ein wichtiger Faktor werden würde. Seine Voraussagen bei Klimaanlagen entsprachen den tatsächlichen Absätzen mit einem Bestimmtheitsmaß von $R^2 = 0{,}92$. Bass prognostizierte, daß die Zeit des Spitzenabsatzes 8,6 Jahre nach der Markteinführung erreicht wäre; in Wirklichkeit waren es 7,0 Jahre. Das maximale Absatzvolumen bezifferte Bass auf 1,9 Mio. Einheiten, während es tatsächlich 1,8 Mio. waren.

Verbrauchsgüter
Fourt und Woodlock entwickelten ein Modell zur Prognostizierung der Erstkäufe, das sie anhand einiger Verbrauchsgüter erprobten. Sie hatten zur Marktdurchdringung neuer Produkte folgendes beobachtet: (1) In kumulativen Absatzmengen angezeigt, erreichte die Durchdringung eine Höchstgrenze, die unter 100% aller Haushalte lag; (2) der Durchdringungszuwachs nahm von Periode zu Periode ab.
Die Gleichung von Fourt und Woodlock lautet:

$$q_t = r\bar{q}\,(1 - r)^{t-1} \qquad (12\text{–}1)$$

wobei

q_t = Anteil der gesamten Haushalte, die das Produkt in der Periode t voraussichtlich ausprobieren werden; Erstkaufrate in Periode t
r = Durchdringungsrate im unerschlossenen Marktpotential
$\bar{q}$ = Anteil der gesamten Haushalte, die das Produkt voraussichtlich überhaupt einmal ausprobieren werden; Gesamtkaufrate
t = Periode

Gehen wir nun davon aus, daß 40% aller Haushalte das Produkt irgendwann einmal ausprobieren werden ($\bar{q} = 0{,}4$). Nehmen wir weiter an, daß in jedem Zeitraum t 30% des bisher unerschlossenen Käuferpotentials das Produkt kaufen ($r = 0{,}3$). Die Erstkaufrate der ersten vier Perioden nach der Markteinführung beträgt dann

$$q_1 = r\bar{q}\,(1 - r)^{1-1} = (0{,}3)(0{,}4)(0{,}7^0) = 0{,}120$$
$$q_2 = r\bar{q}\,(1 - r)^{2-1} = (0{,}3)(0{,}4)(0{,}7^1) = 0.084$$
$$q_3 = r\bar{q}\,(1 - r)^{3-1} = (0{,}3)(0{,}4)(0{,}7^2) = 0{,}059$$
$$q_4 = r\bar{q}\,(1 - r)^{4-1} = (0{,}3)(0{,}4)(0{,}7^3) = 0{,}041$$

Im Laufe der Zeit nähert sich der inkrementelle Prozentsatz von Erstkäufen dem Wert null. Um die durch Erstkäufer erzielten Umsätze in jeder beliebigen Periode zu ermitteln, multipliziert man die geschätzte Erstkaufrate mit der Gesamtzahl der Haushalte und mit den erwarteten Ausgaben für einen Erstkauf des Produkts pro Haushalt.

Quellen: Frank M. Bass: »A New Product Growth Model for Consumer Durables«, in: *Management Science*, Januar 1969, S. 215–217.
Louis A. Fourt und Joseph N. Woodlock: »Early Prediction of Market Success for New Grocery Products«, in: *Journal of Marketing*, Oktober 1960, S. 31–38.

Prognose der Ersatzkäufe
Um die Zahl der Ersatzkäufe zu prognostizieren, muß das Unternehmen die *statistisch zeitliche Verteilung der Lebensdauer* seines Produkts ermitteln. Das untere Ende dieser zeitlichen Verteilung zeigt an, wann es zu den ersten Ersatzkäufen kommt. Der zeitliche Verlauf der Ersatzkäufe hängt von den wirtschaftlichen Aspekten, Finanzmitteln und Produktalternativen des Kunden sowie der Preispolitik, den Finanzierungsbedingungen und Verkaufsanstrengungen des Unternehmens ab. Da sich die Anzahl der Ersatzkäufe nur schwer abschätzen läßt, bevor das Produkt tatsächlich in Gebrauch ist, machen manche Hersteller die Entscheidung über die Markteinführung eines neuen Produkts allein von den prognostizierten Erstkäufen abhängig.

Prognose der Wiederholungskäufe
Bei einem häufig angeschafften Produkt muß der Anbieter die Wiederholungskäufe ebenso prognostizieren wie die Erstkäufe, denn der Stückwert dieser Produkte ist in der Regel niedrig und die ersten Wiederholungskäufe finden schon bald nach der Markteinführung statt. Wenn ein großer Teil der Kunden Wiederholungskäufe tätigt, zeigt dies, daß die Kunden zufrieden sind; der Produktumsatz wird wahrscheinlich hoch bleiben – auch dann, wenn alle Erstkäufe getätigt worden sind. Man sollte auch den Prozentsatz von Wiederholungskäufen abschätzen, und zwar gesondert danach, ob jemand einmal, zweimal, dreimal usw. gekauft hat. Manche Produkte und Marken werden mehrmals gekauft und dann fallengelassen. Es ist wichtig zu prognostizieren, ob die Wiederholungskaufquote zu- oder abnimmt, je öfter das Produkt wiedergekauft wird, und wie schnell sich diese Entwicklung voraussichtlich vollziehen wird. [22]

Kosten- und Gewinnschätzung

Nach Erstellung der Umsatzschätzung kann das Unternehmen als nächstes die voraussichtlichen Kosten und Gewinne dieses Projekts abschätzen. Die Kostenschätzung wird von der F&E-Abteilung, der Produktions-, Marketing- und Finanzabteilung vorgenommen. Tabelle 12–3 zeigt die Umsatz-, Kosten- und Gewinnprognosen für die ersten fünf Jahre nach der Markteinführung unseres Instant-Frühstücksgetränks.

Zeile 1 zeigt die im Fünf-Jahres-Zeitraum zu erwartenden *Umsatzerlöse.* Das Unternehmen rechnet im ersten Jahr mit einem Umsatz von 4.756.000 DM (etwa 100.000 verkaufte Kartons zu je 48 DM). In den beiden darauffolgenden Jahren wird damit gerechnet, daß die Umsätze um je 28 %, im vierten Jahr sogar um 47 % ansteigen. Im fünften Jahr verlangsamt sich das Umsatzwachstum auf 15 %. Hinter dieser Prognose stehen eine Reihe von Annahmen über das Marktwachstum, den Marktanteil des Unternehmens und den Preis des Produkts ab Fabrik.

Zeile 2 weist die *Kosten der verkauften Erzeugnisse aus,* die hier etwa ein Drittel der Umsatzerlöse betragen. Dieser Wert ergibt sich aus den durchschnittlichen Personalkosten, den Kosten für die Zutaten des Frühstücksgetränks und den Verpakkungskosten pro Karton.

	Jahr 0	Jahr 1	Jahr 2	Jahr 3	Jahr 4	Jahr 5
1. Umsatzerlöse	0	4.756	6.152	7.862	11.301	12.996
2. Kosten der verkauften Erzeugnisse	0	1.592	2.060	2.632	3.784	4.352
3. Deckungsbeitrag 1	0	3.164	4.092	5.230	7.517	8.644
4. Entwicklungskosten	−1.400	0	0	0	0	0
5. Marketingkosten	0	3.200	2.584	3.302	4.746	5.458
6. Gemeinkostenanteil	0	476	615	786	1.130	1.300
7. Deckungsbeitrag 2	−1.400	−512	893	1.142	1.641	1.886
8. Sonstige Zurechnungen	0	0	0	0	0	0
9. Deckungsbeitrag 3	−1.400	−512	893	1.142	1.641	1.886
10. Diskontierter Deckungsbeitrag (15 %)	−1.400	−445	675	751	938	938
11. Kumulierter diskontierter Deckungsbeitrag 3	−1.400	−1.845	−1.170	−419	519	1.457

Tabelle 12-3
Projizierte Rechnung (in Tausend DM) für einen Zeitraum von fünf Jahren nach Produkteinführung

In Zeile 3 wurde der *Deckungsbeitrag 1* berechnet (auch *Bruttospanne* genannt), d. h. die Differenz zwischen Umsatzerlösen und Kosten der verkauften Erzeugnisse.

Zeile 4 gibt die voraussichtlichen *Entwicklungskosten* in Höhe von 1,4 Mio. DM an. Die Entwicklungskosten setzen sich aus drei Komponenten zusammen: erstens den *Produktentwicklungskosten* für Forschung und Entwicklung sowie die Durchführung von Tests mit dem physischen Produkt; zweitens den *Marketingforschungskosten* für die Feinabstimmung des Marketingprogramms und die Einschätzung der wahrscheinlichen Reaktion des Marktes (dazu gehört die Durchführung von Verpackungstests, Produkttests beim Kunden, Namenstests und Markttests); drittens den *Entwicklungskosten in der Fertigung*, also den Kosten für neue Ausrüstungen, neue bzw. modernisierte Produktionsanlagen und Lagerinvestitionen.

Zeile 5 zeigt die für die kommenden fünf Jahre prognostizierten *Marketingkosten*, d. h. die Kosten für Werbung, Verkaufsförderung und Marketingforschung sowie einen Betrag zur Deckung der vom Verkaufsaußendienst und der Marketingverwaltung verursachten Kosten. Im ersten Jahr betragen die Marketingkosten 67 % des Umsatzes. Bis zum fünften Jahr sollen sie auf 42 % gesunken sein.

Zeile 6 weist den *Anteil an den Gemeinkosten* aus, der dem neuen Produkt zugeschlagen wird. Hierzu gehören die Gehälter der Führungskräfte, die Kosten für Heizung, Beleuchtung etc.

In Zeile 7 wurde der *Deckungsbeitrag 2* berechnet. Dieser ergibt sich, wenn man die Beträge der vorhergehenden drei Kostenarten vom Deckungsbeitrag 1 abzieht. In den Jahren 0 und 1 wird hier ein negativer Wert erwartet, danach soll er positive Werte und im fünften Jahr 15 % des Umsatzes erreichen.

Zeile 8, *sonstige Zurechnungen,* enthält alle Veränderungen, die sich durch die Einführung des neuen Produkts bei den Erträgen aus anderen Produkten des Unternehmens ergeben. Dieser Posten setzt sich aus zwei Komponenten zusammen: dem positiven »*Mitnahme-Effekt*« in Form von zusätzlichen Erträgen bei anderen Produkten aufgrund der Einführung des neuen Produkts, und dem negativen »*Kannibalisierungs-Effekt*« in Form von sinkenden Erträgen bei anderen Produkten aufgrund der Einführung des neuen Produkts. [23]

Zeile 9 führt den *Deckungsbeitrag 3* auf, der in diesem Beispiel mit dem Deckungsbeitrag 2 identisch ist.

Zeile 10 zeigt den *diskontierten Deckungsbeitrag 3*, also den Gegenwartswert aller zukünftigen Beiträge bei einem Diskontierungssatz von 15% p.a. Da sich die Erlöse erst im fünften Jahr auf 1.886.000 DM belaufen, bedeutet dies, daß der Gegenwartswert bei einer Kapitalrendite von 15% lediglich bei 938.000 DM liegt. [24]

Zeile 11 schließlich zeigt den *kumulierten diskontierten Deckungsbeitrag 3*, d.h. die kumulierten Beiträge aus Zeile 10. Je nach Definition kann man den Deckungsbeitrag 3 auch als Cash-flow bezeichnen. Der geschätzte Verlauf des Cash-flow ist mitentscheidend dafür, ob das Unternehmen die eigentliche Produktentwicklung aufnimmt oder das Projekt fallenläßt. Zwei Punkte sind hier von zentraler Bedeutung. Der eine ist das *maximale Investitionsrisiko*, also der Verlust, den das Produkt schlimmstenfalls verursachen kann. Wie gezeigt, kann das Unternehmen im ersten Jahr höchstens 1.845.000 DM verlieren; dies ist der Verlust des Unternehmens, wenn es das Projekt abbricht. Der zweite Punkt ist die *Amortisationszeit*, also die Zeitspanne, in der das Unternehmen seine gesamten Investitionen einschließlich der vorgesehenen Rendite von 15% wieder hereingeholt hat. Im Beispiel beträgt die Amortisationszeit etwa dreieinhalb Jahre. Die Unternehmensleitung muß also entscheiden, ob man einen Verlust von höchstens 1,8 Mio. DM verkraften und dreieinhalb Jahre auf die Amortisation der getätigten Investitionen warten kann. Bei dieser Darstellung haben wir die Investitionen in Herstellungsanlagen und in Warenbestände vernachlässigt.

Es gibt noch andere Methoden, mit denen die Unternehmen die finanziellen Aussichten eines neuen Produkts untersuchen können. Die einfachste ist die *Break-even-Analyse*, bei der berechnet wird, welche Menge des Produkts bei vorgegebenen Preisen und Kosten verkauft werden muß, um seine Fixkosten zu decken und die Gewinnschwelle zu erreichen. Wenn die Unternehmensleitung der Ansicht ist, das neue Produkt in dieser Mindestmenge verkaufen zu können, gibt sie normalerweise grünes Licht für die Produktentwicklung.

Die komplexeste Methode ist die *Risikoanalyse*. Hier werden drei Schätzungen (die optimistische, die pessimistische und die wahrscheinlichste) vorgenommen, und zwar für alle Variablen, welche die Rentabilität eines Produkts in einem bestimmten Marketingumfeld und bei einer bestimmten Marketingstrategie über den Planungszeitraum hinweg beeinflussen können. Durch eine Computersimulation errechnet man mögliche Resultate und die Wahrscheinlichkeitsverteilung damit verbundener Kapitalrenditen. Diese Simulation zeigt, in welchem Bereich die Renditen liegen könnten und wie wahrscheinlich Renditen einer bestimmten Höhe sind. [25]

Materielle Produktentwicklung

Wenn das Produktkonzept der Wirtschaftlichkeitsanalyse standhält, gelangt es in die Forschungs- und Entwicklungsabteilung bzw. in die Konstruktion und wird zu einem materiellen Produkt weiterentwickelt. Bis jetzt existierte es nur in Form einer verbalen Beschreibung, einer Zeichnung oder als sehr grobes Modell. Ab jetzt schnellen die Entwicklungskosten steil nach oben, so daß der bisherige finanzielle Aufwand für die Ideenbewertung im Vergleich dazu winzig erscheint. Jetzt stellt sich heraus, ob sich die Produktidee in ein technisch und kommerziell brauchbares Produkt umsetzen läßt. Ist das nicht der Fall, sind die gesamten bisherigen Entwicklungskosten vertan – abgesehen von dem nützlichen Wissen, das im bisherigen Verlauf eventuell erarbeitet wurde.

Die F&E-Abteilung entwickelt nun eine oder mehrere Versionen des materiellen Produkts. Sie will einen Prototyp finden, der folgenden Anforderungen genügt:
(1) Die Kunden finden all jene Leistungsmerkmale und Ausstattungselemente darin wieder, die mit dem Produktkonzept versprochen wurden;
(2) der Prototyp funktioniert bei normaler Beanspruchung und unter normalen Betriebsbedingungen zuverlässig;
(3) der Prototyp kann zu den budgetierten Kosten hergestellt werden.

Die Entwicklung eines erfolgreichen Prototyps kann Tage, Wochen, Monate oder sogar Jahre in Anspruch nehmen. Die Entwicklung und Konstruktion eines neuen Verkehrsflugzeugs beispielsweise erfordert vier oder mehr Jahre. Selbst die Entwicklung einer neuen Geschmacksrezeptur kann zeitaufwendig sein. Die General-Foods-Tochter Maxwell House entdeckte z.B., daß die Verbraucher einen Kaffee wollten, der »kräftig, herb und voll im Geschmack« ist. Die Labortechniker experimentierten mehr als vier Monate lang mit verschiedenen Kaffeemischungen und Aromen, um den gewünschten Geschmack zu finden. Die Mischung, die man fand, war jedoch in der Herstellung zu teuer, so daß »abgespeckt« werden mußte, um die vorgegebenen Fertigungskosten nicht zu überschreiten. Darunter litt dann der Geschmack, und die neue Kaffeesorte war nicht so erfolgreich wie geplant.

Die Konstrukteure und Entwicklungstechniker müssen dem Produkt nicht nur die geforderten funktionalen Eigenschaften verleihen, sondern beachten, daß mit dem Design auch psychologische Produktaspekte vermittelt werden. Dazu müssen sie z.B. wissen, wie die Konsumenten auf Form, Farbe, Größe, Gewicht und andere Designelemente mit psychologischem Sinngehalt reagieren. Bei Zahncreme unterstreicht die Farbe weiß die Hygiene, rot signalisiert Wirkungsstärke und blau vermittelt den Eindruck angenehmer Kühle. Um den Anspruch zu belegen, daß z.B. der neue Rasenmäher sehr leistungsstark ist, müssen die Konstrukteure einen wuchtigen Rahmen bauen, und der Motor muß sich kräftig anhören. Daher müssen die Konstrukteure von den Marketing-Managern informiert werden, welche Eigenschaften die Verbraucher wünschen und wonach sie diese beurteilen.

Sind die Prototypen fertiggestellt, müssen sie einer Reihe rigoroser Funktions- und Verbraucherakzeptanztests unterzogen werden. Die *Funktionstests* werden sowohl unter Labor- als auch unter realen Anwendungsbedingungen durchgeführt, um festzustellen, ob das Produkt zuverlässig und effektiv funktioniert. Das neue Verkehrsflugzeug muß fliegen, das neue Fertiggericht muß lange haltbar sein, das neue Medikament darf keine gefährlichen Nebenwirkungen haben. Bei Arzneimitteln erfordern die Funktionstests heute Jahre der Erprobung an Versuchstieren und später an Testpersonen, bevor das Medikament von der jeweiligen Gesundheitsbehörde zugelassen wird.

Das Spektrum an *Verbraucherakzeptanztests* reicht von Produkttests in den Labors der Unternehmen durch die Hinzuziehung von Anwendern bis hin zur Verteilung von Mustern an die Haushalte zum Ausprobieren. Bei vielen Produkten, von einer neuen Eiscremesorte bis hin zu einem neuen Haushaltsgerät, bitten die Unternehmen potentielle Kunden, das Produkt zuhause zu testen. Als z.B. Du Pont einen neuen synthetischen Fußbodenbelag entwickelte, stattete das Unternehmen einige Wohnungen gratis mit dem Fußbodenbelag aus; im Gegenzug erklärten sich die Kunden bereit, ihre Meinung über die Vor- und Nachteile des neuen Belags zu äußern. Für die Messung der Verbraucherakzeptanz und Verbraucherpräferenzen gibt es verschiedene Techniken, z.B. die Aufstellung einfacher Rangordnungen, den Paarvergleich oder die Bewertungsskala. All diese Methoden haben ihre Vor- und Nachteile, wie Exkurs 12-5 zeigt.

Exkurs 12-5: Methoden zur Messung von Verbraucherpräferenzen

Nehmen wir an, einem Verbraucher werden drei Objekte präsentiert (A, B und C). Das können drei Autos, drei Werbeanzeigen oder drei Kandidaten für ein politisches Amt sein. Es gibt drei Methoden – die einfache Rangordnung, den Paarvergleich und die Einzelbewertung –, um die Präferenzen einer Person in bezug auf die drei Objekte zu messen.

Bei der Aufstellung *einfacher Rangordnungen* wird der Verbraucher gebeten, die drei Objekte nach seinen Präferenzen zu ordnen. Der Verbraucher könnte z.B. die Rangfolge A > B > C aufstellen. Diese Methode sagt aber nichts darüber aus, wie intensiv die Zu- oder Abneigung des Verbrauchers bei jedem einzelnen Objekt ist. Vielleicht gefällt ihm keines besonders gut. Ebensowenig wird deutlich, wie sehr der Verbraucher ein Objekt einem anderen vorzieht. Es ist außerdem schwierig, diese Methode anzuwenden, wenn viele Objekte zu beurteilen sind.

Beim *Paarvergleich* wird dem Verbraucher jeweils ein Objektpaar vorgelegt, wobei gefragt wird, welches der beiden Objekte er vorzieht. Man könnte dem Verbraucher also die Paare AB, AC, und BC vorlegen und erfahren, daß ihm A besser gefällt als B, A besser als C und B besser als C. Daraus würde sich dann die Präferenzhierarchie A > B > C ergeben. Der Paarvergleich hat zwei wesentliche Vorteile. Erstens ist es für eine Testperson einfacher zu bestimmen, was ihr besser gefällt, wenn sie zwei Objekte gleichzeitig vor sich hat. Der zweite Vorteil besteht darin, daß die Methode des Paarvergleichs es dem Verbraucher ermöglicht, sich stark auf die beiden Objekte zu konzentrieren und dabei ihre Unterschiede und Ähnlichkeiten zu erfassen.

Bei der *Einzelbeurteilung* wird der Konsument gebeten, seine Zustimmung oder Abneigung einzeln zu jedem der Objekte auf einer Skala kenntlich zu machen. Nehmen wir an, folgende Sieben-Punkte-Skala wird dabei verwendet:

1	2	3	4	5	6	7
Gefällt mir überhaupt nicht	Gefällt mir nicht	Gefällt mir nicht besonders	Bin neutral	Gefällt mir ein bißchen	Gefällt mir	Gefällt mir sehr

Nun gibt der Verbraucher folgende Wertungen ab: A = 6, B = 5, C = 3. Diese Methode liefert mehr Informationen als die beiden bereits beschriebenen Verfahren. Man kann damit die Präferenzordnung der Testperson (nämlich A > B > C) und auch – qualitativ ausgedrückt – die Lage der Präferenzen sowie die Präferenzunterschiede ermitteln. Auch ist dieses Verfahren für die Testpersonen einfach zu beherrschen, vor allem, wenn eine große Anzahl von Objekten zu bewerten ist.

Markterprobung

Ist das Produkt funktionstüchtig und akzeptanzfähig, braucht es noch einen Markennamen und eine Verpackung sowie alle anderen Elemente eines vorläufigen Marketingprogramms, um es unter Marktbedingungen testen zu können (Marken- und Verpackungsentscheidungen werden detailliert in Kapitel 15 behandelt). Durch die Markterprobung soll ermittelt werden, wie sich die Verbraucher und die Handelswelt verhalten, wenn sie mit dem Produkt umgehen, es nutzen, nachbestellen und wiederholt kaufen sollen. Außerdem wird damit die Marktgröße erneut abgeschätzt.

Nicht alle Unternehmen wählen diesen Weg der Markterprobung. Sie bringt dann keinen Vorteil, wenn sie über die eigene Vertriebsorganisation einen direkten Zugang zum Endnutzer haben und ihre Markteinführungen üblicherweise nicht durch eine Pull-Strategie vornehmen. Avon und Vorwerk beispielsweise verzichten weitgehend auf die klassischen Markttests in gesonderten Testmärkten. Sie lassen ihre neuen Produkte quasi neben dem normalen Vertriebsgeschäft mitlaufen und wissen sehr schnell, ob das Produkt bei den Kunden gut ankommt.

Die meisten Unternehmen wissen jedoch, daß die Markterprobung wertvolle Informationen über Käufer, Händler, Effektivität des Marketingprogramms, Marktpotential etc. liefern kann. Also fragt man als nächstes: Welchen Umfang soll die Markterprobung haben? Und welche Formen der Markterprobung setzt man ein?

Der Umfang der Markterprobung hängt einerseits von den *Investitionskosten* und *-risiken* und andererseits vom *Zeitdruck* und den *Forschungskosten* ab. Produkte, die hohe Investitionen erfordern und große Risiken mit sich bringen, sind eine Markterprobung wert, um so Fehler zu vermeiden. Hier machen die Kosten der Markttests nur einen unbedeutenden Anteil an den Gesamtkosten des Projekts aus. Äußerst risikoreiche Produkte – d. h. solche, die ganz neue Produktkategorien schaffen (z. B. das erste »Instant-Frühstück«) oder neuartige Leistungsmerkmale aufweisen

(z. B. die erste Fluorzahncreme) – rechtfertigen eine umfangreichere Markterprobung als modifizierte Produkte (z. B. die Variante einer Zahnpastamarke). Der Umfang der Markterprobung wird u. U. erheblich reduziert, wenn das Unternehmen unter großem Zeitdruck steht und seine Marke schnell auf den Markt bringen muß, weil z. B. die Saison dafür gerade beginnt oder die Konkurrenten kurz vor der Einführung einer eigenen Marke stehen. Manche Unternehmen leben lieber mit dem Risiko unerprobter Produkte als mit dem Risiko, im Wettbewerb zu spät auf den Markt zu kommen. Und schließlich haben auch die Kosten der Markttests Einfluß auf Form und Umfang der Markterprobung.

Für die Markterprobung von Konsumgütern werden andere Methoden verwendet als für die Markterprobung von Industriegütern.

Markterprobung von Konsumgütern

Bei der Markterprobung von Konsumgütern will das Unternehmen vier Größen ermitteln: die Rate der *Erstkäufe*, die Rate der *ersten Wiederholungskäufe*, die *Adoptionsrate* und die *Kauffrequenz*. Das Unternehmen hofft, daß alle diese Werte hoch ausfallen. In manchen Fällen stellt man fest, daß viele Verbraucher das Produkt ausprobieren, wenige es jedoch erneut kaufen, was ein Hinweis auf die Unzufriedenheit mit dem Produkt ist. Oder das Produkt wird zwar nach dem Ausprobieren von vielen Kunden ein zweites Mal gekauft, die Wiederholungskäufe nehmen danach jedoch rapide ab. Oder es gibt selbst bei einer hohen Adoptionsrate eine niedrige Kauffrequenz, z. B. bei bestimmten Delikatessen, wie Kaviar, die zwar von vielen Verbrauchern auf Dauer als Spezialität akzeptiert werden, aber nur selten und nur zu bestimmten Anlässen gekauft werden.

Auch im Hinblick auf die Aufnahmebereitschaft des Handels wird mit der Markterprobung festgestellt, wie viele und welche Händler das Produkt in ihr Sortiment nehmen und zu welchen Bedingungen und mit welcher Zuteilung an Regalfläche dies geschieht.

Die wichtigsten Methoden der Markterprobung von Konsumgütern, von der einfachsten bis zur aufwendigsten, werden im folgenden beschrieben.

Verkaufswellenforschung

Verbrauchern, die das Produkt zunächst kostenlos ausprobieren konnten, werden danach dieses Produkt und auch Konkurrenzprodukte zu einem etwas reduzierten Preis erneut angeboten. Dieses Angebot kann drei- bis fünfmal wiederholt werden (daher die Bezeichnung »Verkaufswellen«). Dabei stellt man fest, wieviele Verbraucher sich wieder für das Produkt entscheiden und wie zufrieden sie damit sind. Bei der Verkaufswellenforschung kann man gleichzeitig auch bei den Verbrauchern ein oder mehrere Werbekonzepte ausprobieren, um herauszufinden, wie sich diese auf Wiederholungskäufe auswirken.

So kann das Unternehmen die Rate der Wiederholungskäufe unter realitätsnahen Bedingungen abschätzen, bei denen die Verbraucher mit ihrem eigenen Geld zahlen und eine Auswahl zwischen konkurrierenden Produkten haben. Außerdem kann eine Verkaufswellenstudie schnell durchgeführt werden, ohne die Konkurrenz zu alarmieren. Die Verkaufswellenforschung ist auch möglich, ohne daß die endgültige Ausgestaltung der Packung oder der Werbung vorliegt.

Andererseits läßt sich auf diese Weise nicht feststellen, wie groß die Rate der Erstkäufe bei unterschiedlichen Verkaufsförderungsmaßnahmen wäre. Denn die Konsumenten, die das Produkt ausprobieren, werden durch die Auswahl der Versuchsteilnehmer vorher bestimmt. Auch sagt die Verkaufswellenstudie nichts darüber aus, wie sich die neue Marke im Handel durchsetzt und wieviel Platz sie im Verkaufsregal erobern wird.

Einkaufslabor

Bei dieser Methode (auch »Markttest unter Laborbedingungen«, »Simulierter Store-Test« oder »beschleunigter Markttest« genannt) werden 30 bis 40 Verbraucher (z.B. in einem Einkaufszentrum) angesprochen und gebeten, sich einige Fernsehwerbespots anzusehen. Darunter befinden sich einige bekannte und ein paar neue Werbespots, die eine ganze Reihe von Produkten zum Thema haben. Einer dieser Werbespots stellt das neue Produkt des Unternehmens vor, worauf jedoch nicht speziell hingewiesen wird. Die Verbraucher erhalten dann etwas Geld und werden gebeten, in einen Laden (das Einkaufslabor) zu gehen, der speziell für diesen Test eingerichtet wurde und der das Warenangebot und die Einkaufssituation in kleinem Rahmen simuliert. Dort kaufen sie dann entweder eines der ausgestellten Produkte oder geben das Geld nicht aus. Das Unternehmen stellt fest, wie viele Verbraucher das eigene Neuprodukt und wie viele eine Konkurrenzmarke kaufen. Dieses Verfahren gibt Aufschluß über die relative Effektivität des eigenen Werbespots bei der Anregung zu Erstkäufen im Wettbewerb mit anderer Werbung. Die Verbraucher werden danach noch einmal angesprochen und nach den Gründen für ihre Entscheidung im Laden gefragt. Einige Wochen später folgt ein Telefoninterview, um zu ermitteln, wie die Verbraucher das Produkt beurteilen, wie oft sie es benutzen, wie zufrieden sie damit sind und ob sie beabsichtigen, es wieder zu kaufen. Außerdem erhalten sie dabei die Gelegenheit, jedes Produkt des Einkaufslabors sofort per Telefon erneut bestellen zu können.

Diese Methode hat verschiedene Vorteile: Sie liefert Informationen über die Wirksamkeit von Werbespots und die Rate der Erstkäufe (oder der Wiederholungskäufe, wenn sie weiter fortgeführt wird). Sie ist schnell durchführbar und fällt der Konkurrenz nicht auf. Die Ergebnisse werden normalerweise durch mathematische Modelle auf den Gesamtmarkt hochgerechnet, um Verkaufsmengen zu projizieren. Marketingforschungsinstitute, die diese Methode anbieten, berichteten von überraschend genauen Vorhersagen über die späteren Umsätze von neu auf dem Markt eingeführten Produkten.[26]

Kontrollierter Markttest, Store-Test

Einige Marktforschungsinstitute bieten unter dem Namen »Store-Test« (z.B. GfK Nürnberg) oder »Kontrollierter Markttest« (z.B. A.C. Nielsen) an, Neuprodukte in einem Handelspanel zu erproben. Die Einzelhandelsgeschäfte des Panels sind gegen die Zahlung einer Gebühr bereit, neue Produkte probeweise in ihr Sortiment aufzunehmen. Ein Unternehmen, das ein neues Produkt herausbringen will, teilt dem Forschungsinstitut Anzahl und Region der von ihm gewünschten Geschäfte mit. Das Institut bringt das Produkt in die teilnehmenden Läden und kontrolliert dort nach Plan die Plazierung des Produkts im Regal nach Ort und Menge, die Displays, die Verkaufsförderung und die Preise. Die Verkaufsergebnisse können sowohl anhand der Warenbewegungen im Regal als auch durch »Verbraucher-Tagebücher« erhoben werden. Außerdem kann das Unternehmen während des Tests die Wirkung von Anzeigen in den regionalen Werbemedien erproben.

Mit dem kontrollierten Markttest läßt sich der Einfluß von Marketingmaßnahmen am Verkaufsort (z.B. Art und Größe des Warendisplays, Verkaufsförderungsanreize) und in begrenztem Umfang auch der Einfluß der Werbung untersuchen, ohne die Verbraucher direkt um ihre Teilnahme bitten zu müssen. Im speziell in Haßloch eingerichteten Minimarkt-Test (siehe Kapitel 5) läßt sich insbesondere die Wirksamkeit unterschiedlicher TV-Werbespots bei der Produkteinführung mittesten. Später kann man stichprobenartig einige Verbraucher nach ihren Produkteindrücken befragen. Dieser Test wird ohne den Einsatz der eigenen Verkaufsorganisation, ohne Handelsrabatte und andere Mittel zur Distributionsgewinnung durchgeführt. Die Fähigkeit des Unternehmens, das neue Produkt in den Handel zu tragen und dort durchzusetzen, bleibt damit unerprobt. Des weiteren wird bei diesem Test die Konkurrenz auf das Produkt aufmerksam.

Testmärkte

In Testmärkten werden neue Konsumgüter unter den Bedingungen getestet, wie sie bei einer umfassenden Markteinführung gegeben sind. Das Unternehmen arbeitet normalerweise mit einem Marketingforschungsinstitut zusammen, wählt die Teststädte aus, wo der Verkauf daran arbeitet, den Handel vom Produkt zu überzeugen und versucht, es in den Regalen günstig zu plazieren. Das Unternehmen startet in den ausgewählten Testmärkten eine umfassende Werbe- und Verkaufsförderungskampagne, so wie sie in größerem Maßstab bei einer landesweiten Markteinführung eingesetzt würde. Diese Form der Markterprobung ist also praktisch eine »Generalprobe für die Produkt-Premiere« und kann das Unternehmen Hunderttausende von Mark kosten – je nach Anzahl der getesteten Städte, der Untersuchungsdauer und der Menge an Daten, die das Unternehmen sammeln will. Exkurs 12-6 zeigt die wichtigsten Entscheidungen, die bei einem solchen Test getroffen werden müssen.

Exkurs 12-6: Wichtige Entscheidungen des Unternehmens zu Testmärkten

1. Wie viele Testorte?

Bei vielen Tests werden ein bis sechs Städte oder Landesregionen herangezogen. Die Anzahl der Testorte sollte umso größer sein, (1) je höher der maximale mögliche Verlust und je wahrscheinlicher ein Verlust bei einer unerprobten landesweiten Markteinführung des Produkts eintreten kann, (2) je umstrittener die möglichen Marketingstrategien sind und je größer die Unsicherheit darüber ist, welches die beste Strategie ist, (3) je ausgeprägter die regionalen Unterschiede sind und (4) je mehr im Markttest mit absichtlichen Störmanövern von seiten der Konkurrenz zu rechnen ist.

2. Welche Testorte?
Es gibt keinen Ort, der ein perfektes Miniatur-Abbild des ganzen Landes darstellt. Einige zeigen jedoch typische landesweite oder regionale Eigenheiten klarer auf als andere. Dazu zählen auf dem Gebiet der Bundesrepublik ohne die neuen Länder z.B. Haßloch in Rheinland-Pfalz, der Rhein-Neckar-Raum, das Saarland und früher auch West-Berlin. Jedes Unternehmen entwickelt eigene Kriterien für die Auswahl der Testorte. Oft sucht man nach Testorten mit guter Werbemedienversorgung, mit kooperationswilligem Handel und mit durchschnittlicher Wettbewerbsaktivität, die nicht bereits als Testmarkt überstrapaziert worden sind. Zusätzliche Auswahlkriterien könnten aufgrund der speziellen Eigenschaften des Produkts hinzukommen, die den späteren Gesamtmarkt für das Produkt und damit auch die Testorte charakterisieren.

3. Wie lange soll der Test dauern?
Die Dauer eines Tests kann wenige Monate, aber auch mehrere Jahre betragen. Je länger die durchschnittliche Zeitspanne bis zum ersten Wiederholungskauf, desto länger muß der Test sein, um die Zahl der Wiederholungskäufe beobachten zu können. Andererseits sollte man die Testdauer verkürzen, wenn die Konkurrenten mit neuen Produkten auf den Markt drängen.

4. Welche Daten sollen gesammelt werden?
Das Unternehmen muß entscheiden, welche Daten gesammelt werden sollen, und dabei Nutzen und Kosten beachten. *Lagerauslieferungsdaten* geben Aufschluß über die Einkäufe des Großhandels, sagen jedoch nichts über die wöchentlichen Einzelhandelsumsätze aus. Datenerhebungen im Einzelhandel über »Store Audits« bringen zwar Erkenntnisse über die tatsächlichen Verkaufszahlen und die Marktanteile der Konkurrenten, verraten jedoch nichts über die Merkmale der Käufer der einzelnen Marken. Mit Hilfe eines *Verbraucherpanels* läßt sich feststellen, welche Kunden welche Marke kaufen und wie groß bei ihnen die Markenloyalität und Markenwechselhäufigkeit ist. *Käuferbefragungen* liefern umfassende Daten über die Einstellungen der Verbraucher zum Produkt, die Verwendung des Produkts und den Zufriedenheitsgrad. Außerdem können Faktoren wie die Einstellung des Handels zum Produkt, die Einzelhandelsdistribution, die Effektivität der Werbung und Verkaufsförderung und des Display-Materials untersucht werden.

5. Welche Handlungskonsequenzen sind daraus zu ziehen?
Zeigt der Testmarkt eine hohe Anzahl von Erst- und Wiederholungskäufen, so führt dies weiter zur Markteinführung. Ist dagegen nur die Anzahl der Erstkäufe hoch, die der Wiederholungskäufe aber gering, sind die Kunden nicht zufrieden. Das Produkt sollte dann umgestaltet oder fallengelassen werden. Wenn im Testmarkt wenige Erst-, aber zahlreiche Wiederholungskäufe getätigt werden, ist das Produkt zufriedenstellend, doch es müssen weitere Erstkäufer hinzugewonnen werden. Dies erfordert mehr Werbung und Verkaufsförderung. Wenn sowohl die Anzahl der Erstkäufe als auch die der Wiederholungskäufe gering ist, sollte das Produkt fallengelassen werden.

Diese Form der Markterprobung hat mehrere Vorteile. Der wichtigste besteht darin, daß sie eine *zuverlässigere Prognose der künftigen Umsätze* liefert. Wenn die Umsätze auf den Testmärkten hinter den Zielvorgaben zurückbleiben, muß das Unternehmen das Produkt bzw. das Marketingprogramm fallenlassen oder modifizieren.

Der zweite Vorteil besteht darin, daß man *unterschiedliche Marketingpläne erproben* kann. Vor Jahren setzte Colgate-Palmolive für ein neues Reinigungsmittel in jeder von vier Teststädten ein anderes Marketing-Mix ein: In der ersten »durchschnittlicher Werbeaufwand und an der Haustür verteilte Proben des Produkts«, in der zweiten »großer Werbeaufwand und Proben«, in der dritten »durchschnittlicher Werbeaufwand und Postversand von Probegutscheinen« und in der vierten »durchschnittlicher Werbeaufwand ohne spezielles Einführungsangebot«. Die dritte Alternative erbrachte die höchsten Gewinne, allerdings nicht die höchsten Umsätze.

Durch seinen Einsatz auf Testmärkten stößt das Unternehmen zuweilen auf einen Mangel am Produkt, der in der Entwicklungsphase unbemerkt blieb. Man kann auch wertvolle Hinweise auf Vertriebsprobleme erhalten. Außerdem kann das Unternehmen bessere Erkenntnisse über das Verhalten verschiedener Marktsegmente gewinnen.

Trotz der Vorteile von Testmärkten stellen einige Experten ihren Nutzen in Frage. Achenbaum äußert folgende Bedenken:

- Es ist schwierig, eine Gruppe von Testmärkten zu finden, die einigermaßen repräsentativ für das ganze Land sind.
- Es ist schwierig, landesweit konzipierte Werbepläne auf die lokale Testebene zu übertragen.
- Es ist schwierig, auf der Basis der Wettbewerbssituation im laufenden Jahr Prognosen für das kommende Jahr zu treffen.
- Wenn die Konkurrenz von diesem Markttest erfährt, ist es schwer, zu entscheiden, ob eventuelle lokale Gegenmaßnahmen der Konkurrenten repräsentativ für ihre späteren Maßnahmen auf landesweiter Ebene sind.
- Auch exogene und nicht beeinflußbare Faktoren, wie die allgemeinen wirtschaftlichen Bedingungen und das Wetter, wirken sich auf den Markttest aus. [27]

Laut Achenbaum ist der Hauptnutzen von Testmärkten nicht die Umsatzprognose, sondern die Ermittlung unvermuteter Probleme und Chancen im Zusammenhang mit dem neuen Produkt. Er verweist auf die große Zahl von Produkten, die auch nach einem Erfolg im Testmarkt zum Fehlschlag wurden. Einige große Unternehmen überspringen diese Testphase einfach und wenden andere Methoden der Markterprobung an. [28] Doch für das Beispiel im folgenden Exkurs 12-7 gilt das nicht.

Exkurs 12-7: Testen, ja – aber wie? Das Fallbeispiel New Coke

Im Mai 1985 leistete sich Coca-Cola auf dem amerikanischen Markt – so wie es heute aussieht – einen schwerwiegenden Fehler. Nach 99 erfolgreichen Jahren setzte sie ihre goldene Regel »Keine Experimente mit Mutter Coke« außer Kraft und verwarf das Original-Coke-Rezept! Statt dessen brachte sie »New Coke«, eine süßere, mildere Cola-Sorte, auf den Markt. Großspurig versprach das Unternehmen der Öffentlichkeit einen phantastischen neuen Geschmack, und das mit großem Werbe- und Publicity-Aufwand.

Zunächst verkaufte sich die »New Coke« gut. Doch schon bald begannen die

Umsätze zu sinken. Das Unternehmen erhielt täglich über 1.500 Anrufe und säckeweise Beschwerdebriefe von verärgerten Verbrauchern. Eine Vereinigung namens »Old Cola Drinkers« organisierte Protestaktionen, verteilte T-Shirts und drohte mit einer Gemeinschaftsklage, wenn Coca-Cola nicht wieder zum alten Rezept zurückkehren oder das Rezept veröffentlichen würde. In Fachkreisen und in den Medien wurde die Entscheidung lebhaft diskutiert, und einige Marketingexperten sagten der »New Coke« voraus, sie werde der »Flop des Jahrzehnts« werden.

Nach nur zwei Monaten, Mitte Juli 1985, brachte Coca-Cola die alte Coke wieder auf den Markt. Sie hieß jetzt »Coke Classic« und stand Seite an Seite mit »New Coke« in den Regalen der Supermärkte. Das Unternehmen betonte, daß die »New Coke« das Flaggschiff bleiben würde, doch die Verbraucher dachten da ganz anders. Ende 1985 hatte sich »Classic« bereits doppelt so gut verkauft wie die neue Cola-Sorte. Mitte 1986 waren die beiden größten Kunden des Unternehmens, die Schnellimbiß-Ketten McDonald's und Kentucky Fried Chicken, ebenfalls zu »Coke Classic« zurückgekehrt. Damit war die ursprüngliche Cola wieder die Hauptmarke des Unternehmens, und »New Coke« rangierte nur noch unter »ferner liefen«.

Aber warum war »New Coke« überhaupt eingeführt worden? Und was ging schief? Nach Ansicht zahlreicher Fachleute war eine unzureichende Marketingforschung die Ursache für den Fehlschlag.

In den frühen achtziger Jahren war die Coke bei alkoholfreien Erfrischungsgetränken zwar immer noch der Marktführer, verlor jedoch nach und nach Marktanteile an die Firma Pepsi. Diese warb schon seit Jahren mit dem »Pepsi-Test«, einer Serie von Fernsehspots, bei dem Verbraucher zu einem Geschmacksvergleich aufgefordert wurden und dann dem süßeren »Pepsi« den Vorzug gaben. Anfang 1985 war die Coke zwar immer noch die Nummer eins auf dem Gesamtmarkt, doch in den Supermärkten hatte Pepsi bereits einen Umsatzvorsprung von 2%. (Das klingt nach nicht viel, aber ein zweiprozentiger Anteil am riesigen Markt für Erfrischungsgetränke entspricht in den USA einem Einzelhandelsumsatz von 600 Mio. $!) Coca-Cola mußte etwas unternehmen, um seine Marktanteilsverluste zu stoppen. Und die beste Lösung schien eine Veränderung des Geschmacks der Coke zu sein.

Coca-Cola startete das größte Forschungsprojekt seiner Geschichte. Das Unternehmen investierte zwei Jahre Zeit und 4 Mio. $ in die Forschung, bevor es sich für eine neue Rezeptur entschied. Es führte über 200.000 Geschmackstests durch, davon allein 30.000 mit der endgültigen neuen Rezeptur. Bei den verdeckten Geschmacksproben gaben 60% der Verbraucher der neuen Cola den Vorzug gegenüber der alten, und 52% mochten die neue Geschmacksrichtung lieber als Pepsi. Die Untersuchungen ergaben, daß »New Coke« ein Erfolg werden würde, und das Unternehmen stellte sein neues Produkt siegesgewiß der Öffentlichkeit vor. Was also war geschehen?

Im Rückblick erscheint Coca-Colas Marketingforschung nicht umfassend genug: Sie konzentrierte sich ausschließlich auf den Geschmack und ließ völlig außer acht, wie die Verbraucher reagieren würden, wenn die ursprüngliche Coke vom Markt verschwände und durch ein neues Produkt ersetzt würde. Ein Experte wies darauf hin, daß die Forschung zum größten Teil aus »blinden Geschmacksvergleichen bestand, bei denen das tatsächliche Produkt in keiner Weise berücksichtigt wurde ... Name, Geschichte, Verpackung, kulturelles Erbe und Image – diese vielfältige Mischung aus materiellen und immateriellen Aspekten«. Für viele Amerikaner ist Coke

eine Institution wie Baseball, Hot Dogs und warmer Apfelkuchen – der Inbegriff des Amerikanischen. Das Unternehmen erkannte diese tiefe emotionale Bindung nicht; doch der Symbolgehalt der Coke war für viele Verbraucher wichtiger als ihr Geschmack. Eine umfassendere Konzepterprobung hätte diese starken emotionalen Bindungen ans Licht gebracht.
Vielleicht hat man aber auch bei der Interpretation der Forschungsergebnisse und der anschließenden Strategieplanung versagt. So zog man aus der Tatsache, daß 60% der Testpersonen den Geschmack der »New Coke« bevorzugten, den Schluß, daß das Produkt ein Markterfolg sein würde. Aber die Testergebnisse besagten eben auch, daß 40% der Verbraucher immer noch die alte Coke wollten. Als das Unternehmen diese vom Markt nahm, verprellte es den harten Kern der treuen Coke-Trinker, die keine Veränderung wollten. Es wäre vermutlich klüger gewesen, die ursprüngliche Coke nicht anzutasten und die neue Geschmacksrichtung einfach als zusätzliche Variante einzuführen, so wie es später erfolgreich mit der »Cherry Coke« geschah.
Außerdem hätte man die »New Coke« nicht sofort landesweit einführen sollen. Zuviel stand auf dem Spiel. »New Coke« hätte zunächst auf regionaler Ebene auf den Markt gebracht werden müssen, um die Anzahl der Wiederholungskäufe beurteilen zu können.
Einige Beobachter waren der Ansicht, daß Coca-Colas scheinbarer Fehlschlag in Wirklichkeit ein schlauer Schachzug gewesen war. Die Supermarktketten hätten sich nämlich geweigert, eine weitere Cola-Sorte in ihr Sortiment aufzunehmen. Dadurch, daß das Unternehmen die Original-Coke zunächst vom Markt nahm und dann wieder einführte, gelang es ihr, zwei Marken in den Geschäften unterzubringen – ein beachtlicher Erfolg im harten Kampf um Regalflächen.

Aus verschiedenen Quellen entnommen, darunter Betsy D. Gelb und Gabriel M. Gelb: »New Coke's Fizzle – Lessons for the Rest of Us«, in: *Sloan Management Review*, Herbst 1986; »Coke ›Family‹« Sales Fly as New Coke Stumbles«, in: *Advertising Age*, 17. Januar 1986, S. 1 ff., und Scott Scredon und Marc Frons: »Coke's Man on the Spot: The Changes Goizueta is Making Outweigh the Spectacular Blunder«, in: *Business Week*, 29. Juli 1985, S. 56–61. Die Zitate stammen aus Jack Honomichl: »Missing Ingredients in »›New‹ Coke's Research«, in: *Advertising Age*, 22. Juli 1985, S. 1 ff.

Markterprobung von Industriegütern

Neue Industriegüter werden normalerweise in den Labors umfangreichen *Produkttests* unterzogen, bei denen Leistungsdaten, Zuverlässigkeit, Design und Betriebskosten untersucht werden. Sind die Ergebnisse zufriedenstellend, schreiten viele Unternehmen sofort zur Markteinführung: Sie nehmen das neue Produkt in ihren Katalog auf und geben es an den Verkauf weiter. Neuerdings nutzen jedoch immer mehr Hersteller von Industriegütern die *Markterprobung* als Zwischenschritt. Die Markterprobung gibt Aufschluß über die Leistungsfähigkeit des Produkts unter realen Betriebsbedingungen, die wichtigsten Einflußfaktoren auf die Kaufentscheidung, die Reaktion einzelner Einflußpersonen auf unterschiedliche Preise und Verkaufskonzepte sowie über das Marktpotential und die besten Marktsegmente.

Testmarketing ist im Industriegüterbereich nicht unbedingt üblich. Es wäre zu teuer, einige »Muster« von Concorde-Flugzeugen oder Großcomputern herzustellen oder sie gar einem ausgewählten Marktsegment »zur Probe« anzubieten, um festzustellen, wie sie sich verkaufen. Die Abnehmer auf Industriegütermärkten kaufen nicht, ohne daß ihnen Kundendienst und Ersatzteilversorgung garantiert werden. Außerdem haben die Marketingforschungsinstitute hier nicht dieselben Testmarkt-Systeme zu bieten, die auf Konsumgütermärkten vorhanden sind. Deshalb müssen sich die Hersteller von Industriegütern anderer Verfahren bedienen, um das Interesse des Marktes an einem neuen Produkt zu erforschen.

Die häufigste Methode ist ein *Produkttest durch den Anwender*, ähnlich den Produktanwendungstests zuhause beim Verbraucher im Falle von Konsumgütern. Der Hersteller wählt einige potentielle Kunden aus, die sich dazu bereit erklären, das neue Produkt eine gewisse Zeit lang zu verwenden. Die Techniker des Herstellers beobachten dessen Verwendung. So lassen sich häufig bisher unerkannte Probleme der Betriebssicherheit und Wartung ermitteln und liefern dem Hersteller Hinweise auf die erforderliche Anwenderschulung und die nötigen Kundendienstleistungen. Im Anschluß an den Test werden die Teilnehmer nach ihrer Kaufabsicht und ihren Erfahrungen gefragt.

Eine zweite gängige Markterprobungsmethode bei Industriegütern ist die Präsentation des neuen Produkts auf einer *Fachmesse*. Auf Fachmessen findet sich eine große Zahl von Einkäufern ein, die sich ein paar Tage lang voll auf die Besichtigung neuer Produkte konzentrieren. So sieht der Hersteller, wie stark das Interesse der Einkäufer an seinem Produkt ist, was sie zu den Produkteigenschaften und Zahlungsbedingungen sagen und wieviele von ihnen Kaufabsichten äußern oder Bestellungen aufgeben. Der Nachteil dieses Vorgehens liegt darin, daß auf einer Fachmesse natürlich auch die Konkurrenten das neue Produkt begutachten können. Der Hersteller sollte also zu diesem Zeitpunkt bereits für die Markteinführung gerüstet sein.

Ein neues Industrieprodukt kann auch *in den Ausstellungsräumen der Großhändler und Händler* getestet werden, wo sich u. U. bereits andere Produkte des Unternehmens und auch Konkurrenzprodukte befinden. Diese Methode liefert Informationen über Kundenpräferenzen und Preiserwartungen in einer realen Verkaufsumgebung. Sie hat allerdings den Nachteil, daß die Kunden möglicherweise Bestellungen für das neue Produkt aufgeben wollen, die zu dem Zeitpunkt noch gar nicht ausgeführt werden können. Außerdem stellen die Kunden, die diesen speziellen Händler aufsuchen, nicht unbedingt einen repräsentativen Querschnitt des gesamten Zielmarktes dar.

Manche Hersteller bedienen sich auch einer *»begrenzten Vermarktung«* als Markterprobungsinstrument. Sie stellen das Produkt zunächst in kleiner Menge her und bieten es in einigen ausgewählten geographischen Gebieten über ihre Verkäufer an, flankiert von Absatzförderungsaktionen, Produktbeschreibungen etc. So erhalten sie Hinweise darauf, was bei einer umfassenden Markteinführung geschehen würde, und können nun eine fundiertere endgültige Entscheidung treffen.

Markteinführung

Die Markterprobung sollte dem Unternehmen genug Informationen zur Entscheidung über die Einführung des neuen Produkts liefern. Wenn das Unternehmen zur Markteinführung schreitet, stehen ihm die bisher größten Kosten bevor. Das Unternehmen muß nun die Produktherstellung nach außen vergeben oder selbst die erforderliche Produktionsanlage bauen oder mieten. Die Größe der Anlage ist dabei ein kritisches Entscheidungskriterium. Das Unternehmen könnte aus Vorsicht die Fertigungsanlage kleiner bauen, als nach der Absatzprognose erforderlich wäre. Dieses Verhalten birgt jedoch auch Risiken. Bei einer unzureichenden Angebotsmenge ist der Markt unterversorgt; dem Unternehmen entgehen Gewinne, und Wettbewerber könnten die augenblickliche und zukünftige Marktposition des Unternehmens leichter schwächen.

Ein weiterer wichtiger Kostenblock ergibt sich durch den notwendigen Vermarktungsaufwand. Die Werbung und Verkaufsförderung bei einer landesweiten Einführung einer bedeutenden Konsumgütermarke kann für das erste Jahr in der Bundesrepublik Deutschland leicht einen Aufwand von 3 bis 15 Mio. DM erfordern. In den USA ist dafür ein Mitteleinsatz zwischen 10 und 15 Mio. $ nicht ungewöhnlich. Bei der Einführung von neuen Lebensmittelprodukten liegen dort die Marketingausgaben erfahrungsgemäß bei etwa 57% des im ersten Jahr erzielten Produktumsatzes.

Wann? – das »Timing«

Für die Markteinführung eines neuen Produkts kann der *Zeitpunkt* kritisch werden. Nehmen wir an, ein Unternehmen steht kurz vor Abschluß der Entwicklungsarbeiten an einem neuen Produkt und erfährt plötzlich, daß ein Konkurrent ebenfalls soweit ist. Das Unternehmen hat nun drei Möglichkeiten:

1. Als Erster auf dem Markt sein
Wer als erster ein neues Produkt auf den Markt bringt, hat normalerweise den »Vorteil des Ersten« auf seiner Seite: Er kann einige wichtige Händler und Kunden an sich binden und gewinnt mit der Führungsrolle an Ansehen. Wenn das Produkt allerdings eingeführt wird, bevor alle Mängel gründlich beseitigt wurden, kann das Ansehen des Unternehmens beeinträchtigt werden.

2. Gleichzeitig auf dem Markt sein
Man kann auch beschließen, die Markteinführung gleichzeitig mit dem Konkurrenzprodukt vorzunehmen. Forciert der Konkurrent die Einführungsvorbereitungen, tut man dasselbe, um ihm nicht die Vorteile des Ersten zu überlassen. Läßt der Konkurrent sich Zeit, kann das Unternehmen sich ebenfalls Zeit nehmen, um das Produkt noch zu verbessern. Die Absicht dahinter ist dann oft, die Markterschließungskosten für ein neues Produkt nicht allein zu tragen, sondern vom Konkurrenten mitbezahlen zu lassen.

3. Später auf dem Markt sein
Man kann die Einführung auch absichtlich so lange hinauszögern, bis der Konkurrent sein Produkt auf den Markt gebracht hat. Dieses Vorgehen bietet drei mögliche Vorteile: Der Konkurrent muß die Kosten für die Markterschließung allein tragen. Das Konkurrenzprodukt könnte Mängel aufdecken, die man dann beim eigenen Produkt vermeiden kann. Außerdem kann man so erfahren, wie groß der Markt sein könnte.

Die Wahl des Zeitpunkts erfordert noch andere Überlegungen. Ersetzt das neue

Produkt ein älteres Erzeugnis des Unternehmens, will man vielleicht abwarten, bis beim alten Produkt die Bestände geräumt sind. Ist das Produkt stark saisongebunden, muß dies beachtet werden. Auf jeden Fall sollte das »Timing« bei der Einführung eines neuen Produkts wohlüberlegt sein. [29]

Wo? – die geographische Strategie

Das Unternehmen muß entscheiden, ob es sein neues Produkt zur gleichen Zeit in *einem einzigen Bezirk, einer oder mehreren Regionen*, dem *gesamten inländischen oder dem internationalen Markt* einführt. Nur wenige Unternehmen verfügen über das Selbstvertrauen, die finanziellen Mittel und die Produktionskapazitäten, um ein neues Produkt sofort landesweit einzuführen. Sie werden eine im zeitlichen Ablauf geplante *geographische Ausbreitung* vornehmen. Vor allem kleine Unternehmen könnten zunächst einen günstigen Bezirk auswählen und dort mit einer »Blitzkampagne« in den Markt eintreten. Sie breiten sich dann in einem Bezirk nach dem anderen aus. Große Unternehmen führen ihre neuen Produkte meist gleich in einer ganzen Region ein und breiten sich »regionsweise« aus. Unternehmen mit einem landesweiten Vertriebsnetz, wie etwa die Autohersteller, führen ihre neuen Modelle sofort landesweit ein.

Zur geplanten Ausbreitung muß das Unternehmen die einzelnen Gebiete nach ihrer Attraktivität bewerten. Die möglichen Gebiete müssen aufgelistet und nach Kriterien bewertet werden, die mitbestimmen, wie die geographische Ausbreitung am besten ablaufen kann. Zu den wichtigsten Bewertungskriterien zählen das *Marktpotential*, das *Ansehen des Unternehmens*, die *Kosten der Warenverteilung*, die *Qualität der Marktforschungsergebnisse für dieses Gebiet*, der *Einfluß dieses Gebiets auf andere Gebiete* und die *Wettbewerbslage*. Die Existenz und Stärke von Konkurrenten in den einzelnen Gebieten sind besonders wichtige Kriterien. Auf diese Weise ermittelt das Unternehmen seine besten Märkte und entwickelt einen geographischen Ausbreitungsplan.

Wer? – die Zielkunden

Innerhalb der Ausbreitungsgebiete muß das Unternehmen seine Distribution und Verkaufsförderung auf das günstigste Segment potentieller Kunden ausrichten. Mit der Markterprobung sollte es bereits festgestellt haben, welche Kunden die besten Erfolgsaussichten bieten. Die besten Zielkunden würden für ein neues Konsumprodukt im Idealfall folgende Merkmale aufweisen: Sie sind »Frühadopter«, d.h. besonders annahmefreudig gegenüber dem neuen Produkt; sie sind starke Verwender; sie sind Meinungsführer und äußern sich positiv über das Produkt; und sie sind mit geringem finanziellem Aufwand anzusprechen. [30] Nur bei wenigen Kundengruppen findet man all diese Eigenschaften. Nun kann man die verschiedenen Kundengruppen anhand der genannten Kriterien bewerten und sich an die vielversprechendste wenden. Das Ziel dabei ist, das Produkt so schnell wie möglich durch hohe Umsätze zum Erfolg zu führen, die Verkäufermotivation aufrechtzuerhalten und dann weitere Kundengruppen zu gewinnen.

Wie? – der Handlungsablauf

Das Unternehmen muß einen Ablaufplan für die Einführung des Produkts in den Ausbreitungsgebieten entwickeln. Es muß das Marketingbudget auf die verschiedenen Einsatzmittel des Marketing-Mix aufteilen und den Ablauf der verschiedenen Aktivitäten festlegen. Dazu ein Beispiel:

Im Mai 1986 brachte Polaroid in den USA die Sofortbildkamera »Spectra« mit einem Werbeaufwand von 40 Mio. $ im ersten Jahr auf den Markt. Zunächst wurden in 25 ausgewählten Gebieten großflächige Plakatwände aufgestellt, um die Öffentlichkeit neugierig zu machen. Dann folgte – zur Befriedigung dieser Neugier – eine umfangreiche Anzeigen- und Fernsehwerbekampagne mit dem Ziel, 90% der Zielkunden mindestens 25 mal mit einer »Spectra«-Werbung zu erreichen.

Um den Ablauf der Maßnahmen bei der Einführung eines neuen Produkts inhaltlich und zeitlich zu koordinieren, stehen dem Unternehmen verschiedene Netzplantechniken zur Verfügung (siehe auch Kapitel 4).

Eine zusammenfassende Darstellung der einzelnen Phasen und Entscheidungen im Rahmen der Neuproduktentwicklung liefert Abbildung 12-7.

Prozeß der Annahme und Ausbreitung von Innovationen bei den Verbrauchern

Der *Adoptionsprozeß* (Annahmeprozeß) des Produkts beim Verbraucher beginnt dort, wo der *Innovationsprozeß* des Unternehmens endet. Der Prozeß beschreibt, wie der potentielle Kunde von dem neuen Produkt hört, es ausprobiert, annimmt oder ablehnt. Das Unternehmen muß diesen Prozeß verstehen, um eine effektive Strategie zur schnellen Marktdurchdringung entwickeln zu können. Dem *Adoptionsprozeß* folgt später ein *Prozeß zur Entwicklung von Kundentreue*, mit dem sich dann die etablierten Anbieter zu befassen haben.

Früher sprachen die Anbieter neuer Produkte gewöhnlich den *Massenmarkt* an. Sie verkauften das Produkt überall und richteten ihre Werbung auf alle aus, weil sie dachten, daß die meisten Verbraucher in gleicher Weise potentielle Käufer ihres Produkts seien. Dieses Konzept hat jedoch zwei Nachteile: es erfordert hohe Marketingaufwendungen, und die Streuverluste in der Werbung sind hoch, da viele Verbraucher angesprochen werden, die zunächst als potentielle Käufer des Produkts nicht in Frage kommen. Diese zwei Nachteile führten zu dem Konzept, *das Marketing auf starke Verwender* auszurichten. Hier werden zunächst die potentiell starken Verwender angesprochen. Dieses Vorgehen ist sinnvoll, vorausgesetzt, daß man die potentiell starken Verwender identifizieren kann und sie zu den Personen gehören, die das Produkt als erste ausprobieren. Doch selbst bei der Gruppe der potentiell starken Verwender innerhalb einer Produktkategorie sind die Verbraucher unterschiedlich aufnahmebereit gegenüber neuen Produkten und Marken. Viele bleiben gern beim »Alten und Erprobten«; andere zeigen sich ausgesprochen »annahmefreudig« gegenüber einem neuen Produkt. Deshalb wenden sich viele Neuproduktanbie-

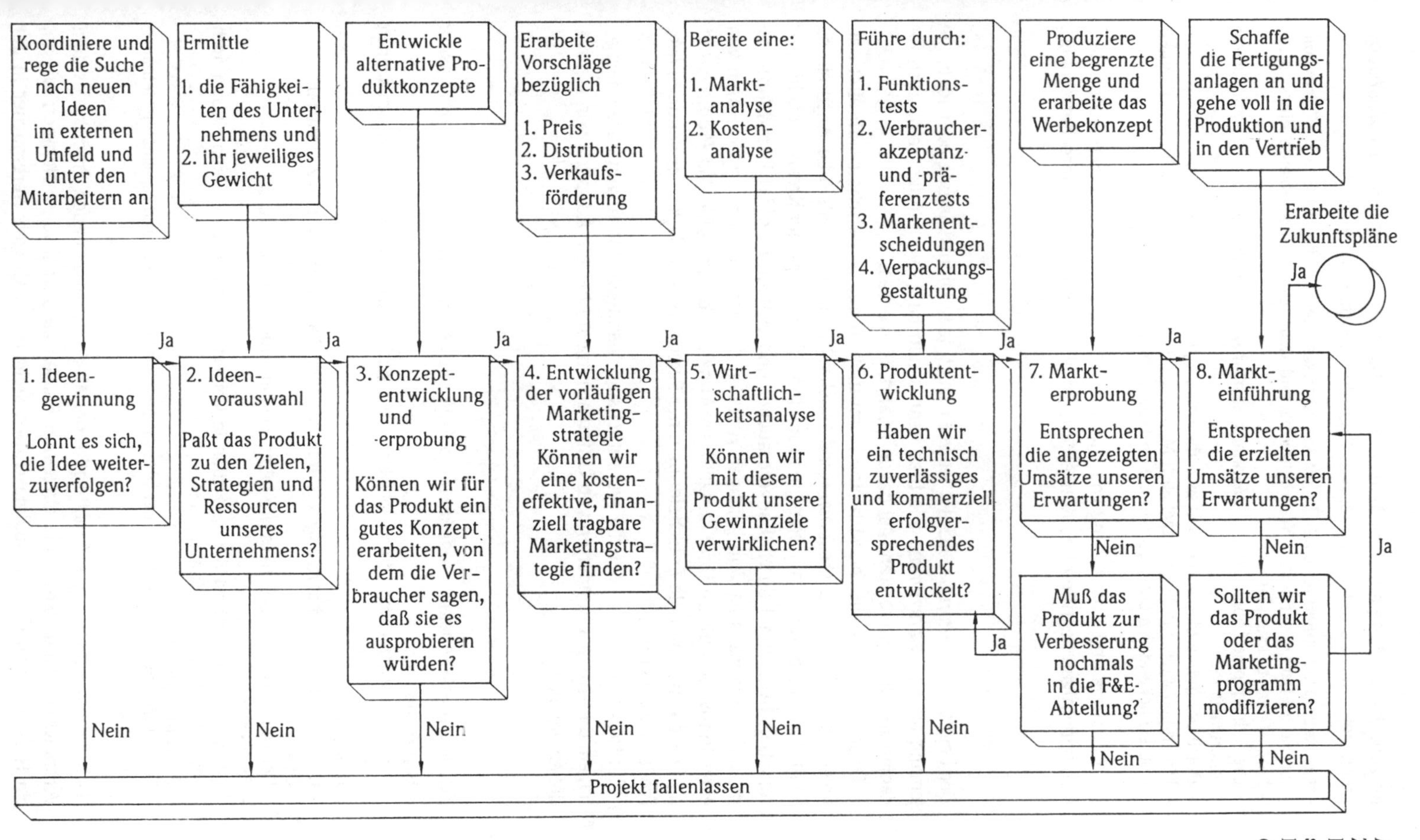

Abbildung 12-7
Zusammenfassende Darstellung des Entscheidungsprozesses bei der Neuproduktentwicklung

ter zunächst an diese annahmefreudigen Verbraucher, die man auch als *»Frühadopter«* bezeichnet. Zu den Frühadoptern sagt die Theorie folgendes:

- Die Verbraucher innerhalb eines Zielmarktes unterscheiden sich hinsichtlich der Zeitspanne, die sie zwischen der ersten Wahrnehmung und dem ersten Ausprobieren eines neuen Produkts verstreichen lassen.
- Die Frühadopter haben gewisse Merkmale gemeinsam, die sie von den »Spätadoptern« unterscheiden.
- Durch bestimmte Medien erreicht man die Frühadopter besonders effektiv.
- Die Frühadopter sind in der Regel auch Meinungsführer, und es ist hilfreich, neue Produkte über sie bei anderen potentiellen Käufern bekanntzumachen.

Zur Annahme und Ausbreitung von Innovationen gibt es einen theoretischen Rahmen mit einigen Begriffen und Konzepten, die wir im folgenden besprechen wollen.

Begriffe und Konzepte

Der Begriff *Innovation* bezeichnet jedes Produkt, jede Dienstleistung oder Idee, die jemand als neu *wahrnimmt.* Die Idee kann schon lange vorhanden sein, doch für denjenigen, der zum ersten Mal davon erfährt, ist sie neu.

Es dauert eine Weile, bis sich eine Innovation in der Gesellschaft verbreitet hat. Rogers definiert den *Diffusionsprozeß* (Ausbreitungsprozeß) als »die Ausbreitung (Diffusion) einer neuen Idee vom Ursprung ihrer Erfindung oder Kreation bis hin zur Adoption (Annahme) durch Endverbraucher und Anwender«. [31] Der *Adoptionsprozeß* andererseits ist »ein geistiger Vorgang, den jemand vom ersten Hören von einer Innovation bis zu ihrer endgültigen Annahme durchläuft«. Als *Produktadoption* bezeichnet man die Entscheidung einer Person, regelmäßiger Verwender dieses Produkts zu werden.

Im folgenden haben wir die wesentlichsten Verallgemeinerungen zusammengetragen, die sich aus hunderten von Untersuchungen über die Adoption von Innovationen ergeben.

Phasen des Adoptionsprozesses

Bis zur Adoption neuer Produkte durchläuft ein Verbraucher folgende fünf Phasen:

- **Wahrnehmung**
  Der Verbraucher nimmt die Innovation wahr, hat jedoch keine näheren Informationen darüber.
- **Interesse**
  Der Verbraucher wird dazu angeregt, Informationen über die Innovation zu sammeln.
- **Bewertung**
  Der Verbraucher erwägt, ob es sich lohnt, die Innovation auszuprobieren.
- **Probieren**
  Der Verbraucher probiert die Innovation in kleinem Umfang aus, um ihren Nutzen noch besser einschätzen zu können.
- **Annahme (Adoption)**
  Der Verbraucher beschließt, von der Innovation in vollem Umfang und regelmäßig Gebrauch zu machen.

Nach diesem Fünf-Phasen-Modell sollte der Marketer eines neuen Produkts es dem Verbraucher leichtmachen, die einzelnen Phasen zu durchlaufen. Nehmen wir an, ein Hersteller von Geschirrspülmaschinen stellt fest, daß viele Verbraucher in der

Interessephase »hängenbleiben«. Aufgrund ihrer Unsicherheit und des hohen Anschaffungspreises wollen sie das Produkt nicht ausprobieren. Wenn dieselben Verbraucher jedoch bereit wären, die Geschirrspülmaschine gegen eine geringe monatliche Gebühr eine Zeitlang auf Probe zu verwenden, sollte sich der Hersteller überlegen, ob er den Verbrauchern nicht ein Programm zur »Probe mit Kaufoption« anbietet.

Individuelle Unterschiede in der Innovationsfreudigkeit

Einzelne Personen unterscheiden sich erheblich in ihrer Bereitschaft, neue Produkte auszuprobieren. Rogers definiert die *Innovationsfreudigkeit* eines Menschen als »das Ausmaß, in dem jemand eine neue Idee im Vergleich zu den übrigen Mitgliedern seines sozialen Umfeldes früher übernimmt«. In jedem Produktbereich gibt es »Konsumpioniere« und Frühadopter. Manche Frauen sind immer die ersten, die eine neue Mode mitmachen oder ein neues Haushaltsgerät, wie etwa den Mikrowellenherd, ausprobieren. Einige Ärzte verschreiben ihren Patienten als die ersten ein neues Medikament. Und einige Landwirte übernehmen eine neue Bewirtschaftungsmethode eher als andere.

Betrachtet man die Anzahl der Adopter im Zeitverlauf, von den ersten Innovatoren bis hin zu den letzten Nachzüglern, so ergibt sich für fast alle bisher untersuchten Innovationen eine ähnliche Kurvenform. Die Kurve folgt einer Gauß'schen Normalverteilung (Glockenform) um den Mittelwert ($\bar{x}$) der Adoptionszeiten aller Adopter. Diese in Abbildung 12–8 dargestellte Kurvenform ist typisch für den Diffusionsprozeß von Innovationen. Sie wird Diffusionskurve genannt. Nach einem verhaltenen Start nehmen immer mehr Menschen die Innovation an. Die Kurve überschreitet ihren Zenit und fällt langsam wieder ab, da nur noch wenige Nicht-Adopter übrig sind. In der Innovationsforschung bezeichnet man die ersten 2,5 Prozent der Personen, die eine Innovation übernehmen, als Innovatoren. Die nächsten 13,5 Prozent nennt man Frühadopter usw. (siehe Abbildung 12–8).

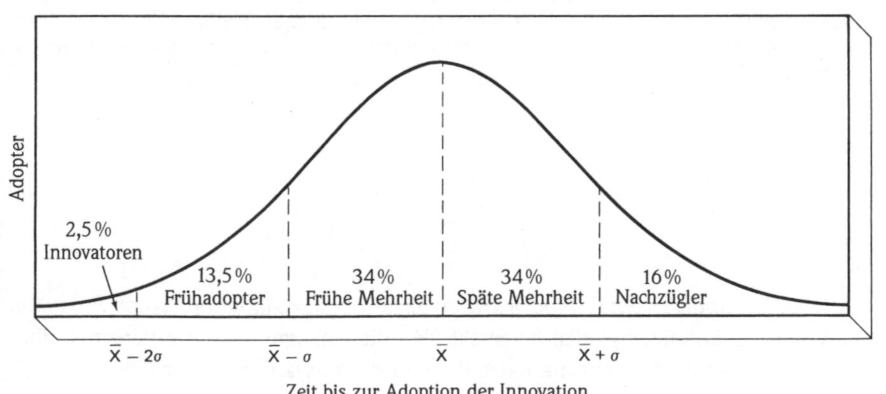

Abbildung 12-8 Klassifizierung der Adopter einer Innovation anhand der typischen Diffusionskurve und der relativen Adoptionszeit relativ zum Durchschnittswert $\bar{x}$

Quelle: Nach Everett M. Rogers: *Diffusion of Innovations*, New York: Free Press, 1962, S. 162

Rogers beschreibt die fünf Adoptergruppen als unterschiedlich in ihrer Wertorientierung. Die Innovatoren sind *unternehmungslustig*; sie gehen bei Neuheiten bereitwillig ein gewisses Risiko ein. Die Frühadopter lassen sich von ihrem Wunsch nach *Respekt* leiten. Sie sind in ihrem gesellschaftlichen Umfeld die Meinungsführer und übernehmen neue Ideen frühzeitig, aber vorsichtig. Die frühe Mehrheit handelt wohlüberlegt. Die Angehörigen dieser Gruppe übernehmen neue Ideen eher als der Durchschnittsverbraucher, aber selten als allererste. Die späte Mehrheit ist *skeptisch* und erst dann bereit, eine Innovation anzunehmen, wenn die Mehrheit sie bereits ausprobiert hat. Die Nachzügler schließlich handeln *traditionsgelenkt*, verhalten sich Veränderungen gegenüber mißtrauisch, pflegen Kontakte mit Gleichgesinnten und übernehmen die Innovation nur, weil sie in ihrem Umfeld inzwischen in einem gewissen Maß traditionell erscheint.

Dieser Klassifizierung zufolge sollte der Marketer eines neuen Produkts die demographischen und psychographischen Merkmale sowie die Mediennutzungsgewohnheiten der Innovatoren und Frühadopter ermitteln, und diese gezielt ansprechen. Es ist nicht immer einfach, die Frühadopter vor der Einführung einer Neuheit auszumachen. Bisher hat noch niemand die Existenz eines generell übertragbaren Persönlichkeitsmerkmals namens »Innovationsfreudigkeit« nachgewiesen. So mancher ist in einem bestimmten Bereich ein Innovator, in einem anderen dagegen ein Nachzügler. Es ist z.B. vorstellbar, daß ein Geschäftsmann sich konservativ kleidet, aber mit Begeisterung neuartige Speisen ausprobiert. Für den Marketer ist es eine anspruchsvolle Aufgabe, für seinen Produktbereich die Merkmale der Frühadopter zu ermitteln. So haben Untersuchungen ergeben, daß z.B. der innovationsfreudige Landwirt in der Regel über eine bessere Ausbildung und effizientere Arbeitsmethoden verfügt als sein Kollege, der Neuerungen gegenüber skeptisch ist. Innovationsfreudige Hausfrauen sind geselliger als andere und haben einen höheren sozialen Status. In einigen gesellschaftlichen Gruppen finden sich mehr Frühadopter als in anderen. Rogers charakterisierte die Frühadopter so:

> Diejenigen, die eine Innovation relativ früh annehmen, sind in der Regel jünger, genießen einen höheren sozialen Status, stehen finanziell besser da, arbeiten in einem spezialisierteren Tätigkeitsfeld und haben andere geistige Fähigkeiten als die späteren Adopter. Verglichen mit den Spätadoptern nutzen die Frühadopter Informationsquellen, die unpersönlicher, kosmopolitischer und näher am Ursprung neuer Ideen angesiedelt sind. Sie verfügen über vielfältigere gesellschaftliche Kontakte und nehmen öfter die Position des Meinungsführers ein als die Spätadopter. [32]

Einfluß anderer Personen

Der Einfluß anderer spielt eine wichtige Rolle bei der Adoption neuer Produkte. Persönlicher Einfluß zeigt sich im Effekt, den die Aussagen anderer Personen über ein bestimmtes Produkt auf die Einstellung und Kaufwahrscheinlichkeit der betreffenden Person haben. Dazu Katz und Lazarsfeld:

> Etwa 50 % der Frauen in unserer Untersuchung gaben an, daß sie vor kurzem ein Produkt oder eine Marke gewechselt hätten und nun etwas Neues verwenden würden. Die Tatsache, daß

sich ungefähr ein Drittel dieser Veränderungen auf persönliche Empfehlungen zurückführen ließ, deutet darauf hin, daß Mundpropaganda bei der Kaufentscheidung eine große Rolle spielt. Die Frauen tauschen ihre Meinungen über ein neues Produkt aus, vergleichen die Qualität verschiedener Marken und geben sich gegenseitig Tips über günstige Einkaufsmöglichkeiten etc.[33]

Der persönliche Einfluß anderer ist zwar ein relevanter Faktor, spielt jedoch je nach Situation und beteiligter Person eine unterschiedliche Rolle; in der Bewertungsphase des Adoptionsprozesses spielt er eine wichtigere Rolle als in den anderen Phasen, wirkt stärker auf spätere Adopter als auf die Frühadopter und ist in einer riskanten Situation größer als in einer ungefährlichen.

Einfluß der Produktcharakteristika auf die Adoptionsrate

Bestimmte Charakteristika einer Innovation beeinflussen ihre Adoptionsrate. Manche Produkte schlagen praktisch über Nacht ein; bei anderen dauert es lange, bis sie allgemein akzeptiert werden. Es sind vor allem fünf Eigenschaften, die sich auf die Adoptionsrate einer Innovation auswirken und im folgenden am Beispiel eines Personalcomputers für den Privatgebrauch erläutert werden.

Als erstes ist der *relative Vorteil* der Innovation, also der Grad, in dem sie bereits existierenden Produkten überlegen zu sein scheint, von Bedeutung. Je größer der wahrgenommene relative Vorteil eines Personal Computers ist, beispielsweise bei der Erstellung der Einkommensteuererklärung und der privaten Buchführung, desto schneller und häufiger wird er gekauft werden.

Als zweites spielt die *Kompatibilität* der Innovation, d.h. der Grad, in dem sie in das jeweilige Werte- und Erfahrungssystem paßt, eine Rolle. So paßt der Personal Computer zum Beispiel gut zum Wertesystem und Lebensstil einer Familie der oberen Mittelschicht und wird dort schneller übernommen.

Als drittes ist die *Komplexität* der Innovation, d.h. der relative Schwierigkeitsgrad, mit dem sie zu verstehen bzw. handzuhaben ist, zu beachten. Der Umgang mit dem Personal Computer ist komplex. Daher wird er sich in privaten Haushalten nicht so schnell ausbreiten wie etwa der Farbfernseher, der Videorecorder oder der Mikrowellenherd.

Als vierter Aspekt ist die *Teilbarkeit* der Innovation zu nennen, d.h. der Grad, zu dem man das neue Produkt stück- und schrittweise ausprobieren kann. Die Möglichkeit, z.B. einen Personal Computer mit kurzfristigem Rückgaberecht zu mieten, würde die Adoptionsrate steigern.

Als fünftes ist die *Vermittelbarkeit* der Innovation ausschlaggebend, d.h. der Grad, zu dem die Nutzresultate demonstriert oder beschrieben werden können. Die Vorteile eines Personal Computer lassen sich gut demonstrieren und beschreiben, was einer schnelleren Verbreitung förderlich ist.

Es gibt noch weitere Einflußfaktoren auf die Adoptionsrate, z.B. Anschaffungs- und Folgekosten, Risiko und Unsicherheit, wissenschaftliche Glaubwürdigkeit und gesellschaftliche Billigung. Der Marketer muß all diese Faktoren untersuchen und den wichtigsten davon bei der Neuproduktentwicklung und der Erstellung des Marketingplanes größtmögliche Beachtung schenken.[34]

Adoptionsrate bei Organisationen

Auch Organisationen lassen sich anhand ihrer Bereitschaft klassifizieren, ein neues Produkt auszuprobieren und zu übernehmen. Wer eine neue Lehrmethode entwickelt hat, wird nach Schulen suchen, die sich besonders aufgeschlossen zeigen. Der Hersteller eines neuen medizinischen Gerätes wird sich zunächst an die Krankenhäuser wenden, bei denen er eine besonders hohe Innovationsbereitschaft vermutet. Bei Organisationen hängt die Adoptionsrate mit ihrem Umfeld (Progressivität und Einkommenssituation der Branche), internen Faktoren (Größe, Gewinnsituation, Veränderungsdruck) und den Eigenschaften ihrer führenden Kräfte (Bildungsniveau, Alter, Weltoffenheit) zusammen. Sobald man eine Reihe nützlicher Indizien für die Adoptionsrate in einem Produktmarkt gefunden hat, kann man die geeignetsten Kunden für ein neues Produkt ermitteln.

Zusammenfassung

Immer mehr Unternehmen erkennen es als notwendig und vorteilhaft, kontinuierlich neue Produkte und Dienstleistungen zu entwickeln. Erzeugnisse, die im Produkt-Lebenszyklus die Reife- bzw. Rückgangsphase erreicht haben, müssen durch neuere Produkte ersetzt werden.

Neue Produkte können sich jedoch auch als Fehlschlag erweisen. Innovationen sind risikoreich und lohnend zugleich. Zur erfolgreichen Neuproduktentwicklung gehören eine effektive Führungsstruktur für den Umgang mit neuen Produktideen sowie zuverlässige Analyse- und Entscheidungsverfahren in jeder Phase des Entwicklungsprozesses.

Die Neuproduktentwicklung durchläuft einen Prozeß mit acht Phasen: Ideengewinnung, Ideenvorauswahl, Konzeptentwicklung und -erprobung, Erarbeitung der vorläufigen Marketingstrategie, Wirtschaftlichkeitsanalyse, materielle Produktentwicklung, Markterprobung und Markteinführung. Jede Phase soll zur Entscheidung führen, ob die Neuproduktidee weiterverfolgt oder fallengelassen wird. Die Möglichkeit, daß schlechte Ideen weitergeführt und gute Ideen fallengelassen werden, muß dabei minimiert werden.

Wie schnell die Verbraucher auf neue Produkte reagieren, hängt von den Persönlichkeitsmerkmalen der Verbraucher und den Produkteigenschaften ab. Die Hersteller versuchen, mit ihren neuen Produkten zunächst die potentiellen »Frühadopter« anzusprechen, die oft auch als Meinungsführer fungieren.

Anmerkungen

1 »Innovation als Wachstumsmotor«, in: *Absatzwirtschaft*, September 1986, S. 100–110.
2 *New Products Management for the 1980s*, New York: Booz, Allen & Hamilton, 1982.
3 Ebenda.
4 David S. Hopkins und Earl L. Bailey: »New Product Pressures«, in: *Conference Board Record*, Juni 1971, S. 16–24.
5 Vgl. »High-Speed Management for the High-Tech Age«, in: *Fortune*, 5. März 1984, S. 62–68.
6 *New Products Management for the 1980s.*
7 Von 228 häufig gekauften Konsumgütern, die im Jahr 1977 in den USA einen Markttest durchliefen, wurden 64,5 % nicht landesweit eingeführt. Vgl. Nielsen Marketing Service: »New Product Success Ratios«, in: *Nielsen Researcher*, 1979, S. 2–9.
8 Vgl. David S. Hopkins: *Options in New-Product Organization*, New York: Conference Board, 1974.
9 Ein guter Überblick über weitere Studien, die sich mit den Erfolgskriterien für Produktinnovationen beschäftigen, findet sich bei Modesto A. Maidique und Billie Jo Zirger: »A Study of Success and Failure in Product Innovation: The Case of the U.S. Electronics Industry«, in: *IEEE Transactions on Engineering Management*, November 1984, S. 192–203.
10 Eric A. von Hippel: »Users as Innovators«, in: *Technology Review*, Januar 1978, S. 3–11.
11 Vgl. John E. Arnold: »Useful Creative Techniques«, in: *Source Book für Creative Thinking*, Sidney J. Parnes und Harold F. Harding (Hrsg.), New York: Scribner's, 1962, S. 255.
12 Vgl. Alex F. Osborn: *Applied Imagination*, 3. Aufl., New York: Scribner's, 1963, S. 286, 287.
13 Vgl. Edward M. Tauber: »HIT: Heuristic Ideation Technique – A Systematic Procedure for New Product Search«, in: *Journal of Marketing*, Januar 1972, S. 58–70; und Charles L. Alford und Joseph Barry Mason: »Generating New Product Ideas«, in: *Journal of Advertising Research*, Dezember 1975, S. 27–32.
14 Vgl. Edward M. Tauber: »Discovering New Product Opportunities with Problem Inventory Analysis«, in: *Journal of Marketing*, Januar 1975, S. 67–70.
15 Eric A. von Hippel: »Learning from Lead Users«, in: *Marketing in an Electronic Age*, Robert D. Buzzell (Hrsg.), Cambridge: Harvard Business School Press, 1985, S. 308–317.
16 Osborn, S. 156.
17 John W. Lincoln: »Defining a Creativeness in People«, in: *Source Book for Creative Thinking*, Parnes und Harding, S. 274, 275.
18 Ebenda., S. 274.
19 Mark Hanan: »Corporate Growth through Venture Management«, in: *Harvard Business Review*, Januar–Februar 1969, S. 44.
20 Vgl. John T. O'Meara, Jr.: »Selecting Profitable Products«, in: *Harvard Business Review*, Januar–Februar 1961, S. 110–118.
21 Theodore Levitt: »Marketing Intangible Products and Product Intangibles«, in: *Harvard Business Review*, Mai–Juni 1981, S. 95.
22 Vgl. Robert Blattberg und John Golanty: »Tracker: An Early Test Market Forecasting and Diagnostic Model for New Product Planning«, in: *Journal of Marketing Research*, Mai 1978, S. 192–202.
23 Vgl. Roger A. Kerin, Michael G. Harvey und James T. Rothe: »Cannibalism and New Product Development«, in: *Business Horizons*, Oktober 1978, S. 25–31.
24 Der Gegenwartswert (V) eines zukünftigen Betrags (I), den man in t Jahren erhält und der mit dem Satz (r) abgezinst wird, errechnet sich aus der Gleichung $V = I_t/(1 + r)^t$. Also ergibt sich $1.886.000\ DM/(1{,}15)^5 = 938.000\ DM$.
25 Vgl. David B. Hertz: »Risk Analysis in Capital Investment«, in: *Harvard Business Review*, Januar–Februar 1964, S. 96–106.
26 Die bekanntesten Methoden sind Yankelovichs »Laboratory Test Market« (Labor-Testmarkt), Elrick und Lavidges »Comp« und Management Decision Systems »Assessor«. Eine Beschreibung der »Assessor«-Methode findet sich bei Alvin J. Silk und Glen L. Urban: »Pre-Test Marketing Evaluation of New Packaged Goods: A Model and Measurement Methodology«, in: *Journal of Marketing Research*, Mai 1978, S. 171–191. Eine aktuelle Übersicht liefern Allan D. Shocker und William G. Hall: »Pretest Market Models: A Critical Evaluation«, in: *Journal of Product Innovation Management*, 3/1986, S. 86–107.

27 Alvin A. Achenbaum: »The Purpose of Test Marketing«, in: *The Marketing Concept in Action*, Robert M. Kaplan (Hrsg.), Chicago: American Marketing Association, 1964, S. 582.

28 Vgl. »Spotting Competitive Edges Begets New Product Success«, in: *Marketing News*, 21. Dezember 1984, S. 4. Vgl. auch »Testing Time for Test Marketing«, in: *Fortune*, 29. Oktober 1984, S. 75, 76; und Jay E. Klompmaker, G. David Hughes und Russell I. Haley: »Test Marketing in New Product Development«, in: *Harvard Business Review*, Mai–Juni 1976, S. 128–138.

29 Vgl. Robert J. Thomas: »Timing – The Key to Market Entry«, in: *Journal of Consumer Marketing*, Sommer 1985, S. 77–87.

30 Philip Kotler und Gerald Zaltman: »Targeting Prospects for a New Product«, in: *Journal of Advertising Research*, Februar 1976, S. 7–20.

31 Die folgenden Ausführungen beziehen sich größtenteils auf Everett M. Rogers: *Diffusion of Innovations*, New York: Free Press, 1962.

32 Rogers, S. 192.

33 Elihu Katz und Paul F. Lazarsfeld: »Personal Influence«, New York: Free Press, 1955, S. 234.

34 Eine aktuelle Übersicht über die einschlägige Literatur findet sich bei Hubert Gatignon und Thomas S. Robertson: »A Propositional Inventory for New Diffusion Research«, in: *Journal of Consumer Research*, März 1985, S. 849–867.

Marketingstrategien für die Phasen im Produkt-Lebenszyklus

Kapitel 13

Nicht die Großen werden die Kleinen fressen,
sondern die Schnellen die Langsamen.
Heinz Peter Halek

Was gestern die Formel für den Erfolg war, wird morgen
das Rezept für die Niederlage sein.
Arnold Glasow

Während der Lebensdauer eines Produkts wird die Marketingstrategie in der Regel mehrmals umgestaltet. Dies geschieht nicht nur, weil sich die wirtschaftlichen Rahmenbedingungen und die Strategien der Konkurrenten ändern, sondern auch, weil das Produkt in seiner Marktbedeutung unterschiedliche Phasen durchläuft. Deshalb muß das Unternehmen für die Phasen im Produkt-Lebenszyklus eine geeignete Folge von Strategien entwickeln. Es muß – in Anbetracht der Erkenntnis, daß kein Produkt ewig »leben« wird – überlegen, ob die Lebensdauer des Produkts verlängert und damit Gewinne erwirtschaftet werden können.
In diesem Kapitel befassen wir uns mit drei Fragen:
Was ist der Produkt-Lebenszyklus?
Welche Marketingstrategien sind für jede Stufe des Produkt-Lebenszyklus geeignet?
Welchen Ablauf finden wir für die Evolution ganzer Märkte, und welche Konsequenzen hat die Marktevolution für die Marketingstrategien?

Konzept des Produkt-Lebenszyklusses

Der Produkt-Lebenszyklus (*Product Life Cycle* oder *PLC*) ist für das Marketing ein wichtiges Konzept und bringt Erkenntnisse über die Wettbewerbsdynamik eines Produkts mit sich. Dieses Konzept kann aber auch irreführend sein, wenn es nicht gut durchdacht wird. Zur umfassenderen Darlegung des PLC sollen zunächst die ihm vorgelagerten Konzepte beschrieben werden, nämlich der *Nachfrage-Lebenszyklus* und der *Technologie-Lebenszyklus.* [1]

Nachfrage- und Technologie-Lebenszyklus

Marketingorientiertes Denken sollte nicht erst bei einem Produkt oder gar einer Produktklasse einsetzen, sondern vielmehr bereits bei einem Bedürfnis. Das Produkt ist dann eine von vielen Lösungen zur Befriedigung eines Bedürfnisses. So hat der Mensch ein Bedürfnis nach »Rechenleistung«; dieses Bedürfnis ist über Jahrhunderte hinweg gewachsen. Das sich ändernde Bedürfnisniveau wird als *Nachfrage-*

Abbildung 13-1
Nachfrage-, Technologie- und Produktform-Lebenszyklen

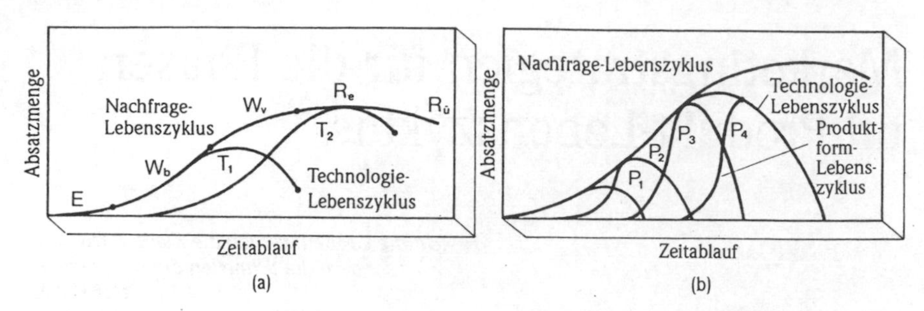

Quelle: H. Igor Ansoff: *Implanting Strategic Management*, Englewood Cliffs, N.J.: Prentice-Hall, 1984, S. 41.

Lebenszykluskurve beschrieben, die in Abbildung 13–1 (a) (obere Kurve) dargestellt ist. Dieser Zyklus weist folgende Phasen auf: *Entstehung* (E), *beschleunigtes Wachstum* (W_b), *verlangsamtes Wachstum* (W_v), *Reife* (Re) und *Rückgang* (Rü). Bei unserem Beispiel der »Rechenleistung« dürfte die Reife- und Rückgangsphase noch nicht eingesetzt haben. Andere Bedürfnisse dagegen, z.B. das der »Personenbeförderung«, könnten sich in einigen hochentwickelten Ländern durchaus bald in der Reife- oder Rückgangsphase befinden.

Ein Bedürfnis wird im Laufe der Zeit durch unterschiedliche Technologien erfüllt. So wurde das Bedürfnis nach »Rechenleistung« zunächst durch das Fingerrechnen, später durch den Abakus und schließlich durch Rechenschieber, mechanische Rechenmaschinen, elektronische Taschenrechner und Computer erfüllt. Jede neue Technologie erfüllt normalerweise das Bedürfnis besser als die alte. Jede Technologie der Nachfrageerfüllung folgt einem Kurvenverlauf, nämlich dem *Technologie-Lebenszyklus*, der für zwei Technologien mit T1 und T2 unterhalb der Nachfrage-Lebenszykluskurve in Abbildung 13–1 (a) veranschaulicht wird. Jede Technologie der Nachfrageerfüllung weist in ihrem Lebenszyklus eine Phase der Entstehung, des schnellen Wachstums, des langsameren Wachstums, der Reife und des Rückgangs auf.

Während des Lebenszyklusses einer bestimmten Technologie der Nachfrageerfüllung wird eine Folge von Produktformen entstehen, die das vorhandene Bedürfnis zum jeweiligen Zeitpunkt zufriedenstellen. So war der elektronische Taschenrechner eine neue Technologie, die »Rechenleistung« bot. Von der Produktform her handelte es sich dabei zunächst um ein ziemlich großes Plastikgehäuse mit einem kleinen Display und numerischer Tastatur, und der erste Taschenrechner konnte nur vier Grundfunktionen ausführen: Addieren, Subtrahieren, Multiplizieren und Dividieren. Diese Produktform hielt sich einige Jahre. Ihr folgten kleinere Taschenrechner, die mehr Rechenprozesse beherrschten. Unter den heutigen Produktformen findet man Taschenrechner, die nicht größer als eine Visitenkarte sind. Abbildung 13–1 (b) zeigt eine Folge von *Produktform-Lebenszyklen* : P1, P2, P3 und P4. Später soll dann aufgezeigt werden, daß mit jeder Produktform eine Reihe von Marken auftreten, die eigenen Lebenszyklen folgen, sogenannten *Marken-Lebenszyklen.*

Diese Unterscheidungen sind insofern von Bedeutung, als ein Unternehmen, das sich lediglich auf den Lebenszyklus seiner eigenen Produktform konzentriert, die übergeordneten Zusammenhänge aus den Augen verliert und dann eines Tages erkennen muß, daß es aus dem Geschäft ist. So kann sich ein Hersteller einfacher Rechenschieber noch im Wettbewerb mit anderen Herstellern einfacher Rechenschieber (gleiche Produktform) oder mit Herstellern komplizierterer Rechenschieber (unterschiedliche Produktformen) sehen, während er sich tatsächlich darüber Sorgen machen sollte, daß eine neue Technologie (Taschenrechner) den Rechenschieber vom Markt verdrängen wird. [2]

Ein weiteres Beispiel ist das Schicksal der Verstärkerröhre. Sie war eine Technologie zur Befriedigung des Bedürfnisses »Verstärkung schwacher elektrischer Signale«. Im Laufe der Jahre verbesserte man zwar diese Produktform, doch der Lebenszyklus der Verstärkerröhre endete durch die Einführung einer neuen Technologie, nämlich der Halbleitertechnologie, die Transistoren in immer neuen Produktformen hervorbrachte. Einige Hersteller von Verstärkerröhren, z. B. General Electric, RCA, Telefunken und Siemens, stiegen nicht rechtzeitig auf diese neue Technologie um, was innovationsfreudigen Neulingen wie z. B. Texas Instruments, Fairchild, Transitron und auch japanischen Unternehmen zum Markteintritt verhalf.

Unternehmen müssen entscheiden, in welche Technologie der Nachfrageerfüllung sie investieren und zu welchem Zeitpunkt sie auf eine neue Technologie umsteigen wollen. Ansoff sieht in jeder Technologie der Nachfrageerfüllung ein *strategisches Geschäftsgebiet (SGG)*, d. h. »ein klar abgegrenztes Gebiet im Umfeld, in dem das Unternehmen tätig ist oder tätig sein will«. [3] Heute besteht das Problem darin, daß viele Unternehmen in turbulenten Märkten mit einem rasanten technologischen Wandel tätig sind und nicht in alle Technologien investieren bzw. sie alle beherrschen können. Sie müssen darauf spekulieren, welche Technologie erfolgreich sein wird. Sie können sich entweder stark für eine neue Technologie einsetzen oder vorsichtig bei mehreren neuen Technologien mitmachen. Tun sie letzteres, werden sie wahrscheinlich keine führende Wettbewerbsposition erreichen; vielmehr wird der Pionier, der sich dezidiert auf die siegreiche Technologie festgelegt hat, die Führungsposition erringen.

Produkt-Lebenszyklus

Mit diesem Hintergrundwissen können wir uns nun auf den Produkt-Lebenszyklus konzentrieren. Durch das Konzept des Produkt-Lebenszyklusses wird ein Bild des Absatzmengenverlaufs gezeichnet, in dem *deutlich differierende Phasen* existieren. Für die einzelnen Phasen ergeben sich unterschiedliche Chancen und Probleme hinsichtlich der Marketingstrategie und der Realisierung des Gewinnpotentials. Wenn das Unternehmen die Lebenszyklusphase feststellt, in der sich ein Produkt befindet oder auf die es sich zubewegt, dann kann es besser planen.

Mit dem Konzept des Lebenszyklusses legt man für ein Produkt folgende Voraussetzungen fest:

- Das Produkt hat eine begrenzte Lebensdauer auf dem Markt.
- Der Produktumsatz durchläuft deutlich differierende Phasen.
- Das Gewinnpotential steigt bzw. fällt mit den verschiedenen Phasen des Produkt-Lebenszyklusses.
- In den einzelnen Phasen des Lebenszyklusses sind unterschiedliche Strategien vorteilhaft.

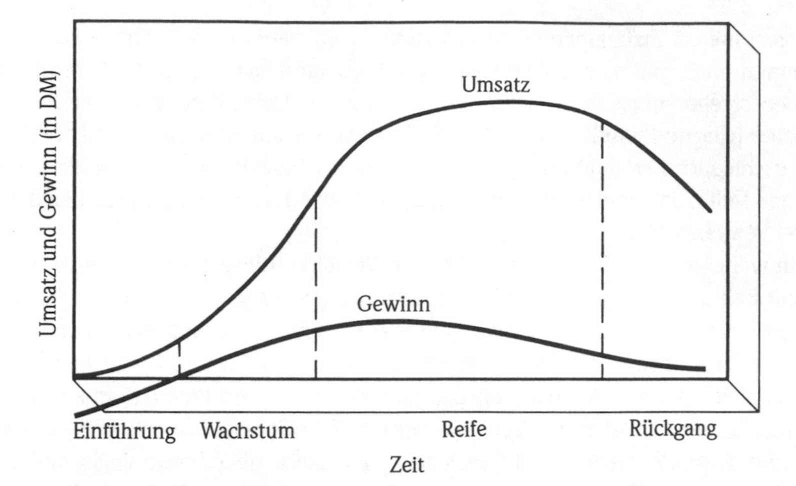

Abbildung 13-2
Umsatz- und Gewinnverlauf im Lebenszyklus

Die geläufigste Darstellung des Produkt-Lebenszyklusses zeigt die Umsatzentwicklung eines idealtypischen Produkts als S-förmige Kurve (vgl. Abbildung 13–2). Die Kurve wird in vier Abschnitte unterteilt: *Einführung, Wachstum, Reife* und *Rückgang*: [4]

- Die *Einführungsphase* ist der Zeitabschnitt langsamen Wachstums bei Einführung des Produkts auf dem Markt. Aufgrund hoher Einführungskosten werden in dieser Phase noch keine Gewinne erwirtschaftet.
- Die *Wachstumsphase* ist der Abschnitt rasch zunehmender Marktakzeptanz und spürbarer Gewinnzuwächse.
- Die *Reifephase* ist der Abschnitt geringer werdender Zuwachsraten, da das Produkt nunmehr bereits von den meisten potentiellen Käufern akzeptiert ist und kaum noch neue Käufer hinzukommen. In dieser Phase stagnieren die Gewinne, da zur Verteidigung der Marktposition des Produkts gegen die Konkurrenz ein größerer Marketingaufwand erforderlich wird.
- Die *Rückgangsphase* ist der Abschnitt, in dem das Verkaufsvolumen schrumpft und die Gewinne dahinschwinden.

Den Beginn und das Ende der einzelnen Abschnitte festzulegen ist Ermessenssache. In der Regel ist der Übergang in eine neue Phase durch eine ausgeprägte Zu- oder Abnahme des Absatzvolumens gekennzeichnet. Polli und Cook schlagen vor, die jährlichen inflationsbereinigten Umsatzveränderungen zu ermitteln, diese in eine Gauß'sche Normalverteilung umzurechnen und auf der so entstandenen glockenförmigen Normalverteilung die Abgrenzung der Abschnitte zu suchen. [5]

Empirische Untersuchungen, wie sie Buzzell [6] im Lebensmitteleinzelhandel und Polli und Cook [7] bei Verbrauchsgütern durchführten, zeigten auf, daß der S-förmige Kurvenverlauf des PLC bei zahlreichen Produktkategorien gut nachweisbar ist. Wer dieses Konzept einsetzen will, muß also zunächst untersuchen, inwiefern das PLC-Konzept bei früheren Produkten in seiner Branche anhand ihrer Umsatzentwicklung erkennbar ist. Es muß dann die durchschnittliche Dauer der einzelnen Abschnitte überprüft werden. So fand z.B. Cox in den USA heraus, daß bei nicht verschreibungspflichtigen Medikamenten in der Regel die Einführungsphase einen Monat, die Wachstumsphase sechs und die Reifephase fünfzehn Monate dauerte, während sich die Rückgangsphase über einen sehr langen Zeitraum erstreckte, da die Arzneimittelhersteller nur ungern bereits eingeführte Medikamente aus ihrem Programm nehmen. Die Dauer der einzelnen Lebensabschnitte sollte von Zeit zu Zeit überprüft werden. Ein verschärfter Wettbewerb führt zu einer Verkürzung des PLC; um in die Gewinnzone zu kommen, muß ein Produkt daher in kürzerer Zeit die Entwicklungskosten wieder einbringen.

Lebenszyklen von Produktkategorien, Produktformen und Marken

Das PLC-Konzept läßt sich für die Analyse einer Produktkategorie (Zigaretten), einer Produktform (einfache Filterzigaretten) oder einer Marke (Marlboro) verwenden.

- *Produktkategorien* weisen meist einen langen Lebenszyklus auf. Viele Produktkategorien bleiben auf unbestimmte Dauer in der Reifephase, sobald ihre Absatzmenge nur noch von der Bevölkerungsentwicklung abhängig ist. Einige weitverbreitete Produktkategorien, wie etwa Zigarren, Zeitungen, kurze Bahnreisen oder Kinobesuche, sind offensichtlich bereits in die Rückgangsphase eingetreten, während sich andere, z.B. Personal Computer, Videokassetten, schnurlose Telefone und Mikrowellenherde, eindeutig in der Einführungs- bzw. Wachstumsphase befinden.
- *Produktformen* zeigen eher den idealtypischen Verlauf des PLC als Produktkategorien. Die mechanische Schreibmaschine z.B. durchlief alle Zyklusphasen, von der Einführung über das Wachstum zur Reife- und Rückgangsphase. Die elektrische Schreibmaschine ersetzte schrittweise die mechanische und wurde in ihrem Lebenszyklus bald durch die elektronische Schreibmaschine abgelöst. Ein weiteres Beispiel für die Lebenszyklus-Überlagerung und -Nachfolge von Produktformen finden wir in der Musikbranche. Der einfachen Schallplatte folgten die Langspielplatte und die Compact Disc.
- *Marken* können sowohl sehr kurze als auch sehr lange Lebenszyklen durchlaufen. Die Länge des Lebenszyklusses wird hier nicht nur durch die Marktkräfte, sondern auch durch die Markenführungsstrategien des Unternehmens bestimmt. Marken, die nur an einen konkreten Artikel einer bestimmten Produktform gebunden werden, durchlaufen im allgemeinen den kürzesten Lebenszyklus. In diesem Fall spricht man von einem *kurzlebigen Markenartikel.* Marken leben hingegen sehr lange, wenn sie in ihrer Markenführung an bestimmte Kundenbedürfnisse gebunden werden – z.B. Nivea an Hautpflege, Odol an Mundhygiene, Persil an Wäschereinigung – und ständig auf ihre Zweckerfüllung hin durch neue Produktformen »verjüngt« und aktualisiert werden.

Unterschiedliche Formen des Produkt-Lebenszyklusses

Nicht bei jedem Produkt verläuft die Zykluskurve S-förmig. Die Wissenschaftler ermittelten jeweils zwischen sechs und siebzehn verschiedene Kurvenausprägungen.[9] Drei gängige PLC-Kurven werden in Abbildung 13–3 dargestellt. In Abbildung 13–3 (a) verläuft die Lebenszyklus-Kurve nach dem Entwicklungsmuster »Wachstum-Einbruch-Reife«. Dieser Verlauf zeigt sich häufig bei neuen kleineren Küchengeräten. Bei elektrischen Gartöpfen z.B. stieg der Absatz in den USA zwischen 1970 und 1976 rasch an, halbierte sich dann bis zum Jahr 1979 im Vergleich zu 1976 und stabilisierte sich anschließend auf diesem Niveau. Dabei spielte der dann einsetzende Ersatzbedarf eine wesentliche Rolle, während nur noch wenige Haushalte das Produkt zum ersten Mal kauften.

Das Zyklus-Zykluserneuerungs-Muster in Abbildung 13–3 (b) findet man oft bei neuen Medikamenten. Der Hersteller setzt sein neues Medikament mit aggressivem Verkauf und intensiver Werbung im Markt durch, was zum Erstzyklus führt. Später gehen die Absatzzahlen zurück, und das Unternehmen beschließt, den Absatz des Medikaments erneut durch entsprechende Verkaufsanstrengungen und Werbung anzukurbeln, was zu einem zweiten Zyklus führt, der in der Regel weniger ausgeprägt und kürzer ist.

Ein weiteres gängiges Entwicklungsmuster ist das in Abbildung 13–3 (c) abgebil-

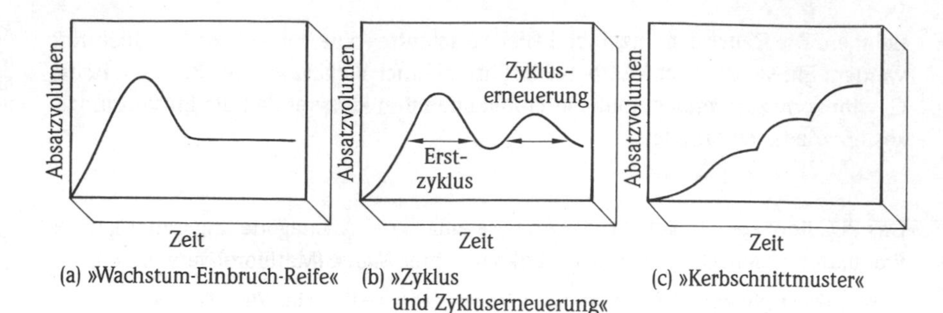

(a) »Wachstum-Einbruch-Reife« (b) »Zyklus und Zykluserneuerung« (c) »Kerbschnittmuster«

Abbildung 13-3
Einige gängige PLC-Verlaufsmuster

dete »Kerbschnittmuster«. Hier setzen – aufgrund der Entdeckung von neuen Produkteigenschaften, -anwendungen oder -anwendern – auch immer wieder neue Lebenszyklen ein. Die Absatzentwicklung der Nylon-Faser weist z.B. ein solches Kerbschnittmuster auf, da für das Produkt immer neue Anwendungsmöglichkeiten entdeckt wurden, z.B. für Fallschirme, Strumpfwaren, Hemden und Teppichböden.[10]

In Exkurs 13-1 werden einige der Hauptgestaltungsfaktoren für den Lebenszyklus eines Neuprodukts erläutert.

Exkurs 13-1: Ein Ansatz zur Prognose der Form und Länge des Produkt-Lebenszyklusses für ein neues Produkt

Goldman und Muller präsentierten einige interessante Beobachtungen zu den Faktoren, die Form und Länge der Lebenszyklen produktspezifisch beeinflussen. Betrachten wir zunächst den Verlauf eines Produkt-Lebenszyklusses mit einer idealen Ausprägungsform. Diese würde wie folgt aussehen:

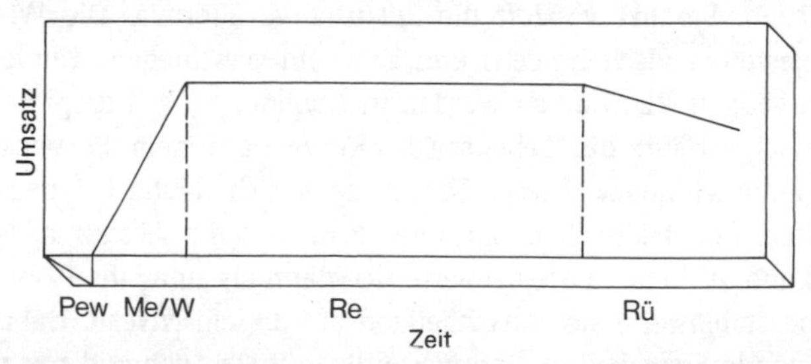

Diese Form hat aus folgenden Gründen eine ideale Ausprägung:

- Die Produktentwicklungsphase (P_{ew}) ist kurz; damit werden die Kosten der Produktentwicklung niedrig gehalten.
- Die Markteinführungs- und Wachstumsphase (Me/W) ist kurz; damit erreichen die Absatzzahlen sehr schnell ihr höchstes Niveau; die Folge sind größtmögliche Umsatzerlöse bereits in einem frühen Stadium.
- Die Reifephase (Re) dauert sehr lange an; dies bedeutet eine ausgedehnte Gewinnphase für das Unternehmen.
- Der Absatzrückgang (Rü) verläuft stark abgeflacht; damit sinken die Gewinne nicht plötzlich, sondern nur allmählich.

Erwägt ein Unternehmen die Markteinführung eines neuen Produkts, sollte es die Form des Lebenszyklusses anhand der Faktoren prognostizieren, welche die Länge der einzelnen Phasen beeinflussen:

– Die *Produktentwicklungszeit* ist bei normalen Produkten üblicherweise kürzer und weniger kostenintensiv als bei High-Tech-Produkten. Die Entwicklungszeit für ein neues Parfüm, ein neues Schnellgericht etc. ist z.B. – verglichen mit High-Tech-Produkten, die viel Zeit und hohe Kosten für Forschung, Entwicklung und Technik erfordern – kürzer.
– Die *Markteinführungs- und Wachstumsphase* ist unter folgenden Bedingungen kurz:
  · Für das Produkt muß keine neue Infrastruktur für das Vertriebs-, Transport-, Service- und Kommunikationssystem aufgebaut werden.
  · Der Handel akzeptiert und fördert das neue Produkt rasch.
  · Die Verbraucher sind an dem Produkt interessiert, übernehmen es rasch und empfehlen es weiter.
  · Diese Bedingungen sind bei vielen gängigen Konsumgütern gegeben, weniger jedoch bei vielen High-Tech-Produkten, bei denen folglich die Markteinführungs- bzw. Wachstumsphase länger ist.
– Die *Reifephase* wird durch das Ausmaß bestimmt, in dem der Geschmack der Verbraucher und die Produkttechnologie in etwa gleich bleiben und in dem das Unternehmen seine Marktposition behaupten kann. Die höchsten Gewinne erzielt, wer eine lange Reifephase voll ausnutzt. Ist hingegen die Reifephase kurz, könnte es sein, daß sich das eingesetzte Kapital nicht voll amortisiert.
– Die *Rückgangsphase* ist lang, wenn sich der Geschmack der Verbraucher und die Produkttechnologie nur langsam verändern. Je ausgeprägter die Markentreue der Konsumenten ist, desto langsamer verläuft der Umsatzrückgang. Und je niedriger die Austrittsbarrieren sind, desto schneller werden einige Unternehmen aus dem Markt ausscheiden, was wiederum die Umsatzrückgänge bei denen, die im Markt verbleiben, verlangsamt.

Durch die Analyse dieser Faktoren wird klar, warum viele Hochtechnologie-Unternehmen scheitern. Der Produkt-Lebenszyklus verläuft hier oft unvorteilhaft. Im ungünstigsten Fall sähe der PLC wie folgt aus:

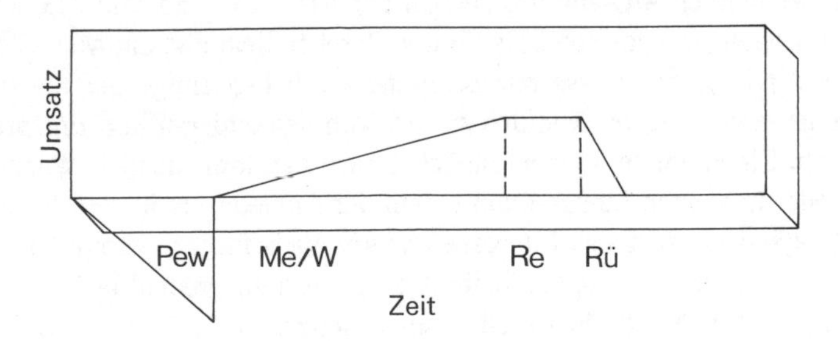

Wie wir sehen, ist die Produktentwicklungsphase lang, und die Entwicklungskosten sind hoch, die Markteinführungs- und Wachstumsphase ist lang, die Reifephase kurz, und der Absatzrückgang am Ende erfolgt schnell. Viele High-Tech-Unternehmen müssen viel Zeit- und Kostenaufwand in die Produktentwicklung stecken; sie müssen oft die Erfahrung machen, daß ihre Markteinführung lange Zeit dauert, der Markt dann relativ kurzlebig ist und der Umsatz bei rapidem technologischem Wandel steil abfällt.

Quelle: Arieh Goldman und Eitan Muller: *Measuring Shape Patterns of Product Life Cycles; Implications for Marketing Strategy*, unveröffentlichte Arbeit der Hebrew University of Jerusalem, Jerusalem School of Business Administration, August 1982.

Lebenszyklen von Stil, Mode und Modeerscheinung

Es gibt drei Ausprägungen von Produkt-Lebenszyklen, die man von den anderen unterscheiden muß; dabei handelt es sich um die Lebenszyklen, denen ein Stil, eine Mode und eine Modeerscheinung folgen (vgl. Abbildung 13–4).

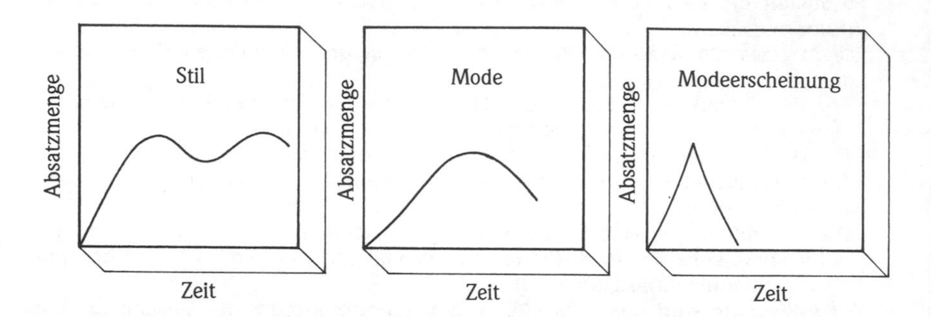

Abbildung 13-4
Lebenszyklen von Stil, Mode und Modeerscheinung

Ein *Stil* ist eine grundlegende und charakteristische Ausdrucksform, die in einem bestimmten Bereich menschlichen Strebens zutage tritt. Eine solche Stilrichtung findet sich z.B. bei Mobiliar und Gebäuden (Gotik, Barock, Renaissance, Klassizismus, Biedermeier, Jugendstil), bei Kleidung (Trachten, traditionell, förmlich, salopp, ausgefallen) oder in der Kunst (realistisch, impressionistisch, surrealistisch oder abstrakt). Ist ein Stil erst einmal entdeckt, kann er Generationen überdauern, wobei er einmal mehr und einmal weniger »en vogue« ist. Der Lebenszyklus eines Stils spiegelt dieses Auf und Ab wider und zeigt mehrere Phasen eines wiedererwachenden Interesses.

Eine *Mode* ist eine bestimmte Ausführungsform eines zur Zeit akzeptierten oder in einem bestimmten Anwendungsbereich populären Stils. So sind z.B. Jeans eine Mode eines heute akzeptierten Stils für den Bereich Kleidung. Ein Mode-Zyklus hat vier Phasen.[11] In der *Phase der Besonderheit* haben einige der Konsumenten Interesse an etwas Neuem, wodurch sie sich von den anderen Konsumenten abheben wollen. Die Produkte werden zunächst nach den individuellen Wünschen der Kunden oder in kleinen Mengen von einem der Anbieter produziert. In der *Phase des Aufgreifens* erwacht das Interesse anderer Verbraucher, verbunden mit dem Wunsch, als »Trendsetter« die Mode der Avantgarde aufzugreifen. Weitere Hersteller beginnen nun, das Produkt in zunehmenden Mengen zu fertigen. In der Phase der *Massenmode* verbreitet sich die modische Neuheit, und die Hersteller stellen sich auf die Massenproduktion um. In der *Rückgangsphase* schließlich wenden sich die Verbraucher allmählich anderen Modeangeboten zu, die ihre Aufmerksamkeit erregen.

So entwickelt sich eine Mode oft zuerst langsam, bleibt für eine Weile populär und verschwindet wiederum langsam. Die Länge eines Mode-Zyklusses ist schwer vorherzusagen. Wasson ist der Überzeugung, daß eine Mode deshalb »ausläuft«, weil sie für den Konsumenten einen Kaufkompromiß darstellt und dieser beginnt, sich bisher vernachlässigte Produkteigenschaften zu wünschen. Je kürzer z.B. die Autos werden, desto weniger Komfort bieten sie, so daß eine wachsende Anzahl von Käufern den Wunsch nach komfortablen Autos zu hegen beginnt. Der Komfort kann dann in Form einer neuen Mode, z. B. dem »Spacewagon«, geboten werden. Des weiteren meint Wasson, daß die Mode »ausläuft«, wenn ihr zu viele Verbraucher folgen und viele ihrer dann überdrüssig werden. Reynolds findet, daß die Länge eines Mode-Zyklusses davon abhängt, in welchem Umfang diese Mode ein echtes Bedürfnis befriedigt, wie sehr sie mit anderen gesellschaftlichen Entwicklungen in Einklang steht, wie sehr sie sozialen Normen und Wertvorstellungen gerecht wird und inwiefern sie technisch machbar und entwicklungsfähig ist. [12] Laut Robinson hingegen durchläuft eine Mode unerbittlich ihren Zyklus – trotz des wirtschaftlichen, technologischen oder funktionalen Wandels der Gesellschaft. [13] Eine eingehende Analyse und einen Vergleich mehrerer Mode-Zyklus-Theorien findet man bei Sproles. [14]

Eine *Modeerscheinung* ist eine Mode, die schnell große Aufmerksamkeit auf sich zieht, mit großem Eifer übernommen wird, schnell ihren Höhepunkt erreicht und sehr schnell wieder verschwindet. Der Akzeptanz-Zyklus ist hier kurz und führt meist nur zu einer begrenzten Zahl von Anhängern. Modeerscheinungen haben häufig das Flair des Neuen oder Kapriziösen, z. B. wenn die Leute ein »Stückchen der Berliner Mauer« kaufen oder als »Flitzer« im Adamskostüm auftreten. Modeerscheinungen finden bei Menschen Anklang, die nach etwas Aufregendem suchen, sich hervortun oder für neuen Gesprächsstoff sorgen wollen. Modeerscheinungen haben keine lange Lebensdauer, da ihnen entweder kein nachhaltiges Bedürfnis zugrunde liegt oder sie dieses Bedürfnis nicht ausreichend erfüllen können. Am Anfang läßt sich oft nur schwer vorhersagen, ob etwas eine Mode oder zur Modeerscheinung wird und wie lange sie sich halten wird: nur ein paar Tage, Wochen oder vielleicht Monate. Neben anderen Faktoren wird die Länge einer Modeerscheinung dadurch beeinflußt, wie stark sie in den Medien hochgespielt wird.

Begründung für das Produkt-Lebenszyklus-Konzept

Vorstehend wurde das Konzept des S-förmigen PLC beschrieben, ohne dafür eine Begründung aus dem theoretischen Bereich zum Marktverhalten zu liefern. Hier liegt die Theorie der Diffusion und Adoption von Innovationen zugrunde (vgl. auch Kapitel 12). Wird ein neues Produkt auf den Markt gebracht, muß das Unternehmen das Bekanntwerden, das Käuferinteresse, das erste Ausprobieren und den Kauf fördern. Das braucht Zeit, und in der Einführungsphase werden nur wenige (nämlich die »Innovatoren«) das Produkt kaufen. Ist das Produkt zufriedenstellend, läßt sich damit eine wachsende Zahl von Käufern (die »Frühadopter«) ansprechen. Der Markteintritt von Konkurrenten beschleunigt den Adoptionsprozeß, denn damit wird die Bekanntheit der Produktgattung im Markt gefördert, und die Produktpreise werden gesenkt. Noch mehr Käufer kommen hinzu, nämlich die »frühe Mehrheit«, gefolgt von der »späten Mehrheit«, wenn das Produkt als allgemein akzeptabel ausgewiesen ist. Die Wachstumsraten gehen zurück, wenn die Zahl der potentiellen Erstkäufer allmählich erschöpft ist. Die Absätze stabilisieren sich auf dem Umfang der Ersatzkäufe. Schließlich geht das Absatzvolumen zurück, wenn andere Typen, Formen und Marken das Käuferinteresse vom existierenden Produkt ablenken. So läßt sich das Konzept des Produkt-Lebenszyklusses durch den natürlichen Verlauf des Diffusions- und Adoptionsprozesses von Neuprodukten theoretisch unterlegen.

Das PLC-Konzept liefert einen nützlichen Rahmen für die Erarbeitung wirksamer Marketingstrategien, unterteilt nach einzelnen Zyklusphasen. Diesen Phasen und den jeweiligen Marketingstrategien dafür wenden wir uns nun zu.

Einführungsphase

Die Einführungsphase setzt ein, wenn das neue Produkt erstmals in die Warenverteilung aufgenommen wird und auf dem Markt erhältlich ist. Es dauert einige Zeit, die Vertriebskanäle zu versorgen und das Produkt von Marktregion zu Marktregion zu verbreiten; daher steigt der Absatz anfangs oft nur langsam. Bekannte Produkte wie löslicher Kaffee oder Tiefkühlkost »dümpelten« viele Jahre vor sich hin, ehe sie in ein Stadium des rapiden Wachstums eintraten. Buzzell ermittelte mehrere Ursachen für die zunächst träge Absatzentwicklung zahlreicher Lebensmittelprodukte: Verzögerungen beim Ausbau von Produktionskapazitäten, technische Probleme (Beseitigung von »Kinderkrankheiten«), ungenügende Verfügbarkeit des Produkts für alle Kunden – vor allem aufgrund von Schwierigkeiten, im Handel Regalflächen für das Produkt zu gewinnen – sowie die Abneigung der Kunden, ihr gewohntes Kaufverhalten zu ändern. [15] Bei hochpreisigen Neuprodukten wird das Absatzwachstum durch weitere Faktoren gedrosselt, z.B. durch die geringe Zahl von Käufern, die sich das neue Produkt leisten können.

In diesem Stadium werden zunächst Verluste oder nur geringe Gewinne erwirtschaftet, da das Absatzvolumen niedrig und die Ausgaben für die Vermarktung hoch sind. Es sind hohe Aufwendungen nötig, um den Handel für sich zu gewinnen und die »Vertriebskanäle zu füllen«. Die Ausgaben für die Absatzförderung erreichen, gemessen am Umsatz, ihren Höchstwert, weil, wie Buzzell meint, »die Absatzförderung intensiv sein muß, um (1) die potentiellen Käufer des neuen und unbekannten Produkts zu informieren, um (2) diese zum ersten Ausprobieren des Produkts hinzuführen und um (3) die Verfügbarkeit des Produkts im Einzelhandel zu sichern«. [16]

In der Einführungsphase eines wirklich neuen Produkts gibt es meist nur wenige Wettbewerber; oft stellen diese das Produkt nur in der Grundausführung her, da der Markt zur Aufnahme von verfeinerten Produktversionen noch nicht bereit ist. Die Anbieter konzentrieren ihre Verkaufsanstrengungen auf die kaufwilligsten Abnehmer – für gewöhnlich die höheren Einkommensgruppen. Die Produktpreise sind in dieser Phase eher hoch, da »(1) auch die Produktionskosten aufgrund der relativ geringen Ausbringungsmenge hoch sind, (2) die technischen Probleme in der Produktion u.U. noch nicht vollständig gelöst sind und (3) hohe Gewinnspannen erforderlich sind, um die zur Erreichung der Wachstumsziele notwendigen hohen Absatzförderungskosten decken zu können.« [17]

Marketingstrategien in der Einführungsphase

Bei der Markteinführung eines neuen Produkts kann das Marketing-Management für jedes Element im Marketingprogramm wie z.B. Preis, Absatzförderung, Distribution und Produktqualität ein hohes oder niedriges Niveau ansetzen. Betrachtet man z.B. nur die beiden Elemente Preis und Absatzförderung, stehen die vier in Abbildung 13–5 dargestellten strategischen Optionen zur Verfügung.

Die *Strategie der schnellen Marktabschöpfung* erfolgt durch eine Markteinführung zu einem hohen Preis und mit umfangreicher Absatzförderung. Das Unternehmen nimmt einen hohen Preis, um einen hohen Deckungsbeitrag zu erwirtschaften. Es gibt viel für die Absatzförderung aus, um den Markt davon zu überzeugen, daß das Produkt den hohen Preis wert ist. Die umfangreiche Absatzförderung verhilft zu einer schnelleren Marktdurchdringung. Diese Strategie ist dann sinnvoll, wenn folgende Annahmen zutreffen:

(1) Einem Großteil der potentiellen Kunden ist das Produkt und sein Konzept unbekannt; (2) diejenigen, die von dem Produkt erfahren, würden es gerne haben und können den geforderten Preis zahlen; (3) das Unternehmen rechnet mit baldiger Konkurrenz und will sich zuvor eine möglichst hohe Markenpräferenz aufbauen.

Eine *Strategie der langsamen Marktabschöpfung* erfolgt durch eine Markteinführung zu einem hohen Preis und mit geringer Absatzförderung. Der hohe Preis hat den Zweck, den größtmöglichen Deckungsbeitrag je Produkteinheit zu erwirtschaften, und die geringe Absatzförderung hält die Vermarktungskosten niedrig. Durch die Kombination dieser zwei Elemente soll ein möglichst hoher Gewinn abgeschöpft werden. Diese Strategie ist sinnvoll, wenn (1) der Markt klein ist und sich über den Preis nicht wesentlich ausdehnen läßt, (2) die meisten potentiellen Käufer das Produkt vom Konzept her kennen, (3) die Käufer gewillt sind, einen hohen Preis zu zahlen, und (4) keine unmittelbare Konkurrenz droht.

Eine *Strategie der schnellen Marktdurchdringung* besteht aus der Markteinführung zu einem niedrigen Preis bei umfangreicher Absatzförderung. Diese Strategie zielt auf die schnellste Marktdurchdringung und den größten Marktanteilsgewinn. Sie ist sinnvoll, wenn (1) der Markt groß ist, (2) der Markt das Produktkonzept nicht kennt, (3) die meisten Käufer preisempfindlich reagieren, (4) ein starkes Wettbe-

Preis	Absatzförderung: umfangreich	Absatzförderung: gering
hoch	schnelle Marktabschöpfung	langsame Marktabschöpfung
niedrig	schnelle Marktdurchdringung	langsame Marktdurchdringung

Abbildung 13-5
Vier Marketingstrategien für die Einführungsphase

werbspotential vorhanden ist, und (5) die Fertigungsstückkosten des Anbieters durch den Skaleneffekt bei größerer Produktionsmenge und durch den Lerneffekt bei zunehmender Fertigungserfahrung sinken.

Eine *Strategie der langsamen Marktdurchdringung* besteht aus der Markteinführung zu einem niedrigen Preis mit wenig Absatzförderung. Der niedrige Preis soll allen potentiellen Kunden den Produktkauf ermöglichen; das Unternehmen hält die Kosten der Absatzförderung gering, um höhere Nettogewinne zu erzielen. Man geht davon aus, daß die Marktnachfrage in hohem Maße durch niedrige Preise und in geringerem Maße durch Absatzförderung gesteigert werden kann. Diese Strategie ist sinnvoll, wenn (1) der Markt groß ist, (2) das Produktkonzept auf dem Markt sehr bekannt ist, (3) der Markt preisempfindlich reagiert und (4) das Wettbewerbspotential zwar vorhanden, aber nicht bedrohlich ist.

Ein Unternehmen, vor allem wenn es – als erstes im Markt – die Rolle des *Marktpioniers* übernimmt, sollte nicht willkürlich eine dieser strategischen Optionen wählen; seine Strategie muß vielmehr der erste, sorgfältig erwogene Schritt eines umfassenden Plans für sein Lebenszyklus-Marketing sein. Zielt die anfängliche Strategie des Marktpioniers auf »schnelles Geld«, opfert er damit den langfristigen Erfolg kurzfristigen Vorteilen. Der Marktpionier hat die besten Chancen, Marktführer zu bleiben, wenn er seine Karten richtig ausspielt (vgl. dazu Exkurs 13-2). Er sollte feststellen, in welche Produktmärkte er als erster eindringen könnte – wohlwissend, daß er nicht alle Märkte besetzen kann. Beispielsweise könnte eine Segmentierungsanalyse, wie in Abbildung 13–6 dargestellt, neun mögliche Produktmärkte anzeigen. Der Pionier sollte das Gewinnpotential einzelner Produktmärkte und sinnvoller Produktmarktkombinationen analysieren und sich dann eine Strategie für seine Expansion im Markt wählen. In unserem Beispiel tut der Pionier folgendes: Er bringt sein erstes Produkt zunächst auf den Produktmarkt P_1M_1, führt dann das gleiche Produkt auf einem zweiten Markt (P_1M_2) ein, überrascht als nächstes die Konkurrenz durch die Entwicklung einer weiteren Produktvariante für den zweiten Markt (P_2M_2), bringt dann die zweite Produktvariante auf den ersten Markt (P_2M_1) und bietet schließlich eine dritte Produktvariante auf dem ersten Markt (P_3M_1) an. Funktioniert dieser »Spielplan«, wird sich der Marktpionier einen beträchtlichen Anteil an den ersten beiden Marktsegmenten sichern können und diese mit zwei oder drei Produktvarianten bedienen. Natürlich kann dieser Plan im Laufe der Zeit

Abbildung 13-6
Langfristige Expansionsstrategie bei segmentierten Produktmärkten
(Pi = Produktvariante i; Mj = Markt j)

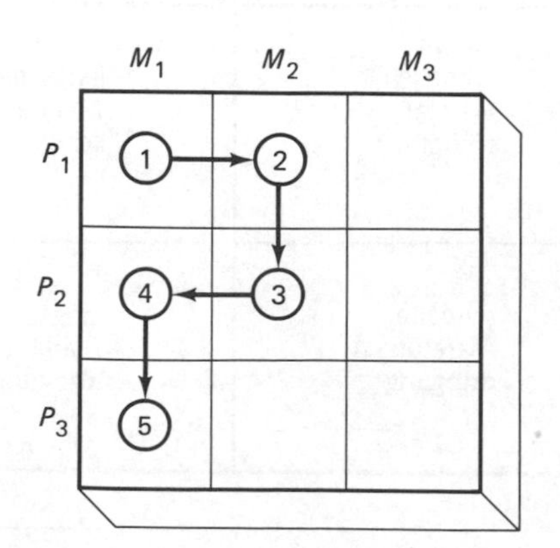

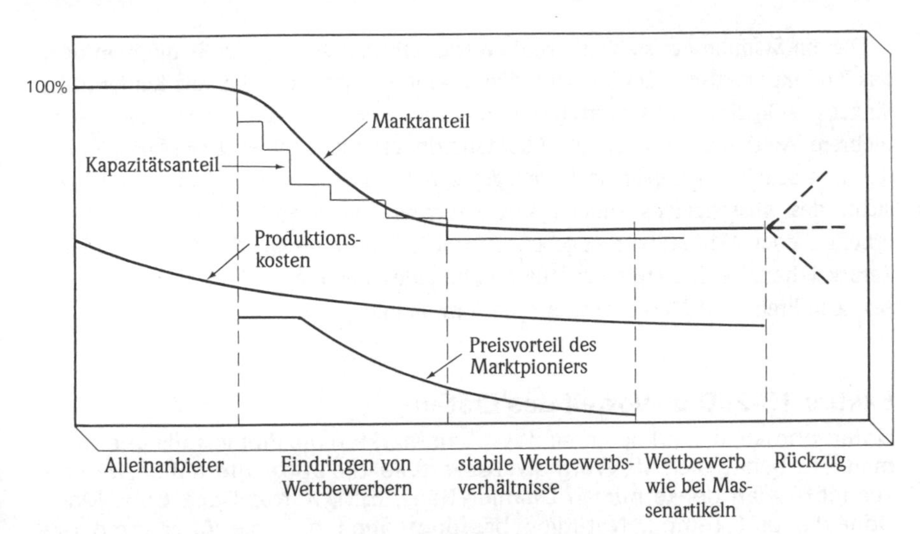

Quelle: John B. Frey: *Pricing Over the Competitive Cycles*; aus einem Vortrag anläßlich der Marketing Konferenz von 1982, © 1982, New York: The Conference Board.

Abbildung 13-7
Stadien des Wettbewerbszyklusses

Veränderungen unterliegen, wenn neue Einflußfaktoren auftauchen. Doch in jedem Fall hat das Unternehmen vorausgeplant, wie es sich auf dem neuen Markt entfalten will.

Durch die Vorausplanung weiß der Marktpionier, daß früher oder später Konkurrenten auftreten, die Preise sinken und seine Marktanteile zurückgehen werden. Hier muß gefragt werden: Wann wird dies geschehen? Und was sollte der Marktpionier in den jeweiligen Stadien des Wettbewerbszyklusses tun? Frey hat die Stadien des Wettbewerbszyklusses, die auf den Marktpionier zukommen, genauer beschrieben (siehe Abbildung 13–7).[18] Zunächst ist der Pionier Alleinanbieter; er hat 100 % der Produktionskapazität und selbstverständlich auch den gesamten Absatz des Produkts. Das zweite Stadium, das Eindringen von Wettbewerbern, setzt ein, wenn ein neuer Konkurrent seine Fertigungsanlagen aufgebaut hat und mit dem Verkauf beginnt. Weitere Konkurrenten dringen in den Markt ein, und der Anteil des Marktführers an der Produktionskapazität und am Absatz fällt.

Die nachfolgenden Konkurrenten können häufig nur mit niedrigeren Preisen als der Marktführer in den Markt eintreten, da die Kunden bei neuen Produzenten Qualitätsrisiken vermuten. Der zunächst beim Marktführer wahrgenommene Leistungsvorteil nimmt mit der Zeit ab, so daß der Marktführer seinen Preisvorteil nicht länger halten kann und – bei gleichem Produkt – gleichziehen muß.

Wenn der Markt schnell wächst, kommt es oft zum Aufbau von Überkapazitäten, so daß bei nachlassendem Wachstum im Preiskampf die Deckungsbeiträge auf ein eher »normales« Maß sinken. Neue Konkurrenten halten sich zurück, und die etablierten Wettbewerber sind bestrebt, ihre Marktposition zu halten. Diese Entwicklung führt zum dritten Stadium, in dem sich der Wettbewerb um Kapazitäts- und Marktanteile stabilisiert.

Diesem Stadium der stabilen Wettbewerbsverhältnisse folgt ein Stadium, in dem das Produkt praktisch zum Massenartikel geworden ist und in dem die Käufer nicht länger gewillt sind, Preisunterschiede zu akzeptieren. Nun könnten sich einer oder mehrere Wettbewerber u.U. zum Marktaustritt veranlaßt sehen. Der Marktpionier, der wahrscheinlich immer noch den größten Marktanteil hält, könnte nun angesichts des Ausscheidens anderer Wettbewerber den eigenen Marktanteil weiter erhöhen oder Marktanteile abgeben und sich Schritt für Schritt aus dem Markt zurückziehen. Der Marktpionier muß also für jedes Stadium des Wettbewerbszyklusses neue Preis- und Marketingstrategien formulieren.

Exkurs 13-2: Der »Vorteil des Ersten«

Unternehmen, die auf neu erschlossenen Märkten die Pionierrolle übernehmen, erarbeiten sich oft Wettbewerbsvorteile, die aufrechterhalten werden können – man denke nur an Daimler-Benz, IBM, Xerox, Coca-Cola, MacDonald's und Tempo. Natürlich bestätigt auch hier die Ausnahme die Regel, man nehme nur Dual (Plattenspieler), Beta (Videorecorder von Sony), Grundig (Radio und Fernseher) oder Agfa (Fotogeräte), die allesamt schnell von Konkurrenten, die später in den Markt eintraten, überrundet wurden.

William Robinson und Claes Fornell untersuchten ein breites Spektrum von Produktmärkten der Konsum- und Industriegüterindustrie in der Reifephase. In der zugrundeliegenden PIMS-Datenbank wurden die untersuchten strategischen Geschäftseinheiten als

1. *Marktpionier*, der mit als erster die jeweiligen Produkte oder Dienstleistungen entwickelt, als
2. *früher Nachfolger* des Pioniers oder der Pioniere auf einem immer noch wachsenden dynamischen Markt, oder als
3. *später Einsteiger* in einen etablierten Markt

klassifiziert. Im Durchschnitt konnten die Marktpioniere einen höheren Marktanteil halten als später eintretende Unternehmen. Folgende Tabelle verdeutlicht dies:

	Durchschnittlicher Marktanteil in der Reifephase	
	Konsumgüter	Industriegüter
Marktpioniere	29%	29%
Nachfolger	17%	21%
Späte Einsteiger	13%	15%

Warum erarbeiten sich die Marktpioniere Wettbewerbsvorteile, die sie aufrechterhalten können? Dafür wurden zwei Gründe ermittelt. Erstens boten sie meist eine bessere Produktqualität und ein breiteres Sortiment als die späten Einsteiger. Zweitens schufen sie sich einen bekannteren Markennamen, denn das erste Unternehmen nimmt im Verbraucherbewußtsein eine besondere Position ein. Dies ist besonders bei Produkten wichtig, die von den Konsumenten aus Gewohnheit gekauft werden.

Die Untersuchung zeigte nicht, daß die Marktpioniere wesentliche direkte Kostenvorteile erzielten. Die Kostenvorteile des Pioniers lagen bei rund 1 bis 2 Prozentpunkten und brachten ihm im Durchschnitt weniger als ein Prozent Marktanteilszugewinn. In der Reifephase brachten weder Patente noch Geschäftsgeheimnisse den Pionieren besondere Vorteile; folglich wurde der Wettbewerbsvorsprung in aller Regel durch das Wirken des Pioniers im Markt aufrechterhalten, und nicht vom Patentamt garantiert.

Quellen: William T. Robinson und Cleas Fornell: »Sources of Market Pioneer Advantages in Consumer Goods Industries«, in: *Journal of Marketing Research,* August 1985, S. 305–317; Robinson und Fornell: *Market Pioneering and Sustainable Market Share Advantages, PIMS letter Nr. 39,* Strategic Planning Institute, 1986.

Wachstumsphase

Die Wachstumsphase tritt ein, wenn die Absatzmenge rasch ansteigt. Die Frühadopter haben bereits Gefallen am Produkt gefunden, und die Mehrheit der Verbraucher beginnt zu kaufen. Die Chance auf hohe Gewinne bei großen Produktionsmengen lockt neue Konkurrenten auf den Markt; diese bringen neue Produktvarianten, was wiederum den Markt ausweitet. Die größere Zahl der Konkurrenten führt zu einem erweiterten Distributionsnetz, und der Absatz der Hersteller an den Handel schnellt schon allein deswegen in die Höhe, weil die Vertriebskanäle mit Waren aufgefüllt werden müssen.

Die Preise bleiben stabil oder fallen nur geringfügig, da die steigende Nachfrage dies zuläßt. Die Unternehmen halten ihren Absatzförderungsaufwand in etwa konstant oder heben ihn leicht an, um mit der Konkurrenz gleichzuziehen, und fahren fort, den Markt von den Produktvorteilen zu überzeugen. Die Absatzmengen steigen nun wesentlich schneller als zuvor, und das Verhältnis zwischen Marketingaufwand und Umsatzerlös verbessert sich.

Da sich die Kosten der Absatzförderung auf ein größeres Produktionsvolumen verteilen, steigen die Gewinne in dieser Phase, und aufgrund des Erfahrungskurveneffekts sinken die Fertigungsstückkosten.

Die Phase des beschleunigten Wachstums geht dann schließlich in die Phase des verlangsamten Wachstums über. Man muß genau darauf achten, wann die Phase des verlangsamten Wachstums einsetzt, um mit neuen Strategien darauf vorbereitet zu sein.

Marketingstrategien in der Wachstumsphase

Ein Unternehmen kann mehrere Strategien einsetzen, um sein Wachstum im Markt so lange wie möglich aufrechtzuerhalten:

- Das Unternehmen verbessert die Produktqualität, entwickelt neue Ausstattungsmerkmale und verbessert das Design.
- Das Unternehmen erweitert sein Angebot durch neue Modelle und Produktvarianten, speziell zum Flankenschutz des Hauptprodukts gegen Wettbewerbsangriffe.
- Das Unternehmen erschließt neue Marktsegmente.
- Das Unternehmen erschließt neue Vertriebswege.

- Das Unternehmen verlagert seine Werbung vom Aufbau der Markenbekanntheit hin zur Überzeugung des Käufers von den Produktvorteilen und hin zur Förderung des Kaufentschlusses.
- Das Unternehmen senkt zur rechten Zeit die Preise, um so weitere Schichten preisbewußter Käufer anzusprechen.

Durch diese Strategien zur Expansion im Markt stärkt das Unternehmen seine Wettbewerbsposition. Dies verursacht allerdings zusätzliche Kosten. In der Wachstumsphase steht man also vor der Entscheidung zwischen weiterhin hohen Marktanteilen und hohen Gewinnen aus dem laufenden Geschäft. Durch weiterhin hohe Aufwendungen für die Verbesserung des Produkts, für die Absatzförderung und für das Distributionsnetz kann man sich jetzt eine marktbeherrschende Stellung erobern. Man verzichtet dabei auf maximale Sofortgewinne und hofft statt dessen auf noch höhere Gewinne in der nächsten Zyklusphase.

Reifephase

Irgendwann verlangsamt sich dann das Absatzwachstum, und das Produkt gelangt in die Phase der Reife. Die Reifephase dauert normalerweise länger als die vorangegangenen Zyklusphasen und stellt das Marketing-Management vor anspruchsvolle Aufgaben. *Die meisten Produkte befinden sich in der Reifephase des Lebenszyklusses, und daher befaßt sich das Marketing-Management vornehmlich mit Produkten in der Reifephase.*

Die Reifephase läßt sich in drei Abschnitte unterteilen. Im ersten Abschnitt, der *Reife mit Restwachstum*, hört der Zuwachs allmählich auf. Es sind keine neuen Vertriebskanäle mehr mit Waren aufzufüllen, auch wenn unter den Verbrauchern immer noch einige Nachzügler als Käufer hinzukommen. Im zweiten Abschnitt, der *Reife mit Stabilität*, bleibt der Pro-Kopf-Absatz in etwa konstant, da der Markt gesättigt ist. Die meisten potentiellen Verbraucher haben das Produkt ausprobiert, und die weitere Absatzentwicklung hängt vom Bevölkerungswachstum und der Deckung des Ersatzbedarfs durch Wiederholungskäufe ab. Im dritten Abschnitt, der *Reife im Ausklang*, wird der Absatzrückgangsprozeß eingeleitet. Die Kunden fangen an, sich anderen Produkten zuzuwenden.

Die Verlangsamung der Zuwachsraten führt zu Überkapazitäten in der Branche. Diese führen wiederum zu verschärftem Wettbewerb. Die Wettbewerber suchen verstärkt nach Marktnischen und besetzen diese; sie greifen wiederholt zu Preissenkungen und zu hohen Rabatten auf die Listenpreise; sie erhöhen die Werbeausgaben und unterbreiten vermehrt Sonderangebote an den Handel und die Endverbraucher; sie erhöhen das F&E-Budget für Produktverbesserungen und »Flankierungsprodukte« zur Sortimentsabrundung und zum Schutz gegen die Wettbewerber; sie liefern zu Sonderkonditionen Hausmarken an Handelsunternehmen. All diese Schritte sind Anzeichen für ein Wegschmelzen der Gewinne. Der »Auslichtungsprozeß« in der Branche wird eingeleitet, und die schwächeren Wettbewerber beginnen auszuschei-

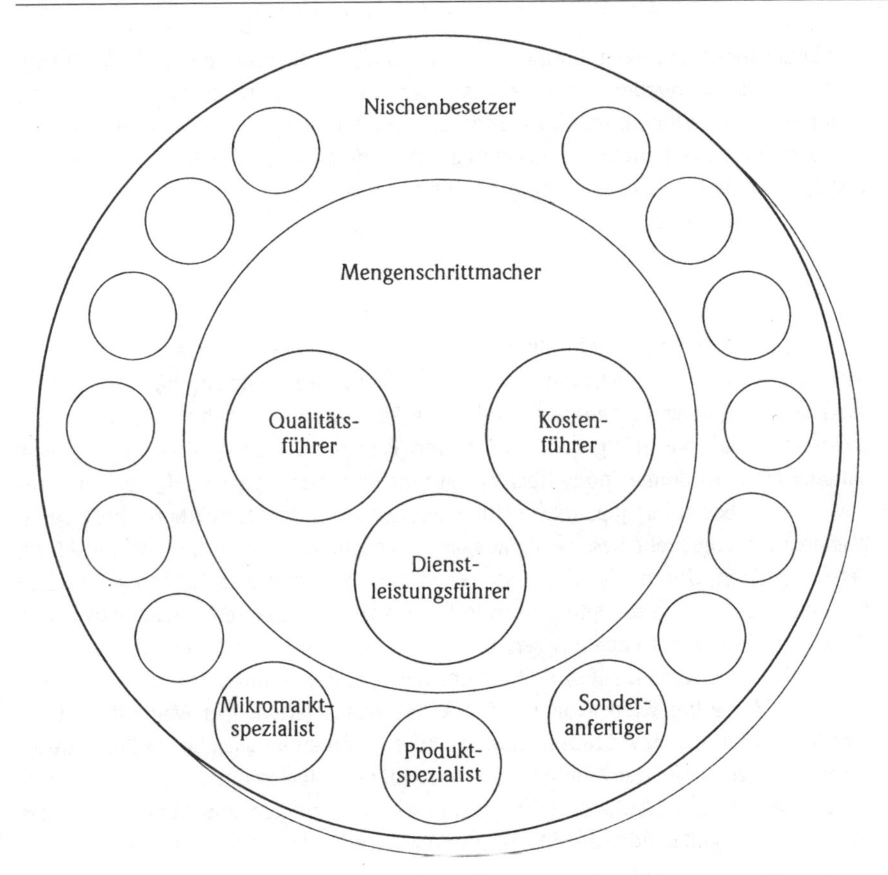

Quelle: John B. Frey: *Pricing Over the Competitive Cycle*; aus einem Vortrag anläßlich der Marketing Konferenz von 1982, © 1982, New York: The Conference Board.

Abbildung 13-8
Wettbewerber in
einem reifen Markt

den, während die fest etablierten Wettbewerber, deren Grundanliegen die Erreichung von Wettbewerbsvorteilen ist, übrig bleiben.

Unter diesen etablierten Wettbewerbern findet man zwei Grundtypen: die *Mengenschrittmacher* und die *Nischenbesetzer* (siehe Abbildung 13–8). In der Regel wird eine Branche durch wenige große Unternehmen beherrscht, die einen großen Anteil am Produktionsausstoß der Branche innehaben. Diese Unternehmen richten ihre Marketinganstrengungen auf den ganzen Markt und versuchen hauptsächlich durch die Kombination von hohem Mengenausstoß und niedrigen Kosten Gewinne zu erwirtschaften. Diese Mengenschrittmacher differenzieren sich untereinander zu einem gewissen Grade durch eine unterschiedlich starke Betonung von Kosten, Qualität, Serviceleistungen etc. Die führenden Unternehmen sind von einer Vielzahl von Nischenbesetzern umgeben. Zu den Nischenbesetzern gehören Mikromarktspezialisten, Produktspezialisten und Sonderanfertiger. Die Nischenbesetzer versorgen jeweils ihre kleinen Zielsegmente besonders gut und erzielen dadurch höhere Preise.

Das Entscheidungsproblem für das Unternehmen, das in einen reifen Markt eintritt, besteht darin, entweder darum zu kämpfen, zu den Mengenschrittmachern zu gehören und Gewinne durch hohe Mengen zu niedrigen Kosten zu erwirtschaften, oder aber eine Nischenbesetzungsstrategie zu verfolgen und durch hohe Deckungsbeiträge bei kleinen Umsatzmengen Gewinne zu erzielen.

Marketingstrategien in der Reifephase

Einige Unternehmen geben Produkte auf, die in der Reifephase schwach sind, in der Meinung, daß sie hier nicht mehr viel tun können. Ihrer Meinung nach sollte man Geld sparen und es in neuere Produkte stecken. Dieses Vorgehen läßt allerdings außer acht, daß die Erfolgsquote bei neuen Produkten recht gering ist und viele »ältere« Produkte immer noch über ein großes Erfolgspotential verfügen. Letzteres bewiesen insbesondere japanische Unternehmen in vielen Produktbereichen, deren Märkte man allgemein bereits als ausgereift ansah, z.B. bei Autos, Motorrädern, Fernsehgeräten, Uhren oder Kameras. Bei all diesen Produkten schafften sie es, dem Kunden neue Vorteile zu bieten. Auch in Europa konnten Marken, die auf den ersten Blick dem Ende ihres Lebensweges nahe schienen – z.B. der Vespa Motorroller – »wiederbelebt« werden. Alternde Marken, wie z.B. Persil und Odol, konnten durch kreatives Marketing wiederholt ein Markt-Comeback feiern. Der Marketingverantwortliche sollte sich davor hüten, alternde oder schon etwas »schlappe« Produkte zu vernachlässigen oder nur halbherzig zu verteidigen. Hier ist eine Vorwärtsstrategie oft am besten. Der Marketer sollte systematisch Strategien zur Modifikation des Markts, des Produkts oder des Marketing-Mix entwickeln.

Marktmodifikation

Ein Unternehmen sollte bestrebt sein, den Markt für seine Marke auszudehnen. Es kann bei den beiden Faktoren ansetzen, die die Formel für das Absatzvolumen bestimmen:

Absatzvolumen = Anzahl der Markenverwender × Verwendungsrate pro Verwender

Die Zahl der Markenverwender läßt sich auf dreierlei Weise erhöhen:

- **Gewinnung bisheriger Nichtverwender**
  Man kann versuchen, aus bisherigen Nichtverwendern dieser Produktkategorie Verwender zu machen. Der Hauptgrund für die hohen Wachstumsraten in der Luftfrachtindustrie ist die ständige Suche der Frachtunternehmen nach neuen Verwendern, um diesen dann die Vorteile des Luftfrachttransports im Vergleich zum Land- und Seetransport nachzuweisen.
- **Erschließung neuer Marktsegmente**
  Das Unternehmen kann neue Marktsegmente erschließen, z.B. geographische, demographische etc., also Kunden, die zwar den Produkttyp, jedoch nicht diese spezifische Marke verwenden. So sprach Haribo mit seinen Gummibärchen auch erfolgreich die Gruppe der Erwachsenen an, und Ferrero bemüht sich, mit »Kinderschokolade« und »Nutella« ebenfalls in das Erwachsenensegment vorzustoßen.
- **Gewinnung von Kunden der Konkurrenz**
  Das Unternehmen kann Kunden der Konkurrenz dazu veranlassen, seine Marke auszuprobieren oder endgültig zu übernehmen. Pepsi-Cola z.B. umwirbt ständig die Verwender konkurrierender Cola-Getränke, insbesondere die Coca-Cola-Trinker, um sie dazu zu bringen,

auf Pepsi-Cola umzusteigen, und stellt damit seinen Hauptrivalen immer wieder vor neue Herausforderungen.

Das Absatzvolumen läßt sich auch steigern, indem man die gegenwärtigen Markenverwender dazu veranlaßt, ihre Verwendungsrate zu erhöhen. Dafür gibt es drei Strategien:

- **Erhöhung der Verwendungshäufigkeit**
  Das Unternehmen kann die Kunden dazu anhalten, das Produkt häufiger zu verwenden. So wurden z. B. den Kunden durch eine ausgedehnte Werbekampagne unter dem Werbeslogan »Ich trinke Jägermeister, weil ... « immer neue Anlässe für den Genuß dieses Getränks suggeriert.
- **Steigerung der Verwendungsmenge pro Anlaß**
  Das Unternehmen kann beim Verwender das Interesse anfachen, bei jedem Verwendungsanlaß eine größere Menge des Produkts zu verbrauchen. Bei vielen Lebensmitteln, insbesondere bei Getränken, wird durch die Abstimmung der Packungsgrößen Einfluß auf die Verwendungsmenge pro Anlaß genommen. Marken wie »Nimm zwei« oder »Du darfst« setzen schon im Markennamen gezielt auf dieses Konzept.
- **Neue und flexiblere Verwendungsmöglichkeiten**
  Das Unternehmen könnte neue Verwendungsmöglichkeiten für das Produkt ausfindig machen und die Kunden davon überzeugen, das Produkt noch vielseitiger zu verwenden. Bei Lebensmitteln können z. B. auf der Verpackung mehrere Rezeptvorschläge aufgedruckt sein, damit der Kunde auf mehr Verwendungsmöglichkeiten des Produkts aufmerksam gemacht wird. Bei Papiertaschentüchern z. B. werden neue Anwendungsbereiche wie Babypflege und Kosmetik erschlossen, und zwar zum Teil bereits unter Einsatz von Produktmodifikationen.

Produktmodifikation

Durch die Modifizierung der Produkte können neue Verwender gewonnen und die gegenwärtigen Verwender des Produkts zu einem stärkeren Verbrauch angehalten werden. Dies kann auf unterschiedliche Weise erfolgen.

Eine Strategie der *Qualitätsverbesserung* zielt auf eine Erhöhung der Funktionstüchtigkeit des Produkts ab, d. h. seiner Haltbarkeit, Zuverlässigkeit, Geschwindigkeit, seines Geschmacks etc. Durch die Markteinführung der neuen und verbesserten Version eines Produkts, z. B. einer Werkzeugmaschine, eines Automobils, Fernsehgeräts oder Waschmittels, kann man die Konkurrenz häufig überrunden. Die Lebensmittelhersteller sprechen von einem »Plus-Angebot«, wenn sie das Produkt verbessert haben und dabei etwas als »stärker«, »größer« oder »besser« anpreisen. Der Erfolg dieser Strategie hängt davon ab, in welchem Umfang die Qualität tatsächlich verbessert werden kann, wie sehr die Käufer der behaupteten Qualitätsverbesserung glauben und ob eine ausreichend große Anzahl von Käufern wirklich höhere Qualität verlangt.

Eine Strategie der *Verbesserung der Produktausstattung* zielt auf die Hinzunahme neuer Ausstattungselemente (z. B. ABS, Schiebedach, heizbare Sitze oder Automatikgetriebe für ein Auto), die die Vielseitigkeit, Sicherheit oder den Benutzungskomfort des Produkts erhöhen. Als z. B. die Rasenmäher-Hersteller dazu übergingen, ihre bisher von Hand betriebenen Rasenmäher mit Motoren auszustatten, war es möglich, seinen Rasen schneller und bequemer zu pflegen. Dann machten sich die Hersteller daran, bessere Sicherheitseinrichtungen zu konstruieren. Einige statteten ihre Geräte mit speziellen Nachrüstmöglichkeiten aus, so daß ein elektrischer Rasenmäher auch als Schneepflug eingesetzt werden konnte. Stewart machte insgesamt fünf Vorteile einer verbesserten Ausstattung ausfindig:

- Neue Ausstattungselemente begründen den Ruf als fortschrittliches und führendes Unternehmen.
- Neue Ausstattungselemente können mit wenig Aufwand eingebaut, wieder weggelassen oder den Kunden preisgünstig als Option angeboten werden.
- Neue Ausstattungselemente können dem Unternehmen die Loyalität bestimmter Marktsegmente einbringen.
- Durch neue Ausstattungselemente erhält das Unternehmen oft kostenlose Publizität.
- Neue Ausstattungselemente bestärken das Vertriebspersonal und die Händler in ihrem Engagement für das Produkt. [19]

Der Hauptnachteil von Ausstattungsänderungen ist, daß diese leicht nachzuahmen sind. Wenn es dem Unternehmen nicht gelingt, sich ständig an vorderster Front die »Vorteile des Ersten« zu verschaffen, zahlt sich die Ausstattungsänderung oft nicht aus.

Eine Strategie des *verbesserten Stylings* zielt darauf, die ästhetische Anziehungskraft des Produkts zu erhöhen. Die Einführung neuer Automodelle derselben Marke in kurzen Abständen baut oft stärker auf mehr Wettbewerb im Styling als auf Wettbewerb in Qualität und Produktausstattung. Bei Lebensmitteln und Haushaltsartikeln bieten die Hersteller neue Farben und Formen an, ändern das Styling der Verpackung und stellen dies als Weiterentwicklung des Produkts heraus. Der Vorteil der Styling-Strategie liegt darin, daß sie dem Produkt eine unverwechselbare Identität auf dem Markt verschaffen und ihm eine treue Anhängerschaft sichern könnte. Ein Wettbewerb über das Styling ist jedoch mit einigen Problemen verbunden. Erstens ist schwer vorherzusagen, ob die Leute – und wenn, welche – das neue Styling mögen. Zweitens bedeuten Stiländerungen oft einen Bruch mit dem alten Stil, was zum Verlust einiger Kunden führen kann, denen der alte Stil besser gefiel.

Modifikationen im Marketing-Mix

Der Produktmanager sollte neben der Produktmodifikation auch andere Marketing-Mix-Elemente modifizieren, um den Absatz zu beleben. Hierbei muß er sich einige wichtige Fragen stellen, die ihn auf der Suche nach Möglichkeiten zur Stimulierung des Absatzes bei einem Produkt in der Reifephase leiten sollen:

- **Preisänderungen?**
  Könnte man durch eine Preissenkung neue Erstkäufer und Verwender gewinnen? Wenn ja, soll dies durch Reduzierung des Listenpreises, Sonderangebote, Mengen- oder Erstbestellungsrabatte, Übernahme der Frachtkosten oder konziliantere Zahlungsbedingungen geschehen? Oder wäre es vielleicht doch besser, den Preis zu erhöhen und so das Qualitätsimage zu betonen?
- **Distributionsänderungen?**
  Lassen sich Produktunterstützung und Präsentationsflächen bei den Distributionspunkten der bestehenden Absatzwege erhöhen? Lassen sich mehr Distributionspunkte gewinnen? Kann das Produkt in neue Absatzwege getragen werden?
- **Werbeänderungen?**
  Sollten die Werbeausgaben erhöht werden? Sollten Werbebotschaft, Werbetexte, Medien-Mix, Werbezeiten, Werbehäufigkeit oder Anzeigengrößen geändert werden?
- **Verkaufsförderungsänderungen?**
  Sollte die Verkaufsförderung intensiviert werden, z. B. durch Sonderangebote für den Handel, Preisabschläge, Rabatte, Garantieleistungen, Werbegeschenke und Preisausschreiben?

- **Vertriebsänderungen?**
  Sollte das Vertriebspersonal zahlenmäßig erhöht oder ausbildungsmäßig verbessert werden? Sollte eine Unterteilung nach speziellen Aufgabenbereichen vorgenommen oder eine bestimmte Unterteilung geändert werden? Sollten die Verkaufsgebiete und das Anreizsystem für die Vertriebsorganisation revidiert werden? Können die Vertreterbesuche besser geplant werden?
- **Serviceänderungen?**
  Kann die Auslieferung der Produkte beschleunigt werden? Kann man dem Kunden mehr technische Unterstützung zukommen lassen? Kann man großzügigere Zahlungsbedingungen anbieten?

Marketer stellen sich oft die Frage, welche Marketingwerkzeuge in der Reifephase am wirkungsvollsten sind. Würde z. B. ein Unternehmen besser fahren, wenn es in der Reifephase seine Werbung oder aber seine Verkaufsförderung erhöht? Einige Marketer glauben, daß die Verkaufsförderung hier wirkungsvoller ist als die Werbung, weil sich die Konsumenten durch ihre ausgeprägten Kaufgewohnheiten und Markenpräferenzen bereits in einem »Verharrungszustand« befinden, wo psychologische Anreize durch Werbung nicht so wirkungsvoll sind wie finanzielle Anreize durch Verkaufsförderungsnachlässe. Viele Konsumgüterhersteller geben bei Produkten in der Reifephase mehr als die Hälfte des gesamten Absatzförderungsbudgets für Verkaufsförderung aus. Andere Marketer vertreten die Meinung, daß ein Unternehmen jede Marke als Kapitalanlage betrachten sollte. Werbeausgaben, die langfristig die Marke stützen, sollten im Vergleich zu kurzfristig wirkenden Verkaufsförderungsausgaben als Investitionen in die Marken betrachtet werden. In der Praxis stecken viele Produktmanager einen Großteil ihres Budgets in die Verkaufsförderung, damit sie ihren Vorgesetzten schnelle Ergebnisse vorweisen können, selbst wenn die Marke dadurch langfristig geschwächt wird.

Auch bei Modifikationen im Marketing-Mix besteht das Hauptproblem darin, daß sie leicht nachzuahmen sind. Dies gilt vor allem für Preissenkungen und erweiterte Serviceleistungen. Solche Aktionen bringen einem Unternehmen oft weniger als erwartet. Es kann sogar für alle Unternehmen einer Branche schädlich sein, wenn sie verstärkt im Marketing angreifen, statt das Verbraucherinteresse in den Vordergrund zu stellen.

Exkurs 13-3 liefert einen Rahmen zur Suche nach neuen Chancen für Produkte in der Reifephase.

Exkurs 13-3: Neue Chancen für »reife Produkte«

Beim Marketing reifer Produkte benötigt man einen systematischen Rahmen für die Suche »wegweisender« Ideen. John A. Weber, Professor an der Universität Notre Dame, entwickelte das im folgenden dargestellte Schema, das er als »Lückenanalyse« bezeichnet und das wegweisend für neue Wachstumschancen sein kann.

Der Hauptgedanke bei dieser Vorgehensweise ist die Entdeckung möglicher Lücken in der Produktlinie, der Distribution, der Produktanwendung, im Wettbewerb etc.

Mit Hilfe des Modells von Weber lassen sich viele mögliche Marketingideen gewinnen, die dann beurteilt und im Detail ausgearbeitet werden müssen.

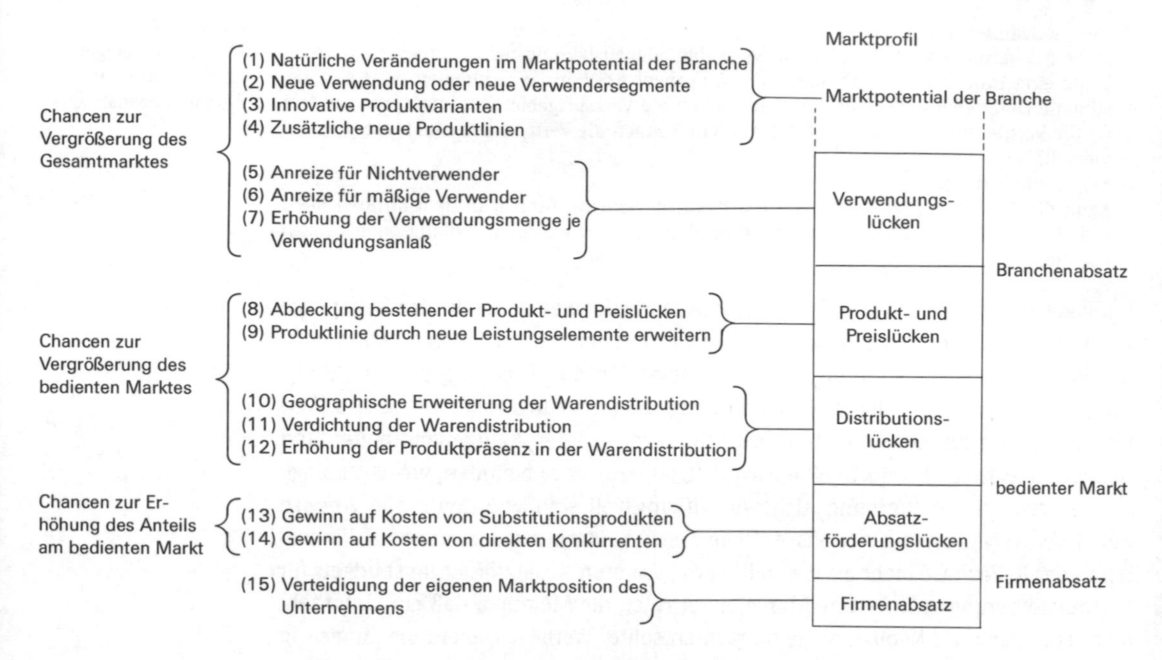

Quellen: John A. Weber: *Growth Opportunity Analysis*, Reston, Va.: Reston, 1976 sowie John A. Weber: *Identifying and Solving Marketing Problems with Gap Analysis*, Notre Dame, Ind., P.O. Box 77: Strategic Business Systems, 1986.

Rückgangsphase

Bei den meisten Produktformen und Marken geht schließlich der Absatz zurück. Dieser Rückgang kann langsam erfolgen, wie z.B. bei Export-Bier, oder auch schnell, wie dies z.B. am Ende beim VW-Käfer der Fall war. Der Absatz fällt dabei entweder auf Null oder stabilisiert sich auf einem niedrigen Niveau und bleibt dann über viele Jahre hinweg konstant.

Es gibt viele Gründe für einen Rückgang der Absatzzahlen, z.B. den technologischen Fortschritt, einen veränderten Verbrauchergeschmack oder einen intensiveren Wettbewerb aus dem In- und Ausland. All diese Entwicklungen führen zu Überkapazitäten, Preissenkungen und Gewinnschmälerungen.

Bei fallenden Absätzen und Gewinnen ziehen sich einige Unternehmen aus dem Markt zurück. Die verbleibenden verringern möglicherweise die Zahl der angebotenen Produkte, steigen aus kleineren Marktsegmenten und schwächeren Vertriebskanälen aus oder kappen ihr Absatzförderungsbudget und senken ihre Preise weiter.

Leider verfügen die meisten Unternehmen über kein gut durchdachtes Verfahren für das Management ihrer alternden Produkte. Gefühlsmäßige Argumente kommen oft dann auf, wenn Unternehmer oder Manager sich nur ungern von dem Produkt trennen, das ihnen ursprünglich zum Aufstieg verhalf.

Auch rationale Argumente werden vorgebracht: Die Unternehmensleitung glaubt, daß sich das Produkt besser verkaufen wird, wenn sich die konjunkturelle Lage bessert, wenn die Marketingstrategie revidiert oder das Produkt selbst verbessert wird. Ein schwaches Produkt wird beibehalten, weil es angeblich hilft, andere Produkte des Unternehmens zu verkaufen, oder weil die Umsatzerlöse die notwendigen Barauslagen für dieses Produkt decken und es dem Unternehmen an besseren Alternativen zum Einsatz seines Barkapitals mangelt.

Wenn keine besonderen Gründe für seine Beibehaltung bestehen, kommt ein schwaches Produkt das Unternehmen teuer zu stehen. Mit »teuer« sind dabei nicht nur die ungedeckten Gemeinkosten und die Gewinnausfälle gemeint. Es gibt so viele versteckte Kosten, daß keine Finanzbuchhaltung sie alle verläßlich ausweisen kann: So kann das schwache Produkt unverhältnismäßig viel Zeit der Unternehmensleitung beanspruchen; es erfordert häufige Preis- und Lagerbestandsanpassungen; die Produktionschargen sind – bei kostspieligen Rüstzeiten – klein; die immer noch erforderlichen Werbe- und Vertriebsanstrengungen könnte man oft profitabler in »gesunde« Produkte investieren; eine relativ schwache Leistung des alten Produkts kann bei den Kunden Zweifel an der Kompetenz des Unternehmens hervorrufen. Doch die größten Kosten entstehen vielleicht erst durch die verpatzte Zukunft. Wenn sie nicht rechtzeitig eliminiert werden, bremsen schwache Produkte die intensive Suche nach Ersatzprodukten; sie führen zu einem Produktmix »mit Schlagseite«, d.h. mit zu vielen »alten Zugpferden von gestern« und zu wenigen »Rennern von morgen«; sie schmälern die laufenden Gewinne und blockieren den Bau der »Brücken in die Zukunft«.

Marketingstrategien in der Rückgangsphase

Hier steht das Unternehmen also vor einer Reihe von Aufgaben und Entscheidungen, die im folgenden näher beschrieben werden:

Ermittlung leistungsschwacher Produkte

Die erste Aufgabe besteht in der Entwicklung eines Systems zur Ermittlung leistungssschwacher Produkte. Das Unternehmen setzt einen *Produktüberprüfungsausschuß* ein, in dem die Bereiche Marketing, Produktion und Finanzen vertreten sind. Dieser Ausschuß entwickelt ein System zur Früherkennung leistungsschwacher Produkte. Das Controlling liefert für jedes Produkt Daten über Trends bei Marktgröße, Marktanteil, Preis, Kosten und Gewinn. Diese Daten werden per Computer analysiert und anhand festgelegter Kriterien – z.B. für die Anzahl der Jahre mit rückläufigen Absätzen, für die Entwicklung von Marktanteilen, Bruttogewinnen und Kapitalrenditen – beurteilt. Daraus ergibt sich eine Liste von »Abschußkandidaten« unter den Produkten. Nun werden die für diese »Abschußkandidaten« verantwortlichen Produktmanager eingeschaltet. Sie füllen ein Bewertungsformular aus, in dem sie darlegen, wie sich ihrer Meinung nach die Absätze und Gewinne jeweils entwickeln werden, und zwar sowohl mit als auch ohne Änderungen in der Marketingstrategie. Der Produktüberprüfungsausschuß analysiert diese Informationen und gibt dann seine Empfehlung für die weitere Vorgehensweise bei jedem Problemprodukt ab. Hier gibt es drei Möglichkeiten: Weiterlaufen lassen, Änderung der Marketingstrategie oder Eliminierung. [20]

Entscheidung über die Marketingstrategie

Einige Unternehmen ziehen sich aus schrumpfenden Märkten früher, andere wiederum später zurück. Viel hängt dabei von der Höhe der *Marktaustrittsbarrieren* ab. [21] Je niedriger sie sind, desto einfacher ist es, aus einer Branche auszuscheiden, und desto verführerischer ist es für die verbleibenden Unternehmen, weiterzumachen und die Kunden der ausscheidenden Firmen für sich zu gewinnen. Wer sich halten kann, wird ein höheres Absatzvolumen und höhere Gewinne verzeichnen. Folglich ist zu entscheiden, ob man bis zum Ende in einem bestimmten Markt verbleiben will. So legte sich z. B. Procter & Gamble auf einen Verbleib im schrumpfenden Markt für Flüssigwaschmittel fest und machte gute Gewinne, als sich andere aus dem Markt zurückzogen.

In einer Untersuchung über schrumpfende Branchen ermittelte Harrigan fünf mögliche Strategien für das Unternehmen in der Rückgangsphase. Der zentrale Ausgangspunkt für Harrigans Betrachtungen ist das, was das Unternehmen in das entsprechende Produktgeschäft »gesteckt« hatte – hier als »Investition« bezeichnet. Die strategischen Optionen sind:

- Aufstockung der Investitionen (mit dem Ziel, den Markt zu beherrschen oder seine Wettbewerbsstellung zu stärken).
- Aufrechterhaltung der Investitionen auf dem bisherigen Niveau, bis Unsicherheiten über die Entwicklung der Branche geklärt sind.
- Selektive Senkung der Investitionen bei Verzicht auf weniger aussichtsreiche Kundensegmente und gleichzeitiger Verstärkung der Investitionsbasis in lukrativen Marktnischen.
- Ernten (»Absahnen«) aus dem Investierten, was immer an schnellem »Cash-flow« möglich ist.
- Trennung von diesem Produktgeschäft durch möglichst vorteilhaftes Abstoßen der noch vorhandenen Aktiva. [22]

Die geeignete Strategie für die Rückgangsphase richtet sich nach der relativen Attraktivität der Branche und der Wettbewerbsstärke des Unternehmens in dieser Branche. So sollte ein Unternehmen, das sich in einer unattraktiven Branche befindet und trotzdem eine starke Wettbewerbsposition innehat, der Strategie der selektiven Schrumpfung den Vorzug geben. Befindet man sich hingegen in einer attraktiven Branche und besitzt darüber hinaus eine starke Wettbewerbsposition, sollte man an eine Erhöhung oder zumindest an eine Aufrechterhaltung des gegenwärtigen Investitionsniveaus denken.

Daß ein Produkt am Ende seines Lebenszyklusses erfolgreich »wiederbelebt« werden kann, zeigt folgendes Beispiel aus dem Schuhpflegemarkt:

Die Firma Werner & Metz hatte 1973 ein Schuhpflegemittel entwickelt, das nur noch auf den von grobem Schmutz befreiten Schuh aufgetragen werden mußte. Der Glanz kam von allein, ohne Polieren. Unter der Bezeichnung 9x9 kam es auf den Markt und war schnell am Ende seines Lebenszyklusses, denn es erwies sich als »Flop«. Angeregt durch den späteren Erfolg eines ähnlichen Wettbewerbsprodukts wurde 1979 das Produkt in neuer Verpackung unter dem Namen »Erdal Schuhglanz« als Selbstglanzmittel eingeführt. Es war schnell erfolgreich, überholte den Wettbewerber und erreichte bald einen Anteil von 78% am Markt für Selbstglanzmittel. Der Lebenszyklus war allerdings kurz. Zwei Jahre nach der Einführung in Deutschland schrumpfte das Segment erheblich – im Jahr 1985 sogar um 23% im Vergleich zum Vorjahr. Als Marktführer beschloß Erdal, weiter in diesen Markt zu investieren. Zur Problemerkennung und später zur Problemlösung wurde Geld in die Marktforschung investiert. Das Problem der Technologie von Selbstglanzmitteln bestand darin, daß bei jeder Anwendung eine neue Schicht auf das Leder aufgetragen wurde. Die Schichten bauten sich auf, bis sie – und zwar zuerst in den Gehfalten des Schuhs – splitterten und beim Verwender den Eindruck hinterließen, daß »das Leder bricht, der Schuh nicht gepflegt wird und kaputt geht«. Das Unternehmen investierte weiter in dieses Produkt und seinen Markt. Man erforschte und entwickelte Alternativen für folgende Elemente: Rezeptur, Verpackungsgestaltung, Produktnamen, Werbeaussagen über das Produkt. Das Produkt erschien 1986 in einem »Relaunch« mit neuer Rezeptur, leicht modifizierter Etikettengestaltung, Betonung der Pflegeeigenschaften durch Namensänderung in »Erdal Pflege-Glanz« und mit dem Hinweis auf die pflegende Rezepturkomponente: »mit echtem Bienenwachs«. Gestützt auf weitere Investitionen in die Absatzförderung – TV-Spots – sowie in die Verkaufsförderung – Zweitplazierungen im Einzelhandelsgeschäft und Informationsmaterial am Point of Sale – war das Produkt erneut erfolgreich. Die Produktkategorie schrumpfte 1987 nur noch um 3%, Erdal erhöhte seinen Segmentanteil um 8% und »Pflege-Glanz« selbst brachte ein Umsatzplus von 17% gegenüber dem Vorjahr.

Bei einer Strategie des *Erntens* einerseits oder der *Trennung* andererseits würde das Unternehmen ganz unterschiedlich vorgehen. Zur Strategie des Erntens gehört, die Kosten für ein Produkt oder ein Geschäftsfeld schrittweise abzubauen und gleichzeitig zu versuchen, den Umsatz auf einem möglichst hohen Niveau zu halten. Zuerst werden die Aufwendungen für F&E und für Maschinen und Anlagen verringert. Man könnte auch den Aufwand für Produktqualität zurücknehmen, die Positionen ausscheidender Mitarbeiter im Vertrieb nicht mehr besetzen, bestimmte Kundendienstleistungen abschaffen und das Werbebudget senken. Natürlich wird man diese kostensenkenden Maßnahmen nach Möglichkeit so vornehmen, daß es Kunden, Konkurrenten und Mitarbeitern des eigenen Unternehmens nicht auffällt, daß man sich langsam aus dem Geschäft zurückziehen will. Wenn nämlich die Kunden dies wüßten, würden sie den Lieferanten wechseln; wenn die Konkurrenten dies wüßten, würden sie es den Kunden erzählen; und wenn die eigenen Mitarbeiter dies wüßten, würden die besten ihren Arbeitgeber wechseln. Folglich bringt die Strategie des Erntens ethische Probleme mit sich und ist gleichzeitig auf eine ethisch und wirtschaftlich effektive Weise nur schwer durchzuführen. Doch für viele reife Produkte ist diese Strategie erforderlich. Die Phase des Erntens bringt dem Unternehmen einen erhöhten Cash-flow – vorausgesetzt, daß der Umsatz nicht zusammenbricht –, wenn das Unternehmen die Ausgaben zurückfahren kann, ohne den Umsatzrückgang zu beschleunigen.

Wenn man in einem Produktgeschäft »erntet«, so macht man es damit letztendlich wertlos. Entscheidet man sich hingegen für die Trennung von diesem Geschäft, würde man sich u. U. nach einem Käufer dafür umsehen und folglich versuchen, die Attraktivität des Produktgeschäfts zu erhöhen, statt es verfallen zu lassen. Daher muß man sich sehr genau überlegen, ob man in einer schwächeren Geschäftseinheit »ernten« oder sich von ihr trennen will.

Eliminierung eines Produkts

Will man ein Produkt eliminieren, steht man vor weiteren Entscheidungen. Ist das Produkt in seiner Distribution beim Handel noch gut präsent und verfügt es noch über einen Rest an Goodwill bei den Kunden, dann kann man es u. U. an ein anderes Unternehmen veräußern, das mehr daraus machen kann.

Schafft man es nicht, einen Käufer für das Produkt zu finden, muß man entscheiden, ob die Marke langsam oder schnell eliminiert werden soll und wie umfangreich das Ersatzteillager und die Serviceleistungen zur Versorgung der bisherigen Kunden sein sollen.

Zusammenfassung und Kritik am Produkt-Lebenszyklus-Konzept

Die Übersicht in Tabelle 13–1 zeigt eine Zuordnung von gewissen Merkmalen, Marketingzielen und Marketingstrategien zu den vier Phasen des Produkt-Lebenszyklusses.

Einige Marketingexperten geben detailliertere Empfehlungen zur Strategiegestaltung im Produkt-Lebenszyklus. Abbildung 13–9 liefert eine ausführliche Darstellung der Anpassung von Strategiebausteinen an den PLC in der Lebensmittelbranche. Es wird davon ausgegangen, daß eine Marke im Verlauf des PLC zunächst einen primären Zyklus und anschließend eine Zykluserneuerung durchläuft.

Das PLC-Konzept wird von vielen Führungskräften zur Analyse der Produkt- und Marktdynamik verwendet. Sein tatsächlicher Nutzen ist jedoch in der Praxis je nach der konkreten Entscheidungssituation unterschiedlich. Nutzt man es als *Planungsinstrument*, zeigt es die wichtigsten Aufgabenstellungen für das Marketing in jeder

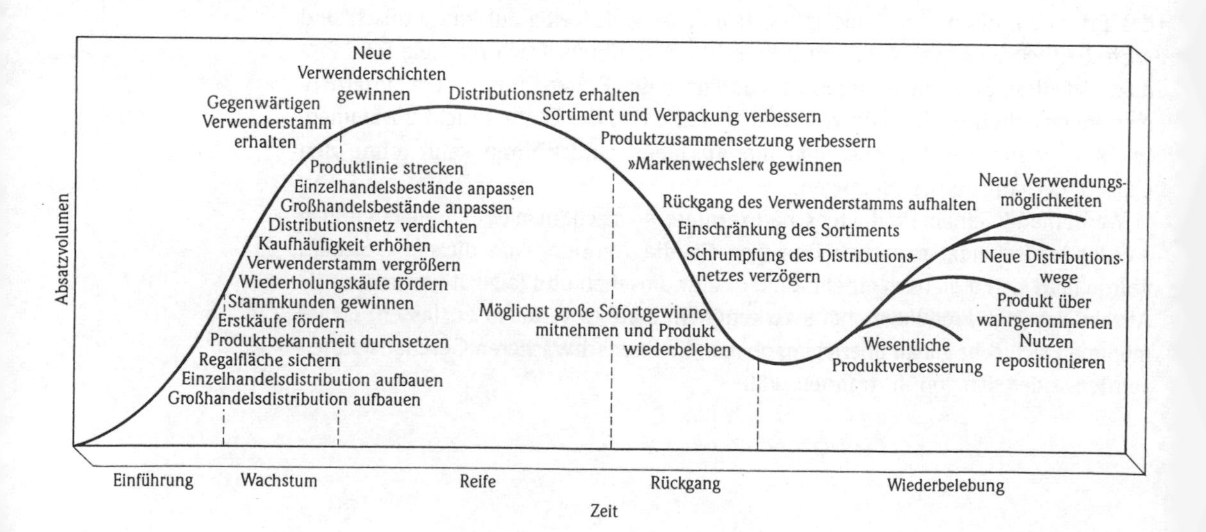

Abbildung 13-9
Produkt-Lebenszyklus in der Lebensmittelbranche und Strategiebausteine

Merkmal

	Phasen des Produkt-Lebenszyklusses			
Absatzvolumen	gering	schnell ansteigend	Spitzenabsatz	rückläufig
Kosten	Hohe Kosten pro Kunde	Durchschnittliche Kosten pro Kunde	Niedrige Kosten pro Kunde	Niedrige Kosten pro Kunde
Gewinne	Negativ	steigend	hoch	fallend
Kunden	Innovatoren	Frühadopter	breite Mitte	Nachzügler
Konkurrenten	Nur einige	Zahl der Konkurrenten nimmt zu	Gleichbleibend, Tendenz nach unten setzt ein	Zahl der Konkurrenten nimmt ab

Operative Marketingziele

	Phasen des Produkt-Lebenszyklusses			
	Produkt bekannt machen, Erstkäufe herbeiführen	Größtmöglicher Marktanteil	Größtmöglicher Gewinn bei gleichzeitiger Sicherung des Marktanteils	Kostensenkung und »Absahnen«

Strategien

	Phasen des Produkt-Lebenszyklusses			
Produkt	Ein Grundprodukt anbieten	Produktvarianten, Serviceleistungen und Garantien anbieten	Unterschiedliche Marken und Modelle anbieten	Absatzschwache Artikel eliminieren
Preisbestimmung	am maximalen Wert für den Nutzer orientiert	von der Penetrationsstrategie bestimmt	Preis wie die Konkurrenz oder niedriger	Preissenkungen
Distribution	Distributionsnetz selektiv aufbauen	Distributionsnetz verdichten	Distributionsnetz weiter verdichten	selektiv auslichten: unrentable Distributionspunkte eliminieren
Werbung	Produkt bei den Frühadoptern und im Handel bekanntmachen	Produkt im Massenmarkt bekannt und interessant machen	Unterscheidungsmerkmale und Vorteile der Marke betonen	Werbung auf das Niveau herunterfahren, das zur Erhaltung der treuesten Kunden nötig ist
Verkaufsförderung	mit intensiver Verkaufsförderung zu Erstkäufen anregen	Aufwand senken, hohe Nachfrage voll ausnutzen	Aufwand erhöhen, Anreize zum Markenwechsel geben	Auf ein Minimum senken

Tabellendaten zusammengestellt aus mehreren Quellen: Chester R. Wasson in: *Dynamic Competitive Strategy and Product Life Cycles* Austin, Texas; Austin Press, 1978; John A. Weber: »Planning Corporate Growth with Inverted Product Life Cylces« in: *Longe Range Planning*, Oktober 1976, S. 12–29; und Peter Doyle: »The Realities of the Product Life Cycle«, *Quarterly Review of Marketing*, Sommer 1976, S. 1–6.

Tabelle 13-1
Merkmale, Marketingziele und Marketingstrategien in den Phasen des Produkt-Lebenszyklusses

Zyklusphase auf und liefert Hinweise auf die wichtigsten strategischen Alternativen des Unternehmens. Nutzt man es als *Kontrollinstrument*, kann man damit den Erfolg des gegenwärtigen Produkts mit dem ähnlicher, früherer Produkte vergleichen. Als *Prognoseinstrument* ist der PLC-Ansatz weniger nützlich, da die PLC-Entwicklung, nicht zuletzt auch beeinflußt durch Marketingmaßnahmen, nach unterschiedlichen Mustern verlaufen kann und die einzelnen Zyklusphasen von unterschiedlicher Dauer sind.

Das PLC-Konzept hat auch seine Kritiker. Diese führen z. B. an, daß die PLC-Muster zu unterschiedlich ausgeprägt sind, als daß sie von allgemeinem Nutzen sein könnten, was durch die vielen Formen des PLC bei unterschiedlichen Produkten belegt wird. Außerdem meinen sie, daß die Dauer der einzelnen Phasen nicht prognostizierbar ist. Mit anderen Worten bedeutet dies, daß dem Lebenszyklus eines Produkts fehlt, was lebenden Organismen gemeinsam ist, nämlich eine festgelegte Folge von Einzelphasen und eine festgelegte Dauer jeder Phase. Es wird sogar argumentiert, daß sich der Marketer nur selten sicher ist, in welcher Zyklusphase sich sein Produkt gerade befindet. Es kann z. B. so aussehen, als ob ein Produkt bereits in der Reifephase ist, während es in Wirklichkeit lediglich ein vorläufiges Zwischenhoch innerhalb der Wachstumsphase erreicht hat, dem dann ein weiterer Anstieg folgt. Und schließlich führen die Kritiker ins Feld, daß der PLC-Ansatz eher ein aus den jeweils eingesetzten Marketingstrategien abgeleitetes künstliches Modell als ein gesetzmäßiger Ablauf ist, an den die Absatzentwicklung eines Produkts zwingend gebunden ist. Dazu ein Beispiel:

Nehmen wir einmal an, daß eine spezifische Marke für die Verbraucher zwar akzeptabel ist, jedoch aufgrund der Einwirkung anderer Faktoren, z. B. schlechte Werbung, Streichung aus dem Angebot einer großen Einzelhandelskette oder Markteinführung einer Produktimitation der Konkurrenz, die durch massive »Probier-Aktionen« flankiert wird, ein paar magere Jahre durchmachen muß. Statt sich nun Korrektivmaßnahmen zu überlegen, beschleicht das Unternehmen das Gefühl, daß seine Marke bereits in die Rückgangsphase des Lebenszyklusses eingetreten ist. Daher streicht man das Absatzförderungsbudget zusammen, um mit den freiwerdenden Mitteln die Forschungs- und Entwicklungsarbeit für Produktinnovationen zu finanzieren. Im folgenden Jahr sacken bei dieser Marke die Absätze noch weiter ab, und die Panik steigt ... Dies verdeutlicht, daß der Produkt-Lebenszyklus eine abhängige Variable ist, deren Entwicklung durch die Marketingmaßnahmen des Unternehmens bestimmt wird, und keine unabhängige Größe, an die das Unternehmen sein Marketingprogramm anpassen sollte. [24]

Hier wird behauptet, daß die Absatzentwicklung eines Produkts keinem natürlichen und gesetzmäßigen Zyklus folgt, wie dies bei lebenden Organismen der Fall wäre. Der PLC sei das Ergebnis, und nicht die Ursache, der vom Unternehmen gewählten Marketingstrategien. Wenn daher das Absatzvolumen einer Marke zurückgehe, ließe dies nicht den zwingenden Schluß zu, daß diese sich damit unweigerlich in der Rückgangsphase ihres Lebenszyklusses befinde. Zieht das Unternehmen Geldmittel von diesem Produkt ab, schafft es damit selbst die Voraussetzungen dafür, daß das Produkt sich tatsächlich seinem Lebensende nähert. Statt dessen sollte man alle Möglichkeiten prüfen, die zu einer Wiederbelebung der Absätze führen könnten, z. B. die Änderung des Kunden-Mix, der Produktpositionierung oder des Marketing-Mix. Nur wenn sich keine aussichtsreiche »Wende-Strategie« finden läßt, könne man folgern, daß sich die Marke tatsächlich in der Rückgangsphase ihres Lebenszyklusses befindet. Dann sei eine Entscheidung erforderlich, was mit dem Produkt geschehen soll.

Konzept der Marktevolution

Das PLC-Konzept befaßt sich mit dem Geschehen um ein spezifisches Produkt oder eine bestimmte Marke und weniger mit dem Gesamtmarkt. Folglich liefert es mehr ein produktorientiertes als ein marktorientiertes Bild. Die vorstehend erläuterten Konzepte des Nachfrage- und des Technologie-Lebenszyklusses besagen aber, daß man sein Blickfeld erweitern und auch die Geschehnisse im Gesamtmarkt miteinbeziehen sollte. Daher benötigen die Unternehmen ein Konzept für die Evolution des Gesamtmarktes unter dem Einfluß neu entstehender Bedürfnisse, Konkurrenten, Technologien, Vertriebswege und anderer Entwicklungen.

Phasen der Marktevolution

Ein Markt durchläuft in seiner Entwicklung vier Phasen: Entstehung, Wachstum, Reife und Rückgang. Im folgenden werden diese Phasen beschrieben:

Entstehungsphase

Ehe ein Markt Gestalt annimmt, existiert er bereits als *latenter Markt*, der aus Personen besteht, die ein ähnliches Bedürfnis oder einen ähnlichen Wunsch nach etwas verspüren, das noch gar nicht existiert. So verspürten z. B. die Menschen den Wunsch nach einem Instrument, mit dem man schneller rechnen konnte, als das mit Papier und Bleistift möglich war. Wie bereits erwähnt, wurde dieses Bedürfnis durch den Abakus, den Rechenschieber und auch durch mechanische Zählgeräte nur unzureichend erfüllt.

Nehmen wir an, ein Unternehmer erkennt dieses Bedürfnis und findet eine adäquate technische Lösung für das Problem in Form eines kleinen, handlichen elektronischen Taschenrechners. Er muß nun die Leistungsmerkmale seines Produkts bestimmen, vor allem die *Größe des Geräts* und die *Anzahl der arithmetischen Funktionen.* Da er marktorientiert denkt, läßt er die potentiellen Käufer seines Produkts befragen, um ihre Präferenzen für die Ausprägung der Leistungsmerkmale zu ermitteln.

Nehmen wir an, die Präferenzen der Konsumenten sind so verteilt, wie in Abbildung 13–10 (a) dargestellt. Hier gibt es offensichtlich eine breite Streuung. Einige wollen einen Taschenrechner mit den vier mathematischen Grundfunktionen (Addition, Subtraktion, Multiplikation und Division), während sich andere eine größere Zahl von Rechenfunktionen wünschen (Prozentrechnung, Wurzelziehen, Logarithmen etc.). Einige wollen einen kleinen Taschenrechner, andere einen großen. Sind die Käuferpräferenzen auf einem Markt gleichmäßig verteilt, spricht man von einem Markt mit *diffus gestreuten Präferenzen.*

Für unseren Unternehmer besteht das Entscheidungsproblem, wie er das bestmögliche Produkt für diesen spezifischen Markt entwickeln soll.[25] Er hat drei Möglichkeiten:

- Er kann das neue Produkt nach den Wünschen einer der »Ecken« des Marktes gestalten (dann spricht man von einer *Einzelnischenstrategie*).

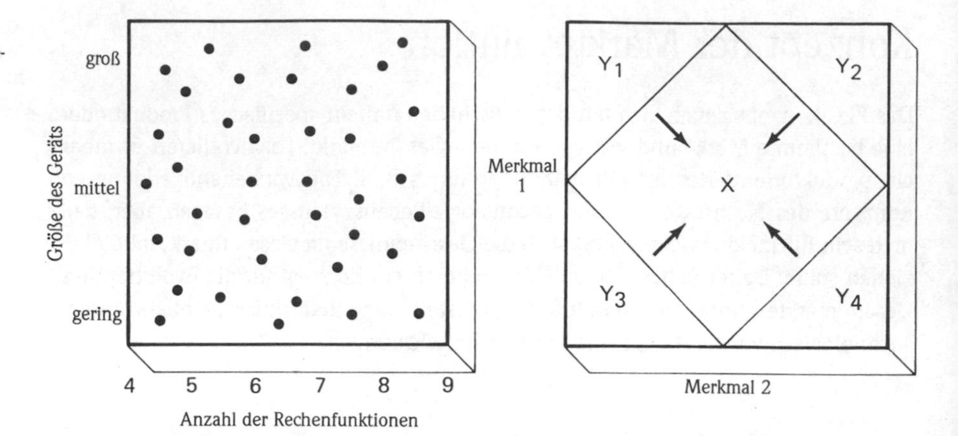

(a) Marktentstehungsphase: Verteilung der Verbraucherpräferenzen bei Taschenrechnern

(b) Marktwachstumsphase: graphische Darstellung einer Einkreisungsstrategie, bei der die Firma Y mit vier Marken die eine Marke der Firma X angreift

Abbildung 13-10
Zwei Marktdarstellungen

- Er kann zwei oder mehr Produkte gleichzeitig auf den Markt bringen, um sich in zwei oder mehr Teilmärkten zu etablieren (dann spricht man von einer *Mehrnischenstrategie*).
- Er kann das neue Produkt auf das Zentrum des Marktes abstimmen (dann spricht man von einer *Massenmarktstrategie*).

Für kleinere Unternehmen ist eine Einzelnischenstrategie am zweckmäßigsten. Sie haben in der Regel nicht die Mittel, um den Massenmarkt erobern und halten zu können. Größere Konkurrenten würden in den Markt eintreten und den »Kleinen« mit ihren überlegenen Mitteln angreifen. Für das kleinere Unternehmen ist es daher am besten, ein Spezialprodukt zu entwickeln und eine »Ecke«, sprich Nische, des Marktes zu besetzen, in der für lange Zeit keine Konkurrenz zu erwarten ist.

Für ein größeres Unternehmen hingegen ist es sinnvoll, die Besetzung des Massenmarktes anzustreben und dafür ein Produkt mittlerer Größe sowie mittlerer Rechenleistung zu entwickeln und dieses im Zentrum des Marktes zu positionieren. Dort sitzt es an der günstigsten Stelle, um den Wünschen aller potentieller Kunden Rechnung tragen zu können, denn im Durchschnitt zeigt es die geringste Abweichung zu allen Präferenzpunkten. Das heißt, der Taschenrechner, der auf den Massenmarkt abzielt, führt insgesamt, vom Gesichtspunkt aller Kunden aus betrachtet, zur geringsten Unzufriedenheit.

Wir nehmen an, daß das Pionierunternehmen groß und sein Produkt für den Massenmarkt gedacht ist. Es bringt also das Produkt auf den bisher latenten Markt, und die *Entstehungsphase* des Marktes beginnt.

Wachstumsphase

Verkauft sich das Produkt gut, werden neue Unternehmen in den Markt eintreten und damit die *Marktwachstumsphase* einleiten und begleiten. Es stellt sich die

Frage, wo sich ein zweites Unternehmen auf dem Markt etablieren wird, wenn das erste Unternehmen im Zentrum des Marktes angesiedelt ist. Dem zweiten Unternehmen bleiben ebenfalls drei Möglichkeiten:

- Es kann seine Marke in einer der »Ecken« des Marktes plazieren (*Einzelnischenstrategie*).
- Es kann seine Marke in unmittelbarer Nähe des Pionierunternehmens plazieren (*Massenmarktstrategie*).
- Es kann zwei oder mehr Produkte in mehreren, bisher nicht besetzten »Ecken« des Marktes plazieren (*Mehrnischenstrategie*).

Ist das zweite Unternehmen klein, wird es die direkte Konfrontation mit dem Marktpionier vermeiden und seine Marke in einer der Marktecken positionieren. Ist es groß, könnte es seine Marke im Zentrum direkt gegen die des Pioniers antreten lassen. Das könnte dazu führen, daß die beiden Unternehmen den Massenmarkt nahezu gleichmäßig unter sich aufteilen. Ein zweites großes Unternehmen könnte auch eine Mehrnischenstrategie betreiben.

Procter & Gamble bedient sich gelegentlich einer »Einkreisungsstrategie«, die im folgenden erläutert und in Abbildung 13–10 (b) graphisch dargestellt wird:

P&G tritt hin und wieder in einen Markt ein, in dem ein großer und etablierter Konkurrent tätig ist. Statt nun dessen Produkt nachzuahmen oder nur ein auf ein spezifisches Marktsegment gerichtetes Produkt auf den Markt zu bringen, wirft P&G hintereinander mehrere Produkte auf den Markt, die unterschiedliche Zielgruppen ansprechen sollen. Damit gewinnt man jedesmal markentreue Kunden und nimmt dem Hauptrivalen einen Teil seines Geschäftsvolumens weg. Schon bald ist dieser eingekreist, seine Umsatzerlöse sind geschwächt und es ist zu spät für ihn, seine Hauptmarke durch die Einführung neuer Marken in weniger zentralen Marktsegmenten zu schützen. Siegessicher bringt dann P&G im wichtigsten Marktsegment eine neue Marke auf den Markt.

Als Schutz gegen eine Einkreisungsstrategie und den darauf beruhenden Direktangriff gegen ihre Hauptmarke bauen vorausschauende Unternehmen oft *Flankierungsmarken* auf. Damit wollen sie verhindern, daß Wettbewerber in Randsegmenten eine Marktposition erobern, von der aus sie in der Lage sind, die Hauptmarke anzugreifen. Dieser Angriff ist insbesondere dann gut vorbereitet, wenn sich der Wettbewerber über ein Randsegment Zugang zu Vertriebswegen verschafft, die auch den zentralen Markt bedienen.

Phase der Marktreife

Jedes Unternehmen, das in den Markt eintritt, strebt eine bestimmte Position an und plaziert sein Produkt entweder in der Nähe eines Konkurrenzprodukts oder in einem bisher nicht besetzten Marktsegment. Mit der Zeit decken die Marktteilnehmer alle größeren Marktsegmente ab und gehen dann dazu über, in die Segmente der anderen einzudringen, was zu geringeren Gewinnen für alle führt. Bei einer Verlangsamung des Marktwachstums wird so der Markt in immer kleinere Segmente aufgeteilt und es kommt zu einer ausgeprägten Marktfragmentierung. Diese Entwicklung wird in Abbildung 13–11 (a) dargestellt, wobei die Buchstaben jeweils für unterschiedliche Unternehmen stehen, die in verschiedenen Marktsegmenten tätig sind. In diesem Beispiel bleiben zwei Segmente unbesetzt, da sie zu klein und daher unprofitabel sind.[26]

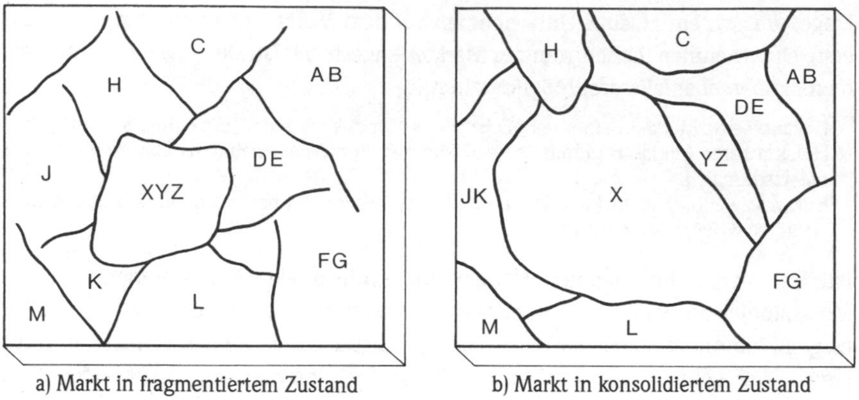

Abbildung 13-11
Markt in fragmentiertem und konsolidiertem Zustand

a) Markt in fragmentiertem Zustand

b) Markt in konsolidiertem Zustand

Doch mit der Fragmentierung ist die Evolution des Marktes keineswegs abgeschlossen. Auf die Phase der Marktfragmentierung folgt häufig eine Periode der Marktkonsolidierung, die durch das Auftauchen eines neuen Produktmerkmals von großer Anziehungskraft im Markt eingeleitet wird. Das neue Merkmal bringt oft keine Ausweitung des Marktes, wohl aber eine Verschiebung der Marktanteile. Eine solche Konsolidierungsphase setzte auf dem Schokoladenmarkt ein, als der Jacobs-Suchard-Schokoladenriegel »Lila Pause« in Form, Größe, Zusammensetzung und psychologischer Positionierung für die Verbraucher attraktiver war als viele bisherige Schokoladenprodukte. Diese wurden in die Ecken des Marktes gedrängt. Mit »Lila Pause« konnte sich Jacobs-Suchard einen großen Marktanteil sichern, was durch das große Feld X in Abbildung 13–11 (b) illustriert wird.

Doch auch ein konsolidierter Markt existiert nicht ewig. Andere Unternehmen werden die erfolgreiche Marke kopieren, und der Markt wird erneut aufgesplittert. Reife Märkte pendeln ständig zwischen Marktfragmentierung und Marktkonsolidierung hin und her. Die Fragmentierung wird durch den Wettbewerb, und die Konsolidierung duch Innovationen herbeigeführt.

Rückgangsphase

Schließlich wird die Nachfrage nach den vorhandenen Produkten fallen. Dann schwächt sich entweder das Gesamtbedürfnisniveau ab, oder eine neue Technologie ersetzt die alte. Im letzteren Fall würde die alte Technologie allmählich verschwinden, und ein neuer Nachfrage- und Technologie-Lebenszyklus würde in Gang gesetzt werden, bis sich schließlich das zugrundeliegende Bedürfnis doch auflöst.

Dynamik des Wettbewerbs durch neue Leistungsmerkmale

Die Evolution von Märkten erfolgt in Schritten. Ein Beispiel dafür ist der Markt für Papierküchentücher. Ursprünglich hatten die Hausfrauen in der Küche ausschließlich Geschirrtücher und Wischlappen aus Leinen und Baumwolle benutzt. Dann brachte ein Papierhersteller, der sich neue Märkte erschließen wollte, Papiertücher auf den Markt und nahm damit den Wettbewerb mit den Anbietern von Stofftüchern auf. Damit kristallisierte sich ein neuer Markt heraus. Andere Papierhersteller kamen hinzu und vergrößerten den Markt. Die Zahl der Produkte nahm immer mehr zu und führte schließlich zur Marktfragmentierung. Die Überkapazitäten in der Branche veranlaßten die Hersteller, nach neuen Leistungsmerkmalen zu suchen. Als einer der Hersteller davon hörte, daß sich die Verbraucher über die unzureichende Saugfähigkeit der Papiertücher beklagten, brachte er saugfähigere Papiertücher auf den Markt und konnte damit seinen Marktanteil ausbauen. Doch diese Phase der Marktkonsolidierung dauerte nicht lange, da auch die Konkurrenz mit saugfähigeren Papiertüchern in verschiedenen Ausführungen nachzog. Erneut setzte eine Phase der Marktfragmentierung ein. Dann hörte ein anderer Hersteller vom Wunsch der Konsumenten nach einem naßfesten Papiertuch und brachte ein solches auf den Markt, das dann seinerseits schon bald von anderen Anbietern kopiert wurde. Nun kam der nächste Hersteller mit einem »nicht fusselnden« Papiertuch auf den Markt, das ebenfalls von der Konkurrenz imitiert wurde. Auf diese Weise entwickelte sich das Papiertuch vom einfachen Produkt schließlich zu einem Produkt mit unterschiedlich hoher Saugfähigkeit und Naßfestigkeit sowie mehreren Verwendungsmöglichkeiten. Die Evolution des Marktes wurde dabei von den Kräften der Innovation und des Wettbewerbs angetrieben.

Die Kräfte des Wettbewerbs führen dazu, daß immer wieder Produktmerkmale mit Neuheitscharakter entdeckt werden. Ist ein solches Merkmal erfolgreich, wird es bald von mehreren Wettbewerbern angeboten und verliert als Entscheidungskriterium an Bedeutung. Ein Beispiel: Da die meisten Banken sich heute »freundlich« geben, beeinflußt das Merkmal »Freundlichkeit« die Entscheidung des Kunden für eine bestimmte Bank nur noch wenig. Ein anderes Beispiel: Wenn die meisten Fluggesellschaften während des Flugs eine Mahlzeit servieren, ist dies kein Entscheidungskriterium mehr für die Auswahl der Fluglinie. *Die Erwartungen der Kunden gehen über vorhandene Leistungseigenschaften hinaus.* Dies unterstreicht, daß die Entwicklung neuer Produktmerkmale für die Gewinnung einer führenden Position strategisch wichtig ist. Jedes erfolgreiche neue Produktmerkmal verschafft dem Unternehmen einen temporären Wettbewerbsvorteil und führt zeitweise zu überdurchschnittlichen Marktanteilen und Gewinnen. Auch der Marktführer muß lernen, den Innovationsprozeß zur *Routine* zu machen.

Dies wirft wichtige Fragen auf: Kann man sich vorausschauend eine Folge von Produktmerkmalen erarbeiten, welche die Chance in sich bergen, eine hohe Nachfrage auf sich zu ziehen, und die technisch machbar sind? Wie kann man den Prozeß der Entdeckung neuer Produktmerkmale gestalten? Hier gibt es vier Ansätze:

1. Man ermittelt neue Produktmerkmale durch einen *empirischen Prozeß.* Dabei befragt man die Kunden, welchen weiteren Nutzen das Produkt haben sollte und wie stark ihr Wunsch danach ist. Dann analysiert das Unternehmen die Entwicklungskosten und die zu erwartende Reaktion der Konkurrenz und entscheidet

sich für die Entwicklung der Merkmale, von denen am meisten zu erwarten ist.

2. Man betrachtet die Suche nach neuen Produktmerkmalen als *intuitiven Prozeß*. Das Unternehmen vertraut auf sein Gespür für den Markt und nimmt den Produktentwicklungsprozeß ohne viel Marketingforschung auf. Dann entscheidet die natürliche Auslese über Sieg oder Niederlage. Hat das Unternehmen die richtige Nase und findet ein Produktmerkmal, das der Markt will, gilt es als besonders clever, auch wenn es – von einer anderen Warte aus betrachtet – einfach nur Glück hatte. Dieses Konzept liefert leider keinerlei Anleitungen dazu, wie man sich intuitive Visionen für neue Produktmerkmale erarbeiten kann.
3. Man geht von der Prämisse aus, daß neue Produktmerkmale aus einem *dialektischen Prozeß* entstehen. Jede vom Markt geschätzte Produkteigenschaft wird durch die Kräfte des Wettbewerbs im dialektischen Prozeß bis ins Extrem hochgespielt. Dies erklärt, warum z.B. die Jeans – ursprünglich nichts als ein preiswertes Kleidungsstück – im Laufe der Zeit immer mehr zum Modeartikel und zum teuren Produkt wurden. Diese »Einbahnstraße« birgt jedoch bereits den Keim der späteren Selbstzerstörung in sich. Denn schließlich wird irgendein Anbieter einen neuen, preiswerten Hosenstoff entdecken, und die Konsumenten werden ihn en masse kaufen. Die Botschaft dieser Theorie des dialektischen Prozesses lautet, daß der »Innovator« nicht mit der Masse mitlaufen, sondern vielmehr einen entgegengesetzten Kurs einschlagen und in zunehmend vernachlässigte Marktsegmente eindringen sollte.
4. Man geht von der Prämisse aus, daß neue Produktmerkmale durch einen *Prozeß der Bedürfnishierarchie* entstehen (vgl. Kap. 6, die Maslow'sche Motivationstheorie). Auf der Grundlage dieser Theorie hätte man z.B. vorhersagen können, daß die ersten Automobile zunächst zur Erfüllung des Grundbedürfnisses nach Fortbewegung gebaut werden würden und auch das Bedürfnis nach Sicherheit zufriedenstellen sollten. Später würde das Automobil auf die Bedürfnisse »soziale Anerkennung« und »Status« hin ausgerichtet werden. Noch später würde man Autos bauen, um dem Besitzer dabei zu helfen, »sich selbst zu verwirklichen«. Die Aufgabe des »Innovators« ist es also, abzuschätzen, zu welchem Zeitpunkt der Markt zur Befriedigung eines in der Hierarchie höher angesiedelten Bedürfnisses bereit ist.

Die Entfaltung neuer Produktmerkmale in einem Markt ist allerdings in der Praxis komplizierter, als dies in allen einfachen Denkansätzen angenommen wird. So sollte man z.B. den Einfluß technologischer und gesellschaftlicher Prozesse auf die Entstehung neuer Produktmerkmale nicht unterschätzen. Beispielsweise blieb das ausgeprägte Verbraucherinteresse an Kompakt-Fernsehgeräten so lange unerfüllt, bis die erforderliche Miniaturisierungstechnologie zur Verfügung stand. Die Prognose des technologischen Fortschritts soll den Zeitpunkt des Eintritts zukünftiger technologischer Entwicklungen bestimmen, mit deren Hilfe man dem Markt neue Produktmerkmale anbieten kann. Zum zweiten spielen auch die gesellschaftlichen Prozesse eine wichtige Rolle für den Entwicklungsprozeß neuer Produktmerkmale. Faktoren wie Inflation, Güterknappheit, Umweltschutzbewegungen, Konsumerismus und neue Lebensstile führen zu einer Umwälzung im Konsumentenverhalten und damit zu einer Neueinordnung von Produktmerkmalen durch die Verbraucher. So verstärken z.B. Geldknappheit und Verkehrsdichte den Wunsch der Verbraucher nach kleineren Autos; das Bedürfnis nach mehr Sicherheit verstärkt den Wunsch nach größeren Autos. Folglich muß der Innovator das Instrument der Marketingforschung einsetzen, um das Nachfragepotential der jeweiligen Produktmerkmale messen und so den bestmöglichen Kurs des Unternehmens im Wettbewerb festlegen zu können.

Zusammenfassung

Sowohl Produkte als auch Märkte sind Lebenszyklen unterworfen, in deren Verlauf die Marketingstrategien eines Unternehmens geändert werden sollten. Jedes neue Bedürfnis folgt einem Nachfrage-Lebenszyklus, der die Phasen der Entstehung, des beschleunigten und verlangsamten Wachstums, der Reife und des Rückgangs durchläuft. Jede neue Technologie zur Nachfrageerfüllung unterliegt einem Technologie-Lebenszyklus. Auch einzelne Produktformen innerhalb einer bestimmten Technologie und auch Marken folgen einem Lebenszyklus.

Die Absatzentwicklung vieler Produkte beschreibt einen S-förmigen Kurvenverlauf mit vier Einzelphasen: Die *Einführungsphase* ist von einem langsamen Absatzwachstum und geringen Gewinnen gekennzeichnet. In dieser Phase müssen für das Produkt Vertriebskanäle geöffnet werden. Das Unternehmen kann hier zwischen vier Grundstrategien entscheiden: die schnelle Marktabschöpfung, die langsame Marktabschöpfung, die schnelle Marktdurchdringung oder die langsame Marktdurchdringung. Ist das Produkt auf dem Markt erfolgreich, tritt es in eine *Wachstumsphase* ein, die durch schnelles Absatzwachstum und steigende Gewinne geprägt ist. In dieser Zyklusphase ist man bestrebt, das Produkt zu verbessern, neue Marktsegmente und Vertriebswege zu erschließen und die Preise leicht zu senken. Der Wachstumsphase folgt eine *Reifephase*, in der sich die Absatzzuwächse verlangsamen und die Gewinne auf einem bestimmten Niveau stabilisieren. Nun muß man nach neuen Strategien suchen, um den Absatz erneut zu stimulieren; zu diesen Strategien zählen z.B. die Modifikation des Marktes, des Produkts und des Marketing-Mix. Schließlich tritt das Produkt in eine *Rückgangsphase* ein, in der sich nur wenig tun läßt, um den Rückgang der Absatzzahlen und Gewinne zu stoppen. In dieser Phase muß ein Unternehmen die wirklich schwachen Produkte aussondern und für diese Produkte eine Strategieentscheidung treffen: Weiterführen, Ernten oder schließlich auf eine Weise eliminieren, unter der die Mitarbeiter, die Kunden und die Ertragslage des Unternehmens so wenig wie möglich leiden.

Nicht bei allen Produkten zeigt der Lebenszyklus einen S-förmigen Verlauf. In einigen Fällen kommt es zum Muster »Wachstum-Einbruch-Reife«, in anderen Fällen zum Muster »Zyklus und erneuter Zyklus«, und in wieder anderen zum »Kerbschnittmuster«. Insgesamt hat die Wissenschaft mehr als ein Dutzend unterschiedlicher PLC-Formen entdeckt, darunter auch Zyklen von Stil, Mode und Modeerscheinung. An der PLC-Theorie wird kritisiert, daß Unternehmen den Zyklusverlauf nicht vorhersagen können, nicht wissen können, in welcher Phase des Lebenszyklusses sich ihre Produkte befinden, und auch die Dauer der einzelnen Zyklusphasen nicht im voraus bestimmen können. Des weiteren argumentieren die Kritiker, daß der Produkt-Lebenszyklus das Resultat der jeweils gewählten Marketingstrategien und nicht das Ergebnis einer gesetzmäßigen Absatzentwicklung des Produkts ist – unberührt von den dahinterstehenden Marketingstrategien.

Die Theorie des Produkt-Lebenszyklusses muß um die Theorie der Marktevolution erweitert werden. Letztere besagt, daß neue Märkte *entstehen*, wenn zur Befriedigung eines nicht gedeckten Bedürfnisses ein Produkt geschaffen wird. Der »Produktinnovator« entwickelt in der Regel ein Produkt für den Massenmarkt. Die Konkurrenten treten mit ähnlichen Produkten in den Markt ein, was das *Marktwachstum* fördert. Später verlangsamt sich dieses Wachstum, und der Markt tritt in die *Reifephase* ein. Es kommt zur zunehmenden *Marktfragmentierung*, bis einige Wettbewerber ein leistungsstarkes Produktmerkmal auf den Markt bringen, was zu einer *Konsolidierung des Marktes*, d.h. zu weniger und größeren Marktsegmenten führt. Auch diese Phase währt nicht lange, da die Konkurrenten die neuen Produktmerkmale kopieren. Dann pendelt der Markt zwischen Konsolidierung (aufgrund der Innovationskräfte) und Fragmentierung (aufgrund der Kräfte des Wettbewerbs) hin und her. Mit der Entdeckung überlegener Technologien *geht* schließlich die Nachfrageerfüllung durch die gegenwärtige Technologie *zurück*.

Die Unternehmen müssen bestrebt sein, sich im voraus darauf einzustellen, welche neuen Produktmerkmale der Markt wünscht. Gewinne machen nur diejenigen, die möglichst früh einen neuen und vom Markt geschätzten Produktnutzen entwikkeln. Die Suche nach neuen Produktmerkmalen kann anhand eines empirischen, intuitiven oder dialektischen Prozesses oder auch durch Folgerungen über die Aktivierung immer höherrangiger Bedürfnisse in der Bedürfnishierarchie erfolgen.

Anmerkungen

1 Die Darstellung des Nachfrage-Technologie-Zyklus wurde entnommen aus: H. Igor Ansoff: *Implanting Strategic Management*, Englewood Cliffs, N.J.: Prentice-Hall, 1984, S. 37–44.
2 Siehe auch die Fallstudie von F. Bliemel: *Faber Castell*, Harvard Business School: International Case Cleaning House, I CH no. 9–575–716, 1973.
3 H. Igor Ansoff: *Implanting Strategic Management*, S. 38.
4 Einige Autoren unterscheiden weitere Phasen. Wasson fügt eine Phase der Wettbewerbsturbulenz zwischen Wachstum und Reife ein. Vgl. Chester R. Wasson: *Dynamic Competitive Strategy and Product Life Cycles*, Austin, Tex.: Austin Press, 1978. Die Reifephase ist von einer Verlangsamung des Absatzwachstums gekennzeichnet, während in der Sättigungsphase das Absatzvolumen nach Überschreiten des Höhepunkts stagniert.
5 Rolando Polli und Victor Cook: »Validity of the Product Life Cycle«, in: *Journal of Business*, Oktober 1969, S. 385–400.
6 Robert D. Buzzell: »Competitive Behavior and Product Life Cycles« in: *New Ideas for Successful Marketing* (Hrsg.) John S. Wright und Jac L. Goldstucker, Chicago: American Marketing Association, 1966, S. 46–48.
7 Polli und Cook: »Validity of the Product Life Cycle«.
8 Entscheidungshilfen geben hier Richard G. Hammermesh und Steven B. Silk: »How to compete in Stagnant Industries«, in: *Harvard Business Review*, September-Oktober 1979, S. 161–168.

9 Vgl. hierzu William E. Cox Jr.: »Product Life Cycles as Marketing Models«, in: *Journal of Business*, Oktober 1967, S. 375–384; John E. Swan und David R. Rink: »Fitting Market Strategy to Varying Product Life Cycles«, in: *Business Horizons*, Januar-Februar 1982, S. 72–76; Gerald J. Tellis und C. Merle Crawford, »An Evolutionary Approach to Product Growth Theory«, in: *Journal of Marketing*, Herbst 1981, S. 125–134.
10 Jordan P. Yale: »The Strategy of Nylon's Growth«, in: *Modern Textiles Magazine*, Februar 1964, S. 34ff. Vgl. auch Theodore Levitt: »Exploit the Product Life Cycle«, in: *Harvard Business Review*, November-Dezember 1965, S. 81–94.
11 Chester R. Wasson: »How Predictable Are Fashion and Other Product Life Cycles?« in: *Journal of Marketing*, Juli 1968, S. 36–43.
12 William H. Reynolds: »Cars and Clothing: Understanding Fashion Trends«, in: *Journal of Marketing*, Juli 1968, S. 44–49.
13 Dwight E. Robinson: »Style Changes: Cyclical, Inexorable and Foreseeable«, in: *Harvard Business Review*, November-Dezember 1975, S. 121–131.
14 George B. Sproles: »Analyzing Fashion Life Cycles – Principles and Perspectives«, in: *Journal of Marketing*, Herbst 1981, S. 116–124.
15 Buzzell: »Competitive Behavior«, S. 51.
16 Ebenda.
17 Ebenda, S. 52.
18 John B. Frey: *Pricing Over the Competitive Cycle*, Rede auf der Marketing-Konferenz 1982, New York: The Conference Board.
19 John B. Stewart: »Functional Features in Product Strategy«, in: *Harvard Business Review*, März-April 1959, S. 65–78.
20 Philip Kotler: »Phasing Out Weak Products«, in: *Harvard Business Review*, März-April 1965, S. 107–118; Paul W. Hamelman und Edward M. Mazze: »Improving Product Abandonment Decisions«, in: *Journal of Marketing*, April 1972, S. 20–26; Richard T. Hise, A. Parasuraman und R. Viswanathan: »Product Elimination: The Neglected Management Responsibility«, in: *Journal of Business Strategy.*
21 Kathryn Rudie Harrigan: »The Effect of Exit Barriers upon Strategic Flexibility«, in: *Strategic Management Journal*, Nr. 1, 1980, 165–176.
22 Kathryn Rudie Harrigan: »Strategies for Declining Industries«, in: *Journal of Business Strategy*, Herbst 1980, S. 27.
23 Philip Kotler: »Harvesting Strategies for Weak Products«, in: *Business Horizons*, August 1978, S. 15–22; Laurence P. Feldman und Albert L. Page: »Harvesting: The Misunderstood Market Exit Strategy«, in: *Journal of Business Strategy*, Frühjahr 1985, S. 79–85.
24 Nariman K. Dhalla und Sonia Yuspeh: »Forget the Product Life Cycle Concept!« in: *Harvard Business Review*, Januar-Februar 1976, S. 102–112, hier S. 105.
25 Dieses Problem besteht nicht, wenn die Präferenzen aller Kunden gleich sind. Wenn dagegen die Präferenzstruktur clusterartig nach Kundengruppen geordnet ist, kann der Unternehmer ein Produkt für das größte Kundensegment oder für das Segment entwickeln, zu dem er den besten Zugang hat.
26 Der Einfachheit halber wird die Marktdarstellung nur mit zwei Produktmerkmalen gezeichnet. Im allgemeinen gewinnen bei fortschreitender Marktentwicklung zusätzliche Merkmale an Bedeutung. Das Diagramm läßt sich also von einem zweidimensionalen auf einen n-dimensionalen Raum übertragen, der leider hier nicht dargestellt werden kann.

Marketingstrategien für globale Märkte

Kapitel 14

Ein Reisender ohne Wissen ist wie ein Vogel ohne Flügel.
Gulistan Sa'di, persischer Dichter (1258)

Die Welt wird immer kleiner.
Volksmund

Einleitung

Die Tagespresse lobt gern Exporterfolge und dramatisiert oft die Überschwemmung des eigenen Landes mit importierter Ware. Insbesondere die Deutschen sehen sich gern als »Exportweltmeister« und sind stolz, daß deutsche Produkte unter der Bezeichnung »made in Germany« in aller Welt verkauft werden. Ihr bedeutender Anteil am Welthandel beruht bei den Deutschen auf langer Tradition. Schon vor über 100 Jahren (1886) nahm das damalige Deutsche Reich, hinter England mit ca. 20 % und Frankreich mit etwa 13 %, mit einem Anteil von etwa 10 % die 3. Stelle im Welthandel ein.

Im Jahr 1986 behauptete die Bundesrepublik Deutschland mit einem Anteil von etwa 10 % am Welthandel knapp hinter den USA und knapp vor Japan den 2. Platz. Hierbei ist der Welthandelsanteil definiert als die Summe der Exporte und Importe des jeweiligen Landes im Vergleich zur ganzen Welt. Eine differenzierte Strukturbetrachtung zeigt allerdings, daß die Spitzenstellung der bundesdeutschen Industriefirmen gefährdet ist. Die Summe der Exporte an Industrieprodukten der 13 exportstärksten Nationen wuchs von 1978 bis 1984 von 609,5 Mrd. $ auf 823 Mrd. $, also um rund 35 %. In diesem Zeitraum wuchsen die Industrieproduktexporte der USA um 51,5 % auf 143 Mrd. $, die Japans um 75,2 % auf 165 Mrd. $ und die der Bundesrepublik Deutschland um nur 18,5 % auf 149 Mrd. $. [1]

Gegenüber ihren Hauptkonkurrenten Japan und USA sowie anderen kleineren Konkurrenten vermarkten die deutschen Unternehmen im Ausland überwiegend Produkte mit unterdurchschnittlichen Wachstumsraten. Nußbaum unterstrich diese Strukturschwäche mit der Warnung: »Die Bundesrepublik ist heute eine Nation, die sich selbstgefällig durch das 20. Jahrhundert bewegt, die aber blind ist für die ökonomische Katastrophe, von der sie bereits erfaßt ist ... Deutschland stellt nach wie vor die besten Produkte des 19. Jahrhunderts her ... Seine Versuche, die Produkte des 21. Jahrhunderts herzustellen, sind schwach, und seine Versuche, sie auf den Weltmärkten zu verkaufen, werden von den japanischen und amerikanischen Wettbewerbern mit leichter Hand abgewehrt.« [2]

Der internationale Wettbewerb zwischen den zehn größten Exportnationen wurde von Porter analysiert. Während Japan und Korea ihren Export auf wenige Produktgruppen konzentrieren, mit denen man weltweit eine Führungsstellung einzunehmen versucht, stützt sich der deutsche Export auf viele unterschiedliche Branchen, in denen man zwar eine starke, aber keine führende Stellung im Weltmarkt einnimmt. Deutsche Unternehmen wählen im Wettbewerb in der Regel eine Differenzierungsstrategie. Porter sieht in der Spezialisierung und Konzentration auf bestimmte Märkte, wie sie von einzelnen japanischen Unternehmen und ganzen japanischen Industriezweigen betrieben wird, ein Zeichen von Stärke, mit dem ein Land seine Wettbewerbsfähigkeit unter Beweis stellt. Andererseits sieht er aber auch ein Zeichen von Stärke in der Breite der exportierten Produktpalette, nämlich dann, wenn die Wirtschaft eines Landes wie Deutschland mit vielen differenzierten Exportprodukten im Wettbewerb weniger anfällig gegen Krisen in einzelnen Branchen ist. Es besteht hier jedoch die Gefahr, daß man große neue Exportmärkte nicht intensiv genug bedient, um an deren Wachstum in vollem Maße teilzunehmen, und daß man in jeder Branche weltweit nur eine kleine Rolle spielt.

Viele Unternehmen und ganze Industriebranchen beklagen sich über die Konkurrenz ausländischer Importe. So sind z. B. die deutschen Hersteller von Fotoapparaten gegenüber der japanischen Konkurrenz auf dem eigenen Markt, wie auch auf ihren früheren Weltmärkten, bedeutungslos geworden; die Unterhaltungselektronik und die Uhrenindustrie scheinen in die Hände fernöstlicher Konkurrenten überzugehen; viele Schuhhersteller in der Bundesrepublik haben die Schuhproduktion trotz wachsenden Schuhbedarfs aufgegeben; und die deutsche Kohleindustrie erwartet mit Unruhe eine Liberalisierung des Handels mit Energieträgern auf dem deutschen Markt.

So mancher sähe es gern, wenn die Importschwemme aus dem Ausland durch protektionistische Maßnahmen eingedämmt würde. Derartige Maßnahmen bringen meist jedoch nur kurzfristige Erfolge; langfristig führen sie zu einem künstlichen Schutzwall für unprofitable heimische Unternehmen, zur Steigerung der Lebenshaltungskosten und zu Exportbehinderungen der heimischen Industrie in anderen Ländern, wenn diese ihrerseits Maßnahmen gegen Importbarrieren ergreifen. Die einzig richtige Reaktion für Unternehmen kann nur darin bestehen, sich Kenntnisse darüber anzueignen, wie man im eigenen und in den ausländischen Märkten auftritt und seine Wettbewerbsfähigkeit erhöht, und dann diese Kenntnisse auch anzuwenden.

Viele Unternehmen haben ihre Fähigkeiten im Bereich des globalen Marketing bereits unter Beweis gestellt: Coca-Cola ist in fast jedem Land der Welt bekannt; der Mercedes-Stern ist eines der bekanntesten Markenzeichen auf der Welt überhaupt; Volkswagen hat schon sehr früh damit angefangen, seine Autos zu exportieren und im Ausland Niederlassungen und Produktionsstätten zu errichten; IBM und Ford sind in vielen Ländern der Erde so stark etabliert, daß viele meinen, sie seien heimische Unternehmen und nicht amerikanische; japanische Unternehmen wie Toyota, Sony und Canon sind überall auf der Welt für Autos, Unterhaltungselektronik bzw. Kameras bekannt.

Diese Beispiele verdeutlichen bereits, daß die Marketingstrategien für den globalen Markt nicht durch den Export, sondern auch auf andere Weise, z. B über ausländische Tochtergesellschaften, verwirklicht werden. In der Tat entwickelten sich aus den Reihen der großen Industrienationen eine Anzahl multinational operierender Unternehmen, die im internationalen Wirtschaftsgeflecht eine tragende Rolle spielen. Dies sind in der Regel große Unternehmen; aber auch kleine und mittelständische Unternehmen haben mit gut durchdachten Marketingstrategien im internationalen Markt durchaus Erfolg. So haben es deutsche Unternehmen der Augenoptik verstanden, sich mit Schutzbrillen und Spezialgläsern sowie teuren und exklusiven Brillenmodellen (Brillen als modisches Accessoire) auf dem heimischen Markt und auch auf Exportmärkten zu behaupten, während sie das Niedrigpreissegment überwiegend an Importware abgeben mußten. In der Sparte Foto- und Videotechnik behaupten sich heimische Unternehmen mit Spitzenprodukten, etwa hochentwickelten Spezialkameras und Objektiven, auf dem Weltmarkt. Im mittelständisch geprägten Werkzeugmaschinenbau konnten die deutschen Werkzeugmaschinenbauer dank Hochtechnologie ihren Spitzenplatz als größter Exporteur (Weltexportanteil fast 24%) behaupten. Einige im Auslandsgeschäft erfolgreiche Industrien und Unternehmen sind in Exkurs 14-1 beispielhaft aufgeführt.

Exkurs 14-1: Gobal tätige Industrien und Unternehmen

Die bundesdeutschen Branchen Automobilbau, Maschinenbau, Textilien, Metallindustrie, Büromaschinen, Chemie, Feinmechanik und Optik erwirtschaften im Auslandsgeschäft jeweils 50% und mehr ihres Umsatzes. Als global besonders aktiv erweisen sich – wenn wir den Anteil ihres Auslandsgeschäfts am Gesamtumsatz für die Jahre 1985–1989 betrachten – folgende Unternehmen:

- Porsche und Schering: etwa 80%
- Degussa, Pfaff, Dornier: etwa 70%
- Mannesmann, BMW, Daimler: etwa 60%

Bei aller Tüchtigkeit sind also diese und viele andere Unternehmen abhängig von ihrem Auslandsgeschäft.
Auch große multinationale Unternehmen sind von ihrem Auslandsgeschäft abhängig und tragen zum Wohlstand vieler Länder bei. Die Mehrzahl der multinationalen Unternehmen entstammt bevölkerungsreicheren Ländern wie den USA, Japan, der Bundesrepublik Deutschland, Italien, England und Frankreich. Zunächst bildeten sie sich als große Unternehmen auf der Basis starker heimischer Märkte heraus, traten dann durch Exporte in das internationale Geschäft ein und wurden später zu multinational operierenden Gesellschaften mit Produktion und Vertrieb in vielen Ländern. Dazu zählen Unternehmen wie IBM, Siemens, VW, Unilever oder Exxon.
Einige »Multis« entstammen aber auch kleineren Ländern mit begrenztem heimischem Markt. Mit Unternehmergeist und Know-how in Technik und Marketing wurden sie zu internationalen Unternehmen. Hierzu zählen z.B. Unternehmen wie Royal Dutch/Shell und Philips aus den Niederlanden, Nestlé und Hofman-La Roche aus der Schweiz oder Volvo und SKF aus Schweden.

Mit der Aufnahme des Auslandsgeschäfts gehen die Unternehmen höhere Risiken ein. Die Unternehmensleitung steht vor einigen großen Problemen, wenn sie im Ausland aktiv werden will:

1. **Hohe Auslandsverschuldung**
   Viele Länder der Welt, die ansonsten attraktive Märkte wären, haben so hohe Auslandsschulden angehäuft, daß sie nicht einmal den Zinsdienst dafür leisten können. Zu diesen Ländern gehören Mexiko, Brasilien und Polen.

2. **Instabile Regierungen**
   Hohe Schulden, hohe Inflationsraten und hohe Arbeitslosigkeit führten in einigen Ländern zu unbeständigen Regierungen und setzen damit ausländische Unternehmen dem Risiko der Enteignung, der Verstaatlichung, der eingeschränkten Repatriierung von Gewinnen usw. aus.
3. **Instabile Wechselkurse**
   Hohe Schulden und politische Instabilität führen zur Abwertung der Währung eines Landes oder verstärken zumindest die Schwankungen im Wert der Währung. Als Folge scheuen ausländische Anleger davor zurück, sich stark in dieser Fremdwährung zu engagieren. Dies beschränkt den Handel und Investitionen in ausländische Tochterunternehmen.
4. **Eintrittsauflagen durch die Auslandsregierung**
   Die Regierungen belasten die Auslandsfirmen mit besonderen Auflagen, z. B. einer Mehrheitsbeteiligung am Kapital durch den einheimischen Partner, einer hohen Beteiligung von Einheimischen am Management, dem Transfer von Technologie und der Preisgabe von Geheimformeln (Produktrezepturen und Verfahren) sowie Beschränkungen bei der Repatriierung von Gewinnen.
5. **Zölle und andere Handelshemmnisse**
   Häufig erheben die Regierungen unverhältnismäßig hohe Importzölle zur Stützung oder Abschottung der inländischen Industrie. Sie schaffen auch weitere Handelshemmnisse, z. B. durch das Zurückhalten oder Verzögern von Einfuhrgenehmigungen und durch Auflagen zur Anpassung der Importgüter an die in ihrem Land geltenden Normen.
6. **Korruption**
   In einigen Ländern fordern die Staats- und Firmenvertreter Bestechungsgelder für ihre Mitwirkung. Häufig vergeben sie einen Auftrag an den, der das höchste Bestechungsgeld bietet. Amerikanischen Führungskräften ist es jedoch nach den Bestimmungen des *Foreign Corrupt Practices Act* aus dem Jahr 1977 untersagt, Bestechungsgelder zu zahlen, während die Konkurrenten aus Europa und anderswo keinen solchen gesetzlichen Beschränkungen unterworfen sind.
7. **»Technologie-Piraterie«**
   Ein Unternehmen mit einem Produktionsstandort im Ausland befürchtet, daß ausländische leitende Angestellte zunächst lernen, wie das Produkt hergestellt wird, und dann das Unternehmen verlassen, um anschließend entweder offen oder verdeckt als Konkurrent aufzutreten. Dies war bereits in den unterschiedlichsten Bereichen, etwa im Maschinenbau, in der Elektronik, in der chemischen und in der pharmazeutischen Industrie zu beobachten.
8. **Hohe Kosten für die Anpassung der Produkte und Kunden-Kommunikationen**
   Ein Unternehmen, das im Ausland tätig werden will, muß jeden Auslandsmarkt sorgfältig analysieren, ein Gespür für seine wirtschaftlichen, politischen und kulturellen Verhältnisse entwickeln und seine Produkte und Kunden-Kommunikationen so anpassen, daß diese dem dort vorherrschenden Geschmack gerecht werden. Wenn es das nicht berücksichtigt, könnte es gravierende Fehler begehen (vgl. Exkurs 14-2). Im Auslandsgeschäft hat das Unternehmen oft höhere Kosten und muß länger auf Gewinne warten.

Man könnte nun folgern, daß Unternehmen in Branchen mit globalem Wettbewerb – ob sie nun im Inland bleiben oder im Ausland aktiv werden – hohen Risiken ausgesetzt sind. Von einer globalen Branche kann man laut Porter dann sprechen, wenn »die strategische Position der Wettbewerber in wichtigen geographischen und nationalen Märkten grundlegend von ihrer globalen Gesamtrolle beeinflußt wird.« [4]

Nach unserer Auffassung haben Unternehmen in globalen Branchen keine andere Wahl, als ihre Aktivitäten zu internationalisieren. Wenn sie sich nicht beeilen, werden sie den Anschluß verpassen, da sich Unternehmen aus anderen Ländern »globalisieren«. Durch Globalisierung kann das Unternehmen »Economies of Scale« erzielen, d. h. die globale Kostenführerschaft durch Ausnutzung von Mengeneffekten oder Spezialisierungsvorteilen. Des weiteren kann es »Economies of Scope« entwikkeln, d. h. sein Innovationspotential durch Lerneffekte und Pooling von Ressourcen bei bestimmten Problemlösungen erhöhen sowie sein Know-how betreffend Technologien und Kundenbedürfnisse zur Sicherung einer weltweiten Qualitätsführerschaft ausbauen. Dies bedeutet nicht, daß ein kleines oder mittelständisches Unternehmen nun in über hundert Ländern Geschäftsstellen eröffnen muß, um Erfolg zu haben. Es kann vielmehr eine globale Nischenstrategie verfolgen, wie dies viele Unternehmen aus Skandinavien und den Benelux-Ländern tun. Auch deutsche mittelständische Unternehmen waren beim Eintritt in Auslandsmärkte und bei deren Bearbeitung besonders erfolgreich. Zahlreichen Unternehmen würde es helfen, erfolgreiche multinationale Unternehmen unterschiedlicher Größe eingehend zu studieren und von ihnen zu lernen, wie man sich durch die »Wirren« des internationalen Geschäfts kämpft.

In diesem Kapitel befassen wir uns mit folgenden Fragen:

- Wie sieht das internationale Marketingumfeld aus?
- Welche Faktoren sollte das Unternehmen in seine Entscheidung zum Auslandsgeschäft miteinbeziehen?
- Wie sollte man die möglichen Auslandsmärkte bewerten und eine Auswahlentscheidung treffen?
- Welche Alternativen zum Eintritt in Auslandsmärkte bestehen für das Unternehmen?
- In welchem Ausmaß sollte das Unternehmen seine Produkte und die anderen Elemente des Marketingprogramms an den Auslandsmarkt anpassen?
- Mit welcher Organisationsform sollte das Unternehmen seine Auslandsaktivitäten führen?

Exkurs 14-2: Einige Fehlschläge im globalen Marketing

- Die Hallmark-Glückwunschkarten erwiesen sich in Frankreich als Flop; die Franzosen halten nichts von »vorgedruckter schmalziger Sentimentalität« und schreiben ihre Karten lieber selbst.
- Die »Ronnie-McDonald-Werbung« von McDonald's fiel in Japan durch. Ronnie trat als Clown mit weißgeschminktem Gesicht auf. In Japan aber ist ein weißbemaltes Gesicht ein Synonym für den Tod.
- Bei Philips machte man in Japan erst dann Gewinne, als man seine Kaffeemaschinen so verkleinerte, daß sie zu den kleineren japanischen Küchen paßten, und die Rasierapparate verkleinerte, so daß sie den kleineren Händen der japanischen Männer angepaßt waren.
- Coca-Cola mußte seine 2-Liter-Flasche in Spanien zurückziehen, nachdem man entdeckt hatte, daß nur wenige Spanier Kühlschränke besaßen, deren Kühlfächer dafür groß genug waren.
- Das Getränk Tang von General Foods fiel anfangs in Frankreich durch, da es als Frühstücks-Ersatzprodukt für Orangensaft positioniert wurde. Die Franzosen trinken nur wenig Orangensaft und fast gar keinen zum Frühstück.
- Die »Pop-Tarts« von Kellogg's, eine Art süßer Toast zum Aufbacken, waren in England ein Mißerfolg, da der Anteil der britischen Haushalte, die über einen Toaster verfügen, wesentlich geringer ist als in den USA, und weil das Produkt für den Geschmack der Engländer einfach zu süß war.
- Als Crest die Werbekampagne für seine Zahncreme ebenso gestaltete wie in den USA, hatte man zunächst keinen Erfolg in Mexiko. Die Mexikaner glaubten weder an die Vorteile der Kariesprophylaxe, noch machten

sie sich Sorgen um das Kariesproblem; und auch die wissenschaftlich orientierte Werbebotschaft sprach sie nicht an.
- Beim Versuch, den japanischen Kunden die Verwendung von Kuchenbackmischungen nahezubringen, setzte General Foods Millionen in den »Sand«. Dem Unternehmen entging, daß nur drei Prozent der japanischen Haushalte überhaupt einen Backofen besaßen.

Internationales Marketingumfeld

Ehe sich ein Unternehmen für die Aufnahme des Auslandsgeschäfts entscheidet, muß es das internationale Marketingumfeld gründlich überprüfen und zu verstehen versuchen. Das internationale Marketingumfeld war in den vergangenen zwei Jahrzehnten beträchtlichen Veränderungen unterworfen, die sowohl neue Chancen als auch neue Probleme geschaffen haben. Im folgenden die wichtigsten Veränderungen:

- Die Internationalisierung der Weltwirtschaft, die sich im rapiden Wachstum des Welthandels und der Auslandsinvestitionen ausdrückt.
- Der schrittweise Rückgang der internationalen Dominanz und Wettbewerbsfähigkeit der Vereinigten Staaten – angezeigt durch das wachsende amerikanische Handelsbilanzdefizit.
- Die wachsende wirtschaftliche Macht Japans und einiger anderer Länder, wie »die vier kleinen Tiger« des Fernen Ostens, auf den Weltmärkten.
- Die Zunahme globaler Marken, z.B. bei Autos, Nahrungsmitteln, Kleidung, Elektronik und vielen anderen Produktkategorien.
- Zunehmende Handelsschranken, die zum Schutz der Inlandsmärkte gegen die ausländische Konkurrenz errichtet werden.
- Die allmähliche Öffnung von großen neuen Märkten wie Osteuropa, China und die arabischen Länder.
- Die gravierenden Schuldenprobleme einiger Länder, z.B. Mexiko und Polen, sowie die zunehmende Anfälligkeit des internationalen Finanzsystems.
- Der wachsende Umfang von Tausch- und Gegengeschäften auf internationaler Ebene.
- Die Entwicklung hin zur Privatisierung von Staatsunternehmen in vielen Ländern, um diese effizienter zu machen.
- Die Zunahme strategischer Allianzen zwischen großen internationalen Unternehmen aus verschiedenen Ländern, z.B. Swiss Air und Scandinavian Air, Brown-Boverie und Asea, AT&T und Olivetti, Siemens und Fujitsu oder Corning und Ciba-Geigy.
- Wesentlich schnellere internationale Transport- und Kommunikationssysteme und Finanztransaktionen.

Internationales Handelssystem

Ein Unternehmen, das in ausländische Märkte strebt, muß das internationale Handelssystem verstehen. Beim Verkauf seiner Produkte in ein anderes Land muß es eine Reihe von Handelshemmnissen überwinden. Das gängigste ist der *Handelszoll*, d.h. eine Steuer der ausländischen Regierung auf bestimmte Importgüter. Dieser Zoll kann zur Erhöhung der Steuereinnahmen (Finanzzoll) oder zum Schutz inländischer Unternehmen (Schutzzoll) gedacht sein. Der Exporteur kann auch mit einer *Import-Kontingentierung* konfrontiert werden, d.h. es gibt eine mengenmäßige Obergrenze, die das importierende Land bei bestimmten Produktkategorien aufzunehmen bereit ist. Zweck dieser Kontingentierung ist die Einsparung von Devisen und der Schutz der inländischen Industrie und Beschäftigung. Ein *Embargo* ist die extremste Form der Kontingentierung, da hier für festgelegte Produktkategorien Importe völlig untersagt werden. Auch *Devisenverkehrsbeschränkungen*, die die Höhe der verfügbaren Devisen und den Wechselkurs gegenüber anderen Währungen festlegen, schaden dem Handel. Das Unternehmen kann auch mit *nichttarifären Handelshemmnissen* zu kämpfen haben. Dazu zählen die Benachteiligung von ausländischen Anbietern bei Ausschreibungen oder die Festlegung von Produktnormen, wenn sie sich gezielt gegen die Leistungsmerkmale bestimmter ausländischer Produkte richten. So verbietet z. B. die holländische Regierung Traktoren, die schneller sind als zehn Meilen in der Stunde, so daß die meisten Traktoren aus amerikanischer Produktion ausgeschlossen werden.

Gleichzeitig gibt es Kräfte, die sich um die Liberalisierung und Förderung des Handels zwischen den Nationen bemühen – zumindest zwischen einigen Nationen. Das allgemeine Zoll- und Handelsabkommen (*General Agreement on Tariffs and Trade – GATT*) ist z. B. ein internationales Abkommen, das seine Mitgliedsländer weltweit zum Abbau von Handelszöllen verpflichtet. GATT scheint jedoch nicht in der Lage zu sein, mit Erfolg gegen eine erneut wachsende Welle des Protektionismus anzukämpfen und auch weiterhin niedrige Zölle sicherzustellen.

Eine Reihe von Ländern haben *Wirtschaftsgemeinschaften* gegründet; die bedeutendste von ihnen ist die Europäische Wirtschaftsgemeinschaft (EWG oder auch Gemeinsamer Markt genannt). EWG-Mitglieder sind bisher zwölf der wichtigsten westeuropäischen Länder. Sie streben eine Reduzierung der Zölle innerhalb der Gemeinschaft, Preissenkungen und eine Ausweitung der Beschäftigung und Investitionen an. Die EWG ist dabei, eine *Zollunion* zu errichten, in der es keine Zölle im Handel zwischen den Mitgliedsstaaten und im Handel mit Drittländern einen gemeinsamen Außenzoll gibt. Der nächste Schritt wäre dann die *Wirtschaftsunion*, in der alle Mitgliedsländer eine gemeinsame Politik zur Steuerung des Wirtschaftsgeschehens verfolgen. Durch die Erleichterung des Handels zwischen den Ländern innerhalb des Gemeinsamen Marktes fühlen sich Unternehmen aus Ländern außerhalb des Gemeinsamen Marktes benachteiligt. Seit Gründung der EWG wurden auch andere Wirtschaftsgemeinschaften ins Leben gerufen, vor allem die Lateinamerikanische Integrationsassoziation (LAIA), der Mittelamerikanische Gemeinsame Markt (CACM), der Rat für Gegenseitige Wirtschaftshilfe (RGW – ein Zusammenschluß osteuropäischer Länder) und die EFTA (*European Free Trade Association*) als eine Alternative für westeuropäische Länder, die sich der EWG nicht anschlossen. Das Ziel der EWG geht jedoch über eine Wirtschaftsunion hinaus. Als EG (Europäische Gemeinschaft) wird auch eine politische Integration angestrebt.

Jeder Ländermarkt weist unverwechselbare Eigenschaften auf, die man erfassen muß. Die Aufnahmebereitschaft eines Landes für unterschiedliche Produkte und Dienstleistungen und seine Attraktivität als Markt für ausländische Unternehmen hängen vom volkswirtschaftlichen, politisch-rechtlichen, kulturellen und geschäftlichen Umfeld ab.

Volkswirtschaftliches Umfeld

Bei der Beurteilung von Auslandsmärkten muß der internationale Marketer die volkswirtschaftliche Situation eines jeden in Frage kommenden Landes untersuchen. Die Attraktivität des Landes als Exportmarkt zeigt sich in drei Faktoren: Der erste ist die Größe der *Bevölkerung* in diesem Land. Sind alle anderen Dinge identisch, so sind für Exporteure große Länder attraktiver als kleine. Daher ist die Türkei mit ihren 50 Millionen Einwohnern ein attraktiverer Markt für pharmarzeutische Produkte als Ungarn, das 10 Millionen Einwohner zählt.

Der zweite Faktor ist die *Industriestruktur* des Landes. Man kann vier Arten von Industriestrukturen unterscheiden:

1. **Bedarfsdeckungswirtschaft**
   In der Bedarfsdeckungswirtschaft ist der weitaus größte Teil der Menschen mit einfacher Landwirtschaft beschäftigt. Die Menschen verbrauchen die meisten der erzeugten Güter selbst und tauschen den Rest gegen einfache Waren und Dienstleistungen ein. Diese Wirtschaftsform bietet Exporteuren nur wenig Chancen.
2. **Rohstoffexportierende Wirtschaft**
   Diese Wirtschaftsform ist reich an einem oder mehreren Rohstoffen, doch in anderer Hinsicht arm. Ein Großteil der Einnahmen stammt aus dem Export dieser Rohstoffe. Beispiele dafür sind Chile (Zinn und Kupfer), Zaire (Kautschuk) und Saudi-Arabien (Öl). Diese Länder sind aufnahmefähige Märkte für Geräte zur Rohstoffgewinnung, Werkzeuge und Ausrüstungen, Fördermittel und Lastwagen. Je nach Zahl der dort lebenden Ausländer und Angehörigen der reichen Oberschicht und Großgrundbesitzer ist diese Wirtschaftsform auch ein Absatzmarkt für Gebrauchs- und Luxusgüter westlicher Prägung.
3. **Wirtschaft in der Industrialisierungsphase**
   Hier macht die industrielle Fertigung etwa zwischen 10 und 20 Prozent des Bruttosozialprodukts des Landes aus. Beispiele sind Indien, Ägypten und die Philippinen. Mit zunehmender industrieller Fertigung stützt sich das Land mehr und mehr auf Importe von textilen Rohstoffen, Stahl und schweren Maschinen und immer weniger auf Importe von Fertigwaren wie verarbeitete Textilien, Papierwaren und Fahrzeuge. Diese Industrialisierung führt oft zur Entstehung einer neuen reichen Oberschicht und einer kleinen, jedoch wachsenden Mittelschicht. Beide haben Bedarf an neuen Gütern, der zum Teil nur durch Importe befriedigt werden kann.
4. **Voll industrialisierte Wirtschaft**
   Solche Volkswirtschaften sind die wichtigsten Exporteure von Fertiggütern und Kapital. Sie betreiben untereinander Handel mit diesen Gütern, exportieren sie auch in andere Wirtschaftsformen und beziehen von dort überwiegend Rohstoffe und Halbfertiggüter. Die umfangreichen und vielfältigen Fertigungsaktivitäten der Industrienationen und ihre breite Mittelschicht machen sie zu aufnahmefähigen Märkten für alle Arten von Gütern.

Der dritte volkswirtschaftliche Faktor ist die *Einkommensverteilung* des Landes. Die Einkommensverteilung steht in Beziehung zur Industriestruktur eines Landes, wird jedoch auch vom politischen System beeinflußt. Der internationale Marketer unterscheidet Länder mit fünf unterschiedlichen Formen der Einkommensverteilung für Privathaushalte:

1. sehr niedrige Einkommen
2. überwiegend niedrige Einkommen
3. sehr niedrige und sehr hohe Einkommen
4. niedrige, mittlere und hohe Einkommen und
5. überwiegend mittlere Einkommen.

Betrachten wir z.B. den Markt für den Lamborghini, also einem Auto, das mehr als 100.000 DM kostet. In Ländern mit einem Einkommensverteilungsmuster vom Typ 1 oder 2 wäre der Absatzmarkt sehr klein. Als größter einzelner Absatzmarkt für den Lamborghini erweist sich Portugal (Einkommensverteilungsmuster 3), das ärmste

Land Europas, doch eines, in dem es genügend reiche und statusbewußte Privathaushalte gibt, die sich ein solches Auto leisten können.

Politisch-rechtliches Umfeld

Zwischen den Ländern bestehen große Unterschiede bezüglich ihres politisch-rechtlichen Umfeldes. Ein Unternehmen sollte vier Faktoren berücksichtigen, wenn es entscheidet, ob es in einem bestimmten Land tätig werden will.

Einstellungen gegenüber internationalen Anlegern

Einige Nationen sind ausländischen Unternehmen gegenüber sehr aufgeschlossen – sie ermutigen sie sogar –, während andere ausländischen Unternehmen gegenüber sehr feindselig eingestellt sind. Als Beispiel für erstere Einstellung kann Mexiko gelten, das seit Jahren ausländische Anleger durch Investitionsanreize und Hilfen bei der Standorterschließung ins Land zu holen versucht. Indien andererseits verlangte bisher vom Auslandsunternehmen, daß es mit Importkontingenten, Devisenbewirtschaftung, Auflagen betreffend den Anteil lokaler Führungskräfte am Management etc. zu leben hatte. IBM und Coca-Cola entschlossen sich aufgrund all dieser lästigen Vorschriften zum Rückzug aus dem indischen Markt.

Politische Stabilität

Der zu erwartende Grad an politischer Stabilität des Landes ist ein weiterer Faktor. Regierungen wechseln, manchmal sogar sehr gewaltsam. Auch ohne einen Regierungswechsel ist es möglich, daß die politische Führung sich entschließt, auf neue populäre Meinungen zu reagieren. Ausländische Unternehmen können enteignet werden, Devisenbestände können blockiert oder neue Importkontingente und Abgaben eingeführt werden. Selbst bei hoher politischer Labilität kann der internationale Marketer immer noch gewinnbringend in einem Land tätig werden, doch die gegebene Situation wird die Form der Geschäftsaufnahme beeinflussen. Er wird dann eher Exportmarketing betreiben, statt Direktinvestitionen zu tätigen, den Warenbestand in diesem Land niedrig halten und die Erträge in Landeswährung schnell konvertieren. Als Folge davon zahlen die Bewohner des Gastlandes höhere Preise, haben weniger Arbeitsplätze und bekommen weniger gute Produkte.

Währungsbestimmungen

Die Verkäufer wollen Erträge in einer für sie wertvollen Währung erzielen. Im Idealfall erfolgen Zahlungen entweder in der Landeswährung des Verkäufers oder in harten Weltwährungen. Gibt es diese Möglichkeit nicht, könnten die Verkäufer eine zwangsbewirtschaftete Landeswährung akzeptieren, wenn sie in diesem Land andere Güter kaufen können, die sie entweder benötigen oder die sie anderswo gegen eine von ihnen benötigte Währung verkaufen können. Im schlechtesten Falle müssen sie Zahlungen in Form von relativ schwer absetzbaren Produkten akzeptieren, die sie anderswo nur mit Verlust verkaufen können (eine Beschreibung der unterschiedlichen Methoden von Gegengeschäften und des Kompensationshandels findet sich in Exkurs 14-3). Neben Devisenbeschränkungen ergeben sich im Auslandsgeschäft auch durch schwankende Wechselkurse hohe Risiken.

Staatliche Bürokratie

Ein vierter Faktor ist der Umfang, in dem die Gastregierung ein effizientes Verwaltungssystem zur Unterstützung ausländischer Unternehmen unterhält, z. B. schnelle Lizenzierungsverfahren, effiziente Zollabfertigung, ausreichende Marktinformationen und andere Faktoren, die einer Geschäftstätigkeit förderlich sind. Westliche Unternehmen z. B. empfinden die Staatsbürokratie bei Geschäften mit den Ländern des Ostblocks oder mit der Volksrepublik China immer wieder als frustrierend. Wie sehr das Fehlen einer gut funktionierenden öffentlichen Verwaltung den Eintritt auswärtiger Unternehmen erschwert, zeigte sich ganz frappant in den Ländern der ehemaligen DDR nach der deutschen Vereinigung im Jahr 1990. Der Mangel an Entscheidungskompetenz auf kommunaler Ebene hindert viele auswärtige Unternehmen an einem raschen Eintritt in diesen Markt und am Aufbau von Niederlassungen. Auch in anderen europäischen Ländern gibt es Probleme mit der Bürokratie. Ein amerikanischer Manager berichtete sogar von einer frustrierenden Erfahrung in Portugal, nachdem er in Lissabon drei Monate darauf warten mußte, bis das Ministerium für internationalen Handel einen Geschäftsvorschlag zur Kenntnis nahm. Insbesondere Amerikaner sind schockiert über das Ausmaß, in dem diese Handelshemmnisse bei angemessenen Zahlungen (Bestechungsgelder) an die richtigen Stellen überwunden werden (vgl. Exkurs 14-4), denn es ist ihnen nach amerikanischem Gesetz bei Androhung von Gefängnis- und Geldstrafe untersagt, inländische oder ausländische Personen zu bestechen.

Exkurs 14-3: Internationaler Tauschhandel ist wieder im Kommen

Der Großteil des internationalen Handels wird in Form von Bartransaktionen abgewickelt. Der Käufer verpflichtet sich, den Verkäufer innerhalb eines festgelegten Zeitraums in bar zu bezahlen. Doch vielen Nationen fehlt es an harter Währung, um ihre im Ausland bezogenen Waren bezahlen zu können. Sie wollen andere Zahlungsmittel anbieten, und dies führte zunehmend zum Tausch- und Kompensationshandel. Rund 40 % des Handels mit den kommunistischen Ländern wurde durch Kompensationsgeschäfte abgewickelt. Auch weniger entwickelte Länder wollen mehr Kompensationsvereinbarungen bei ihren Kaufgeschäften. Selbst wenn die meisten Unternehmen derartige Geschäfte nicht mögen, haben sie oft keine andere Wahl, um einen Auftrag zu bekommen. Da viele osteuropäische Länder und selbst die Sowjetunion nun ein kapitalistisches Wirtschaftssystem anstreben, könnte sich der Trend zum Kompensationshandel u. U. umkehren, wenn diese Länder es schaffen sollten, Produkte anzubieten, die auf dem Weltmarkt konkurrenzfähig sind.

Der Kompensationshandel kann mehrere Formen annehmen:

– **Direkte Tauschgeschäfte (Barter)**
  Beim direkten Tauschgeschäft werden Güter gehandelt, ohne daß dabei

Geld oder eine dritte Partei beteiligt ist. So verpflichteten sich z.B. bundesdeutsche Unternehmen zum Bau eines Stahlwerks in Indonesien im Tausch gegen indonesisches Öl.

- **Kompensationsgeschäft**
  Hier erhält der Verkäufer einen bestimmten Prozentsatz der Zahlung in bar und den Rest in Form von Produkten. So verkaufte z.B. ein britischer Flugzeughersteller Flugzeuge an Brasilien gegen 70% in bar und 30% in Form von Kaffee.
- **Rückkaufvereinbarung**
  Der Verkäufer verkauft eine Anlage, Ausrüstung oder Technologie an ein anderes Land und verpflichtet sich, als Teilzahlung Produkte zu akzeptieren, die unter Einsatz der gelieferten Ausrüstung hergestellt wurden. So baute z.B. ein amerikanisches Chemieunternehmen eine Anlage für eine indische Gesellschaft gegen eine Teilzahlung in bar und den Rest in chemischen Erzeugnissen, die in dieser Anlage gefertigt werden sollten.
- **Gegenkauf**
  Der Verkäufer erhält die volle Zahlung in Bargeld, verpflichtet sich jedoch, innerhalb eines bestimmten Zeitraums für eine bestimmte Geldsumme Gegenkäufe in diesem Land zu tätigen. So verkauft z.B. Pepsi-Cola seinen Cola-Sirup an die UdSSR gegen Rubel und kauft dafür im Gegenzug eine bestimmte Menge russischen Wodka für den Absatz in den Vereinigten Staaten. Anstatt die Verkaufserlöse in bar zu transferieren, werden sie oft auf einem Verrechnungskonto gutgeschrieben, aus dem das westliche Unternehmen seine Gegenkäufe bezahlt. Um diese Art von Gegenkauf auf nationaler Ebene zu erleichtern, werden in Staatshandelsabkommen mit den Staatshandelsländern des Ostblocks vereinbarte, gemeinsam für alle Unternehmen eines Exportlandes geführte Verrechnungskonten verwendet.

Bei komplexeren Formen des Kompensationshandels können auch mehr als zwei Parteien beteiligt sein. So verpflichtete sich z.B. Daimler-Benz beim Verkauf von 30 Lastwagen an Rumänien im Gegenzug zur Abnahme von 150 in Rumänien hergestellten Jeeps, die man dann in Ecuador gegen Bananen verkaufte, die dann wiederum gegen deutsche Währung an eine deutsche Supermarktkette verkauft wurden. Durch diese Umlauftransaktion erhielt Daimler-Benz letztendlich sein Geld in deutscher Währung. Es entstanden auf Tausch- und Kompensationshandel spezialisierte Unternehmen, die den beteiligten Parteien bei der Abwicklung dieser Geschäfte helfen. Jedermann stimmt zu, daß der internationale Handel durch Barabwicklungen effizienter ist; aber zu vielen Nationen fehlt die harte Währung dafür. Den Verkäufern bleibt nichts anderes übrig, als die Verflechtungen und Tricks im Tausch- und Kompensationshandel zu erlernen, der im Welthandel zunehmend an Bedeutung gewonnen hat.

Quelle: Weiterführende Literatur hierzu findet sich bei John W. Dizard: »The Explosion of International Barter«, in: *Fortune*, 7. Februar 1983, und bei Leo G.B. Welt: *Trade without Money: Barter and Countertrade*, New York: Harcourt Brace Jovanovich, 1984.

Exkurs 14-4: Megamarketing: Einstieg in blockierte Märkte

In einem bestimmten Land tätig werden zu wollen, und zu vernünftigen Bedingungen »hinein zu dürfen«, ist nicht dasselbe. Das Problem des Eintritts in *blockierte Märkte* erfordert ein *Megamarketing* -Konzept, das man als »strategische Koordination der wirtschaftlichen, psychologischen, politischen und PR-Fertigkeiten zur Gewinnung kooperativer Interessengruppen, um in einen bestimmten Markt einzutreten bzw. dort zu operieren«, definieren kann.* Coca-Cola stand bei seinem Versuch, sich den indischen Markt zu erschließen, vor diesem Problem:

Nachdem Coca-Cola aufgefordert worden war, Indien zu verlassen, begann Pepsi, den Eintritt in diesen riesigen Markt zu planen. Pepsi arbeitete dabei mit einer indischen Unternehmensgruppe zusammen, um über den Widerstand der heimischen Erfrischungsgetränke-Industrie und der ausländerfeindlichen Verwaltungsbürokratie hinweg die Genehmigung der Regierung für den Markteintritt zu erhalten. Pepsi sah die Lösung darin, der indischen Regierung ein Angebot zu unterbreiten, das diese nur schwer ablehnen konnte. Pepsi bot an, Indien beim Export seiner landwirtschaftlichen Erzeugnisse zu helfen, und zwar in einem Umfang, der die Kosten für den Import von Erfrischungsgetränkekonzentrat mehr als decken würde. Insbesondere versprach Pepsi, erhebliche Verkaufsanstrengungen für Produkte aus ländlichen Gebieten zu unternehmen, um deren wirtschaftliche Entwicklung zu fördern. Und schließlich bot Pepsi an, Nahrungsmittelverarbeitungs-, Verpackungs- und Wasseraufbereitungstechnologien nach Indien zu transferieren. Pepsi's Strategie war eindeutig darauf gerichtet, ein ganzes Paket von Vorteilen zu schnüren, die dem Unternehmen die Unterstützung vieler Interessengruppen in Indien sichern würden.

Pepsi's Problem war nicht – wie normale operative Marketingprobleme – durch den Einsatz der »4 P's (*product, price, place, promotion*)« zu lösen; Pepsi's Problem des Markteintritts erforderte 6 P's, nämlich zusätzlich »politics« und »public opinion« (Öffentliche Meinung). Die Zustimmung der Regierung und der Allgemeinheit für den Markteintritt eines Unternehmens zu gewinnen, ist eine besondere Herausforderung.

Hat ein multinationales Unternehmen den Markteintritt geschafft, muß es sich von seiner besten Seite zeigen, da es sehr genau unter die Lupe genommen wird und es viele Kritiker gibt. Diese Aufgabe erfordert eine sorgfältige *gesellschaftspolitische Positionierung* des multinationalen Unternehmens. Olivetti z.B. baut beim Eintritt in einen neuen Markt Wohnungen für die Arbeiter, sponsert großzügig lokale Künstler und Wohlfahrtseinrichtungen und sorgt für die Einstellung und Schulung einheimischer Führungskräfte. Man hofft auf diese Weise, durch die Inkaufnahme hoher kurzfristiger Kosten langfristig Gewinne zu erzielen.

Quelle: Philip Kotler: »Megamarketing«, in: *Harward Business Review,* März-April 1986, S. 117 -124.

Kulturelles Umfeld

Jede Nation hat ihre eigenen Werte, Bräuche und Tabus. Ausländische Geschäftsleute müssen, wenn sie erfolgreich sein wollen, ihr ethnozentrisches Verhalten abstellen und bestrebt sein, die Kultur und Geschäftspraktiken ihrer Gastgeber, die oft eine unterschiedliche Vorstellung von den Begriffen Zeit, Raum und Etikette haben, verstehen zu lernen.

Bevor das Gastunternehmen sein Marketingprogramm plant, muß es prüfen, wie die ausländischen Konsumenten über bestimmte Produkte denken und wie sie diese verwenden. Im folgenden eine kleine Auswahl von überraschenden Tatsachen im Konsumgütermarkt:

- Der Durchschnittsfranzose verwendet fast doppelt so viele Kosmetika und Schönheitspräparate wie seine Frau.
- Die Deutschen und Franzosen verzehren mehr abgepackte Markenspaghetti als die Italiener.
- Als Zwischenmahlzeit essen italienische Kinder gerne ein Stück Schokolade zwischen zwei Scheiben Brot.
- Die Frauen in Tansania geben ihren Kindern keine Eier zu essen, weil sie befürchten, daß sie davon kahlköpfig oder impotent werden könnten.

Geschäftliches Umfeld

Auch die geschäftlichen Regeln und Umgangsformen unterscheiden sich von Land zu Land. Daher müssen Führungskräfte über diese Dinge informiert werden, ehe sie in einem Land Geschäftsverhandlungen führen. Hier einige Beispiele für die Geschäftssitten in verschiedenen Ländern:

- Arabische Geschäftsleute sind es gewohnt, bei geschäftlichen Unterredungen in die Nähe der Gesprächspartner zu rücken – gewissermaßen »von Angesicht zu Angesicht«. Manchmal werden sie auch die Hand des ausländischen Partners ergreifen und sie als Zeichen der Freundschaft festhalten. Entzieht sich der ausländische Partner dieser Geste, ist der Araber beleidigt.
- Im persönlichen Gespräch sagen japanische Geschäftsleute nur selten »Nein«. Ausländische Manager sehen darin ein Ausweichmanöver und sind frustriert, da sie nicht wissen, woran sie sind. Die Amerikaner kommen üblicherweise schnell zur Sache, was die japanischen Geschäftsleute wiederum beleidigend finden.
- In Frankreich machen sich die Großhändler nicht die Mühe, sich für ein Produkt einzusetzen. Sie fragen ihre Einzelhändler, was sie wollen, und liefern es dann. Stützt sich die Strategie eines ausländischen Unternehmens auf die Kooperationsbereitschaft des Großhändlers bei der Absatzförderung, wird sie höchstwahrscheinlich scheitern.

In jedem Land (und sogar bei regionalen Gruppen innerhalb jedes Landes) gibt es kulturelle und geschäftliche Traditionen, Präferenzen und Tabus, die der Marketer kennen muß. [5]

Wir befassen uns im folgenden mit den fünf Grundsatzentscheidungen, die ein Unternehmen für sein internationales Geschäft treffen muß (siehe Abbildung 14–1).

Abbildung 14-1 Die Hauptentscheidungen im internationalen Marketing

Entscheidung zum Eintritt ins Auslandsgeschäft

Viele Unternehmen würden es vorziehen, ihre Geschäfte nur im heimischen Markt zu betreiben, wenn dieser groß genug wäre. Für die Manager der Unternehmen wäre dies in vielerlei Hinsicht angenehmer. Mit dem Auslandsgeschäft müssen sie nämlich auch Fremdsprachen lernen, mit fremden und fluktuierenden Währungen umgehen, politische und rechtliche Unsicherheiten und Anfeindungen überwinden sowie ihre Produkte und Marketingprogramme den Bedürfnissen und Erwartungen der ausländischen Kundschaft anpassen.

Es gibt jedoch viele Gründe, die ein Unternehmen dazu bewegen, in das internationale Geschäft einzusteigen. Der eigene heimische Markt könnte von außen durch global operierende Unternehmen angegriffen werden, die bessere Produkte zu niedrigeren Preisen anbieten (die Ursachen dafür werden z. T. in Exkurs 14-5 erklärt). Das Unternehmen könnte sich veranlaßt sehen, diese Wettbewerber mit den gleichen Waffen zu bekämpfen und auf deren heimische Märkte vorzudringen. Das Unternehmen könnte Auslandsmärkte ausfindig machen, die attraktiver sind als der eigene Inlandsmarkt. Es könnte einen größeren Kundenstamm benötigen, um bei größerem Volumen wirtschaftlicher arbeiten zu können. Es könnte bestrebt sein, seine ausschließliche Abhängigkeit vom heimischen Markt aufzulösen. Heimische Kunden des Unternehmens könnten selbst in das Auslandsgeschäft einsteigen und das Unternehmen auffordern, es in ihren internationalen Märkten zu versorgen. So könnte sich z.B. Volkswagen entschließen, im südostasiatischen Raum eine Pkw-Produktion aufzubauen, und seine deutschen Zulieferer veranlassen, dort ebenfalls in Produktionsstätten zu investieren.

Ehe sich das Unternehmen für das Auslandsgeschäft entscheidet, muß es die wesentlichsten Chancen und Risiken gegeneinander abwägen. Risiken ergeben sich daraus, daß das Unternehmen vielleicht die Präferenzstruktur der Kunden im ausländischen Markt nicht voll versteht und dann seine Produkte im Wettbewerb nicht attraktiv genug sind. Die ausländischen Geschäftsgebräuche und der Umgang mit Ausländern in ihrem eigenen Lande könnten dem Unternehmen fremd sein. Ausländische Vorschriften könnten u.U. nicht voll erkannt werden, und dadurch könnten unerwartete Kosten entstehen. Dem Unternehmen könnten Führungskräfte mit internationaler Erfahrung fehlen. Das Gastland könnte seine Handelsgesetze zum Nachteil des Unternehmens ändern, seine Währung abwerten, den Geldfluß mit dem Ausland mit Kontrollen belegen und ihn behindern, oder es könnte – im schlimmsten Fall – zu politischen Umwälzungen und Enteignungen ausländischer Unternehmen kommen.

Wegen der widersprüchlichen Chancen und Risiken verhalten sich Unternehmen dem Auslandsgeschäft gegenüber oft passiv, bis sie durch ein bestimmtes Ereignis zur Aufnahme des internationalen Geschäfts veranlaßt werden. Ein solches Ereignis liegt vor, wenn z.B. ein inländischer Exporteur, ein ausländischer Importeur oder eine fremde Regierung an das Unternehmen herantritt und es dazu ermutigt, Geschäftsbeziehungen aufzunehmen. Es ist aber auch möglich, daß das Unternehmen an Überkapazitäten leidet und zusätzliche Märkte für seine Waren finden muß.

Exkurs 14-5: Internationaler Produkt-Lebenszyklus

Aufgrund des sogenannten *internationalen Produkt-Lebenszyklusses* dürfen insbesondere die Unternehmen in hochentwickelten Ländern die Auslandsmärkte nicht vernachlässigen. Denn erstens bieten ausländische Märkte dem inländischen Hersteller eine Möglichkeit, den Lebenszyklus seiner Produkte zu verlängern, nachdem der Bedarf auf dem Binnenmarkt gesättigt ist. Zweitens werden auch ausländische Unternehmen letztendlich lernen, die gleichen Produkte zu wahrscheinlich geringeren Kosten herzustellen und sie im Wettbewerb mit den heimischen Unternehmen auf deren Inlandsmarkt einzuführen. Wells hat diesen Themenkreis für den amerikanischen Markt untersucht. Nach Wells »durchlaufen viele Produkte einen Handelszyklus, bei dem die Vereinigten Staaten zunächst Exporteur sind, dann ihre Exportmärkte verlieren und schließlich u.U. zum Produktimporteur werden«. Wells unterscheidet vier Zyklusphasen, die sich analog auch auf andere Länder und Produkte übertragen lassen wie z.B. deutsche Kameras oder englische Autos:

- **Exportstärke der USA**
  Eine Innovation wird in den Vereinigten Staaten auf den Markt gebracht und hat aufgrund des riesigen Marktes und der hochentwickelten Infrastruktur Erfolg. Gleichzeitig beginnen die amerikanischen Hersteller, das Produkt in andere Länder zu exportieren.
- **Beginn ausländischer Produktion**
  Sobald die ausländischen Hersteller mit dem Produkt vertraut sind, beginnen einige von ihnen, es für den eigenen Markt herzustellen, z.B. über Lizenzvereinbarungen, Joint Ventures oder einfach über Produktimitationen. Ihre Regierung kann sie dabei durch Zölle oder Mengenbeschränkungen für Importprodukte unterstützen.
- **Auslandsproduzenten werden auf den Exportmärkten wettbewerbsfähig**
  Jetzt haben die ausländischen Hersteller Produktionserfahrung gesammelt und können bei niedrigeren Kosten beginnen, das Produkt in andere Länder zu exportieren.
- **Konkurrenz durch Importe**
  Mit wachsendem Produktionsvolumen und niedrigeren Kosten treten nun die ausländischen Hersteller in direkten Wettbewerb zu den amerikanischen Produzenten. Sie exportieren das Produkt jetzt selbst auf den US-Markt.

In diesem Zyklus wird aus dem *neuen Produkt* (Phase 1) ein *ausgereiftes Produkt* (Phase 2) und dann ein *standardisiertes Produkt* (Phasen 3 und 4). Am Ende des Handelszyklusses sinken dann die Umsätze des amerikanischen Herstellers auf dem heimischen Markt, wenn die ausländischen Konkurrenten die Produktion aufnehmen und das Produkt schließlich in die Vereinigten Staaten exportieren. Die beste Gegenmaßnahme des amerikanischen Herstellers ist die Entwicklung einer globalen Marketingstrategie. Dabei sollten Produktions- und Vertriebseinrichtungen in anderen Ländern mit großen Märkten bzw. günstigeren Produktionskosten eröffnet werden. Globale Marketer können den Produkt-Lebenszyklus verlängern, indem sie das Produkt rechtzeitig in aufnahmebereite Länder bringen.

Quellen: Louis T. Well Jr.: »A Product Life Cycle for International Trade?«, in: *Journal of Marketing*, Juli 1968, S. 1–6. Die ursprüngliche Theorie stammt von Raymond

Vernon in: »International Investment and International Trade in the Product Cycle«, in: *Quarterly Journal of Economics*, Mai 1966, S. 190–207. Der internationale Produkt-Lebenszyklus beschreibt ehemalige Entwicklungen auf verschiedenen Märkten wie etwa für Büromaschinen, Gebrauchsgüter oder Kunststoffe. Die Übertragbarkeit dieses Modells auf heutige Marktverhältnisse wird jedoch von manchen Kritikern angezweifelt, weil die multinationalen Unternehmen dazu übergegangen sind, ein umfassendes Netz weltweiter Produktionsstätten zu unterhalten, was die Entwicklung innovativer Produkte in allen Teilen der Welt ermöglicht. Diese Neuheiten gelangen dann auf die Märkte der einzelnen Länder, und zwar nicht unbedingt in der Abfolge, wie sie in der ursprünglichen Theorie des internationalen Produkt-Lebenszyklus vorgegeben werden. Vgl. hierzu auch Ian H. Giddy: »The Demise of the Product Cycle Model in International Business Theory«, in: *Columbia Journal of World Business*, Frühjahr 1978, S. 92, sowie Raymond Vernon: »The Product Cycle Hypothesis in a New International Environment«, in: *Oxford Bulletin of Economics and Statistics*, November 1979, S. 255–267.

Vor dem Sprung ins Ausland sollte das Unternehmen seine *internationalen Marketingzielsetzungen und Vorgehensweisen* festlegen. Zunächst sollte es entscheiden, welchen *Anteil der Auslandsumsatz am Gesamtumsatz* haben soll. Die meisten Unternehmen beginnen hier in kleinem Rahmen. Einige wollen den Umfang ihrer Auslandstätigkeit begrenzt halten. Andere Unternehmen haben größere Pläne, da sie das Auslandsgeschäft letztendlich als ebenso wichtig oder gar wichtiger als das Inlandsgeschäft betrachten.

Entscheidung zur Wahl der Auslandsmärkte

Das Unternehmen muß entscheiden, *in wie vielen Ländern* es Marketingaktivitäten aufnehmen will. Die Bulova Watch Company entschied sich für mehr als hundert Länder, hatte dadurch überall eine zu schwache Marktpräsenz und verlor insgesamt etwa 40 Mio. $. Ganz allgemein gesagt ist es sinnvoll, in weniger Ländern, dafür aber mit größerem Engagement und größerer Marktdurchdringung in jedem einzelnen Land zu operieren. Ayal und Zif argumentierten, daß ein Unternehmen dann in weniger Ländern aktiv werden sollte, wenn:

- die Kosten für den Markteintritt und die Steuerung von Marktaktivitäten hoch sind,
- die Kosten für die Anpassung des Produkts und der Kommunikation mit den Kunden hoch sind,
- in den bereits »betretenen« Ländern Bevölkerung und Einkommen groß sind und stark wachsen,
- marktbeherrschende ausländische Unternehmen hohe Eintrittsbarrieren errichten können. [6]

Das Unternehmen muß des weiteren entscheiden, welche Ländertypen in Frage kommen. Die Attraktivität der Länder wird durch das Produkt, geographische Faktoren, Einkommen und Bevölkerung, das politische Klima und andere Faktoren beeinflußt. Das Unternehmen könnte eine größere Affinität zu bestimmten Ländertypen oder Teilen der Welt verspüren. Ohmae argumentiert z. B., daß nur die »Länder der

Triade«, d.h. die Vereinigten Staaten, Europa und Japan, lohnende Zielmärkte sind (vgl. Exkurs 14-6).

Exkurs 14-6: Sollten die multinationalen Unternehmen ihre Handelsaktivitäten auf die Märkte der Triade beschränken?

Manche Handelsstrategen argumentieren, daß es für multinationale Unternehmen nicht lohnenswert ist, sich Märkte in der Dritten Welt zu erschließen, und daß sich die lukrativen Märkte in den Vereinigten Staaten, Europa und Japan befinden. Kenichi Ohmae, Leiter der Niederlassung von McKinsey in Tokyo, bringt diese Meinung in seinem Buch »*Die Macht der Triade*« zum Ausdruck. Er verweist darauf, daß »in wachstumsstarken US-Bundesstaaten große Chancen bestehen wie z.B. in Kalifornien, das (wirtschaftlich gesehen) größer ist als Brasilien, und in Texas, dessen Bruttosozialprodukt das der gesamten südostasiatischen Staatengemeinschaft ASEAN übersteigt.«

Ohmae argumentiert wie folgt : »Die *Triade*, d.h. Japan, Europa und USA, ist nicht nur der wichtigste und am schnellsten wachsende Markt für die meisten Produkte, sondern auch ein zunehmend homogener Markt. Taschen von Gucci, der Walkman von Sony und die Hamburger von McDonald's sind in den Straßen von Tokyo ebenso zu sehen wie in Paris und New York.«

Ohmae würde multinationalen Unternehmen raten, sich aus Ländern mit niedrigem Einkommen zurückzuziehen und mehr Ressourcen auf die Märkte der Triade zu verwenden. Er glaubt auch, daß die multinationalen Unternehmen einen Fehler begehen, wenn sie übereilt in die Länder der Dritten Welt vordringen und dort z.B. Komponenten und Teile produzieren, nur weil die Löhne niedriger sind. Niedrige Löhne bedeuten nicht unbedingt niedrigere Kosten, wenn die Arbeiter uneffizient sind oder die Produktqualität schlechter ist. Mit zunehmender Automatisierung wird der Anteil der Arbeitskosten sowieso geringer.

Ohmae ist auch der Ansicht, daß sich die multinationalen Unternehmen zu viel Zeit bei der Einführung ihrer Produktneuheiten auf ausländischen Märkten nehmen. Als Folge kopieren reaktionsschnelle Konkurrenten ihre Produkte und übernehmen auf diesen Auslandsmärkten die Führerschaft. Seine Lösung: Ein multinationales Unternehmen sollte langfristige strategische Allianzen (Lizenzen, Joint Ventures, Konsortien etc.) mit Unternehmen eingehen, die in jedem Markt der Triade präsent sind, so daß das multinationale Unternehmen seine neuen Produkte auf allen Märkten der Triade gleichzeitig einführen und eine Marktführerschaft aufbauen kann. Mit dieser Strategie würde man sich eine ausreichende Marktgröße sichern. Damit lassen sich große Anlaufinvestitionen in die Produktion rechtfertigen und niedrigere Stückkosten erreichen. Darüber hinaus braucht sich das multinationale Unternehmen keine Sorgen darüber zu machen, durch Handelsbarrieren ausgeschlossen zu werden, da seine Partner »Insider« auf den jeweiligen Auslandsmärkten sind.

Obwohl Ohmae's Argumentation, daß die Gewinne in den Regionen der Triade wahrscheinlich höher sind, kurzfristig sinnvoll ist, kann sie langfristig für die Weltwirtschaft eine katastrophale Politik sein. Auch wenn die Märkte der Triade über einen Großteil der weltweiten Kaufkraft verfügen, repräsentieren sie doch nicht den Großteil der weltweiten latenten Nachfrage. Die Märkte der Triade sind reich, aber gesättigt: Die Unternehmen müssen all ihre Kreativität einsetzen, um in diesen Märkten Wachstumschancen ausfindig zu machen. Im Gegensatz dazu bieten die ungedeckten Bedürfnisse der Entwicklungsländer eine Unzahl von Chancen. Sie sind riesige potentielle Märkte für Nahrungsmittel, Kleidung, Unterkunft, Unterhaltungselektronik, Haushaltsgeräte und andere Güter, die in den Märkten der Triade selbstverständlich sind. Wenn nicht auf irgendeine Weise Kaufkraft in die Dritte Welt getragen werden kann, haben die Industrienationen mit der Belastung überschüssiger Produktionskapazitäten und sehr niedriger Wachstumsraten zu kämpfen; und die Volkswirtschaften der Entwicklungsländer werden mit übergroßen Verbraucherbedürfnissen belastet, die sie nicht zufriedenstellen können. Die jeweiligen Regierungen und multinationalen Unternehmen müssen einen Weg finden, diese beiden Welten dynamisch und mit synergetischen Wechselwirkungen zu einer beiderseits vorteilhaften Beziehung zusammenzuführen.

Quelle: vgl. Kenichi Ohmae: *Triad Power*, New York: Free Press, 1985.

Angenommen, ein Unternehmen hat eine Liste potentieller Exportmärkte zusammengestellt. Wie trifft es nun die Auswahl zwischen den einzelnen Märkten? Viele Unternehmen entscheiden sich für einen Verkauf in den Nachbarländern, weil sie diese besser kennen und Distributions- und Kontrollkosten geringer sind. Daher ist Kanada der größte Auslandsmarkt der Vereinigten Staaten, verkaufen die schwedischen Unternehmen ihre Güter vornehmlich an die skandinavischen Nachbarn und sind Österreich und die Schweiz wirtschaftlich stark mit der Bundesrepublik Deutschland verbunden. Die Auswahl wird neben der *geographischen Nähe* auch durch die *geistige Nähe* bestimmt. Dazu das Beispiel der kleinen amerikanischen Firma CMC, die folgendes berichtete:

»Unsere Marktforschung im Computerbereich zeigte, daß England, Frankreich, die Bundesrepublik Deutschland und Italien für uns wichtige Märkte darstellen. England, Frankreich und die Bundesrepublik Deutschland sind ungefähr gleich große Märkte, während Italien rund zwei Drittel des Potentials der anderen drei Länder bietet ... Nach Prüfung aller Gesichtspunkte entschlossen wir uns, zunächst nach England zu gehen, da der englische Markt für unsere Produkte ebenso groß ist wie jeder andere und dort Sprache und Gesetze ähnlich sind. England ist einerseits so anders, daß man durchaus »in sehr kaltes Wasser fallen kann«, andererseits aber dem vertrauten Geschäftsumfeld in den USA so ähnlich, daß man darin ertrinkt. [7]«

Es ist jedoch fraglich, ob die Kompatibilität in Sprache und Kultur so sehr im Vordergrund stehen sollte. Zunächst sollten die Länderkandidaten anhand von drei Hauptfaktoren bewertet werden: *Marktattraktivität, Wettbewerbsvorteil und Risiko.* Hier ein Beispiel:

Die International Hough Company stellt Ausrüstungen für den Bergbau her und betrachtet China und vier osteuropäische Länder als chancenträchtige Märkte. Zunächst bewertet das Unternehmen die Marktattraktivität eines jeden Landes, wofür man Indikatoren wie Bruttosozialprodukt pro Kopf, Beschäftigtenzahl im Bergbau, Importe von Maschinen und Bevölkerungswachstum heranzieht. Dann bewertet es seinen eigenen potentiellen Wettbewerbsvorteil in jedem Land, wobei Indikatoren wie vorherige Geschäftskontakte, der eigene Kostenvorteil und die Frage, ob die Unternehmensleitung in der Arbeit mit diesem Land klar kommt, herangezogen werden. Und zuletzt bewertet das Unternehmen das Risikoniveau eines jeden Landes, wofür Indikatoren wie politische Stabilität, Währungsstabilität und Vorschriften zur

Marktattraktivität

Wettbewerbsvorteil	Hoch	Durchschnittlich	Niedrig	Risiko
H	China			N
D		Tschechoslowakei		N
N				N
H		Polen		H
D			Rumänien	H
N				H

Abbildung 14-2
Bewertungsbeispiel für den Eintritt in Auslandsmärkte

Repatriierung von Gewinnen herangezogen werden (vgl. Exkurs 14-7). Durch Indexierung, Gewichtung und Kombinierung der jeweiligen Zahlen erhält das Unternehmen ein Bild, wie es in Abbildung 14–2 dargestellt ist. China bietet offensichtlich die besten Chancen, da es bei den Faktoren Marktattraktivität und Wettbewerbsvorteil hohe Werte und beim Faktor Risiko niedrige erreicht. Rumänien andererseits nimmt bei der Marktattraktivität eine niedere Position ein, schneidet beim Wettbewerbsvorteil mittelmäßig ab, während das Risiko hoch ist.

Diese Vorgehensweise liefert eine vorläufige Rangliste der Länderkandidaten nach ihrer Gesamtattraktivität. China liegt an erster Stelle, gefolgt von der Tschechoslowakei. International Hough muß nun eine Finanzanalyse dieser drei Länder erarbeiten, um die zu erwartende Kapitalrendite zu ermitteln. Es könnte sich herausstellen, daß entweder keines der Länder oder alle eine ausreichende Rendite versprechen. Zur Abschätzung der wahrscheinlichen Kapitalrendite sind fünf Schritte erforderlich: [8]

1. **Schätzung des gegenwärtigen Marktpotentials**
   Der erste Schritt des Unternehmens ist die Schätzung des gesamten Branchenumsatzes in jedem Markt. Diese Aufgabe erfordert den Einsatz von publizierten und primären Daten, die durch Erhebungen gesammelt werden.
2. **Prognose des zukünftigen Marktpotentials und Risikos**
   Das Unternehmen muß auch die zukünftigen Branchenumsätze prognostizieren – eine schwierige Aufgabe. Dies erfordert die Vorhersage wirtschaftlicher und politischer Entwicklungen und ihrer Auswirkungen auf die Branchenumsätze.
3. **Prognose des eigenen Umsatzpotentials**
   Die Schätzung der Umsätze des Unternehmens erfordert eine Prognose des wahrscheinlichen Marktanteils auf der Basis des eigenen Wettbewerbsvorteils – eine weitere schwierige Aufgabe.
4. **Prognose der Kosten und Gewinne**
   Die Kosten werden von der Eintrittsstrategie abhängen, die das Unternehmen verfolgt. Wenn das Unternehmen exportiert oder Lizenzen erteilt, kommen die Kosten in den Verträgen zum Ausdruck. Falls es Produktionsstätten im jeweiligen Land einrichtet, ist für die Kostenschätzung eine Analyse der lokalen Arbeitsbedingungen, Steuergesetze, Handelspraktiken etc. erforderlich. Das Unternehmen bringt die geschätzten Kosten von den

geschätzten Umsätzen in Abzug und erhält so die Gewinne für jedes Jahr des Planungszeitraums.

5. **Schätzung der Kapitalrendite**
Zur Ableitung der implizierten Kapitalrendite sollte der erwartete Ertragsfluß dem Investitionsfluß gegenübergestellt werden. Diese sollte dann hoch genug sein, um (1) die normale angestrebte Kapitalrendite des Unternehmens und (2) das Risiko des Marketing in diesem Land abzudecken.

Exkurs 14-7: Bewertung des Länderrisikos

Die Nachrichten sind jeden Tag voll von Berichten über labile Regierungen und krisengeschüttelte Volkswirtschaften, so daß die Wirtschaftsunternehmen natürlich zögern, in einem solchen Land zu investieren. Wenn es möglich war, daß sogar so scheinbar stabile Regierungen wie das Schah-Regime im Iran und das Regime von Präsident Marcos auf den Philippinen zu Fall kamen, kann man dann noch irgendeinem Land trauen? Zwischen 1960 und 1980 wurden in 511 separaten Aktionen von 76 Ländern mehr als 1.500 Unternehmen enteignet. Selbst wenn es nicht zur Enteignung kommt, könnte ein Unternehmen die investierten Gelder aufgrund von Streiks, Währungsabwertung, Devisenausfuhrbeschränkungen etc. verlieren.

Die Analytiker unterscheiden zwischen zwei Arten von Länderrisiken. Das erste ist das *Risiko des Vermögensschutzes bzw. der Investitionssicherung*, das sich aus direkten Maßnahmen der Regierung oder der Bevölkerung ergibt, die eine Zerstörung, Enteignung oder Begrenzung des Transfers investierter Ressourcen zur Folge haben. Das zweite ist das *Risiko der betrieblichen Rentabilität bzw. des Cash-flow* aufgrund eines wirtschaftlichen Abschwungs, Währungsabwertungen, Streiks etc. Einige Analytiker betrachten ersteres als politisches Risiko und letzteres als wirtschaftliches Risiko; doch beide Risikoarten überlappen sich häufig.

Kein Wunder also, daß die Unternehmen die besten Abnehmer von *Berichten über die Bewertung von politischen Risiken* sind. Eine Reihe von Spezialfirmen liefert Berichte dieser Art. Dazu zählen z.B.: Business International's (BI) *Country Assessment Service* (analysiert 71 Länder zweimal jährlich); *BERI* (analysiert 45 Länder dreimal jährlich) und Frost & Sullivan's *World Political Risk Forecasts* (liefert in monatlichen Abständen zusammenfassende Berichte über 60 Länder). Unter Verwendung leicht unterschiedlicher Modelle und Meßtechniken drücken diese Dienstleister das jeweils vorhandene Risikoniveau eines jeden Landes und manchmal auch das erwartete Risikoniveau der nächsten drei Jahre durch Indexzahlen aus und stufen es in Risikoklassen ein.

Manche Unternehmen halten diese Schätzungen zwar für interessant, jedoch nicht für ausreichend. Sie messen das *Makro-Risiko*, das alle ausländischen Unternehmen betrifft, aber nicht das *Mikro-Risiko*, vor das jedes einzelne Unternehmen oder jede Branche gestellt ist. So kann z.B. ein Land ein geringes Makro-Risiko aufweisen und trotzdem planen, alle ausländischen Ölfirmen zu verstaatlichen. Als Folge davon müssen die Unternehmen ihre Makro-Risikoschätzungen durch andere Methoden zur Analyse des zu erwartenden Mikro-Risikos ergänzen. General Motors und Caterpillar greifen z.B. auf Beratungsgremien zurück, die sich aus bekannten ausländischen Experten zusammensetzen. Gulf Oil unterhält ein eigenes Büro zur Bewertung von politischen Risiken, das sich aus Fachleuten für die jeweilige Region zusammensetzt. Viele Unternehmen senden ihre Top-manager in regelmäßigen Abständen auf Rundreisen durch verschiedene Länder, wo man größere Investitionen getätigt hat oder plant, um dort mit Regierungsvertretern und den eigenen Mitarbeitern über die jüngsten und die zu erwartenden Entwicklungen zu sprechen.

Quellen: Weiterführende Literatur: Stephan Kobrin: »Political Risk: A Review and Reconsiderations«, in: *Journal of International Business Studies*, November 1980; R.J. Rummel und D.A. Heenan: »How Multinationals Analyze Political Risk«, in: *Harvard Business Review*, Januar-Februar 1978; Louis Kraar: »The Multinationals Get Smarter about Political Risks«, in: *Fortune*, 24. März 1980.

Entscheidung zur Art des Markteinstiegs

Hat ein Unternehmen beschlossen, in einem bestimmten Land aktiv zu werden, muß es eine Entscheidung über die beste Einstiegsart treffen. Zur Wahl stehen hier *indirekter Export, direkter Export, Lizenzerteilung, Joint Ventures und Direktinvestitionen.* In dieser Reihenfolge bedeuten diese Strategien jeweils mehr Engagement, Risiko, Kontrolle und Gewinnpotential. Die fünf Markteintrittsstrategien sind in Abbildung 14–3 dargestellt und werden im folgenden untersucht.

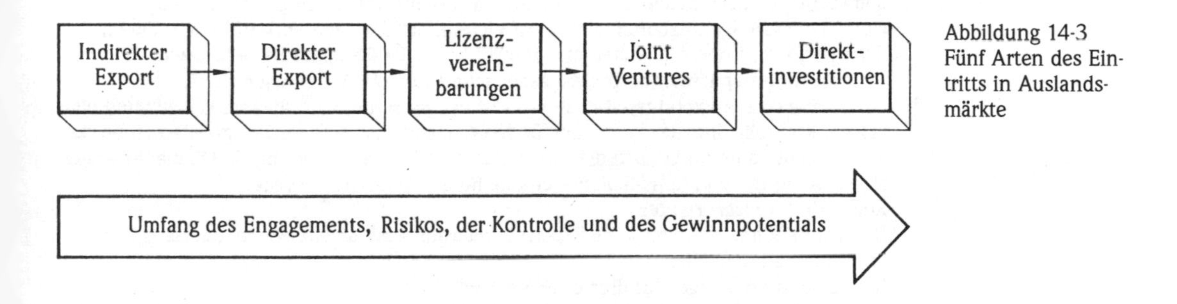

Abbildung 14-3
Fünf Arten des Eintritts in Auslandsmärkte

Indirekter Export

Der normale Weg, in einem Auslandsmarkt tätig zu werden, ist der Export. *Gelegentlicher Export* ist ein passiver Weg der Geschäftsaufnahme, wobei das Unternehmen von Zeit zu Zeit aus eigenem Antrieb oder als Reaktion auf verkäuferisch unvorbereitete Auslandsbestellungen exportiert. *Aktiver Export* findet statt, wenn sich das Unternehmen darauf festlegt, seine Exporte in einen bestimmten Markt auszudehnen. In beiden Fällen produziert das Unternehmen alle seine Güter im Stammland. Es kann seine Produkte unverändert lassen oder an den Auslandsmarkt anpassen. Der Export bringt die geringsten Veränderungen für die Produktlinien, die Organisationsstruktur, die Investitionen oder die unternehmerische Grundaufgabe mit sich.

Üblicherweise beginnen die Unternehmen mit dem *indirekten Export*, d.h. sie operieren über unabhängige Handelspartner. Dabei stehen ihnen vier Arten von Partnern im Handel zur Verfügung:

- **Exporthändler mit Sitz im Inland**
  Dieser kauft das Produkt des Herstellers und verkauft es auf eigene Rechnung im Ausland.
- **Exportvertreter mit Sitz im Inland**
  Dieser sucht und vermittelt gegen eine Provision ausländische Käufer.
- **Exportverbände**
  Ein Exportverband ist im Auftrag mehrerer Produzenten im Export tätig und steht teilweise unter ihrer administrativen Kontrolle.
- **Export-Management-Dienstleister**
  Dieser verpflichtet sich gegen eine Vergütung, die Exportaktivitäten eines Unternehmens zu betreiben.

Der indirekte Export hat zwei Vorteile. Erstens erfordert er weniger Investitionen. Das Unternehmen muß keine Exportabteilung, keine Vertriebsorganisation und auch kein Kontaktnetz im Ausland aufbauen. Zum zweiten ist das Risiko geringer. Internationale Partner im Handel bringen ihr Know-how und ihre Dienstleistungen in die Beziehung ein, und der Anbieter macht dabei normalerweise weniger Fehler.

Direkter Export

Manche Unternehmen gehen dazu über, ihre Exporte selbst abzuwickeln. Investitionen und Risiken sind hier etwas höher, dies gilt jedoch auch für die potentielle Rendite. Das Unternehmen kann den direkten Export auf mehrere Arten durchführen:

- **Angegliederte oder eigenständige Exportabteilung im Inland**
  Ein Exportleiter wickelt gemeinsam mit einigen Sachbearbeitern den Verkauf ins Ausland ab und sucht sich nach Bedarf Unterstützung im Auslandsmarkt. Dies kann sich dann u. U. zu einer eigenständigen Exportabteilung entwickeln, die über den Verkauf hinaus alle für den Export erforderlichen Aktivitäten durchführt und als Profit-Center betrieben wird.
- **Unternehmenssparte oder Tochtergesellschaft für das Auslandsgeschäft**
  Durch eine eigene Exportgesellschaft erreicht der Hersteller eine stärkere Präsenz und eine bessere Kontrolle über das Programm für den Auslandsmarkt. Die Exportgesellschaft wickelt die Distribution und u. U. auch die Lagerhaltung und Absatzförderung ab. Oft dient sie auch als Ausstellungs- und Kundendienstzentrale für ausländische Besucher.
- **Reisende Exportvertreter**
  Das Unternehmen kann reisende Exportvertreter ins Ausland entsenden, um Geschäftsmöglichkeiten zu erschließen.
- **Im Ausland ansässige Händler oder Vertreter**
  Im Ausland ansässige Händler erwerben die Ware und sind ihr Eigentümer; im Ausland ansässige Vertreter verkaufen die Ware im Auftrag des Unternehmens. Ihnen können entweder alleinige Vertretungsrechte des Herstellers in einem bestimmten Land oder nur das einfache Verkaufsrecht eingeräumt werden.

Lizenzerteilung

Die Erteilung von Lizenzen ist für einen Hersteller ein einfacher Weg, ins internationale Marketing einzusteigen. Der Lizenzgeber schließt eine Vereinbarung mit einem Lizenznehmer im Auslandsmarkt ab und räumt ihm das Nutzungsrecht für ein Fertigungsverfahren, Warenzeichen, Patent, Geschäftsgeheimnis oder andere Dinge von Wert gegen Zahlung einer Vergütung oder Lizenzgebühr ein. Der Lizenzgeber erreicht damit bei geringem Risiko einen Zugang zum Markt. Der Lizenznehmer verschafft sich damit Fertigungs-Know-how oder ein bekanntes Produkt bzw. einen bekannten Markennamen, ohne daß er ganz von vorn anfangen muß. So führte Gerber seine Babynahrung auf dem japanischen Markt über eine Lizenzvereinbarung ein. Coca-Cola betreibt seine internationalen Marketingaktivitäten über Lizenzvereinbarungen mit Abfüllern – sogenannten »Franchisenehmern« – rund um die Welt und beliefert sie mit dem Sirup, der zur Herstellung des Produkts erforderlich ist.

Die Lizenzerteilung birgt auch potentielle Nachteile, und zwar insofern, als das Unternehmen gegenüber dem Lizenznehmer weniger Kontrolle über die Produktqualität, Produktverfügbarkeit und Preisgestaltung hat, als wenn es Produktion und Marketing selbst steuern würde. Des weiteren hat das Unternehmen mögliche Gewinne verschenkt, wenn das Produkt im Ausland großen Erfolg hat; und wenn der Lizenzvertrag abläuft, kann es sich herausstellen, daß man sich selbst einen Konkurrenten geschaffen hat. Um zu vermeiden, daß man sich selbst einen Konkurrenten »heranzüchtet« liefert der Lizenzgeber üblicherweise einige Bestandteile oder Komponenten, die für das Produkt benötigt werden. Doch das Hauptstreben des Lizenzgebers geht dahin, bei Innovationen führend zu bleiben, so daß der Lizenznehmer auch weiterhin von ihm abhängig ist.

Ähnlich wie bei der Lizenzvergabe kann ein Unternehmen sein Know-how auch durch andere Formen der Zusammenarbeit im Ausland vermarkten. So kann ein Unternehmen einen *Management-Vertrag* anbieten, in dem es sich bereit erklärt, ein Hotel, einen Flughafen, ein Krankenhaus oder eine andere Organisation gegen eine bestimmte Vergütung zu leiten. In diesem Fall exportiert das Unternehmen Dienstleistungs-Know-how. Management-Verträge ermöglichen den Eintritt in einen Auslandsmarkt mit geringem Risiko und bringen dem Unternehmen von Anfang an Einkünfte. Besonders attraktiv ist dieses Arrangement, wenn man eine Option eingeräumt bekommt, innerhalb eines festgelegten Zeitraums einen bestimmten Anteil am geleiteten Unternehmen zu erwerben. Andererseits ist der Management-Vertrag weniger sinnvoll, wenn das Unternehmen seine begrenzte Management-Kapazität an anderer Stelle besser einsetzen kann oder wenn man selbst das gesamte Projekt vollständig und mit besseren Ergebnissen durchführen kann. Management-Verträge hindern das Unternehmen für einen bestimmten Zeitraum daran, eigene Auslandsunternehmen aufzubauen.

Eine weitere Eintrittsmethode ist die *Auftragsfertigung*. Hier beauftragt das Unternehmen vor Ort ansässige Produzenten mit der Herstellung des dort zu verkaufenden Produkts. Als Sears in Mexiko und Spanien Kaufhausfilialen eröffnete, fand man qualifizierte Hersteller in diesen Ländern, die viele der von Sears verkauften Erzeugnisse herstellen konnten. Nachteile der Auftragsfertigung sind die geringeren Kontrollmöglichkeiten über den Herstellungsprozeß und der Verlust möglicher Gewinne aus der Produktion. Andererseits bietet sie den Unternehmen eine Möglichkeit, das Auslandsgeschäft schneller und mit geringerem Risiko aufzunehmen und später auch die Chance, eine Partnerschaft mit dem Hersteller vor Ort einzugehen oder diesen aufzukaufen.

Joint Ventures

Beim Joint Venture schließt man sich mit Partnern im Ausland zusammen, um dort ein Unternehmen zu gründen, dessen Eigentum man mit dem Partner teilt und dessen Geschäftspolitik man partnerschaftlich bestimmt. Solch ein gemeinsames Vorhaben kann aus wirtschaftlichen oder politischen Gründen notwendig oder erstrebenswert sein. Dem ausländischen Partner könnte es z. B. an finanziellen Mitteln oder ausreichend Managementpersonal fehlen, um das Vorhaben alleine durchzuführen. Ein politischer Grund für Joint Ventures könnte darin bestehen, daß eine Unternehmensgründung im Ausland nur dann von der Regierung zugelassen wird, wenn einheimische Partner daran beteiligt sind.

Das gemeinsame Eigentum an einem Auslandsunternehmen ist dann von Nachteil, wenn es unter den Partnern zu Meinungsverschiedenheiten über weitere Investitionen, die Marketingpolitik und andere Problemkreise kommt. Während z. B. ein Partner mit den erzielten Gewinnen sowie zusätzlichen Mitteln u. U. das Wachstum des Unternehmens finanzieren möchte, will der andere Partner vielleicht Gewinne abziehen. Insbesondere multinationale Unternehmen finden Zielkonflikte mit örtlichen Partnern hinderlich für ihre weltweit angelegten Produktions- und Marketingpläne. [9]

Direktinvestitionen

Die ausgeprägteste Form des geschäftlichen Engagements im Ausland ist die direkte Investition in den Aufbau oder Erwerb von Niederlassungen mit eigenen Montage- oder Fertigungsbetrieben vor Ort. Wenn das Unternehmen durch Exporte genügend Markterfahrung gesammelt hat und der Auslandsmarkt groß genug erscheint, dann ist dieser Schritt sinnvoll. Zusätzliche Vorteile können sich ergeben, wenn die Arbeitskräfte und Rohstoffe vor Ort weniger kosten, wenn die ausländische Regierung Investitionsanreize gewährt und wenn merkliche Frachtkostenersparnisse möglich sind. In der Regel verbessert das Unternehmen sein Image im Gastland zu seinem Vorteil, wenn es dort Arbeitsplätze schafft. Es kann dann intensivere Beziehungen zur Regierung, zu den Kunden und den inländischen Lieferanten und Händlern entwickeln. Damit versetzt es sich in die Lage, seine Produkte besser an das ausländische Marketingumfeld anzupassen, um hier noch erfolgreicher zu sein. Schließlich behält das Unternehmen durch die Direktinvestition die volle Kontrolle über die Auslandsniederlassung und ihre Produktions- und Marketingstrategien. Es kann dann diese Strategien so gestalten, daß sie seinen langfristigen internationalen Zielsetzungen entsprechen.

Der Hauptnachteil der Direktinvestition besteht darin, daß – wie Exkurs 14-7 zeigt – bestimmte Risiken in Kauf genommen werden müssen. Außerdem ist ein Ausstieg aus dem Geschäft im Gastland bei Direktinvestitionen in der Regel wesentlich schwieriger als bei den anderen Formen des Auslandsgeschäftes.

Prozeß der Internationalisierung

Viele Unternehmen zeigen eine ausgeprägte Präferenz für eine bestimmte Markteintrittsart. Das eine Unternehmen zieht den Weg des Exports vor, da dies das Risiko minimiert. Ein anderes zieht die Lizenzerteilung vor, da dieser Weg der müheloseste zu sein scheint. Wieder ein anderes favorisiert Direktinvestitionen, da es die volle Kontrolle behalten will, ohne dabei die Interessen eines Partners berücksichtigen zu müssen. Wer jedoch auf einer bestimmten Eintrittsart besteht, legt sich selbst Beschränkungen auf. Einige Länder erlauben weder Importe bestimmter Güter noch Direktinvestitionen, sondern lediglich Joint Ventures mit einem Unternehmen des eigenen Landes. Daher sollten Unternehmen alle Markteintrittsarten in Betracht ziehen. Auch wenn ein Unternehmen bestimmte Präferenzen hat, muß es sich an jede Situation möglichst gut anpassen. Die meisten erfahrenen multinationalen Unternehmen bewältigen mehrere unterschiedliche Eintrittsmethoden gleichzeitig.

Das Problem, vor dem so manches Land steht, liegt darin, daß nicht genügend einheimische Unternehmen am internationalen Handelsgeschehen teilnehmen. Dadurch verdient das Land nicht genügend Devisen, um die Güter bezahlen zu können, die es importieren muß. Manche Regierungen betreiben deshalb eine aggressive Exportförderung. Doch Exportförderungsprogramme erreichen nur selten ihr Ziel. Sie basieren nicht auf einem gründlichen Verständnis des Prozesses, durch den Unternehmen ihre Aktivitäten internationalisieren.

Johanson und seine Forschungspartner haben den »Internationalisierungsprozeß« bei schwedischen Unternehmen untersucht.[10] Sie sehen die Internationalisierung als einen Prozeß sich verändernder Einstellungen; das Unternehmen durchläuft diesen Prozeß als Folge von inkrementellen Entscheidungen, durch die Neues gelernt wird und größeres Vertrauen in weitere Auslandsgeschäfte erwächst. Sie beobachten dabei vier Phasen, die die Unternehmen durchlaufen.

1. Keine regelmäßigen Exportaktivitäten
2. Export über unabhängige Handelsvertreter
3. Gründung einer oder mehrerer Verkaufsfilialen
4. Einrichtung von Produktionsstätten im Ausland

Die erste Aufgabe zur Förderung des Auslandsgeschäfts besteht darin, das Unternehmen von Stufe 1 auf Stufe 2 zu bewegen. Hier helfen Untersuchungen darüber, wie andere Unternehmen sich für das Exportgeschäft entschieden haben.[11] Die meisten Unternehmen arbeiten im Export zunächst mit einem unabhängigen Handelsvertreter zusammen, üblicherweise in einem Land mit großer *mentaler Affinität*, d.h. mit geringen psychischen Markteintrittsbarrieren. Wenn dies gut funktioniert, engagiert das Unternehmen weitere Vertreter für den Zugang zu weiteren Ländermärkten. An einem gewissen Punkt richtet dann das Unternehmen eine Exportabteilung ein, um seine Beziehungen mit den Vertretern besser zu organisieren. Später entdeckt das Unternehmen, daß bestimmte Exportmärkte groß genug sind, um sie über eine eigene Vertriebsorganisation besser bearbeiten zu können, und ersetzt den Vertreter durch eine Verkaufsfiliale in diesen Ländern. Dies erhöht sein Engagement und Risiko, doch auch sein Gewinnpotential. Zur Leitung dieser Verkaufsfilialen ersetzt es die Exportabteilung durch eine internationale Abteilung. Erweisen sich bestimmte Märkte auch weiterhin als groß und stabil oder besteht das Gastland auf der Fertigung vor Ort, nimmt das Unternehmen den nächsten Schritt in Angriff und richtet in diesen Märkten Produktionsstätten ein; dies bedeutet ein noch größeres Engagement und noch größere potentielle Gewinne. Damit ist es auf dem Weg zum multinationalen Unternehmen und muß darüber nachdenken, wie es seine globalen Aktivitäten am besten organisieren und lenken soll. Das Ursprungsland profitiert von diesem Prozeß durch Exporte und später durch Gewinnrückflüsse.

Entscheidung zum Marketingprogramm

Unternehmen, die auf einem oder mehreren ausländischen Märkten operieren, müssen entscheiden, inwieweit sie ihren Marketing-Mix an die lokalen Gegebenheiten anpassen wollen. Das eine Extrem sind Unternehmen, die *weltweit* einen *standardisierten Marketing-Mix* verwenden. Eine Standardisierung des Produkts, der Werbung, der Vertriebsmethoden und anderer Elemente des Marketing-Mix verspricht die niedrigsten Kosten, da keine größeren Änderungen anfallen. Das andere Extrem ist der *vollständig adaptierte Marketing-Mix*, bei dem der Produzent alle Elemente des Marketing-Mix an jeden Zielmarkt anpaßt; dabei hat er höhere Kosten, hofft aber andererseits auf einen größeren Marktanteil und eine höhere Rendite. Zwischen diesen beiden Extremen gibt es viele Möglichkeiten. In Exkurs 14-8 wird dieses Thema ausführlicher beschrieben. Im folgenden wollen wir mögliche Veränderungen untersuchen, die das Unternehmen am Produkt, an der Absatzförderung, am Preis und in der Distribution vornehmen könnte, wenn es auf ausländischen Märkten aktiv werden will.

Exkurs 14-8: Globale Standardisierung oder Adaptation des Marketing-Mix?

Die traditionellen Verfechter des Marketing-Konzepts vertreten die Ansicht, daß die Verbraucher sich in ihren Bedürfnissen unterscheiden und daß Marketingprogramme effektiver sind, wenn sie genau an jede Zielgruppe angepaßt werden. Da dies innerhalb eines Landes gilt, sollte es noch mehr auf ausländischen Märkten gelten, wo die wirtschaftlichen, politischen und kulturellen Bedingungen sehr unterschiedlich sind.
Und doch zeigen sich viele multinationale Unternehmen über ein ihrer Meinung nach übersteigertes Maß an Anpassung besorgt. Werfen wir einen Blick auf Gillette:

Gillette verkauft mehr als 800 Produkte in mehr als 200 Ländern. Das Unternehmen ist in eine Situation geraten, wo für dasselbe Produkt in verschiedenen Ländern unterschiedliche Markennamen benutzt werden und wo auch die Produktzusammensetzung für die gleiche Marke je nach Land unterschiedlich ist. Gillettes Shampoo Silkience wird in Frankreich Soyance genannt, in Italien Sientel und in der Bundesrepublik Deutschland Silience; die Produktzusammensetzung ist in einigen Fällen identisch, in anderen Fällen unterschiedlich. Auch die Werbebotschaften und -texte sind unterschiedlich, da jeder Ländermanager von Gillette mehrere Änderungen vorschlägt, die seiner Meinung nach mehr Umsatz bringen. Die Manager im Stammhaus finden den Gedanken beängstigend, daß sie vielleicht mehr über die Marketingsituation vor Ort wissen könnten als die zuständigen Ländermanager.

Daher sind Gillette und auch andere Unternehmen bemüht, den Standardisierungsgrad zu erhöhen, und zwar entweder global oder zumindest regional. Dies sehen sie als einen Weg zu Kostensenkungen und zum Aufbau einer globalen Markengeltung.
Hilfestellung bekamen sie von der britischen Werbeagentur Saatchi & Saatchi sowie von Professor Theodore Levitt von der Harvard-Universität. Saatchi & Saatchi gewannen einige neue Werbekunden aufgrund ihrer Behauptung, daß sie eine einzige Werbekampagne entwickeln könnten, die

global funktioniert. In der Zwischenzeit lieferte Professor Levitt die intellektuelle Begründung für die globale Standardisierung. Er schrieb:

Die Welt wird zu einem gemeinsamen Markt, auf dem sich die Menschen – unabhängig davon, wo sie leben – dieselben Produkte und Lebensstile wünschen. Globale Unternehmen müssen ideosynkratische Unterschiede zwischen Ländern und Kulturen vergessen und sich statt dessen darauf konzentrieren, universal vorhandene Bedürfnisse zu befriedigen.

Levitt ist davon überzeugt, daß neue Technologien in der Kommunikation, im Transport und im Tourismus einen homogener werdenden Weltmarkt geschaffen haben. Die Menschen wollen rund um die Welt die gleichen grundsätzlichen Dinge – Dinge, die das Leben leichter machen und ihre Freizeit und Kaufkraft vergrößern. Diese Konvergenz der Bedürfnisse und Wünsche hat zu globalen Märkten für standardisierte Produkte geführt.
Nach Levitt richten die traditionellen *multinationalen* Unternehmen ihr Augenmerk konzentriert auf Unterschiede zwischen spezifischen Märkten und nehmen fälschlicherweise an, daß das Marketing-Konzept bedeutet, den Menschen das zu geben, was sie sagen, daß sie wollen. Diese Unternehmen werden oberflächlichen Unterschieden gerecht und produzieren eine Flut von sehr kundenspezifischen Produkten, statt sich zu fragen, ob die unterschiedlichen Präferenzen so geändert werden können, daß auch standardisierte Produkte akzeptiert werden. Adaptationen führen zu weniger Effizienz und zu höheren Preisen für die Konsumenten.
Im Gegensatz dazu verkauft das *globale* Unternehmen mehr oder weniger das gleiche Produkt auf die gleiche Weise an alle Konsumenten, um den Vorteil niedrigerer Kosten aufgrund der Standardisierung nutzen zu können. Es sucht nach Gemeinsamkeiten auf den Märkten der Welt und ist intensiv bemüht, »mit Gespür standardisierte Produkte und Dienstleistungen weltweit durchzusetzen.« Es bietet nur dann adaptierte Produkte und Marketingprogramme an, die den lokalen Präferenzen entgegenkommen, wenn diese Präferenzen nicht verändert oder umgangen werden können. Diese globalen Marketer erzielen beträchtliche Einsparungen durch die Standardisierung in Produktion, Distribution, Marketing und Management. Daher können sie Standardisierungsvorteile in größeren Verbrauchernutzen umwandeln, indem sie gute Qualität und zuverlässigere Produkte zu niedrigeren Preisen anbieten:

Wenn der Preis niedrig genug ist, werden hochstandardisierte »Weltprodukte« akzeptiert, auch wenn diese nicht genau dem entsprechen, was nach »Mutters Meinung« das Richtige war, was uralte Traditionen vorschrieben oder was – wie Geschichtenerzähler unter den Marktforschern versichern – schon immer bevorzugt wurde.

Levitt würde einem Autoproduzenten raten, ein »Weltauto« herzustellen, einer Shampoofirma, ein »Weltshampoo« zu produzieren, und einer Baumaschinenfirma die Herstellung eines »Welttraktors« empfehlen. In der Tat haben einige Unternehmen globale Produkte erfolgreich vermarktet: Coca-Cola seine Getränke, McDonald's seine Hamburger, Volkswagen seinen Käfer, Sony seinen Walkman etc. Einige Produkte sind standardisierter als andere und erfordern insgesamt weniger Anpassungen. Doch auch in diesen Fällen findet zumindest eine gewisse Anpassung statt. In einigen Ländern ist Coca-Cola weniger süß und kohlensäurehaltig als in anderen; in Mexiko verwendet McDonald's Chilisoße statt Ketchup, und der Export-Käfer von Volkswagen unterschied sich von der deutschen Version.

Professor Levitt nimmt an, daß die globale Standardisierung beträchtliche Kosten einspart, zu niedrigeren Preisen führt und bewirkt, daß preisbewußte Kunden hier stärker zugreifen. Doch diese Annahmen gehen an der Frage vorbei, inwieweit der Marketing-Mix angepaßt werden soll. Ein Unternehmen muß vielmehr die Grenzerlöse gegen die Grenzkosten abwägen. So stand Mattel, als man die Barbie-Puppe in Japan einführte, vor der Entscheidung, ob man das Gesicht der Puppe in ein japanisches umgestalten sollte. Man mußte nun abschätzen, ob die Erlöse aus zusätzlichen Absatzmengen die zusätzlichen Kosten der Änderungen am Produkt und Werbematerial übersteigen würden. Wenn ja, mußte Mattel diese Veränderungen vornehmen, was man auch tat, und der Absatz an Barbie-Puppen schoß in die Höhe.
Statt von vornherein davon auszugehen, daß das Produkt des Unternehmens ohne Veränderungen in einem anderen Land eingeführt werden kann, sollte das Unternehmen alle möglichen Anpassungselemente prüfen und bestimmen, bei welchen Anpassungen die zusätzlichen Einnahmen höher sind als die Kosten. Zu diesen Anpassungselementen zählen folgende:

Ausstattungselemente	Farben	Werbethemen
Name	Materialien	Werbemedien
Kennzeichnung	Preise	Ausführung der Werbung
Verpackung	Absatzförderung	

Eine Untersuchung der von Unternehmen durchgeführten Anpassungsprogramme zeigte auf, daß diese bei 80% der für das Ausland bestimmten Produkte einmal oder mehrmals Anpassungen vornahmen, und daß im Durchschnitt bei vier der elf oben aufgeführten Anpassungselementen Veränderungen vorgenommen wurden. Es sollte auch berücksichtigt werden, daß einige Gastländer Anpassungen zur Auflage machen, und zwar unabhängig davon, ob das im Interesse des Unternehmens ist oder nicht. In Frankreich z.B. dürfen Kinder nicht für Werbezwecke eingesetzt werden, und in der Bundesrepublik ist es verboten, zur Beschreibung eines Produkts den Begriff »das beste« zu verwenden.
Daher ist die globale Standardisierung kein Problem des »ganz oder gar nicht«, sondern ein graduelles Problem. Es ist gerechtfertigt, wenn die Unternehmen nach höherer Standardisierung streben – wenn schon nicht global, dann zumindest regional. Goodyear z.B. ist bestrebt, seine Logos, seine Werbung und seine Produktlinien in Kontinentaleuropa regional zu vereinheitlichen, um so zu einer kohärenteren Marktpräsenz zu kommen. Widerstand regt sich meist von seiten der Ländermanager, da eine regionale Standardisierung den Regional-Managern mehr und jedem Ländermanager weniger Macht gibt. Und vielleicht haben die Ländermanager bei den von ihnen geforderten Veränderungen auch übertrieben. Doch alles in allem müssen die Unternehmen daran denken, daß die Standardisierung zwar einiges an Kosten spart, daß aber die Konkurrenten stets bereit sind, mehr von dem zu bieten, was die Kunden in jedem Land wollen, und daß man u.U. teuer dafür bezahlen muß, wenn man langfristiges Marketing-Denken durch kurzfristiges Finanz-Denken ersetzt. Globales Marketing – ja; globale Standardisierung – nicht unbedingt.

Quellen: Theodore Levitt: »The Globalization of Markets«, in: *Harvard Business Review*, Mai-Juni 1983, S. 92–102. Ein Beispiel für den Arbeitsaufwand, der mit der Erarbeitung einer einzigen globalen Werbekampagne verbunden ist, findet sich in: »Playtex Kicks Off a One-Ad-Fits-All Campaign«, in: *Business Week,* 16. Dezember

1985, S. 48–49. Eine negative Beurteilung globaler Standardisierungsversuche findet man in: »Marketers Turn Sour on Global Sales Pitch Harvard Guru Makes«, in: *Wall Street Journal*, 12. Mai 1988, S. 1; einen ausgeglichenen Ansatz zum Thema Globalisierung findet man bei John A. Quelch und Eduard J. Hoff: »Customizing Global Marketing«, in: *Harvard Business Review*, Mai–Juni 1986, S. 59–68.

Produktanpassung

Keegan unterscheidet fünf Strategien zur Anpassung des Produkts und der Absatzförderung an einen ausländischen Markt (vgl. Abbildung 14–4).[12]

Einfache Übertragung bedeutet, das Produkt und die zugehörige Kommunikation unverändert auf einen Auslandsmarkt zu übertragen. Die Unternehmensleitung gibt folgende Marketinganweisung: »Nehmt das Produkt, wie es ist, und findet Kunden dafür.« Als erstes sollte man jedoch bestimmen, ob die ausländischen Konsumenten das Produkt überhaupt verwenden. So reicht z.B. der Anteil der Männer, die Deodorant verwenden, von 80 % in den USA, 56 % in Schweden, 28 % in Italien bis zu 8 % auf den Philippinen. Und viele Spanier verwenden so alltägliche Produkte wie Butter und Käse überhaupt nicht.

Die Übertragung war erfolgreich bei Fotoapparaten, Unterhaltungselektronik, vielen Werkzeugmaschinen etc., erwies sich jedoch in anderen Fällen als Katastrophe. General Foods übertrug z.B. den Gelatinepudding Jell-O in der Standard-Pulverform vom amerikanischen auf den britischen Markt und mußte feststellen, daß die britischen Konsumenten die Waffel- oder Kuchenform bevorzugten. Campbell Soup mußte bei der Markteinführung seiner Suppenkonzentrate in England Verluste von schätzungsweise 30 Mio. $ hinnehmen, da man die Verbraucher nicht darauf aufmerksam gemacht hatte, daß man Wasser zugeben mußte; die Verbraucher sahen die kleinen Dosen und hielten sie für sehr teuer. Die Übertragung ist verführerisch, da sie keinen zusätzlichen F&E-Aufwand, keine Produktionsumstellungen und keine Veränderungen bei der Absatzförderung mit sich bringt. Doch langfristig kann sie teuer sein.

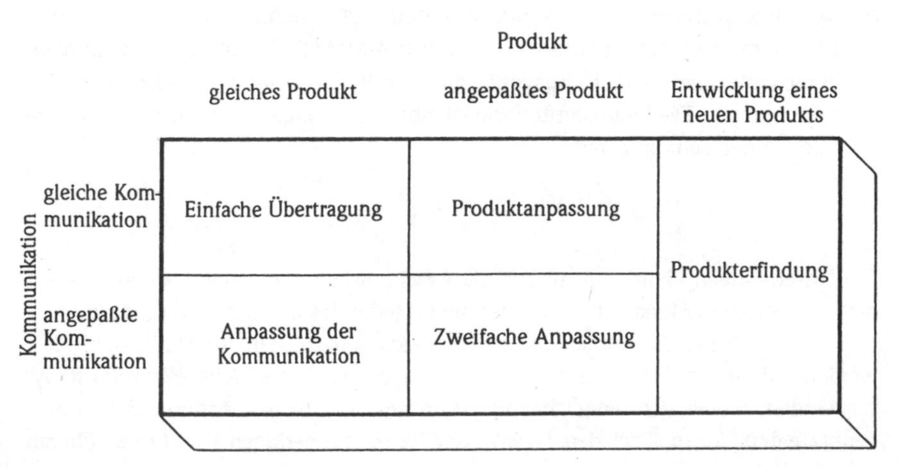

Abbildung 14-4
Fünf internationale Produkt- und Absatzförderungsstrategien

Produktanpassung bedeutet eine Veränderung des Produkts zur Anpassung an lokale Gegebenheiten oder Präferenzen. Es gibt mehrere Spielarten der Produktanpassung. Ein Unternehmen kann sein Produkt als *Großgebietsversion*, z.B. für Westeuropa und Nordamerika, herausbringen. Es kann *Landesversionen* produzieren. So ist z.B. der Nescafé in Deutschland, Italien, Frankreich, Spanien u.s.w. durchaus nicht gleich, da in diesen Ländern Kaffee in unterschiedlichen Geschmacksrichtungen bevorzugt wird. Das Unternehmen kann eine *Lokalversion* für ein kleineres Gebiet oder eine Stadt herausbringen, die auf die dort bevorzugte Stil- oder Geschmacksrichtung eingeht. Schließlich kann das Unternehmen auch noch *Händlerversionen* seines Produkts produzieren. Dies geschieht z.B. bei Kaffee und anderen Produkten für Handelsketten wie z.B. Migros in der Schweiz, Aldi in Deutschland oder Meinl in Österreich.

Eine weitere wichtige Spielart der Produktanpassung besteht darin, speziell für Entwicklungsländer eine Produktversion herauszubringen, die kostengünstig die grundlegenden Bedürfnisse befriedigt. So hat das pharmazeutische Unternehmen Ciba-Geigy eine spezielle Produktlinie für Entwicklungsländer entwickelt, die sich auf einen bestimmten eng umrissenen Bedürfnisbereich, wie z.B. Antibiotika, konzentriert und in ganz einfachen Packungen angeboten wird, so daß ein niedriger Preis möglich ist. Dieses Konzept, das sich an das Konzept der generischen Marken anlehnt, ist aber auch in anderen Produktbereichen anwendbar wie z.B. bei Nahrungsmitteln und Kleidung.

Produkterfindung bedeutet die Schaffung von etwas Neuem. Diese Strategie kann zwei Formen annehmen. *Rückwärts-Erfindung* stellt die Wiedereinführung früherer Formen des Produkts dar, die den Bedürfnissen eines Landes angemessen sind. So führte die National Cash Register Company ihre kurbelbetriebenen Registrierkassen wieder ein, die nur halb so teuer wie eine moderne Registrierkasse waren, und verkaufte davon beträchtliche Stückzahlen im Orient, in Lateinamerika und in Spanien. Dies belegt die Existenz von *internationalen Produkt-Lebenszyklen*, wobei sich die Länder in verschiedenen Phasen befinden, was ihre Bereitschaft zur Annahme einer bestimmten Produktform betrifft. *Vorwärts-Erfindung* beinhaltet die Schaffung eines völlig neuen Produkts zur Deckung eines Bedürfnisses in einem anderen Land. In weniger entwickelten Ländern gibt es einen enormen Bedarf an preisgünstigen, eiweißreichen Nahrungsmitteln. Unternehmen der Lebensmittelbranche analysieren die Ernährungsbedürfnisse dieser Länder und entwickeln neue Nahrungsmittel und Werbekampagnen, die zum Probieren und zur Akzeptanz des Produkts anregen. Die Produkterfindung ist eine kostspielige Strategie, doch auch die Vorteile können sehr groß sein.

Kommunikationsanpassung

Die Unternehmen können entweder die gleiche Kommunikationsstrategie wie auf dem inländischen Markt verfolgen oder sie für jeden lokalen Markt verändern.

Nehmen wir z.B. die Werbebotschaft. Diese kann graduell in drei Stufen verändert werden. Als erstes kann das Unternehmen *weltweit die gleiche Werbebotschaft* verwenden, wobei sich lediglich Sprache, Name und Farben ändern. Exxon z.B. benutzte den Slogan »Pack den Tiger in den Tank« mit geringen Variationen überall und war damit international in allen Ländern wiedererkennbar. Bei dieser ersten Stufe der Anpassung wird die farbliche Gestaltung geändert, um in bestimmten Ländern keine Tabus zu verletzen oder falsche Assoziationen hervorzurufen. So wird in den meisten lateinamerikanischen Ländern die Farbe Lila mit dem Tod in Verbindung gebracht. In Japan ist Weiß die Farbe der Trauer, und in Malaysia wird Grün mit der Dschungelkrankheit assoziiert. Auch Markennamen und die Wortwahl der Headlines können nicht einfach übertragen, sondern müssen modifiziert werden. So gibt es in Deutschland z.B. Probleme mit den Markennamen »Irish Mist« (ein Eau de Toilette), denn unter »Mist« versteht man in Deutschland im allgemeinen etwas anderes. Auch am Markennamen »After Eight« haben sich deutsche Konsumenten schon gestört.

Chevrolets Automodell *Nova* hört sich für den Spanier wie »no va« (zu deutsch »Es läuft nicht«) an. Ein vom Schwedischen ins Englische übersetzter Anzeigentext las sich in einer koreanischen Zeitschrift, wenn man ihn frei und rücksichtsvoll ins Deutsche übersetzte, wie folgt: »Nichts saugt so hundsmiserabel wie ein Elektrolux-Staubsauger.« Und während ein amerikanischer Werbetext für Waschpulver versprach, »auch wirklich schmutzige Stücke zu säubern«, wurde daraus für das französisch sprechende Quebec in Kanada »eine Seife zum Waschen intimer Körperteile.«

Die nächste Stufe der Anpassung besteht darin, das Werbethema beizubehalten, es jedoch an die Wertnormen jedes lokalen Marktes anzupassen:

In einem Werbespot für die Seife Camay in Amerika wurde das Thema »angenehm verschönernde Reinheit« zunächst durch eine badende weibliche Schönheit verkörpert. In Venezuela konnte man dann einen Mann im Badezimmer sehen, in Italien und Frankreich nur die Hand des Mannes, und in Japan schließlich wartete der Mann vor dem Badezimmer.

Die dritte Stufe der Anpassung ist eine vollständige Anpassung an den lokalen Markt, einschließlich der Veränderung des Werbethemas. Die Schwinn Company z.B. setzt in der Fahrrad-Werbung in den USA auf das Thema »Vergnügen« und in Skandinavien auf das Thema »Sicherheit«. Renault stellte seinen R 5 in der Werbung in verschiedenen Ländern unterschiedlich dar. In Frankreich wurde es als das kleine »Superauto« beworben, an dem man Spaß hatte, wenn man es auf Landstraßen und in der Stadt fuhr. In Deutschland betonte Renault die bequeme Innenausstattung, Sicherheit und Modernität. In Italien betonte man Beschleunigung und Fahreigenschaften. In Finnland wurde die grundsolide Konstruktion und die Zuverlässigkeit herausgestellt. In Kanada wurde das Modell unter dem Namen »Le Car« als Inbegriff des vielseitig verwendbaren Autos werblich dargestellt.

Auch der Einsatz der Werbemedien erfordert eine internationale Anpassung, da ihre Verfügbarkeit von Land zu Land unterschiedlich ist. Im scharfen Kontrast zu den USA sind die Werbezeiten im europäischen Fernsehen sehr begrenzt und schwanken zwischen vier Stunden pro Tag in Frankreich und Null in den skandinavischen Ländern. Der Werbetreibende muß in Europa die Werbezeit Monate im voraus einkaufen und hat nur wenig Einfluß auf den Zeitpunkt, zu dem sein Spot gesendet wird. Die rasche Verbreitung des Videorecorders in Europa hat zu einer weiteren Verringerung der Fernseh-Sehbeteiligung geführt. Die Werbung in Zeitschriften ist von unterschiedlicher Effektivität. In Italien spielen Zeitschriften eine wichtige und in Österreich nur eine geringe Rolle. In Großbritannien gibt es Zeitungen mit nationaler Reichweite, während dem Werbetreibenden in Spanien nur Zeitungen mit begrenzter lokaler Reichweite zur Verfügung stehen.

Die Marketer müssen auch ihre Verkaufsförderungsprogramme an unterschiedliche Märkte anpassen. In Deutschland und Griechenland werden z. B. Coupons für Preisnachlässe untersagt, während solche Coupons in den USA und Kanada für die Verkaufsförderung sehr wesentlich sind. In Frankreich sind Glücksspiele untersagt. In Deutschland müssen Warenproben einen wesentlich geringeren Wert haben als das Produkt selbst. Einem Getränkehersteller ist es z. B. untersagt, eine ganze Flasche regulärer Größe seines Getränks als Warenprobe anzubieten. Er müßte demnach extra kleine Fläschchen abfüllen und als Warenprobe bereithalten, was so unwirtschaftlich ist, daß es nicht gemacht wird. Aufgrund dieser unterschiedlichen Einschränkungen haben internationale Unternehmen die Verantwortung für ihre Verkaufsförderungsprogramme fast ausschließlich in die Hand des örtlichen Managements gelegt.

Preisanpassung

International stehen multinationale Unternehmen bei der Festlegung ihrer Preise vor einer Reihe von Problemen. Bei der globalen Preispolitik haben die Unternehmen drei Möglichkeiten:

1. **Festlegung eines überall gültigen Einheitspreises**
   Hier könnte z. B. eine Coca-Cola überall in der Welt umgerechnet 80 Pfennig pro Literflasche kosten. Dieser Preis wäre in armen Ländern zu hoch und in reichen Ländern nicht hoch genug.
2. **Festlegung eines marktbestimmten Preises in jedem Land**
   In diesem Fall würde Coca-Cola den Preis nehmen, der in jedem Ländermarkt gängig ist. Dies berücksichtigt allerdings nicht Kostenunterschiede von Land zu Land.
3. **Festlegung eines kostenbestimmten Preises in jedem Land**
   Hier würde Coca-Cola überall ein Kostenschema mit einheitlichen Gewinnaufschlägen verwenden. Dies allerdings könnte Coca-Cola in bestimmten Ländern, in denen die Produktionskosten hoch sind, aus dem Markt werfen, wenn der Gewinnaufschlag zu hoch angesetzt ist.

Für welche der Alternativen das Unternehmen sich auch entscheidet, es ist in der Regel so, daß seine Preise von Land zu Land unterschiedlich sind. Dies ergibt sich schon allein aus den fluktuierenden Wechselkursen. Selbst wenn z. B. Volkswagen seinen Passat den Autokäufern in den USA und Deutschland zum gleichen Preis anbieten wollte, würde es im Verlauf des Jahres Preisunterschiede in beiden Ländern geben. In der Praxis müßte Volkswagen nämlich zu Beginn des Modelljahres sowohl den Kunden in Deutschland als auch in den USA die Preise jeweils in der Landeswährung bekanntgeben. Das Unternehmen könnte es sich nicht leisten, bei jeder Wechselkursschwankung zwischen Dollar und DM die Preise jeweils in beiden Märkten so anzupassen, daß, auf DM-Basis umgerechnet, der gleiche Preis herauskäme. Ein weiterer Grund für von Land zu Land unterschiedliche Preise ist die Kostenzuschlagsrechnung des Handels. Eine Handtasche von Gucci kann den Verbraucher in Italien 60 $ und in den Vereinigten Staaten 240 $ kosten. Warum? Dem Produkt werden die Kosten für den Transport, die Zölle, die Spanne des Importeurs, Großhändlers und Einzelhändlers hinzugerechnet. Je nach Höhe dieser Zuschläge kostet das Produkt den Endabnehmer in einem anderen Land u. U. zwei- bis fünfmal soviel wie im Ursprungsland, wenn der Hersteller damit den gleichen Gewinn erzielen will. So kosten z.B. Autoersatzteile von BMW in Japan ein Vielfaches des deutschen Preises. Ein Hersteller kann aber auch zur Vermarktung seiner Produkte auf überall gleiche Gewinnbeiträge verzichten und einen Teil der Importzölle übernehmen, um das Produkt im Bestimmungsland nicht zu teuer werden zu lassen.

Ein weiteres Problem betrifft die Festlegung eines *Transferpreises* für Güter, die das Unternehmen an seine Tochtergesellschaften im Ausland liefert. Hier ein Beispiel:

Der Schweizer Pharmakonzern Hoffman-LaRoche berechnete seiner italienischen Tochtergesellschaft nur 22 Dollar für ein Kilo Librium, um in Italien, wo die Körperschaftssteuer niedriger ist, hohe Gewinne ausweisen zu können. Für genau das gleiche Librium berechnete man der britischen Tochtergesellschaft 925 Dollar pro Kilo, um im Stammland, und nicht in England, wo die Körperschaftssteuer hoch ist, hohe Gewinne ausweisen zu können. Die britische Monopolkommission verklagte Hoffman-LaRoche auf Steuernachzahlung und gewann den Prozeß.

Stellt das Unternehmen einer Tochtergesellschaft zu hohe Preise in Rechnung, zahlt es letztendlich höhere Zollabgaben, auch wenn im betreffenden Land die Einkommensteuer vielleicht niedriger ist. Stellt das Unternehmen der Tochtergesellschaft einen zu niedrigen Preis in Rechnung, kann ihm *Dumping* vorgeworfen werden. Dumping liegt vor, wenn der Preis, den ein Unternehmen nimmt, entweder unter den Selbstkosten oder unter dem Inlandspreis liegt. So legte die Firma Zenith japanischen Fernsehproduzenten zur Last, daß sie ihre Geräte auf dem US-Markt zu Dumpingpreisen anboten. Findet die amerikanische Zollbehörde Beweise für Dumping, kann sie einen Anti-Dumpingzoll erheben. Verschiedene Regierungen achten auf einen möglichen Mißbrauch und zwingen die Unternehmen dazu, *Marktpreise* zu nehmen, d.h. den Preis, der von anderen Konkurrenten für dasselbe oder ein ähnliches Produkt angesetzt wird.

Und zuletzt müssen sich viele multinationale Unternehmen mit dem Problem des *grauen Marktes* auseinandersetzen. Hier ein Beispiel:

Minolta verkaufte seine Kameras aufgrund der niedrigeren Transportkosten und Zölle an Händler in Hongkong billiger als in Deutschland. Die Händler in Hongkong arbeiteten mit niedrigeren Spannen als deutsche Einzelhändler, denen hohe Spannen lieber waren als hohe Absätze. So betrug der Einzelhandelspreis für eine Minolta-Kamera in Hongkong 174 Dollar und in Deutschland 270 Dollar. Einige Großhändler in Hongkong bemerkten diesen Preisunterschied und lieferten Minolta-Kameras zu einem niedrigeren Preis an deutsche Händler, als diese ihrem deutschen Großhändler zahlten. Der deutsche Großhändler blieb nun auf seinen Kameras sitzen und beschwerte sich bei Minolta.

Oft findet ein Unternehmen heraus, daß einige Großhändler mehr kaufen, als sie in ihrem eigenen Land absetzen können, und die Ware im Wettbewerb mit dem etablierten Großhändler in ein anderes Land weiterliefern, um Preisunterschiede auszunutzen. Deutsche Autos können als »Grauimporte« aus Belgien billiger erworben werden als in Deutschland, da sie von den Automobilherstellern wegen unterschiedlicher Konkurrenzverhältnisse an belgische Händler billiger abgegeben werden. Die multinationalen Unternehmen sind bestrebt, die Entstehung von grauen Märkten durch Überwachung der Großhändler, durch Anheben ihrer Preise für Billig-Großhändler oder durch Änderung der Produktausstattung für verschiedene Länder zu verhindern.

Vertriebsweg-anpassung

Das internationale Unternehmen muß die Warenverteilung bis hin zu den Endverbrauchern aus der Sicht des *Gesamtvertriebssystems* betrachten. Abbildung 14–5 zeigt die drei wichtigsten Bindeglieder zwischen dem Anbieter und dem Endabnehmer. Das erste Bindeglied, *die internationale Marketing-Führungsstelle des Anbieters,* besteht aus der Exportabteilung oder der »internationalen Division«, d.h. einem eigenständigen Firmenteil für das internationale Geschäft, der über die Vertriebswege und andere Elemente des Marketing-Mix entscheidet. Das zweite Bindeglied, *die Vertriebssysteme zwischen den Ländern,* bringt die Produkte zu den Auslandsmärkten. Hier sind Entscheidungen über Art der Zwischenhändler (Vertreter, Handelsgesellschaften etc.), Transportweg (Luft, See etc.) sowie Finanzierung und Gefahrenübergang zu treffen. Das dritte Bindeglied, *Vertriebssysteme innerhalb fremder Länder,* bewegt die Produkte vom Einfuhrort im Ausland bis zu den Endabnehmern und -verbrauchern. Zu viele Anbieter meinen, ihre Arbeit sei getan, sobald das Produkt den Betrieb verlassen hat. Sie sollten ihr Augenmerk darauf richten, wie das Produkt im Ausland »durch die Vertriebswege läuft«.

Abbildung 14-5
Konzept des Gesamtvertriebssystems für das internationale Marketing

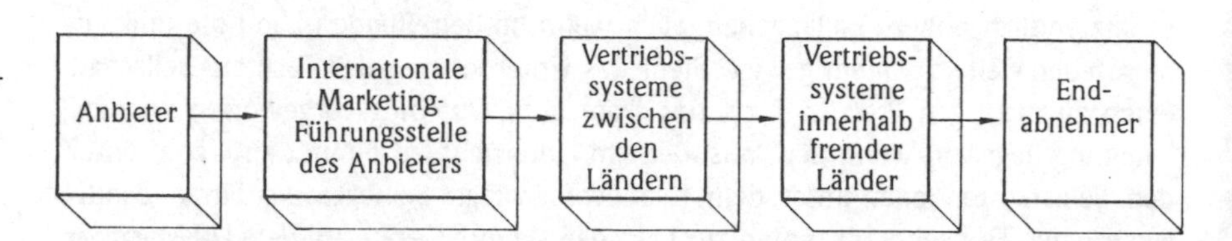

Die landesinternen Vertriebswege unterscheiden sich von Land zu Land beträchtlich. Es gibt ausgeprägte Unterschiede in *Anzahl* und *Art der Partner in der Handelswelt,* die den jeweiligen Auslandsmarkt bedienen. Um seine Seife an den Verbraucher in Japan zu bringen, muß Procter & Gamble über das wohl komplizierteste Vertriebssystem der Welt arbeiten. Das Produkt nimmt dabei zunächst den Weg über einen *General-Großhändler,* dann über einen *auf bestimmte Basisprodukte spezialisierten Großhändler,* einen weiteren *spezialisierten Großhändler,* einen *regionalen Großhändler,* einen *lokalen Großhändler* bis hin zu den *Einzelhändlern.* So viele Vertriebsstufen können dazu führen, daß sich der Endverkaufspreis im Vergleich zum Importpreis verdoppelt oder verdreifacht. [13] Will Procter & Gamble die gleiche Seife ins tropische Afrika exportieren, verkauft das Unternehmen vielleicht an einen *Importgroßhändler,* der die Ware an mehrere *Jobber* weiterverkauft, die dann wiederum an die *Straßenhändler* (meist Frauen) auf den lokalen Märkten verkaufen.

Auch Unterschiede in *Größe und Art der Einzelhandelsverkaufsorganisation* im Ausland müssen berücksichtigt werden. Während in Ländern wie den USA, Kanada, Deutschland und der Schweiz große Einzelhandelsketten den Markt beherrschen, liegt in vielen anderen Ländern der Einzelhandel in den Händen einer Vielzahl von kleinen und unabhängigen Händlern. In Indien z.B. betreiben Millionen von Einzelhändlern winzige Läden oder verkaufen ihre Ware auf den Marktplätzen. Sie arbeiten mit hohen Handelsspannen, doch der tatsächliche Preis reduziert sich durch die Praxis des Feilschens. Supermärkte könnten dort vielleicht die Preise senken, aber aufgrund der vielen wirtschaftlichen und kulturellen Barrieren ist es schwierig, einen Supermarkt zu eröffnen.[14] Die Einkommen der Inder sind niedrig, und sie müssen täglich kleine Mengen einkaufen und sich auf das beschränken, was sie entweder zu Fuß oder mit dem Rad nach Hause schaffen können. Es fehlt auch an Lager- und Kühlraum, um die Lebensmittel für einige Tage aufbewahren zu können. Die Verpackungskosten werden niedrig gehalten, um die Preise niedrig halten zu können. Zigaretten werden in Indien häufig einzeln (statt in Packungen) gekauft. Die Aufteilung großer Warenpartien in kleine Abgabemengen ist nach wie vor eine wichtige Funktion der Zwischenhändler und hält die langen Vertriebswege am Leben, die eines der größten Hindernisse für die Verbreitung von Einzelhandels-Großbetrieben in den Entwicklungsländern darstellen.

Entscheidung zur Marketingorganisation

Unternehmen können ihre internationalen Marketingaktivitäten auf mindestens dreierlei Art organisatorisch führen:

Exportabteilung als Führungsstelle

Ein Unternehmen beginnt im Normalfall seine internationalen Marketingaktivitäten damit, daß es die Ware auf Nachfrage hin einfach ins Ausland versendet. Steigen die internationalen Umsätze, richtet das Unternehmen eine Exportabteilung ein, die aus einem Verkaufsmanager und ein paar Sachbearbeitern besteht. Steigen die Umsätze weiter, wird die Exportabteilung ausgebaut und umfaßt nun verschiedene Marketing-Servicefunktionen, so daß das Unternehmen nun dem Exportgeschäft intensiver nachgehen kann. Falls sich das Unternehmen an Joint Ventures beteiligt oder Direktinvestitionen tätigt, ist die Exportabteilung keine adäquate Führungsstelle mehr für die internationalen Aktivitäten.

Internationale Sparte als Führungsstelle

Viele Unternehmen werden auf mehreren internationalen Märkten tätig und sind an mehreren Auslandsprojekten beteiligt. So kann ein Unternehmen in ein Land exportieren, im anderen Lizenzen vergeben, in einem dritten an einem Joint Venture beteiligt sein und in einem vierten eine eigene Tochtergesellschaft betreiben. Früher oder später wird es eine internationale Sparte einrichten, die alle internationalen Aktivitäten abwickelt. Der Vorstand oder »Präsident« einer solchen internationalen Sparte legt die Zielsetzungen und Budgets fest und ist für das Wachstum des Unternehmens auf dem internationalen Markt verantwortlich.

Eine internationale Sparte kann auf vielerlei Weise organisiert werden. Ihre Stabsstellen bestehen aus Spezialisten der Bereiche Marketing, Produktion, Forschung, Finanzen, Planung und Personalwesen; sie übernehmen die Planung für die verschiedenen operativen Einheiten und arbeiten ihnen zu. Die operativen Einheiten können nach einem oder mehreren von drei Prinzipien organisiert sein. Es kann sich um *geographische Organisationen* handeln. Dem Vorstand der internationalen Sparte könnten dann z.B. die Regionaldirektoren oder Vize-Präsidenten für Ländergruppen wie Nordafrika, Lateinamerika, Europa, Afrika, den Nahen Osten und den Fernen Osten unterstellt sein. Diesen wiederum sind Ländermanager unterstellt, die für die Vertriebsorganisation, Verkaufsniederlassungen, Großhändler und Lizenznehmer in den jeweiligen Ländern verantwortlich sind. Oder die operativen Einheiten sind als *Weltproduktgruppen* gegliedert; ihr jeweiliger Chef ist dann verantwortlich für das weltweite Geschäft seiner Produktgruppe. Sie können sich an die Spezialisten in den Stabsstellen wenden, wenn sie spezielle Informationen über bestimmte geographische Regionen benötigen. Zuletzt können einzelne operative Einheiten in den jeweiligen Ländern auch als *internationale Tochtergesellschaften* geführt werden, bei denen jeweils ein »Länderchef« dem Vorstand der internationalen Sparte im Mutterland unterstellt ist.

Manche multinationale Unternehmen wechseln zwischen diesen drei Organisationsformen, da jede bestimmte Probleme mit sich bringt. Ein Beispiel dafür ist die Geschichte der internationalen Aktivitäten von Westinghouse: [15]

Vor 1960 verfügte Westinghouse über mehrere, relativ selbständige Tochtergesellschaften im Ausland, die als internationale Sparte lose miteinander verbunden waren. Um die Koordination zu verbessern, richtete Westinghouse im Jahr 1960 in den USA eine starke internationale Sparte mit Regional- und Ländermanagern ein. Doch einige Produktgruppenmanager von Westinghouse fanden es frustrierend, über die internationale Sparte arbeiten zu müssen, und forderten, selbst die Planung und Durchführung global bestimmen zu können. Die Unternehmensleitung gab im Jahr 1971 nach, löste die internationale Sparte auf und stattete 125 Produktgruppenmanager mit weltweiten Produktbereichskompetenzen aus. Doch die Ergebnisse waren nicht überall positiv. Es stellte sich heraus, daß man bei vielen Produktgruppen den internationalen Marktchancen nicht ausreichend Beachtung schenkte, da ein Großteil des Geschäftes aus dem Inland stammte; es fehlte an internationalem Fachwissen, und die internationalen Aktivitäten waren untereinander nicht abgestimmt. So kam es nicht überraschend, daß Westinghouse im Jahr 1979 auf eine Matrix-Organisation umstellte, die aus einem »Vice-President« für das internationale Gesamtgeschäft bestand, dem vier Regionaldirektoren unterstellt waren, denen wiederum Landesdirektoren unterstellt waren. Daneben sorgten internationale Produktgruppenmanager, die ebenfalls dem »Vice-President« unterstanden, für die Erfüllung der Koordinationsaufgaben innerhalb der verschiedenen Produktgruppen. Die Matrix-Organisation versprach, sowohl den lokalen Bedürfnissen als auch der globalen Produktstrategie besser gerecht zu werden, wenn auch die Kosten höher waren und es auf dem Weg dahin zu einigen Managementkonflikten kam.

Globale Organisationsführung

Einige Unternehmen sind bereits über die Stufe der internationalen Sparte hinaus und entwickeln sich zu globalen Organisationen. Sie sehen sich nicht mehr als nationale Marketer, die im Ausland tätig sind, sondern beginnen, sich als globale Marketer zu betrachten. Die Gesamtunternehmensleitung und die Stabsstellen sind an der Planung der weltweiten Produktionseinrichtungen, Marketingaktivitäten, Finanzflüsse und logistischen Systeme beteiligt. Die globalen operativen Einheiten sind direkt dem Vorstandsvorsitzenden oder dem Vorstandsgremium unterstellt, und nicht dem Vorstand einer internationalen Sparte. Die Führungskräfte werden darin geschult, weltweite, und nicht nur inländische oder einige internationale Betriebsprobleme zu lösen. Die Manager werden aus vielen Ländern rekrutiert. Komponenten sowie Roh-, Hilfs- und Betriebsstoffe werden dort eingekauft, wo sie am günstigsten sind, und Investitionen werden dort getätigt, wo sie am lohnendsten sind.

Nicht global organisierte Unternehmen müssen sich global ausrichten, wenn sie im Wettbewerb bestehen wollen. Da ausländische Unternehmen mit Erfolg in ihren Markt vordringen, werden auch die Inlandsunternehmen den Weg auf die Auslandsmärkte aggressiver beschreiten müssen (vgl. Exkurs 14-9).

Exkurs 14-9: Weltmeister im globalen Marketing: die Japaner?

Nur wenige bestreiten, daß die Japaner seit dem Zweiten Weltkrieg ein Wirtschaftswunder vollbracht haben. In relativ kurzer Zeit sicherten sie sich die globale Marktführerschaft in Branchen, die man bereits in der Reifephase und von unangreifbaren Giganten beherrscht wähnte: Autos, Motorräder, Uhren, Kameras, optische Instrumente, Stahl, Schiffsbau, Klaviere, Reißverschlüsse, Radios, Fernsehen, Videorecorder, Taschenrechner etc. Zur Zeit rücken die japanischen Unternehmen in der Computer- und Baumaschinenindustrie auf Rang zwei vor und dringen stark in die Chemie-, Reifen-, pharmazeutische und Werkzeugmaschinenindustrie vor. Sie verstärken ihre Position bei Designer-Kleidung und Kosmetika und fassen langsam auch im Flugzeugbau Fuß.
Es gibt viele Theorien zur Erklärung der globalen Erfolge der Japaner. Einige verweisen auf die besonderen Geschäftspraktiken wie z.B. lebenslange Beschäftigungsverhältnisse, Qualitätszirkel, »Consensus Management« und »Just-in-Time-Produktion«. Andere verweisen auf die Hilfestellung der Regierung durch politische Maßnahmen und Subventionen, auf das Vorhandensein mächtiger Handelsgesellschaften und den leichten Zugang der Unternehmen zu Bankfinanzierungen. Wieder andere halten das früher niedrige Lohnniveau, unfaire Dumping-Praktiken, abgeschottete heimische Märkte und geringe Verteidigungslasten für die Basis des japanischen Erfolgs.
Einer der Schlüsselfaktoren für die Leistungen Japans sind seine Fertigkeiten in der Formulierung und Durchführung von Marketingstrategien. Die Japaner kamen in die USA, um Marketing zu studieren, und als sie nach Hause zurückkehrten, verstanden sie die Grundlagen des Marketing besser, als dies viele US-Unternehmen vermochten. Die Japaner wissen, wie man einen Markt selektiert, ihn richtig betritt, Marktanteile aufbaut und eine Führungsposition gegen die Angriffe der Konkurrenz verteidigt.

Marktselektion

Die japanische Regierung und die Unternehmen arbeiten mit großem Aufwand daran, attraktive globale Märkte zu identifizieren. Sie favorisieren Branchen, die große Fertigkeiten, eine hohe Arbeitsintensität und nur kleine Rohstoffmengen erfordern: Dazu zählen die Unterhaltungselektronik, Kameras, Uhren, Motorräder und pharmazeutische Produkte. Sie bevorzugen Produktmärkte, die technologisch weiterentwickelt werden können. Sie machen Produktmärkte ausfindig, wo es unzufriedene Verbraucher gibt. Und sie suchen nach Branchen, wo die Marktführer selbstgefällig oder unterkapitalisiert sind.

Markteintritt

Die Japaner entsenden Erkundungsteams in das Zielland, die mehrere Wochen oder Monate lang den Markt begutachten und eine Strategie dafür ausarbeiten. Unter Umständen treten sie in den Markt ein, indem sie zunächst ihr Produkt an ansässige Unternehmen als deren Hausmarke verkaufen, z.B. an den Versandhandel, ein Kaufhaus oder sogar an einen Hersteller. Später bringen sie es unter einem eigenen Markennamen als niedrigpreisiges, einfaches Produkt, als Produkt von gleicher Qualität wie der Wettbewerber oder als Produkt von überlegener Qualität oder mit neuen Eigenschaften oder neuem Design auf den Markt. Dann bauen die Japaner ein gutes Vertriebssystem auf, um ihren Kunden einen schnellen Service bieten zu können. Mit viel Werbung machen sie ihre Produkte bekannt. Mit ihrer Eintrittsstrategie wollen sie in der Regel eher große Marktanteile erreichen als frühzeitig Gewinne erzielen. Die Japaner investieren geduldig und sind bereit, sogar ein Jahrzehnt lang zu warten, bis sie Gewinne machen.

Aufbau von Marktanteilen

Sobald japanische Unternehmen in einem Markt Fuß gefaßt haben, richten sie ihre Anstrengungen auf die Ausweitung ihres Marktanteils. Sie tun dies durch Produktentwicklungsstrategien und Marktentwicklungsstrategien. Sie investieren in die Produktverbesserung, in leistungsfähigere Produktvarianten und in die Produktvielfalt, so daß sie mehr und Besseres als die Konkurrenz zu bieten haben. Durch Marktsegmentierung machen sie neue Chancen ausfindig, entwickeln so der Reihe nach die Märkte in mehreren Ländern und zielen darauf ab, ein weltumspannendes Netz von Märkten und Produktionsstandorten aufzubauen.

Verteidigung des Marktanteils

Sobald die Japaner marktbeherrschend sind, befinden sie sich in der Rolle des Verteidigers. Die japanische Verteidigungsstrategie besteht darin, durch kontinuierliche Produktentwicklung und verfeinerte Marktsegmentierung offensiv zu bleiben. Um ihre Führungsposition zu halten, nutzen japanische Unternehmen zwei marktorientierte Prinzipien. Das erste lautet »unverzügliches Kunden-Feedback«: Sie befragen die neuesten Kunden und ermitteln, wie ihnen das Produkt gefällt und welche Verbesserungen sie vorschlagen würden. Das zweite Prinzip lautet »unverzügliche Produktverbesserung«: Sie nehmen laufend Verbesserungen vor, so daß ihr Produkt Marktführer bleibt.

Reaktion auf die japanische Konkurrenz

Obwohl die amerikanischen und europäischen Unternehmen zunächst nur langsam auf das Eindringen der Japaner reagierten, rüsten die meisten von ihnen nun zur Gegenoffensive. IBM bringt neue Produkte, automatisiert seine Fabriken, beschafft Komponenten im Ausland und schließt strategische Partnerschaften mit anderen Unternehmen. Black & Decker schließt Lücken in seiner Produktlinie, verbessert die Produktqualität, strafft die Produktion und betreibt eine aggressive Preispolitik. Mehr und mehr Unternehmen kopieren gut funktionierende japanische Praktiken – Qualitätskontrolle, Qualitätszirkel, »Consensus Management« – wenn sie zu ihrer Unternehmenskultur passen. Und mehr und mehr Unternehmen treten in den japanischen Markt ein, um dort den Wettbewerb aufzunehmen. Obwohl der Zutritt zum japanischen Markt und seine erfolgreiche Bearbeitung viel Geld und Geduld erfordern, haben hier einige Unternehmen Hervorragendes geleistet. Dazu gehören Coca-Cola, McDonald's, Wella, Xerox, IBM und BMW.

Quelle: Näheres findet sich bei Philip Kotler, Liam Fahey und Somkid Jatusripitak: *The New Competition* Englewood Cliffs, N.J.: Prentice-Hall, 1985.

Viele multinationale Unternehmen haben sich vom engen *ethnozentrischen* Denken, wo sie die Dinge nur von ihrem Kulturkreis aus betrachteten, zum *polyzentrischen* Denken fortentwickelt, wo sie die Dinge von der Kultur des jeweiligen Gastlandes aus betrachten. Mehr noch, Polyzentrismus bedeutet, beim Aufbau des globalen Geschäfts weitgehend dezentralisiert vorzugehen. Polyzentrische multinationale Unternehmen geben ihren Führungskräften im Ausland ein hohes Maß an Unabhängigkeit. Diese bemühen sich sehr, in ihrem Gastland einen sinnvollen Beitrag zu leisten und setzen sich für die lokale Fertigung, Produkt- und Marketinganpassungen etc. ein, um die Gunst des Gastlandes zu gewinnen. Und doch könnte das Schicksal des multinationalen Unternehmens vornehmlich von seiner Fähigkeit abhängen, eine globale Wettbewerbsstrategie zu gestalten und durch eine Koordination von Entwicklung, Produktion und Marketing sowie durch einen gewissen Grad an Standardisierung Systemvorteile sicherzustellen. Um hier Erfolg zu haben, müssen Planung und Kompetenzen nach Weltregionen oder gar weltweit stärker zentralisiert werden. Heute kehren die multinationalen Unternehmen zunehmend zu einer stärker zentralisierten Einflußnahme durch *geozentrische* oder zumindest durch *regiozentrische* Planung zurück. [16]

Zusammenfassung

Heute können es sich Unternehmen nicht länger leisten, ihr Augenmerk nur noch auf den Inlandsmarkt zu richten, egal wie groß er ist. In vielen Branchen herrscht globaler Wettbewerb. Und die Unternehmen, die global operieren, sichern sich niedrigere Kosten und eine größere Markenbekanntheit. Protektionistische Maßnahmen können das Vordringen überlegener Produkte nur verlangsamen; die beste Defensivstrategie eines Unternehmens ist eine durchdachte globale Offensive.

Gleichzeitig ist globales Marketing riskant, und zwar wegen schwankender Wechselkurse, labiler Regierungen, protektionistischer Handelsschranken, hoher Produkt- und Kommunikationsanpassungskosten und einiger weiterer Faktoren. Aus dem Konzept des internationalen Produkt-Lebenszyklus kann man folgern, daß in vielen Branchen der vergleichsweise vorteilhaftere Standort von Ländern mit hohem Kostenniveau auf Länder mit niedrigen Kosten übergehen wird; daher können sich die Unternehmen nicht einfach auf das eigene Land beschränken und glauben, ihre Märkte halten zu können. Angesichts der potentiellen Vorteile und Risiken des internationalen Marketing sollten die Unternehmen bei ihren internationalen Marketingentscheidungen systematisch vorgehen.

Als erstes muß man das internationale Marketingumfeld, vor allem das internationale Handelssystem, verstehen lernen. Faßt man einen bestimmten Auslandsmarkt ins Auge, muß man seine volkswirtschaftlichen, politisch-rechtlichen und kulturellen Merkmale bewerten. Zum zweiten muß man überlegen, welchen Anteil das Auslandsgeschäft am Gesamtgeschäft haben soll, ob man in wenigen oder vielen Ländern aktiv werden und in welche Arten von Ländern man vordringen will. Zum dritten muß man entscheiden, in welche konkreten Märkte man eintritt; dies erfordert die Abwägung von möglichen Chancen und Risiken. Zum vierten muß man für jeden attraktiven Markt entscheiden, auf welche Weise man dort eintritt. Viele Unternehmen beginnen mit dem indirekten oder direkten Export und gehen dann zur Lizenzerteilung, Joint Ventures und schließlich zu Direktinvestitionen über; diesen Ablauf nennt man Internationalisierungsprozeß. Als nächstes muß man entscheiden, in welchem Umfang Produkt, Absatzförderung, Preis und Distribution an einzelne Auslandsmärkte angepaßt werden sollen. Schließlich muß man eine effektive Organisationsstruktur zur Führung des internationalen Marketing aufbauen. Die meisten Unternehmen beginnen mit einer Exportabteilung und gehen dann zu einer internationalen Sparte über. Einige entwickeln sich zur globalen Organisation; hier muß die Unternehmensleitung strategisch in globalen Dimensionen denken und planen.

Anmerkungen

1 Vgl. Erwin A. Schmietow und Michael Schneider: »Die mangelnde Wachstumsorientierung der bundesdeutschen Industrie«, in: *Technologie und Management*, 36. Jg., Heft 1, Mai 1987, S. 10–23.
2 Vgl. Nußbaum: *Das Ende unserer Zukunft*, München: Kindler 1984, S. 97 und 98/99.
3 Vgl. Michael E. Porter: *The Competitive Advantage of Nations*, New York, in: The Free Press, Macmillan, 1990.
4 Michael E. Porter: *Competitive Strategy*, New York: Free Press, 1980, S. 275.
5 Vgl. David A. Ricks, Marilyn Y. C. Fu and Jeffery S. Arpan: *International Business Blunders*, Columbus, Ohio: Grid 1974, sowie den Bericht über die Verhandlungspolitik in verschiedenen Ländern in Gavin Kennedy: *Negotiate Anywhere!*, London: Hutchinson Business, 1985.
6 Vgl. Igal Ayal und Jehiel Zif: *Market Expansion Strategies in Multinational Marketing*, in: *Journal of Marketing*, Frühjahr 1979, S. 84–94.
7 James K. Sweeney: A Small Company Enters the European Market, in: *Harvard Business Review*, September–Oktober 1970, S. 127–128.
8 Vgl. David S. R. Leighton: »Deciding When to Enter International Markets«, in: *Handbook of Modern Marketing*, Victor P. Buell (Hrsg.), New York: McGraw-Hill, 1970, Kap. 20, S. 23–28.
9 Vgl. jedoch auch J. Peter Killing: »How to Make a Global Joint Venture Work«, in: *Harvard Business Review*, Mai-Juni 1982, S. 120–127.
10 Vgl. Jan Johanson und Finn Wiedersheim-Paul: »The Internationalization of the Firm«, in: *Journal of Management Studies,* Oktober 1975, S. 305–322.
11 Vgl. Stan Reid: »The Decision Maker and Export Entry and Expansion«, in: *Journal of International Business Studies*, Herbst 1981, S. 101–112; Igal Ayal: »Industry Export Performance: Assessment and Prediction«, in: *Journal of Marketing*, Sommer 1982, S. 54–61;

Somkid Jatusripitak: *The Export Behaviour of Manufacturing Firms*, Ann Arbor, Mich.: UMI Press, 1986.

12 Vgl. Warren J. Keegan: *Multinational Marketing Management*, 3. Auflage, Englewood Cliffs, N.J.: Prentice-Hall, 1984, S. 317–324.

13 Vgl. William D. Hartley: »How Not to Do It: Cumbersome Japanese Distribution System Stumps U.S. Concerns«, in: *Wall Street Journal*, 2. März 1972.

14 Vgl. Arieh Goldman: »Outreach of Consumers and the Modernization of Urban Food Retailing in Developing Countries«, in: *Journal of Business Strategy*, Oktober 1974, S. 8–16.

15 Vgl. Christopher A. Bartlett: »How Multinational Organizations Evolve«, in: *Journal of Business Strategy*, Sommer 1982, S. 20–32.

16 Vgl. Yoram Wind, Susan Pl Douglas und Howard V. Perlmutter: »Guidelines for Developing International Marketing Strategies«, in: *Journal of Marketing*, April 1973, S. 14–23.

Planung von Marketing-programmen

Teil V

Management von Produkten und Marken

Kapitel 15

In der Fabrik stellen wir Kosmetikartikel her; über die Ladentheke verkaufen wir Hoffnung auf Schönheit.
Charles Revson

Wer aufhört, besser zu werden, hat aufgehört gut zu sein.
Philip Rosenthal

Als nächstes untersuchen wir in diesem Buch die Elemente des Marketing-Mix eingehender. Wir beginnen mit dem Produkt, dem wichtigsten Element des Marketing-Mix. Dabei befassen wir uns mit folgenden Fragen:

- Was ist ein Produkt?
- Mit welchen Konzepten kann ein Unternehmen seinen Produktmix und seine Produktlinien führen?
- Was muß bei Markenentscheidungen bedacht werden?
- Wie werden Verpackung und Etikettierung als Marketingwerkzeug zusammen mit dem Produkt eingesetzt?

Was ist ein Produkt?

Wir definieren den Produktbegriff wie folgt:

Ein Produkt ist, was einem Markt angeboten werden kann, um es zu betrachten und zu beachten, zu erwerben, zu gebrauchen oder zu verbrauchen und somit einen Wunsch oder ein Bedürfnis zu erfüllen.

Meist denken wir beim Begriff »Produkt« an *materielle Objekte*: Autos, Toaster, Schuhe, Eier, Bücher etc. Aber auch *Dienstleistungen*, wie ein Haarschnitt, ein Konzert oder eine Urlaubsreise, sind Produkte (gelegentlich als »Dienstleistungsprodukte« bezeichnet). Auch *Personen* kann man als Produkt sehen. Ein Filmstar wie Barbra Streisand läßt sich sehr wohl »vermarkten« – nicht in dem Sinne, daß wir sie tatsächlich »kaufen« können, sondern indem wir ihr Beachtung schenken, ihre Schallplatten kaufen und ihre Konzerte besuchen. Ein *Ort* wie Berlin läßt sich vermarkten, indem man seine Möglichkeiten für Industrieansiedlungen, Tagungen oder den Tourismus bekanntmacht. Eine *Organisation,* wie z.B. das Rote Kreuz, läßt sich in dem Sinne vermarkten, daß wir ihr gegenüber positiv eingestellt und bereit sind, sie zu unterstützen. Und selbst *Ideen*, wie Familienplanung oder rücksichtsvolles Autofahren, lassen sich »vermarkten«, und zwar insofern, als wir die mit ihnen verbundenen Verhaltensweisen übernehmen. Wir können also ganz pauschal sagen, daß alles, was vermarktet werden kann, ein Produkt ist: materielle Objekte, Dienstleistungen, Personen, Orte, Organisationen und Ideen.

Fünf Konzeptionsebenen für das Produkt

Zur Planung seines Produktangebots muß der Marketer sein Produkt auf fünf Konzeptionsebenen durchdenken (siehe Abbildung 15–1).[1] Auf der fundamentalsten Konzeptionsebene muß er sich mit dem *Kernnutzen* befassen, d.h. mit der fundamentalen Produktleistung und dem Produktnutzen, den der Verbraucher in Wirklichkeit kauft. Im Falle eines Hotels kauft der übernachtende Gast in Wirklichkeit »Ruhe und Schlaf«. Im Falle eines Lippenstifts kauft der Erwerber in Wirklichkeit »Hoffnung auf Schönheit«. Im Falle von Bohrern kauft der Anwender in Wirklichkeit »Löcher«.

Der Marketer muß den Grundnutzen in ein *generisches Produkt* umsetzen, d.h. die Grundversion eines Produkts. Beim Hotel besteht die Grundversion z.B. aus einem Empfangstisch und zu vermietenden Räumen. Auf der dritten Konzeptionsebene muß der Marketer sich mit dem *erwarteten Produkt* befassen, nämlich dem Bündel von Eigenschaften und Rahmenbedingungen, das die Käufer im Normalfall erwarten und dem sie innerlich im Austauschprozeß zustimmen, wenn sie das Produkt kaufen. Der Hotelgast erwartet z.B. ein sauberes Bett, ein Bad – ausgerüstet mit Seife und Handtüchern – ein Telefon, einen Kleiderschrank und eine ruhige Lage. Da die meisten Hotels dieses Minimum an erwarteten Eigenschaften bieten, kann sich der Reisende, ohne besondere Präferenzen zu entwickeln, in das für ihn am günstigsten gelegene Hotel begeben.

Auf der vierten Konzeptionsebene muß sich der Marketer mit dem *augmentierten Produkt* befassen. Dazu gehört neben dem erwarteten Produkt ein weiteres Bündel an Eigenschaften, Kundennutzen und Dienstleistungen, wodurch sich das Angebot

Abbildung 15-1
Fünf Konzeptionsebenen für das Produkt

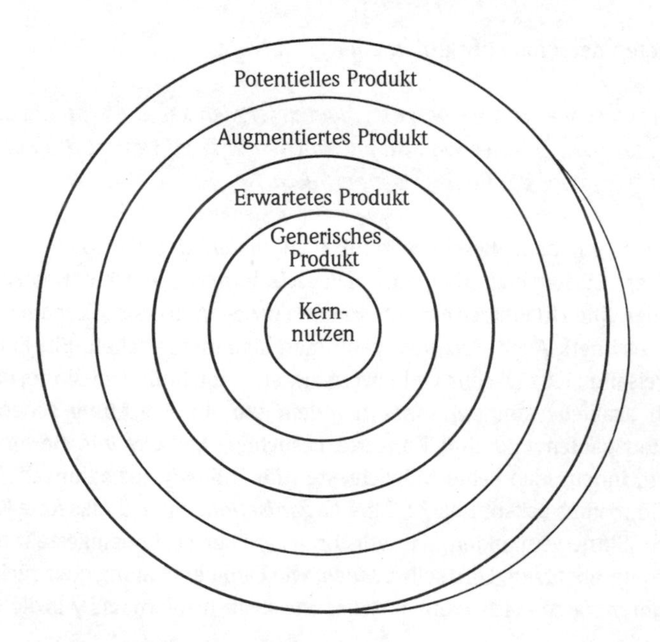

des Unternehmens vom Angebot der Wettbewerber unterscheidet und abhebt. Ein Hotel kann z.B. sein Produkt wie folgt »augmentieren«: Fernseher und frische Blumen im Zimmer, Shampoo, Zahnbürste und Rasierzeug im Bad, Eilabfertigung bei der Ab- und Anmeldung, Restaurant mit guter Küche und Zimmerservice etc.

Der Wettbewerb spielt sich heutzutage in den wirtschaftlich hochentwickelten Ländern auf der Ebene des augmentierten Produkts ab. In den Entwicklungsländern findet der Wettbewerb meistens auf der Ebene des erwarteten Produkts statt.

Auf der Konzeptionsebene des augmentierten Produkts muß sich der Marketer mit dem gesamten *Konsumsystem* des Käufers beschäftigen, d.h. wie der Käufer eines Produkts das, was er mit der Verwendung des Produkts zu erreichen sucht, als Gesamtaufgabe bewältigt. [2] Dadurch eröffnen sich dem Marketer viele Möglichkeiten zur wettbewerbswirksamen Erweiterung seines Angebotsprogramms. Levitt ist folgender Auffassung:

Der *neue Wettbewerb* beruht nicht auf dem, was die Hersteller in den Fabriken produzieren, sondern auf dem, was sie dazu an Leistungen bieten, wie z.B. Verpackung, Kundendienst, Werbung, Kundenberatung, Finanzierung, Liefervereinbarungen, Lagerung und anderes, was die Kunden schätzen. [3]

Ein Beispiel dafür ist der weltweite Konkurrenzkampf der Hersteller von Computertomographen für den Krankenhauseinsatz. Diese Geräte kosten zwischen einer und mehreren Millionen Mark; ihre Aufstellung erfordert, da sie sehr groß und schwer sind, speziell dafür ausgelegte Räumlichkeiten, eine intensive Schulung des Bedienungspersonals und vieles mehr. Siemens Medizintechnik z.B. strebt eine führende Marktposition an und sieht sich nicht allein als Anbieter kostspieliger medizinischer Geräte, sondern auch als Anbieter einer Reihe von zusätzlichen Serviceleistungen: Bauberatung, Installation der Geräte, Schulung des Bedienungspersonals, weltweit vernetzte On-line-Fehlerdiagnose per Computer, 24-Stunden-Reparaturservice, vertragliche Garantieleistungen, spezielle Finanzierungsangebote etc. Siemens verkauft also nicht nur ein erweitertes Produkt, sondern geht *durch Kundenanpassung des erweiterten Produkts* sogar noch einen Schritt darüber hinaus. Manche Krankenhäuser benötigen möglicherweise gar nicht alle der gebotenen Begleitdienste. Siemens schneidet daher das erweiterte Produkt auf die Wünsche des einzelnen Kunden zu. Unternehmen, die das augmentierte Produkt an den Kunden anpassen, anstatt es zu standardisieren, haben langfristig die besten Chancen, Kunden für sich zu gewinnen.

Bei der Produktaugmentierung sollte jedoch noch folgendes beachtet werden: Erstens bringt jede Augmentierung für das Unternehmen mit dem zusätzlichem Aufwand auch zusätzliche Kosten. Der Marketer muß überprüfen, ob seine Kunden bereit sind, diesen Extraaufwand zu bezahlen. Zweitens entwickelt sich ein augmentierter Nutzen bald zum erwarteten Nutzen. So werden die Gäste des Hotels bald erwarten, den Fernseher, das Shampoo und andere Annehmlichkeiten in ihren Räumen vorzufinden. Das bedeutet, daß die Unternehmen im Wettbewerb nicht stillstehen können, sondern ihrem Angebot weitere nutzenbringende Zusatzeigenschaften hinzufügen werden. Da die Unternehmen mit der Augmentierung ihres Produkts in der Regel auch die Preise anheben, werden es zudem einige Wettbewerber für vorteilhaft erachten, das erwartete Produkt zu einem wesentlich niedrigeren Preis anzubieten. So finden wir z.B. neben den Nobelhotels auch niedrigpreisige

Hotels, wie z.B. das »Hotel Garni«, deren Zielgruppe Gäste sind, die einfach nur das erwartete Produkt wollen.

Auf der fünften Konzeptionsebene steht das *potentielle Produkt*, d.h. das Produkt mit jedem Zusatznutzen und allen Umgestaltungsmöglichkeiten, die es in der Zukunft erfahren könnte. Während das augmentierte Produkt das beinhaltet, was heute zum Produkt gehören sollte, befaßt sich das potentielle Produkt mit möglichen Entwicklungen für die Zukunft. Fortschrittliche Unternehmen arbeiten energisch daran, Produktverbesserungen vorzubereiten, mit denen sie die Kunden zukünftig zufriedenstellen und ihr Angebot herausstellen können.

Einige der erfolgreichsten Unternehmen bieten ihren Kunden einen Zusatznutzen an, der sie nicht nur zufriedenstellen, sondern auch *erfreuen* soll. Die Kunden sind erfreut, wenn sie vom Produkt positiv überrascht werden. Im Hotel z.B. findet der Gast ein »Betthupferl« auf dem Kopfkissen, eine Schale mit Früchten oder einen Videorekorder mit einer Auswahl von Videobändern. Das Unternehmen drückt damit aus, daß es den Kunden besonders gut behandeln will.

Produkthierarchien

Jedes Produkt steht in Beziehungen zu anderen Produkten. Eine *Produkthierarchie* umfaßt das Spektrum vom Grundbedürfnis bis zum speziellen Artikel, der dieses Bedürfnis erfüllt. Die Produkthierarchie läßt sich in sechs Ebenen unterteilen. Diese werden im folgenden anhand des Beispiels »Lebensversicherung« erläutert:

1. Bedürfnisfamilie: Grundbedürfnisse, auf denen Produktfamilien aufbauen; hier nehmen wir als Beispiel ein Grundbedürfnis, nämlich »finanzielle Absicherung der Zukunft«.
2. Produktfamilie: Alle Produktklassen, die ein Grundbedürfnis mehr oder weniger wirkungsvoll zufriedenstellen können; hier: das Bedürfnis »Rücklagen bilden und Einkommen sichern«.
3. Produktklasse: Eine Gruppe von Produkten innerhalb einer Produktfamilie, zwischen denen ein sachlicher Zusammenhang besteht; hier: der Sicherheit dienende Finanzierungsinstrumente.
4. Produktlinie: Eine Gruppe von Produkten innerhalb einer Produktklasse, deren Funktionsweise ähnlich ist, die derselben Zielgruppe oder über dieselben Distributionssysteme angeboten wird oder in eine bestimmte Preisklasse fällt; hier: Lebensversicherungen.
5. Produkttyp: Produkte gleicher Art innerhalb einer Produktlinie; hier: Risikolebensversicherungen.
6. Artikel: Eine ganz bestimmte Ausführungsform des Produkttyps, die sich in Details, wie z.B. Größe, Preis, Aussehen und zugeordnete Bedingungen, von anderen Artikeln unterscheidet; hier: auf drei Jahre begrenzte Risikolebensversicherung mit Verlängerungsoption ohne weitere medizinische Überprüfung bis zum 65. Lebensjahr.

Ein weiteres Beispiel: Das Bedürfnis »Hoffnung auf gutes Aussehen« führt zur Entstehung einer Produktfamilie namens »Körperpflegemittel« und einer Produktklasse namens »Kosmetika« innerhalb dieser Familie. Eine Produktlinie innerhalb dieser Klasse sind Lippenstifte. Diese werden ihrerseits in verschiedenen Produkttypen angeboten, z.B. »kußfest«. Hier gibt es ganz bestimmte Artikel, z.B. »pink Nr. 34«, in weißen Röhrchen mit Drehvorschub.

Zwei weitere Begriffe werden ebenfalls häufig verwendet. Ein *Produktsystem* ist eine Gruppe unterschiedlicher, jedoch zusammengehöriger Artikel, deren Funktionsweisen kompatibel sind. Nikon verkauft z.B. eine Kleinbildkamera, bei der man neben der Grundausführung ein umfangreiches Angebot an Objektiven, Filtern und anderen Zubehörartikeln erwerben kann; dies alles bildet dann ein Produktsystem. Ein *Produktmix* (oder Produktsortiment) ist die Gesamtheit aller Produktlinien und Artikel, die das Angebotsprogramm eines Anbieters darstellen.

Produkttypologien

Im Marketing haben sich je nach Produkteigenschaften und Anwendungsbereich mehrere Produkttypologien entwickelt. Oft werden die Typologien so gewählt, daß für jeden Produkttyp eine andere Marketing-Mix-Strategie geeignet ist. In Exkurs 15-1 sind die wichtigsten Typologien für Konsum- und Industriegüter und ableitbare marketingstrategische Folgerungen zusammengestellt.

Exkurs 15-1: Produkttypologien und die marketingstrategischen Folgerungen

Typologie nach Gebrauchsgütern, Verbrauchsgütern und Dienstleistungen

Produkte lassen sich je nach ihrer Dauerhaftigkeit oder materiellen Beschaffenheit in drei Klassen unterteilen:

- *Gebrauchsgüter (langlebige Wirtschaftsgüter):* Gebrauchsgüter sind materielle Produkte, die im Regelfall viele Verwendungseinsätze überdauern, z.B. Kühlschränke, Werkzeugmaschinen oder Kleidung. Gebrauchsgüter erfordern meist einen intensiveren persönlichen Verkaufs- und Serviceaufwand, höhere Handelsspannen und umfangreichere Garantieleistungen des Anbieters.
- *Verbrauchsgüter (kurzlebige Wirtschaftsgüter):* Verbrauchsgüter sind materielle Produkte, die im Regelfall im Laufe eines oder einiger weniger Verwendungseinsätze konsumiert werden, z.B. Bier, Seife oder Salz. Da solche Güter schnell verbraucht werden und die Wiederkaufzyklen kurz sind, ist es strategisch am zweckmäßigsten, sie an möglichst vielen Orten verfügbar zu machen, mit niedrigen Margen zu kalkulieren und sie intensiv zu bewerben, um Erstkäufe anzuregen und eine Präferenz für die eigenen Marken aufzubauen.
- *Dienstleistungen:* Dienstleistungen sind Dienste, die meist gegen Entgelt angeboten werden, z.B. Haarschnitte und Reparaturen. Dienstleistungen sind immaterieller Natur, werden in engem Verbund von Leistungsgeber und Leistungsnehmer vollzogen, sind in der Ausführung von hoher Schwankungsbreite und sind nicht lagerfähig. Sie erfordern folglich mehr Qualitätskontrolle, Vertrauenswürdigkeit und Anpassungsfähigkeit von seiten des Diensteanbieters (eine eingehendere Erörterung des Dienstleistungsmanagement schließt sich in Kapitel 16 an).

Konsumgütertypologie nach Kaufgewohnheiten

Die Konsumenten treffen Kaufentscheidungen über eine große Anzahl von Gütern. Es ist nützlich, diese Güter nach den *Kaufgewohnheiten der Konsumenten* einzuteilen, da die Kaufgewohnheiten für die Marketingstrategie wichtig sind. Man kann zwischen Gütern des mühelosen Kaufs (*convenience goods*), Gütern des Such- und Vergleichskaufs (*shopping goods*), Gütern des Spezialkaufs (*specialty goods*) und des fremdinitiierten Kaufs (*unsought goods*) unterscheiden.

- *Güter des mühelosen Kaufs (convenience goods) sind Waren, die der Konsument in der Regel häufig, unverzüglich und mit minimalem Vergleichs- und Einkaufsaufwand erwirbt. Beispiele dafür sind Tabakwaren, Seife und Zeitungen.*

Die Güter des mühelosen Kaufs lassen sich weiter unterteilen in *Güter des Regelkaufs*, des *Spontankaufs* oder des *Dringlichkeitskaufs. Güter des Regelkaufs* werden regelmäßig gekauft; so könnte sich ein Verbraucher z.B. immer wieder für Jacobs-Kaffee, Signal-Zahncreme und Bahlsen-Kekse entscheiden. *Spontan gekaufte Güter* werden ohne Planungs- oder Suchaufwand gekauft. Sie sind meist vielerorts verfügbar, da die Konsumenten nicht gezielt danach suchen. So werden Schokoladenriegel, Kaugummi, andere Süßigkeiten und Zeitschriften im Supermarkt in Kassennähe plaziert, weil die Verbraucher sie dort spontan kaufen können. *Dringlichkeitsgüter* werden in unvorhergesehenen und notfallartigen Situationen gekauft, wie z.B. Regenschirme bei einem Schauer, Starthilfekabel bei Autopannen, Schneeketten beim ersten starken Schneefall. Die Anbieter bieten diese Güter über möglichst viele Distributionspunkte an, damit ihnen kein Geschäft entgeht, wenn die Kunden in Dringlichkeitssituationen plötzlich die Ware benötigen.

- *Güter des Such- und Vergleichskaufs (shopping goods) sind Waren, bei deren Kauf der Kunde Such-, Vergleichs- und Auswahlprozesse durchläuft und Kriterien wie Eignung, Qualität, Preis und Styling anlegt. Beispiele hierfür sind Möbel, Kleidung, Gebrauchtwagen und größere Haushaltsgeräte.*

Die Güter des Such- und Vergleichskaufs lassen sich weiter in homogene und heterogene Güter unterteilen. Von homogenen Vergleichsgütern spricht man, wenn nach Meinung der Käufer ähnliche Qualitätsausprägungen bei unterschiedlichen Preisen angeboten werden, so daß Vergleichsangebote gesucht werden müssen. Der Anbieter muß folglich seine Preiswürdigkeit herausstellen. Beim Kauf von Kleidung, Möbeln und anderen eher heterogenen Gütern ist der Produktausstattungsvergleich allerdings für den Kunden oft wichtiger als der Preisvergleich. Wünscht ein Käufer einen Nadelstreifenanzug, so fallen für ihn Schnitt, Sitz und Aussehen sicher stärker ins Gewicht als geringe Preisunterschiede. Der Anbieter von heterogenen Vergleichsgütern muß folglich ein breites Angebot führen, das den geschmacklichen Präferenzen der einzelnen Kunden entspricht, und auch über gut geschultes Vertriebspersonal verfügen, das in der Lage ist, den Kunden die gewünschten Informationen zu geben und sie zu beraten.

- *Güter des Spezialkaufs (specialty goods) sind Waren mit besonders eigenständigem Charakter und besonders eigenständiger Markenidentität, bei denen es eine merkliche Anzahl von Käufern gewohnt ist, sich besondere Mühe zu geben. Dazu gehören z.B. spezielle Ausrüstungen für Wassersportler, Bergsteiger, Angler, Sportflieger, Golfer oder auch Antiquitäten bestimmter Stilrichtungen. Aber auch ganz bestimmte Marken und Typen von Gütern, mit denen man sich hervortun kann, wie z.B. besondere Autos, Hi-Fi-Anlagen oder Fotoausrüstungen, und bestimmte Bekleidungsmarken, gehören dazu.*

Ein Biedermeierschrank ist z.B. ein Gut des Spezialkaufs, weil die Käufer bereit sind, die erforderliche Mühe aufzuwenden, um gerade dieses Produkt zu erwerben. Der Käufer stellt bei diesen Gütern weniger Angebotsvergleiche an. Vielmehr nimmt er sich Zeit, um den Händler ausfindig zu machen, der das von ihm gewünschte Produkt führt. Die Händler ihrerseits sind weniger von einer günstigen Verkehrslage abhängig, sondern müssen vielmehr den Interessenten von ihrem Standort in Kenntnis setzen.

- *Güter des fremdinitiierten Kaufs (unsought goods) sind Waren, die der Verbraucher nicht kennt oder die ihm zwar bekannt sind, an deren Anschaffung er im Normalfall jedoch nicht denkt.*

Neue Produkte, wie Bewegungsmelder oder Mikrowellenherde, sind solange fremdinitiierte Güter, bis der Konsument durch Werbung oder Mundpropaganda auf ihre Existenz aufmerksam gemacht wird. Die klassischen Beispiele für zwar bekannte, aber in der Regel fremdinitiierte Güter sind Lebensversicherungen, Bestattungsverträge, Grabsteine und Enzyklopädien.
Aufgrund ihrer besonderen Charakteristika müssen auf fremdinitiierte Güter erhebliche Marketinganstrengungen in Form von Werbung und persönlichem Verkauf verwendet werden. Eine Reihe der raffiniertesten Techniken des persönlichen Verkaufs haben ihren Ursprung in der herausfordernden Aufgabe, diese Güter zu verkaufen.

Industriegütertypologie
Auch Organisationen treffen Kaufentscheidungen über eine große Vielfalt von Gütern und Dienstleistungen. Eine nützliche Typologie von Industriegütern liegt dann vor, wenn damit auf geeignete Marketingstrategien für Industriegütermärkte hingewiesen wird. Industriegüter lassen sich danach unterscheiden, *wie sie in den Produktionsprozeß und in die Kostenrechnung eingehen*. Wir unterscheiden vier Industriegütertypen: Eingangsgüter, Anlagegüter, Hilfsgüter und investive Dienstleistungen.

- *Eingangsgüter sind Materialien und Teile, die in das Erzeugnis eines Herstellers eingehen. Sie lassen sich in zwei weitere Gruppen unterteilen: Rohstoffe und Halbfertigprodukte. Die Kosten der Eingangsgüter werden den Kosten der entstehenden Endprodukte direkt zugerechnet.*

Die *Rohstoffe* wiederum unterteilen sich in zwei Hauptgruppen: *landwirtschaftlich erzeugte Produkte* (Weizen, Baumwolle, Vieh, Obst, Gemüse etc.) und *naturgewonnene Produkte* (Kohle, Rohöl, Eisenerz etc.). Die Methoden der Vermarktung unterscheiden sich bei diesen beiden Klassen. *Landwirtschaftlich erzeugte Produkte* werden in der Regel von den Erzeugern zu den Sammelstellen von Vermarktungsorganisationen gebracht, dort nach Güteklassen eingestuft, gelagert, weitertransportiert und verkauft. Bei landwirtschaftlichen Produkten ist langfristig eine Angebotserweiterung in begrenztem Umfang möglich, kurzfristig jedoch nicht. Das Marketingsystem muß besonders berücksichtigen, daß sie verderblich und saisongebunden sind. Aufgrund ihres Massengutcharakters wird – von einigen Ausnahmen abgesehen – wenig Werbung und Absatzförderung betrieben. Von Zeit zu Zeit initiieren die landwirtschaftlichen Produzentenvereinigungen Kampagnen zur Förderung des Verzehrs ihrer Erzeugnisse (Spargel, Wein, Milch etc.). Manche Produzenten versuchen, ihre Erzeugnisse als Markenware zu vermarkten (z.B. Sunkist-Orangen, Chiquita-Bananen und die meisten Weine). Die *naturgegewonnenen Produkte* sind auf lange Sicht nur begrenzt vorhanden. Oft haben sie einen geringen Wert pro Tonne; die Transportkosten vom Produzenten zum Abnehmer sind dann relativ hoch. Sie kommen

oft von wenigen, großen Produzenten, die direkt an industrielle Abnehmer verkaufen. Langfristige Lieferverträge sind üblich. Zuverlässigkeit in bezug auf Preise und Lieferung sind von großem Einfluß auf die Wahl der Lieferanten. Verkaufsförderung und Medienwerbung helfen dem Anbieter dieser Waren nur sehr wenig.
Halbfertigprodukte sind bereits verarbeitete Materialien und Teile, wie z.B. *Werkstoffe* (Eisen, Garn, Zement, Draht etc.) und *Bauteile* (Elektromotoren, Reifen, Gußstücke etc.). *Werkstoffe* werden im Regelfall weiterverarbeitet, z.B. Roheisen zu Stahl oder Garn zu Stoff. Wenn es sich bei Werkstoffen um standardisierte Produkte handelt, sind beim Kauf meist der Preis und die Zuverlässigkeit eines Lieferanten ausschlaggebend. *Bauteile* werden oft ohne weitere Veränderung in das Endprodukt eingebaut. Beispiele sind Elektromotoren, die in Staubsauger eingebaut, oder Reifen, die auf Autoräder montiert werden. Die meisten Halbfertigprodukte werden direkt an industrielle Abnehmer verkauft, die ihre Aufträge oft mit Vorlaufzeiten von einem Jahr oder mehr vergeben. Preis und Kundendienst spielen dabei eine wichtige Rolle, aber auch Markenpolitik und Werbung sind von Einfluß, z.B. bei Produkten wie Recaro-Autositzen, Nutrasweet-Süßstoffen oder Gore-Tex-Folien für Bekleidungsgegenstände.

– *Anlagegüter sind Kapitalgüter, die nicht direkt in das Endprodukt eingehen, jedoch die Grundlage für die industrielle Fertigung bilden. Ihre Anschaffungskosten werden in der Regel »kapitalisiert« und gehen nur indirekt über die Verrechnung von Abschreibungen, Finanzierungskosten oder Mietkosten in die Gesamtkosten des Endprodukts ein. Sie werden wiederum in zwei Gruppen unterteilt: Anlagen und Geräte.*

Zu den *Anlagen* zählen *Gebäude* (Fabriken, Verwaltungsbauten etc.) und *fest installierte Ausrüstungsgegenstände* (Generatoren, Werkzeugmaschinen, Computer, Fließbänder, Raffinadekolonnen etc.). Es handelt sich dabei um größere Anschaffungen. Meist werden sie direkt beim Hersteller gekauft, wobei dem Abschluß normalerweise eine ausgedehnte Verhandlungsphase vorausgeht. Die Produzenten setzen dabei hochkarätige Verkaufsteams ein, zu denen oft auch Verkaufsingenieure gehören. Sie müssen bereit sein, gemäß Spezifikation des jeweiligen Auftragggebers zu fertigen und nach Auslieferung einen Kundendienst zu bieten. Man betreibt zwar auch Medienwerbung, doch die Bedeutung des persönlichen Verkaufs überwiegt bei der Kommunikationsstrategie für diese Güter.
Unter den Begriff *Geräte* fallen *bewegliche Betriebsausrüstungen und Werkzeuge* (Handwerkzeuge, Gabelstapler etc.) sowie *Büro- und Geschäftsausstattungen* (Schreibmaschinen, Schreibtische etc.). Geräte wirken oft nicht direkt bei der Fertigung des Endprodukts mit, sondern unterstützen lediglich den Fertigungsprozeß. Ihre Lebensdauer ist meist kürzer als die von Anlagen, jedoch länger als die von Betriebsmitteln. Manche Hersteller verkaufen ihre Geräte zwar direkt an die industriellen Abnehmer, doch häufiger wählen die Produzenten den Weg über Zwischenhändler, da der Markt geographisch weit gestreut, die Zahl der Abnehmer groß und das jeweilige Auftragsvolumen klein ist. Qualität, Produktausstattung und Preis des Produkts sowie Kundendienstleistungen spielen bei der Lieferantenwahl eine wesentliche Rolle. Im Kommunikationsmix ist der persönliche Verkauf wichtiger als die Medienwerbung, doch auch letztere kann wirkungsvoll eingesetzt werden.

– *Hilfsgüter gehen nicht direkt in das Endprodukt ein. Sie ermöglichen und unterstützen die Fertigung und die Geschäftsabwicklung. Ihre Kosten werden den Endprodukten oft nach einem willkürlichen Verteilungsschlüssel zugerechnet.*

Es gibt zwei Arten von Hilfsgütern: *Betriebsmittel* (Schmierstoffe, Kohle, Schreibmaschinenpapier, Stifte etc.) und *Artikel für Reparatur- und Wartungszwecke* (Farbe, Nägel, Besen etc.). Die Hilfsgüter für Industriegütermärkte entsprechen den Gütern des mühelosen Einkaufs auf Konsumgütermärkten, da sie meist mit minimalem Aufwand auf der Basis reiner Wiederholungskäufe beschafft werden. Die Warenverteilung erfolgt aufgrund der geographischen Streuung der zahlreichen Abnehmer und des geringen Stückwerts der Artikel in der Regel über Zwischenhändler. Preis und Kundendienst sind wichtige Marketingelemente, weil die Produkte stark standardisiert sind und keine ausgeprägten Markenpräferenzen bestehen.
Zu den *investiven Dienstleistungen* gehören *Wartungs- und Reparaturdienste* (Fensterreinigung, Schreibmaschinenreparatur etc.) und *Betriebsberatungsdienste* (Wirtschaftsprüfung, Rechts-, Unternehmens- und Werbeberatung). Wartungs- und Reparaturdienste werden meist durch besondere Verträge fixiert. Wartungsdienste werden oft von kleinen Anbietern geleistet. Reparaturdienste übernimmt in vielen Fällen der Hersteller der Originalausstattungen. Bei Betriebsberatungen liegt oft eine Erstkaufsituation vor, und der Kunde wählt den Anbieter auf der Grundlage seiner Reputation und der Kompetenz seines Personals aus.
Wir sehen also, daß die Art des Produkts die Marketingstrategie weitgehend bestimmt. Zu den weiteren Bestimmungsfaktoren gehören die Lebenszyklusphase des Produkts, die Strategien der Konkurrenz und das Wirtschaftsklima.

Quelle: Definitionen in Anlehnung an: *Marketing Definitions: A Glossary of Marketing Terms, Chicago: American Marketing Association*, 1960.

Produktmixentscheidungen

Wir wollen nun als nächstes die Entscheidungen zum Produktmix erörtern.

Ein Produktmix (auch Produktsortiment genannt) ist die Gesamtheit aller Produktlinien und Artikel, die ein Anbieter dem Kunden zum Kauf anbietet.

Der *Produktmix* großer Unternehmen kann sehr umfassend sein. Größere Technologieunternehmen, wie z.B. Bosch, Siemens, ABB, Sulzer, IBM oder Mitsubishi, führen in ihren Sortimenten bis zu mehreren hunderttausend unterschiedlichen Artikeln. Zum Produktmix der Firma Bosch gehören beispielsweise die *Hauptproduktlinien* Kraftfahrzeugausrüstung, Kommunikationstechnik, Elektrowerkzeuge, Hausgeräte, Navigations- und Raumfahrtgeräte, Produktionsausrüstung, Sicherheitsausrüstung etc. Jede Produktlinie ist in mehrere *Untergruppen* eingeteilt. Zur Linie Kommunikationstechnik gehören z.B. Empfangstechnik, Fernsehtechnik, Filmtechnik, Funktechnik, Informationssysteme, öffentliche und private Kommunikationssysteme, Unterhaltungselektronik, Verkehrs- und mobile Informationstechnik. Jede Untergruppe weist wiederum viele Produkttypen auf. Zur Gruppe Funktechnik gehören die *Produkttypen* Funkgeräte, Funknetze und Anlagen, Personenrufanlagen, Eurosignalempfänger und schnurlose Telefone. Für jeden Produkttyp gibt es wiederum mehrere *Artikel* oder Varianten; bei Funkgeräten gibt es z.B. stationäre, mobile und tragbare Geräte unterschiedlicher Ausführung und Leistungsfähigkeit.

Produktmixentscheidungen fallen nicht nur beim Hersteller, sondern auch im Handel. Im Lebensmittelsektor finden wir im Sortiment des Discounters etwa 1.000–1.500 Artikel, im Supermarkt etwa 5.000–7.000 Artikel, im Verbrauchermarkt je nach Größe zwischen 10.000 und 70.000 Artikel.

Der Produktmix jedes Unternehmens muß – nach strategischen Gesichtspunkten wohlüberlegt – unter Berücksichtigung des Marktes, der Wettbewerbslage und der zur Verfügung stehenden Technologien unterteilt werden. Abbildung 15–2 z.B. zeigt die Einteilung des Produktmix der Firma Melitta in strategische Geschäftsfelder, wobei der unterschiedliche Kundennutzen und die Verbrauchstechnologien aus Kundensicht als Haupteinteilungskriterien dienen. Diese Einteilung zeigt eine *anwendungsorientierte Sortimentseinteilung.* Eine alternative *produktionsprozeßorientierte Sortimentseinteilung* läge vor, wenn z.B. die Hauptproduktlinien in Papierprodukte, Plastikprodukte, Elektrogeräte und Lebensmittel zusammengefaßt, also nach einem gemeinsamen Produktionsprozeß statt nach einem Bedürfnis- und Anwendungsbereich der Kunden geordnet wären.

Zusammen mit einer ebenfalls anwendungsbezogenen Markenstruktur bringt diese anwendungsorientierte Sortimentseinteilung wesentliche Marketingvorteile. Der Kunde weiß dann genau, welches präzise Nutzenbündel ihm über verschiedene zusammengehörige Produkte zur Erfüllung eines Bedürfnisbereichs geboten wird. Die Produktlinie bildet von der Kundennutzenseite her eine geschlossene Einheit und läßt sich unter dem zugeordneten Markennamen als Einheit kommunizieren und klar positionieren.

Der Produktmix eines Unternehmens hat eine bestimmte Breite, Länge, Tiefe und Geschlossenheit. Diese Konzepte lassen sich anhand von Abbildung 15–2 erläutern.

Die *Breite des Produktmixes* bezieht sich auf die Anzahl der vom Unternehmen geführten unterschiedlichen Produktlinien. Abbildung 15–2 zeigt einen Produktmix mit einer Breite von fünf Linien, nämlich Kaffee-Genuß, Frische und Geschmack, praktische Sauberkeit, bessere Wohnumwelt, Tee-Genuß.

Die *Länge des Produktmixes* bezeichnet die Gesamtzahl aller angebotenen Produkttypen. In Abbildung 15–2 sind dies 14 Produkttypen. Mit der *Länge der Produktlinie* ist die Anzahl der Produkttypen in einer Hauptproduktlinie gemeint. In unserem Beispiel liegt diese zwischen vier und zwei und im Durchschnitt bei etwa drei Produkttypen.

Die *Tiefe des Produktmixes* bezieht sich auf die Anzahl der Produktvarianten oder Artikel, die für einen Produkttyp angeboten werden. Wenn beispielsweise Kaffeefilter in drei verschiedenen Größen jeweils in Packungen von 20 bzw. 50 Stück angeboten werden, so ist die Tiefe für diesen Produkttyp 6. Die Durchschnittstiefe des Produktmixes läßt sich errechnen, indem man die Gesamtzahl aller Artikel durch die Zahl aller Produkttypen teilt.

Die *Geschlossenheit des Produktmixes* und die *Geschlossenheit der Produktlinie*

a. Produktmix

b. Markenzuordnung

Quelle: M. Gotta, *Brand News*, Hamburg: Spiegel-Verlag, 1988, S. 163–164

Abbildung 15-2
Produktmixstrukturierung und Markenzuordnung nach strategischen Geschäftsfeldern am Beispiel der Firma Melitta

beziehen sich darauf, wie eng der Zusammenhang der dazugehörigen Artikel in bezug auf Endverwendungszweck, Produktionstechnologien, im Markt vorhandene Warenverteilungssysteme oder in anderer Hinsicht ist. Die Produktlinien von Melitta bilden jeweils eine geschlossene Einheit, da sie zusammen jeweils einen bestimmten Kundenbedürfnisbereich, z. B. »Frische und Geschmack«, ansprechen und dies unter dem Markennamen »Toppits« gemeinsam kommunizieren. Diese Geschlossenheit hat interne und unternehmensexterne Konsequenzen. Der erste Ansatzpunkt bei dieser Produktlinie ist sowohl bei Firmenmitarbeitern als auch bei Kunden der anzubietende und gesuchte Kundennutzen »Frische und Geschmack«. Produktmanager, Außendienstmitarbeiter, Produktentwickler und andere Mitarbeiter werden damit an die gewollte Erfüllung des Kundennutzens erinnert. Im Markt bildet sich eine entsprechende Erwartungshaltung gegenüber den Produkten in dieser Produktlinie und unter diesem Markennamen heraus.

Auch der gesamte in Abbildung 15–2 dargestellte Produktmix von Melitta ist insofern eine geschlossene Einheit, als es sich dabei um Konsumgüter handelt, die sich auf die menschlichen Bedürfnisse »Genuß und Hygiene« richten und über fast die gleichen Distributionskanäle verteilt werden. Das Gesamtsortiment ist dadurch geschlossen, daß ihm wenige gemeinsame Herstellungstechnologien zugrundeliegen, nämlich Papier- und Filtertechnik, Plastikfolien und Frischhaltetechnik sowie elektrische Kleingeräte.

Gemeinsam mit der Grundorientierung auf den Kundennutzen oder den Produktionsprozeß sind diese vier Dimensionen des Produktmix die Anknüpfungspunkte für die Formulierung der Sortimentsstrategie des Unternehmens. Auf jeder Dimension bieten sich Expansionsmöglichkeiten: Man kann a) neue Produktlinien hinzunehmen, also den Produktmix breiter anlegen, b) die bestehenden Produktlinien strecken bzw. verlängern, c) jeden Produkttyp um weitere Varianten ergänzen und somit den Produktmix vertiefen oder d) die Geschlossenheit der Produktlinien erhöhen bzw. vermindern, je nachdem, ob man eine besonders starke Position in einem eng umrissenen Bereich aufbauen oder in mehreren Bereichen weniger intensiv tätig sein will.

Die Rahmenplanung des gesamten Produktmixes liegt größtenteils bei den strategischen Planern des Unternehmens. Sie müssen anhand der vom Marketing gelieferten Informationen festlegen, welche Produktlinien auszubauen, aufrechtzuerhalten, abzuernten oder zu eliminieren sind. Einzelne analytische Ansätze für diese gesamtplanerische Aufgabe haben wir bereits in Kapitel 2 anhand der Portfolio- oder Geschäftsfeldanalyse dargestellt.

Produktlinienentscheidungen

Der Produktmix besteht aus unterschiedlichen Produktlinien. Eine Produktlinie läßt sich wie folgt definieren:

> *Eine Produktlinie ist eine Gruppe von Produkten, die in enger Beziehung zueinander stehen, da sie eine ähnliche Funktion erfüllen, an dieselben Zielgruppen verkauft werden, über dieselben Arten von Distributionspunkten verteilt werden oder in eine bestimmte Preisklasse fallen.*

Für jede Produktlinie eines Unternehmens ist meist eine spezielle Führungskraft zuständig, die – je nach Umfang der Linie und Anzahl der ihr zuarbeitenden Mitarbeiter – einen Titel wie Produktmanager, Produktgruppenmanager, Marketing-Manager oder Ressortleiter trägt. Der Geschäftsbereich Haushaltsgeräte von General Electric verfügt z. B. über Produktlinienmanager für Kühlschränke, Herde, Waschmaschinen, Wäschetrockner und andere Geräte.

Analyse der Produktlinie

Produktlinienmanager haben in zweierlei Hinsicht einen großen Informationsbedarf. Erstens müssen sie über Umsatz und Gewinn jedes Artikels der Linie informiert sein. Und zweitens müssen sie ermitteln, wie ihre eigene Produktlinie im Vergleich zu den von der Konkurrenz auf den gleichen Märkten angebotenen Linien abschneidet.

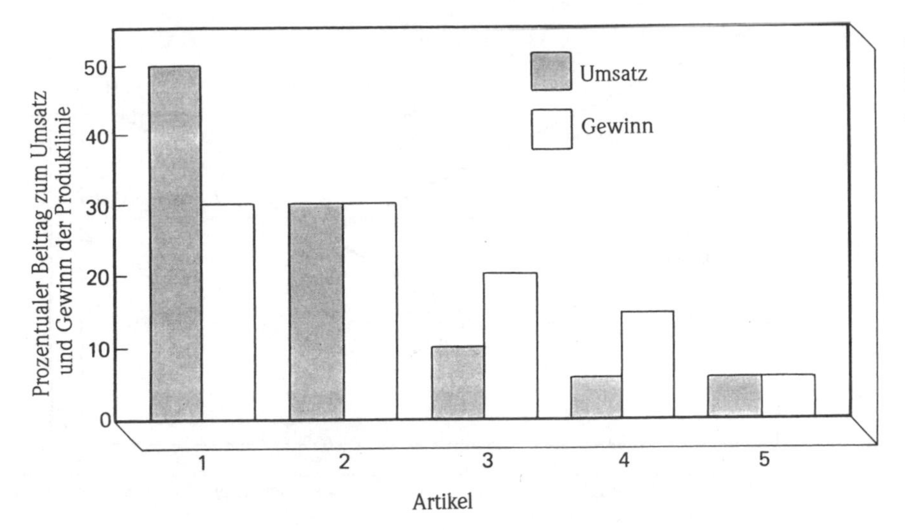

Abbildung 15-3
Produktlinienanalyse nach Umsatz- und Gewinnbeitrag

Produktlinienumsatz und -gewinn

Jeder Artikel einer Produktlinie leistet einen unterschiedlichen Beitrag zum Gesamtumsatz und -gewinn der Linie. Der Produktlinienmanager muß den prozentualen Anteil am Gesamtumsatz und -gewinn ermitteln, den jeder Einzelartikel erwirtschaftet. Abbildung 15–3 zeigt dies am Beispiel einer Produktlinie von fünf Artikeln.

Auf den ersten Artikel dieser Linie entfallen 50 % des Gesamtumsatzes und 30 % des Gesamtgewinns, auf die ersten beiden Artikel zusammen 80 % des Gesamtumsatzes und 60 % des Gesamtgewinns. Wenn es bei diesen beiden Artikeln durch ein Konkurrenzangebot schlagartig zu Einbrüchen kommen würde, hätte dies einen »Umsatz- und Rentabilitätskollaps« der Produktlinie zur Folge. Die Konzentration des Umsatzes auf nur wenige Artikel macht eine Produktlinie anfällig. Diese Artikel müssen daher sorgfältig überwacht und ständig »gehegt und gepflegt« werden.

Am anderen Ende der Produktlinie findet sich in unserem Beispiel ein Artikel, der nur 5 % zum Gesamtumsatz und 5 % zum Gesamtgewinn der Produktlinie beiträgt. Der Produktlinienmanager könnte daher erwägen, diesen »Langsamdreher« zu eliminieren.

Marktprofil der Produktlinie

Der Produktlinienmanager muß auch analysieren, mit welchem Profil die von ihm betreute Produktlinie im Vergleich zu den Linien der Konkurrenz im Markt positioniert ist. Betrachten wir das Beispiel eines Papierherstellers, der eine Produktlinie »Kartonpapier« im Programm hat.[4] Zwei der wichtigsten Produktionsmerkmale sind Stärke und Feinmahlungsgüte. Kartonpapier gibt es standardmäßig in den Stärken 90, 120, 150 und 180 und in drei Feinheitsklassen. Abbildung 15–4 zeigt das Marktprofil mit den Positionen der verschiedenen Produktlinienartikel des Unternehmens X und vier seiner Konkurrenten (nämlich A, B, C und D) auf dem Markt. Unternehmen A bietet zwei Artikel in extra-schwerer Stärke mit geringer und in

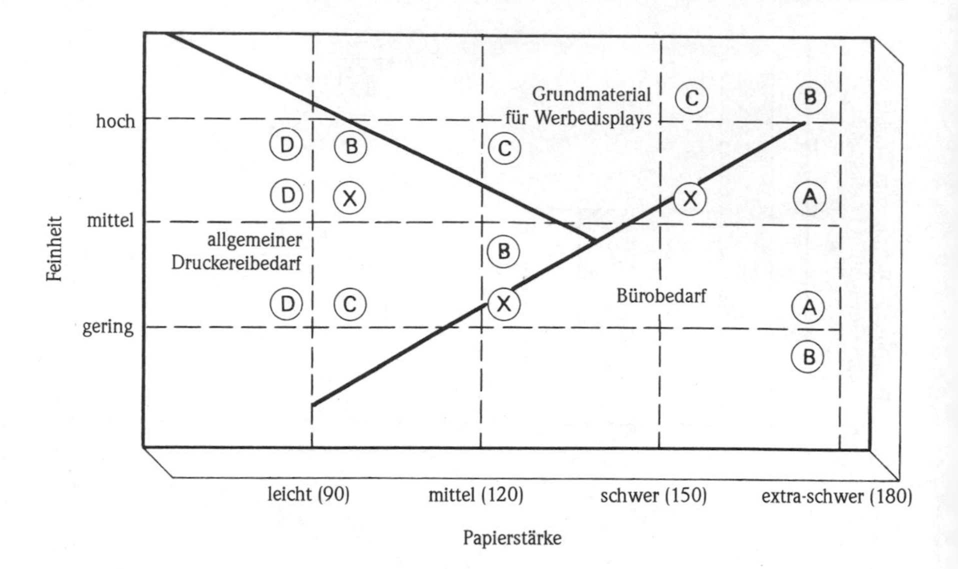

Abbildung 15-4
Marktprofil für die Produktlinie »Kartonpapier«

Quelle: Benson P. Shapiro: *Industrial Product Policy: Managing the Existing Product Line*, Cambridge, Mass.: Marketing Science Institute, September 1977, S. 101.

mittlerer Feinheit. Unternehmen B hat vier Artikel im Programm, die in Stärke und Feinheit über den gesamten Bereich streuen. Unternehmen C verkauft drei Artikel mit paralleler Abstufung in Stärke und Feinheit. Unternehmen D führt drei Artikel, alle in geringer Stärke, jedoch mit unterschiedlichen Feinheitsgraden. Unternehmen X führt drei Artikel in drei Stärken und mit niedrigem und mittlerem Feinheitsgrad.

Die Darstellung eines Marktprofils in dieser Form hilft bei der Entwicklung einer Marketingstrategie für die Produktlinie. Sie zeigt, mit welchem Konkurrenzartikel die Erzeugnisse von Anbieter X in direktem Wettbewerb stehen. So konkurriert das leichte Kartonpapier mittlerer Feinheit, das Unternehmen X anbietet, mit dem Papier von Anbieter D, während sein schweres Papier mittlerer Feinheit ohne direkte Konkurrenz ist. Außerdem zeigt diese Darstellung, wo es Lücken für neue Artikel gibt. So bietet kein Konkurrent ein Papier schwerer Stärke und geringer Feinheit. Wenn Unternehmen X hier einen umfangreichen ungedeckten Bedarf sieht und ein derartiges Papier produzieren und zu einem angemessenen Preis anbieten kann, sollte es seine Produktlinie um diesen neuen Artikel erweitern.

Zusätzlich zeigt diese Marktprofildarstellung, welche Papiertypen von verschiedenen Anwendersegmenten bevorzugt werden. In Abbildung 15–4 sind dies die Druckindustrie, die Hersteller von Werbedisplays und die Bürobedarfsbranche. Das Diagramm zeigt auf, daß Unternehmen X auf den Bedarf der Druckindustrie recht gut ausgerichtet ist. Den Bedarf der anderen beiden Branchen bedient er weniger gut und sollte daher mit weiteren Papiersorten genauer auf diese Branchen abzielen.

Eine wichtige Aufgabe des Produktlinienmanagers ist es, den optimalen Umfang (d. h. die Artikelzahl) der Produktlinie festzulegen. Der Umfang ist zu klein, wenn der Produktlinienmanager den Gewinn durch Hinzunahme neuer Artikel erhöhen kann; der Umfang ist zu groß, wenn er den Gewinn durch Eliminierung von Artikeln erhöhen kann.

Umfang der Produktlinie

Der Umfang der Produktlinie wird auch durch die Unternehmenspolitik geprägt. Wer ein Vollsortimenter sein will und/oder einen hohen Marktanteil und ein hohes Marktwachstum anstrebt, wird umfangreiche Produktlinien führen und sich weniger beunruhigt fühlen, wenn dabei einige Artikel keinen Gewinnbeitrag leisten. Unternehmen, denen es auf eine hohe Umsatzrendite ankommt, führen dagegen Linien mit wenigen, ausgewählten Artikeln.

Viele Umstände bewirken, daß der Umfang der Produktlinie vergrößert wird. Überschüssige Produktionskapazitäten üben Druck auf den Produktlinienmanager aus, neue Artikel zu entwickeln. Daneben fordern oft auch die Verkäufer und Distributoren eine noch umfassendere Produktlinie, um die unterschiedlichen Kundenwünsche besser erfüllen zu können. Auch der Produktlinienmanager selbst möchte eventuell die Produktlinie anreichern, um Umsatz- und Gewinnsteigerungen zu erzielen.

Doch mit der Anzahl der Artikel wachsen auch die Kosten, z.B. die Kosten für Entwicklung, Konstruktion und Technik, Lagerhaltung, für Umstellungen im Fertigungsbereich, Auftragsbearbeitung, Transport und Neuproduktwerbung. Schließlich kommt der Punkt, an dem eine Ausuferung des Umfanges der Produktlinie gestoppt wird: Die Geschäftsleitung kann eine Sperre für zusätzliche Finanzmittel oder Fertigungskapazitäten verfügen. Der Controller kann die Rentabilität der Produktlinie in Frage stellen und eine Untersuchung fordern. Diese wird wahrscheinlich eine beträchtliche Anzahl von Verlustartikeln aufzeigen, die eliminiert werden müssen, um die Rentabilität der Produktlinie wieder zu steigern. Dann wiederholt sich der Zyklus der Umfangerweiterung und Konsolidierung der Produktlinie.

Ein Unternehmen kann eine Produktlinie auf zweierlei Weise systematisch vergrößern: durch »Strecken« und durch »Ausfüllen« der Linie.

»Strecken« der Produktlinie

Die Produktlinie jedes Unternehmens umspannt nur einen Teil des Gesamtangebots der Branche. So umfassen die Fahrzeuge von BMW nur den mittleren bis hohen Preisbereich des Automobilmarktes. Ein *Strecken der Produktlinie* liegt vor, wenn ein Unternehmen den bisherigen Bereich seiner Produktlinie ausdehnt. Die Produktlinie kann nach unten, nach oben oder in beide Richtungen gestreckt werden.

»Abwärtsstrecken«

Viele Unternehmen beginnen zunächst am oberen Ende des Marktes und strecken ihre Linie dann nach unten.

Die Daimler Benz AG war jahrzehntelang der unbestrittene Marktführer bei Automobilen der oberen Preisklasse und der Luxusklasse. Um an einer wachsenden Nachfrage am unteren Ende der bisherigen Produktlinie teilhaben und Wettbewerbern wie BMW und Audi, die dort steigende Umsätze verzeichnen konnten und sich ein Potential zur Expansion in den höheren Marktbereich aufbauten, Einhalt gebieten zu können, brachte Daimler Benz im Jahr 1983 das Modell Mercedes 190 heraus. Gestärkt durch seine Reputation für Qualität veränderte Daimler durch das Modell 190 sehr schnell die Wettbewerbsdynamik im Markt. Bereits nach zwei Jahren brachte es dieses Modell auf 40% der von Daimler Benz produzierten Automobile. In Deutschland wurde es nach dem VW Golf und dem Opel Kadett das am drittmeisten gekaufte Modell. Es verschärfte den Wettbewerb am unteren Ende der gehobenen Wagenklasse erheblich. Insbesondere BMW wurde hart getroffen und schickte sich an, seine eigene Produktlinie mit verbesserten und neuen Modellen nach oben in den von Daimler Benz beherrschten Bereich zu strecken.

Häufig »heften« die Unternehmen auch Produktmodelle an das untere Ende der Produktlinie an, um damit zu werben, daß ihre Marke schon von einem sehr günstigen Preis an erhältlich ist. So bieten einige PC-Hersteller günstige Grundmodelle an. Solche »Günstig-Modelle« dienen dazu, über besonders niedrige Preise Kunden anzuziehen. Wenn der Interessent dann die hochwertigeren Modelle der gleichen Marke sieht, entschließt er sich nicht selten, doch mehr auszugeben, als er ursprünglich wollte. Diese Strategie ist jedoch mit äußerster Vorsicht anzuwenden. Das günstige Modell muß dem Qualitätsimage der Marke gerecht werden, auch wenn es sich dabei nur um eine einfache Grundausführung handelt. Auch muß man diesen besonders günstigen Artikel dann wirklich vorrätig haben, wenn man schon dafür geworben hat. Die Verbraucher dürfen auf keinen Fall das Gefühl bekommen, »nur geködert worden zu sein, um dann etwas anderes aufgeschwatzt zu bekommen«.

Andere Unternehmen strecken ihre Produktlinie nach unten, um sie nicht nur bei den Endverbrauchern, sondern auch im Handel gegen Angriffe von billigeren Marken zu schützen und gleichzeitig am Umsatzpotential im unteren Marktsegment teilzuhaben. So erweiterte der Sekthersteller Henkell seine aus den Nobelmarken Henkell Royal und Henkell Trocken bestehende Produktlinie um die Marke Carstens SC im mittleren Preissegment und die Marke Rüdgers Club im unteren Preissegment. Söhnlein führte neben seinen Marken Söhnlein Fürst Metternich, Söhnlein Rheingold und Söhnlein Brillant die niedrigpreisigen Handelsmarken Schloß Königstein und Schloß Rheinberg ein. Diese Beispiele aus dem Sektmarkt zeigen, daß mit der Entscheidung über den Umfang der Produktlinie auch Markenentscheidungen gefällt werden müssen, um nach außen dem Markt und nach innen dem eigenen Unternehmen zu kommunizieren, wo die Grenzen der Produktlinie und auch der *Markenlinie* sind.

Ein Unternehmen kann folgende Gründe für ein Strecken seiner Produktlinie nach unten haben:

- Es sieht sich Angriffen am oberen Ende ausgesetzt und beschließt, im Gegenzug in das untere Ende vorzudringen.
- Es stellt fest, daß am oberen Ende ein langsameres Wachstum zu verzeichnen ist.
- Es etablierte sich zuerst am oberen Ende, um ein Qualitätsimage aufzubauen, und beabsichtigte dabei von vornherein, die Linie später nach unten auszudehnen.
- Es nimmt einen Artikel am unteren Ende hinzu, um eine Marktlücke zu schließen, die andernfalls einen neuen Konkurrenten auf den Plan rufen könnte.
- Es braucht aus handelspolitischen Gründen eine flankierende Marke am unteren Ende, durch die es seine höherpreisigen Marken im Handel aus der Preisdiskussion und aus dem Kostenvergleich mit billigeren Anbietern nimmt.

Die Streckung nach unten ist mit einigen Risiken verbunden. Der am unteren Ende hinzugenommene Artikel kann die anderen Produkte des Unternehmens *kannibalisieren*, d.h. die Artikel der eigenen Produktlinie ersetzen, statt neue Kunden zu gewinnen oder Konkurrenzprodukte zu substituieren. In vielen Fällen kann eine solche »Kannibalisierung« nur schwer vermieden werden, wie das folgende Beispiel zeigt:

Die medizintechnische Sparte von General Electric ist der führende Anbieter von Kernspintomographen. Das sind teure und große Diagnosegeräte. GE erfuhr, daß ein japanischer Wettbewerber vorhatte, diesen Markt anzugreifen. GE schätzte, daß das japanische Produkt kleiner, mit mehr Elektronik ausgerüstet und billiger sein würde. Die beste Verteidigung dagegen wäre, selbst ein ähnliches Gerät einzuführen, ehe das japanische Gerät auf den Markt käme. Einige Mitglieder der Geschäftsleitung zeigten sich besorgt darüber, daß das billigere Gerät den Umsatz und die Gewinnspanne ihres großen Kernspintomographen schmälern würde. Einer der Manager beendete diese Diskussion, indem er sagte: »Sind wir nicht viel besser beraten, uns selbst zu »kannibalisieren«, als es die Japaner tun zu lassen?«

Eine weitere Gefahr ist, daß die Einführung eines neuen Artikels am unteren Linienende die Wettbewerber dazu herausfordert, im Gegenangriff in das obere Ende einzudringen. Es ist auch möglich, daß die Vertragshändler des Unternehmens nicht bereit sind, den neuen Artikel in ihr Angebot aufzunehmen, weil dies wenig rentabel wäre oder ihnen das Image verderben könnte. Harley Davidson's Händler kümmerten sich z.B. kaum um die leichteren Motorräder, zu deren Bau sich Harley schließlich entschlossen hatte, um gegen die japanische Konkurrenz anzutreten.

»Aufwärtsstrecken«
Unternehmen im unteren Ende des Marktes könnten umgekehrt auch ins obere Ende vordringen. Anreize dafür können höhere Wachstumsraten und Gewinnspannen oder ganz einfach die Aussicht sein, sich als Vollsortimenter auf dem Markt zu positionieren. BMW sowie japanische Automobilhersteller streckten z.B. ihre Produktlinien mit Erfolg nach oben.

Auch die Entscheidung, eine Ausdehnung nach oben vorzunehmen, birgt ihre Risiken. Die Konkurrenten befinden sich dort nicht nur in gut befestigten Stellungen, sondern können auch zurückschlagen und ihre Aktivitäten auf das untere Marktende ausweiten. Bei den potentiellen Kunden mangelt es möglicherweise an der Überzeugung, daß der Newcomer auch wirklich qualitativ hochwertige Produkte herstellen kann. Und schließlich verfügen vielleicht weder das eigene Vertriebspersonal noch die vorhandenen Handelspartner über die zur Bedienung des oberen Marktsegments erforderliche Befähigung und Ausbildung.

»Zweiseitiges Strecken«
In der Mitte des Marktspektrums angesiedelte Unternehmen können auch beschließen, ihre Produktlinien in beide Richtungen zu strecken. Die Strategie von Texas Instruments (TI) auf dem Taschenrechnermarkt ist hierfür ein Beispiel. Ehe TI in diesen Markt eintrat, kontrollierten dort Bowmar das untere und Hewlett Packard das obere Ende des Preis- und Qualitätsspektrums (siehe Abbildung 15–5). TI führte seine Rechner nun zunächst im mittleren Preis- und Qualitätssegment des Marktes ein. Allmählich nahm man dann auf beiden Seiten weitere Geräte ins Angebot auf.

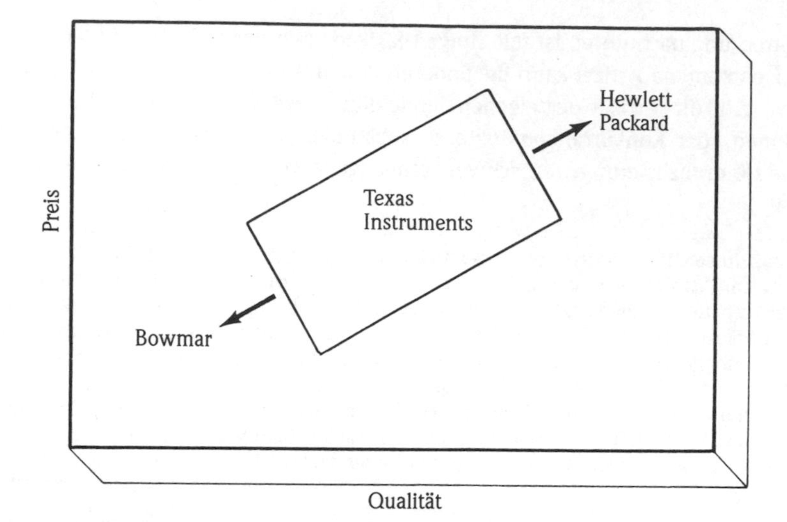

Abbildung 15-5
Strecken einer Produktlinie in beide Richtungen am Beispiel des Taschenrechnermarktes

Man bot zu gleichen oder günstigeren Preisen bessere Geräte als Bowmar an, was letztendlich zur Ausschaltung dieses Konkurrenten führte. Gleichzeitig baute man Taschenrechner hoher Qualität, die billiger angeboten wurden als die Hewlett-Packard-Produkte, und schnappte damit HP einen beträchtlichen Teil seiner Umsätze am oberen Marktende weg. Diese beidseitige Ausdehnung brachte TI schon früh die Marktführerschaft auf dem Taschenrechnermarkt ein.

»Ausfüllen« einer Produktlinie

Eine Produktlinie läßt sich auch vergrößern, indem man innerhalb des vorhandenen Linienspektrums neue Artikel hinzunimmt. Für dieses Ausfüllen einer Produktlinie gibt es mehrere Beweggründe, z.B. Zusatzgewinne zu erzielen, Händler zufriedenzustellen, die sich über Umsatzeinbußen aufgrund von Angebotslücken beschweren, überschüssige Kapazitäten zu nutzen, zum marktbeherrschenden Vollsortimenter zu werden und Marktlücken zu schließen, um die Konkurrenz fernzuhalten.

Dieses Ausfüllen geht zu weit, wenn es nur noch zur »Kannibalisierung« führt, d.h. wenn sich die eigenen Produkte gegenseitig die Käufer wegnehmen und bei der Kundschaft Verwirrung gestiftet wird. Ein Unternehmen muß dafür sorgen, daß der Verbraucher die Artikel auseinanderhalten kann. Der Unterschied zwischen den einzelnen Artikeln sollte über der »Wahrnehmbarkeitsgrenze« liegen. Diese Grenze wird nach Webers Gesetz bei den Verbrauchern eher durch einen relativen als einen absoluten Unterschied bestimmt. [5] Das Unternehmen sollte folglich sicherstellen, daß seine neuen Artikel leicht wahrnehmbare Unterschiede aufweisen.

Des weiteren muß man überprüfen, ob der einzuführende Artikel ein tatsächliches Marktbedürfnis erfüllt und nicht einfach deshalb ins Angebot aufgenommen wird, weil damit einem unternehmensinternen Bedürfnis Genüge getan wird. Das vielzitierte Modell Edsel, das dem Automobilriesen Ford Verluste von 350 Mio. $ bescherte, war eine Antwort auf ein internes Produktlinienproblem ohne Bedürfniserfüllung im Markt. Und das kam so: Ford fand heraus, daß Ford-Fahrer, die einen größeren Wagen wollten, auf General Motors-Marken wie Oldsmobile oder Buick umstiegen, statt den etwas größeren Schritt hin zum Mercury oder Lincoln von Ford zu tun. Man beschloß also, ein vom Preis her zwischen Ford und Lincoln (der hochpreisigen Qualitätsmarke von Ford) angesiedeltes Modell zu entwickeln, um damit die Produktlinie aufzufüllen. Also wurde der Edsel gebaut, der jedoch kein offenes Marktbedürfnis erfüllte, da für die Käufer bereits viele ähnliche Modelle bereitstanden und außerdem der Trend einsetzte, auf kleinere Modelle umzusteigen.

Hat der Produktlinienmanager die Entscheidung getroffen, die Produktlinie um einen weiteren Artikel zu einem bestimmten Preis zu erweitern, wird den Technikern des Unternehmens der Auftrag zur Entwicklung erteilt. Dabei sollte der vorgesehene Preis das Design bestimmen, und nicht umgekehrt das Design den Preis.

Modernisierung der Produktlinie

In manchen Fällen hat die Produktlinie einen angemessenen Umfang, ist jedoch modernisierungsbedürftig. So könnte die Produktlinie in Funktion oder Erscheinungsbild einen veralteten Eindruck machen und deshalb moderner gestalteten Konkurrenzlinien im Wettbewerb unterlegen sein.

Die Frage ist, ob man die Produktlinie »stückchenweise« oder total erneuern soll. Bei einer stückchenweisen Erneuerung kann das Unternehmen die Reaktion der Kunden und Händler auf den neuen Stil beobachten, ehe es die gesamte Linie ändert. Des weiteren belastet ein solches Vorgehen den Cash-flow des Unternehmens weniger. Ein gravierender Nachteil der stückchenweisen Modernisierung ist, daß die Konkurrenz den Modernisierungsprozeß mitverfolgen und beginnen kann, die eigene Produktlinie entsprechend zu gestalten.

Angesichts des schnellen Wandels im High-Tech-Bereich ist Modernisierung ein Muß. Personal Computer von Apple gibt es zwar erst seit weniger als zwanzig Jahren, doch die Linie hat bereits die Modelle Apple 1, Apple 2, Apple 3, Lisa, Macintosh, Macintosh Plus, SE und Mac II durchlaufen. Die konkurrierenden Hersteller verbessern ihre Produkte laufend, und jedes Unternehmen muß zu seiner Verteidigung immer wieder eine neue Produktgeneration entwickeln und die vorhergehende ersetzen. Manche Unternehmen planen auch Produktverbesserungen, um *die Kunden zu veranlassen*, auf Artikel mit höherem Wert und Preis umzusteigen. Sehr wesentlich ist dabei die Wahl des Zeitpunkts für Produktverbesserungen, damit sie weder zu früh auf den Markt kommen und so den Verkauf der noch aktuellen Produktlinie beeinträchtigen, noch zu spät eingeführt werden, so daß die Konkurrenz die Chance erhält in den Ruf zu gelangen, die fortschrittlicheren Produkte anbieten zu können.

Herausstellen bestimmter Artikel der Produktlinie

Der Produktlinienmanager stellt in der Regel einen einzelnen oder wenige Artikel innerhalb einer Linie besonders heraus. Gelegentlich wählt er hierfür spezielle »Preisschlager« am unteren Linienende, die als »Wegbereiter« für den Kauf von gehobenen Erzeugnissen dienen sollen. Quelle könnte z.B. mit einem besonders günstigen Haushaltsgerät und Bosch mit einer Bohrmaschine für Heimwerker zu einem besonders günstigen Preis werben, um über den günstigen Preis Käuferbeachtung auf die ganze Produktlinie zu lenken.

In anderen Fällen stellt der Produktlinienmanager vielleicht einen Artikel am oberen Linienende heraus, um der Produktlinie »besondere Klasse« zu verleihen. Stetson z.B. hat einen Herrenhut für 150 $ im Programm, den zwar kaum jemand kauft, der aber als »Flaggschiff« oder »Kronjuwel« herausgestellt wird und damit die ganze Linie aufwertet. BMW betont durch das Sport-Coupé 850 i mit Zwölfzylindermotor und einer elektronisch auf 250 km/h gedrosselten Höchstgeschwindigkeit, daß es Autos über die üblichen Maßstäbe hinaus baut. Volkswagen wertet mit dem Golf GTI die ganze Linie von Golf-Varianten mit einer sportlichen Note auf.

»Bereinigung« der Produktlinie

Produktlinienmanager müssen von Zeit zu Zeit überprüfen, ob die Produktlinie durch Entfernung bestimmter Artikel »bereinigt« werden soll. Es gibt zwei Anlässe dafür: Der erste ist gegeben, wenn die Produktlinie Ladenhüter enthält, die auf die Gewinne drücken. Diese leistungsschwachen Artikel lassen sich durch eine Absatz- und Kostenanalyse identifizieren und dann eliminieren. Oft werden in einer solchen Situation erst dann ernsthafte Schritte unternommen, wenn die gesamte Ertragslage des Unternehmens nicht mehr zufriedenstellend ist oder der Zusammenbruch droht. Dann werden nicht mehr einzelne Produktlinien bereinigt, sondern der gesamte Produktmix. So stieß die Firma Chrysler die gesamte Produktlinie Simca ab und eliminierte viele andere Produkte aus ihrem Sortiment, als sie Ende der 70er Jahre vor dem Kollaps stand. Ein deutscher Hersteller von Schreib- und Büromitteln reduzierte sein Angebotsprogramm von über 40.000 Artikeln auf weniger als 30.000 Artikel, um so aus den roten Zahlen zu kommen. Viele Unternehmen, die ihre Produktlinien umfassend bereinigten, konnten dadurch ihre Ertragslage auf längere Zeit verbessern.

Der zweite Anlaß für ein Trimmen der Produktlinie ist gegeben, wenn es an der nötigen Kapazität fehlt, um alle Artikel in den gefragten Mengen zu produzieren. Der Produktlinienmanager sollte sich dann mit Hilfe einer Profitabilitätsanalyse auf die gewinnträchtigsten Artikel konzentrieren und verlustbringende Artikel aussortieren.

Markenpolitische Entscheidungen

Für die Marketingstrategien jedes Produkts muß der Anbieter markenpolitische Entscheidungen treffen. Die Markenbildung kann den Wert eines Produkts beträchtlich erhöhen und ist deshalb ein wesentlicher Bestandteil der Produktstrategie.

Wir sollten uns zunächst mit der Sprache der Markentechnik vertraut machen, indem wir geläufige Begriffe auflisten und definieren: [6]

- *Marke:* Ein Name, Begriff, Zeichen, Symbol, eine Gestaltungsform oder eine Kombination aus diesen Bestandteilen zum Zwecke der Kennzeichnung der Produkte oder Dienstleistungen eines Anbieters oder einer Anbietergruppe und zu ihrer Differenzierung gegenüber Konkurrenzangeboten.
- *Markenname:* Der verbal wiedergebbare, »artikulierbare« Teil der Marke. Beispiele: Opel, Persil, Maggi, Mövenpick und Gardena.
- *Markenzeichen:* Der erkennbare, jedoch nicht verbal wiedergebbare Teil der Marke, z.B. ein Symbol, eine Gestaltungsform, eine charakteristische Farbgebung oder Schrift. Beispiele: die Adidas-Streifen, der Mercedes-Stern und der Sarotti-Mohr.
- *Warenzeichen:* Eine Marke oder ein Markenbestandteil, die bzw. der rechtlich geschützt ist und dem Anbieter die ausschließliche Nutzung des Namens oder Zeichens sichert.
- *Urheberrecht (Copyright):* Das ausschließliche gesetzliche Recht der Reproduktion, Veröffentlichung und Veräußerung des Gegenstandes und der Form eines literarischen, musikalischen oder sonstigen künstlerischen Werks.

Die Markenpolitik stellt den Marketer vor viele Entscheidungen großer Tragweite. Die wichtigsten sind in Tabelle 15-1 aufgeführt und werden im folgenden diskutiert.

Tabelle 15-1
Markenpolitische Entscheidungen im Überblick

Entscheidungsbereich	Wichtigste Frage	Hauptalternativen
1. Markenartikelentscheidung	Soll das Produkt als Markenartikel geführt werden?	– Markenartikel – generisches Produkt
2. Absenderzuordnung	Welcher Absender soll der Marke zugeordnet werden?	– Herstellermarke – Händlermarke – Lizenzmarke
3. Markenstruktur	Wie sollen Produkte und Marken im Sortiment verknüpft werden?	– Einmalverknüpfung (Einzelproduktmarke) – einschichtige Mehrfachverknüpfung (Sortimentsmarke) – mehrschichtige Mehrfachverknüpfung (hierarchische Markenstruktur mit Orientierungsmarke, Sortimentsmarke und Produktmarke)
4. Markenbereichsausweitung	Soll der Produktumfang der Marke erweitert werden?	– Erweitern – Belassen – Schrumpfen
5. Parallelmarkenentscheidung	Soll für denselben Produkttyp eine weitere Marke eingeführt werden?	– zusätzliche Marke einführen – keine Änderung
6. Markenrepositionierung	Soll die Marke repositioniert werden?	– Repositionieren – Belassen

Markenartikelentscheidung

Zunächst muß ein Unternehmen zu einer Entscheidung darüber gelangen, ob es sein Produkt überhaupt als Markenartikel führen soll. Zum Markenartikel gehört der Markenname. Früher trugen die wenigsten Produkte einen Markennamen. Die Hersteller und Zwischenhändler verkauften die Ware direkt und ohne Kennzeichnung des Lieferantennamens aus Fässern, Kisten und anderen Behältern. Die ersten Anzeichen für die Markierung von Produkten waren die Bestrebungen der mittelalterlichen Zünfte, von den Handwerkern zu ihrem eigenen Schutz und zum Schutz der Käufer vor Waren minderwertiger Qualität die Kenntlichmachung der Erzeugnisse durch das Anbringen von Herkunftszeichen zu verlangen. Auch im Bereich der schönen Künste nahm die Markenbildung mit dem Signieren der Werke durch die Künstler ihren Anfang.

Unternehmen wie die Zwillings-Werke (mit dem Zwilling als Warenzeichen) und Faber Castell gehörten zu den ersten, die systematisch fabrikmäßig gefertigte Massenprodukte als Markenerzeugnisse auf den Markt brachten und umwarben. In allen industriell aufstrebenden Ländern setzten sich Markenartikel mehr und mehr durch, insbesondere nachdem in den entsprechenden Ländern die Nutzung von Marken per Gesetzgebung und Rechtsprechung gegen Nachahmung durch Wettbewerber geschützt wurde. Ein Teil der Marken aus der »Gründerzeit«, wie »4711«, »Nestlé«, »Persil«, »Odol« und »Mercedes«, hat bis heute überlebt und sich – bei richtigem Markenmanagement – prächtig entwickelt. Die Marke wurde hier weniger mit einem kurzlebigen Artikel oder einer bestimmten Produktform, sondern vielmehr mit einem abstrakten langlebigen Nutzen verbunden. Erfolgreiche Markenartikel wurden ständig durch Verbesserungen und Änderungen der Produktform entsprechend dem Geschmack der Zeit und den Wünschen der Kunden angepaßt. Für sie wurde im Markt »Vertrauenskapital« in Form von Markenbewußtsein aufgebaut. Bei vielen Unternehmen ist dieses Vertrauenskapital mehr wert als sämtliche Produktionseinrichtungen zuzüglich aller sonstigen in der Bilanz ausgewiesenen Kapitalposten.

Ob ein Unternehmen für seine Marken Markenbewußtsein und Markengeltung aufbauen kann oder nicht, ist von entscheidender Bedeutung für seine langfristige Wettbewerbsfähigkeit. Am deutlichsten wird dies, wenn man die Stellung japanischer und taiwanesischer Unternehmen auf dem Weltmarkt vergleicht. Japanische Unternehmen haben es verstanden, in vielen Produktbereichen Marken von weltweiter Geltung, wie Honda, Sony und Canon, aufzubauen. Sie haben sich damit in die Lage versetzt, weltweit hochwertige Produkte zu vermarkten, von denen ein rasch ansteigendes und hohes Lohnniveau im eigenen Lande getragen werden kann. Sie sind in der Lage, die Fertigung von Markenartikeln, die einen hohen Anteil an manueller Arbeit erfordern, in andere Länder auszulagern, und können trotzdem einen großen Teil der Wertschöpfung, der aus dem Produktdesign und der Marketingleistung resultiert, »einkassieren«. Die Mehrzahl der taiwanesischen Unternehmen und ihre Produkte sind hingegen weltweit wenig bekannt, da die Unternehmen es versäumten, eigene Marken aufzubauen. Die taiwanesischen Unternehmen stehen deshalb stärker im Preiswettbewerb und sind bei der Vermarktung qualitätsmäßig hochwertiger Produkte und der Auslagerung arbeitsintensiver Produkte in Billiglohnländer, wie z. B. Indonesien, wo das Lohnniveau etwa ein Zehntel des Lohnniveaus von Taiwan beträgt, in einer schwächeren Position.

Die Bedeutung des Markenartikels ist so groß geworden, daß es heute kaum noch

Produktbereiche ohne sie gibt. Selbst Butter und Milch werden als Markenartikel verkauft, Orangen werden mit Gemeinschaftsmarken von Herstellern wie »Sunkist« oder »Jaffa« versehen, und ganz gewöhnliche Schrauben und Muttern werden in Klarsichtverpackungen mit einem Hersteller- oder Händleretikett angeboten. Auch Kfz-Teile und -Zubehör, wie Zündkerzen, Reifen, Filter und Sitze, tragen nicht den Namen des Autoproduzenten, sondern eigene Markennamen, wie z.B. Bosch, Continental, Recaro und ISRI.

Bei einfachen Verbrauchsgütern und einigen Pharmazeutika ist eine Rückkehr zum namenlosen Produkt zu beobachten. Die französische Supermarktkette »Carrefour« führte 1976 weltweit als erste in großem Stil und mit großer Publizität in bestimmten ausgewählten Produktkategorien die sogenannte »Marque Libre« ein. Viele große Handelsketten in aller Welt folgten diesem Beispiel sehr schnell. Das Konzept besteht darin, dem Verbraucher vom Einzelhandel sogenannte »generische Produkte« (auch Gattungsmarken, markenfreie Produkte, No-Name-Produkte oder Weiße Produkte genannt) anzubieten, bei denen es sich um namenlose, billig verpackte und niedrigpreisige Varianten von gängigen, im Supermarkt erhältlichen Produkten handelt, wie z.B. Spaghetti, Papierhandtücher, Waschpulver, in Dosen abgefüllte Lebensmittel usw. Bei angestrebtem geringerem Marketingaufwand und geringeren Herstellkosten wurden diese Produkte im unteren Preisbereich jeder Produktkategorie angesiedelt. In durchschnittlicher oder leicht geringerer Qualität wurden sie zu Preisen von 30–50% unter hochpreisigen nationalen Marken und zwischen 10 und 15% unter den Hausmarken des Einzelhandels angeboten.

Führende Markenartikelhersteller bekämpfen die »Generics« auf verschiedene Art. Die Hersteller von Haustiernahrung z.B. verbesserten die Produktqualität und sprachen gezielt Haustierhalter an, die sich sehr stark mit ihren Tieren identifizierten und besonderen Wert auf Qualität legten. Andere Hersteller führten eine zusätzliche Linie von Billigprodukten ein – sogenannte »B-Marken« –, deren Qualität zwar nicht an die der höherwertigen Produktlinien des Unternehmens (die »A-Marken«) heranreichte, die jedoch bei konkurrenzfähigen Preisen immer noch mehr Qualität boten als die Anbieter generischer Produkte. Andere Markenartikelhersteller senkten einfach die Preise, um mit den generischen Produkten konkurrieren zu können.

In vielerlei Hinsicht wurden die generischen Produkte von den dahinterstehenden Handelsketten wie Markenartikel geführt, indem jedes der Handelsunternehmen allen eigenen Gattungsmarken eine für das Handelsunternehmen übliche Verpakkung und z. T. auch einen Markennamen gab und dafür Werbeausgaben tätigte. Die generischen Produkte waren je nach Produktkategorie und Land unterschiedlich erfolgreich. In den USA und in Deutschland stieg ihr Anteil am Warenkorb im Lebensmittelhandel auf knapp 5% und fiel dann wieder leicht. Bei einzelnen Warengruppen, wie z.B. Waschmitteln, erreichten die generischen Produkte Marktanteile von über 20%. In Großbritannien, Schweden und Frankreich erreichten sie insgesamt im Lebensmittelhandel Anteile von bis zu 20%.[7]

Was also sind die Vorteile des Markenartikels, wenn damit doch ohne Zweifel Kosten verbunden sind (Verpackung, Etikettierung, Schutzrechtüberwachung)? Es ergeben sich folgende Vorteile:

Erstens ermöglicht der Markenname bzw. das Warenzeichen dem Anbieter, sein Produkt gegen ein Kopieren durch die Konkurrenz rechtlich zu schützen.

Zweitens erleichtert es der Markenartikel dem Anbieter, sich einen treuen Kundenstamm aufzubauen. Markentreue schützt gegen Konkurrenzprodukte und preislich bedingte starke Absatzschwankungen. Sie ermöglicht eine zuverlässige Planung des Marketingprogramms und der Elemente im Marketing-Mix.

Drittens unterstützt der Markenartikel den Anbieter bei der Marktsegmentierung. Waschmittelhersteller wie Procter & Gamble oder Henkel verkaufen also u.U. nicht nur ein einziges, einfaches Waschmittel, sondern können auch verschiedene Marken mit jeweils etwas anderer Zusammensetzung im Programm haben, die spezifische, einen bestimmten Nutzen suchende Marktsegmente ansprechen.

Viertens bilden erfolgreiche Marken ein Kapital im Markt, das sich als Markenbewußtsein, Markengeltung und Markenimage sowie im »Corporate Image« widerspiegelt. Auf dieses Kapital und damit verbundene Qualitätsvorstellungen kann der Anbieter bauen und sein Produktangebot mit größerem und schnellerem Erfolg erweitern als ein dem Verbraucher unbekannter Anbieter.

Auch die Handelswelt will Markenartikel. Mit einer Vielzahl unterschiedlicher Markenartikel können sich Handelsunternehmen als Lieferanten bestimmter Ausprägung profilieren. Sie können damit ihrer Kundschaft ein nach Qualität und Preis differenziertes und abgestimmtes Sortiment anbieten. Markenartikel sind aufgrund ihrer Bekanntheit und die durch den Kunden bereits vorgenommene Qualitätseinschätzung »vorverkauft« und ermöglichen es dem Handel, mit geringerem Verkaufsaufwand einen hohen Warenumschlag zu erreichen.

Auch Verbraucher wollen Markenartikel, um damit Qualitätsunterschiede schneller und besser identifizieren zu können und ihren Einkauf effizienter zu gestalten. In der Sowjetunion beispielsweise ist das Markenartikelwesen noch sehr wenig ausgeprägt. Dort versuchen die Käufer von Fernsehgeräten heimischer Produktion herauszufinden, aus welcher der unterschiedlichen Fabriken das Gerät stammt, denn deren Reputation, was die Zuverlässigkeit ihrer Geräte anbelangt, ist sehr unterschiedlich.

Ob Markenartikel bei den Verbrauchern Wertschätzung genießen oder nicht, zeigt sich dann, wenn der Wettbewerb durch neue verfügbare Marken größer wird, so wie dies im Zuge der deutschen Vereinigung im Jahr 1990 in den Ländern der ehemaligen DDR geschah. Viele Hersteller schwacher Markenartikel im östlichen Teil Deutschlands standen plötzlich mit Produkten da, für die keine Nachfrage vorhanden war, gerieten in wirtschaftliche Schwierigkeiten und waren für westliche Unternehmen als Kooperationspartner weder aufgrund ihrer Marken noch aufgrund ihres Managements attraktiv. Starke Markenartikel dagegen behaupteten sich auch weiterhin – trotz der enorm gestiegenen neuen Konkurrenz – auf dem Markt und hatten auch keine Schwierigkeiten, westliche Kooperationspartner zu finden. So fand die Marke »Spee« mit mehreren Produkten der Waschmittelbranche in der Henkel KG einen Partner im Westen, der diese Marke weiterführen wollte. Insbesondere starke Ost-Zigarettenmarken, wie z.B. F6, Cabinet und Club, konnten ihre hohen Marktanteile gegenüber der neuen Konkurrenz aus dem Westen behaupten. Diese Marken werden inzwischen unter der Regie von Westfirmen produziert, die sie, nach anfänglicher Vernachlässigung, schon bald mit starken, traditionsbewußten Marketingprogrammen weiterführten. Die Verbraucher zeigten nämlich durch ihr Kaufverhalten (zweistellige Marktanteilszahlen), daß diese Marken bei ihnen hoch im Kurs standen.

Der *Markenname* sollte dem Produkt nicht nebenbei »angeheftet« werden. Er sollte ein Konzept darstellen, das auch im Produkt zum Ausdruck kommt und durch Produktverbesserungen immer lebendig bleibt. Im folgenden einige wünschenswerte Attribute eines Markennamens:

1. Er sollte Produktnutzen suggerieren. Beispiele: Accutron (Uhren), Nirosta (Edelstahl), Du darfst (kalorienreduzierte Nahrungsmittel).
2. Er sollte positive Produktassoziationen, wie »Aktion« oder »Wirkung«, vermitteln. Beispiele: Nimm 2 (Bonbons), Meister Proper, Tee-Fix, Kilofort (Schlankheitsmittel).
3. Er sollte leicht auszusprechen, zu erkennen und im Gedächtnis zu behalten sein (kurze Namen sind hilfreich). Beispiele: Lux, Golf, BIC.
4. Er sollte unverwechselbar sein. Beispiele: Uhu, Persil, Compaq, Aral.

Marketingforschungsinstitute haben hochentwickelte Verfahren für die Namenssuche entwickelt, u.a. *Assoziationstests* (welche Bilder ruft der Name wach?), *Lerntests* (wie leicht läßt sich der Name aussprechen?), *Gedächtnistests* (wie leicht läßt sich der Name in Erinnerung behalten?) und *Präferenztests* (welche Namen werden bevorzugt?). Auch spezielle Computerprogramme wurden zu diesem Zweck entwikkelt; diese können aus verbal eingegebenen Assoziationsworten neue und prägnante Markennamen entwickeln, wie z.B. Acura oder Compaq.

Viele Unternehmen wollen, daß ihr Markenname einzigartig ist und in seiner Produktkategorie herausragt. Mit Markennamen wie Plexiglas, Hansaplast (Wundpflaster), Tempo (Taschentücher), Maggi (Suppenwürze), Tesafilm (Klebeband) und Aspirin (Schmerzmittel) gelang dies. Doch gerade ein derartiger Erfolg kann u.U. das ausschließliche Nutzungsrecht des Herstellers an diesem Markennamen in Frage stellen. Das ausschließliche Nutzungsrecht an einem Markennamen geht dann verloren, wenn Wettbewerber diesen ebenfalls nutzen und in einem Gerichtsverfahren feststellen lassen, daß Verbraucher unter dem Markennamen nicht mehr ein spezielles Produkt, sondern die Produktgattung verstehen. So verloren z.B. in Deutschland der Name »Selters« und in den USA die Marken »Aspirin« und »Nylon« die Schutzfähigkeit, wurden damit zum Allgemeingut und stehen seitdem allen Anbietern zur Verfügung.

Absenderzuordnung

Wenn die Entscheidung für den Markenartikel gefallen ist, hat der Hersteller mehrere Alternativen, zu entscheiden, wer als Markenabsender auftreten und wem die Marke zugeordnet werden soll. Markenware kann als Herstellermarke, als Lizenzmarke (vgl. Exkurs 15-2) oder als Händlermarke (auch Fremdmarke, Auftragsmarke, Kundenmarke, Handelsmarke oder Hausmarke genannt) auf den Markt gebracht werden. Unternehmen wie Daimler Benz, IBM, Sulzer und viele Industriegüterhersteller bringen ihre gesamte Produktion unter eigenen Markennamen heraus. Bei Lebensmitteln und anderen Verbrauchs- und Gebrauchsgütern finden wir eine große Anzahl von Händlermarken, wie z.B. Ali (Instantkaffee der Handelsfirma ALDI, hergestellt von Nestlé), Privileg und Hanseatik (Haushaltsgeräte der Handelshäuser Quelle und Otto), Miocar (Autozubehör des Schweizer Handelshauses Migros) und

Revue als Marke für Fotoartikel von Quelle. Bei Mode- und Luxusgütern werden viele Artikel als Lizenzmarken vermarktet, wie z.B. Davidoff, Christian Dior und Boss.

Exkurs 15-2: Lizenzieren von Markennamen

Ein Produktions- oder Handelsunternehmen braucht Jahre und Millionenbeträge, um Kundenpräferenzen für einen neuen Markennamen aufzubauen. Es kann aber auch einen anderen Weg gehen und einfach Namen »mieten«, die auf die Konsumenten bereits eine starke Anziehungskraft ausüben: Namen oder Symbole anderer Hersteller, Eigennamen berühmter Persönlichkeiten, Figuren und Charaktere aus populären Filmen und Büchern – all dies sind gegen Lizenzgebühr erhältliche, erprobte und sofort wirksame Mittel, die einem Produkt schnell einen bewährten Absender zuordnen und das Flair eines Markenartikels verleihen können.
Die Vergabe von Rechten an bekannten Eigennamen, Figuren und Charakteren gegen Lizenzgebühr hat sich zu einem großen Geschäft entwickelt. Mode- und Bekleidungshäuser nutzen das Instrument der Namenslizenzierung am intensivsten. Hersteller und Handelsunternehmen bezahlen hohe Lizenzgebühren, um ihre Ware mit den Namen bekannter Modeschöpfer schmücken zu dürfen. Jill Sander, Calvin Klein, Pierre Cardin, Gucci, Yves St. Laurent und andere stellen ihre Namen oder Initialen für die verschiedensten Artikel zur Verfügung – von Blusen und Krawatten bis hin zu Wäsche und Koffern. Pierre Cardin erteilte Berichten zufolge über 800 Lizenzen für immer mehr Produkte – vom Bidet bis zum Ski, von der Gefrierfolie bis zum Champagner. »Designer-Marken« haben sich derart ausgebreitet, daß viele Handelsunternehmen sie wieder aussortieren und statt dessen lieber eigene Hausmarken führen, um sich wieder einen exklusiveren Ruf, mehr Unabhängigkeit bei der Preisgestaltung und höhere Gewinne zu sichern.
Es scheint, daß heute fast jeder im Geschäft mit Markenlizenzen mitmischen möchte. Die Baseler Emex AG vergab ihre Marke Davidoff für Krawatten, Duftwasser, Uhren, Cognac und Zigaretten. Die Marke Boss erscheint unter Lizenz auf Socken, Sonnenbrillen und Schuhen. Auch die Marken Porsche und Jaguar findet man auf Sonnenbrillen und anderen Produkten. Die Austria Tabakwerke vergeben den Namen ihrer Zigarettenmarke »Milde Sorte« gegen Lizenzgebühr für Bier, Kaffee, Seife und Zahnpasta. Zu den Lizenznehmern des Markennamens Mövenpick gehören Produzenten von Speiseeis (Schöller), Kaffee (Darboven), Konfitüren, Schokoladen, Tee und Salatsaucen (Hengstenberg) und Fruchtsäften (Underberg). Eine Unzahl von Produkten erscheint unter lizenzierten Namen, Figuren und Charakteren aus Filmen, aus dem Sport und aus Comic-Heften. Die Liste der Artikel bei Kinderkleidung, Spielzeug, Schulbedarf, Sportgeräten u. ä., die unter Zuordnung von geradezu klassischen Figuren wie Micky Maus, Peanuts, der Familie Feuerstein, E.T. und Helden aus Film und Sport erscheinen, ist nahezu endlos.
Bekannte Namen oder Figuren machen u.U. ein Produkt schnell bekannt und sind ein wirksames Profilierungselement gegenüber Konkurrenzprodukten. Sollen die Verbraucher zwischen zwei ähnlichen Produkten wählen, greifen sie mit hoher Wahrscheinlichkeit nach dem, auf dem ein bekannter Name steht, und picken oft sogar gezielt die Produkte heraus, die einen besonders geschätzten Namen oder eine ihrer Lieblingsfiguren im Etikett führen.

Namenslizenzen können sehr kostspielig sein. In der Regel werden die Lizenzgebühren umsatzabhängig – zusätzlich zu einem Grundfixum für die Nutzung – berechnet. Zwischen 7–10% des Fabrikabgabepreises als Namenslizenzgebühr für den Inhaber der Namensrechte liegen im Bereich des Üblichen. Bei Namenslizenzen gibt es sowohl für die Lizenzgeber als auch die Lizenznehmer Risiken. Das Hauptrisiko besteht darin, daß die inhaltliche Klammer zwischen dem Absender des Markennamens und allen unter diesem Namen verfügbaren Produkten verloren geht oder geschwächt wird, da zu viele unterschiedliche Produkte unter dem Markennamen erscheinen und die Marke damit verwässert und bedeutungslos wird.

Vgl. auch John A. Quelch: »How to Build a Product Licensing Program«, in: *Harvard Business Review* , Mai–Juni 1985, S. 186ff. und »Eine für alle«, in: *Management Wissen 9, 1989, S. 59–66.*

In den meisten hochentwickelten Ländern nehmen die Herstellermarken eine dominierende Stellung ein. Beispiele dafür sind so bekannte Marken wie Mercedes, Nivea, Nestlé, Löwenbräu und Siemens. Doch auch bedeutende Groß- und Einzelhandelsunternehmen entwickeln eigene Marken. Bei fotografischen Artikeln beispielsweise nehmen die Marken Foto Porst oder Revue (von Quelle) neben Herstellermarken wie Agfa, Kodak, Fuji und Minolta eine beachtliche Stellung ein. Handelsunternehmen wie Sears (USA), Quelle (Deutschland) und Migros (Schweiz) schufen eine Reihe von Hausmarken für unterschiedliche Produktbereiche in ihrem Sortiment und bewirkten dadurch bei den Konsumenten ein ausgeprägtes Markenbewußtsein und Präferenzen für ihr Angebot. Immer mehr Handelsunternehmen führen bei wachsenden Produktsortimenten für einzelne Produktbereiche bestimmte Hausmarken ein.

Warum machen sich Handelsunternehmen überhaupt die Mühe, eigene Marken zu führen? Sie müssen dafür qualifizierte Zulieferer ausfindig machen, die in der Lage sind, Produkte in beständig guter Qualität zu liefern. Sie müssen, um wirtschaftlich einzukaufen, in großen Mengen bestellen und oft ihr Kapital in großen Lagerbeständen binden. Sie müssen Geld für die Absatzförderung ihrer Marken ausgeben (der Werbeetat von Quelle belief sich 1986 auf 160 Mio. DM). Außerdem gehen sie das Risiko ein, daß die Einstellung der Konsumenten gegenüber ihren anderen Produkten negativ wird, wenn eine der Hausmarken Qualitätsprobleme aufweist.

Trotz all dieser potentiellen Nachteile entwickelt der Handel aus marktpolitischen Gründen eigene Marken, um nicht mit denselben Marken wie die Konkurrenz im Preisvergleich zu stehen, und auch aus Rentabilitätsgründen. Oft gelingt es, Hersteller mit Überkapazitäten ausfindig zu machen, die zu günstigen Preisen die Produktion der Händlermarke übernehmen. Auch andere Kosten, z.B. für Werbung und physische Distribution, kann ein Handelsunternehmen in eigener Regie oft niedrig halten. Folglich können Handelsmarken zu niedrigeren Preisen und trotzdem mit höheren Deckungsbeiträgen als manche Herstellermarken verkauft werden. Auch kann es dem Handelsunternehmen gelingen, mehrere starke Hausmarken zu entwikkeln, die ihm Kunden in die Läden bringen.

Der Wettbewerb zwischen Hersteller- und Handelsmarken wird auch als »*Macht-*

kampf der Markensysteme« bezeichnet. Bei dieser Auseinandersetzung haben die Handelsunternehmen viele Vorteile. Die Regalfläche in den Geschäften ist begrenzt, und die vielen Markenartikelhersteller, vor allem neuere und kleinere, finden keine Aufnahme. Die Händler gewinnen mit ihren Hausmarken bei besonders sorgfältigem Qualitätsmanagement das Vertrauen der Konsumenten. Das Handelsunternehmen Quelle beispielsweise nimmt nicht nur eine Qualitätsprüfung der angelieferten Produkte vor, sondern sendet auch Außenprüfer direkt in die Fabrikationsanlagen ihrer Lieferanten, wo sie vielfach als Produktionsberater wirken. Quelle hat mit ihren Hausmarken im Wettbewerb mit Herstellermarken mehr als tausend Preise der Stiftung Warentest gewonnen. Handelsunternehmen haben gerade beim Qualitätsmanagement gegenüber den Markenartikelherstellern einen Systemvorteil. Kundenzufriedenheit und Qualitätsbeurteilung ergeben sich nämlich nicht nur aus dem Produkt selbst, sondern auch aus dem Handling. Hier hat das Handelsunternehmen größere Einflußmöglichkeiten als das Herstellerunternehmen. Manche Unternehmen haben festgestellt, daß Qualitätsbeanstandungen zu 30 % auf die Produkte und zu 70 % auf das Handling und die Präsentation der Ware, also falsche Anwendungsberatung, falsche Stückzahl, falscher Termin, falsche Fakturierung, ungenügenden Kundendienst usw. zurückzuführen waren. Viele Käufer wissen außerdem, daß Handelsmarken häufig ohnehin von einem der großen Hersteller produziert werden. Preislich sind sie oft unter den vergleichbaren Herstellermarken angesiedelt und sprechen so preisbewußte Käufer an. Die Händler verschaffen ihren eigenen Marken darüber hinaus einen günstigeren Platz im Regal und sorgen auch für eine bessere Regalbestückung. Die Folge all dessen ist, daß die Dominanz der Herstellermarken ausgehöhlt wird. Es gibt Marketingexperten, die prognostizieren, daß die Handelsmarken letzten Endes alle – abgesehen von den stärksten – Herstellermarken verdrängen werden.

Die Anbieter von Herstellermarken stehen unter Druck. Sie neigen dazu, viel für verbrauchergerichtete Werbung und Absatzförderung auszugeben, um ihren Marken die Gunst der Konsumenten zu erhalten. Dieser Werbeaufwand muß im Preis berücksichtigt werden. Gleichzeitig fordern die großen Handelsunternehmen als Gegenleistung für angemessene Regalflächen einen immer größeren Anteil des Absatzförderungsbudgets der Hersteller. Sie wollen diesen Anteil für eigene Absatzförderungsmaßnahmen, für Preisnachläße und Sonderangebote an die Endabnehmer verwenden. Wenn die Hersteller solchen Forderungen nachgeben, verbleibt ihnen nur ein gekürztes Budget für die Kundenbindung an die Marke durch verbrauchergerichtete Absatzförderung, und ihre Markenführerschaft beginnt abzubröckeln. Die Hersteller von Markenartikeln stecken hier also in einem Dilemma, wenn sie sich mit ihren eigenen Marken behaupten wollen.

Markenstrukturentscheidungen

Für Markenartikelanbieter gibt es mindestens vier unterschiedliche Strukturformen der Verknüpfung von Produkten und Marken:

1. *Einzelproduktmarken*, d. h. Markennamen für jedes einzelne Produkt.
   Dieser Strukturform folgen z. B. Procter & Gamble (Ariel, Vizir, Lenor, Meister Proper, Pampers) und Henkel (Persil, Weißer Riese, Pril, Ata, Perwoll).

2. *Eine einzige Sortimentsmarke* für alle Produkte des Unternehmens.
   Diese Struktur fanden wir z.B. bei bei Automobilherstellern wie Mercedes und BMW (bis Daimler Benz sich entschied, in andere Branchen, z.B. die Rüstungsindustrie, einzusteigen, auf die der Markenname Mercedes wohlweislich nicht übertragen wurde).
3. *Mehrere Sortimentsmarken für unterschiedliche Produktbereiche.*
   Nestle verwendet z.B. die Marke Maggi für ein Sortiment von Produkten »für die warme Küche«, die Marke Thomys bei Produkten »für die kalte Küche« und die Marke Sarotti für Süßwaren.
4. *Mehrschichtige Markenverknüpfungen*, z.B. durch Kombination aus dem Firmennamen und individuellen Markennamen, wie Kellogg's mit Kellogg's Rice Krispies oder Volkswagen mit dem VW-Golf und dem VW-Corrado.

Die Markenstrukturstrategien der einzelnen Wettbewerber innerhalb einer Branche sind oft unterschiedlich. So verwendet z.B. Procter & Gamble bei Waschmitteln Einzelproduktmarken. Bei Produkteinführungen weist Procter & Gamble nur in den ersten sechs Wochen auf den Hersteller Procter & Gamble hin, und dann nicht mehr, weil sich jedes P&G-Produkt eigenständig durchsetzen soll. Der Konkurrent Colgate verweist dagegen in der Werbung auf die »Colgate-Familie«, um die einzelnen Produkte des Hauses damit zu stützen.

Welche Vorteile bietet eine Struktur der Einzelproduktmarken? Ein bedeutender Vorteil besteht darin, daß ein Unternehmen dabei seinen Ruf nicht direkt mit der Marke verknüpft. Wenn diese keinen Erfolg hat oder im Markt als minderwertig angesehen wird, wird der Name des Herstellers davon nicht direkt berührt. Ein Produzent von teuren Armbanduhren oder von Qualitätsnahrung hat also die Möglichkeit, ohne Verwässerung seiner für Spitzenqualität stehenden Markennamen auch Marken mit geringerem Qualitätsanspruch auf den Markt zu bringen. Die Struktur der Einzelproduktmarken erlaubt es dem Unternehmen auch, den jeweils besten Namen für jedes neue Produkt zu suchen. Mit einem neuen Namen läßt sich vielfach neue Begeisterung wecken und Markenbindung bei den Kunden schaffen. Mit neuen Namen lassen sich ähnliche Artikel des gleichen Produkttyps besser voneinander abgrenzen und eigenständig positionieren.

Auch die Verwendung einer Sortimentsmarke (auch Dachmarke genannt) für alle Produkte hat ihre Vorteile. Die Einführungskosten für ein neues Produkt liegen hier niedriger, weil weder eine »Namenssuche« noch hohe Werbeausgaben für den Aufbau von Markenbekanntheit und Markenpräferenz erforderlich sind. Darüber hinaus ist mit einer hohen Anzahl an Erstkäufen zu rechnen, wenn der Hersteller bereits einen guten Namen hat. Die Maggi AG z.B. kann unter dem Dach von Maggi neue Produkte problemlos und mit sofortigem Markenzuspruch einführen. Andererseits verwendet auch der Philips-Konzern seinen Namen für alle Produkte; doch da er Produkte in unterschiedlichen Qualitätsbereichen anbietet, erwarten die meisten Konsumenten von Philips-Erzeugnissen nur durchschnittliche Qualität. Hierdurch wird der Absatz des Unternehmens bei Erzeugnissen hoher Qualität geschwächt. In diesem Falle wäre demnach wohl eine individuelle Namensgebung günstiger. Auch ein Verzicht auf den Namen Philips bei den leistungsschwachen Produkten des Hauses wäre hier denkbar.

Bietet ein Unternehmen höchst unterschiedliche Produkte an, ist die Verwendung einer einheitlichen Sortimentsmarke nicht mehr angebracht; vielmehr sind mehrere Sortimentsmarken für Teilbereiche des Gesamtsortiments kommunikativ zugkräftiger. Abbildung 15–2 zeigt, wie dieses Entscheidungsproblem bei Melitta gelöst wurde. Häufig werden auch eigene Sortimentsmarken für preislich unterschiedliche Produktlinien innerhalb einer Produktklasse geprägt. Dies ist insbesondere in der Getränkeindustrie üblich, d.h. bei Mineralwasser, Limonaden, Fruchtsaftgetränken, Säften und Bieren. Procter & Gamble z.B. vermarktet unter dem Namen Valensina höherpreisigere Fruchtsaftgetränke als unter dem Markennamen Punika, und die Blauen Quellen differenzieren mit der Sortimentsmarke Silvetta und Frische Brise zwischen zwei Preis- und Qualitätsfeldern im Limonadenmarkt.

Zu mehrschichtigen Markenverknüpfungen kommt es bei Anbietern, denen daran gelegen ist, ihren Firmennamen mit Sortimentsmarken oder Einzelproduktmarken zu verbinden. Der Firmenname erhält hier die Funktion einer *Orientierungsmarke*. Außer Firmennamen gibt es auch andere Möglichkeiten, Orientierungsmarken aufzubauen. So versuchten die deutschen Winzer gemeinschaftlich, mit dem Weinsiegel eine Orientierungsmarke für bessere Qualität aufzubauen. Dieser Versuch verlor seine Wirkung dadurch, daß schließlich fast jeder Wein dieses Siegel erhalten konnte, und somit keine besondere Hervorhebung mehr gegeben war.

Die Orientierungsmarke hat die Funktion, abstrakte Werte zu kommunizieren, die sich nicht spezifisch auf einzelne Produkte oder einzelne Sortimentsuntergruppen beschränken. Beispiele für diese abstrakten Werte sind Vertrauenswürdigkeit des Anbieters, technische Kompetenz, Kompetenz für gutes Design oder andere abstrakte Eigenschaften, die das Produkt aufwerten. Die Orientierungsmarke löst beim Käufer Vertrautheit mit dem Unternehmen bzw. die Zuordnung der abstrakten Werte zu den Produkten aus. Die Sortimentsmarken kommunizieren die für das Sortiment charakteristischen, eigenständigen Eigenschaften, und die Produktmarken verleihen dem Produkt Individualität. Abbildung 15–2 zeigt, wie Melitta für den Produktbereich »Frische und Geschmack« »Toppits« als Sortimentsmarke und »Melitta« als Orientierungsmarke graphisch im Markenlogo verwendet. Hier handelt es sich um eine zweischichtige Markenverknüpfung. Bei Produkten, mit denen sich die Verbraucher relativ wenig beschäftigen, sollte man höchstens mit einer zweischichtigen Markenstruktur arbeiten.

Bei Produkten, mit denen sich die Verbraucher intensiv und mit großem Interesse beschäftigen, wie z.B. bei Automobilen, finden wir auch dreischichtige Markenstrukturen. Ein Beispiel dafür ist der »Cadillac« »El Dorado« von General Motors. Der Firmenname »General Motors« fungiert hier als Orientierungsmarke und kommuniziert ein gewisses Niveau an technischer Kompetenz, Zuverlässigkeit, Service und Verfügbarkeit von Ersatzteilen. Der Name »Cadillac« kommuniziert bestimmte Sortimentseigenschaften, z.B. Luxusautos. Der Produktname »El Dorado« kommuniziert ein Bündel bestimmter Eigenschaften, das diesem Produkt zugeordnet wird, z.B. »Superkomfort mit einem Hauch Sportlichkeit«.

Markenstrukturentscheidungen sind für Unternehmen von äußerster Wichtigkeit. Der Aufbau von Marken im Markt und Vertrauen der Kunden in diese Marken ist ein langwieriger und kostspieliger Prozeß. Gute Marken sind bei vielen Unternehmen ein langfristigeres Kapital als die Produktionsanlagen. Herstellungsanlagen werden aufgebaut, erneuert, geschlossen und verlagert. Produktformen kommen und gehen. Gute Marken haben – als Vertrauensbrücke zwischen dem Anbieter und dem Kunden – langfristig Bestand.

Mit der Markenstruktur drückt ein Unternehmen firmenintern und auch extern gegenüber dem Markt aus, wie und mit welcher Gewichtung bestimmter Werte es sein Produktangebot gestalten will. Es kann dabei entweder das umfangreiche Eigenschaftsbündel der Produktmarke, die weniger zahlreichen gemeinsamen Eigenschaften aller Produkte unter der Sortimentsmarke oder aber eine kleinere Anzahl abstrakter Werte der Orientierungsmarke besonders in den Vordergrund stellen.

Viele Markenstrukturen entwickelten sich langfristig, indem eine erfolgreiche Einzelproduktmarke zur Sortimentsmarke und schließlich zur Orientierungsmarke ausgeweitet wurde. Abbildung 15–6 zeigt auszugsweise die Entwicklung der Marke Volkswagen von der Produkt- zur Orientierungsmarke. In einer komplexen mehrschichtigen Markenstruktur sollten die Rolle und die Gewichtung jeder verknüpften Marke definiert werden, damit eine klare Positionierung jeder Marke erfolgen kann.

Markenbereichsausweitung

Die Wachstumsstrategie eines Unternehmens kann auf der Markenbereichsausweitung basieren. Diese Strategie setzt voraus, daß zunächst ein erfolgreicher Markenname mit Marktgeltung und großem Vertrauenskapital bei den Kunden entwickelt wird. Diese Marktgeltung und der Goodwill bei den Kunden soll dann auf weitere Produkte oder Produktlinien übertragen werden. Viele erfolgreiche Unternehmen haben sich im Grunde auf diese Art und Weise entwickelt. Dadurch macht man aus Produktmarken Sortimentsmarken. Abbildung 15–6a und 15–6b illustrieren diesen ersten Schritt. Auch mit vielen Lizenzmarken wird diese Strategie verfolgt (siehe Exkurs 15-2). Bei der Markenbereichsausweitung müssen die entstehenden Chancen und Risiken genau abgewogen werden.

Die Strategie der Markenbereichsausweitung hat offensichtlich eine Reihe von Vorteilen. Man kann durch die Verwendung eines starken Markennamens bei Einführung eines neuen Produkts die sofortige Anerkennung bestimmter Eigenschaften des Markenkonzepts bewirken. Die ansonsten zum Aufbau der Markenbekanntheit erforderlichen Werbekosten entfallen. Die Werbung kann auf die vorhandene Markenbekanntheit bauen und sich darauf konzentrieren, das neue Produkt zu fördern sowie die Leistungsfähigkeit des Markenkonzeptes weiter unter Beweis zu stellen und somit synergetisch auf bereits vorhandene Produkte zu wirken.

Gleichzeitig birgt eine solche Strategie auch Risiken. So erwiesen sich beispielsweise »Bic-Strumpfhosen« als Fehlschlag, nachdem zuvor die Marke »Bic« erfolgreich von Feuerzeugen auf Kugelschreiber und Rasierapparate übertragen worden war. Das Markenkonzept wird geschwächt, wenn das zusätzliche Produkt für die Verbraucher eine Enttäuschung darstellt. Dann leidet auch die Wertschätzung der anderen Produkte unter der gleichen Marke. Es ist auch möglich, daß die neuen Produkte nicht zum Markennamen passen. Dann werden die Absatzchancen der neuen Produkte beeinträchtigt, und diese Produkte verzerren die Stimmigkeit des Markennamens mit dem bisherigen Sortiment.

Beim Transfer und der Bereichserweiterung der Marke auf neue Produkte ist es sehr wesentlich, zu erforschen, wie der Verbraucher die Marke sieht und ob man mit den neuen Produkten die Marke als Sortimentsmarke oder gar als Orientierungsmarke repositionieren kann. Die Marke »Natreen«, den Verbrauchern ursprünglich als Süßstoff bekannt, wurde zunächst erfolgreich durch seine Verwendung in süßen Nahrungsmitteln wie Eiscreme, Limonaden und Konfitüren erweitert, um hier das Markenkonzept auf »kalorienreduzierte Ernährung« zu erweitern. Es ist jedoch fraglich, ob sich die gleiche Marke erfolgreich auf Wurst- und Fleischprodukte übertragen läßt. Wenn also der Verbraucher die Natreen-Süße mit Wurst- und Fleischwaren verbindet, wenn er glaubt, daß im Schinken oder in der Wurst Süßstoffe enthalten seien, oder wenn er Natreen mit Nitrat verwechselt, dann ist der Mißerfolg dieser Markenbereichsausweitung unausweichlich.

Eine Marke kann ihre Verankerung im Bewußtsein der Konsumenten dadurch verlieren, daß sie überstrapaziert wird, indem sie auf zu viele unterschiedliche Produktlinien übertragen wird, so daß die gemeinsame Klammer im Sortiment immer schwächer und schließlich bedeutungslos wird. Ries und Trout bezeichnen dies als »Fallgrube für die Produktlinienerweiterung« [8]. Die Marke wird durch zu viele Produkte von ihrem Bedeutungsinhalt her verwässert. Die Produkte treten dann ohne die Markenpersönlichkeit auf, die konkurrierende Artikel mit Einzelproduktmarken aufweisen.

Parallelmarkenentscheidung

Bei der Parallelmarkenstrategie entwickelt der Anbieter zwei oder mehrere Marken innerhalb derselben Produktkategorie. Diese Strategie wird von Unternehmen in fast allen Branchen der Konsumgüterindustrie verfolgt, insbesondere in der Waschmittel- und in der Getränkeindustrie. Parallel zu einer oder mehreren bestehenden Marken wird eine weitere Marke aufgebaut. Diese kann zwar den Umsatz der bestehenden Marken schwächen, soll aber insgesamt, wenn man alle Marken zusammennimmt, einen höheren Umsatz bewirken.

Parallelmarkenstrategien werden aus verschiedenen Gründen verfolgt.

1. Die Hersteller belegen auf diese Art einen größeren Anteil der verfügbaren räumlichen Kapazitäten im Distributionssystem. Damit können potentielle Wettbewerber von den eigenen Groß- und Einzelhändlern ferngehalten werden. Brauereien z. B. bieten den von ihnen belieferten Gaststätten mehrere eigene Biermarken an, um potentielle Wettbewerber von dort fernzuhalten. Wenn im Einzelhandel die Regalflächen durch mehrere Marken eines Herstellers belegt sind, findet ein Wettbewerber schon allein aus Platzmangel keinen Zutritt zum Ladenregal.
2. Die Markentreue der Konsumenten ist selten so groß, daß diese nicht auch einmal eine andere Marke ausprobieren würden. Die beste Möglichkeit, solche »Markenwechsler« zu gewinnen, liegt im Angebot mehrerer Marken.
3. Die Entwicklung neuer Marken beeinflußt den firmeninternen Wettbewerbsgeist, so daß Manager unterschiedlicher Markenlinien bestrebt sind, sich von der Leistung her gegenseitig zu überbieten.
4. Mit der Parallelmarkenstrategie kann jede einzelne Marke so positioniert werden, daß sie jeweils ein anderes Marktsegment anspricht. Dies trifft nicht nur auf Einzelproduktmarken, sondern auch auf Sortimentsmarken zu, insbesondere wenn sie auf unterschiedliche Preissegmente abzielen, wie z. B. bei Produktlinien der Unterhaltungselektronik.

Im Entscheidungsprozeß zur Einführung einer weiteren Parallelmarke sollten folgende Fragen geklärt werden:

- Kann für die neue Marke ein eigenständiges Kommunikationskonzept aufgebaut werden?
- Ist dieses eigenständige Kommunikationskonzept glaubhaft?

- In welchem Ausmaß wird die neue Marke die eigenen Marken substituieren (auch »Kannibalisierung« genannt), und in welchem Ausmaß die Konkurrenzmarken?
- Werden die Produktentwicklungs- und Absatzförderungskosten durch die Umsätze der neuen Marke gedeckt?

Ein wesentliches Risiko bei der Einführung mehrerer Parallelmarken liegt darin, daß u.U. jede nur einen kleinen Marktanteil erobert und keine sonderlich rentabel ist. Das Unternehmen hätte in diesem Fall seine Ressourcen über eine Reihe von Marken hinweg verkleckert, statt einige wenige Marken mit großer Profitabilität aufzubauen. Abhilfe schafft in dieser Situation die Eliminierung der schwächeren Marken und die Einführung strengerer Auswahlverfahren für neue Marken. Im Idealfall sollten die Marken eines Unternehmens den Marktanteil der Konkurrenzmarken schmälern – und nicht den der eigenen Marken. Auf jeden Fall sollten jedoch die mit einer Parallelmarkenstrategie erzielten Nettogewinne bzw. der Netto-Cash-flow auch dann höher sein, wenn ein gewisser »Kannibalisierungseffekt« auftritt. [9]

Markenrepositionierung

Wie gut auch eine Marke zunächst auf dem Markt im Verbraucheransehen positioniert ist – irgendwann kann es für das Unternehmen erforderlich werden, eine Repositionierung der Marke vorzunehmen. Möglicherweise hat ein Konkurrent seine Marke gleich neben die eigene Marke plaziert und ihr Marktanteile entzogen. Oder die Verbraucherpräferenzen haben sich gewandelt, so daß die Marke nicht mehr so gefragt ist. Auch kann die eigene Marke durch das Auftauchen neuer Konkurrenzmarken *depositioniert* worden sein, so daß das Unternehmen Gegenmaßnahmen in Form einer eigenen, gesteuerten Repositionierung ergreifen muß. So nahm die Marke Mercedes für viele Jahre die Position des luxuriösen und sicheren Autos von hohem Prestige- und Wiederverkaufswert ein. Durch das Auftauchen der 500er und 700er Serie von BMW, die als Komfort-, Luxus- und Prestigefahrzeuge mit einer besonders dynamischen Note positioniert wurden, lief Mercedes Gefahr, im Markt als Luxusmarke für wenige dynamische ältere Leute und Institutionen angesehen zu werden. Mercedes wurde von seiner Position als *das* Luxusauto depositioniert und mußte Anstrengungen unternehmen, um nicht von BMW in die Position des langweiligen Luxusautos gedrängt zu werden. Um dem entgegenzuwirken, versah Mercedes den 190er mit einer sportlichen Note und beteiligte sich wieder am Automobilrennsport.

Ein klassisches Beispiel für eine erfolgreiche Markenrepositionierung ist die Kommunikationskampagne von Seven-Up in den USA. Seven-Up war eines unter vielen alkoholfreien Erfrischungsgetränken und wurde hauptsächlich von älteren Menschen gekauft, die ein mildes Getränk mit Zitronengeschmack wünschten. Die Marktforschung zeigte, daß zwar die Mehrheit der »Soft-Drink«-Konsumenten am liebsten Cola trank, aber nicht zu jeder Zeit, und daß außerdem immer noch viele Leute gar keine Cola tranken. Mit einer brillanten Kampagne machte sich Seven-Up nun daran, die Marktführerschaft im Segment der Nicht-Cola-Trinker zu erobern, und zwar, indem man die eigene Marke bewußt als »Nicht-Cola« bezeichnete. Die »Nicht-Cola« wurde als jugendliches und erfrischendes Getränk konzipiert, das man sich statt einer Cola schmecken lassen sollte. Seven-Up hatte den Konsumenten

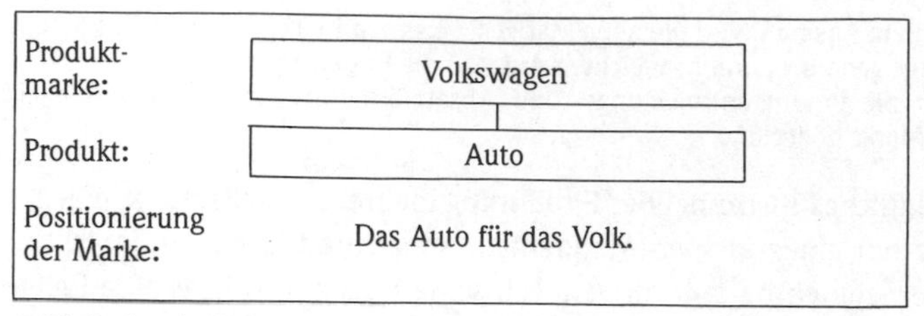

a. Einfachverknüpfung durch Einzelproduktmarke, etwa 1950

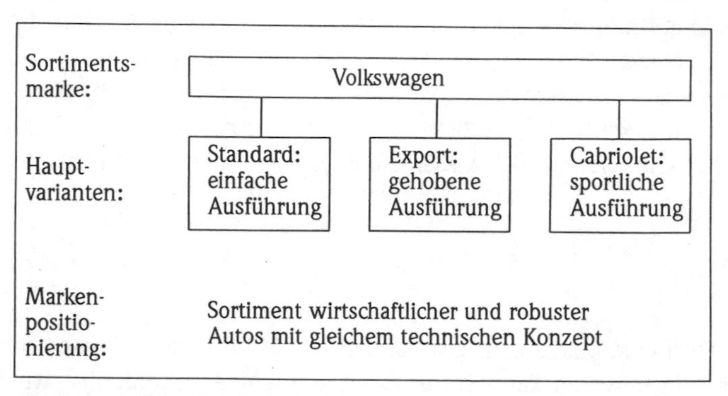

b. Einschichtige Mehrfachverknüpfung durch Sortimentsmarken; Auszug der Struktur, etwa 1960

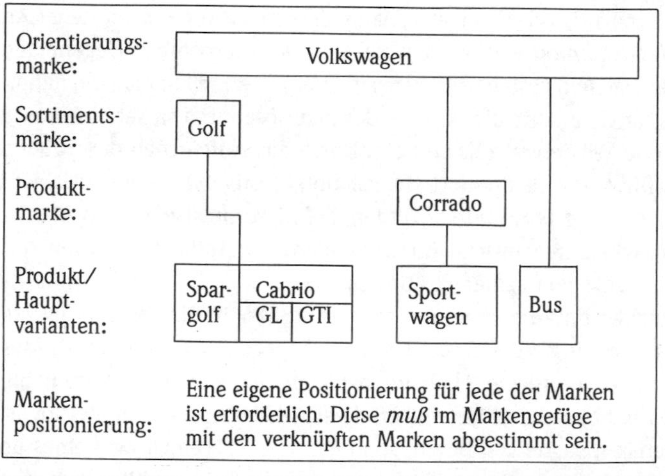

c. Komplexe Struktur mit mehrschichtiger Mehrfachverknüpfung von Orientierungsmarke, Sortimentsmarke und Produktmarke; Auszug der Struktur, etwa 1990

Abbildung 15-6
Markenstrukturen unterschiedlicher Komplexität am Beispiel Volkswagen

damit den Weg zu einem neuen Vorstellungsbild vom Erfrischungsgetränkemarkt eröffnet: dieser bestand für sie nun aus Cola- und »Nicht-Cola-Getränken«, wobei Seven-Up nun das führende »Nicht-Cola-Getränk« war.

Zur Entwicklung von Repositionierungsalternativen gehören Verbraucherforschung und kreatives Denken. Außerdem muß für die Repositionierungsentscheidung abgeschätzt werden, mit welcher Erfolgswahrscheinlichkeit die Repositionierung durchgeführt werden kann, was es kosten wird, die Marke in die neue Position zu bringen, und welche Umsätze in der neuen Position erreicht werden können. Die Kosten der Repositionierung ergeben sich aus der Veränderung von Produkteigenschaften, der Packungsgestaltung, der Werbung und damit zusammenhängenden weiteren Details im Marketing-Mix. Im allgemeinen sind die Kosten der Repositionierung um so höher, je weiter die neue Position von der alten entfernt ist und je stärker die bisherige Position der Marke im Verbraucherbewußtsein war. Drastische Änderungen im Image bekannter Marken erfordern sehr viel Geld und gelingen nicht immer. Der Umsatz der Marke in der neuen Position hängt davon ab, wie viele Verbraucher ein Produkt in der neuen Position vorziehen, mit welcher durchschnittlichen Kaufrate sie Produkte im Marktsegment erwerben, wie viele Wettbewerber im selben Segment tätig sind, wie stark sie sind und zu welchem Preis die Marke im neuen Segment verkauft wird. In manchen Fällen ist der Aufbau einer neuen Marke günstiger als eine risikoreiche und radikale Repositionierung.

Entscheidungen zur Verpackungsgestaltung

Viele Produkte brauchen für ihren Weg zum Markt eine Verpackung und Etikettierung.

Die Verpackung kann eine unbedeutende (z.B. bei billigen Eisenwaren) oder eine sehr wichtige Rolle spielen (z.B. bei Kosmetika). Manche Verpackungen, wie die Coca-Cola-Flasche, haben weltweite Berühmtheit erlangt. Eine Reihe von Marketern bezeichnen das Element »*packaging*« als das fünfte »P« des Marketing-Mix – neben *price, product, place* und *promotion* –, doch die meisten behandeln die Gestaltung der Verpackung als ein Element der Produktstrategie.

Wir definieren *Verpackungsgestaltung* als *»das Bestimmen von Design und Art des Behälters oder der Umhüllung für ein Produkt«.* Der Behälter bzw. die Umhüllung selbst wird als Verpackung bezeichnet. Diese kann mehrstufig aufgebaut sein. Die *Grundverpackung* ist das unmittelbare Produktbehältnis. Die Flasche, in der Old Spice After-Shave Lotion abgefüllt ist, bildet also die Grundverpackung. Mit *Außenverpackung* bezeichnet man das die Grundverpackung schützend umgebende Material, das vor Verwendung des Produkts entfernt und weggeworfen wird. Die Pappschachtel, in der die Flasche mit dem Rasierwasser geliefert wird, stellt also eine Außenverpackung dar, die zusätzlichen Schutz und Gelegenheit zur Werbung bietet. Die *Versandverpackung* ist die für Lagerung, Kennzeichnung und Transport erforderliche Verpackung, z.B. ein Karton aus Wellpappe mit sechs Dutzend Flaschen Old Spice After-Shave Lotion. Schließlich bildet auch die *Etikettierung* einen Teil der Verpackungsgestaltung. Das Etikett besteht aus gedruckten Informationen über das Produkt und wird entweder auf der Verpackung angebracht oder ihr beigelegt.

Die Verpackungsgestaltung hat sich in jüngerer Zeit zu einem wirkungsvollen

Marketinginstrument entwickelt. Durch eine gute Verpackungsgestaltung kann man Gebrauchsnutzen für den Verbraucher und Werbenutzen für den Hersteller bewirken. Verschiedene Faktoren haben dazu beigetragen, daß die Verpackungsgestaltung heute stärker als Marketinginstrument genutzt wird:

- *Selbstbedienung:* Immer mehr Produkte werden in Supermärkten und Discount-Läden auf Selbstbedienungsbasis verkauft. Die Verpackungsgestaltung muß dabei viele Verkaufsaufgaben übernehmen: Aufmerksamkeit wecken, Produkteigenschaften kommunizieren, Vertrauen bilden und einen positiven Gesamteindruck vermitteln.
- *Wachsender Wohlstand:* Der zunehmende Wohlstand der Konsumenten hat zur Folge, daß sie für den Komfort, die äußere Erscheinung, die Verläßlichkeit und das Prestige-Flair einer besseren Verpackungsgestaltung gerne auch etwas mehr bezahlen.
- *Firmen- und Markenimage:* Die Unternehmen werden sich des mächtigen Einflusses bewußt, den gut gestaltete Verpackungen auf die sofortige Firmen- oder Markenwiedererkennung durch die Konsumenten haben. So erkennt z.B. jeder Filmkäufer sofort die vertraute gelbe Kodak-Verpackung.
- *Innovative Chancen ergreifen:* Eine innovative Verpackungsgestaltung kann beim Verbraucher den Produktnutzen und beim Hersteller den Ertrag steigern. So wurde Zahnpasta in stehenden Pumpspendern – in Deutschland erstmals 1979 eingeführt – trotz des um 10% höheren Preises im Jahre 1984 von 20% der Haushalte gekauft, weil viele Konsumenten sie bequemer und sauberer fanden.
- *Rationalisierung in der Logistik und im Handling:* Bei der Verpackungsgestaltung muß zunehmend die wirtschaftliche Abwicklung der Warenlogistik berücksichtigt werden. Die Verpackungen müssen so gestaltet sein, daß die Produkte ohne Platzvergeudung in Kartons, in Kästen oder auf Paletten bestimmter Größe passen, die eine rationelle Warenbewegung, z.B. in automatengesteuerten Lagersystemen, Sortiersystemen oder Be- und Entladesystemen ermöglichen. Des weiteren müssen sie so gestaltet sein, daß sie von elektronischen Lesegeräten erkannt werden, insbesondere an der elektronischen Ladenkasse.

Zur Entwicklung einer wirkungsvollen Verpackungsgestaltung ist eine Vielzahl von Entscheidungen erforderlich. Zuerst muß das *Verpackungskonzept* erstellt werden. Dieses definiert, was die Verpackung für ein spezifisches Produkt im wesentlichen *sein* oder *bewirken* sollte. Soll die Verpackung in erster Linie besseren Produktschutz gewährleisten? Soll eine neue Öffnungs-, Entnahme- oder Anwendungsmethode eingeführt werden? Soll etwas Bestimmtes über das Produkt oder das Unternehmen, wie z.B. »Umweltfreundlichkeit«, kommuniziert werden? Soll der Transport oder das Handling des Produkts erleichtert werden?

Die Verpackung muß insbesondere auch als Instrument zur Kommunikation mit dem Markt betrachtet werden. Der Verpackung kommt damit also auch eine Rolle im Kommunikationsmix des Unternehmens zu. Hier muß entschieden werden, ob und zu welchem Anteil die Verpackungsgestaltung folgendes ausdrücken und darstellen soll:

a. die Marke und die Markenpersönlichkeit,
b. den Produktinhalt und welche besonderen Anreize damit zu verbinden sind,
c. für welche Zielgruppe das Produkt gedacht ist.

Die Darstellung der Marke dominiert z.B. beim Pfefferminzplätzchen »After eight« und bei »Mon Chéri«, dem alkoholischen Fruchtkonfekt von Ferrero. Die Verpackung von »After eight« zeigt weder bildlich noch symbolisch oder verbal, daß der Verbraucher hier als Produktinhalt schokoladenüberzogene Pfefferminzplätzchen vorfindet, die für die Konsumenten gedacht sind, die zum Tee besondere kleine Naschereien servieren möchten. Es bleibt hier der Werbung überlassen, den Produktinhalt und die Zielgruppenidentifikation zu kommunizieren.

Bei anderen Produkten, wie z. B. Fertiggerichten oder Fisch in Dosen, hat bei der Verpackungsgestaltung die Darstellung des Inhalts den größten Anteil. Durch bildliche Gestaltung auf den Pappschachteln und Dosen werden hier appetitanregende produktbezogene Impulse übermittelt, die zum Kauf anregen. Verpackungsgestaltungen, bei denen ein besonders hoher Anteil für die Zielgruppenidentifikation verwendet wird, finden wir bei Marken wie »Kinderschokolade« von Ferrero.

Es müssen detaillierte Entscheidungen über die Elemente der Verpackungsgestaltung getroffen werden: *Größe, Form, Materialien, Farbe, Text* und *Markenkennzeichen.* Soll viel oder wenig Text verwendet werden, Cellophan oder eine andere durchsichtige Folie, eine Schale aus Plastik oder aus Laminat? Solche und andere Fragen sind zu beantworten. Die verschiedenen Verpackungselemente müssen aufeinander abgestimmt werden: Bestimmte Packungsgrößen legen z. B. die Verwendung bestimmter Materialien und Farben nahe. Das Konzept und die Details der Verpackung müssen mit anderen Marketingelementen, wie Preisgestaltung und Werbung, abgestimmt werden.

Nachdem die Gestaltung der Verpackung abgeschlossen ist, muß diese einer Reihe von Tests unterzogen werden. *Technische Tests* sollen sicherstellen, daß die Verpackung bei normaler Beanspruchung ihren Dienst tut; *Sichttests* dienen dazu, die Lesbarkeit der Aufschrift und die Harmonie der Farbgebung zu kontrollieren; *Handelstests* sollen prüfen, ob die Händler die Verpackung ansprechend finden und der Meinung sind, daß sie zu ihrem Logistiksystem paßt; mit *Verbrauchertests* schließlich soll herausgefunden werden, ob die Verbraucher auf die Verpackungsgestaltung positiv reagieren.

Die Entwicklung einer wirkungsvollen Verpackung für ein neues Produkt kann Hunderttausende von Mark kosten und einen Zeitraum von einem Monat bis zu über einem Jahr in Anspruch nehmen. Die Bedeutung der Verpackung kann nicht genug betont werden, wenn man die verschiedenen Aufgaben betrachtet, die sie bei der Gewinnung und Zufriedenstellung von Kunden erfüllt. Allerdings müssen die Unternehmen auf die wachsenden gesellschaftlichen Bedenken achten, die sich auf die Umweltfreundlichkeit der Produktverpackung richten, und Entscheidungen treffen, die sowohl den Interessen der Gesellschaft als auch den unmittelbaren Zielen der Konsumenten und Unternehmen dienlich sind.

Das Etikett ist ein besonderer Teil der Verpackungsgestaltung. Ein Etikett kann die Form eines einfachen Produktanhängers haben oder – als sorgfältig ausgearbeitete Graphik – einen Teil der Verpackung bilden. Manche Etiketten tragen nur den Markennamen, andere enthalten umfangreiche Angaben. Auch wenn der Anbieter selbst ein einfaches Etikett wünscht, können ihm gesetzliche Vorschriften die Aufnahme zusätzlicher Angaben zur Pflicht machen.

Das Etikett kann mehrere Aufgaben erfüllen, und der Anbieter muß festlegen, welche dies sein sollen. Basisfunktion ist die *Kennzeichnung* des Produkts oder der Marke. Darüber hinaus kann das Etikett die *Güteklassen* eines Produkts angeben. Es kann *produktbeschreibende Funktion* haben, also Aufschluß über Hersteller, Ort und Datum der Herstellung, Inhalt, Verwendungszweck und Gebrauchssicherheit geben. Schließlich kann das Etikett durch seine ansprechende graphische Gestaltung ebenso wie die Verpackung selbst auch noch eine *absatzfördernde Funktion* übernehmen.

Die Etiketten bekannter Marken wirken im Laufe der Zeit meistens etwas altmodisch und müssen dann »neu belebt« werden. So werden die Etiketten fast aller Marken im Getränke- und Lebensmittelbereich laufend dem sich ändernden Geschmack der Verbraucher, der Wettbewerbssituation und den gesetzlichen Vorschriften angepaßt.

Die Produktkennzeichnung ist seit langem Gegenstand der Gesetzgebung und gesetzlichen Kontrolle. Etiketten können für den Kunden irreführend sein. Es können Angaben über wichtige Inhaltsstoffe oder ausreichende Sicherheitshinweise fehlen. Deshalb wurde in fast allen Staaten eine Reihe von Gesetzen zur Etikettierung verabschiedet. In der Europäischen Gemeinschaft arbeiten verschiedene Kommissionen daran, einzelstaatliche Unterschiede zu beseitigen. Gesetzliche Vorschriften regeln, ob und wie *Einheitspreise* (Preise pro gängiger Einheit, z.B. Kilogramm, Liter, Stück oder pro tausend Stück), das *Haltbarkeitsdatum* (voraussichtliche Haltbarkeit des Produkts), der *Nährwert* (gegliedert nach Inhaltsstoffen des Produkts), das *Herkunftsgebiet* (z.B. bei Wein) oder *Veränderungen natürlicher Produkte* (z.B. Kohlensäurezusatz bei Mineralwasser) deklariert werden müssen. Der Anbieter sollte vor der Einführung neuer Produkte unbedingt sicherstellen, daß die Etiketten alle Angaben enthalten, die vom Konsumenten erwartet und vom Gesetzgeber vorgeschrieben werden.

Zusammenfassung

Das Produkt ist das erste und wichtigste Gestaltungselement des Marketing-Mix. Die Produktstrategie erfordert Entscheidungen über Produktmix, Produktlinien, Markenpolitik und Verpackungsgestaltung.

Jedes Produkt kann auf fünf Konzeptionsebenen betrachtet werden. Der Kernnutzen des Produktes besteht aus der grundlegenden Leistung und dem grundlegenden Nutzen, den der Käufer mit dem Produkt erwerben will. Das generische Produkt ist die Grundversion für die Gestaltung des Produkts. Das erwartete Produkt besteht aus dem Bündel von Eigenschaften und Bedingungen, die der Käufer im Normalfall beim Kauf des Produkts erwartet. Das augmentierte Produkt bietet zusätzliche Leistungen und einen Zusatznutzen, die oder den der Anbieter dem erwarteten Produkt hinzufügt, um sein Angebot im Wettbewerb herauszustellen. Zum potentiellen Produkt gehören mögliche Produkteigenschaften und Produktleistungen, die dem Angebot in der Zukunft hinzugefügt werden können.

Es gibt verschiedene Produkttypologien. So läßt sich eine Typologie anhand der Dauerhaftigkeit der Produkte (Verbrauchsgüter, Gebrauchsgüter und Dienstleistungen) bilden. Konsumgüter werden meist anhand der Kaufgewohnheiten der Konsumenten unterteilt (Güter des mühelosen Kaufs [*convenience goods*], Güter des Such- und Vergleichskaufs [*shopping goods*], Güter des Spezialkaufs [*specialty goods*] und des fremdinitiierten Kaufs [*unsought goods*]). Industriegüter werden anhand der Art und Weise, wie sie in den Produktionsprozeß und die Kostenrechnung eingehen, klassifiziert (Eingangsgüter, Anlagegüter, Hilfsgüter und investive Dienstleistungen).

Die meisten Unternehmen haben mehr als ein Produkt im Angebotsprogramm, und der Produktmix hat in diesem Fall eine bestimmte Breite, Länge, Tiefe und Geschlossenheit. Diese vier Dimensionen des Produktmix sind Hilfskonzepte bei der Entwicklung der Produktstrategie eines Unternehmens. Die unterschiedlichen Produktlinien im Produktmix müssen regelmäßig auf ihr Ertrags- und Wachstumspotential hin überprüft werden. Die leistungsstärkeren Produktlinien des Unternehmens sollten besonders gefördert, die leistungsschwachen bereinigt oder beseitigt werden; neue Linien sollten hinzugenommen werden, um Ertragslücken zu schließen.

Jede Produktlinie besteht aus Artikeln, die im einzelnen zu bewerten sind. Der Produktlinienmanager sollte den Umsatz- und Gewinnbeitrag der Artikel der Linie und die Position dieser Artikel im Vergleich zu den Konkurrenzprodukten untersuchen. Daraus ergibt sich die Information für Produktlinienentscheidungen: Soll die Produktlinie nach unten, nach oben oder in beide Richtungen gestreckt werden? Soll die Linie ausgefüllt werden, d.h. sollen innerhalb des Linienbereichs zusätzliche Artikel hinzugenommen werden? Soll die Linie modernisiert werden, und soll dies »stückchenweise« oder total geschehen? Welche Artikel sollen aus Gründen der Absatzförderung besonders herausgestellt werden? Soll die Produktlinie »bereinigt« werden? Und wie identifiziert man dann Produkte als leistungsschwach und eliminiert sie aus dem Angebotsprogramm?

Durch markenpolitische Entscheidungen wird festgelegt, ob das Produkt als Markenartikel geführt und welcher Absender der Marke zugeordnet werden soll – der Hersteller, eine Handelsorganisation oder ein Lizenzgeber. Zur Markenpolitik gehören auch Markenstrukturentscheidungen, mit denen der gesamte Produktmix des Unternehmens markenmäßig geordnet und verknüpft wird. Die Strukturentscheidungen bestimmen, welche Produkte als Einzelproduktmarke oder Sortimentsmarke geführt werden sollen und ob der Firmenname oder ein anderer Markenname als Orientierungsmarke für den gesamten Produktmix genutzt werden soll. Zur Markenpolitik gehört auch die Entscheidung darüber, ob die Anzahl der Produkte unter einer Marke erweitert, ob für denselben Produkttyp eine weitere Parallelmarke eingeführt und ob eine Marke repositioniert werden soll.

Es sind auch detaillierte Entscheidungen zu den Produkteigenschaften, zur Verpackungsgestaltung und zur Etikettierung zu treffen. Verpackungskonzepte müssen funktionelle Anforderungen und psychologische Wirkungseffekte berücksichtigen. Die Verpackungsgestaltung sorgt für den Schutz des Produkts durch die Verpackung, für die Wirtschaftlichkeit und leichte Anwendbarkeit des Produkts durch den Verbraucher und für absatzfördernde Effekte. Verpackungskonzepte müssen aber auch gesellschaftliche Anliegen, z.B. die Umweltfreundlichkeit von Verpackungen, berücksichtigen. Die Etikettierung dient der Produktkennzeichnung, oft auch der Qualitätseinstufung, der Produktbeschreibung und der Absatzförderung. Gesetzliche Vorschriften bestimmen, welche Produkteigenschaften auf dem Etikett deklariert werden müssen, um die Kunden zu informieren und sie gegen falsche Produktdeklarationen zu schützen.

Anmerkungen

1 Diese Abbildung wurde übernommen von: Theodore Levitt »Marketing Success through Differentiation – of Anything«, in: *Harvard Business Review*, Januar–Februar 1980, S. 83–91. Levitt's Abbildung wurde um die 1. Konzeptionsebene – den Kernnutzen – erweitert.

2 Vgl. Harper W. Boyd, Jr., und Sidney J. Levy: »New Dimensions in Consumer Analysis«, in: *Harvard Business Review*, November–Dezember 1963, S. 129–140.

3 Theodore Levitt: *The Marketing Mode*, New York: McGraw-Hill, 1969, S. 2.

4 Diese Abbildung findet sich in: Benson P. Shapiro: »Industrial Product Policy: Managing the Existing Product Line«, in: *Marketing Science Institute*, Cambridge, Mass., 1977, S. 3–5, S. 98–101.

5 Vgl. Stuart Henderson Britt: »How Weber's Law Can Be Applied to Marketing«, in: *Business Horizons*, Februar 1975, S. 21–29.

6 Die ersten vier Definitionen finden sich in: *Marketing Definitions: A Glossary of Marketing Terms*, Chicago: American Marketing Association, 1960.

7 Weiteres Material findet sich bei Brian F. Harris und Roger A. Strang: »Marketing Strategies in the Age of Generics«, in: *Journal of Marketing*, Herbst 1985, S. 70–81, und in *Handelsmarken in Europa*, 2. Nielsen Studie, Frankfurt: Nielsen GmbH, 1982, S. 1.

8 Al Ries und Jack Trout: *Positioning: The Battle for Your Mind*, New York: McGraw-Hill, 1981.

9 Vgl. Mark B. Taylor: »Cannibalism in Multibrand Firms«, in: *Journal of Business Strategy*, Frühling 1986, S. 69–75.

Dienstleistungsmanagement

Kapitel 16

»Nicht alles können wir alle«.
Nach Macrobius

So etwas wie Dienstleistungsbranchen gibt es nicht. Es gibt lediglich Branchen, in denen die Dienstleistungskomponente stärker oder schwächer ausgeprägt ist als in anderen. Im Grunde ist also jeder ein Dienstleister.
Theodore Levitt

Anfänglich entwickelte sich das Marketing in Praxis und Wissenschaft mit der Vermarktung von physischen Produkten, wie Zahnpasta, Autos, Stahl und Industrieausrüstungen. Doch das enorme Wachstum im Dienstleistungssektor stellt inzwischen einen der wichtigsten »Megatrends« in den hochentwickelten Ländern dar. Der Beschäftigungsanteil der Dienstleistungen an allen Erwerbstätigkeiten betrug z.B. 1985 in den Ländern der Europäischen Gemeinschaft 59 %, in Japan 56 % und in den USA 70 % – bei weiterhin steigender Tendenz. Diese Arbeitsplätze sind dabei keineswegs nur in Dienstleistungsunternehmen zu finden (wie Hotels, Fluggesellschaften, Banken etc.), sondern auch in Industrieunternehmen (z.B. Firmenjuristen, Betriebsärzte oder Schulungsleiter). Als Folge steigenden Wohlstands, immer mehr Freizeit und immer komplexerer Produkte entwickelten sich die Industrienationen zur Dienstleistungswirtschaft. Dies wiederum führte zu einem wachsenden Interesse an den speziellen Problemen des Dienstleistungsmarketing, die wir im folgenden näher untersuchen wollen. [1]

Es gibt sehr unterschiedliche Dienstleistungsbetriebe. Der *öffentliche Sektor* unterhält Dienstleistungsbetriebe wie Gerichte, Arbeitsämter, Krankenhäuser, Kreditanstalten, Aufsichtsbehörden und Schulen sowie Militär, Polizei, Feuerwehr und Post. Der *private Non-Profit-Sektor* unterhält Dienstleistungsbetriebe wie Museen, karitative Einrichtungen, Kirchen, Hochschulen, Stiftungen und Krankenhäuser. Ein beträchtlicher Teil der nichtproduzierenden Erwerbswirtschaft besteht aus Dienstleistungsbetrieben wie Fluggesellschaften, Banken, Computerservicefirmen, Hotels, Versicherungen, Anwaltskanzleien, Unternehmensberater, Arztpraxen, Filmtheatern, Installateuren und Immobilienfirmen. Und viele der im *produzierenden Gewerbe* Beschäftigten sind in Wirklichkeit ebenfalls Dienstleister, wie z.B. Computer-Operator, Wirtschaftsprüfer und Juristen. Diese Personen stellen gewissermaßen einen Dienstleistungsbetrieb dar, der Dienstleistungen für den Produktionsbetrieb erbringt.

Neben den Unternehmen in den traditionellen Dienstleistungsbranchen entwickeln sich ständig neue Formen von Dienstleistungsunternehmen, wie im folgenden leicht überpointiert dargestellt wird:

Es gibt Unternehmen, die Sie gegen eine Gebühr beraten, wie Sie mit ihrem Gehalt auskommen können, Ihren Philodendron pflegen, Sie morgens wecken und zur Arbeit fahren, Ihnen ein neues Haus, einen neuen Job, einen Wagen, eine Frau, einen Hellseher, einen Aufpasser für Ihre Katze oder einen geigespielenden Zigeuner vermitteln. Oder möchten Sie vielleicht einen fahrbaren Rasenmäher mieten? Ein paar Stück Vieh? Einige Original-Gemälde? Oder eine

Gruppe Hippies als Dekoration für Ihre nächste Cocktailparty? Und wenn Sie eher gewerbliche Dienstleistungen benötigen, organisieren andere Unternehmen für Sie Tagungen und Verkaufskonferenzen, entwerfen Ihre Produkte, stehen Ihnen bei der Datenverarbeitung zur Seite und vermitteln Ihnen eine Sekretärin oder sogar einen Manager auf Zeit. [2]

In diesem Kapitel werden wir uns mit folgenden Fragen befassen:

- Wie definiert und unterteilt man Dienstleistungen?
- In welchen Eigenschaften unterscheiden sich Dienstleistungen von anderen Gütern?
- Wie können sich Dienstleistungsunternehmen durch Differenzierung, Qualität und Produktivität der Leistung verbessern?
- Wie können Industrieunternehmen ihre produktbegleitenden Dienstleistungen verbessern?

Wesen und Unterteilung von Dienstleistungen

Die Dienstleistung definieren wir wie folgt:

Eine Dienstleistung ist jede einem anderen angebotene Tätigkeit oder Leistung, die im wesentlichen immaterieller Natur ist und keine direkten Besitz- oder Eigentumsveränderungen mit sich bringt. Die Leistungserbringung kann – muß jedoch nicht – mit einem materiellen Produkt verbunden sein.

Zu nahezu jedem Angebot eines Unternehmens an den Markt gehört eine Dienstleistung. Die Dienstleistungskomponente kann einen großen oder auch nur einen kleinen Teil des Gesamtangebots umfassen. Das Leistungsangebot des Unternehmens kann dabei von einem reinen Produkt einerseits bis zu einer reinen Dienstleistung andererseits reichen. Man unterscheidet hier vier Kategorien:

1. *Ein rein materielles Gut.* Hier besteht die Leistung vornehmlich aus einem materiellen Gut, wie z. B. Seife, Zahnpasta oder Salz. Dienstleistungen werden damit nicht angeboten.
2. *Ein materielles Gut in Verbindung mit Dienstleistungen.* Hier besteht die Leistung aus einem materiellen Gut und einer oder mehreren produktbegleitenden Dienstleistungen, um die Attraktivität des Angebots für den Kunden zu erhöhen. Beispielsweise verkauft ein Autohersteller seine Fahrzeuge meist inklusive Garantie, Service- und Wartungsanleitung etc. Levitt schreibt dazu: »Bei technologisch komplexer werdenden Produktkategorien (z. B. Auto, Computer) hängt die Verkäuflichkeit immer mehr von der Qualität und Verfügbarkeit des damit verbundenen Kundendienstes ab (z. B. Poduktvorführung, Lieferung, Reparaturen und Wartungsarbeiten, Bedienungshilfen, Schulung des Bedienungspersonals, Installationsanweisungen, Einhaltung der Garantiezusagen). In diesem Sinne betreibt General Motors eher ein dienstleistungs- als ein produktionsbetontes Geschäft. Ohne diese Dienstleistungen würden die Umsätze von GM schrumpfen.« [3]
3. *Eine zentrale Dienstleistung in Verbindung mit Hilfsgütern und -diensten.* Hier besteht die Leistung aus einer zentralen Dienstleistung und zusätzlichen Hilfsdiensten bzw. Hilfsgütern. Die Passagiere einer Fluggesellschaft erwerben z. B. die zentrale Dienstleistung »Personenbeförderung«. Nach ihrer Ankunft am Zielort haben sie für ihre Ausgaben nichts materiell Greifbares vorzuweisen. Dennoch gehören zu einer Flugreise auch materielle Produkte, wie z. B. Speisen und Getränke, das Flugticket oder auch die Zeitschrift der Fluggesellschaft. Die Realisierung der Dienstleistung erfordert zwar ein kapitalintensives materielles Produkt, nämlich das Flugzeug, doch das Hauptelement ist die Dienstleistung.
4. *Die reine Dienstleistung.* Hier besteht die Leistung im wesentlichen nur aus einem Dienst. Beispiele hierfür wären eine Psychotherapie oder Massagen. Der Psychoanalytiker z. B.

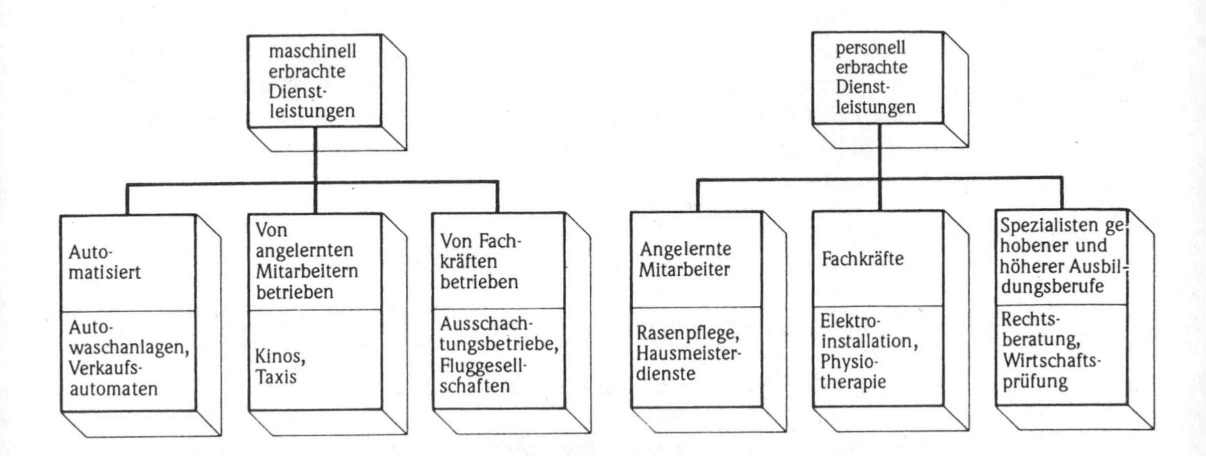

Quelle: Dan R. E. Thomas: »Strategy is Different in Service Businesses«, in: *Harvard Business Review*, Juli–August 1978.

Abbildung 16-1
Typologie von Dienstleistungsanbietern

bietet eine reine Dienstleistung an. Als einzige materiell mitwirkende Elemente nutzt er in der Regel das ärztliche Sprechzimmer und eine Couch, kann aber im Prinzip seine Analyse auch ohne diese materiellen Elemente liefern.

Aufgrund des unterschiedlichen Mix von Produkt- und Dienstleistungselementen im Leistungsangebot sind allgemeingültige Aussagen über Dienstleistungen schwer zu treffen. Man muß erst einige Differenzierungen unter den Dienstleistungen vornehmen.

Dienstleistungen lassen sich danach unterscheiden, ob sie im wesentlichen *personell oder maschinell erbracht* werden. Maschinell erbrachte Dienstleistungen wiederum unterscheiden sich danach, ob sie automatisch ablaufen oder von angelernten Mitarbeitern oder Fachkräften überwacht werden. Personell erbrachte Dienstleistungen können entweder von angelernten Mitarbeitern, Fachkräften oder Spezialisten gehobener und höherer Ausbildung erbracht werden. In Abbildung 16–1 sind eine Reihe von Branchen, die jeweiligen Leistungserbringer und Beispiele aufgeführt.

Einige, wenn auch nicht alle Dienstleistungen erfordern die *Anwesenheit des Leistungsempfängers.* Eine Gehirnoperation muß natürlich in »Anwesenheit« des Patienten erfolgen, bei der Autoreparatur hingegen braucht der Kunde nicht dabei zu sein. Wenn der Leistungsempfänger zugegen ist, muß der Dienstleistungsanbieter auf ihn und seine Gefühle große Rücksicht nehmen. Daher wird in einem Schönheitssalon auf eine geschmackvolle Innenausstattung geachtet, dezente Hintergrundmusik gespielt und leichte Konversation gepflegt.

Dienstleistungen lassen sich auch danach abgrenzen, ob sie ein *persönliches* Bedürfnis (persönliche Dienstleistungen) oder ein *geschäftliches* Bedürfnis (gewerbliche oder investive Dienstleistungen) erfüllen. Steuerberater und Gebäudereinigungsdienstleister z.B. stellen für private Haushalte und gewerbliche Kunden unterschiedliche Leistungsangebote zusammen. Ganz allgemein unterscheiden sich die Marketingprogramme der Dienstleistungsanbieter für persönliche und gewerbliche Dienstleistungen.

Schließlich *unterscheiden sich auch die Dienstleistungsanbieter in ihren unternehmerischen Zielsetzungen* (gewinnorientiert, nicht gewinnorientiert) und ihrer *Rechtsform* (privatrechtlich, öffentlich-rechtlich). Kombiniert man diese zwei Trennvariablen, ergeben sich daraus vier unterschiedliche Formen von Dienstleistungsorganisationen. [4]

Besonderheiten von Dienstleistungen und ihre Auswirkungen für das Marketing

Auf viele Dienstleistungen treffen vier Besonderheiten zu, welche die Gestaltung des Marketingprogramms stark beeinflussen.

Immaterialität der Dienstleistung

Dienstleistungen sind nicht materiell greifbar. Sie sind ein abstraktes, immaterielles Gut. Im Gegensatz zu physischen Produkten kann man sie meist nicht sehen, schmecken, fühlen, hören oder riechen, bevor man sie erwirbt. Wenn sich jemand einer Schönheitsoperation unterzieht, kann er das Resultat nicht vor dem Bezug der Leistung sehen, und der Patient eines Psychiaters weiß erst nach der Behandlung um das Resultat der Therapie.

Um seine Unsicherheit abzubauen, sucht daher der Leistungsabnehmer nach Zeichen und Hinweisen, welche die Qualität einer Dienstleistung »bezeugen«. Aus einzelnen Elementen wie Leistungsort, Personal, Ausstattung, Informationsbroschüren, Namen bzw. Symbole und Preis zieht er Rückschlüsse auf die Qualität der gebotenen Dienstleistung.

Deshalb muß der Dienstleistungsanbieter sein Angebot mit »leistungsbezeugenden« Hinweisen ausstatten. Er muß für die »immaterielle Leistung materielle Ausdrucksformen finden«. [5] Im Gegensatz dazu versucht der Produktanbieter, sein konkretes Produktangebot mit abstrakten Werten anzureichern.

Angenommen, eine Bank will dem Markt die konkrete Botschaft übermitteln, daß sie einen schnellen und effizienten Service anbietet. Sie könnte diese Positionierungsstrategie nun über eine Reihe von Dienstleistungselementen »greifbar machen«:

1. **Leistungsort**
   Lage und Ausstattung der Bank müssen einen schnellen und effizienten Service bezeugen. Das Bankgebäude und die Innenräume sollten durch eine klare architektonische Linienführung Effizienz ausstrahlen. Das Layout der Arbeitsplätze und der Arbeitsabläufe bei der Kundenabfertigung sollten sorgfältig geplant sein. Es sollte nicht der Eindruck entstehen, daß Kunden lange warten müssen. Kunden, die auf einen Kreditberater warten, sollte ein möglichst geräumiges Sitzplatzangebot zur Verfügung stehen. Die Hintergrundmusik sollte das auf effizienten Service abgestellte Konzept noch unterstreichen.
2. **Personal**
   Die Bankangestellten müssen einen arbeitsamen Eindruck vermitteln. Sie sollten angemessen gekleidet sein und unordentliche oder saloppe Kleidung vermeiden, die bei Kunden zu negativen Eindrücken über das Personal und deren Leistung selbst führen könnte.

3. **Ausstattung**
   Die Ausstattung der Geschäftsräume – Computer, Kopierer, Schreibtische – sollte modern sein. Ein Kunde würde die Effizienz einer Bank in Zweifel ziehen, deren Angestellte vor veralteten Schreibmaschinen sitzen.
4. **Informationsbroschüren und -material**
   Das Informationsmaterial der Bank sollte Effizienz ausstrahlen. Die Broschüren sollten klar und übersichtlich gegliedert und Bilder darin sorgfältig ausgesucht sein. Kreditangebote sollten sauber getippt sein. In Werbeanzeigen sollte die Bank ihre Positionierungsstrategie als »schnell und effizient« zum Ausdruck bringen.
5. **Namen und Symbole**
   Auch durch die Namensgebung und ein dazugehöriges Symbol sollte die Bank ihr Dienstleistungsangebot ausdrücken. Sie könnte z. B. »Merkurdienste« einrichten und dazu Merkur, den griechischen Gott des Handels, als Bildsymbol wählen.
6. **Preis**
   Die Gebührenstruktur für die diversen Bankdienstleistungen sollte stets einfach und verständlich gestaltet werden.

Enger Transaktionsverbund; personell, zeitlich, räumlich

Dienstleistungen werden im Regelfall zur gleichen Zeit produziert und konsumiert. Dies trifft auf materielle Produkte nicht zu, die zunächst hergestellt und gelagert, später verkauft und noch später konsumiert werden. Wenn eine Dienstleistung durch eine Person erbracht wird, ist diese Person Teil der Dienstleistung. Wenn dazu noch der Empfänger bei der Leistungserbringung anwesend ist, sind die Interaktionen zwischen ihm und der leistungserbringenden Person ein wichtiger Bestandteil des Dienstleistungsmarketing. Sowohl die leistungserbringende als auch die leistungsempfangende Person beeinflussen das Leistungsergebnis.

In der Unterhaltungsbranche sowie bei Dienstleistungen der freien Berufe legen die Leistungsempfänger besonderen Wert darauf, wer der Dienstleistungsanbieter ist. Es besteht für sie ein Unterschied, wenn z. B. der Ansager vor einer Thomas-Gottschalk-Show verkündet, daß Gottschalk leider indisponiert ist und statt dessen »Walter Unbekannt« auftritt, oder wenn jemand sagt, daß Rechtsanwalt »X Y« in einem Rechtsstreit die Verteidigung übernimmt, weil der Staranwalt Bossi verhindert ist. Haben die Leistungsabnehmer eine ausgeprägte Vorliebe für einen bestimmten Anbieter, kann dieser über höhere Preise seine nur begrenzt verfügbare Zeit »rationieren«, d. h. sich den Interessenten widmen, die am meisten zahlen.

Es gibt mehrere Strategien, um diese Einschränkungen zu überwinden. Der Dienstleistungsanbieter könnte mit größeren Gruppen arbeiten. Einige Psychotherapeuten z. B. sind den weiten Weg von der Einzeltherapie über die Kleingruppentherapie bis hin zur Gruppentherapie mit über 300 Menschen gegangen, die dann im Ballsaal eines Hotels »behandelt« werden. Der Dienstleistungsanbieter könnte auch dazu übergehen, schneller zu arbeiten. Unser Psychotherapeut kann beispielsweise statt 50 nur 30 Minuten auf jeden Patienten verwenden und dadurch insgesamt mehr Patienten behandeln. Schließlich kann der Dienstleistungsanbieter nach seinem eigenen System eine Dienstleistungsorganisation aufbauen, leistungsabgebendes Personal ausbilden und damit bei den Kunden Vertrauen in sein System schaffen, wie die Firma H & R Block dies in den USA mit ihrem landesweiten Netz von qualifizierten Steuerberatern getan hat.

Hohe Schwankungsbreite der Ausführung

Die Ausführung von Dienstleistungen unterliegt hohen Schwankungen, da sie davon abhängt, *wer* sie *wann* und *wo* erbringt. Eine von Dr. Christian Barnard durchgeführte Herztransplantation würde man als besser einstufen als eine, die von einem gerade approbierten Arzt vorgenommen wurde. Die Qualität der Barnard'schen Herztransplantationen verändert sich u.U. wiederum mit körperlicher und geistiger Verfassung des Arztes während der Operation. Die Dienstleistungsempfänger wissen, daß es eine gewisse Schwankungsbreite in der Leistungsqualität gibt und erkundigen sich deshalb erst bei anderen Leuten, ehe sie sich für einen bestimmten Dienstleistungsanbieter entscheiden.

Für ihre Qualitätskontrolle können Dienstleistungsunternehmen zweierlei tun. Die erste Möglichkeit besteht darin, in die Gewinnung und Fortbildung qualifizierter Mitarbeiter zu investieren. Fluggesellschaften, Banken und Hotels z.B. verwenden viel Geld darauf, ihr Personal zu schulen. So will die Hyatt-Gruppe, daß in jedem Hyatt-Hotel das Personal gleich freundlich und hilfsbereit ist.

Die zweite Möglichkeit besteht darin, den Ablaufprozeß der Dienstleistung in der Organisation zu standardisieren. Abbildung 16–2 zeigt ein Diagramm für den Ablaufprozeß der Leistungserbringung einer überregionalen Blumenzustellorganisation.[6] Der Kundenbeitrag zur Leistungserbringung beschränkt sich darauf, die richtige Telefonnummer zu wählen, eine Auswahl unter den angebotenen Blumen und Vasen zu treffen und die Bestellung aufzugeben. Hinter den Kulissen stellen die Mitarbeiter der Organisation die Blumen zusammen, stecken sie in eine Vase, liefern sie aus und sammeln das Geld dafür ein.

Abbildung 16-2 Diagramm zum Prozeß der Leistungserbringung: Überregionaler Blumenlieferdienst

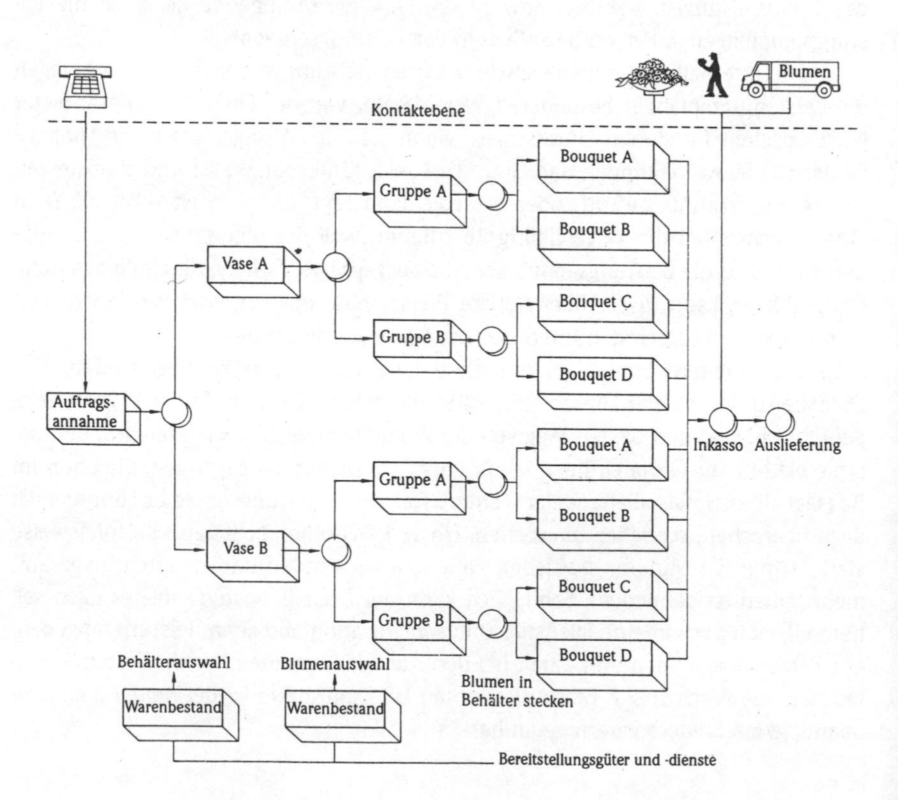

Die dritte Möglichkeit besteht in der Überwachung der Kundenzufriedenheit durch entsprechende Vorschlags- und Beschwerdesysteme, Kundenbefragungen sowie Vergleichs- und Testkäufe; auf diese Weise läßt sich ermitteln, wo das Dienstleistungsniveau unzureichend ist und Schwächen zu beseitigen sind. [7]

Fehlende Lagerfähigkeit

Dienstleistungen fehlt die Lagerfähigkeit, d. h. sie können nicht auf Vorrat produziert werden. Der Grund dafür, warum manche Ärzte dem Patienten auch dann eine Rechnung stellen, wenn dieser zum vereinbarten Termin gar nicht erschienen ist, liegt darin, daß der Leistungsnutzen zu dem Zeitpunkt bereitgestellt wurde, als der Patient eigentlich hätte erscheinen sollen. Die fehlende Lagerfähigkeit von Dienstleistungen ist nur dann kein Problem, wenn die Nachfrage nach der Leistung konstant ist, da der Dienstleistungsanbieter dann im voraus für ausreichend Personal und Ausrüstung sorgen kann. Schwankt hingegen die Nachfrage, stehen Dienstleistungsunternehmen vor gravierenden Problemen. So müssen z.B. öffentliche Verkehrsbetriebe aufgrund des starken Verkehrsaufkommens in Spitzenzeiten einen viel größeren Fahrzeugpark unterhalten, als das der Fall wäre, wenn die Nachfrage gleichmäßig über den Tag hinweg verteilt wäre.

Sasser beschrieb mehrere strategische Möglichkeiten zur Anpassung von Nachfrage und Angebot in Dienstleistungsbranchen: [8]

Maßnahmen zur Nachfrageanpassung:

- *Unterschiedliche Preise* verlagern einen Teil der Nachfrage von Spitzenzeiten auf Zeiten schwächerer Nachfrage. Beispiele hierfür wären niedrigere Eintrittspreise für die Kinovorstellung am Nachmittag oder günstige Wochenendtarife für einen Mietwagen.
- *Kultivierung der Nachfrage außerhalb der Spitzenzeiten.* Beispiele hierfür sind die »Weißen Wochen« der Wintersportorte oder auch spezielle Angebote von Hotels zum Wochenendurlaub.
- *Zusätzliche Leistungen* können angeboten werden, damit der Kunde in Spitzenzeiten nicht unversorgt warten muß. Dazu zählen z.B. die Cocktail-Bar im Restaurant, wo sich der Gast aufhalten kann, bis ein Tisch frei wird, oder auch die Geldautomaten und Kontoauszugsdrucker der Banken.
- *Buchungs- und Reservierungssysteme* sind eine Möglichkeit zur Steuerung des Nachfrageniveaus; daher werden sie von Fluggesellschaften und Hotels, aber auch zur Terminsteuerung in Arztpraxen häufig eingesetzt.

Maßnahmen zur Angebotsanpassung:

- Zur Befriedigung der Nachfrage in Spitzenzeiten werden *Teilzeitkräfte* eingesetzt. So beschäftigen Restaurants bei Spitzenbedarf Aushilfskellner.
- Es kann eine *Arbeitsumschichtung zu Spitzenzeiten* eingeführt werden. Dann führen die Angestellten zunächst nur die allerwichtigsten Arbeiten aus, z.B. die Kundenbedienung am Schalter, und holen damit verbundene Arbeiten später nach, z.B. Formularablage und Buchungsvorgänge.
- Eine verstärkte *Mitwirkung des Leistungsempfängers* wird organisatorisch gefördert; so könnten die Patienten beim Arzt den medizinischen Fragebogen selbst ausfüllen oder der Kunde im Supermarkt manche Produkte selbst einpacken und abwiegen.
- Es kann eine *gemeinschafliche Erstellung von Dienstleistungen* organisiert werden. Mehrere Krankenhäuser könnten z. B aufwendige medizinische Apparaturen, wie etwa einen fahrbaren Kernspintomographen, gemeinsam anschaffen und nutzen.
- Es können *Kapazitätserweiterungsmöglichkeiten* vorbereitet werden. Ein Vergnügungspark kann z.B. angrenzende Grundstücke für spätere Erweiterungsprojekte ankaufen.

Marketingstrategien für Dienstleistungsunternehmen

In der Vergangenheit lagen Unternehmen des Dienstleistungsgewerbes in der Marketingsystematik gegenüber dem produzierenden Gewerbe im Rückstand. George und Barksdale kamen in einer Untersuchung von 400 Dienstleistungs- und Industriebetrieben zu folgenden Schlüssen:

Es scheint, daß Dienstleistungsbetriebe im Vergleich zu Industriebetrieben im Durchschnitt
(1) weniger Aktivitäten des Marketing-Mix durch eine Marketingabteilung erbringen,
(2) weniger Absatzmarktanalysen durchführen,
(3) Werbung eher hausintern als über Agenturen betreiben,
(4) weniger häufig über einen Gesamtabsatzplan verfügen,
(5) weniger häufig Schulungsprogramme für das Vertriebspersonal entwickeln,
(6) weniger häufig die Dienste von Marketingforschungsinstituten und Marketingberatern nutzen und
(7) im Verhältnis zum Bruttoumsatz weniger an Marketingmitteln ausgeben. [9]

Es gibt mehrere Gründe dafür, warum die Dienstleistungsunternehmen in der Vergangenheit das Marketing vernachlässigten. Viele Dienstleistungsunternehmen sind klein (wie die Schusterei oder der Friseursalon) und bringen keine formellen Management- oder Marketingtechniken zum Einsatz. Des weiteren gibt es Dienstleister (z.B. Anwaltskanzleien, Steuerberater und Wirtschaftsprüfungsgesellschaften), die zum Teil immer noch der Ansicht sind, daß es unter ihrer Würde sei, Marketing zu betreiben. Und bei Hochschulen oder Krankenhäusern war bis vor kurzem die Nachfrage nach ihren Leistungen so stark, daß sie es für überflüssig hielten, sich um Marketing und den Wettbewerb um gute Studenten Gedanken zu machen.

Außerdem wäre für ein Dienstleistungsunternehmen der *herkömmliche Marketinganasatz* des Produktgeschäfts nur schwer durchzuführen. Dort ist das Produkt weitgehend standardisiert und wartet im Ladenregal darauf, daß ein Kunde danach greift. Im Dienstleistungsgeschäft hingegen wird dem Kunden eine Leistung angeboten, deren Qualität weniger gesichert ist und stärkeren Schwankungen unterliegt. Das Leistungsergebnis liegt hier nicht nur an der leistungsabgebenden Person, sondern auch am gesamten dahintergeschalteten und der Person zuarbeitenden Leistungserstellungsprozeß, der aufgrund seines personalintensiven Charakters ebenfalls starken Schwankungen unterliegt.

In Anbetracht dieser Komplexität argumentiert Gronroos, daß im Dienstleistungsmarketing nicht nur die herkömmlichen »Vier P's« des externen Marketing erforderlich sind, sondern noch zwei weitere Aktivitätsbereiche hinzukommen: das interne Marketing und das interaktive Marketing (vgl. Abbildung 16-3). [10]

Externes Marketing befaßt sich mit den Aktivitäten des Unternehmens zur Bereitstellung, Preisfindung, Distribution und Absatzförderung der Dienstleistung für die Kunden. *Internes Marketing* befaßt sich mit den Aktivitäten, die das Unternehmen durchführt, um seine *internen Kunden* zu schulen und zu motivieren. Zu den *internen Kunden* gehören die Personen, die in direkten Kontakt mit den Kunden treten, und alle Mitarbeiter, die das Kontaktpersonal unterstützt. Sie müssen als Team daran arbeiten, den Kunden voll zufriedenzustellen. Jeder Mitarbeiter im Anbieterunternehmen muß kundenorientiert handeln, da sonst kein konstant hohes

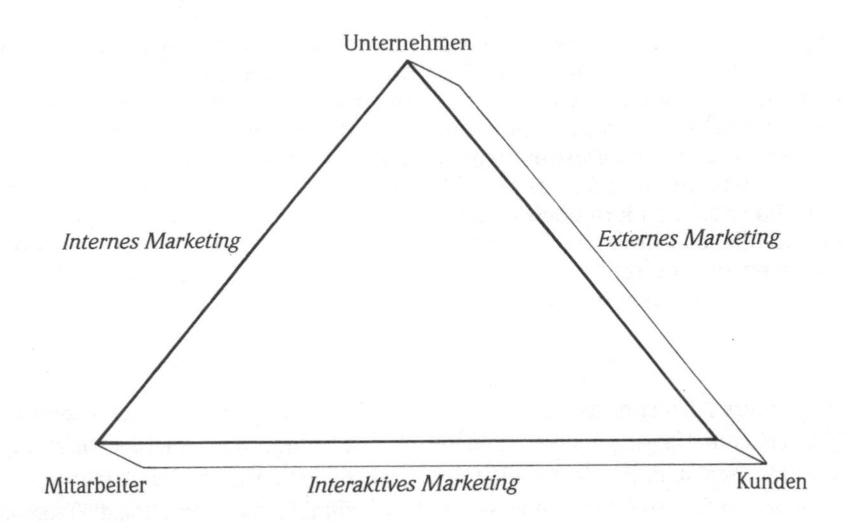

Abbildung 16-3
Drei Arten des Marketing in Dienstleistungsbranchen

Dienstleistungsniveau gewährleistet ist. Es ist nicht genug, eine Marketingabteilung zu unterhalten, die Marketing nach traditionellen Vorstellungen betreibt, während der Rest der Organisation eigene Wege geht. Berry meint, daß der wichtigste Beitrag, den die Marketingabteilung zum Unternehmenserfolg leisten kann, darin besteht, »auf besonders geschickte Weise jedermann im Unternehmen dazu zu bringen, Marketing zu praktizieren« [11]; (siehe Exkurs 16-1).

Exkurs 16-1: Wie Mitarbeiter dazu motiviert werden, die Kunden freundlich und gut zu versorgen; Illustration am Beispiel eines Krankenhauses

Die Patienten in den Krankenhäusern leiden schon genug unter ihrer Krankheit, so daß sie nicht auch noch unter einer unzureichenden persönlichen Behandlung leiden sollten. Der Geschäftsführer eines großen amerikanischen Krankenhauses wies mit Nachdruck auf dieses Problem hin: In vielen Dingen gibt es in Krankenhäusern Anzeichen dafür, daß sie an erster Stelle um sich selbst und nicht um den Patienten, seine Familie und Freunde besorgt sind. Ärzte und anderes medizinisches Personal, wie die Krankenschwestern, die Mitarbeiter der Röntgenstation und der Notaufnahme, geben sich »herrschaftlich« und kurz angebunden; das Personal an der Aufnahme gibt sich bürokratisch; die Raumpflegerin stößt mit dem Besen oder dem Wischer ans Bett; der Parkwächter zeigt sich wenig hilfreich, wenn der Parkplatz besetzt ist; im Speisesaal werden Besucher abgelehnt und die angegliederte Apotheke ist für ambulante Patienten nur zu bestimmten Zeiten geöffnet.

Krankenhäuser, die dies erkannt haben, bemühen sich um Änderungen. In vielen der insgesamt 7.000 amerikanischen Krankenhäuser führt man jetzt zunehmend sogenannte *Gastfreundschaftsprogramme* durch, d.h. man schult und motiviert die Ärzte, Krankenschwestern und andere Angestellte dazu, freundlicher zu den Patienten zu sein. Das Radford Community Hospital gehört zu den Krankenhäusern, die noch einen Schritt weitergingen: Man führte eine Art »Leistungsgarantie« ein. Das Krankenhaus richtete dafür einen Fonds in Höhe von 10.000 Dollar ein, aus dem man nun Patienten entschädigt, die eine berechtigte Beschwerde vorbringen – angefangen beim kalt gewordenen Essen bis hin zur mehr als langen Wartezeit in der Notaufnahme. Der springende Punkt an der Sache ist jedoch, daß alle Gelder, die sich am Jahresende noch in der Fondskasse befinden, unter den Krankenhausmitarbeitern aufgeteilt werden. Für das Personal ist dies nicht nur finanziell, sondern auch wegen der Sichtbarmachung von Mängeln ein beträchtlicher Anreiz, die Patienten gut zu behandeln. Und in den ersten 6 Monaten war es tatsächlich so, daß das Krankenhaus nur 300 Dollar an unzufriedene Patienten auszahlen mußte.

Interaktives Marketing befaßt sich damit, wie geschickt und zuvorkommend die Mitarbeiter im Umgang mit den Kunden sind. Die wahrgenommene Dienstleistungsqualität hängt stark von der Qualität der Interaktionen zwischen Dienstleistungsabnehmer und Dienstleistungsanbieter ab. Während im Produktmarketing die Produktqualität nur wenig davon abhängig ist, wie man sich das Produkt verschafft, besteht im Dienstleistungsmarketing eine enge Beziehung zwischen Leistungsqualität und Leistungserbringer. Dies trifft besonders auf die sogenannten »professional services« (d.h. die Leistungen der »ethischen« Berufe und anderer Standesgenossenschaften der höheren Ausbildungsberufe) zu. [12] Hier bewertet der Kunde nämlich die Dienstleistungsqualität nicht nur anhand der rein *technischen Qualität* (z.B.: War die Operation erfolgreich?), sondern auch anhand der *funktionalen Qualität* (z.B.: Zeigte der Chirurg Verantwortungsbewußtsein und flößte er dem Patienten Vertrauen ein?). [13] Ein Angehöriger dieser Berufe kann nicht davon ausgehen, daß der Kunde nur dadurch zufriedengestellt wird, daß er fachlich einwandfrei bedient wurde. Deshalb muß er über die professionelle Kompetenz hinaus auch die Kunst des interaktiven Marketing erlernen.

Es gibt sogar einige Dienstleistungen, bei denen der Kunde die technische Qualität auch dann nicht beurteilen kann, nachdem er die Dienstleistung erhalten hat. In Abbildung 16–4 sind einige Güter und Dienstleistungen nach dem Schwierigkeitsgrad ihrer Qualitätsbewertung durch den Kunden aufgereiht. [14] Bei den Gütern auf der linken Seite sind die *Prüfqualitäten*, d.h. Eigenschaften, deren Qualitätsausprägung der Kunde bereits vor dem Kauf beurteilen kann, stark ausgeprägt. Im Mittelfeld befinden sich Güter und Dienstleistungen mit stark ausgeprägten *Erfahrungsqualitäten*, d.h. Eigenschaften, die der Kunde erst nach dem Kauf und der Nutzung bewerten kann. Rechts im Feld befinden sich Güter und Dienstleistungen, bei denen *Vertrauensqualitäten* dominieren, d.h. Eigenschaften, deren Zutreffen der Käufer im Normalfall nur sehr schwer beurteilen kann, sogar nach Kauf und Benutzung.

Da Dienstleistungen im allgemeinen stärker durch Erfahrungs- und Vertrauensqualitäten gekennzeichnet sind, empfinden die Verbraucher bei ihrem Erwerb mehr Unsicherheit und Risiko als bei vielen materiellen Produkten. Daraus ergeben sich mehrere Konsequenzen. Erstens verlassen sich die Verbraucher bei ihren Kaufentscheidungen eher auf Mundpropaganda als auf Werbung des Dienstleisters. Zweitens beurteilen sie die Dienstleistungsqualität in hohem Maße am Preis, am Erscheinungsbild und der Qualifikation des ausführenden Personals sowie an materiellen Äußerlichkeiten, die mit der Dienstleistung verbunden sind. Drittens sind sie dem

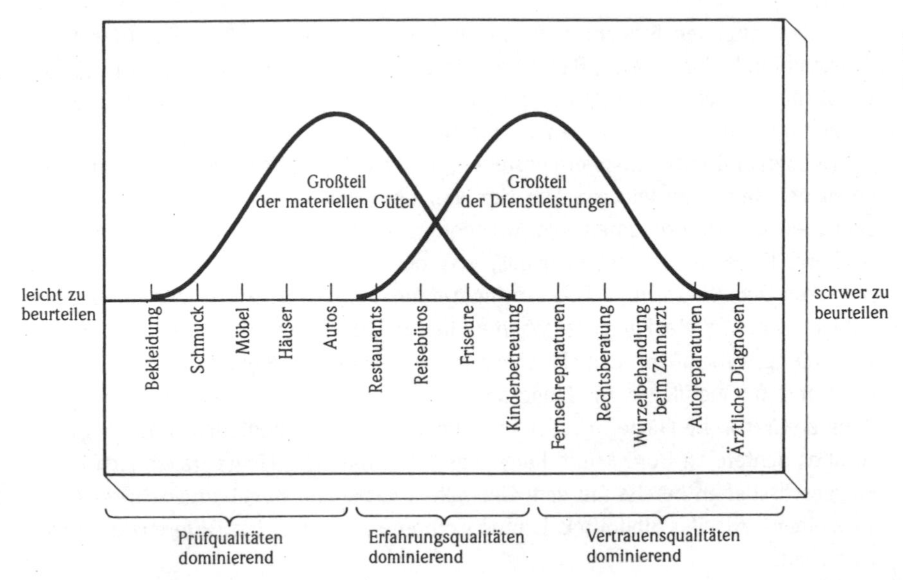

Quelle: V. A. Zeithami: »How Consumer Evaluation Processes Differ between Goods and Services«, in: *Marketing of Services;* James H. Donnelly und William R. George (Hrsg.), Chicago: American Marketing Association

Abbildung 16-4
Bewertungsschema
für unterschiedliche
materielle Güter und
Dienstleistungen

Dienstleistungsanbieter in hohem Maße treu und wechseln ihn nicht, wenn sie mit ihm zufrieden sind.

Je intensiver der Wettbewerb im Dienstleistungsbereich wird, desto durchdachter muß das Marketing sein. Zu den wichtigsten Mitgestaltern dieses Wandels werden diejenigen Produktmarketer gehören, die ihr Tätigkeitsfeld auch auf die Dienstleistungsbranchen verlagern. Neckermann z. B. stieg erfolgreich in Dienstleistungsbereiche ein, nämlich in die Bereiche Versicherungen (Neckura) und Reisen (NUR-Reisen). Auch auf den Markt für EDV-Dienstleistungen streben viele Industrieunternehmen, z. B. große Hardwarespezialisten wie IBM, Hewlett Packard und Siemens, aber auch Unternehmen aus dem Anlagengeschäft wie Thyssen (ICOS), Krupp (Atlas) und Mannesmann (Procad) sowie Unternehmen aus dem Gebrauchsgüterbereich wie BMW (Softlab). [15]

Dienstleistungsunternehmen müssen vor allem drei Aufgaben meistern. Sie müssen den *Differenzierungsgrad*, die *Qualität* und die *Produktivität* ihrer Leistung erhöhen. Obwohl diese Aufgaben aufeinander einwirken – manchmal sogar gegensätzlich –, wollen wir sie hier getrennt untersuchen.

Differenzierung der Leistung

Häufig hört man Dienstleister klagen, wie schwierig es sei, sich im Leistungsangebot von der Konkurrenz abzuheben, um aus dem reinen Preiswettbewerb herauszukommen. In dem Maße, in dem die Kunden eine Dienstleistung als gleichartig wahrnehmen, nimmt die Bedeutung des Preises zu und die des Dienstleistungsanbieters selbst ab. Wo Dienstleistungsindustrien dereguliert und damit abgesprochene Preise der entsprechenden Branche aufgehoben wurden – wie z.B. in der Luftfahrt, der Telekommunikation und im Bankwesen in den USA –, zeigte sich bald in heftigen Preiskämpfen, daß die Kunden bei nur scheinbaren und unwesentlichen Differenzierungen dem günstigen Preis den Vorzug gaben.

Will man im Preiswettbewerb bestehen, muß man ein differenziertes Leistungsangebot und Image entwickeln. Um sich von der Konkurrenz abzuheben, kann das Dienstleistungsunternehmen sein Angebot mit *innovativen Leistungselementen* anreichern. Dabei bezeichnet man das, was der Kunde in jedem Fall erwartet, als *primäres Dienstleistungspaket*, dem man dann *sekundäre Leistungselemente* hinzufügen kann. Viele Fluggesellschaften bieten z.B. Filme an Bord, eine bessere Bestuhlung, Verkauf von Duty-Free-Waren, Bordtelefone und ein besonderes Anreizprogramm für Vielflieger. Die Fluggesellschaft Braniff ließ einmal eine Zeitlang ihre Kabinen-Crews die Gäste in recht sparsamer Bekleidung bedienen, und Singapore Airlines richtete an Bord seiner Flugzeuge Piano-Bars ein. Heute tragen sich einige Fluggesellschaften bereits mit dem Gedanken, mit einem Bügel- und Schuhputzservice, einer Bestseller-Bibliothek, Laptop-Computern u.a.m. eine Differenzierung anzustreben.

Das Problem dabei besteht darin, daß die meisten Dienstleistungsinnovationen leicht zu kopieren sind. Nur wenige bieten einen langfristigen Wettbewerbsvorteil. Trotzdem werden sich Dienstleister, die ständig innovative Leistungselemente entwickeln, wenigstens zeitweise Vorteile gegenüber der Konkurrenz verschaffen und aufgrund ihrer Reputation als innovationsfreudiges Unternehmen Kunden aus den Schichten gewinnen können, die sich stets dem Spitzenreiter anschließen wollen.

Das Dienstleistungsunternehmen kann seine *Leistungserbringung* auf dreifache Art differenzieren, nämlich durch die *Qualität der Mitarbeiter*, durch das *Ambiente* und durch den *Dienstleistungsprozeß selbst*. Der Dienstleister kann sich hervorheben, indem er den Umgang mit dem Kunden durch fähigere und zuverlässigere Mitarbeiter pflegt als die Wettbewerber. Der Dienstleister kann ein besonderes Ambiente entwickeln, in dem die Dienstleistung abgewickelt wird. Die Dienstleistung selbst kann in einem – von bestimmten Kunden bevorzugten – andersgearteten Prozeß als bei der Konkurrenz abgewickelt werden.

Das Dienstleistungsunternehmen kann auch versuchen, sich durch Differenzierung des *Images* von der Konkurrenz abzuheben. Dazu gehört neben der imagekonformen Leistung auch die symbolhafte und verbale Ausdrucksform. Die Dresdner Bank benutzt z.B. symbolhaft und sprachlich das »grüne Band der Sympathie«, um sich imagemäßig als sympathische Bank zu differenzieren. Die Barclays Bank in England signalisiert symbolhaft mit den Felsen von Gibraltar, daß sie besonders sicher, beständig und zuverlässig ist. Die Harris Bank in Chicago will sich mit dem Löwen – als Symbol der Stärke – differenzieren. Sie nutzt den Löwen auf dem Geschäftspapier, in den Werbeanzeigen und als Werbegeschenk; so erhält z.B. der Kunde bei Eröffnung eines Kontos einen Stofflöwen. Folglich ist der Bekanntheitsgrad des »Harris-Löwen« hoch, und dieses Symbol verleiht der Bank ein Image der Stärke. Einige Hotelketten wie Hilton und Holiday Inn haben sich imagemäßig als »Megamarke« so stark differenziert, daß sie in der Lage sind, unter dem gleichen Namen in vielen Städten Hotels einzurichten, die von neuen Gästen nur aufgrund ihres Markenimages aufgesucht werden.

Qualität der Leistung

Eines der wichtigsten Profilierungsinstrumente im Wettbewerb der Dienstleistungsunternehmen ist eine stets gute Leistungsqualität. Entscheidend ist dabei, die von den Kunden erwartete Dienstleistungsqualität stets zu erreichen oder zu übertreffen. Diese Erwartungen werden durch die bisherigen Erfahrungen der Kunden, durch Mundpropaganda und durch die Werbung des Dienstleisters selbst geprägt. Auf diesen Faktoren gründet sich die Entscheidung der Kunden für einen bestimmten Dienstleistungsanbieter. Nach Inanspruchnahme der Dienstleistung vergleichen sie das *wahrgenommene Leistungsniveau* mit dem *erwarteten Leistungsniveau.* Ist das wahrgenommene Leistungsniveau niedriger als das erwartete Niveau, verlieren die Kunden das Interesse an diesem Anbieter. Werden hingegen ihre Erwartungen erfüllt, werden sie sich mit hoher Wahrscheinlichkeit wieder an diesen Anbieter wenden.

Deshalb muß der Dienstleistungsanbieter die Qualitätswünsche seiner Zielkunden ermitteln. Leider ist die Qualität einer Dienstleistung schwerer zu definieren und zu bewerten als die eines materiellen Produkts. Um ein Beispiel zu geben: Es ist sicher schwieriger, zu einem einheitlichen Urteil über die Qualität einer bestimmten Frisur als über die Qualität eines bestimmten Haartrockners zu kommen. Trotzdem werden die Kunden sehr wohl ein Urteil über die Dienstleistungsqualität fällen. Der Dienstleistungsanbieter ist deshalb gut beraten, sich mit den Erwartungen der Kunden vertraut zu machen, um so ein befriedigendes Leistungsangebot entwickeln zu können.

Ohne Zweifel werden die Kunden immer dann zufriedengestellt sein, wenn sie bekommen, was sie wollen, wann sie es wollen, wo sie es wollen und wie sie es wollen. Trotzdem ist es erforderlich, die spezifischen Kundenerwartungen im Hinblick auf jede Dienstleistung hin zu analysieren. Möglicherweise erwarten die Kunden einer Bank, daß sie nie länger als fünf Minuten Schlange stehen müssen, daß der Angestellte am Schalter höflich, kompetent und genau ist und daß der Computer nicht ausfällt. Ein Dienstleistungsanbieter muß die Erwartungen des Zielmarktes an jede einzelne Dienstleistung ermitteln.

Dies allein versetzt den Anbieter noch nicht in die Lage, die Wünsche der Kunden tatsächlich zu erfüllen. Er muß einen Kompromiß finden zwischen Kundenzufriedenheit einerseits und Unternehmensertrag andererseits. Wichtig ist jedoch, daß er das gebotene Qualitätsniveau der Dienstleistung eindeutig definiert und dieses Niveau sowohl dem eigenen Kontaktpersonal als auch dem Markt vermittelt, so daß einerseits die eigenen Mitarbeiter wissen, was von ihnen erwartet wird, und andererseits die Kunden wissen, was sie zu erwarten haben.

Parasuraman, Zeithaml und Berry haben ein Dienstleistungsqualitätsmodell konzipiert, das die wichtigsten Anforderungen abbildet, die zur Erreichung der erwarteten Qualität zu berücksichtigen sind.[16] Dieses in Abbildung 16–5 dargestellte Modell zeigt fünf sogenannte »Leistungslücken« auf, die zu einem unbefriedigenden Leistungsniveau führen. Im einzelnen sind dies folgende:

1. **Die Lücke zwischen Kundenerwartungen und Unternehmensauffassung**
   Nicht immer faßt das Unternehmen die Wünsche oder den Bewertungsprozeß der Kunden richtig auf. Möglicherweise denkt eine Krankenhausverwaltung, daß für die Patienten die Qualität des Essens das wichtigste Bewertungskriterium sei, während den Patienten in Wirklichkeit das Verhalten des Pflegepersonals wichtiger ist.

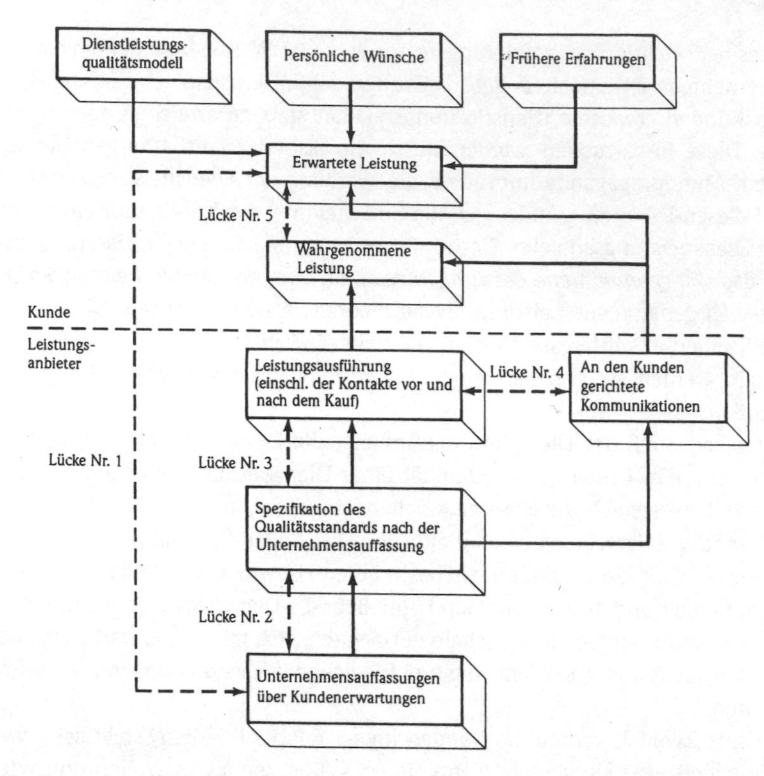

Abbildung 16-5
Modell der Dienstleistungsqualität

Quelle: A. Parasuraman, V. A. Zeithami und Leonard L. Berry: »A Conceptual Model of Service Quality and Its Implications for Future Research«, in: *Journal of Marketing,* Herbst 1985, S. 44.

2. **Die Lücke zwischen Unternehmensauffassung und Spezifikation des Qualitätsstandards**
   Möglicherweise spezifiziert das Unternehmen keinen konkreten Qualitätsstandard für die Leistung oder tut dies nicht eindeutig genug. Der Qualitätsstandard kann auch eindeutig, dafür aber unrealistisch sein; vielleicht ist er sowohl eindeutig als auch realistisch, doch das Unternehmen tut einfach nicht genug, um dieser Spezifizierung gerecht zu werden. Ein Beispiel: Eine Fluggesellschaft will einerseits, daß Kundenanrufe spätestens nach zehn Sekunden angenommen werden, stellt jedoch andererseits nicht genug Telefonpersonal dafür bereit oder unternimmt wenig, wenn diese Zielvorgabe nicht erreicht wird.
3. **Die Lücke zwischen spezifiziertem Qualitätsstandard und Leistungsausführung**
   Die Leistungsausführung selbst wird von vielen Faktoren beeinflußt. Möglicherweise ist das leistungsabgebende Personal schlecht ausgebildet oder überarbeitet. Gegebenenfalls ist auch die Arbeitsmoral schlecht, oder es gibt Pannen an Geräten und Maschinen. Die Ausführenden sollen in der Regel effizient arbeiten, was in manchen Fällen dem Bemühen um zufriedene Kunden widerspricht. So steht der Bankangestellte am Schalter oft unter Druck; er soll so schnell wie möglich arbeiten und gleichzeitig zu jedem Kunden höflich und freundlich sein.
4. **Die Lücke zwischen Leistungsausführung und an den Kunden gerichtete Kommunikationen**
   Die Kundenerwartungen werden auch durch die Zusagen beeinflußt, die der Dienstleistungsanbieter über seine Kommunikationspolitik verbreitet. Wenn im Prospekt eines Ferienhotels ein wunderschönes Zimmer abgebildet ist, und der Gast nach seiner Ankunft eine billig und schäbig aussehende Unterkunft vorfindet, dann liegt der Fehler eindeutig darin, daß die Marktkommunikationen des Anbieters beim Kunden falsche Erwartungen geweckt haben.

5. **Die Lücke zwischen wahrgenommener und erwarteter Leistungsqualität**
   Diese Lücke entsteht dann, wenn eine oder mehrere der oben beschriebenen Lücken vorhanden sind.

Die hier dargestellten Qualitätsaspekte sollten verdeutlichen, warum es vielen Dienstleistungsanbietern so schwer fällt, die erwartete Leistungsqualität tatsächlich zu erbringen.

Die drei genannten Wissenschaftler entwickelten auch einen Katalog der wichtigsten *Beurteilungskriterien für die Dienstleistungsqualität.* Sie fanden heraus, daß die Kunden bei allen Typen von Dienstleistungen im wesentlichen gleichartige Kriterien anlegen, die im folgenden dargestellt werden:

1. **Zugang**
   Der Kunde muß problemlos Zugang zur Dienstleistung haben, und diese muß an einem problemlos erreichbaren Ort, zu günstigen Zeiten und ohne langes Warten abrufbar sein.
2. **Kommunikation**
   Das Leistungsangebot muß in Sprachbegriffen beschrieben sein, die der Kunde genau versteht.
3. **Kompetenz**
   Das Kontaktpersonal des Dienstleistungsanbieters muß über die erforderlichen Fertigkeiten und Kenntnisse verfügen.
4. **Höflichkeit**
   Das Kontaktpersonal des Dienstleistungsanbieters muß freundlich, höflich und aufmerksam sein.
5. **Glaubwürdigkeit**
   Das Dienstleistungsunternehmen und sein Personal müssen vertrauenswürdig sein und für den Kunden stets das Beste wollen.
6. **Zuverlässigkeit**
   Die Dienstleistung muß gleichbleibend und wie erwartet erbracht werden.
7. **Sensibilität**
   Das Kontaktpersonal des Dienstleistungsanbieters muß unverzüglich und konstruktiv auf die Anliegen und Probleme der Kundschaft eingehen.
8. **Sicherheit**
   Die Dienstleistung darf nicht mit Gefahren, Risiken oder Zweifeln behaftet sein.
9. **Materielle Ausdrucksformen**
   Die materiellen Ausdrucksformen müssen die Leistungsqualität korrekt anzeigen.
10. **Kennen und Verstehen der Kunden**
    Das Kontaktpersonal des Dienstleistungsanbieters bemüht sich um Verständnis für die Wünsche des Kunden und behandelt ihn mit persönlichem Respekt.

Verschiedene Untersuchungen bei besonders gut geführten Dienstleistungsunternehmen zeigen auf, daß diese eine Reihe qualitätsbezogener Vorgehensweisen gemeinsam haben. Dazu gehören z.B. folgende:

1. **Ein strategisches Konzept**
   Die besseren Dienstleistungsunternehmen haben ein genaues Gespür für ihren Zielmarkt und die Bedürfnisse der Kunden, die sie zufriedenstellen wollen. Sie haben eine besondere Strategie zur Befriedigung dieser Bedürfnisse entwickelt, die zu dauerhafter Kundentreue führt.
2. **Eine langfristige Verpflichtung der Unternehmensleitung zur Qualität**
   Unternehmen wie Mövenpick, Quelle, Deutsche Bank und McDonald's fühlen sich ihrem Qualtitätsniveau langfristig verpflichtet. Die Unternehmensleitung setzt sich nicht nur den finanziellen Erfolg als Ziel, den man Monat für Monat zu verzeichnen hat, sondern stets auch die Qualität der Leistungsausführung. McDonald's besteht z.B. auf einer ständigen Überwachung jedes einzelnen McDonald's-Restaurants bezüglich Produktqualität, Bedienung, Sauberkeit und Produktwert. Franchisenehmern, die in ihren Restaurants den Qualitätsstandard nicht erbringen, wird die Zusammenarbeit gekündigt.

3. **Ein hoher Leistungsanspruch**
Die besten Dienstleister stellen hohe Ansprüche an sich selbst. Die Fluggesellschaft Swissair z.B. achtet ständig darauf, daß mindestens 96% der Passagiere den Service der Fluggesellschaft Airline als gut oder überlegen einstufen; ist das nicht der Fall, ergreift man Gegenmaßnahmen. Die City-Bank bemüht sich, auf Telefonanrufe innerhalb von zehn Sekunden und auf Kundenbriefe innerhalb von zwei Tagen zu antworten. Sie will in der Gesamtzufriedenheit der Kunden (gemessen auf einer bestimmten Beurteilungsskala) 90% erreichen und in der Zufriedenheitsbeurteilung der Angestellten über 70% liegen.
4. **Leistungskontrollsysteme**
Die Spitzenunternehmen im Dienstleistungsbereich überwachen ständig die Qualität der eigenen Leistung und die der Konkurrenz. Zur Leistungsmessung setzen sie eine Reihe von Instrumentarien ein: *Vergleichs- und Testkäufe, Kundenbefragungen sowie Vorschlags- und Beschwerdesammlung.* So hat z.B. die französische Staatsbahn eine Abteilung eingerichtet, die regelmäßig die eigene Dienstleistungsqualität prüft. Auch die Lufthansa betreibt eine Qualitätsüberwachung ihrer Dienstleistungen mit mehreren Instrumenten. Qualitätskontrolleure tätigen Testanrufe bei Verkaufsbüros und Lufthansa-Flughafeninformationsstellen. Sie messen die Wartezeiten beim Einchecken und am Flugscheinschalter. Über ein Kundenpanel erfaßt die Lufthansa den Service ihrer Stadt- und Frachtbüros. Monat für Monat verteilen die Flugbegleiter auf 550 Europa- und Interkontinentalflügen Fragebögen an die Reisenden, auf denen zwischen 4.000 und 5.000 Reisende ankreuzen, was ihnen an der Fluggesellschaft gefällt und was sie zu bemängeln haben. Beurteilt wird die Abfertigung auf dem Flughafen, das Personal am Check-in-Schalter, die Getränkeauswahl und Schmackhaftigkeit der Speisen, die Bordansagen, die Sauberkeit, das Leseangebot, die Film- und Hörfunkprogramme sowie die Freundlichkeit und das Erscheinungsbild der Flugbegleiter. Wie sich die wichtigsten Qualitätsparameter entwickeln, erfahren Vorstände, Direktoren und Leiter von Auslandsniederlassungen aus den Quartalsberichten und können negativen Einflüssen und Qualitätsverminderungen nachgehen und diese beseitigen. In Exkurs 16-2 ist ein nützliches System zur Bewertung der einzelnen Elemente des angebotenen Dienstleistungspakets und zur Ermittlung der jeweils erforderlichen Maßnahmen anhand des Beispiels eines Automobilhändlers beschrieben.
5. **Systematische Leistungspakete zur Zufriedenstellung von Kunden, die Anlaß zur Beschwerde haben**
Gute Dienstleistungsunternehmen reagieren schnell und großzügig auf Kundenbeschwerden. So bringt eine Autoreparaturwerkstatt in Dallas, wenn sie bei der Autoreparatur einen Fehler gemacht hat, ein Leihauto zum Kunden und holt dessen Auto kostenlos zur Nachbesserung ab. Wenn der Kunde dann sein Auto abholt, erhält er ein kleines Geschenk. Ein Restaurant in Seattle machte sich folgendes zur Auflage: »Wenn Gäste länger als zehn Minuten darauf warten müssen, zur reservierten Zeit einen freien Tisch zu bekommen, dann erhalten sie ihre Getränke kostenlos. Wenn sie mehr als 20 Minuten warten müssen, dann kann ihnen das ganze Mahl kostenlos angeboten werden. Wenn sie länger als fünf Minuten, nachdem sie am Tisch Platz genommen haben, auf einen Korb mit frischem Brot warten müssen, dann wird ihnen kostenlos eine Suppe angeboten«.[17]
6. **Zufriedene Mitarbeiter und Kunden**
Spitzendienstleister sind der Meinung, daß sich die Beziehungen zu den eigenen Mitarbeitern auch auf die Beziehungen zum Kunden auswirken. Daher schaffen sie ein Arbeitsumfeld, in dem die Mitarbeiter gefördert und für gute Leistungen belohnt werden. Außerdem erkundigt man sich regelmäßig danach, ob die Mitarbeiter mit ihrer Tätigkeit zufrieden sind.

In Exkurs 16-2 wird ein sinnvolles Qualitätsbewertungssystem für Dienstleistungen näher vorgestellt.

Exkurs 16-2: Kundenbewertung der Dienstleistungsqualität

Merkmalsbezogene Wichtigkeit für den Kunden und *Leistungsausführung des Dienstleistungsanbieters* sind nützliche Kriterien zur Bewertung von Dienstleistungen. In der nachstehenden graphischen Darstellung zeigt Teil (a), wie die Kunden insgesamt 14 Leistungsmerkmale (oder »Serviceattri-

bute«) der Kundendienstabteilung eines Automobilhändlers nach Wichtigkeit und Leistungsausführung bewerteten.
Anhand einer Skala mit den vier Bewertungspunkten »äußerst wichtig«, »wichtig«, »kaum von Bedeutung« und »unwichtig« wurde die Wichtigkeit der einzelnen Leistungselemente ermittelt. Die Leistungsausführung des Automobilhändlers wurde mit Hilfe einer Skala mit den vier Bewertungspunkten »hervorragend«, »gut«, »akzeptabel« und »schlecht« gemessen. So ergab sich z. B. beim Serviceattribut Nr. 1, also »zugesagte Leistung gleich beim ersten Anlauf erbracht«, ein Durchschnittswert von 3,83 für die Wichtigkeit und ein Durchschnittswert von 2,63 für die Leistungsausführung. Offensichtlich ist dieses Attribut für die Kunden wichtig, während die Leistungsausführung des Händlers hier unzureichend ist.
Die 14 Serviceattribute mit den jeweils erzielten Werten sind im Diagramm unter Teil (b) abgebildet und in vier Quadranten eingeteilt. Quadrant A zeigt wichtige Attribute, die nicht zur Zufriedenheit der Kunden ausfallen: Dazu gehören die Attribute 1, 2, und 9. Folglich sollte sich das Unternehmen vor allem um eine Verbesserung der Leistungsausführung der Kundendienstabteilung bei diesen drei Attributen bemühen. Quadrant B zeigt wichtige Attribute, bei denen die Kundendienstabteilung gute Arbeit leistet; sie hat also die Aufgabe, die Leistung auf hohem Niveau zu halten. Quadrant C zeigt weniger wichtige Attribute, deren Leistung zwar mittelmäßig eingestuft wird, denen jedoch aufgrund ihrer geringen Bedeutung keine größere Aufmerksamkeit gewidmet werden muß. Quadrant D zeigt uns, daß bei einem weniger wichtigen Attribut, nämlich »Mitteilung fälliger Inspektio-

(a)

Serviceattribut Nr.	Beschreibung des Attributs	Durchschnittswert für Wichtigkeit*	Durchschnittswert für Leistungsausführung**
1	Zugesagte Leistung gleich beim ersten Anlauf erbracht	3.83	2.63
2	Schnelle Reaktion auf Beschwerden	3.63	2.73
3	Garantiearbeiten prompt ausgeführt	3.60	3.15
4	Bietet eine vollständige Leistungspalette	3.56	3.00
5	Service verfügbar, wenn benötigt	3.41	3.05
6	Servicepersonal ist höflich und freundlich	3.41	3.29
7	Das Auto ist termingerecht fertig	3.38	3.03
8	Nur Notwendiges wird repariert	3.37	3.11
9	Günstige Preise für Serviceleistungen	3.29	2.00
10	Fahrzeug nach getaner Arbeit gereinigt	3.27	3.02
11	Von zuhause aus günstig zu erreichen	2.52	2.25
12	Vom Arbeitsplatz aus günstig zu erreichen	2.43	2.49
13	Abholdienst verfügbar	2.37	2.35
14	Mitteilung fälliger Inspektionen	2.05	3.33

* Die Werte wurden durch eine Skala mit den vier Bewertungspunkten »äußerst wichtig«, »wichtig«, »kaum von Bedeutung« und »unwichtig« ermittelt.
** Die Werte wurden anhand einer Skala mit den vier Bewertungspunkten »hervorragend«, »gut«, »akzeptabel« und »schlecht« ermittelt. Außerdem konnte für jedes Attribut »keine Bewertungsgrundlage vorhanden« angekreuzt werden.

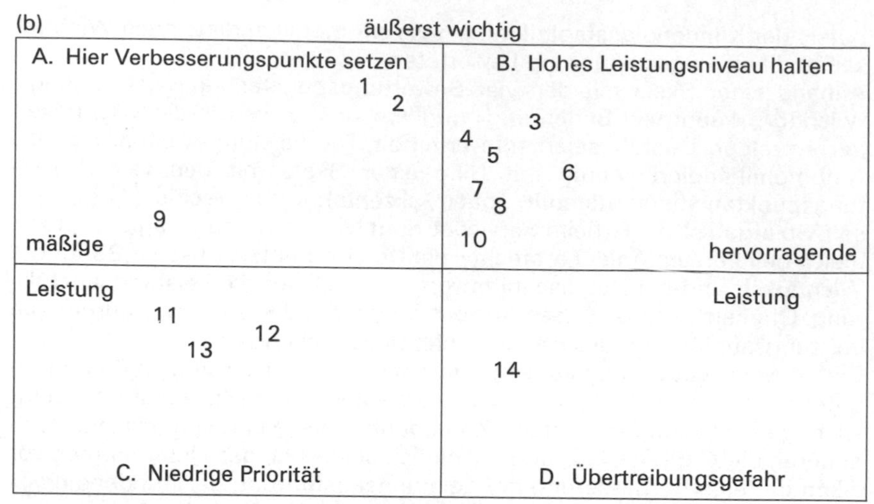

nen« (Nr. 14), die Leistung sehr gut ist und hier eine Leistungsübertreibung vorliegen kann, da die Leistung kaum von Bedeutung ist. Wir sehen also, daß der Marketer anhand dieses Meßinstruments in Erfahrung bringen kann, auf welche Leistungsmerkmale er seine Anstrengungen konzentrieren muß.

Quelle: John A. Martilla und John C. James: »Importance-Performance Analysis«, in: *Journal of Marketing*, Januar 1977, S. 77–79.

Ein weiterer Exkurs, 16–3, stellt Walt Disney Enterprises vor, einen der führenden Dienstleistungsmarketer. Bei Disney gibt es eine Reihe von Verhaltensweisen, die eine fortdauernde Zufriedenheit der Kunden mit den gebotenen Unterhaltungsthemen der Vergnügungsparks bewirken.

Exkurs 16-3: Walt Disney Enterprises – ein Unternehmen von besonderer Sensibilität

Im Dienstleistungssektor, z.B. bei Hotels, Krankenhäusern, Hochschulen, Banken etc., setzt sich zunehmend die Erkenntnis durch, daß die traditionellen »Vier P's« des Marketing-Mix (*product, price, place, promotion*) um ein weiteres Marketing-Mix-Element zu ergänzen sind, nämlich *people*, sprich »Personal«. Es besteht sogar die Möglichkeit, daß dieses »P« das allerwichtigste Marketinggestaltungselement ist! Schließlich steht das Personal ständig im Kontakt mit dem Kunden und sorgt daher für einen guten oder schlechten Eindruck.

Organisationen sind bestrebt zu lernen, wie sie ihr Personal zum Dienst am Kunden inspirieren können. Das Unternehmen Walt Disney Enterprises z.B. tut folgendes, um seinen Mitarbeitern eine »positive Einstellung zum Kunden« zu vermitteln:

1. Disneys Personalabteilung heißt neue Mitarbeiter besonders herzlich willkommen. Wer eingestellt wird, erhält schriftliche Instruktionen dar-

über, was ihn erwartet: Wo er sich melden soll, wie er sich kleiden soll und wie lange jede Einarbeitungs- und Schulungsphase dauern wird.

2. Am ersten Tag meldet sich der neue Mitarbeiter in der »Disney University« zu einer ganztägigen Einführungsveranstaltung. Dabei sitzt man zu viert bei Kaffee und Kuchen an einem Tisch, nimmt seine Namensschilder entgegen, macht sich miteinander bekannt und »beschnuppert« sich. Auf diese Weise lernt der Neuling sofort drei andere Mitarbeiter kennen und hat das Gefühl, bereits »dazu zu gehören«.
3. Mit Hilfe modernster audiovisueller Techniken erhalten die neuen Mitarbeiter eine Einführung in die Philosophie und die betrieblichen Abläufe des Unternehmens. Sie erfahren, daß sich Disney als Unternehmen der »Unterhaltungsbranche« sieht. Sie selbst sind »Mitglieder der Schauspieltruppe« und haben die Aufgabe, sich mit Begeisterung, Fachwissen und Professionalität um Disneys »Gäste« zu kümmern. Jeder Bereich des Unternehmens wird dabei genau beschrieben. Der neue Mitarbeiter erfährt, welche Rolle ihm im Rahmen der »Show« zugedacht ist. Dann werden die Neulinge zum Mittagessen eingeladen. Anschließend werden sie durch den Vergnügungspark geführt und besichtigen die Freizeiteinrichtungen, die ausschließlich für die Angestellten des Hauses reserviert sind. Dazu gehörten ein See, ein Sport- und Freizeitzentrum, separate Rasenflächen, wo man ein Picknick veranstalten oder grillen kann und die Möglichkeit hat, Bootsfahrten zu unternehmen oder zu angeln sowie eine große Bibliothek.
4. Am nächsten Tag werden die Neulinge in ihren Arbeitsbereich eingewiesen und von nun an als *»hosts«* (d.h. »Gastgeber«) bezeichnet. Folglich gibt es bei Disney *»security hosts«* (die hauseigene Sicherheitstruppe), *»transportation hosts«* (die Fahrer), *»custodial hosts«* (das Reinigungspersonal) oder auch *»food and beverage hosts«* (die Angestellten in den Restaurants). Bevor die neuen »Gastgeber« auf der »Bühne« mitwirken dürfen, werden sie nochmals einige Tage geschult. Wenn sie dann alles über ihr Aufgabengebiet gelernt haben, erhalten sie das ihnen zugedachte Kostüm und sind damit bereit für ihren »ersten Bühnenauftritt«.
5. Als nächstes wird ihnen beigebracht, wie sie Fragen zu beantworten haben, die von Besuchern des Vergnügungsparks immer wieder gestellt werden. Haben sie dann im Ernstfall keine Antwort parat, wählen sie einfach eine Telefonnummer und werden dann mit der Telefonzentrale verbunden; die dort tätigen Mitarbeiter sind mit umfangreichen Faktensammlungen ausgerüstet und zu jeder Auskunft fähig.
6. Die Mitarbeiter erhalten die unternehmenseigene Zeitschrift *»Eyes and Ears«*, aus der sie alles über Freizeitaktivitäten und Veranstaltungen, Karrierechancen, Sonderprämien, Weiterbildungsangebote etc. erfahren können. Natürlich ist in jeder Ausgabe der Zeitschrift auch eine ganze Reihe von Bildern mit freundlichen Disney-Angestellten enthalten.
7. Für eine Woche im Jahr durchläuft jeder Disney-Manager eine Einsatz- und Erfahrungserweiterung, indem er seine Schreibtischarbeit zeitweise gegen eine Tätigkeit an der »Kundenfront« eintauscht; er reißt dann z.B. Eintrittskarten ab, verkauft Popcorn oder hilft an den Karussellen aus. Auf diese Weise bleiben auch die Führungskräfte in Kontakt mit den praktischen Arbeitsabläufen im Vergnügungspark und sehen, ob die gebotene Dienstleistungsqualität die Millionen von Besuchern zufriedenstellt. Alle Mitarbeiter, auch die Führungskräfte, tragen Namensschilder und sprechen sich unabhängig von der bekleideten Position beim Vornamen an.

8. Alle Mitarbeiter, die das Unternehmen verlassen, füllen einen Fragebogen aus und machen Angaben darüber, was ihnen bei Disney gefallen hat und was nicht. Auf diese Weise kann die Unternehmensleitung stets überprüfen, wie zufrieden die Mitarbeiter und damit letztendlich auch die Kunden sind.

Es ist daher kein Wunder, daß Disney seine Kunden erfolgreich zufriedenstellt. Die Zuwendung, die das Unternehmen seinen Mitarbeitern entgegenbringt, bewirkt, daß diese ihre Rolle als wichtig empfinden und sich persönlich für das Gelingen der »Show« verantwortlich fühlen. Das Gefühl der Mitarbeiter, daß ihnen ein Stück des Vergnügungsparks »gehört«, überträgt sich auch auf die Millionen von Besuchern, mit denen sie in Kontakt kommen.

Quelle: Vgl. N.W. Pope: »Mickey Mouse Marketing«, in: *American Banker*, 25. Juli 1979, sowie »More Mickey Mouse Marketing«, in: *American Banker*, 12. September 1979.

Produktivität der Leistung

Der Druck auf die Dienstleistungsanbieter, ihre Produktivität zu steigern, ist groß. Da Dienstleistungen in hohem Maße personalintensiv sind, steigen auch die Kosten schnell. Es gibt sechs Möglichkeiten, die Dienstleistungsproduktivität zu verbessern.

Erstens kann das Dienstleistungsunternehmen das leistungsabgebende Personal dazu anzuhalten, bei gleichem Gehalt härter oder sorgfältiger zu arbeiten. Das »Härter Arbeiten« ist keine aussichtsreiche Lösung. Doch größere Sorgfalt läßt sich durchaus erreichen – vor allem durch bessere Personalauswahl und Schulung.

Zweitens kann man das Leistungsvolumen steigern und dafür etwas Qualität opfern. So gehen einige Kassenärzte dazu über, mehr Patienten zu behandeln und auf jeden einzelnen Patienten weniger Zeit zu verwenden.

Drittens kann man »die Dienstleistung industrialisieren«, indem man mehr Maschinen und Geräte einsetzt und die Leistungserstellung standardisiert. So empfahl Levitt den Dienstleistern, sich bei der Leistungserstellung »auf Produktion einzustellen«– wie z.B. McDonald's, wo die Hamburger mit durchdachter Technik wie am Fließband produziert werden.[18] Das Shouldice-Hospital in der Nähe von Toronto in Kanada ist ein weiteres Beispiel. Dort hat man sich auf die operative Behandlung von Leistenbrüchen spezialisiert. Durch die »Industrialisierung« dieser Dienstleistung kann der Patient bereits nach dreieinhalb Tagen, anstelle der bisher in Nordamerika üblichen sieben Tage, als geheilt entlassen werden. Obwohl die Chirurgen dort mehr Operationen durchführen und dabei weniger verdienen als in einer Privatpraxis, und die Krankenschwestern mehr Patienten versorgen als in einem gewöhnlichen Krankenhaus, ist die Zufriedenstellung der Patienten fast unglaublich hoch.[19] Durch Mundpropaganda verbreitet sich der Ruf des Shouldice-Hospitals auch über die Grenzen Kanadas hinaus. Ausländische Patienten kommen insbesondere aus den USA. Selbst deutsche Patienten, die in ihrem Heimatland mit einer ähnlichen Operation oft zwischen zwei und drei Wochen im Krankenhaus bleiben müssen, zeigen Interesse an einer Behandlung im Shouldice-Hospital.

Viertens kann man den Bedarf nach einer Dienstleistung mittels niedriger Produktivität senken oder sie überflüssig machen, indem man mit Hilfe eines innovativen Produkts eine Bedarfslösung entwickelt. Auf diese Weise wurden z.B. Live-Darbietungen durch das Fernsehen ersetzt; das waschmaschinenfeste und bügelfreie Hemd reduzierte den Bedarf nach Wasch- und Bügeldiensten, und durch Antibiotika schwand der Bedarf an Tuberkulosesanatorien.

Fünftens kann man eine Dienstleistung vom System her wirtschaftlicher gestalten. Gesundheitsvorsorge, Entwöhnungskuren für Raucher oder regelmäßiges Jogging könnte möglicherweise einen Teil der später benötigten aufwendigen medizinischen Leistungen überflüssig machen. Einfache juristische Vorgänge könnten wirtschaftlicher von angelernten Helfern in Rechtssachen als von teuren Volljuristen abgewickelt werden.

Sechstens kann man die Kunden dazu veranlassen, einen Teil der Arbeit des Dienstleistungsanbieters selbst zu übernehmen. So sind z.B. Unternehmen bereit, Massenbriefsendungen nach Postleitzahlgebieten vorzusortieren, wenn sie dadurch einen günstigeren Postbeförderungstarif erhalten. Ein Restaurant, das eine Salatbar zur Selbstbedienung einrichtet, ersetzt Kellnerarbeit durch Kundenarbeit.[20]

Das Unternehmen muß es vermeiden, seine Produktivitätsbemühungen so weit zu treiben, daß dadurch die vom Kunden wahrgenommene Leistungsqualität vermindert wird. Einige Produktivitätsmaßnahmen erhöhen die Kundenzufriedenheit, insbesondere dadurch, daß sie einen gewissen Qualitätsstandard setzen. Andere Maßnahmen bewirken eine zu große »Gleichmacherei« und nehmen dem Kunden die Möglichkeit, eine auf seine Bedürfnisse zugeschnittene individuelle Dienstleistung zu erhalten. So hatte Burger King mit dem Konzept »Have it your way«, mit dem man gegen McDonald's antrat, durchaus Erfolg. Während bei McDonald's alle Hamburger gleich waren, konnte sich jeder Kunde bei Burger King die Zutaten für seinen Hamburger selbst zusammenstellen, auch wenn dies vom Ablauf her produktivitätsmindernd wirkte.

Produktbegleitende Dienstleistungen

Bisher haben wir unsere Erörterungen auf die Dienstleistungsbranchen beschränkt. Doch man darf auf keinen Fall die Unternehmen des güterproduzierenden Gewerbes vernachlässigen, die ihren Kunden neben dem materiellen Produkt ein zusätzliches Dienstleistungspaket anbieten. Die Hersteller von Geräten und Ausrüstungen, z.B. von Haushaltsgeräten, Büromaschinen, Traktoren, Großrechnern oder Flugzeugen, müssen ihren Abnehmern *produktbegleitende Dienstleistungen* anbieten. Dieser Bereich wird immer mehr zu einem wichtigen Terrain im Kampf um Wettbewerbsvorteile. Das Dienstleistungsspektrum von Anbietern im industriellen Anlagengeschäft umfaßt z.B. folgende Aktivitäten:[21]

- Absatzmarktstudien für den Kunden,
- Durchführbarkeitsstudien (»Feasibility Studies«),
- Standortuntersuchungen,
- Rohstoffuntersuchungen,
- Wirtschaftlichkeitsstudien,

- Vorprojektierung,
- Erstellung der Ausschreibung (»Tender«),
- Auswertung von Angeboten,
- Beratungsleistungen,
- Gesamtplanung und »Basic Engineering«,
- »Detail Engineering«,
- Beschaffung von Hard- und Software,
- Beschaffung von Rechten (Lizenzen u. a. m.),
- Lizenzvergabe, Know-how-Transfer,
- Lieferung von Hard- und Software,
- Transportleistungen,
- Versicherung (bzw. Versicherungsvermittlungen),
- Bauleistungen,
- Montage und Montageüberwachungen,
- Projektmanagement,
- Dokumentation,
- Inbetriebsetzung,
- Schulung von Betriebspersonal,
- »Technical Assistance«,
- Wartung der Anlage,
- Ersatzteillieferungen,
- Finanzierung (bzw. Finanzierungsvermittlung),
- Managementverträge (Betreiben der Anlage),
- Joint Ventures mit den Kunden,
- Gegengeschäfte (Kompensationsgeschäfte),
- Vermarktungshilfen,
- »Revamping« (Überholung von Altanlagen).

Bei vernetzten Systemtechnologien (*Computer Integrated Manufacturing, CIM*) spielt der Verbund von Dienstleistungen und materiellen Produkten eine besonders herausragende und kaufentscheidende Rolle. Wer mit technologisch komplexen Produkten zugleich qualitativ hochwertige Dienstleistungen bietet, wird damit zweifellos weniger dienstorientierte Konkurrenten hinter sich lassen. In Tabelle 16–1 ist dies auch zahlenmäßig belegt. Das *Strategic Planning Institute*, das die Zahlen zusammengestellt hat, ging dabei folgendermaßen vor: In einigen ausgewählten Branchen tabellarisierte man diejenigen Geschäftseinheiten, welche die Kunden beim Merkmal »relative wahrgenommene Dienstleistungsqualität« für das untere oder für das obere Drittel bewertet hatten. Die Tabelle zeigt, daß die Geschäftseinheiten mit hoher Dienstleistungsqualität höhere Preise erzielen, ein schnelleres Wachstum verzeichnen und höhere Gewinne erwirtschaften können. Angesichts dieser Ergebnisse sollten die Industriebetriebe darüber nachdenken, welchen Dienstleistungsaufwand sie mit dem Produktdesign festlegen und welche Dienstleistungen sie vor und nach dem Verkauf bereitstellen sollen.

Entscheidungen zur Produktgestaltung und zum Dienstleistungsmix sind vor dem Verkauf und im Verbund zu fällen. Zu einem Produktinnovationsteam sollten von Anfang an Fachleute für das Produktdesign und für die Sicherung der Produktqualität gehören. So läßt sich in vielen Fällen das Produktdesign so festlegen, daß z. B. der benötigte Aufwand an Wartungsleistungen beim Anwender reduziert werden kann. Der Kleinkopierer von Canon z. B. arbeitet mit einer auswechselbaren Toner-Kartusche, so daß der Wartungsaufwand beträchtlich reduziert wird. Kodak und 3M gestalten ihre Geräte zum Teil so, daß der Anwender sich an eine zentrale Diagnosestelle anschließen kann, die im Falle von Schwierigkeiten das Gerät prüft, die Ursa-

Tabelle 16–1
Dienstleistungsqualität und Unternehmenserfolg

	bei Servicequalität im oberen Drittel	bei Servicequalität im unteren Drittel	Unterschied in Prozentpunkten
Erzielte Preise (Index im Vergleich zum Konkurrenzdurchschnitt)	7%	–2%	+9%
Veränderung des Marktanteils auf Jahresbasis	6%	–2%	+8%
Umsatzzuwachs pro Jahr	17%	8%	+9%
Umsatzrendite	12%	1%	+11%

Quelle: Phillip Thompson, Glenn Desourza und Bradley T. Gale: »The Strategic Management of Service and Quality«, in: *Quarterly Progress*, Juni 1985, S. 24.

che des Problems feststellt und dann per Telefon Anweisungen zur Wiederinstandsetzung des Geräts gibt. BMW stattet seine Autos mit einer Art »Service-Schnittstelle« aus, über die ein Großteil der Diagnosen bei der Inspektion computergesteuert durchgeführt werden kann. Siemens richtet seine Kernspintomographen so ein, daß sie bei auftretenden Problemen über ein Telekommunikationsnetz aus aller Welt mit einer Analysestelle in Deutschland verbunden und die Probleme computergestützt analysiert und behoben werden können. Die beste Dienstleistungsstrategie besteht darin, daß man die Produkte so konzipiert, daß sie selten versagen und – wenn sie das tun – bei minimalem Serviceaufwand leicht und schnell eine Fehlerdiagnose inklusive Reparatur ermöglichen.

Dienstleistungen vor dem Verkauf

Hersteller von Investitionsgütern müssen ihre Geräte und Maschinen, aber auch ihre Dienstleistungen so gestalten, daß diese die Erwartungen der Zielkunden erfüllen. Idealvorstellungen von Kunden sind nicht erfüllbar, wenn diese verlangen, daß eine Maschine oder Anlage schnell laufen, kostengünstig arbeiten, nie ausfallen und ewig halten soll. Der Hersteller kann jedoch ein bestimmtes Leistungsniveau für jede dieser Kundenwunschvorstellungen zusagen. Das zugesagte Leistungsniveau bestimmt die Positionierungsstrategie des Herstellers im Wettbewerb. Der Baumaschinenhersteller Caterpillar errang z.B. einen Vorsprung vor vielen Wettbewerbern, indem er dem Kunden bei einem Maschinenausfall die Lieferung der benötigten Ersatzteile an jeden Ort der Welt innerhalb von 48 Stunden garantiert; kann diese Zusage nicht eingehalten werden, bekommt der Kunde die Ersatzteile umsonst.

Folglich ist es erforderlich, daß der Hersteller ermittelt, *welche* Dienstleistungen vom Markt für wesentlich gehalten werden und *wie wichtig* sie sind.

Bei aufwendigen Ausrüstungen, wie z.B. medizinischen Diagnosesystemen, muß der Hersteller zumindest folgende Dienstleistungen anbieten, die dem Kunden den Kauf ermöglichen:

1. *Raumplanungsdienste* zur Unterbringung der Großgeräte,
2. *Installationsdienste* zur Inbetriebnahme des Geräts,
3. *Schulungsdienste* für das Bedienungspersonal,
4. *Wartungs- und Reparaturdienste,*
5. *Finanzierungsdienste.*

Dienstleistungen nach dem Verkauf

Ein Hersteller von Investitionsgütern muß entscheiden, welche Dienstleistungen nach dem Verkauf, z. B. Wartungs- und Instandsetzungsarbeiten, Schulung etc., er bereitstellen will. Dabei hat er drei Möglichkeiten:

1. Er könnte diese Dienstleistungen selbst erbringen.
2. Er könnte mit Industrievertretungen und anderen Partnern im Handel Vereinbarungen zur Übernahme dieser Dienstleistungen treffen.
3. Er könnte diese Dienstleistungen unabhängigen Anbietern überlassen.
4. Er könnte es den Kunden überlassen, die produktbegleitenden Dienstleistungen selbst zu erbringen.

Greifen wir uns die Wartungs- und Reparaturdienste heraus. Im Regelfall übernehmen die Hersteller diese Leistungen zunächst selbst. Sie wollen ihre Produkte in der Anwendung beim Kunden begleiten und über technische Probleme stets informiert sein. Sie empfinden es als teuer und zeitaufwendig, andere in Wartung und Reparatur zu schulen. Im übrigen entdecken sie meist schnell, daß sich auch im »Wartungs- und Reparaturdienst« gutes Geld verdienen läßt. Solange sie der einzige Anbieter sind, können sie hohe Preise verlangen. Einige Hersteller setzen die Preise für ihre materiellen Produkte niedrig an, um sie leichter verkaufen zu können, und suchen einen Gewinnausgleich über die Erlöse aus dem Wartungs- und Reparaturgeschäft. Einige Anbieter erzielen so in der Nachkaufphase mehr als die Hälfte ihres Gesamtgewinns. Dies erklärt auch, warum schon bald Konkurrenten auftauchen, die dann die gleichen oder ähnliche Dienstleistungen anbieten und mit günstigeren Preisen Kunden zu gewinnen versuchen. Die Hersteller warnen zwar die Kunden vor den Gefahren bei der Inanspruchnahme herstellerfremder Dienste, doch diese Warnungen sind nicht immer überzeugend.

Wenn technische Produkte längere Zeit auf dem Markt sind, verbreitet sich auch das Know-how und die Erfahrung betreffend die erforderlichen Wartungs- und Reparaturarbeiten. Diese Arbeiten werden dann oft umverlagert. Zunächst übertragen Hersteller diese Wartungs- und Reparaturdienste zunehmend den Vertragshändlern, da sie näher am Kunden operieren, an mehr Orten vertreten sind und einen schnelleren und vielleicht auch besseren Service anbieten. Dabei verdient der Hersteller immer noch am Verkauf der Ersatzteile, während er den Dienstleistungsanteil den Vertragshändlern überläßt.

Mit der Zeit entstehen dann unabhängige Dienstleistungsbetriebe. So werden heute bereits viele Dienstleistungsarbeiten in der Kfz-Branche nicht mehr von Vertragshändlern, sondern von unabhängigen Unternehmen wie Vergölst, Bosch, Massa sowie Auspuff- und Bremsenspezialisten abgewickelt. Auch in anderen Bereichen, wie z. B. bei Großcomputern, Telekommunikationsausrüstungen etc. gibt es unabhängige Wartungs- und Reparaturdienstleister. In den meisten Fällen sind sie preisgünstiger bzw. schneller als die Hersteller selbst oder ihre Vertragshändler.

Schließlich übernehmen dann auch einige Großkunden selbst die erforderlichen Wartungs- und Reparaturarbeiten. So ist es durchaus denkbar, daß es ein Unternehmen mit mehreren hundert PCs sowie einer entsprechenden Zahl von Druckern und Zusatzausrüstungen für kostengünstiger hält, stets sein eigenes Dienstleistungspersonal vor Ort verfügbar zu haben. Auch Bahn- und Postbetriebe warten z. B. ihren Fuhrpark selbst.

Im Bereich produktbegleitender Dienstleistungen machte Lele folgende wichtigen Entwicklungstrends aus: [22]

1. Die Industrieausrüstungsunternehmen bauen zuverlässigere und leichter instandsetzbare Produkte. Zum Teil ist das auf die Umstellung von elektromechanischen auf elektronische Ausrüstungen zurückzuführen, die seltener ausfallen und leichter zu reparieren sind. Zum anderen bieten die Unternehmen zunehmend modular aufgebaute Systeme und leicht auswechselbare Systemkomponenten an, so daß der Kunde die Ausrüstungen selbst instandhalten kann.
2. Beim Erwerb produktbegleitender Dienstleistungen stellen die Kunden immer höhere Ansprüche und sind immer stärker bestrebt, das gebotene Dienstleistungspaket »aufzuschnüren«. Sie wollen separate Preisangebote für jedes einzelne Dienstleistungselement und das Recht, bei jedem Dienstleistungselement mehrere Vergleichsangebote einholen zu können.
3. Den Kunden mißfällt es zunehmend, sich mit einer Vielzahl von Dienstleistungsanbietern auseinandersetzen zu müssen, die dann für den Service der jeweiligen Ausrüstungen verantwortlich sind. Daher greifen sie zunehmend auf unabhängige Dienstleistungsunternehmen mit breiter Leistungspalette zurück.[23]
4. Wartungsverträge verlieren inzwischen stark an Bedeutung. Da immer mehr auswechselbare Teile bzw. Geräte auf den Markt kommen, sind die Kunden immer seltener bereit, zwischen zwei und zehn Prozent des Kaufpreises pro Jahr für einen Wartungsvertrag auszugeben.
5. Die Kunden können zwischen einer steigenden Zahl von Dienstleistungsbetrieben wählen, wodurch die Preise und Gewinne im Dienstleistungsbereich niedrig gehalten werden. Die Hersteller müssen sich daher in zunehmendem Maße überlegen, wie sie ihre Produkte auch ohne Dienstleistungsvertrag gewinnbringend verkaufen können.

Zusammenfassung

Da wir uns zunehmend zu einer Dienstleistungswirtschaft entwickeln, muß der Marketer seinen Kenntnisstand im Dienstleistungsmarketing verbessern. Dienstleistungen sind Tätigkeiten oder Leistungen, die im wesentlichen immaterieller Natur sind und keine direkten Besitz- oder Eigentumsveränderungen mit sich bringen. Dienstleistungen sind immateriell, stehen in engem Transaktionsverbund personeller, zeitlicher und räumlicher Art, unterliegen einer hohen Schwankungsbreite in der Ausführung und sind nicht lagerfähig. Jedes einzelne dieser Wesensmerkmale bringt Probleme und strategische Konsequenzen mit sich. Der Dienstleistungsmarketer muß für die immaterielle Leistung materielle Ausdrucksformen finden. Er muß die Produktivität der leistungserbringenden Personen, die untrennbar mit der Leistung verbunden sind, erhöhen. Angesichts der Schwankungsbreite in der Ausführung einer Dienstleistung muß er einen Qualitätsstandard festlegen und aufgrund fehlender Lagerfähigkeit versuchen, Nachfrageschwankungen und Angebotskapazitäten zu steuern.

In der Vergangenheit lagen die Dienstleistungsunternehmen in der Entwicklung und Nutzung von Marketingkonzepten hinter dem produzierenden Gewerbe zurück. Gegenwärtig verschiebt sich diese Tendenz. Dienstleistungsmarketing bedeutet nicht nur externes Marketing, sondern auch internes Marketing zur Motivation der Mitarbeiter sowie interaktives Marketing zur Erhöhung der Kompetenz des Kontaktpersonals. Zur Bewertung der Dienstleistungsqualität ziehen die Kunden technische und funktionale Kriterien heran. Der Dienstleistungsmarketer muß sich mit seinem Angebot von der Konkurrenz abheben, ein hohes Qualitätsniveau bieten und die Dienstleistungsproduktivität erhöhen.

Auch Unternehmen im produzierenden Gewerbe müssen für ihre Kunden ein produktbegleitendes Dienstleistungspaket bereithalten; bei ihnen könnten die produktbegleitenden Dienstleistungen für die Kundengewinnung sogar von noch größerer Bedeutung sein als das Produkt selbst. Zum Dienstleistungsmix des Produzenten gehören der Dienstleistungsaufwand durch das Produktdesign, die Dienstleistungen vor dem Verkauf, z.B. technische Beratung und Liefergarantien, und die Dienstleistungen nach dem Verkauf, z.B. schnelle Reparatur und Personalschulung. Der Marketer muß den Mix, die Qualität und die Herkunft der produktbegleitenden Dienstleistungen bestimmen, die vom Kunden gefordert werden.

Anmerkungen

1 Vgl. G. Lynn Shostack: »Breaking Free from Product Marketing«, in: *Journal of Marketing,* April 1977, S. 73–80; Leonard L. Berry: »Services Marketing is Different«, in: *Business,* Mai–Juni 1980, S. 24–30; Eric Langeard, John E.G. Bateson, Christopher H. Lovelock und Pierre Eiglier: *Services Marketing: New Insights from Consumer and Managers,* (Cambridge, Mass.: Marketing Science Institute, 1981; Karl Albrecht und Ron Zemke: *Service America! Doing Business in the New Economy,* Homewood, Ill.: Dow-Jones-Irwin, 1985.

2 »Services Grow While the Quality Shrinks«, in: *Business Week,* 30. Oktober 1971, S. 50.

3 Theodore Levitt: »Production-Line Approach to Service«, in: *Harvard Business Review,* September–Oktober 1972, S. 41–42.

4 Weitere Klassifizierungsmöglichkeiten finden sich in: *Services Marketing* von Christopher H. Lovelock, Englewood Cliffs, N. J.: Prentice-Hall, 1984.

5 Vgl. Theodore Levitt: »Marketing Intangible Products and Product Intangibles«, in: *Harvard Business Review,* Mai–Juni 1981, S. 94–102; Leonard L. Berry: »Services Marketing is Different«, a. a. O., S. 24–29.

6 Vgl. G. Lynn Shostack: »Service Positioning through Structural Changes«, in: *Journal of Marketing,* Januar 1987, S. 34–43.

7 Eine detaillierte Abhandlung über Qualitätskontrollsysteme der Hotel-Kette Mariott findet sich bei G.M. Hostage: »Quality Control in a Service Business«, in: *Harvard Business Review,* Juli–August 1975, S. 98–106.

8 Vgl. W. Earl Sasser: »Match Supply and Demand in Service Industries«, in: *Harvard Business Review,* November–Dezember 1976, S. 133–140.

9 William R. George und Hiram C. Barksdale: »Marketing Activities in the Service Industries«, in: *Journal of Marketing,* Oktober 1974, S. 65.

10 Christian Gronroos: »A Service Quality Model and Its Marketing Implications«, in: *European Journal of Marketing,* 18, Nr. 4, 1984, S. 36–44. Das Gronroos-Modell ist einer der durchdachtesten Beiträge zur Entwicklung von Strategien für das Dienstleistungsmarketing.

11 Leonard L. Berry: »Big Ideas in Services Marketing«, in: *Journal of Consumer Marketing,* Frühling 1986, S. 47–51.

12 Vgl. Philip Kotler und Paul N. Bloom: *Marketing Professional Services,* Englewood Cliffs, N. J.: Prentice-Hall, 1984.

13 Christian Gronroos: »Service Quality Model« S. 38–39.

14 Vgl. V.A. Zeithaml: »How Consumer Evaluation Processes Differ between Goods and Services«, in: *Marketing of Services,* James H. Donnelly und William R. George (Hrsg.), Chicago: American Marketing Association, 1981, a. a. O.

15 Das Argument, daß sich den Unternehmen des produzierenden Gewerbes auch im Dienstleistungsbereich beachtliche Möglichkeiten bieten, wird von Irving D. Canton in: »Learning to Love the Service Economy«, in: *Harvard Business Review,* Mai–Juni 1984, S. 89–97, in die Diskussion eingebracht.

16 A. Parasuraman, V.A. Zeithaml und Leonard L. Berry: »A Conceptual Model of Service

Quality and Its Implications for Future Research«, in: *Journal of Marketing,* Herbst 1985, S. 41–50.

17 Timothy W. Firnstahl: »My Employees are my Service Guarantee«, in: *Harvard Business Review,* Juli – August 1989, S. 29–34.

18 Theodore Levitt: »Production-Line Approach to Service«, a. a. O., S. 41–52; Theodore Levitt: »The Industrialization of Service«, in: *Harvard Business Review,* September–Oktober 1976, S. 63–74.

19 Vgl. William H. Davidow und B. Uttal: »Service Companies: Focus or Falter«, in: *Harvard Business Review,* Juli – August 1989, S. 77–85.

20 Christopher H. Lovelock und Robert F. Young: »Look to Consumers to Increase Productivity«, in: *Harvard Business Review,* Mai – Juni 1979.

21 W.H. Engelhardt: *Dienstleistungsorientiertes Marketing – Antwort auf die Herausforderung durch neue Technologien, Arbeitspapier,* Universität Bochum, 1989.

22 Milind M. Lele: »How Service Needs Influence Product Strategy«, in: *Sloan Management Review,* Herbst 1986, S. 63–70.

23 Vgl. hingegen Ellen Day und Richard J. Fox: »Extended Warranties, Service Contracts und Maintenance Agreement – A Marketing Opportunity?«, in: *Journal of Consumer Marketing,* Herbst 1985, S. 77–86.

Preismanagement

Kapitel 17

Die Fassung der Edelsteine erhöht ihren Preis, nicht ihren Wert.

Ludwig Börne

Ein fairer Preis kommt dann zustande, wenn Käufer und Verkäufer einen ungehinderten Zugang zum Markt haben.

nach Don Paarlberg

Alle Wirtschaftsunternehmen und viele Non-Profit-Organisationen müssen für ihre Produkte und Dienstleistungen Preise festlegen. Preise haben viele Namen:

Preise begegnen uns überall: Man zahlt *Miete* für seine Wohnung, *Studiengebühren* für seine Ausbildung und *Behandlungsgebühren* an den Haus- oder Zahnarzt. Die Fluggesellschaften, die Eisenbahn, das Taxi oder das Busunternehmen verlangen *Fahrgeld*; die Versorgungsbetriebe bezeichnen ihre Preise als *Tarife*, und die Sparkasse will *Zinsen* für das Geld, das man sich bei ihr leiht. Der Preis für eine Fahrt über den Brenner wird *Maut, Straßenzoll* oder *Autobahn-Benutzungsgebühr* genannt, und das Unternehmen, das Autos versichert, fordert eine *Prämie*. Ein Redner verlangt ein *Honorar* für einen Vortrag über *Bestechungsgelder* im öffentlichen Bauwesen und über die Veruntreuung von *Mitgliedsbeiträgen* eines Berufsverbandes. Gehört man einem Club oder einer Vereinigung an, muß man sich u.U. an einer *Sonderumlage* zur Deckung außergewöhnlicher Ausgaben beteiligen. Der Anwalt will einen *Vorschuß*. Der »Preis« für eine Führungskraft ist ein *Gehalt*, der Preis für einen Verkäufer u.U. eine *Provision*, und ein Arbeiter möchte seinen *Lohn* bekommen. Nicht zuletzt betrachten viele – auch wenn die Wirtschaftswissenschaft dieser Aussage nicht zustimmen würde – die *Einkommensteuer* als den Preis, den man für das Privileg des Geldverdienens zu zahlen hat.[1]

Wie werden nun Preise »gemacht«? Hier gibt es zwei grundverschiedene Konzepte, nämlich den *Individualpreis* und den *einheitlichen Preis*. Der Individualpreis wird zwischen Käufer und Verkäufer ausgehandelt. Die Verkäufer verlangen dabei oft einen höheren Preis, als sie zu erhalten gedenken, während die Käufer zunächst weniger bieten, als sie zu zahlen bereit sind. Durch Verhandlung gelangt man dann zu einem für beide Seiten akzeptablen Preis.

Beim einheitlichen Preis erhalten alle Käufer das Produkt zum gleichen Preis. Die Hauptgründe für diese Preispolitik liegen darin, daß erstens das Konzept »Ein Preis für alle!« von den meisten Kunden als angebracht und fair empfunden wird, daß zweitens für viele Produkte das individuelle Aushandeln von Preisen zu zeit- und arbeitskostenintensiv wäre, und daß drittens eine Politik der Individualpreise in Unternehmen, die viele Produkte führen und viele Angestellte haben, administrativ nicht durchführbar wäre. Der einheitliche Preis ist insbesondere dann vorteilhaft, wenn ein Unternehmen standardisierte Massenprodukte auf Massenmärkten vertreiben will. Hier muß den Abnehmern der Preis bekanntgemacht werden, damit sie das Angebot sowohl preislich als auch leistungsmäßig mit Konkurrenzprodukten vergleichen und sich entscheiden können.

Lange Zeit war der Preis das wichtigste Kriterium für die Kaufentscheidung der Nachfrager. In ärmeren Ländern, ärmeren Bevölkerungsschichten und auch bei Massengütern ist das noch immer so. In den letzten Jahrzehnten wurden jedoch andere, außerpreisliche Faktoren im Kaufverhalten der Verbraucher immer wichtiger. Trotzdem ist und bleibt der Preis ein sehr wesentliches Element mit großem Einfluß auf Marktanteil und Gewinn eines Unternehmens.

Der Preis ist das einzige Element im Marketing-Mix, das für das Unternehmen keine Ausgaben mit sich bringt; alle anderen Elemente machen Ausgaben erforderlich. Die Preisfestsetzung und der Preiswettbewerb sind ständig aktuelle Themen für den Marketingverantwortlichen. [2] Dennoch weist die Preispolitik vieler Unternehmen deutliche Schwachpunkte auf. Die häufigsten Fehler sind hier: Die Preisfestlegung ist zu kostenbezogen; die Preise werden nicht häufig genug angepaßt, um aus Marktveränderungen Vorteile zu ziehen; der Preis wird häufig als unabhängig von den anderen Marketing-Mix-Elementen behandelt und nicht als wesentlicher Bestandteil der Positionierungsstrategie gesehen; die Preise für Produktvarianten und Marktsegmente werden nicht genügend abgestuft.

Unternehmen treffen Preisentscheidungen auf unterschiedliche Art. In kleinen Betrieben legt die Unternehmensleitung die Preise fest. In großen Unternehmen wird eine detaillierte Preisfestlegung in der Regel von Geschäftsbereichsleitern oder Produktlinienmanagern vorgenommen. Aber auch hier werden meist die Ziele und Verfahrensweisen der Preispolitik von der Unternehmensleitung vorgegeben, die sich dann die Preise von den unteren Führungsebenen zur Genehmigung vorlegen läßt. In Branchen, wo Preisentscheidungen besonders kritisch sind (z.B. in der Luftfracht- oder Ölindustrie), haben die Unternehmen häufig eine eigene Abteilung eingerichtet, die Preise festlegt oder anderen Abteilungen bei der Preisfestsetzung hilft. Sie untersteht entweder der Marketingleitung, der Finanzleitung oder direkt der Unternehmensleitung. Auch die Verantwortlichen aus Verkauf, Produktion und Rechnungswesen wirken an der Preisfindung mit.

In diesem Kapitel befassen wir uns mit drei Fragestellungen:

- Wie sollte das Unternehmen vorgehen, wenn es den Preis für ein Produkt erstmalig festlegt?
- Welche Preismodifizierungen und Preisabstufungen könnte man programmäßig in die Preispolitik einbinden?
- Was sollte das Unternehmen bei eigenen Preisänderungen und bei Preisänderungen der Wettbewerber beachten?

Erstmalige Preisbildung

Die Preisbildung ist immer dann ein Problem, wenn sie erstmalig vorgenommen werden muß. Dieses Problem besteht für das Unternehmen, wenn ein neues Produkt entwickelt oder angeschafft wird, wenn ein laufendes Produkt in einen neuen Absatzweg oder geographischen Markt eingeführt wird und wenn man sich an Ausschreibungen beteiligt.

Das Unternehmen muß sein Produkt in der richtigen Kombination von Preis und Qualität auf dem Markt positionieren. Abbildung 17–1 zeigt neun strategische Möglichkeiten dazu. Die Strategien 1, 5 und 9 in der Abbildung können auf ein und demselben Markt gleichzeitig nebeneinander existieren, d.h. ein Unternehmen bietet ein Produkt von hoher Qualität zu einem hohen Preis an, ein anderes nimmt für

Qualität \ Preis	Hoch	Mittel	Niedrig
Hoch	1. Premiumstrategien	2.	3. Vorteilsstrategien
Mittel	4.	5. Mittelfeldstrategien	6.
Niedrig	7. Übervorteilungsstrategien	8.	9. Billigwarenstrategien

Abbildung 17-1
Neun Strategien der Preis-Qualität-Kombination

ein Produkt durchschnittlicher Qualität einen durchschnittlichen Preis und ein drittes offeriert ein Produkt niederer Qualität zu einem niedrigen Preis. Die drei Wettbewerber können sich auf dem Markt halten, wenn dieser drei Käuferschichten aufweist: die Käufer auf der Suche nach hoher Qualität, die Käufer auf der Suche nach dem günstigsten Preis und die Käufer, die eine ausgeglichene Kombination suchen.

Die Positionen 2, 3 und 6 repräsentieren mögliche Strategien, um Wettbewerber in den Diagonal-Positionen 1, 5 und 9 anzugreifen. So lautet die Aussage von Strategie 2: »Die Leistung unseres Produkts ist genauso hoch wie die von Produkt 1, aber wir verlangen weniger Geld dafür.« Dasselbe gilt für Strategie 3, nur ist hier das Angebot noch preisgünstiger. Jeder qualitätsbewußte Kunde, der diesen beiden Aussagen Glauben schenkt, wird sich logischerweise für diese Anbieter entscheiden und damit Geld sparen (es sei denn, die Hochpreisigkeit des Produkts von Unternehmen 1 strahlt einen »Snob-Appeal« aus, der bei einem niedrigen Preis verloren ginge).

Die Positionen 4, 7 und 8 zeigen ein im Verhältnis zum Produktnutzen überteuertes Angebot. Der Kunde wird sich daher übervorteilt fühlen und sich wahrscheinlich beschweren oder schlecht über das Unternehmen reden. Folglich sollten professionelle Marketer diese Strategien meiden.

Zur erstmaligen Preisfestsetzung sollte das Unternehmen systematisch vorgehen. Im folgenden wird ein Verfahren beschrieben, das sechs Schritte umfaßt: (1) Preispolitische Ziele bestimmen; (2) Nachfrage ermitteln; (3) Kosten abschätzen; (4) Konkurrenzpreise und -angebote analysieren; (5) ein Verfahren zur Preisbildung auswählen; (6) die Preisentscheidung treffen.

Preispolitische Zielsetzung

Zunächst muß das Unternehmen definieren, was es mit einem bestimmten Produkt erreichen will. Wenn Zielmarkt und Produktpositionierung genau festgelegt worden sind, läßt sich daraus eine eindeutige Marketing-Mix-Strategie, einschließlich des Aktionsparameters Preis, ableiten. Hat sich beispielsweise ein Wohnwagen-Hersteller zur Produktion eines Luxus-Wohnmobils für das einkommensstarke Kundensegment entschlossen, wird er für dieses Modell einen entsprechend hohen Preis verlangen. Daher leitet sich die Preisstrategie im wesentlichen aus der bereits festgelegten Produktpositionierungsstrategie ab.

Zusätzlich aber verfolgt ein Unternehmen oft noch andere Ziele, deren Erfüllung es kurz-, mittel- oder langfristig anstrebt. Je eindeutiger diese Ziele und ihre Fristigkeit definiert sind, desto schlüssiger ist die Preisfestsetzung. Jeder mögliche Preis hat seine Auswirkungen auf verschiedene Zielgrößen, z.B. auf Gewinn, Umsatz und Marktanteil. In Abbildung 17–2 wird dies für ein hypothetisches Produkt dargestellt. Zur Gewinnmaximierung sollte das Unternehmen einen Preis von 97 DM fordern. Zur Umsatzmaximierung sollte es einen Preis von 86 DM verlangen; zur Maximierung des Marktanteils muß der Preis noch niedriger festgesetzt sein.

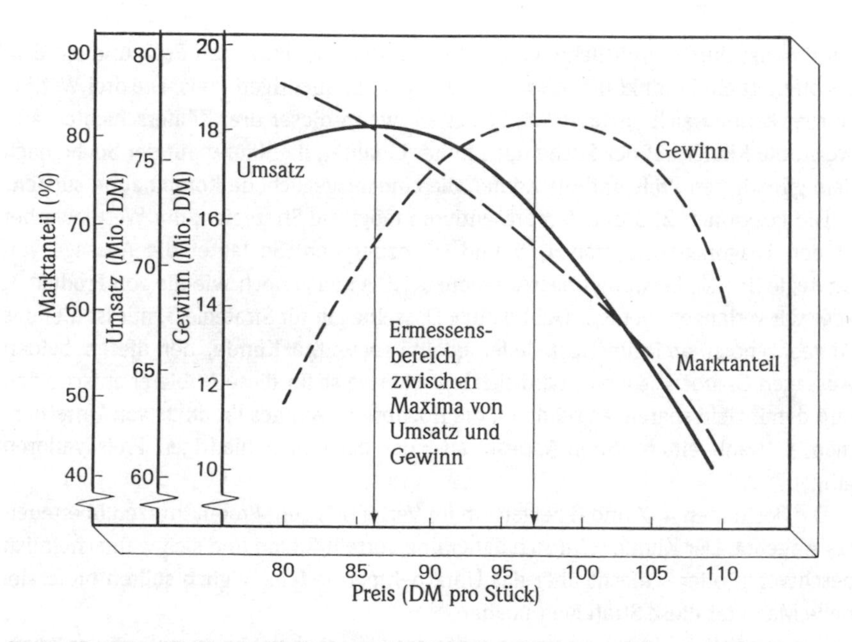

Abbildung 17-2
Auswirkung des Preises auf Umsatz, Marktanteil und Gewinn

Quelle: *Decision Making in Marketing*, New York: The Conference Board, 1971, Diagramm von Franz Edelman.

In der Praxis werden mit der Preispolitik meistens mehrere Ziele in einem ausgewogenen Verhältnis verfolgt. Im Extremfall aber dominiert ein wesentliches Unternehmensziel.

Wir wollen im folgenden sechs wesentliche Unternehmensziele untersuchen, denen die Preisbildung dienen kann: Fortbestand des Unternehmens, kurzfristige Gewinnmaximierung, kurzfristige Umsatzmaximierung, maximales Absatzwachstum, maximale Marktabschöpfung (»Skimming-Strategie«) und Qualitätsführerschaft.

Fortbestand des Unternehmens

Für Unternehmen wird die Sicherung ihres Fortbestands dann zum wichtigsten Ziel, wenn sie durch Überkapazitäten, intensiven Wettbewerb oder sich verändernde

Verbraucherwünsche in Schwierigkeiten geraten sind. Um die Produktion fortzuführen und Bestände zu liquidieren, werden dann häufig die Preise gesenkt. Dann sind Gewinne weniger wichtig als das »nackte Überleben«. Solange die Preise die variablen Kosten und einen Teil der Fixkosten decken, muß man das Geschäft nicht aufgeben. Der bloße Fortbestand des Unternehmens kann jedoch nur ein kurzfristiges Ziel sein. Auf lange Sicht muß das Unternehmen dem Markt Beiträge von Wert bieten, oder es wird untergehen.

Kurzfristige Gewinnmaximierung

Viele Unternehmen wollen den gewinnmaximalen Preis für ihr Produkt verlangen. Dafür werden die voraussichtliche Nachfrage und die voraussichtlichen Kosten für jede Preisalternative abgeschätzt, und man entscheidet sich dann für den Preis, der den größtmöglichen kurzfristigen Gewinn, Cash-flow oder die höchste Kapitalrendite verspricht (Exkurs 17-1 beschreibt den Ansatz der mikroökonomischen Theorie zur kurzfristigen gewinnmaximalen Preisbildung).

Diese Zielsetzung bringt in ihren geläufigsten Modellansätzen jedoch auch einige Probleme mit sich. Sie geht z. B. davon aus, daß die Nachfrage- und Kostenfunktionen bekannt sind, obwohl diese in Wirklichkeit nur schwer abzuschätzen sind. Sie betont kurzfristige und vernachlässigt langfristige Gewinnerwartungen. Der Einfluß anderer Marketing-Mix-Variablen, Gegenmaßnahmen der Konkurrenz und gesetzliche Preisbeschränkungen bleiben dabei oft unberücksichtigt.

Kurzfristige Umsatzmaximierung

Einige Unternehmen werden den Preis wählen, der einen maximalen Umsatz bewirkt. Insbesondere, wenn Produkte gemeinschaftlich erzeugt werden und eine komplexe Kostenstruktur eine klare Kostenfunktion für das einzelne Produkt nicht zuläßt, ist das Ziel der Umsatzmaximierung naheliegend, denn dazu ist lediglich die Ermittlung der Nachfragefunktion erforderlich. Die Verfolgung dieses Ziels läßt sich relativ einfach durch umsatzgebundene Provisionsanreize im Vertrieb unterstützen. Viele Führungskräfte sind der Meinung, daß Umsatzmaximierung auf lange Sicht auch maximale Gewinne und Marktanteile bringt.

Maximales Absatzwachstum

Einige Unternehmen wollen ein maximales Absatzwachstum. Sie glauben, daß eine Erhöhung des Absatzvolumens niedrigere Stückkosten und langfristig höhere Gewinne zur Folge hat. Sie gehen von einem preisempfindlichen Markt aus und setzen daher die Preise so niedrig wie möglich an. Man nennt dieses Vorgehen *Preispolitik der Marktpenetration.* Texas Instruments gehört zu den wichtigsten Vertretern dieser Preisstrategie. TI baut umfangreiche Produktionsanlagen auf, setzt seinen Produktpreis so niedrig wie möglich an, erobert einen hohen Marktanteil, erreicht mit zunehmender Fertigungserfahrung fallende Stückkosten und senkt bei fallenden Kosten die Preise weiter. Die Festsetzung eines niedrigen Preises ist zweckmäßig, wenn: (1) die Preissensibilität des Marktes hoch ist und niedrige Preise weiteres

Marktwachstum stimulieren, (2) die Produktions- und Distributionskosten aufgrund des Lerneffekts bei zunehmender Fertigungserfahrung sinken und (3) ein niedriger Preis gegenwärtige und potentielle Konkurrenten abschreckt.

Maximale Marktabschöpfung

Viele Unternehmen tendieren zur Festsetzung höherer Preise, um den Markt »abzuschöpfen« (»Skimming-Strategie«). Die Firma Du Pont ist einer der Hauptanwender einer *Preispolitik der Marktabschöpfung*. Für jede ihrer Produktinnovationen – Cellophan, Nylon, Teflon, Keflar usw. – ermittelt Du Pont den höchstmöglichen Preis, den man aufgrund der komparativen Vorteile der eigenen Produktneuheit gegenüber den Konkurrenzangeboten nehmen kann. Man setzt den Preis fest, der einigen Zielmarktsegmenten die Übernahme des neuen Werkstoffes gerade noch lohnenswert erscheinen läßt. Jedesmal, wenn der Absatz zurückgeht, senkt das Unternehmen den Preis, um die nächste Schicht preisbewußter Kunden für sich zu gewinnen. Auf diese Weise schöpft Du Pont in jedem Zielmarktsegment den größtmöglichen Umsatz ab.

Eine Preispolitik der Marktabschöpfung ist unter folgenden Bedingungen sinnvoll: (1) Eine ausreichend große Zahl von Käufern hat ein ausgeprägtes Bedürfnis nach dem Produkt und ist willens, einen hohen Preis zu zahlen; (2) Die kleineren, hochpreisig absetzbaren Mengen bringen trotz höherer Stückkosten eine höhere Gewinnspanne«; (3) Der hohe Einführungspreis lockt keine weiteren Konkurrenten auf den Markt; (4) der hohe Preis unterstützt den Anspruch, ein wertvolleres Produkt anzubieten.

Qualitätsführerschaft

Ein Unternehmen könnte auch die Qualitätsführerschaft in seinem Markt anstreben. Dann nimmt es einen hohen Preis, um die Kosten für die hohe Produktqualität und den hohen Forschungs- und Entwicklungsaufwand zu decken. Caterpillar ist dafür ein besonders gutes Beispiel. Das Unternehmen baut qualitativ hochwertige Baumaschinen, bietet einen ausgezeichneten Service und ist in der Lage, das Ziel der Qualitätsführerschaft mit höheren Preisen als die Konkurrenz durchzusetzen.

Exkurs 17-1: Preisbildungsmodell zur kurzfristigen Gewinnmaximierung

Aus der mikroökonomischen Theorie stammt ein einfaches Modell der Preisbildung zur kurzfristigen Gewinnmaximierung. Das Modell geht davon aus, daß ein Unternehmen die Nachfrage- und Kostenfunktion für das betreffende Produkt kennt. Die Nachfragefunktion beschreibt die geschätzte Menge (Q), die pro Verkaufsperiode bei unterschiedlich hohen Preisen (P) gekauft würde. Angenommen, das Unternehmen erstellt mit Hilfe einer statistischen Nachfrageanalyse die folgende *Nachfragegleichung*

$$Q = 1.000 - 4P \qquad \text{(Formel 17–1)}$$

Diese Gleichung zeigt eine allgemeine Gesetzmäßigkeit der Nachfrage: je höher der Preis ist, desto geringer ist die verkaufte Menge pro Periode. Die Kostenfunktion beschreibt die Gesamtkosten (C) für die Produktion einer beliebigen Menge (Q) pro Verkaufsperiode. Im einfachsten Fall läßt sich die Gesamtkostenfunktion durch die lineare Gleichung $C = F + cQ$ darstellen, wobei F für die Gesamtfixkosten und c für die variablen Stückkosten steht. Angenommen, das Unternehmen ermittelt für ihr Produkt die folgende *Kostengleichung*

$$C = 6.000 + 50Q \qquad \text{(Formel 17–2)}$$

Damit ist der gewinnmaximale Preis schon fast ermittelt. Es fehlen nur noch zwei weitere Definitionsgleichungen. Die erste definiert den Umsatz (U) als Preis multipliziert mit der abgesetzten Menge, nämlich

$$U = PQ \qquad \text{(Formel 17–3)}$$

Die zweite definiert den Gesamtgewinn (G) als die Differenz zwischen Umsatz und Gesamtkosten, nämlich

$$G = U - C \qquad \text{(Formel 17–4)}$$

Das Unternehmen kann nun die Beziehung zwischen Gewinn (G) und Preis (P) ermitteln, indem es ausgehend von der Gewinngleichung (Formel17–4) folgendes herleitet:

$$G = U - C$$
$$G = PQ - C$$
$$G = PQ - (6.000 + 50Q)$$
$$G = P(1.000 - 4P) - 6.000 - 50\,(1.000 - 4P)$$
$$G = 1.000P - 4P^2 - 6.000 - 50.000 + 200P$$
$$G = -\,56.000 + 1.200P - 4P^2$$

Der Gesamtgewinn ist also eine quadratische Funktion des Preises in Form einer hutförmigen Parabel, wobei der Gewinn bei einem Preis von 150 DM sein Maximum (34.000 DM) erreicht. Den gewinnmaximalen Preis von 150 DM findet man durch eine Differentialrechnung mit der quadratischen Gleichung oder durch eine graphische Darstellung der Parabel.

Nachfrageermittlung

Jede Preisalternative führt zu einem anderen Nachfrageniveau und hat folglich unterschiedliche Auswirkungen auf die angestrebten Marketingziele. Die Beziehung zwischen dem laufenden Preis und der daraus resultierenden laufenden Nachfrage wird in der Nachfragefunktion in Abbildung 17–3 dargestellt. Sie zeigt die jeweilige Menge eines Produkts an, die der Markt innerhalb eines gegebenen Zeitraums bei unterschiedlichen Preisen kaufen wird. Im Normalfall verhalten sich Nachfrage und Preis gegenläufig zueinander, das heißt, je höher der Preis ist, desto geringer ist die Nachfrage (und umgekehrt).

Bei Gütern mit hohem Prestigewert ist die Beziehung zwischen Preis und Nachfrage manchmal gleichläufig. Ein Hersteller von Kosmetika fand z. B. heraus, daß er bei höheren Preisen mehr Waren absetzte, anstatt weniger! In diesem Fall sehen die Verbraucher im höheren Preis ein Zeichen für bessere oder exklusivere Qualität.

Wird der geforderte Preis jedoch zu hoch angesetzt, dann verringert sich die Nachfrage wieder.

Sowohl psychologische als auch wirtschaftliche Faktoren beeinflussen die Preissensibilität der Kunden und ihre Preisreaktionen. Diese müssen bei der Nachfrageermittlung berücksichtigt werden.

Einflußfaktoren auf die Preissensibilität der Kunden

Die Nachfragekurve veranschaulicht die Gesamtreaktion des Marktes auf unterschiedlich hohe Preise. Sie stellt die Summe der Reaktionen vieler einzelner Nachfrager mit unterschiedlich ausgeprägter Preissensibilität dar. Zunächst muß man die Einflußfaktoren auf die Preissensibilität der Nachfrager kennen und verstehen. Nach Nagle zeigt sich die Preissensibilität in neun unterschiedlichen Effekten:[3]

1. Produktalleinstellungseffekt
Bei ausgeprägter Alleinstellung des Produkts reagieren die Abnehmer weniger stark auf Preisänderungen.

2. Effekt der Kenntnis von Substitutionsprodukten
Die Abnehmer reagieren weniger preisempfindlich, wenn ihnen Substitutionsprodukte weniger bekannt sind.

3. Vergleichskomplexitätseffekt
Die Abnehmer reagieren weniger preisempfindlich, wenn sie die Qualität unterschiedlicher Substitutionsprodukte nicht leicht vergleichen können.

4. Ausgabengrößeneffekt
Je geringer die Ausgaben der Abnehmer im Verhältnis zu ihrem Einkommen sind, desto weniger preisempfindlich reagieren sie.

5. Teilkosteneffekt
Je geringer die Ausgaben der Abnehmer im Verhältnis zu den Gesamtkosten eines Nutzungssystems sind, desto weniger preisempfindlich reagieren sie. Deswegen sind Autoersatzteile in der Regel relativ teuer.

6. Kostenteilungseffekt
Die Abnehmer reagieren weniger preisempfindlich, wenn ein Teil der Kosten von einer anderen Partei mitgetragen wird, wie dies z.B. bei Gemeinschaftsanschaffungen der Fall ist.

7. Folgekosteneffekt
Die Abnehmer reagieren weniger preisempfindlich, wenn das Produkt in Verbindung mit bereits angeschafften Produktsystemen verwendet wird.

8. Preis/Qualitäts-Effekt
Die Abnehmer reagieren weniger preisempfindlich, wenn sie dem Produkt mehr Qualität, Prestige und Exklusivität zuschreiben.

9. Lagerbarkeitseffekt
Die Abnehmer reagieren weniger preisempfindlich, wenn sie das Produkt nicht lagern können.

Berücksichtigung der Preiselastizität der Nachfrage

Ein Marketer muß eine Vorstellung davon haben, wie stark die Nachfrage auf unterschiedliche Preise reagiert. Betrachten wir die beiden Nachfragefunktionen in Abbildung 17–3: In Abbildung 17–3(a) führt eine Preiserhöhung von P_1 auf P_2 zu einem relativ geringen Rückgang der Nachfrage von Q_1 nach Q_2. In Abbildung 17–3(b) jedoch führt dieselbe Preiserhöhung zu einem merklichen Rückgang der Nachfrage von Q'_1 nach Q'_2. Verändert sich die Nachfrage bei leichter Modifizierung des Preises nur wenig, so bezeichnet man sie als unelastisch. Verändert sich die Nachfrage

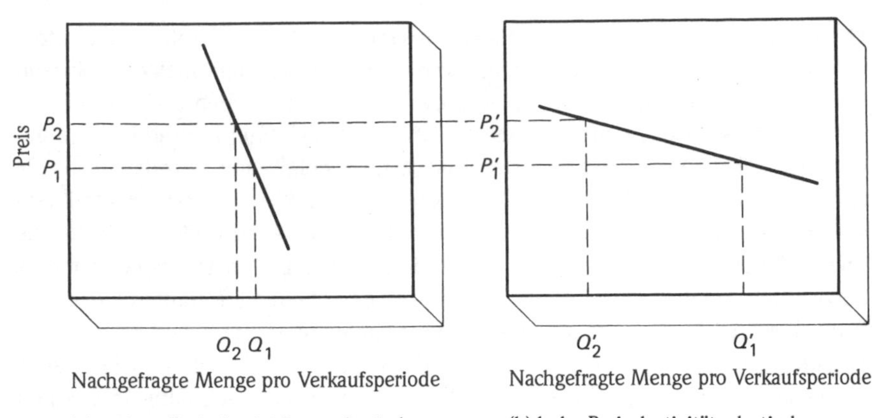

(a) geringe Preiselastizität, unelastische Nachfrage

(b) hohe Preiselastizität, elastische Nachfrage

Abbildung 17-3
Geringe und hohe Preiselastizität der Nachfrage

hingegen beträchtlich, bezeichnet man sie als elastisch. Die Preiselastizität der Nachfrage wird in der folgenden Formel definiert: [4,5]

$$\text{Preiselastizität der Nachfrage} = \frac{\text{Veränderung der nachgefragten Menge in \%}}{\text{Preisänderung in \%}}$$

Eine Nachfrageminderung von 10 % bei einer Preiserhöhung von 2 % bedeutet, daß die Preiselastizität –5 beträgt (das Minuszeichen zeigt, daß Preis und Nachfrage invers zueinander sind, d. h. in umgekehrter Richtung verlaufen). Schrumpft bei einer Preiserhöhung um 2 % die Nachfrage jedoch um 2 %, so beträgt die Preiselastizität –1. In diesem Fall bleibt der Umsatz des Anbieters unverändert: Er verkauft zwar von der Stückzahl her weniger, jedoch zu einem höheren Stückpreis, so daß die Umsatzhöhe erhalten bleibt. Sinkt die Nachfrage infolge einer Preisanhebung von 2 % um nur 1 %, so ist die Preiselastizität mit –0,5 noch geringer.

Je unelastischer die Nachfrage reagiert, desto mehr lohnt sich ein hoher Preis für den Anbieter. Unter den folgenden Bedingungen reagiert die Nachfrage weniger elastisch:
(1) Es gibt nur wenige oder überhaupt keine Substitutionsprodukte oder Konkurrenten; (2) Die Preisveränderung wird von den Käufern nicht sofort wahrgenommen; (3) Die Käufer sind träge in ihren Kaufgewohnheiten und in ihrer Suche nach preisgünstigeren Anbietern; (4) die Käufer denken, der höhere Preis sei durch Qualitätsverbesserungen, eine allgemeine Teuerung und anderes mehr gerechtfertigt.

Je elastischer die Nachfrage reagiert, desto eher werden die Anbieter einen niedrigeren Preis in Erwägung ziehen. Ein niedriger Preis bringt einen höheren Umsatz. Er ist dann sinnvoll, wenn die Kosten für das zusätzliche Produktions- und Verkaufsvolumen nicht unverhältnismäßig stark steigen, d. h. solange die Grenzkosten der Mengenveränderung unter den Grenzerlösen liegen.

Zur Preiselastizität der Nachfrage einzelner Produkte liegen viele Veröffentlichungen vor, die unterschiedliche und oft kontroverse Ergebnisse aufzeigen: z. B. für Automobile –1,0 bis –2,2, für Kaffee –5,3 und für Joghurt –1,2. [6] Solche Schätzwerte darf man jedoch nicht unüberlegt anwenden. Die Preiselastizität hängt von

Umfang und Richtung der beabsichtigten Preisänderung (d. h. nach oben oder unten) ab. Sie kann bei kleinen Preisveränderungen so gut wie konstant bleiben, während bei großen Preisveränderungen sich auch die Preiselastizität erheblich ändern kann; bei einer Preissenkung kann sie anders ausfallen als bei einer Preiserhöhung; und die langfristige Preiselastizität der Nachfrage kann ebenfalls anders verlaufen als die kurzfristige. Manchmal halten die Nachfrager auch nach einer Preisanhebung ihrem gewohnten Lieferanten scheinbar zunächst die Treue – entweder, weil sie die Preiserhöhung nicht bemerkt haben, die Erhöhung zu gering ist, andere Probleme sie derzeit mehr beschäftigen oder die Suche nach einem neuen Lieferanten zu zeitraubend wäre; später wechseln sie dann doch den Lieferanten. In solchen Fällen ist die Nachfrage auf lange Sicht elastischer als auf kurze Sicht. Es könnte allerdings auch genau umgekehrt sein: Nachdem der Nachfrager von der Preisanhebung unterrichtet worden ist, läßt er seinen bisherigen Lieferanten zunächst fallen, kehrt aber später wieder zu ihm zurück. Wenn ein Anbieter nicht zwischen kurzfristiger und langfristiger Preiselastizität der Nachfrage unterscheidet und dadurch die *Preisresponsedynamik* [7] vernachlässigt, macht er Fehler und zeigt damit, daß er den zeitlichen Verlauf und die Gesamtauswirkung seiner Preisbildungsentscheidung nicht kennt oder nicht beachtet.

Methoden zur Ermittlung der Nachfragefunktion

Die meisten Unternehmen versuchen auf die eine oder andere Weise, die Nachfragefunktion für ihre Produkte zu ermitteln. Dazu muß man bestimmte Annahmen über das Wettbewerbsverhalten zugrunde legen. Die beiden Alternativen dafür lauten: Erstens, die Konkurrenten lassen ihre Preise unverändert – unabhängig vom Preis, den man selbst nimmt; zweitens, die Konkurrenten reagieren auf jede vom Unternehmen eingeleitete Preisänderung mit Preisanpassungen. Wir wollen ersteres zugrundelegen und uns den möglichen Reaktionen der Konkurrenten an späterer Stelle zuwenden.

Die Ermittlung der Nachfragefunktion erfordert, daß man die Preise variiert. Dies kann durch Labortests geschehen, bei denen man ausgewählte Testpersonen befragt, wieviele Mengeneinheiten eines bestimmten Produkts sie zu welchem Preis kaufen würden. [8] Bennett und Wilkinson bedienten sich dafür eines Ladentestverfahrens, bei dem sie systematisch die Preise mehrerer, bei einem Discounter angebotener Produkte variierten und die jeweiligen Auswirkungen beobachteten. [9]

Bei der Messung der Preis/Nachfrage-Beziehung muß der Marktforscher jedoch auch andere, u. U. nachfragerelevante Faktoren steuern bzw. berücksichtigen. Senkt beispielsweise ein Unternehmen den Preis für ein Produkt und betreibt gleichzeitig verstärkt Werbung dafür, so ist später nicht eindeutig nachzuvollziehen, inwieweit der sich ergebende Nachfrageanstieg auf den niedrigeren Preis und inwieweit er auf die intensivierten Werbeaktivitäten zurückzuführen war. Die Auswirkungen außerpreislicher Faktoren auf die Nachfrage werden graphisch als Verschiebung einer Nachfragekurve dargestellt.

Kosten-schätzung

Aufgrund der ermittelten Nachfrage ergibt sich eine *Obergrenze des Preises*, den ein Unternehmen für sein Produkt verlangen kann. Eine *Preisuntergrenze* ergibt sich aus den Kosten. Zwischen diesen Grenzen liegt der vom Unternehmen angestrebte Preis, der sämtliche Kosten der Produktion, Distribution und des Verkaufs abdeckt und darüber hinaus einen Gewinnaufschlag für Aufwand und Risiko sichert.

Fixe und variable Kostenstruktur

In grober Form untergliedert man die Kosten in zwei Kostenarten: in Fixkosten und in variable Kosten. *Fixkosten* – oft als »Overhead« oder Gemeinkosten bezeichnet – sind Kosten, deren Höhe von normalen Schwankungen der Ausbringungsmenge und der Umsatzerlöse unabhängig ist. So muß ein Unternehmen jeden Monat seine Rechnungen für Miete, Heizung, Zinsen, Managergehälter und ähnliches bezahlen, unabhängig davon, wieviel es im normalen Schwankungsbereich produziert. Die Fixkosten laufen – unabhängig von der Ausbringungsmenge – weiter.

Die *variablen Kosten* hingegen verändern sich unmittelbar mit der Ausbringungsmenge. Jeder z.B. bei Texas Instruments (TI) produzierte Taschenrechner verursacht unmittelbar Kosten für Kunststoffe, Mikroprozessoren, Verpackung usw. Diese Kosten fallen für jede produzierte Einheit in etwa gleicher Höhe an. Variable Kosten nennt man sie deshalb, weil ihre Gesamthöhe mit der Anzahl der hergestellten Mengeneinheiten variiert.

Als *Gesamtkosten* bezeichnet man die Summe aus fixen und variablen Kosten bei einer bestimmten Ausbringungsmenge. Das Unternehmen strebt einen Preis an, der mindestens die Gesamtkosten bei einer bestimmten Ausbringungsmenge abdeckt.

Größenordnungsabhängige Kostenstrukturen

Für eine durchdachte Preispolitik muß das Unternehmen seine Kostenstruktur größenordnungsmäßig für unterschiedlich hohe Produktionsmengen feststellen. Diese Strukturkonzepte illustrieren wir mit einem Beispiel, das von Texas Instruments (TI) stammen könnte:

TI hat eine Produktionsanlage bestimmter Kapazität aufgebaut, die täglich 1.000 Taschenrechner produziert. Abbildung 17–4(a) veranschaulicht die idealtypische U-Form der Kostenstruktur für die kurzfristigen Durchschnittskosten (*short-run average cost curve* oder *SRAC*-Kurve). Bei geringen Produktionsmengen sind die Stückkosten hoch. Mit zunehmender Annäherung an die Plangröße von 1.000 Stück fallen die Durchschnittskosten, und zwar deshalb, weil sich die Fixkosten über immer mehr Mengeneinheiten verteilen und somit auf jede Mengeneinheit ein geringerer Fixkostenanteil entfällt. TI könnte versuchen, seinen Produktionsausstoß auf mehr als 1.000 Stück pro Tag hochzufahren; dies wäre jedoch mit höheren Kosten verbunden. Bei Überschreiten der 1.000-Stück-Grenze steigen die durchschnittlichen Stückkosten, denn der Betrieb der Anlagen wird zunehmend unwirtschaftlich: Die Maschinen sind überbelegt, fallen immer öfter aus und die Arbeiter stehen Schlange und warten auf verfügbare Maschinenzeit.

Wäre TI der Meinung, 2.000 Taschenrechner pro Tag absetzen zu können, würde das Unternehmen den Bau einer größeren Produktionsanlage kalkulieren. Hier

Abbildung 17-4
Stückkosten bei unterschiedlich großen Produktionsanlagen

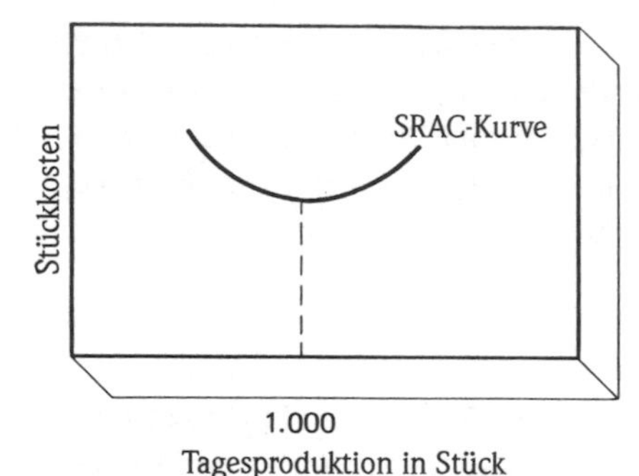

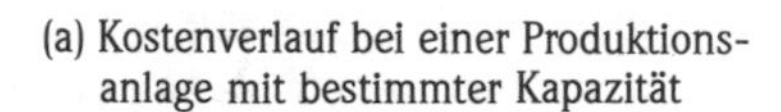
(a) Kostenverlauf bei einer Produktionsanlage mit bestimmter Kapazität

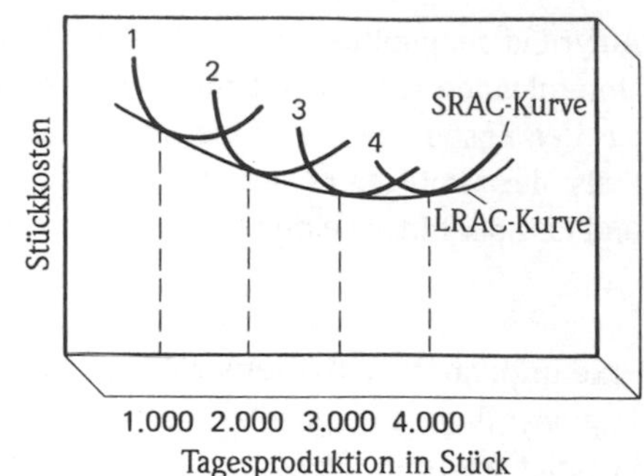

(b) Kostenverlauf bei mehreren Produktionsanlagen mit unterschiedlicher Kapazität

könnte man effizientere Maschinen und Arbeitsabläufe einsetzen. Die Stückkosten würden bei dieser Anlage der Kurve SRAC-2 folgen (vgl. Abbildung 17–4(b)) und wären bei 2.000 Stück geringer als bei zwei kleineren Anlagen mit jeweils 1.000 Stück. Wie aus Abbildung 17–4(b) hervorgeht, könnte zu noch geringeren Stückkosten produziert werden, wenn man die Kapazität auf 3.000 Stück auslegen könnte. Bei einer Anlage für 4.000 Stück hingegen würden die Größenvorteile nicht mehr zunehmen. Es würden Größennachteile entstehen: zu großer Verwaltungsaufwand für die vielen Mitarbeiter, zu große Spezialisierung und Arbeitsteilung, zu viel Bürokratie und zu wenig Motivation. Würde man die SRAC-Kurven für Anlagen weiterer Zwischengrößen aufzeichnen und dann eine »einhüllende« Kurve der kostengünstigsten Produktionsmengen auftragen, dann erhielte man die Kurve der optimalen langfristigen Durchschnittskosten (*long-run average cost curve* oder *LRAC-Kurve*), wie in Abbildung 17–4(b) gezeigt wird. Die kostengünstigste Betriebsgröße liegt hier bei einer Tagesproduktion von etwa 3.000 Stück.

Erfahrungsabhängige Kostenstrukturen

Nehmen wir an, TI betreibt eine Produktionsanlage für 3.000 Taschenrechner pro Tag. Durch zunehmende Erfahrung lernt TI, die Produktionsabläufe immer weiter zu verbessern. Die Arbeiter lernen, unnötige Arbeitsgänge wegzulassen, der Materialfluß wird verbessert, die Beschaffungskosten werden gesenkt etc. Mit der i.d.R. gesammelten Fertigungserfahrung können daher die Durchschnittskosten gesenkt werden. Die Stückkosten betragen nach der Herstellung der ersten 100.000 Taschenrechner 20 DM. Nach Herstellung der ersten 200.000 Stück sind die Stückkosten bereits auf 18 DM gefallen. Nach einer erneuten Verdoppelung auf 400.000 Stück betragen die durchschnittlichen Stückkosten nur noch 16 DM. Diese Stückkostenabsenkung mit zunehmender Fertigungserfahrung zeigt sich – wie in Abbildung 17–5 illustriert – als *Erfahrungskurve* (oder *Lernkurve*).

Gesetzt den Fall, in der untersuchten Branche gibt es drei konkurrierende Unternehmen: TI sowie die Konkurrenten A und B. Alle drei besitzen die gleiche Fähigkeit, mit kumulierter Fertigungserfahrung die Kosten zu senken. TI hat bisher insgesamt 400.000 Mengeneinheiten gefertigt und daher mit 16 DM die niedrigsten Stückkosten. Verkaufen alle drei Unternehmen ihre Rechner zum gleichen Marktpreis von 20 DM, ergibt sich für TI ein Gewinn von 4 DM pro Stück; Konkurrent A erwirtschaftet einen Gewinn von 2 DM pro Stück, und Konkurrent B arbeitet kostendeckend. Ein kluger Zug von TI wäre es, den Preis auf 18 DM zu senken. Konkurrent B würde damit vom Markt verdrängt, und auch Konkurrent A müßte an einen Rückzug denken. TI kann sich dann das Geschäftsvolumen sichern, das ansonsten Konkurrent B (und möglicherweise Konkurrent A) zugefallen wäre. Außerdem würden bei einem niedrigeren Preis die preisbewußten Käufer in den Markt eintreten. TI's Kosten würden weiter sinken, womit das Unternehmen den niedrigeren Gewinn pro Einheit mehr als wettmachen würde – sogar bei einem Preis von nur 18 DM. TI hat diese aggressive Preisstrategie bereits wiederholt eingesetzt, um Marktanteile zu gewinnen und Wettbewerber aus dem Markt zu drängen.

Eine auf Erfahrungskurveneffekten beruhende Preisfestsetzung bringt erhebliche Risiken mit sich. Ein preisaggressives Vorgehen könnte dem Produkt ein »Billig-Image« verleihen. Dieses Schicksal ereilte den Homecomputer von TI; hier hatte man in den USA den Preis von zunächst 950 $ im Jahr 1980 auf nur noch 99 $ im Jahr 1983 heruntergejagt, damit Mißerfolg gehabt und das Produkt aufgegeben. Diese Preisstrategie beruht auf der manchmal verhängnisvollen Annahme, daß die Konkurrenten schwach sind und im Preiskampf kein Stehvermögen zeigen werden. Darüber hinaus wird das Unternehmen veranlaßt, in schneller Folge große Produktionskapazitäten aufzubauen, um die steigende Nachfrage befriedigen zu können. Der Konkurrent konzentriert sich darauf, neue Technologien zu entwickeln, um mit einer kostengünstigeren Erfahrungskurve in den Markt einzutreten als der Marktführer, der dann aufgrund seiner großen Anlagen mit der alten Erfahrungskurve möglicherweise gezwungen ist, hohe Stückzahlen bei vergleichsweise hohen Kosten im Markt unterzubringen.

Bei der Preisfestsetzung anhand der Erfahrungskurve stehen i.d.R. die Herstellungskosten im Mittelpunkt. Doch auch alle anderen Kosten, einschließlich der

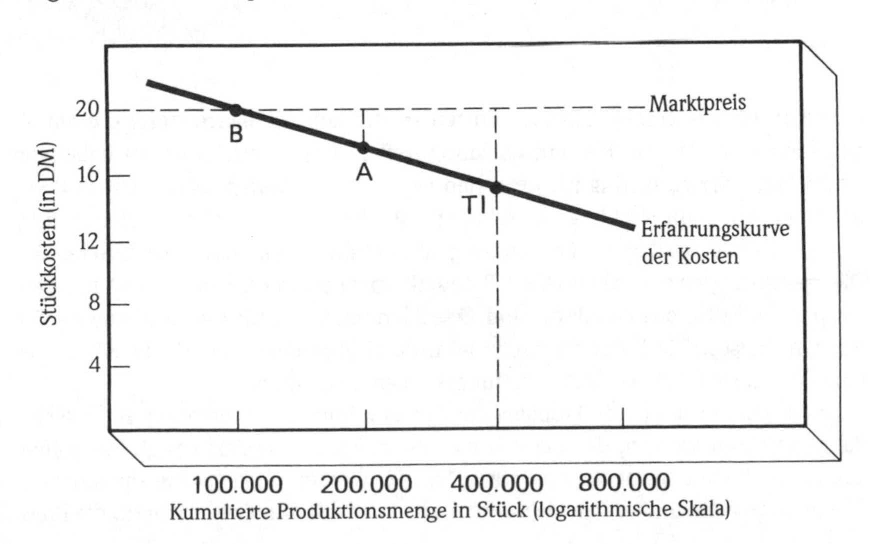

Abbildung 17-5
Erfahrungskurve: Stückkosten als Funktion der kumulierten Produktionsmenge

Marketingkosten, können durch Erfahrungs- bzw. Lerneffekte gesenkt werden. Wenn z.B. drei Wettbewerber jeweils hohe Summen für die Entwicklung des Telemarketing aufwenden, so hat der Wettbewerber, der das schon am längsten tut, die niedrigsten Durchführungskosten, wenn er es schafft, aus der Erfahrungskurve zu lernen. Dieser Wettbewerber kann dann sein Produkt zu einem etwas niedrigeren Preis anbieten und pro Stück immer noch einen ebenso hohen Gewinn erzielen wie die beiden anderen Wettbewerber, selbst wenn alle anderen Stückkosten der drei Konkurrenten gleich wären.

Analyse der Konkurrenzpreise und -angebote

Eine Preisobergrenze ergibt sich durch die Marktnachfrage und eine Preisuntergrenze durch die Kostenstruktur des Unternehmens. Des weiteren verengt die Konkurrenz mit ihren Preisen und Preisreaktionen den preislichen Spielraum des Unternehmens. Zur Entscheidung über das eigene Preisniveau muß man das Preis- und Qualitätsangebot der Konkurrenten ermitteln. Dies kann auf unterschiedliche Weise geschehen. Man kann Vergleichsangebote sammeln, sich Preislisten der Konkurrenten besorgen bzw. bestimmte Produkte kaufen und diese im einzelnen analysieren. Oder man kann Kunden befragen, wie diese das Preis- und Qualitätsangebot eines jeden Konkurrenten beurteilen.

Kennt man Preise und Angebote von Konkurrenten, kann man sie als Orientierungshilfe für die Bestimmung des eigenen Preises heranziehen. Ist das eigene Angebot dem eines bedeutenden Konkurrenten ähnlich, so muß man auch mit dem Preis nahe an dem des Konkurrenten liegen, oder man erleidet Einbußen. Ist das eigene Angebot dem des Konkurrenten unterlegen, kann man keinen so hohen Preis fordern wie dieser. Ist das eigene Angebot dem des Konkurrenten überlegen, kann man einen höheren Preis fordern. Allerdings muß man stets darauf gefaßt sein, daß die Konkurrenten mit Preisänderungen reagieren könnten. Im wesentlichen dient der Preis der Positionierung des eigenen Angebots gegenüber den Konkurrenten.

Auswahl eines Preisbildungsverfahrens

Nachdem man Nachfragefunktion, Kostenstruktur und Konkurrenzpreise ermittelt hat, kann man nun die Preisentscheidung treffen. Der Spielraum reicht dabei von einem Preis, der zu niedrig ist, um einen Gewinn abzuwerfen, bis zu einem Preis, der zu hoch ist, um Nachfrage zu schaffen. Abbildung 17–6 stellt die drei wichtigsten Umstände, die bei der Preisbildung zu beachten sind, zusammenfassend dar: Die Preisuntergrenze wird durch die Produktkosten bestimmt; Preise von Konkurrenten und Substitutionsprodukten sind Orientierungshilfen für die Bestimmung des eigenen Preises; Die Preisobergrenze wird durch den Grad der Alleinstellung des Produkts hinsichtlich seiner Ausstattungselemente bestimmt.

Unternehmen lösen ihr Problem der Preisbestimmung, indem sie ein Preisbildungsverfahren wählen, das diese Umstände möglichst berücksichtigt. Sie hoffen, daß es zu einem angemessenen Preis führt. Wir werden folgende Preisbildungsverfahren untersuchen: das Zuschlagsverfahren, das Kapitalrenditeverfahren, die Preis-

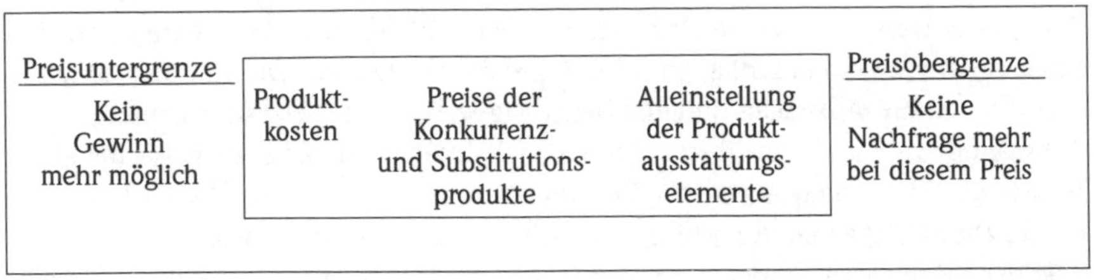

Preisuntergrenze				Preisobergrenze
Kein Gewinn mehr möglich	Produktkosten	Preise der Konkurrenz- und Substitutionsprodukte	Alleinstellung der Produktausstattungselemente	Keine Nachfrage mehr bei diesem Preis

Abbildung 17-6
Preisspielraum und wesentliche Umstände bei der Preisbildung

bildung nach dem Wertempfinden der Kunden (»Perceived-Value-Pricing«), die Preisgestaltung nach den Leitpreisen der Konkurrenz und – als Spezialfall – die Preisbildung bei Ausschreibungen. Bei jedem dieser Verfahren steht ein bestimmter Umstand im Vordergrund, nämlich die eigene Kostenstruktur, die Wertvorstellung der Kunden zum Produkt oder die Preispolitik der Konkurrenz.

Zuschlagsverfahren

Eine weit verbreitete Preisbildungsmethode ist das *Zuschlagsverfahren*, bei dem man den Kosten eines Produkts einen branchenüblichen oder einen von der Höhe der gewünschten Umsatzrendite abgeleiteten bestimmten Gewinnaufschlag hinzuaddiert. Bauunternehmen z.B. schätzen bei der Erstellung ihrer Ausschreibungsangebote die Gesamtprojektkosten ab und addieren einen branchenüblichen Gewinnaufschlag hinzu. Anwälte, Wirtschaftsprüfer und andere freie Berufe stellen den Kunden in der Regel Gebühren in Rechnung, die von ihrer Standesgenossenschaft als prozentualer Aufschlag auf den Wert des behandelten Vorhabens festgelegt wurden. Viele Anbieter arbeiten für ihre Kunden nach Kosten plus vereinbartem Aufschlag. Dies ist z.B. bei Architekten üblich. Auch Aufträge in Forschung und Entwicklung neuer Produkte werden nach diesem Verfahren abgewickelt.

Wir wollen die Kosten-Zuschlagskalkulation am Beispiel eines Küchengeräte-Herstellers veranschaulichen; nehmen wir an, die Kosten und Absatzerwartungen dieses Anbieters bei einem von ihm produzierten Toaster sind folgende:

Variable Kosten:	10 DM (pro Stück)
Fixkosten:	300.000 DM
Erwartete Absatzmenge:	50.000 Stück

Die Stückkosten des Herstellers ergeben sich demnach aus:

$$\text{Stückkosten} = \text{Variable Kosten} + \frac{\textit{Fixkosten}}{\text{Absatzmenge}}$$

$$= 10\ \text{DM/Stck} + \frac{300.000\ \text{DM}}{50.000\ \text{Stück}} = 16\ \text{DM}$$

Nehmen wir an, der Toaster-Hersteller will eine Umsatzrendite von 20 % realisieren. Demnach ergäbe sich der Aufschlagspreis des Herstellers aus:

$$\text{Aufschlagspreis} = \frac{\textit{Stückkosten}}{(1 - \text{gewünschte Umsatzrendite})} = \frac{16\ \text{DM}}{(1\text{–}0{,}2)} = 20\ \text{DM}$$

Der Toaster-Hersteller würde also den Händlern 20 DM pro Gerät berechnen und dabei einen Gewinnaufschlag von 4 DM pro Stück erzielen. Die Händler addieren ebenfalls einen Aufschlag hinzu. Wenn sie z.B. einen Deckungsbeitrag (Handelsspanne) von 50% auf ihren Umsatz realisieren wollen, werden sie für einen Toaster 40 DM verlangen. Dieser Deckungsbeitrag von 50% des Endverbraucherpreises entspricht einem Aufschlag von 100% auf die Einstandskosten des Händlers.

Je nach Produktkategorie sind unterschiedliche Handelsspannen üblich. Gängige Aufschläge im Einzelhandel ergeben im Durchschnitt eine Handelsspanne von etwa 17% bei Lebensmitteln, 31% bei Textilien, 39% bei Parfümeriewaren, 33% bei Sportartikeln und 30% bei Radios und Fernsehern.[10] Die Schwankung der Aufschläge um diese Durchschnittswerte ist jedoch relativ hoch. In der Produktkategorie Gewürze und Essenzen liegen die Deckungsbeiträge des Einzelhandels zwischen 19% und 56%. Im allgemeinen sind die Zuschläge bei saisonalen Gebrauchsgütern (um sich gegen das Risiko abzusichern, daß man die Ware nicht verkaufen kann), bei Spezialerzeugnissen, selten gekauften Artikeln mit einem geringen Warenumschlag, Artikeln mit hohen Lager- und Handling-Kosten und bei weniger nachfrageelastischen Artikeln überdurchschnittlich hoch.

Ist es sinnvoll, bei der Preisbildung mit festen Aufschlägen zu arbeiten? Im allgemeinen nicht. Ein solches Preisbildungsverfahren, das die laufende Nachfrage- und Wettbewerbssituation unberücksichtigt läßt, führt oftmals nicht zur optimalen Preisforderung. Wenn unser Toaster-Hersteller z.B. 20 DM pro Toaster verlangen würde, jedoch nicht 50.000 Stück, sondern nur 30.000 Stück absetzen könnte, würde das bei ihm zu höheren Stückkosten führen, da sich die Fixkosten über eine geringere Stückzahl verteilen würden. Die realisierte Umsatzrendite wäre niedriger. Die Preisbildung nach dem Zuschlagsverfahren ist kalkulatorisch nur dann sinnvoll, wenn beim errechneten Preis die geplante Absatzmenge auch tatsächlich zu erreichen ist.

Unternehmen führen ein neues Produkt oft mit einem hohen Gewinnaufschlag ein, da sie hoffen, so ihre Entwicklungskosten schnell wieder einspielen zu können. Eine solche Strategie hoher Aufschläge könnte jedoch für das Unternehmen verheerend sein, wenn ein Wettbewerber mit einem niedrigen Preis dagegenhält. Dies ereignete sich, als Philips seine Videorecorder mit einem hohen Aufschlag einführte, um an jedem Gerät möglichst viel zu verdienen. Dagegen arbeiteten japanische Wettbewerber mit einem niedrigen Preisaufschlag, und es gelang ihnen schnell, mit hohen Absatz- und Produktionsmengen, die sie in die Lage versetzten, ihre Stückkosten wesentlich zu verringern, den gewünschten Marktanteil aufzubauen.

Dennoch ist dieses Preisbildungsverfahren weit verbreitet. Dafür gibt es zahlreiche Gründe. Erstens wissen die Anbieter oft mehr über ihre Kosten als über die Nachfrage und stützen deshalb ihre Preisentscheidung auf die Kostenkalkulation. Die Errechnung eines Preises anhand der Kosten erleichtert die Preisentscheidung so sehr, daß sie an einen »Preiskalkulator« delegiert werden kann; Zu Preisveränderungen kommt es bei stabilen Kosten seltener gegenüber Preisen, die jeweils der schwankenden Nachfrage angepaßt werden müßten. Zweitens: Wenn alle Branchenmitglieder eben dieses Preisbildungsverfahren verwenden, sind ihre Preise fast gleich; der Preiskampf ist dann im Vergleich zu einer nachfragebestimmten Preisbildung minimal. Drittens sind viele der Meinung, daß das Aufschlagsverfahren sowohl für den Käufer als auch für den Verkäufer fairer ist. Der Verkäufer nutzt die Lage des Käufers nicht aus, wenn dessen Bedarf dringend ist, und er kann trotzdem eine angemessene Gewinnspanne erzielen.

Kapitalrenditeverfahren

Ein weiteres kostenorientiertes Preisbildungsverfahren ist das *Kapitalrenditeverfahren.* Bei diesem Verfahren versucht das Unternehmen, den Preis zu ermitteln, der die Kapitalrendite der Zielplanung sichern würde. General Motors z.B. wendet diese Methode an. Das Unternehmen berechnet die Preise so, daß eine Kapitalrendite von 15 bis 20% erwirtschaftet werden soll. Auch Versorgungsunternehmen verwenden diese Preisbildungsmethode, da ihnen vom Staat zugestanden wird, eine angemessene Verzinsung ihrer Investitionen zu erwirtschaften, ohne daß sie ihre (regionale) Monopolstellung zur Gewinnmaximierung ausnutzen dürfen.

Wenn wir davon ausgehen, daß der Toaster-Hersteller in unserem Beispiel 1.000.000 DM investiert hat und mit seinem Preis eine Kapitalrendite von 20% erzielen will, so errechnet sich der Preis aus der zum Ziel gesetzten Kapitalrendite anhand folgender Formel:

$$\text{Preis} = \text{Stückkosten} + \frac{\text{Kapitalrendite} \times \text{investiertes Kapital}}{\text{Absatzmenge}}$$

$$= 16\ \text{DM} + \frac{0{,}20 \times 1.000.000\ \text{DM}}{50.000\ \text{Stck}} = 20\ \text{DM}$$

Der Hersteller wird die gewünschte Rendite von 20% erzielen, wenn sich Stückkostenrechnung und Absatzschätzung als korrekt erweisen. Was aber geschieht, wenn er die erwarteten 50.000 Stück nicht absetzen kann? Um herauszufinden, was bei anderen Absatzmengen geschehen würde, kann der Hersteller ein *Break-Even-Diagramm* erstellen. Abbildung 17–7 zeigt ein solches Break-Even-Diagramm. Eine horizontale Linie zeigt die Fixkosten von 300.000 DM. Die zusätzlichen variablen Kosten sind im Diagramm über den Fixkosten eingezeichnet. Dies ergibt die Linie der Gesamtkosten. Sie steigen linear zur Absatzmenge. Die Umsatzlinie beginnt

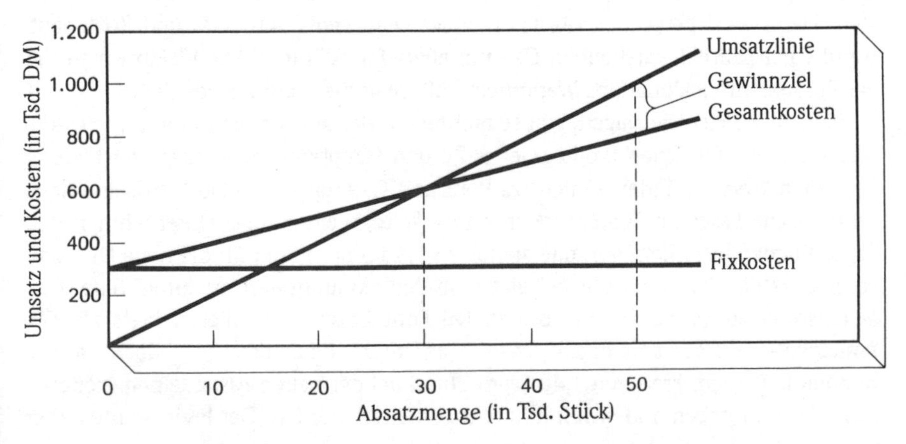

Abbildung 17-7
Break-Even-Diagramm und Gewinnziel zur Erreichung der gewünschten Kapitalrendite

beim Nullpunkt und steigt linear mit jeder verkauften Mengeneinheit an. Die Steigung der Umsatzlinie zeigt, daß der Stückpreis 20 DM betragen soll.

Die Umsatz- und Kostenkurven überschneiden sich bei einer Absatzmenge von 30.000 Stück. Dies ist der *Break-Even-Absatz*. Der Break-Even-Absatz läßt sich durch folgende Gleichung berechnen:

$$\text{Break-Even-Absatz} = \frac{\text{Fixkosten}}{\text{Preis-variable Kosten}} = \frac{300.000\ \text{DM}}{20\ \text{DM} - 10\ \text{DM}} = 30.000\ \text{Stück}$$

Der Hersteller hofft natürlich, daß der Markt ein Volumen von 50.000 Stück zu einem Preis von 20 DM pro Stück abnimmt; dann würde er auf das investierte Kapital von 1.000.000 DM einen Gewinn von 200.000 DM erzielen. Allerdings hängt viel von der Preiselastizität der Nachfrage und den Preisen der Konkurrenten ab. Dies wird leider beim Kapitalrenditeverfahren leicht vergessen. Deswegen sollte der Hersteller zunächst mehrere unterschiedliche Preise in Erwägung ziehen und dann im Vergleich mit der geschätzten Absatzmenge ermitteln, ob die gewünschte Umsatzrendite erreichbar ist. Er sollte auch nach Möglichkeiten zur Reduzierung seiner Kosten suchen, da niedrigere Kosten den Break-Even-Punkt senken und bei gleicher Kapitalrendite einen niedrigeren Preis ermöglichen.

Preisbildung nach dem Wertempfinden der Kunden (»Perceived-Value-Pricing«)

Immer mehr Unternehmen bestimmen ihren Preis auf der Grundlage des *empfundenen Produktwerts*. Sie richten sich nach dem von den Käufern empfundenen Wert (*»perceived-value«)*, und nicht nach den Kosten des Anbieters. Anhand der nichtpreislichen Variablen im Marketing-Mix bauen sie im Empfinden der Kunden einen Produktwert auf. Der Preis wird dann so gebildet, daß er den empfundenen Wert ganz oder teilweise abschöpft. [11]

Die Preisbildung nach dem Wertempfinden paßt gut zum Konzept der Produktpositionierung. Ein Unternehmen erarbeitet ein Produktkonzept in einer geplanten Preis-Qualitäts-Kombination für einen bestimmten Zielmarkt. Als nächstes wird die Absatzmenge geschätzt, die man bei diesem Preis zu erreichen hofft. Daraus ergeben sich die erforderliche Produktionskapazität, der Investitionsbedarf und die Stückkosten. Dann wird berechnet, ob das Produkt beim geplanten Preis und Kostenaufwand einen zufriedenstellenden Gewinn abwerfen würde. Wenn ja, fährt man mit der Produktentwicklung fort. Wenn nein, läßt man die Produktidee fallen.

Wie einige Beispiele zeigen, gibt es mehrere Varianten zur Definition und Bestimmung des empfundenen Produktwerts. Zu den Hauptanwendern der Preisbildung nach dem Wertempfinden zählen Du Pont und Caterpillar. Als Du Pont seine neue synthetische Faser für Teppichböden entwickelte, rechnete das Unternehmen den Teppichbodenherstellern vor, daß sie bis zu 1,40 $ pro Pfund für die neue Du Pont-Faser bezahlen könnten, um bei gleichem Anwendungswert an ihren Teppichen genausoviel zu verdienen wie bisher. Du Pont bezeichnete diesen Preis als *Gebrauchswert-Preis* (»*value-in-use-price*«). Das Unternehmen erkannte jedoch, daß die Kunden bei einem Preis von 1,40 $ pro Pfund bei der neuen Faser keinen größeren Netto-Nutzen haben und sich indifferent verhalten würden. Der Preis wurde daher niedriger angesetzt und an das gewünschte Tempo der Marktdurchdringung angepaßt, so daß auch die Kunden am größeren Produktnutzen teilhaben konnten. Die eigenen Produktionsstückkosten dienten Du Pont nicht zur Preisbildung, sondern vielmehr dazu, festzustellen, ob die Einführung der Faser sowohl für Du Pont als auch für die Kunden einen zusätzlichen Netto-Nutzen bringen würde.

Caterpillar bestimmt die Preise für seine Baumaschinen auf der Basis eines Wertvergleichs für den Kunden. Caterpillar kann z. B. für einen Traktor 100.000 $ verlangen, während ein Konkurrent einen Traktor gleicher Leistung für 90.000 $ anbietet; und trotzdem verkauft sich der Caterpillar-Traktor besser als der des Konkurrenten! Wenn ein Interessent einen Caterpillar-Händler fragt, warum er denn für den Traktor von Caterpillar 10.000 $ mehr ausgeben solle, stellt der Händler für den Kunden folgenden Wertvergleich an:

$ 90.000	Preis für einen Traktor, der von gleichem Wert wie das Konkurrenzangebot ist
+$ 7.000	Preis für den Wert höherer Haltbarkeit
+$ 6.000	Preis für den Wert größerer Zuverlässigkeit
+$ 5.000	Preis für den Wert eines besseren Service
+$ 2.000	Preis für den Wert längerer Teile-Garantie
=$ 110.000	gesamtes Wertpaket
–$ 10.000	Nachlaß als Wertvorteil für den Kunden
=$ 100.000	Endpreis

Dem Kunden wird verständlich gemacht, daß er zwar für den Caterpillar-Traktor 10.000 $ mehr bezahlen muß, in Wirklichkeit aber einen Wertvorteil von 10.000 $ erhält! Er wird dazu veranlaßt, den Traktor von Caterpillar zu wählen – überzeugt, daß dessen Einsatzkosten über seine gesamte Lebensdauer hinweg geringer sind.

Zur Preisbildung nach dem Wertempfinden sollte man möglichst genau ermitteln, welcher Wert dem Angebot durch die potentiellen Käufer beigemessen wird. Anbieter, die dies vernachlässigen und eine überzogene Vorstellung vom Wert ihres Produkts haben, legen einen zu hohen Preis fest. Unterschätzt dagegen der Anbieter den vom Kunden empfundenen Wert, so verlangt er weniger, als er erhalten könnte. Um die Werteinschätzung des Produkts im Markt festzustellen und die Preisentscheidung wirkungsvoll zu stützen, ist Marktforschung nötig. Drei Methoden zur Wertabschätzung werden in Exkurs 17-2 beschrieben. Der darauffolgende Exkurs 17-3 zeigt ein weiteres Konzept der Wertbestimmung und Preisbildung nach dem Produktwert.

Exkurs 17-2: Methoden zur Schätzung des empfundenen Wertes

Die drei Unternehmen A, B und C stellen Schnellschaltrelais her. Gewerbliche Abnehmer sollen die jeweiligen Angebote der drei Unternehmen prüfen und bewerten. Hierfür gibt es drei alternative Methoden:

- **Direkte Einschätzung des Geldwertes (des angemessenen Preises) durch die Befragten**

Hier geben die Befragten für jedes Relais einen Preis an, der ihrer Ansicht nach dem Gesamtnutzen aus dem Kauf dieses Relais vom jeweiligen Anbieter angemessen ist. So ordnen sie z.B. den drei Anbietern drei unterschiedliche Preise, nämlich 5,10 DM, 4 DM und 3,04 DM, zu.

– **Direkt vergleichende Einschätzung des Nutzwertes durch die Befragten**

Die Befragten verteilen insgesamt hundert Punkte auf die drei Anbieter; die jeweiligen Punktzahlen entsprechen dem von den Befragten empfundenen Nutzwert des Relais des jeweiligen Anbieters, z.B. 42, 33 und 25 Punkte. Wenn ein Relais im Markt für durchschnittlich 4 DM verkauft würde, dann könnten die drei Anbieter vergleichsweise 5,10 DM, 4 DM bzw. 3,04 DM verlangen.

– **Diagnostische Methode**

Hier begutachten die Befragten die drei Angebote anhand eines Eigenschaftskatalogs. Sie verteilen für die Ausprägung jeder Produkteigenschaft insgesamt 100 Punkte auf die drei Anbieter. Die relative Wertigkeit der Produkteigenschaften legen sie ebenfalls durch die Verteilung von 100 Prozentpunkten fest. Dabei könnten sich folgende Resultate ergeben:

Relative Wertigkeit der Eigenschaft	Produkteigenschaft	Relative Ausprägung der Eigenschaft bei den Herstellern		
		A	B	C
25%	Produkthaltbarkeit	40	40	20
30%	Produktzuverlässigkeit	33	33	33
30%	Lieferzuverlässigkeit	50	25	25
15%	Servicequalität	45	35	20
100%	Empfundener Nutzwert	(41,65)	(32,65)	(24,9)

Wenn man für jedes Produkt die Wertigkeit mit der Ausprägung der Eigenschaft multipliziert, erweist sich das Angebot von Unternehmen A (mit fast 42 Punkten) als überdurchschnittlich, das Angebot von Unternehmen B (mit etwa 33 Punkten) als durchschnittlich und das Angebot von Unternehmen C (mit fast 25 Punkten) als unterdurchschnittlich.

Unternehmen A kann für sein Relais einen hohen Preis verlangen, weil sein Produktangebot als hochwertiger empfunden wird. Wenn der Preis dem empfundenen Wert entsprechen soll, kann das Unternehmen einen Preis von rund 5,10 DM nehmen (= 4 DM für ein Relais durchschnittlicher Qualität × 42 : 33). Setzen die drei Anbieter ihren Preis proportional zum jeweils empfundenen Nutzwert an, können alle drei einen angemessenen Marktanteil erreichen, da dann aus Sicht des Marktes bei allen Angeboten dasselbe Kosten-Nutzen-Verhältnis gegeben ist.

Ist der geforderte Preis verhältnismäßig niedriger als der empfundene Nutzwert, wird das Unternehmen einen überdurchschnittlich großen Marktanteil erreichen, da die Kunden dann im Vergleich zur Konkurrenz ein Mehr an Nutzwert für ihr Geld erhalten. Dies wird durch folgende Abbildung und die nachfolgende Beschreibung verdeutlicht.

Anfangs liegen die Angebote A, B und C auf derselben Preis-Nutzwert-Linie. Die Marktanteile hängen davon ab, wie die Idealvorstellungen der Kunden zum gewünschten Nutzwert um die Positionen von A, B und C verteilt sind (Idealpunkte hier nicht gezeigt). Wenn Unternehmen A seinen Preis auf Punkt A' senkt, so erhöht sich das Verhältnis zwischen Nutzwert und Preis auf die steilere (gestrichelte) Linie, und nimmt sowohl Unternehmen B als auch Unternehmen C Marktanteile weg; dies gilt vor allem für B,

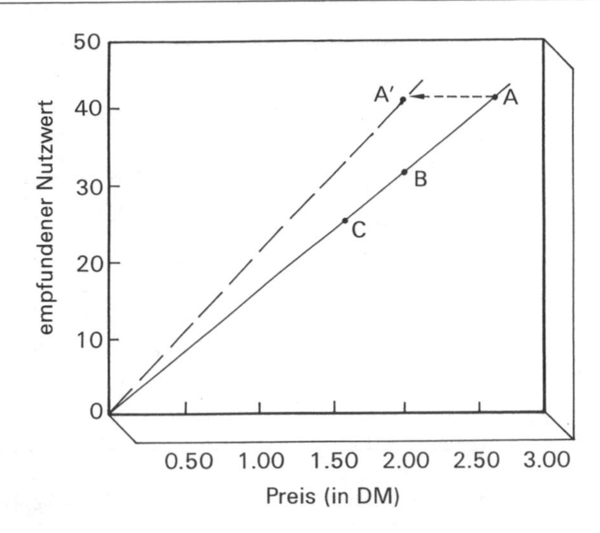

weil A zum gleichen Preis wie B mehr Nutzen bietet. Als Abwehrmaßnahme wird B nun entweder ebenfalls den Preis senken oder versuchen, den empfundenen Nutzwert durch Verbesserungen beim Service, bei der Qualität, der Kommunikationspolitik etc. zu erhöhen. Wenn die Kosten dafür geringer sind als die Einnahmenverluste durch einen niedrigeren Preis, sollte es B gelingen, den empfundenen Nutzwert zu erhöhen.[12]

Exkurs 17-3: Ein Ansatz zur Preisbildung nach dem Wertempfinden

Nicht immer können sich Unternehmen darauf verlassen, daß ihre Kunden den Wert ihres Angebots im Vergleich zur Konkurrenz richtig einschätzen und anerkennen. Fortschrittliche Unternehmen arbeiten hier mit dem Konzept des Kundenwirtschaftlichkeitswertes (KWW) und bauen damit das Wertempfinden der Kunden für ihre Produkte auf. Der Kundenwirtschaftlichkeitswert wird ermittelt, indem man die mit dem Produkt verbundenen Systemkosten und Nutzenangebote einem Vergleichsprodukt gegenüberstellt. Zum Vergleich dient das Produkt, das der Kunde zur Zeit verwendet. Dieser Ansatz ist besonders wirkungsvoll bei Investitionsgütern, wo der Anschaffungspreis eines Produkts nur einen Teil der dem Kunden entstehenden Gesamtkosten über die Nutzungsdauer des Produkts hinweg darstellt.

In folgender Abbildung wird veranschaulicht, wie der KWW ermittelt werden kann. Das Beispiel zeigt zwei neue Produkte, Y und Z, die entwickelt werden sollen, um mit dem Produkt X, das gegenwärtig vom Kunden verwendet wird, in Wettbewerb zu treten.

Das neue Produkt Y entspricht in seiner Leistung und seinen Funktionseigenschaften dem Vergleichsprodukt X; es erfordert jedoch vom Kunden mit insgesamt nur 400.000 DM weniger Rüstkosten (Aufstellen und Einfahren der Anlage) und Folgekosten (Unterhalt und Betrieb der Anlage). Damit würde der Kunde 300.000 DM an Kosten sparen. Da die Lebenszykluskosten des Produkts X für den Kunden 1.000.000 DM betragen, liegt

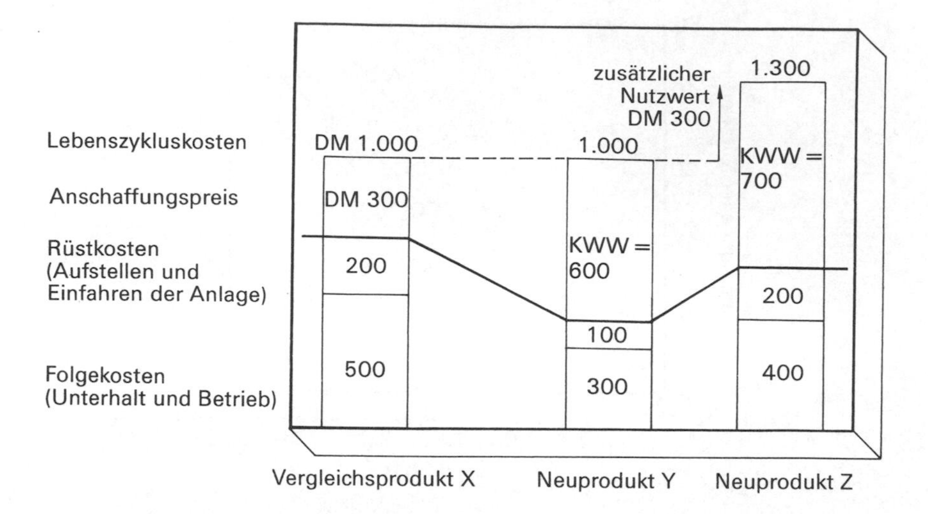

der Kundenwirtschaftlichkeitswert für Produkt Y bei 600.000 DM (1.000.000 DM – 400.000 DM). Folglich sollte der Kunde bereit sein, einen Preis bis zu 600.000 DM für Produkt Y zu zahlen.
Das Neuprodukt Z verfügt über mehr Ausstattungselemente mit höherer Leistung als die Produkte X oder Y. Der Nutzwert dafür liegt nach dem Empfinden der Kunden 300.000 DM über dem des Vergleichsprodukts. Weiterhin entstehen dem Kunden 100.000 DM weniger an Folgekosten als beim Vergleichsprodukt X. Durch diese Einsparung und den zusätzlichen Nutzwert von 300.000 DM errechnet sich ein Wirtschaftlichkeitswert von 700.000 DM für den Kunden. Produkt Z bringt also einen höheren KWW als Produkt Y, obwohl seine Folgekosten höher sind, da es dem Kunden einen Zusatznutzen bietet.
Das Unternehmen sollte seinen Preis so ansetzen, daß er zwischen seinen eigenen Kosten und dem vom Kunden empfundenen Wirtschaftlichkeitswert liegt. Wird z.B. der Preis für Y auf 400.000 DM festgelegt, so kann man dem Kunden klarmachen, daß er damit gegenüber dem Vergleichsprodukt X 200.000 DM einspart, obwohl der Anschaffungspreis 100.000 DM höher liegt. Der Gewinn des Unternehmens wird durch diesen, am Wertempfinden des Kunden orientierten Preis und die Selbstkosten bestimmt. Betragen die Selbstkosten des Unternehmens für Y 250.000 DM, so beträgt der Gewinn des Anbieters 150.000 DM (= 400.000 DM – 250.000 DM).
Mit der KWW-Methode können Unternehmen bestimmen, in welche Marktsegmente sie vordringen sollen. Am attraktivsten sind solche Segmente, in denen das Unternehmen dem Kunden einen Preis anbieten kann, der unter dem KWW liegt, der im Vergleich zum gegenwärtigen Produkt des Kunden errechnet wurde.

Quelle: vom Autor in komprimierter Form übernommen aus John L. Forbis und Nitin T. Mehta: »Economic Value to the Customer«, in *McKinsey Staff Paper* Chicago: McKinsey & Co., Februar 1979, S. 1–10.

Preisbildung nach den Leitpreisen der Konkurrenz

Bei diesem Verfahren leiten im wesentlichen die Preise der Konkurrenz die Preisbildung des Unternehmens; die eigene Kosten- und Nachfragesituation spielen eine untergeordnete Rolle. Man kann entweder den gleichen, einen höheren oder einen niedrigeren Preis als der wichtigste Konkurrent verlangen. In einer oligopolistischen Marktkonstellation, wie bei Öl, Stahl, Papier oder Kunstdünger, fordern die Anbieter im Regelfall gleiche Preise. Die kleineren Mitbewerber folgen dem »Preisführer«; sie ändern ihre Preise, wenn der Preisführer dies tut, und nicht, wenn sich ihre eigene Nachfrage- oder Kostensituation ändert. Es ist möglich, daß einige Anbieter gegenüber dem Preisführer kleine Preisabstufungen nach oben oder unten vornehmen und diese Unterschiede zum Preisführer konstant halten. So verlangen die kleinen freien Tankstellen in der Regel ein paar Pfennige weniger als die großen Ölfirmen, lassen aber dann diesen Preisunterschied weder größer noch kleiner werden.

Die Preisbildung nach Leitpreisen ist relativ beliebt. Wenn ein Unternehmen seine eigenen Kosten nur schwer ermitteln kann, oder wenn Wettbewerbsreaktionen Ungewißheit auslösen, dann sieht es die Ausrichtung des eigenen Preises an den Konkurrenzpreisen als zweckmäßige Lösung an. Nach allgemeiner Auffassung repräsentiert der Leitpreis den Preis, zu dem eine Branche als Ganzes nach Auffassung der eigenen Mitglieder einen angemessenen Gewinn erwirtschaftet und sich nicht in »ruinöse Preiskämpfe« einläßt.

Preisbildung bei Ausschreibungen

Eine Konkurrenzorientierung überwiegt ebenfalls bei der Preisbildung zur Beteiligung an Ausschreibungen. Bestimmend für den Preis sind eher die erwarteten Preise der Konkurrenz als eine schematische Errechnung des eigenen Preises nach den eigenen Kosten oder der Nachfrage. Das Ziel ist es, die Ausschreibung zu gewinnen, also muß man andere glaubwürdige Konkurrenten unterbieten.

Doch unter ein bestimmtes Preisniveau kann der Anbieter nicht gehen. Er kann nicht unter den eigenen Kosten anbieten, ohne Verluste in Kauf zu nehmen. Je niedriger der Preis, desto niedriger wird der mögliche Gewinn. Je höher der Preis, desto niedriger wird die Wahrscheinlichkeit, den Auftrag zu erhalten und den höheren Gewinn zu realisieren. Der Anbieter sollte vor Abgabe seines Preisangebots mehrere Preise in Erwägung ziehen.

Multipliziert man den möglichen Gewinn aus dem Auftrag und die Wahrscheinlichkeit, den Zuschlag zu erhalten, dann ergibt sich der *Erwartungswert des Gewinns* für jeden der vom Anbieter erwogenen Angebotspreise (siehe Tabelle 17–1). Angenommen, ein Angebot von 9.500 DM hätte eine große Chance, den Zuschlag zu erhalten, wofür wir einen Wahrscheinlichkeitswert von 0,81 ansetzen wollen, würde jedoch nur einen geringen Gewinn bringen, z.B. 100 DM; dann beläuft sich der Erwartungswert des Gewinns bei diesem Angebot auf 81 DM. Lautet das Angebot auf 11.000 DM, wäre der Gewinn 1.600 DM; gleichzeitig würden die Chancen, den Auftrag zu bekommen, drastisch sinken, z.B. auf einen Wahrscheinlichkeitswert von 0,01. Der Erwartungswert des Gewinns läge dann lediglich bei 16 DM. Nach der Entscheidungstheorie besteht eine logische Entscheidungsregel darin, einen Preis anzubieten, der zum größtmöglichen Erwartungswert des Gewinns führt. Wie aus

Tabelle 17–1
Unterschiedliche Ausschreibungsangebote und Erwartungswert des Gewinns

Preisangebot (DM)	Gewinn (DM)	geschätzte Zuschlagswahrscheinlichkeit bei diesem Angebot	Erwartungswert des Gewinns (DM)
9.500	100	0,81	81
10.000	600	0,36	216
10.500	1.100	0,09	99
11.000	1.600	0,01	16

Tabelle 17–1 hervorgeht, liegt in unserem Beispiel das entscheidungstheoretisch optimale Angebot bei 10.000 DM – mit einem Erwartungswert des Gewinns von 216 DM.

Für große Unternehmen, die sich an vielen Ausschreibungen beteiligen, ist es sinnvoll, den maximalen Erwartungswert des Gewinns als Entscheidungsregel heranzuziehen. Langfristig werden sie damit eine Gewinnmaximierung erreichen. Anbieter hingegen, die nur gelegentlich an Ausschreibungen teilnehmen oder einen bestimmten Auftrag unbedingt benötigen, werden diese Entscheidungsregel nicht für vorteilhaft halten. Nach dieser Entscheidungsregel würde ein Unternehmen bei einem Gewinn von 1.000 DM mit einem Zuschlagswahrscheinlichkeitswert von 0,10 ebenso gut fahren wie bei einem Gewinn von 125 DM mit einer Zuschlagswahrscheinlichkeit von 0,80, da in beiden Fällen der Erwartungswert des Gewinns 100 DM betragen würde. Ein Unternehmen, das die Produktion am Laufen halten will, würde jedoch das zweite Angebot dem ersten vorziehen, da es hier eine größere Chance hätte, sein Ziel der Produktionskontinuität zu erreichen.

Preisentscheidung

Die beschriebenen Preisbildungsverfahren sollen den Preisbereich bestimmen, von dem aus schließlich die endgültige Preisentscheidung getroffen wird. Hier müssen weitere Aspekte berücksichtigt werden, nämlich die psychologischen Auswirkungen, der Einfluß anderer Elemente im Marketing-Mix, die preispolitischen Grundsätze des Unternehmens und die Auswirkungen der Preisentscheidung auf andere Beteiligte.

Berücksichtigung psychologischer Auswirkungen

Anbieter sollten neben den wirtschaftlichen auch die psychologischen Auswirkungen des Preises berücksichtigen. Für viele Kunden zeigt der Preis die Produktqualität an. Als z.B. in den USA der Preis von Fleischmann's Gin von 4,50 $ auf 5,50 $ pro Flasche angehoben wurde, ging der Absatz nicht nach unten, sondern nach oben. Imagebildende Preise sind insbesondere wirkungsvoll bei Produkten, die stark auf das Ego des Käufers einwirken, wie z.B. Parfüms und Luxus-Autos. So zahlen Kunden u.U. für ein Parfüm, das für 100 DM angeboten wird und Duftstoffe im Wert von lediglich 10 DM enthält, trotzdem bereitwillig 100 DM, da der hohe Preis diese Marke als »etwas Besonderes« ausweist.

Eine Untersuchung über den Preis und die Qualitätsbeurteilung bei Automobilen ergab, daß hier eine wechselseitige Beziehung vorlag.[13] Autos mit einem höheren Preis wurden als qualitativ (ungerechtfertigt) hochwertig eingeschätzt. Automobile von hoher Qualität wurden für teurer gehalten, als sie tatsächlich waren. Wenn für den Verbraucher jedoch ausführliche Produktinformationen, z.B. Unterschiede bezüglich Material und Image der Bezugsquelle, verfügbar sind, spielt der Preis in der Qualitätseinschätzung eine untergeordnete Rolle.[14] In Abwesenheit anderer Qualitätsmerkmale ist der Preis als Qualitätsmerkmal sehr wichtig.

Häufig manipulieren Anbieter die preisliche Bindung ihres Produkts an einen *Referenzpreis*. Käufer richten sich bei der preislichen Beurteilung eines Produkts oft nach einem bestimmten Referenzpreis, auch *Ankerpreis* genannt. Sie leiten diesen Referenzpreis entweder aus aktuellen oder früheren Preiserfahrungen oder aus den jeweiligen situativen Gegebenheiten des Kaufs ab. So könnte ein Anbieter sein Produkt gleich neben einem teureren Produkt plazieren, um den Eindruck zu erwekken, daß sein Produkt in die gleiche Klasse fällt. Kaufhäuser verkaufen z.B. Damenkonfektionskleidung in mehreren, preislich abgestuften Abteilungen; bei Damenbekleidung, die in der teureren Abteilung angeboten wird, vermutet der Kunde bessere Qualität. Mit Referenzpreisen wird auch gearbeitet, wenn eine hohe Preisempfehlung des Herstellers, ein früher viel höherer Preis oder der hohe Preis eines Konkurrenten neben den Angebotspreis gestellt wird.

Viele Anbieter glauben, daß ihr Preis auf eine unrunde Zahl enden sollte. In Werbeanzeigen sind *gebrochene Preise* gängig, die knapp unterhalb der nächsthöheren Dezimalstufe angesiedelt sind. Auf dem Preisschild für eine Stereoanlage steht daher meist nicht 600 DM, sondern 599 DM. Damit will man bewirken, daß der Kunde diesen Preis eher dem 500-DM-Bereich als dem 600-DM-Bereich zuordnet. Man meint, daß gebrochene Preise den Eindruck vermitteln, es würde damit ein Preisnachlaß gewährt oder ein besonders günstiges Angebot unterbreitet. Wenn ein Unternehmen jedoch kein Niedrigpreis-Image, sondern ein Hochpreis-Image anstrebt, sollte es auf »Unrundes« verzichten.

Einfluß anderer Elemente im Marketing-Mix

Bei der Festlegung des Preises müssen auch die Qualität der Marke und die Werbeaufwendungen dafür im Vergleich zur Konkurrenz berücksichtigt werden. Farris und Reibstein untersuchten die Beziehung zwischen relativem Preis, relativer Qualität und relativen Werbeaufwendungen bei 227 Unternehmen der Konsumgüterindustrie und kamen zu folgenden Ergebnissen:[15]

1. Bei Marken durchschnittlicher relativer Qualität mit hohen relativen Werbeaufwendungen konnte der Anbieter höhere Preise erzielen. Offensichtlich waren die Konsumenten bereit, für bekannte Produkte mehr zu bezahlen als für unbekannte.
2. Bei Marken mit hoher relativer Qualität und hohen relativen Werbeaufwendungen wurden die höchsten Preise erzielt. Umgekehrt wurden bei Marken mit niedriger Qualität und niedrigen Werbeaufwendungen die niedrigsten Preise erzielt.
3. Der positive Zusammenhang zwischen hohen Preisen und hohen Werbeaufwendungen war in den späteren Phasen des Produkt-Lebenszyklusses, bei Marktführern und bei leicht erschwinglichen Produkten am ausgeprägtesten.

Preispolitische Grundsätze des Unternehmens
Der beabsichtigte Preis sollte daraufhin überprüft werden, ob er in Einklang mit den preispolitischen Grundsätzen des Unternehmens steht. Viele Unternehmen richten zur Erarbeitung preispolitischer Grundsätze sowie zur Herbeiführung und Genehmigung von Preisentscheidungen eine eigene Abteilung ein. Damit soll sichergestellt werden, daß im Vertrieb Preise angeboten werden, die für die Kunden vernünftig und für das eigene Unternehmen gewinnbringend sind.

Auswirkungen der Preisentscheidung auf andere Beteiligte
Auch die Reaktionen anderer Beteiligter auf den beabsichtigten Preis müssen beachtet werden. Hier stellen sich folgende Fragen: Wie wird der *Handel* den Preis aufnehmen? Wird das *eigene Vertriebspersonal* diesen Preis bereitwillig vertreten oder sich darüber beschweren, daß er zu hoch ist? Wie werden die *Konkurrenten* auf diesen Preis reagieren? Werden die *Zulieferer* ihre Preise anheben, wenn sie von diesem Preis erfahren? Werden *staatliche Stellen* intervenieren und diesen Preis untersagen? In letzterem Fall muß der Marketer die einschlägige Gesetzgebung kennen und sicherstellen, daß seine preispolitischen Grundsätze rechtlich haltbar sind.

Programmatische Preismodifizierung

Unternehmen legen in der Regel keinen einzelnen Preis, sondern ein strukturelles Preisprogramm fest, das unterschiedliche Produkte und Artikel des Sortiments umfaßt und Faktoren wie geographische Nachfrage- und Kostenunterschiede, marktsegmentspezifische Nachfrageintensität, Kaufzeitpunkt etc. berücksichtigt. Wir werden die geographische Preismodifizierung, die Preismodifizierung durch Rabatte und Nachlässe, die verkaufsfördernde Preismodifizierung, die diskriminierende Preismodifizierung und die Preisabstufung im Sortiment untersuchen.

Geographische Preismodifizierung

Bei der geographischen Preismodifizierung befaßt sich das Unternehmen mit der Entscheidung, welche Preise es von Kunden fordern soll, die in unterschiedlichen Regionen des Landes angesiedelt sind. Sollte man von weiter entfernten Kunden zur Deckung der höheren Versandkosten auch höhere Preise nehmen und damit das Risiko eingehen, diese Kunden zu verlieren? Oder sollte man von allen Kunden, unabhängig von ihrem Standort, dieselben Preise nehmen? In der Praxis haben sich fünf geographische Preisstrategien entwickelt, die in Exkurs 17-4 näher beschrieben werden.

Exkurs 17-4: Fünf geographische Preisstrategien

Anhand des folgenden fiktiven Beispiels wollen wir fünf Haupttypen der geographischen Preisstrategie veranschaulichen:

Der Porzellanwarenhersteller Lohengrin mit Sitz bei Bayreuth im Freistaat Bayern verkauft seine Produkte an Kunden in ganz Europa. Die Frachtkosten sind hoch und beeinflussen daher die Lieferantenwahl der Kunden. Lohengrin will eine geographische Preispolitik festlegen und u.a. bestimmen, welcher Preis für einen Auftrag über 1.000 DM von drei spezifischen Kunden gefordert werden soll: vom Kunden A (in Augsburg), vom Kunden B (in Berlin) und vom Kunden C (in Kopenhagen).

Werksabgabepreis FOB-Herkunftsort

Lohengrin kann von jedem Kunden die Übernahme der Versandkosten von der Fabrik in Bayreuth bis zum jeweiligen Kundenstandort verlangen. Alle drei Kunden würden denselben Fabrikabgabepreis von 1.000 DM bezahlen, zuzüglich der Versandkosten, die für den Kunden A 100 DM, für den Kunden B 150 DM und für den Kunden C 250 DM betragen könnten. Dies bezeichnet man als Preisstellung nach FOB-Herkunftsort, was bedeutet, daß der Verkäufer die Ware »frei an Bord« (*free on board, FOB*) einem Frachtführer zur Verfügung stellt; hier gehen dann Eigentum und Risiko auf den Käufer über, der die Frachtkosten von der Fabrik bis zum Bestimmungsort zu tragen hat.
Befürworter der Preisstellung auf FOB-Basis meinen, daß dies die fairste Frachtkostenregelung sei, da jeder Kunde seine eigenen Kosten trägt. Nachteilig ist jedoch, daß Lohengrin damit für die Kunden an weiter entfernten Standorten zu einem teuren Lieferanten wird. Wenn der Hauptkonkurrent von Lohengrin z.B. in Dänemark ansässig ist, hat er dort den Preisvorteil. So wird dieser Konkurrent in den meisten nördlichen Regionen mehr verkaufen als Lohengrin, während Lohengrin im Süden eine dominierende Stellung einnehmen wird. Auf der Landkarte könnte man eine waagerechte Linie ziehen, welche die Orte verbindet, in denen der von beiden Unternehmen geforderte Preis zuzüglich Frachtkosten übereinstimmt. Südlich dieser Linie hätte Lohengrin einen Preisvorteil, und nördlich davon läge der Preisvorteil beim Konkurrenten.

Einheitlicher Frei-Haus-Preis

Bei dieser Art der Preisstellung handelt es sich genau um das Gegenteil der Preisstellung auf FOB-Basis. Das Unternehmen berechnet allen Kunden unabhängig von deren Standort denselben Preis einschließlich Frachtkosten. Die in den Preis einbezogenen Auslieferungsgebühren entsprechen den durchschnittlichen Frachtkosten. Wenn wir in unserem Beispiel davon ausgehen, daß diese bei 150 DM liegen, so führt eine einheitliche Preisstellung frei Haus zu überhöhten Gebühren für den Kunden in Augsburg (der statt 100 DM nunmehr 150 DM an Frachtgebühren zahlen muß) und zu »subventionierten« Gebühren für den Kunden in Kopenhagen (der statt 250 DM nur 150 DM zahlt). Der Kunde in Augsburg würde vergleichbare Waren dann eher von einem anderen, direkt vor Ort angesiedelten Hersteller kaufen, der FOB-Preise anbietet. Andererseits hat Lohengrin mit einem einheitlichen Frei-Haus-Preis die bessere Chance, den in Kopenhagen ansässigen Kunden für sich zu gewinnen. Weitere Vorteile dieser Methode liegen darin, daß sie verwaltungstechnisch relativ einfach anwendbar ist und sie dem Unternehmen erlaubt, den über die Werbung bekanntgemachten Preis einzuhalten.

Zonenpreise
Die Zonenpreisstrategie liegt zwischen der Preisstellung nach FOB-Herkunftsort und dem einheitlichen Frei-Haus-Preis. Das Unternehmen legt zwei oder mehrere Zonen fest. Alle Kunden innerhalb einer Zone zahlen denselben Gesamtpreis; in den weiter entfernten Zonen ist dieser Preis höher. In unserem Beispiel könnte Lohengrin z.B. seinen Markt in eine »Nah-Zone« (Bayern) mit einem Frachttarif von 100 DM für alle Kunden innerhalb einer Zone, eine »Mittel-Zone« (Deutschland) mit einem Frachttarif von 150 DM und eine »Fern-Zone« (Europa) mit einem Frachttarif von 250 DM einteilen. So gibt es keine Preisvorteile für Kunden, die innerhalb derselben Zone angesiedelt sind; folglich würden ein Kunde in Augsburg und ein Kunde in Nürnberg denselben Gesamtpreis an Lohengrin entrichten. Der Nachteil dabei ist jedoch, daß der Kunde in Nürnberg die Frachtkosten des Kunden in Augsburg gewissermaßen »mitfinanziert«. Des weiteren hat ein Kunde ganz knapp hinter der Trennlinie zwischen Nah- und Mittel-Zone wesentlich mehr zu bezahlen als ein Kunde, der ganz knapp vor dieser Trennlinie angesiedelt ist, obwohl beide vielleicht nur einige Kilometer voneinander entfernt sind.
Die Zonenpreisstrategie wird nicht nur bei Abgabepreisen an den Handel angewandt, sondern auch bei Abgabepreisen an den Endverbraucher. So hat z.B. die Firma Nordmende, die Produkte der Unterhaltungselektronik herstellt, in Absprache mit seinem Fachhandelsnetz die alten Bundesländer in 13 Zonen aufgeteilt, in denen es jeweils einen einheitlichen Endverbraucherpreis gibt.[16]

Frachtbasispreise (*Basing-Point*-Methode)
Bei dieser Methode legt der Verkäufer einen bestimmten Ort als Frachtbasis (*Basing Point)* fest und berechnet allen Kunden unabhängig vom tatsächlichen Versandort der Ware die fiktiven Frachtkosten von diesem Basisort zum Kundenstandort. So könnte Lohengrin Hannover als Frachtbasis wählen und allen Kunden den Fabrikabgabepreis von 1.000 DM zuzüglich der jeweiligen Frachtkosten von Hannover zum Bestimmungsort in Rechnung stellen. Das bedeutet, daß Kunden mit dem Standort Augsburg die Frachtkosten von Hannover nach Augsburg zu entrichten haben, auch wenn die Ware in Bayreuth versandt wird. Sie würden dann sozusagen eine »Phantomgebühr« bezahlen. Für die Wahl eines nicht mit dem Fabrikstandort identischen Orts als Frachtbasis spricht, daß der Hersteller den im Preiswettbewerb für ihn am günstigsten gelegenen Ort als Frachtbasis wählen kann.
Würden alle Verkäufer dieselbe Stadt als Frachtbasis wählen, wären die berechneten Auslieferungsgebühren bei allen Wettbewerbern gleich. Ein Preiswettbewerb durch Frachtkostenvorteile wäre damit ausgeschaltet. Die Hersteller der deutschen Stahlindustrie z.B. haben die Absprache getroffen, daß die Städte Oberhausen bzw. Saarbrücken als Frachtbasisort für die meisten Stahlsorten gelten sollen. Für einige Stahlsorten hat man auch Esslingen, Dillingen, Siegen bzw. Neuwied als Frachtbasis vereinbart.[17]
Auch in den USA wurde bei Produkten wie Zucker, Zement, Stahl und Autos jahrelang mit Frachtbasispreisen operiert. Heute allerdings ist die Anwendung dieser Methode in den USA rückläufig, da die Rechtsprechung dies in Prozessen gegen unerlaubte Preisabsprachen der Wettbewerber immer mehr unterbindet. Um flexibler zu sein, legen einige Anbieter auch mehrere Städte als Frachtbasis fest. In diesem Fall berechnen sie die Frachtgebühren von der dem Kundenstandort nächstgelegenen Frachtbasis bis zum Bestimmungsort.

Preisstellung mit flexibler Frachtkostenübernahme
Anbieter, die unbedingt Geschäfte mit einem bestimmten Kunden oder in einem bestimmten Gebiet tätigen wollen, könnten die gesamten oder einen Teil der tatsächlichen Frachtkosten übernehmen, um ins Geschäft zu kommen. Sie könnten argumentieren, daß ihre Durchschnittskosten bei einem größeren Geschäftsvolumen fallen und die zusätzlichen Frachtkosten dadurch mehr als wettgemacht werden. Dieses Verfahren wird zur Marktdurchdringung und auch zur Erhaltung der Position auf Märkten mit zunehmend intensivem Wettbewerb eingesetzt.

Preismodifizierung durch Rabatte und Nachlässe

Die meisten Unternehmen modifizieren ihren Grundpreis, um die Kunden zu bestimmten Handlungen, z. B. frühzeitige Zahlung, Abnahme größerer Mengen und Aufträge außerhalb der Saison, zu bewegen. Solche Preismodifizierungen in Form von Rabatten und Nachlässen werden im folgenden beschrieben.

Skonto

Unter Skonto oder Barzahlungsrabatt ist ein Preisnachlaß für Kunden zu verstehen, die ihre Rechnungen unverzüglich begleichen. Ein typisches Beispiel dafür ist der Vermerk »2/10 netto 30«, der besagt, daß die Zahlung innerhalb von 30 Tagen zu erfolgen hat, der Käufer jedoch bei Begleichung der Rechnung innerhalb von 10 Tagen 2 % vom Preis abziehen kann. Ein Skonto muß allen Käufern gewährt werden, die diese Zahlungsbedingungen einhalten. Skonti bzw. Barzahlungsrabatte sind in vielen Branchen üblich und sollen die Liquidität des Anbieters verbessern sowie die Kosten für die Eintreibung von Außenständen und die uneinbringbaren Forderungen senken.

Mengenrabatte

Der Mengenrabatt ist eine Preisreduzierung, die Käufern bei Abnahme großer Mengen eingeräumt wird. Ein typisches Beispiel dafür wäre folgender Vermerk: »20 DM pro Stück bei Abnahme von bis zu 100 Stück, 18 DM pro Stück bei Abnahme von 100 und mehr Stück.« Mengenrabatte sollten allen Kunden in gleichem Maße gewährt werden und die mit dem Verkauf größerer Mengen verbundenen Kosteneinsparungen nicht übersteigen. Zu diesen Einsparungen zählen niedrigere Kosten für Verkauf, Lagerhaltung und Transport. Mengenrabatte können entweder auf »nichtkumulativer« Basis (d. h. auf jede Einzelbestellung) oder auf »kumulativer« Basis (d. h. auf eine innerhalb eines bestimmten Zeitraums bestellte Menge) gewährt werden. Kumulierte Mengenrabatte bieten dem Kunden einen Anreiz, von einem bestimmten Anbieter wiederholt größere Mengen abzunehmen, statt von mehreren Bezugsquellen zu kaufen.

Funktionsrabatte

Funktionsrabatte (auch als Händlerrabatte bezeichnet) werden den Funktionsträgern im Absatzsystem vom Hersteller für die Übernahme bestimmter Aufgaben, z.B. Vertrieb, Lagerhaltung und Aufzeichnung von Warenflüssen und anderen Daten, gewährt. Je nach Absatzweg können Hersteller unterschiedliche Funktionsrabatte anbieten, da hier jeweils Aufgaben unterschiedlicher Art erfüllt werden. Innerhalb eines spezifischen Absatzwegs sollte ein Hersteller jedoch die gleichen Funktionsrabatte anbieten.

Saisonrabatte

Ein Saisonrabatt (oft auch Nachsaison- oder Vorsaison-Rabattangebote genannt) ist ein Preisnachlaß für Käufer, die Waren oder Dienstleistungen außerhalb der jeweiligen Saison erwerben. Saisonrabatte ermöglichen es dem Hersteller, die Produktion über das ganze Jahr hinweg auf stabilerem Niveau zu halten. So bieten z.B. Ski-Hersteller Einzelhändlern im Frühling und Sommer Saisonrabatte an, damit diese frühzeitig bestellen. Auch Hotels, Pensionen, Reisebüros und Fluggesellschaften bieten in nachfrageschwachen Zeiten Saisonrabatte an.

Sondernachlässe

Unter Sondernachlässen sind andere, bisher noch nicht genannte Ermäßigungen auf den üblichen Preis zu verstehen. Dazu zählen z.B. Preisnachlässe, die oft in großzügig anmutender Form beim Kauf eines neuen Produkts gegen *Inzahlungnahme* eines gebrauchten Produkts gewährt werden. Besonders verbreitet ist diese indirekte Form des Nachlasses in der Automobilindustrie; aber auch in einigen anderen Gebrauchsgüterbranchen findet man sie. Auch *Aktionszuschüsse* gehören zu den Sondernachlässen. Dabei handelt es sich um Zahlungen oder Preisnachlässe, die Händlern für die Teilnahme an Werbe- und Verkaufsförderungsaktionen gewährt werden. Sondernachlässe werden nicht nur von Herstellern angeboten, sondern auch von Handelsorganisationen – z.B. als »Treuerabatt«, »Jubiläumsrabatt«, »Geschäftseröffnungsrabatt« und in weiteren kreativen Varianten – gefordert.

Preismodifizierung zur Absatzförderung

Unter bestimmten Bedingungen senken die Anbieter ihre Produktpreise vorübergehend unter den allgemein angekündigten und geforderten Preis, und gelegentlich auch unter die Einstandskosten. Solche absatzfördernden Preise gibt es in vielen Erscheinungsformen. Die Grundtypen sind dabei folgende:

– **Lockvogelpreise**
  Lockvogelpreise sind auf der Einzelhandelsebene üblich. Der Einzelhandel benutzt besonders gern bekannte Markenartikel zu Lockvogelangeboten mit Preisen, die so stark gesenkt werden, daß sie zum Teil unter den Einstandskosten des Handels liegen. Dahinter steht die Absicht, einen regen Kundenverkehr zu initiieren. Im Regelfall sind jedoch die Hersteller von Markenartikeln nicht damit einverstanden, daß ihre Marken als »Lockvogelartikel« verwendet werden, da sie befürchten, daß der niedrige Preis das Markenimage schädigt. Zudem führen Lockvogelangebote zu Beschwerden von anderen Einzelhändlern, die ebenfalls Kun-

den des Herstellers sind, aber den gängigen Preis für das Produkt verlangen. In Deutschland besteht die Rechtsnorm, daß Lockvogelangebote so gekennzeichnet werden müssen (z.B. als Sonderangebot), daß hier der Einzelfallcharakter für den Kunden erkennbar ist, denn der Kunde soll aus dem Angebotspreis nicht schließen, daß das gesamte Preisniveau des entsprechenden Anbieters niedrig ist.

- **Sonderaktionspreise**
  Sonderaktionspreise gelten bei Sonderveranstaltungen bzw. bei Sonderangeboten. Zu den Sonderveranstaltungen gehören der Sommer- und Winterschlußverkauf, Ausverkäufe – z.B. in Form eines Totalausverkaufs eines gesamten Geschäftes wegen Geschäftsaufgabe oder in Form eines Teilausverkaufs wegen Aufgabe einzelner Warengattungen – sowie Räumungsverkäufe, die einen bestimmten Warenbestand betreffen und z.B. wegen Umbaus, Umzugs oder Brandschäden stattfinden, und darüber hinaus auch Jubiläumsverkäufe. Alle anderen Sonderveranstaltungen mit zeitlicher Beschränkung sind in Deutschland nach dem Gesetz gegen unlauteren Wettbewerb (UWG) nicht zulässig. Sonderangebote ohne ausdrückliche zeitliche Begrenzung sind in Deutschland dagegen allgemein zulässig, wenn das der Kundschaft angepriesene Angebot im Laden sofort greifbar ist und ein ausreichender Vorrat bereitgehalten wird. Unter diesen Bedingungen gibt es einen großen kreativen Spielraum für zulässige Sonderangebote, so daß die Abgrenzung gegenüber den nicht zulässigen Sonderveranstaltungen schwierig wird.
- **Barrückvergütungen**
  Rückvergütungen in Form von Bargeld durch die Hersteller direkt an die Konsumenten, die ein Produkt beim Einzelhandel gekauft haben, werden besonders in den USA oft praktiziert. Der Hersteller wirbt für sein Produkt, indem er dem Endkäufer bei Kauf innerhalb eines bestimmten Zeitraumes eine Barrückvergütung anbietet, die dieser auf Einsendung eines Coupons oder eines Antrags hin erhält. Damit kann der Hersteller seine Lager leichter räumen, ohne den Listenpreis senken zu müssen. Automobilhersteller haben dieses Rückvergütungsverfahren in Nordamerika oft praktiziert, um den Absatz bestimmter Modelle zu stimulieren. Beim erstmaligen Angebot der Barrückvergütung war diese in der Regel erfolgreich, doch bei wiederholtem Einsatz büßte sie ihre Wirkung ein. Möglicherweise nutzen diejenigen, die ohnehin ein Auto kaufen wollen, die Barrückvergütung gerne, wenn sie erstmalig angeboten wird, während andere sich dadurch kaum dazu verlocken lassen, ein Auto zu kaufen. Auch Konsumgüterhersteller in Nordamerika wenden des öfteren Barrückvergütungen an. Sie wollen damit kurzzeitig den Absatz stimulieren und dabei die Minderung ihrer Einnahmen geringer halten als bei einer Preissenkung. Dies resultiert daraus, daß viele Kunden das Produkt zwar kaufen, aber dann doch nicht die Zeit finden, den Rückvergütungsgutschein auszufüllen und einzusenden. In Deutschland ist diese Praxis der Barrückvergütungen bedeutungslos, da aufgrund gesetzlicher Vorschriften die Rückvergütung als Rabatt maximal 3 % betragen und das Angebot zeitlich nicht eingeschränkt werden darf.
- **Zinsgünstige Finanzierungsangebote**
  Zinsgünstige Finanzierungen sind eine weitere Möglichkeit zur Stimulierung des Absatzes ohne Preissenkung. Einige Autohersteller boten schon Finanzierungen zu 2 % Zinsen und setzten sogar kurzzeitig Zinszahlungen aus, um Kunden anzulocken. Da viele Autokäufer ihr Fahrzeug über Kredite finanzieren, wirken günstige Finanzierungsangebote verlockend. [18] Auch bei anderen Gebrauchsgütern, im Industriegütermarketing und bei Vertragsabschlüssen zwischen Hersteller und Handel spielen günstige Finanzierungsangebote eine wesentliche Rolle.
- **Garantieleistungen und Wartungsverträge**
  Das Unternehmen kann seinen Absatz fördern, indem es Garantieleistungen und Wartungsverträge in den Preis einbindet. Anstatt dafür den regulären Preis zu verlangen, kann es diese Leistungen gratis oder zu einem reduzierten Preis mitanbieten. Auf diese Weise reduziert es den »Systempreis« für den Kunden.
- **Psychologische Preismodifizierung**
  Hier wird für ein Produkt ein hoher Vergleichspreis angegeben und das Produkt dann mit beträchtlichen Abschlägen zum Verkauf angeboten. So könnte z.B. auf dem Preisschild stehen: »Reduziert von 700 DM auf 600 DM«. Dies ist in Deutschland nur dann erlaubt, wenn eine Vielzahl von Waren in einem Geschäft mit Abschlägen angeboten wird und die einzelne Ware gegenüber dem allgemeinen Angebot werbemäßig nicht besonders herausgestellt wird. Künstlich überhöhte »Mondpreise« sind als Vergleichsbasis untersagt.

Ein Problem bei der verkaufsfördernden Preismodifizierung ist, daß die Konkurrenz rasch nachzieht, wenn sich diese Taktik als erfolgreich erweist, und damit ihre Wirkung für das jeweilige Unternehmen verlorengeht. Funktioniert hingegen diese Taktik nicht, ist sie eine Verschwendung von Geld, das man für längerfristig wirkende Marketingvorhaben hätte ausgeben können, z.B. für die Verbesserung der Produktqualität und des Kundendienstes oder für die Imagewerbung.

Diskriminierende Preismodifizierung

Oft passen Unternehmen ihre Grundpreise an kunden-, produkt- oder standortspezifische Unterschiede an. Von *diskriminierender Preismodifizierung* spricht man, wenn ein Unternehmen das gleiche Produkt oder die gleiche Dienstleistung zu zwei oder mehreren Preisen anbietet, ohne daß dabei ein wesentlicher oder direkter Kostenbezug besteht. Die Preisdiskriminierung findet man in mehreren Erscheinungsformen:

- **Preismodifizierung nach Kundensegmenten**
  Hier nimmt der Anbieter von unterschiedlichen Kundenschichten für dasselbe Produkt oder dieselbe Dienstleistung unterschiedliche Preise. Beispiele dafür sind reduzierte Eintrittspreise für Studenten und Senioren bei einem Museumsbesuch oder vergleichsweise hohe Arztrechnungen bei Privatpatienten im Vergleich zum Arzthonorar bei Kassenpatienten.
- **Preismodifizierung nach der Produkt- oder Anwendungsform**
  Hier werden für leicht unterschiedliche Produkt- oder Anwendungsformen unterschiedliche Preise festgelegt, wobei nur geringfügige Herstellungskostenunterschiede zugrunde liegen. Neue Automobile in Metallic-Lackierung kosten z.B. – bei unerheblichen Kostenunterschieden in der Herstellung gegenüber den Normallackierungen – etwa 500 bis über 1.000 DM mehr. Ein noch prägnanteres Beispiel liefert Evian-Mineralwasser, das zum einen als Getränk in der 1/4-Liter-Flasche für weniger als 1 DM angeboten wird, und zum anderen als Befeuchtungsspray für das Gesicht in einer eleganten Kleinpackung etwa 10 DM kostet. Leichtes Heizöl, mit Dieseltreibstoff so gut wie identisch, kostet wesentlich weniger als Dieselöl. In diesem Beispiel ist der Staat durch eine anwendungsdifferenzierte Besteuerung des gleichen Produkts die Hauptursache für die Preisdiskriminierung. Auch die Post betreibt Preisdiskriminierung. Ein DIN-A-4 Blatt, in einem Kuvert als Drucksache verschickt, kostet bedeutend weniger als ein persönlicher Brief gleichen Volumens. Der preisliche Unterschied ist hier ebenfalls nicht durch Kosten begründbar, sondern nur durch die Anwendung des gleichen Beförderungsdienstes zu einem unterschiedlichen Zweck.
- **Imagemäßige Preismodifizierung**
  Einige Unternehmen legen für dasselbe Produkt, auf Imageunterschiede bauend, zwei verschieden hohe Preise fest. So kann ein Parfumhersteller ein Parfum unter dem einen Markennamen mit einem bestimmten Image für 20 DM anbieten und das gleiche Parfum in einer noch schöneren Packung unter einem anderen Namen und einem anderen Image für 60 DM anbieten. Ein Limonadenhersteller kann den Zucker in seiner Limonade durch Süßstoff ersetzen und dadurch dieses Getränk einerseits billig als Brause und andererseits als hochpreisiges kalorienreduziertes Diätgetränk verkaufen.
- **Räumliche Preismodifizierung**
  Hier werden je nach räumlicher Lage unterschiedliche Preise gefordert, auch wenn die Kosten überall gleich sind. So variiert ein Theater seine Eintrittspreise anhand der Sitzplatzpräferenzen des Publikums. Wenn ein größeres Gelände als Baugrund erschlossen wird, werden die einzelnen Bauplätze oft je nach Lage zu unterschiedlichen Preisen angeboten, auch wenn die Erschließungskosten nicht lageabhängig sind.
- **Zeitliche Preismodifizierung**
  Hier werden je nach Jahreszeit, Tag oder sogar Stunde unterschiedliche Preise festgelegt. So variieren die Telefontarife je nach Tageszeit, und auch am Wochenende gelten andere Tarife als an Werktagen.

Damit die diskriminierende Preismodifizierung funktioniert, müssen bestimmte Bedingungen gegeben sein. Erstens muß der Gesamtmarkt segmentierbar sein, und in den einzelnen Segmenten muß die Nachfrage unterschiedlich intensiv sein. Zweitens sollten Kunden im Segment, das den niedrigeren Preis zahlt, nicht die Möglichkeit haben, ihrerseits das Produkt an Kunden im Hochpreissegment weiterzuverkaufen. Drittens sollte den Konkurrenten nicht die Möglichkeit eingeräumt werden, das eigene Unternehmen selektiv im Hochpreissegment zu unterbieten. Viertens sollten die Kosten der Marktsegmentierung und -überwachung nicht höher sein als die zusätzlichen Einnahmen aus der Preismodifizierung. Fünftens sollte die Preismodifizierung keine Verärgerung unter den Kunden hervorrufen. Und sechstens darf die gewählte Form der Preismodifizierung nicht rechtswidrig sein.

Preisabstufungen im Produktverbund

Die Preise einzelner Produkte müssen in wohlüberlegten Abstufungen modifiziert werden, wenn das Produkt Bestandteil eines Produktverbunds ist. In diesem Fall sucht das Unternehmen ein Preisgefüge, das einen möglichst hohen Ertrag für den gesamten Produktverbund bringt. Die Preisbildung ist hier meist schwierig, da es zwischen den einzelnen Produkten Nachfrage- und Kostenzusammenhänge gibt und sie einem unterschiedlich intensiven Wettbewerb ausgesetzt sind. Wir können hier sechs Problemstellungen unterscheiden.

Preisabstufungen in der Produktlinie

Normalerweise entwickeln Unternehmen keine Einzelprodukte, sondern Produktlinien. So bietet z. B. Panasonic fünf verschiedene Videokameras an, wobei die Palette von einem einfachen leichteren Modell bis zu einem hochkomplexen schweren Gerät mit Überschneidungsregelung, automatischer Schärfeneinstellung und Zoomobjektiv mit zwei Gängen reicht. Von unten angefangen bietet das jeweils nächsthöhere Modell in dieser Produktlinie als Voraussetzung für einen höheren Preis mehr Ausstattungsniveau. Es muß nun entschieden werden, welche *Preisabstufungen* zwischen den einzelnen Kamera-Modellen vorgenommen werden sollen. Diese Abstufungen sollten Unterschiede in den Kosten, im Wert der Ausstattung für die Kunden sowie die Preise der Konkurrenten berücksichtigen. Ist der Preisunterschied zwischen zwei benachbarten Modellen gering, werden die Kunden die fortschrittlichere Kamera kaufen, was dem Unternehmen höhere Gewinne bringt, falls der Unterschied bei den Herstellungskosten geringer als der Preisunterschied ausfällt. Ist der Preisunterschied hingegen groß, werden sich die Kunden für die weniger fortschrittlichen Kamera-Modelle entscheiden. Auch Volkswagen hat bei seinen Modellen Polo, Golf und Passat mit ihren vielen Untervarianten solche Preisabstufungsprobleme zu lösen.

In vielen Wirtschaftszweigen richten sich die Anbieter breiter Produktsortimente nach den auf dem Markt etablierten *Preisklassen* mit ihren typischen Durchschnittspreisen. So könnte ein Herrenbekleidungsgeschäft Herrenanzüge in drei Preisabstufungen anbieten: 300 DM, 600 DM und 1.200 DM. Die Kunden werden die Anzüge diesen Preisen entsprechend als qualitativ niedrig, durchschnittlich und hoch einschätzen. Auch wenn die drei Preise jeweils leicht variiert werden, bleiben die Männer beim Anzugkauf im Regelfall ihrer bevorzugten Preisklasse treu. Bei Damenoberbekleidung unterscheidet man z.B. fünf Genre-Klassen mit jeweils zugeordneten Preisstufen: das Stapel-Genre (niedrigpreisig), das Mittel-Genre, das gehobene Genre, das hohe Genre und das Modell-Genre (sehr hochpreisig). [19] Die Aufgabe des Anbieters liegt vor allem in der Schaffung wahrnehmbarer Qualitätsunterschiede zur Rechtfertigung der Preisabstufungen.

Preisabstufungen bei Sonderausstattungen

Viele Unternehmen bieten neben dem Hauptprodukt auch Sonderausstattungen an. So kann der Autokäufer z.B. elektrische Fensterheber, Pollenfilter und Zentralverriegelung separat bestellen. Die Preisabstufung für diese Extras prägt das Image und die Glaubwürdigkeit des Anbieters. Ein Autohersteller muß entscheiden, welche Ausstattungselemente serienmäßig im Preis eingeschlossen und welche als Extras angeboten werden sollen. Volkswagen z.B. verfolgt im deutschen Markt die Politik, die »nackte« Grundversion niedrigpreisig und die Sonderausstattungen hochpreisig anzubieten. Dadurch gewinnen potentielle Kunden den Eindruck, daß ein Volkswagen billig zu kaufen sei. Wenn sie jedoch dem Kauf näher kommen, merken viele Kunden, daß dieses Sparmodell so wenig Komfort bietet, daß sie es in dieser Form nicht kaufen wollen. Rechnen sie die Preise für die gewünschten Optionen hinzu, stellen diese Kunden fest, daß reichhaltig ausgestattete Grundmodelle anderer Anbieter preiswerter sind. Damit ergeben sich Zweifel bei den Kunden, ob die Autos von VW nicht nur bei den Optionen, sondern auch beim Grundmodell überteuert sind. Volkswagen wirkte einem möglichen Verlust an Preisgünstigkeitsimage entgegen, indem es 1989 unter dem Motto »mehr VW für Ihre Mark« eine Kampagne startete, in der die Grundversion vieler Modelle bei gleichbleibendem Preis durch zusätzliche Ausstattungselemente aufgebessert wurde, die vorher als Extras zu Buche schlugen.

Glaubwürdigkeitsprobleme ergeben sich für den Hersteller, wenn der Kunde auf inkonsistent anmutende Preise im Angebot des gleichen Herstellers aufmerksam wird. So forderte Volkswagen für Nebelscheinwerfer gleichen Aussehens beim Passat 382 DM und beim Jetta, Scirocco oder Golf 245 DM (1990er Modelle). Ebenso inkonsistent erscheint es den Kunden, daß der Staub- und Pollenfilter für den Golf oder Jetta beim Neukauf für 140 DM verkauft wird, während er bei der Nachrüstung 48,45 DM kostet. Durch die Preisabstufungen von Sonderausstattungen wird sehr wesentlich mitbestimmt, wie die Kunden die Preiswürdigkeit und Preisgünstigkeit des Herstellers einschätzen.

Durch die Preisabstufungen der Sonderausstattungen steuert der Hersteller aber auch im wesentlichen, in welchen Marktsegmenten er Fuß fassen und stark vertreten sein will. Bietet er das »nackte« Modell preisgünstig an, so hat er zunächst viele Interessenten, verliert aber Kunden aus Segmenten, welche die Konkurrenzmodelle mit reichhaltigerer Ausstattung und mehr Komfort wünschen. Um gezielt bestimmte Segmente zu gewinnen oder zurückzuerobern, kann ein Anbieter bestimmte Ausstattungspakete preislich sehr günstig einstufen und als »Themenmodell« vermarkten. Volkswagen z.B. hat diese Strategie bei einigen seiner Modelle erprobt.

Die Restaurants stehen vor einem ähnlichen Entscheidungsproblem. Viele Restaurantbesucher wollen zu ihrem Essen etwas trinken. Ein Restaurantinhaber, der

»alkoholische Extras« anbietet, hat dafür die Preise festzulegen. Er kann nun diese »Extras« zu hohen Preisen anbieten, um zu verdienen, oder sie zu niedrigen Preisen anbieten, um mehr Gäste anzulocken. Vielfach wird in Restaurants das Essen preiswert und die alkoholischen Getränke teuer angeboten. Die Einnahmen aus dem Verzehr sind oft nur kostendeckend, und der Gewinn wird mit den Getränken – alkoholischen wie nicht-alkoholischen – erzielt. Dies erklärt auch, warum man den Gästen in Speiserestaurants die Getränke schnell und häufig andient. In anderen Restaurants wiederum sind die Preise für alkoholische Getränke niedrig, für das Essen hingegen hoch, um trinkfreudige Gäste anzulocken.

Preisabstufung für Folgeprodukte in Funktionssystemen
In bestimmten Branchen stellen Unternehmen Folge- oder Zusatzprodukte her, die an ein Funktionssystem mit einem Hauptprodukt gebunden sind. Sie können nur in Verbindung mit dem Hauptprodukt verwendet werden. Beispiele für solche »gebundenen Produkte« sind z. B. Rasierklingen und Kamerafilme. Die Hersteller der Hauptprodukte (z. B. Rasierapparate, Kameras) bieten diese oft zu niedrigen Preisen an und nehmen für die Folgeprodukte oder Ersatzteile hohe Aufschläge. So bietet Kodak seine Kameras zu niedrigen Preisen an, weil es sein Geld mit dem Verkauf von Filmen verdient. Kamerahersteller, die keine Filme verkaufen, müssen hingegen den Preis für das Hauptprodukt höher ansetzen, um aus diesem Geschäft einen angemessenen Gewinn zu erwirtschaften.

Es ist allerdings gefährlich, für Zusatzartikel und Folgeprodukte einen zu hohen Preis zu verlangen. Caterpillar z. B. macht im Folgegeschäft hohe Gewinne, indem man für Ersatzteile und Serviceleistungen hohe Preise verlangt. Während man bei den Baumaschinen selbst auf die Herstellungskosten 30% aufschlägt, liegt der Aufschlag bei Ersatzteilen manchmal bei 300%. Dies ruft sogenannte »Ersatzteilpiraten« auf den Plan, die diese Teile nachbauen und an irgendwelche »Hinterhofmechaniker« weiterverkaufen, die sie dann einbauen, und zwar manchmal ohne die Kostenvorteile an die Kunden weiterzugeben. Dieses Geschäft geht Caterpillar damit verloren. Caterpillar versucht zwar, diese Konkurrenten unter Kontrolle zu bekommen, indem man die Besitzer von Caterpillar-Maschinen eindringlich darauf hinweist, sich ausschließlich an autorisierte Caterpillar-Vertragshändler zu wenden, wenn man auf Qualitätsgarantien Wert legt; doch andererseits ist klar, daß die Hersteller solche Probleme durch hohe Spannen auf Produkte im Folgegeschäft selbst verursachen.

Abstufung in Grund- und Nutzungspreise
Dienstleistungsbetriebe verlangen häufig eine feste Grundgebühr zuzüglich einer variablen, nutzungsabhängigen Zusatzgebühr. So muß der Telefonkunde eine monatliche Grundgebühr und für jede Gesprächseinheit zusätzlich eine bestimmte Nutzungsgebühr entrichten. Autovermieter bieten ihre Fahrzeuge oft mit einer Kilometerpauschale an; jeder zusätzlich gefahrene Kilometer kostet extra. Diskotheken verlangen häufig einen Festbetrag für den Eintritt inklusive dem ersten Getränk. Jedes weitere Getränk kostet extra.

Bei der Preisfestlegung für Folge- und Zusatzprodukte haben die Dienstleistungsbetriebe ein ähnliches Entscheidungsproblem wie die Industrieunternehmen: Wieviel soll man für die Grundleistung und wieviel für die variable Nutzung verlangen? Die Grundgebühr sollte so niedrig sein, daß die Inanspruchnahme der Dienstleistung gefördert wird, und Gewinn kann mit der variablen, nutzungsabhängigen Zusatzgebühr erzielt werden.

Einbindung von Beiprodukten in die Preisbildung
Beiprodukte fallen in bestimmten Herstellungsprozessen neben dem Hauptprodukt an, z.B. in der Fleischverarbeitung oder der Herstellung von Mineralölprodukten und anderen Chemikalien. Wenn solche Bei- oder Nebenprodukte wertlos sind und ihre Entsorgung kostspielig ist, wirkt sich das auf den Preis des Hauptprodukts aus. Der Hersteller wird daher bestrebt sein, Abnehmer für diese Nebenprodukte zu finden, und dafür jeden Preis akzeptieren, der höher ist als die Entsorgungskosten. Sind hingegen die Nebenprodukte für bestimmte Kundenschichten von Wert, sollte ihr Preis diesen Wert berücksichtigen. Alle Erlöse aus dem Verkauf von Nebenprodukten erleichtern es dem Unternehmen, unter dem Zwang des Wettbewerbs den Preis für sein Hauptprodukt zu senken.

Preisabstufungen für Angebotspakete
Oft schnüren Anbieter ein komplettes Warenpaket oder Leistungsbündel und bieten es zu einem reduzierten Preis an. So könnte ein Autohersteller bestimmte Extras zum Paketpreis anbieten, der unter dem liegt, was der Kunde zahlen müßte, wenn er alle Extras einzeln kaufen würde. Ein Theater wird für ein Jahresabonnement weniger verlangen, als wenn man sich für alle Vorstellungen jeweils separat Karten an der Abendkasse besorgt. Da viele Kunden ursprünglich nicht vorhatten, alle im Angebotspaket enthaltenen Komponenten zu kaufen, muß die Ersparnis aus dem Paketkauf für sie so groß sein, daß sie darin trotzdem einen Vorteil sehen. [20]

Preisänderungen

Auch bei festgelegten Preisstrategien und -strukturen sieht sich das Unternehmen in bestimmten Situationen zur Senkung oder Anhebung seiner Preise veranlaßt.

Preissenkungen

Mehrere Umstände könnten ein Unternehmen zu einer Preissenkung veranlassen, selbst auf die Gefahr eines Preiskrieges hin. *Überkapazitäten* sind z.B. ein solcher Umstand. Hier benötigt das Unternehmen zusätzliches Geschäftsvolumen, das es nicht durch erhöhte Verkaufsanstrengungen, Produktverbesserungen oder andere Alternativmaßnahmen herbeiführen kann. Doch das Initiieren einer Preissenkung in einer Branche mit hohen Fixkosten, hohen Deckungsbeiträgen und überschüssigen

Kapazitäten kann zu einem Preiskrieg führen, wenn die Konkurrenten versuchen, ihren Marktanteil zu halten.

Ein weiterer Preissenkungsgrund ist ein *schrumpfender Marktanteil* bei intensivem Preiswettbewerb. In mehreren Branchen, z.B. bei Automobilen, Produkten der Unterhaltungselektronik, Kameras, Uhren und Stahl, haben insbesondere amerikanische Unternehmen Marktanteile verloren. Unternehmen wie Zenith, General Motors und andere haben daher eine aggressivere Preispolitik eingeführt.

Des weiteren werden Preissenkungen vorgenommen, *wenn ein Unternehmen durch niedrige Kosten den Markt beherrschen will.* Entweder steigt das Unternehmen von Anfang an mit niedrigeren Kosten als die Konkurrenz ein oder senkt die Preise in der Hoffnung auf Marktanteilsgewinne, die mit höherem Mengendurchsatz zu fallenden Kosten führen würden. Doch diese Strategie birgt auch hohe Risiken. Es gibt drei Fallen, in die man geraten kann:

- Die *Billigwarenfalle* liegt vor, wenn die Kunden annehmen, daß die Produktqualität im Vergleich zu den teureren Konkurrenten niedriger ist.
- Die *Unbeständigkeitsfalle* liegt vor, wenn mit einem niedrigen Preis zwar schnelle Marktanteile, jedoch keine treuen Kunden »gekauft« werden, und wenn die Kunden zum nächstbesten Anbieter überwechseln, dessen Preis noch niedriger ist.
- Die *Kurzläuferfalle* liegt vor, wenn die Konkurrenten ihre höheren Preise senken und aufgrund größerer Reserven mehr Durchhaltevermögen bei niedrigen Preisen haben.

Freddie Laker's englische Billigfluglinie auf der Transatlantik-Route und auch einige amerikanische »Billigflieger« gerieten in diese Fallen.

Auch in einer *Phase der wirtschaftlichen Rezession* werden Unternehmen über Preissenkungen nachdenken. In solchen Zeiten sind weniger Nachfrager bereit, hochpreisige Produktausführungen zu kaufen. In Exkurs 17-5 wird veranschaulicht, daß Anbieter bei rückläufiger Nachfrage mehrere Möglichkeiten der Preis- und Marketing-Mix-Anpassung haben.

Exkurs 17-5: Handlungsalternativen zur Preisgestaltung und zum Marketing-Mix in Rezessionsphasen

Als Beispiel dienen uns hier zwei konkurrierende Haushaltsgerätehersteller. Die Geräte von Wettbewerber A werden von den Verbrauchern als qualitativ hochwertiger und hochpreisiger eingestuft als die Geräte von Wettbewerber B. In der Verbraucherbeurteilung liegen die beiden Marken in *Nutzwert* und *Preis* so, wie im linken Quadrat (a) abgebildet. Man sieht, daß beide Marken auf der gleichen Nutzwert-Preis-Geraden liegen. Dies bedeutet, daß nach Einschätzung der Verbraucher der Nutzwert pro Geldeinheit für sie beim Kauf der Marken A und B in etwa gleich hoch wäre. Verbraucher, die mehr Gesamtnutzen wollen, würden Marke A kaufen, wenn sie es sich leisten könnten. Verbraucher, die weniger ausgeben wollen, würden sich für Marke B entscheiden.

Die Punktewolken in Quadrat (a) veranschaulichen die Präferenzausprägungen der potentiellen Käufer für die Nutzen-Preis-Kombinationen. Die unmittelbar bei A angesiedelten Punkte repräsentieren die Präferenzen von Käufern, die Marke A kaufen werden; die näher bei B angesiedelten Punkte repräsentieren die Präferenzen von Käufern der Marke B. Die beiden Punktewolken verdeutlichen, daß für jede der zwei Marken ein beträchtlicher

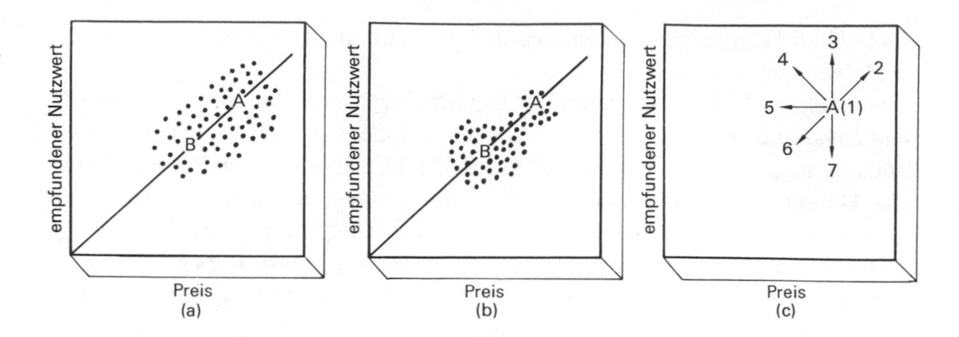

aufnahmefähiger Markt vorhanden ist und beide einen beachtlichen Marktanteil erreichen können.

In einer Rezession verschieben sich die Käuferpräferenzen hin zum niedrigpreisigeren Gerät B (vgl. die Veränderung der Punktewolken in Quadrat (b). Die Zahl der Käufer, die gewillt sind, das hochpreisigere Gerät zu kaufen, geht zurück. Wenn Wettbewerber A nichts dagegen unternimmt, wird sein Marktanteil zurückgehen.

Wettbewerber A muß seine Handlungsalternativen ermitteln und daraus seine Wahl treffen. Es gibt mindestens sieben Handlungsalternativen, die durch die Pfeile in Quadrat (c) oben graphisch angezeigt und im folgenden beschrieben werden.

Einige Bemerkungen dazu:

- Wettbewerber A sollte ernsthaft erwägen, direkt neben dem Gerätemodell von Wettbewerber B ein Sparmodell anzusiedeln, so daß er die höhere Zahl sparsamer Kunden für sich gewinnen kann (eine Variante von Alternative 6). Wettbewerber A kann seinen Marktanteil halten oder steigern, wenn er sowohl ein Prestigemodell als auch ein Sparmodell anbietet.
- Wenn sich Wettbewerber A zu einer Preiserhöhung gezwungen sieht, sollte er versuchen, den empfundenen Nutzwert anzuheben (Alternative 2). Der empfundene Nutzwert kann durch Verbesserungen bei der Produktqualität, der Produktausstattung und beim Produkt-Styling, durch besseren Kundendienst sowie durch effektivere Werbung erhöht werden. Bei der im Beispiel (Quadrat b) angezeigten Präferenzverteilung der Kunden ist diese Strategie jedoch nicht ratsam – ebenso wie die meisten anderen Alternativen.
- Bei der Auswahl der Marketingstrategie sollten zahlreiche Kriterien berücksichtigt werden, z.B. der gegenwärtige Marktanteil von Wettbewerber A, gegenwärtige und geplante Kapazitäten, Marktwachstumsrate, Beeinflußbarkeit der Kunden durch den Preis und den empfundenen Nutzwert, Beziehungen zwischen Marktanteil und Profitabilität sowie die wahrscheinlichen strategischen Reaktionen und Initiativen von Konkurrenten. Das Unternehmen sollte die Auswirkungen jeder geeigneten Marketingstrategie auf Absatz, Marktanteil, Kosten, Gewinn und langfristige Investitionen abschätzen.

Strategische Alternativen	*Mögliche Begründung*	*Auswirkungen*
1. Preis und empfundenen Nutzwert beibehalten; Kundenkreis selektiv straffen.	Kundentreue ist hoch. Firma ist gewillt, weniger gute Kunden an die Konkurrenz abzutreten.	Kleinerer Marktanteil; niedrigerer Gewinn.
2. Preis und empfundenen Nutzwert durch Produktverbesserung und Werbung anheben.	Preis zur Deckung steigender Kosten anheben. Angebotsqualität verbessern, um höhere Preise zu rechtfertigen.	Kleinerer Marktanteil; Gewinn bleibt erhalten.
3. Preis beibehalten und Wahrnehmung des Nutzwertes erhöhen.	Es kostet weniger, den Preis beizubehalten und die Wahrnehmung des Nutzwertes zu erhöhen, als einfach den Preis zu senken.	Kleinerer Marktanteil; kurzfristig Rückgang des Gewinns; langfristig Anstieg des Gewinns, wenn sich die Nutzenwahrnehmung verbessert.
4. Preis teilweise senken und wahrgenommenen Nutzen erhöhen.	Anbieter muß den Preis etwas herunternehmen, jedoch den höheren Nutzwert des Angebots hervorheben.	Marktanteil bleibt erhalten; kurzfristig Rückgang des Gewinns; langfristig Erhaltung des Gewinns mit höherem Volumen.
5. Preis voll auf Preis von B senken und wahrgenommenen Nutzen beibehalten.	Wettbewerber durch preisliche Strenge entmutigen.	Marktanteil bleibt erhalten; kurzfristiger Rückgang des Gewinns.
6. Preis voll auf Preis von B senken und empfundenen Nutzwert durch Qualitätsverringerung oder weniger Werbung senken.	Wettbewerber durch preisliche Strenge entmutigen und Gewinne erhalten.	Marktanteil und prozentuale Gewinnspanne bleiben erhalten; langfristig weniger Umsatz und Gewinn.
7. Preis beibehalten und empfundenen Nutzwert durch Qualitätsverringerung oder weniger Werbung senken.	Marketingausgaben zur Bekämpfung von Kostensteigerungen senken.	Geringerer Marktanteil; prozentuale Gewinnspanne bleibt erhalten; langfristig niedrigerer Gewinn.

Preiserhöhungen

Viele Unternehmen sehen sich zu Preiserhöhungen veranlaßt, obwohl sie wissen, daß Preiserhöhungen sowohl beim Endkunden als auch beim Zwischenhandel und der eigenen Vertriebsorganisation unbeliebt sind. Andererseits kann eine erfolgreiche Preiserhöhung zu beträchtlichen Gewinnsteigerungen führen. Wenn z.B. der Gewinn des Unternehmens 3% vom Umsatz beträgt, bewirkt eine Preiserhöhung um 1% bei gleichem Absatzvolumen eine Gewinnsteigerung von 33%. Dies wird durch folgendes Beispiel veranschaulicht: Ein Unternehmen verlangt für sein Produkt 10 DM, setzt davon 100 Stück ab, hat Kosten von 970 DM und erzielt einen

Gewinn von 30 DM oder 3% vom Umsatz. Durch eine Preiserhöhung um 10 Pfennig, d.h. 1%, kann es bei unverändertem Absatzvolumen seinen Gewinn um 33% steigern. Tabellarisch ergibt sich folgendes Schema:

	vorher	nachher
Preis	DM 10	DM 10,10 (Preiserhöhung um 1%)
Verkaufte Stückzahlen	100	100
Umsatzerlöse	DM 1.000	DM 1.010
Kosten	−970	−970
Gewinn	DM 30	DM 40 (Gewinnsteigerung um 33%)

Ein wesentlicher Grund für Preiserhöhungen sind *Kostensteigerungen.* Steigende Kosten ohne einen vergleichbaren Produktivitätszuwachs drücken auf die Gewinnspannen und lösen regelmäßige Preiserhöhungen aus. Oft erhöhen Unternehmen ihre Preise aufgrund zukünftiger Inflationserwartungen oder Preiskontrollen des Staates weit über den gegenwärtigen Kostenanstieg hinaus; dies bezeichnet man als *antizipatorische Preiserhöhung.* Wegen unkontrollierbarer Kostensteigerungen gehen Unternehmen gegenüber ihren Kunden nur ungern langfristige preisliche Verpflichtungen ein. Sie befürchten, daß ihre Gewinne bei steigenden Kosten geschmälert werden könnten.

Ein weiterer Auslöser von Preiserhöhungen ist ein *Nachfrageüberhang.* Wenn ein Unternehmen nicht in der Lage ist, den Bedarf der Nachfrager vollständig zu decken, kann es die Preise erhöhen, die Produkte für seine Kunden rationieren oder beides tun. Der »effektive« Preis kann auf verschiedene Weise und mit jeweils unterschiedlichen Auswirkungen auf die Käufer angehoben werden. Folgende Preisanpassungsmaßnahmen zugunsten des Verkäufers sind weit verbreitet:

– **Vereinbarung der genauen Preisfestsetzung zu einem späteren Zeitpunkt**
Das Unternehmen setzt seinen Endpreis erst fest, wenn das Produkt fertiggestellt ist oder geliefert wird. Diese Vorgehensweise ist in Branchen mit langen Vorlaufzeiten weit verbreitet, wie z.B. im Industriebau und in der Schwermaschinenindustrie. Aber auch beim Verkauf von neuen Autos findet man diese Praxis.

– **Einsatz von Preisgleitklauseln**
Das Unternehmen verlangt vom Kunden den gegenwärtig gültigen Preis zuzüglich der gesamten oder eines Teils der vor Auslieferung eintretenden Teuerung. Bei vertraglich vereinbarten Gleitklauseln sind Preiserhöhungen an einen festgelegten Preisindex gebunden, wie z.B. den Index der Lebenshaltungskosten. Sie sind Bestandteil von vielen Verträgen, die langfristige Industrieprojekte betreffen.

– **Entflechtung von Produkten und zusätzlichen Dienstleistungen**
Das Unternehmen läßt seinen Preis unverändert, entfernt jedoch eines oder mehrere Elemente, die vorher Bestandteil des Angebots waren, wie z.B. kostenlose Auslieferung oder Installation, bzw. berechnet diese Elemente extra. IBM bietet z.B. inzwischen den Kunden Schulungsmaßnahmen zur Einführung eines neuen Computers als Extraleistung an. Viele Restaurants bieten heute keine Menü-Preise mehr, sondern nur noch A-la-Carte-Preise an.

– **Rabattsenkungen**
Das Unternehmen senkt seine üblichen Bar-, Mengen- oder Funktionsrabatte und weist den Vertrieb an, bei der Auftragsakquisition keine Abstriche vom Listenpreis zu machen.

Manchmal stellt sich die Frage, ob man den Preis durch eine einmalige Aktion drastisch oder in mehreren Schritten »häppchenweise« anheben soll. Dazu ein Beispiel aus den USA:

Vor diesem Entscheidungsproblem stand die Firma U.S. Gypsum: Man konnte die große Nachfrage des Marktes nach Verbundplatten nicht mehr decken, wußte aber ganz genau, daß in sechs Monaten dieser Nachfrageüberhang wieder abgebaut sein und es dann einen Angebotsüberhang geben würde. Das Problem war nun: Sollte man jetzt eine drastische Preiserhöhung vornehmen, der dann sechs Monate später eine ebenso drastische Preissenkung folgen würde, oder sollte man jetzt den Preis nur geringfügig anheben und ihn sechs Monate später geringfügig senken? Man entschied sich für ersteres Vorgehen, da sich die Bezieher mehr Sorgen um die Produktverfügbarkeit als um den Produktpreis machten und im Weiterverkauf auch bei einem höheren Preis gute Gewinne erwirtschafteten.

Bei der Weitergabe von Preiserhöhungen an die Kunden muß das Unternehmen das Image des Preistreibers vermeiden. Kunden haben ein gutes Gedächtnis, und sobald der Markt dies zuläßt, werden sie sich gegen die Preistreiber wenden. Daher sollten Preiserhöhungen von Marktkommunikationen begleitet sein, die den Kunden die Preiserhöhung erläutern. Die Vertriebsorganisation des Unternehmens sollte die Kunden bei der Suche nach Einsparmöglichkeiten unterstützen.

Mit hohen Kosten und erhöhter Nachfrage kann man allerdings auch ohne offensichtliche Preiserhöhung fertigwerden, z.B. durch folgende Maßnahmen, die zum Teil als verdeckte Preiserhöhungen gelten:

- Man kann den Packungsinhalt verkleinern, statt den Preis zu erhöhen, wie z.B. bei Zigaretten von 20 Stück auf 19 Stück pro Packung. Montblanc verkürzte im Jahr 1980 die nutzbare Länge seiner Schreibstiftmine um 1/8 und steckte statt dessen ein Plastikzwischenstück auf.
- Man kann kostengünstigere Materialien oder Zutaten verwenden:
  Viele Möbelhersteller gingen von Massivholz auf furniertes Holz über. Die Autohersteller verwenden statt Metall immer mehr Kunststoff.
- Man kann zur Kostensenkung die Produktausstattung »abspecken«.
- Man kann Zusatzleistungen, wie Installation, Lieferung frei Haus oder Garantiezeiten, beschneiden oder gar nicht mehr anbieten.
- Man kann kostengünstigere Verpackungsmaterialien verwenden oder größere Packungsgebinde anbieten, um den Verpackungskostenanteil pro Mengeneinheit des Produkts zu senken.
- Man kann die Zahl der angebotenen Produktausführungen und -modelle reduzieren.
- Man kann neue »Billigmarken« oder generische Produkte in einfachster Form mit verhältnismäßig geringen Produktions- und Vermarktungskosten einführen.

Die beste Lösung ist leider nicht immer gleich erkennbar. Ein Beispiel: Das US-Unternehmen Quaker Oats stellt das erfolgreiche Müsli Quaker Oats Natural her, das aus zahlreichen Zutaten besteht, darunter auch Mandeln und Rosinen, die immer teurer wurden. Quaker Oats sah zwei mögliche Lösungen: Entweder mußte man den Preis anheben oder die Kosten für die Zutaten senken, indem man entweder weniger Mandeln und Rosinen beigab oder kostengünstigere Substitute dafür fand. Da man nicht an den Zutaten »herumexperimentieren« wollte, erhöhte man den Preis. Doch aufgrund der hohen Preiselastizität der Nachfrage ging der Absatz zurück. Quaker Oats war gezwungen, doch zu überlegen, wie man die Kosten für die Zutaten senken konnte, obwohl man wußte, daß dies mit einem großen Risiko verbunden sein würde.

Reaktionen der Käufer

Jede Preisänderung hat mit Sicherheit Auswirkungen auf die Käufer, Konkurrenten, Distributoren und Lieferanten, und auch der Staat könnte sich dafür interessieren. Uns interessieren hier die Reaktionen der Käufer.

Nicht immer interpretieren die Kunden eine Preisänderung im einfachsten Sinne als günstigeres oder teureres Angebot. [21] Eine Preissenkung kann auf unterschiedliche Weise ausgelegt werden: Es handelt sich hier um ein Auslaufmodell; das Produkt ist mit irgendwelchen Mängeln behaftet und geht nicht gut; der Anbieter ist in finanziellen Schwierigkeiten und kann vielleicht in Zukunft keine Ersatzteile mehr liefern, weil er sich nicht mehr halten kann; der Preis wird noch weiter fallen, und es lohnt sich daher zu warten; die Qualität ist gesenkt worden.

Eine Preiserhöhung, die normalerweise absatzdämpfend wirkt, könnten die Käufer aus mehreren Gründen positiv deuten. Sie könnten z. B. folgendes denken: Das Produkt ist ein »Renner« und vielleicht bald nicht mehr zu haben; das Produkt bietet einen außergewöhnlich hohen Nutzwert; der Anbieter ist ein »Gierschlund« und nimmt, was der Markt hergibt.

Die Reaktionen der Käufer auf Preisänderungen hängen auch davon ab, welcher Anteil ihrer Gesamtausgaben nach Meinung der Käufer auf das Produkt entfällt. Am preisempfindlichsten sind die Käufer bei Produkten, deren Anschaffung sie viel Geld kostet oder die sie häufig kaufen, während sie Preiserhöhungen bei vom Kaufpreis her unbedeutenden und selten gekauften Produkten kaum registrieren. Darüber hinaus zählt insbesondere für Industriekunden nicht so sehr die *Preiserhöhung* für das Produkt selbst, sondern vielmehr die *Gesamtkosten* für Anschaffung, Betrieb und Unterhalt. Ein Anbieter kann seinen Preis über den des Wettbewerbs hinaus erhöhen und trotzdem das Geschäft machen, wenn er den Käufer davon überzeugen kann, daß die Gesamtkosten für ihn niedriger sind.

Reaktionen der Konkurrenten

Ein Unternehmen, das eine Preisänderung erwägt, muß sich im gleichen Maß um die Reaktionen der Konkurrenten wie auch der Kunden sorgen. Konkurrenten reagieren sehr wahrscheinlich dann, wenn ihre Zahl klein ist, wenn das Produkt gleich ist und wenn die Käufer über Konkurrenzangebote bestens informiert sind.

Auf welche Reaktionshaltungen der Konkurrenz sollte sich das Unternehmen einstellen? Nehmen wir an, das Unternehmen hat nur einen einzigen großen Gegenspieler im Wettbewerb. Dessen Reaktionshaltung kann aus zwei unterschiedlichen Ausgangspositionen heraus abgeschätzt werden. Die erste Ausgangsposition ist gegeben, wenn der Konkurrent immer in gleicher Weise auf Preisänderungen reagiert. In diesem Fall ist seine Reaktion leicht zu berechnen. Die zweite Ausgangsposition liegt vor, wenn der Konkurrent jede Preisänderung immer wieder als neue Herausforderung empfindet und je nach seiner Interessenlage zu diesem Zeitpunkt reagiert. In diesem Fall muß man herausfinden, welche Eigeninteressen der Konkurrent zum jeweiligen Zeitpunkt hat. Dazu sollten seine finanzielle Lage, sein laufender Umsatz und seine Kapazitätsauslastung, die Treue seiner Kunden sowie seine Unternehmensziele untersucht werden. Zielt der Konkurrent auf einen bestimmten Marktanteil ab, wird er wahrscheinlich bei der Preisänderung mitziehen. Zielt er auf Gewinnmaximierung ab, wird er strategisch mit anderen Mitteln reagieren – z. B. mit verstärkter Werbung oder verbesserter Produktqualität. Das Unternehmen muß sich mit Hilfe interner und externer Informationsquellen gedanklich in die Lage des Wettbewerbers versetzen und dessen Absichten zu »lesen« versuchen.

Dies ist ein schwieriges Problem, da der Konkurrent z. B. eine Preissenkung des Unternehmens unterschiedlich auslegen kann: Er könnte argwöhnen, das Unternehmen wolle ihm dem Absatzmarkt wegnehmen, stecke in Schwierigkeiten und versuche daher lediglich, den eigenen Absatz anzukurbeln, oder es wolle die gesamte Branche zu Preissenkungen bewegen, um die Gesamtnachfrage zu stimulieren.

Wenn mehrere ernsthafte Konkurrenten vorhanden sind, muß das Unternehmen die Reaktionshaltung jedes einzelnen Konkurrenten abschätzen. Ist die Reaktionshaltung aller Konkurrenten gleich, braucht nur einer, als typischer Vertreter für alle, analysiert werden. Reagieren hingegen die Konkurrenten aufgrund kritischer Unterschiede in Größe, Marktanteil oder Unternehmenspolitik nicht einheitlich, sind jeweils Einzelanalysen erforderlich. Wenn einige Konkurrenten die Preisänderung mitmachen, kann man damit rechnen, daß auch die restlichen nachziehen werden. Exkurs 17-6 zeigt auf, wie ein bedeutendes Chemieunternehmen die Reaktionshaltung der Wettbewerber auf eine beabsichtigte Preissenkung analytisch bewertete.

Exkurs 17-6: Entscheidungsstützende Folgeabschätzung der Reaktionshaltungen von Konkurrenten auf eine beabsichtigte Preissenkung eines großen Chemieunternehmens

Ein großes Chemieunternehmen verkaufte seit mehreren Jahren ein Kunststoffmaterial hauptsächlich an gewerbliche Abnehmer; sein Marktanteil betrug 40%. Man sorgte sich darüber, ob der aktuelle Preis in Höhe von 4 DM pro Kilo noch länger beibehalten werden konnte. Die Besorgnis ergab sich aus dem schnellen Aufbau von Produktionskapazitäten durch drei Konkurrenten und aus dem gegenwärtig attraktiven Produktpreis, der – so befürchtete man – weitere Konkurrenten anlocken könnte. Es könnte zu einem Überangebot kommen, das zu einem Problem würde, wenn der Markt nicht weiter ausgedehnt würde. Ein bedeutendes Marktsegment, das von einem Substitutionsprodukt beherrscht wurde, hatte bei der Marktausdehnung eine Schlüsselstellung inne; dieses Produkt wurde von sechs Unternehmen hergestellt und war zwar nicht so gut wie das eigene, aber billiger. Das Management hielt es für möglich, das Substitutionsprodukt durch eine Preissenkung aus diesem »widerspenstigen« Marktsegment zu verdrängen. Wenn es dem Unternehmen gelänge, in dieses Marktsegment einzudringen, hätte es auch gute Chancen, in drei andere Segmente einzudringen, wo man sich bisher dem Produkt des Unternehmens widersetzt hatte.

Als erstes mußte man das Entscheidungsproblem modellhaft strukturieren, und zwar durch eine Definition der Ziele, der wesentlichen Preisalternativen und Unsicherheitsfaktoren. Als Ziel wählte man die Maximierung des diskontierten Gegenwartswerts aller Gewinne über die nächsten fünf Jahre. Man erwog vier Preisalternativen, nämlich entweder den Preis unverändert bei 4 DM zu belassen oder ihn auf 3,70 DM, 3,40 DM bzw. 3,20 DM zu senken. Wesentliche Unsicherheitsfaktoren ergaben sich zu folgenden, im Entscheidungsmodell berücksichtigten Fragekomplexen:

- Welchen Marktanteil könnte man auch ohne Preissenkung im Schlüsselsegment erreichen?
- Wie würden die sechs Hersteller des Substitutionsprodukts auf jede der Preissenkungen reagieren?
- Welchen Marktanteil könnte man bei jeder der Preisreaktionen im Schlüsselsegment erreichen?
- Wie sehr würde ein Eindringen in das Schlüsselsegment ein Eindringen in die anderen Segmente beschleunigen?
- Mit welcher Wahrscheinlichkeit würden die drei Konkurrenten ihrerseits in Kürze Preissenkungen einleiten, selbst wenn man nicht in das Schlüsselsegment vorstoßen würde?
- Wie würde eine Preissenkung die Entscheidung der drei vorhandenen Konkurrenten zur Kapazitätserweiterung und die Entscheidung der potentiellen Konkurrenten zum Markteintritt beeinflussen?

Als nächstes mußten Daten zur Anwendung des Entscheidungsmodells gesammelt werden. Hier wurden kompetente Verkäufer befragt, mit welcher Wahrscheinlichkeit zu jedem der Fragenkomplexe bestimmte Ergebnisse zu erwarten seien. So wurde z.B. nach der Wahrscheinlichkeit gefragt, mit der die Hersteller des Substitutionsprodukts Gegenmaßnahmen ergreifen würden, falls man den Preis auf 3,70 DM pro Kilo senken würde. Im Durchschnitt war man im Vertrieb der Meinung, daß die Wahrscheinlichkeit eines vollen Nachziehens der Konkurrenz bei 5%, die Wahrscheinlichkeit, daß die Konkurrenz die Preissenkung in halbem Umfang nachvollziehen würde, bei 60%, und die Wahrscheinlichkeit von keinerlei Gegenmaßnahmen bei 35% lag. Das Vertriebspersonal wurde auch um eine Einschätzung der wahrscheinlichen Reaktionen auf den Preis von 3,40 DM bzw. 3,20 DM gebeten. Wie erwartet, zeigten die Einschätzungen der Verkäufer an, daß die Wahrscheinlichkeit von Gegenmaßnahmen mit höheren Preissenkungen zunahm.

In der Struktur eines Entscheidungsbaums angeordnet, ergaben sich aus den Kombinationen der unterschiedlichen Entscheidungsalternativen und möglichen Reaktionen der Wettbewerber mehr als 400 mögliche Absatzergebnisse mit jeweils einer entsprechenden Gewinnberechnung. Für jede Preisalternative mit unterschiedlichen, durch die Wettbewerbsreaktionen geprägten Gewinnaussichten wurde per Computer der Erwartungswert des Gewinns berechnet. Die Resultate der Computerberechnungen zeigten, daß bei allen Preissenkungen die Erwartungswerte höher lagen als bei einer Beibehaltung des alten Preises, wobei der Erwartungswert bei einer Preissenkung auf 3,20 DM am höchsten war. Mit veränderten Annahmen über das Marktwachstum und die Kapitalkosten wurde per Computer eine Sensitivitätsanalyse durchgeführt. Dabei ergab sich, daß die veränderten Annahmen die gewinnbezogene Rangordnung der alternativen Preisstrategien nicht beeinflußten. Die Analyse bestätigte, daß eine Preissenkung empfehlenswert war.

Quelle: Vgl. Paul E. Green: »Bayesian Decision Theory in Pricing Strategy«, in: *Journal of Marketing*, Januar 1963, S. 5–14.

Reaktionen auf Preisänderungen der Konkurrenz

Wir drehen nun die Fragestellung einfach um und wollen herausfinden, wie man auf eine von einem Konkurrenten initiierte Preisänderung reagieren sollte. In Märkten mit hoher Angebotshomogenität bleibt einem kaum eine andere Möglichkeit, als bei einer Preissenkung eines Konkurrenten nachzuziehen. Man sollte zwar nach Differenzierungsmöglichkeiten des eigenen Produktangebots durch Zusatzleistungen suchen, doch wenn dies nicht gelingt, muß man die Preissenkung mitmachen.

Wenn ein Wettbewerber in solch einem homogenen Produktmarkt seinen Preis anhebt, ziehen möglicherweise die anderen Konkurrenten nicht mit. Sie werden erst dann mitziehen, wenn die Preiserhöhung für die Branche insgesamt vorteilhaft ist. Wenn allerdings ein Wettbewerber nicht glaubt, daß er selbst oder die Branche insgesamt daraus Vorteile ziehen könnten, kann sein Ausscheren den Preisführer und die anderen Unternehmen dazu veranlassen, die Preiserhöhungen zurückzunehmen.

In heterogenen Produktmärkten hat man bei Preisänderungen eines Konkurrenten mehr Reaktionsspielraum. Die Käufer wählen hier den Anbieter anhand einer Vielzahl von Faktoren aus: Kundendienst, Qualität, Zuverlässigkeit u.a.m. Diese Faktoren machen die Käufer weniger empfindlich für kleinere Preisveränderungen.

Bevor man reagiert, müssen folgende Fragen beantwortet werden: (1) Warum hat der Konkurrent den Preis geändert? Will er uns den Absatzmarkt wegnehmen, überschüssige Kapazitäten auslasten, Veränderungen bei den Kosten ausgleichen oder sich an die Spitze einer branchenweiten Preisänderung stellen? (2) Plant der Konkurrent eine vorübergehende oder eine dauerhafte Preisänderung? (3) Welche Auswirkungen hat die Preisänderung auf den eigenen Marktanteil und Gewinn, wenn man nicht reagiert? Werden auch andere Konkurrenten reagieren? (4) Welche Gegenmaßnahmen werden der Konkurrent und andere Anbieter auf jede mögliche Reaktion hin voraussichtlich ergreifen?

Marktführer werden häufig mit einer aggressiven Preisunterbietung von seiten kleinerer Wettbewerber konfrontiert, die ihren Marktanteil erhöhen wollen. Fuji geht z.B. über den Preis gegen Kodak, und Bic über den Preis gegen Gillette vor. IBM sieht sich im PC-Geschäft heftigen Preisangriffen durch niedrigpreisigere Computeranbieter wie Leading Edge und Amstrad (die beide zu wesentlich niedrigeren Kosten in Südkorea produzieren) ausgesetzt. Wenn das Produkt des Angreifers mit dem des Marktführers vergleichbar ist, nimmt er diesem durch Preissenkungen Marktanteile weg. Dann hat der Marktführer mehrere Möglichkeiten:

– **Er könnte den Preis beibehalten.**
Der Marktführer könnte Preis und Gewinnspanne beibehalten – in dem Glauben, daß ihm (a) eine Preissenkung zu hohe Gewinneinbußen bringen würde, er (b) dadurch keine größeren Marktanteilseinbußen erleiden würde und er (c) im Bedarfsfall Marktanteile zurückgewinnen könnte. Der Marktführer meint, daß er sich die guten Kunden erhalten und die schlechteren an den Konkurrenten abtreten könnte. Gegen einen unveränderten Preis spricht, daß der Angreifer bei Absatzgewinnen immer selbstbewußter auftritt, das Vertriebspersonal des Marktführers entmutigt wird und der Marktführer mehr Marktanteile einbüßen könnte als erwartet. Er könnte in Panik geraten, infolgedessen den Preis senken, um Marktanteile zurückzugewinnen, und dann die schmerzliche Erfahrung machen, daß dies schwierig und kostspielig ist.

– **Er könnte den empfundenen Nutzwert erhöhen.**
Der Marktführer kann den Preis beibehalten, jedoch den empfundenen Nutzwert seines Angebots erhöhen. Dies könnte durch Verbesserungen beim Produkt, im Kundendienst und in der Kommunikation über das Produkt geschehen. Er könnte die höhere Qualität seines eigenen

Angebots im Vergleich zum niedrigpreisigen des Konkurrenten herausstellen. Es könnte den Anbieter u. U. weniger kosten, sich die Kunden zum alten Preis und mit verbesserter Qualität zu erhalten, als den Preis zu senken und mit niedrigerer Gewinnspanne zu operieren.

– **Er könnte den Preis senken.**

Der Marktführer könnte seinen Preis auf den des Konkurrenten senken, weil (a) seine Kosten mit steigendem Mengendurchsatz fallen, (b) er aufgrund der Preissensibilität des Marktes große Marktanteilsverluste erleiden und (c) weil es ihm schwerfallen würde, einmal verlorene Marktanteile zurückzugewinnen. Dieses Vorgehen wird seine Gewinne kurzfristig schmälern. Einige Unternehmen werden gleichzeitig ihre Produktqualität, Kundendienstleistungen und Marktkommunikationen reduzieren, um ihre Gewinne halten zu können, doch dies wird sich letztendlich negativ auf ihren langfristigen Marktanteil auswirken. Bei Preissenkungen sollte man den Nutzwert seines Angebots zumindest beizubehalten versuchen.

– **Er könnte den Preis und das Qualitätsimage gegenüber dem Wettbewerbsprodukt anheben.**

Der Marktführer könnte den Abstand seiner Marke zur Marke des Angreifers vergrößern, indem er das Qualitätsimage des Wettbewerbers durch neue niedrigpreisige Vergleichsmarken niedrig hält und den Preis und das Qualitätsimage der eigenen Marke anhebt. Heublein Inc. bediente sich dieser Strategie in den USA, als seine Wodka-Marke Smirnoff, die einen Marktanteil von 23 % innehatte, von einer anderen Marke, Wolfschmidt, attackiert wurde, die den Preis pro Flasche um 1 $ senkte. Statt nun den Preis für eine Flasche Smirnoff ebenfalls um 1 $ zu senken, hob Heublein den Preis um 1 $ an und investierte die daraus resultierenden Mehreinnahmen in die Werbung. Gleichzeitig führte man eine weitere Marke, Relska, als qualitäts- und preismäßig direkten Wettbewerber von Wolfschmidt ein, und dazu noch eine weitere Marke namens Popov, die weniger kostete als Wolfschmidt-Wodka. Diese Strategie engte das Qualitätsimage der Marke Wolfschmidt erfolgreich ein und hob das elitäre Image von Smirnoff-Wodka an.

– **Er könnte niedrigpreisige »Kampfmarken« auf den Markt bringen.**

Zu den besten Gegenmaßnahmen gehört die Hinzunahme zusätzlicher niedrigpreisiger Artikel in die Produktlinie oder die Einführung einer eigenständigen niedrigpreisigeren Marke. Dies ist erforderlich, wenn ansonsten ein Marktsegment verloren ginge, das vorrangig nach dem Preis kauft und sich durch höhere Produktqualität nicht beeindrucken läßt.

Die beste Reaktion muß aus den jeweils vorliegenden Umständen heraus ermittelt werden. Das angegriffene Unternehmen muß dabei die Lebenszyklusphase des Produkts, die Stellung des Produkts innerhalb des Sortiments, die Absichten und Ressourcen des Konkurrenten, die Preis- und Nutzensensibilität des Marktes sowie den Einfluß der Durchsatzmenge auf die Kosten berücksichtigen und auch abwägen, ob es seine Energie nicht auf lohnendere Vorhaben verwenden soll.

Es ist jedoch nicht immer möglich, eine ausführliche Analyse der eigenen Reaktionsalternativen durchzuführen, wenn der Konkurrent preislich angreift. Dieser kann viel Zeit auf die Vorbereitung seiner Entscheidung verwenden, während man selbst unverzüglich – manchmal innerhalb von Stunden – entschlossen reagieren muß. Die wohl beste Art, über Preisreaktionen sofort zu entscheiden, ist die »Schubladenplanung«. Hier werden mögliche Preisänderungen der Konkurrenten vorweggenommen und entsprechende Reaktionsprogramme vorbereitet. Abbildung 17–8 zeigt ein Beispiel. Solche Reaktionsprogramme sind in Branchen, wo öfter Preisänderungen vorgenommen werden und wo es auf schnelle Reaktionen ankommt, z. B. bei Kaffee, in der Fleischverarbeitung und in der petrochemischen Industrie, am weitesten verbreitet.

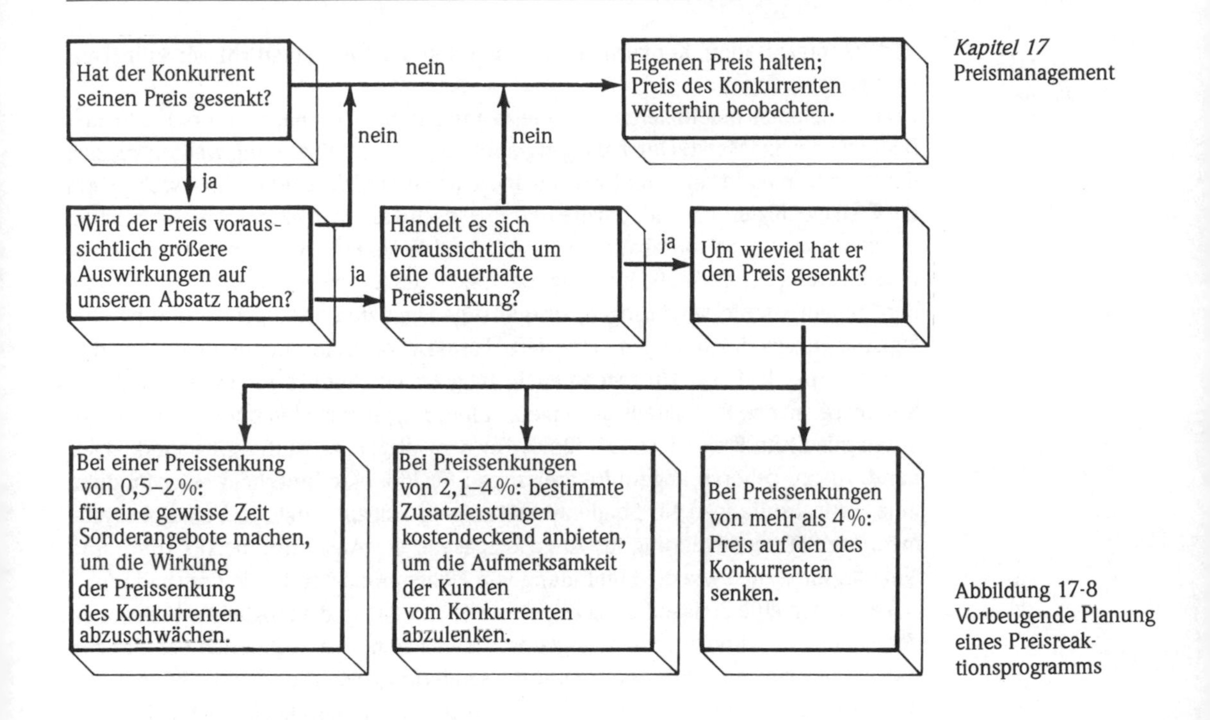

Abbildung 17-8
Vorbeugende Planung eines Preisreaktionsprogramms

Zusammenfassung

Obwohl außerpreisliche Faktoren im Marketing an Bedeutung gewonnen haben, ist der Preis weiterhin ein äußerst kritisches Element in der Marketingpolitik. Dies gilt für alle Marktstrukturformen.

Zur erstmaligen Preisbildung im Unternehmen gehören sechs Schritte. Als erstes bestimmt das Unternehmen die dominanten preispolitischen Ziele, wie Fortbestand des Unternehmens, Gewinnmaximierung, Umsatzmaximierung, Absatzwachstum, Marktabschöpfung oder Qualitätsführerschaft. Zweitens sollte die Nachfragefunktion abgeschätzt werden. Sie zeigt die voraussichtliche Kaufmenge in einem bestimmten Zeitraum bei unterschiedlichen Preisen. Je unelastischer die Nachfrage auf den Preis reagiert, desto höher kann man den Preis ansetzen. Drittens muß die Kostenstruktur sowie der Einfluß der Ausbringungsmengen und der Fertigungserfahrung (Erfahrungskurve oder Lernkurve) abgeschätzt werden. Viertens müssen die Preise der Konkurrenten als Grundlage für die eigene Preisposition beachtet werden. Fünftens wählt man eines von fünf grundsätzlichen Preisbildungsverfahren aus: Zuschlagsverfahren, Kapitalrenditeverfahren, Preisbildung nach dem Wertempfinden der Kunden, Preisbildung nach den Leitpreisen der Konkurrenz und Preisbildung bei Ausschreibungen. Und sechstens trifft man die Preisentscheidung unter Berücksichtigung von preispsychologischen Auswirkungen anderer Elemente im Marketing-Mix, von preispolitischen Grundsätzen des Unternehmens und von Auswirkungen auf andere Beteiligte im Marketingprozeß, d.h. Partner im Handel, eigene

Vertriebsorganisation, Konkurrenten, Lieferanten und auch staatliche Marktüberwachungsinstitutionen.

Unternehmen modifizieren ihre Preise programmatisch nach unterschiedlichen Bedingungen im Markt. Durch die geographische Preismodifizierung werden speziell die räumliche Entfernung und die Transportkosten berücksichtigt. Eine zweite Form der Preismodifizierung sind Rabatte und Preisnachlässe, wie Skonti, Mengenrabatte, Funktionsrabatte, Saisonrabatte und Sondernachlässe. Eine dritte Form ist die Preismodifizierung zur Verkaufsförderung. Dazu gehören Lockvogelpreise, Preise für Sonderaktionen, Barrückvergütungen, zinsgünstige Finanzierungsangebote und psychologische Preismodifizierungen. Eine vierte Form ist die diskriminierende Preismodifizierung. Hier legt das Unternehmen beim gleichen Produkt für unterschiedliche Kundensegmente, Produktausführungen, Standorte, Jahreszeiten und Markenimages unterschiedliche Preise fest. Die fünfte Form ist die Preisabstufung im Produktverbund. Hierzu gehören abgestufte Preiszonen für Produkte innerhalb einer Produktlinie, Preisabstufungen für Sonderausstattungen, Folgeprodukte in Funktionssystemen, die Preismodifizierung für Angebotspakete, die Abstufung nach Grund- und Nutzungspreisen sowie die Einbindung von Nebenprodukten in die Preisbildung.

Wenn man eine Preisänderung einleiten will, muß man die möglichen Reaktionen der Kunden und Konkurrenten sorgfältig untersuchen. Die Reaktionen der Kunden werden davon beeinflußt, wie sie die Preisänderung auslegen. Die Reaktionen der Konkurrenten erfolgen entweder nach einem bestimmten Reaktionsmuster oder fallen, je nach Situation, unterschiedlich aus. Der Initiator der Preisänderung muß auch die möglichen Reaktionen von Lieferanten, Partnern im Handel und zuständigen staatlichen Stellen abschätzen.

Bei einer von einem Konkurrenten initiierten Preisänderung muß man Absicht und mögliche Dauer der Preisänderung ermitteln. Wenn eine schnelle Reaktion erforderlich ist, sollte man für jede mögliche Preismaßnahme der Konkurrenten im voraus über einen Plan verfügen.

Anmerkungen

1 David J. Schwartz: *Marketing Today: A Basis Approach*, dritte Auflage, New York: Harcourt Brace Jovanovich, 1981, S. 271.
2 Vgl. »Segmentation Strategies Create New Pressure among Marketers«, in: *Marketing News*, 28. März 1986, S. 1.
3 Thomas T. Nagle: *The Strategy and Tactics of Pricing*, Englewood Cliffs, N. J.: Prentice Hall, 1987, Kap. 3; ein gutes Nachschlagewerk über Preisentscheidungen.
4 Zusammengefaßt ergibt sich folgende Gleichung:

$$Eqp = \frac{(Q_1\text{-}Q_0)/(Q_0+Q_1) \times 0{,}5}{(P_1\text{-}P_0)/(P_0+P_1) \times 0{,}5}$$

wobei

Eqp = Elastizität der nachgefragten Menge bei einem veränderten Preis
Q_0, Q_1 = Pro Periode nachgefragte Menge vor und nach einer Preisänderung
P_0, P_1 = alter und neuer Preis

Die Ausdrücke $(Q_0 + Q_1) \times 0{,}5$ und $(P_0 + P_1) \times 0{,}5$ zeigen, daß hier rechnerisch der Mittelwert von Menge und Preis als Bezugsbasis für die prozentuale Veränderung angesetzt wird.

Wenn ein Unternehmen seinen Preis von 10 DM auf 5 DM senkt, und daraufhin sein Absatz von 100 auf 150 Mengeneinheiten steigt, so ergibt sich aus der Gleichung folgendes:

$$\frac{(150-100)/(100+150) \times 0{,}5}{(5DM-10DM)/(10DM+5DM) \times 0{,}5} = \frac{0{,}40}{-0{,}67} = -0{,}67$$

Die Nachfrageelastizität ist also kleiner als −1, d.h. die Nachfrage ist unelastisch; wir wissen folglich, daß der Gesamterlös sinken wird. Eine Probe ergab, daß der Gesamterlös von 1.000 DM auf 750 DM gesunken ist.

5 Verfahren zur Ermittlung der Nachfrageelastizität finden sich bei Leonard J. Parsons und Randall L. Schultz: »Marketing Models und Econometric Research«, New York: North-Holland 1976.

6 Eine Übersicht über Preiselastizitätsuntersuchungen findet sich bei Dominique M. Hanssens, Leonard J. Parsons und Randall L. Schultz in: *Market Response Models: Econometric and Time Series Analysis*, Boston: Kluwer Academic Publishers, 1990, S. 187–191.

7 Eine ausführliche Behandlung der Preisresponsedynamik findet sich bei Herman Simon in: *Preismanagement*, Wiesbaden: Gabler Verlag, 1982.

8 John R. Nevin: »Laboratory Experiments for Estimating Consumer Demand – A Validation Study«, in: *Journal of Marketing Research*, August 1974, S. 261–268.

9 Vgl. Sidney Bennett und J.B. Wilkinson: »Price-Quantity Relationships and Price Elasticity under In-Store Experimentation«, in: *Journal of Business* Research, Januar 1974, S. 30–34.

10 Bernd Falk und Jakob Wolf (Hrsg.): *Handlexikon für Handel und Absatz*, München: Verlag Moderne Industrie, 1979.

11 Vgl. Daniel A. Nimer: »Pricing the Profitable Sale has a Lot to Do with Perception«, in: *Sales Management*, 19. Mai 1975, S. 13–14.

12 Dieses Beispiel gilt für Märkte und Marken, deren Nutzwert von den Käufern unabhängig vom Preis eingeschätzt wird. Ausführlichere Betrachtungen über Modelle zum Preis-Wert- und Preis-Qualitäts-Verhalten finden sich bei Friedhelm Bliemel in: »Price-Quality Evaluation of Brands«, in: Sheila Brown (Hrsg.): *Marketing 1984*, Band 5, Teil 3, *ASAC Conference Proceeding*, Administrative Sciences Association of Canada, University of Guelph, 1984, S. 31–40.

13 Gary M. Erickson und Johny K. Johansson: »The role of Price in Multi-Attribute Product Evaluations«, in: *Journal of Consumer Research*, September 1985, S. 195–199.

14 George J. Szybillo und Jacob Jacoby: »Intrinsic versus Extrinsic Cues as Determinants of Perceived Product Quality«, in: *Journal of Applied Psychology*, Februar 1974, S. 74–78.

15 Paul W. Farris und David J. Reibstein: »How Prices, Expenditures, and Profits are Linked«, in: *Harvard Business Review*, November – Dezember 1979, S. 173–184.

16 ASW-Fachgespräche: »Vorbild für den europäischen Markt«, 2, 1989, *Absatzwirtschaft*, S. 74–77.

17 Vgl. auch Peter Obenender und Georg Rüter: »Stahlindustrie«, in: Peter Obenender (Hrsg.) und Herbert Baum (Mitverf.): *Marktökonomie: Marktstruktur und Wettbewerb in ausgewählten Branchen der Bundesrepublik Deutschland* München: Verlag Franz Vahlen, 1989.

18 Aus den USA wurde berichtet, daß durch Niedrigzinsfinanzierungen zwar Kunden in die Ausstellungsräume der Autohändler gelockt werden, viele jedoch vor einem Kauf zurückscheuen, wenn sie die Einzelheiten erfahren: Eine hohe Anzahlung ist erforderlich; der Tilgungszeitraum beträgt nicht 60, sondern 30 Monate; beim Kauf mit dieser Kreditform erhält der Käufer in der Regel kaum einen Nachlaß auf den Listenpreis; vgl. »Finance Deals Aren't Helping Sales of Autos«, in: *Wall Street Journal*, 17. März 1983.

19 Vgl. auch Herbert Jacob: *Preisbildung und Preiswettbewerb in der Industriewirtschaft: Eine empirische Untersuchung*, Köln: Heymann-Verlag, 1985, S. 173 u. 174.

20 Vgl. Gerald J. Tellis: »Beyond the Many Faces of Price: An Integration of Pricing Strategies«, in: *Journal of Marketing*, Oktober 1986, S. 146–160, hier Seite 155. In diesem sehr nützlichen Artikel werden auch andere Preisstrategien untersucht und veranschaulicht.

21 Ein umfassender Überblick hierzu findet sich bei Kent B. Monroe: »Buyers' Subjective Perceptions of Price«, in: *Journal of Marketing Research*, Februar 1973, S. 70–80.

Planung und Management des Distributionssystems

Kapitel 18

Der Hersteller sollte den Kaufmann im Handel nicht als bezahlten Helfer in seinem Warenverteilungssystem betrachten, sondern als eigenständig entscheidenden Kunden, der für eine noch größere Gruppe von Kunden einkauft.
Philip McVey

»Welch eine angenehme geistreiche Sorgfalt ist es, alles, was in dem Augenblicke am meisten gesucht wird und doch bald fehlt, bald schwer zu haben ist, zu kennen, jedem, was er verlangt, leicht und schnell zu verschaffen, sich vorsichtig in Vorrat zu setzen und den Vorteil jedes Augenblickes dieser großen Zirkulation zu genießen!«
Goethe

Die meisten Hersteller verkaufen heute ihre Waren nicht direkt an den Endverwender. Hersteller und Endverwender sind durch eine Vielzahl von *Partnern im Distributionssystem (Absatzmittler)* verbunden, die verschiedene Funktionen übernehmen und unterschiedliche Namen tragen. Einige der Partner des Herstellers, wie z.B. die Groß- und Einzelhändler, kaufen die Ware, erwerben das Eigentum daran und verkaufen sie anschließend weiter, d.h. sie sind *im eigenen Namen tätige Kaufleute.* Andere, wie z.B. Makler, Handelsvertreter und Verkaufsagenten oder -kommissionäre, akquirieren im Auftrag des Herstellers Kunden oder führen Verkaufsverhandlungen, erwerben die Ware jedoch nicht selbst, d.h. sie sind *im fremden Namen tätige Kaufvermittler.* Wieder andere, z.B. Spediteure, Lagerbetriebe, Banken und Werbeagenturen, nehmen unterstützende distributive Aufgaben wahr, ohne dabei Ware zu erwerben oder Kauf- bzw. Verkaufsverhandlungen zu führen, d.h. sie sind *Partner bei der Kaufabwicklung.*

Entscheidungen über das Distributionssystem sind für das Unternehmen äußerst kritisch. *Sind die Distributionskanäle gewählt, dann üben sie einen ganz wesentlichen Einfluß auf alle anderen Marketingentscheidungen des Unternehmens aus.* Die Preisgestaltung hängt z.B. davon ab, ob man für seine Produkte Supermärkte oder den Fachhandel als Absatzpartner gewählt hat. Die Entscheidungen über Aufgaben des Vertriebs und der Werbung hängen davon ab, in welchem Umfang die gewählten Handelspartner geschult und motiviert werden müssen. Distributionsentscheidungen sind auch deshalb kritisch, weil sie *relativ langfristige Bindungen an andere Unternehmen* mit sich bringen. Wenn z.B. ein Autohersteller einen Vertragshändler aufnimmt, kann er diesen nicht einfach am nächsten Tag aufkaufen und durch eine eigene Werksvertretung ersetzen. Falls ein Hersteller pharmazeutischer Produkte nicht rezeptpflichtige (aber rezeptfähige) Präparate über die Apotheken absetzt, muß er auf deren Interessen und die Interessen der Ärzte Rücksicht nehmen, die seine Marke fallenlassen würden, wenn sie auch über Drogerien auf den Markt gebracht werden würde. Corey stellte dazu folgendes fest:

Das Distributionssystem ... ist eine *unternehmensexterne* Ressource mit Schlüsselcharakter. Im Regelfall dauert sein Aufbau viele Jahre, und man kann es nicht leicht wechseln. Die Bedeutung des Distributionssystems ist als gleichrangig mit *internen* Ressourcen, wie Produktion, Forschung, Technologie und Vertriebsorganisation, zu betrachten. Mit dem Distributionssystem verpflichtet sich das Unternehmen einer großen Zahl eigenständiger Distributionspartner – und auch einem spezifischen Zielmarkt, für den diese tätig sind; es verpflichtet sich darüber hinaus einer Politik mit bestimmten Spielregeln, die als Basis langfristiger Geschäftsbeziehungen dienen.[1]

Die Distributionspartner halten daher mit großer Zähigkeit an einmal getroffenen Vereinbarungen fest. Deshalb muß das Unternehmen bei der Gestaltung seines Vertriebssystems seine Vertriebskanäle unter Berücksichtigung zukünftiger Entwicklungen im Wettbewerb und Markt auswählen.

In diesem Kapitel werden wir folgende Fragen beantworten: Was sind die Wesenszüge von Distributionssystemen? Welche Entscheidungen muß das Unternehmen bei der Gestaltung, Lenkung, Bewertung und Modifizierung seines Distributionssystems treffen? Welche Entwicklungen zeigen dynamische Systemveränderungen an? Im darauffolgenden Kapitel werden wir dann distributionspolitische Entscheidungsprobleme aus der Sicht des Einzelhandels, des Großhandels und der Unternehmen der physischen Distribution, d.h. der Marketing-Logistik, behandeln.

Wesenszüge von Distributionssystemen

Die meisten Hersteller bringen ihre Produkte über Distributionspartner auf den Markt. Diese bilden in ihrer Gesamtheit einen *Distributionskanal* (auch als Vertriebskanal oder Absatzweg bezeichnet). Stern und El-Ansary definieren dies so:

Ein Distributionskanal ist die Gesamtheit aller ineinandergreifender Organisationen, die am Prozeß beteiligt sind, um ein Produkt oder eine Dienstleistung zur Verwendung oder zum Verbrauch verfügbar zu machen.[2]

Warum Absatzmittler und Zwischenhandel?

Warum sollte ein Hersteller einen Teil seiner Verkaufsaufgaben auf den Zwischenhandel übertragen? Mit der Übertragung von Aufgaben verliert er an Kontrolle darüber, wie und an wen seine Produkte verkauft werden. Auf den ersten Blick scheint damit der Hersteller sein Schicksal in die Hände anderer zu legen.

Da der Hersteller seine Produkte auch auf direktem Weg an den Endverwender herantragen könnte, muß er davon überzeugt sein, daß die Einschaltung des Zwischenhandels – in Form von Kaufleuten, Kaufvermittlern oder Partnern bei der Kaufabwicklung – für ihn bestimmte Vorteile mit sich bringt. Diese Vorteile werden im folgenden näher beschrieben.

Vielen Herstellern fehlen die Finanzmittel, um ihre Produkte ohne Zwischenglied direkt an die Endverwender zu verkaufen. General Motors, eines der größten Unternehmen der Welt, verkauft z.B. seine Automobile in den USA über mehr als zehntausend Händler; sogar General Motors würde es sehr schwerfallen, die erforderlichen Mittel zum Aufkauf all seiner Vertragshändler aufzubringen, um den Verkauf bis zum Endverwender in eigener Regie durchzuführen. Volkswagen z.B. hat in Deutschland etwa 1.900 Vertragshändler, und Bosch 70 Großhändler.

Ein Hersteller, der seine Produkte direkt verkaufen wollte, müßte selbst die Funktion von »Zwischenhändlern« übernehmen und eventuell auch noch zusätzlich die Produkte anderer Hersteller mitverkaufen, um eine wirtschaftlich sinnvolle Warenverteilung zu erreichen. Die Firma Haribo z.B. würde es sicherlich nicht für zweckmäßig halten, über das ganze Land verteilte Läden für Lakritze und Gummibärchen einzurichten, diese Produkte im Heimdienst bis zur Tür des Verbrauchers zu bringen oder per Postversand zu verkaufen. Haribo müßte dann z.B. neben den eigenen viele andere Produkte mitanbieten und eigene Kioske oder Einzelhandelsgeschäfte betreiben. Für das Unternehmen ist es einfacher, für die eigenen Produkte ein umfassendes Netz vorhandener Händler zu nutzen und so eine flächendeckende Warendistribution zu erreichen.

Selbst für Hersteller, die es sich leisten könnten, firmeneigene Distributionskanäle aufzubauen, ist es oft finanziell vorteilhafter, statt dessen mehr in ihr eigentliches Kerngeschäft zu investieren. Wenn ein Unternehmen aus der Produktionstätigkeit eine Rendite von 20% erwirtschaftet, während es aus einem Einstieg in das Einzelhandelsgeschäft lediglich eine Rendite von 10% erwarten kann, wird es selbst keinen Einzelhandel betreiben wollen.

Einige Hersteller wollen jedoch ein teilweise firmeneigenes Distributionssystem aufbauen. McDonald's beispielsweise gehört mehr als ein Viertel seiner Restaurants. Das Unternehmen sammelt damit eigene Erfahrungen im Management aller Stufen des Distributionssystems, kann dadurch die Leistungsfähigkeit der Distributionspartner oder Franchisenehmer treffend einschätzen und diese gut motivieren. Nachteile entstehen aus einem zweigleisigen Distributionssystem dann, wenn externe Partner die firmeneigenen Vertriebskanäle ablehnen und mit diesen in Konflikt geraten.

Der wesentliche Grund für die Einschaltung von Distributionspartnern ist ihre größere Effizienz bei der umfassenden Warenverteilung auf die Zielmärkte. Der Zwischenhandel bietet mit seinen Kontakten, Erfahrungen und Spezialkenntnissen sowie aufgrund einer marktkonformen Geschäftsgröße im Regelfall größere Vorteile, als ein Hersteller durch eigene Anstrengungen erreichen könnte.

Aus Sicht des Gesamtmarketingsystems liegt die Aufgabe des Zwischenhandels darin, die vielfältigen Angebote aller Hersteller in sinnvolle und bedarfsgerechte Warensortimente umzustrukturieren – so wie die Endverwender es wünschen. Der Zwischenhandel glättet den Fluß der Güter und Dienstleistungen. Er überbrückt Ungleichheiten zwischen dem Herstellerangebot und dem vom Kunden gewünschten Sortiment. Ungleichheiten entstehen dadurch, daß jeder Hersteller ein enges Warensortiment in großen Mengen anbietet, während jeder Kunde ein breites Warensortiment in kleinen Mengen wünscht. [3] Wroe Alderson stellte dazu fest: »Ziel des Marketingsystems ist es, Warenangebot und Warennachfrage möglichst deckungsgleich zusammenzuführen.« [4]

Abbildung 18–1 veranschaulicht schematisch einen sehr wesentlichen Systemvorteil der Warendistribution mit dem Zwischenhandel. Teil (a) der Abbildung zeigt drei Hersteller (H), von denen jeder drei Kunden (K) mittels direkter Distribution errei-

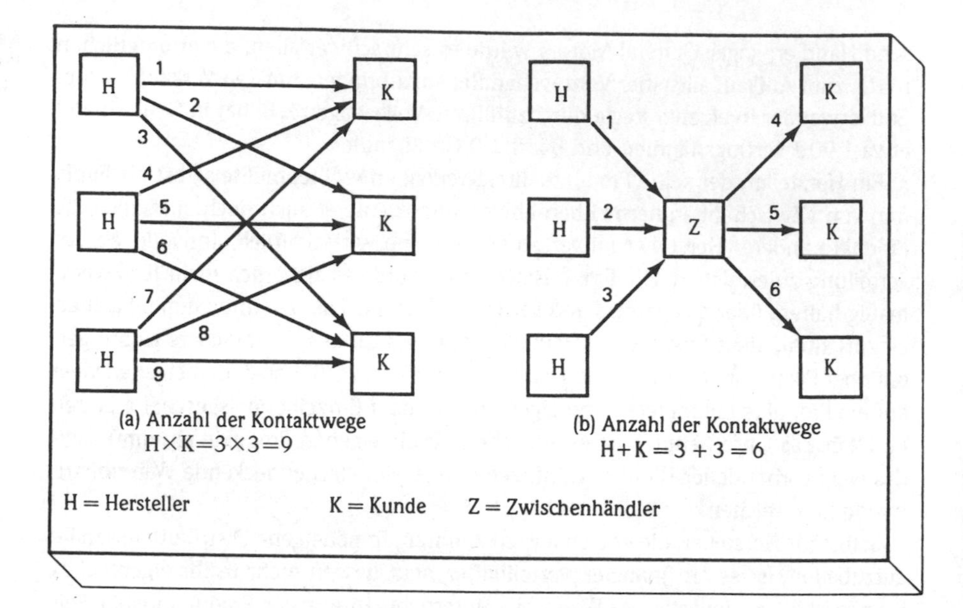

Abbildung 18-1
Systemvorteil der Warendistribution durch einen Zwischenhändler

chen will. Dieses Vorgehen erfordert neun Kontaktwege, also neun direkte Kanäle. Teil (b) der Abbildung zeigt dieselben drei Hersteller, die nun mit einem Zwischenhändler (Z) zusammenarbeiten, der die drei Kunden beliefert. Dieses System erfordert lediglich sechs Kontaktwege. So verringert der Zwischenhändler den erforderlichen Distributionsaufwand im Gesamtsystem.

Funktionen im Distributionssystem

Jeder Kanal des Distributionssystems erfüllt bestimmte Aufgaben auf dem Weg der Güter vom Hersteller zum Konsumenten. Auf diesem Weg müssen die Lücken in Zeit, Raum und Verfügungsgewalt überbrückt werden, die Güter und Dienstleistungen von möglichen Nutzern trennen. Die einzelnen Mitglieder des Distributionssystems tragen zu folgenden wesentlichen Funktionen bei, die – in Form von »Flüssen« – für das Distributionssystem erforderlich sind:

- **Informationsfluß**
  Sammlung und Weitergabe von Informationen über den Markt und die Marktteilnehmer, wie gegenwärtige und potentielle Kunden, Konkurrenten und andere Akteure und Gestaltungskräfte im Marketingumfeld.
- **Absatzförderungsfluß**
  Erstellung und Verbreitung überzeugender Marktkommunikationen über das Angebot, für das man das Kundeninteresse wecken will.
- **Verhandlungsfluß**
  Versuch, eine endgültige Einigung über den Preis und andere Konditionen herbeizuführen, so daß die Eigentumsübertragung bzw. Besitzübergabe eingeleitet und durchgeführt werden kann.
- **Bestellfluß**
  Rückmeldung der Mitglieder des Distributionskanals an den Hersteller über die konkrete Kaufabsicht eines Kunden.

- **Finanzierungsfluß**
  Beschaffung und Zuordnung von Geldmitteln auf die Finanzierung der Vorratshaltung bei einzelnen Verweilstellen der Güter im Distributionssystem.
- **Risikofluß**
  Übernahme von Risiken, die mit der Wahrnehmung von Distributionsaufgaben verbunden sind.
- **Materieller Güterfluß**
  Inbesitznahme, Lagerung und Bewegung materieller Produkte auf ihrem Weg vom Rohstoff bis hin zum Endabnehmer.
- **Zahlungsfluß**
  Zahlung von Rechnungen durch die Käufer an die Verkäufer über Banken und andere Finanzinstitute als Gegenleistung für die gelieferten Waren und erbrachten Dienstleistungen.
- **Eigentumsfluß**
  Eigentumsübergang von einem Mitglied des Marketingsystems auf ein anderes.

Diese Funktionsflüsse wurden hier in der Reihenfolge genannt, in der sie üblicherweise abgewickelt werden. Einige davon verlaufen *vorwärts* (materieller Güterfluß, Eigentums- und Absatzförderungsfluß), andere verlaufen *rückwärts* (Bestell- und Zahlungsfluß), und wieder andere verlaufen *bidirektional* (Informations-, Finanzierungs- und Risikofluß). Fünf dieser Flüsse werden am Beispiel des Gabelstaplermarktes in Abbildung 18–2 schematisch veranschaulicht. Würde man sie in einem einzigen Diagramm übereinanderlegen, würde die immense Komplexität selbst einfacher Distributionssysteme verdeutlicht werden.

Die Frage ist nicht, *ob* diese Distributionsfunktionen wahrgenommen werden

Abbildung 18-2
Fünf verschiedene Funktionsflüsse im Distributionssystem des Gabelstaplermarktes

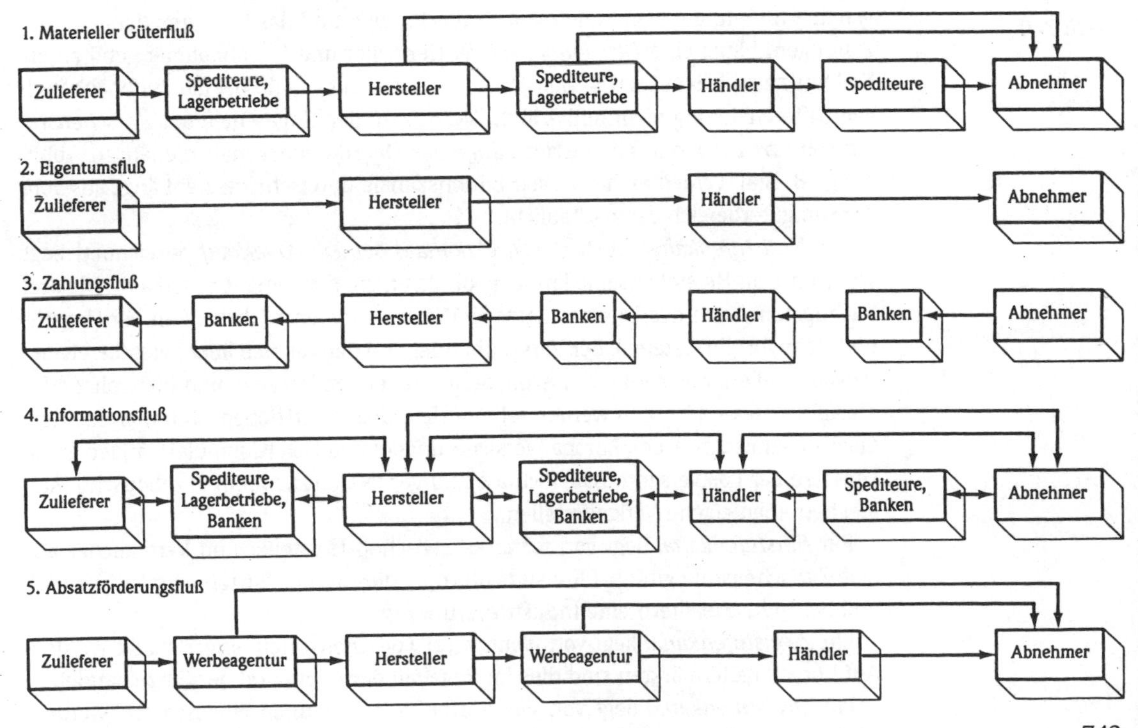

müssen, sondern vielmehr, *wer* sie wahrnehmen soll. Alle Distributionsfunktionen haben drei Dinge gemeinsam: sie beanspruchen nur begrenzt vorhandene Ressourcen, sie lassen sich oft durch höhere Spezialisierung besser erfüllen und sie können auf andere Funktionsträger verlagert werden. In dem Umfang, in dem der Hersteller selbst diese Funktionen wahrnimmt, steigen seine Kosten und Abgabepreise. Überträgt er einen Teil der Funktionen auf Partner im Distributionssystem, sind seine Kosten und Abgabepreise niedriger, während der eingeschaltete Partner die Kosten für seine Arbeit berechnen muß. Wenn dieser Partner effizienter arbeitet als der Hersteller, sind auch niedrigere Verbraucherpreise möglich. Die Endverbraucher könnten auch einen Teil der Funktionen selbst übernehmen, um noch niedrigere Preise möglich zu machen. Die Frage, wer die jeweiligen Distributionsaufgaben übernehmen soll, führt zur Frage, wer diese Funktionen am effektivsten und wirtschaftlichsten ausführen kann.

Die zu erfüllenden Marketingfunktionen sind also von grundlegenderer Bedeutung als die Institutionen oder Aufgabenträger, die diese Funktionen jeweils wahrnehmen. Das »Kommen und Gehen« von Institutionen im Distributionssystem folgt im wesentlichen der Entdeckung immer effizienterer Möglichkeiten, die zur Bedienung des Zielmarktes unerläßlichen Funktionen zusammenzulegen oder zu trennen.

Stufen im Distributionssystem

Man kann Distributionssysteme und durchgängige Distributionskanäle anhand der Zahl ihrer Stufen beschreiben. Jedes Distributionsorgan, das bestimmte Verrichtungen übernimmt, um dem Endabnehmer das Produkt und das Eigentum daran näherzubringen, bildet eine *Distributionsstufe*. Hersteller und Endabnehmer gehören als Endpunkte zu jedem Distributionskanal. Sie werden deshalb bei der stufenabhängigen Differenzierung nicht mitgezählt. Die Anzahl der eingeschalteten *Zwischenstufen* soll uns zur Beschreibung der *Länge* des Distributionskanals dienen. In Abbildung 18–3(a) werden mehrere Distributionskanäle unterschiedlicher Länge aus dem Konsumgüterbereich veranschaulicht.

Ein *Nullstufenkanal* (auch als *Direktkanal* oder *Direktverkauf* bezeichnet) liegt vor, wenn ein Hersteller seine Produkte direkt an die Konsumenten verkauft. Die drei wichtigsten Arten des Direktverkaufs sind der Heimdienst (Verkauf an der Haustür und Heimvorführsysteme), der Versandhandel und der Vertrieb über herstellereigene Verkaufsstellen. Kosmetika von Avon, Staubsauger von Vorwerk und Elektrolux oder Tiefkühlkost von Eismann werden z.B. im Heimdienst vertrieben. Unternehmen wie Quelle (Gemischtwaren), Europa (Versicherungen) und Dell (Computer) tätigen große Umsätze per Postversand. Bata (Schuhe), Singer (Nähmaschinen) und Eduscho (Kaffee) betreiben eigene Verkaufsstellen.

Ein *Einstufenkanal* liegt vor, wenn es zwischen Hersteller und Verbraucher nur eine Zwischenstufe gibt; bei Konsumgütern ist dies oft der Einzel- oder Fachhandel, und bei Industriegütern eine Industrievertretung.

Ein *Zweistufenkanal* liegt vor, wenn zwei Zwischenstufen eingeschaltet werden. Auf Konsumgütermärkten sind dies im Regelfall der Groß- und der Einzelhandel.

Ein *Dreistufenkanal* liegt vor, wenn drei Zwischenstufen eingeschaltet werden. So fungiert z. B in der fleischverarbeitenden Industrie der USA meist ein sogenann-

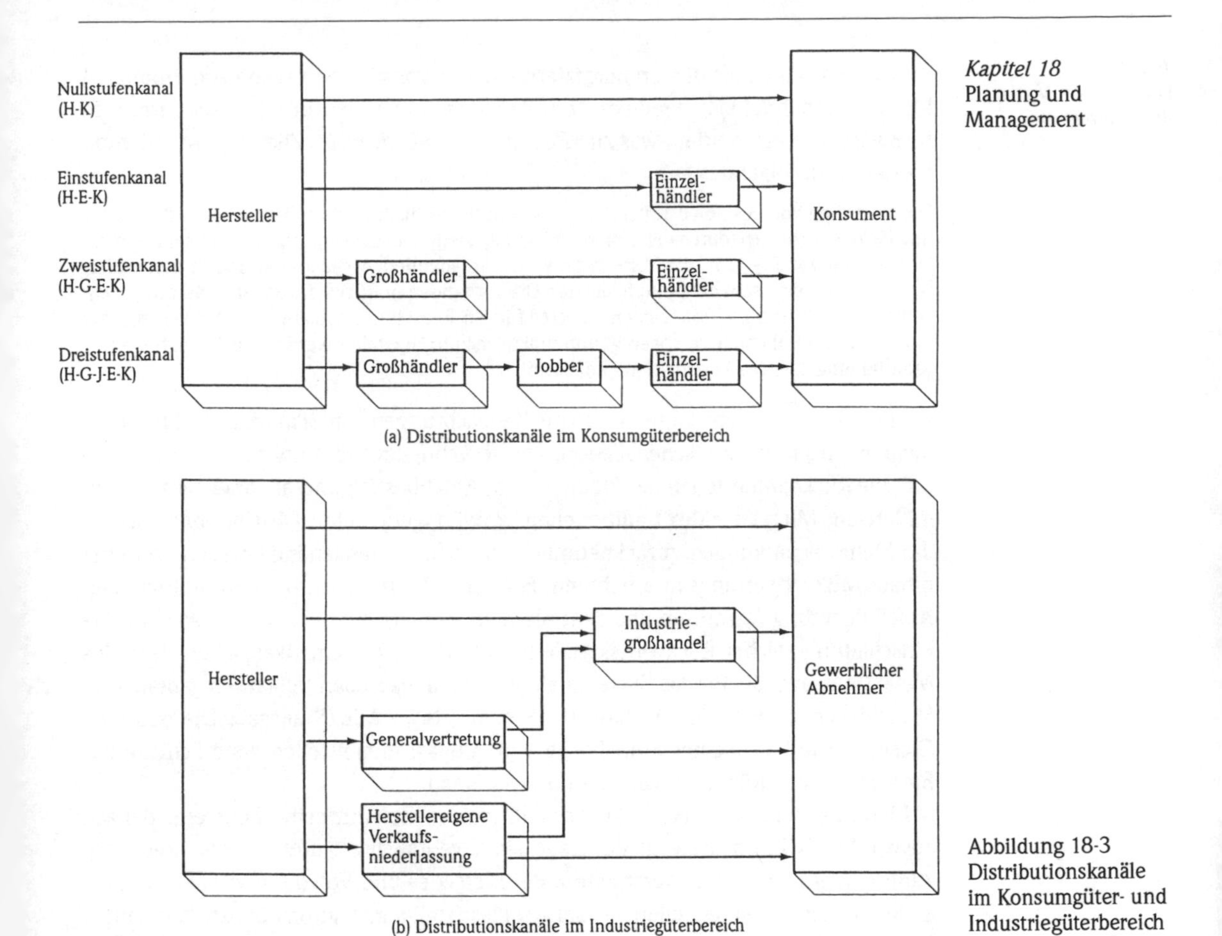

Abbildung 18-3
Distributionskanäle
im Konsumgüter- und
Industriegüterbereich

ter »Jobber« als Bindeglied zwischen Groß- und Einzelhändler. Der Jobber kauft beim Großhandel und verkauft die Ware an kleinere Einzelhändler weiter, die im allgemeinen von den größeren Großhandelsunternehmen nicht beliefert werden.

Insbesondere in Japan finden sich auch Distributionsketten mit bis zu sieben Zwischengliedern. Vom Standpunkt des Herstellers aus betrachtet wird die Informationsbeschaffung sowie die Einflußnahme auf das Verhalten des Distributionssystems bei zunehmender Kanallänge immer schwieriger, da in den meisten Fällen der Hersteller nur mit dem ersten Mitglied des Distributionskanals in engem Kontakt steht.

In Abbildung 18–3(b) werden drei gängige Distributionskanäle aus dem Industriegüterbereich dargestellt. Der Industriegüterhersteller kann für den Direktverkauf an gewerbliche Abnehmer z. B. die firmeneigene Vertriebsorganisation einschalten. Einstufig kann er Industriegroßhändler, einen Generalvertreter oder eine Verkaufsniederlassung einschalten. Zweistufig kann der Industriegroßhandel dem Generalvertreter oder der Verkaufsniederlassung nachgeschaltet sein. Im Industriegüterbereich sind sowohl Distributionskanäle ohne Zwischenstufe als auch ein- und zweistufige oder auch Misch-Systeme zu finden.

Distributionskanäle dienen normalerweise der Vorwärtsbewegung von Produkten hin zum Endabnehmer; Produkte können jedoch nicht nur vorwärts, sondern auch rückwärts bewegt werden, was zu »*Rückwärtskanälen*« führt. Zikmund und Stanton führten dazu folgendes aus:

> Das Recycling von Festabfallstoffen ist ein wesentliches ökologisches Ziel. Obwohl der Recycling-Prozeß technisch durchaus beherrschbar ist, stellt die Umkehrung des Güterflusses im Distributionskanal – d.h. die Vermarktung von anfallenden Abfallstoffen über einen »Rückwärtskanal« – eine schwierige Aufgabe dar. Die vorhandenen Rückwärtskanäle sind noch nicht voll entwickelt und die finanziellen Anreize für ein Recycling unzulänglich. Der Verbraucher muß zu einem Rollentausch angeregt und praktisch zum Hersteller werden – d.h. die treibende Kraft im umgekehrten Distributionsprozeß. [5]

In »Rückwärtskanälen« können – so die Beobachtungen von Zikmund und Stanton – mehrere Arten von Zwischengliedern am Recycling-Prozeß mitwirken; dazu zählen z.B. die Rücknahmestellen der Produzenten, Abfallbeseitigungsaktionen von Bürgerinitiativen, Mitglieder des traditionellen vorwärtsgerichteten Distributionssystems, die Mehrwegpackungen zurücknehmen, wie z.B. Getränkehändler, sowie darüber hinaus Müllverwertungsunternehmen, Recycling-Zentren, Schrott- und Müllhändler, Abfall-Recycling-Agenturen und zentrale Zwischenlagerbetriebe. Ein Beispiel für die Einschaltung solcher Rückwärtskanäle ist die Aktion der amerikanischen Reynolds Metal Company, die für das Einsammeln von mehr als sieben Milliarden gebrauchter Metalldosen in den USA im Jahr 1985 mehr als 77 Mio. $ ausgab. Die deutsche Glasindustrie hat mit der Einrichtung von Altglassammelstellen erste Schritte zur Einrichtung von Rückwärtskanälen unternommen.

Mercedes-Benz kündigte 1990 an, daß man in Zukunft seine Zulieferer danach auswählen will, ob diese in der Lage sind, gebrauchte Autoteile zum Recycling zurückzunehmen und zu verarbeiten. Bei Mercedes und Volvo – und bald auch bei anderen Automobilherstellern – sollen Plastikteile im Automobilbau mit einem Materialcode versehen werden, so daß sie im Recycling nach Materialart sortiert und wiederverarbeitet werden können. Die »Plastics Division« von General Electric hat sich gegenüber ihren Kunden im Automobilmarkt verpflichtet, die Einsammlung und Wiederverwertung von Plastikteilen zu übernehmen und dafür Sammelsysteme zu entwickeln.

In der Zukunft werden sich viele Mitglieder des vorwärtsgerichteten Distributionssystems vom Hersteller bis zum Einzelhändler in irgendeiner Form auf den Rückfluß von wiederverwertbaren Wertstoffen und von Entsorgungsstoffen einrichten müssen. Eine Umfrage unter 100 Managern in internationalen Unternehmen zeigte, daß die Mehrzahl dieser Unternehmen sich im Rahmen ihrer Forschungs- und Entwicklungsanstrengungen auf umweltfreundliche Produkte und auf das Recycling vorbereiten. Von den Befragten waren 92 % der Meinung, daß insbesondere im Produktdesign Veränderungen vorgenommen werden müssen. Immer mehr Unternehmen revidieren ihre Definition der »Produktlebensdauer«. War bisher die *wirtschaftliche Nutzungsdauer* des Produkts bei der Planung die wichtigste Größe, so fühlen sich nun immer mehr Unternehmen für die *totale Lebensdauer – von der Erzeugung bis zur Entsorgung oder Umwandlung in einer vielfachen Folge des Wiedergebrauchs durch Recycling* – ihrer Produkte verantwortlich. [6]

Distributionssysteme für Dienstleistungen

Distributionssysteme spielen nicht nur bei der Verteilung materieller Güter eine Rolle. Auch Dienstleistungen und Ideen müssen als Angebot für den Zielmarkt *verfügbar* und *zugänglich* gemacht werden. Anbieter entwickeln hier z.B. »Bildungsprogramme« zur Verbreitung von Wissen, »Gesundheitsvorsorgeprogramme« oder »Katastrophenschutzprogramme«. Die Dienstleistungsanbieter müssen dabei mögliche Trägerorganisationen, Partner und Standorte so lokalisieren, daß die im geographischen Raum verteilte Bevölkerung angemessen versorgt werden kann. Dazu einige Beispiele:

Krankenhäuser müssen geographisch so verteilt werden, daß die medizinische Versorgung der Bevölkerung gewährleistet ist; Schulen müssen in der Nähe schulpflichtiger Kinder gebaut werden, und die Feuerwehrwache muß so nahe wie möglich am potentiellen Brandherd liegen; ein Wahllokal muß für die Wähler ohne übermäßig hohen Aufwand an Zeit, Mühe oder Geld zu erreichen sein; in den Bundesländern müssen geeignete Universitätsstandorte für eine wachsende Nachfrage nach besserer Qualifikation gefunden werden; in den Städten müssen Kinderspielplätze gebaut werden, und in vielen überbevölkerten Ländern fehlen Einrichtungen, mit deren Hilfe man die Bevölkerung mit Informationen über Methoden der Empfängnisverhütung und Familienplanung versorgen kann. [7]

Auch im Show-Geschäft gibt es Distributionssysteme für die Vermarktung von Persönlichkeiten. So konnte ein Komiker in den 40er Jahren, als es noch kein Fernsehen gab, sein Publikum über sieben verschiedene »Distributionskanäle« erreichen: über Variétés, Festveranstaltungen, Nachtclubs, Rundfunk, Kinofilme, Volksfeste und Theateraufführungen. In den 50er Jahren übernahm dann das Fernsehen immer mehr die Hauptrolle als Bindeglied zwischen Künstler und Publikum. Das Variété alter Prägung verlor immer mehr an Bedeutung. Auch Politiker müssen zur Verbreitung ihrer politischen Botschaft zielgruppengerecht möglichst kostenwirksame Distributionskanäle – z.B. die Massenmedien, Großveranstaltungen oder auch Ortsgruppenveranstaltungen – ausfindig machen. [8]

Planung des Distributionssystems

Im folgenden wollen wir mehrere Entscheidungsprobleme des Herstellers bei der Planung des Distributionssystems untersuchen. Der Hersteller muß hier einen Kompromiß zwischen Idealvorstellung und Machbarem finden. Ein neu gegründetes Herstellerunternehmen bearbeitet als erstes oft nur einen regional begrenzten Markt. Da seine Kapitalgrundlage meist eng begrenzt ist, arbeitet es mit bereits vorhandenen Absatzmittlern. Davon sind auf jedem regional begrenzten Markt oft nur wenige vorhanden, z.B. ein paar Handelsvertreter, ein paar Großhändler, einige etablierte Einzelhändler, ein paar Transportunternehmen und einige wenige Lagerbetriebe. Das Problem des Herstellers besteht dann weniger darin, sich für den besten Absatzweg zu entscheiden, sondern eher darin, überhaupt aufnahmebereite Partner für den Handel mit seiner Produktlinie zu gewinnen.

Wenn das Unternehmen erfolgreich ist, wird es sich auf neue Absatzregionen ausdehnen. Wiederum wird es dazu neigen, mit vorhandenen und aufnahmebereiten Partnern zusammenzuarbeiten, was dazu führen könnte, daß in den jeweiligen

Absatzregionen unterschiedliche Distributionskanäle genutzt werden. In kleineren Absatzregionen könnte das Unternehmen direkt über den Einzelhandel verkaufen, und auf größeren Märkten über Großhändler. In ländlichen Gebieten könnte es mit Gemischtwarenhändlern und in Städten mit Fachhändlern zusammenarbeiten. Es könnte in einer Region exklusive Vertriebsrechte vergeben, da dies dort gängige Handelspraxis ist; in einer anderen Region könnte es seine Produkte über alle Händler vertreiben, die gewillt sind, seine Ware zu führen. So entfaltet sich das Distributionssystem des Herstellers oft im begrenzten Rahmen der regionalspezifischen Möglichkeiten und Bedingungen.

Innerhalb dieses Rahmens ist es zur Gestaltung des Distributionssystems erforderlich, den Kundenbedarf nach distributiven Leistungen zu analysieren, die Distributionsziele zu bestimmen sowie wesentliche Gestaltungsalternativen zu entwickeln und zu bewerten.

Analyse des Kundenbedarfs nach Distributionsleistungen

Als erstes muß zur Gestaltung des Distributionssystems analysiert werden, was, wo, warum, wann und wie die Endabnehmer in einem spezifischen Zielmarkt kaufen. Die von den einzelnen Distributionspartnern und vom Gesamtsystem erbrachten distributiven Leistungen zeigen sich in fünf Bestimmungsgrößen: [9]

- **Abgabemenge**
  Die Abgabemenge ist im Idealfall die Zahl der Produkteinheiten, die ein Abnehmer bei jeder Lieferung erhält. Gewerbliche Abnehmer wollen z. B. ein Produkt von ihrem Lieferanten in größeren Mengen kurzfristig beziehen. Konsumenten kaufen in der Regel ein Produkt nur in kleinen Abgabemengen – oft nur ein Stück. Je kleiner die mögliche Abgabemenge, desto größer ist die *Mengenanpassungsleistung* des Funktionsträgers dieses Distributionssystems. Kleine Abgabemengen ermöglichen es dem Abnehmer, nur soviel Ware zu nehmen, wie er für den unmittelbaren Verbrauch benötigt.
- **Wartezeit**
  Die Warte- bzw. Lieferzeit ist die Zeitspanne, die der Abnehmer nach Auftragserteilung auf den Erhalt der Ware warten muß. Der Abnehmer zieht kurze Lieferzeiten vor, da er die Ware dann sofort einsetzen kann und seinen zukünftigen Bedarf nicht im voraus planen muß. Kurze Lieferzeiten sind Ausdruck einer hohen *Zeitanpassungsleistung* des Funktionsträgers im Distributionssystem.
- **Räumliche Präsenz**
  Die räumliche Präsenz – und damit die Nähe zu den Abnehmern und die Dezentralisation der Marktversorgung – wird durch die Anzahl und geographische Verteilung der eingerichteten Bezugsstellen bestimmt. Eine höhere Dezentralisierung bedeutet für den Abnehmer geringere Kosten für die Fahrt zur Verkaufsstelle und die Suche nach der geeigneten Ware. Kurze Entfernungen sind Ausdruck einer hohen *Distanzanpassungsleistung* des Funktionsträgers im Distributionssystem.
- **Versorgungsvielfalt**
  Je breiter und tiefer das für den Abnehmer bereitgestellte Warensortiment ist, desto höher ist die *Sortimentsanpassungsleistung* des Funktionsträgers im Distributionssystem.
- **Unterstützende Dienste**
  Durch unterstützende Dienste erbringt der Funktionsträger im Distributionssystem Zusatzdienstleistungen (Kundenkredit, Lieferdienst, Installation, Wartung, Reparatur). Gerade hier ergeben sich immer wieder neue Ansatzpunkte für eine Verbesserung des Distributionssystems und eine Stärkung der Kundenbeziehungen.

Zur Gestaltung effektiver Distributionskanäle muß man nicht nur die vom durchschnittlichen Abnehmer gewünschte Höhe der Leistungsbereitstellung, sondern auch die Nachfragefunktion für jede der Komponenten der Distributionsleistung kennen. Je höher die jeweilige Leistungsbereitstellung ist, desto höher sind die Kosten des Distributionskanals und die Abgabepreise. Der Markterfolg der Einzelhandels-Discounter zeigt, daß die Verbraucher bei vielen Produkten gewillt sind, niedrige distributive Leistungen zu wählen, wenn damit niedrigere Preise verbunden sind.

Distributionsziele und -einschränkungen

Die Distributionsziele sollten in Form von Leistungsvorgaben festgelegt werden. Nach Bucklin sollten die beteiligten Distributionsorgane unter Konkurrenzbedingungen ihre Aufgaben so untereinander aufteilen, daß die Gesamtdistributionskanalkosten bei einem bestimmten gewünschten Leistungsniveau so gering wie möglich gehalten werden. [10] Im Regelfall lassen sich auf der Grundlage unterschiedlich hoher vom Endabnehmer gewünschter Distributionsleistungen mehrere Zielmarktsegmente ermitteln. Zur wirksamen Gestaltung des Distributionssystems muß der Hersteller seine Zielmarktsegmente und die dafür jeweils geeignetsten Distributionskanäle bestimmen. Die Distributionsziele müssen neben den vom Abnehmer gewünschten Leistungen auch Einschränkungen berücksichtigen, die sich aus dem Produkt, den eingeschalteten Distributionspartnern, der Konkurrenzsituation, den übergeordneten unternehmensinternen Grundsätzen und dem Unternehmensumfeld ergeben. Diese Einschränkungen werden im folgenden näher beschrieben.

Einschränkungen durch das Produkt

Verderbliche Güter erfordern direkte Distributionswege, weil mit zusätzlichen Distributionsstufen durch Verzögerungen und Umladen Gefahren entstehen. *Sperrige* und *voluminöse* Güter, wie Baumaterialien oder Erfrischungsgetränke, erfordern Distributionskanäle mit möglichst wenigen Be- und Entladevorgängen zwischen Hersteller und Abnehmer. *Nicht-standardisierte* Produkte, wie speziell für Einzelkunden hergestellte Maschinen oder Büroformulare, müssen meist direkt durch die herstellereigene Vertriebsorganisation verkauft werden, da dem Zwischenhandel hier das erforderliche Spezialwissen fehlt. Bei Produkten, die vom Fachmann zu installieren und zu warten sind, werden die Kunden gewöhnlich durch den Hersteller direkt oder durch geschulte Vertragshändler betreut, um die Leistungserbringung des Produkts und damit die Kundenzufriedenheit sicherzustellen. Produkte mit *hohem Stückwert* werden oft über die Vertriebsorganisation des Herstellers und nicht über den Zwischenhandel verkauft.

Einschränkungen durch den Distributionspartner

Die erreichbaren Distributionsziele werden auch durch die Stärken und Schwächen unterschiedlicher Partner bei der Ausübung von Distributionsfunktionen mitbestimmt. So sind z. B. die Kosten pro Kundenkontakt bei Einschaltung eines Industrievertreters geringer, da sich dessen Kosten pro Kundenbesuch auf mehrere von ihm vertretene Hersteller verteilen. Allerdings sind auch die Verkaufsanstrengungen pro vertretenem Hersteller weniger intensiv, als wenn die Hersteller selbst in Erscheinung treten würden. Die Ausübung von Absatzförderungs-, Verhandlungs-, Lagerhaltungs-, Kontakt- und Zahlungsabwicklungsfunktionen schwankt je nach Typ des Distributionspartners.

Einschränkungen durch die Konkurrenten

Die Gestaltung des eigenen Distributionssystems wird auch durch bereits vorhandene Distributionssysteme der Konkurrenten beeinflußt, indem man sich entweder daran anlehnt oder sich davon distanziert. Einige Hersteller halten es für sinnvoll, ihre Produkte direkt neben den Konkurrenzprodukten zu präsentieren. Nahrungsmittelproduzenten z. B. wollen in der Regel, daß ihre Marken in denselben Verkaufsstellen vorhanden sind wie die Marken der Konkurrenten. Burger King ist bestrebt, seine Restaurants in der Nähe von McDonald's-Restaurants anzusiedeln. In anderen Branchen dagegen gibt es Hersteller, die von den Konkurrenten genutzte Distributionskanäle vermeiden und eigene Wege gehen. Avon z. B. beschloß, nicht mit anderen Kosmetikherstellern um knappe Regalplätze in Einzelhandelsgeschäften zu konkurrieren, und baute statt dessen eine erfolgreiche Distributionsorganisation für den Absatz direkt in der Wohnung des Konsumenten auf.

Einschränkungen durch unternehmensinterne Charakteristika

Auch unternehmensinterne Charakteristika spielen eine wichtige Rolle bei der Auswahl des Distributionssystems. Da nachträgliche Änderungen kostspielig und oft nicht so einfach rückgängig zu machen sind, müssen bei der Gestaltung und Auswahl des Distributionssystems auch die *übergeordneten langfristigen Ziele* des Unternehmens berücksichtigt werden. Die *Größe* des Unternehmens bestimmt, ob es in großen Märkten und bei großen Distributionspartnern erfolgreich auftreten kann. Seine *finanziellen Mittel* bestimmen, welche Distributionsfunktionen es selbst übernehmen und welche es an Distributionspartner übertragen kann. Auch das *Produktsortiment* des Unternehmens beeinflußt das Distributionssystem. Je breiter das Sortiment ist, desto eher ist ein Direktvertrieb an die Endabnehmer möglich. Je tiefer das Sortiment ist, desto mehr spricht für eine exklusive oder selektive Distribution. Je geschlossener das Sortiment ist, desto straffer kann das Distributionssystem sein. Auch die *Marketingpolitik* des Unternehmens bestimmt die Gestaltung des Distributionsystems. Wenn Wert auf schnelle Lieferung gelegt wird, wirkt sich dies auf die Funktionen, deren Erfüllung der Hersteller von den Distributionspartnern verlangt, auf die Anzahl der Endverkaufsstellen und Lager sowie die Auswahl des Transportunternehmens aus.

Einschränkungen im Umfeld

Ist die *Wirtschaftslage* schlecht, wollen die Hersteller ihre Güter möglichst kostensparend verteilen. Dies macht kürzere Distributionskanäle und einen Verzicht auf weniger wichtige Distributionsleistungen erforderlich, die zu einer Erhöhung des Endpreises für die Waren führen. Auch *rechtliche Vorschriften und Einschränkungen* beeinflussen die Gestaltung des Distributionssystems. Der Gesetzgeber ist bestrebt, Distributionssysteme zu verhindern, die »den Wettbewerb erheblich beschränken oder eine Monopolbildung begünstigen könnten«.

Gestaltungsalternativen für das Distributionssystem

Sobald ein Hersteller seinen Zielmarkt und die darin angestrebte Positionierung seines Angebots bestimmt hat, muß er als nächstes die wesentlichen Gestaltungsalternativen für sein Distributionssystem festlegen. Die Gestaltungsalternative ergibt sich aus den Antworten auf folgende Fragen: *Mit welchen Distributionspartnern soll der Hersteller zusammenarbeiten? Mit wie vielen Partnern soll er zusammenarbeiten? Wie sollen die Konditionen und wechselseitigen Verpflichtungen für die Partner gestaltet werden?*

Welche Distributionspartner?

Das Unternehmen muß ermitteln, welche Distributionspartner für die Ausführung der Distributionsfunktionen in Frage kommen. Dazu ein Beispiel:

Ein Prüfgerätehersteller hatte ein spezielles akustisches Meldegerät zur Diagnose fehlerhafter mechanischer Verbindungen in allen Maschinen mit beweglichen Teilen entwickelt. Die Unternehmensleitung war der Meinung, daß man dieses Produkt in allen Branchen verkaufen könne, in denen Elektro- und Verbrennungsmotoren oder Turbinen eingesetzt bzw. produziert werden, also z.B. in der Luftfahrt- und Automobilindustrie, im Schienenverkehr, in der Nahrungsmittelverarbeitung, in der Bau- und in der Erdölindustrie. Die Vertriebsorganisation dieses Herstellers war nur klein. Man stand nun vor dem Problem, wie man die Abnehmer in diesen vielen unterschiedlichen Branchen auf möglichst wirksame Weise erreichen konnte. Die Unternehmensleitung ermittelte folgende Alternativen für die Wahl von Distributionspartnern:

- **Firmeneigener Vertrieb**
  Hier würden zusätzliche Verkäufer eingestellt werden. Diesen würden bestimmte Absatzregionen und die Verantwortung für die Kontaktierung aller potentiellen Abnehmer in diesen Regionen übertragen werden. Alternativ zur regionalen Vertriebsorganisation könnte der Vertrieb nach Branchen organisiert werden.
- **Generalvertretungen**
  Hier müßten Generalvertreter, die ihr Betätigungsfeld in den einzelnen Absatzregionen oder in den Endverwenderbranchen haben, für den Vertrieb des Gerätes gewonnen werden.
- **Industriegroßhändler**
  Hier müßten Industriegroßhändler in den einzelnen Regionen bzw. für die Endverwenderbranchen gefunden werden, die das Produkt kaufen und in ihrem Programm führen wollen; ihnen müßten exklusive Vertriebsrechte, angemessene Handelsspannen, Produktschulung und Absatzförderungsprogramme angeboten werden.

Und noch ein Beispiel dazu:

Ein Unternehmen aus dem Bereich der Unterhaltungselektronik wollte seine überschüssigen Produktionskapazitäten für die Herstellung von Autoradios nutzen. Als mögliche Alternativen für die Wahl von Distributionspartnern ermittelte es:

- **den OEM-Markt**
  Das Unternehmen könnte Verträge mit einem oder mehreren Automobilherstellern schließen, welche die Radios kaufen und dann in ihre Autos einbauen. Die Abkürzung *OEM* steht für *Original Equipment Manufacturer*, d.h. die Abnehmer bauen das Produkt in ihr eigenes Endprodukt ein und verkaufen dieses an die Endabnehmer weiter.
- **den Autohändler-Markt**
  Das Unternehmen könnte seine Radios an Autohändler verkaufen, die sie dann an ihre Kunden verkaufen, wenn diese ein Auto bestellen oder später zur Wartung kommen.

- **den Autozubehör-Handel**
  Das Unternehmen könnte seine Radios durch den Autozubehör-Einzelhandel verkaufen. Die Kontaktaufnahme mit dem Einzelhandel könnte entweder direkt durch eine eigene Außendienstorganisation oder durch Großhändler erfolgen.
- **den Versandhandel**
  Das Unternehmen könnte seine Radios über die Bestellkataloge von Versandhäusern anbieten.

Unternehmen sollten bei der Auswahl ihrer Distributionspartner gleichzeitig auch nach neuen Marketingchancen suchen. Der amerikanische Heimorgelhersteller Conn Organ Company z.B. beschloß, seine Heimorgeln über die Warenhäuser und Discounter abzusetzen und sicherte sich damit eine größere Präsenz am Markt, als das mit Musikfachgeschäften jemals für ihn möglich gewesen wäre. Bei Tupperware verkaufen Hausfrauen nützliche Haushaltsutensilien an andere Hausfrauen. Viele Buch-Clubs folgten weltweit dem Beispiel des amerikanischen Book-of-the-Month-Clubs, der gezeigt hatte, daß Bücher erfolgreich im Postversand verkauft werden konnten.

Gelegentlich muß ein Unternehmen auch ein anderes als das eigentlich bevorzugte Distributionssystem aufbauen, da eine Zusammenarbeit mit den bevorzugten Distributionspartnern zu schwierig oder kostspielig wäre. Dabei kann sich im nachhinein herausstellen, daß dies eine gute Entscheidung war. Die U.S. Time Company wollte z.B. ursprünglich ihre niedrigpreisigen Timex-Uhren über den regulären Uhren- und Schmuckfachhandel absetzen. Doch die meisten Fachgeschäfte weigerten sich, die Timex-Uhren zu übernehmen. Statt um diese Distributionspartner zu kämpfen, entschied sich der Hersteller für andere Distributionspartner und schaffte es schließlich, Kaufhäuser und andere Großbetriebsformen des Einzelhandels als Partner zu gewinnen. Dies erwies sich aufgrund des rapiden Wachstums in diesem Bereich als eine sehr gute Entscheidung. Ähnlich war es bei Avon, wo man sich für den Verkauf seiner kosmetischen Produkte im Heimdienst entschied, weil man es nicht geschafft hatte, sie in den regulären Warenhäusern unterzubringen. Dadurch erwarb man sich nicht nur besonders gute Fähigkeiten im Verkauf per Heimdienst, sondern realisierte darüber hinaus auch noch größere Gewinne als die meisten anderen Kosmetikhersteller, die ihre Produkte über Warenhäuser absetzten.

Wie viele Distributionspartner?

Man muß auch entscheiden, mit wie vielen Partnern man auf jeder Distributionsstufe zusammenarbeiten will. Hier gibt es drei Strategien:

Intensive Distribution

Hersteller von Gütern des mühelosen Kaufs und gängiger Roh- und Grundstoffe bemühen sich meist um eine möglichst *intensive Distribution*, d.h. sie bringen ihre Produkte in so vielen Verkaufsstellen wie möglich unter. Diese Produkte müssen für den Kunden leicht verfügbar sein. Die Marke gewinnt durch intensive Distribution eine hohe Präsenz beim Kunden. Der Kunde kann die Marke in nahegelegenen Verkaufsstellen mühelos kaufen.

Exklusive Distribution
Einige Hersteller beschränken sich mit Absicht auf eine geringe Zahl von Distributionspartnern. Die strengsten Einschränkungen gibt es bei der *exklusiven Distribution.* Hier erhält jeder der ausgewählten Distributionspartner das alleinige Recht, die Produkte des Herstellers in seiner Absatzregion exklusiv zu beziehen oder zu vertreiben. Der Hersteller fordert im Gegenzug vom Händler häufig auch eine *geschäftliche Exklusivität* für seine Ware. Der Händler darf dann kein Produkt von Wettbewerbern des Herstellers führen. Exklusivvereinbarungen finden wir vornehmlich im Automobilhandel, bei aufwendigen Haushaltsgeräten und hochpreisiger Oberbekleidung. Bei der exklusiven Distribution baut der Hersteller auf eine aggressivere und qualifiziertere Verkaufsunterstützung durch die Händler und auf bessere Kontroll- und Steuerungsmöglichkeiten bei den Preisen, der Absatzförderung sowie den Kundenkredit- und Serviceleistungen der Distributionspartner. Er hat dann die Durchführung seines Marketingprogramms bis hin zum Endabnehmer besser im Griff. Die exklusive Distribution verbessert tendenziell das Produktimage und ermöglicht höhere Handelsspannen.

Selektive Distribution
Zwischen der intensiven und der exklusiven Distribution steht die *selektive Distribution,* d.h. die Einschaltung mehrerer, jedoch nicht aller Distributionspartner, die gewillt sind, ein bestimmtes Produkt zu führen. Die selektive Distribution wird sowohl von etablierten als auch von neuen Unternehmen auf dem Markt eingesetzt, die mit der Zusage selektiver Vertriebsrechte Distributionspartner gewinnen wollen. Das Anbieterunternehmen muß seine Anstrengungen nicht auf eine Vielzahl von Verkaufsstellen – darunter auch einige, die sich kaum lohnen – verteilen, sondern kann statt dessen mit den ausgewählten Distributionspartnern eine enge Geschäftsbeziehung aufbauen und von diesen überdurchschnittliche Verkaufsanstrengungen erwarten. Die selektive Distribution ermöglicht dem Hersteller eine angemessene Marktabdeckung. Er kann hier bei relativ geringen Überwachungskosten kontrollieren, wie sein Produkt von den Händlern angeboten wird. Dies wäre bei einer intensiven Distribution nicht möglich.

Welche Konditionen und wechselseitigen Verpflichtungen?

Der Hersteller muß die Konditionen und wechselseitigen Verpflichtungen für die beteiligten Mitglieder im Distributionssystem festlegen. Die wesentlichsten Elemente im »Handelsbeziehungsmix« sind die *Preisgestaltung,* die *Verkaufsbedingungen,* die *Gebietsrechte* und die *wechselseitigen Leistungsverpflichtungen jedes Beteiligten.*

Die Preisgestaltung beinhaltet die Festlegung eines Listenpreises und eines Rabattsystems auf Herstellerseite. Der Hersteller muß sicherstellen, daß der Distributionspartner die ihm eingeräumten Rabatte für angemessen und ausreichend hält.

Die *Verkaufsbedingungen* beinhalten die Zahlungsbedingungen und Herstellergarantien. Die meisten Hersteller räumen ihren Distributionspartnern Barzahlungsrabatte ein. Sie könnten auch ihre Garantieleistungen bei fehlerhafter Ware oder gegen

Preisverfall erweitern. Eine Garantieleistung gegen Preisverfall soll den Distributionspartner zur Abnahme größerer Mengen anregen.

Die *Gebietsrechte des Distributionspartners* sind ein weiteres Element im Handelsbeziehungsmix. Viele Distributionspartner wollen wissen, in welchen Verkaufsgebieten der Hersteller mit anderen Partnern zusammenarbeitet. Sie wollen für alle in ihrem Verkaufsgebiet getätigten Geschäfte die volle vereinbarte Vergütung erhalten, unabhängig davon, ob diese Abschlüsse durch ihre persönlichen Anstrengungen zustande gekommen sind oder nicht. Dies widerspricht oft den Interessen der Hersteller.

Die *wechselseitigen Leistungsverpflichtungen* müssen sorgfältig ausformuliert werden, vor allem bei Franchise-Systemen und Exklusivvertretungen. McDonald's z.B. stellt seinen Franchisenehmern ein Geschäftsgebäude oder Baupläne zur Verfügung, bietet ihnen Hilfestellung bei der Absatzförderung, ein Buchhaltungssystem, Schulungsmaßnahmen und allgemeine organisatorische und technische Unterstützung an. Im Gegenzug wird von den Franchisenehmern erwartet, daß sie sich an die Richtlinien des Franchisegebers hinsichtlich der Ausgestaltung des Ladenlokals halten, an neuen Absatzförderungsprogrammen mitwirken, alle gewünschten Informationen liefern und die Zutaten für die angebotenen Speisen streng nach Vorschrift kaufen.

Bewertung der Gestaltungsalternativen

Wenn ein Hersteller mehrere Gestaltungsalternativen ermittelt hat und nun diejenige herausfinden will, die seinen langfristigen übergeordneten Zielen am besten gerecht wird, muß er die *Wirtschaftlichkeit, Kontroll- und Steuerungsmöglichkeit* und *Modifizierbarkeit* der Alternativen beurteilen. Werfen wir dazu einen Blick auf ein Beispiel:

Ein Möbelhersteller in Österreich will seine Produktlinie an den Einzelhandel in Süddeutschland verkaufen. Er muß sich nun zwischen zwei Alternativen entscheiden:

1. Er kann zehn neue *Verkäufer* einstellen, die von einer herstellereigenen Verkaufsniederlassung in München aus operieren. Die Verkäufer würden ein Grundgehalt plus eine umsatzabhängige Provision erhalten.
2. Er kann einen Möbelgroßhändler in München als *Generalvertreter* einsetzen, der über umfassende Kontakte zum Einzelhandel verfügt. Der Großhändler arbeitet mit 30 Vertriebsbeauftragten zusammen, an die man jeweils umsatzabhängige Provisionen zahlen würde.

Wirtschaftlichkeit

Jede Gestaltungsalternative wird zu unterschiedlich hohen Umsätzen und Kosten führen. Als erstes ist die Frage zu beantworten, ob man durch eine eigene Vertriebsorganisation mehr verkaufen kann als durch eine Vertretung. Die meisten Marketingverantwortlichen sind der Meinung, daß ein eigener Verkäufer in der Regel mehr verkauft als ein Vertreter des Zwischenhandels. Die eigenen Verkäufer konzentrieren sich ihrer Meinung nach voll auf die Produkte des Hauses, sind für den Verkauf dieser Produkte besser geschult, verkaufen motivierter, da ihre persönliche Zukunft mit der ihres Arbeitgebers verknüpft ist, und sind auch deshalb erfolgreicher, weil die Kunden den direkten Kontakt zum Anbieter vorziehen.

Andererseits ist es auch vorstellbar, daß man über Vertretungen mehr verkauft als über die eigene Vertriebsorganisation. Erstens können über Vertretungen mehr Vertriebsbeauftragte, z.B. 30 anstelle von 10 eigenen Verkäufern, eingesetzt werden. Zweitens könnten die Vertriebsbeauftragten der Vertretung einen ebenso motivierten Verkaufsstil pflegen wie die des Herstellers. Dies kann davon abhängen, wieviel Provisionspotential die Produktlinie dieses Herstellers im Verhältnis zu den anderen Produktlinien der Vertretung aufweist. Drittens lassen sich einige Kunden eher von Vertretungen beraten, die für mehrere Hersteller tätig sind, als vom Vertriebspersonal eines einzigen Herstellers. Und viertens verfügt die Vertretung oft bereits über umfangreiche Kontakte, während die Vertriebsorganisation des Herstellers in vielen Fällen diese Kontakte erst aufbauen muß.

Weiterhin gehört zur Wirtschaftlichkeitsbeurteilung, daß die Vertriebskosten als mengenabhängige Funktion für beide Gestaltungsalternativen geschätzt und gegenübergestellt werden. Abbildung 18–4 veranschaulicht die zwei Kostenfunktionen. Die Fixkosten aus der Einschaltung einer Verkaufsvertretung sind geringer als aus der Einrichtung einer herstellereigenen Verkaufsniederlassung. Doch bei der Zusammenarbeit mit einer Vertretung steigen die Kosten schneller, da die Vertriebsbeauftragten der Vertretung höhere Provisionen erhalten als das Vertriebspersonal des Herstellers. Es ergibt sich nur ein einziges Umsatzniveau (U_B), bei dem die Kosten des Verkaufs bei beiden Distributionssystemen gleich hoch sind. Bei jedem Umsatzvolumen, das kleiner als U_B ist, wäre die Zusammenarbeit mit der Vertretung vorzuziehen, während bei jedem Umsatzvolumen, das größer als U_B ist, eine herstellereigene Vertriebsorganisation vorzuziehen wäre. Generell werden Verkaufsvertretungen eher von kleineren Herstellern oder auch von größeren Herstellern für kleinere Verkaufsgebiete eingeschaltet, in denen der Umsatz zu niedrig ist, als daß der Aufbau einer herstellereigenen Vertriebsorganisation zu rechtfertigen wäre.

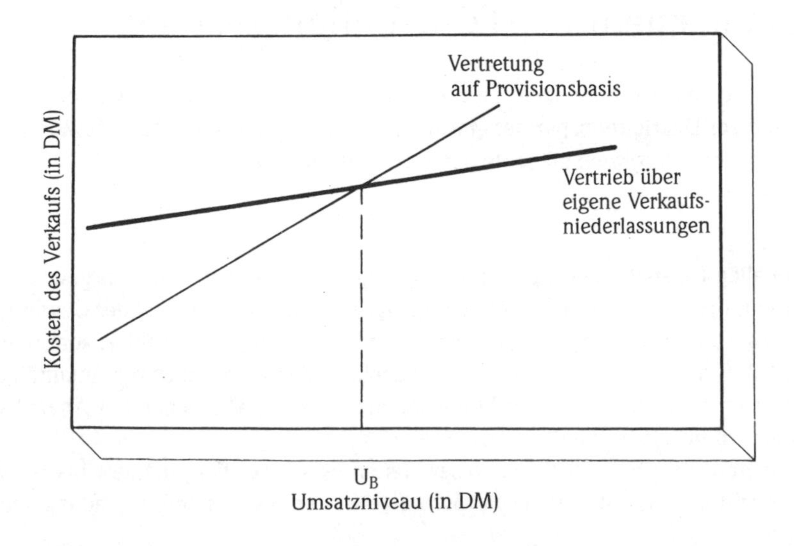

Abbildung 18-4
Graphische Break-Even-Analyse zwischen dem Vertrieb über eigene Verkaufsniederlassung oder durch Vertretungen auf Provisionsbasis

Kontroll- und Steuerungsmöglichkeit
Die Gestaltungsalternativen müssen auch nach ihrer Kontroll- und Steuerungsmöglichkeit beurteilt werden. Bei Einschaltung einer Verkaufsvertretung sind die Möglichkeiten zur Kontrolle und Steuerung geringer. Die Verkaufsvertretung ist ein unabhängiges Wirtschaftsunternehmen, das möglichst hohe Gewinne erzielen will. Möglicherweise konzentriert sie sich mehr auf die Kunden, die ein breites Warensortiment abnehmen, statt auf die Kunden, die sich besonders für die Produkte eines bestimmten Herstellers interessieren. Es wäre auch möglich, daß die Vertriebsbeauftragten der Vertretung die technischen Einzelheiten des Produkts eines bestimmten Herstellers nicht beherrschen oder das von ihm bereitgestellte Werbematerial nicht wirkungsvoll genug einsetzen. Je vielstufiger und je weniger exklusiv das Distributionssystem angelegt ist, desto weniger genau kann der Hersteller die Durchführung seines Marketingprogrammes bis hin zum Endabnehmer steuern.

Modifizierbarkeit
Jedes Distributionssystem bedeutet für den Hersteller für einen gewissen Zeitraum eine bindende Verpflichtung und einen gewissen Flexibilitätsverzicht. Oft muß ein Hersteller einer Verkaufsvertretung einen langfristigen Vertrag anbieten. Nun könnte sich während der Laufzeit des Vertrages eine andere Verkaufsmethode, z.B. der Direct-Mail-Absatz, als wirkungsvoller herausstellen; durch seine vertragliche Bindung hat der Hersteller dann keine Möglichkeit, sich von der Verkaufsvertretung zu trennen. Deshalb sollte ein Distributionssystem, das für den Hersteller eine langfristige Bindung mit sich bringt, vom Gesichtspunkt der Wirtschaftlichkeit und der Kontroll- und Steuerungsmöglichkeit her den anderen Alternativen eindeutig überlegen sein.

Management des Distributionssystems

Sobald sich ein Unternehmen für ein bestimmtes Distributionssystem entschieden hat, muß es Distributionspartner *gewinnen, motivieren, ihre Leistung bewerten* und das *Distributionssystem* im Laufe der Zeit *modifizieren.*

Gewinnung von Distributionspartnern

Nicht allen Herstellern gelingt es gleich gut, qualifizierte Partner für das gewünschte Distributionssystem zu gewinnen. Einige haben keine Probleme bei der Gewinnung von Distributionspartnern. Für das später erfolglose Automodell Edsel konnte Ford z.B. 1.200 neue Händler gewinnen. In manchen Fällen führt auch die Ankündigung exklusiver oder selektiver Distributionsrechte zu einer ausreichenden Anzahl von Bewerbern für einen Händlervertrag.

Andererseits gibt es auch Hersteller, denen es schwer fällt, die gewünschte Anzahl qualifizierter Distributionspartner zu gewinnen. Nach seiner Gründung gelang es z.B. Polaroid zunächst nicht, seine neuen Fotoapparate im Fachhandel unterzubringen, und war gezwungen, sie über Kaufhäuser abzusetzen. Auch für kleine Hersteller in der Nahrungsmittelindustrie ist es normalerweise schwer, ihre Produkte im Einzelhandel unterzubringen. Und auch Büromaschinenhersteller haben häufig Schwierigkeiten, qualifizierte Händler zu finden, wie in Exkurs 18-1 gezeigt wird.

Exkurs 18-1: Der Aufbau eines Händlernetzes für die Produkte von Epson

Die japanische Epson Corporation, einer der führenden Hersteller von Computerdruckern, wollte seine Produktlinie erweitern und auch Computer anbieten. Mit den gegenwärtigen Großhändlern war man weder zufrieden, noch hatte man Vertrauen in ihre Fähigkeiten, Epsons Produkte in die neu entstandenen Computerfachgeschäfte hineinzuverkaufen. Der *General Manager* von Epson, Jack Whalen, entschloß sich daher, durch eine vertrauliche Rekrutierungsaktion die gegenwärtigen Großhändler durch neue zu ersetzen, und engagierte dafür das Personalberatungsunternehmen Hergenrather & Company. Seine Anweisungen lauteten wie folgt:

- Es ist nach Bewerbern zu suchen, die Erfahrung mit Zweistufenkanälen haben (d.h. mit dem Distributionskanal Hersteller – Großhändler – Einzelhändler), und zwar entweder im Vertrieb von »brauner Ware« (Fernsehgeräte etc.) oder von »weißer Ware« (Kühlschränke etc.).
- Die Kandidaten müssen Unternehmernaturen sein, die willens und in der Lage sind, ein eigenständiges Großhandelsunternehmen aufzubauen.
- Als Vergütung wird ein Gehalt von 80.000 $ jährlich plus Prämie angeboten; als Startkapital soll jeder neue Großhändler 375.000 $ erhalten und selbst zusätzlich 25.000 $ einbringen; dafür erhält er Anteile am neuen Großhandelsunternehmen.
- Die Großhändler sollen ausschließlich Epson-Produkte als Hardware anbieten und können darüber hinaus Anwendungs-Software anderer Unternehmen führen. Jede Großhandlung soll über einen Schulungsleiter und ein voll ausgestattetes Service-Center verfügen.

Dem Personalberatungsunternehmen fiel es anfangs schwer, qualifizierte und motivierte Kandidaten zu finden. Zwar führten Anzeigen im *Wall Street Journal* (ohne Nennung des Unternehmens) zu einer Flut von 1.700 Bewerbungen; allerdings handelte es sich dabei meist um nicht ausreichend qualifizierte Bewerber, die irgendeine Arbeit suchten. Dann suchte man mit Hilfe der Gelben Seiten Namen und Telefonnummern von Großhandlungen heraus und setzte sich telefonisch mit der jeweiligen »Nummer zwei« im Händlerunternehmen in Verbindung. Man vereinbarte Gesprächstermine und hatte schließlich nach intensiven Anstrengungen eine Liste mit hochqualifizierten Kandidaten zusammengestellt. Jack Whalen sprach persönlich mit ihnen und wählte die zwölf qualifiziertesten Kandidaten für die insgesamt zwölf Absatzregionen aus. Der Personalberatungsfirma zahlte man für ihre Bemühungen 250.000 $.

Als letztes mußte man sich von den bisherigen Großhändlern trennen. Diese ahnten nichts davon, da es sich um eine vertrauliche Aktion handelte. Jack Whalen teilte ihnen mit, daß die Zusammenarbeit mit ihnen binnen einer Frist von 90 Tagen beendet sei. Natürlich waren die Händler schokkiert, da sie glaubten, ältere Rechte zu haben; aber auf Verträge konnten sie sich nicht berufen, und Whalen wußte, daß sie mit dem erweiterten Produktprogramm von Epson nicht zurechtkommen würden und auch die erforderlichen neuen Distributionskanäle nicht erschließen konnten. Deshalb sah er keine andere Möglichkeit, als auf eine Zusammenarbeit mit ihnen zu verzichten.

Quelle: Arthur Bragg: »Undercover Recruiting: Epson America's Sly Distributor Switch«, in: *Sales and Marketing Management*, 11. März 1985, S. 45–49.

Unabhängig davon, ob es dem Hersteller leicht- oder schwerfällt, Distributionspartner zu gewinnen, sollte er zumindest feststellen, was die besseren Distributionspartner auszeichnet. Zu diesem Zweck ermittelt er am besten, wie erfahren der Partner ist, welche Produkte er führt, wie seine Wachstums- und Gewinnentwicklung verlief und welche Solvenz, Kooperationsbereitschaft und Reputation er aufweisen kann. Handelt es sich um Verkaufsvermittler, wird der Hersteller wissen wollen, wie viele und welche Produktlinien anderer Hersteller sie führen und wie zahlreich und qualifiziert ihr Vertriebspersonal ist. Handelt es sich um ein Kaufhaus, das exklusive Vertriebsrechte fordert, wird der Hersteller dessen Standort, zukünftiges Wachstumspotential und Kundenkreis genauer beurteilen.

Motivierung von Distributionspartnern

Man muß seine Distributionspartner ständig dazu motivieren, ihr Bestes zu geben. Zum Teil wirken die Konditionen motivierend, zu denen der Partner gewonnen wurde. Doch Konditionen sind nicht alles: Sie müssen durch Schulung, Anleitung und Unterstützung von seiten des Herstellers ergänzt werden. Der Hersteller muß seine Produkte nicht nur durch, sondern auch an den Distributionspartner verkaufen.

Will man die Distributionspartner zu Spitzenleistungen motivieren, muß man ihre Bedürfnisse und Wünsche verstehen. McVey unterbreitete den Herstellern folgende Vorschläge für ein besseres Verständnis des Zwischenhandels:

> Der Distributionspartner übernimmt häufig die Rolle des Einkäufers für seine Kunden und fungiert nur an zweiter Stelle als Verkaufsagent seiner Lieferanten ... Er will die Produkte verkaufen, die seine Kunden von ihm kaufen wollen ...
> Der Distributionspartner ist bestrebt, aus seinem gesamten Warensortiment eine geschlossene Produktfamilie zu schmieden, die er als Gesamtheit, d.h. als Angebotspaket, an die einzelnen Kunden verkaufen kann. Seine Verkaufsbemühungen zielen vornehmlich darauf ab, Aufträge für ein Sortiment aus dem Warenkorb des Kunden zu erhalten, statt nur für einzelne Artikel ...
> Die Distributionspartner werden, sofern ihnen kein besonderer Anreiz dafür geboten wird, keine nach Einzelprodukten aufgeschlüsselten Verkaufsunterlagen führen ... Nützliche Informationen für die Produktentwicklung, Preisgestaltung, Verpackung oder Absatzförderungsplanung sind in den uneinheitlichen Aufzeichnungen des Handels »vergraben« und werden den Herstellern gelegentlich sogar absichtlich vorenthalten. [11]

Die Hersteller gestalten ihre Beziehungen zum Handel sehr unterschiedlich. Macht und Einfluß können sie auf unterschiedliche Art anstreben (siehe Exkurs 18-2). In ihrer Zusammenarbeit mit dem Handel können sie drei Konzepte verfolgen: *lose Kooperation, abgestimmte Partnerschaft* und *programmatisches Ko-Marketing.* [12]

Exkurs 18-2: Fünf Grundlagen der Machtausübung im Management von Distributionsbeziehungen

Um andere Partner im Distributionskanal für eine Zusammenarbeit zu gewinnen, muß man eine Basis für die Machtausübung finden. Macht und Einfluß zeigen sich darin, daß ein Mitglied des Distributionssystems ein anderes dazu bewegen kann, etwas zu tun, was es ansonsten nicht tun würde. French und Raven unterscheiden zwischen fünf Machtgrundlagen: Zwang, Belohnung, Legitimierung, Fachwissen und Ansehen.

Eine *Machtausübung durch Zwang* liegt vor, wenn der Hersteller droht, die Belieferung des Handelspartners einzustellen, falls dieser nicht kooperiert. Diese Art von Macht ist wirkungsvoll, wenn der Partner im Handel stark vom Hersteller abhängig ist. Die Ausübung der Macht durch Zwang stößt auf innere Ablehnung des »Gezwungenen« und kann die Partner im Handel zur gemeinschaftlichen Organisation von Gegenkräften bewegen. Zwar kann Zwang als Machtgrundlage kurzfristig wirkungsvoll sein, auf lange Sicht aber ist er in der Regel von allen Machtgrundlagen die am wenigsten wirkungsvolle. Ein mächtig gewordener Großhändler kann vielmehr umgekehrt dem Hersteller drohen, ihn fallenzulassen, wenn er nicht seinen Wünschen entsprechend kooperiert.

Machtausübung durch Belohnung liegt vor, wenn ein Hersteller den Partnern im Handel für bestimmte Leistungen besondere Vergünstigungen anbietet. Diese Art der Machtausübung führt in der Regel zu besseren Ergebnissen als der Zwang. Sie wird jedoch leicht überschätzt. Die Handelspartner halten sich nicht aus innerer Überzeugung an die Wünsche des Herstellers, sondern vielmehr wegen der äußerlichen Vergünstigungen. Bald erwarten sie jedes Mal eine Vergünstigung, wenn der Hersteller sie um ein bestimmtes Verhalten bittet. Wenn die Vergünstigung später nicht mehr gewährt wird, fühlen sich die Partner betrogen.

Machtausübung durch Legitimation liegt vor, wenn der Hersteller von seinen Partnern im Handel ein bestimmtes Verhalten fordert, das sich aus der Hierarchiestruktur der Distributionskanalbeziehung oder aus Verträgen ergibt. So kann z.B. Volkswagen seinen Vertragshändlern gegenüber darauf bestehen, daß sie einen gewissen Bestand an Ersatzteilen auf Vorrat halten. Der Hersteller sieht sich dazu berechtigt, und der Vertragshändler sieht sich dazu verpflichtet. So lange die Distributionspartner den Hersteller als legitime Führungskraft ansehen, funktioniert diese Machtbasis gut.

Machtausübung durch Fachwissen kann von einem Hersteller praktiziert werden, der über spezielles Wissen verfügt, das von den Distributionspartnern geschätzt wird. So kann ein Hersteller ein besonders fortschrittliches System haben, um neue Kunden für die Distributionspartner ausfindig zu machen, oder er kann den Verkäufern der Distributionspartner eine besonders gute Fachausbildung anbieten. Macht aufgrund von Fachwissen auszuüben ist wirkungsvoll, da die Distributionspartner weniger Leistung erbringen würden, wenn sie nicht die Hilfe des Herstellers erhielten. Das Problem dabei ist, daß diese Machtbasis schwächer wird, wenn erst einmal das Fachwissen an die Distributionspartner weitergegeben wurde. Die Lösung für dieses Problem liegt darin, daß der Hersteller beständig neues Fachwissen entwickeln muß, so daß die Distributionspartner darauf bedacht sind, weiterhin mit ihm zu kooperieren.

Eine Machtausübung durch Ansehen liegt vor, wenn der Hersteller ein so hohes Ansehen genießt, daß die Distributionspartner stolz darauf sind, in Verbindung mit ihm genannt zu werden. Unternehmen wie IBM, Bosch,

Mercedes und McDonald's genießen hohes Ansehen, so daß die Distributionspartner in der Regel bereit sind, ihre Wünsche zu respektieren. Hersteller gewinnen am ehesten die Kooperation ihrer Distributionspartner, wenn sie in dem Umfang, in dem das möglich ist, ihre Machtausübung auf Ansehen, Fachwissen, Legitimation und Belohnung aufbauen und auf die Anwendung von Zwang verzichten.

Quelle: Diese Einteilung der Machtgrundlagen wurde erstmals von John R. P. French und Bertram Raven beschrieben. Vgl. dazu John R. P. French und Bertram Riven: »The Basis of Social Power«, in: D. Cartwright (Hrsg.): *Studies in Social Power,* Ann Arbour: University of Michigan Press 1959, S. 150–167.

Die meisten Hersteller sehen es als Problem an, ihre Distributionspartner zu einer *losen Kooperation* zu veranlassen. Ihre Methode heißt »Zuckerbrot und Peitsche«. Das »Zuckerbrot« besteht dabei aus positiven Anreizen, wie höhere Handelsspannen, Sonderangebote, Prämien, Zuschüsse für Gemeinschaftswerbung und Display-Aktionen sowie Verkaufswettbewerbe. Die »Peitsche« schwingt der Hersteller dann in Form von negativen Anreizen, wie der Androhung niedrigerer Handelsspannen, verzögerter Lieferungen oder der Beendigung der Geschäftsbeziehung. Der Schwachpunkt dieses Konzepts besteht darin, daß der Hersteller die Bedürfnisse, Probleme, Stärken und Schwächen des Distributionspartners nicht wirklich analysiert, sondern sie statt dessen mit der Logik einer vereinfachten Anreiz-Mechanistik motivieren will. McCammon z.B. stellt dazu fest, daß die Motivationsprogramme vieler Hersteller »aus hastig improvisierten Sonderaktionen, wenig originellen Händlerwettbewerben und wenig durchdachten Rabattsystemen bestehen«. [13]

Fortschrittlichere Unternehmen bemühen sich langfristig um den Aufbau einer *abgestimmten Partnerschaft* mit den Distributoren. Herstellern und Distributionspartnern ist klar, was sie voneinander erwarten und zu erwarten haben, z.B. beim Grad der Verkaufsförderung durch den Händler und dessen Unterstützung bei der Kundenakquisition, bei technischen Beratungs- und Serviceleistungen sowie bei der Anwendung von Marktinformationen durch den Hersteller. Der Hersteller wirbt bei seinen Distributionspartnern um Zustimmung für seine Politik und die Leistungsvorgaben, die sich aus dieser Politik ergeben. Er kann z.B. Funktionsrabatte einführen, so daß die Distributionspartner für ihre Mitwirkung an seiner Politik belohnt werden: So bietet ein Hersteller von Zahnarztbedarfsartikeln seinen Distributionspartnern anstelle eines einfachen Handelsrabattes folgende, funktional gegliederte Rabattstruktur: 20 % für jeglichen Umsatz, zusätzlich 5 % für die Bevorratung eines vorgegebenen Lagerbestands, zusätzlich 5 % für pünktliche Zahlung und weitere 5 % für pünktliche und detaillierte Berichte zum Kaufverhalten der Kunden.

Das fortschrittlichste Konzept ist das *programmatische Ko-Marketing.* McCammon definiert dieses Konzept als planvolles, professionell geführtes vertikales Marketingsystem, das sowohl die Bedürfnisse des Herstellers als auch die seiner Distributionspartner berücksichtigt [14]. Innerhalb der Marketingabteilung richtet der Hersteller eine eigene Unterabteilung für planvolle Beziehungen zu den Handelspartnern ein. Deren Aufgabe ist es, die Bedürfnisse des Handels zu ermitteln und Merchandising-Programme zu erarbeiten, so daß jeder Distributionspartner mit dem Produkt möglichst optimal arbeiten kann. Diese Unterabteilung plant gemeinsam mit den Distributionspartnern die Verkaufsziele, die Lagerbestände, die räumliche und visuelle Warenpräsentation, die erforderlichen Verkaufsschulungsmaßnahmen sowie die Werbe- und Absatzförderungsaktivitäten. Dies soll bei den Distributionspartnern ein Umdenken auslösen: Statt zu glauben, daß sie ihr Geld vornehmlich durch Einkaufsgeschick verdienen (Auseinandersetzungen mit dem Lieferanten), sollen sie erkennen, daß sie ihr Geld durch Verkaufsgeschick verdienen, und zwar als Mitwirkende an einem planvollen vertikalen Marketingsystem.

Viele Hersteller betrachten ihre Distributions- und Handelspartner bestenfalls als Kunden anstatt als Marketingpartner. Exkurs 18–3 beschreibt verschiedene Ansätze, durch die fortschrittliche Hersteller ihre Händler als Marketingpartner in ihr Programm miteinbeziehen.

Exkurs 18-3: Wie man Industrievertreter als Marketingpartner behandelt

Narus und Anderson führten Erhebungen bei mehreren Industriegüterherstellern durch, die ausgezeichnete Geschäftsbeziehungen mit ihren Industrievertretern unterhielten, um herauszufinden, welche Einstellungen und Geschäftspraktiken dieser erfolgreichen Zusammenarbeit zugrunde lagen. Unter anderem fanden sie folgende partnerschaftsfördernde Maßnahmen vor:

1. Die Außendienstmitarbeiter von Timken Corporation (Kugellager) sind bestrebt, sich bei ihren Großhändlern auf vielen Ebenen als Gesprächspartner zu etablieren, also bei der Geschäftsleitung, der Einkaufsleitung und beim Vertriebspersonal.
2. Square D (Stromkreisunterbrecher und Schalttafeln) läßt seine Außendienstmitarbeiter ganztägig in jedem Großhandelsbetrieb hinter der Verkaufstheke mitarbeiten, damit sie dessen Geschäft von Grund auf verstehen lernen.
3. Du Pont (chemische Produkte) hat aus den Reihen der Industrievertreter einen Beirat für Marketingfragen gebildet, der in regelmäßigen Sitzungen Probleme und Entwicklungstrends diskutiert.
4. Dayco Corporation (Industriekunststoffe und Gummiprodukte) hält jedes Jahr eine einwöchige Klausurtagung ab, an der jeweils 20 junge Führungskräfte aus Großhandelsorganisationen und von Dayco teilnehmen, um in Seminaren und bei Exkursionen ihre Erfahrungen auszutauschen.
5. Parker Hannifin Corporation (Hydraulik- und Pneumatikprodukte) versendet jedes Jahr einen Fragebogen an seine Industrievertreter, mit der Bitte, die Leistungen des Unternehmens anhand bestimmter Schlüsselmerkmale zu bewerten. Mit *Newsletters* und *Videokassetten* hält der Hersteller die Industrievertreter auch stets über neue Produkte und Anwendungen auf dem laufenden. Weiterhin sammelt und analysiert er die *Rechnungsduplikate der Industrievertreter* und gibt Ratschläge, wie sie ihren Umsatz steigern können.
6. Cherry Electrical Products (Elektroschalter und elektronische Tastaturen) schuf eigens die Position eines »Distributor Marketing Manager«, der gemeinsam mit den Industrievertretern *formelle Marketingpläne* für das Handelsunternehmen erarbeitet. Außerdem verfügt man über ein *Blitzreaktionssystem*, d.h. man weist jeder Industrievertretung zwei Mitarbei-

ter im Vertriebsinnendienst als Ansprechpartner zu, so daß auf telefonische Wünsche sofort reagiert werden kann.

Soweit einige Beispiele aus dem amerikanischen Raum. Auch europäische Unternehmen praktizieren partnerschafliche Beziehungen zu ihren Händlern. So bildete z.B. die Nordmende GmbH, die zur französischen Thompson-Gruppe gehört, gemeinsam mit ihren selbständigen Fachhandelsunternehmen den »Nordmende-Spektra-Mittelstandskreis«. Mit diesem Kreis betreibt Nordmende in Deutschland ein selektives Distributionssystem. Von etwa 8.000 möglichen Fachhändlern der Unterhaltungselekronik arbeitet Nordmende ausschließlich mit 3.000 Fachgroßhändlern zusammen, die Mitglieder des Mittelstandskreises sind und sein müssen. Der Gesellschaftszweck des Mittelstandskreises ist die Vermarktung des Nordmende-Lieferprogramms. Im einzelnen geht es darum, Vorschläge zur Gemeinschaftswerbung, Sortimentsgestaltung, Preisgestaltung und Kalkulation sowie zu anderen Themenbereichen einer gemeinschaftlichen Gesellschaftspolitik zu unterbreiten. Nordmende nimmt gemeinsam mit seinen Distributionspartnern auch eine jährliche Mengenplanung vor, die sogar typenbezogen quartalsmäßig untergliedert wird. Soweit gesetzlich zulässig, gibt es keine Entscheidung innerhalb der Marke Nordmende, an der der Vorstand des Mittelstandskreises nicht mitgewirkt hat. Dies gilt insbesondere für die Produktdefinition und die Marketingstrategie sowie für das weitere Vorgehen innerhalb der Kooperation.

Quellen: James A. Narus und James C. Anderson: »Turn Your Industrial Distributors into Partners«, in: *Harvard Business Review*, März-April 1986, S. 66–71, sowie »ASW-Fachgespräch mit der Nordmende GmbH«, in: *Absatzwirtschaft* 2/89, S. 74–77.

Bewertung der Distributionspartner

In regelmäßigen Abständen muß der Hersteller die Leistungen der Distributionspartner bewerten. Dazu dient z.B. der Vergleich zu Normwerten für Leistungselemente wie Erfüllung der Verkaufsquoten, durchschnittliche Lagerbestandshaltung, Lieferzeiten, Verfahren bei Beschädigung und Verlust von Ware, Mitwirkung bei Absatzförderungs- und Schulungsprogrammen des Herstellers und Kundendienste des Händlers für den Endabnehmer.

Hersteller entdecken von Zeit zu Zeit, daß bestimmte Distributionspartner für Leistungen entschädigt werden, die sie nicht erbringen. Ein Hersteller fand z.B. heraus, daß er einen Distributor für die Lagerhaltung seiner Waren in dessen Lagerhallen bezahlte, während dieser in Wirklichkeit die Waren auf Kosten des Herstellers bei einem Spediteur untergebracht hatte. Die Hersteller müssen in regelmäßigen Abständen überprüfen, ob bestimmte Distributionspartner für ihre Leistungen, die sie erbringen, überbezahlt werden.

Wenn ein Distributor ungenügende Leistungen erbringt, muß er darüber informiert werden. Durch Schulung und andere Motivationsmittel muß man versuchen, das Leistungsniveau anzuheben. Wenn das nicht gelingt, ist der Hersteller oft besser beraten, wenn er auf die Dienste eines solchen Distributionspartners verzichtet.

Modifizierung des Distributionssystems

Ein Hersteller darf sich nicht damit begnügen, ein Distributionssystem gut zu planen und einzurichten. Eine regelmäßige Anpassung an veränderte Marktbedingungen ist unerläßlich, z. B. wenn sich das Einkaufsverhalten der Konsumenten ändert, wenn sich der Markt ausweitet, das Produkt in seinem Lebenszyklus fortschreitet, neue Konkurrenten in den Markt eintreten und neue Distributionsstrategien entwickelt werden (siehe auch Exkurs 18-4).

Dies mußte auch ein großer Haushaltsgerätehersteller erleben, der seine Produkte bis dahin ausschließlich über Vertragshändler vertrieben hatte und nun Marktanteile einbüßte. Seit der Entwicklung seines ursprünglichen Distributionssystems war es in der Warenverteilung zu mehreren neuen Entwicklungen gekommen:

- Immer mehr Marken-Haushaltsgeräte der wichtigsten Hersteller wurden über Discounter abgesetzt.
- Aufwendige Haushaltsgeräte wurden in zunehmendem Maße als Hausmarken von den großen Warenhäusern verkauft.
- Es entwickelte sich ein neuer Markt: Große Wohnungsbaugesellschaften kauften zur Ausstattung von Appartementhäusern en gros direkt bei den Herstellern ein.
- Einige Händler und Konkurrenten warben durch Hausbesuche und briefliche Angebote um Aufträge der Privathaushalte.
- Starke und ungebundene Fachhändler waren fast nur noch in kleinen Städten zu finden, während andererseits die Familien auf dem Lande in zunehmendem Maße zum Einkaufen in die Großstädte fuhren.

Diese Entwicklungen veranlaßten den Hersteller, die Möglichkeiten einer Modifizierung seines Distributionssystems gründlich zu prüfen.

Bei der Modifizierung des Distributionssystems sollte man drei Ebenen unterscheiden. Man könnte *einzelne Distributionspartner hinzunehmen oder fallenlassen, bestimmte Distributionskanäle hinzunehmen bzw. fallenlassen oder ein völlig neues Distributionskonzept entwickeln.*

Zur Entscheidung über die Hinzunahme oder den Verzicht auf spezifische Distributionspartner ist eine Grenzwertanalyse erforderlich. Sie muß die Frage klären, welche Ergebnisveränderung der Entscheidung folgen würde. So würde z. B. ein Automobilhersteller analysieren, wieviel Umsatz durch einen bestimmten Händler bei dessen Aufnahme hinzukäme, wieviel davon anderen Händlern verlorenginge oder bei diesen durch Stärkung des Vertriebsnetzes zusätzlich gewonnen werden könnte, und welche Kosten damit verbunden wären.

Gelegentlich zieht ein Hersteller in Erwägung, eventuell alle Distributionspartner fallenzulassen, deren Umsätze einen bestimmten Betrag unterschreiten. So stellte z. B. ein Lkw-Hersteller fest, daß 5 % seiner Händler nicht einmal drei oder vier Lkws pro Jahr verkauften. Die Zusammenarbeit mit diesen Händlern kostete den Hersteller mehr, als an Deckungsbeitrag aus ihrem Umsatz erwirtschaftet wurde. Andererseits könnte die Entscheidung, diese Händler fallenzulassen, große negative Auswirkungen auf das Gesamtprogramm des Herstellers haben. Die Stückkosten der Lkw-Herstellung für die anderen Händler könnten steigen, wenn diese den Umsatz der eliminierten Händler nicht abfangen können, da sich die Gemeinkosten des Herstellers dann auf weniger Fahrzeuge verteilen würden; ein Teil der Arbeiter und Maschinen wäre nicht ausgelastet; ein Teil des Geschäfts auf diesen Märkten würde an die Konkurrenten verlorengehen; und die anderen Händler könnten verunsichert werden. All diese Faktoren mußten berücksichtigt werden.

Äußerst schwierig sind Entscheidungen zur Modifizierung der gesamten Distributionsstrategie. [15] Ein Automobilhersteller könnte z.B. eine firmeneigene Händlerorganisation aufbauen, statt mit unabhängigen Händlern zusammenzuarbeiten; ein Erfrischungsgetränkehersteller könnte seine lokalen Vertrags-Abfüllbetriebe durch ein zentralisiertes Abfüll- und Direktmarketingsystem ersetzen. Diese Entscheidungen würden größere Anpassungen bei den meisten Elementen im Marketing-Mix erfordern und hätten tiefgreifende Auswirkungen. Sie sind aber trotzdem für viele Produkte über ihren Produkt-Lebenszyklus hinweg zu treffen.

Exkurs 18-4: Flexible Unternehmen passen ihr Distributionssystem an den Produkt-Lebenszyklus an

Man kann nicht darauf vertrauen, daß ein bestimmter Distributionskanal über den gesamten Lebenszyklus eines Produkts hinweg im Wettbewerb führend ist. Während möglicherweise die »Frühadopter« eines Produkts noch gewillt sind, für teure Distributionsleistungen zu zahlen, werden die späteren Abnehmer kostengünstigere Distributionskanäle nutzen. So wurden beispielsweise kleine Bürokopierer zunächst über herstellereigene Vertriebsorganisationen, später über Büromaschinenhändler, dann über die Großbetriebsformen des Handels und heute auch über den Versandhandel verkauft. Versicherungen, die sich immer noch auf die herkömmlichen Versicherungsagenturen stützen, und Automobilhersteller, die nur mit herkömmlichen Vertragshändlern zusammenarbeiten, sind heute dem Wettbewerb durch neue, kostengünstigere Distributionskanäle ausgesetzt, und ihr abwehrendes Verhalten gegenüber Veränderungen könnte sich auf lange Sicht als fatal erweisen.

Miland Lele entwickelte einen Ansatz, mit dem sich Veränderungen der Distributionskanäle für Produkte wie Personalcomputer und Designer-Kleidung in den unterschiedlichen Phasen des Produkt-Lebenszyklusses aufzeichnen lassen.

Dieser Ansatz verläuft wie folgt:

- **Einführungsphase**
  Völlig neue Produkte oder Modetrends gelangen tendenziell über einen sehr speziellen Fachhandel in den Markt (z.B. über Hobby-Läden oder Boutiquen), der Trends erkennt und Frühadopter auf sich zieht.
- **Phase des schnellen Wachstums**
  Mit zunehmendem Abnehmerinteresse treten großvolumigere Distributionskanäle in das Geschäft ein (z.B. Fachhandelsketten und fachlich betonte Warenhäuser), die zwar auch Dienstleistungen, wie Kundenberatung und Reparatur oder einen Änderungsdienst bieten, allerdings nicht in so großem Umfang wie die speziellen Fachhändler.
- **Reifephase**
  Bei nachlassendem Wachstum führen einige Wettbewerber ihr Produkt kostengünstigeren Distributionskanälen zu (den Großbetriebsformen des Handels, wie Kaufhäusern und großen Supermärkten).
- **Rückgangsphase**
  Bei Eintritt der Rückgangsphase treten die noch kostengünstigeren Distributionskanäle in den Vordergrund (Versandhandel, Discounter).

Die Absatzkanäle der Einführungsphase nehmen die Risiken und Probleme auf sich, die bei der Marktentstehung auftreten. Ihnen entstehen hohe

Kosten, weil erst Abnehmer für das Produkt gefunden sowie intensiv beraten und informiert werden müssen. Danach folgen die Distributionskanäle der Wachstumsphase, die durch ihren Eintritt die Markterweiterung fördern. Sie müssen für die vielen Neukunden ausreichende Dienstleistungen erbringen. In der nachfolgenden Reifephase legen viele Käufer Wert auf niedrige Preise und bevorzugen Absatzkanäle mit niedrigen Distributionskosten. In der Rückgangsphase können verbleibende potentielle Käufer nur noch von Distributionskanälen gewonnen werden, die – bei extrem geringer Wertschöpfung in der Distribution – niedrige Preise anbieten.

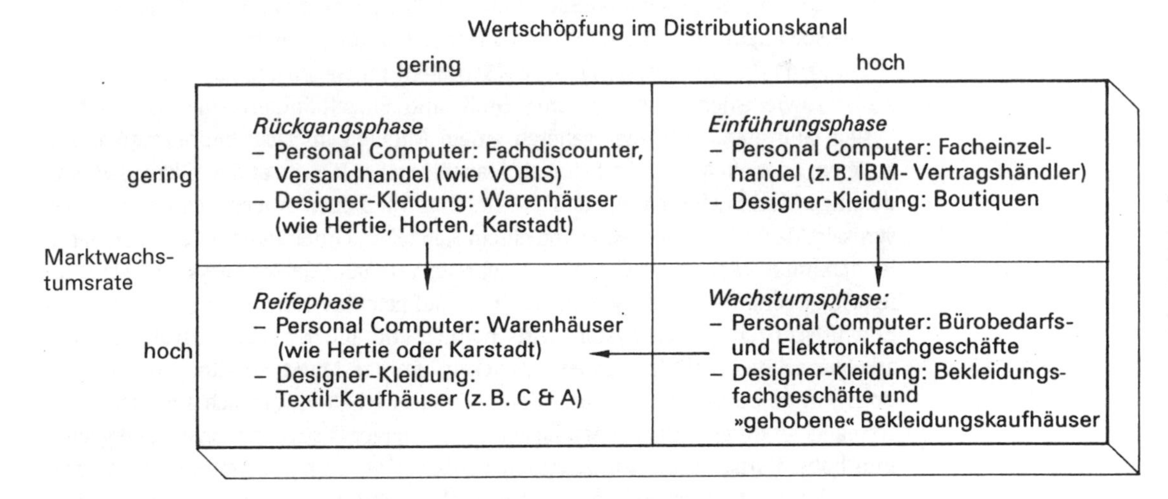

Quelle: Adaptiert nach Miland M. Lele: »Matching Your Channels to Your Product's Life Cycle«, in: *Business Marketing*, Dezember 1986, S. 64.

Dynamische Systemveränderungen und neuere Distributionssysteme

Distributionssysteme kennen keinen Stillstand. Sie verändern sich und entwickeln sich weiter. Es entstehen neue Großhandels-, Einzelhandels- und Distributionssystemformen. Im folgenden wollen wir uns mit vertikalen, horizontalen und Multikanal-Marketingsystemen sowie mit Verhaltensrollen von Systemteilnehmern beschäftigen und auch mögliche Probleme der Kooperation, des Konflikts und des Wettbewerbs betrachten.

Vertikale Marketingsysteme

Vertikale Marketingsysteme haben sich in jüngerer Zeit als wesentliche Alternative zu *konventionellen Distributionssystemen* herausgebildet. Ein konventionelles Distributionssystem besteht aus einem unabhängigen Hersteller sowie einem oder mehreren Groß- und Einzelhändlern. Jeder Beteiligte im Distributionssystem sieht sich als eigenständiges Wirtschaftssubjekt, das seinen Gewinn maximieren will, auch wenn dies der Gewinnmaximierung des Gesamtsystems schadet. Keiner der Beteiligten hat dabei die volle oder maßgebliche Kontrolle über die anderen. McCammon definiert konventionelle Distributionssysteme als »stark fragmentierte Netzwerke, in denen lose miteinander verknüpfte Hersteller, Großhändler und Einzelhändler nach dem Grundsatz des Eigeninteresses Handel treiben, aggressiv die für sie günstigsten Handelsbedingungen aushandeln und ansonsten autonom auftreten.«[16]

Ein *vertikales Marketingsystem (VMS)* besteht im Gegensatz dazu aus dem Hersteller sowie einem oder mehreren Groß- und Einzelhändlern, die als vereintes System auftreten. Entweder gehören einem Mitglied im Distributionssystem alle anderen, oder ein Mitglied arbeitet als Franchisegeber für alle anderen bzw. hat eine derartige Machtstellung inne, daß alle anderen Mitglieder kooperieren müssen. Das vertikale Marketingsystem kann von einem Hersteller, Großhändler oder Einzelhändler dominiert werden. McCammon beschreibt vertikale Marketingsysteme als »professionell geführte und programmatisch zentral gelenkte Netzwerke, die von ihrem Entwurfskonzept her als System wirtschaftlich und äußerst wirkungsvoll im Markt arbeiten sollen.«[17] Sie wurden entwickelt, um das Marktverhalten des Distributionssystems zu beherrschen und Konflikte auszuschalten, die sich aus den unterschiedlichen unternehmerischen Zielen unabhängiger Distributionspartner ergeben. Ihre hohe Wirtschaftlichkeit erreichen vertikale Marketingsysteme aufgrund ihrer Größe, Verhandlungsstärke und der Ausschaltung redundanter Leistungen. Auf dem amerikanischen Konsumgütermarkt z.B. sind sie zur dominierenden Distributionsform geworden und decken hier 70% bis 80% des Gesamtmarktes ab.

Im folgenden wollen wir die drei wesentlichsten Erscheinungsformen vertikaler Marketingsysteme, die auch in Abbildung 18–5 unten dargestellt sind, näher untersuchen.

Eigentumsgebundene vertikale Marketingsysteme

Ein *eigentumsgebundenes vertikales Marketingsystem* vereinigt aufeinanderfolgende Produktions- und Distributionsstufen unter einem einzigen Eigentümer, und zwar durch alleiniges Eigentum oder Eigentumsbeteiligungen an den betreffenden funktionalen Einrichtungen. Diese vertikale Integration wird von Unternehmen bevorzugt, die das Distributionssystem möglichst vollständig beherrschen wollen. Je nach Ausgangslage des Unternehmens läßt sich vertikale Integration entweder durch Rückwärtsintegration oder durch Vorwärtsintegration erreichen. Im folgenden einige Beispiele zur Vertikalisierung von Hersteller- und Handelsunternehmen:

- Bata, der kanadische Schuhunternehmer, betreibt ein weltweit verflochtenes Distributionssystem von Produktionsstätten bis hin zu firmeneigenen Einzelhandelsgeschäften. Auch der deutsche Schuhhersteller Salamander läßt einen wesentlichen Teil seiner Produktion durch ein vertikales Marketingsystem mit firmeneigenen Einzelhandelsgeschäften fließen.
- Die Kaffeeröster Eduscho und Tchibo betreiben ein firmeneigenes vertikales Marketingsystem von der Rösterei bis hin zu den Verkaufsstätten. Dies verschafft ihnen gegenüber

Konkurrenten wie Jacobs den strategischen Vorteil größter Reagibilität bei den Endverbraucherpreisen; wenn z.B. die Röstkaffeepreise fallen, können sie die Endverbraucherpreise ebenfalls schnell senken, während Jacobs dies nicht kann, da hier die unabhängigen Groß- und Einzelhändler erst ihren Warenbestand zum alten Preis verkaufen wollen.

- Nordsee, die Fischeinzelhandelskette, gehört zum vertikalen Marketingsystem des Unternehmens Unilever im Fischproduktemarkt. Dieses System erstreckt sich über die Fischverarbeitung bis hin zu Fischfangflotten.
- Handelshäuser wie C & A, Adler und auch Massa beziehen einen Teil ihres Warenumsatzes aus unternehmenseigenen Fertigungsstätten oder Fertigungsstätten mit Eigentumsbeteiligung.
- Die Hotelkette Holiday Inn entwickelt ihr eigenes Selbstversorgungssystem, zu dem eine Teppichweberei, eine Möbelfabrik und zahlreiche daran gebundene Vertriebsorganisationen gehören.

Kurzum, es handelt sich hier und auch in anderen Fällen um große, vertikal integrierte Verbundsysteme. Diese Systeme einfach nur als »Einzelhandelsunternehmen«, »Herstellerbetrieb« oder »Hotelbetreiber« zu bezeichnen, würde eine grobe Vereinfachung ihrer komplexen Geschäftstätigkeit und eine Verkennung der Marktrealitäten bedeuten.[18]

Machtstellungsgebundene vertikale Marketingsysteme

Ein *machtstellungsgebundenes vertikales Marketingsystem* koordiniert die Tätigkeiten aufeinanderfolgender Produktions- und Distributionsstufen durch administratives Vorgehen, allerdings nicht durch einheitliches Eigentum, sondern aufgrund der Größe und Marktmacht einer der beteiligten Parteien. Anbieter einer Marke mit starken Verbraucherpräferenzen können sich durch eine umfassende Betreuung der Handelspartner deren Mitwirken an geplanten Marketingmaßnahmen sichern. So können Unternehmen wie Ferrero (in Europa), Gillette, Procter & Gamble (weltweit) und Campbell Soup (in Nordamerika) bei der Produktpräsentation, der Gewinnung von Regalfläche für ihr Produkt, bei Absatzförderungsaktionen und bei der Preisgestaltung außergewöhnlich großen Einfluß auf ihre Wiederverkäufer nehmen.

Vertragsgebundene vertikale Marketingsysteme

Ein *vertragsgebundenes VMS* besteht aus unabhängigen Unternehmen verschiedener Stufen im Produktions- und Distributionssystem, die ihre Programme durch vertragliche Vereinbarungen aufeinander abstimmen, um damit wirtschaftlicher arbeiten und im Verkauf wirkungsvoller auftreten zu können, als sie dies allein könnten. Diese Systeme haben in den letzten Jahren den größten Zuwachs erfahren und sind eine der bedeutendsten neueren Entwicklungen in der Wirtschaft. Wir können drei Erscheinungsformen von vertragsgebundenen VMS beobachten, die im folgenden näher beschrieben werden.

Großhandelsgeführte Einzelhandelsgruppen

In diesem Fall organisieren Großhandelsbetriebe freiwillige Zusammenschlüsse von unabhängigen Einzelhändlern, um sie im Wettbewerb mit den großen Ketten zu stärken. Der Großhändler entwickelt ein Marketingprogramm, mit dem unabhängige Einzelhändler ihr Marktverhalten vereinheitlichen und günstiger einkaufen können, so daß sie als Verbund im Wettbewerb mit den großen Ketten bestehen können.

Einzelhandelsgenossenschaften
Hier ergreifen Einzelhändler die Initiative und gründen eine eigene Organisation, die Großhandels- und u.U. auch bestimmte Herstellerfunktionen wahrnimmt. Die Mitglieder beziehen einen Großteil der benötigten Ware über die von ihnen gegründete Genossenschaft und planen ihre Werbung gemeinsam. Die erwirtschafteten Gewinne werden im Verhältnis zum jeweiligen Abnahmevolumen unter den Mitgliedern verteilt. Auch Nichtmitglieder können bei der Genossenschaft einkaufen, erhalten aber keine Gewinnanteile. So entstanden z.B. die EDEKA als Einkaufsgenossenschaft Deutscher Kaufleute und die BÄKO als Bäckerkooperative.

Franchise-Systeme
Hier verbindet ein Mitglied im Distributionssystem – der Franchisegeber – mehrere aufeinanderfolgende Stufen im Produktions-Distributions-Prozeß miteinander. Franchising ist die am schnellsten wachsende und interessanteste Distributionssystementwicklung der letzten Jahre. Obwohl die Grundidee schon lange existiert, gibt es immer neue Franchising-Formen. Man unterscheidet hier zwischen drei wesentlichen Erscheinungsformen:

Das *herstellergeführte Einzelhandelsfranchising* ist in der Automobilindustrie weit verbreitet. Ford z.B. vertreibt seine Automobile über autorisierte Händler, d.h. unabhängige Unternehmer, die sich bereit erklärt haben, bestimmte Verkaufsbedingungen einzuhalten und bestimmte Serviceleistungen zu erbringen.

Das *herstellergeführte Großhandelsfranchising* findet man z.B. in der Erfrischungsgetränkeindustrie. Coca-Cola arbeitet auf verschiedenen Absatzmärkten mit Abfüllbetrieben (Großhändlern) als Franchisenehmer zusammen, die das Sirup-Konzentrat kaufen, es mit Wasser und Kohlensäure versetzen, in Flaschen abfüllen und das Getränk dann an die Einzelhändler im jeweiligen Marktgebiet verkaufen.

Die dritte Franchising-Form ist das *Service-Franchising.* Hier organisiert ein Dienstleistungsunternehmen als Franchisegeber ein weitläufiges Franchise-System, um sein Dienstleistungsangebot möglichst wirkungsvoll an den Abnehmer zu bringen. Beispiele hierfür sind die Autovermieter Hertz und Avis, die Fast-Food-Unternehmen McDonald's und Burger King, der »Eismann«-Tiefkühl-Heimservice und der Tür- und Küchenrenovierungsspezialist Portas. Mit dem Service-Franchising werden wir uns im nachfolgenden Kapitel noch genauer beschäftigen.

Viele unabhängige Einzelhändler, die sich keinem vertikalen Marketingsystem angeschlossen haben, betreiben Fachgeschäfte zur Abdeckung von Marktsegmenten, die für die Großbetriebsformen des Handels nicht attraktiv sind. Das Ergebnis ist eine Polarisierung im Einzelhandel zwischen den großen, durch vertikale Vertriebsbindungen verknüpften Organisationen einerseits und dem unabhängigen Fachhandel andererseits. Diese Entwicklung wirft für einige Hersteller ein Problem auf. Sie sind stark an unabhängige Distributionspartner gebunden, mit denen sie die Zusammenarbeit nicht so einfach einstellen können. Letztendlich müssen sie aber doch zu weniger attraktiven Konditionen mit wachstumsstarken vertikalen Marketingsystemen koalieren. Sie sind ständig der Gefahr ausgesetzt, durch vertikale Marketingsysteme ausgeschaltet zu werden, die eigene Produktionsaktivitäten aufnehmen können. *Der neue Wettbewerb an der Einzelhandelsfront findet nicht mehr zwischen unabhängigen Einzelunternehmen, sondern zwischen vernetzten Unternehmens-*

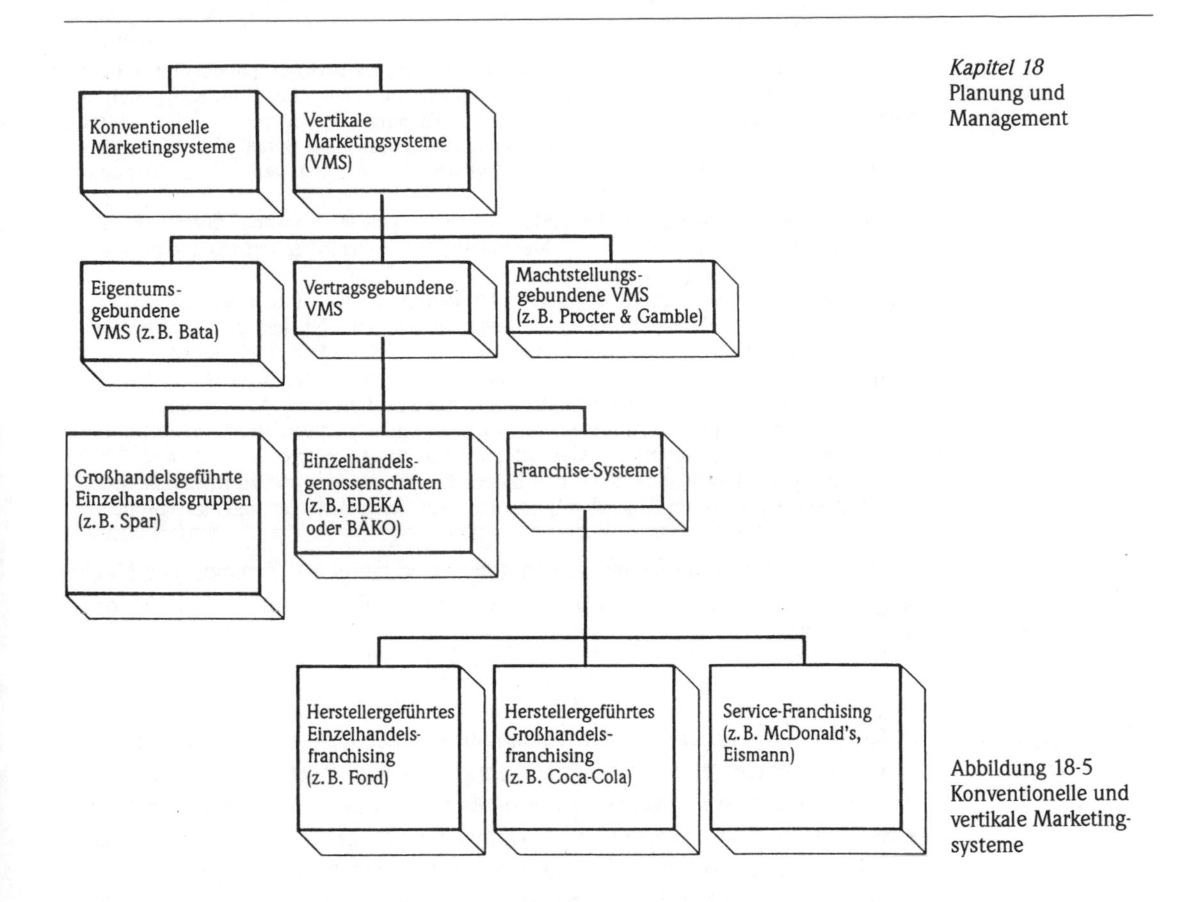

Abbildung 18-5
Konventionelle und vertikale Marketing-systeme

systemen (eigentumsgebunden, machtstellungsgebunden oder vertraglich gebunden) mit kompletten und zentral gelenkten Programmen statt, die miteinander um den größtmöglichen Kostenvorteil und Kundenzuspruch konkurrieren.

Horizontale Marketing-systeme

Ein weiterer Entwicklungstrend besteht darin, daß zwei oder mehrere eigenständige Unternehmen bestimmte Ressourcen und Programme zusammenlegen, um eine sich ergebende Marktchance zu nutzen. Jedes der beteiligten Unternehmen verfügt entweder nicht über genügend Kapital, Know-how, Produktions- oder Marketingmittel, um die Marktchance im Alleingang zu nutzen, oder es scheut sich, das Risiko allein zu tragen bzw. erwartet sich aus dem Zusammenschluß beträchtliche synergetische Wirkungen. Die Beteiligten können dabei entweder nur vorübergehend oder auch auf Dauer kooperieren; sie können aber auch eigens ein Unternehmen dafür gründen. Adler bezeichnet diese Kooperationsform als *symbiotisches Marketing.*[19] Dazu einige Beispiele:

Etwa 20 Mineralbrunnenbetriebe in Deutschland haben eine Kooperationsvereinbarung über die Vermarktung von Diätlimonaden auf Mineralwasserbasis unter der Marke »Deit« geschlossen. Durch diesen horizontalen Zusammenschluß wurde eine flächendeckende Distribution für die Marke »Deit« nahezu im gesamten Bundesgebiet erreicht. Gleichzeitig findet eine Kooperation dieser Brunnenbetriebe mit dem Lieferanten des Grundstoffes – der Firma Kajo – statt, die auch den Markennamen »Deit« besitzt. Über die Werbung und andere marketingpolitische Aspekte entscheiden die Brunnenbetriebe gemeinsam mit Kajo. Die Beteiligten sehen sich als gleichberechtigte Partner und entscheiden mit gleicher Stimme über gemeinsame Marketingprogramme.

Die Sekthersteller Deinhard und Bussard vereinbarten eine Kooperation, durch die sie im Marktgebiet der ehemaligen DDR und später in ganz Osteuropa ihren Vertrieb und die Marketing-Logistik gemeinsam aufbauen wollen.

Weight-Watchers ist dabei, kalorienreduzierte Diätnahrungsmittel auf dem deutschen Markt in Zusammenarbeit mit deutschen Lebensmittelherstellern (z.B. Nadler) zu vertreiben. Von Weight-Watchers kommt das Know-how über kalorienreduzierte Nahrung, die auf bestimmte Diätpläne abgestellt ist, sowie das dazugehörige Markenimage. Die Lebensmittelhersteller bringen ihre Fertigungskapazitäten und Distributionswege in diese Kooperation ein.

Die Lamar Savings Bank of Texas vereinbarte mit dem Unternehmen Safeway Stores, Inc. die Einrichtung von Bankschaltern und Geldautomaten in den Geschäften von Safeway. Für die Lamar Savings Bank bedeutete dies einen beschleunigten Marktzutritt zu niedrigen Kosten, während Safeway in seinen Geschäften nun auch Bankdienstleistungen anbieten konnte.

Insgesamt kann man feststellen, daß in den letzten Jahren das symbiotische Marketing immer beliebter wurde, und ein Ende dieses Entwicklungstrends ist nicht absehbar. [20]

Multikanal-Marketingsysteme

Anfänglich verkauften viele Unternehmen nur an einen Zielmarkt oder ein Marktsegment und nutzten dabei nur einen Distributionskanal. Einige Unternehmen wandten sich der *dualen Distribution* zu, d.h. sie nutzten zwei Distributionskanäle zur Erreichung eines oder zweier Kundensegmente. Heute gehen aufgrund der Vielzahl von Zielmarktsegmenten und möglichen Distributionskanälen mehr und mehr Unternehmen zur *Multikanal-Distribution* über. Weigand bezeichnet dies als *Multimarketing*, das dann vorliegt, wenn ein einziges Unternehmen zwei oder mehr Distributionskanäle aufbaut, um auf diese Weise eines oder mehrere Kundensegmente zu erreichen. [21] Dazu einige Beispiele:

Viele Brauereien vertreiben ihr Bier über eigentumsgebundene, vertraglich gebundene und freie Gaststätten, die durch den Getränkegroßhandel beliefert werden, über den traditionellen Lebensmittelgroß- und -einzelhandel, über Kantinen in Fabriken und über Sonderformen des Einzelhandels, wie Kioske und Tankstellen. Damit wollen sie weitgehend alle Marktsegmente des Bierkonsums erreichen.

Yves Rocher (Kosmetika) vertreibt seine Produkte durch Franchisenehmer im Einzelhandel und im Postversand. Nestlé vertreibt seine Kaffeekonzentrate unter der Marke Nescafé durch den traditionellen Lebensmittelhandel und unter der Marke Ali durch den Lebensmitteldiscounter Aldi.

IBM konnte mit Hilfe eines Multikanal-Konzepts in den USA seine neue Generation von Personalcomputern in schneller Folge in 2.500 Läden unterbringen. Man eröffnete nicht nur eigene IBM-Produktzentren, sondern schloß auch Verträge mit Sears, Computerland sowie einer Reihe anderer Computerketten, Büromaschinenhändler und anderer Wiederverkäufer mit hoher Wertschöpfung. IBM verkaufte seine Computer mit hohen Preisnachlässen auch an die Hochschulen, was zu Beschwerden von seiten des Einzelhandels führte. In Deutschland vertreibt IBM seine Personalcomputer über eigene Verkaufsniederlassungen, Vertragshändler und auch über die METRO Großhandelsorganisation.

McDonald's ist in Deutschland Eigentümer von rund einem Drittel seiner Restaurants, und diese stehen in gewissem Umfang im Wettbewerb mit den Restaurants, die den Franchisenehmern gehören.

Der »Multimarketer« erhöht mit jedem neuen Distributionskanal sein Geschäftsvolumen, geht dabei allerdings auch das Risiko eines Konflikts mit den bereits vorhandenen Distributionspartnern ein. Diese könnten sich über »unlauteren Wettbewerb« beschweren und damit drohen, sich vom Multimarketer abzuwenden, wenn er den Wettbewerb nicht begrenzt oder sie auf eine andere Weise entschädigt.

In einigen Fällen befinden sich alle vom Multimarketer genutzten Distributionsbrücken in seinem Eigentum und unter seiner Kontrolle. So betreibt z.B. die amerikanische Firma J.C. Penney eigene Warenhäuser, Discount-Läden und Fachgeschäfte. Tillman bezeichnet diese Unternehmen als *Merchandising-Konglomerate* und definiert sie als »Merchandising-Imperium mit mehreren Produktlinien, verbunden durch Eigentum in einer Hand, das im Regelfall mehrere Einzelhandelsbetriebsformen umschließt und hinter den Kulissen bestimmte Distributions- und Managementfunktionen integriert«. [22] Hier gibt es zwar keine Konflikte mit unternehmensfremden Distributionspartnern. Doch könnte sich das Merchandising-Konglomerat internen Konflikten ausgesetzt sehen, wenn es darum geht, zu entscheiden, wo die Grenzen des jeweiligen Aufgabengebiets liegen und welche Finanzmittel jedem unternehmenseigenen Distributionspartner zustehen. (Exkurs 18-5 liefert ein Beispiel, das für den Einsatz von Multikanalsystemen spricht.)

Exkurs 18-5: Ein Beispiel für Multikanalsysteme

Unternehmen, die beim Verkauf unterschiedlicher Leistungen an verschiedene Zielgruppen an einem einzigen Distributionskanal festhalten, werden es gegenüber Konkurrenten, die mehrere geeignete Distributionskanäle aufbauen, zunehmend schwerer haben. Dies wird durch die *Angebotsmatrix* für Finanzdienstleistungen in den USA in Teil (a) der untenstehenden Abbildung deutlich.

Die Horizontalachse der Matrix zeigt mehrere unterschiedlich komplexe Finanzdienstleistungen, von der einfachen Standardleistung bis hin zur individualisierten Leistung; die Vertikalachse zeigt die jeweilige distributive

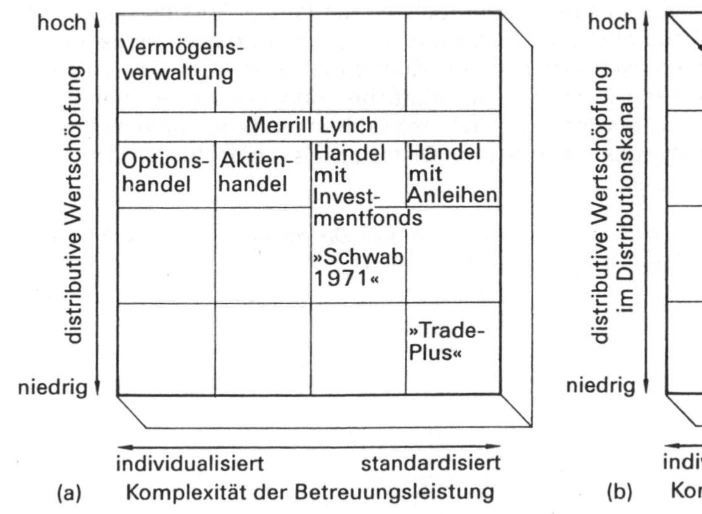

(a) Komplexität der Betreuungsleistung

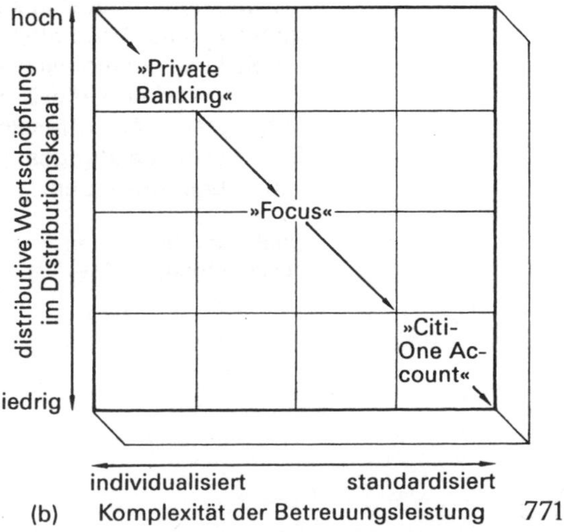

(b) Komplexität der Betreuungsleistung

Wertschöpfung durch Gebühren für die Leistung (von niedrig bis hoch). So ist das Dienstleistungsangebot »Vermögensverwaltung« im linken obersten Feld plaziert: Anlagen zur Verwaltung privater Vermögen sind hochindividuell und erfordern ein hohes Maß an persönlicher Betreuung, Information und Durchführungsarbeit. Im Gegensatz dazu ist im rechten untersten Feld der Matrix »Trade-Plus«, ein Dienstleistungsangebot von C.D. Anderson in San Francisco, plaziert, das es einem Kunden erlaubt, die gewünschten Finanzgeschäfte einfach von zu Hause aus mittels PC in Auftrag zu geben. Es handelt sich hier um ein sehr einfaches Angebot, nämlich die elektronisch übermittelten Aufträge auszuführen und zu verbuchen. Die Wertschöpfung des Dienstleisters ist sehr gering.
Betrachten wir nun die Angebote von Merrill Lynch, die in der Matrix als horizontaler Balken dargestellt sind. Merrill Lynch bietet als Vermittler viele Finanzdienstleistungen über seinen Distributionskanal an, der – mit seinen Kundenberatern in den lokalen Niederlassungen und dem Analytikerstab in der Hauptverwaltung – als Voll-Dienstleister mit hoher distributiver Wertschöpfung konzipiert ist. Durch sein Festhalten an einem einzigen Distributionskanal hat Merrill Lynch anderen Wettbewerbern, wie z.B. Charles Schwab & Company, der als Discounter mit niedrigeren Provisionssätzen und geringerem Serviceniveau auftritt, den Marktzugang ermöglicht. Die Klienten von Schwab setzen sich telefonisch mit dem Kundendienstpersonal des Unternehmens in Verbindung, das zwar ihre Aufträge entgegennimmt, aber keinerlei Anlageberatungs- oder Analysedienste bietet.
Jedes einzelne Feld stellt eine potentielle Marktchance dar, sofern die Nachfrage groß genug ist. Anbieter, die lediglich einen einzigen Distributionskanal für mehrere Produkte und Kundenschichten nutzen, unterliegen einem zunehmenden Wettbewerb. Je besser die Kunden über bestimmte Finanzdienstleistungen informiert sind und je mehr die Abwicklung dieser Leistung technologisch erleichtert wird, desto mehr Distributionskanäle werden sich rechts unten in der Matrix etablieren und damit in Wettbewerb mit den Kanälen mit hoher Wertschöpfung treten.
Citibank erkannte dies und führte das in Teil (b) der Abbildung veranschaulichte Multikanal-Distributionssystem für Finanzdienstleistungen ein. Das Angebot »Private Banking« beinhaltet die auf wohlhabende Bankkunden abgestellte kundenspezifische Vermögensverwaltung durch persönliche Privatkundenberater in einem entsprechend eleganten Ambiente. Das Angebot »Focus« beinhaltet die Abwicklung von Bank- und Anlagegeschäften durch einen telefonisch erreichbaren Kundenbetreuer. »Citi-One Account Banking« erlaubt die Durchführung einfacher Bankgeschäfte über Bankautomaten. Ganz offensichtlich setzt also Citibank auf die Entwicklung differenzierter Leistungsangebote und Distributionskanäle für unterschiedliche Kundengruppen.

Quelle: in überarbeiteter Form übernommen aus: *Distribution: A Competitive Weapon*, Cambridge, Mass.: The MAC Group, S. 14–18.

Verhaltensrollen von Systemteilnehmern

Die Zunahme von vertikalen, horizontalen und Multikanal-Marketingsystemen unterstreicht das dynamische und veränderliche Wesen von Distributionssystemen, das beim Distributionsmanagement beachtet werden muß. Weiterhin muß jedes Unternehmen einer Branche sein Rollenverhalten bestimmen, das es innerhalb des Distributionssystems einnehmen will. McCammon unterscheidet fünf mögliche Rollen:[23]

- *Insider* sind Mitglieder des im System dominierenden Absatzwegs, die Zugang zu den bevorzugten Bezugsquellen haben und in der Branche großes Ansehen genießen. Sie wollen an der vorhandenen Distributionssystemstruktur festhalten und setzen sich am stärksten für die Einhaltung der »geltenden Branchenregeln« ein.
- Die *Aufstrebenden* sind Unternehmen, die gern Insider werden wollen. Sie haben weniger Zugang zu den bevorzugten Bezugsquellen, was in Zeiten eines knappen Angebots von Nachteil sein kann. Sie halten sich an die Branchenregeln, weil sie Insider werden wollen.
- Die *Ergänzer* sind nicht direkt am dominierenden Absatzweg des Distributionssystems beteiligt. Sie erfüllen Funktionen, die im Regelfall von den anderen Mitgliedern des Distributionssystems nicht wahrgenommen werden, bearbeiten kleinere Marktsegmente oder handeln mit kleineren Warenmengen. Meist ziehen sie aus der vorhandenen Distributionssystemstruktur Vorteile und respektieren die Branchenregeln.
- Die *Wanderer* befinden sich außerhalb des dominierenden Absatzwegs und streben nicht nach einer Beteiligung daran. Je nach Marktchancen bewegen sie sich im Markt, treten in ihn ein oder verlassen ihn wieder. Ihre Erwartungen sind kurzfristiger Natur; sie sehen nur wenig Veranlassung, sich an die Branchenregeln zu halten.
- Die *Erneuerer von außen* sind die wahren Herausforderer und »Umstürzler« dominierender Absatzwege im Distributionssystem. Sie entwickeln neue Systemansätze zur Erfüllung der Marketingfunktionen im Distributionskanal; haben sie Erfolg, erzwingen sie einen wesentlichen Umbruch im Distributionssystem. Hier handelt es sich um Unternehmen wie Eismann, Aldi, Ikea (Schweden), Migros (Schweiz), Carrefour (Frankreich) und McDonald's, die zielstrebig das Neue suchten und das Alte in Frage stellten.

Als weiteren wichtigen Rollenspieler innerhalb des Distributionssystems finden wir den *Distributionssystemführer (»channel captain«).* Er ist das dominierende Mitglied im Distributionssystem oder in einem seiner Absatzwege; er übernimmt dort die Führungsrolle. So ist z.B. General Motors das führende Unternehmen eines Distributionssystems, das aus einer Vielzahl von Zulieferern, Händlern und Partnern in der Kaufabwicklung besteht. Der Distributionssystemführer ist nicht immer ein Hersteller, wie die Beispiele von McDonald's und Quelle zeigen. Außerdem gibt es in Distributionssystemen, in denen jedes Unternehmen im Alleingang handelt, diese Position nicht.

Kooperation, Konflikt und Konkurrenz im Distributionssystem

Auch wenn ein Distributionssystem noch so gut geplant und geführt wird, ergeben sich gelegentlich doch Konflikte. Der einfachste Konfliktgrund ist, daß die Interessen der einzelnen Funktionsträger nicht immer übereinstimmen. Wir beschäftigen uns daher mit drei Fragen: Welche Konfliktarten entstehen im Distributionssystem? Was sind die wesentlichen Gründe für Konflikte? Welche Ansätze gibt es zur Lösung von Konfliktsituationen?

Konfliktarten

Nehmen wir an, ein Hersteller plant ein Distributionssystem mit Großhändlern und Einzelhändlern. Er hofft, daß das Distributionssystem durch *vertikale Kooperation* aller Beteiligten zu besseren Ergebnissen geführt werden kann, als wenn jedes Mitglied des Systems nur aus Selbstinteresse heraus handeln würde. Durch Kooperation in vertikaler Richtung können sich die Mitglieder des Distributionssystems wirkungsvoller auf ihren Zielmarkt ausrichten und diesen zufriedenstellen.

Gleichzeitig aber ist es produktivitätsfördernd, wenn unter den Mitgliedern des Distributionssystems auf gleicher horizontaler Stufe ein gewisses Maß an *horizontaler Konkurrenz* besteht, d. h. jeder Großhändler strengt sich an, die Einzelhändler im Vergleich zu anderen Großhändlern bestens zu bedienen, und jeder Einzelhändler strengt sich an, die Kunden im Zielmarkt im Vergleich zu anderen Einzelhändlern bestens zu bedienen und an sich zu binden.

In diesem Spannungsfeld von Kooperation und Konkurrenz können Konflikte entstehen. Ein *vertikaler Konflikt* liegt vor, wenn Mitglieder der unterschiedlichen Stufen im Vertriebskanal miteinander in Konflikt geraten. Das geschieht, wenn z.B. der Hersteller seinem Händler oder Großhändler nach dessen Meinung zuviel zumutet und zuwenig gibt. So kam es z. B. zu Konflikten zwischen Mercedes und seinen Verkaufsniederlassungen, als Mercedes versuchte, die Provisionsstruktur seiner Händler und Verkäufer zu ändern. Zwischen Coca-Cola und seinen Abfüllbetrieben kommt es zu vertikalen Konflikten, wenn diese andere Getränke abfüllen wollen. Die deutschen Tankstellen gerieten in Konflikt mit den Ölkonzernen, als diese versuchten, die Akzeptanzpflicht für Kreditkarten durchzusetzen. Vertragsgaststätten befinden sich fast regelmäßig im vertikalen Konflikt mit ihren Brauereien und Getränkegroßhändlern, wenn diese Druck ausüben wollen, alle Getränke von ihnen zu beziehen.

Ein *horizontaler Konflikt* liegt vor, wenn Mitglieder auf derselben Stufe im Absatzweg miteinander in Konflikt geraten. Ein solcher Konflikt wäre z. B. gegeben, wenn sich einige BMW-Händler in der gleichen Stadt darüber beschweren, daß ein anderer BMW-Händler ihrer Meinung nach eine zu aggressive Preis- und Werbepolitik betreibt und ihnen Kunden wegnimmt; oder die Franchisenehmer einer Pizzakette beschweren sich darüber, daß einige ihrer Kollegen sich bei den Zutaten für die Pizzas nicht an die Richtlinien halten, einen schlechten Service bieten und damit dem Image der Gesamtorganisation schaden. So hatte z.B. die Restaurantkette »Wiener Wald« in den 70er Jahren in einigen seiner Restaurants Qualitätsprobleme, die langfristig negativ nachwirkten. In solchen Fällen muß der *Distributionssystemführer* (»*channel captain*«) eindeutige und durchsetzbare Richtlinien festlegen, um diese Konflikte schnell unter Kontrolle zu bringen.

Ein *Multikanal-Konflikt* liegt vor, wenn der Hersteller zwei oder mehr Vertriebskanäle eingerichtet hat, die miteinander in Wettbewerb stehen und an den gleichen Markt verkaufen. Solche Konflikte treten in der Regel dann auf, wenn ein Hersteller seine Produkte zunächst über den Fachhandel vertreibt und später daneben auch einen Vertrieb über Kaufhäuser, Warenhäuser, Supermärkte und Discounter einrichten will. Dieses wird in der Regel von den Fachhandelsgeschäften abgelehnt und kann bis zum Boykott des Herstellers führen, denn die Fachhändler sind der Meinung, daß sie aufgrund ihrer höheren Beratungsleistung und aufgrund von Reparaturdiensten und den damit verbundenen höheren Handelsspannen nicht mit anderen Vertriebssystemen in preisliche Konkurrenz treten sollten, wenn diese das gleiche Produkt zu geringerem Preis anbieten.

Konfliktgründe

Ein wesentlicher Grund für Konflikte sind *inkompatible Ziele* der einzelnen Funktionsträger im Distributionssystem. Diese Inkompatibilität ergibt sich, wenn z.B. ein Hersteller das Ziel hat, durch niedrige Preise möglichst schnell zu wachsen, während die Händler eher durch höhere Handelsspannen Gewinne machen will. Es ist schwierig, solch einen Konflikt zu lösen.

Bisweilen ist ein Konflikt auf *nicht eindeutig geklärte Funktionen und Rechte* zurückzuführen. IBM verkauft z.B. Personalcomputer an Großabnehmer einerseits über seine eigene Vertriebsorganisation, während andererseits auch autorisierte IBM-Händler mit der gleichen Großkundschaft ins Geschäft kommen wollen. Wenn Absatzregionen, Zuständigkeiten für bestimmte Abschlüsse usw. nicht eindeutig geklärt sind, ergeben sich Konflikte.

Konflikte können auch aus *Wahrnehmungsunterschieden* entstehen. So könnte z.B. der Hersteller die wirtschaftliche Entwicklung optimistisch einschätzen und dementsprechend von seinen Händlern verlangen, daß sie den Warenbestand erhöhen. Die Händler dagegen könnten die Wirtschaftsentwicklung pessimistisch einschätzen und folglich die Warenbestände reduzieren.

Ein Konflikt könnte sich daraus entwickeln, daß eine *große Abhängigkeit* zwischen Distributionspartner und Hersteller besteht. Händler mit Exklusivrechten, wie z.B. Autohändler, sind in hohem Maße von der Leistung ihrer Hersteller abhängig, die sich im Produktdesign, der Produktqualität und der Preispolitik zeigt. Umgekehrt ist bei exklusiven Vertriebsrechten auch der Hersteller von seinen Händlern abhängig. Je größer die gegenseitige Abhängigkeit zwischen den Mitgliedern des Distributionssystems ist, desto größer ist das Konfliktpotential, da die Teilnehmer ihre Machtstellung oft bis zum äußersten ausgereizt haben. Dadurch können bereits kleine Veränderungen einen Konflikt auslösen.

Konfliktlösung

In gewissem Umfang können Konflikte im Distributionssystem konstruktiv wirken. Konflikte können dazu führen, daß sich das System dynamischer an die Veränderungen im Umfeld anpaßt. Ein Übermaß an Konflikten bringt jedoch Störungen mit sich. Das Problem besteht daher weniger darin, Konflikte vollständig zu beseitigen, als vielmehr darin, sie managementmäßig besser zu bewältigen. Für ein effektives Konfliktmanagement gibt es mehrere Ansätze. [24]

Der wichtigste Ansatz zur Konfliktlösung besteht darin, *übergeordnete Ziele* für die Beteiligten annehmbar zu machen. Die Mitglieder des Distributionssystems verständigen sich hier auf übergeordnete Ziele, die sie gemeinsam verfolgen, wie z.B. Existenzsicherung, Höhe des Marktanteils, Qualitätsniveau oder Zufriedenheitsgrad der Kunden. Dieser Ansatz fällt am leichtesten, wenn ein Distributionssystem von außen bedroht wird, wie z.B. durch ein anderes Distributionssystem von hoher Effizienz, durch eine ungünstige Gesetzgebung oder eine Veränderung der Kundenwünsche. Durch enge Zusammenarbeit besteht die Möglichkeit, die Bedrohung zu überwinden. Die Mitglieder des Systems erfahren dann nachhaltig, was es wert ist, auf ein gemeinsames übergeordnetes Ziel hinzuarbeiten.

Ein weiterer nützlicher Ansatz der Konfliktlösung besteht im *Personenaustausch* zwischen den einzelnen Stufen im Distributionskanal. So könnten Mitarbeiter von Nestlé, Dr. Oetker oder Unilever eine Zeitlang bei ihren wichtigsten Großabnehmern mitarbeiten, während deren Mitarbeiter einige Zeit bei den Herstellern verbringen. Dadurch ist es möglich, daß man die Standpunkte und Möglichkeiten des Partners besser versteht und dieses Verständnis in Konfliktlösungen mit einbringt, wenn man zum alten Arbeitsplatz zurückkehrt.

Auch durch *Kooptierung* kann eine Organisation versuchen, die Unterstützung von Führungskräften einer anderen Organisation zu gewinnen. Dies geschieht z. B., indem man die entsprechenden Führungskräfte in den Aufsichtsrat, einen Beirat oder sonstige Gremien beruft, so daß sie dort ihre Meinung vertreten können und auch gehört werden. Wenn die Führungskräfte der anderen Organisation in diesen Gremien mit Respekt behandelt werden, kann Kooptierung konfliktreduzierend wirken. Der Preis dafür ist, daß man in der eigenen Unternehmenspolitik Kompromisse eingehen muß, um so von der anderen Seite eine wirkliche Unterstützung zu erhalten.

Fortschritte im Konfliktabbau lassen sich auch erzielen, indem man eine gemeinsame *Verbandszugehörigkeit* anstrebt. So können im Nahrungsmittelsektor sowohl Hersteller als auch Handelsorganisationen gemeinsam einen Verband »Nahrungs- und Genußmittel« einrichten.

Wenn sich ein Konflikt zuspitzt, dann können sich die beteiligten Parteien mit Diplomatie, Schlichtung und der Schiedsgerichtbarkeit behelfen. *Diplomatie* wird eingesetzt, wenn jede Seite eine Person oder Gruppe aussendet, um mit gleichgestellten Partnern der Gegenseite nach Konfliktlösungen zu suchen. Es ist sinnvoll, bestimmten Mitarbeitern eine permanente »Diplomatenfunktion« zu übertragen, um das Aufflammen von Konflikten möglichst zu verhindern. *Schlichtung* bedeutet, daß eine neutrale dritte Partei ihre Fähigkeiten zum Interessenausgleich der beiden Gegenparteien einsetzt. Ein *Schiedsgerichtsverfahren* findet statt, wenn die Gegenparteien sich lediglich darüber einigen können, ihre Argumente bei einer dritten Partei vorzubringen, die als Schiedsgericht fungieren soll, und deren Entscheidung anzunehmen.

Da in allen Distributionsstrukturen ein gewisses Konfliktpotential schlummert, ist es den Mitgliedern der Distributionssysteme anzuraten, sich von vornherein auf die Methoden zur Beilegung von Konflikten zu verständigen.

Zusammenfassung

Distributionsentscheidungen gehören zu den komplexesten und schwierigsten Entscheidungen, die das Unternehmen zu treffen hat. Jedes Distributionssystem führt zu unterschiedlichen Umsätzen und Kosten. Hat man sich einmal für ein spezifisches

Distributionssystem entschieden, muß man es in der Regel für einen längeren Zeitraum beibehalten. Es bestehen beträchtliche Wechselwirkungen zwischen dem ausgewählten Distributionssystem und den anderen Elementen im Marketing-Mix.

Die Zusammenarbeit mit Distributionspartnern ist für den Hersteller sinnvoll, wenn diese die Distributionsfunktionen besser erfüllen können als er selbst. Die wichtigsten Funktionsflüsse im Distributionssystem sind Informations-, Absatzförderungs-, Verhandlungs-, Bestell-, Finanzierungs-, Risiko-, materielle Güter-, Zahlungs- und Eigentumsflüsse. Diese Funktionsflüsse sind von grundlegender Bedeutung. Sie bleiben bestehen, während bestimmte Organisationsformen, wie z.B. Einzel- und Großhandelsunternehmen, einem ständigen Wandel unterliegen.

Der Hersteller kann sein Distributionssystem auf vielerlei Arten gestalten. Er kann sich für den Direktverkauf (Nullstufenkanal) oder für die Einschaltung des Handels (Ein-, Zwei-, Dreistufenkanal) oder für eine Distributionskette mit weiteren Zwischengliedern entscheiden. Zur Gestaltung des Distributionssystems müssen die distributiven Leistungsanforderungen (kleinste Abgabemenge, Wartezeit, räumliche Präsenz sowie Versorgungsvielfalt) bestimmt, die Distributionsziele und -einschränkungen definiert, die wesentlichen Gestaltungsalternativen (Art und Anzahl der Distributionspartner, intensive, exklusive oder selektive Distribution) entwickelt sowie die Konditionen und wechselseitigen Verpflichtungen für die Distributionspartner festgelegt werden. Jede Alternative muß anhand der Kriterien Wirtschaftlichkeit, Kontroll- und Steuerungsmöglichkeit sowie Modifizierbarkeit bewertet werden.

Zum Distributionsmanagement gehört es, Distributionspartner zu gewinnen, sie zu motivieren und gute Beziehungen zu ihnen aufzubauen. Ziel des Distributionsmanagement ist es, ein partnerschaftliches Verhältnis und ein programmatisches Zusammenwirken zu erreichen. Die Leistungen der einzelnen Distributionspartner müssen laufend durch Abgleich mit ihren eigenen früheren Verkaufsergebnissen sowie den Verkaufsergebnissen anderer Distributionspartner bewertet werden. Aufgrund der sich ständig ändernden Einflüsse im Marketingumfeld muß das Distributionssystem immer wieder modifiziert werden. Man muß eventuell einzelne Distributionspartner oder Distributionskanäle hinzunehmen bzw. fallenlassen oder falls notwendig das gesamte Distributionssystem umstellen.

Distributionssysteme verändern sich ständig und manchmal sogar drastisch. Sehr wesentlich sind die Entwicklungstendenzen hin zu vertikalen, horizontalen und Multikanal-Marketingsystemen.

In Distributionssystemen besteht die inhärente Möglichkeit vertikaler, horizontaler und Multikanal-Konflikte. Die Hauptursachen für Konflikte sind inkompatible Zielsetzungen, nicht eindeutig geklärte Funktionen und Rechte, unterschiedliche Wahrnehmungen zu bedeutenden Einflußfaktoren und hohe Abhängigkeiten der Partner im Distributionssystem. Diese Konflikte können managementmäßig durch die Verständigung auf übergeordnete Ziele, durch Personenaustausch, Kooptierung, gemeinsame Verbandsmitgliedschaften sowie durch Diplomatie, Schlichtung und Schiedsgerichtsverfahren gelöst werden.

Anmerkungen

1 E. Raymond Corey: *Industrial Marketing: Cases and Concepts*, Englewood Cliffs, N.Y.: Prentice-Hall, 1976, S. 263.
2 Louis W. Stern und Adel I. El-Ansary: *Marketing Channels*, 3. Aufl., Englewood Cliffs, N.Y.: Prendice-Hall, 1988, S. 3.
3 Ebenda, S. 6–7.
4 Wroe Alderson: »The Analytical Framework for Marketing«, in: *Proceedings-Conference of Marketing Teachers from Far Western State*, Berkeley: University of California Press, 1958.
5 William G. Zikmund und William J. Stanton: »Recycling Solid Wastes: A Channels-of-Distribution Problem«, in: *Journal of Marketing*, Juli 1971, S. 34.
6 Vgl. Sandra Vandermerve: »Strategies for the Nineties Mean Full Green Ahead, say Top Executives«, in: *IMD, Perspectives for Managers*, International Institute for Management Development, Lousanne, Nr. 1, 1991.
7 Ronald Abler, John S. Adams und Peter Gould: *Spatial Organizations: The Geographer's View of the World*, Englewood Cliffs, N.Y.: Prentice-Hall, 1971, S. 531–532.
8 Vgl. Irving Rein, Philip Kotler und Martin Stoller: *High Visibility*, New York: Dodd, Mead, 1987.
9 Louis P. Bucklin: *Competition and Evolution in the Distributive Trades*, Englewood Cliffs, N.Y.: Prentice-Hall, 1972.
10 Louis P. Bucklin: *A Theory of Distribution Channel Structure*, Berkeley: Institute of Business and Economic Research, University of California, 1966.
11 Phillip McVey: »Are Channels of Distribution What the Textbooks Say?«, in: *Journal of Marketing*, Januar 1960, S. 61–64.
12 Vgl. Bert Rosenbloom: *Marketing Channels: A Management View*, Hinsdale, Ill.: Dryden Press, S. 192–203.
13 Bert C. McCammon Jr.: »Perspectives for Distribution Programming«, in: *Vertical Marketing Systems*, Louis P. Bucklin (Hrsg.), Glenview, Ill.: Scott, Foresman, 1970, S. 32.
14 Ebenda, S. 43.
15 Eine hervorragende Untersuchung zu diesem Thema lieferte Howard Sutton in: *Rethinking the Company's Selling and Distribution Channels*, Resarch Report Nr. 885, Conference Board, 1986, S. 26.
16 McCammon: »Perspectives for Distribution Programming«, a.a.O., S. 32–51.
17 Ebenda.
18 Ebenda, S. 45.
19 Lee Adler: »Symbiotic Marketing«, in: *Harvard Business Review*, November-Dezember 1966, S. 59–71.
20 Vgl. P. Rajan Varadarajan und Daniel Rajaratnam: »Symbiotic Marketing Revisited«, in: *Journal of Marketing*, Januar 1986, S. 7–17.
21 Vgl. Robert E. Weigand: »Fit Products and Channels to Your Markets«, in: *Harvard Business Review*, Januar-Februar 1977, S. 95–105.
22 Rollie Tillmann: »Rise of the Conglomerchant«, in: *Harvard Business Review*, November–Dezember 1971, S. 44–51.
23 Bert C. McCammon Jr.: »Alternative Explanations of Institutional Change and Channel Evolution«, in: *Toward Scientific Marketing*, Stephen A. Greyser (Hrsg.), Chicago: American Marketing Association, 1963, S. 477–490.
24 Diese Zusammenfassung bezieht sich auf die Zusammenfassung von Stern und El-Ansary: *Marketing Channels*, Kap. 7.

Management von Einzelhandel, Großhandel und Warenlogistik

Kapitel 19

Ich wüßte nicht, wessen Geist ausgebreiteter wäre, ausgebreiteter sein müßte, als der Geist eines echten Handelsmannes.

Goethe

Im vorhergehenden Kapitel untersuchten wir die Institutionen und Funktionsträger des Distributionssystems vom Standpunkt des Herstellers aus, der ein Distributionssystem aufbauen und lenken will. In diesem Kapitel wollen wir die Partner des Herstellers im Distributionssystem – Einzelhändler, Großhändler und Logistik-Organisationen – als Unternehmen betrachten, die eigene Marketingstrategien verfolgen, um sich im Wettbewerb zu behaupten. Einige dieser Distributionspartner sind so groß und marktmächtig, daß sie auf die Hersteller, die mit ihnen zusammenarbeiten, maßgeblichen Einfluß ausüben können. Viele dieser Unternehmen setzen zunehmend fortschrittliche Instrumente der strategischen Planung und des strategischen Marketing ein. Sie ziehen zur Leistungsbewertung in zunehmendem Maße neben der Umsatzrendite auch die Kapitalrendite heran. Sie segmentieren ihre Märkte besser, handeln im Markt zielgerichteter als früher, suchen klare Positionierungen ihres Leistungsangebotes und verfolgen aggressiv bestimmte Marktexpansions- und Diversifikationsstrategien.

Bei der Behandlung der Funktionsbereiche Einzelhandel, Großhandel und Logistik orientieren wir uns an folgenden Fragen: Worin bestehen Wesen und Bedeutung des Bereichs? Welche Betriebsformen gibt es? Welche Marketingentscheidungen haben die Handelsunternehmen zu treffen? Was sind die wesentlichen Entwicklungstrends?

Einzelhandel

Wesen und Bedeutung des Einzelhandels

Zum Funktionsfeld des Einzelhandels gehören alle Aktivitäten des Verkaufs von Waren und Dienstleistungen direkt an die Endverbraucher für deren persönliche, nicht-gewerbliche Verwendung. Jede Organisation, die direkt an den Endverbraucher verkauft – ob Hersteller, Großhändler oder Einzelhändler – nimmt eine Einzelhandelsfunktion wahr, ganz gleich, *wie* die Waren oder Dienstleistungen vermarktet werden (ob durch persönlichen Verkauf, per Post, Telefon oder Verkaufsautomaten) oder *wo* sie vermarktet werden (ob im Ladenhandel, Straßenhandel oder zuhause beim Verbraucher).

Zu den Einzelhandelsorganisationen gehören alle Wirtschaftsunternehmen, die – wie Einzelhändler oder Einzelhandelsgeschäfte – ihre Wertschöpfung zum überwiegenden Teil durch die Erfüllung der Einzelhandelsfunktion erzielen.

In der Bundesrepublik ist der Einzelhandel ein bedeutender Wirtschaftszweig. Die

Einzelhandelsorganisationen nehmen im Wirtschaftsgefüge einen bedeutenden Platz ein. In der Bundesrepublik Deutschland (alte Bundesländer) gab es 1990 etwa 160.000 Einzelhandelsunternehmen, die jeweils mindestens 250.000 DM Umsatz pro Jahr mit Gütern wie Nahrungsmittel, Textilien, Einrichtungsgegenstände, elektrotechnische Erzeugnisse, Musikinstrumente, Papierwaren, pharmazeutische und kosmetische Erzeugnisse, Fahrzeuge und sonstige Waren erzielten. Der klassische Einzelhandel mit diesen Gütern (ohne den Einzelhandel mit Dienstleistungen – wie Bank- und Versicherungsdienste – mitzurechnen) beschäftigte mit ca. 2,2 Mio. Mitarbeitern etwa 7,4% aller Erwerbspersonen und tätigte Umsätze von insgesamt etwa 700 Mrd. DM. Zu den größten, in Deutschland tätigen Einzelhandelsunternehmen gehören Tengelmann (weltweit 37 Mrd. DM Umsatz, 150.000 Beschäftigte), Rewe (29 Mrd. DM Umsatz, 90.000 Beschäftigte), Aldi (etwa 20 Mrd. DM Umsatz), Otto Versand (14 Mrd. DM), Karstadt (13 Mrd. DM) und Kaufhof (11 Mrd. DM). Zu den größten Einzelhandelsorganisationen der Schweiz gehören Migros und co op Schweiz. In Österreich gehören Konsum Österreich (Umsatz 48 Mrd. ÖS), Spar (17 Mrd. ÖS), Hofer (11 Mrd. ÖS) und Meinl (10 Mrd. ÖS) zu den größten Einzelhandelsorganisationen.

Betriebsformen des Einzelhandels

Der Einzelhandel gehört zu den dynamischsten und wandlungsfähigsten Teilbereichen der Wirtschaft. Immer wieder tauchen neue Formen und neue Konzepte des Einzelhandels auf, die den sich wandelnden Bedürfnissen des Marktes gerecht werden und die selbst trendprägend die Handelslandschaft verändern. Zur Typologie und Gliederung des Einzelhandels gibt es in der Fachliteratur viele Vorschläge sowie mögliche Einteilungskriterien, wie z.B. Größe des Betriebs, Branchenzugehörigkeit, Preisniveau, Umfang des Kundendienstes, Standort und Rechtsform. Aufgrund der dynamischen Veränderungen im Einzelhandel ist kaum ein Kriterium für eine Typologie über längere Sicht sinnvoll und trennscharf. Statistische Erhebungen des Einzelhandels sind in der Regel nach Branchenzuordnung oder Größenklassen gegliedert und sagen daher nur wenig über die Betriebskonzepte aus, die den unterschiedlichen Formen des Einzelhandels zugrunde liegen. Eine logisch einwandfreie Abgrenzung der Betriebsformen ist auch deshalb schwer, weil die Betriebskonzepte ineinander übergreifen. Wir unterziehen deshalb die Betriebsformen zunächst einer Einzelbetrachtung, die wir in zwei große Gruppen, nämlich ladengebundenen und ladenlosen Einzelhandel unterteilen, und wenden uns dann einer Betrachtung von Verbundsystemen zu.

Einzelbetrachtung der Betriebsformen

Ladengebundener Einzelhandel

Den Verbrauchern, die bestimmte Waren im Laden einkaufen wollen, stehen heute viele unterschiedliche Betriebsformen zur Verfügung. Exkurs 19-1 liefert eine Übersicht zu den geläufigsten Formen des ladengebundenen Einzelhandels. Wir treffen dort nach dem Kriterium Sortimentsumfang eine Unterteilung in den *fachlich begrenzten Einzelhandel* und den *Gemischtwarenhandel* und beschreiben jeweils die herkömmlichen und die neueren Betriebsformen.

Alle Formen des ladengebundenen Einzelhandels durchlaufen längerfristig einen Entwicklungsprozeß, zu dem es unterschiedliche Hypothesen gibt. Davidson et al. stellen die Hypothese auf, daß jede Betriebsform einen *Lebenszyklus* durchläuft, der dem Lebenszyklus von Produkten ähnelt.[1] Eine spezifische Betriebsform des Einzelhandels entfaltet sich, tritt in eine Phase des beschleunigten Wachstums, erreicht die Reifephase und gelangt letztendlich in die Phase des allmählichen Rückgangs. Die Entwicklung der letzten 200 Jahre zeigt, daß neue Betriebsformen die Reifephase immer schneller erreichen. Davidson et al. weisen z.B. darauf hin, daß in den USA die Warenhäuser noch 100 Jahre benötigten, um die Reifephase zu erreichen. Bei Supermärkten waren es 30, bei Discount-Häusern 20 Jahre und bei Heimausstattungszentren 15 Jahre.[2]

McNair schlug ein Vierphasenkonzept vor, das als Erklärungsgrundlage für den Lebenszyklus dienen kann.[3] Dieses Konzept ist unter der Bezeichnung *Kreislauf des Einzelhandels (Wheel of Retailing)* bekannt. In diesem Kreislauf gibt es vier Phasen, die sich immer wiederholen. In der *Anfangsphase* taucht der neue Einzelhandelstyp mit einem innovativen Konzept auf und macht – preisaggressiv und mit Schwerpunkt auf sogenannte »Schnelldreher« (Güter mit hoher Umschlagsgeschwindigkeit) – den Verbrauchern ein zugkräftiges Angebot. Er sucht diese Marktnische, um sich von den herkömmlichen Einzelhandelsformen abzusetzen, die den Kunden in der Regel ein reichhaltigeres Service-Angebot bieten und die Kosten für diesen Service in die Preise einkalkulieren. Wenn das Angebot des Neulings beim Verbraucher Gefallen findet, erfolgt die *Phase des Aufschwungs*, in der die neue Betriebsform bei immer noch minimalem Service und einfachster Geschäftsausstattung und daher geringeren Kosten und geringeren Preisen als die herkömmliche Konkurrenz Marktanteile hinzugewinnt. Das Ende des Aufschwungs ist erreicht, wenn der Neuling mit seinem Konzept keinen Zuwachs mehr erzielt und Nachahmer sowie bestehende Betriebsformen den Preiswettbewerb intensivieren. Hier folgt die *Phase des Angleichs*. Jetzt setzt die ursprünglich neue Betriebsform auch die anderen Instrumente des Marketing ein, nämlich einen besseren Service, ein breiteres Sortiment und eine angenehmere Ladenatmosphäre. Dies erhöht seine Investitionen und die laufenden Kosten, so daß auch die Preise steigen. Die vormals neue Betriebsform gleicht sich den herkömmlichen Betriebsformen an, die sie vorher bekämpfte. Als letztes bleibt die *Phase der Einreihung* in die herkömmlichen Betriebsformen. Mittlerweile ist die ehemals neue Betriebsform weit entfernt von der preisaggressiven Anfangsposition, die inzwischen auf neue Art von innovativen Betriebsformen besetzt wird, die dann diesen Kreislauf erneut in Gang setzen.

Das von Nieschlag vorgeschlagene Konzept der *Dynamik der Betriebsformen* mit den beiden Phasen »Entstehung und Aufstieg« sowie »Reife und Assimilation« bietet für den Lebenszyklus der Betriebsformen des Einzelhandels eine ähnliche Erklärung wie McNair. Die erste Phase ist von einer aggressiven Preispolitik gekennzeichnet. In der zweiten Phase verändert das Unternehmen seine Konzeption. Um neue Kundengruppen zu gewinnen und sich dem Preiswettbewerb durch Nachahmer zu entziehen, wenden die Pionierunternehmen vermehrt die Instrumente des Nichtpreiswettbewerbs an. Dadurch assimilieren sie sich mit den bestehenden Betriebsformen und geben neuen Pionieren die Chance, mit aggressiven Preisen in den Markt einzudringen.[4]

Exkurs 19-1: Wichtige Betriebsformen des ladengebundenen Einzelhandels

Wir treffen – je nach Sortimentsumfang – eine Unterscheidung zwischen *Facheinzelhandel* und *Gemischtwarenhandel*. Zu den herkömmlichen Formen des Facheinzelhandels gehören das Fachgeschäft und das Spezialgeschäft; die Fachmärkte sind eine neuere Betriebsform. Zu den herkömmlichen Betriebsformen des Gemischtwarenhandels gehören der klassische Einkaufsladen, Kauf- und Warenhäuser, Kleinkaufhäuser sowie Supermärkte. Verbrauchermärkte und SB-Warenhäuser gehören zu den neueren Betriebsformen. Auch der Diskonter spielt eine wichtige Rolle. Er ist inzwischen bereits eine herkömmliche Betriebsform, die man vorwiegend im Gemischtwarenhandel findet. Diese Betriebsformen lassen sich im einzelnen wie folgt charakterisieren:

Fachgeschäfte

Das Fachgeschäft ist die herkömmliche Betriebsform im Facheinzelhandel. In der Regel bietet das Fachgeschäft ein breites Warenangebot einer Branche, z.B. Unterhaltungselektronik, Spielwaren, Lederwaren, Büroartikel, Glas, Porzellan und Keramik, Bücher, Schuhe, Eisenwaren und Hausrat, Uhren und Schmuck, Textilien, Möbel, Sportartikel sowie Musikinstrumente. Kennzeichnend für die Fachgeschäfte ist ein immer noch hoher Grad an persönlicher Bedienung und Beratung der Kunden. Wenn ein Fachgeschäft sich innerhalb des Warenangebots einer Branche auf einen immer engeren Teilbereich konzentriert (z.B. Bekleidungsfachgeschäft bzw. Herrenausstatter bzw. Herrenmaßhemdengeschäft), dann positioniert es sich zunehmend als Spezialgeschäft.

Spezialgeschäfte

Das Spezialgeschäft bietet ein schmales, aber tiefes Sortiment aus dem Warenangebot einer Branche. Der Kunde findet in der Regel ein hohes Maß an fachkundiger Beratung. Das Spezialgeschäft wendet sich an einen Kundenkreis, der Qualitätserzeugnisse aus einer großen Anzahl von Produktvarianten einer spezifischen Produktgruppe auswählen möchte. Wie auch bei Fachgeschäften findet man hier viele Kleinbetriebe, die vom Eigentümer und seinen Familienangehörigen betrieben werden und oft einen Jahresumsatz von weniger als 250.000 DM tätigen.

Fachmärkte

Eine der jüngsten Betriebsformen im Einzelhandel ist der Fachmarkt. Er steht vom Konzept her zwischen dem Fachgeschäft und dem Verbrauchermarkt (wird später besprochen). Im Sortiment folgt der Fachmarkt dem klassischen Fachgeschäft. Er hält ein Warenangebot bereit, das innerhalb der Branche breit und tief sortiert ist, mit tendenziell steigender Qualität. Nach Erscheinungsbild, Standort, Preisniveau und Größe tritt der Fachmarkt wie ein Verbrauchermarkt auf. Auf großen Verkaufsflächen präsentiert er seine Waren in übersichtlicher Form mit einem starken Anteil an Selbstbedienungs- und Mitnahmeangeboten für Kunden, die per Auto einkaufen fahren. Er ist in verkehrsgünstigen Standorten mit reichlich Parkplätzen angesiedelt. Er betreibt eine geschickte Preis- und Kalkulationspolitik und wirbt überdurchschnittlich oft und massiv. Er arbeitet mit einem niedrigen Anteil an Personal- und Raumkosten und einer wirtschaftlichen Lagerhaltung. Die Verkaufsfläche selbst ist das Lager, mit angemessen hohen Stückzahlen für schnelldrehende Produkte. Insbesondere auf dem Baumaterialiensektor haben sich Fachmärkte durchgesetzt. Auch bei Spielzeugen (z. B. Ponyland und TOYS Я US) und in der Unterhaltungselektronik (Medi-Max und Media-Markt) sind Fachmärkte dabei, sich einen wesentlichen Anteil am Umsatz zu erobern.

Klassische Einkaufsläden

Die herkömmlichste Form des Gemischtwarenladens ist der klassische Einkaufsladen, im Volksmund als »Tante-Emma-Laden« bezeichnet, der von seinem Marktanteil her inzwischen unbedeutend ist. Mit einem Warenumschlag von oft weniger als 250.000 DM pro Jahr kann diese Betriebsform preislich nicht mit größeren Geschäften konkurrieren, sondern muß sich an Kunden wenden, für die örtliche Nähe, persönliche Atmosphäre, soziale Kontakte im Laden und besondere Öffnungszeiten (in Deutschland aufgrund gesetzlicher Regelungen ausgeschlossen) von Wert sind. In Nordamerika z. B. behaupten solch kleine Nachbarschaftsläden durchaus ihren speziellen Kundenkreis, indem sie, z. B. als »Convenience Stores«, eine gezielte Sortimentspolitik betreiben und Ladenöffnungszeiten anbieten, die ihrer unmittelbaren Nachbarschaft am dienlichsten sind.

Kaufhäuser und Warenhäuser

Auch *Kaufhäuser* haben eine relativ lange Tradition als Gemischtwarenhändler. Sie sind Großbetriebe des Einzelhandels, in denen ein Warenangebot mit großer Sortimentsbreite unter einem Dach zusammengefaßt wird. Kern des Warenangebots sind in der Regel Bekleidung und Textilien, Nahrungs- und Genußmittel, Hausrat und Wohnbedarf. Jede der Produktlinien wird als separate Abteilung geführt und von Spezialisten geleitet. Bei professionellem Management erwiesen sich Kaufhäuser im Lauf der Zeit als sehr wandlungsfähig, so daß sie ihre Stellung im Einzelhandel ausbauen und behaupten konnten. Ursprünglich mit ausgeprägter Kundenbedienung, entwickelten sie sich hin zur Selbstbedienung. Von einer ehemals aggressiven Preispolitik ausgehend, setzten sie bald auch andere absatzpolitische Instrumente ein, wie eine zwanglos-angenehme Einkaufsatmosphäre, große Auswahl, Kreditgewährung und starke Sortimentsausbreitung in höhere Qualitätslagen. Sie siedelten sich traditionell in den Kernbereichen größerer Städte an. Als *Warenhäuser* vergrößerten sie ihre Verkaufsflächen und ihr Sortiment z. T. auf über 100.000 Artikel. Sie organisierten und verbreiteten sich kettenförmig über viele Städte. Die Kauf- und Warenhäuser von Kaufhof, Karstadt, Horten und Hertie zählen zu den bekanntesten Beispielen dieser Betriebsform.

Kleinkaufhäuser

Eine Unterform der Kaufhäuser bilden die Kleinkaufhäuser. Ihr Einzelhandelskonzept zeigt im Vergleich zu den Warenhäusern folgende Unterschiede: Gestrafftes Sortiment, problemlose Waren des Massenbedarfs (8.000 bis 30.000 Artikel), untere und mittlere Preislage, geringere Verkaufsfläche, meist nur eine Verkaufsetage, so viel wie möglich Selbstbedienung. Zu den bekanntesten Beispielen zählen die Geschäfte von Woolworth, Kaufhalle (Kaufhof), Bilka GmbH (Hertie) und Kepa-Kaufhaus GmbH (Karstadt).

Supermärkte

Die Supermärkte lösten als relativ große Selbstbedienungsläden des Gemischtwarenhandels nach dem Zweiten Weltkrieg die Nachbarschaftsläden ab. Im Lebensmittelbereich wurde die Entwicklung der Supermärkte durch die ständige Verbesserung und Ausbreitung abgepackter Ware mit langer Haltbarkeit begünstigt, die problemlos im Ladenregal gelagert werden kann und durch geschickte Verpackungsgestaltung dem Verbraucher gegenüber kommunikativ und verkaufsfördernd wirkt. Auf vergrößerter Verkaufsfläche (auf etwa 400 bis 800 qm) bieten sie ein volles Lebensmittelsortiment und ein begrenztes Sortiment aus dem Non-Food-Bereich an. Im Non-Food-Bereich bevorzugen sie nichterklärungsbedürftige Artikel aus den Warengruppen Textilien und Bekleidung, Schreibwaren, Elektroartikel, Haushaltswaren und Bücher. Bevorzugte Lagen für Supermärkte sind Wohngebiete in Städten, um der direkten Nachbarschaft eine bequeme Einkaufsmöglichkeit zu bieten. Das Warenangebot umfaßt in der Regel etwa 5.000 bis 7.000 Artikel der mittleren Preis- und Qualitätslage. Zu den bekanntesten Läden dieses Typs gehören Spar, Minimal-Markt, Kaiser's, Euro-Markt, Edeka, Aktiv-Markt und andere mehr. Auch manche Tankstelle ist dabei, sich zum »Supermarkt mit angeschlossenem Benzinverkauf« zu entwickeln.

Verbrauchermärkte und Selbstbedienungswarenhäuser (SB-Warenhäuser)

Zu den neueren Betriebsformen des Gemischtwarenhandels gehören die Verbrauchermärkte und SB-Warenhäuser. Sie sind *Großbetriebe des Einzelhandels*. Je nach Verkaufsfläche unterscheidet man drei Untergruppen:

- Kleine Verbrauchermärkte mit 800 bis 1.500 qm. In der Bundesrepublik gab es 1987 2.367 Märkte dieses Typs mit einem Gesamtumsatz von 18,6 Mrd. DM.
- Große Verbrauchermärkte mit 1.500 bis 5.000 qm (1.174 Märkte mit 17,2 Mrd. DM Umsatz).
- SB-Warenhäuser mit über 5.000 qm (402 Warenhäuser mit 17,2 Mrd. DM Umsatz).

In den Verbrauchermärkten herrscht bei fast allen Warengruppen das Prinzip der Selbstbedienung mit zentralem Check-Out an der Kasse. Ausnahmen sind Frischeprodukte und andere Artikel, bei denen ein Sicherheitsbedürfnis besteht. Die Sortimentsgestaltung erstreckt sich auf ein Vollsortiment im Food-Bereich, das maximal 50% der Gesamtverkaufsfläche einnimmt, und Artikel des Non-Food-Bereichs, die auf den kurz- und mittelfristigen Bedarf gerichtet sind und eine hohe wiederkehrende Stücknachfrage bringen. Der Umsatzanteil dieser Non-Food-Artikel beträgt in der Regel deutlich mehr als ein Drittel des Gesamtumsatzes. Als Standort werden Stadtrandlagen auf kostengünstigem Gelände mit guter Verkehrsanbindung und großem Parkplatzangebot bevorzugt. Verbrauchermärkte und SB-Warenhäuser wenden sich an preisbewußte mobile Kunden und betreiben in der Regel eine discount-ähnliche Preispolitik. Gleichwohl besteht auch hier ein Trend zum Abschied vom Billigimage und zur Gestaltung des Einkaufens als Freizeiterlebnis. Zu den bekanntesten Vertretern dieser Gruppe gehören in Deutschland Massa, Plaza, Primus, Allkauf, Compass und andere mehr.

Discount-Geschäfte

Das Konzept des Discount-Geschäfts oder Diskonters besteht im wesentlichen darin, eine aggressive Preispolitik zu betreiben. Sein Grundprinzip ist es, bei niedrigen Betriebskosten und geringer Handelsspanne ein Sortiment von Waren anzubieten, bei dem Niedrigpreise zu hohen Umsätzen führen. Zu den Merkmalen erfolgreicher Diskonter gehören folgende: kostengünstige Standorte, billige Ausstattung der Verkaufsräume, Selbstbedienung, Verzicht auf Dienstleistungen aller Art, ein Sortiment problemloser Artikel; Verkaufsflächen sind gleichzeitig Lagerflächen. Seine Zielgruppe sind Kunden, die für günstige Preise auf sämtliche Dienstleistungen des Handels verzichten. In der Entwicklungsphase begannen Diskont-Geschäfte in Deutschland mit einer Verkaufsfläche von etwa 250 bis 300 qm, während in jüngerer Zeit der Trend zu größeren Verkaufsflächen von 500 bis 700 qm geht. Zu den bekanntesten Diskontern in Deutschland gehören Aldi, Penny, Lidl, Plus, Norma, Prima und Kodi.
Das Discount-Konzept setzte sich anfänglich im Gemischtwarenhandel und hier insbesondere bei Lebensmitteln durch, findet aber auch verstärkt Eingang in den Fachhandel, z.B. bei Sport- und Elektronikartikeln.
In Nordamerika spielen noch zwei weitere Betriebsformen eine Rolle, die sich in Mitteleuropa bisher nicht durchgesetzt haben, nämlich der Off-Price-Retailer und der Katalog-Show-Room.

Off-Price-Retailer

Das Konzept des Off-Price-Retailers besteht im wesentlichen darin, ständig irgendwelche »Schnäppchen« anzubieten. Während der Diskonter in der Regel kontinuierlich ein gleichbleibendes oder sich langsam veränderndes Sortiment an Waren zu günstigen Preisen anbietet, die er vom Hersteller oder Großhändler zu regulären Preisen bezieht, sucht der Off-Price-Retailer seinen Vorteil im Einkauf besonders günstiger Warenposten. Die Waren bietet er dann mit sehr hohen Nachlässen gegenüber dem regulären Preis an. Preisreduzierte Waren findet er bei Auslaufmodellen, Waren zweiter Wahl, saisongebundener Qualitätsware, die anderenorts nicht verkauft wurde, Ware aus Konkursen anderer Geschäfte u.a.m. Das Angebot seiner Marken und Artikel bleibt deshalb in der Regel nicht konstant, sondern wechselt je nach Beschaffungsgelegenheit. In Mitteleuropa gibt es nur wenige solcher Geschäfte, die sich z. T. durch eine besondere Namensgebung, wie »Preisgeier«, zu erkennen geben.

Katalog-Show-Room

Bei dieser Betriebsform handelt es sich um einen Laden, in dem das Warenangebot nicht im Regal oder im Schaufenster präsentiert wird, sondern vielmehr dem interessierten Käufer das Warenangebot anhand von Katalogen vorgestellt wird. Der Kunde betritt das Geschäft, sucht sich im Katalog das gewünschte Produkt, füllt einen Bestellzettel aus, gibt ihn an der Ladentheke ab, wo ein Angestellter ihn entgegennimmt und das gewünschte Produkt aus dem Lager holt. Der Kunde inspiziert dieses Produkt und bezahlt es oder gibt es wieder zurück. Auch diese Betriebsform versucht, bei niedrigen Kosten und Preisen Produkte mit einem hohen Warenumschlag zu verkaufen.

Eine Chance zum Markteintritt für neue Betriebsformen des Einzelhandels besteht immer, wenn stark unterschiedliche Präferenzen der Verbraucher zum Serviceumfang und spezifischen Serviceleistungen existieren. Die Einzelhandelsgeschäfte in den meisten Warengruppen können sich durch den Umfang der gebotenen Kundenbedienung positionieren, und zwar als:

- **Geschäft mit Selbstbedienung**
  Die Selbstbedienung wird in vielen Einzelhandelsbetrieben eingesetzt, insbesondere bei Gütern des mühelosen Kaufs und in gewissem Umfang auch bei Gütern des Such- und Vergleichskaufs. Selbstbedienung ist das Grundprinzip für Billiganbieter. Viele Kunden sind bereit, die gewünschten Artikel im Angebotssortiment selbst zu suchen, zu vergleichen, auszuwählen und zur Kasse zu bringen, wenn sie damit Geld sparen.
- **Geschäft mit Selbstsuche**
  Bei der Selbstsuche findet der Kunde die Ware selbst, kann sich aber bei Bedarf von Verkäufern helfen lassen. Der Kunde vollzieht den Kauf, indem er einen Verkäufer sucht, der ihm die Ware berechnet. Dieser Einzelhandelstyp hat in der Regel höhere Betriebskosten als das Geschäft mit Selbstbedienung, weil zusätzliches Personal erforderlich ist.
- **Geschäft mit Teilbedienung**
  Das Geschäft mit Teilbedienung bietet dem Käufer mehr Unterstützung, da es vornehmlich Güter des Such- und Vergleichskaufs führt und der Kunde hier ein größeres Informationsbedürfnis hat. Das Dienstleistungsangebot wird noch durch Kreditgewährung, Warenumtausch u. a. m. erweitert, was bei Geschäften mit geringerem Bedienungsumfang weniger der Fall ist. Bei der Teilbedienung sind die Betriebskosten wiederum höher.
- **Geschäft mit Vollbedienung**
  Im Geschäft mit Vollbedienung betreut das Verkaufspersonal den Kunden in jeder Phase des Kaufprozesses, d.h. bei der Suche, beim Vergleich und bei der Auswahl der Ware. Geschäfte dieses Typs werden vor allem von Kunden frequentiert, die Wert auf persönliche Beratung und Betreuung legen. Hohe Personalkosten, ein größerer Sortimentsanteil an Gütern des Spezialkaufs und Artikeln mit geringer Umschlagsgeschwindigkeit, z.B. Haute Couture, Schmuck oder Photoapparate, ein großzügigerer Umtausch- bzw. Rücknahmeservice, viele Formen der Kauffinanzierung, kostenlose Zustellung, Montage und Wartung von Gebrauchsgütern sowie zusätzliche Annehmlichkeiten und Einrichtungen, wie Aufenthaltsräume und Restaurants, führen insgesamt zu hohen Geschäftskosten und höheren Preisen.

Die Selbstbedienung hat sich aufgrund ihres Kosten- und Preisvorteils bei einfachen Gütern des täglichen Bedarfs, die wenig erklärungsbedürftig sind, und hier insbesondere im Lebensmittelhandel, in überwältigendem Maße durchgesetzt. Betrug der Anteil der Selbstbedienung am Lebensmittelumsatz 1957 in Deutschland noch unter 5%, so erreichte er 1981 bereits 98%. Für den Kunden bringt die Selbstbedienung den Vorteil, daß er mühelos das gesamte Sortiment des Händlers überblicken, betrachten und prüfen kann. Durch ein effektives Warendisplay läßt er sich eher zu Impulskäufen anregen als in der Vergangenheit, wo er die Waren anhand seines Einkaufsplans verlangte und sich im Laden höchstens durch persönliche Empfehlungen des Händlers anregen ließ.

Die Selbstbedienung bringt für den Handelsbetrieb verringerte Personalkosten. Die vormals direkte und persönliche Arbeit für den Kunden (Bedienung und Beratung) wird auf die eher unpersönliche Arbeit an der Ware (Regalbeschickung und Preisauszeichnung) verlagert, die kontinuierlicher, systematischer und rationeller organisiert werden kann. Gleichzeitig verlagert sich dabei zum Nachteil des Händlers die persönliche Bindung der Kunden auf eine Bindung an die verfügbaren Marken in seinem Sortiment, dessen Gestaltung als Marketinginstrument für den Einzelhandel immer wichtiger wird.

Gleichzeitig mit der Einführung der Selbstbedienung verbesserte der ladengebundene Einzelhandel seine Kostenstruktur und -effizienz auch durch die Einführung und Verbesserung organisatorischer Hilfsmittel in der Warenlogistik; darauf werden wir an späterer Stelle eingehen.

Ladenloser Einzelhandel
Die Mehrzahl aller Waren und Dienstleistungen fließt über den ladengebundenen Einzelhandel. Auch der ladenlose Einzelhandel hat eine lange Tradition, die sich in verschiedenen Betriebsformen ausdrückt. Zu den wichtigsten Typen des ladenlosen Einzelhandels gehören der *Direktverkauf*, der *Automatenverkauf* und der *Vermittlungsverkauf*. Auch das Direktmarketing z.B. des Versandhandels bedient sich in großem Umfang des ladenlosen Verkaufs als Instrument und ersetzt dabei aufgrund seiner intensiven direkten Kommunikation mit dem Kunden die bisher unabhängig operierende Institutionen des Direktverkaufs und des Vermittlungsverkaufs. Das Direktmarketing wird in Kapitel 22 näher beleuchtet, während im folgenden der Direktverkauf, der Automatenverkauf und der Vermittlungsverkauf kurz dargestellt werden.

Der *Direktverkauf* hat seinen Ursprung im ambulanten Handel, d.h. im Hausier-, Straßen- und Wanderladenhandel, hat aber heute in dieser Form nur noch eine sehr geringe Bedeutung. Im Gegensatz dazu wird der Direktverkauf als Werkzeug des Direktmarketing von einer zunehmenden Anzahl von Unternehmen eingesetzt, die ihr Produktangebot direkt an der Haustür verkaufen, wie z.B. Eismann, Elektrolux, Avon und Tupperware. In diesen Fällen ist der Direktverkauf ein Werkzeug im Marketing-Mix eines größeren Unternehmens und stellt keine unabhängige Einzelhandelsinstitution dar.

Der Direktverkauf ist teuer, wenn er vom Unternehmen in eigener Regie durchgeführt wird. Die Außendienstmitarbeiter erhalten Provisionen in Höhe von 20–50% vom Umsatz; hinzu kommen die Kosten für Rekrutierung, Fort- und Weiterbildung, Betreuung und Motivation des Außendienstes. Wenn mit dem Direktverkauf gleichzeitig eine weitere Leistung erbracht wird, wie z.B. durch eine Warenlogistik-Leistung (Auslieferung der Ware im Falle der Firma Eismann) oder durch eine Produktanwendungsdemonstration, kann er wirtschaftlich durchgeführt werden. Der einfache Direktverkauf, der lediglich auf den Vollzug eines Kaufabschlusses abzielt, wird auf lange Sicht immer mehr durch die technologische Entwicklung hin zum elektronischen Einkauf verdrängt werden.

Automatenverkauf
Der Verkauf durch Warenautomaten fand nach dem Zweiten Weltkrieg zunehmend Verbreitung. Im Jahr 1989 wurden in der Bundesrepublik durch Automaten Waren im Wert von etwa 12 Mrd. DM verkauft. Automaten haben sich bei verschiedenen einfachen Waren bewährt, wie Zigaretten, Erfrischungsgetränke, Süßigkeiten, Zeitungen, aber auch Blumen, Damenstrümpfe, Snacks, heiße Suppen und Mahlzeiten, Lebensmittel, Taschentücher, Schallplatten, Filme, T-Shirts und sogar Versicherungen. Warenautomaten werden in Fabriken, Büroräumen, großen Einzelhandelsgeschäften, Tankstellen, Bahnhöfen, Gaststätten und vielerorts auch im Freien aufgestellt. In der Bundesrepublik werden etwa 1,2 Mio. Warenautomaten betrieben. Allein mit den 680.000 Zigarettenautomaten werden knapp 40% des gesamten Zigarettenumsatzes erzielt.

Zum Vorteil des Kunden und des Einzelhändlers sind Automaten nicht an Ladenöffnungszeiten gebunden. Der Kunde kann sich jederzeit an einem ihm zugänglichen Automaten selbst bedienen und findet Automaten auch an Orten, wo es keine Läden gibt. Dafür zahlt er in der Regel einen erhöhten Preis. Die Betriebskosten des Automatenhandels sind hoch, weil in einem weitläufigen Einzugsgebiet verstreut aufgestellte Warenautomaten regelmäßig bestückt werden müssen, diese störanfällig sind und auch oft mutwillig beschädigt oder ausgeraubt werden. Der Automatenhändler muß stets auf Ware tadelloser Qualität achten, denn der Kunde hat keine Rückgabemöglichkeit. Durch defekte Automaten, leere Warenfächer und mangelhafte Ware werden Kunden leicht vom Automatenkauf abgeschreckt.

Auch im Unterhaltungs- und Freizeitsektor haben sich Automaten durchgesetzt, wie z. B. Flipper-, Musik- und Computerspielautomaten. Eine Spezialentwicklung im Automatengeschäft ist der Bankautomat, über den ausgewählte Bankdienstleistungen abgewickelt werden können.

Vermittlungsverkauf

Der Vermittlungsverkauf ist eine spezielle Form des nicht ladengebundenen Einzelhandels für bestimmte Kundenschichten, und zwar insbesondere für die Beschäftigten großer Institutionen und Unternehmen. Diese Unternehmen, die für eigene Zwecke in der Regel über ein professionelles Beschaffungsmanagement verfügen, bieten ihren Mitarbeitern an, bestimmte Waren preisgünstig für sie mitzubeschaffen. Geschickte Einzelhändler, die dies erkannt haben, wenden sich gezielt mit speziellen Produktangeboten an solche Institutionen, um den Beschäftigten dort ihre Waren zu verkaufen. Die Mitarbeiter der Institution werden als Mitglieder eines Einkaufsdienstes betrachtet und könnnen dann in der Regel per Bestellformular bestimmte Waren preisgünstiger erwerben. Oft aber bezieht das Mitglied die bestellte Ware direkt und zum Vorzugspreis bei einem dem Einkaufsdienst vertraglich angeschlossenen Einzelhändler. Solche Institutionen wollen die regulären Handelsnetze und deren Margen unterbieten, haben sich aber noch nicht breitflächig durchgesetzt, denn der Kundendienst nach dem Verkauf ist hier in der Regel nicht gewährleistet.

Verbundsysteme des organisierten Einzelhandels

In der Vergangenheit bestand die Mehrzahl der Einzelhandelsunternehmen aus unabhängigen, nicht organisierten Einzelbetrieben. Dies hat sich bei vielen Warengruppen, insbesondere aber im Lebensmitteleinzelhandel, stark verändert. Verbundgruppen von Einzelhandelsbetrieben haben sich gebildet, wobei der Verbund unterschiedlich stark sein und von freiwilliger Kooperation bis hin zu einer kapitalmäßigen Beherrschung reichen kann. Die einzelnen Verbundkonzepte unterscheiden sich in vielen Dimensionen. Im einzelnen betrachten wir die folgenden Verbundsysteme: Filialketten, freiwillige Ketten und Einkaufsgenossenschaften, Konsumgenossenschaften, Franchise-Organisationen, gemischte Einzelhandelskonzerne, Einkaufszentren sowie atmosphärische Verbundgruppen von Einkaufsstraßen.

Filialketten

Filialunternehmen gehören zu den wichtigsten Einzelhandelsunternehmen dieses

Jahrhunderts. Ein Filialunternehmen besteht aus mehreren, räumlich von einander getrennten Verkaufsstellen (Filialen), die unter gemeinsamem Eigentum und einheitlicher Leitung stehen, annähernd gleiche Warensortimente anbieten und den Einkauf, die Lagerhaltung sowie den Transport zentral betreiben. Filialketten gibt es in fast allen Betriebsformen des Einzelhandels und Branchen. Stark vertreten sind sie bei Warenhäusern , Lebensmittelgeschäften und in der Bekleidungsbranche. Zu den weithin bekannten Filialisten gehören Horten, Karstadt, Kaufhof, Hertie, Aldi, Tengelmann, Massa, Benetton und Douglas.

Filialketten sind den unabhängigen Einzelhandelsunternehmen in vielerlei Hinsicht überlegen. Aufgrund ihrer Größe und der damit verbundenen großen Bestellmengen haben sie beim Einkauf Mengenrabattvorteile. Sie können es sich leisten, talentiertes Personal einzustellen, das die Bereiche Preispolitik, Absatzförderung, Merchandising, Lagerbestandskontrolle und Verkaufsplanung besonders gut beherrscht. Bei Absatzförderungsmaßnahmen erzielen sie Vorteile dadurch, daß ihre Werbekosten über viele Geschäfte und ein größeres Absatzvolumen verteilt werden. In ihrer Marketingpolitik und ihrem Auftreten im Markt brauchen sie nicht »überregional starr« zu sein, sondern können die örtlichen Marktbedingungen hinsichtlich Kundenpräferenz und Konkurrenz berücksichtigen. Die Firma Douglas, mit über 250 Filialen die Nummer eins der Parfümerien in Europa, verlangt von ihren Filialen lediglich eine »wiedererkennbare Handschrift« und legt Wert darauf, die einzelne Filiale standortbezogen zu gestalten.

Freiwillige Ketten und Einkaufsgenossenschaften

Dem Wettbewerb von seiten der Filialketten begegneten die unabhängigen Einzelhandelsunternehmen durch die Bildung von zwei Kooperationsformen: die freiwillige Kette und die Einkaufsgenossenschaft. Die freiwillige Kette ist in der Regel ein auf die Initiative eines Großhandelsbetriebes gebildeter Verbund oder ein von ihm geführter Verbund selbständiger Einzelhandelsbetriebe, die zusammen Großeinkäufe tätigen, eine gemeinsame Merchandising-Politik betreiben und ein einheitliches Marktauftreten anstreben. Die bekannteste Kette in Mitteleuropa ist die in den Niederlanden gegründete Spar-Gruppe, ein freiwilliger Zusammenschluß von selbständigen Unternehmen in Privatbesitz. In der Bundesrepublik (alte Bundesländer) sind der Spar 7.200 Einzelhandelsgeschäfte angeschlossen, die 1990 einen Umsatz von insgesamt etwa 15 Mrd. DM tätigten.

Die zweite Kooperationsform ist die Einkaufsgenossenschaft. Hierbei handelt es sich um einen Zusammenschluß unabhängiger Einzelhandelsbetriebe mit zentraler Einkaufsorganisation und gemeinsamer Absatzförderung. Beispiele hierfür sind Edeka, Rewe und Gedelfi. Durch ihren Zusammenschluß im Verbund konnten die ehemals einzeln operierenden unabhängigen Geschäfte den Filialisten wirksam begegnen.

Konsumgenossenschaften

Konsumgenossenschaften sind eine historische Erscheinung, die im wesentlichen von der Entwicklung überholt wurde. Ursprünglich wurden Konsumgenossenschaften auf Initiative von Verbrauchern gegründet, die sich von etablierten Anbietern übervorteilt fühlten und dachten, Nahrungs- und Genußmittel sowie andere Waren des täglichen Bedarfs unter Regie einer Genossenschaft preisgünstiger erstehen zu können. So entstanden z.B. Ketten von Konsumgeschäften (in Deutschland und der Schweiz später co op genannt), die unter gewerkschaftlicher oder gewerkschaftsnaher Regie standen. Im Verlauf der Entwicklung zu immer größerer Effizienz im Einzelhandel mußten auch die Konsumgenossenschaften mithalten. Viele Konsumgenossenschaften gingen unter oder wandelten sich in professionell geführte Einzelhandelsunternehmen um und wurden nach Art der Filialisten geführt. Zwischenzeitlich von den Konsumgenossenschaften eingerichtete eigene Produktionsbetriebe und Eigenmarken setzten sich nicht durch und wurden wieder aufgegeben. Die ursprüngliche Idee der Konsumgenossenschaften, nämlich daß sich die Mitglieder über einen Beitrag am Kapital der Genossenschaft beteiligten, im Konsumladen einkauften und später als Genossenschaftsmitglieder eine Gewinnausschüttung erhielten, setzte sich im Wettbewerb nicht durch. Die deutsche co op-Gruppe, die aus gewerkschaftlich geführten Konsumgenossenschaften hervorging, war trotz ihrer Bemühungen um Wandel und Anpassung an die neuen Marktverhältnisse nach 125-jährigem Bestehen wirtschaftlich am Ende und wurde an in- und ausländische Wettbewerber veräußert. Konsum Österreich hingegen entwickelte sich zum umsatzmäßig drittgrößten Wirtschaftsunternehmen Österreichs.

Franchise-Organisationen
Eine Franchise-Organisation ist eine durch Vertrag geregelte Zusammenarbeit zwischen einem Franchise-Geber (Hersteller, Großhändler oder Regieunternehmen mit Dienstleistungscharakter) und dessen Franchise-Nehmern (selbständige Unternehmer), die das Recht erwerben, mit einer Kapitaleinlage und unter eigenem Management einen oder mehrere Betriebe im Franchising-System zu betreiben. Franchise-Organisationen werden in der Regel um ein besonderes Produkt oder eine besondere Geschäftsmethode herum aufgebaut. Zur Franchise-Organisation gehört ein vom Franchise-Geber entwickelter Firmenname, ein Patent oder andere immaterielle Geschäftswerte (Goodwill) bei den Verbrauchern. Das Franchise-Prinzip ist bei Fast-Food-Ketten, Autovermietern, Immobilienhändlern und auch in vielen anderen Produkt- und Dienstleistungsbereichen mit Erfolg eingeführt worden. [5]

Die Vergütung des Franchise-Gebers kann sich aus folgenden Elementen zusammensetzen: einer Einstandsgebühr, einer Beteiligung am Bruttoumsatz, Miet- und Pachtgebühren für die vom Franchise-Geber zur Verfügung gestellte Ausrüstung und Einrichtung, Gewinnbeteiligungen und Lizenzgebühren. In einigen Fällen berechnen die Franchise-Geber auch eine Gebühr für Managementberatungsdienste. Das weltweit bekannteste Franchise-Unternehmen ist die Fast-Food-Kette McDonald's mit weltweit über 10.000 Restaurants, zu denen täglich neue hinzukommen. Weitere bekannte und erfolgreiche Franchise-Systeme im Einzelhandel sind z.B. die Obi-Bau- und Heimwerkermärkte, Benetton-Bekleidungsgeschäfte, Eismann-Tiefkühlkost und Portas-Tür- und Küchenrenovierung. Aber auch kleinen und neuen Unternehmen bieten sich immer wieder neue Chancen im Einzelhandels-Franchising. [6]

Gemischte Einzelhandelskonzerne
Gemischte Einzelhandelskonzerne vereinigen mehrere Betriebsformen des Einzel-

handels auf sich. Dies äußert sich durch Kapitalverflechtung und in der Regel auch durch Integration und Koordination im Management von Beschaffung, Warenlogistik und Marktaufteilung. Fast alle Kauf- und Warenhäuser in Deutschland gehören einem solchen Konzern an, der neben den Kauf- und Warenhäusern auch andere Betriebsformen des Einzelhandels umfaßt. Zum Asko-Konzern gehören z.B. SB-Warenhäuser und Verbrauchermärkte (161 Einheiten, 6,6 Mrd. DM Umsatz), Baumärkte (117 Einheiten, 1,7 Mrd. DM Umsatz), Möbelmärkte (54 Einheiten, 1,1 Mrd. DM Umsatz), Bekleidungsmärkte (51 Einheiten, 1 Mrd. DM Umsatz) und Lebensmittelmärkte (840 Einheiten, 4,8 Mrd. DM Umsatz). Für Mischkonzerne stellt sich die Frage, ob es möglich ist, mit einem Portfolio unterschiedlicher Betriebsformen des Einzelhandels Synergieeffekte zu erzielen, die die Leistungsfähigkeit fördern und den Verbrauchern zugute kommen.

Einkaufszentren

Auch bei den Einkaufszentren handelt es sich um Verbundsysteme des Einzelhandels. Der Verbund liegt hier in der gemeinsamen örtlichen Agglomeration vieler Einkaufsstätten nach einem professionell entwickelten Konzept, das auf die Bedürfnisse der umliegenden Region zugeschnitten wurde. Das Konzept des Einkaufszentrums (Shopping-Center) ist in verschiedenen Ausprägungen bereits seit den 20er Jahren bekannt, erlebte jedoch, insbesondere in Amerika, seinen Boom erst nach dem Zweiten Weltkrieg. Gab es 1949 dort erst ca. 75 Shopping-Center, so wird deren Anzahl heute auf etwa 30.000 geschätzt. In Deutschland wurden die beiden ersten Einkaufszentren 1964 in Frankfurt und Bochum eröffnet. Bis 1991 kamen rund 1.000 bundesdeutsche Einkaufszentren hinzu, wobei die Entwicklung neuer großer Einkaufszentren durch verschärfte Baunutzungsverordnungen und die Novellierung des Bundesbaugesetzes erheblich erschwert wurde.

Bei den ersten Einkaufszentren handelte es sich um sogenannte »offene« Center-Typen, d.h. die Verkehrswege zwischen den einzelnen Handels- und Dienstleistungsgeschäften waren nicht überdacht. In den Folgejahren haben sich die »geschlossenen« Center-Typen durchgesetzt, in denen die Verkehrswege, d.h. die Ladenstraßen, überdacht sind und somit ein witterungsunabhängiges Einkaufserlebnis ermöglichen. Für den erfolgreichen Betrieb eines Shopping-Centers ist ein ausgewogener Verbund von Branchen und Mietern erforderlich. In der Regel wird eine möglichst lückenlose Deckung des normalen Konsumbedarfs angestrebt, d.h. die Grundbedürfnisse des Menschen nach Essen, Trinken, Kleidung und Wohnungseinrichtung sollten hier befriedigt werden können. Daher sind im größeren Shopping-Center fast immer die Branchen Nahrungsmittel und Genuß, Schuhe und Textilien vertreten. Branchen wie Reformkost, Hausrat, Glas, Porzellan, Radio, Fernsehen, Computer, Farben, Tapeten, Drogerieartikel, Lederwaren, Uhren, Schmuck, Sportartikel, Spielwaren, Bücher, Blumen, Zoo, Optik, Parfümerie und Kosmetik sowie Gastronomie ergänzen das Angebot. Daneben sind auch Dienstleistungsbetriebe, wie Bank, Post, Friseur, Reinigung, Reisebüro, Apotheke, Videothek, Schuh- und Schlüsseldienst, Änderungsschneiderei und Fitneßstudio, zu finden. Große und fortschrittliche Einkaufszentren bieten den Kunden mehr als nur die Befriedigung einfacher Einkaufsbedürfnisse (siehe Exkurs 19-2). Zu den größten und bekanntesten Einkaufszentren in Zentraleuropa gehören der Säntis-Park in St. Gallen, die Kö-Galerie in

Düsseldorf, Big-Stuttgart, das Alstertal-Einkaufszentrum in Hamburg, das Main-Taunus-Zentrum bei Frankfurt, das Ruhr-Park-Shopping-Center bei Bochum und das Donau-Einkaufscenter in Regensburg.

Ein Einkaufszentrum sollte nach Tietz folgende Merkmale aufweisen: [7]

- Es besteht aus einer größeren Anzahl rechtlich selbständiger Einzelhandelsbetriebe.
- Es wird in der Regel als eine Einheit von einem Unternehmen oder einer Gesellschaft geplant und gebaut.
- Es ist in der Regel in einheitlichem Besitz, wobei Ausnahmen möglich sind.
- Es wird einheitlich von einer Verwaltungsgesellschaft verwaltet. Dies ist für den Betrieb und die Werbung nach außen unerläßlich.
- Es ist in Lage, Größe und Art auf das Einzugsgebiet ausgerichtet. Die Betriebstypen und das Sortiment im Einkaufszentrum richten sich nach dem Kundenkreis aus dem Einzugsgebiet.
- Es bietet genügend Parkplätze, deren Anzahl nach Art und Größe des Verkaufszentrums dimensioniert ist und die für die Besucher kostenlos sind.
- Es liegt verkehrsgünstig und besitzt gute Zufahrtsmöglichkeiten.

Atmosphärische Verbundgruppen von Einkaufsstraßen

Eine Entwicklung, die insbesondere in den alten Stadtkernen der europäischen Städte um sich greift, ist die Einführung von Fußgängerzonen in etablierten Einkaufsstraßen, die dadurch gegenüber Einkaufszentren in Stadtrandlagen konkurrenzfähiger werden. Parallel zur öffentlichen Förderung der Innen- und Altstadtbereiche durch Baumaßnahmen der Öffentlichen Hand gelangen mancherorts auch die Einzelhandelskaufleute in den entsprechenden Bereichen zu der Einsicht, daß sie selbst etwas für den atmosphärischen Verbund, dem sie aufgrund ihrer Lage zwangsläufig angehören, beitragen sollten.

Im französischen Provinzstädtchen Blois z.B. wird im Einkaufsbereich der Altstadt, der am Fuß des Loire-Schlosses liegt, die gemeinsame, historisch anmutende Atmosphäre dadurch verstärkt, daß sie durch dezente, zur Atmosphäre der Innenstadt passende Musik unterstützt wird. Der einkaufende Kunde und der gelegentliche Passant werden im Altstadtbereich kontinuierlich von der gleichen Musik begleitet, die durch viele Kleinlautsprecher so verteilt wird, daß man sich wie in einem einzigen Raum fühlt, und nicht überall durch andere akkustische Signale gestört wird. Dies schafft im Verbund mit dem Ambiente der Altstadt eine angenehme Atmosphäre und erzeugt einen besonderen und unverwechselbaren Gesamteindruck. So können traditionsreiche und architektonisch schöne Innenstadtbereiche atmosphärisch als besondere Einkaufszentren gestaltet werden und sich von den Shopping-Centern in Stadtrandlagen auf eine Art abheben, die nicht kopierbar ist.

Exkurs 19-2: Einkaufserlebnis und Freizeit im Einkaufszentrum

In der Schweiz bietet der St. Gallener Säntis-Park nach dem Einkauf im Supermarkt, Gartencenter oder Möbelmarkt den Besuch im Plansch- und Vergnügungsbad an. Migros, das größte Einzelhandelsunternehmen der Schweiz, entwickelte den Säntis-Park als Pilotprojekt für das neue Einzelhandelskonzept »Einkauf und Freizeit«. Der Säntis-Park sieht – grob gegliedert – folgende Bereiche vor, zu denen noch ein Hotel kommen soll:

- Verkaufsteil mit Migros-Laden, Gartencenter, Restaurant, Do-It-Yourself- und Baumarkt, Ladenstraße mit 15 Einzelhandelsgeschäften und Dienstleistungsbetrieben.

- Bäderanlage mit Wellenbad, Wasserfontäne und Brandungszone, 90-Meter-Wasserrutschbahn, Schwimmkanal zum Außensprudelbecken, Hot-Whirl-Pool, Solebad, Solarien, Saunadorf mit fünf Saunahäusern verschiedener Temperatur, Sonnengrotten, Wechselbäder, Schwallbrausen, türkische Dampfgrotte, Saunablockhaus im Freien, Saunaweiher und finnischer Saunagarten in einer Moorlandschaft,
- Spiel- und Sporthalle, Minigolf, Bowling, Kegel- und Bocciabahn,
- Autocenter mit Tankstelle und Serviceplätzen,
- Parkmöglichkeiten im Freien und unterirdisch,
- Park- und Gartenlandschaften mit Spielplätzen und Freiluftanlagen.

Das Einkaufszentrum braucht die Autokunden, und der Erlebniswert erweitert den Einzugsbereich erheblich. Für normale Einkaufsmöglichkeiten würde das Zentrum rund 160.000 Einwohner im Umkreis von 30 Autominuten ansprechen. Für den Sport- und Badebetrieb (und evtl. zusätzlichen Einkauf) glaubt man, bis zu einer Entfernung von einer PKW-Stunde attraktiv zu sein. Das Einzugsgebiet reicht damit an die Stadtgrenzen von Zürich heran und deckt etwa 1,15 Mio. Einwohner ab. Durchschnittlich wird man mit einem Wert von 30 Autominuten Entfernung und etwa 300.000 bis 400.000 Einwohner im Umkreis rechnen müssen, um betriebswirtschaftlich rentabel zu arbeiten. Nach diesem Modell gibt es in der Schweiz etwa 5 realisierbare Standorte für weitere Parks.
Das japanische Prunkstück unter den Shopping-Centern heißt Tsukashin. In diesem Center kann zwischen Einkauf und Fitneßtraining sogar geheiratet werden. Eine christliche Kirche als Symbol westlichen Lebensstils bildet den Mittelpunkt der Shopping-Mall. Das Center bindet den Itami-Fluß ein und beherbergt auf einem Areal von knapp 60.000 qm 20.000 Bäume, 70 Blumenarten und 300 verschiedene Hauspflanzen.
Das bisher größte Shopping-Center der Welt ist die West-Edmonton-Mall in der kanadischen Provinz Alberta mit 45 Hektar Fläche. 800 Einzelhandelsgeschäfte konkurrieren dort um die Kunden. Restaurants, Diskotheken, ein Wellenbad, ein Eispalast, ein Golfplatz und ein Zoo laden zur Erholung und zum Freizeiterlebnis ein.
Auch deutsche Einkaufszentren verbinden die Idee Einkauf und Freizeiterlebnis oder versuchen, Einkaufserlebnisse besonderer Art zu bieten. Im Frankfurter Nordwestzentrum soll künftig ein Multiplexkino die Attraktivität des Einkaufszentrums steigern. Geplant sind darüber hinaus ein Hotel, ein Wasserfreizeitpark mit Saunalandschaft und eine Sporthalle für etwa 2.000 Zuschauer.
Die Kö-Galerie in Düsseldorf wird als die »edelste Passage der Republik« bezeichnet. Im Gegensatz zu anderen ist dieses Einkaufszentrum in zentraler Stadtlage angesiedelt und verbindet die Königsallee mit der Berliner Allee, Grünstraße und Steinstraße. Über 100 Einzelhandelsgeschäfte, verschiedene Restaurants, Bars, Cafés, ein Freizeitzentrum sowie ein Service- und Bürocenter haben sich dort zusammengefunden und formen einen Branchenmix, der nach dem Ganzheitskonzept komponiert worden ist: »Für fast jeden zu jeder Gelegenheit alles unter einem Dach«. Neben den zahlreichen Einkaufsmöglichkeiten bietet ein Forum Platz für Kunstausstellungen, Konzerte und Modeschauen. Mit Golf, Squash oder Gymnastik, beim Saunen oder Schwimmen in den Kö-Thermen können sich Kunden im Freizeitzentrum entspannen. Zur Amortisation der Investitionskosten von etwa 300 Mio. DM muß die Kö-Galerie auf Jahre Besucher in Massen anziehen.

Täglich 50.000 bis 70.000 Besucher veranschlagte man bei der Planung. Die ersten Zählungen ergaben 60.000 Besucher, die die Eingänge der Kö-Galerie an einem normalen Wochentag passierten, und 108.000, die am Samstag kamen.
Ein Erlebniskonzept anderer Art steht im Mittelpunkt des von der Nanz-Gruppe konzipierten Einkaufszentrums Big-Stuttgart. Hier sollen Discount und Erlebnis unter einem Dach geboten werden. Scharf kalkulierte Discount-Preise sind die eine Seite von Big; die andere heißt Erlebnis. Erlebnis definiert man hier nicht als Amüsement, Unterhaltung oder schlicht Entertainment, sondern als Frischeerlebnis. Der Big-Kunde soll Frische erleben, wie und wo er sich die Frische vorstellt. Dieses Erlebnis beginnt im Big-Einkaufszentrum gleich hinter der Eingangstür. Rechter Hand bietet »Big-Back« gleich das Schauspiel der Entstehung ofenfrischer Brötchen und Kuchen. Durch Glasscheiben können die Big-Kunden nicht nur beobachten, wie die Bäcker ihren Teig rühren und die Teiglinge in die Backröhre schieben. Auch die Produktionsstufe davor wird demonstriert: In einer Mühle aus Zirbelkieferholz mit Steinmahlwerk wird aus keimfähigem Demetergetreide das Mehl für die Biovollkornbrote gemahlen. Hier können die Kunden zum frisch gebackenen Kuchen eine Tasse Kaffee genießen und den Mitarbeitern in der Backstube beim Backen zuschauen. Der Weg zum Hauptanziehungspunkt, dem rund 4.000 qm großen Lebensmittelmarkt, führt durch die Schlemmergasse mit fünf Spezialitätenständen. Hier gibt es heiße Kartoffeln, Gegrilltes, Obst- und Gemüsesäfte, Waffeln und leichte Snacks. Abgepackte Discountware und höherpreisige frische Ware stehen nebeneinander fast überall zur Verfügung. So kann der Kunde bei jeder Warengruppe eine Auswahl treffen und beides kaufen, nämlich Dauerware in Form von Konserven und abgepackter Ware sowie Frischeprodukte. Durch eine gläserne Wand vom Verkaufsraum abgetrennt, zeigt eine Schaumetzgerei auf 1.000 qm, wie Schweinehälften und Rinderviertel zu Kotelett, Steak und Braten zerlegt werden. Die Fleischteile werden dann selbstbedienungsgerecht verpackt und durch Schiebetüren in der Glaswand direkt in die Selbstbedienungstheke geschoben. An der Fischtheke werden 90 Frisch- und 30 Räucherfischsorten sowie neben lebendigen Hummern und Langusten auch fünf Arten von Lebendfischen offeriert. Der Frischeaspekt und der Aspekt der Warenauswahl vom Diskontprodukt bis zum Qualitätsprodukt des Fachhandels setzt sich in anderen Warenbereichen, wie Wein und Kosmetik, konsequent weiter fort.

Quellen: Vgl. auch Rebecca Gop: »Im Shopping-Center der Zukunft sind Einkaufswagen Nebensache«, in: *Handelsblatt Nr. 71*, 12./13.04.1991, S. D 1; Siegbert Domdey: »Die Migros hat wieder zugeschlagen«, in: *Lebensmittelzeitung Nr. 7*, 13. Februar 198 7, S. F 4 – F 8; Ingeborg Sichau: »Die edelste Passage der Republik«, in: *Lebensmittelzeitung Nr. 21*, 22.05.1987, S. F 4 – F 5; Ingeborg Sichau: »Big-Stuttgart: Discount und Erlebnis unter einem Dach«, in: *Lebensmittelzeitung Nr. 46*, 13. November 1987, S. F 4 – F 6; »Alstertal-Einkaufszentrum: 160 Geschäfte für anspruchsvolle Kunden«, in: *Handelsblatt Nr. 49*, 11.03.1991, S. 14

Einzelhändler suchen ständig nach neuen Marketingstrategien, um Kunden gewinnen und halten zu können.[8] Bei der Ausgestaltung des strategischen Konzeptes stellen sich dem Einzelhändler zahlreiche Entscheidungsprobleme. Im folgenden werden wir die vom Einzelhändler zu fällenden Marketingentscheidungen zu den Faktoren Zielmarkt, Produktleistung, Preisgestaltung, Absatzförderung und Standortauswahl näher erläutern.

Marketingentscheidungen des Einzelhandels

Zielmarkt

Die wichtigste Entscheidung des Einzelhändlers ist die Bestimmung seines Zielmarktes. Soll sein Geschäft auf Kunden mit einfachen, mittleren oder gehobenen Ansprüchen zielen? Wollen seine Kunden Warenvielfalt, große Sortimentstiefe oder Einkaufsatmosphäre? So lange der Zielmarkt nicht definiert und sein Profil festgestellt ist, kann der Einzelhändler keine schlüssigen Entscheidungen über Warensortiment, Preisniveau, Geschäftsatmosphäre, Absatzförderung und Geschäftsstandorte fällen.[9]

Viele Einzelhändler haben ihren Markt nicht klar genug definiert und wollen es zu vielen Marktteilnehmern recht machen, so daß sie keinen davon richtig zufriedenstellen. Andere Einzelhändler haben ihren Zielmarkt genau bestimmt und sich konsequent auf ihn eingestellt. Dazu zwei Beispiele:

Ikea, das schwedische Möbelhaus, definierte seinen Zielmarkt als die 20- bis 25jährigen, die sich besonders durch Preisbewußtsein, Mobilität, Flexibilität und den Hang zum »Selbermachen« auszeichnen. Im Jahre 1974 eröffnete Ikea das erste Möbelhaus unter dem auf diesen Zielmarkt ausgerichteten Sortimentsgrundsatz: »Gute Qualität und gutes Design zu günstigen Preisen«, wobei Transport und Zusammenbau der Möbel von den Kunden übernommen werden sollte. Der Erfolg von Ikea im Möbelgeschäft für diese Zielgruppe ist bekannt. Seit 1986/87 begann Ikea gezielt, neue Kundengruppen mit dem Spezialkatalog »Kontakt« für Büroeinrichtungen und dem »Ikea-Küchenkatalog« anzusprechen. Der Zielmarkt für den Spezialkatalog »Kontakt« besteht aus Jungmanagern kleinerer selbständiger Unternehmen, die nicht nur ihre Wohnung, sondern auch ihre Büros mit Ikea-Möbeln einrichten wollten. Ikea positionierte sich in diesem Zielmarkt durch eine deutlich günstigere Preispolitik gegenüber dem Spezialhandel für Büromöbel und durch bessere Qualität gegenüber anderen Büromöbel-Mitnahmeangeboten.

Die Geschwister Benetton definierten modebewußte junge Menschen als ihren Zielmarkt. Benetton stützt sich bei der aktuellen Farbauswahl für Pullover und T-Shirts auf internationale Marktforschung, mit der unmittelbar vor Saisonbeginn die Modefarben recherchiert werden. Die eingelagerte Ware wird entsprechend eingefärbt und über ein ausgefeiltes Logistiksystem so schnell wie möglich an die Benetton-Boutiquen verteilt, um als einer der ersten mit dem aktuellen Sortiment auf dem Markt zu sein, denn für den Zielmarkt Benettons ist es wichtig, bei modischen Entwicklungen sofort mit dabeizusein.

Einzelhändler sollten regelmäßig Marketingforschung betreiben, um zu überprüfen, ob sie ihren Zielmarkt tatsächlich ansprechen und zufriedenstellen. Angenommen, ein Einzelhandelsunternehmen sucht seinen Zielmarkt bei der Kundschaft mit gehobenen Ansprüchen. Es hat aber bei diesen Kunden ein Imageprofil, wie es in Abbildung 19-1 durch Linie B angezeigt ist. Der Forschungsbericht ergibt, daß das Geschäft mit seinem Image keinen Anklang bei den Zielkunden findet. Es muß sich

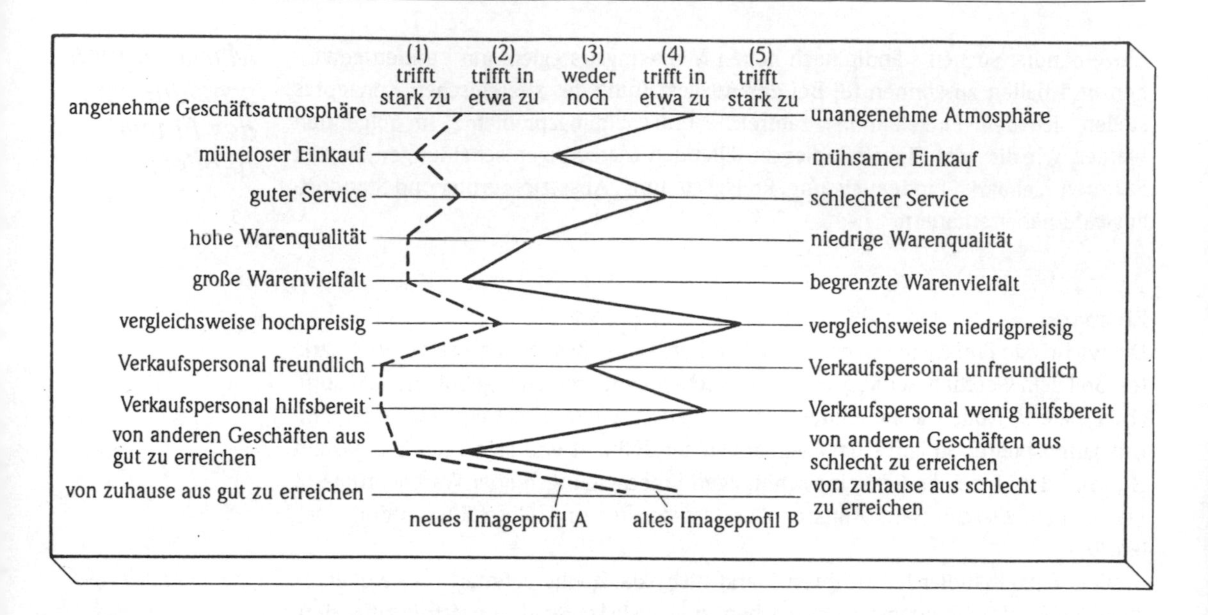

Abbildung 19-1
Vergleich zwischen altem und neuem Image eines Einzelhandelsunternehmens bei der Kundschaft mit gehobenen Ansprüchen

Quelle: in abgewandelter Form nach David W. Cravens, Gerald E. Hills und Robert B. Woodruff: *Marketing Decision Making: Concepts and Strategy*, Homewood: Richard D. Irwin, 1976, S. 234, 1976.

deshalb entweder dem Massenmarkt zuwenden oder in ein Geschäft für die gehobene Klasse umwandeln. Angenommen, es entschließt sich zu letzterem, handelt konsequent und befragt einige Zeit später die Zielkunden erneut. Das neue Imageprofil des Geschäfts entspricht nun der Linie A in Abbildung 19-1. Das neue Image zeigt, daß es gelungen ist, das Geschäft auf die Erwartungen des Zielmarktes hin auszurichten.

Produktleistung

Zur ihrer Positionierung müssen Einzelhändler Entscheidungen zu drei wesentlichen Elementen ihrer Produktleistung treffen: Sortiment, Service-Mix und Geschäftsatmosphäre.

Das *Sortiment* des Einzelhändlers muß den Einkaufserwartungen des Zielmarkts entsprechen. Es ist ein wesentliches Grundelement im Wettbewerb mit gleichartigen Einzelhandelsunternehmen. Der Einzelhändler muß die *Breite* und *Tiefe* seines Sortiments bestimmen. Ein Restaurant kann z. B. ein schmales Sortiment mit geringer Tiefe (z. B. Schnellimbiß), ein schmales Sortiment mit großer Tiefe (Restaurant, z. B. spezialisiert auf Fisch und Meeresfrüchte), ein breites Sortiment mit geringer Tiefe (Cafeteria) oder ein breites Sortiment mit großer Tiefe (Großrestaurant) anbieten. Eine weitere sortimentsbezogene Bestimmungsgröße ist die Qualität des Warenangebots. Für den Kunden ist nicht nur die gebotene Auswahl, sondern auch die Qualität der Produkte von Bedeutung, wenn er ein Geschäft aufsucht.

Nach Festlegung des Sortiments und des Qualitätsniveaus beginnt eine schwierige Aufgabe für den Einzelhändler. Es wird immer Konkurrenten mit vergleichbarem

Sortiment und Qualitätsniveau geben. Die Herausforderung für den Einzelhändler besteht darin, eine Differenzierungsstrategie zu entwickeln, mit der er sich von anderen Wettbewerbern abhebt. Wortzel unterbreitet hierzu einige Vorschläge: [10]

1. *Profiliere dich durch bekannte Markenartikel, die im unmittelbaren regionalen Bereich exklusiv nur bei dir zu haben sind.*
2. *Profiliere dich vor allem durch Hausmarken.*
3. *Profiliere dich durch themen- und länderspezifische Sonderaktionen.*
4. *Profiliere dich durch Überraschungsangebote und biete ständig Abwechslung.*
5. *Profiliere dich als erster mit den aktuellsten und neuesten Waren.*
6. *Profiliere dich durch Zuschnitt der Waren auf die einzelnen Kunden;* betone z. B. neben Konfektionsware besonders deine Maßanzüge, -hemden und -krawatten.
7. *Profiliere dich durch ein kundenspezifisches Sortiment,* wie z. B. durch Damenkonfektion in Übergrößen und für Damen reiferen Alters oder durch ungewöhnliche Spielzeuge und technische Spielereien speziell für den Kundenkreis, der gerne einmal in einem »Spielzeugladen für Erwachsene« einkaufen möchte.

Ein weiteres Entscheidungsproblem für den Einzelhändler ist die Bestimmung seines *Service-Mix.* Früher lieferte der Nachbarschaftsladen die Ware noch ins Haus, ließ anschreiben und bot »Lokalnachrichten« an – Dienstleistungen, die es im Supermarkt unserer Tage nicht mehr gibt. Andere Serviceleistungen hingegen gibt es noch. In Tabelle 19-1 sind Serviceleistungen aufgeführt, die ein Einzelhändler mit umfassendem Serviceangebot bieten könnte. Der Service-Mix ist ein wichtiges Instrument, um ein Geschäft vom anderen zu differenzieren.

Tabelle 19-1
Gängige Serviceleistungen im Einzelhandel

Serviceleistungen vor dem Kauf	*Serviceleistungen nach dem Kauf*	*Begleitende Zusatzleistungen*
1. Telefonischer Bestelldienst	1. Zustellung der Ware	1. Einlösen von Schecks
2. Bestelldienst per Brief (oder Einkäufen)	2. Einpacken der Ware	2. Bereitstellung allgemeiner Informationen
3. Sonderbestellungen	3. Verpackung und Versand von Geschenken	3. kostenloses Parken
4. Bereitstellung von Werbeinformationen	4. Entschädigungsleistungen	4. Imbißecke oder Restaurant im Haus
5. Anwendungsberatung	5. Rücknahme und Umtausch der Waren	5. Reparaturdienste
6. Warendarstellung im Schaufenster	6. Änderungsdienst	6. Transportversicherung
7. Innen-Warendisplay	7. Maßarbeiten	7. Kauffinanzierung
8. Anproberäume	8. Aufstell- bzw. Montagearbeiten	8. Kundentoiletten
9. Flexible Ladenöffnungszeiten	9. Gravurarbeiten	9. Kinderbetreuung während des Einkaufs
10. Modeschauen	10. Lieferung per Nachnahme	
11. Inzahlungnahme gebrauchter Ware		

Quelle: In Anlehnung an Carl M. Larson, Robert E. Weigand und John S. Wright: *Basic Retailing*, 2. Auflage, Englewood Cliffs, N. J.: Prentice-Hall, 1976, S. 384.

Das dritte Element der Produktleistung ist die *Geschäftsatmosphäre.* Die Raumaufteilung und -gestaltung des Ladens entscheidet darüber, ob sich der Kunde frei oder eingeengt fühlt. Jedes Geschäft vermittelt einen bestimmten Eindruck: Es kann kalt, nett, großzügig oder ernst wirken. Es muß eine gewollte und zielmarktkonforme Atmosphäre zum Ausdruck bringen, die den Kunden zum Kauf bewegt. Die Massa-Märkte z.B. starteten 1990 ein neues atmosphärisches Konzept unter dem Schlagwort »Rehumanisierung des Einkaufs«. Bis zu 6 Meter breite Gänge, größere Freiflächen, Lichthöfe sowie 20 Fachgeschäfte und Dienstleistungsunternehmen unter einem Dach wurden eingerichtet, um den Kunden das Einkaufen zum Freizeiterlebnis werden zu lassen. Amerikanische Supermärkte haben herausgefunden, daß wechselnde Musikrhythmen die Verweildauer und Durchschnittsausgaben der Kunden beeinflussen. Einige amerikanische Supermärkte erforschen die Möglichkeit, Regalaufkleber als Aromaspender zu verwenden, um beim Kunden Hunger- oder Durstgefühle zu assoziieren. Einige exklusive Warenhäuser versprühen in bestimmten Abteilungen Parfüms. Dieses »geschlossene atmosphärische Umfeld« wird von Kreativ-Spezialisten geschaffen, die es verstehen, den Seh-, Hör-, Geruchs- und Tastsinn des Kunden zu stimulieren und so die gewünschte Wirkung auszulösen. [11]

Preis

Auch die Preise spielen bei der Positionierung des Einzelhändlers eine wesentliche Rolle. Sie müssen unter Berücksichtigung des Zielmarktes, der Produktleistung und der Konkurrenz festgelegt werden. Alle Einzelhändler möchten gern bei hohen Margen einen hohen Warenumschlag tätigen; doch beides gleichzeitig läßt sich meist nicht verwirklichen. Die meisten Einzelhändler gehören entweder der Kategorie mit *hohen Margen und niedrigerem Warenumschlag* (gehobene Fach- und Spezialgeschäfte) oder der Kategorie mit *niedrigen Margen und höherem Warenumschlag* (Großbetriebsformen des Einzelhandels und Discount-Geschäfte) an. Innerhalb dieser beiden Kategorien gibt es weitere Abstufungen.

Im Wettbewerb müssen die Einzelhändler preistaktisch agieren. Viele Einzelhändler haben einige Artikel zu niedrigen Preisen im Angebot, um damit viele Kunden zum Besuch des Geschäfts zu bewegen. Zuweilen veranstalten sie auch Sonderaktionen über das gesamte Sortiment hinweg und senken dabei gezielt auch die Preise für Waren mit geringerer Umschlagsgeschwindigkeit.

Absatzförderung

Der Einzelhändler muß alle Absatzförderungsinstrumente nutzen, die das gewünschte Geschäftsimage unterstützen und verstärken. Hochklassige Einzelhandelsunternehmen werben in hochklassigen Zeitschriften und Zeitschriftenbeilagen mit Qualitätseindruck. Diskonter hingegen werben möglichst auffällig mit niedrigen Preisen und Sonderangeboten im Rundfunk und in den Printmedien. Hochklassige Geschäfte schulen ihr Verkaufsspersonal sorgfältig darin, wie es die Kunden zu begrüßen, ihre Wünsche herauszufinden und mit ihren Zweifeln und Beschwerden umzugehen hat, während die Diskonter zwar weniger gut geschultes Personal, dafür aber eine Vielfalt von anderen Verkaufsförderungsinstrumenten einsetzen, um Kunden ins Geschäft zu locken.

Standort

Vom Einzelhandel hört man oft, daß die drei wesentlichsten Faktoren für eine erfolgreiche Einzelhandelstätigkeit »erstens die Lage, zweitens die Lage und drittens die Lage« sind. Bei Bankdienstleistungen z. B. entscheidet sich der Bankkunde in den meisten Fällen für die Bank mit der für ihn günstigsten Lage. Warenhausketten, Mineralölgesellschaften und Franchise-Organisationen im Fast-Food-Geschäft gehen bei der Standortwahl besonders sorgfältig vor. Dabei werden zunächst innerhalb des ganzen Land es die Regionen ausgewählt, in denen man Verkaufsstellen eröffnen will; dann werden einzelne Städte und schließlich die genauen Standorte innerhalb der Städte bestimmt. So könnte z. B. die Schweizer Migros entscheiden, daß es für Einkaufszentren nach dem Muster des Säntis-Parks in St. Gallen in der Schweiz insgesamt vier Regionen gibt, nämlich das Tessin, die Westschweiz, die Zentralschweiz und den Nordwesten, und könnte innerhalb der Region Westschweiz z. B. den östlichen Stadtrand von Genf als den geeignetsten Standort bestimmen.

Die Einzelhandelskonzerne müssen sich entscheiden, ob sie mehrere kleine Verkaufsstellen an vielen Standorten oder größere Verkaufsstellen an nur wenigen Standorten betreiben sollen. Je größer die einzelne Verkaufsstelle ist, desto größer wird ihr Einzugsgebiet. Filialunternehmen sollten in jedem Wirtschaftsgebiet über so viele Verkaufsstellen verfügen, daß sie zusammen Synergieeffekte in der Absatzförderung und Warenlogistik erzielen.

Einzelhandelsunternehmen können ihre Verkaufsstellen im Hauptgeschäftsviertel einer Stadt, einem regionalen Einkaufszentrum, einem kommunalen Einkaufszentrum oder in einer Ladenstraße ansiedeln.

- *Das Hauptgeschäftsviertel* befindet sich in der Regel im Zentrum der Stadt und hat das höchste Passantenaufkommen. Die Mieten für Geschäftsräume sind dort oft extrem hoch. Traditionell siedeln sich dort die Kaufhäuser an, um vom vorhandenen hohen Passantenaufkommen zu profitieren und selbst durch attraktive Angebote zur Steigerung des Passantenaufkommens beizutragen. Auch Fach- und Spezialgeschäfte mit hochwertiger Ware bevorzugen diese Lagen.
- *Im regionalen Einkaufszentrum*, einem großen Einkaufskomplex in Stadtrandlage mit einer Vielzahl von Geschäften und einem Einzugsgebiet von 10 bis 20 km, ist in der Regel Platz für ein oder zwei »Absatzmagneten«, d. h. extrem große Gemischtwarenhäuser wie Karstadt und Kaufhof, sowie eine große Zahl kleinerer Geschäfte, die meist nach dem Franchise-Prinzip betrieben werden. Diese Einkaufszentren sind für den Käufer aufgrund der großzügigen Parkmöglichkeiten, der Konzentration von Einkaufsmöglichkeiten unter einem Dach (*one-stop-shopping*) sowie der vorhandenen Restaurants und Freizeiteinrichtungen sehr attraktiv. In erfolgreichen Einkaufszentren sind die Ladenmieten hoch, andererseits ist aber auch die Kundschaft zahlreich.
- *Ein kommunales Einkaufszentrum* ist ein kleinerer Einkaufskomplex mit üblicherweise nur einem Absatzmagneten, der die Kundschaft anlockt, sowie etwa 5 bis 25 kleineren Geschäften.
- *Eine Ladenstraße* ist eine Ansammlung von Geschäften zur Deckung der normalen Einkaufsbedürfnisse eines Stadtviertels; dazu zählen z. B. Lebensmittelgeschäfte, Eisenwarenhandlungen, Waschsalons und Tankstellen, die man mit dem Auto innerhalb von 5 bis 10 Minuten erreichen kann.

Bei der Standortwahl muß das Einzelhandelsunternehmen zwischen hohen Standortmieten und hohem Passantenaufkommen abwägen. Zur Messung und Bewertung der Standortqualität stehen eine Reihe von Verfahren zur Verfügung, z. B. Passantenzählung, Untersuchungen über die Einkaufsgewohnheiten der Verbraucher und

Analyse der Konkurrenzstandorte. [12] Zur Unterstützung der Standortentscheidung existieren mehrere Entscheidungsmodelle. [13]

Der Einzelhändler kann die Verkaufseffektivität einer Verkaufsstelle lageabhängig anhand von vier Indikatoren bewerten:

1. Durchschnittliche Zahl der Passanten pro Tag.
2. Prozentualer Anteil der Passanten, die das Geschäft besuchen.
3. Prozentualer Anteil der Besucher, die etwas kaufen.
4. Durchschnittlicher Geldbetrag pro Kauf.

Schlechte Ergebnisse einer Verkaufsstelle könnten darauf zurückzuführen sein, daß sie an einem von den Kunden nur wenig frequentierten Standort liegt, daß zu wenige der potentiellen Kunden das Geschäft besuchen, daß sich viele Besucher zwar im Geschäft umsehen, aber nichts kaufen, oder daß die Käufer nur wenig kaufen. Jedes dieser Defizite läßt sich beseitigen. Die Zahl der Passanten läßt sich durch die Wahl eines besseren Standorts erhöhen, der Besucherstrom im Geschäft kann durch attraktivere Schaufensterauslagen und Sonderaktionen erhöht werden, und die Zahl der tatsächlichen Käufer sowie die Kaufmenge hängen im wesentlichen von Qualität und Preis der Ware sowie von der Kompetenz des Verkaufspersonals ab.

Trends im Einzelhandel

In diesem Abschnitt werden die wesentlichen Trends zusammengefaßt, die der Einzelhändler bei der Planung seiner Wettbewerbsstrategie berücksichtigen muß:

1. **Neue Einzelhandelsformen**
   Es treten ständig neue Betriebsformen des Einzelhandels auf, die den etablierten Betriebsformen die Kunden mit neuen Konzepten streitig machen. Der etablierte Einzelhändler muß deshalb erkennen und entscheiden, welche neuen Betriebskonzepte ihm am meisten schaden könnten, wie er sich auf neue Konkurrenz einstellt und welches seiner Konzepte er modifizieren oder erneuern sollte, um den Kundenerwartungen entgegenzukommen und sich gegen neue Konkurrenten zu behaupten.
2. **Verkürzung des Einzelhandelslebenszyklus**
   Neue Betriebsformen des Einzelhandels unterliegen einem Lebenszyklus, der tendenziell kürzer wird. Der Planer von Einzelhandelskonzepten muß dies von Anfang an berücksichtigen.
3. **Wachstum des ladenlosen Einzelhandels**
   Es entwickeln sich immer mehr technische Voraussetzungen dafür, daß der ladenlose Einzelhandel schneller wachsen kann als der traditionelle ladengebundene Einzelhandel. Dies trifft insbesondere auf den Versandhandel zu, der z. B. in der Bundesrepublik im Jahr 1987 bei einem Zuwachs von knapp 10% einen Umsatz von 26,4 Mrd. DM tätigte. Das Zeitalter der Elektronik hat die Chancen im ladenlosen Einzelhandel wesentlich erhöht. Bereits über 30% der Verkäufe im Versandhandel werden per Telefon getätigt. Immer mehr Kunden wird es möglich, Angebote per Bildschirm, Computer, Telefax oder Telefon einzuholen und Bestellungen unter einer gebührenfreien Telefonnummer aufzugeben. Für den ladengebundenen Einzelhändler hat dies zur Folge, daß er entscheiden muß, inwieweit er die Mittel der Telekommunikation in sein Konzept einbinden will und ob er einen wirtschaftlich arbeitenden Warenzustelldienst einrichten kann.
4. **Zunehmender betriebstypenübergreifender Wettbewerb**
   Sahen sich Einzelhändler in der Vergangenheit im wesentlichen im Wettbewerb mit anderen Einzelhändlern der gleichen Betriebsform, so kämpfen heute in zunehmendem Maße unterschiedliche Betriebsformen um die gleichen Kunden. Diese Kunden informieren sich

gleichermaßen durch Ladenbesuche, telefonisch und durch Kataloge über die Angebote im Supermarkt, im Kaufhaus, beim Diskonter sowie beim Versandhandel und entscheiden sich dann von Fall zu Fall für die Betriebsform, welche die beste Produktleistung bietet.
Im Wettbewerb zwischen den Betriebstypen muß sich insbesondere der Fachhandel gegen die Konkurrenz der Fachmärkte behaupten. Besonders drastisch zeigt sich dieser Trend auf dem Spielwarenmarkt. So hatten z.B. die Filialen der Vedes-Spielwarengenossenschaft im ersten Jahr nach dem Auftreten der amerikanischen Fachmarktkette TOYS Я US in Deutschland mit erheblichen Umsatzverlusten zu kämpfen. Als Antwort auf die Fachmarktkonkurrenz schließen sich Fachhandelsgeschäfte zu einem dichteren Filialnetz zusammen und versuchen, durch ein gemeinsames Auftreten im Sinne einer »Corporate Identity« ihr Marktprofil zu schärfen.

5. **Polarisierung im Einzelhandel**
Der zunehmende betriebsformenübergreifende Wettbewerb hat dazu geführt, daß bestimmte Einzelhandelsunternehmen ihr Sortiment entweder extrem verbreitern oder extrem spezialisieren und somit den Erfolg durch Polarisierung suchen. Auf diese Weise konnten sowohl Großsortimenter wie Massa und Metro und auch Fach- und Spezialsortimenter wie Douglas, Fielmann, Ikea und Obi hohe Gewinne und ein beträchtliches Wachstum erzielen.
6. **Neudefinierung des Begriffs »alles unter einem Dach«**
Die Kauf- und Warenhäuser arbeiteten bisher erfolgreich mit dem Konzept »alles unter einem Dach«, das den Kunden den Einkauf dadurch erleichtert, daß sie mit einer Anfahrt alle Kaufbedürfnisse befriedigen können. Sie sehen sich verstärkt im Wettbewerb mit Fachgeschäften, die sich in Einkaufszentren gruppieren und damit den Begriff »alles unter einem Dach« und die damit verbundenen Vorteile auch für sich in Anspruch nehmen.
7. **Trend zu vertikalen Marketingsystemen**
Die Marketingdistributionssysteme vom Hersteller bis zum Verbraucher werden stufenübergreifend immer professioneller gestaltet und geführt. Es bilden sich damit immer mehr große vertikale Verbundsysteme mit Einfluß auf alle Distributionsstufen und verdrängen kleine, unabhängige Einzelhandelsbetriebe.
8. **Portfoliokonzepte auch bei Einzelhandelsorganisationen**
Bestehende Einzelhandelsorganisationen diversifizieren selbst immer wieder in neue Betriebsformen, um so ein Portfolio von Betriebsformen aufzubauen, das sie krisenfest macht und über das sie sich Wachstum sichern. Tengelmann z.B. tritt u.a. mit Supermärkten (Kaisers Kaffee), Verbrauchermärkten (Grosso), Fachmärkten (Obi-Bau- und Heimwerkermärkte) und Markendiskontern (Plus) auf. Das Betriebsformenportfolio der Firma Schuh-Görtz z.B. besteht aus dem traditionellen Görtz-Geschäft, dem Mini-Görtz (Billiganbieter), dem Lauf-Görtz (Sportschuhe und -artikel), dem Franco Francesco (Lederwaren) und Harry Hess, einem Familienschuhmarkt mit 800 bis 1.000 qm Verkaufsfläche.
9. **Technologischer Wandel**
Die Einführung neuer Technologien im Einzelhandel wird zum wichtigen Wettbewerbsinstrument. Durch den Einsatz von Computern und an Computer angeschlossene Geräte, wie z.B. die elektronische Ladenkasse, sind Einzelhändler in der Lage, schneller Bestandsaufnahmen zu erstellen, bessere Vorhersagen und Logistikdispositionen zu treffen, die Kostenentwicklung besser zu beherrschen und mit ihren Lieferanten und Kunden effizienter zu kommunizieren.[14]

Großhandel

Wesen und Bedeutung des Großhandels

Zum Funktionsfeld des Großhandels gehören alle Aktivitäten des Verkaufs von Waren oder Dienstleistungen an Wiederverkäufer oder gewerbliche Verwender. Schon ein Einzelhandels-Bäckereibetrieb, der ein Hotel vor Ort mit seinen Backwaren beliefert, erfüllt somit eine Großhandelsfunktion. Im folgenden wollen wir den Begriff *Großhändler* jedoch zur Beschreibung von Unternehmen verwenden, die vornehmlich Großhandelsfunktionen erfüllen.

Im Jahr 1990 gab es in der Bundesrepublik rund 38.000 Großhandelsunternehmen mit mehr als 1 Mio. DM Umsatz pro Jahr. Sie beschäftigten 1,03 Mio. Mitarbeiter und tätigten einen Umsatz von 927 Mrd. DM. Etwa 60.000 weitere kleine Großhändler mit einem Jahresumsatz unter 1 Mio. DM erzielten zusammen einen Jahresumsatz von weniger als 30 Mrd. DM.[15] Erhebungen des Statistischen Bundesamtes weisen aus, daß im Großhandel sowohl eine Unternehmens- wie auch eine Umsatzkonzentration stattfindet. Die Anzahl der kleinen Großhandelsbetriebe sinkt, während der Umsatzanteil der großen Betriebe steigt.

Im Vergleich zum Einzelhandel werden im Großhandel die Marketingwerkzeuge Absatzförderungsaktionen, Ladenatmosphäre und -standort weniger stark betont, da die Kunden hier nicht Endverbraucher, sondern gewerbliche Abnehmer sind. Die Vertragsabschlüsse im Großhandel sind für gewöhnlich umfangreicher als im Einzelhandel, und das Absatzgebiet von Großhändlern ist meist größer als das von Einzelhändlern.

Warum werden Großhändler überhaupt eingeschaltet? Die Hersteller könnten ja auch auf sie verzichten und statt dessen direkt an den Einzelhandel oder die Endverbraucher verkaufen. Die Antwort lautet: die Großhändler bringen mehrere Vorteile in der Warendistribution. Erstens können insbesondere kleine Hersteller mit ihren begrenzten finanziellen Mitteln keinen Direktvertrieb aufbauen, der wirtschaftlich arbeiten würde. Und selbst wenn die finanziellen Mittel aufgebracht werden könnten, würden die Hersteller diese Mittel aber lieber in den Ausbau und die Verbesserung der Produktionskapazitäten als in eine eigene Großhandelsorganisation investieren. Großhändler können die Großhandelsfunktion effizienter erfüllen, da sie für mehr als einen Hersteller in größerem Maßstab tätig sind und damit umfangreichere Kundenkontakte und Spezialkenntnisse haben. Einzelhändler mit umfangreichem Sortiment und andere gewerbliche Kunden mit großem Bedarfsspektrum kaufen oft lieber bei einem Großhändler als direkt bei vielen einzelnen Herstellern ein.

Sowohl der Einzelhändler und der gewerbliche Abnehmer als auch der Hersteller haben gute Gründe dafür, den Großhandel einzuschalten, insbesondere, wenn dieser eine oder mehrere der folgenden Funktionen wirtschaftlicher wahrnehmen kann:

- **Verkauf und Absatzförderung**
  Die Absatzorganisation des Großhändlers ermöglicht es dem Hersteller, zu vergleichsweise niedrigen Kosten eine große Zahl von kleineren Kunden zu erreichen. Der Großhändler hat engeren Kontakt mit den Kunden, die seinem Rat eher vertrauen als einem weit entfernten Hersteller, der nicht so häufig präsent ist.
- **Einkaufserleichterung durch Sortimentszusammenstellung**
  Großhändler können für ihre Abnehmer eine Vorauswahl aus dem Angebot vieler Hersteller treffen und das von ihnen benötigte Sortiment zusammenstellen; damit ersparen sie ihren Abnehmern beträchtlichen Arbeitsaufwand.

- **Mengenauflösung**
  Durch die Abnahme großer Wagenladungen vom Hersteller und ihre Auflösung in kleinere, kundengerechte Mengen erzielen sie Kosteneinsparungen für alle Beteiligten.
- **Lagerhaltung**
  Durch die Lagerhaltung beim Großhändler werden die Lagerkosten und -risiken für Lieferanten und Abnehmer verringert.
- **Transport**
  Großhändler können schneller liefern, da sie näher am Abnehmer operieren als der Hersteller.
- **Finanzierung**
  Großhändler können ihre Abnehmer durch Verkauf auf Kredit und ihre Lieferanten durch frühzeitige Bestellung und pünktliche Zahlung finanzieren.
- **Risikoübernahme**
  Durch Erwerb des Eigentums an der Ware übernehmen Großhändler einen Teil des Risikos und der damit verbundenen Kosten, die durch Diebstahl, Beschädigung, Verderb und Veralterung der Ware anfallen können.
- **Bereitstellung von Marktinformationen**
  Die Großhändler stellen ihren Lieferanten und Abnehmern Informationen über Maßnahmen der Konkurrenz, neue Produkte und Preisentwicklungen zur Verfügung.
- **Betriebsschulung und Beratung**
  Großhändler können ihre Einzelhandelskunden bei der Verbesserung der operativen Abläufe durch Verkäuferschulung, Mitwirkung an der Laden- und Auslagengestaltung und den Aufbau von Buchhaltungs- und Lagerbestandskontrollsystemen unterstützen. Auch ihren Industriekunden können sie Schulungsmaßnahmen und technische Serviceleistungen anbieten.

Betriebsformen des Großhandels

Es gilt nun, die verschiedenen Formen des Großhandels zu unterscheiden. Wir nehmen eine grobe Unterteilung der Betriebsformen des Großhandels vor, je nachdem, ob der Großhändler als *eigenständiger Kaufmann*, als *Großhandelsvermittler*, als *Handelsangliederung an ein Unternehmen* oder als *sonstige Einrichtung* institutionalisiert ist. Die vorherrschenden Betriebsformen innerhalb dieser vier Gruppierungen werden im folgenden näher beschrieben.

Großhändler als eigenständige Kaufleute

Den größten Anteil am Großhandelsumsatz haben Großhändler, die sich als eigenständige Kaufleute institutionalisiert haben. Sie übernehmen das Eigentum an der von ihnen gehandelten Ware und bewältigen im Ablauf des Handelsgeschäfts mindestens zwei getrennte Transaktionen, nämlich die Transaktion zwischen Hersteller und Großhändler sowie die Transaktion zwischen dem Großhändler und seinem Kunden. Der eigenständige Kaufmann übernimmt in der Regel viele der Großhandelsfunktionen, z.B. Lagerung, Transport, Finanzierung, Sortimentszusammenstellung für den Einzelhandel, Mengenauflösung und Informationsbereitstellung.

Unter den Großhändlern, die als eigenständige Kaufleute arbeiten, erbringen der *klassische Konsumgütergroßhandel* und der *Produktionsverbindungshandel* das volle Spektrum von Handelsdienstleistungen, sofern ihre Kunden dies wünschen. Andere Großhändler nehmen bewußt einen Teil der Handelsdienstleistungsfunktionen aus ihrem Produktkonzept heraus. Dazu gehören der *Abholgroßhandel* (Cash and Carry) und der *ALV-Großhandel* (am Lager vorbei) oder *Streckengroßhandel*.

Spezielle Großhandelskonzepte finden wir beim *Regalgroßhandel* (Rack-Jobber), bei *Großhandelsgenossenschaften* und beim *Versandgroßhandel.*

Klassischer Konsumgütergroßhändler
Der klassische Komsumgütergroßhändler verkauft vorwiegend an den Einzelhandel und bietet ein umfassendes Serviceangebot. Je nach Sortimentsbreite unterscheidet man hier zwischen Sortimentsgroßhändlern und Spezialgroßhändlern. Der *Sortimentsgroßhändler* führt ein breites Spektrum von Produktlinien und bedient damit sowohl den Gemischtwareneinzelhandel als auch – mit einem Teilsortiment – den Fachhandel. *Spezialgroßhändler* führen gewöhnlich Teile einer Produktlinie mit großer Sortimentstiefe, wie z.B. Reformkost, Meeresfrüchte und Autozubehör. Sie bieten ihren Kunden den Vorteil größerer Sortimentstiefe und spezielle Produkt- und Beschaffungskenntnisse.

Produktionsverbindungshändler
Produktionsverbindungshändler haben nicht den Einzelhandel, sondern Produktionsbetriebe und gewerbliche Abnehmer als Kunden und verkaufen somit Produkte, die nicht zum Wiederverkauf, sondern zur Weiterverwendung in der Produktion oder zur Erstellung von Betriebsleistungen bestimmt sind. Auch sie bieten ein volles Spektrum von Serviceleistungen, wie Lagerhaltung von Artikeln, die von ihren Kunden kurzfristig gebraucht werden, Kreditgewährung, Warenzustellung und z. T. auch Anwendungsberatung. Je nach Größe des Sortiments und des Vertriebsgebiets gibt es unterschiedliche Bezeichnungen für die Produktionsverbindungsgroßhändler. Bezüglich des Vertriebsgebiets trifft man insbesondere im Amerikanischen die Unterscheidung zwischen dem *nationalen Großhändler*, dem *regionalen Großhändler* und dem *Distributeur.* Der *nationale Großhändler* kann das Sortiment eines oder mehrerer Hersteller auf nationaler Basis allen Kunden anbieten. Seine besondere Leistung besteht darin, daß er nationale Großkunden, die über das ganze Land verteilte Produktionsbetriebe unterhalten, aus einer Hand über seine jeweiligen Großhandelsniederlassungen bedienen kann. Somit kann er die Versorgung dieser nationalen Großkunden mit den benötigten Industriegütern, wie Ersatzteilen oder Produktionswerkzeugen, als Paket aushandeln und für den Bezieher vereinfachen. Der *regionale Großhändler* betreibt sein Geschäft in der gleichen Art wie der nationale Großhändler, nur sind seine Aktivitäten auf eine bestimmte Region beschränkt, und er kann insofern national operierenden Kunden nicht als gleichwertiger nationaler Partner gegenübertreten. Der *Distributeur* versorgt in der Regel die in seinem engeren Vertriebsgebiet ansässigen Produktionsbetriebe und gewerblichen Kunden.

Abholgroßhändler (Cash and Carry)
Der Cash-and-Carry-Großhandel schließt bewußt die Zustellung und die Finanzierung aus seinem Leistungspaket aus und wendet sich somit an Kunden, die an diesen beiden Funktionen nicht interessiert sind und statt dessen lieber einen

Preisnachlaß wollen. Weiterhin beschränkt sich der Cash-and-Carry-Großhändler oft auf einen begrenzten Warenkreis, der rasch umgeschlagen wird. Seine Kunden sind meist kleine Einzelhandelsbetriebe, die in bar bezahlen und die Waren selbst abholen wollen. So fährt z.B. ein Fischeinzelhändler oder ein Restaurantinhaber bei Tagesanbruch zu einer Cash-and-Carry-Fischgroßhandlung, kauft dort seinen erwarteten Bedarf an Fisch ein, zahlt sofort und fährt mit der Ware zu seinem Geschäft zurück, wo er sie selbst ablädt.

ALV-Großhändler (Streckengroßhändler)

Der Kernpunkt beim ALV-Großhandel (Am-Lager-Vorbei) ist die Einsparung des Handelslagers. Der physische Warenstrom führt am Handelslager vorbei, nämlich direkt vom Hersteller zum Kunden des Händlers. In den dazu geeigneten Teilbereichen des Großhandels, lassen sich zum Nutzen aller Beteiligten Kosten sparen. Fast alle Großhändler ergreifen, wo immer möglich, die Gelegenheit zum ALV-Geschäft, um zusätzlich zu ihrem Normalgeschäft weitere Gewinne erzielen zu können. Es haben sich jedoch auch Spezialisten entwickelt, die – wenn auch auf unterschiedliche Weise – nur das ALV-Geschäft betreiben. Diese Spezialisten spielen in Nordamerika eine größere Rolle als in Europa. Dort unterscheidet man zwischen zwei Typen von ALV-Großhändlern, dem *Truck-Jobber* und dem *Drop-Shipper*. Der *Truck-Jobber* übernimmt in erster Linie die Verkaufs- und Zustellfunktion. In der Regel handelt er mit einem begrenzten Sortiment leicht verderblicher Waren wie Milch, Brot oder Fertiggerichten, mit denen er gegen Barzahlung auf seiner Verkaufsroute Supermärkte, kleine Lebensmittelgeschäfte, Krankenhäuser, Restaurants, Werkskantinen und Hotels beliefert. Der *Drop-Shipper* handelt vornehmlich mit Massengütern, wie z.B. Kohle, Holz und Erfrischungsgetränken. Wenn er von einem Kunden einen Auftrag erhält, macht er einen Hersteller ausfindig, der den Kunden die Ware über das Logistik-System des Drop-Shippers oder des Herstellers zu den vereinbarten Zahlungs- und Lieferbedingungen zustellt. Bei diesem auch als *Streckengeschäft* bezeichneten Konzept übernimmt der Großhändler das Eigentum und das Risiko an der Ware vom Zeitpunkt der Auftragsannahme bis zur Auslieferung an den Kunden.

Regalgroßhändler (Rack-Jobber)

Der Regalgroßhandel ist ebenfalls ein vornehmlich in Nordamerika praktiziertes Großhandelskonzept. Der Rack-Jobber beliefert Lebensmitteleinzelhändler und Drogerien hauptsächlich im Non-Food-Bereich. In Warengruppen, bei denen die Einzelhandelsgeschäfte nicht für hunderte von Artikeln Einzelbestellungen erteilen, Displaymaterial aufstellen und die Warenlogistik abwickeln wollen, übernimmt der Rack-Jobber diese Aufgaben. Er liefert die Ware per Lkw an die verschiedenen Geschäfte aus; er bestückt die Regale mit Artikeln wie Spielwaren, Taschenbüchern, Eisenwaren, Gesundheits- und Schönheitspflegeartikeln; er nimmt die Preisauszeichnung an der Ware vor; er überprüft den Zustand der Warenbestände im Regal und entfernt gegebenenfalls alte Ware; er stellt Displaymaterial und Werbemittel auf, wie z.B. Plakate, Regalstopper und Hinweisschilder; er erstellt Aufzeichnungen über die Lagerstandsbewegungen im Regal. Der Rack-Jobber verkauft auf Konsignationsbasis, d.h., er behält das Eigentum an der Ware im Regal und stellt den Einzelhändlern lediglich die verkaufte Ware in Rechnung. Er unterbreitet also ein sehr umfassendes Dienstleistungsangebot – Zustellung, Regalpflege, Qualitätsüberwachung, Lagerhaltung und Finanzierung. Des weiteren unterstützt er den Abverkauf der Ware durch den Einsatz von Verkaufsförderungsmitteln, die ihm von Markenartikelherstellern zur Verfügung gestellt werden.

Versandgroßhändler
Versandgroßhändler verschicken Kataloge, in denen sie Einzelhändlern, industriellen und institutionellen Abnehmern sowie Mitgliedern von Berufsgenossenschaften Artikel anbieten, die diese bei ihrer täglichen Arbeit oder zum Weiterverkauf benötigen. Sie verfügen über keinen eigenen Außendienst für Kundenbesuche. Die Bestellungen werden schriftlich, per Telefon oder Fax entgegengenommen und sofort bearbeitet. Die bestellte Ware wird entweder per Post oder einen anderen kostengünstigen Beförderungsdienst zugestellt. Insbesondere in Produktbereichen, wo der traditionelle Großhandel mit hohen Kosten und hohen Handelsmargen arbeitet, wie z.B. bei einfachen Bedarfsgegenständen für die Arzt- oder Zahnarztpraxis, bieten sich innovativen Versandgroßhändlern zunehmend Chancen, die Kunden kostengünstig und schnell mit Artikeln zu versorgen, die routinemäßig verwendet und immer wieder nachbestellt werden.

Großhandelsvermittler
Es gibt selbständige Berufsgruppen, nämlich Makler, Handelsvertreter sowie Kommissionäre, die insbesondere im Produktionsverbindungshandel tätig sind und dabei aber nur wenige Großhandelsfunktionen wahrnehmen. In der Hauptsache sind sie Partner in der Kaufanbahnung und Kaufabwicklung und erhalten für ihre Dienste eine Provision auf den Verkaufspreis.

Makler
Makler sind rechtlich selbständige Gewerbetreibende, deren Hauptfunktion darin besteht, die Interessen von Käufer und Verkäufer zusammenzuführen und bei Verhandlungen vermittelnd mitzuwirken. Der Makler bezieht seine Provision von der Partei, die ihm den Maklerauftrag erteilt bzw. auch von beiden Parteien. Makler übernehmen keine Lager- und Transportfunktionen, keine Finanzierungsleistungen und kein Risiko. Makler sind besonders stark im Immobilien- und Versicherungsgeschäft vertreten. Ihre rechtliche Stellung ist in §§ 93–104 HGB (Handelsgesetzbuch) geregelt.

Handelsvertreter
Der Handelsvertreter ist ein selbständiger Gewerbetreibender, der ständig damit betraut ist, für einen anderen Unternehmer Geschäfte zu vermitteln oder in dessen Namen abzuschließen (§§ 84–92 HGB). Die Erscheinungsformen des Handelsvertreters können sehr vielfältig sein. Der Handelsvertreter kann als Einfirmenvertreter einen einzigen Hersteller oder als Mehrfirmenvertreter mehrere Hersteller komple-

mentärer Produktlinien vertreten. Er schließt dazu mit jedem der Hersteller einen förmlichen Vertrag, der Preisgestaltung, Verkaufsgebiete, Auftragsabwicklung, Zustellungs- und Garantieleistungen sowie Provisionssätze regelt. Er ist mit der Produktlinie jedes Herstellers vertraut und nutzt seine umfangreichen Kontakte für den Absatz der von ihm vertretenen Erzeugnisse. Die Mehrzahl der etwa 50.000 Handelsvertreter in der Bundesrepublik ist für mehrere Unternehmen tätig. Ungefähr 90% dieser Handelsvertreter vertreten Industrieunternehmen. Rund zwei Drittel aller deutschen Industrieunternehmen arbeiten in irgendeiner Form mit Handelsvertretern zusammen. Insbesondere stützen sich viele kleine Hersteller, die sich keinen eigenen Außendienst leisten können, auf Handelsvertreter. Aber auch große Hersteller setzen Handelsvertretungen ein, wenn sie neue Absatzgebiete ohne zusätzliche Personalkosten erschließen wollen oder wenn sie Gebiete benötigen, in denen sich ein eigener Außendienst wirtschaftlich nicht tragen würde.

Manche kleinen Hersteller überlassen einem Handelsvertreter ihre *Generalvertretung*, wenn sie den Verkauf entweder nicht selbst übernehmen wollen oder dafür nicht ausreichend kompetent sind. Der Generalvertreter fungiert dann als Verkaufsabteilung des Herstellers und hat beträchtlichen Einfluß auf die Preisgestaltung sowie die Zahlungs- und Lieferbedingungen. Er unterliegt dann in der Regel keinen gebietsmäßigen Beschränkungen. Die Vergabe einer Generalvertretung ist jedoch mit hohem Risiko verbunden, da die Existenz des Unternehmens in diesem Falle vom entsprechenden Handelsvertreter, seinem Aktivitätsdrang, seiner Gesundheit und anderen Einflüssen, die seine Leistung beeinträchtigen können, abhängig ist.

Eine weitere Spezialform des Handelsvertreters ist der *Einkaufsvertreter*, der speziell damit beauftragt wird, Waren zu prüfen, zu beschaffen, zu lagern und an seine Auftraggeber zu versenden. Sogenannte *»Resident Buyers«* (gebietsansässige Einkäufer) findet man insbesondere im Bekleidungsgroßhandel in Nordamerika, wo sie für den Einzelhandel in Kleinstädten Spezialsortimente zusammenstellen und ihre Kenntnisse in der Textilbranche dazu benutzen, um ihren Auftraggebern nützliche Marktinformationen und zu günstigen Preisen Produkte zu beschaffen, die sich gut verkaufen lassen.

Kommissionäre

Der Kommissionär unterscheidet sich vom Handelsvertreter dadurch, daß er als selbständiger Gewerbetreibender im eigenen Namen für Rechnung seines Auftraggebers handelt (§ 383 HGB). Er ist für einen Käufer oder Verkäufer tätig, ohne das Eigentum am Kaufobjekt zu übernehmen. Als Vergütung erhält er eine umsatzabhängige Kommission. Kommissionäre gibt es z.B. in den USA im Landwirtschaftsbereich. Dort arbeiten sie für Landwirte, die ihre Agrarerzeugnisse nicht selbst verkaufen wollen und keiner Absatzgenossenschaft angeschlossen sind. Der Kommissionär transportiert z.B. eine Lkw-Ladung landwirtschaftlicher Produkte zum Großmarkt in die Stadt und verkauft sie dort zum bestmöglichen Preis. Vom Verkaufserlös zieht er seine Provision und die ihm entstandenen Auslagen ab. Die Restsumme zahlt er an seine Kommittenten.

Großhandelsorganisation als Unternehmensangliederung
Einige Großhandelsorganisationen sind durch Kapitalverflechtung oder andere Bindungen an Herstellerunternehmen oder Einzelhändler angegliedert. Die zwei wichtigsten Erscheinungsformen sind hier *herstellereigene Verkaufsniederlassungen* und *handelseigene Einkaufsbüros*. Je nachdem, welches Maß an Selbständigkeit ihnen belassen wird, arbeiten sie eher wie selbständige Großhändler oder eher wie ein integraler Teil einer unternehmenseigenen Vertriebs- oder Beschaffungsorganisation.

Sonstige Großhandelseinrichtungen
In bestimmten Wirtschaftszweigen gibt es einige Spezialformen des Großhandels, wie z.B. bei Agrarprodukten, wo sogenannte *Aufkaufgroßhändler* mehr Arbeit in die Beschaffung und Zusammenstellung von Produktmengen als in den Verkauf der Produktmengen an Lebensmittelkonzerne oder in den Export stecken. Insbesondere im Getreidehandel sind hier die Handelshäuser Cargill und Bunge (USA), Born (Argentinien) und Dreyfuss (Frankreich) zu international wichtigen Institutionen herangewachsen. Auch im amerikanischen Ölgeschäft spielen Aufkaufgroßhändler eine beachtliche Rolle; sie lagern das von kleineren Produzenten geförderte Öl in ihren Tanks und Verladestationen, um es dann in großen Partien weiterzuverkaufen. Für landwirtschaftliche Erzeugnisse, Fische, Metalle und andere Grundstoffe gibt es außerdem Auktionshäuser, die ebenfalls einen Teil der Großhandelsfunktionen übernehmen.

Ferner sind aus historischer Sicht eine Reihe von genossenschaftlichen Zusammenschlüssen erwähnenswert, nämlich die sogenannten *Warengenossenschaften*, die im vorigen Jahrhundert in einer Reihe von Wirtschaftszweigen wie Landwirtschaft, Handwerk und Einzelhandel als Bezugs- und Absatzgenossenschaften gegründet wurden. So gibt es z.B. den Dachdeckereinkauf, der in genossenschaftlicher Form als Großhändler für die Mitglieder des Dachdeckerhandwerks auftritt. Die meisten dieser Warengenossenschaften haben einen regional beschränkten Tätigkeitsbereich, schließen sich aber gemeinsam mit anderen gleichartigen Warengenossenschaften einer Zentralorganisation an, die übergeordnete Aufgaben wahrnimmt: Warenbeschaffung, insbesondere Import, Erarbeitung einer unternehmenspolitischen Konzeption für die gesamte Gruppe, Beratung der Mitgliedsgenossenschaften, Pflege der Beziehungen zur Öffentlichkeit usw.

Marketingentscheidungen des Großhandels

Großhändler können sich am besten im Wettbewerb behaupten, wenn sie die richtigen Entscheidungen über ihre Zielmärkte, Produktleistung, Preise, Absatzförderung und Standorte fällen. Diese Entscheidungsbereiche werden im folgenden dargelegt.

Zielmarkt
Großhändler müssen ihre Zielmärkte genau definieren und sollten nicht versuchen, alle Märkte zu bedienen. Sie können eine Zielgruppe nach Größe (z.B. nur Großbe-

triebe des Einzelhandels), Kundentyp (z. B. nur Lebensmittel-Nachbarschaftsläden), Serviceerfordernissen (z. B. Kunden mit Finanzierungsbedarf) etc. auswählen. Zielgruppenintern können sie die besten Kunden auswählen, für diese besondere Angebote entwickeln und mit ihnen intensive Geschäftsbeziehungen aufbauen. Sie können die Einführung automatischer Bestellsysteme vorschlagen, Schulungs- und Beratungssysteme für die Kunden einrichten oder sogar die Gründung einer freiwilligen Kette mittragen. Sie können schlechtere Kunden fernhalten, indem sie hohe Mindestauftragsgrößen festlegen oder für Kleinaufträge bestimmte Aufschläge nehmen.

Produktleistung

Das »Produkt« der Großhändler sind ihr Warensortiment und ihre Serviceleistungen. Der Druck auf die Großhändler, ein möglichst vollständiges Sortiment und große Lagerbestände für die sofortige Belieferung der Kunden zu unterhalten, ist groß. Darunter kann die Rentabilität leiden. Heute führen die Großhändler genaue Analysen zur Bestimmung ihrer Produktlinienanzahl durch und konzentrieren ihr Sortiment auf die rentablen Waren und Dienstleistungen. Sie gruppieren ihr Sortiment nach der ABC-Analyse, wobei »A« die rentabelsten Produkte und »C« die am wenigsten rentablen Produkte symbolisiert. Die jeweiligen Lagerbestände werden dann anhand des Deckungsbeitrags und der Umschlagsgeschwindigkeit austariert. [16]

Aus Konkurrenzgründen wird es für jeden Großhändler immer wichtiger, ein klares Serviceangebot zu definieren. Er muß untersuchen, welche Serviceleistungen beim Aufbau intensiver Kundenbeziehungen am wichtigsten sind, und welche man fallenlassen oder sich bezahlen lassen sollte. Entscheidend ist dabei, den Service-Mix zu finden, der den Ansprüchen seiner Kunden am besten entspricht.

In der Pharmabranche baute z. B. die Gehe-AG als erster Konkurrent – neben einer ausgefeilten Warenlogistik – ein auf die Bedürfnisse der Apotheker abgestimmtes Serviceprogramm auf. Zunächst verschickte der Großhändler in monatlichen Abständen einen Katalog mit preisgünstigen Angeboten von frei verkäuflichen Arzneimitteln und Kosmetika in die Apotheken. Als nächstes gab die Gehe-AG den Apothekern Konzepte an die Hand, wie sie mit frei verkäuflichen Waren Umsatzsteigerungen erzielen konnten, um eventuelle Ausfälle bei verschreibungspflichtigen, erstattungsfähigen Waren kompensieren zu können. Daraus entstand ein »Partnerschaftskonzept«, in dessen Rahmen die Gehe-AG ihren Kunden eine Standortanalyse und daraus abgeleitete Beratungsleistungen hinsichtlich Sortimentsgestaltung, Einrichtung und computerunterstützter Produktplazierung anbot. Als weitere Serviceleistung erarbeitete der Grossist Betriebs- und Marktanalysen, aus deren Ergebnissen der Apotheker seine individuelle Erfolgsstrategie entwickeln kann, d. h. er richtet seine Apotheke auf bestimmte Zielgruppen (beispielsweise den älteren, den sportlichen oder den naturbewußten Menschen) aus und richtet sein Sortiment sowie seine Aktivitäten schwerpunktmäßig auf diese Zielgruppe aus. [17]

Preis

Großhändler machen sich die Preisentscheidung einfach, wenn sie zu den Bezugskosten der Ware eine bestimmte Handelsmarge addieren (z. B. 20%), mit der sie ihre Betriebskosten (z. B. 17%) abdecken und eine positive Umsatzrendite (z. B. 3%) erzielen können. Der zunehmende Wettbewerb sorgt jedoch dafür, daß in den meisten Branchen vom Großhandel eine Nettorendite von 1 bis 2% als zufriedenstellend angesehen wird. Aus Wettbewerbsgründen mußten auch die Großhändler bei ihrer Preispolitik von der einfachen Zuschlagskalkulation Abstand nehmen. Sie gestalten ihre Preise bei einigen Produktlinien äußerst flexibel, um wichtige Neukunden gewinnen zu können. Gleichzeitig fordern sie von ihren Lieferanten Sondernachlässe, wenn sie mit reduzierten Preisen und Sonderpreisen den Umsatz steigern können.

Absatzförderung

Im Gegensatz zum Marketing der Hersteller und der Einzelhändler berücksichtigt das Marketing der Großhändler i. d. R. die Instrumente der Absatzförderung bisher nur wenig. Wenn Absatzförderungsmaßnahmen entwickelt und Absatzförderungsziele verwirklicht werden sollen, verlassen sich die Grossisten hauptsächlich auf ihr Verkaufspersonal. Selbst beim Einsatz des Verkaufspersonals und beim Aufbau von Kundenbeziehungen gehen die meisten Großhändler davon aus, daß es ausreicht, wenn ein designierter Verkäufer einen designierten Kunden betreut, anstatt die Beziehungen zu den wichtigsten Kunden mit einem absatzfördernden Verkaufsteam aufzubauen. Großhändler könnten aus dem Einsatz von nicht personenbezogenen Instrumenten der Absatzförderung, wie z. B. handelsgerichtete Werbung, Verkaufsförderungsangebote und Public Relations, größeren Nutzen ziehen, wenn sie ausgewählte Techniken des Einzelhandels anwenden würden. Vielen mangelt es noch an einer Gesamtplanung für ihre Absatzförderungsstrategie, bei der Handelswerbung, Verkaufsförderungsmaßnahmen und PR gezielt und abgestimmt eingesetzt werden. Bei einer Gesamtplanung können sie auch die Verkaufsförderungsmaterialien und -programme ihrer Lieferanten nutzbringend berücksichtigen.

Standort

Großhändler bevorzugen Standorte, in denen die Gewerberaummieten und die Gewerbesteuern niedrig sind. Sie investieren möglichst wenig in Gebäude, Geschäftsausstattung und Büroräume. Sie stehen unter dem Druck, zur Kostensenkung ihre betrieblichen Lager-, Transport- und Bestellsysteme verbessern zu müssen. Der Großhändler muß den Standort so wählen, daß er genügend Platz hat, um die innerbetrieblichen Lager- und Transportbewegungen unter Einsatz der neueren Techniken der Lagerautomatisierung wirtschaftlich durchführen zu können. Zudem muß er um Erweiterungsmöglichkeiten bemüht sein.

Der Standort muß außerdem so gewählt werden, daß er, sofern der Großhändler die Funktionen Lagerung und Transport übernimmt, es erlaubt, die Warenlogistik mit Lieferanten und Kunden effizient und kostengünstig abzuwickeln. Beim Cash-und-Carry-Großhandel ist es wichtig, daß der Standort von den Kunden leicht erreicht werden kann.

Hersteller haben immer die Möglichkeit, den Großhandel entweder ganz oder teilweise zu umgehen oder einen weniger leistungsfähigen Großhändler durch einen dynamischeren zu ersetzen. Sie tendieren zu einem dieser Schritte, wenn ihr Großhändler, bezogen auf seine Produktleistung, zu teuer wird, und wenn sie eine wirtschaftlichere Möglichkeit sehen, die vom Großhändler erbrachte Leistung zu verwirklichen.

Trends im Großhandel

Die vom Großhändler zu erbringende Leistung ändert sich mit seinem Umfeld, d.h. sie wird durch die dynamischen Entwicklungen im Einzelhandel und in der Industrie geprägt. Wenn z.B. im Lebensmittelhandel der Nachbarschaftsladen und die Fachgeschäfte gegenüber den Filialisten, Supermärkten und Fachmärkten Umsätze einbüßen, so leiden darunter auch die Betriebe des Lebensmittelgroßhandels, die die Nachbarschaftsläden und Fachgeschäfte bedienen. Wenn die Einzelhändler größer werden – und dies trifft insbesondere auf die Verbrauchermärkte zu –, dann sind sowohl der Einzelhändler als auch der Hersteller versucht, den Großhändler zu umgehen und direkt miteinander zu verhandeln. Zudem wird insbesondere im Lebensmittelhandel die Selektions- und Distributionsfunktion, die früher der Großhandel für den Einzelhandel erfüllte, von den Großbetriebsformen des Einzelhandels und von den Zentralen der Filialisten und Kettenunternehmen übernommen. Die verbleibenden Einzelhändler schließen sich Einkaufskooperationen an und werden von den Zentralen dieser Organisationen bedient, die dann die Großhandelsfunktion wahrnehmen. Auch Großhersteller etablieren sich als Großhändler, indem sie ihr Angebot mit Produkten anderer Hersteller ergänzen.

So ist der Großhändler ständig in Gefahr, seine Rolle als »Kaufmann zwischen Kaufleuten» einzubüßen. Er muß also rechtzeitig erkennen, welche Trends in seinem Umfeld ihn beeinflussen und wie er mit seiner Marketingpolitik darauf eingehen kann. Die negativen Einflüsse des Umfeldes bekam insbesondere der regionale Elektro-Großhandel zu spüren. Seine traditionelle Kundschaft waren der Elektro-Facheinzelhandel, Kaufhäuser und Verbrauchermärkte mit ihren Elektroabteilungen; aber auch größere Elektrofachmärkte und Filialisten lenkten einen größeren Teil der Endnachfrage nach Elektrogeräten auf sich und kauften aufgrund ihrer größeren Umsätze nicht über den Elektrogroßhandel, sondern direkt von den Herstellern ein, die ihnen günstige Konditionen einräumten. Im Gegenzug versuchten die Elektro-Facheinzelhändler, durch Einkaufskooperation ihre Existenz zu sichern. Sie ließen ihre Einkaufskooperationen, wie z.B. Interfunk, den größten Teil des Einkaufs übernehmen, um bei größeren Abnahmemengen entsprechende Preisvorteile von den Herstellern herauszuholen. Zudem verlor der Elektrogroßhandel bei bestimmten Elektrogeräten, wie z.B. Elektroküchengeräten, an Gewicht, da sich die Anwendungsart der Geräte und damit die Vertriebswege total veränderten. Elektroküchengeräte wurden größtenteils nicht mehr als Einzelgeräte, sondern als Bestandteil von Einbauküchen verkauft, und zwar nicht über den Elektroeinzelhandel, sondern über Küchenfachgeschäfte und Einrichtungshäuser, die direkt vom Hersteller bezogen. Seit 1980 mußte deshalb etwa die Hälfte der Elektrogroßhandlungen schließen. Die verbleibenden Großhändler wandelten sich größtenteils vom Vollsortimenter, der früher das gesamte Spektrum elektrischer und elektronischer Produkte betreute, zum Spezialisten, der insbesondere Handwerker mit Elektroinstallationsmaterial belieferte und diese Handwerker, die vor allem auf dem Lande zusätzlich einen kleinen

Laden – also ein Einzelhandelsgeschäft – unterhielten, mit konsumnahen Teilsortimenten bediente. Sie beziehen jetzt ihre Waren nicht von Universalherstellern, wie z.B. der Firma Siemens, die selbst als Großhändler auftritt und ihr Sortiment mit Fremdprodukten vervollständigt hat. Sie verkaufen vielmehr die Produkte vieler kleiner Hersteller der Installationstechnik, wo jeder einzelne auf bestimmte Produkte, z.B. Schalter, Installationsrohre, Kanäle und Sicherungsmaterial, spezialisiert ist. Für die kleinen Hersteller lohnt es sich nicht, die vielen kleinen Handwerksbetriebe direkt zu beliefern, und die Handwerksbetriebe müssen nicht mit mehreren hundert Herstellern in Kontakt treten, um das benötigte Material schnell und zuverlässig zu erhalten.

Flexible Großhandelsbetriebe sind durchaus in der Lage, sich den Marktgegebenheiten anzupassen und Wachstumschancen zu suchen. In der Baubranche z.B. haben sich viele Großhändler mit einer breit angelegten Servicestrategie auf das Handwerk konzentriert und gleichzeitig ihre Beziehungen zum Endverbraucher intensiviert. Da sich der Endverbraucher bei einem Handwerker, dem er Bauaufträge erteilt, kein Bild von der Vielfalt der Warenangebote machen kann, richten beispielsweise manche Sanitärgroßhändler eine ständig aktualisierte »Fachausstellung Bad« ein, in denen sich die Endverbraucher informieren und beraten lassen können. In der Bundesrepublik gibt es etwa 750 dieser Sanitärausstellungen, die auf einer Fläche von beinahe einer halben Million qm rund 12.000 komplett aufgebaute Bäder präsentieren.[18] Der Endverbraucher informiert sich damit zwar beim Großhändler und kann dort auch ein Angebot zu Endpreisen erhalten, kann es jedoch nicht direkt beziehen. Zur Montage wird das Handwerk eingeschaltet. Damit macht der Großhändler praktisch das Marketing für den Installateur und für sich selbst.

Insgesamt hat sich in der Bundesrepublik der Großhandel in den letzten 30 Jahren – bei nahezu stetigem Wachstum – behaupten können, auch wenn im Vergleich zum Einzelhandel und zur Industrie das Umsatzwachstum im Großhandel geringer ausfiel (vgl. Tabelle 19–2). Verschiedene Umfeldeinflüsse haben zum Wachstum im Großhandel geführt. So wird der Großhandel z.B. dadurch begünstigt,

Tabelle 19-2
Umsatzentwicklung in Industrie, Großhandel, Einzelhandel und Handwerk (Bundesrepublik Deutschland)

a) Umsätze [Mrd. DM]

Jahr	Industrie	Großhandel	Einzelhandel	Handwerk
1960	266	186	88	81
1970	588	302	187	186
1980	1197	691	417	374
1990	1824	941	667	441

b) Umsatzveränderungen [%]

Zeitraum	Industrie	Großhandel	Einzelhandel	Handwerk
1960–90	685	506	701	340
1970–90	310	312	357	237
1980–90	152	136	160	118

Quellen: Statistisches Bundesamt, Institut der Deutschen Wirtschaft, Zentralverband des Deutschen Handwerks, eigene Berechnungen.

daß die Spezialisierung der industriellen Produktion zunimmt und Organisationen, die sich auf bestimmte Zwischenstufen im Produktionsprozeß spezialisieren, bei der Vermarktung ihrer Produkte Großhändler einsetzen. Mit der Spezialisierung werden mehr Einheiten des gleichen Produkts hergestellt, die abzusetzen sind, und der Abstand zu den Kunden sowie auch zu den Lieferanten der Vorproduktionsstufe wächst. Im Zuge dieser Entwicklung fand beim Großhandel – ebenso wie beim Einzelhandel und bei den Produzenten – eine Konzentrationsbewegung statt, wobei die kleineren Großhändler immer mehr Marktanteile verloren und zahlenmäßig weniger wurden, während besonders tüchtige Großhändler mit den richtigen Konzepten und dem richtigen Marketing mehr Umsatz erzielten.

Insbesondere der Produktionsverbindungsgroßhandel hatte in geringerem Maße Anteil an der dynamischen Entwicklung der deutschen Volkswirtschaft.[19] Der Produktionsverbindungshandel, also der »Händler zwischen Herstellern«, muß besonders hart daran arbeiten, seine Geschäftsbeziehungen zu den Herstellern und seine Leistungen für die Hersteller zu verbessern. Narus und Anderson untersuchten, was erfolgreiche Produktionsverbindungshändler für die Gestaltung ihrer Geschäftsbeziehungen mit den Herstellern unternahmen:[20]

1. Sie trafen mit den Herstellern klare Absprachen darüber, welche Funktionen sie innerhalb des Distributionssystems zu erfüllen hatten.
2. Sie besuchten die Fertigungsstätten der Hersteller und nahmen an Verbandstagungen und Fachmessen teil und verschafften sich damit Einblick in die Bedürfnisse der Hersteller.
3. Sie erfüllten ihre Umsatzzusagen, sorgten für den Absatz der geplanten Mengen, bezahlten pünktlich und versorgten ihre Lieferanten mit Kundeninformationen.
4. Sie stellten fest, welche Serviceleistungen den meisten Wert hatten und boten diese Leistungen zur Unterstützung ihrer Lieferanten an.

Exkurs 19-3: Basisstrategien von leistungsfähigen Großhändlern

McCammon, Lusch und Mitautoren untersuchten 97 Großhändler, die sich durch hohe Leistung auszeichneten, um herauszufinden, mit welchen Basisstrategien sich die Erfolgreichen auf Dauer ihre Wettbewerbsvorteile erarbeiteten. Die Untersuchung zeigte die folgenden zwölf Basisstrategien auf, die allesamt eine Umstrukturierung beinhalten:

1. *Geschäftszusammenschlüsse und Erweiterung durch Aufkauf:* Mehr als ein Drittel der untersuchten Großhändler erweiterten ihr Geschäft durch Zusammenschlüsse oder Aufkauf, um gezielt in neue Märkte vorzudringen, ihre Stellung im eigenen Markt zu festigen bzw. gezielt zu diversifizieren oder vertikal zu integrieren.
2. *Umstrukturierung der Aktiva:* 20 der 97 Großhändler verkauften oder lösten einen oder mehrere Geschäftsbereiche mit marginal operativen Ergebnissen auf, um ihr Basisgeschäft zu stärken.
3. *Unternehmensdiversifikation:* Mehrere Großhändler diversifizierten ihr Portfolio an Geschäftsfeldern, um so zyklischen Einflüssen in geringerem Maße ausgesetzt zu sein.
4. *Vorwärts- und Rückwärtsintegration:* Mehrere Großhändler verstärkten den Grad ihrer vertikalen Integration, um ihre Deckungsbeitragsspannen zu erhöhen. Manche integrierten nach vorn in den Einzelhandel, und andere nach rückwärts in die Produktion.

5. *Einsatz von Hausmarken:* Jeder Dritte der Großhändler erweiterte sein Programm an Hausmarken.
6. *Expansion in internationale Märkte:* 26 Großhändler bauten ihr Geschäft auf multinationaler Basis auf und planten eine verstärkte Teilnahme am europäischen und ostasiatischen Markt.
7. *Serviceleistungen mit Wert im Markt:* Die meisten Großhändler vergrößerten den Umfang an Serviceleistungen mit Wert im Markt. Dazu gehörten Vorzugsbelieferung, kundenspezifische Verpackung und computergestützte Informationssysteme. So richtete z.B. McKesson, ein größerer Pharmagroßhändler, eine direkte Computervernetzung mit 32 Pharmaherstellern ein, etablierte ein computerisiertes Debitorenprogramm für die Apotheken und schloß die Computerterminals von Drogerien an sein Netz an, damit sie ihre Warenbestände durch Nachbestellungen per Computer bewirtschaften konnten.
8. *Programmierte Verkaufssysteme:* Die Mehrzahl der Großhändler stellte ihren Kunden vorbereitete Merchandising-Programme zur Verfügung und verengten dadurch die Liefermöglichkeiten von konkurrierenden Großhändlern, die lediglich als Regalauffüller auftraten.
9. *Strategien des »neuen Spiels«:* Einige Großhändler fanden neue Kundengruppen und erarbeiteten für sie neue Merchandising-Programme.
10. *Nischenstrategie:* Einige Großhändler spezialisierten sich auf bestimmte Produktkategorien, die sie in großer Tiefe bevorrateten, und boten darüber hinaus ein hohes Maß an Serviceleistungen und schnelle Auslieferung, um insbesondere Marktsegmente zufriedenzustellen, die von größeren Wettbewerbern vernachlässigt wurden.
11. *Multiplex-Marketing:* Multiplex-Marketing liegt vor, wenn ein Unternehmen gleichzeitig mehrere Marktsegmente auf kostengünstige und wettbewerblich überlegene Art bedient. Mehrere Großhändler ergänzten ihre Basissegmente um neue Segmente, um damit Größenvorteile zu erzielen und Wettbewerbstärke zu gewinnen. Insbesondere Großhändler im Pharmabereich schufen zusätzlich zu ihrem Basisgeschäft mit Krankenhäusern weitere Programme für behandelnde Ärzte, Apotheken und Gesundheitsvorsorgeeinrichtungen.
12. *Neue Logistiktechnologien:* Die leistungsstarken Großhändler verbesserten ihr Betriebssystem durch Computerisierung der Auftragseingabe und Lagerbestandskontrolle sowie durch Lagerautomatisierung. Zudem werden in zunehmendem Maße die Werkzeuge des Direkt-Marketing und Tele-Marketing genutzt.

Quelle: Vgl. Bert McCammon, Robert F. Lusch, Deborah S. Coykendall und James M. Kenderdine: *Wholesaling in Transition*, Norman University of Oklahoma, College of Business Administration, 1989.

Warenlogistik

Hersteller und Anbieter stützen sich oft auf die Dienste von Spezialunternehmen der Warenlogistik, um ihre Waren an günstigen Stellen zu bevorraten und von dort aus zu versenden, so daß sie den Kunden sowohl rechtzeitig als auch am gewünschten Ort erreichen. Wenn der Anbieter ein leistungsfähiges Warenverteilungssystem mit guten Entscheidungsregeln einrichtet, so hilft ihm das, Kunden zu gewinnen und zufriedenzustellen. Wir befassen uns deshalb mit dem Wesen, der Zielsetzung und den Teilkomponenten der Warenlogistik.

Wesen der Warenlogistik

Zur Warenlogistik gehören die Planung, Durchführung und Kontrolle der physischen Bewegung von Materialien und Endprodukten vom Ursprungsort zum Verwendungsort, um den Bedarf der Kunden gewinnbringend befriedigen zu können.

Zur Durchführung der Warenlogistik gehören viele Teilaufgaben, die in Abbildung 19–2 veranschaulicht werden. Die Absatzprognose ist der Logistikplanung vorgeordnet. Nach ihr richten sich auch die Durchführungspläne für die Warenversorgung und die Lagerbewirtschaftung. Aus dem Warenversorgungsplan ergeben sich die Beschaffungserfordernisse, gefolgt von der Beschaffung der Waren, die antransportiert werden und über die Warenannahme in die Lagerbewirtschaftung einfließen. Die Lagerbewirtschaftung spielt die Rolle eines Puffers zwischen der Auftragsbearbeitung (Kundenbestellungen) und der Warenversorgung des Unternehmens. Die Auftragsbearbeitung führt zum Abbau der Warenbestände, und die Warenversorgung baut sie wieder auf. Bestellte Waren laufen über die Verpackungsabteilung in das Warenausgangslager. Dort werden sie verladen und in ein Außenlager abtransportiert; von dort wird dann die Auslieferung als Teil der Dienstleistungen am Kunden vollzogen.

Die Warenlogistik ist sowohl für einzelne Unternehmen als auch gesamtwirtschaftlich für eine Branche ein beachtlicher Kostenblock. Im Durchschnitt betragen die Kosten der Warenlogistik für das einzelne Unternehmen in der Bundesrepublik etwa 8 bis 9% des Umsatzes. Aus Sicht einer ganzen Branche liegen die Logistikkosten für den Weg vom Produzenten über Großhändler und Einzelhändler bis hin zum Konsumenten erheblich höher – zwischen 10% für Maschinen und 31% in der Nahrungsmittelbranche. [21]

Die Warenlogistik ist jedoch nicht nur ein Kostenblock, sondern auch ein strategisches Instrument, um auf hart umkämpften Märkten der Konkurrenz voraus zu sein. Der Einfluß der Logistik auf die Wettbewerbsfähigkeit eines Unternehmens wird insbesondere in Europa im Zuge des schrittweisen Ausbaus des gemeinsamen Marktes stark zunehmen. Durch besseren Service oder niedrigere Logistikkosten aufgrund von Verbesserungen im Logistik-System können die Unternehmen Kunden gewinnen. Sie verlieren hingegen Kunden, wenn sie die benötigte Ware nicht pünktlich liefern.

Abbildung 19-2
Schema zu den Teilaufgaben der Warenlogistik

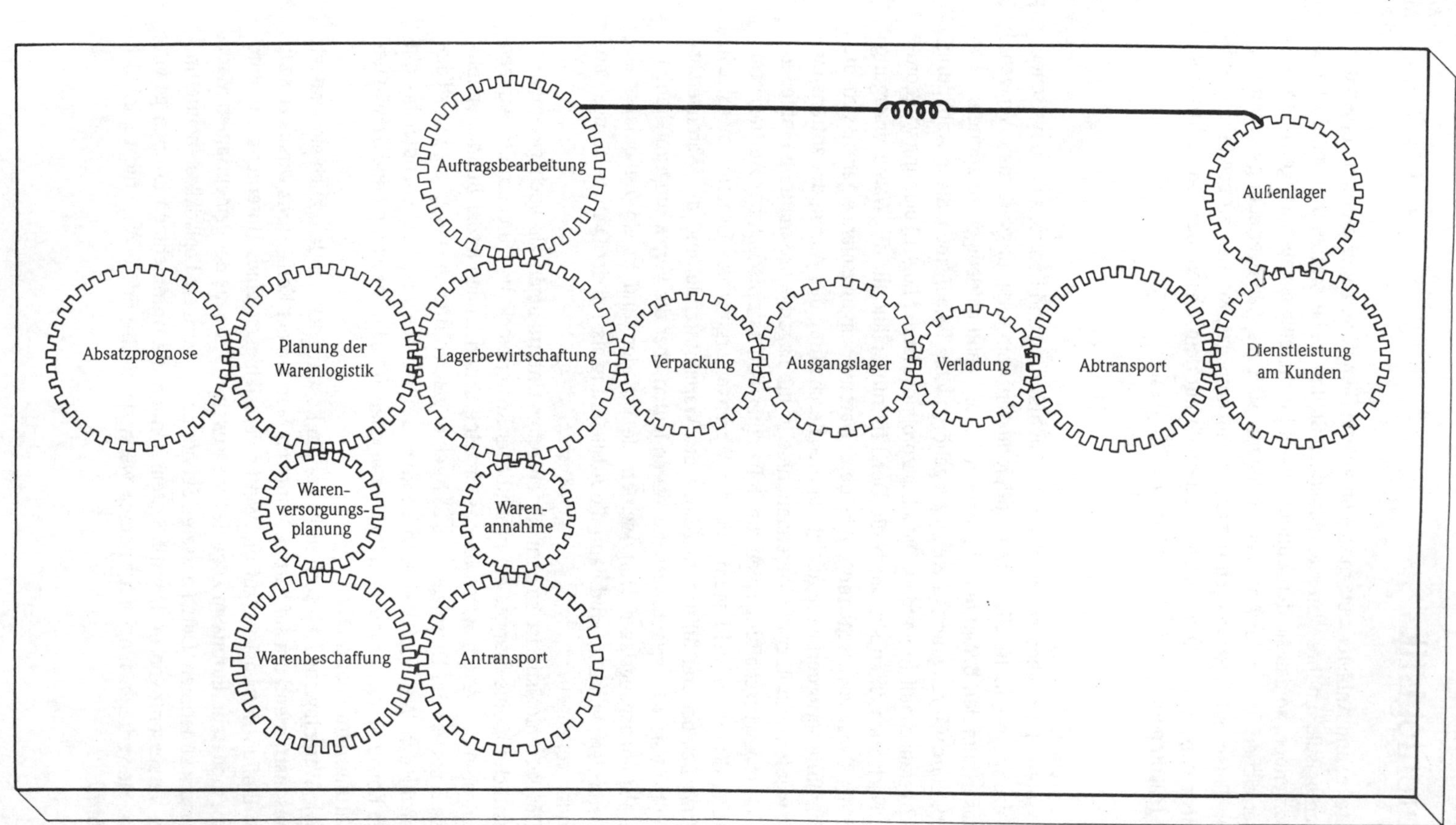

Quelle: Abgewandelt nach Vendell M. Stewart: »Physical Distribution: Key to Improved Volume and Profits«, in: *Journal of Marketing*, Januar 1965, S. 66.

Viele Unternehmen formulieren die Zielsetzung für ihre Warenlogistik wie folgt: *Die Warenlogistik hat dafür zu sorgen, daß das richtige Produkt zur gewünschten Zeit bei geringstmöglichen Kosten zum gewünschten Ort gelangt.*

Zielsetzung der Warenlogistik

Leider setzt diese Formulierung keine Führungs- und Bewertungsmaßstäbe. Kein Warenlogistik-System kann gleichzeitig die Dienstleistung am Kunden maximieren und die Distributionskosten minimieren. Maximale Dienstleistung am Kunden erfordert in der Regel große Lagerbestände, schnelle und teure Transportmittel und ein weitläufiges Netz von Lagerstandorten. Dies führt zu erhöhten Kosten. Minimale Distributionskosten dagegen werden durch billigen Transport, niedrige Lagerbestände und ein beschränktes Netz von Lagerstandorten erreicht.

Die Logistikkosten und die Logistikergebnisse sind oft gegenläufig wirkende Komponenten, wie einige Beispiele zeigen:

Der Bahnversand ist in vielen Fällen billiger als der Haus-zu-Haus-Transport per Lastwagen. Da der Bahnversand jedoch in der Regel länger dauert, bindet er Betriebskapital in Form von Fertigwaren, bewirkt, daß die Kunden bestellte Waren später bezahlen und führt in einigen Fällen dazu, daß die Kunden von einem Wettbewerber kaufen, der sie mit einem schnelleren Transportmittel beliefert.

Um Versandkosten zu sparen, werden Fertigwaren in billige Behälter geladen. Dies führt vermehrt zu beschädigter Ware und unzufriedenen Kunden.

Die Kosten der Lagerbewirtschaftung werden durch niedrige Lagerbestände und kleine Lager verringert. Dies beeinträchtigt jedoch die Lieferfähigkeit, führt zu Lieferrückständen, vermehrt die Auftragsabwicklungsarbeit und erfordert eventuell eine teure Produktion per Spezialauftrag oder teure Eilfrachtsendungen.

Bei der strategischen Zielsetzung für die Warenlogistik muß man abwägen, wo der Schnittpunkt gegenläufig wirkender Komponenten liegen soll, so daß das beste Logistiksystem für den Zielmarkt entsteht. Daraus ergibt sich der Gesamtrahmen für das Logistik-System.

Zur Gestaltung des Logisitik-Systems gehört die Analyse der Abnehmerwünsche und Konkurrenzangebote. Der Abnehmer ist an mehreren Dingen interessiert: an pünktlicher Lieferung, Lieferbereitschaft in Notfällen, sorgfältigem Umgang mit der Ware, Rücktransport beschädigter Ware mit schneller Ersatzlieferung und Bereitschaft zur Vorratshaltung durch den Anbieter. Dann muß die Bedeutung dieser Teilaspekte bei den Logistikdiensten berücksichtigt werden.

Bei der Festlegung der eigenen Logistikdienste muß das Unternehmen auch das Niveau dieser Dienste bei den Konkurrenten berücksichtigen. Normalerweise wird es zumindest ein ebenso hohes Serviceniveau wie die Konkurrenten bieten wollen. Wenn der Bewertungsmaßstab Gewinnmaximierung und nicht Absatzmaximierung lautet, dann müssen auch die Kosten für ein höheres Serviceniveau berücksichtigt werden. Einige Unternehmen bieten bei niedrigeren Preisen weniger Service, während andere mehr Serviceleistungen als die Konkurrenten bieten, andererseits aber auch höhere Preise nehmen, die den höheren Wert für den Kunden und die höheren Kosten berücksichtigen. Beide Konzepte richten sich an unterschiedliche Kundensegmente.

Mit der strategischen Zielsetzung sollten operative Bewertungsmaßstäbe vorgegeben werden. Bei einem Haushaltsgerätehersteller sahen diese Vorgaben wie folgt aus: Auslieferung von mindestens 95% aller Händlerbestellungen innerhalb von sieben Tagen nach Auftragseingang; Erfüllung der Händlerbestellungen mit einem Genauigkeitsgrad von 99%; Beantwortung von Händleranfragen zum Fortschritt bei der Ausführung der Lieferung – z. B. dazu, wo sich die Ware zur Zeit im Logistik-System befindet – innerhalb von drei Stunden; Transportschadensquote höchstens 1%.

Bei vorgegebener Zielsetzung kann das Unternehmen ein Logistik-System entwikkeln, in dem die Kosten für die Verwirklichung dieser Zielsetzungen minimiert werden. Für jede mögliche Variante des Logistik-Systems ergeben sich die Gesamtdistributionskosten aus folgender Formel:

$$D = T + FL + VL + O \qquad (19\text{–}1)$$

Dabei bedeuten:
D = Gesamtdistributionskosten des vorgesehenen Logistik-Systems
T = Gesamttransportkosten im vorgesehenen Logistik-System
FL = gesamte fixe Lagerkosten im vorgesehenen Logistik-System
VL = gesamte variable Lagerkosten (einschließlich Lagerbestände) im vorgesehenen Logistik-System
O = Opportunitätskosten für entgangene Umsätze aufgrund des durchschnittlichen Lieferverzugs bei Einsatz des vorgesehenen Logistik-Systems.

Um das Logistiksystem optimal auslegen zu können, sollten alle Kostenkomponenten der unterschiedlichen Systemvarianten ermittelt und die Variante mit den geringsten Gesamtkosten ausgewählt werden. Selbst wenn die Opportunitätskosten für entgangene Umsätze für die Systemvarianten nicht zu ermitteln oder abzuschätzen sind, so sollte das Unternehmen doch versuchen, das vorgegebene Ziel an Logistikleistung so zu erreichen, daß die Summe der Kosten aus den ersten drei Komponenten von Formel 19–1 möglichst gering ist.

Als nächstes wollen wir uns mit Entscheidungen zu den folgenden Fragen und Komponenten des Logistik-Systems befassen:

1. Wie sollen die eingehenden Bestellungen bearbeitet werden (*Auftragsabwicklung*)?
2. Wo soll Lager eingerichtet werden (*Lagereinrichtung*)?
3. Wie groß sollen die Warenvorräte sein (*Lagerbestandshaltung*)?
4. Wie soll die Ware ausgeliefert werden (*Transport*)?

Auftragsabwicklung

Jeder Vorgang in der Warenlogistik wird durch einen Kundenauftrag ausgelöst. Die Auftragsabteilung dokumentiert den Auftrag in mehrfacher Ausfertigung anhand eines Formulars, das an nachgeordnete Abteilungen weitergeleitet wird. Artikel, die nicht auf Lager sind, werden nachbestellt. Lieferungen werden mit den erforderlichen Versand- und Abrechnungspapieren versehen, und Kopien dieser Papiere gehen an weitere zuständige Abteilungen.

Rationalisierungsstudien (z. B. Refa- oder Workfaktor-Methoden) können dazu beitragen, die Auftragsabwicklung in verkürzter Zeit durchzuführen. In diesen Studien wird u. a. folgendes untersucht: Welche Arbeitsstufen gibt es bei der Auftragsabwicklung? Wie schnell kann die Kundenbonität überprüft werden? Wie funktioniert das Lagerbestandsmeldesystem und wieviel Zeit nimmt ein Meldevorgang in Anspruch?

Zu welchem Zeitpunkt wird die Lagernachbeschickung veranlaßt? Wie schnell wird dem Verkaufsmanager eine Übersicht der laufenden Auftragseingänge vorgelegt?

Unternehmen und Kunde profitieren davon, wenn jeder Vorgang zügig und präzise abgewickelt wird. Im Idealfall reichen die Verkäufer die erhaltenen Aufträge jeden Abend per Computer ein. Die Auftragsabteilung bearbeitet die eingehenden Bestellungen unverzüglich, das Auslieferungslager versendet die Ware so schnell wie möglich, und auch die Fakturierung erfolgt schnellstens. Dieser Auftrags-, Versand- und Fakturierungszyklus wird durch den Einsatz von Computern beschleunigt. Dazu drei Beispiele:

Der Pharma-Großhändler Gehe-AG verfügt über eine hochmoderne Auftragsabwicklung. Etwa 45.000 Auftragspositionen sind dem Lager täglich zu entnehmen. Etwa 80% aller täglich zu bearbeitenden Aufträge konzentrieren sich auf einen Zeitraum von weniger als vier Stunden, in denen sie auch abgearbeitet werden müssen. Um für jeden Kunden die von ihm bestellten Auftragspositionen zusammenzustellen, setzt das Unternehmen automatische Kommissionieranlagen ein, in die die computerunterstützten Bestellungen elektronisch eingegeben werden. Die Positionen der einzelnen Bestellungen werden rechnergestützt mit einer Geschwindigkeit von fünf Stück pro Sekunde auf ein innenlaufendes Band ausgeworfen, das die auftragsbezogene Ware jedes Kunden in die jeweiligen Versandbehälter füllt, so daß jede bestellende Apotheke schnellstens versorgt werden kann.

Die Volkswagen-AG beschleunigt mit ihrem rechnergestützten Bürokommunikationssystem »Newada« (Neuwagendispositions- und Abwicklungssystem) die Auftragsabwicklung im Neuwagenvertrieb, indem die Auftragsabwicklung nach vorn auf die 1.658 VW-Händler verlagert wird. Die Händler sind via Datex-P und zwölf Vertriebsrechenzentren on-line in den gesamten VW-Systemverbund integriert. Dadurch können im Idealfall Aktivitäten wie Bestellung, Bestätigung, Lieferung und Rechnungslegung automatisch erfolgen, so daß die VW-Auftragsabteilung lediglich zur Lösung von Sonderproblemen einbezogen wird.

General Electric (USA) verfügt über ein computergesteuertes Auftragsabwicklungssystem, das nach Erhalt einer Kundenbestellung die Bonität des Kunden überprüft und feststellt, ob und wo die benötigten Artikel auf Lager sind. Der Computer erstellt einen Versandauftrag und die Rechnung, benachrichtigt die Lagerdatei, erteilt der Produktion Aufträge zur Lagerauffüllung und meldet dem Vertrieb, daß die Ware an den Kunden unterwegs ist – und all dies in weniger als 15 Sekunden.

Lagereinrichtung

Fast jedes Unternehmen muß Waren lagern, die zum Verkauf bereitstehen. Die Einrichtung von Lagern ist erforderlich, da Produktions- und Verbrauchsmengen in der Regel nicht synchron verzahnt sind. Insbesondere die Produktion landwirtschaftlicher Produkte ist saisonal gebunden, während Verbrauch und Nachfrage ständig vorhanden sind. Durch die Einrichtung von Lagern wird ermöglicht, die Mengendiskrepanz und die zeitliche Diskrepanz zwischen Angebot und Nachfrage zu überbrükken.

Das Unternehmen muß entscheiden, wie viele Lagerstandorte es einrichten will. Viele gut verteilte Lager machen eine schnellere Belieferung des Kunden möglich, bedeuten aber auch höhere Lagerhaltungskosten. Bei der Entscheidung über Lage und Anzahl der Lagerstandorte muß das Unternehmen abwägen, wie sich dadurch das Kundendienstniveau und die Distributionskosten verändern.

Ein Teil der Warenbestände kann am Produktionsort gelagert werden. Der Rest kann auf günstig gelegene Standorte verteilt werden. Das Unternehmen verfügt entweder über *Eigenlager* oder mietet Lagerraum in *Fremdlagern* an. Die Kontrollmöglichkeiten sind bei Eigenlagern größer, andererseits binden sie Kapital und reduzieren die Flexibilität in der Standortverlagerung. Fremdlager erheben Gebühren für den angemieteten Lagerraum und bieten (gegen Entgelt) zusätzliche Serviceleistungen: Wareninspektion, Kommissionierung, Verpackung, Versand und Fakturierung. Bei der Fremdlagerung hat das Unternehmen eine große Auswahl an Standorten und Lagerhaustypen, wie spezielle Kühl- oder Rohstofflager etc.

Je nach Zweck der Lagerhaltung unterscheidet das Unternehmen zwischen *Aufbewahrungslagern* und *Auslieferungslagern.* Im *Aufbewahrungslager* werden Waren mittel- und langfristig eingelagert, bis sie gebraucht werden. Das *Auslieferungslager* dient der kurzfristigen Zwischenlagerung der Ware auf dem schnellstmöglichen Weg vom Hersteller zum Abnehmer. Auslieferungslager sind insbesondere dann wirtschaftlich, wenn dort die Waren aus mehreren Produktionsstätten und von mehreren Lieferanten in wirtschaftlichen Liefergrößen zusammenfließen und kleinere Bestellmengen der Kunden bei diesen Waren zu einer größeren Lieferung zusammengefaßt werden. Dies ist wirtschaftlicher als jedem Kunde die Waren jedes Herstellers in kleineren Mengen direkt anzuliefern.

Die Lagerhäuser selbst werden zunehmend automatisiert, um Kosten zu sparen und den Lagerbetrieb, insbesondere die Kommissionierung – d.h. die Zusammenstellung verschiedener Waren in Erfüllung von Kundenaufträgen – wirtschaftlicher und zuverlässiger zu gestalten. Ein Computer erfaßt die Aufträge, dirigiert Förderfahrzeuge und elektrische Hebe- und Greifvorrichtungen, sorgt für die anschließende Weiterbeförderung der Ware zu den Verladerampen und erstellt die Rechnungen. Damit konnten die Zahl der Arbeitsunfälle, die Personalkosten sowie die Zahl der Diebstähle und Beschädigungen vermindert und die Lagerbestandskontrolle verbessert werden.

Lagerbestandshaltung

Eine weitere Logistikentscheidung mit Auswirkungen auf die Kundenzufriedenheit betrifft die Lagerbestände. Der Vertrieb würde es gern sehen, wenn das Unternehmen so umfangreiche Warenvorräte unterhalten würde, daß es immer sofort lieferbereit wäre. Die dazu benötigten Lagerbestände wären in der Regel jedoch zu teuer. Wenn die Lieferbereitschaft erhöht werden soll, so wachsen in der Regel die Lagerhaltungskosten mit jedem Prozentpunkt, um den das Unternehmen der 100%-Marke näherkommt, überproportional an. Um das günstigste Niveau der Lieferbereitschaft festzulegen, muß das Management abschätzen, inwieweit sich Umsatz und Gewinn steigern lassen, wenn man den Kunden schnellere Lieferzeiten verspricht und damit größere Lagerbestände unterhält.

Bei der Lagerbestandshaltung gibt es zwei wichtige Entscheidungen – wann nachbestellt werden soll und welche Mengen nachbestellt werden sollen. Wird eine gewisse Bestandsmenge unterschritten, muß nachbestellt werden, d.h. der *Bestell-*

punkt ist erreicht. Ein Bestellpunkt von 20 heißt z.B., daß die Bestellung aufgegeben wird, sobald der Bestand auf 20 Stück fällt. Der Bestellpunkt sollte erhöht werden, wenn die Vorlaufzeiten zur Ausführung der Bestellung länger werden, wenn sich der Abfluß beschleunigt und wenn die Lieferbereitschaft erhöht werden soll. Wenn Vorlaufzeit und Warenabfluß stark schwanken, sollte der Bestellpunkt ebenfalls erhöht werden, und zwar um einen bestimmten festzulegenden *Sicherheitsbestand.* Bei der Festlegung des Bestellpunkts müssen sowohl die Lieferbereitschaft als auch die Kosten der Bestandshaltung berücksichtigt werden.

Die zweite wichtige Entscheidung bei der Lagerbestandshaltung ist die Größe der *Bestellmenge.* Ist die Bestellmenge groß, so muß weniger oft bestellt werden. Das Unternehmen muß dabei das Optimum zwischen Auftragsabwicklungskosten und Lagerhaltungskosten finden. Bei Produktionsunternehmen gehören zu den Auftragsabwicklungskosten die *Rüstkosten* und die *Bearbeitungskosten* für den bestellten Artikel. Wenn die Rüstkosten gering sind, kann der Hersteller den betreffenden Artikel öfter und im wesentlichen zu den Bearbeitungskosten herstellen. Wenn die Rüstkosten hoch sind, kann der Hersteller die durchschnittlichen Stückkosten durch lange Produktionschargen und höhere Lagerbestände senken, d.h. in diesem Fall müssen die Bestellmengen größer bleiben.

Die Auftragsabwicklungskosten sind mit den Lagerhaltungskosten abzugleichen. Je größer die durchschnittliche Lagerbestandsmenge, desto höher sind die Lagerbestandskosten. Dazu zählen Lagergebühren, Kapitalkosten, Steuern und Versicherungen sowie Abschreibungen und Kosten aus der Bestandsveralterung. Die Lagerhaltungskosten können bis zu 30% des Lagerwerts betragen. Daher müssen Marketingverantwortliche, die höhere Lagerbestände fordern, der Unternehmensleitung vorrechnen können, daß eine Bestandserhöhung zu einem Zuwachs des Bruttogewinns führt, der die Erhöhung der Lagerhaltungskosten übersteigt.

Die *optimale Bestellmenge* kann festgelegt werden, indem man berechnet, wie sich die Auftragsabwicklungskosten und die Lagerhaltungskosten verändern, wenn die Höhe der Bestellmenge variiert wird. Abbildung 19–3 zeigt in graphischer Form ein allgemeines Schema der hier zugrundeliegenden Zusammenhänge. Die Auftragsabwicklungskosten pro Stück vermindern sich bei größeren Bestellmengen, da in diesem Fall z.B. die Rüstkosten über größere Stückzahlen verteilt werden. Die Lagerhaltungskosten pro Stück nehmen bei größeren Bestellmengen zu, da dann im Durchschnitt jedes Stück längere Zeit im Lager verbleibt. Die Kurve der Gesamtkosten zeigt, bei welcher Bestellmenge die Gesamtkosten am niedrigsten sind, nämlich bei der optimalen Bestellmenge Q^*. [22]

Das zunehmende Interesse an der *Just-in-time-Produktion* (JIT) wird auch Einfluß auf die Lagerbestandsplanung der Unternehmen haben, die andere Produktionsbetriebe beliefern. Just-in-time-Produktion beinhaltet die möglichst fertigungssynchrone Belieferung des Produktionsbetriebs mit den benötigten Materialien und Teilen. Unter der Voraussetzung, daß die Lieferanten zuverlässig sind, kann der Hersteller seine Lagerbestände beträchtlich abbauen und trotzdem die Auftragserfüllungserfordernisse des Kunden einhalten.

Abbildung 19-3
Graphische Ermittlung der optimalen Bestellmenge

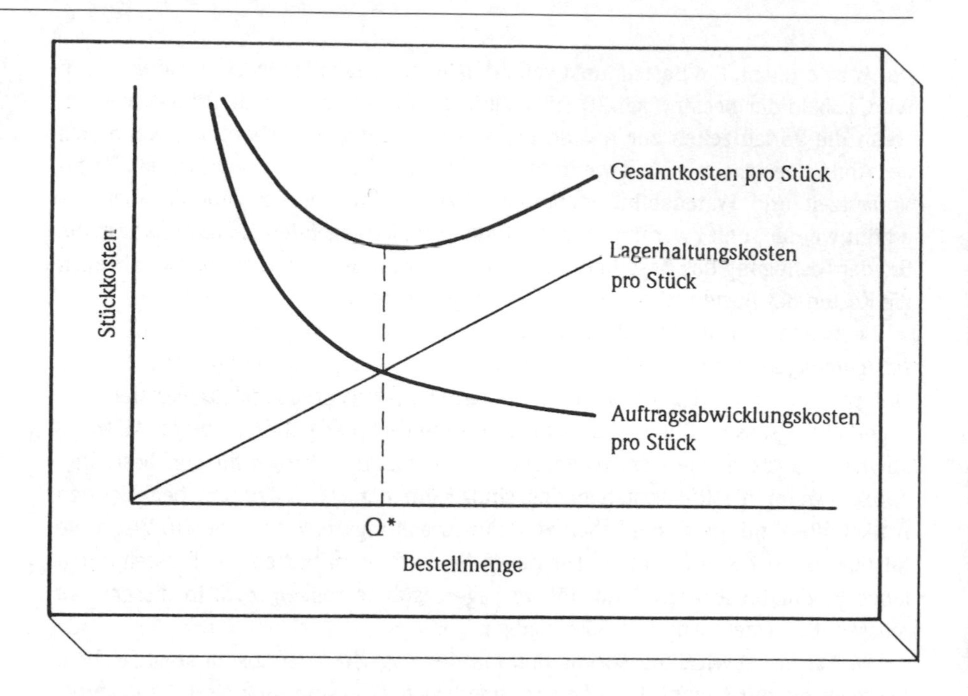

Transport

Die Marketingverantwortlichen müssen sich mit den Transportentscheidungen ihres Unternehmens befassen. Die Wahl der Transportmittel beeinflußt den Preis, die Lieferpünktlichkeit und den Zustand der Ware bei ihrer Ankunft und somit auch die Kundenzufriedenheit.

Für die Belieferung seiner Lagerstandorte, Händler und Kunden hat das Unternehmen die Transportträger Straße, Schiene, Wasser, Leitung und Luft zur Auswahl. Zur Entscheidungsfindung muß der Versender Kriterien wie *Geschwindigkeit, Belieferungshäufigkeit, Zuverlässigkeit, Eignung, Verfügbarkeit* und *Kosten* berücksichtigen. Legt er Wert auf Geschwindigkeit, sind der Luft- und der Straßentransport die geeignetsten Transportmittel. Legt er Wert auf möglichst niedrige Kosten, käme der Transport per Schiff oder Pipeline in Frage. Bei den meisten der oben genannten Entscheidungskriterien schneidet der Straßentransport gut ab, was den wachsenden Marktanteil dieses Transportmittels erklärt.

Die Verbreitung des *Containerverkehrs* hat dazu geführt, daß die Versender in zunehmendem Umfang zwei oder mehr Transportträger kombinieren. *Containerisierung* beinhaltet das Verstauen der Ware in Transportbehältern oder auf Anhängern, die leicht zwischen zwei verschiedenen Verkehrsträgern auswechselbar sind. Unter *Huckepackverkehr* oder *Piggyback-Transport* ist dabei der kombinierte Verkehr von Bahn und Lkw zu verstehen; beim *Roll-on-roll-off-Verkehr* oder *Fishyback-Transport* werden Container-Lkw auf sogenannte RoRo-Schiffe verladen, und die englischen Bezeichnungen *Trainship-* und *Airtruck-Verkehr* stehen für den kombinierten Güterverkehr per Schiff und Bahn bzw. per Flugzeug und Lkw. Jede dieser Formen des kombinierten Güterverkehrs weist bestimmte Vorzüge auf. Der Huckepackverkehr beispielsweise ist für bestimmte Anwendungen kostengünstiger als der alleinige Straßentransport und trotzdem flexibel und praktisch.

Bei Entscheidungen über Transportmittel sind die Vor- und Nachteile der Alternativen sowie die Konsequenzen für andere Elemente des Logistik-Systems, wie Lagerstandorte und Lagerbestände, sorgfältig gegeneinander abzuwägen. Da sich die relativen Kosten der einzelnen Transportmittel im Laufe der Zeit verändern, müssen die Unternehmen zur bestmöglichen Gestaltung ihres Logistik-Systems die einzelnen Alternativen immer wieder neu bewerten. [23]

Zusammenfassung

Groß- und Einzelhandelsfunktionen werden von vielen Betriebsformen und Institutionen wahrgenommen, die dafür sorgen, daß Güter und Dienstleistungen vom Entstehungsort zum Nutzungsort gelangen. Zum Einzelhandel gehören alle Aktivitäten des Verkaufs von Waren und Dienstleistungen an den Endverbraucher für dessen persönliche, nicht-gewerbliche Verwendung. Der Einzelhandel ist ein bedeutender Wirtschaftszweig. Ein Verständnis des Einzelhandels kann man entwickeln, wenn man sowohl eine Einzelbetrachtung der Geschäftstypen als auch eine Betrachtung der Verbundsysteme des organisierten Einzelhandels anstellt.

Die Einzelbetrachtung der Betriebsformen ergibt eine einfache Unterteilung in den ladengebundenen Einzelhandel und den ladenlosen Einzelhandel. Hierbei gibt es zahlreiche Betriebsformen, die auf unterschiedlichen Marketingkonzepten beruhen und ganz unterschiedliche Leistungsdimensionen betonen. Jede einzelne Betriebsform durchläuft im Laufe der Zeit einen Entwicklungszyklus, in dem er sich in der Anfangsphase als Neuheit durchsetzt und sich nach einer Phase des Aufschwungs den etablierten Betriebsformen anpaßt und sich in diese einreiht.

Zu den Betriebsformen des ladengebundenen Einzelhandels gehören die Fachgeschäfte, Fachmärkte, klassischen Einkaufsläden, Kaufhäuser, Supermärkte, Verbrauchermärkte, Discountgeschäfte und andere mehr. Zu den unterschiedlichen Formen des ladenlosen Einzelhandels gehören der Direktverkauf, der Automatenverkauf und der Vermittlungsverkauf.

Ein beträchtlicher Teil des Einzelhandelssektors wird von den Einzelhandelsorganisationen und Verbundgruppen kontrolliert, z. B. von Filialisten, freiwilligen Einzelhandelsketten und Einkaufsgenossenschaften, Konsumgenossenschaften, Franchise-Organisationen und gemischten Einzelhandelskonzernen.

Ebenso wie das produzierende Gewerbe muß auch der Einzelhandel Marketingpläne erarbeiten und damit Entscheidungen über seine Zielmärkte, seine Produktleistung, Preisgestaltung, Absatzförderung und Standorte fällen. Angesichts einer Reihe von neuen Trends, wie z. B. kürzeren Einzelhandels-Lebenszyklen, neuen Betriebsformen, zunehmender betriebsformenübergreifender Konkurrenz, neuen Technologien etc., wird das Einzelhandelsmanagement zunehmend professioneller und produktiver.

Zum Großhandel gehören alle Aktivitäten des Verkaufs von Waren und Dienstleistungen an Wiederverkäufer oder gewerbliche Verwender. Der Großhandel bietet den Herstellern die landesweite und effiziente Belieferung der vielen Einzelhändler und gewerblichen Verwender mit ihren Produkten. Großhändler nehmen zahlreiche Funktionen wahr, z. B. Verkauf und Absatzförderung, Einkauf und Sortimentzusammenstellung, Mengenauflösung, Lagerhaltung, Transport, Finanzierung, Risikoübernahme, die Bereitstellung von Marktinformationen sowie Schulungs- und Beratungsdienste.

Der Großhandel läßt sich in vier Hauptgruppen unterteilen: Großhändler, die als eigenständige Kaufleute arbeiten, Großhandelsvermittler, Großhandelsangliederungen an Unternehmen sowie sonstige Großhandelseinrichtungen. Unter den Großhändlern, die als eigenständige Kaufleute arbeiten, bieten der klassische Konsumgütergroßhandel und der Produktionsverbindungshandel das volle Spektrum von Handelsdienstleistungen, sofern ihre Kunden dies wünschen. Andere Großhändler nehmen bewußt einen Teil der Handelsdienstleistungsfunktionen aus ihrem Produktleistungskonzept heraus. Dazu gehören der Abholgroßhandel und der ALV-Großhandel oder Streckengroßhandel. Spezielle Großhandelskonzepte finden wir bei Regalgroßhändlern (Rack-Jobber), Großhandelsgenossenschaften und Versandgroßhändlern. Großhändler, die als eigenständige Kaufleute handeln, übernehmen in der Regel das Eigentum an der gehandelten Ware. Großhandelsvermittler tun dies nicht. Dazu gehören Makler, Handelsvertreter und Kommissionäre. Einige Großhandelsorganisationen sind kapitalmäßig an Hersteller oder an Handelsketten gebunden. Zu den sonstigen Großhandelseinrichtungen gehören Aufkaufgroßhändler, die den Schwerpunkt ihrer Arbeit in der Beschaffung und Zusammenstellung von Produktmengen und nicht im Verkauf sehen. Sie sind insbesondere im Agrarbereich tätig.

Auch der Großhändler muß seinen Zielmarkt, seine Produktleistung, Preise, Absatzförderung und Standorte festlegen. Großhändler, die kein angemessenes Warensortiment führen, keine ausreichenden Warenbestände unterhalten und keinen zufriedenstellenden Service bieten, werden von den Herstellern gemieden. Der fortschrittliche Großhändler hingegen paßt seine Marketingkonzepte ständig an und hält seine Geschäftskosten unter Kontrolle.

Zum erfolgreichen Marketingkonzept gehört zunehmend auch die Warenlogistik; hier gibt es noch Kosteneinsparungspotentiale und die Möglichkeit, die Kundenzufriedenheit zu erhöhen. Entscheidungen über Auftragsabwicklung, Lagereinrichtung, Lagerbestandshaltung und Transportmittel sind miteinander verzahnt und haben große Auswirkungen auf die Nachfrage nach der Gesamtleistung des Anbieters. Das Unternehmen muß sein Logistik-System so gestalten, daß die Gesamtkosten für die Verwirklichung des gewünschten Kundendienstniveaus möglichst gering gehalten werden.

Anmerkungen

1 Vgl. William R. Davidson, Albert D. Bates und Stephen J. Bass: »Retail Life Cycle«, in: *Harvard Business Review*, November-Dezember 1976, S. 89–96.
2 Vgl. Ebenda, S. 94.
3 Vgl. Malcom P. McNair: »Significant Trends and Developments in the Postwar Period«, in: *Competitive Distribution in a Free, High-Level Economy and Its Implication for the Univer-*

sity, herausgegeben von A.B. Smith, University of Pittsburgh Press, 1958, S. 1–25. Vgl. auch den kritischen Kommentar von Stanley C. Hollander: »The Wheel of Retailing«, in: *Journal of Marketing*, Juli 1960, S. 37–42.

4 Vgl. G. Specht: *Distributionsmanagement*, Stuttgart: Kohlhammer Verlag, 1988, S. 72.

5 Vgl. Ralph Raffio: »Double-Decker Franchising«, in: *Venture*, November 1986, S. 50–67.

6 Vgl. Christian Zach: »Markt der Milliarden mit klaren Profilen: sechs Beispiele für erfolgreiche Franchise-Geber in der Bundesrepublik«, in: *Handelsblatt Nr. 78*, 23.04.1991, S. B 4; »McDonald's: Der Siegeszug geht weiter«, in: *Wirtschaftswoche Nr. 29*, 13.07.1990, S. 96–97; »Die US-Kette McDonald's vergrößert den Abstand zu den Konkurrenten noch mehr«, in: *Handelsblatt*, 15.03.1989, S. 28.

7 Vgl. Bruno Tietz: *Die Grundlagen des Marketing*, 2. Band, Die Marketing-Politik I, Landsberg/Lech: Verlag Moderne Industrie, 1975, S. 192.

8 Vgl. den ausführlicheren Beitrag von Lawrence H. Wortzel: »Retailing Strategies for Today's Mature Marketplace«, in: *The Journal of Business Strategy*, Frühjahr 1987, S. 45–56.

9 Vgl. Roger D. Blackwell und W. Wayne Talarzyk: »Life-Style Retailing: Competitive Strategies for the 1980s«, in: *Journal of Retailing*, Winter 1983, S. 7–26.

10 Vgl. Wortzel: »Retailing Strategies«.

11 Zur Vertiefung vgl. Philip Kotler: »Atmospherics as a Marketing Tool«, in: *Journal of Retailing*, Winter 1973–74, S. 48–64, und »Beautiful Ways to Shop«, in: *Newsweek*, 10. November 1986.

12 R.L. Davies und D.S. Rogers (Hrsg.), *Store Location and Store Assessment Research*, New York: John Wiley, 1984.

13 David L. Huff: »Defining and Estimating a Trading Area«, in: *Journal of Marketing*, Juli 1964, S. 34–38; David A. Gautschi: »Specification of Patronage Models for Retail Center Choice«, in: *Journal of Marketing Research*, Mai 1981, S. 162–174; Avijit Ghosh und C. Samuel Craig: »An Approach to Determining Optimal Locations for New Services«, in: *Journal of Marketing Research*, November 1986, S. 354–362.

14 Vgl. Eleanor G. May, C. William Ress und Walter J. Salmon: *Future Trends in Retailing*, Cambridge, Mass.: Marketing Science Institute, Februar 1985; Louis W. Stern und Adel I. El-Ansary: *Marketing Channels*, Englewood Cliffs, N.J.: Prentice-Hall, 1982.

15 Quelle: Vgl. Statistisches Bundesamt sowie Institut der Deutschen Wirtschaft Köln (Hrsg.), *Zahlen zur wirtschaftlichen Entwicklung der Bundesrepublik Deutschland*, Ausgabe 1991 und Ausgabe 1989.

16 Vgl. Friedhelm Bliemel: »Inventory Decisions by Trade of Analysis in Product Oriented Marketing Strategies«, in: *Journal of Business Logistics*, Vol. 1, November 1979, S. 103–119.

17 Vgl. Christian Deutsch und Hans-Peter Scherer: »Grossisten in der Klemme«, in: *Managementwissen 7*, 1990, S. 30–36.

18 Vgl. ebenda.

19 Vgl. Klaus Barth: *Betriebswirtschaftslehre des Handels*, Wiesbaden: Gabler Verlag, 1988, S. 24, Tab. 6.

20 Vgl. James A. Narus und James C. Anderson: »Contributing as a Distributor to Partnerships with Manufacturers«, in: *Business Horizons*, September-Oktober 1987; und James D. Hlavecek und Tommy J. McCuistion: »Industrial Distributors – When, Who, and How«, in: *Harvard Business Review*, März-April 1983, S. 96–101.

21 Vgl. G. Specht, S. 83, Abbildung 18.

22 Die Berechnung der optimalen Bestellmenge erfolgt nach der Formel $Q^* = 2\ DS / I$; dabei bedeuten D = Nachfragemenge für den Planungszeitraum, S = Bestellkosten für eine Bestellung und I = Lagerhaltungskosten pro Stück über dem Planungszeitraum. Diese Berechnungsformel setzt voraus, daß die Bestellkosten gleichbleiben, die Lagerhaltungskosten pro Stück konstant bleiben, die Nachfrage bekannt ist und es keine Mengenrabatte gibt. Weitere Ausführungen zur Problematik der optimalen Bestellmenge findet man in vielen Büchern zur Produktionswirtschaft und speziell zur Lagerbestandshaltung, z.B. bei Charles D. Mecimore: *Techniques in Inventory Management and Control*, Montvale, New York: National Association of Accountants, 1987.

23 Vgl. einen Bericht des Management-Beratungsunternehmens A.T. Karney mit dem Titel: *Logistics Productivity: The Successful Companies*, National Council of Physical Distribution Management, 1984; sowie Ronald H. Ballou: *Basic Business Logistics*, 2. Aufl., Englewood Cliffs, N.Y.: Prentice – Hall 1987.

Planung des Kommunikations- und Absatzförderungsmix

Kapitel 20

Wenn ein junger Mann ein Mädchen kennenlernt und ihr erzählt, was für ein großartiger Kerl er ist, so ist das Reklame. Wenn er ihr sagt, wie reizend sie aussieht, so ist das Werbung. Wenn sie sich aber für ihn entscheidet, weil sie von anderen gehört habe, er sei ein feiner Kerl, so sind das Public Relations.

Alwin Münchmeyer

Kein Mensch kauft heute mehr Schuhe, um seine Füße warm und trocken zu halten, sondern wegen des Gefühls, das er mit diesen Schuhen verbindet: Man fühlt sich darin männlich, weiblich, naturverbunden und geländesicher, »anders«, kultiviert, jung, elegant oder »in«. Der Kauf von Schuhen ist zum »Gefühlserlebnis« geworden. Heutzutage verkaufen wir eher eine Gefühlswelt als einfach nur Schuhe.

Francis C. Rooney

Zum Marketing gehört mehr als die Entwicklung eines guten Produkts, seine Einführung auf dem Markt und die Festlegung eines attraktiven Preises. Wenn ein Unternehmen im Wettbewerb bestehen will, muß es darüber hinaus absatzfördernde Kommunikationen an seine gegenwärtigen und potentiellen Kunden richten.

Das Unternehmen ist in ein komplexes Marketingkommunikationssystem eingebunden. Es kommuniziert mit seinen Handelspartnern, Endkunden und diversen Gruppen der Öffentlichkeit. Auch die Handelspartner selbst kommunizieren mit den Endkunden des Unternehmens und den diversen Gruppen der Öffentlichkeit. Selbst die Endkunden stehen untereinander und mit den verschiedenen Gruppen der Öffentlichkeit in kommunikativem Kontakt. Zwischen allen beteiligten Gruppen besteht eine kommunikative Rückkopplung.

Eine weitere Komplexität ergibt sich daraus, daß Kommunikation und Absatzförderung im Marketing eingehend miteinander verknüpft sind. Die Kommunikation hat neben rein kommunikativen auch absatzfördernde Effekte. Die Absatzförderung bringt sowohl absatzfördernde als auch kommunikative Effekte mit sich. Deshalb betrachten wir in diesem Kapitel den Kommunikations- und Absatzförderungsmix (Promotions-Mix) gemeinsam unter dem Begriff »absatzfördernde Kommunikation« und konzentrieren uns auf die Strategieentwicklung dafür. Die einzelnen Instrumente der absatzfördernden Kommunikation werden hier nur kurz und dann in den nachfolgenden Kapiteln ausführlicher behandelt.

Instrumente der absatzfördernden Kommunikation

Zum Kommunikations- und Absatzförderungsmix gehören vier wesentliche Untergruppen von Instrumenten, für die es viele Ausführungsformen gibt: [1]

- **Werbung**
  Jede bezahlte Form der nicht-persönlichen Präsentation und Förderung von Ideen, Waren oder Dienstleistungen durch einen identifizierten Auftraggeber.
- **Verkaufsförderung**
  Kurzfristige Anreize zum Kauf bzw. Verkauf eines Produkts oder einer Dienstleistung.
- **Publicity (Public Relations oder Öffentlichkeitsarbeit)**
  Eine Vielzahl von Möglichkeiten, auf indirektem Wege das Image des Unternehmens und seiner Produkte im Bewußtsein der Öffentlichkeit zu fördern.
- **Persönlicher Verkauf**
  Verkaufsgespräch mit einem oder mehreren möglichen Käufern, um auf einen Verkaufsabschluß hinzuwirken.

Für jedes dieser vier Instrumente gibt es, wie in Tabelle 20–1 dargestellt, zahlreiche Ausführungsformen. Manche dieser Ausführungsformen wirken mehrfach, z. B. werbend und verkaufsfördernd. Ihre Kategorisierung in Werbung, Verkaufsförderung, Publicity und persönlichen Verkauf hängt dann im Einzelfall vom hauptsächlich verfolgten Zweck ab und ist eine umstandsbedingte Ermessensfrage. Gleichzeitig aber wird Kommunikation nicht nur durch diese speziellen Kommunikations- bzw. Absatzförderungsinstrumente bewirkt. Auch Produktstyling, Produktpreis, Form- und Farbgebung der Verpackung, Auftreten und Kleidung des Verkäufers wirken beim Kunden kommunikativ und absatzfördernd. Zur Erzielung der größtmöglichen kommunikativen Wirkung müssen alle Elemente im Marketing-Mix, und nicht nur die speziellen Instrumente des Kommunikations- und Absatzförderungsmix, aufeinander abgestimmt werden.

Bei der Planung, Ausgestaltung und Durchführung der einzelnen Kommunikations- und Absatzförderungsinstrumente stehen dem Unternehmen die Dienste von speziellen professionellen Marketingdienstleistern zur Verfügung: Werbeagenturen sorgen für kreative und zugkräftige Anzeigen und Werbekampagnen, Verkaufsförderungsagenturen entwickeln neue Verkaufsförderungsideen und führen sie im Auftrag des Unternehmens durch, PR-Firmen helfen dem Unternehmen beim Aufbau eines besseren Unternehmensimages, und externe Verkaufstrainer bieten Schulungskurse an, um das Verkaufspersonal in kundenfreundlichem und kompetentem Auftreten auszubilden. In jedem Fall aber ist es zur Planung einer systematischen Kommunikation und Absatzförderung erforderlich, drei wesentliche Fragen zu untersuchen: Wie funktioniert die absatzfördernde Kommunikation? Was sind die wichtigsten Schritte zur Entwicklung einer wirkungsvollen absatzfördernden Marketingkommunikation? Von wem und wie sollte die Marketingkommunikation geleitet und koordiniert werden?

Detaillierte Problemstellungen in Werbung, Direktmarketing, Verkaufsförderung, Public Relations und Verkaufsmanagement werden in den nachfolgenden Kapiteln 21 bis 23 behandelt.

Werbung	*Verkaufsförderung*	*Public Relations*	*Persönlicher Verkauf*
Anzeigen in den Printmedien sowie in Funk und Fernsehen Außenverpackung Packungsbeilagen Postwurfsendungen	Preisausschreiben Gewinnspiele Verlosungen und Lotterien Verkaufssonderprogramme Zugaben und Werbegeschenke Muster und Kostproben	Pressemappen Reden und Vorträge Veröffentlichungen Seminare Lobbyismus Geschäftsberichte Spenden für wohltätige Zwecke Auftritt als Sponsor	Verkaufspräsentationen Verkaufskonferenzen Telefonverkauf Bemusterung Fachmessen und -veranstaltungen
Kataloge Kinowerbung Firmenzeitschriften Broschüren und Prospekte Plakate Handzettel Adreßbücher Anzeigennachdrucke Großplakate Reklameschilder POP-Display-Material Audiovisuelle Werbung Zeichen, Symbole und Logos	Fachmessen und -veranstaltungen Ausstellungen Vorführungen Gutscheine bzw. Kupons Rabatte Günstige Finanzierungsangebote Unterhaltungs- und Bewirtungsangebote Inzahlungnahme gebrachter Ware Rabatt- und Sammelmarken Verbundangebote	Pflege der Beziehungen zur Öffentlichkeit	

Tabelle 20–1
Einige Ausführungsformen der Kommunikations- bzw. Absatzförderungsinstrumente

Kommunikationsprozeß

Marketer müssen wissen, wie Kommunikation funktioniert. In Anlehnung an Lasswell sollte ein Modell des Kommunikationsprozesses eine Antwort auf folgende Frage liefern:

(1) Wer (2) sagt was (3) über welchen Kanal (4) zu wem (5) mit welcher Auswirkung? [2]

Ein daraus entwickeltes Modell des Kommunikationsprozesses mit neun Elementen wird in Abbildung 20–1 veranschaulicht. Die beiden wichtigsten am Kommunikationsprozeß beteiligten Parteien werden darin *Sender* und *Empfänger* genannt. *Botschaft* und *Medien* dienen als Bezeichnungen für die Kommunikationsträger. Vier weitere Elemente repräsentieren die wichtigsten Teilfunktionen im Kommunikationsprozeß, nämlich *Verschlüsselung* (oder Codierung), *Entschlüsselung* (oder Decodierung), *Wirkung* und *Rückmeldung* (oder *Feedback*). Schließlich gibt es auch noch *Störsignale* im System.

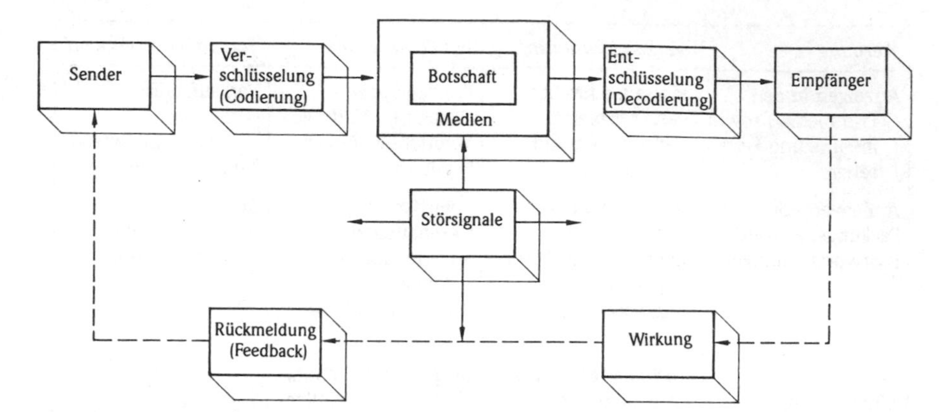

Abbildung 20-1
Elemente im Kommunikationsprozeß

Die einzelnen Elemente lassen sich wie folgt definieren:

- **Sender**
  Der Beteiligte am Prozeß, der die Botschaft an einen anderen Beteiligten aussendet (auch als »Herkunftsquelle« oder Kommunikator bezeichnet).
- **Verschlüsselung (Codierung)**
  Der Prozeß der Umwandlung von Gedankengut in eine übertragbare (symbolische, z.B. durch Sprache) Repräsentation.
- **Botschaft**
  Die Gesamtheit der symbolischen Repräsentationen, die der Sender den Medien aufgibt.
- **Medien**
  Die Kommunikationsmittel und -wege, durch die die Botschaft vom Sender zum Empfänger getragen wird.
- **Entschlüsselung (Decodierung)**
  Der Prozeß, durch den der Empfänger die übermittelten symbolischen Repräsentationen in Gedankengut mit Bedeutungsinhalt umwandelt.
- **Empfänger**
  Der Beteiligte am Prozeß, der die übermittelte Botschaft empfängt (auch als Zielpublikum, Zielperson, Adressat oder Rezipient bezeichnet).
- **Wirkung**
  Die Gesamtheit der Reaktionen des Empfängers nach Kontakt mit der Botschaft.
- **Rückmeldung** (oder **Feedback**)
  Der Teil der Empfängerreaktionen, der an den Sender rückübermittelt wird.
- **Störsignale**
  Ungeplante Einflüsse mit störender oder verzerrender Wirkung auf den Prozeß.

Dieses Modell stellt die wesentlichsten Wirkungskomponenten des Kommunikationsprozesses heraus. Der Sender muß wissen, wen er ansprechen und welche Wirkung er auslösen will. Er muß seine Botschaften so verschlüsseln, daß der Empfänger sie mühelos entschlüsseln kann. Von der Herkunftsquelle bis hin zum Empfänger muß die Botschaft durch leistungsfähige Medien »laufen«. Der Kommunikator muß Rückmeldungskanäle aufbauen, so daß er die Wirkung der Botschaft auf den Rezipienten erkennen kann.

Damit die Botschaft wirkungsvoll ist, müssen die Prozesse der Botschaftsumwandlung auf Senderseite und auf Empfängerseite kompatibel sein. Schramm sieht Signale im wesentlichen nur dann als Botschaften an, wenn der Empfänger mit den Signalen vertraut ist. Je mehr sich die Erfahrungswelten von Kommunikator und Rezipient decken, desto wirksamer dürfte die Botschaft sein. »Der Sender und der Empfänger können die Umwandlung von Signalen in Sinnzusammenhänge nur anhand ihrer bisherigen Erfahrungen vornehmen.« [3] Hier gibt es ein Problem für Kommunikatoren, die einer bestimmten sozialen Gruppe angehören (z. B. Werbefachleute) und die möglichst wirkungsvoll mit Angehörigen einer anderen sozialen Gruppe (z. B. Fabrikarbeitern oder Hausfrauen) kommunizieren wollen.

Die Aufgabe des Senders ist nur dann erfüllt, wenn er seine Botschaft bis zum Empfänger durchbringt. Dies wird durch Störquellen im Umfeld beeinträchtigt: So werden die Menschen täglich mit mehreren hundert kommerziellen und anderen Botschaften überflutet. Es gibt drei Gründe dafür, daß Mitglieder des Zielpublikums die gewünschte Botschaft nicht empfangen: die *selektive Wahrnehmung*, d.h. sie nehmen nicht alle übermittelten Reize wahr; die *selektive Verzerrung*, d.h. sie »biegen sich die Botschaft zurecht« und nehmen nur das wahr, was sie wahrhaben wollen; und die *selektive Erinnerung*, d.h. sie speichern nur einen kleinen Teil der Botschaften, die sie erreichen, im Gedächtnis.

Der Kommunikator muß eine Botschaft entwickeln, die trotz der Störquellen im Umfeld beim Zielpublikum beachtet wird. Die Wahrscheinlichkeit, daß ein potentieller Empfänger die Botschaft beachtet, läßt sich laut Schramm mit folgender Formel abschätzen: [4]

$$\text{Wahrscheinlichkeit der Beachtung} = \frac{\text{wahrgenommene mögliche Vorteile} - \text{wahrgenommene mögliche Nachteile}}{\text{wahrgenommener Aufwand}}$$

Diese Formel für die selektive Wahrnehmung erklärt, warum großspurige Schlagzeilen wie »So gewinnen Sie eine Million«, begleitet von einer fesselnden Illustration und nur wenig Text, beim Empfänger dann mit großer Wahrscheinlichkeit Beachtung finden, wenn dieser die Möglichkeit sieht, bei geringem Aufwand einen großen Vorteil zu erlangen.

Bei der selektiven Verzerrung führen vorgefaßte Einstellungen der Empfänger zu einer bestimmten Erwartungshaltung darüber, was die Botschaft sagen und zeigen soll. Die Empfänger werden das hören und sehen, was zu ihren Überzeugungen paßt. Demzufolge neigen sie dazu, der Botschaft etwas hinzuzufügen (*erweiternde Verzerrung*) oder etwas wegzulassen (*verdrängende Verzerrung*). Um die wichtigsten Inhalte dem Zielpublikum zu vermitteln, muß der Kommunikator bestrebt sein, seine Botschaft möglichst einfach, eindeutig und interessant zu gestalten, und sie so oft wie möglich wiederholen.

Bei der selektiven Erinnerung will der Kommunikator mit der Botschaft ins Langzeitgedächtnis des Empfängers vordringen. Im Langzeitgedächtnis werden verarbeitete Informationen gespeichert. Gelangt die Botschaft in das Langzeitgedächtnis des Empfängers, so kann sie die Überzeugungen und Einstellungen des Empfängers ändern. Doch zunächst muß die Botschaft ins Kurzzeitgedächtnis des Empfängers vordringen, einem Zwischenspeicher mit begrenzter Kapazität, der ankommende Informationen verarbeitet. Ob die Botschaft den Sprung vom Kurzzeitgedächtnis ins Langzeitgedächtnis schafft, hängt davon ab, ob sich der Empfänger *mit der Botschaft wiederholt beschäftigt*. Mit »wiederholter Beschäftigung« ist hier nicht nur die bloße Wiederholung der Botschaft gemeint; vielmehr beschäftigt sich der Empfänger mit dem Bedeutungsinhalt der Information, wobei er relevante Informationen aus dem Langzeitgedächtnis zur Bearbeitung im Kurzzeitgedächtnis hinzuzieht. Beginnt die Informationsverarbeitung mit einer positiven Einstellung des Empfängers zum Wahrnehmungsobjekt, und läßt in seinem Bewußtsein bestätigende Argumente ablaufen, so wird die Botschaft mit großer Wahrscheinlichkeit akzeptiert und später auch gut erinnert. Ist hingegen die anfängliche Einstellung des Empfängers zum Kommunikationsobjekt negativ, und läßt Gegenargumente ablaufen, wird die Botschaft mit großer Wahrscheinlichkeit abgelehnt, bleibt aber ebenfalls im Langzeitgedächtnis gespeichert. Das Einspielen von Gegenargumenten verhindert die Änderung von Einstellungen, indem gegensätzliche Botschaften gedanklich abgerufen werden. Zur Änderung von Einstellungen ist es erforderlich, daß der Empfänger sein eigenes Gedankengut wiederholt überprüft. Folglich beruht die Einstellungsänderung zum großen Teil auf dem Prozeß der Selbstüberzeugung. [5]

Kommunikatoren versuchten schon immer, Eigenschaften herauszufinden, die anzeigen, wie stark oder wie leicht man die Personen in einer Zielgruppe beeinflussen kann. So gelten z. B. hochgebildete und hochintelligente Menschen als weniger stark beeinflußbar. Doch dafür gibt es keine schlüssigen Belege. Frauen, so fand man heraus, sind leichter zu beeinflussen als Männer. Dabei ist wichtig, ob sie das ihnen traditionell zugeordnete weibliche Rollenverhalten akzeptieren. [6] Menschen, die von außen vorgegebene Normen als Leitlinie für ihr Verhalten akzeptieren und über ein schwach ausgeprägtes Selbstwertgefühl verfügen, scheinen leichter beeinflußbar zu sein. Auch Menschen, die über wenig Selbstvertrauen verfügen, gelten als leichter zu beeinflussen. Solche Beziehungen sind jedoch oft komplexer, als man gemeinhin annehmen würde. So wiesen Cox und Bauer in einer Untersuchung eine U-förmige Beziehung zwischen Selbstvertrauen und Beeinflußbarkeit nach, wobei die Probanden mit mäßigem Selbstvertrauen die am stärksten zu beeinflussenden waren. [7] Solche Zusammenhänge sollte der Kommunikator bei der Gestaltung der Botschaft und der Mediaselektion berücksichtigen.

Fiske und Hartley ermittelten mehrere Faktoren, die bei der Wirkung einer Botschaft mitspielen: [8]

1. Je ausgeprägter die Alleinstellung der Kommunikationsquelle, desto größer die ausgelöste Veränderung oder Wirkung beim Empfänger.
2. Die kommunikative Wirkung ist am größten, wenn die übermittelte Botschaft mit den bestehenden Meinungen, Überzeugungen und Neigungen des Empfängers übereinstimmt.
3. Die Botschaft kann Einstellungsänderungen am wirkungsvollsten bei solchen Themen hervorrufen, die nicht im Zentrum des Wertesystems des Empfängers angesiedelt, ihm nicht vertraut und weniger wichtig sind.
4. Die Botschaft ist wirksamer, wenn man dem Überbringer Fachwissen, hohen Status, Objektivität oder Beliebtheit zuschreibt – vor allem aber, wenn von ihm Macht ausgeht und man sich mit ihm identifizieren kann.
5. Der soziale Kontext und die soziale oder sonstige Bezugsgruppe spielen bei der Aufnahme der Botschaft mit und beeinflussen, ob sie akzeptiert oder abgelehnt wird.

Planungsschritte für ein wirksames Kommunikations- und Absatzförderungsprogramm

Im folgenden werden wir die wesentlichen Schritte zur Entwicklung eines umfassenden Kommunikations- und Absatzförderungsprogramms untersuchen. Der Marketing-Kommunikator muß

1. das Zielpublikum und seinen Bezug zum Kommunikationsobjekt ermitteln;
2. die Wirkungsziele der Kommunikation bestimmen;
3. die Botschaft gestalten;
4. die Kommunikationswege auswählen;
5. das Gesamtbudget für die absatzfördernde Kommunikation festlegen;
6. über die Budgeteinteilung für den Absatzförderungsmix entscheiden;
7. die Ergebnisse messen und
8. die absatzfördernde Kommunikation durchführen und koordinieren.

Ermittlung des Zielpublikums und seines Bezuges zum Kommunikationsobjekt

Ein Kommunikator muß als erstes eine klare Vorstellung von seinem Zielpublikum haben. Dabei könnte es sich um potentielle Käufer, um gegenwärtige Verwender oder Personen, die die Kaufentscheidung treffen oder beeinflussen, handeln. Das Zielpublikum kann aus Einzelpersonen, Gruppen, bestimmten Teilöffentlichkeiten oder der breiten Öffentlichkeit bestehen.

Des weiteren muß der Kommunikator wissen, welchen Bezug das Zielpublikum bereits zum Kommunikationsobjekt (Marke, Produkt, Sortiment oder Unternehmen) hat, da er diesen Bezug durch Kommunikation beeinflussen will. Ein Abbild des mentalen Bezuges des Zielpublikums zum Kommunikationsobjekt erhält man durch die Imageanalyse. Das Image und andere Charakteristika des Zielpublikums werden die Entscheidungen des Kommunikators darüber, was gesagt werden soll, wie es gesagt werden soll, wann es gesagt werden soll, wo es gesagt werden soll und wer es sagen soll, wesentlich beeinflussen.

Imageanalyse

Die Einstellungen und Handlungen des Menschen gegenüber einem Bezugsobjekt werden wesentlich davon geprägt, wieviel Vertrauen er in das Objekt hat und was er sich darunter vorstellt. Deshalb ist es vorteilhaft, das Image des Zielpublikums zum Kommunikationsobjekt zu ermitteln. Das Image ist das mentale Bild einer Person zu einem Bezugsobjekt; dazu gehört alles, was die Person über das Objekt weiß, dazu glaubt, sich darunter vorstellt und damit verbindet.

Als erstes muß bei der Imageanalyse anhand der im folgenden veranschaulichten *Bekanntheitsskala* der Wissensstand des Zielpublikums über das Objekt gemessen werden:

völlig unbekannt	nur davon gehört	kenne es ein klein wenig	kenne es einigermaßen	kenne es sehr gut

Wenn die meisten der Befragten die ersten zwei oder drei Stufen auf dieser Skala ankreuzen, muß das Unternehmen versuchen, den Bekanntheitsgrad zu erhöhen.

Diejenigen, die das Produkt kennen, sollten anhand folgender Beliebtheitsskala dazu befragt werden, wie sie zu ihm stehen:

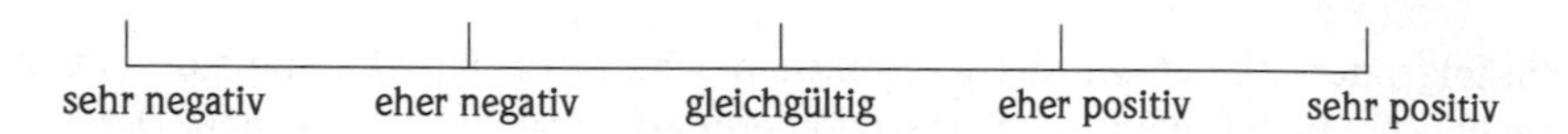

Kreuzen die meisten der Befragten die ersten zwei oder drei Stufen dieser Skala an, muß das Unternehmen ein negatives Image überwinden.

Die Kombination der Ergebnisse dieser zwei Skalierungen läßt Rückschlüsse auf die zu lösende Kommunikationsaufgabe zu. Als Beispiel wollen wir eine Befragung über den Bekanntheits- und Beliebtheitsgrad von vier Krankenhäusern, A, B, C und D, bei den Bewohnern im Einzugsgebiet dieser Krankenhäuser heranziehen. Die gewichteten Bewertungen der Bewohner sind in Abbildung 20–2 graphisch dargestellt. Wie wir sehen, hat Krankenhaus A das positivste Image. Die meisten Befragten kennen und mögen es. Krankenhaus B ist bei den meisten Befragten zwar weniger bekannt, aber diejenigen, die es kennen, mögen es auch. Krankenhaus C hat bei denjenigen, die es kennen, ein Negativimage; allerdings kennen es auch nicht sehr viele. Krankenhaus D schließlich halten alle für schlecht, und jeder kennt es!

Abbildung 20-2
Imageanalyse anhand der Bewertungsmerkmale Bekanntheits- und Beliebtheitsgrad

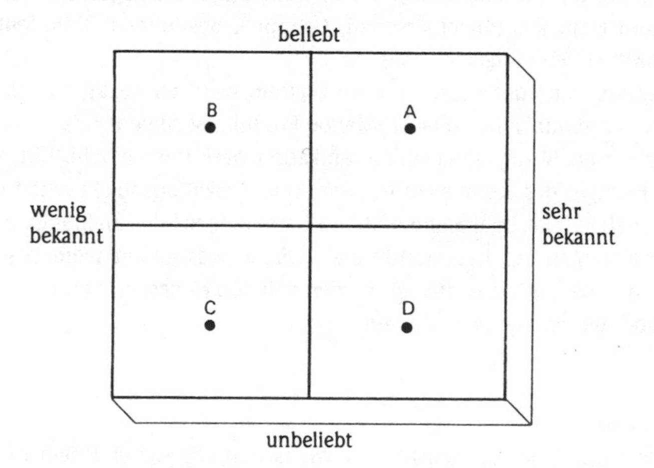

Die Untersuchungsergebnisse zeigen, daß jedes Krankenhaus eine unterschiedliche Kommunikationsaufgabe zu lösen hat. Krankenhaus A muß versuchen, sein gutes Ansehen und seinen hohen Bekanntheitsgrad bei der Bevölkerung zu bewahren. Krankenhaus B muß versuchen, bei den Einwohnern bekannt zu werden, da diejenigen, die das Krankenhaus kennengelernt haben, seine Leistung positiv bewerten. Krankenhaus C muß herausfinden, warum es so unbeliebt ist, und seinen Leistungsstand verbessern. Krankenhaus D sollte eine Berichterstattung über sich vermeiden, die Leistungsqualität verbessern und dann wieder verstärkt ins Blickfeld der Öffentlichkeit treten.

Darüber hinaus sollte jedes dieser Krankenhäuser sein Image im Detail untersuchen. Das gebräuchlichste Untersuchungsinstrument dafür ist das *semantische Differential* (auch »Eindrucksdifferential« oder »Polaritätenprofil« genannt). [9] Dazu gehören folgende Untersuchungsschritte:

1. **Relevante Imagedimensionen feststellen.**
Der Forscher ermittelt durch Befragung der Auskunftspersonen die Dimensionen, die ihnen bei der Bewertung des Objekts in den Sinn kommen. Man könnte die Auskunftspersonen z. B. fragen: »Woran denken Sie, wenn Sie sich ein Krankenhaus aussuchen?« Lautet die Antwort »Qualität der medizinischen Versorgung«, ließe sich für dieses Merkmal eine bipolare Bewertungsskala mit den semantisch extrem auseinanderliegenden Polen »schlechte medizinische Versorgung« und »gute medizinische Versorgung« erstellen. Der bipolare Abstand könnte z. B. siebenstufig oder fünfstufig dargestellt werden. In Abbildung 20–3 sind weitere semantische Bewertungsdimensionen für Krankenhäuser aufgeführt.

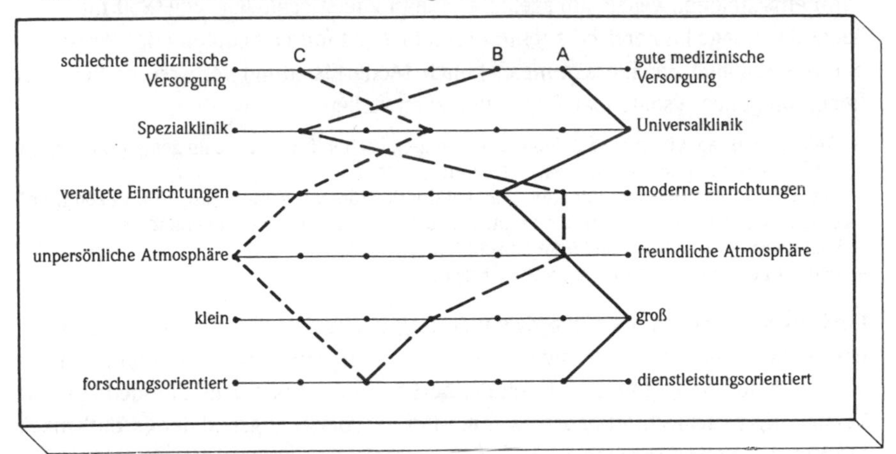

Abbildung 20-3
Imageanalyse von drei Krankenhäusern anhand semantischer Differentiale

2. **Zahl der Dimensionen reduzieren.**
Die Zahl der Dimensionen sollte reduziert werden, um die Auskunftspersonen bei der Befragung (über n Bezugsobjekte mit je m bipolaren Skalen) nicht zu ermüden und somit falsche oder gleichgültige Antworten oder auch Auskunftsverweigerungen zu minimieren. Nach Ansicht von Osgood und seinen Mitarbeitern gibt es nur drei grundlegende Eigenschaftsdimensionen und jeweils dazugehörige Skalen:
   - Bewertungsskalen der Eigenschaftsdimension gut/schlecht
   - Potenzskalen der Eigenschaftsdimension stark/schwach
   - Aktivitätsskalen der Eigenschaftsdimension aktiv/passiv.

   Ausgehend von dieser Grundeinteilung kann der Forscher redundante Skalen ausschalten, die im Grunde das gleiche wie bereits angewandte Skalen messen und daher nur wenig Zusatzinformationen bringen.
3. **Erhebungsinstrument anwenden.**
Die Auskunftspersonen werden aufgefordert, jeweils ein Objekt vollständig zu bewerten. Hierbei sollte die Anordnung der bipolaren Eigenschaftspaare nach dem Zufallsprinzip variiert werden, um zu vermeiden, daß sich die Anordnung selbst auf die Befragung auswirkt, was z. B. der Fall wäre, wenn alle negativen Pole im Fragebogen auf der gleichen Seite untereinander stehen würden.
4. **Durchschnittswerte bilden und auftragen.**
Abbildung 20–3 gibt die Mittelwerte aus den Bewertungen der Auskunftspersonen zu den Krankenhäusern A, B und C an (Krankenhaus D wurde nicht in die Untersuchung einbezogen). Das Image jedes untersuchten Krankenhauses wird in kompakter Form durch eine Verknüpfung der Mittelwerte in vertikaler Folge graphisch dargestellt. Im Beispiel bewerten die Auskunftspersonen Krankenhaus A als großes, modernes Krankenhaus mit freundlicher Atmosphäre und guter medizinischer Versorgung. Krankenhaus C hingegen wird als kleines, veraltetes Krankenhaus mit unpersönlicher Atmosphäre und schlechter medizinischer Versorgung eingestuft.

5. **Streubreite des Images überprüfen.**
   Wenn das Imageprofil als vertikale Verknüpfung der Mittelwerte dargestellt wird, läßt sich daraus nicht ableiten, welche Streubreite es hat. Sahen z.B. alle Auskunftspersonen der Stichprobe Krankenhaus B gleich oder gab es große Unterschiede in der Bewertung? Im ersten Fall läge ein *trennscharfes* Image vor, im zweiten Fall ein *trennschwaches* oder *diffuses* Image. Einige Organisationen möchten kein trennscharfes Image. Sie ziehen ein diffuses Image vor, um von unterschiedlichen Gruppen unterschiedlich gesehen zu werden.

Im Vergleich zum *gegenwärtigen Image* sollte der Marketer als nächstes eine Vorstellung vom *gewünschten Image* entwickeln. Nehmen wir z.B. an, Krankenhaus C hätte gern ein besseres Image bei der Qualität seiner medizinischen Versorgung, seiner Einrichtungen, Patientenfreundlichkeit etc. Die Krankenhausleitung muß dann entscheiden, welche »Imagelücken« man zuerst schließen will. Soll man z.B. lieber das Image im Bereich Patientenfreundlichkeit (durch Schulung des Personals) oder die Qualität der Einrichtungen (durch Modernisierung) verbessern? Bei jeder Imagekomponente sollte man folgende Fragen stellen:

- Welchen Beitrag würde die Schließung dieser spezifischen Imagelücke im geplanten Umfang zur Verbesserung des Gesamtimages leisten?
- Mit welcher Strategie (Kombination aus real durchgeführten Veränderungen und kommunikativen Veränderungen) könnte man diese spezifische Imagelücke schließen?
- Was würde es kosten, diese Lücke zu schließen?
- Wieviel Zeit würde das in Anspruch nehmen?

Ein Unternehmen, das eine Imageveränderung anstrebt, muß viel Geduld haben. Ein einmal bestehendes Image »sitzt fest«, auch wenn sich ein Unternehmen längst verändert hat. So könnte sich in einem berühmten Krankenhaus die medizinische Versorgung verschlechtert haben, während es im Vorstellungsbild der Öffentlichkeit noch immer hohes Ansehen genießt. Diese »Image-Festigkeit« läßt sich damit erklären, daß man, sobald man sich einmal ein bestimmtes Bild von einem Objekt gemacht hat, dazu neigt, weitere Informationen darüber nur noch dann zu beachten, wenn sie zum bereits vorhandenen Image passen. Es sind dann starke Konträrreize erforderlich, um am bestehenden Image Zweifel zu wecken und den Empfänger für neue Informationen zugänglich zu machen. Folglich führt ein Image ein Eigenleben, vor allem, wenn die Zielpersonen nicht ständig oder immer wieder aus erster Hand neue Erfahrungen mit dem veränderten Wahrnehmungsobjekt machen.

Bestimmung der Wirkungsziele

Nach Ermittlung des Zielpublikums und seines Bezuges zum Kommunikationsobjekt muß der Marketing-Kommunikator entscheiden, welche Wirkung er beim Zielpublikum auslösen will. Das Endziel wird in der Regel der Kauf und die Zufriedenstellung des Kunden sein. Doch dies steht erst am Ende eines langen Entscheidungsprozesses beim Kunden. Der Marketing-Kommunikator muß wissen, wie er das Zielpublikum von einer Phase der Kaufbereitschaft in die nächste geleiten kann. Er kann beim Zielpublikum Wirkungen auf der *Erkenntnisebene* (kognitive Ebene), der *Gefühlsebene* (affektive Ebene) oder der *Verhaltensebene* (konative Ebene) anstreben. Das heißt, er will etwas im Bewußtsein des umworbenen Verbrauchers verankern, seine gefühlsmäßige Einstellung verändern oder ihn zur Vornahme einer spezifischen Handlung bewegen. Diese Wirkungen sind in sequentieller und hierarchischer An-

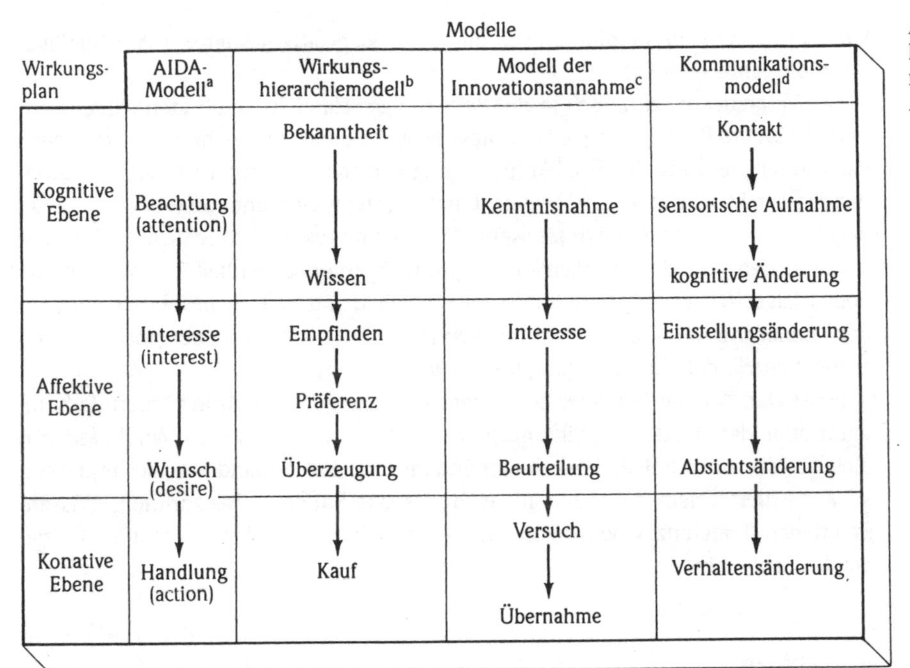

Abbildung 20-4
Hierarchische Wirkungsmodelle

Quelle: (a) E. K. Strong: *The Psychology of Selling*, New York: McGraw-Hill, 1925, S. 9; (b) Robert J. Lavidge und Gary A. Steiner: »A Model for Predictive Measurements of Advertising Effectiveness«, in: *Journal of Marketing*, Oktober 1961, S. 61; (c) Everett M. Rogers: *Diffusion of Innovations*, New York: Free Press, 1962, S. 79–86; (d) diverse weitere Quellen.

ordnung durch unterschiedliche Stufenmodelle darstellbar. In Abbildung 20–4 werden die vier bekanntesten *hierarchischen Wirkungsmodelle* veranschaulicht.

Das *AIDA-Modell* weist die Kaufbereitschaftsphasen Beachtung (attention), Interesse (interest), Wunsch (desire) und Handlung (action) auf. Das *Wirkungshierarchiemodell* hat die Wirkphasen Bekanntheit, Wissen, Empfinden, Präferenz, Überzeugung und Kauf. Nach dem *Modell der Innovationsannahme* durchläuft der Käufer die Stufen Kenntnisnahme, Interesse, Beurteilung, Versuch und Übernahme. Nach dem *Kommunikationsmodell* durchläuft der Käufer die Stufen Kontakt, sensorische Aufnahme, kognitive Änderung, Einstellungsänderung, Absichtsänderung und Verhaltensänderung. Die Unterschiede zwischen den dargestellten Modellen sind im wesentlichen semantischer Natur.

All diese Modelle legen einen Prozeß zugrunde, der die Reihenfolge kognitive Wirkung, affektive Wirkung und konative Wirkung einhält. Das heißt, der Verbraucher erwirbt zunächst Produktwissen, entwickelt daraufhin positive oder negative Empfindungen zum Produkt und handelt schließlich, indem er das Produkt kauft und nutzt oder es verwirft und vermeidet. Diese Reihenfolge »Wissen-Empfinden-Handeln« findet man dort, wo der Verbraucher das Produkt für sehr wichtig erachtet und bei den konkurrierenden Marken große Differenzen wahrnimmt, wie z. B. bei Automobilen. Der Marketer wird dann die Ziele für die absatzfördernde Kommunikation so bestimmen, daß er zunächst für eine genügend breite Wissensbasis im Zielpublikum sorgt, dann die Empfindungen zum Produkt positiv gestaltet und schließlich Handlungsanreize bietet.

Der Verbraucher kann auch in der Reihenfolge »Handeln-Empfinden-Wissen« ein Verhältnis zum Produkt entwickeln. Diese Folge ist dann sehr wahrscheinlich, wenn der Verbraucher zwar das Produkt für wichtig erachtet, aber unter den konkurrierenden Marken kaum Unterschiede wahrnimmt. Dann probiert und nutzt er eine Marke, mag sie vielleicht immer mehr als »seine Marke« und erwirbt schließlich Produktwissen, mit dem er seine Markenwahl kognitiv begründet. Schließlich ist auch die Reihenfolge »Wissen-Handeln-Empfinden« möglich, und zwar insbesondere dort, wo der Verbraucher die Markenwahl für weniger wichtig erachtet, aber trotzdem eine rational begründete Entscheidung treffen will.

Es ist klar, daß der Marketer bei seiner Zielsetzung für die absatzfördernde Kommunikation den Ablauf des Wirkungsprozesses berücksichtigen muß. Wir illustrieren dies für die Ablauffolge »Wissen-Empfinden-Handeln« anhand des sechsstufigen Wirkungshierarchiemodells und fügen den sechs Stufen – Bekanntheit, Wissen, Empfinden, Präferenz, Überzeugung und Kauf – eine siebte Wirkungsstufe – Zufriedenstellung – hinzu.

Bekanntheit

Wenn dem Großteil des Zielpublikums das Objekt nicht bekannt ist, muß der Kommunikator den Bekanntheitsgrad des Objekts oder zumindest des Objektnamens erhöhen. Dies läßt sich durch einfach gestaltete Botschaften erreichen, in denen der Name des Objekts herausgestellt wird. Selbst bei einer solch einfachen und verständlichen Botschaft nimmt die Erhöhung des Bekanntheitsgrads viel Zeit in Anspruch.

Wissen

Der Kommunikator muß nun die Werbebotschaften mit Wissensinhalten füllen. Dazu gehören z.B. die Herkunft, die Leistung, die Beschaffenheit, die Verwendung und die Verfügbarkeit des Produkts. Hier ergeben sich Entscheidungszwänge für den Kommunikator. Es wäre nicht wirtschaftlich, zuviel Wissensgehalt in die Botschaft hineinzupacken, denn die Personen in der Zielgruppe sind nur begrenzt fähig oder gewillt, Sachinformationen aufzunehmen. Der Kommunikator muß deshalb entscheiden, welche Sachinformationen er übermitteln will. Diese Entscheidung sollte sich danach richten, wie der Kommunikator das Produkt imagemäßig positionieren will und welche Wissensdefizite im Zielpublikum herrschen.

Empfinden

Selbst wenn das Zielpublikum das Produkt kennt, ist noch offen, welches Empfinden und Wohlwollen damit verbunden wird. Es ist vorteilhaft, wenn die Menschen positive Empfindungen zum Produkt entwickeln und es als angenehm, sympathisch oder förderungswürdig ansehen. Selbst bei gründlichem Produktwissen können im Zielpublikum negative Empfindungen zum Produkt vorherrschen. Dann muß der Kommunikator die Gründe der gefühlsmäßigen Ablehnung ermitteln und die Kommunikation von der gefühlsmäßigen Seite her besser gestalten. Beruhen die negativen Empfindungen aber auf tatsächlich vorhandenen Unzulänglichkeiten des Produkts, wird ein Kommunikationsprogramm allein diese Empfindungen nicht ändern. Dann muß das Angebot verbessert und die Verbesserung bekanntgemacht werden.

Präferenz
Vielleicht empfindet das Zielpublikum das Produkt zwar als positiv, gibt ihm jedoch noch nicht den Vorzug vor anderen. In diesem Fall muß der Kommunikator beim Verbraucher eine Präferenz für sein Produkt aufbauen. Er wird dazu Qualität, Nutzen, Leistung und andere Merkmale seines Produkts besonders herausstellen. Den Erfolg seiner Maßnahmen kann er anhand einer erneuten Messung der Präferenzausprägungen im Zielpublikum nach Abschluß des Programms bewerten.

Überzeugung
Selbst wenn die Mitglieder des Zielpublikums dem Produkt den Vorrang vor anderen geben würden, könnte es doch sein, daß sie noch nicht davon überzeugt sind, daß das Produkt überhaupt lohnenswert ist. Dann ist es Aufgabe des Kommunikators, die Kommunikation mit überzeugungsbestärkenden Inhalten zu füllen und in überzeugender Weise zu präsentieren.

Kauf
Zuletzt könnte es sein, daß einige Mitglieder des Zielpublikums zwar vom Produkt überzeugt, jedoch noch nicht endgültig zum Kauf bereit sind. Vielleicht wollen sie noch weitere Informationen einholen, erst später kaufen etc. Dann muß der Kommunikator diese Zielpersonen dazu bewegen, auch den letzten Schritt zu tun. Als »Kaufauslöser« könnte er das Produkt zu einem Sonderpreis anbieten, eine Zugabe, Kostproben oder »Schnuppertage« anbieten.

Zufriedenstellung
Die Wirkungsstufen der Kommunikation sind mit dem Kauf noch nicht erschöpft. Die Kommunikation kann auch nach dem Kauf einen Beitrag dazu leisten, daß der Käufer durch das Produkt zufriedengestellt wird. Sie muß dann darauf hinwirken, daß der Käufer das Produkt richtig und nutzbringend anwendet und den mit dem Produkt erworbenen Nutzen klar erkennt. Gebrauchsanweisungen, Nutzerhinweise, Kundenzeitschriften und auch Werbung, die das Selbstimage des Käufers und Produktnutzers bestärken, sind Kommunikationsmittel, die zur besseren Zufriedenstellung des Käufers eingesetzt werden.

Die Bestimmung der zu erzielenden Wirkung ist ein kritischer Schritt bei der Entwicklung eines Kommunikationsprogramms. Im folgenden Exkurs 20-1 wird gezeigt, wie der Kommunikator gleichzeitig das Zielpublikum und die zu erzielende Wirkung ermitteln kann.

Exkurs 20-1: Ermittlung des Zielpublikums und der zu erzielenden Wirkung

Die Kommunikationsziele werden wesentlich davon bestimmt, wie viele Personen ein bestimmtes Produkt kennen und u.U. bereits ausprobiert haben. Als Instrument zur Auswahl des Zielpublikums und der zu erzielenden Wirkung schlägt Ottesen ein von ihm entwickeltes *Marktdiagramm* vor, das wie folgt aussieht:

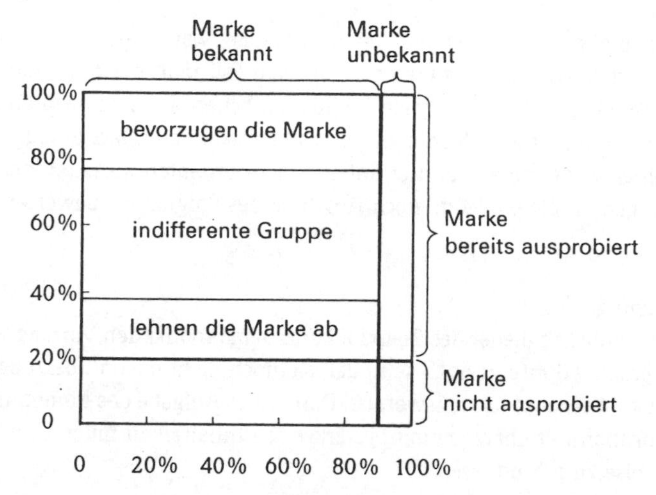

Die Horizontalachse zeigt den gegenwärtigen prozentualen Anteil des Zielmarktes, dem die Marke bekannt ist – im Beispiel 90%. Die Vertikalachse zeigt den prozentualen Anteil der Personen, die die Marke ausprobiert haben – im Beispiel 80%. Diese Zahlen zeigen, daß sich die Marke in der Reifephase des Produkt-Lebenszyklusses befindet. Die Gruppe derer, die die Marke kennen und ausprobiert haben, läßt sich noch weiter unterteilen, und zwar in diejenigen, die die Marke bevorzugen (23%), eine indifferente Einstellung dazu haben (39%) oder sie ablehnen (18%). Es kann davon ausgegangen werden, daß die Gruppe derer, die die Marke zwar kennen, jedoch nicht ausprobiert haben, ebenfalls in Untergruppen mit positiver, indifferenter oder negativer Einstellung zur Marke zerfallen würde.
Nun muß man für diese Marke Kommunikationsziele festlegen. Da die Marke bei 90% des Zielmarkts bereits bekannt ist, wäre es nicht sinnvoll, sie auch noch bei den restlichen 10% bekanntmachen zu wollen. Bei diesen 10% handelt es sich um einen Personenkreis, dessen Aufmerksamkeit vieles entgeht und der wahrscheinlich über kein hohes Einkommen verfügt. Es kostet viel Geld, zu diesem Personenkreis »kommunikativ durchzustoßen«, und ist nur selten der Mühe wert.
Wie aber steht es mit dem Ziel, eine größere Zahl von Personen, denen die Marke zwar bekannt ist, die sie aber noch nicht ausprobiert haben, zum Erstkauf zu bewegen? Dies ist sehr wohl ein lohnenswertes Ziel und läßt sich am besten durch Verkaufsförderungsaktionen (Gratisproben, Gutscheine etc.) erreichen; eine Intensivierung der Werbung oder des persönlichen Verkaufs wäre hier weniger wirkungsvoll. Bisher bevorzugten 25% der Probierer die Marke nach dem ersten Kauf. Deshalb kann man nicht erwarten, daß mehr als 25% der neu hinzugewonnenen Probierwilligen die Marke später bevorzugen werden. Der Marketer sollte genau berechnen, ob die zusätzlich zu gewinnenden Probierer mit potentieller Präferenz für seine

Marke die Kosten des Verkaufsförderungsprogramms rechtfertigen. Die Kommunikation könnte weiterhin darauf hinzielen, den Anteil derjenigen unter den »Probierern«, die die Marke bevorzugen, zu erhöhen. Dies ist schwierig, da die Präferenz des Verbrauchers stark durch die bereits gemachten Erfahrungen mit der Marke geprägt wurde und sich auf kommunikativem Wege nicht leicht ändern läßt. Will das Unternehmen bei dieser Gruppe die Präferenz für seine Marke erhöhen, braucht es nicht mehr Werbung, sondern ein besseres Produkt und attraktivere Preise.
Zu den drei Gruppen der Probierer läßt sich folgendes sagen: Die Kommunikation mit Personen, die die Marke bereits bevorzugen, ist im Regelfall nur dann produktiv, wenn die Marke zwischen den Kaufakten wieder in Erinnerung gebracht werden muß, da sie sonst leicht vergessen wird, oder wenn die Konkurrenz mit großem Aufwand versucht, diese Zielgruppe für sich zu gewinnen. Eine Kommunikation mit Personen, die die Marke ablehnen, dürfte vergeblich sein, da diese die Werbebotschaften wahrscheinlich gar nicht beachten und die Marke nicht erneut kaufen werden. Eine Kommunikation mit Personen mit indifferenter Einstellung zur Marke könnte durchaus einen Teil dieser Gruppe auf die Marke lenken, vor allem, wenn es gelingt, sie mit einem überzeugenden Werbeargument anzusprechen.
Die Kommunikationsziele werden also wesentlich vom Zustand des Marktes, wie im Marktdiagramm angezeigt, bestimmt. Ist eine Marke neu auf dem Markt, dann ist sie nur wenig bekannt und nur wenige haben sie ausprobiert, so daß durch den Einsatz geeigneter Kommunikationsmittel der Bekanntheitsgrad und die Zahl der Erstkäufe beträchtlich erhöht werden kann. Befindet sich hingegen die Marke bereits in der Reifephase, ist es zweckmäßiger, zu versuchen, aus bisherigen »Nicht-Probierern« durch entsprechende Verkaufsförderungsmaßnahmen »Probierer« zu machen und um die »Probierer« mit indifferenter Einstellung zu kämpfen; es ist dann weniger sinnvoll, den Bekanntheitsgrad der Marke noch weiter zu vergrößern, die »Markenbevorzuger« noch weiter zu bestärken oder die »Markenablehner« erneut zum Kauf zu drängen.

Quelle: siehe Otto Ottesen: »The Response Function«, in: *Current Theories in Scandinavian Mass Communications Research*, Hrsg. Mie Berg, Grenaa, Dänemark: G.M.T., 1977.

Gestaltung der Botschaft

Wenn das Wirkungsziel beim Zielpublikum bestimmt wurde, muß der Kommunikator eine wirksame Botschaft entwickeln. Im Idealfall sollte diese Botschaft *Beachtung* finden, *Interesse* auf sich ziehen, *Wünsche* entstehen lassen und zur *Handlung* auffordern (AIDA-Schema mit den Stufen attention, interest, desire, action). In der Praxis gibt es kaum eine Botschaft, die den Verbraucher nach dem AIDA-Schema vollständig durch alle Stufen von der Beachtung der Marke bis zum Kauf führt. Das AIDA-Schema weist jedoch auf wünschenswerte Eigenschaften der Botschaft hin.
Zur Gestaltung der Botschaft müssen fünf Problemfragen gelöst werden:

- Was soll gesagt werden (*Inhalt der Botschaft*)?
- Welche Ansprechmotive sollen gewählt werden (*Appell der Botschaft*)?
- Wie kann es auf schlüssige Weise gesagt werden (*Aufbau der Botschaft*)?
- Wie kann es sinnbildlich ausgedrückt werden (*Ausdrucksform der Botschaft*)?
- Wer soll es sagen (*Überbringer*)?

Inhalt der Botschaft

Der Kommunikator muß sich überlegen, was er dem Zielpublikum sagen will, um die erwünschte Wirkung auszulösen. Statt »Botschaftsinhalt« verwendet man in der Praxis auch andere Begriffe wie *Thema, Idee, »USP« (unique selling proposition)* oder *Anspruch, den die Botschaft stellt*; der Kommunikator muß also Produktvorteile, Produktansprüche und Begründungen zusammenstellen, damit sich das Zielpublikum Gedanken über sein Angebot machen oder eingehender damit beschäftigen kann. Werbefachleute vertreten die Meinung, zum Inhalt jeder Botschaft gehöre es, einen Anspruch zu erheben und eine Begründung zu liefern, die diesen Anspruch untermauert. So erhebt z.B. die Marke »Ilja Rogoff« den Anspruch, daß ihre Knoblauchpillen dem Benutzer zu Gesundheit im hohen Alter verhelfen, und begründet dies durch die Figur Ilja Rogoff, einem gesunden Mann aus einem Land, in dem viele – wie Ilja – Knoblauch essen und deshalb lange leben.

Appell der Botschaft

Es gibt drei Grundarten von Ansprechmotiven oder Appellen. *Rationale Appelle* wenden sich an das rational begründete Eigeninteresse des Empfängers. Sie sollen den beanspruchten Vorteil aufzeigen. Beispiele dafür sind Appelle, die Qualität, Wirtschaftlichkeit, Nutzen oder Leistung eines Produkts herausstellen. Nach weitverbreiteter Ansicht reagieren gewerbliche Abnehmer auf rationale Appelle am besten, denn sie kennen in der Regel die Produktklasse, sind in der Nutzenerkennung geübt und müssen anderen Rechenschaft über ihre Entscheidungen geben. Auch private Verbraucher verhalten sich beim Kauf von bestimmten hochpreisigen Gütern überwiegend rational. Sie holen Informationen über das Produkt ein und vergleichen die verschiedenen Angebote sorgfältig. Sie reagieren dann auf Appelle wie Qualität, Wirtschaftlichkeit, Nutzen und Leistung des Produkts.

Emotionale Appelle sollen negative oder positive Gefühle auslösen, die zum Kauf motivieren. Um die Zielpersonen dazu anzuhalten, das zu tun, was sie eigentlich tun sollten (z.B. Zähne putzen, zur Vorsorgeuntersuchung gehen) oder davon abzuhalten, zu tun, was sie eigentlich nicht tun sollten (z.B. Rauchen, Alkoholgenuß, Medikamentenmißbrauch, zuviel Essen), appellieren die Kommunikatoren an *Angst-, Schuld- und Schamgefühle*. Angstappelle wirken nur bis zu einem gewissen Grad, denn wenn die Adressaten einen zu starken Angstappell auf sich zukommen sehen, vermeiden sie die Botschaft (vgl. dazu auch Exkurs 20-2). Auch positive emotionale Appelle, wie *Humor, Liebe, Stolz* und *Freude*, werden von Kommunikatoren eingesetzt. Es ist allerdings nicht erwiesen, ob z.B. eine humorvolle Botschaft in jedem Fall wirksamer ist als eine sachlich gehaltene Version derselben Botschaft. Erstgenannte zieht zwar wahrscheinlich mehr Aufmerksamkeit auf sich und schafft mehr Zuneigung und Glaubwürdigkeit für den Kommunikator, doch kann Humorvolles andererseits auch das Verständnis der Botschaft erschweren. [10]

Moralische Appelle richten sich an das Gerechtigkeitsgefühl des Zielpublikums. Man setzt sie zur Unterstützung gesellschaftlicher Anliegen ein, wie z.B. gegen Umweltverschmutzung, Verpackungsmüll, Rassendiskriminierung, für die Gleichberechtigung der Frau und die Hilfe für Menschen in Not. Bei Gütern des täglichen Bedarfs wird in geringerem, jedoch zunehmendem Umfang mit moralischen Appellen gearbeitet. Dies trifft besonders auf Produkte zu, deren Hersteller auf Umweltfreundlichkeit gesetzt haben.

Einige Werbetreibende glauben, daß Werbebotschaften dann die größte Beeinflussungskraft haben, wenn sie ein wenig von dem abweichen, was das Zielpublikum glaubt. Werbebotschaften, die nur das behaupten, was das Zielpublikum sowieso schon glaubt, finden nur wenig Beachtung und bestärken bestenfalls die bereits vorhandenen Überzeugungen des Zielpublikums. Weichen andererseits die ausgesandten Botschaften zu stark von den Überzeugungen des Zielpublikums ab, bilden sich im Bewußtsein der Adressaten Gegenargumente heraus, und die Botschaft wird abgelehnt. Man muß also eine Botschaft entwickeln, die in bescheidenem Rahmen von den Überzeugungen des Zielpublikums abweicht und beide Extreme vermeidet.

Exkurs 20-2: Was bringt der Appell an das Angstmotiv?

Über Angstappelle gibt es mehr wissenschaftliche Untersuchungen als über jede andere Art des emotionalen Appells, und zwar nicht nur im Bereich der Marketingkommunikation, sondern z. B. auch im Feld der Politik und der Pädagogik. Lange Zeit glaubten Marketingkommunikatoren, daß sich der Wirkungsgrad einer Botschaft mit dem Ausmaß der erzeugten Angstgefühle erhöhen würde. Empirische Untersuchungen deuten jedoch darauf hin, daß weder extrem starke noch extrem schwache Angstappelle eine ebenso gute Wirkung zeigen wie gemäßigte Angstappelle, wenn eine damit verbundene Empfehlung durch die Adressaten befolgt werden soll. Ray und Wilkie erläuterten diesen Befund, indem sie eine Hypothese über zwei bei zunehmender Angst unterschiedlich wirkende Effekte aufstellten:

> Zum ersten hat Angst förderliche Wirkungen. Falls durch Angsteinwirkung ein menschlicher Grundtrieb stärker aktiviert werden kann, besteht die Möglichkeit, mehr Beachtung und Interesse für das Produkt und die Botschaft zu wecken, als wenn dieser Trieb nicht aktiviert würde ... Zum zweiten aktiviert Angst aber auch Inhibitionen ... Ist das durch Angst erzeugte Bedrohungsniveau zu hoch, kann dies zu Verdrängungseffekten führen: der Kontakt mit der Werbebotschaft wird vermieden, die Bedrohung wird verleugnet, der Inhalt der Botschaft nur selektiv oder verzerrt wahrgenommen oder es wird der Schluß gezogen, daß die ausgesprochene Empfehlung ein so wichtiges Angstproblem gar nicht lösen kann.

Die Glaubwürdigkeit des Überbringers beeinflußt die Wirkung von Angstappellen. Ist die Glaubwürdigkeit des Überbringers groß, so führt ein Angstappell zu Einstellungsänderungen. American Express, ein sehr glaubwürdiger Absender, mahnt z. B. die Verbraucher durch Angstappelle (mögliche Verluste von Geld) zur Benutzung von American Express-Reiseschecks.

Wenn die »angstbeladene« Botschaft wirken soll, dann sollte sie versprechen, das aufgeworfene Angstproblem auf überzeugende und wirksame Weise zu lindern. Ist dies nicht der Fall, werden die Empfänger die Bedrohung ignorieren oder herunterspielen.

Quellen: Michael L. Ray und William L. Wilkie: »Fear: The Potential of an Appeal Neglected by Marketing«, in: *Journal of Marketing*, Januar 1970, S. 55–56; Brian Sternthal und C. Samuel Craig: »Fear Appeals: Revisited and Revised«, in: *Journal of Consumer Research*, Dezember 1974, S. 22–34; John J. Burnett und Richard L. Oliver: »Fear Appeal Effects in the Field: A Segmentation Approach«, in: *Journal of Marketing Research*, Mai 1979, S. 181–190; sowie Lynette S. Unger und James M. Stearns: »The Use of Fear and Guilt Messages in Television Advertising: Issues and Evidence«, in: *1983 Educators' Proceedings*, Hrsg. Patrick E. Murphy Chicago: American Marketing Association, 1983, S. 16–20.

Aufbau der Botschaft

Die Wirkung einer Botschaft kann von ihrem Aufbau ebenso sehr wie von ihrem Inhalt und der Art des Appells abhängen. Die Untersuchungen von Hovland durchleuchteten verschiedene Alternativen des Botschaftsaufbaus: die Schlußfolgerung, die einseitige und zweiseitige Argumentation und die Abfolge der Präsentation.

Bei der *Schlußfolgerung* geht es um die Frage, ob der Kommunikator für das Zielpublikum eine bestimmte Schlußfolgerung ziehen oder diese Folgerung dem Zielpublikum selbst überlassen soll. Frühere Experimente verwiesen auf die größere Wirksamkeit von expliziten Schlußfolgerungen für die Zielgruppe. Neuere Untersuchungen zeigen jedoch an, daß die besten Werbebotschaften eine Frage aufwerfen und es dann den Empfängern erlauben, ihre eigenen Schlußfolgerungen zu ziehen. [11] Die Vorwegnahme von Schlußfolgerungen durch den Kommunikator kann bei folgenden Gegebenheiten negative Reaktionen auslösen:

- Wenn der Kommunikator als nicht vertrauenswürdig angesehen wird, nimmt ihm das Zielpublikum u. U. den Beeinflussungsversuch übel.
- Wenn es sich um eine relativ einfache Thematik oder ein intelligentes Zielpublikum handelt, zeigt sich das Zielpublikum über das Bemühen des Kommunikators, »das Offensichtliche zu erklären«, u. U. verärgert.
- Wenn es sich um eine sehr persönliche Thematik handelt, nimmt das Zielpublikum dem Kommunikator seinen Einmischungsversuch u. U. übel.

Eine scharf umrissene Schlußfolgerung kann die Akzeptanz eines Produkts einschränken. Hätte sich z. B. Ford darauf versteift, daß der Mustang ein Auto für junge Leute ist, so hätte diese eindeutige Aussage vielleicht Kunden aus anderen Altersgruppen abgeschreckt, denen der Mustang ebenfalls gefiel. Eine gewisse *Mehrdeutigkeit des kommunizierten Stimulus* führt u. U. zu einer weitläufigeren Zielmarktdefinition und zu spontaneren Verwendungen bestimmter Produkte. Scharf umrissene Schlußfolgerungen sind bei komplexen Produkten oder Spezialprodukten, bei denen ein einziger und offensichtlicher Verwendungszweck vermittelt werden soll, angebracht.

Bei der *einseitigen* bzw. *zweiseitigen Argumentation* geht es um die Frage, ob der Kommunikator für das Produkt ausschließlich positiv und lobend argumentieren oder auch auf einige Unzulänglichkeiten hinweisen sollte. Auf den ersten Blick könnte man meinen, daß eine einseitige Darlegung der Argumente eine stärkere Wirkungskraft entfalten würde. Doch so eindeutig ist die Antwort nicht; dazu im folgenden einige Untersuchungsergebnisse: [12]

- Einseitige Mitteilungen sind dann am wirksamsten, wenn die Empfänger dem Standpunkt des Kommunikators von Anfang an positiv gegenüberstehen, während zweiseitige Mitteilungen am wirksamsten sind, wenn die Empfänger eine Oppositionshaltung einnehmen.
- Zweiseitige Mitteilungen sind tendenziell wirksamer bei Empfängern mit hohem Bildungsniveau.
- Zweiseitige Mitteilungen sind tendenziell wirksamer bei Empfängern, die aller Voraussicht nach mit Gegenwerbung in Kontakt kommen.

Bei der *Abfolge der Argumente* geht es um die Frage, ob ein Kommunikator die stärksten Argumente zuerst oder zuletzt präsentieren sollte. Bei einseitigen Botschaften hat ein Vorziehen der stärksten Argumente den Vorteil, daß damit von Anfang an für die Botschaft Aufmerksamkeit und Interesse geweckt wird. Wichtig ist dies vor allem bei der Werbung in Zeitungen und anderen Werbeträgern, bei denen das Zielpublikum die Botschaft oft nicht bis zum Ende aufmerksam verfolgt. Allerdings flacht damit die Botschaft zum Ende hin ab. Bei einem »gefangenen« Publikum, das – z.B. bei der Kinowerbung – der Präsentation nicht entrinnen und sie auch nicht abschalten kann, könnte es zweckmäßiger sein, die Präsentation im Ablauf zu steigern und den argumentativen Höhepunkt ans Ende zu verlagern. Bei zweiseitigen Botschaften geht es um die Beantwortung der Frage, ob das positive Argument zuerst (Anfangseffekt oder Primacy-Effekt) oder zuletzt (Endeffekt oder Recency-Effekt) präsentiert werden soll. Wenn das Zielpublikum anfänglich eine oppositionelle Haltung einnimmt, sollte der Kommunikator zunächst die Kontra-Argumente bringen. Damit entwaffnet er das Publikum und kann sein stärkstes Pro-Argument ans Ende stellen. Weder der Primacy-Effekt noch der Recency-Effekt bringt in allen Situationen den größten Vorteil; vielmehr müssen diese Effekte situationsabhängig eingesetzt werden. [13]

Ausdrucksform der Botschaft

Der Kommunikator muß seiner Botschaft eine ausdrucksstarke Form geben. Schaltet er eine Anzeige, muß er sich über Headline, Text, Illustration und Farbgebung Gedanken machen. Soll die Botschaft über den Rundfunk verbreitet werden, muß der Kommunikator sorgfältig auf die Wortwahl, die Stimmqualität des Sprechers (Sprechgeschwindigkeit, Rhythmus, Stimmlage und Aussprache) sowie andere Vokalisierungselemente (wie Sprechpausen, Seufzer oder Gähnen) achten. Der Sprecher, der Gebrauchtwagen anpreist, muß anders »klingen« als jemand, der für Neufahrzeuge von Mercedes-Benz wirbt. Soll die Botschaft über das Fernsehen oder durch persönlichen Kontakt verbreitet werden, sind all diese Elemente, und dazu noch die Körpersprache (d.h. nicht-verbale Ausdruckselemente) in den Gestaltungsprozeß einzubeziehen. Der Überbringer der Botschaft muß auf seinen Gesichtsausdruck, auf Gestik, Kleidung, Haltung, Frisur etc. achten. Wird die Botschaft durch das Produkt selbst oder seine Verpackung übermittelt, muß der Kommunikator Darstellungselemente wie Farbgebung, Beschaffenheit, Geruch, Packungsgröße und Formgebung beachten. Der kommunikative Einfluß der Farbe zeigt sich ganz deutlich im Marktgeschehen und auch in Farbexperimenten:

Die Farbe hat einen bedeutenden kommunikativen Einfluß auf die Verbraucherpräferenzen bei Lebensmitteln. In einer Untersuchung kosteten Hausfrauen vier Tassen Kaffee, die jeweils neben einer braunen, blauen, roten und gelben Packung standen. Daß in jeder Tasse der gleiche Kaffee war, wußten die Frauen allerdings nicht. 75% der Frauen waren der Meinung, daß der Kaffee in der Tasse neben der braunen Packung zu stark sei; fast 85% hielten den Kaffee in der Tasse neben der roten Packung für den aromatischsten, und fast alle Befragten bewerteten den Kaffee in der Tasse neben der blauen Packung als mild und den Kaffee in der Tasse neben der gelben Packung als schwach.

Farbe ruft Assoziationen bezüglich Geschmack, Qualitätsniveau und Eignung des Produkts hervor. So gilt »grün« bei deutschem Bier als Signal für einen herben Geschmack und als Farbe für Pils-Biere. Bei Whiskey gilt »schwarz« (»black labels«) auf dem Etikett als Signal für besonders hohe Qualität. In Frankreich gilt »rosa« bei stillen Mineralwässern (Evian) als besonders geeignet für Babies und für die Zubereitung von Babynahrung.

Überbringer der Botschaft
Botschaften, die von einem attraktiven Überbringer kommen, finden mehr Beachtung und bleiben besser im Gedächtnis haften. Daher engagieren Werbetreibende zur Übermittlung ihrer Botschaften nicht selten prominente Persönlichkeiten: So fungieren z.B. Michael Jackson und Tina Turner als »Botschafter« für Pepsi-Cola, Boris Becker und Larry Hagman für Müller Milch, Steffi Graf für den Opel Corsa und die KKB-Bank, und Thomas Gottschalk für McDonald's bzw. Haribo. Bei der Auswahl der Botschaften achtet der Kommunikator darauf, daß die Person von ihrem Image her zum beworbenen Produkt und zum Wesen der Botschaft paßt. Der Überbringer verkörpert so die Botschaft besser, und sie wird glaubwürdiger. Die Glaubwürdigkeit des Überbringers ist von großer Bedeutung. Botschaften, deren Überbringer Glaubwürdigkeit ausstrahlen, haben mehr Beeinflussungskraft. So greifen die Pharma-Hersteller nicht umsonst auf echte Ärzte zurück, die in der Werbung die Vorzüge der jeweiligen Produkte darlegen; Ärzte strahlen viel Glaubwürdigkeit aus. Bei Anti-Drogen-Kampagnen arbeitet man mit ehemaligen Drogensüchtigen zusammen, die als Mahner gegen Drogengenuß, z.B. an den Schulen, glaubwürdiger sind als die Lehrerschaft.

Welche Faktoren sind entscheidend für die Glaubwürdigkeit eines Überbringers? Die in Untersuchungen zu diesem Thema am häufigsten genannten Faktoren sind Expertenkompetenz, Vertrauenswürdigkeit und sympathisches Auftreten. [14] Unter *Expertenkompetenz* versteht man das dem Überbringer zugeschriebene Fachwissen, das den behaupteten Anspruch untermauert. Ärzte, Wissenschaftler und Professoren genießen z.B. hohe Expertenkompetenz in ihrem jeweiligen Fachgebiet. *Vertrauenswürdigkeit* beschreibt das Ausmaß an Objektivität und Aufrichtigkeit, das man beim Überbringer erkennt. Bekannten vertraut man eben mehr als Fremden oder Verkäufern. *Sympathisches Auftreten* beschreibt die Ausstrahlung des Überbringers auf das Publikum. Eigenschaften wie Offenheit, Humor oder Natürlichkeit machen ihn sympathischer. Am glaubwürdigsten wäre demnach ein Überbringer, der bei allen drei Bewertungskriterien gut abschneidet.

Ist die Einstellung einer Zielperson sowohl zum Überbringer als auch zur Botschaft positiv oder zu beidem negativ, so spricht man von einem Zustand der Kongruenz. Was aber geschieht, wenn die Zielperson zum Überbringer eine andere Einstellung als zur Botschaft hat? Ein Beispiel: Eine Hausfrau hört einen Werbespot, in dem ein Produkt, das sie nicht mag, von einer ihr sympathischen prominenten Persönlichkeit angepriesen wird. Osgood und Tannenbaum merken dazu an, daß *die Einstellungsänderung stets auf eine erhöhte Kongruenz zwischen den zwei Bewertungsobjekten hinausläuft.* [15] Das heißt, die Hausfrau wird hinterher für den prominenten Überbringer etwas weniger und für das beworbene Produkt etwas mehr Respekt empfinden. Hört sie nun weitere Werbespots, in denen der gleiche Prominente andere Produkte anpreist, die sie ebenfalls nicht mag, wird sie letztendlich ein negatives Vorstellungsbild von dieser Person entwickeln und ihre negative Einstellung gegenüber den beworbenen Produkten aufrechterhalten. Das *Prinzip der Kongruenz* besagt, daß ein Überbringer aufgrund seines hohen Ansehens negative Einstellungen zu einem Produkt in einem bestimmten Umfang abschwächt, andererseits aber bei der Zielperson etwas an Ansehen verlieren kann.

Der Kommunikator muß geeignete Kommunikationswege für die Übermittlung seiner Botschaft auswählen. Hier kann man zwei Hauptformen unterscheiden: *Kommunikationswege von Person zu Person* und *Kommunikationswege über die Massenmedien.*

Wahl der Kommunikationswege

Kommunikationswege von Person zu Person

Über diese Kommunikationswege treten zwei oder mehr Personen direkt miteinander in Verbindung. Sie können wie folgt miteinander kommunizieren: in persönlichen Begegnungen, als Sprecher vor einem Publikum, per Telefon, auf schriftlichem Wege per Post, per Telefax oder über elektronische Kommunikationssysteme.

Kommunikationswege von Person zu Person sind von besonderer Wirkung, da sie es ermöglichen, die Präsentation individuell auf den Empfänger abzustimmen und von ihm direkt ein Feedback zu erhalten.

Des weiteren kann man zwischen Kommunikationen unterscheiden, die fürsprechergebunden, expertengebunden oder sozialnetzgebunden verlaufen. *Das eigene Vertriebspersonal,* das mit den Zielkunden kommuniziert, ist im wesentlichen ein *Fürsprecherkanal. Unabhängige Experten,* die das Zielpublikum ihre unabhängige Meinung wissen lassen, sind ihrem Wesen nach als *Expertenkanäle* zu betrachten. Zu den *sozialen Kanälen* zählen Kommunikationswege zum Zielkunden über dessen Nachbarn, Freunde, Familienmitglieder und Kollegen. Dieser Kommunikationsweg, der »von Mund zu Mund« verläuft, wirkt oft am überzeugendsten. In Exkurs 20-3 wird veranschaulicht, wie Dienstleister die Mund-zu-Mund-Werbung zur Erweiterung ihres Kundenstamms einsetzen können.

Exkurs 20-3: Wie Dienstleister durch Mund-zu-Mund-Werbung Kunden gewinnen können

Vielen Dienstleistern fällt auf, daß eine beträchtliche Zahl von Neukunden aufgrund von Mund-zu-Mund-Werbung zu ihnen kommt. Sie sollten sich deshalb eine Methode überlegen, wie neue Kunden durch Empfehlungen gegenwärtiger Kunden gewonnen werden können. Im folgenden einige Vorgehensweisen, die von Dienstleistern gern praktiziert werden:

1. Sie fragen die Kunden, ob sie Freunde und Bekannte nennen können, denen man Informationsmaterial schicken könnte, oder bitten sie um Weiterempfehlung.
2. Sie plazieren ein Schild im Geschäft, auf dem z. B. steht: »Zufriedene Kunden sind uns die liebsten Kunden. Wenn Sie uns gut finden, dürfen Sie es ruhig weitersagen.«
3. Sie fragen den Kunden nach erbrachter Leistung, ob er zufrieden ist. Antwortet er mit ja, sagen sie ihm, daß sie hoffentlich das gleiche auch für seine Freunde tun dürfen. Sie händigen ihm eine Broschüre mit nützlichen Informationen zu ihrem Fachgebiet aus und geben ihm noch ein paar weitere Exemplare für seine Freunde mit.
4. Sie bitten jeden neuen Kunden um Angaben darüber, ob und von wem sie empfohlen wurden. Sie vermerken den Namen des neuen Kunden auf der Karteikarte des empfehlenden Kunden. Sie bedanken sich bei diesem Kunden für die Empfehlung, wenn er das nächste Mal zu ihnen kommt.

Die persönliche Beeinflußbarkeit durch personengebundene Kommunikationswege hat in folgenden Situationen eine besonders große Bedeutung:

- **Wenn es um ein hochpreisiges, risikobehaftetes, nicht häufig gekauftes Produkt geht.**
  Hier haben die Käufer meist einen hohen Informationsbedarf und suchen über die Informationen der Massenmedien hinaus die Meinung kompetenter und vertrauenswürdiger Quellen.
- **Wenn das Produkt in bedeutendem Ausmaß mit sozialem Status verbunden wird.**
  Innerhalb von Produktkategorien wie Automobile, Bekleidung und sogar Bier oder Zigaretten unterscheiden sich einzelne Marken beträchtlich in dem, was sie über Status oder Geschmack ihrer Verwender aussagen; diese tendieren dann zu Marken, die für die Mitglieder ihrer Bezugsgruppe akzeptabel sind.

Unternehmen können wie folgt vorgehen, wenn sie über personengebundene und mediengebundene Kanäle die Wirkungsmechanismen der persönlichen Beeinflussung zu ihrem Vorteil nutzen wollen: [16]

- **Sie können einflußreiche Einzelpersonen und Unternehmen auf Kundenseite ermitteln und sich besonders um sie bemühen.**
  Im Industriegütermarketing folgt bei Produktinnovationen u. U. die gesamte Kundschaft einer Branche einem einzigen »*Schrittmacher*« unter den Kunden. Daher sollte man seine Verkaufsanstrengungen bereits möglichst früh auf diesen Schrittmacher richten.
- **Sie können Meinungsführer aufbauen, indem sie bestimmte Personen zu günstigen Konditionen mit dem Produkt versorgen.**
  Man könnte einen neuen Tennisschläger z.B. zunächst zu einem Sonderpreis den Mitgliedern von Schultennismannschaften anbieten, in der Hoffnung, daß die Teniscracks unter den Schülern ihre neuen Schläger bei den Mitschülern ins Gespräch bringen und herausstellen.
- **Sie können durch Personen in einflußreichen Positionen, wie z.B. bekannte Rundfunk-Moderatoren, Schulsprecher oder auch Vereinsvorsitzende, an den Markt herantreten.**
  Bei Einführung des Ford Thunderbird wurden leitende Angestellte zur kostenlosen Nutzung des neuen Modells für einen Tag eingeladen. Von 15.000 Führungskräften, die von diesem Angebot Gebrauch machten, zeigten sich 10% an einem Kauf interessiert, und 84% sagten, sie würden das Auto Freunden empfehlen. Deutsche Autohersteller stellen ihre neuen Modelle mit Fotomappen, Probefahrten und Promotion-Shows der Presse vor und präsentieren die neuen Fahrzeuge durch Prominente aus Kunst, Politik und Show-Business der Öffentlichkeit. So wurde die Rock-Gruppe »Genesis« von einer Flotte neuer 700er BMW zu Open-Air-Auftritten kutschiert, und Michael Jackson samt Gefolge sowie die Gruppe »Pink Floyd« rollten in Mercedes-Benz-Fahrzeugen durch die deutsche Konzertlandschaft.
- **Sie können einflußreiche Prominente für die Testimonialwerbung gewinnen.**
  Pepsi-Cola z.B. zahlte Michael Jackson mehrere Millionen Dollar für seine Auftritte in Pepsi-Testimonials; auch Hersteller von Sportausrüstungen setzen, wenn möglich, auf bekannte Sportler, die sich in der Öffentlichkeit positiv über die jeweiligen Sportgeräte äußern oder die Marke bewußt zur Schau stellen, wie dies insbesondere bei Skiläufern der Fall ist, die im Ziel sofort ihre Ski abschnallen und an die Schulter lehnen, so daß das Markenzeichen direkt neben ihrem Gesicht zu sehen ist.
- **Sie können Werbeaussagen mit hohem »Konversationswert« entwickeln.**
  Hier werden Personen des Zielpublikums im Gespräch mit anderen präsentiert. Ein Beispiel dafür ist die Kampagne von Jägermeister unter dem Motto »Ich trinke Jägermeister, weil . . .«. Dabei wurden immer neue lustige oder ansprechende Gründe für den Genuß von Jägermeister gebracht, so daß sich das Publikum veranlaßt fühlen konnte, in der Konversation mit anderen ähnlich lustige Gründe für das Trinken von Jägermeister zu finden.

Mediengebundene Kommunikationswege
Die Massenmedien befördern Botschaften ohne persönlichen Kontakt und ohne Interaktion zwischen Sender und Empfänger. Unpersönliche Massenkontakte werden durch Medien, atmosphärische Stimmungsbilder und Veranstaltungen bewirkt. Zu den *Medien* zählt man die Printmedien (Zeitungen, Zeitschriften, Direktwerbung), die Übertragungsmedien (Funk und Fernsehen), die elektronischen Medien (Audiocassette, Videocassette, Bildplatte) sowie die Außenwerbungsmedien (Werbeflächen, Schilder und Plakate). Die meisten mediengebundenen Botschaften werden durch bezahlte Medienwerbung übermittelt.

Ein *atmosphärisches Stimmungsbild* besteht aus einem bewußt gestalteten Umfeld, das den Verbraucher zum Kauf, zum Konsum oder zum Anbieter positiv einstellen soll. So findet man in Notariaten und Anwaltskanzleien schwere Teppiche und Eichenmöbel, um Solidität, Beständigkeit und Erfahrung zu vermitteln. [17] Mit Kristallüstern, Marmorsäulen etc. ausgestattete Empfangshallen in Nobelhotels strahlen eine Atmosphäre von gediegenem Luxus aus und sollen den Besucher aus der Zielgruppe zum Bleiben auffordern.

Veranstaltungen sind bewußt gestaltete Ereignisse zur Übermittlung spezieller Botschaften an ein Zielpublikum. Beispiele dafür sind von der PR-Abteilung organisierte Pressekonferenzen, Premieren- und Eröffnungsveranstaltungen oder von einem Sponsor geförderte Sportereignisse, mit denen bei dem Zielpublikum bestimmte kommunikative Wirkungen erzielt werden sollen.

Obwohl der einzelne persönliche Kommunikationskontakt in der Regel eindrucksvoller ist als ein Kontakt über nicht-personale Massenkommunikationskanäle, kann auch durch die Massenmedien eine eindrucksvolle persönliche Kommunikation ausgelöst werden; dies wird in Abbildung 20–5 anhand verschiedener Modelle veranschaulicht. Durch die Massenmedien lassen sich in *zwei- oder mehrstufigen Kom-*

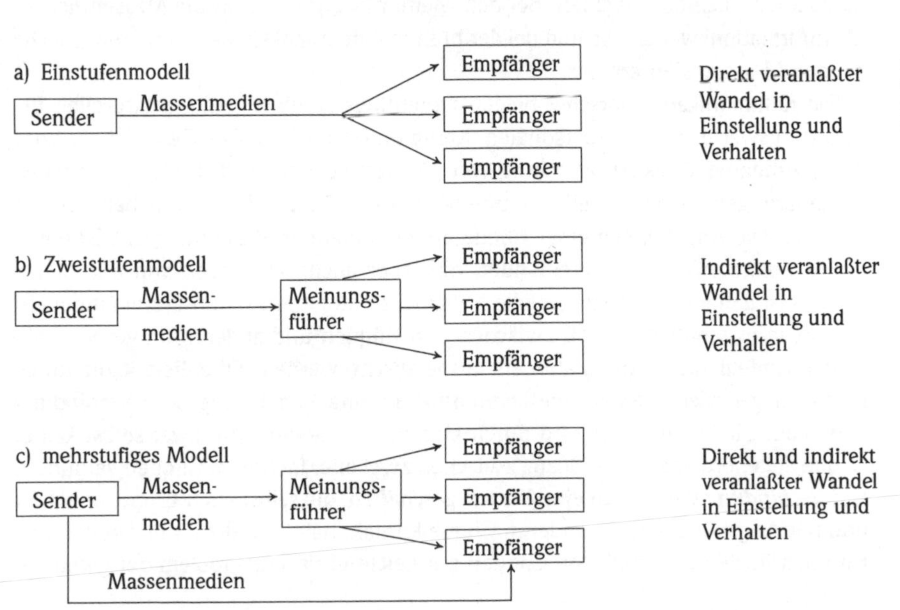

Abbildung 20-5
Modelle zum Fluß der Massenkommunikation

munikationsprozessen individuelle Einstellungen und Verhaltensweisen beeinflussen. Wie Lazarsfeld, Berelson und Gaudet ausführten, »verläuft der Ideenfluß häufig über Massenmedien zu Meinungsführern und von diesen weiter an die weniger aktiven Schichten der Bevölkerung.« [18]

Aus der Literatur über zwei- oder mehrstufige Kommunikationsmodelle lassen sich mehrere Folgerungen ableiten. Erstens wird durch die Massenmedien die öffentliche Meinung nicht so unmittelbar, stark und zwangsläufig beeinflußt, wie vielleicht beabsichtigt. Der Einfluß der Massenmedien wird durch *Meinungsführer* (*»opinion leaders«*) moderiert, die dem Kern der Zielgruppe angehören und deren Meinung in einem oder mehreren Produktbereichen bei anderen Gruppenmitgliedern gefragt ist. Meinungsführer haben auch mehr Medienkontakte als die von ihnen beeinflußten Personen. Sie tragen Botschaften an Personen mit weniger Medienkontakten und vergrößern damit den Einfluß der Massenmedien. Sie können aber auch Botschaften gar nicht oder in veränderter Form weitertragen und dann die Funktion von *»Informationsfiltern«* übernehmen.

Zweitens wendet sich dieses Meinungsführermodell gegen die Vorstellung, daß sich die Menschen in ihrem Konsumverhalten an gesellschaftlich höhergestellte Schichten anlehnen (»Trickle-down-Effekt«). Im Gegenteil, die Menschen suchen kommunikative Interaktionen vornehmlich mit den Angehörigen ihrer eigenen sozialen Schicht und holen sich ihre Ansichten – zur Mode und in anderen Bereichen – von gleichgestellten Personen, die als Meinungsführer fungieren. [19]

Eine dritte Folgerung lautet, daß der Einsatz von Massenkommunikationsmitteln effizienter wäre, wenn die Botschaften auf Meinungsführer zugeschnitten wären, so daß diese sie weitertragen könnten. So versuchen z. B. Unternehmen der Pharma-Industrie, zunächst die einflußreichsten Vertreter der Ärzteschaft für neue Medikamente zu gewinnen. Forschungsberichte neueren Datums weisen darauf hin, daß sowohl die Meinungsführer als auch die breite Öffentlichkeit durch Massenkommunikation beeinflußt werden. Bei den Meinungsführern lösen die Massenmedien die Informationsweitergabe und bei der breiten Öffentlichkeit die Informationssuche bei den Meinungsführern aus.

Die Kommunikationsforscher neigen neuerdings zu einer sozio-strukturellen Betrachtungsweise der interpersonalen Kommunikation. [20] Die Gesellschaft wird dabei zunehmend als Ansammlung von *Cliquen* betrachtet, d. h. kleinen sozialen Gruppierungen, deren Mitglieder untereinander häufiger Kontakt haben als mit anderen. Die Angehörigen einer Clique ähneln einander; dies ermöglicht eine effiziente Kommunikation untereinander, hält aber auch neue Ideen von der Clique fern. Es ist daher eine anspruchsvolle Aufgabe, ein Kommunikationssystem mit mehr Offenheit zu schaffen, so daß zwischen den Cliquen und anderen im gesellschaftlichen Umfeld mehr Informationen ausgetauscht werden. Offenheit kann durch Personen gefördert werden, die kommunikativ eine Vermittlung oder Verbindung bewirken. Die *Vermittlung* wird durch eine Person bewirkt, die zwar selbst keiner Clique angehört, aber einen Bezug zwischen zwei oder mehreren Cliquen vermittelt. Die *Verbindung* wird durch eine Person geschaffen, die selbst einer Clique angehört und mit Angehörigen einer anderen Clique Kontakt hält. Mund-zu-Mund-Kommunikationen fließen innerhalb von Cliquen mit Leichtigkeit. Das Problem der Offenheit liegt darin, die Kommunikation zwischen Cliquen zu ermöglichen und ein Kommunikationsnetz zur Verbreitung von Botschaften einzurichten.

Budgetierung der gesamten Kommunikation und Absatzförderung

Eine der schwierigsten Entscheidungen im Marketing ist, wieviel Geld man für die absatzfördernde Kommunikation ausgeben soll. Deshalb überrascht es nicht, daß die Höhe des Kommunikationsbudgets von Branche zu Branche und von Unternehmen zu Unternehmen beträchtlich variiert. Die Budget-Bandbreite reicht von 30–50% des Umsatzes in der Kosmetikindustrie bis zu lediglich 10–20% des Umsatzes bei Industrieausrüstungen.

Wie treffen die Unternehmen die Entscheidung über die Höhe ihres Absatzförderungsbudgets? Im folgenden wollen wir vier gängige Ansätze zur Budgetierung des gesamten Kommunikationsmix, d.h. Werbung, persönlicher Verkauf, Verkaufsförderung und Public Relations, erläutern.

Budgetierung entsprechend der Finanzkraft

Viele Unternehmen geben für die absatzfördernde Kommunikation so viel aus, wie sie sich ihrer Meinung nach »leisten« oder erübrigen können. Hierzu ein Zitat eines leitenden Angestellten: »Die Sache ist ganz einfach. Zunächst gehe ich hinauf in die Controlling-Abteilung und frage, wieviel wir uns in diesem Jahr für die absatzfördernde Kommunikation finanziell leisten können. Man sagt mir dort z.B.: ›Drei Millionen sind dafür drin.‹ Später kommt dann der Chef zu mir und fragt mich, wieviel wir ausgeben sollten, und ich antworte: ›Oh, ich würde sagen, ungefähr drei Millionen.‹« [21]

Die Ansicht, daß nur finanzkräftige Unternehmen sich eine starke Werbung und Verkaufsförderung leisten können, ist weitverbreitet. Sie besagt, daß man sich die Absatzförderung leisten muß, statt daß die Absatzförderung etwas leisten muß. Diese Einstellung ist für den ökonomisch handelnden Manager unsinnig, denn sie setzt voraus, daß die einzusetzende Absatzförderung unwirksam oder ineffizient ist. In diesem Falle sollte man gar nichts dafür ausgeben, selbst wenn man es sich leisten könnte. Das Absatzförderungsbudget nach diesem Ansatz festzulegen heißt, daß man deren kurz-, mittel- und langfristige Wirkungen ignoriert. Dieser Ansatz führt zudem dazu, daß das Budget für die Absatzförderung jährlich je nach Finanzlage fluktuiert und daß eine kontinuierliche Marktbearbeitung unmöglich gemacht wird. Dieser Ansatz ist nur dann zu vertreten, wenn man die Absatzförderung als Experiment mit ungewissem Ausgang ansieht, das man sich »leisten können sollte«. Eine Marketing-Organisation würde sich allerdings ein schlechtes Zeugnis ausstellen, wenn sie wiederholt Jahr für Jahr ihre gesamte Absatzförderung und Werbung als Experiment ansehen würde.

Budgetierung anhand des Umsatzes

Zahlreiche Unternehmen bestimmen ihr Absatzförderungsbudget nach dem Umsatz der vergangenen, der laufenden oder der kommenden Periode. Sie nehmen einen festgelegten Anteil des Umsatzes als Absatzförderungsbudget. Dieser Anteil wird je nach Branche oder Unternehmen unterschiedlich ausgedrückt, z. B. als »% vom Umsatz« oder als »Aufwendungen pro Stück oder Einheit«. Ein leitender Angestellter eines Transportunternehmens erläuterte dies wie folgt: »Jeweils am 1. Dezember des laufenden Jahres entscheiden wir über die Verteilung der Mittel für das kommende Jahr. Wir addieren zum Umsatz der vergangenen elf Monate den erwarteten Umsatz für den letzten Monat dieses Jahres hinzu und stellen von diesem Gesamtbetrag 2 % für Werbeausgaben im folgenden Jahr bereit.« [22]

In der Automobilbranche dient oft der voraussichtliche Verkaufspreis pro Fahrzeug als Bezugsgröße für die Absatzförderung. So könnte z. B. Jaguar entscheiden, für jedes in Deutschland zu verkaufende Fahrzeug absatzfördernde Aufwendungen von 1.200 DM zu tätigen. In der Mineralölbranche budgetiert man für jeden unter eigenem Markennamen verkauften Liter Benzin einen festen Pfennigbruchteil für die Absatzförderung. In der Mineralbrunnenbranche budgetieren viele Abfüller pro Flasche einen bestimmten Betrag für die Markenwerbung.

Für dieses Budgetierungsverfahren werden eine Reihe von Vorteilen angeführt. Erstens besteht hier ein Bezug zu dem, was sich das Unternehmen finanziell leisten kann, nämlich höhere Aufwendungen bei einem höheren Umsatz und niedrigere Aufwendungen bei einem niedrigeren Umsatz. Dies kommt den Wünschen von Finanzexperten entgegen, die meinen, daß die Absatzförderungskosten dem Verlauf des Unternehmensumsatzes über den Konjunkturzyklus hinweg angepaßt werden sollten. Zweitens wird damit das besondere Augenmerk des Managements darauf gelenkt, ob die Absatzförderung in einem vernünftigen Verhältnis zum Verkaufspreis und Gewinn steht. Drittens führt eine branchenweite Anwendung dieses Budgetierungsverfahrens zu stabilen Wettbewerbsverhältnissen, wenn mehrere Wettbewerber den gleichen Prozentsatz vom Umsatz für Promotions aufwenden.

Trotz dieser oft zitierten Vorteile gibt es keine gute Begründung für die Budgetierung der Absatzförderung nach dem Umsatz. In der gedanklichen Konsequenz spannt man hier den Karren vor das Pferd: Da die Absatzförderung den Umsatz steigern soll, kann nicht der Umsatz die Absatzförderungsausgaben bestimmen. Diese Budgetierung führt zu Aufwendungen, die nicht von den Marktchancen, sondern vielmehr von der Verfügbarkeit finanzieller Mittel bestimmt werden. Sie hält das Unternehmen von vorwärtsgerichteten und auch von antizyklischen Absatzförderungsprogrammen ab. Hohe umsatzabhängige Fluktuationen in der Absatzförderung widersprechen einer langfristig angelegten Marktbearbeitung. Außerdem entbehrt jeder Prozentsatz der logischen Basis, es sei denn, man akzeptiert die Praxis der Vergangenheit oder die Praxis des Wettbewerbs dafür. Und schließlich hält diese Budgetierung nicht dazu an, die Absatzförderung entsprechend den Erfordernissen jedes Produkts oder Gebiets zu verstärken oder zurückzunehmen.

Budgetierung orientiert am Wettbewerb

Einige Unternehmen wollen durch ihre Werbung und die anderen Absatzförderungsmaßnahmen in einem bestimmten Stärkeverhältnis zum Wettbewerb auftreten. Sie wollen einen bestimmten »Anteil am Stimmenkonzert« (»share of voice«) im Markt haben. Diese Denkweise offenbarte ein Manager, der seinen Partnern im

Handel folgende Frage stellte: »Haben Sie irgendwelche Richtwerte von anderen Unternehmen, um die Größenordnung festzulegen, in der wir unsere Produkte durch absatzfördernde Kommunikation stützen sollten?« [23] Dieser Manager glaubt, daß sein Unternehmen seinen Marktanteil halten kann, wenn es den gleichen Prozentsatz vom Umsatz wie die Konkurrenz für die Kommunikation ausgibt.

Für diese Art der Budgetierung werden zwei Argumente ins Feld geführt. Erstens zeigen die Gesamtaufwendungen aller Wettbewerber, was nach dem gemeinsamen Wissensstand aller Beteiligten für die Branche angemessen ist. Zweitens werden »Absatzförderungs-Kriege« vermieden, wenn bestimmte Wettbewerber von vornherein wissen, daß andere mit ihnen gleichziehen werden.

Keines dieser Argumente hält einer genaueren Überprüfung stand. Es ist schlecht, davon auszugehen, daß die Konkurrenz Hinweise darauf liefert, wieviel man für die Absatzförderung ausgeben sollte. Reputation, Ressourcen, Chancen und Ziele der einzelnen Wettbewerber sind in der Regel zu unterschiedlich, als daß man ihr Absatzförderungsbudget als Maßstab für die eigene Budgetierung heranziehen könnte. Darüber hinaus fehlt noch der Nachweis dafür, daß eine Budgetierung nach dem Wettbewerb dem Ausbrechen von Promotion-Kriegen entgegenwirkt.

Budgetierung anhand von Zielen und Aufgaben (»Ziele- und Aufgaben-Methode«)

Bei diesem Ansatz muß der Marketer sein Absatzförderungsbudget systematisch erarbeiten, indem er die Ziele für sein Programm umreißt, die zu erfüllenden Aufgaben klarstellt und die dafür anfallenden Kosten abschätzt. Aus der Summe dieser Kosten ergibt sich dann das erforderliche Gesamtbudget.

Ein Beispiel veranschaulicht die Anwendung dieser Budgetierungsmethode für ein neues Fertiggericht, das den fiktiven Markennamen »Schmatzi« haben und für den Markt der bundesdeutschen Einpersonenhaushalte im Jahr 1987 gedacht sein soll. [24] Der Ablauf ist folgender:

1. **Das Durchdringungsziel wird festgelegt und beschrieben.**
   Das werbetreibende Unternehmen setzte sich den Aufbau einer Marktdurchdringung von 8% als Ziel. Konkret heißt das, daß 8% der Zielgruppe für das Produkt als markentreue Stammkunden gewonnen werden sollen. In der Zielgruppe »Einpersonenhaushalte« (9,2 Mio. Haushalte) müßten also etwa 750.000 Singles als Stammkunden gewonnen werden.
2. **Der prozentuale Anteil aller potentiellen Käufer im Markt, die mit der »Schmatzi«-Werbung erreicht werden sollen, wird festgelegt.**
   Das werbetreibende Unternehmen will mit der Werbung 80% aller Personen der Zielgruppe, d.h. 7,5 Mio. Singles, erreichen. Mit dieser Zahl für die Reichweite der Werbekampagne ist das Werbekontaktziel umrissen.
3. **Der prozentuale Anteil der mit der Werbung erreichten Singles, die man zu einem ersten Probekauf der Marke bewegen will, wird abgeschätzt und als Aufgabenstellung festgelegt.**
   Das werbetreibende Unternehmen wäre zufrieden, wenn 25% aller mit der Werbung erreichten Singles, d.h. etwa 1,88 Mio., die Marke »Schmatzi« ausprobierten. Diese Aufgabenstellung ergibt sich aus dem Schätzwert, daß 40% aller Erstkäufer, also etwa 750.000 Personen, »Schmatzi« wiederholt kaufen würden. Dieser Schätzwert beruht auf Erfahrungen mit anderen Marken oder auf Untersuchungen speziell für die Marke »Schmatzi«, bei denen getestet wird, wie viele Personen die Marke erneut kaufen würden, wenn sie erst einmal probiert wurde.

Damit ist eine der Aufgabenstellungen für die Werbung festgelegt, nämlich jeden vierten kommunikativ erreichten Verbraucher zum Probieren der Marke zu bewegen.

Das heißt, es soll eine Erstkaufrate von 25% erreicht werden. Dies ist ein sehr anspruchsvolles Ziel und erfordert eine qualitativ ansprechende Werbung in massivem Umfang. Mit Erfüllung dieser Aufgabe wäre das Marktdurchdringungsziel erreicht.

4. **Die für eine Erstkaufrate von 25% erforderliche Zahl von Werbeeindrücken wird ermittelt.**
   Das werbetreibende Unternehmen schätzt, daß bei jedem Prozent der Zielgruppe, das 20 Werbeeindrücken (Kontakten) ausgesetzt ist, eine Erstkaufrate von 25% bewirkt wird.
5. **Die Gesamtmenge der erforderlichen Werbekontakte, gemessen in »gross rating points oder GRPs«, wird ermittelt.**
   Ein GRP ist das Maß für die Werbemenge, die bei einem Prozent der Zielgruppe zu durchschnittlich einem Werbekontakt führt. Es müssen also 80% der Zielgruppe mit durchschnittlich 20 Werbekontakten erreicht werden. Multipliziert man beide Zahlen, ergeben sich 1.600 »gross rating points« (GRPs). Mit 1.600 GRPs steht fest, welche Werbemenge zur Erreichung des Werbeziels und zur Erfüllung der abgeleiteten Aufgaben gekauft werden muß.
6. **Das erforderliche Werbebudget anhand der Durchschnittskosten pro GRP wird ermittelt.**
   Ein Werbekontakt für 1% der Zielgruppe kostete im Durchschnitt 5.300 DM; folglich ist für 1.600 GRPs im Jahr der Markteinführung von »Schmatzi« ein Werbebudget von 8,5 Mio. DM (= 5.300 DM × 1.600) nötig.

Bei dieser Art der Budgetierung ist man gezwungen, eine deutliche Beziehung zwischen Werbeausgaben, Art und Anzahl der Werbekontakte (z.B. gemessen in GRPs), Erstkaufrate und Wiederholungskäufen herzustellen. Dies ist ein Vorteil, denn viele dieser Beziehungen lassen sich durch Forschung ermitteln oder durch Erfahrung erlernen, wenn man sie aufmerksam beobachtet.

Bei der Budgetierung der absatzfördernden Kommunikation muß insbesondere auch klargestellt werden, welche Rolle sie im gesamten Marketing-Mix (z.B. verglichen mit Produktverbesserungen, Preissenkungen und Erweiterungen des Serviceangebots) spielen soll. Die Entscheidung dazu hängt davon ab, in welcher Lebenszyklusphase sich die Produkte des Unternehmens befinden, ob es sich um Massengüter oder stark differenzierbare Güter handelt, ob sie routinemäßig nachgefragt werden oder ob sie aktiv verkauft werden müssen etc. Im Prinzip sollte das Budget für die absatzfördernde Kommunikation so hoch sein, daß der Grenzertrag daraus dem Grenzertrag aus anderen Marketingaufwendungen gleich ist. In der Praxis ist jedoch die Realisierung dieses Prinzips nicht einfach.

Budgeteinteilung im Kommunikations- und Absatzförderungsmix

Das Gesamtbudget muß nun auf die vier Instrumente der absatzfördernden Kommunikation, nämlich Werbung, Verkaufsförderung, Public Relations und persönlichen Verkauf, verteilt werden. Die einzelnen Wettbewerber innerhalb derselben Branche können hier sehr unterschiedlich entscheiden. In der Tiefkühlkostbranche gibt z.B. Eismann sein Geld vor allem für den persönlichen Verkauf aus, während Langnese-Iglo sehr viel Geld in die Werbung steckt. Man kann also bei der Verfolgung seines Umsatzziels unterschiedliche Schwerpunkte bei der Mittelverteilung auf die absatzfördernden Instrumente Werbung, persönlicher Verkauf, Verkaufsförderung und Public Relations setzen. Dennoch können branchenweite Gesamtaufstellungen oder Durchschnittswerte bei der Aufteilung als Vergleichsgrundlage dienen.

Unternehmen sind stets bemüht, ihre Absatzförderung zu verbessern. Sie ersetzen ein absatzförderndes Instrument durch ein anderes, wenn dieses kosteneffektiver wird. So haben viele Unternehmen einige ihrer Aktivitäten im Verkauf durch Anzeigenwerbung, Direct-Mail- und Telefonmarketing-Aktionen ersetzt. Andere haben den Ausgabenanteil der Verkaufsförderung gegenüber der Werbung erhöht, um schneller an Aufträge heranzukommen. Gerade weil die einzelnen Instrumente der Absatzförderung untereinander substituiert werden können, ist es wichtig, daß alle Marketingaktivitäten des Unternehmens von einer einzigen Marketingabteilung koordiniert werden.

Die Gestaltung des Absatzförderungsmix ist noch komplizierter, wenn ein absatzförderndes Instrument dazu genutzt wird, die Wirksamkeit eines anderen Instruments zu fördern. Dazu zwei Beispiele: Wenn McDonald's den Besuch seiner Verkaufsstellen durch ein Gewinnspiel (das erste Verkaufsförderungsinstrument) in großem Stil fördern will, müssen Zeitungsanzeigen (das zweite Instrument) die Öffentlichkeit darüber informieren. Wenn Dr. Oetker eine neue Backmischung durch eine verbrauchergerichtete Werbekampagne auf dem Markt einführen will, muß das Unternehmen gleichzeitig ein Verkaufsförderungsprogramm für den Handel entwikkeln, damit dieser das Produkt aufnimmt und für den Verbraucher bereitstellt.

Gibt es für Entscheidungen zum Absatzförderungsmix eine Prioritätenliste? In der Regel werden die Vertriebskosten als erstes behandelt und aus dem Gesamtbudget abgezweigt, denn zum großen Teil handelt es sich hier um inflexible Kostenblöcke, die aus der Vorperiode fortgeschrieben werden müssen. Dann erhebt sich die Frage, ob zunächst über das Verkaufsförderungsbudget oder über das Werbebudget entschieden werden soll. Die Produktmanager von Konsumgütern stehen zunehmend unter Druck, das Budget für die handelsbezogene Verkaufsförderung vorab zu behandeln, denn ihr Absatz läuft über mächtige Handelsketten, deren Einkäufer mit Nachdruck umfangreiche Mittel für die Absatzunterstützung fordern. Als nächstes kommt dann oft das Budget für die verbraucherbezogene Verkaufsförderung, die kurzfristige Anreize bringen soll, so daß die Verbraucher zugreifen. Meist erfolgt dann erst am Ende die Entscheidung über das Werbebudget. Diese Entscheidungen verlaufen bei Herstellern, die im vertikalen Marketingsystem eine stärkere Machtposition haben, in umgekehrter Reihenfolge.

Bei der Auswahl und Zusammenstellung der Absatzförderungsmittel durch den Marketer sind viele Faktoren zu berücksichtigen. Im folgenden wollen wir uns diese Faktoren näher ansehen.

Wesensart der einzelnen Absatzförderungsinstrumente

Jedes Instrument der absatzfördernden Kommunikation – Werbung, persönlicher Verkauf, Verkaufsförderung und Public Relations – hat seine Besonderheiten. Diese muß der Marketer kennen, um seine Auswahlentscheidung treffen zu können.

Werbung

Werbung hat vielfältige Erscheinungsformen und Anwendungsmöglichkeiten. Deshalb sind allumfassende Aussagen über ihre besonderen Eigenschaften als Element im Absatzförderungsmix schwierig. Trotzdem sollte man folgende Eigenschaften beachten: [25]

- **Öffentlichkeit**
  Die große Öffentlichkeit der Kommunikation hat bestimmte Konsequenzen. Dadurch wird das Produkt legitimiert und allen das gleiche Angebot unterbreitet. Da viele Personen von der Werbebotschaft erreicht werden, wissen die Käufer des Produkts, daß die Öffentlichkeit ihre Kaufmotive versteht und wahrscheinlich billigt.
- **Zutrittsmöglichkeit zum Zielpublikum**
  Durch Werbemedien erhält der Anbieter für seine Botschaft eine Zutrittsmöglichkeit zum Zielpublikum, von der er viele Male Gebrauch machen kann. Der Abnehmer kann die Botschaften mehrerer Anbieter aufnehmen und vergleichen. Ein Werbeprogramm in großem Stil drückt an sich schon aus, daß der Anbieter groß, populär und erfolgreich sein muß.
- **Dramatisierbarkeit der Darstellung**
  Werbung gibt dem Unternehmen die Chance, seine Aussagen durch Schrift-, Ton- und Farbelemente »dramatisch herauszustellen«. Manchmal lenkt aber gerade eine erfolgreiche Verstärkung die Aufmerksamkeit des Empfängers auf das Verstärkungselement und schwächt damit die Werbebotschaft.
- **Mangelnder persönlicher Bezug zum Sender oder Überbringer**
  Werbung kann nie so vereinnahmend sein wie ein Verkäufer. Das Zielpublikum fühlt sich nicht verpflichtet, ihr Beachtung zu schenken oder darauf zu reagieren. Werbung ermöglicht nur eine Einweg-Kommunikation mit dem Zielpublikum. Ein Dialog findet nicht statt.

Einerseits läßt sich durch Werbung ein langfristiges Produktimage aufbauen (z.B. die Langlebigkeit von Autos der Marke Volvo), andererseits ist auch ein kurzfristiger Verkaufseffekt erzielbar (z.B. Werbung für ein Rock-Konzert). Durch Werbung läßt sich eine große Zahl geographisch weit gestreuter Käufer wirksam und zu niedrigen Kosten pro Werbekontakt ansprechen. Bei bestimmten Formen der Werbung, z.B. der Fernsehwerbung, muß man mit einem großen Budget einsteigen, während man z.B. bei der Werbung in den Printmedien bereits mit einem kleinen Budget einsteigen kann. Allein schon die Tatsache, daß für ein Produkt geworben wird, kann verkaufsstimulierende Wirkungen haben. Es gibt Verbraucher, die glauben, daß an einem intensiv beworbenen Produkt »etwas dran ist«; denn warum sollte ein Werbetreibender sein Produkt mit großem Aufwand anpreisen, wenn es schlecht ist.

Persönlicher Verkauf

In bestimmten Phasen des Kaufprozesses, vor allem bei der Präferenzbildung, Einstellungsänderung und Kaufhandlung, ist der persönliche Verkauf das wirkungsvollste Instrument der absatzfördernden Kommunikation. Es weist im Vergleich zur Werbung drei besondere Eigenschaften auf: [26]

- **Persönliche Wechselbeziehung**
  Der persönliche Verkauf schafft eine lebendige, direkte und interaktive Beziehung zwischen zwei oder mehreren Personen. Jeder Beteiligte kann unmittelbar auf die Wünsche und das Verhalten seines Gegenübers eingehen und sich sofort darauf einstellen.
- **Beziehungsgestaltung**
  Im persönlichen Verkauf können Beziehungen vielerlei Art aufgebaut werden: von der rein sachlichen Geschäftsbeziehung bis hin zur engen persönlichen Freundschaft. Ein erfolgreicher Verkäufer beherzigt in der Regel die Interessen seiner Kunden, wenn er dauerhafte Beziehungen anstrebt.
- **Reaktionsverpflichtung**
  Im persönlichen Verkauf fühlt sich der Käufer dadurch, daß er die Verkaufspräsentation zuließ, in die Pflicht genommen. Er verspürt dann ein größeres Bedürfnis, dem Verkäufer Beachtung zu schenken und auf ihn zu reagieren, auch wenn seine Antwort nur aus einem höflichen »Danke« besteht.

Diese besonderen Eigenschaften des persönlichen Verkaufs haben ihren Preis. Durch die Verkaufsorganisation entsteht ein Kostenblock, der das Unternehmen langfristiger verpflichtet als die Werbung. Werbung kann man schnell »an- und abschalten«. Das ist beim Verkaufspersonal nicht möglich.

Verkaufsförderung
Selbst angesichts der Vielzahl verkaufsfördernder Instrumente, wie Gutscheine, Preisausschreiben, Beilagen etc. müssen wir bei ihrem Einsatz drei Eigenschaften besonders beachten:

- **Kommunikativer Wert**
  Sie sollten Aufmerksamkeit wecken und Informationen liefern, die den Verbraucher an das Produkt heranführen.
- **Anreizgehalt**
  Sie sollten ein Entgegenkommen, Anreize oder andere Beiträge bieten, die der Verbraucher schätzt.
- **Aufforderungsgehalt**
  Sie sollten eine besondere Aufforderung beinhalten, die Kaufentscheidung jetzt und hier zu treffen.

Durch Verkaufsförderung will das Unternehmen stärkere und schnellere Kaufreaktionen auslösen. Sie kann eingesetzt werden, um bestimmte Produktangebote besonders herauszustellen und Absatzflauten zu überwinden. Ihre Wirkung ist meist von kurzer Dauer, und zum Aufbau dauerhafter Markenpräferenzen trägt sie wenig bei.

Public Relations
Eine aktive Gestaltung der Public-Relations-Aktivitäten ist für ein Unternehmen wegen folgender besonderer Eigenschaften interessant:

- **Hohe Glaubwürdigkeit**
  Informationen über das Unternehmen und seine Produkte, die in Nachrichtenform oder als Presseberichte herausgegeben werden, erscheinen dem Leser authentischer und glaubwürdiger als Werbeanzeigen vom Unternehmen selbst.
- **Weniger Argwohn**
  Durch Publizität kann man viele potentielle Käufer erreichen, die ansonsten Verkäufer und Werbeanzeigen aus Argwohn vermeiden. Die Botschaft erreicht die Käufer eher als Nachricht denn als Kommunikation mit Verkaufsabsicht.
- **Dramatisierbarkeit**
  Wie durch Werbung kann man auch durch Publizitätsveranstaltungen ein Unternehmen oder seine Produkte »dramatisieren«.

Tendenziell setzen Marketer das Instrument der Publicity nicht so viel wie möglich und oft erst nachträglich ein. Eine durchdachte und mit den anderen Elementen im Absatzförderungsmix abgestimmte Publicity-Kampagne kann jedoch äußerst wirkungsvoll sein.

Einflußfaktoren auf die Budgeteinteilung im Absatzförderungsmix
In die Budgeteinteilung im Absatzförderungsmix fließen mehrere Faktoren ein, die im folgenden näher untersucht werden.

Art des Produktmarkts

Wie in Abbildung 20–6 veranschaulicht, werden die Instrumente der Absatzförderung auf Konsumgütermärkten für unterschiedlich wichtig erachtet. Für Konsumgüter ist die Werbung am wichtigsten, gefolgt von Verkaufsförderung, persönlichem Verkauf und Public Relations. Die Rangfolge auf Industriegütermärkten dagegen lautet persönlicher Verkauf, Verkaufsförderung, Werbung und Public Relations. Im allgemeinen spielt der persönliche Verkauf bei komplexen, hochpreisigen und mit Risiken verbundenen Gütern sowie auf Märkten mit wenigen und größeren Käufern (d.h. Industriegütermärkten) eine wichtigere Rolle.

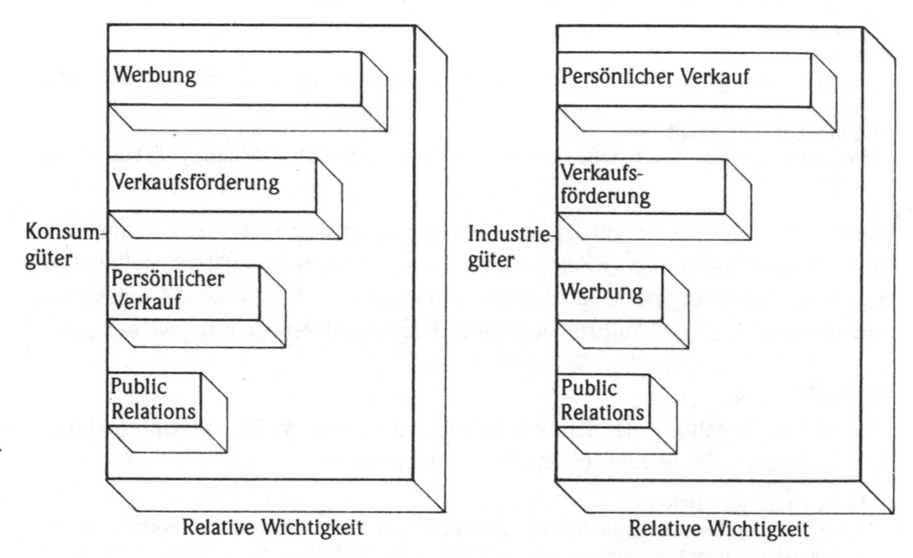

Abbildung 20-6
Relative Wichtigkeit der Absatzförderungsinstrumente für Konsum- und Industriegüter

Auch wenn auf Industriegütermärkten die Werbung weniger wichtig ist wie der persönliche Verkauf, spielt sie immer noch eine bedeutende Rolle. Auf Industriegütermärkten läßt sich durch Werbung folgendes erreichen:

- **Bekanntheitsgrad aufbauen**
  Potentielle Kunden, die das Unternehmen oder das Produkt nicht kennen und deshalb einen Gesprächstermin mit dem Verkäufer ablehnen, können durch Werbung erreicht und umgestimmt werden. Das Unternehmen und seine Produkte müßten, wären sie nicht bekannt, ansonsten erst zeitaufwendig vom Verkäufer beschrieben werden.
- **Verständnis verbessern**
  Weist ein Produkt neue Ausstattungselemente auf, müssen diese dem Kunden erklärt und von ihm verstanden werden. Einen Teil dieser Aufklärungsarbeit kann die Werbung effizient erledigen.
- **Effizientes Erinnern**
  Wenn der potentielle Kunde das Produkt kennt, jedoch zum Kauf noch nicht bereit ist, dann ist ein Erinnerungsimpuls durch Werbung wesentlich wirtschaftlicher als ein Verkäuferbesuch.
- **Interessenten aufspüren**
  Anzeigen mit Antwortkupons sind ein wirkungsvolles Mittel, um neue Interessenten aufzuspüren, die dann vom Verkauf angesprochen werden können.
- **Behauptungen legitimieren**
  Der Reisende kann bei Kundenbesuchen Belegexemplare von Anzeigen in führenden Fach-

zeitschriften vorlegen, um damit seine Behauptungen über das Unternehmen und seine Produkte zu legitimieren.
- **Vergewisserung**
  Durch Werbung kann sich der Kunde vergewissern, wie das Produkt zu verwenden ist, und ihm seine Kaufentscheidung bestätigen.

Zahlreiche Untersuchungen belegen, wie wichtig Werbung im Industriegütermarketing ist. In einer Untersuchung zum Marketing von industriellen Grundstoffen und Massengütern deckte Morrill auf, daß durch den kombinierten Einsatz von Werbung und persönlichem Verkauf um 23% höhere Umsätze erzielt werden konnten, als wenn man auf Werbung verzichtete. Die gesamten Absatzförderungskosten (gemessen in % vom Umsatz) konnten um 20% gesenkt werden.[27] Freeman entwickelte ein formales Modell zur Aufteilung der Absatzförderungsmittel zwischen Werbung und persönlichem Verkauf auf der Basis der auszuführenden Aufgaben, die jedes Instrument wirtschaftlicher erfüllt.[28] Levitts Forschung zeigt, wie in Exkurs 20-4 näher erläutert, die Rolle der institutionellen Imagewerbung im Industriegütermarketing.

Exkurs 20-4: Die Rolle der institutionellen Imagewerbung im Industriegütermarketing

Theodore Levitt wollte ermitteln, welchen Beitrag ein durch Werbung vorangetragener Ruf im Vergleich zu persönlich gehaltenen Verkaufspräsentationen beim Verkauf von Industriegütern bringt. In Levitts Untersuchung wurden den Einkäufern persönlich gehaltene Verkaufspräsentationen zu einem neuen, fiktiven, technischen Produkt vorgeführt, das der Farbherstellung diente. In der Untersuchung wurde folgendes variiert: die Qualität der Verkaufspräsentation, das Herkunftsunternehmen und sein Ruf (weithin bekannt; weniger bekannt, aber glaubhaft; unbekannt). Die Reaktionen der Einkäufer auf die Präsentation wurden unmittelbar danach und nochmals fünf Wochen später erfaßt. Der Befund aus dieser Untersuchung war folgender:

1. Mit dem Ruf des Unternehmens steigen auch die Chancen, daß der Einkäufer wohlwollend zuhört und das Produkt von seinem Unternehmen frühzeitig übernommen wird. Folglich stützt institutionelle Werbung, die den Ruf des Anbieterunternehmens verbessert (wobei auch andere Faktoren den Ruf mitbestimmen), die Verkäufer.
2. Verkäufer weithin bekannter Unternehmen haben einen leichten Vorsprung bei der Einholung von Aufträgen, wenn ihre Präsentationen in Ordnung sind. Der Verkäufer eines weniger bekannten Unternehmens kann diesen Nachteil durch eine besonders gute Präsentation wettmachen. Unbekannte kleinere Unternehmen sollten ihre begrenzten Mittel zur Auswahl und Schulung von qualifizierten Verkäufern einsetzen, statt dieses Geld für institutionelle Werbung auszugeben.
3. Der Ruf des anbietenden Unternehmens hilft dem Verkäufer am meisten, wenn er ein komplexes, mit großen Risiken behaftetes Produkt verkauft und der Einkäufer weniger professionell ausgebildet ist.

Quelle: Theodore Levitt: *Industrial Purchasing Behavior: A Study in Communication Effects*, Boston: Division of Research, Harvard Business School, 1965.

Auch Lilien führte im Rahmen seines Projekts ADVISOR Untersuchungen durch, in denen die Budgetierungspraxis von Unternehmen auf Industriegütermärkten festgestellt und kritisch durchleuchtet wurde, wie dies in Exkurs 20-5 zusammenfassend dargestellt ist.

Exkurs 20-5: Das ADVISOR-Projekt: Wie Industriegüter-Marketer das Gesamtbudget für Marketingaufwendungen und das Werbebudget festlegen

Professor Gary L. Lilien leitete unter dem Projektnamen ADVISOR eine fünfjährige Untersuchung, mit der er erforschte, wie Manager ihr Werbebudget für Industriegütermärkte aufstellen. Das Gesamtprojekt bestand aus zwei Teilen: ADVISOR 1 und ADVISOR 2.

ADVISOR 1

Es wurden Daten zum Marketing von 66 Industriegütern aus 12 Unternehmen gesammelt, um damit Vergleichswerte festzustellen, die Industriegüter-Marketer zur Budgetierung von Marketingaufwendungen heranziehen konnten. Die beobachteten Marketer neigten zu einem zweistufigen Ansatz für die Festlegung des Werbebudgets. Zuerst entschieden sie über die Höhe der gesamten Marketingaufwendungen im Verhältnis zum Umsatz (*M/U-Rate)* und dann über den Anteil der Werbung daran (*W/M-Rate*). Durch Multiplikation dieser beiden Verhältniszahlen ließ sich eine dritte ableiten, nämlich das Verhältnis zwischen Werbeausgaben und Umsatz (*W/U-Rate*). Aus den gesammelten Daten ergaben sich folgende Vergleichswerte:

	Werbung	*W/U*	*M/U*	*W/M*
Mittelwert:	92.000 $	0,6%	6,9%	9,9%
Streugrenzen für 50% der untersuchten Produkte:	16.000 $–272.000 $	0,1%–1,8%	3%–14%	5%–19%

Mit dieser Vergleichstabelle konnte das Unternehmen überprüfen, ob seine Verhältniszahlen M/U sowie W/M außerhalb der Streugrenzen liegen, in die 50% aller Produkte fallen. Liegen sie außerhalb der Streugrenzen, dann sollten die Gründe dafür hinterfragt werden. Liegen keine schlüssigen Gründe vor, dann sollten Werbe- und Marketingbudget revidiert werden. Es könnte durchaus gute Gründe für ungewöhnliche Abweichungen geben. Lilien untersuchte die Einflußfaktoren, mit denen Marketing-Manager Abweichungen erklärten. Er ermittelte sechs Faktoren von wesentlichem Einfluß:

- Phase im Produkt-Lebenszyklus
- Kaufhäufigkeit des Produkts
- Qualität, Alleinstellung und Identifikation des Produkts mit dem Unternehmen
- Marktanteil
- Umsatzkonzentration und
- Zuwachs an Kunden.

Im folgenden einige Befunde zu diesen Faktoren:

- Die M/U-Rate sank im Verlauf des Produkt-Lebenszyklus.
- Je größer die Kaufhäufigkeit, desto größer die W/M-Rate.
- Je besser die Qualität bzw. je ausgeprägter die Alleinstellung des Produkts, desto höher die W/M-Rate.
- Je höher der Marktanteil, desto niedriger die M/U-Rate.
- Je stärker die Konzentration des Umsatzes auf wenige Kunden, desto niedriger die M/U-Rate.
- Je stärker der Zuwachs an Kunden, desto höher die M/U- und W/M-Raten.

Das ADVISOR-Projekt untersuchte auch die Aufteilung des Werbebudgets auf die vier folgenden Medientypen:

- *Anzeigenwerbung*: Branchen- und Fachpresse, Firmenzeitschriften (im Mittel 41 % des Werbebudgets)
- *Direct-Mail*: Prospekte, Broschüren, Kataloge und andere Direktwerbemittel (24 %)
- *Marktveranstaltungen*: Fachmessen, industrielle Dokumentations- und Werbefilme (11 %)
- *Promotions*: Werbung zur Stützung von Verkaufsförderungsaktionen (24 %).

Die Prozentzahlen in Klammern zeigen den mittleren Wert des Anteils für jeden der beschriebenen Medientypen. Lilien überprüfte statistisch den Einfluß von vier Variablen auf die Verteilung des Werbebudgets: Umsatzhöhe, Produkt-Lebenszyklus, Umsatzkonzentration und Kundenzahl. Hier einige seiner Schlußfolgerungen:

- Je höher der Umsatz, desto mehr wird auf Marktveranstaltungen und mit Verkaufsförderungsaktionen und desto weniger wird über Anzeigen und Direct-Mail-Aktionen geworben.
- Bei Produkten in späteren Lebenszyklusphasen wird mehr für Direct-Mail und weniger für Verkaufsförderung ausgegeben.
- Je stärker die Konzentration des Umsatzes auf wenige Kunden, desto mehr wird der Verkaufsförderung und desto weniger den Messeveranstaltungen zugeteilt.
- Je größer die Zahl der Kunden, desto geringer der Anteil für Direct-Mail.

ADVISOR 2

Projekt ADVISOR 2 beinhaltete eine noch größere Stichprobe und bestätigte den Befund von ADVISOR 1. ADVISOR 2 führte zu mehreren Optimierungsmodellen für die Budgetierung von Marketing- und Werbeaufwendungen.

Quelle: Gary L. Lilien und John D.C. Little: »The ADVISOR-Project: A Study of Industrial Marketing Budgets«, in: *Sloan Management Review*, Frühjahr 1976, S. 17–31; vgl. auch Gary L. Lilien: »ADVISOR 2: Modeling the Marketing Mix Decision for Industrial Products«, in: *Management Science*, Februar 1979, S. 191–204.

So wie die Werbung im Industriegütermarketing kann umgekehrt der persönliche Verkauf im Konsumgütermarketing einen großen Erfolgsbeitrag leisten. Einige Unternehmen im Konsumgütermarkt spielen die Rolle ihrer Verkaufsorganisation herunter und setzen den Außendienst hauptsächlich dazu ein, um jede Woche die Aufträge bei den Händlern einzusammeln und dafür zu sorgen, daß dort die Regale voll sind. Solche Unternehmen teilen die Ansicht, daß »die Verkäufer in die Regale des Handels hineinverkaufen sollen, was die Werbung von dort hinausverkauft.« Doch ein gut geschulter Außendienst kann auch hier drei wichtige Erfolgsbeiträge leisten:

- **Die Handelsbevorratung verbessern**
  Der Verkäufer kann den Handel dazu bewegen, mehr Ware zu bevorraten und der Marke des Unternehmens im Verkaufsregal mehr Platz oder eine verkaufsgünstigere Plazierung zu verschaffen.
- **Die Handelszustimmung erhöhen**
  Der Verkäufer kann bei den Händlern Begeisterung und Zustimmung für ein neues Produkt schaffen, indem er die geplante Unterstützung in der Werbung und Verkaufsförderung eindrucksvoll darlegt.
- **Das missionarische Verkaufen**
  Der Verkäufer kann neue Einzelhandelsgeschäfte für die Marke gewinnen, die die Marke dann bei ihren Großhändlern bestellen und dort das Interesse daran stärken.

Push- und Pull-Strategie

Die Gestaltung des Absatzförderungsmix wird wesentlich davon mitbestimmt, ob man sich zur Schaffung von Kaufanreizen für eine Push- oder eine Pull-Strategie entscheidet. In Abbildung 20–7 werden beide Strategien gegenübergestellt. Eine *Push-Strategie* bedeutet, daß das Produkt mit Hilfe der eigenen Vertriebsorganisation und handelsgerichteter Absatzförderung gewissermaßen durch das Distributionssystem »gedrückt« wird: Der Hersteller setzt intensive großhandelsgerichtete Absatzförderungsmaßnahmen, der Großhandel setzt intensive einzelhandelsgerichtete Maßnahmen und der Einzelhandel wiederum setzt intensive an den Letztverbraucher gerichtete Maßnahmen ein. Eine *Pull-Strategie* bedeutet, daß zur Stimulierung der Nachfrage beim Letztverbraucher die verfügbaren Geldmittel vor allem für Werbung und verbrauchergerichtete Verkaufsförderung ausgegeben werden. Ist diese Strategie erfolgreich, so wird das Produkt mit einem »Nachfragesog« durch das Distributionssystem »gezogen«, d.h. der Verbraucher fragt das Produkt verstärkt beim Einzelhandel nach, der Einzelhandel fragt das Produkt verstärkt beim Großhandel nach, und der Großhandel wiederum fragt das Produkt verstärkt bei den Herstellern nach. Die Schwerpunkte werden dabei von Unternehmen zu Unternehmen sehr unterschiedlich gesetzt: Im Waschmittelmarkt z.B. will Lever Brothers vornehmlich Push-Effekte erzielen, während Procter & Gamble vornehmlich Pull-Effekte anstrebt.

Abbildung 20-7
Push- und Pull-Strategie

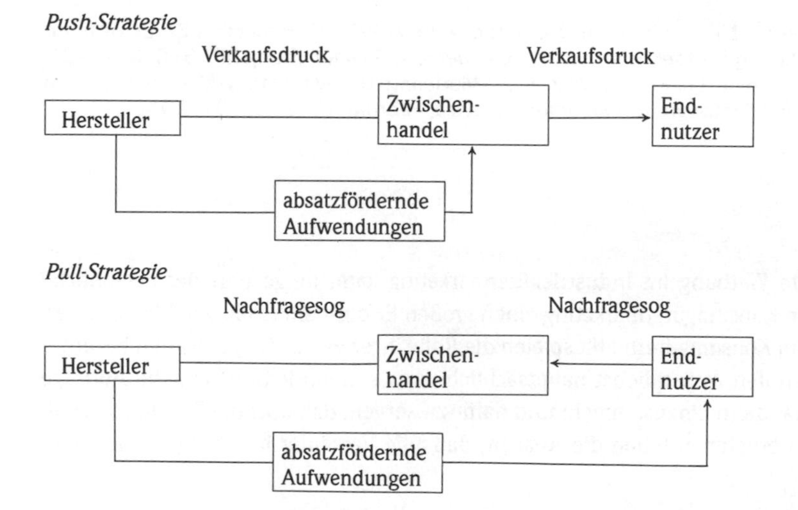

Kaufbereitschaftsphase

Die einzelnen Absatzförderungsinstrumente sind je nach Kaufbereitschaftsphase unterschiedlich kosteneffizient, wie dies in Abbildung 20–8 schematisch dargestellt ist. Die wichtigste Rolle in der Phase des Bekanntwerdens spielen Werbung und Publizität; sie sind hier wesentlich effizienter als unvorbereitetes Verkaufen und als Verkaufsförderungsmaßnahmen. Das Produktwissen der Verbraucher wird vornehmlich durch Werbung und persönlichen Verkauf bestimmt. Die Überzeugung des Verbrauchers wird am stärksten durch persönlichen Verkauf und weniger durch Werbung und Verkaufsförderung geprägt. Der Kaufabschluß wird hauptsächlich durch persönlichen Verkauf und intensive Verkaufsförderung bestimmt. Wiederholungskäufe werden ebenfalls am stärksten durch persönlichen Verkauf und Verkaufsförderung sowie in geringerem Maße auch durch Erinnerungswerbung bestimmt. Ohne Zweifel sind Werbe- und Public-Relations-Programme in den frühen Phasen des Kaufentscheidungsprozesses sehr kosteneffektiv, während die Instrumente des persönlichen Verkaufs und der Verkaufsförderung die Kaufbereitschaft in den späten Phasen am effektivsten beeinflussen können.

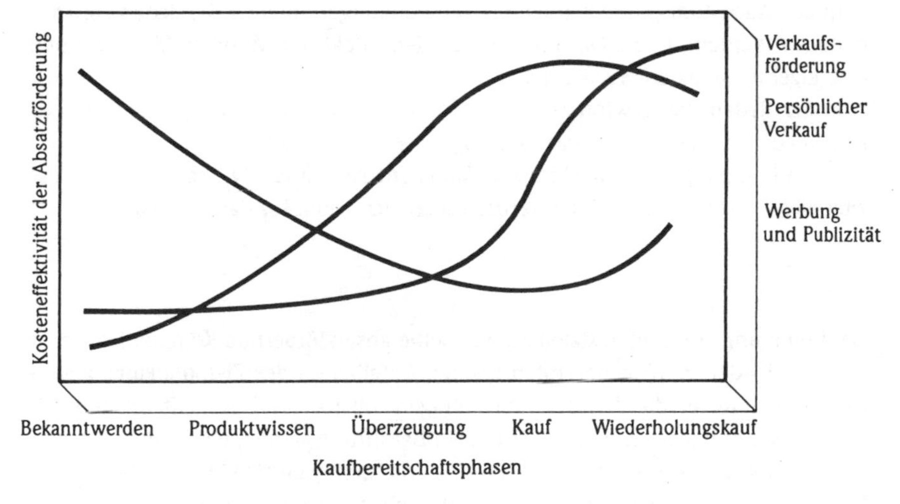

Abbildung 20-8
Kosteneffektivität der Absatzförderungsinstrumente in verschiedenen Kaufbereitschaftsphasen

Stellung im Produkt-Lebenszyklus

Auch der Produkt-Lebenszyklus hat Einfluß auf die Zusammenstellung der Absatzförderungsinstrumente zu einem kosteneffizienten Mix. In Abbildung 20–9 wird die Veränderung der Kosteneffektivität der Instrumente, so wie sie bei einem konkurrenzlosen Massenartikel verlaufen könnte, schematisch angezeigt.

In der Einführungsphase ist – insbesondere bei Massenartikeln – die Kosteneffektivität der Werbung und Publizität hoch, gefolgt vom persönlichen Verkauf zur Gewinnung von Distributionsstellen und von Verkaufsförderungsmaßnahmen zur Herbeiführung von Erstkäufen.

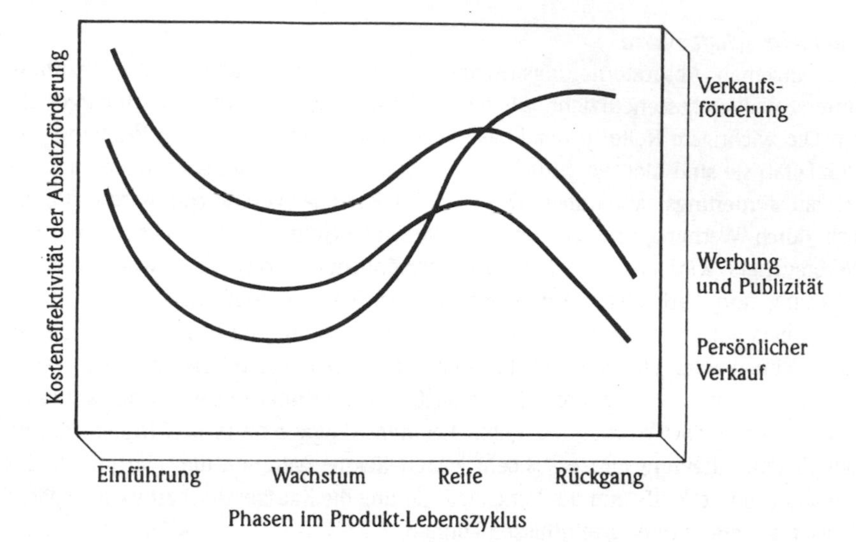

Abbildung 20-9
Kosteneffektivität der Absatzförderungsinstrumente über den Produkt-Lebenszyklus hinweg

In der Wachstumsphase können die Aufwendungen in allen Bereichen zurückgenommen werden, da die Nachfrage durch den Effekt der Mund-zu-Mund-Werbung eine Eigendynamik entwickelt hat.

In der Reifephase gewinnen Verkaufsförderung, Werbung und persönlicher Verkauf wieder an Bedeutung, und zwar in dieser Reihenfolge.

In der Rückgangsphase bleibt die Verkaufsförderung intensiv, Werbung und Publizität werden reduziert, und der Vertrieb setzt sich kaum für das Produkt ein.

Ergebnismessung der absatzfördernden Kommunikation

Der Kommunikator muß feststellen, was seine absatzfördernde Kommunikation auf den verschiedenen Wirkungsstufen bei den Mitgliedern des Zielpublikums bewirkt hat. Dazu muß er die Zielpersonen befragen, ob sie die Botschaft erkannt oder wiedererkannt haben, wie oft sie mit ihr in Berührung kamen, woran genau sie sich erinnern können, was sie dabei empfanden und inwieweit sich ihre Einstellung zum Produkt und zum Hersteller verändert hat. Neben diesen kommunikativen Wirkungen möchte der Kommunikator auch feststellen, ob Verhaltenswirkungen beim Zielpublikum erreicht wurden, z. B. wie viele Zielpersonen das Produkt gekauft, positiv bewertet und es anderen gegenüber erwähnt haben.

Abbildung 20–10 zeigt, wie der Erfolg der absatzfördernden Kommunikation nach Wirkungsstufen gegliedert erfaßt werden kann. Wie wir sehen, kennen 80 % der Marktteilnehmer die Marke A, 60 % davon haben sie ausprobiert, und nur 20 % derjenigen, die sie ausprobiert haben, sind damit zufrieden. Dies deutet darauf hin, daß das Kommunikationsprogramm des Unternehmens zwar viel Aufmerksamkeit bei den Verbrauchern geweckt und sie auch wirkungsvoll zum Erstkauf stimuliert hat, daß das Produkt aber nicht den Erwartungen entspricht. Andererseits kennen nur 40 % des Gesamtmarktes die Marke B, lediglich 30 % davon haben sie ausprobiert, während 80 % derjenigen, die sie ausprobiert haben, damit auch zufrieden

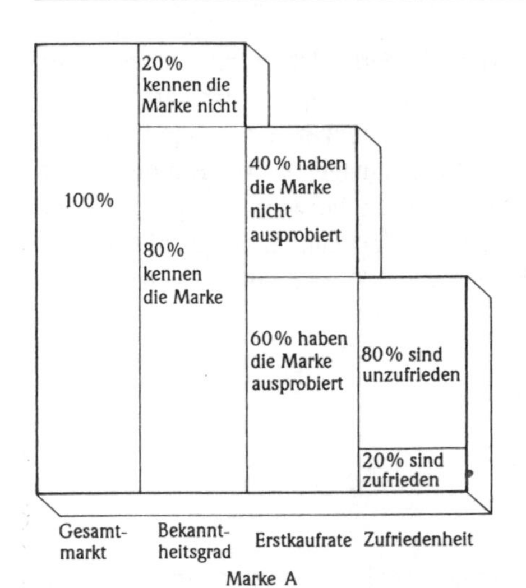

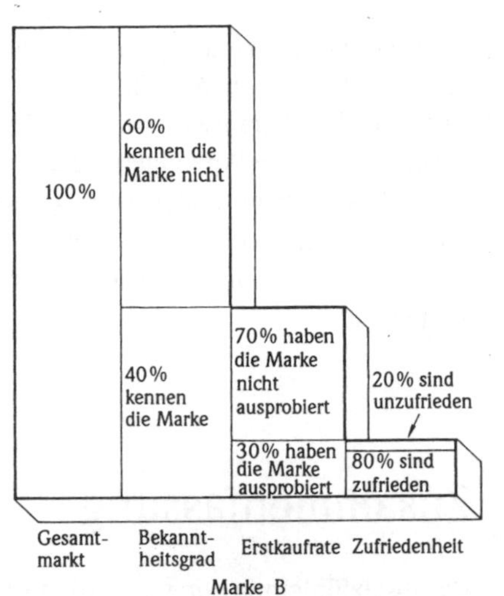

Abbildung 20-10
Feedback der Verbraucher auf zwei Marken

sind. In diesem Fall muß das Kommunikationsprogramm intensiviert werden, so daß das Zufriedenstellungspotential der Marke für größere Erfolge ausgeschöpft werden kann.

Management und Koordination der absatzfördernden Kommunikation

Die Anwendung von verschiedenen Kommunikationsinstrumenten muß managementmäßig geleitet und der Einsatz von Botschaften an das Zielpublikum koordiniert werden. Ohne Koordination läuft man Gefahr, daß Botschaften zum falschen Zeitpunkt übermittelt werden, sich gegenseitig oder dem Produktangebot widersprechen oder nicht kosteneffektiv aufeinander abgestimmt sind. Ohne Anleitung würde jeder Manager im Kommunikationsbereich um mehr Geld für seinen Teilbereich kämpfen, ganz gleich, welcher Betrag dadurch für das Unternehmen zustande käme. Der Verkauf würde vielleicht für 200.000 DM weitere Verkäufer einstellen wollen, während der Werbeleiter dieses Geld lieber für einen TV-Spot zur besten Sendezeit ausgeben möchte. Gleichzeitig möchte der PR-Direktor mehr Geld für die Öffentlichkeitsarbeit, und solange es keinen Fürsprecher dafür gibt, wird das Unternehmen anderen Absatzförderungsinstrumenten, wie z.B. dem Telefonmarketing und der Direktwerbung, nur wenig Beachtung schenken.

Immer mehr Unternehmen verfolgen das Konzept der *koordinierten Marketingkommunikation.* Zur Realisierung dieses Konzeptes gehören folgende Schritte:

- Bestellung eines Marketingkommunikationsdirektors mit Gesamtverantwortung für alle kommunikationspolitischen Aktivitäten des Unternehmens.
- Entwicklung einer Kommunikationsphilosophie, aus der detaillierte Konzepte und Richtlinien zum Einsatz der Kommunikations- und Absatzförderungsinstrumente abgeleitet werden.
- Aufzeichnung des Mitteleinsatzes, gegliedert nach Produkten, Einzelinstrumenten, Lebenszyklusphasen und der beobachteten Wirkungen als Grundlage für Verbesserungen.
- Abstimmung aller Maßnahmen aufeinander und ihres zeitlichen Ablaufs, insbesondere bei mehreren größeren Kommunikationsprogrammen für die verschiedenen Produkte des Unternehmens.

Die koordinierte Marketingkommunikation wirkt Widersprüchen im Bild des Unternehmens bei seinen Abnehmern und den einzelnen Gruppen der Öffentlichkeit entgegen. Die Verantwortung für alle Kommunikationen in einer Hand entfaltet vereinheitlichende Wirkungen auf das Unternehmensimage, das von Hunderten von Einzelaktivitäten im Markt geprägt wird. Sie führt zur Verwirklichung einer übergeordneten Marketingkommunikationsstrategie, die den Kunden Möglichkeiten aufzeigen soll, wie sie mit Hilfe des Unternehmens und seiner Produkte Probleme lösen können.

Zusammenfassung

Die absatzfördernde Kommunikation ist eines der vier Hauptelemente im Marketing-Mix des Unternehmens. Der Marketer muß den Einsatz der Instrumente Werbung, Verkaufsförderung, Public Relations und persönlicher Verkauf beherrschen, um die Existenz und den Nutzen seines Produkts im Markt wirksam zu kommunizieren.

Zum Kommunikationsprozeß gehören neun Elemente: Sender (oder Kommunikator), Empfänger (Rezipient, Zielpublikum), Verschlüsselung (Codierung), Entschlüsselung (Decodierung), Botschaft, Medien, Wirkung, Rückmeldung (Feedback) und Störsignale. Der Marketer muß wissen, wie er mit seiner Botschaft zum Zielpublikum durchdringen kann, und dabei beachten, daß Botschaften von den Empfängern selektiv wahrgenommen, selektiv verzerrt und selektiv erinnert werden.

Zur Entwicklung und Entfaltung des absatzfördernden Kommunikationsprogrammes gehören acht Schritte. Zuerst muß der Kommunikator durch eine Imageanalyse das Zielpublikum und seinen Bezug zum Kommunikationsobjekt ermitteln. Als nächstes muß er die Wirkungsziele bestimmen und entscheiden, ob er beim Zielpublikum auf die Bekanntheit, das Wissen, die Zuneigung, die Präferenzen, die Überzeugung, den Kaufakt oder die Zufriedenstellung mit dem Produkt einwirken will. Dann muß eine Botschaft entwickelt werden, deren Inhalt, Grundstil, Aufbau, Ausdrucksform und Überbringer erfolgversprechend sind. Der nächste Schritt ist die Auswahl der Kommunikationswege, wobei personale und nicht-personale Kommunikationswege zur Verfügung stehen. Dann muß das Gesamtbudget für die absatzfördernde Kommunikation erstellt werden. Vier gängige Budgetierungsansätze beziehen die Budgethöhe auf die Finanzkraft des Unternehmens, auf den Umsatz, den Wettbewerb oder die gestellten Ziele und Aufgaben. Das Budget muß auf die wichtigsten Einsatzinstrumente aufgeteilt werden, und zwar unter Berücksichtigung des Produktmarktes, des Push- oder Pull-Charakters der Strategie, der Kaufbereitschaftsphase und der Stellung im Produkt-Lebenszyklus. Als nächstes muß der Kommunikator als Ergebnis ermitteln, wie viele Zielpersonen das Produkt kennen, ausprobiert haben und damit zufrieden sind. Schließlich müssen zur wirkungsvollen Entfaltung der Strategie alle Kommunikationen des Unternehmens managementmäßig geleitet und koordiniert werden, damit sie in der zeitlichen Abstimmung und Kosteneffektivität untereinander ausgewogen sind.

Anmerkungen

1 Die Definitionen von Werbung und persönlichem Verkauf stammen aus: *Marketing Definitions: A Glossary of Marketing Terms,* Chicago: American Marketing Association, 1960.
2 Vgl. Harold D. Lasswell: *Power and Personality*, New York: W.W. Norton, 1948, S. 37–51.
3 Wilbur Schramm: »How Communication Works«, in: *The Process and Effects of Mass Communication*, Hrsg. Wilbur Schramm und Donald F. Roberts, Urbana: University of Illinois Press, 1971, S. 4.
4 Ebenda, S. 32.
5 Vgl. Brian Sternthal und C. Samuel Craig: *Consumer Behavior, an Information Processing Perspective*, Englewood Cliffs, N. J.: Prentice-Hall, 1982, S. 97–102.
6 Vgl. Alice H. Eagly: »Sex Differences in Influenceability«, in: *Psychological Bulletin*, Januar 1978, S. 86–116.
7 Donald F. Cox und Raymond A. Bauer: »Self-confidence and Persuasibility in Women«, in: *Public Opinion Quarterly*, Herbst 1964, S. 453–466; Raymond L. Horton: »Some Relationships between Personality und Consumer Decision-Making«, in: *Journal of Marketing Research*, Mai 1979, S. 233–246.
8 Vgl. John Fiske und John Hartley: *Reading Television*, London: Methuen, 1980, S. 79.
9 Das semantische Differential wurde von C.E. Osgood, C.J. Suci und P.H. Tannenbaum entwickelt; vgl. dazu: *The Measurement of Meaning*, Urbana: University of Illinois Press, 1957.
10 Vgl. Brian Sternthal und C. Samuel Craig: »Humor in Advertising«, in: *Journal of Marketing*, Oktober 1973, S. 12–18; John Koten: »After the Serious 70's, Advertisers Are Going for Laughs Again«, in: *Wall Street Journal*, 23. Februar 1984, S. 31.
11 Vgl. James F. Engel, Roger D. Blackwell und Paul W. Minard: *Consumer Behavior*, 5. Aufl., Hinsdale, Ill.: Dryden Press, 1986, S. 477.
12 Vgl. C.I. Hovland, A.A. Lumsdaine und F.D. Sheffield: *Experiments on Mass Communication*, Princeton, N. J.: Princeton University Press, 1948, Band III, Kap. 8. Einen abweichenden Standpunkt vertritt George E. Belch in: »The Effects of Message Modality on One- and Two-Sided Advertising Messages«, in: *Advances in Consumer Research*, Hrsg. Richard P. Bagozzi und Alice M. Tybout, Ann Arbor: Association for Consumer Research, 1983, S. 21–26.
13 Vgl. Sternthal und Craig: »Consumer Behavior«, S. 282–284.
14 Herbert C. Kelman und Carl I. Hovland: »Reinstatement of the Communication in Delayed Measurement of Opinion Change«, in: *Journal of Abnormal and Social Psychology*, 48, 1953, S. 327–335.
15 C.E. Osgood und P.H. Tannenbaum: »The Principle of Congruity in the Prediction of Attitude Change«, in: *Psychological Review*, 62 (1955), 42–55.
16 Vgl. auch Thomas S. Robertson: *Innovative Behavior and Communication*, New York: Holt, Rinehart & Winston, 1971, Kap. 9; Peter H. Reinigen und Jerome B. Kernan: »Analysis of Referral Networks in Marketing: Methods and Illustration«, in: *Journal of Marketing Research*, November 1986, S. 370–378.
17 Vgl. Philip Kotler: »Atmospherics as a Marketing Tool«, in: *Journal of Retailing*, Winter 1973–74, S. 48–64.
18 P.F. Lazarsfeld, B. Berelson und H. Gaudet: *The People's Choice*, 2. Aufl., New York: Columbia University Press, 1948, S. 151.
19 Vgl. Georg P. Moschis: »Social Comparison and Informal Group Influence«, in: *Journal of Marketing Research*, August 1976, S. 237–244.
20 Vgl. Everett M. Rogers: *Diffusion of Innovations*, 3. Aufl., New York: Free Press, 1983.
21 Das Beispiel stammt aus Daniel Seligman: »How much for Advertising?« in: *Fortune*, Dezember 1956, S. 123.
22 Albert Wesley Frey: *How Many Dollars for Advertising?*, New York: Ronald Press, 1955, S. 65.
23 Ebenda, S. 49.
24 Beispiel in Anlehnung an G. Maxwell Ule: A Media Plan for ›Sputnik‹ Cigarettes, *How to Plan Media Strategy*, American Association of Advertising Agencies, 1957 Regional Convention, S. 41–52.

25 Vgl. Sidney J. Levy: *Promotional Behavior*, Glenview, Ill.: Scott, Foresman, 1971, Kap. 4.
26 Ebenda.
27 *How Advertising Works in Today's Marketplace: The Morrill Study*, New York: McGraw-Hill, 1971, S. 4.
28 Cyril Freeman: »How to Evaluate Advertising's Contribution«, in: *Harvard Business Review*, Juli-August 1962, S. 137–148.

Planung effektiver Werbeprogramme

Kapitel 21

Was uns imponieren soll, muß Charakter haben.

Goethe

Ein guter Einfall ist wie ein Hahn am Morgen.
Gleich krähen andere Hähne mit.

Karl Heinrich Waggerl

Die Werbung ist eines der vier wesentlichen Instrumente der absatzfördernden Kommunikation. Durch Werbung versuchen die Unternehmen, ihre Zielkunden und andere Gruppen wirkungsvoll anzusprechen und zu beeinflussen. Zur Werbung gehört jede Art der *nicht-persönlichen Vorstellung und Förderung von Ideen, Waren oder Dienstleistungen eines eindeutig identifizierten Auftraggebers durch den Einsatz bezahlter Medien.*

Zu den Auftraggebern für Werbung zählen nicht nur Wirtschaftsunternehmen, politische Parteien und staatliche Institutionen wie Ministerien und Museen, sondern auch karitative und soziale Einrichtungen, die durch Werbung ihr Anliegen an die jeweilige Zielgruppe herantragen. So setzt z.B. das Bundesgesundheitsministerium die Werbung zur Bekämpfung der Verbreitung von AIDS ein.

Die Gesamtaufwendungen für Werbung in der Bundesrepublik Deutschland wurden im Jahr 1989 auf etwa 37 Mrd. DM geschätzt. Davon entfielen etwa 23 Mrd. DM auf bezahlte Medien, während der Rest für andere, mit der Werbung zusammenhängende Aktivitäten, wie Vorbereitung der Werbestrategie, Entwicklung von Anzeigen, Filmen von Werbespots, fotographische Aufnahmen, Werbeforschung und anderes mehr ausgegeben wurde. Eine Rangliste der Medienausgaben 1989 zeigt, daß – grob nach Branchen oder Produktbereichen gegliedert – der Automarkt (1,3 Mrd. DM), die Handelsorganisationen (1,2 Mrd. DM), die Massenmedien selbst (0,7 Mrd. DM), Hersteller von Schokolade und Süßwaren, Banken und Sparkassen, Pharmazie (jeweils etwa 0,5 Mrd. DM) sowie Computerhardware, -software und -services und öffentliche Körperschaften (jeweils 0,4 Mrd. DM) das meiste Geld für Werbung ausgeben. Zu den Unternehmen, die in der Bundesrepublik pro Jahr etwa 100 Mio. DM und mehr für Werbung ausgeben, gehören z.B. Volkswagen, Opel, Unilever, Procter & Gamble, Henkel, Nestlé, und C & A Brenningmeyer. Bezogen auf den Umsatz finden wir die höchsten Werbeausgaben bei Stärkungsmitteln, Schmerzmitteln, Allzweckreinigern, Kräuterspirituosen, Schlankheitsmitteln (etwa 20 bis 30 %), Waschmitteln und Körperpflegeartikeln (etwa 10 bis 20 %), Schokolade, Pralinen, Bier und Haushaltstüchern (etwa 5 bis 10 %). Die meisten anderen Produktgruppen liegen darunter, während einzelne Marken innerhalb jeder Produktgruppe erheblich vom Branchendurchschnitt abweichen.

Die Bedeutung der Werbung im volkswirtschaftlichen Sinne zeigt sich darin, daß in der deutschen Werbewirtschaft rund 340.000 zum Teil hochqualifizierte Fachkräfte beschäftigt sind (Stand Dezember 1989).[1] Davon sind rund 35.000 in den

Werbeabteilungen der Anbieter (Hersteller, Dienstleister und Handel) beschäftigt. Etwa 110.000 Werbefachleute sind in der Werbegestaltung tätig, die den Kernbereich des Berufsfeldes (Werbeagenturen, Graphikateliers, Schauwerbung, Werbefotographie, Werbefilm und Lichtbildwerbung) bildet. Rund 10.000 Arbeitsplätze umfaßt der Tätigkeitsbereich der Werbemittelverbreitung (überwiegend in Verlagen, Funkmedien, Plakatanschlagsunternehmen, Lichtwerbefirmen). Etwa 185.000 Arbeitsplätze sind in den Zulieferbetrieben, z. B. der Papierwirtschaft und Druckindustrie, von den Aufträgen der Werbewirtschaft abhängig.

Die finanziellen Aufwendungen fließen in viele Werbeträger und Werbemittel: Anzeigen in Zeitschriften und Zeitungen, Rundfunk- und Fernsehspots, Außenwerbung (Werbeplakate, -großflächen und -schilder sowie Freiluftwerbung, z. B. Freiluftballons, Zeppeline, Schleppbanner etc.), Direct-Mail (z. B. Briefe von Versicherungen), Werbegeschenke und Beilagen (Streichhölzer, Schreibgeräte, Kalender etc.), Verkehrsmittelwerbung (z. B. an und in Zügen, U-Bahnen, Bussen oder Straßenbahnen), Kataloge, Adreßbücher und Verzeichnisse (z. B. die Gelben Seiten) und Wurfsendungen. Die Werbung verfolgt viele Zwecke: langfristiger Aufbau eines Unternehmensimages (*institutionelle Werbung*), langfristige Entwicklung einer Marke (*Markenwerbung*), Verbreitung von Informationen über das Angebot eines Produkts, einer Dienstleistung oder einer Veranstaltung (*Angebotswerbung*), Ankündigung von Sonderverkaufsaktionen (*Aktionswerbung*) und die Stellungnahme zu kontroversen Themen, z. B. Energieversorgung durch Atomkraft, Umwelt- und Sicherheitsprobleme (*advokative Werbung*).

Obwohl die Werbung vornehmlich ein marktwirtschaftliches Marketinginstrument ist, gelangt es in allen Ländern der Welt zum Einsatz. Werbung ist ein kosteneffektiver Weg zur Verbreitung von absatzfördernden Botschaften; dies gilt gleichermaßen für den Aufbau der Markenpräferenz für Coca-Cola wie für die Motivierung der Verbraucher in den Entwicklungsländern, Milch zu trinken oder Empfängnisverhütung anzuwenden.

Die Werbung wird in den Unternehmen auf unterschiedliche Art durchgeführt. In kleineren Unternehmen obliegt sie einem Mitarbeiter der Vertriebs- oder Marketingabteilung, der mit einer externen Werbeagentur zusammenarbeitet. Größere Unternehmen richten eine eigenständige Werbeabteilung ein, wobei der Werbeleiter oder -direktor in der Regel dem Marketingdirektor unterstellt ist. Die Werbeabteilung erstellt für das Marketing-Management Vorschläge zur Aufteilung von Werbebudgets, prüft und genehmigt die von der beauftragten Werbeagentur vorgeschlagene Anzeigengestaltungen und -kampagnen, wickelt Direktwerbeaktionen ab und besorgt Display-Mittel zur Verwendung im Handel und andere Werbemittel, die im Regelfall nicht von der Werbeagentur kommen. Die meisten werbetreibenden Unternehmen arbeiten mit Werbeagenturen, um Werbekampagnen zu entwickeln und geeignete Werbeträger auszuwählen und einzukaufen (vgl. dazu Exkurs 21-1).

Exkurs 21-1: Wie arbeitet eine Werbeagentur, und was kosten ihre Dienste?

Die Werbeagenturen beschäftigen Spezialisten, die häufig die anstehenden Werbeaufgaben besser erfüllen können als die Mitarbeiter der hauseigenen Werbeabteilung. Zudem wirkt eine Agentur beratend bei der Lösung anstehender Werbeprobleme mit und bringt dabei Erfahrungen aus der Zusammenarbeit mit vielen Klienten und aus unterschiedlichsten Situationen ein. Da man die Zusammenarbeit mit der Agentur kurzfristig aufkündigen kann, muß diese stets ihr Bestes geben.

Werbeagenturen gliedern sich meist in mehrere Abteilungen: die *Kreativ-Abteilung* für die Entwicklung und Gestaltung von Werbebotschaften in Form von Anzeigen, TV-Spots u.a. m., die *Medien-Abteilung* zur Auswahl der Werbeträger und Plazierung der Werbebotschaften, die *Forschungsabteilung* zur Analyse der Zielgruppenmerkmale und -wünsche sowie die *Verwaltungsabteilung* zur Abwicklung der administrativen Aktivitäten der Agentur. Die Arbeiten aller Abteilungen für einen bestimmten Kunden werden von einem Kontakter koordiniert, der diese Kunden betreut. Der einzelne Mitarbeiter jeder Abteilung arbeitet entweder ausschließlich für nur einen Kunden oder gleichzeitig für mehrere Kunden.

Die Werbeagenturen gewinnen Aufträge neuer Kunden oft deshalb, weil sie den Ruf der besonderen Kompetenz haben oder weil sie groß sind. In der Regel ist es üblich, daß ein Kunde einige ausgewählte Agenturen zu einer Wettbewerbspräsentation auffordert und sich dann für eine Agentur entscheidet.

Durch eine Wettbewerbspräsentation läßt sich ein werbetreibender Kunde zeigen, wie ausgewählte Agenturen ein von ihm vorgegebenes Werbeproblem lösen würden. Je nach Umfang des Problems und der Präsentation wird eine Vergütung für die Wettbewerbspräsentation ausgehandelt, die zwischen 10.000 und 100.000 DM liegen kann.

Die Bezahlung der Werbeagenturen basiert traditionell auf einer Provision; die Agenturen erhalten dann vom Werbeträger (z.B. einem Zeitschriftenverlag) eine Mittlervergütung von 15% auf den Umsatz für die Belegung des Werbemediums. Dieses Provisionsmodell ist in vielen Fällen nur der Ausgangspunkt für die Verhandlungen der Werbeagentur mit ihren Kunden. Kunden mit einem relativ kleinen Medienumsatz werden oft die verschiedensten Aufgaben, die die Agentur für sie erledigt, extra in Rechnung gestellt, wie z.B. die Produktionskosten für Werbeanzeigen, Entwürfe und Vorschläge zu Verkaufsförderungsmitteln und kleinere Marktuntersuchungen. Kunden mit einem großen Medienumsatz handeln oft günstigere Verträge mit der Agentur aus. Dabei achten sie insbesondere darauf, daß die Agentur Rabatte aufgrund einer Mengenstaffel oder Skonti, die ihr von den Medien gewährt werden, an den Kunden weitergibt. Mengenstaffeln einzelner Medien bis zu 28% und zusätzliche Skonti von 2% sind nicht unüblich. Es gibt sogar Verlagshäuser, die Verlagsrabatte auf die kombinierte Belegung einzelner Zeitschriften und Zeitungen von bis zu 40% des Bruttopreises gewähren. Größere Kunden sehen es als die Aufgabe der Agentur an, solche Rabatte nach Möglichkeit auszunutzen und an den Kunden abzuführen. Die Werbeagenturen, die untereinander in starkem Wettbewerb stehen, zeigen sich bei der Vertragsgestaltung mit dem Kunden sehr flexibel und sind zufrieden, wenn sie nach Deckung ihrer gesamten Kosten eine Nettomarge von etwa 2% auf den getätigten Werbeumsatz erwirtschaften können. Die Möglichkeiten zur Vertragsgestaltung zwischen Kunden und

Werbeagenturen sind außerordentlich groß. Mit einigen ihrer Kunden haben verschiedene Agenturen Verträge, die ihnen ein monatliches Fixum unabhängig vom getätigten Werbeumsatz zusichern, wofür sie Leistungen erbringen, die nach einem bestimmten Leistungskatalog ausgeführt werden, während sie Extraleistungen auch extra berechnen.
Die üblichsten Vergütungsformen für Werbeagenturen lauten wie folgt: 15% Provision auf den Werbeetat des Kunden, Kosten-Plus-Honorar nach Aufwand, gleitende Skala, d.h. Provision abhängig von Etat und Leistung (jedoch weniger als 15%), Projektvergütung für Teilaufträge, Pauschalhonorar sowie Mischformen dieser Vergütungsregelungen.
Die Werbebranche ist außerordentlich flexibel und dynamisch. Einerseits zeichnet sich unter großen Agenturen der Trend zum Wachstum durch Aufkäufe kleinerer und mittlerer Agenturen oder zum Zusammenschluß mit anderen Agenturen ab, um insbesondere für große international wirkende Auftraggeber zu einem Werbepartner werden zu können, der in allen Ländern des Auftraggebers tätig ist. Zu diesen »Werbekonzernen« gehören insbesondere amerikanische Agenturen wie Saatchi & Saatchi, Young and Rubicam, Baker Spielvogel Bates, McCan Ericson, BBDO World Wide, J. Walther Thompson sowie Lintas World Wide, Dentsu u.a. m. Andererseits aber entstehen immer wieder neue kleinere Werbeagenturen, die zum Teil sehr erfolgreich arbeiten und schnell wachsen, indem sich einzelne Mitarbeiter oder Gruppen von Mitarbeitern aus großen Agenturen selbständig machen und sich durch schnelle, ideenreiche und kundennahe Arbeit eine Klientel schaffen, die diese Vorzüge besonders schätzt.

Quellen: Vgl. »Deutschlands Werbeagenturen: Ständig aufwärts«, in: *Wiso-Magazin*, 93, S. 136; vgl. auch »Die 20 größten Werbeagenturen der Welt«, in: *Handelsblatt*, 4. April 1990, S. 25; vgl. auch ZAW (Hrsg.): *Werbung in Deutschland*, Bonn: *ZAW*, 1990; vgl. auch »Cash as Cash Can«, in: *Managermagazin* 3/ 1990, S. 130; vgl. auch »Drehbuch für den Coup d'Etat«, in: *Managermagazin*, 8/1988, S. 118–126; vgl. auch »Wo die Chefs noch selber brüten«, in: *Managermagazin*, 6/1989, S. 147–159; eine Beschreibung der 10 Topagenturen der einzelnen europäischen Länder findet sich in: »Die großen Verführer«, in: *Managermagazin*, 7/1990, S. 89–98.

Die Entwicklung eines Werbeprogramms muß mit der Ermittlung des *Zielmarktes* und der *Käufermotive* beginnen, bevor über die fünf wesentlichen werbeprogrammatischen Teilbereiche entschieden wird, die im Amerikanischen als »die fünf Ms« bezeichnet werden. Diese lauten wie folgt:

- Was sind die Ziele der Werbung? (Grundauftrag der Werbung – **mission**)
- Wieviel Geld kann ausgegeben werden? (Werbebudget – **money**)
- Welche Botschaft soll übermittelt werden? (Werbebotschaft – **message**)
- Welche Medien sollen eingesetzt werden? (Werbeträger – **media**)
- Wie sollen die Ergebnisse bewertet werden? (Werbewirkungskontrolle – **measurement**)

Abbildung 21-1 veranschaulicht diese Teilentscheidungen, die anschließend im einzelnen untersucht werden.

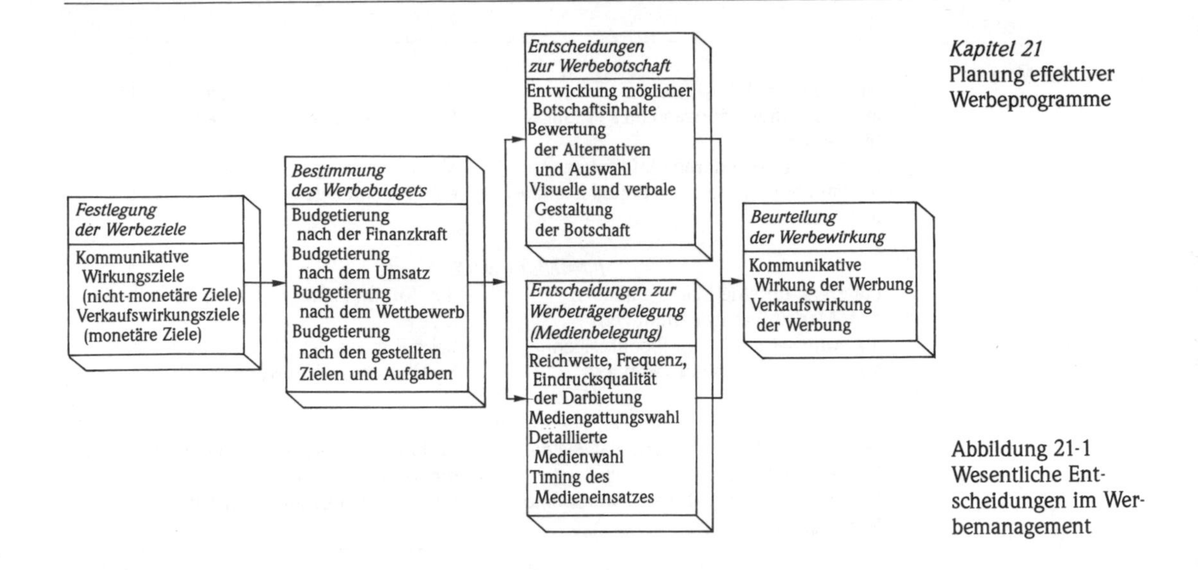

Abbildung 21-1
Wesentliche Entscheidungen im Werbemanagement

Festlegung der Werbeziele

Der erste Schritt in der Entwicklung eines Werbeprogramms ist die Festlegung der Werbeziele. Diese müssen aus bereits getroffenen Zielmarkt-, Positionierungs- und Marketing-Mix-Entscheidungen abgeleitet werden, durch die der Werbung eine bestimmte Aufgabe innerhalb des gesamten Marketingprogramms zugewiesen wird.

Die Kommunikations- und Verkaufsziele für die Werbung können sehr unterschiedlich ausfallen. Colley stellt ein Verfahren zur Umsetzung genereller werbepolitischer Zielsetzungen in spezifische überprüfbare Zielvorgaben vor.[2] Unter einer *Werbezielvorgabe* versteht Colley eine spezifische kommunikative Aufgabe und ein vorgegebenes Aufgabenerfüllungsniveau bei einer bestimmten Zielgruppe und innerhalb einer festgelegten Planperiode. In Anlehnung an Colley könnte die Werbezielvorgabe im Marketingprogramm für ein Waschmittel in Deutschland wie folgt lauten:

Es gibt insgesamt 25 Millionen deutsche Haushalte, die über eine Waschmaschine verfügen; der prozentuale Anteil der Hausfrauen, die Marke X als Waschmittel mit geringer Schaumentwicklung identifizieren und von seiner überlegenen Waschkraft überzeugt sind, soll innerhalb eines Jahres von 10 % auf 40 % erhöht werden.

Diese konkrete Werbezielvorgabe besteht aus vier Einzelelementen:

- **Zielgruppe:** Hausfrauen in den 25 Millionen Haushalten mit Waschmaschine.
- **Kommunikative Aufgabe:** Die Zielgruppe soll Marke X als Waschmittel mit geringer Schaumentwicklung identifizieren und davon überzeugt sein, daß die Wäsche damit sauberer wird.
- **Vorgegebenes Aufgabenerfüllungsniveau:** Erhöhung von 10 % auf 40 %.
- **Planperiode:** ein Jahr.

Werbeziele können auch danach unterschieden werden, ob die Werbung informierend, einstellungsverändernd oder erinnernd wirken soll. Tabelle 21-1 veranschaulicht dies durch Beispiele.

Tabelle 21-1
Mögliche Werbeziele

Information	
– ein neues Produkt vorstellen	– das verfügbare Serviceangebot beschreiben
– auf neue Anwendungen eines Produkts hinweisen	– falsche Eindrücke korrigieren
– über eine Preisänderung informieren	– Verbraucherängste abbauen
– die Funktionsweise eines Produkts erläutern	– ein Firmenimage aufbauen
Einstellungsveränderung	
– Präferenz für eine Marke aufbauen	– den Kunden zum sofortigen Kauf überreden
– zum Markenwechsel ermutigen	– beim Kunden den Wunsch nach einem Verkäuferbesuch wecken
– die Wahrnehmung von Produkteigenschaften beim Kunden verändern	
Erinnerung	
– Verbraucher daran erinnern, daß sie das Produkt bald wieder benötigen	– Verbraucher auch außerhalb der Saison an die Marke erinnern
– Verbraucher daran erinnern, wo es eine Marke zu kaufen gibt	– die Markenbekanntheit erhalten

Informierende Werbung ist besonders in der Markteinführungsphase einer neuen Produktkategorie wichtig, wenn die *Primärnachfrage* dafür erst noch zu schaffen und zu fördern ist. So mußten die »Joghurt-Pioniere« seinerzeit die Verbraucher zunächst darüber informieren, daß Joghurt nahrhaft, gesund und auch zur Zubereitung von Speisen vielseitig verwendbar ist.

Einstellungsändernde Werbung wird in der Phase des Markenwettbewerbs besonders wichtig, wenn die *selektive Nachfrage* für ein spezifisches Produkt gefördert werden soll. Die meisten Werbemaßnahmen verfolgen ein solches Ziel. Mercedes Benz versucht z.B., die Verbraucher davon zu überzeugen, daß mit keiner anderen Automarke soviel Prestige verbunden ist wie mit dem Mercedes-Stern. In Nordamerika versuchen viele Hersteller, Einstellungsänderungen der Verbraucher durch *vergleichende Werbung* zu bewirken, mit der die Überlegenheit einer Marke durch spezifische Vergleiche mit einer oder mehreren anderen Marken innerhalb derselben Produktklasse etabliert werden soll.[3] Mit vergleichender Werbung wurde z.B. bei Deodorants, Hamburgern, Zahnpasta, Reifen und Automobilen gearbeitet. Die Burger King Corporation setzte diese Form der Werbung innerhalb der eigenen Franchise-Organisation erfolgreich ein, als man in einer gegen McDonald's gerichteten Werbekampagne Vergleiche zwischen auf Holzkohle gegrillten Hamburgern (den eigenen) und normal gegrillten Hamburgern (der Konkurrenz) anstellte. Pepsi-Cola setzte sich mit einem Geschmacksvergleich in der Werbung gegen seinen Hauptkonkurrenten Coca-Cola durch. In Deutschland ist die vergleichende Werbung, anders als zum Teil im Ausland, grundsätzlich verboten, jedoch in Ausnahmefällen erlaubt, z.B. als Abwehrvergleich, Auskunftsvergleich, Systemvergleich, Fortschrittsvergleich und Vergleich aus »hinreichendem Anlaß«. In der Praxis fällt auf, daß es auch in Deutschland zahlreiche Ausweich- und Umgehungsvarianten zur verbotenen vergleichenden Werbung gibt, nämlich Alleinstellungswerbung, Spitzengruppenwerbung, Substitutionswerbung, Eigenvergleich, Positiv-, Komparativ- und Superlativwerbung, pauschale Herabsetzung, anlehnende Werbung usw.[4]

Erinnernde Werbung ist in der Reifephase des Produkt-Lebenszyklus sehr wichtig, damit sich der Verbraucher immer wieder gedanklich mit dem Produkt beschäftigt. Wenn beispielsweise Coca-Cola teure Zeitschriftenanzeigen im Vier-Farben-Druck plaziert, so geschieht das weniger aus Gründen der Information oder der Einstellungsveränderung, sondern vielmehr, um die Verbraucher immer wieder an Coca-Cola zu erinnern. Eine damit verwandte Form der Werbung ist die *Bestätigungswerbung zur Vermeidung von Nachentscheidungsdissonanzen*, die dem Käufer stets erneut bestätigen soll, daß er die richtige Entscheidung getroffen hat. So werden in vielen Gebrauchsanweisungen, Packungsbeilagen o. ä. die Käufer zunächst zu ihrem guten Kauf beglückwünscht und die positiven Seiten des erworbenen Produkts herausgestellt; zudem werden in Werbebotschaften zufriedene Produktverwender präsentiert.

Die Auswahl des Werbeziels sollte nicht planlos, sondern anhand einer gründlichen Analyse der aktuellen Marktsituation erfolgen. Wenn sich z.B. die beworbene Produktklasse in der Reifephase des Lebenszyklusses befindet, das werbetreibende Unternehmen Marktführer ist und sein Produkt nur selten verwendet wird, könnte ein sinnvolles Werbeziel darin bestehen, die Verwendungshäufigkeit des Produkts zu steigern. Handelt es sich hingegen um eine neue Produktkategorie, bei der das werbetreibende Unternehmen nicht Marktführer, aber sein Produkt dem des Marktführers überlegen ist, so wäre es ein sinnvolles Werbeziel, den Markt von der Überlegenheit des eigenen Produkts zu überzeugen.

Bestimmung des Werbebudgets

Nach Festlegung der Werbeziele kann das Unternehmen das Werbebudget für jedes seiner Produkte bestimmen. Durch Werbung soll die Nachfrage für das Produkt gefördert werden; andererseits verursacht die Werbung Kosten. Folglich will das Unternehmen nur soviel Geld für die Werbung ausgeben, wie zur Erreichung des gesteckten Verkaufsziels erforderlich ist. Das Problem hierbei ist, die richtige Höhe der Werbeaufwendungen zu bestimmen. Budgetiert das Unternehmen zu geringe Werbeaufwendungen, ist die erzielte Wirkung unerheblich und es wurde damit – so paradox dies klingen mag – bereits zuviel Geld ausgegeben. In vielen Situationen und aus unterschiedlichen Gründen muß oft zunächst eine *Werbewirkungsschwelle* überwunden werden, d.h., es muß ein Minimum an Werbegeldern aufgewendet werden, ehe die Werbung zu wirken beginnt.[5] Auch wenn das Werbebudget zu hoch ist und damit die obere Werbewirkungsschwelle überschritten wird, bei der zusätzliche Aufwendungen keine Wirkung mehr zeigen, werden Marketingmittel vergeudet, die an anderer Stelle im Marketingprogramm besser eingesetzt werden könnten. Einige kritische Stimmen behaupten, daß vor allem Großunternehmen im Konsumgüterbereich tendenziell zuviel für die Werbung ausgeben, während Unternehmen im produzierenden Gewerbe generell zuwenig Geld für Werbezwecke aufwenden:[6]

Bei Konsumgütern investieren Großunternehmen viel in die Imagewerbung, ohne deren Wirkung genau abschätzen zu können, denn Imagewerbung bringt keine sofortigen Verkaufseffekte. Sie geben lieber einen zu hohen Betrag aus, um sicher zu gehen, daß das Werbebudget ausreichend groß ist. Außerdem liegt es im Interesse der Werbeagenturen, ihre Auftraggeber davon zu überzeugen, den größten Teil des Budgets für die absatzfördernde Kommunikation in die Werbung zu stecken. Zudem ist die Effizienz der Werbeausgaben gering, da die Unternehmen nicht genügend Vorarbeit (Marketingforschung und strategische Positionierung) leisten und die Güte der Werbung erst überprüfen, wenn sie bereits fertiggestellt wurde (z.B. durch einen Copytest).
Bei Industriegütern verlassen sich die Unternehmen darauf, daß die Verkaufsabteilung Aufträge besorgt. Sie geben nicht genug für Werbung aus, um ihr Leistungsangebot bei den Kunden hinreichend bekannt und verständlich zu machen. Sie unterschätzen die verkaufsunterstützende Wirkung, die ein starkes Firmen- und Produktimage bringt.

Der Kritik, daß im Konsumgütermarketing zuviel für die Werbung ausgegeben wird, läßt sich entgegenhalten, daß die Imagewerbung *Langzeit-Effekte* mit sich bringt, die über den laufenden Planzeitraum hinaus wirken. Obwohl Werbeaufwendungen buchungstechnisch als laufende Kosten behandelt werden, sind sie zum Teil auch als Investition in ein immaterielles Gut – den Goodwill für das Unternehmen und seine Produkte – anzusehen. Wenn z.B. 5 Mio. DM für Betriebsanlagen ausgegeben werden, dann wird dieser Betrag als Investition kapitalisiert und beispielsweise über fünf Jahre jährlich nur mit 20 % als Kosten abgeschrieben. Wenn das Unternehmen aber zur Markteinführung eines neuen Produkts 5 Mio. DM für Werbung ausgibt, dann wird dieser Betrag bereits im ersten Jahr in voller Höhe zu den ertragsmindernden Kosten gezählt. Diese Behandlung von Werbeausgaben in der Gewinn- und Verlustrechnung beschränkt die Zahl der Neuprodukteinführungen, die ein Unternehmen in einem Jahr vornehmen kann.

Eine wichtige Frage ist, welchen Einfluß die Werbung auf Markenwechsel und Markentreue der Verbraucher ausüben kann. Dazu untersuchte Tellis die Kaufmuster von Haushalten bei den 12 wichtigsten Marken eines häufig gekauften Konsumguts. Für die vorliegende Marktsituation gelangte er zu folgenden Schlüssen: [7]

- Durch Werbung lassen sich Stammkunden eher dazu bewegen, mehr zu kaufen, als daß sich dadurch neue Kunden gewinnen lassen. Bei Stammkunden kann jedoch eine große Menge an wöchentlichen Werbekontakten aufgrund eines Abflachens der Werbewirkung unproduktiv sein.
- Werbung scheint keine kumulative Wirkung zu haben, die zu mehr Markentreue führt.
- Produktausstattung, Display-Maßnahmen und vor allem der Preis hatten eine stärkere Verkaufswirkung als Werbung.

Die Werbewirtschaft nahm diese Schlußfolgerungen verständlicherweise negativ auf, und die von Tellis verwendeten Daten und Analyseverfahren wurden verschiedentlich kritisiert. Zum Themenkomplex Werbewirksamkeit ist immer noch vieles unbekannt und unerforscht, so daß neue, sorgfältig angelegte empirische Untersuchungen noch viele nützliche Resultate bringen können.

Im vorhergehenden Kapitel wurden bereits vier weit verbreitete Ansätze zur Festlegung des Werbebudgets beschrieben. Dabei wurde der Ziel- und Aufgaben-Ansatz empfohlen, weil der Werbetreibende dabei seine Ziele konkretisiert und anschließend die Werbekosten zur Erreichung dieser Ziele abschätzt. Im folgenden werden einige Faktoren erläutert, die bei der Budgetierungsentscheidung berücksichtigt werden sollten: [8]

- **Phase des Produkt-Lebenszyklusses**
  Bei neuen Produkten wird meist ein höheres Werbebudget angesetzt, um das Produkt bekannt zu machen und Erstkäufer zu gewinnen. Bei etablierten Markenerzeugnissen hingegen ist das Budget, im Verhältnis zum Umsatz, in der Regel niedriger.
- **Marktanteil und Kundenanteil**
  Marken mit hohem Marktanteil erfordern in Relation zum Umsatz weniger Werbeaufwendungen, wenn man den Marktanteil nur erhalten will. Will man hingegen den Marktanteil unter Ausweitung des Gesamtmarktes oder zu Lasten von Konkurrenzmarken ausbauen, sind dafür höhere Werbeaufwendungen erforderlich. Des weiteren sind die Kosten pro erreichtem Kunden bei Verwendern von weit verbreiteten Marken geringer als bei Verwendern von Marken, deren Kundenanteil niedrig ist.
- **Ablenkung durch Wettbewerb und »Werbelärm«**
  Auf Märkten mit vielen Wettbewerbern und hohen Werbeaufwendungen muß die Werbung für ein Produkt stark sein, um »gehört« zu werden. Auch bei »Werbelärm« von Produkten, die nicht in direkter Konkurrenz zur eigenen Marke stehen, ist eine Verstärkung der eigenen Werbung erforderlich, damit sie ausreichend wahrgenommen wird.
- **Notwendige Kontakthäufigkeit**
  Auch die Zahl der wiederholten Werbekontakte, die notwendig ist, um eine Werbebotschaft im Verbraucherbewußtsein zu verankern, beeinflußt die Höhe des Werbebudgets.
- **Markensubstituierbarkeit**
  Bei leicht substituierbaren Verbrauchsgütern (z.B. Zigaretten, Bier, alkoholfreie Getränke) muß mehr geworben werden, um ein Markenimage zu erreichen, das im Verbraucherbewußtsein gegenüber anderen Marken differenziert ist. Werbung ist selbst dann wichtig, wenn eine Marke durch besondere materielle Eigenschaften einen Kundennutzen bietet.

Marketingwissenschaftler entwickelten eine Vielzahl von Budgetierungsmodellen, in denen all diese und weitere Einflußfaktoren auf das Werbebudget berücksichtigt werden. Eines der besten älteren Modelle stammt von Vidale und Wolfe.[9] Bei diesem Modell wird das Werbebudget im wesentlichen von der Höhe der Kaufreaktionsrate, der Höhe der Kauf-Abklingrate (d.h. die Rate, mit der die Werbebotschaft und die Marke bei den Kunden in Vergessenheit gerät und die Käufe abklingen) und von der Höhe des gewinnbaren Absatzpotentials bestimmt. Allerdings berücksichtigt dieses Modell andere wesentliche Faktoren nicht, z.B. den Umfang der Konkurrenzwerbung und die Wirksamkeit der eigenen Werbung.

Professor John Little schlug vor, die Höhe des Werbebudgets adaptiv zu steuern.[10] Dabei legt das Unternehmen seine Werbeaufwendungen jeweils anhand der aktuellsten verfügbaren Informationen zur Marktreaktionsfunktion auf die Werbung fest. Den entsprechend berechneten Betrag gibt das Unternehmen auf all seinen Teilmärkten aus – mit Ausnahme einer nach dem Zufallsverfahren ausgewählten Untergruppe von $(2n)$ Teilmärkten, die als Testmärkte verwendet werden. Auf (n) Testmärkten gibt das Unternehmen bewußt weniger, auf den verbleibenden (n) Testmärkten mehr für die Werbung aus. So erhält das Unternehmen Informationen über die im Durchschnitt durch niedrige, durchschnittliche und hohe Werbeausgaben ausgelösten Käufe; mit diesen Informationen läßt sich die Marktreaktionsfunktion erneut bestimmen. Damit werden die Werbeaufwendungen für die kommende Periode auf das beste Niveau hin adaptiert. Wird die Wirkung einer abweichenden Werbeaufwandshöhe experimentell erfaßt und damit die Höhe des Werbebudgets adaptiert, dann liegen die Werbeaufwendungen nahe am Optimum, wie es sich im zeitlichen Ablauf ergäbe.[11]

Entscheidungen zur Werbebotschaft

Viele Untersuchungen über den Zusammenhang zwischen Werbeaufwand und Verkaufserfolg vernachlässigen die kreative Gestaltung der Werbebotschaft, d.h. wie kreativ sie in Worte und Bilder umgesetzt wird. Dies kann ein wesentlicher Erfolgsfaktor sein. So wird z.B. argumentiert, daß die größeren Werbeagenturen in etwa gleich kreativ sind und deshalb bei Werbewirksamkeitsanalysen eventuelle Kreativitätsunterschiede zwischen Wettbewerbern vernachlässigt werden können. Währenddessen kämpfen die Werbetreibenden insbesondere durch Kreativitätsbemühungen darum, ihre Werbebotschaften anders und wirksamer zu gestalten als die Konkurrenz. William Bernbach meint dazu: »Die bloße Präsentation von Tatsachen reicht nicht aus ... Man denke nur an Shakespeare: Auch wenn die Handlung seiner Stücke manchmal recht profan war, so gelang es ihm doch stets in meisterlicher Manier, dem Publikum die gewünschte Botschaft wirksam zu vermitteln.«

Die Werbung für die Schokoladenmarke Milka, kreativ symbolisiert durch die lila Kuh, ist ein Beispiel dafür, daß eine kreative Werbegestaltung besonders wirksam sein kann. Seit 1971 ist die lila Kuh das »Leittier« der Milkawerbung und hat die Marke zur wohl bekanntesten Schokoladenmarke in Deutschland gemacht. Als die lila Kuh kurzzeitig aus der Milkawerbung entfernt wurde, gingen die vorher steigenden Marktanteile der Milkaschokolade 1983 auf 12% zurück. Nach Wiedereinführung der lila Kuh in die Werbung erreichte die Marke permanente Steigerungsraten – bis auf 19,6% im Jahr 1987. [12]
Im Jahr 1983 gab McDonald's in den USA 185,9 Mio. $ für die Fernsehwerbung aus – mehr als doppelt soviel wie der Rivale Burger King. Und trotzdem konnten sich die Zuschauer an die Spots von Burger King besser erinnern, und sie gefielen ihnen auch besser als die von McDonald's. [13]

Vernachlässigt man die Werbekreativität bei der Werbewirksamkeitsanalyse, wird es schwer, manche Unterschiede im Erfolg einzelner Marken zu erklären. Einige empirische Untersuchungen haben bestätigt, was Werbeagenturen schon immer behauptet hatten – daß Kreativität in der Werbung einen größeren Beitrag zum Erfolg einer Werbekampagne leisten kann als die Höhe des Werbebudgets. Jede Werbebotschaft kann nämlich nur dann absatzfördernd wirken, wenn sie aufgrund einer gelungenen kreativen Gestaltung Beachtung findet. [14] Die richtige Kreativ-Strategie ist also sehr wichtig für den Werbeerfolg. Eine Kreativ-Strategie wird in mehreren Schritten erarbeitet: Entwicklung von Werbebotschaften, Bewertung und Auswahl sowie Gestaltung der Werbebotschaft.

Entwicklung von Werbebotschaften

Die Grundbotschaft sollte in genereller Form schon während der Entwicklung des Produktkonzepts festgelegt werden, da sie den Hauptnutzen oder das Besondere des beworbenen Produkts herausstellt. Für jede Grundbotschaft sind dann in der Regel mehrere Ausführungsvarianten möglich. Man kann auch eine schrittweise Änderung der Botschaft planen, ohne das Produkt zu verändern; dies ist vor allem dann angebracht, wenn man dem Vebraucher einen neuen und zusätzlichen Nutzen des Produkts bekanntgeben will oder wenn das Produkt komplex ist und die Verbraucher seinen Nutzen schrittweise kennenlernen sollen.

Die Werbegestalter greifen zu unterschiedlichen Ansätzen, um ihre Kreativität bei der Entwicklung möglicher Werbeappelle in die richtigen Bahnen zu lenken und Anregungen zu erhalten. Viele Kreative gehen *induktiv* vor und lassen sich von Einzelbeobachtungen zu generellen Folgerungen leiten. Sie befragen dann Verbraucher, Händler, Experten und Konkurrenten. Die Verbraucher sind die Hauptquelle guter Werbeideen, da ihre Meinungen über Stärken und Schwächen der angebotenen Produkte wichtige Hinweise für die Kreativ-Strategie liefern. So ist z.B. Leo Burnett in seiner Werbeagentur »für Tiefeninterviews, bei denen der Kreative direkt Berührung mit den Zielpersonen hat, die das Produkt kaufen sollen. Er versucht dabei, zu verinnerlichen, wer die Zielpersonen sind, wie sie das beworbene Produkt verwenden und was das Produkt für sie bedeutet.«[15] Ein führender Haarspray-Hersteller erforscht z.B. laufend die Zufriedenheit der Verbraucher mit den Produkten im Markt. Wenn die Verbraucher ein Spray wollen, das dem Haar mehr Spannkraft verleiht, modifiziert er u.U. sein Produkt und stellt diesen Nutzen in der Werbung heraus.

Gelegentlich gehen Kreative bei der Entwicklung von Werbebotschaften auch *deduktiv* vor und leiten aus einem generellen Zusammenhangsschema situationsspezifische Folgerungen ab. Ein Schema von Maloney wird in Tabelle 21-2 dargestellt.[16] Nach Maloney erwarten die Käufer von dem Produkt eine von vier Arten der Belohnung: *rationale, sensorische, sozial-bezogene* oder *Ich-bezogene.* Sie können diese Belohnungen auf drei Arten erfahren: als *Ergebnis nach der Produktnutzung,* als *Erfahrung direkt mit der Produktnutzung* oder als *Nebenerfahrung begleitend zur Produktnutzung.* Durch Kombination der vier Belohnungsarten mit den drei Erfahrungsarten entsteht ein generelles Schema mit zwölf grundsätzlichen Gestaltungsalternativen.

Tabelle 21-2
Ein generelles Schema zur Herleitung von Werbebotschaften mit zwölf Beispielen

Art der Erfahrung mit dem Produkt	*Art der Belohnung*			
	rational	sensorisch	sozial-bezogen	Ich-bezogen
Erfahrungen als Ergebnis *nach* der Produktnutzung	1. Die Wäsche ist dann rein	2. Das Sodbrennen ist dann weg	3. Man merkt, daß Sie nur das Allerbeste anbieten	4. Ihre Haut fühlt sich schöner
Erfahrungen *direkt mit* der Produktnutzung	5. Mit diesem Mehl läßt sich's leicht backen	6. Der volle Genuß im leichten Bier	7. Das Deo, das jeder mag	8. Das Geschäft, in dem der Erfolgreiche kauft
Nebenerfahrungen *begleitend zur* Produktnutzung	9. Die Packung hält den Kaffee frisch	10. Das Gerät, das man leicht tragen kann	11. Die Möbel im Heim moderner Menschen	12. Die Stereoanlage für die Person mit dem besonderen Stil

Quelle: In adaptierter Form übernommen aus John C. Maloney: »Marketing Decisions and Attitude Research«, in: George L. Baker, Jr. (Hrsg.): *Effective Marketing Coordination*, Chicago: American Marketing Association, 1961, S. 595–618.

Der Werbegestalter kann den Produktnutzen für jedes der zwölf Felder in ein Werbethema umsetzen, um so alternative Werbebotschaften zu gewinnen. Der Appell »Die Wäsche ist dann rein« verspricht z.B. eine Belohnung auf rationaler Basis, die als Ergebnis nach der Produktnutzung eintreten soll, während der Appell »Der volle Genuß im leichten Bier« eine Belohnung sensorischer Art verspricht, die direkt mit der Produktnutzung erfahren werden soll.

In der Regel legen die Kreativen der Werbeagentur dem Marketing-Management mehrere mögliche Werbethemen vor und geben eine Empfehlung ab, welches Thema sie für das geeignetste halten. Diese Vorlagen sind meist kurze textliche Abfassungen mit grob skizzierten Visualisierungen, so daß das Marketing-Management hier eine Vorauswahl treffen kann, ohne daß zunächst viel Geld für die Ausgestaltung der einzelnen Botschaften ausgegeben wurde. Wenn das Marketing-Management sich nicht für eine endgültige Auswahl entscheiden kann oder will bzw. wenn Unsicherheit über die Machbarkeit und Qualität der anschließenden Ausgestaltung herrscht, dann können mehrere der Vorlagen weiterentwickelt werden, bis sie ein Stadium erreichen, in dem sie für einen Werbewirkungstest geeignet sind. Der Werbewirkungstest zeigt die Stärken und Schwächen der Werbebotschaft und ihrer Ausführungen an, so daß das Management dann eine Auswahl trifft und die gewählte Botschaft direkt verwendet oder in der Ausführung noch verbessern läßt, wenn dies zeitlich möglich und wirtschaftlich sinnvoll erscheint.

Bewertung und Auswahl der Werbebotschaft

Als nächstes muß das Marketing-Management die vorliegenden Alternativen bewerten. Im Regelfall sollte eine überzeugende Werbebotschaft einen Hauptnutzen des beworbenen Produkts herausstellen, ohne die Botschaft mit zu vielen Informationen oder Appellen zu überladen, da dies die Wirkung abschwächen würde. Twedt empfiehlt, die Botschaften danach zu bewerten, wie wünschenswert, trennscharf und glaubhaft sie sind. [17] Das bedeutet, die Werbebotschaft muß etwas aussagen, das für die Zielgruppe wünschenswert oder interessant ist; die Botschaft muß auch etwas Trennscharfes oder Originelles beinhalten, das nicht für alle Marken innerhalb dieser Produktkategorie gilt; außerdem muß die Aussage der Botschaft glaubwürdig oder beweisbar sein.

Die amerikanische Wohltätigkeitsorganisation *March of Dimes* suchte z.B. ein Werbethema für eine Spendenaktion zum Kampf gegen Geburtsschäden. [18] Zunächst entstanden aus einem Brainstorming mehrere Themen. Anschließend bewertete eine Testgruppe aus jungen Elternpaaren jedes der Themen danach, wie interessant, trennscharf und glaubhaft sie die Aussage empfanden, wobei jeweils bis zu 100 Punkte vergeben werden konnten (vgl. dazu Abbildung 21-2). So erhielt beispielsweise die Aussage »Täglich kommen 700 Kinder mit Geburtsschäden auf die Welt« 70 (Interessantheit), 60 (Trennschärfe) bzw. 80 (Glaubwürdigkeit) Punkte, während die Aussage »Ihr nächstes Kind könnte mit einem Geburtsfehler auf die Welt kommen«, mit 58, 50 bzw. 70 Punkten bewertet wurde. Da die erste Aussage höhere Punktzahlen erhielt als die zweite, wäre sie als Werbebotschaft zu bevorzugen.

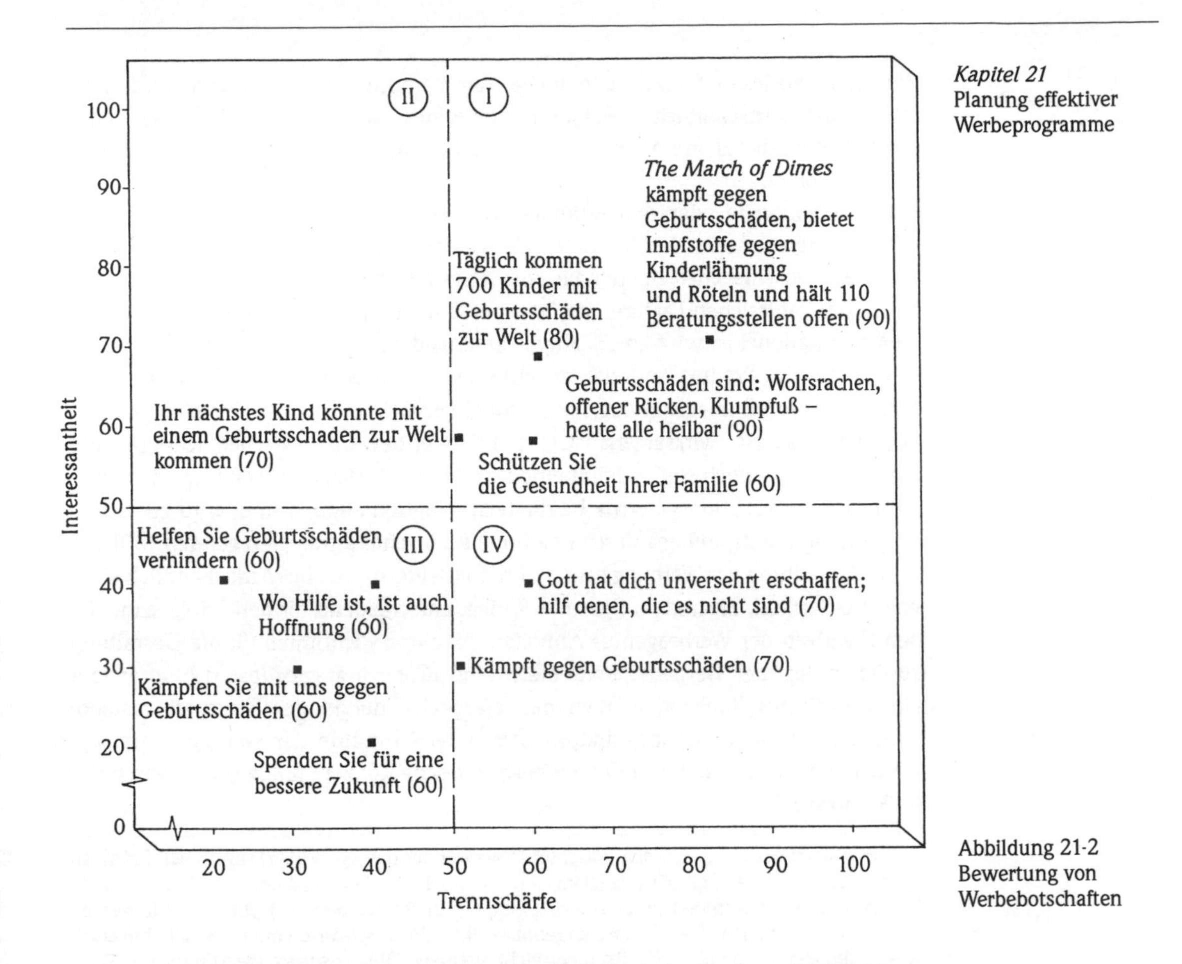

Abbildung 21-2
Bewertung von Werbebotschaften

Quelle: William A. Mindak und H. Malcolm Bybee: »Marketing's Application to Fund Raising«, in: *Journal of Marketing*, Juli 1971, S. 13–18.

Um die Wirkung einer Werbebotschaft abschätzen zu können, stehen dem Unternehmen eine Reihe von Testmethoden zur Verfügung, die im weiteren Verlauf dieses Kapitels beschrieben werden.

Gestaltung der Werbebotschaft

Die Wirkung der Werbebotschaft hängt nicht nur davon ab, was sie beinhaltet, sondern auch davon, wie sie gestaltet ist. Werbeappelle können auf eine *rationale* oder auf eine *emotionale Positionierung* beim Empfänger hinzielen. Bei vielen Produkten steht in der Werbung eine bestimmte Produkteigenschaft oder ein bestimmter Produktnutzen im Vordergrund, der den Empfänger rational ansprechen soll, wie »Wäscht reiner« oder »Lindert Schmerzen schneller« etc. Bei anderen Produkten erfolgt die Ansprache indirekter und soll beim Empfänger emotionale

Wirkungen auslösen. So zeigt so manche Autowerbung kaum etwas von den technischen oder wirtschaftlichen Eigenschaften eines Autos, sondern schöne Landschaftsbilder oder kleine Abenteuer, die emotionale Assoziationen und Wirkungen auslösen sollen.

Rein emotionale oder rein rationale Werbebotschaften sind Extreme, die nur selten auftreten. Meist sind in einer Anzeige emotionale und informative Elemente vertreten. Ob eine eher emotionale oder eher rationale Ansprache wirksamer ist, hängt von zahlreichen Faktoren ab, wie persönliche Informationsneigung der Zielpersonen (rational ist wirksamer), »Involvement« der Zielpersonen an der Problemlösung durch das Produkt (rational ist wirksamer), und auch davon, ob der Kaufentscheidungsprozeß imageorientiert (emotional ist wirksamer) oder einstellungsorientiert (rational ist wirksamer) ist.[19] Im Wettbewerb zwischen Gütern, die technologisch ähnlich sind, scheint eine emotionale Botschaftsgestaltung wirksamer zu sein. Bei Investitionsgütern z. B., die technologisch ähnlich sind, wird zur Schaffung von »Erlebnisprofilen« durch emotionale Botschaftsstrategien geraten.[20]

Die Gestaltung der Werbung kann in Produktfeldern, wo alle Marken ähnlich sind, wie Waschmittel, Zigaretten, Bier und Kaffee, entscheidend für den Erfolg sein. Um den Kreativen der Werbeagentur Anhaltspunkte und Richtlinien für die Gestaltung zu liefern, legt der Werbetreibende meist eine »Copy-Strategie« fest, d. h. er erstellt ein schriftliches Konzept, in dem das Werbeziel, der in der Botschaft gestellte Anspruch, die Anspruchsbegründung sowie der Grundton der Werbung dargelegt werden. Ein Beispiel dafür ist das werbestrategische Konzept für das neue Waschmittel Prodixan:[21]

Das *Werbeziel* besteht darin, den Waschmittelverwender davon zu überzeugen, daß Prodixan ein einzigartiges Waschmittel ist, bei dem kein Vorwaschmittel nötig ist und das für die gesamte Wäsche eingesetzt werden kann. Der *Anspruch*, der in der *Werbebotschaft* aufgestellt werden soll, besteht darin, daß »Spitzenwaschergebnisse« für alle Wäschearten mit nur einer Universalwaschmittelmarke, nämlich Prodixan, erreicht werden. Die *Anspruchsbegründung* besteht darin, daß in Prodixan programmierte Schmutzlöser sind, die das Ergebnis garantieren. Der *Grundton* der Werbung ist fröhlich, interessant und im Stile einer Unterhaltungsshow gehalten, was durch den Besuch prominenter Showpersönlichkeiten bei Prodixan im Studio vermittelt wird.

Die Kreativen müssen im einzelnen *Stil, Ton, Wortwahl* und *formale Elemente für die Gestaltung der Botschaft* erarbeiten. Alle Elemente müssen zusammenpassen, um ein einheitliches Image und eine in sich konsistente Botschaft übermitteln zu können. Da nur wenige Zielpersonen den gesamten Text von Werbeanzeigen lesen, müssen Bild und Überschrift gemeinsam den Kern der Botschaft auf einen Blick darlegen.

Es gibt viele Gestaltungstypen und -techniken für die Werbebotschaft; die gebräuchlichsten sind folgende:[22]

- **Slice-of-Life-Technik**
  Bei dieser Technik werden zufriedene Produktverwender in einer realitätsnahen Situation des täglichen Lebens gezeigt. Ein Beispiel dafür ist die am Frühstückstisch sitzende Familie, die sichtbar überzeugt von ihrer Rama-Margarine ist.
- **Lifestyle-Technik**
  Hier wird betont, wie gut ein Produkt zu einem bestimmten Lebensstil paßt. So werden z. B. in einer Lufthansa-Anzeige drei junge erfolgreiche Personen abgebildet; die Überschrift lautet: »Erste Klasse hat viel mit Stil zu tun und wenig mit Geld: Lufthansa-First-Class ab 100,– DM mehr.«

- **Traumwelt**
  Das Produkt oder seine Verwendungsmöglichkeiten werden in eine traumgleiche, phantasievolle Atmosphäre eingebunden. Ein Kinospot für Bacardi-Rum zeigt z.B. drei junge Frauen, die von einem Traumstrand zu einem Schiff mit zwei jungen Männern schwimmen bzw. tauchen.
- **Stimmungs- oder Gefühlsbilder**
  Es wird eine besondere Stimmung oder ein Gefühlsbild um das Produkt herum geschaffen, wie Schönheit, Liebe oder Heiterkeit. Es werden keine Ansprüche zur Markenleistung in expliziter Form aufgestellt, sondern nur in suggestiver Form angedeutet. In der Marlboro-Kinowerbung wird beispielsweise die Stimmungswelt von Freiheit, Abenteuer und Gruppengefühl vermittelt, ohne daß dies verbal zum Ausdruck kommt.
- **Musical-Technik**
  Dabei wird entweder Hintergrundmusik eingesetzt, oder eine bzw. mehrere Personen oder künstliche Figuren (Comic- oder Zeichentrickfiguren) »besingen« das Produkt in einem Lied. In der Werbung für Cola-Getränke wird z.B. mit dieser Darbietungsform gearbeitet – bekannt ist in diesem Zusammenhang der Coca-Cola-Hit »First Time«.
- **Persönlichkeit als Symbolfigur**
  Hier wird eine Symbolfigur geschaffen, die das Produkt personifiziert. Die Symbolfigur kann entweder als *Comic- oder Zeichentrickfigur* (z.B. Meister Proper oder das Michelin-Männchen) oder als *realer Mensch* (z.B. der Camel-Mann oder die Ariel-Klementine) auftreten.
- **Technische Kompetenz**
  Hier wird die Kompetenz und die Erfahrung des werbetreibenden Unternehmens mit dem Produkt betont. AEG vermittelt beispielsweise, daß diese Namensabkürzung auch für »aus Erfahrung gut« steht; Audi wirbt mit dem Anspruch »Vorsprung durch Technik«, d.h. mit der eigenen technischen Kompetenz.
- **Wissenschaftlicher Nachweis**
  Bei diesem Werbestil will man durch Hinweise auf eine wissenschaftliche Untersuchung den Nachweis führen, daß die Marke gegenüber Konkurrenzmarken Vorzüge aufweist oder überlegene Leistungen bietet. Ein Beispiel hierfür ist bei der Zahnpasta Blend-a-med der einleitende Satz »Neues aus der Blend-a-med-Forschung« und der anschließend auftretende Zahnarzt, der wissenschaftliche Resultate referiert.
- **Testimonial-Werbung**
  Hier wird das Produkt von einer glaubwürdigen, sympathischen oder kompetenten Person positiv präsentiert; dabei kann es sich entweder um eine prominente Persönlichkeit handeln – so werben bekannte Schauspielerinnen für Lux-Seife – oder um »Menschen wie Du und Ich«, die sich zufrieden über das beworbene Produkt äußern. Ein Beispiel für Letzteres ist die lange Zeit durchgeführte Jägermeister-Kampagne mit unbekannten Personen, die sich zum Thema »Ich trinke Jägermeister, weil ...« äußerten.

Der Kommunikator muß auch den *richtigen Ton* finden, in dem die Werbebotschaft dargeboten werden soll (Tonalität). Henkel z.B. benutzt in seiner Werbung für Persil ausschließlich einen positiven Ton: Es wird stets etwas besonders Gutes über das beworbene Produkt berichtet; Humorvolles hingegen wird vermieden, um die Aufmerksamkeit nicht von der eigentlichen Botschaft abzulenken. Dagegen verwendet beispielsweise der Autovermieter Sixt einen humorvollen Ton: So wird z.B. ein Geschäftsmann neben einem Kinderauto abgebildet und erklärt: »Hätte er bei Sixt gemietet, dann dürfte er Mercedes fahren«.

Die ebenfalls zu beachtende *Wortwahl* beinhaltet die Suche nach Wörtern, die die Aufmerksamkeit des Empfängers wecken und ihm gleichzeitig im Gedächtnis bleiben. Beispielsweise hätten die folgenden, in der linken Spalte aufgeführten Werbethemen ohne kreative Umsetzung in den Text, der in der rechten Spalte gezeigt ist, keine besondere Werbewirkung:

Werbethema	*kreative Umsetzung*
Unser Auto hat eine extreme Kastenform.	»Fiat Panda. Die tolle Kiste«.
Alkoholfreies Bier steht normalem Bier in nichts nach.	»Clausthaler. Alles, was ein Bier braucht«.
Bestellen Sie nicht irgendein Bier, sondern unsere Marke.	»Bitte ein Bit«.
Wir machen farbenfrohe junge Mode, die weltweit getragen wird	»United Colors of Benetton«.
Mit unserem Kognac belohnt man sich selbst.	»Wenn einem so etwas Schönes wird beschert, das ist schon einen Asbach Uralt wert«.
Mit unserem Finanzierungsangebot ermöglichen wir Ihnen vieles.	»Volksbanken und Raiffeisenbanken: Wir machen den Weg frei«.
Unsere Autos sind weniger langweilig.	»Toyota – nichts ist unmöglich«.
Der Käfer hält länger als andere Autos.	»Er läuft und läuft und läuft . . .«
Bei uns können Sie sich ungezwungener benehmen.	»McDonald's – das etwas andere Restaurant«.

Die Formulierung der Headline erfordert besonders viel kreatives Geschick. Man unterscheidet sechs Grundtypen der Headline-Gestaltung:

- **Nachrichtenstil** (»Persil flüssig. Das erste Waschmittel mit vollständig abbaubaren Tensiden«);
- **Fragestil** (»Haben Sie heute schon geschweppt?«);
- **Erzählstil** (»Das ist doch nichts für einen Männerabend, sagte er. Eine Stunde später war nur noch ein einziges »mon cherie« übrig«);
- **Aufforderungsstil** (»Lesen Sie, was Leute lesen, die Unternehmen führen!«);
- **1-2-3-Stil** (»Hundert ganz legale Steuertricks«);
- **Wie-Was-Warum-Stil** (»Wie Sie mehr aus Ihrem Kapital machen«).

Formale Gestaltungselemente, wie Größe, Farbgebung und bildliche Darstellungen, sind wesentliche Erfolgs-, aber auch Kosteneinflußgrößen. Einfache Änderungen dieser Gestaltungselemente können einer Anzeige mehr Beachtung bringen. Großformatige Anzeigen finden eine stärkere Beachtung, die gegenüber ihren Mehrkosten abgewogen werden muß. Vierfarbige anstelle von Schwarz-Weiß-Abbildungen erhöhen sowohl die Anzeigenwirkung als auch die Anzeigenkosten. Man muß sorgfältig abwägen, welche Gestaltungselemente in der Anzeige dominieren sollen, damit ihre Wirkung optimal ist. Mit Hilfe von elektronischen Blickregistrierungsgeräten kann man überprüfen, in welcher Reihenfolge und wie lange der Betrachter sein Auge auf die dominierenden Gestaltungselemente der Anzeige richtet.

Wissenschaftler, die Untersuchungen zur Anzeigengestaltung durchgeführt haben, bewerten *Bild, Headline* und *Text*, in dieser Reihenfolge, als die wichtigsten Gestaltungselemente. Das Bild wird als erstes wahrgenommen und muß so gestaltet sein, daß die Anzeige beachtet wird. Danach muß die Headline den Betrachter der Anzeige zum Lesen des Textes hinführen. Der Text selbst muß leicht verständlich sein. Auch wenn dies der Fall ist, werden selbst die besten Anzeigen bei jeder Kontaktchance von höchstens 50% der Zielpersonen beachtet; maximal rund 30%

können dann einen wesentlichen Punkt aus der Headline wiedergeben, rund 25% können sich an den Namen der Marke oder des Unternehmens richtig erinnern (hier gibt es bei Befragungen auch viele Falschnennungen), und weniger als 10% lesen den Großteil des Werbetextes. Eine nur durchschnittliche Anzeige erzielt bedeutend geringere Resultate.

Eine Untersuchung der Werbebranche ergab, daß Werbemittel, die überdurch schnittliche Werte bei Beachtung und Erinnerung erzielten, folgende Gestaltungselemente aufwiesen: Innovation (ein neues Produkt oder eine neue Verwendung), »story appeal« (eine ansprechende Geschichte zur Aufmerksamkeitsweckung), illustrative Darstellung von »vorher und nachher«, Anwendungsdemonstration, Darstellung einer Problemlösung und Einsatz von Symbolfiguren, die zum personifizierten Repräsentanten der beworbenen Marke werden. [23]

In Werbekreisen stellt man sich oft folgende Fragen: Warum ähneln sich so viele Anzeigen und Werbekampagnen? Warum sind die Werbeagenturen nicht kreativer? Von seiten der Werbeagenturen meint man hierzu, daß dies an den werbetreibenden Unternehmen und nicht an den Agenturen liegt. Wenn die Werbeagentur eine wirklich kreative Werbekampagne entwickelt, dann sind es oft die Produktmanager und deren Vorgesetzte, die eine solche Kampagne als risikoreich betrachten und sie entweder ablehnen oder so viele Veränderungen einbringen, daß die Kampagne wieder in die Mittelmäßigkeit abgleitet. Man ist hier der Meinung, daß die Werbetreibenden nicht kreative, sondern problemlose Werbung wollen.

Entscheidungen zur Medienbelegung

Als nächstes muß der Werbetreibende Entscheidungen zur Belegung der Werbeträger treffen, die die Botschaft zum Empfänger tragen. Schrittweise bestimmt er die gewünschte Reichweite, Kontaktfrequenz und umfeldgestützte Eindrucksqualität, wählt dann die einzusetzenden Mediengattungen, trifft eine detaillierte Medienwahl und bestimmt die zeitliche Verteilung des Medieneinsatzes.

Reichweite, Frequenz und Eindrucksqualität der Werbedarbietung

Das Problem der Medienbelegung besteht darin, die kosteneffektivsten Werbeträger zu ermitteln, um mit dem Zielpublikum durch eine angemessene Anzahl von Werbedarbietungen in der erwünschten Eindrucksqualität in Kontakt zu treten. Wie aber bestimmt man, welche Anzahl von Werbekontakten angemessen ist? In der Regel will der Werbende eine bestimmte Reaktion bei den Empfängern der Werbung auslösen; er will z.B. eine gewisse Rate an Erstkäufen bewirken. Die Erstkaufsrate hängt u.a. vom Bekanntheitsgrad der Marke ab. Bei einem Zusammenhang zwischen der Erstkaufsrate und dem Bekanntheitsgrad, wie in Abbildung 21-3 (a) dargestellt, muß der Werbende zur Stimulierung der erwünschten Erstkaufsrate E^* einen Bekanntheitsgrad B^* erzielen.

Damit ergibt sich die Frage, wie vielen Werbekontakten W^* das Zielpublikum

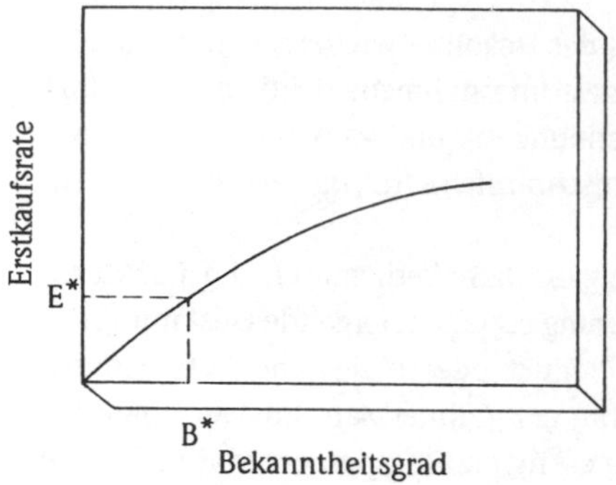

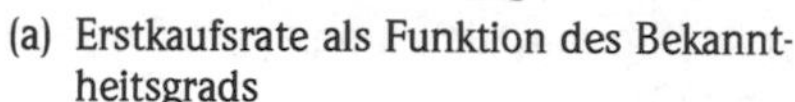

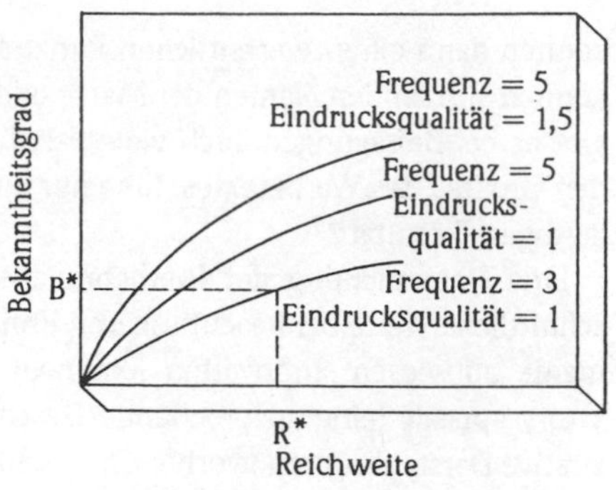

(a) Erstkaufsrate als Funktion des Bekanntheitsgrads

(b) Bekanntheitsgrad als Funktion von Reichweite, Frequenz und Eindrucksqualität der Darbietungen

Abbildung 21-3
Funktionsdiagramm für Erstkaufsrate, Markenbekanntheit und Darbietungsvariablen

ausgesetzt sein muß, um den erwünschten Bekanntheitsgrad *B** zu bewirken. Wie stark die Werbekontakte den Bekanntheitsgrad prägen, hängt von der Reichweite, Frequenz und Eindrucksqualität der Darbietungen ab. Diese drei Begriffe bedeuten folgendes:

- **Reichweite** *(R)*: Anzahl der Personen oder Haushalte, die von den belegten Werbeträgern in der Planungsperiode mindestens einmal erreicht werden. Ergänzend zur Reichweite gibt es noch die Maßzahlen kumulierte Reichweite und kombinierte Reichweite. Die *kumulierte Reichweite* ist die Anzahl der Personen, die bei einer mehrfach aufeinanderfolgenden Belegung des Werbeträgers mindestens einmal erreicht werden. Dabei werden Wiederholungskontakte, sogenannte »interne Überschneidungen«, nur einfach gezählt. Die *kombinierte Reichweite* ist die Reichweite bei Einschaltung mehrerer unterschiedlicher Medien. Hierbei dürfen Personen, die gleichzeitig mehrere der betreffenden Medien nutzen, sogenannte »externe Überschneidungen«, nur einmal mitgezählt werden. [24]
- **Frequenz** *(F)*: Zahl der Werbekontakte innerhalb der Planperiode, denen eine erreichte Person oder ein Haushalt im Durchschnitt ausgesetzt ist.
- **Eindrucksqualität** *(Q)*: Schätzwert für die Qualität einer Darbietung durch ein gegebenes Medium. Die Eindrucksqualität wird durch das redaktionelle und das Stimmungsumfeld des Mediums bestimmt. Beispielsweise hätte eine Anzeige für ein neues Kochgerät in einem Fachmagazin für Hauswirtschaft oder für Hobbyköche eine wesentlich höhere Eindrucksqualität als in einem Modemagazin.

Abbildung 21-3 (b) zeigt ein Funktionsdiagramm für die Markenbekanntheit. Je größer die Reichweite, Frequenz und Eindrucksqualität der Darbietung sind, desto höher ist der erzielbare Bekanntheitsgrad. Der Medienplaner muß beim Mitteleinsatz zwischen Reichweite, Frequenz und Eindrucksqualität abwägen. Wenn er z.B. ein Werbebudget von 3 Mio. DM zur Verfügung hat und die Kosten für je 1.000 Kontakte durchschnittlicher Qualität 20 DM betragen, kann er mit den verfügbaren Mitteln insgesamt 150 Mio. Darbietungskontakte einkaufen (= 3 Mio. DM/ 20 DM × 1.000 Darbietungskontakte). Sollen die Zielempfänger im Durchschnitt einer Frequenz von 10 Darbietungskontakten ausgesetzt sein, dann können mit dem verfügbaren Budget insgesamt 15 Mio. Personen erreicht werden (= 150 Mio/10). Sucht der Werbende hingegen Medien mit einer größeren Eindrucksqualität, wodurch die Kosten pro 1.000 Kontakte auf 50 DM steigen, kann er mit den verfügbaren Mitteln nur 6 Mio. Zielpersonen erreichen oder er muß die Frequenz senken, wenn er die gleiche Anzahl von Zielpersonen erreichen will.

Der Zusammenhang von Reichweite, Frequenz und Eindrucksqualität kommt durch folgende Maßzahlen im Werbemanagement zum Ausdruck:

- **Gesamtmenge der Kontaktchancen *(K)***
  Diese Maßzahl ergibt sich aus der Formel $K = R \times F$, d.h. Reichweite × Frequenz. Diese Zahl wird auch als *gross rating points* oder *GRP* bezeichnet. Werden z.B. durch einen bestimmten Medienbelegungsplan 80% der Haushalte mit durchschnittlich drei Darbietungschancen belegt, so hat der Plan einen GRP-Wert von 240 ($= 80 \times 3$) Punkten. Bringt z.B. ein anderer Medienplan 300 GRPs, dann spricht man diesem Plan einen höheren Werbedruck zu, ohne jedoch zu unterscheiden, ob eine größere Reichweite oder Frequenz zugrunde liegt.
- **Gewichtete Menge der Kontaktchancen *(GK)***
  Diese Maßzahl resultiert aus der Formel $GK = R \times F \times Q$, d.h. Reichweite × Frequenz × durchschnittliche Eindrucksqualität.

Für den Medienplaner stellt sich das Problem, wie er bei vorgegebenem Budget die kosteneffektivste Kombination aus Reichweite, Frequenz und Eindrucksqualität finden kann. Eine große *Reichweite* ist besonders wichtig bei der Einführung neuer Produkte oder wenn der Zielmarkt noch nicht klar ist und erst aus der Marktreaktion heraus festgestellt werden soll. Die *Frequenz* ist wichtig im Kampf gegen starke Konkurrenten, bei komplex angelegten Werbebotschaften, wo Verbraucher nur langsam zu überzeugen sind, und bei Produkten, die oft gekauft werden.[25] Falls der Medienplaner Werbeträger mit durchschnittlicher Eindrucksqualität belegen will, sollte er zunächst die Frequenz festlegen. Es sollte nämlich zuerst bestimmt werden, wie vielen Darbietungen im Durchschnitt eine Person der Zielgruppe ausgesetzt sein muß, damit eine Wirkung ausgelöst wird. Anschließend wird die Reichweite festgelegt.

Viele Werbetreibende glauben, daß die Zielpersonen vielen Darbietungen ausgesetzt werden müssen, damit die Werbung Wirkung zeigt, denn Werbung ohne genügend Wiederholung sei vergeudet, da sie kaum beachtet werde. Andere hingegen bezweifeln den Nutzen von häufigen Darbietungen. Ihrer Meinung nach werden Personen, nachdem sie derselben Botschaft einige Male ausgesetzt waren, entweder die gewünschte Handlung vollziehen oder sich durch häufige Wiederholung bestätigt fühlen oder aber die Werbung einfach nicht mehr beachten. Krugman z.B. behauptet, daß drei Darbietungskontakte ausreichen können. Er formuliert dies wie folgt:

Der erste Darbietungskontakt ist immer einmalig. Wie bei jeder erstmaligen Berührung mit etwas Neuem dominiert hier im wesentlichen eine kognitive Reaktion vom Typ »Was ist das?« Der zweite Kontakt mit einem Stimulus hat mehrere Wirkungen. Zu diesen zählt u.U. die gleiche kognitive Reaktion wie auf den ersten Kontakt, wenn nämlich die Empfänger beim ersten Mal einen Großteil der Botschaft nicht bemerkten. Häufiger aber tritt eine bewertende Reaktion vom Typ »Was heißt das für mich?« an die Stelle des ersten Reaktionstyps. Der dritte Darbietungskontakt dient als Erinnerung, falls die Kaufentscheidung aufgrund der bewertenden Reaktion auf den zweiten Kontakt noch nicht realisiert wurde. Es beginnt auch ein Prozeß des Aufmerksamkeitsentzugs und des »Sich Lösens« von einem beendeten Vorgang.[26]

Bei Krugmans These, daß drei Darbietungen ausreichen, muß jedoch klargestellt werden, daß Krugman *vollzogene Darbietungskontakte* des Empfängers mit der Werbebotschaft meint. Dies ist etwas anderes als die Zahl der vom Werbenden gekauften *Kontaktchancen* zur Darbietung im belegten Medium, d.h. die Zahl der Kontaktchancen des Empfängers mit dem Werbeträger. Wenn z.B. nur die Hälfte der Leser einer Zeitschrift Werbeanzeigen betrachtet oder die Leser nur in jeder zweiten Zeitschriftenausgabe Werbeanzeigen betrachten, ist die Zahl der vollziehbaren Darbietungskontakte nur halb so groß wie die Zahl der Kontaktchancen. Die meisten Medien veröffentlichen lediglich die Kontaktchancen für ihr Medium. Insbesondere bei Printmedien können sich hier sehr hohe Schätzwerte für die Kontaktchancen ergeben, wenn man davon ausgeht, daß z.B. eine Zeitschrift von mehreren Personen gelesen und von diesen wiederholt in die Hand genommen und durchgeblättert wird. Um die von Krugman geforderten drei »Treffer« bei einer genügend großen Anzahl von Personen der Empfängergruppe zu erreichen, müßte der Medienplaner die Wahrscheinlichkeitsverteilung der Frequenz des zu belegenden Mediums kennen und dann entsprechend mehr als drei Kontaktchancen einkaufen. [27]

Eine häufige Wiederholung ist auch dadurch zu rechtfertigen, daß Menschen vergessen. Wiederholte Darbietungen verfolgen zum Teil den Zweck, der Zielgruppe die Werbebotschaft wieder ins Gedächtnis zu rufen. Bei Marken, Produktkategorien oder Botschaften, die schnell vergessen werden, ist eine häufige Wiederholung der Werbebotschaft angebracht.

Mediengattungswahl

Der Medienplaner muß die Leistungsfähigkeit der unterschiedlichen Mediengattungen in bezug auf Reichweite, Frequenz und Eindrucksqualität beurteilen. Gegliedert nach dem medienspezifischen Werbeaufkommen (1989, BRD) sind dies *Zeitungen, Zeitschriften, Direktwerbung, Fernsehen, Anzeigenblätter und Supplements, Adreßbücher, Rundfunk, Außenwerbung* und *Kino.* Jeder dieser Werbeträger hat Vor- und Nachteile. Der Medienplaner trifft seine Auswahlentscheidung unter Berücksichtigung mehrerer Kriterien; die wichtigsten sind folgende:

- **Mediennutzung der Zielgruppe**
  Die Zielgruppe der »Teenager« ist z.B. gut über Rundfunk und Fernsehen zu erreichen. Um den Werbeplaner zu unterstützen, bieten die großen Verlage ein reichhaltiges Informationsangebot zur zielgruppengerechten Medienauswahl an (vgl. Tabelle 21-3).
- **Produkttyp**
  Für Damenmode sollte beispielsweise in farbigen Zeitschriften geworben werden, während eine Polaroid-Kamera am besten im Fernsehen vorgeführt wird. Die einzelnen Werbeträgergattungen müssen jeweils danach ausgewählt werden, was das Produkt an erzielbaren Demonstrations-, Visualisierungs-, Verständnis-, Glaubwürdigkeits- und Farbeffekten verlangt.
- **Kommunikationserfordernisse der Werbebotschaft**
  Wenn die Botschaft der rationalen Übermittlung von Sachverhalten und Argumentationen dienen soll, sind Tageszeitungen am besten geeignet. Emotionale Botschaften können besser durch Publikumszeitschriften und Fernsehen übermittelt werden. Botschaften, die kurzfristig aktualisierend und unterstützend wirken sollen, können gut über den Hörfunk oder Plakate vermittelt werden. Soll die Botschaft langfristig und nachhaltig wirken oder dient sie im wesentlichen dem Aufbau eines Images, so sind Publikumszeitschriften und Fernsehen besser geeignet.

Verlags-gruppe Bauer	– *Leserberatung in Aktuellen Illustrierten.* Stellenwert und Aufbereitung von Beratungsthemen – *Zielgruppe: Mütter mit kleinen Kindern* – *Älterwerden – Klischee und Tatsachen* – *Das Wunschalter.* Zum Rollenverhalten der Frau *Verbrauchsgewohnheiten jedes 3. Bundesbürgers* – *TV-Abo-Panel.* Informationen über Märkte, Verhalten und Werberesonanz – *Der Kaufentscheidungsprozeß in der Familie* – *Wie konsumfreudig sind die Leser von Frauenzeitschriften?* – *Frauen als Zielgruppe für Pkw-Werbung* – *Die Bedeutung der Akzeleration für das Jugendmarketing.* Erkenntnisse über die immer früher einsetzende Reife der Jugendlichen
Burda	– *Typologie der Wünsche.* Es liegen vor: 1. Gesamtbevölkerung; 2. Auswertung nach 22 Produktgruppen – *Männer-Lebensstile* – *Kaufeinflüsse.* Marktdaten und Kaufeinflußgewichte. 8 Berichtsbände – *Kaufeinflüsse Pkw* – *Kaufentscheide.* 1. Herrenmode; 2. Spirituosen; 3. Fotoapparate – *Zielgruppenpotentiale im Heizungsmarkt*
Gruner + Jahr	– *Frauen-Typologie* – *Profile* – *Gehobene Zielgruppen* – *Entscheidungsträger in Wirtschaft und Verwaltung* – *Wohnen und Leben* – *Lebensziele.* Potentiale und Trends alternativen Verhaltens – *Regionalmärkte in Deutschland* – *Synopse deutscher und internationaler Leserschaftsanalysen der Wirtschaftspresse* – *Kinder – das unbequeme Glück.* Indikatoren für die Familienplanung aus Sicht der Frau – *Das Leben im Alter* – *Mädchen '82.* Repräsentative Untersuchung über die Lebenssituation und das Lebensgefühl 15- bis 19jähriger Mädchen in der Bundesrepublik – *Kinder '83* – *Familien im Urlaub* – *Der gedeckte Tisch.* Anschaffungsabsichten in den Märkten Geschirr, Gläser, Bestecke – *Eßkultur '82.* Verhalten, Einstellungen und Trends beim Kochen, Essen, Trinken – *Wohnen und Leben* – *Motive für die Kaufzurückhaltung beim Möbelkauf* – *Renovierung im Wohnungsbau.* Informationsverhalten der Entscheider – *Bauen und Modernisieren.* Planungs- und Entscheidungsverhalten – *Einflußfaktoren beim Kauf von Hi-Fi-Geräten und Video-Rekordern* – *Einflußfaktoren bei der Ausstattung des Bades* – *Die Einstellung der Deutschen zu ausländischen Unternehmen und Produkten* – *What the Germans think about Japan and Japanese Things*
Spiegel Verlag	– *Prozente 2.* Was Bundesbürger trinken. Kauf- und Konsumverhalten – *Soll und Haben.* Einstellungen zu Geld, Konten, Wertpapieren, Lebensversicherungen und Bausparverträgen. 2 Bände – *Energie-Bewußtsein und Energie-Einsparungen bei privaten Hausbesitzern und Wohnungseigentümern* – *Der Entscheidungsprozeß bei Investitionsgütern* – *Urlaub und Reisen im Wechsel der Jahreszeiten* – *Akademiker in Deutschland* – *Selected Target Groups* – *Readership in Business Magazines* – *Management im Mittelstand* – *Unternehmen und Öffentlichkeit* – *Sozialbilanzen* – *Die Führungskräfte der 80er Jahre*
Axel Springer Verlag	– *LASI* - Leseranalyse Special Interest Objekte – *JUMA* – Jugend-Media-Analyse '80 – *Roman Leseranalyse 81/82* – *EVA* – Entscheidung, Verbrauch, Anschaffung – *Verbraucheranalyse 83/84* – Beschreibung regionaler Märkte, objektbezogen – *Bedürfnisse, Verbrauch und Verbraucherverhalten.* Trends in der Ausgabenstruktur des Einkommens privater Haushalte

Quelle: »Schlag nach bei . . .«, in: *Absatzwirtschaft*, 26. Jg., Sonderausgabe 10,1983, S. 218–221, hier S. 220.

Tabelle 21-3
Informationsangebote großer Verlage zur zielgruppengerechten Medienauswahl

- **Kostenstruktur**
  Bei den Kosten muß der Medienplaner sowohl auf die Kosten für die Gestaltgebung der Botschaft als auch auf die durchschnittlichen Streukosten pro 1.000 Darbietungskontakte achten. So kostet es wesentlich mehr, einen TV-Spot als einen Hörfunkspot oder eine Zeitungsanzeige zu gestalten und zu produzieren. Im Gegensatz dazu sind die Kosten pro 1.000 Kontaktchancen bei der Tageszeitung wesentlich höher als beim Fernsehen.
- **Selektionsmöglichkeit**
  Je nach Medientyp hat der Medienplaner unterschiedliche Möglichkeiten zur Selektion einzelner Medien innerhalb der Gattung. Bei den Publikumszeitschriften kann der Medienplaner die Zeitschriften danach aussuchen, auf welche Zielgruppen von Lesern sie gerichtet sind, z. B. modebewußte Hausfrauen, Sportenthusiasten oder Automobilisten. Andere Medien können besonders gut nach Regionalkriterien selektiert werden, wie z. B. Tageszeitungen (Orte und Regionen), Fernsehsender (Sendegebiete), Plakate (Orte).
- **Verfügbarkeit**
  Bei Printmedien gibt es in der Regel kaum eine Mengenbeschränkung für den Werbetreibenden. In Publikumszeitschriften und Tageszeitungen kann er so viele Anzeigenseiten belegen, wie er für nötig hält. Er kann jedes Erscheinungsdatum belegen, muß jedoch in der Regel Vorlaufzeiten von zwei bis drei Tagen bei Tageszeitungen und vier bis acht Wochen bei Publikumszeitschriften einhalten. Bei Fernsehen und Hörfunk sowie beim Plakat ist diese Flexibilität der Verfügbarkeit nicht gegeben. Plakatanschlagstellen lassen sich nicht beliebig vervielfältigen. Sie sind zum Teil langfristig fest vergeben, stehen nicht vor Wahlen zur Verfügung und erfordern, falls verfügbar, eine Vorlaufzeit von vier bis sechs Wochen vor Erscheinen des gewünschten Plakatanschlags. Bei den öffentlich-rechtlichen Fernseh- und Funkanstalten ist die Länge der belegbaren Werbezeit in der Regel aufgrund gesetzlicher Auflagen stark eingeschränkt. Des weiteren ist auch die Tageszeit für Fernseh- bzw. Hörfunkwerbung begrenzt. Aufgrund dieser Einschränkungen mußten Werbetreibende in der Vergangenheit die Belegung der Werbezeiten in diesen Medien langfristig disponieren, sich für lange Zeit im voraus um Werbespots bewerben und eine Zuteilung abwarten. Tabelle 21-4 zeigt einen ausführlichen Vergleich wichtiger Mediengattungen mit Leistungen und Kosten aus dem Jahr 1990.

Die Leistungen und Kosten der einzelnen Werbeträgergattungen unterliegen einem ständigen Vergleich, denn die einzelnen Medien stehen untereinander in verstärktem Wettbewerb. Lange Zeit waren Fernsehspots aufgrund der begrenzten Verfügbarkeit »heiß umkämpft«. Viele Unternehmen hätten Fernsehspots gern als Basismedium für ihre Werbekampagnen benutzt, wenn sie nur genügend davon hätten kaufen können. Fernsehwerbung war in der Vergangenheit besonders wirksam, da es nur wenige Kanäle gab und in diesem Medium die eigene Werbung nicht durch intensive Werbung anderer gestört wurde. Durch die Gründung von privaten Rundfunk- und Fernsehanstalten stehen dem Werbetreibenden immer mehr Möglichkeiten für Fernsehwerbung offen. Gleichzeitig aber wird das Fernsehpublikum immer mehr Werbesendungen ausgesetzt. Die Einschaltquoten für die einzelnen TV-Kanäle und Sendungen sinken dadurch erheblich. Weiterhin hat der Zuschauer per Fernbedienung, Kabelfernsehen oder Videorecorder die Möglichkeit, Werbespots zu unterdrücken. Solange sich diese Entwicklungstendenzen verstärken, ist damit zu rechnen, daß das Fernsehen als breites Massenmedium an Wirksamkeit einbüßen wird. Andererseits aber steigt die Selektionsmöglichkeit und die Verfügbarkeit von Fernsehwerbung durch die Verbreitung der privaten Fernsehanstalten mit vielen, auf spezielle Zielgruppen gerichteten Fernsehprogrammen. Abbildung 21-4 zeigt, daß die Printmedien in der Bundesrepublik bei weitem die höchsten Netto-Werbeeinnahmen erzielen. Wieviel die Belegung einzelner Werbeträger kostet, ist in Tabelle 21-5 für die verschiedenen Mediengattungen anhand von Beispielen aufgeführt.

Der Werbeplaner entscheidet sich in der Regel dafür, eine bestimmte Mediengattung als Basismedium für seine Werbekampagne einzusetzen und andere Medien als Ergänzung und Abrundung der Kampagne zu nutzen. In wenigen Fällen gibt es auch einen gleichgewichtigen kombinierten Einsatz von zwei Medien, z.B. Printmedien und Fernsehen.

Die Werbetreibenden suchen aufgrund der großen Bedeutung der Werbung nach immer besseren Möglichkeiten, ihre Botschaften wirksam und kostengünstig zu übermitteln. Dies ist ein Grund dafür, daß Werbung auf andere und neue Medien umverlagert wird, alte Kommunikationstechniken weiterentwickelt und neue entwickelt werden (vgl. dazu auch Exkurs 21-2). So läuft die momentane Entwicklung darauf hinaus, die elektronischen Medien dialogfähig zu machen, d.h. zwischen dem Werbetreibenden und dem Kunden mediale Dialogmöglichkeiten zu eröffnen. Dazu gehören:

1. Elektronische Kommunikationsdienste (Telex, Teletex, Telebox)
2. Bildübertragungsdienste (Telefax u.a.)
3. Bildschirmtext (Interaktiver Videotext, BTX)
4. Videokonferenzen

Abbildung 21-4
Netto-Werbeeinnahmen der deutschen Medien (1989, in Mrd. DM)

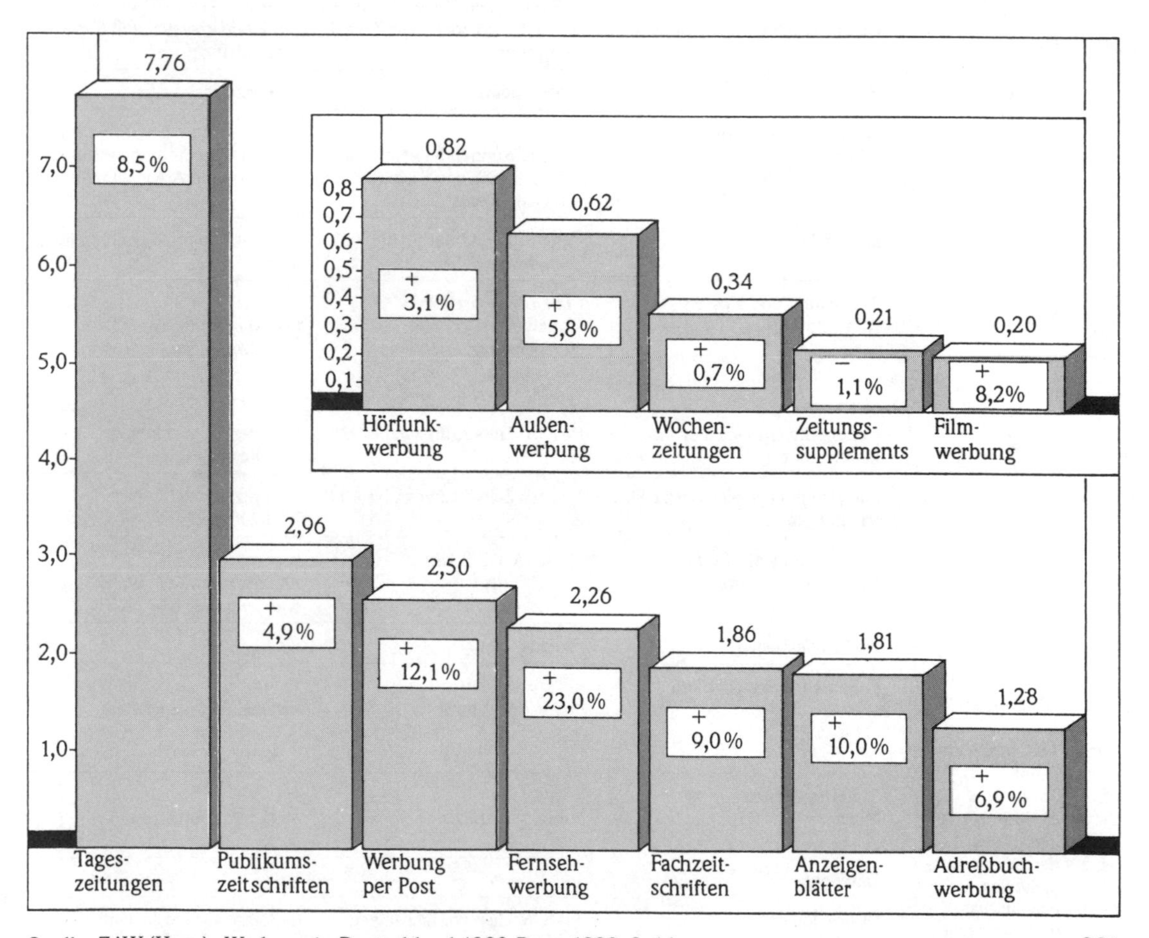

Quelle: ZAW (Hrsg.): *Werbung in Deutschland 1990,* Bonn 1990, S. 16.

Bewertungskriterien	Publikumszeitschriften	Tageszeitungen
1. Wirkungskomponenten des Mediums	Unterhaltung Information Lebenshilfe Expertenstatus Leser-Blatt-Bindung Heftumfang Anzeigenumfang	Information Aktualität Unterhaltung Glaubwürdigkeit Leser-Blatt-Bindung
des Werbemittels	Format Farbe Bildanteil	Format Farbe Plazierung Textteil – Anzeigenteil
Nutzung des Werbemittels Ort	beliebig, vorwiegend zu Hause	beliebig, vorwiegend zu Hause und am Arbeitsplatz
Zeitpunkt	beliebig, vorwiegend abends	beliebig, vorwiegend morgens
mögliche Nutzungsdauer	unbeschränkt	während eines Tages
Nutzungschance	von Produktbereich und Gestaltung abhängig	von Produktbereich und Gestaltung abhängig
Häufigkeit	wiederholbar	wiederholbar
2. Kommunikationsfähigkeit Inhalte	rationale und/oder emotionale Übermittlung von Sachverhalten und Argumentationen	rationale Übermittlung von Sachverhalten und Argumentationen
Lernerfolg	langfristig und nachhaltig wirksam, Imageaufbau	kurzfristig stimulierend und informierend
3. Leistung und Kosten Nettoreichweiten	129 Titel – 96% 5 Aktuelle – 30% 9 Programmz. – 66% 49 Frauenz. – 52% 24 Männerz. – 41%	reg. Abozeitungen – 72% 6 Kaufzeitungen – 26%
Nettoreichweite Ges. Bev. nach 12 Einschaltungen	je nach Zeitschriftengr. bis 73%	84% reg. Abozeitungen 41% Kaufzeitungen
Kontakte pro Nutzer nach 12 Einschaltungen	je nach Zeitschriftengr. bis 10,8	10,3 reg. Abozeitungen 7,6 Kaufzeitungen
durchschnittliche 1000-Kontakt-Preise für Gesamtbevölkerung	$^1/_1$ 4c+A 17,77 DM	$^1/_1$ s/w Abozeitungen DM 59,22 Kaufzeitungen DM 29,83
Produktionskosten	niedrig	niedrig
4. Selektionsmöglichkeit	nach Zielgruppen	regional (Orte, Regionen)
5. Verfügbarkeit Menge	nicht beschränkt	nicht beschränkt
Zeitpunkt	–	–
Disposition	4–8 Wochen vor Erscheinen	2–3 Tage vor Erscheinen

Tabelle 21-4
Wichtige Mediengattungen im Vergleich

Quelle: McCann-Erickson Service GmbH (Hrsg.): *Media-Daten '91*, S. 54f. Die Daten dieser »Intermedia Checklist« basieren auf der »Media-Analyse '90«, die von der Arbeitsgemeinschaft Media-Analyse erstellt wird.

Fernsehen	Hörfunk	Plakat
Realitätsnähe Autorität Glaubwürdigkeit Aktualität Information Unterhaltung	Aktualität Information Unterhaltung	Standortqualität
Spotlänge, Farbe, Bewegung, Musik, Ton, Sprache, Geschwindigkeit, Kontrast zum Umfeld	Spotlänge, Musik, Ton, Sprache, Geschwindigkeit	Format Textmenge
beliebig, vorwiegend zu Hause	beliebig	außer Haus
abends, zwischen 17.30–20.00 Uhr*	Innerhalb des Sendezeitraums	während der Helligkeit
eine Spotlänge	eine Spotlänge	ab 10 Tage
unabhängig von Produktbereich und Gestaltung	Wirkungssteigerung durch Frequenz	zufällig, flüchtig, selten intensiv
einmal	einmal	wiederholbar
rationale und emotionale Handlungsabläufe, Demonstrationen, Argumentationen	rationale und emotionale Handlungsabläufe, Argumentationen	rationale und emotionale Produktdarstellung, Schlagworte
kurzfristig aktualisierend und informierend, Imageaufbau	kurzfristig aktualisierend und unterstützend	kurzfristig aktualisierend und unterstützend
ARD: 15,9% pro ∅ ½ Std. ZDF: 15,6% pro ∅ ½ Std. RTL+: 4,4% pro ∅ ½ Std. SAT1: 3,7% pro ∅ ½ Std. Seher pro Tag: 77%	ARD + Private: 21% pro ∅ Std. Hörer pro Tag: 73%	in Abhängigkeit von Stellenzahl
24–86% je nach Senderauswahl	72% aller Sender ARD + Private	
1,9–4,7	3,5	
30 sec pro ∅ ½ Std. ARD: DM 9,14 ZDF: DM 9,07	30 sec pro ∅ Std. DM 3,54	
hoch	niedrig	hoch
ARD: regional (Sendegebiete)	regional (Sendegebiete) und nach Zielgruppen (durch Zeit- und Senderwahl)	regional (Orte)
20 Min pro Tag und Sender*	je nach Sender verschieden	Stellen z. T. langfristig fest vergeben
zwischen 17.30 und 20.00 Uhr*	nicht nach 21.00 Uhr*	nicht vor Wahlen
bis Ende September für das Folgejahr*	bis Ende September für das Folgejahr*	4–6 Wochen vor Erscheinen

*Ausnahme private Sender

Gattung	*Medium*	*1989/90*
Tageszeitung	Hannoversche Allgemeine (Aufl. 250.000) 1/1 Seite schwarz-weiß, Werktag	DM 90.000
Tageszeitung	Bild-Zeitung (Aufl. 4,5 Mio.) 1/1 Seite 4-farbig	DM 370.000
Zeitschrift	Stern (Aufl. 1,6 Mio.) 1/1 Seite 4-farbig	DM 90.000
Programmzeit-schrift	Hörzu (Aufl. 3,5 Mio.) 1/1 Seite 4-farbig	DM 112.000
Fachzeitschrift	technology & management (Aufl. 4.000) 1/1 Seite schwarz-weiß	DM 2.000
Adreßbuchverlag	Name und Adresse von 2.000 deutschen Steuerberatern (Querschnitt, Selbstklebeetiketten)	DM 300
TV	30-Sekunden-Spot, ZDF, Montag abend, November	DM 84.000
TV	30-Sekunden-Spot, RTL-Plus, Samstagabend nach 20 Uhr	DM 35.000
TV	30 Sekunden-Regionalprogramm Bayern, Montag abend	DM 16.000
Zeitungsbeilage	TV-Journal (Hannoversche Allgemeine) 1/1 Seite bunt	DM 23.000
	Jahrbuch Weiterbildung der Verlagsgruppe Handelsblatt 1991, (Aufl. 3.000), 1/1 Seite, schwarz-weiß	DM 3.200
Rundfunk	durchschnittl. Einschaltpreis pro Sekunde: SWF 3	DM 99
	HR 1	DM 38
	Bayern 3	DM 77
Verkehrs-werbung	Werbeflächen auf Bussen und Straßenbahnen, Mietpreis pro Monat (ganzes Fahrzeug)	
	Bus	DM 890
	Straßenbahn	DM 1.800
Kino	Preis je Meter Werbefilm pro Woche für alle Kinos in	
	Bayern	DM 2.200
	Berlin	DM 630

Tabelle 21-5
Kostenbeispiele für die Belegung von Werbeträgern (ca. Preise)

Zum Einsatz dieser Medien für eine effiziente Kommunikation zwischen Kunden und Werbetreibenden sind jedoch noch viele infrastrukturelle technische Voraussetzungen nötig, ehe sie in größerem Rahmen eingesetzt werden können.

Exkurs 21-2: Die unaufhörliche Suche nach neuen Werbeträgern

Angesichts steigender Kosten für die Werbung in den Massenmedien und schrumpfender Marktsegmente sind die Werbetreibenden zur Entwicklung oder Entdeckung neuer zielgruppenspezifischer absatzfördernder Medien gezwungen. Ein vielversprechender Werbeträger ist der Verkaufsort selbst. Traditionellere Verkaufsförderungsmittel, wie POP-Displays und spezielle Preisschilder, werden heute durch eine Vielzahl neuer Werbeträger ergänzt. Einige Supermärkte bieten bereits den gefliesten Boden ihrer Verkaufsräume als Werbeflächen für Firmenlogos an oder experimentieren mit »sprechenden Regalen«, aus denen dem Ladenbesucher im Vorbeigehen Informationen über die Produkte in diesem Regal vermittelt werden. Ein Handelsunternehmen hat einen »Video-Einkaufswagen« mit integriertem Computerbildschirm eingeführt, der dem Kunden zu 70% nützliche Informationen über die Produkte (wie »Blumenkohl enthält viel Vitamin C«) und zu 30% über Sonderangebote des Werbetreibenden (wie »Iglo-Fischstäbchen – diese Woche um 20 Pfennig billiger«) visuell darbietet.

Andere Räumlichkeiten werden ebenfalls als neue Werbeträger genutzt. Der erfindungsreichste Medien-Innovator in den USA ist Chris Whittle, der die Wartezimmer der Ärzte und die Speisesäle der Schulen für Werbezwecke entdeckt hat. Sein Unternehmen legt in ärztlichen Gemeinschaftspraxen spezielle Zeitschriften aus, die Artikel und Berichte über die Themen Familie, Gesundheit und Geldangelegenheiten enthalten, aber auch ganzseitige Werbeanzeigen von Kraft, Procter & Gamble und anderen Großunternehmen. Whittle vereinbart mit den Ärzten, daß diese höchstens zwei andere Magazine in ihren Wartezimmern auslegen dürfen. Er hat damit 25 Mio. Leser in den USA gewonnen, die sich – so behauptet er – mit viermal größerer Wahrscheinlichkeit an die Werbeanzeigen in den Spezialzeitschriften erinnern als an Anzeigen in herkömmlichen Frauenzeitschriften. Außerdem schenkt er Schulen in den USA Fernsehgeräte, die in den Speisesälen aufgestellt werden, allerdings unter der Voraussetzung, daß eine bestimmte Nachrichtensendung eingeschaltet wird; diese enthält Werbespots, die für junge Leute besonders interessant sind. In diesem Bereich ist er jedoch auf großen Widerstand gestoßen.

Whittle und andere versuchen gleichfalls durchzusetzen, daß in Taschenbuch-Bestsellern und Videofilmen Werbeanzeigen bzw. Werbespots aufgenommen werden. Immer mehr Werbung gibt es auch in Jahresberichten, Katalogen und Rundschreiben. Viele Unternehmen, die Monatsrechnungen versenden (wie z.B. Kreditkartenunternehmen, die Bundespost, Waren- und Kaufhäuser, Fluggesellschaften) legen der Rechnung Supplements mit Produktwerbung bei. Die Suche nach immer ausgefalleneren Werbeträgern wird aufgrund der abnehmenden Produktivität herkömmlicher Werbeträger unvermindert anhalten.

Quellen: Betsy Sharkey: »Shopping Cart Videos: A New Medium for Ads?« in: *Adweek,* 8. Januar 1990; »Whittle's Advertisers Are Getting Tired of Waiting«, in: *Business Week,* 22. Januar 1990, S. 33.

Detaillierte Medienwahl

Nachdem der Medienplaner entschieden hat, welche Werbeträgergattung als Basismedium und welche als Ergänzung zu nutzen ist, muß er spezielle Werbeträger ermitteln, die zielgruppengenau und kosteneffektiv die erwünschte Kommunikationsleistung erbringen. Hier ist die Auswahl riesengroß:

In der Bundesrepublik Deutschland gab es 1989 ca. 3.200 Fachzeitschriften mit einer Auflage von 55 Mio. Exemplaren, rund 530 Publikumszeitschriften mit einer Auflage von 107 Mio. Exemplaren, etwa 390 Tageszeitungen mit einer Auflagenstärke von 24 Mio. sowie fast 40 Wochenzeitungen mit einer Auflage von knapp 2 Mio. Exemplaren. Über 26 Mio. Rundfunkgeräte und 24 Mio. Fernseher konnten die Werbetreibenden Botschaften an ihre Kunden richten. Als Medien für das Fernsehen standen drei bundesweit ausstrahlende öffentlich-rechtliche Fernsehanstalten, nämlich ARD, ZDF und 3-SAT sowie neun regionale öffentlich-rechtliche Fernsehanstalten, wie z. B. Bayerischer Rundfunk, Südwestfunk und Westdeutscher Rundfunk, bereit. Zusätzlich traten private Sender wie RTL-Plus, SAT 1 und Pro 7 als Medienanbieter auf, die größtenteils nur über TV-Kabelanschluß zu empfangen waren. Dabei erreichten 1989 die privaten Sender RTL-Plus und SAT 1 je fast die Hälfte der Nettowerbeumsätze des ZDF (697 Mio. DM) bzw. ein Drittel der Umsätze der ARD (935 Mio. DM).

Im Rundfunkbereich existierten 1989 12 öffentlich-rechtliche Rundfunkanstalten, wie z.B. Deutschlandfunk, RIAS Berlin und Südwestfunk. Daneben haben sich ca. 50 private Rundfunkanstalten, wie RTL, Antenne Bayern und Radio Gong etabliert.

So konnte ein Werbetreibender beispielsweise einen zweiminütigen Werbefernsehspot bei der ARD am frühen Montagnachmittag für 226.000 DM oder im Vorabendprogramm am Freitag für 359.000 DM plazieren. Einen Spot gleicher Länge konnte er bei RTL-Plus im Frühstücksfernsehen für 11.000 DM oder während des Sonntagabend-Spielfilms für 138.000 DM ausstrahlen lassen. Insbesondere amerikanische Fernsehanstalten gehen dazu über, die Preise für die Ausstrahlung von Werbespots nicht nur nach der Ausstrahlungszeit, sondern sogar nach der einzelnen Veranstaltung zu variieren, während der die Werbung ausgestrahlt wird. Werbetreibende sind nämlich bereit, für Werbespots im Rahmen attraktiver Veranstaltungen (z. B. Olympische Spiele) überdurchschnittlich hohe Preise zu bezahlen. Bei Zeitschriften z. B. ist es üblich, daß Anzeigen auf der Rückseite der Zeitschrift oder auf den Innenseiten des Umschlags mehr kosten als Anzeigen in der Mitte der Zeitschrift, da diese Plazierungen der Botschaft die besten Kontaktchancen mit dem Zeitschriftenleser eröffnen.

Für den Medienplaner stellt sich also das Problem, einen möglichst zielgruppengenauen, kostengünstigen und trotzdem wirksamen Werbeträger auszuwählen. Dabei stützt er sich auf Medienanalysen und Kennzahlen, die von Forschungsinstituten, Medienverbänden oder den Medien selbst zur Verfügung gestellt werden. Zu diesen Kennzahlen gehören Schätzungen über die Zielgruppengröße, die Reichweite des Mediums bei der entsprechenden Zielgruppe sowie die Medienbelegungskosten pro 1.000 Kontaktchancen mit der Zielgruppe. Die Profile der geläufigsten Medienanalysen im deutschsprachigen Raum sind in Tabelle 21-6 aufgeführt.

Bei der Bemessung der durch ein bestimmtes Medium erreichten Zielgruppe muß man folgende Begriffe unterscheiden:

- **Zirkulation**
  Anzahl der Einheiten, durch die die Werbung verbreitet wird, wie z. B. Zeitschriftenauflage oder Einschaltquote bei Fernsehprogrammen.

	Österreich			BR Deutschland			Schweiz
Titel der Untersuchung	MA; Media-analyse	OPTIMA	RollMA: Rollende Media-analyse	MA: Media-analyse	AWA: Allensbacher Werbeträger-Analyse	Roll-VA: rollende Verbraucher-analyse	MS/AM: Media-Studie
Grundgesamtheit	Öst. Wohnbevölkerung in Privathaushalten über 14 Jahren	Öst. Wohnbevölkerung in Privathaushalten über 14 Jahren	Öst. Wohnbevölkerung in Privathaushalten über 14 Jahren	deutsche Wohnbevölkerung in Privathaushalten über 14 Jahren	deutsche Wohnbevölkerung in Privathaushalten über 14 Jahren	deutsche Wohnbevölkerung in Privathaushalten über 14 Jahren	schweizer Wohnbevölkerung in Privathaushalten zwischen 15 und 74 Jahren
Stichprobenauswahlverfahren	Random, disproportional	Random, disproportional	Quota	Random, disproportional	Quota	Random, disproportional	Random, mehrstufig geschichtet
Stichprobengröße	ca. 12.000	ca. 12.000	ca. 12.000 (8 Monate 1500 Interviews)	ca. 19.000	ca. 9.000	ca. 12.000	ca. 8.400
Erhebungsperiode	ca. alle 2 Jahre	jedes Jahr	laufend, jd. Monat	ca. alle 2 Jahre	jedes Jahr	laufend, jd. Monat	jedes Jahr
Erhebungsprogramm – Mediadaten – Konsum-, Besitz- und Verwendungsdaten	 ja ja, in einigen wenigen Produktklassen	 ja ja, in einigen wenigen Produktklassen	 ja ja, sehr umfassend. (ÖVA – Österreichische Verbraucheranalyse: In RollMA implementiert)	 ja nein	 ja ja, sehr umfassend	 ja ja, sehr umfassend schriftliches Interview zum Konsumverhalten	 ja nein
Markendaten	nein	nein	ja, für ausgewählte Marken	nein	nein	ja: z. B. Markenverwendung in ausgew. Prod.kl.	nein
qualitative Werbeträgerdaten	nein	nein	ja, »gewichtet« ausgewählte Medien in der Öffentlichkeit	nein	ja, Intensität der Heftnutzung, Leserblattbindung	nein	nein

Quelle: G. Schweiger und G. Schrattenecker, Werbung: Eine Einführung, 2. Auflage, Stuttgart: Fischer, 1988, S. 184.

Tabelle 21-6: Profile der geläufigsten österreichischen, deutschen und schweizer Medienanalysen

- **Gesamtpublikum**
  Anzahl der Leser, Hörer bzw. Zuschauer, die über den Werbeträger erreicht werden. So gibt es bei vielen Zeitschriften pro Exemplar mehr als einen Leser, und vor vielen eingeschalteten Fernsehern sitzt mehr als ein Zuschauer.
- **Zielgruppenpublikum des Mediums**
  Anzahl der Leser, Hörer bzw. Zuschauer, die die Merkmale der Zielgruppe aufweisen und mit dem Werbeträger Kontakt haben.
- **Effektiv kontaktiertes Zielgruppenpublikum**
  Anzahl der Leser, Hörer bzw. Zuschauer, die die Zielgruppenmerkmale aufweisen und die Darstellung der Werbebotschaft tatsächlich wahrnehmen.

Bei der Bemessung des Preis-Leistungsverhältnisses eines Werbeträgers spielt das Tausender-Kosten-Kriterium, nämlich der Preis für 1.000 Kontaktchancen, eine wichtige Rolle. Viele Medien stellen dem Beleger neben Kennzahlen für die Zirkulation und einem generellen Profil ihres Publikums auch spezielle zielgruppenspezifische Kennzahlen zur Verfügung. So veröffentlichte z. B. die Mediengruppe Burda ihre Forschungsdaten über einzelne Medien und zeigte darin ihre Reichweite (gemessen in Leser per Auflage) sowie die 1.000-Leser-Kontakt-Preise von ganzseitigen Schwarzweißanzeigen und ganzseitigen Vierfarben-Anzeigen auf. Tabelle 21-7 zeigt exemplarisch einen zielgruppenspezifischen Preis-Leistungs-Vergleich ausgewählter Medien für die Zielgruppe: »Frauen, die Naturjoghurt im Haushalt verwenden«.

Zielgruppe: Frauen, die Naturjoghurt im Haushalt verwenden.

(1)	(2)	(3)	(4)	(5)	(6)	(7)
Titel	Reichweite LPA		1000-Leser/ Kontakt-Preise		Zielgruppe	Index
	%	Mio	S/W DM	4-FBG DM	%	
Basis	100,0	8,54 (= 3210 Fälle)			19	100
Bunte	16,7	1,43	19,26	34,58	26	138
Neue Revue	10,4	0,88	27,93	50,28	21	111
Quick	10,4	0,88	21,90	39,43	20	110
Stern	19,5	1,66	23,95	43,11	21	110
Bild am Sonntag	18,1	1,55	25,15	40,28	17	93
Bild und Funk	6,8	0,58	23,59	42,44	23	120
Fernsehwoche	9,1	0,78	34,37	56,71	18	97
Funk Uhr	9,4	0,80	29,87	47,79	21	112
Gong	8,4	0,71	19,06	36,22	21	112
Hör zu	29,4	2,51	25,48	40,78	20	107
TV Hören + Sehen	15,2	1,30	24,77	44,58	19	101
Brigitte	20,8	1,77	19,04	36,18	31	167
Freundin	11,9	1,02	15,97	28,76	33	175
Für Sie	13,8	1,18	20,04	34,47	33	174
Burda Moden	15,1	1,29	19,34	32,48	32	171
ARD Ges, 1/2	16,6	1,42			18	99
ZDF 1/2	16,3	1,39			19	103
Werbe-TV, Ges, 1/2	29,1	2,49			19	101
Tageszeitg,	69,7	5,95			19	101
Bild	23,5	2,00			17	91
Radio gesamt	15,7	1,34			21	115

Tab. 21-7: Zielgruppenspezifischer Leistungsvergleich ausgewählter Werbeträger

Quelle: *Medialeistung in produktspezifischen Zielgruppen,* Band 3, in: Burda Kombination, Anzeigenverkauf, Offenburg, 1979.

Diese Tabelle zeigt zunächst an, daß die Zielgruppenbasis (= 100%) aus 8,54 Mio. Frauen besteht, die Naturjoghurt im Haushalt verwenden. Diese Basis war im Forschungsprojekt, aus dem alle Zahlen stammen, durch 3.210 Fälle repräsentiert. Am Beispiel der Zeitschrift »Bild am Sonntag« ist aus den einzelnen Spalten folgendes abzulesen: Die Spalten 2 und 3 zeigen an, daß diese Zeitschrift, gemessen in Leser pro Ausgabe (LPA), eine zielgruppenspezifische Reichweite von 18,1% bietet, d.h., hier wird eine Kontaktchance zu 1,55 Mio. Personen der Zielgruppe geboten. 1.000 Kontaktchancen pro Anzeige kosten bei einer ganzseitigen Schwarzweißanzeige 25,15 DM (Spalte 4) und bei einer Vierfarbanzeige 40,28 DM (Spalte 5). Spalte 6 zeigt die Zielgruppengenauigkeit an. Während 19% der Gesamtbevölkerung zur Zielgruppe gehören, sind nur 17% der Leser von »Bild am Sonntag« dieser Zielgruppe zuzurechnen. Daraus ergibt sich ein Affinitätsindex von 93 (Spalte 7), der besagt, wie stark die Zielgruppe unter den Lesern dieses Mediums im Vergleich zur Gesamtbevölkerung (Index 100) repräsentiert ist.

Im allgemeinen müssen zur Preis-Leistungs-Beurteilung eines Werbeträgers neben dem Tausender-Kontaktpreis noch weitere Beurteilungsgrößen mit einbezogen werden. Dazu gehört die *Zielgruppengenauigkeit* des Werbeträgerpublikums. Wenn

z. B. unter den Lesern der Frauenzeitschrift »Freundin« 33 % zur Zielgruppe gehören, während bei »Bild am Sonntag« nur 17 % zur Zielgruppe gehören, so haben Kontaktchancen durch den Werbeträger »Freundin« den doppelten Zielgruppengenauigkeitswert. Weiterhin muß die *Intensität*, mit der sich die Kontaktpersonen mit dem Werbeträger befassen, berücksichtigt werden. So würde z. B. die Leserin von »Burda-Moden« eine Anzeige in diesem Werbemedium intensiver beachten als die gleiche Anzeige auf einem Plakatanschlag. Auch das *redaktionelle Umfeld* (Prestige und Glaubwürdigkeit des Werbeträgers) ist von Einfluß auf den Wirkungswert des Werbekontakts. Die Mehrzahl der Untersuchungen zur Wirkung des redaktionellen Umfelds zeigt, daß Anzeigen, die neben einem redaktionellen Beitrag plaziert sind, eine bessere Werbewirkung erzielen. [28] Besonders wirkungsvoll ist die Plazierung einer Anzeige in der Nähe eines Artikels, der ein mit dem Anzeigeninhalt verwandtes Sachgebiet behandelt. Man nützt damit das hohe Situationsinvolvement des Empfängers gezielt aus und könnte in diesem Spezialfall sogar eine hochinformative Botschaftsstrategie verwenden. [29] Weiterhin spielen bei der detaillierten Medienwahl auch die in Tabelle 21-4 zur Mediengattungswahl aufgeführten Kriterien eine Rolle.

Medienforscher und Institute, wie die Arbeitsgemeinschaft Media-Analyse e. V. (AG.MA) und die Informationsgemeinschaft zur Feststellung der Verbreitung von Werbeträgern e. V. (IVW), entwickeln immer mehr Kennzahlen, die von Medienplanern zur Beurteilung der Medienwirksamkeit und zur Entwicklung von mathematischen Modellen zur Medienauswahl auf der Suche nach dem besten Medienmix genutzt werden. Viele Werbeagenturen nutzen computergestützte Medienselektionsprogramme, um eine anfängliche Medienauswahl zu treffen, und arbeiten dann unter Einbeziehung weiterer Ermessensfaktoren, die im Computermodell nicht enthalten waren, an der Verbesserung ihres Medienplanes. [30]

Die großen Medienverlage bieten ihren Anzeigenkunden Entscheidungshilfen, indem sie Untersuchungen über ihr Werbeträgerpublikum zur Verfügung stellen, in denen Zielgruppen für verschiedene Produktbereiche abgegrenzt sind und Verbrauchereinstellungen identifiziert wurden. Tabelle 21-3 zeigt eine Übersicht der angebotenen Untersuchungstitel.

Timing des Medieneinsatzes

Zur Werbestreuplanung gehört neben der Auswahl der Werbeträgerkategorien und der speziellen Werbeträger auch die Entscheidung, wann und wie oft die Botschaften geschaltet werden (Timing). Analog zur Werbeträgerauswahl steht der Werbeplaner hier vor einem »Makroplanungsproblem« und einem »Mikroplanungsproblem«.

Makroplanung

Der Werbeplaner muß entscheiden, wie er saisonale und zyklische Einflüsse beim Medieneinsatz berücksichtigen will. Entfallen z. B. 70 % des jährlichen Absatzes eines Produkts auf die Monate Juni bis September, gibt es drei Möglichkeiten: Die Werbeaufwendungen laufen parallel zur Absatzkurve, entgegengesetzt dazu oder bleiben über das ganze Jahr hinweg auf dem gleichen Niveau. Die meisten Unternehmen passen ihre Werbeaufwendungen dem Saisonverlauf an. Doch auch anders lassen sich Erfolge erzielen, wie folgendes Beispiel zeigt:

Ein Hersteller von Erfrischungsgetränken erhöhte sein Werbebudget in der Nebensaison. Dies bewirkte einen Anstieg des Getränkeverbrauchs in der Nebensaison und hatte auch keine negativen Auswirkungen auf den Getränkeabsatz während der Hauptsaison. Andere Getränkehersteller verfuhren bald ebenso, was im Endergebnis eine ausgeglichenere Verbrauchsentwicklung zur Folge hatte. Die frühere saisonale Konzentration der Werbung hatte im Gegensatz dazu die Saisonalität des Absatzes gefördert.

Zyklische Zusammenhänge zwischen Werbung und Marktverhalten können mit Hilfe unterschiedlicher Ansätze erforscht und abgeschätzt werden. Forrester entwickelte unter dem Arbeitstitel »Industrial Dynamics« einige Simulationsmodelle, mit denen er auch zyklische Aspekte der Werbepolitik untersuchte. [31] Er berücksichtigte insbesondere in seinen Modellen, daß es zwischen der Ausstreuung von Werbebotschaften und ihrer Wirkung auf die Kaufwünsche der Verbraucher zu einer zeitlichen Verzögerung kommt. Zwischen das Entstehen von Kaufwünschen und ihre Auswirkung auf das Absatzvolumen des Herstellers legte er ebenfalls eine zeitliche Verzögerung. Die Werbeentscheidungen des Unternehmens werden dann in Forresters Modell, ebenfalls zeitlich verzögert, je nach Absatzentwicklung getroffen. Das zeitdynamische Verhalten zwischen den einzelnen Aktivitäten und Entscheidungen wurde von Forrester per Computersimulation untersucht. Dies zeigte, wie alternative Strategien des Werbetimings sich auf den Absatz, den Kostenverlauf und den Gewinn des Unternehmens auswirken.

Rao und Miller entwickelten ein solches dynamisches Modell zur Beziehung zwischen dem Marktanteil einer spezifischen Marke und den Werbe- und Verkaufsförderungsausgaben. Das Modell wurde mit Erfolg anhand von fünf Produkten der Firma Lever Brothers in 15 Verkaufsbezirken getestet und bestätigte die modellhaft aufgestellte Struktur der Beziehungen zwischen dem Marktanteil der Produkte und den Aufwendungen für Fernsehwerbung, Werbung in den Druckmedien, Sonderangebotsaktionen und handelsgerichteten Absatzförderungsmaßnahmen. [32]

Mit einem von Kuehn entwickelten Modell läßt sich untersuchen, wie das Timing der Werbeausgaben bei häufig gekauften, saisonbedingten, niedrigpreisigen Lebensmittelprodukten aussehen sollte. [33] Kuehn zeigte auf, daß das beste Timing der Werbeaufwendungen davon abhängt, wie stark die Werbung nachwirkt und in welchem Maße habituelle Trägheit die Markenwahl bestimmt. Unter *Nachwirkrate* (Carry-Over) versteht man das Abklingen der Werbewirkung im Verlauf der Zeit. Eine Nachwirkrate von 0,75 pro Monat heißt z. B., daß Werbeaufwendungen der Vorzeit in diesem Monat noch 75 % der kommunikativen Wirkung zeigen, die sie im Vormonat hatten. Die *habituelle Trägheitsrate* drückt aus, zu welchem Grad die Kunden ohne Werbeeinfluß die gleiche Markenwahl treffen würden wie in der Vorperiode. Eine hohe Trägheitsrate von 0,90 bedeutet, daß 90 % der Käufer die gleiche Marke wählen würden wie in der Vorperiode. Kuehn variierte die Nachwirkrate und die Trägheitsrate und stellte folgendes fest: Wenn sowohl die Nachwirkrate der Werbung als auch die Trägheitsrate beim Kauf gleich Null sind, dann ist es optimal, das Timing der Werbeausgaben so zu gestalten, daß die Höhe der Ausgaben von Monat zu Monat parallel zum erwarteten Umsatzverlauf der Branche verteilt ist. Wenn jedoch die Nachwirkrate oder die Trägheitsrate hoch ist, dann wäre es besser, wenn die Werbeausgaben der saisonalen Verkaufskurve vorlaufen würden. Die höchsten Werbeaufwendungen sollten dann zeitlich vor dem höchsten Umsatz liegen. Die Vorlaufzeit sollte bei einer höheren Nachwirkrate größer sein. Je stärker die Trägheitsrate ist, desto gleichmäßiger sollte der zeitliche Verlauf der Werbeaufwendungen sein.

Mikroplanung

Die Mikroplanung befaßt sich mit der Verteilung der Werbeaufwendungen über einen kurzfristigen Zeitraum hinweg, so daß vom Timing des Werbeeinsatzes her die größtmögliche Wirkung erzielt wird. Nehmen wir an, ein Werbetreibender will Sendezeit für 30 Rundfunkspots im September einkaufen. Abbildung 21-5 zeigt ein Klassifzierungsschema für die zeitlichen Verteilungsmuster. Mit Werbemaßnahmen kann man massiert, kontinuierlich oder intermittierend auftreten; diese Alternativen werden durch die Zeilenbezeichnungen des Diagramms angezeigt. Die Spaltenüberschriften zeigen die Alternativen für die Stärke der Werbung während des Auftretens, nämlich gleichbleibend, zunehmend, abnehmend oder in wechselnder Stärke.

Welches Timing im Streuplan am effektivsten ist, wird durch die kommunikativen Werbeziele, die Art des beworbenen Produkts, die Zielgruppe, das eingesetzte Distributionssystem und andere Elemente des Marketing-Mix bestimmt. Die folgenden Beispiele verdeutlichen dies:

Ein *Einzelhändler* will vor Saisonbeginn einen Sonderverkauf von Skiausrüstungen ankündigen. Er weiß, daß sich nur eine bestimmte Käuferschicht für Skiausrüstungen interessiert. Er hält es für ausreichend, daß die Zielgruppe ein- oder zweimal mit der Werbebotschaft Kontakt hat. Er strebt eine möglichst große Reichweite der Botschaft und nicht ihre möglichst häufige Wiederholung an. Er entscheidet sich dafür, die Werbung während der Sonderverkaufszeit zu massieren und dann zu verschiedenen Tageszeiten Radiospots zu schalten, damit möglichst

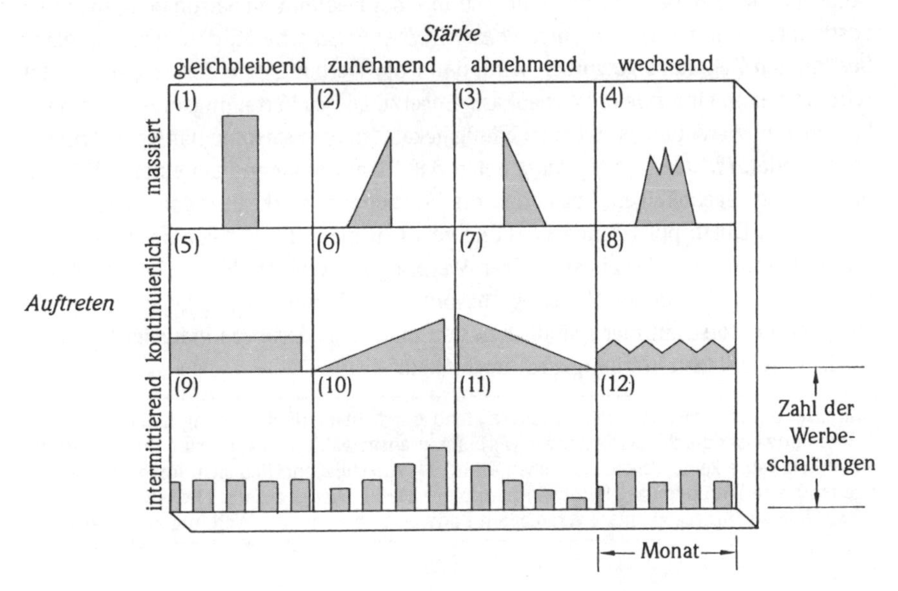

Abbildung 21-5
Klassifizierungsschema für zeitliche Verteilungsmuster von Werbeschaltungen

viele Hörer die Botschaft erhalten. Er entscheidet sich demnach für das in Abbildung 21-5 ganz links oben dargestellte Muster (Feld 1).

Ein *Hersteller und Direktvertreiber von Auspuffanlagen* will den Bekanntheitsgrad seines Namens in der Öffentlichkeit erhalten, ohne jedoch kontinuierlich oder massiert zu werben, da jeweils nur etwa 3 bis 5 % aller Fahrzeughalter den Auspuff ihres Wagens erneuern müssen. Er entscheidet sich für intermittierende Werbung. Er berücksichtigt auch, daß Freitag Zahltag ist, und sendet deshalb abwechselnd einige Botschaften zur Wochenmitte und eine größere Zahl am Freitag. Dieses Unternehmen verfährt also beim Timing der Werbung nach dem in Feld 12 von Abbildung 21-5 angezeigten Verteilungsmuster.

Zur Bestimmung des zeitlichen Verlaufs der Werbeaufwendungen sollten drei weitere Faktoren berücksichtigt werden. Der *Käuferumschlag* ist einer dieser Faktoren. Er drückt aus, welcher Prozentsatz an Käufern während der Planperiode in den Markt eintritt bzw. den Markt verläßt. Je schneller der Käuferumschlag, desto kontinuierlicher sollte die Werbung sein. Auch das *Kaufintervall* sollte berücksichtigt werden. Je kürzer das Kaufintervall ist, desto öfter kauft der durchschnittliche Kunde das Produkt und desto mehr sollte die Werbung kontinuierlichen Charakter haben. Auch die *Erinnerungsstärke* der Marke muß berücksichtigt werden. Je schneller die Erinnerung an die Marke beim Käufer schwindet, wenn er nicht durch Werbung daran erinnert wird, desto wichtiger wird kontinuierliche Werbung.

Bei der Markteinführung neuer Produkte bieten sich für den Werbeeinsatz folgende zeitliche Verteilungsmuster an: Kontinuierlicher, konzentrierter, phasenweiser oder pulsierender Einsatz. *Kontinuität* wird durch einen gleichbleibenden Einsatz der Werbung über den Einführungszeitraum hinweg erreicht. Hohe Kosten und saisonale Absatzschwankungen sprechen gegen den kontinuierlichen Werbeeinsatz. Unternehmen wählen gern eine kontinuierliche Einführungswerbung, wenn ein expandierender Markt gegeben ist, das neue Produkt ein häufig gekaufter Artikel ist und die Kundengruppe genau abgegrenzt werden kann. Beim *konzentrierten Einsatz* wird das gesamte Werbebudget für die Produkteinführung innerhalb eines kurzen Zeitraums ausgegeben. Dies ist dann angebracht, wenn auch die Verkaufsperiode kurz ist, z. B. bei Produkten, die nur in einer bestimmten Saison oder an einem bestimmten Feiertag gefragt sind. *Phasenweiser Einsatz* heißt, daß während eines bestimmten Zeitraums geworben wird, dann die Werbung eine Zeitlang ausgesetzt wird und dann eine zweite Werbephase einsetzt. Dieses Verteilungsmuster wird bei begrenztem Werbebudget, weniger häufig gekauften oder saisonabhängigen Artikeln angewendet. *Pulsierende Werbung* heißt, daß man – basierend auf einem Minimalniveau – in regelmäßigen Abständen die Werbung verstärkt und dann wieder zurücknimmt. Durch pulsierende Werbung versucht man, die Vorteile der kontinuierlichen Werbung und der phasenweisen Werbung zu vereinen. Nach Meinung derjenigen, die pulsierende Werbung bevorzugen, lernen die Zielpersonen die ausgesandte Botschaft hier gründlicher, und man spart darüber hinaus im Vergleich zur kontinuierlichen Werbung auch noch Geld.

Anheuser-Busch, Amerikas größte Brauerei, fand durch Marketingforschung heraus, daß ihre Marke Budweiser durch Aussetzen der Werbung in ausgewählten Testmärkten für mindestens eineinhalb Jahre keine Verkaufseinbußen erlitt. [34] Anschließend ließ sich durch sechsmonatige massierte Werbung das Umsatzwachstum der Marke wieder auf das alte Niveau steigern. Diese Untersuchungsergebnisse veranlaßten Budweiser, pulsierende Werbung zu betreiben.

Beurteilung der Werbewirkung

Wie gut Planung und Kontrolle der Werbung durchgeführt werden, hängt wesentlich davon ab, wie die Werbewirkung beurteilt wird. Die *Meßkriterien*, die *zur Beurteilung der Werbewirkung* eingesetzt werden, richten sich in der Regel nach dem vorliegenden Werbeproblem und der gewählten Ausführungsform für Werbebotschaft und Werbekampagne.

In der Praxis nehmen Werbeagenturen häufiger einen *Pretest* der von ihnen entwickelten Werbebotschaften (Beurteilung vor der Anwendung im Markt) als einen *Posttest* (Beurteilung nach der Anwendung) vor. Viele werbetreibende Unternehmen entwickeln ihre Werbekampagne, ohne einen Pretest ihrer Anzeigen durchzuführen, führen die Kampagne auf nationaler Ebene durch und beurteilen anschließend (wenn überhaupt) die erzielte Wirkung. Oft wäre es besser, die Werbekampagne zunächst auf eine oder wenige Regionen oder Städte zu beschränken und die Wirkung zu beurteilen, ehe die Kampagne mit einem großen Budget auf nationaler Ebene durchgeführt wird. Unternehmen, die zunächst die Wirkung ihrer geplanten Werbekampagne auf regionaler Ebene beurteilen möchten, wählen in Deutschland in der Regel dazu das Saarland, Hessen oder ehemals Westberlin. Mit noch weniger Aufwand läßt sich die Wirkung einer Werbekampagne auch auf Mikrotestmärkten testen und beurteilen (siehe Exkurs 21-3).

Exkurs 21-3: Mikrotestmärkte zur Beurteilung der Werbewirkung

In Deutschland werden zur Beurteilung der Wirkung von Werbekampagnen zwei Mikrotestmärkte angeboten, der »Behavior Scan« der Gesellschaft für Konsumforschung (GfK) und »Telerim« der Firma Nielsen.
Die GfK hat in Hassloch in der Pfalz 3.000 Haushalte angeworben. Ihre soziodemographische Struktur (z.B. Einkommen, Alter der Hausfrau, Anzahl der Kinder) ist ein »verkleinertes Abbild der Haushalte in der Bundesrepublik«. Die Hasslocher Haushalte kaufen die Güter des täglichen Bedarfs fast ausschließlich in ihrer kleinen Provinzstadt: in einem SB-Warenhaus (Massa), zwei Supermärkten (co op), zwei Discount-Läden (Aldi, Penny) und einem Lebensmitteleinzelhandelsgeschäft (Nutzkauf). Jeder Testhaushalt hat eine Identifikationskarte mit Kenn-Nummer. Sie wird beim Bezahlen vorgelegt. Scannerkassen ermöglichen dann eine artikelgenaue Erfassung von Verkäufen, Verkaufsanteilen und Umschlagsgeschwindigkeit (Handelspaneldaten). Die Kennziffern weisen auch aus, welcher Haushalt was in welchen Mengen und wie oft einkauft (Haushaltspaneldaten).
Die 3.000 Haushalte sind in zwei Stichproben unterteilt: 2.000 Haushalte mit und 1.000 Haushalte ohne TV-Kabelanschluß. An den 2.000 verkabelten Fernsehern ist ein elektronisches Gerät, die sogenannte GfK-Box, angeschlossen. Ein komplettes TV-Studio mitten in Hassloch ermöglicht es, die regulär ausgestrahlte Werbung der Fernsehanstalten (ARD, ZDF, SAT 1 und RTL plus) unbemerkt mit Testfilmen gleicher Länge zu überblenden. Jeder der verkabelten Haushalte kann einzeln angesteuert werden (»targetable-TV-Technik«). Bei 200 Haushalten werden zusätzlich Einschaltquoten sekundengenau registriert. Schon am Tag nach der Ausstrahlung kann im Laden die Wirkung der TV-Werbung auf die Kauflust gemessen werden.

Im Mikrotestmarkt Hassloch werden auch gezielt die klassischen Printmedien eingesetzt: Plakate, Tageszeitungen und Zeitschriften. So bekommen die Testhaushalte wöchentlich kostenlos eine Ausgabe der »Hörzu«, in die vorher Testanzeigen montiert wurden.
Bei reinen Fernsehspottests untersucht die GfK vor allem die Auswirkungen von Werbedruckveränderungen, die Verkaufskraft alternativer TV-Kampagnen und den Unterschied zwischen kontinuierlicher und pulsierender Werbung. Um exakte Ergebnisse zu erzielen, werden Test- und Kontrollgruppen mit gleichen Einkaufsgewohnheiten gebildet (Matching-Verfahren).
»Telerim« (Television Electronic Research for Insights Into Marketing) der Firma Nielsen unterscheidet sich u.a. dadurch, daß Nielsen versucht, die Hochrechenbarkeit der Resultate aus den Mikromärkten auf Gesamtdeutschland dadurch zu sichern, daß mehrere Städte (Reutlingen, Bad Kreuznach und Buxtehude) in das Stichprobenverfahren einbezogen wurden. Genau wie »Behavior Scan« arbeitet »Telerim« mit Scannerkassen, der »Hörzu« und repräsentativen Haushalten (pro Stadt jeweils 1.000), die sich in den wichtigsten Läden mit Identitätskarten ausweisen. Die Werbespots werden allerdings nur über das ZDF ausgestrahlt.
Die Nachfrage nach Spottests zur Beurteilung der Werbewirkung von Fernsehanzeigen steigt, weil der Vormarsch der privaten TV-Anbieter dafür sorgt, daß auch kleinere Unternehmen verstärkt das Medium TV einsetzen können. In Deutschland bieten etwa 30 Institute 50 unterschiedliche Verfahren zur Prüfung von Werbefilmen an. Sie behaupten, mit ihren Verfahren folgendes beurteilen zu können: Durchsetzungsfähigkeit gegenüber anderen Spots, Überzeugungskraft gegenüber der Zielgruppe, Kaufbereitschaft des Zielpublikums und Funktionieren des Botschaftstransports, weil Klarheit, Verständnis, Prägnanz und Produktpositionierung stimmen oder nicht.

Quelle: Vgl. auch »Der Spion aus der Mattscheibe«, in: *Managermagazin*, 4/1988, S. 178–185.

Die Kriterien, die zur Beurteilung der Werbewirkung genutzt werden, zielen entweder auf die *kommunikative Wirkung* oder auf die *Verkaufswirkung* der Werbung ab. Die kommunikative Wirkung ist in der Regel einfacher zu beurteilen oder empirisch zu messen als die Verkaufswirkung.

Beurteilung der kommunikativen Wirkung

Zur Beurteilung der kommunikativen Leistungsfähigkeit von Werbebotschaften und ihrer Ausgestaltung kommen eine Vielzahl von Verfahren und Bewertungsmaßstäben zum Einsatz. Diese Methoden, in der Praxis unter dem Oberbegriff »Copytest« zusammengefaßt, kann man anwenden, bevor oder nachdem die Botschaft durch einen Werbeträger verbreitet wird bzw. wurde.

Die dominierende Beurteilungsmethode ist die *Befragung*, aber auch *apparative Meß- und Beurteilungsverfahren* gewinnen an Bedeutung. Aus den Befragungsmethoden lassen sich zwei Untergruppen bilden, nämlich die *direkte Beurteilung* und die *Portfoliotests*. Bei der *direkten Beurteilungsmethode* werden Verbraucher aus der Zielgruppe oder Experten gebeten, unterschiedliche Anzeigen anhand mehrerer

Kriterien zu bewerten. Ein Bewertungsschema könnte z.B., wie in Tabelle 21-8 dargestellt, nach der Beurteilung von Wahrnehmungswirkung, Weiterlesewirkung, kognitiver, affektiver und handlungsstimulierender Wirkung fragen. Selbst wenn dadurch die wahre Kommunikationswirkung einer Botschaft nicht vollständig erfaßt wird, so kann man doch aus hohen Beurteilungswerten bei den einzelnen abgefragten Kriterien eine größere Werbewirkung erwarten.

Beim *Portfoliotest* werden die zu beurteilenden Anzeigen, Werbefilme, TV-Spots oder Rundfunkansagen für den Beurteiler nicht besonders kenntlich gemacht. Dem Beurteiler wird die Werbebotschaft in einem Portfolio von zu betrachtendem Material dargeboten. So wird im Falle einer Zeitschriftenanzeige die Werbebotschaft einfach gegen eine reguläre, in dieser Zeitschrift erscheinende Anzeige ausgetauscht oder ein Fernsehspot anstelle eines regulären, dort erscheinenden Fernsehspots in eine Sendung überblendet. Die Beurteiler werden anschließend gebeten anzugeben, an welche Anzeigen sie sich erinnern, was diese Anzeigen aussagten, ob die Aussage glaubhaft war u.a. m., je nachdem, welche Maßstäbe für die Bewertung der Werbewirkung zugrundegelegt werden. Anhand den erhaltenen Antworten kann man die Signalwirkung, die Verständlichkeit und die Einprägsamkeit der Anzeige und ihrer Gestaltung abschätzen.

Bei *apparativen Verfahren* der Werbewirkungsmessung werden in der Regel Testpersonen in ein Labor gebeten, wo ihre physiologischen Reaktionen auf die Darbietung von unterschiedlichen Werbebotschaften gemessen werden, wie z.B. Änderungen im Hautwiderstand, Blutdruck, Herzschlagrhythmus, in der Pupillenweite und der Transpiration. Aus solchen apparativen Messungen kann man Rückschlüsse ziehen, wie stark die Anzeige den Betrachter aktiviert, ihn emotional aufrührt und

Tabelle 21-8
Anzeigenbeurteilungsbogen

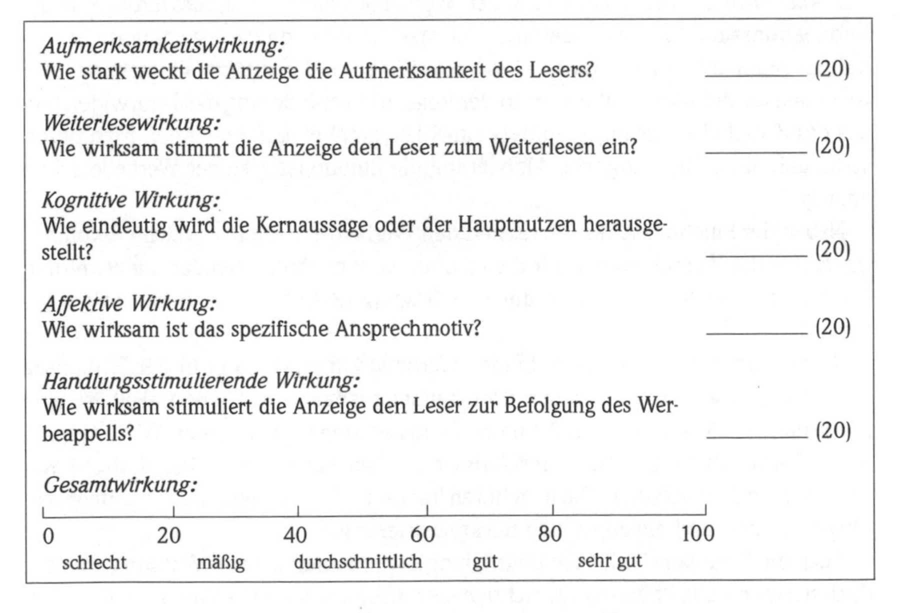

Aufmerksamkeitswirkung:
Wie stark weckt die Anzeige die Aufmerksamkeit des Lesers? ________ (20)

Weiterlesewirkung:
Wie wirksam stimmt die Anzeige den Leser zum Weiterlesen ein? ________ (20)

Kognitive Wirkung:
Wie eindeutig wird die Kernaussage oder der Hauptnutzen herausgestellt? ________ (20)

Affektive Wirkung:
Wie wirksam ist das spezifische Ansprechmotiv? ________ (20)

Handlungsstimulierende Wirkung:
Wie wirksam stimuliert die Anzeige den Leser zur Befolgung des Werbeappells? ________ (20)

Gesamtwirkung:

0 20 40 60 80 100
schlecht mäßig durchschnittlich gut sehr gut

seine Aufmerksamkeit weckt. Auch die Prägnanz einer Anzeige und ihrer Gestaltungselemente läßt sich apparativ ermitteln, indem man einen Tachistoskoptest oder ein Blickregistrierungsverfahren einsetzt, wie z.B. die Cornea Reflex-Methode, bei der die Fixation des Auges auf die Anzeigenvorlage und ihre Elemente durch die Reflexion eines Lichtpunkts von der Hornhaut des Auges in das Blickfeld der Testperson gemessen wird. Aus solchen Messungen erfährt man auch die durchschnittliche Betrachtungsdauer von Anzeigen und ihren Elementen sowie die Reihenfolge, in der Elemente der Anzeige betrachtet werden.

Mit apparativen Testverfahren kann zwar die Aktivierungswirkung des Betrachters eines Werbemittels gemessen werden, sie sagen jedoch nichts darüber aus, inwieweit dadurch Überzeugungen, Einstellungen oder Intentionen verändert werden.

Die *kommunikative Wirkung* der Werbung wird mit Hilfe dieser Verfahren anhand einer Reihe von Meßkriterien beurteilt. Zu den wichtigsten Meßkriterien gehören:

- Aktivierung
- Vermittlung von Emotionsqualitäten
- Aufmerksamkeit
- Prägnanz
- Anmutung
- Gesamteindruck
- Differenzierter Eindruck
- Wiedererkennung
- Erinnerung
- Image, Einstellungsänderung
- Induzierung von Kaufabsicht, Präferenz. [35]

Die *Aktivierung* eines Empfängers der Werbebotschaft ist Voraussetzung für die Informationsaufnahme, -verarbeitung und -speicherung und darüber hinaus ein zentrales Element aller »aktivierenden Prozesse« (Emotion, Motivation, Einstellung). [36] Als Indikator der Aktivierung wird in der Regel die Veränderung des Hautwiderstandes des Botschaftsempfängers mittels eines Polygraphen aufgezeichnet. Man unterstellt, daß diese physiologische Aktivierung die Emotionsstärke der Werbebotschaft anzeigt.

Neben der Emotionsstärke interessiert den Werbeforscher auch, welche *Emotionsqualitäten* die Werbebotschaft für die emotionale Produktdifferenzierung vermittelt. Die Emotionsqualitäten werden durch Befragung (Rating-Skalen, Bilderskalen) gemessen.

Aufmerksamkeit ist ein bedeutendes Werbewirkungskriterium in der Frühphase der Informationsverarbeitung des Botschaftsempfängers. Aufmerksamkeit ist eine notwendige, jedoch keine hinreichende Voraussetzung für den hohen Wirkungsgrad eines Werbemittels. Der Grad der Aufmerksamkeit kann durch eine Vielzahl von Methoden erfaßt werden. Dazu gehören mehrere Befragungsverfahren, Beobachtungsverfahren und die apparative Blickregistrierung.

Auch die *Prägnanz* ist für die Beurteilung der kommunikativen Werbung wichtig, da durch eine hohe Prägnanz die richtige Identifikation zentraler Werbethemen auch bei flüchtiger Betrachtung sichergestellt wird. Unter Prägnanz versteht man im Sinne der Meßmethodologie (Tachistoskop) die »Gestaltfestigkeit unter erschwerten Wahrnehmungsbedingungen«. Das Tachistoskop ist ein Diaprojektor mit angeschlossenem Steuergerät, durch das die Darbietungszeit variiert werden kann. In der Regel werden pro Betrachter drei bis fünf Darbietungszeiten gewählt, die von Sekundenbruchteilen bis auf zuletzt mehrere Sekunden gesteigert werden. Der Betrachter wird nach jeder Darbietung befragt, was er erkennen konnte. Dadurch läßt sich die Prägnanz einzelner Elemente der Anzeige erfassen, wie die Prägnanz der Marke, der Produktgruppe, des Schlüsselreizes, des Textes und des Hintergrundes, d.h. man findet heraus, ob diese Elemente unter erschwerten Wahrnehmungsbedingungen richtig identifiziert wurden. Solche Meßkriterien sind insbesondere für die Außenwerbung (Plakate) von Interesse.

Anmutungen sind Gefühle, die der Betrachter bei der Darbietung des Werbemittels empfindet und die auf Emotionsqualitäten der Werbebotschaft und ihrer Gestaltung hinweisen. Anmutungen werden durch Darbietung des Werbemittels und Befragung erfaßt. Typische Anmutungen sind: harmonisch, anziehend, freundlich, vertraut, stimmungsvoll.

Eine Anzeige kommuniziert in der Regel mehr als Ganzes denn als die Summe ihrer Teile. Deshalb ist der Werbemanager am *induzierten Gesamteindruck* einer Werbebotschaft interessiert und erfaßt den Gesamteindruck durch eine direkte Befragung, wie z.B.: »Beurteilen Sie anhand dieser Skala (1 = sehr gut bis 6 = sehr schlecht) den Gesamteindruck, den diese Anzeige auf Sie macht«. Zur Verbesserung von Anzeigen ist es für den Werbemanager dagegen wichtig, Hinweise über *differenzierte Eindrucksqualitäten* durch Befragungen zu erhalten, die erfassen, ob die Anzeige als sympathisch, einprägsam, natürlich, aussagekräftig, dynamisch, harmonisch, glaubwürdig, verständlich, modern u.a.m. empfunden wird.

Die *Wiedererkennung* (Recognition) ist meßtechnisch dadurch gekennzeichnet, daß zuvor gesehenes Werbematerial ausgewählt bzw. identifiziert werden muß. Im Vergleich zu einem weiteren Werbewirkungsmaß, nämlich der *Erinnerung* (Recall), wird bei der Wiedererkennung vom Befragten weniger Gedächtnisleistung gefordert. Im Unterschied zur Erinnerungsmessung wird bei der Wiedererkennungsmessung der befragten Person die Testanzeige wieder vorgelegt. Eine besondere Form des Wiedererkennungstests ist der traditionsreiche und weit verbreitete Starch-Test und der Gallup-Robinson-Test (siehe auch Exkurs 21-4). Bei der Wiedererkennungsmessung wird festgehalten, welcher Prozentanteil der Leser einer Zeitschrift angeben, daß sie eine Anzeige in der betreffenden Zeitschrift:

a) früher schon gesehen haben (»noted«)
b) gesehen und Teile davon gelesen haben und sich deutlich an den Namen des Werbeobjekts erinnern (»seen/associated«) und
c) mehr als die Hälfte des Textes der Anzeige gelesen haben (»read most«).

Die *Erinnerungsmessung* kann ungestützt oder gestützt erfolgen. Bei der *ungestützten Erinnerungsmessung* fehlt jede Gedächtnishilfe. Die Testperson hat hier die Aufgabe, sich an Anzeigen in einem bestimmten Medium zu erinnern und die Erinnerung durch Nennung des Werbeobjektes (Marke, Thema) und sonstiger spezifscher Merkmale zu dokumentieren. Bei der *gestützten Erinnerungsmessung* werden den Testpersonen Erinnerungshilfen gegeben, wobei diese Erinnerungshilfen sukzessive vergrößert werden können. Man kann als Stützhilfe z.B. zunächst sagen, daß es sich um eine Anzeige für Computer handelt; danach, daß es sich um einen

Personalcomputer handelt; danach, daß es sich um die Marke IBM handelt und schließlich, daß es um einen bestimmten Typ von IBM-Computern geht.

Auch *Einstellungsveränderungen* sind wichtig für die Beurteilung der Werbewirkung. Die Einstellung zeigt die Markenbewertung aufgrund von Produktwissen und Bewertungskriterien des Befragten. Verschiedene Methoden der Einstellungsmessung, z. B. das Fishbein-Modell, wurden bereits in Kapitel 4 beschrieben.

Durch Werbung kann schließlich auch eine *Änderung* der *Markenpräferenzordnung* und der *Kaufabsicht* beim Zielpublikum bewirkt werden. Die *Präferenzordnung* zeigt sich durch eine Rangfolge der vorgelegten Meinungsgegenstände aufgrund eines Gesamturteils des Befragten. Als Indikatoren für die Präferenzordnung können Einstellungsindizes vor und nach der Anzeigenpräsentation gemessen werden sowie Rangordnungen von Marken aufgestellt oder die Preisbereitschaft abgefragt werden. Zur Erfassung der *Kaufabsicht* wird in der Regel den Befragten eine abgestufte Skala mit dem Statement »würde ich kaufen« vorgelegt, anhand derer er die Stärke seiner Kaufabsicht deklariert. Die Wirkung von Anzeigen auf die Präferenzordnung bzw. Kaufabsicht kann nach nur einer einzigen Anzeigendarbietung nicht sehr zuverlässig gemessen werden. Solche Messungen sind eher angebracht, wenn sie vor und nach einer Werbekampagne oder regelmäßig über längere Zeitabschnitte vorgenommen werden.

In Exkurs 21-4 werden einige geläufige Pretestverfahren der Werbeforschung näher erläutert.

Exkurs 21-4: Meßverfahren der kommunikativen Werbewirkung für Printmedien und TV

Für die unterschiedlichen Medien wurden eigene Verfahren zur Messung der kommunikativen Werbewirkung entwickelt.

Werbung in den Druckmedien

Der Starch- sowie der Gallup & Robinson-Pretest sind die ältesten Verfahren der Werbewirkungsmessung, in denen Testanzeigen in unterschiedlichen Zeitschriften plaziert werden. Die Zeitschriften mit den Testanzeigen werden an Personen in der Zielgruppe verteilt. Diese Personen werden später kontaktiert und zu den jeweiligen Zeitschriften und Anzeigen befragt. Mit Erinnerungs- und Wiedererkennungstests wird die Wirkung der Anzeige untersucht. Im Starch-Test wird die Wiedererkennung durch folgende Kenngrößen erfaßt:

- »Gesehen« (»noted«), d. h. der Prozentsatz der Leser, die angeben, die Anzeige in der betreffenden Zeitschrift bereits früher gesehen zu haben;
- »Gesehen und zugeordnet« (»seen/associated«), d. h. der Prozentsatz der Leser, die angeben, die Anzeige gesehen zu haben, Teile gelesen zu haben und sich deutlich an den Namen des Werbeobjekts zu erinnern glauben;
- »Zum Großteil gelesen« (»read most«), d. h. der Prozentsatz der Versuchspersonen, die angeben, mehr als die Hälfte des Anzeigentextes gelesen zu haben.

Der Starch-Test wird seit 1923 verwendet. Die Datenbank des Starch-INRA-Hooper-Instituts enthält mittlerweile über 2 Mio. »starch-getestete« Anzeigen. Daraus werden jährlich Tabellen mit Normwerten veröffentlicht, indem die durchschnittlichen Kennzahlen der drei Bewertungskriterien berechnet werden, geordnet nach Produktklasse und nach männlichen und weiblichen Lesern für jede der Zeitschriften, in denen Tests vorgenommen wurden. Im Vergleich zu diesen Normzahlen kann der Werbetreibende feststellen, ob seine Anzeige stärker oder schwächer wirkt als der Durchschnitt der Wettbewerber.
In ähnlicher, jedoch etwas verfeinerter Weise, arbeitet der AD*VANTAGE PRINT Test der GfK. Statt Testanzeigen in wirkliche Publikumszeitschriften zu montieren, arbeitet dieser Test mit drei Magazinen, die bekannten Publikumszeitschriften nachempfunden sind. So werden die Testanzeigen in einem redaktionellen und werblichen Umfeld untersucht, das vom Forschungsinstitut GfK kontrolliert und standardisiert wird. Die Testpersonen werden nicht von Interviewern zuhause aufgesucht, sondern statt dessen zweimal in das Versuchsstudio gebeten. Der Testzweck, nämlich die Wirkung von Anzeigen zu prüfen, wird gegenüber den Testpersonen verschleiert. Bei ihrem ersten Studiobesuch werden die Testpersonen zu ihren Markenpräferenzen befragt, und es wird eine Terminvereinbarung für den zweiten Studiobesuch getroffen. Dann werden ihnen die drei Testhefte mit der Anzeige übergeben, und zwar unter dem Vorwand »Wir wollen Zeitschriften verbessern ... Bitte vergleichen Sie zuhause die drei Testhefte«. Beim zweiten Studiobesuch werden die Personen nach ihrer Meinung zu den Testheften gefragt, und es wird ihre Markenkenntnis und Markenpräferenz gemessen, nachdem sie über die Testhefte Kontakt mit den Anzeigen hatten. Dann wird die Testanzeige im Studio intensiv betrachtet und die Reaktion der Testperson genauer untersucht, z. B. mit einem Blickaufzeichnungsgerät.

TV-Werbung

Hier sind vier Testverfahren üblich:

Tests Zuhause

Personen der Zielgruppe werden in ihrer Wohnung aufgesucht, bekommen TV-Werbespots vorgeführt und werden dazu befragt. Dieses Verfahren lenkt die volle Aufmerksamkeit der Testpersonen auf den TV-Spot, schafft aber gleichzeitig eine Betrachtungssituation, die in Wirklichkeit nicht gegeben ist.

Tests im mobilen Studio

Um den Test näher zur Kaufentscheidung zu bringen, wird in einem Einkaufszentrum ein mobiles Studio eingerichtet. Dort werden den Verbrauchern die zu testenden Produkte vorgeführt; sie können in einer simulierten Kaufsituation unter mehreren Produkten wählen. Als nächstes werden den Testpersonen Werbespots gezeigt; danach erhalten sie Gutscheine für den Einkauf im Einkaufszentrum. Der Werbeforscher kann auf diese Weise feststellen, wie viele Gutscheine eingelöst wurden, und somit die Beeinflussungswirkung der einzelnen Spots auf das Kaufverhalten der Verbraucher messen. Dieser Test geht über die Messung der Kommunikationswirkung hinaus. Er mißt vielmehr bereits die Kaufverhaltenswirkung.

Tests im Kino
Ausgewählte Testpersonen werden in ein Filmtheater eingeladen, um sich dort z.B. eine geplante neue Fernsehserie samt Werbespots anzusehen. Vor Beginn der Vorführung geben die Testpersonen ihre favorisierten Marken in bestimmten Produktkategorien an. Im Anschluß an die Vorstellung werden sie dann erneut nach ihren bevorzugten Marken innerhalb der jeweiligen Produktkategorie befragt. Das Ausmaß der Präferenzänderungen liefert Hinweise auf die Beeinflussungskraft der Werbespots.

Tests nach der Ausstrahlung
Der Werbespot wird von der Fernsehanstalt ausgestrahlt. Die Testpersonen werden entweder vertraglich verpflichtet, sich das Fernsehprogramm anzusehen, in dem auch der zu testende Werbespot läuft, oder sie werden danach ausgesucht, ob sie das entsprechende Programm gesehen haben. Nach einer erprobten Systematik werden sie befragt, woran sie sich – was Programm, Werbespots, Marken und Werbeinhalt betrifft – erinnern können. Mit dieser Methode wird die kommunikative Wirkung von Werbespots realitätsnah gemessen.

Die Messung der kommunikativen Gesamtwirkung einer abgeschlossenen Werbekampagne (Werbewirkungskontrolle) ist für Werbetreibende ebenfalls von Bedeutung. Sie wollen damit verfolgen, ob und in welchem Umfang Markenbekanntheit, -einstellung, -präferenz und andere Zielgrößen durch die Werbekampagne verändert wurden. Wenn der Werbetreibende diese Zielgrößen vor Beginn der Werbekampagne gemessen hat, kann er im Anschluß an die Kampagne die bei der Zielgruppe ausgelösten kommunikativen Wirkungen anhand einer Zufallsstichprobe abschätzen. Falls das Werbeziel z.B. die Steigerung des Bekanntheitsgrads der Marke von 20 auf 50% der Zielgruppe war, und es wurde lediglich eine Steigerung auf 30% bewirkt, dann wurde nicht genug Geld für die Werbung ausgegeben, die Werbebotschaft war schlecht konzipiert oder es lag eine andere Fehlleistung vor.

Verkaufswirkung

Die Messung der kommunikativen Wirkung hilft zwar dem Werbetreibenden dabei, die Kommunikationseffekte eines Werbemittels besser einzuschätzen, läßt jedoch noch keine direkten Schlußfolgerungen auf die Verkaufswirkung zu. Wenn z.B. eine Werbekampagne den Markenbekanntheitsgrad um 20% und die Markenpräferenz um 10% erhöht, dann steht damit noch nicht fest, welche Auswirkungen dies auf den Absatz hat.

Die Verkaufswirkung der Werbung ist im allgemeinen schwerer zu messen als die Kommunikationswirkung, da der Absatz nicht nur von der Werbung, sondern auch von vielen anderen Faktoren bestimmt wird, die in der Regel nicht konstant bleiben, wie z.B. Preis und Verfügbarkeit des Produkts sowie Maßnahmen der Konkurrenz. Je besser es gelingt, diese Faktoren konstant zu halten, desto besser kann man die Verkaufswirkung der Werbung messen oder abschätzen. Am leichtesten läßt sich die Verkaufswirkung in bestimmten Situationen des Direktmarketing feststellen; am schwierigsten ist sie bei Werbemaßnahmen abzuschätzen, die ein Marken- oder Firmenimage aufbauen sollen.

Ein Unternehmen will zumindest abschätzen, ob es zu viel oder zu wenig für die Werbung ausgibt. Ein einfacher Ansatz dafür ergibt sich aus der Verknüpfungskette der eigenen Position gegenüber dem Wettbewerb bei folgenden Meßgrößen:

Anteil der Werbeaufwendungen → Anteil der Werbebotschaften → Anteil im Bewußtsein und an der Zuneigung der Kunden → Marktanteil

Das heißt, der Anteil der Werbeaufwendungen führt zu einem bestimmten Anteil an den ausgestrahlten Werbebotschaften, der einen Anteil im Bewußtsein der Kunden einnimmt, einen Anteil an ihrer Zuneigung gewinnt und schließlich einen bestimmten Marktanteil bewirkt. Peckham führte eine Langzeitstudie über die Beziehung zwischen dem Anteil an den Werbebotschaften und dem Marktanteil bei mehreren Konsumgütern durch und ermittelte eine Verhältniszahl von 1 zu 1 bei etablierten Produkten und eine Verhältniszahl von 1,5 bis 2 zu 1 bei neuen Produkten.[37] Angenommen, drei Wettbewerber teilten sich einen etablierten Markt mit nahezu identischen Produkten und zu identischen Preisen. Dann könnten wir, wie im folgenden Beispiel dargestellt, Aussagen zur Werbewirksamkeit ableiten:

Werbe-aufwendungen	*Anteil an den Werbebotschaften*	*Marktanteil*	*Kennzahl für die Werbewirkung*
A 2 Mio. DM	57,1%	40%	**70** (unterdurchschn.)
B 1 Mio. DM	28,6%	28,6%	**100** (durchschn.)
C 500.000 DM	14,3%	31,4%	**220** (überdurchschn.)

Mit 2 Mio. DM bestreitet Unternehmen A den Großteil der Werbeaufwendungen in diesem Markt und kauft damit einen Anteil von 57,1% der ausgestrahlten Werbebotschaften. Der erreichte Marktanteil liegt jedoch bei nur 40%. Aus dem Verhältnis dieser beiden Kennzahlen (40/57,1) errechnet man eine weitere Kennzahl für die Werbewirkung (70), die anzeigt, daß Unternehmen A entweder für die Werbung unnötig viel Geld ausgibt oder sein Geld verkehrt ausgibt. Unternehmen B kauft einen Anteil von 28,6% an den ausgestrahlten Werbebotschaften und erreicht einen Marktanteil von 28,6%. Daraus kann man schließen, daß hier die Verkaufswirkung der Werbeaufwendungen durchschnittlich gut ist. Unternehmen C kauft nur 14,3% der ausgestrahlten Werbebotschaften und erreicht dennoch einen Marktanteil von 31,4%. Hieraus läßt sich schließen, daß die Werbeaufwendungen äußerst wirkungsvoll getätigt werden und bei dieser guten Wirkung noch erhöht werden sollten.

Wissenschaftler, die die Verkaufswirkung der Werbung erforschen, sammeln ihre Daten entweder aus Werbeexperimenten oder aus der Beobachtung und Analyse von Zahlenreihen über Umsatz, Werbeaufwendungen und anderen Einflußgrößen. Mit historischen Zahlenreihen lassen sich sehr viele unterschiedliche Analysemethoden anwenden. So können Beziehungen zwischen Werbeaufwendungen und Verkaufszahlen hergestellt werden, so daß kurzfristige und langfristig verzögerte Werbeeffekte berücksichtigt werden. Durch fortschrittliche statistische Methoden wird überprüft, ob die postulierten Werbewirkungsmodelle mit der Wirklichkeit, wie sie die Zahlenreihen reflektieren, übereinstimmen. Es wird abgeschätzt, wie groß die im

Analysemodell strukturell dargestellten Koeffizienten der Werbewirkung sind. Die wohl bekanntesten Zahlenreihen der Werbewirksamkeitsforschung stammen von dem amerikanischen Unternehmen Lydia Pinkham. Es handelt sich dabei um monatliche Zahlen von 1908 bis 1960. Das Unternehmen hatte nur ein Produkt, das nur durch Werbeunterstützung (also ohne Vertrieb) verkauft wurde. Die zeitlich verteilten Werbeaufwendugen waren hier also die einzigen wesentlichen Einflußfaktoren auf die Verkaufsmenge. Palda untersuchte diese Zahlenreihen als erster mit fortschrittlichen statistischen Methoden und berechnete die kurzfristige und langfristige Verkaufswirkung der Werbung.[38] Nach einer Grenzkosten- und Grenznutzenbetrachtung brachte jeder zusätzliche Werbedollar kurzfristig einen Grenzerlös von lediglich 50 Cents, woraus man hätte schließen können, daß das Unternehmen zuviel für Werbung ausgab. Der langfristige Grenzerlös für jeden Werbedollar erwies sich jedoch als dreimal so hoch, da zeitlich verzögerte Werbewirkungseffekte nachgewiesen werden konnten. Palda errechnete, daß das Unternehmen über die gesamte Beobachtungsperiode von etwa 50 Jahren eine Grenzrendite auf die Werbung von 37% nach Steuern erwirtschaftete.

Montgomery und Silk untersuchten die Verkaufswirkung von drei Kommunikationsmitteln in der pharmazeutischen Industrie.[39] Ein pharmazeutisches Unternehmen verwandte 38% seines Werbebudgets auf Direktwerbung per Post, 32% auf kostenlose Proben und Broschüren und 29% auf Anzeigen in Fachzeitschriften. Die Forschungsergebnisse zeigten, daß bei Werbung in Fachzeitschriften, dem am wenigsten eingesetzten Kommunikationsmittel, die langfristige Absatzelastizität am höchsten war (0,365), gefolgt von kostenlosen Proben und Broschüren (0,108) und Direktwerbung per Brief (0,018). Offentsichtlich gab das Unternehmen zuviel für Direktwerbung und zu wenig für Anzeigen in Fachzeitschriften aus.

Andere Werbeforscher versuchen, die Verkaufswirkung der Werbung durch Experimente bei den Werbeausgaben zu erfassen. Statt die Werbeausgaben gleichmäßig auf alle Verkaufsgebiete zu verteilen, gibt das Unternehmen in einigen Gebieten mehr und in anderen weniger aus. Hier werden also *Tests mit erhöhten Aufwendungen* und *Tests mit gesenkten Aufwendungen* vorgenommen. Wenn sich bei erhöhten Aufwendungen substantielle Umsatzsteigerungen ergeben, dann weiß das Unternehmen, daß es im Durchschnitt zu wenig ausgegeben hat. Wenn keine Umsatzzuwächse erzielt werden, und auch bei gesenkten Ausgaben der Umsatz nicht merklich fällt, dann gibt das Unternehmen im Durchschnitt zuviel aus. Solche Tests sollten nach wissenschaftlicher Methodik so geplant werden, daß es genügend Kontrollen gegen Zufallseinflüsse gibt und daß sie genügend lange andauern, so daß nicht nur kurz-, sondern auch mittel- und langfristige Wirkungseffekte analysiert werden können.

Du Pont war eines der ersten Unternehmen, die die Werbewirkung experimentell zu erforschen suchten. Im Geschäftsbereich Farben unterteilte Du Pont seine 60 Verkaufsbezirke in drei Gruppen, nämlich Bezirke mit hohem, durchschnittlichem und niedrigem Marktanteil.[40] Du Pont gab in einem Drittel dieser Bezirke die übliche Summe für Werbung aus. In einem anderen Drittel der Bezirke wurde das Zweieinhalbfache für Werbung ausgegeben, und im restlichen Drittel das Vierfache (siehe Versuchsanordnung in Abbildung 21-6). Nach Abschluß des Experiments schätzte Du Pont, welcher Verkaufszuwachs durch die Werbeaufwendungen bewirkt

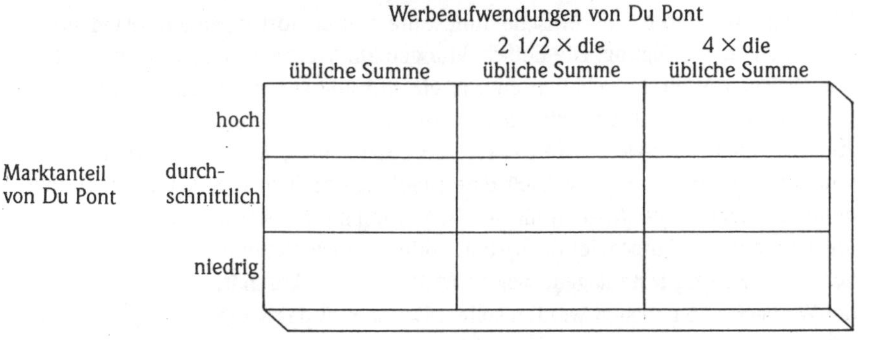

Quelle: Robert Buzzell: *Mathmaticae Models and Marketing Management*, Boston: Division of Research, Graduate School of Business, Harvard University, 1968, S. 166.

Abbildung 21-6
Experimentelle Versuchsanordnung zur Messung der Werbewirkung bei unterschiedlich hohen Marktanteilen

wurde. Du Pont fand heraus, daß die Zuwächse bei höheren Werbeaufwendungen immer geringer ausfielen und daß die Zuwächse in Gebieten mit hohem Marktanteil niedriger waren.

Ganz allgemein läßt sich sagen, daß immer mehr Unternehmen danach trachten, die Verkaufswirkung der Werbung abzuschätzen, statt sich nur mit der Messung und Abschätzung von kommunikativen Effekten zu begnügen. Neue Methoden und Verfahren aus der Marktforschungsbranche, wie »Behavior Scan« von GfK und »Telerim« von Nielsen (siehe Exkurs 21-3), machen es möglich, immer besser abzuschätzen, wie die Werbung als Element im Marketingprogramm zu Erstkäufen und Wiederholungskäufen anregt.

Zusammenfassung

Werbung, d. h. die Nutzung bezahlter Medien zur Verbreitung von Botschaften eines Anbieters über sein Produkt oder seine Organisation, ist ein sehr wirkungsvolles Instrument der absatzfördernden Kommunikation. Die Formen der Werbung sind vielfältig; es gibt z. B. landesweite, regionale oder lokale Werbung, Verbraucher-, Handels- und Industriegüterwerbung, Produkt-, Marken- und institutionelle Imagewerbung etc.. Auch die mit der Werbung verfolgten Ziele sind vielfältig. Sie reichen von der kurzfristigen Verkaufsstimulierung bis hin zur langfristig angelegten Imagewerbung.

Zur Planung eines effektiven Werbeprogramms gehört ein fünfstufiger Prozeß mit Entscheidungen über Werbeziele, Werbebudget, Werbebotschaft, Medienbelegung und Maßstäbe, nach denen die Werbewirkung abgeschätzt werden soll. Die Werbeziele müssen klar sein und festlegen, ob die Werbung z. B. informativen, überzeugenden oder erinnernden Charakter haben soll. Die Entscheidung über die Höhe des Werbebudgets kann sich an der Finanzkraft des Unternehmens, am Umsatz, an den Werbeausgaben der Wettbewerber und an den gestellten Zielen und Aufgaben der

Werbung orientieren. Als Entscheidungshilfe stehen fortschrittliche Modelle und Methoden zur Verfügung. Die Entscheidungen zur Werbebotschaft betreffen die Art und Weise, wie die Botschaften entwickelt und wie sie bewertet, ausgewählt und wirkungsvoll ausgeführt werden sollen. Bei der Medienbelegung entscheidet man zunächst über die Ziele bei Reichweite, Frequenz sowie Eindrucksqualität der Botschaften und trifft dann eventuell eine Mediengattungsauswahl, um ein Basismedium und begleitende Medien für die Werbekampagne festzulegen. Eine detaillierte Medienwahl und Entscheidungen zum Timing des Medieneinsatzes folgen. Schließlich ist es wichtig festzulegen, welche Maßstäbe zur Abschätzung und Bewertung der Werbeeffekte angelegt werden sollen. Dabei muß das Werbemanagement unterscheiden, wie die Kommunikationswirkung und die Verkaufswirkung vor, während und nach dem Einsatz der Werbung gemessen werden sollen.

Anmerkungen

1 Vgl. ZAW, Zentralausschuß der Werbewirtschaft: *Werbung in Deutschland 1990*, Bonn: ZAW, 1990, S. 54.
2 Vgl. Russell H. Colley: *Gezielter werben. Werbung ohne Streuverluste*, übersetzt von Günter H. Haugwitz, München: Verlag Moderne Industrie, 1967.
3 Vgl. William L. Wilkie und Paul W. Farris: »Comparison Advertising: Problem and Potential», in: *Journal of Marketing*, Oktober 1975, S. 7–15.
4 Vgl. Kurt Braun: »Vergleichende Werbung«, in: *Markenartikel*, November 1983, S. 552–564; Giesbert Esar: »Die Werbung mit Testergebnissen der Stiftung Warentest in der Rechtsprechung: Eine Bestandsaufnahme«, in: *Markenartikel*, Oktober 1984, S. 511–513; C.-D. Brose: »Vergleichende Werbung – das »Cola-Test«-Urteil«, in: *Marketing-Journal*, 2/1987, S. 114.
5 Vgl. Friedhelm Bliemel: »Advertising Thresholds in Canadian Market: A Cross Sectional Analysis of Management Estimates«, *ASAC Conference Proceedings, Administrative Science Association of Canada*, 1984, S. 31–40; vgl. auch ders.: »Kann man Werbewirkungsschwellen vernachlässigen?«, in: *Werbeforschung und Praxis*, Juni 1986, S. 122–126.
6 Vgl. als guten Diskussionsbeitrag David A. Aaker und James M. Carman: »Are You Overadvertising?«, in: *Journal of Advertising Research*, August–September 1982, S. 57–70.
7 Vgl. Gerald J. Tellis: »Advertising Exposure, Loyalty, and Brand Purchase: A Two-Stage Model of Choice«, in: *Journal of Marketing Research*, Mai 1988, S. 134–144.
8 Vgl. Donald E. Schultz, Dennis Martin und William P. Brown: *Strategic Advertising Campaigns*, Chicago: Crain Books, 1984, S. 192–197.
9 Vgl. M.L. Vidale und H.R. Wolfe: »An Operations-Research Study of Sales Response to Advertising«, in: *Operations Research*, Juni 1957, S. 370–381.
10 Vgl. John D.C. Little: »A Model of Adaptive Control of Promotional Spending«, in: *Operations Research*, November 1966, S. 1075–1097.
11 Weitere Werbebudgetierungsmodelle sind erläutert bei Gary L. Lilien und Philip Kotler: *Marketing Decision Making: A Model-Building Approach*, New York: Harper & Row, 1983, S. 490–501.
12 Vgl. »Druck auf Entscheider«, in: *Absatzwirtschaft*, 8/1988, S. 40–50.
13 Vgl. John Koten: »Creativity, Not Budget Size, Is Vital to TV-Ad Popularity«, in: *Wall Street Journal*, 1. März 1984, S. 25.
14 Vgl. Ebenda.

15 »Keep Listening to That Wee, Small Voice«, in: *Communications of an Advertising Man,* Chicago: Leo Burnett Company, 1961, S. 61.
16 Vgl. John C. Maloney: »Marketing Decisions and Attitude Research«, in: George L. Baker Jr. (Hrsg.): *Effective Marketing Coordination,* Chicago: American Marketing Association, 1961, S. 595–618.
17 Vgl. Dik Warren Twedt: »How to Plan New Products, Improve Old Ones, and Create Better Advertising«, in: *Journal of Marketing,* Januar 1969, S. 53- 57.
18 Vgl. William A. Mindak und H. Malcolm Bybee: »Marketing Application to Fund Raising«, in: *Journal of Marketing,* Juli 1971, S. 13–18.
19 Vgl. Th. Lenzen: *Konsequenzen der Informationsüberlastung auf wirksame Werbung in Printmedien,* Diplomarbeit an der Hochschule St. Gallen für Wirtschafts-, Rechts- und Sozialwissenschaften, 1990, S. 31.
20 Vgl. W. Kroeber-Riel: *Strategie und Technik der Werbung,* 2. Aufl., Stuttgart: Kohlhammer, 1990, S. 37 ff. und S. 65 ff.
21 Vgl. auch Hartmuth Holzmüller und Walter Schiebel: *Marketingfallstudien,* Service Fachverlag an der Wirtschaftsuniversität Wien, 1986, S. 30.
22 Vgl. auch eine andere Einteilung und ausführlichere Darstellung von Copytechniken in: R. Hühnerberg: *Marketing,* München, 1984, S. 251 f.
23 Vgl. David Ogilvy und Joel Raphaelson: »Research on Advertising Techniques That Work – and Don't Work«, in: *Harvard Business Review,* Juli–August 1982, S. 14–18.
24 Eine ausführliche Darstellung zur Kalkulation der Reichweite bei Überschneidungen verschiedenster Art findet sich bei: Franz Böker, *Marketing,* 3. Auflage, Stuttgart: Fischer Verlag, 1990, S. 404–414.
25 Vgl. Schultz u. a.: *Strategic Advertising Campaigns,* S. 340.
26 Vgl. Herbert E. Krugman: »What Makes Advertising Effective?«, in: *Harvard Business Review,* März–April 1975, S. 96–103, hier S. 98.
27 Vgl. Peggy J. Kreshel, Kent M. Lancaster und Margaret A. Toomey: *Advertising Media Planning: How Leading Advertising Agencies Estimate Effective Reach and Frequency,* Urbana: University of Illinois, Department of Advertising, Januar 1985, Referat Nr. 20, sowie Jack Z. Sissors und Lincoln Bumba: *Advertising Media Planning,* 3. Aufl., Lincolnwood, Illinois: NTC Business Books, Kapitel 9.
28 Vgl. Lenzen: *Konsequenzen der Informationsüberlastung,* S. 70; M. Frühwirth, B. Trumpes: *Anzeigengestaltung – Anzeigenplazierung – Anzeigenwirkung – eine aktuelle Literaturübersicht,* Hausarbeit am ULG f. Werbung und Verkauf an der WU-Wien, 1991, S. 24; L. v. Rosenstiel, G. Ewald: *Marktpsychologie,* Band 2, Psychologie der absatzpolitischen Instrumente, Stuttgart, 1979.
29 Vgl. Lenzen: *Konsequenzen der Informationsüberlastung,* S. 71.
30 Vgl. Roland T. Rust: *Advertising Media Models: A Practical Guide,* Lexington, Mass.: Lexington Books, 1986.
31 Vgl. Jay W. Forrester: »Advertising: A Problem in Industrial Dynamics«, in: *Harvard Business Review,* März–April 1959, S. 100–110.
32 Vgl. Amber G. Rao und Peter B. Miller: »Advertising/Sales Response Functions«, in: *Journal of Advertising Research,* April 1975, S. 7–15.
33 Vgl. Alfred A. Kuehn: »How Advertising Performance Depends on Other Marketing Factors«, in: *Journal of Advertising Research,* März 1962, S. 2–10.
34 Vgl. Philip H. Dougherty: »Bud ›Pulses‹ the Market«, in: *New York Times,* 18. Februar 1975.
35 Vgl. Wirtschafts-trend Zeitschriftenverlag (Hrsg.): *Die Trend-Profil-Studie zur Darstellung der Themenbereiche Anzeigengestaltung – Anzeigenplazierung – Anzeigenwirkungsmessung,* Wien, 1991.
36 Vgl. W. Kroeber-Riel: *Konsumentenverhalten,* 4. Aufl., München: Vahlen, 1990.
37 Vgl. J.O. Peckham: *The Wheel of Marketing,* Scarsdale, New York: Privatdruck, 1975, S. 73–77.
38 Vgl. Kristian S. Palda: *The Measurement of Cumulative Advertising Effect«,* Englewood Cliffs, N.J.: Prentice Hall, 1964, S. 87.
39 Vgl. David B. Montgomery und Alvin J. Silk: »Estimating Dynamic Effects of Market Communications Expenditures«, in: *Management Science,* Juni 1972, S. 485–501.
40 Vgl. Robert D. Buzzell: »E. I. Du Pont de Nemours & Co.: Measurement of Effects of Advertising«, in: ders.: *Mathematical Models and Marketing Management,* Boston: Division of Research, Graduate School of Business Administration, Harvard University, 1964, S. 157–179.

Direktmarketing-, Verkaufsförderungs- und Public-Relations-Programme

Kapitel 22

Wir mißachten nicht, was uns durch Aufmerksamkeit Gefallen bringen kann.

Mark Twain

Geschenke sind wie Angelhaken.

Martial

In diesem Kapitel beschäftigen wir uns mit dem Direktmarketing, der Verkaufsförderung und der Öffentlichkeitsarbeit (oder Public Relations). Häufig werden diese Einsatzinstrumente der absatzfördernden Kommunikation im Vergleich zur Werbung und zum persönlichen Verkauf als zweitrangig eingestuft. Dabei können sie einen wichtigen Beitrag zum Marketingerfolg leisten und spielen eine zunehmend größere Rolle. In der Praxis werden Direktmarketing, Verkaufsförderung und Öffentlichkeitsarbeit manchmal nicht besonders gut verstanden, und die Marketingabteilungen der Unternehmen sind meist nicht so organisiert, daß sie diese Instrumente wirkungsvoll einsetzen können. Wer als erster in seiner Branche lernt, diese Instrumente zu nutzen, wird einen wesentlichen Wettbewerbsvorteil erringen.

Direktmarketing

Die meisten Unternehmen verlassen sich vornehmlich auf Werbung, Verkaufsförderung und persönlichen Verkauf, um ihre Güter und Dienstleistungen abzusetzen. Die Werbung soll für Bekanntheit und Interesse sorgen, die Verkaufsförderung soll zum Kauf anregen, und im persönlichen Verkauf soll der Verkaufsabschluß erzielt werden. Im Direktmarketing wird versucht, diese Elemente geballt einzusetzen, um direkt und ohne Einschaltung von Absatzmittlern einen Verkaufsabschluß zu bewirken. Ein potentieller Kunde wird durch ein Werbemedium (Katalog, Werbebrief, Telefonanruf, Zeitschrift, Zeitung oder Rundfunkspot) zur direkten Auftragserteilung aufgefordert. Die Auftragserteilung erfolgt dann z.B. über eine gebührenfreie 0130-Telefonnummer unter Angabe des Kreditkartenkontos oder per Post mit beiliegendem Scheck oder Nachnahmeauftrag.

Systematisches Direktmarketing begann mit Werbebriefen und Versandhauskatalogen. Dann entwickelten sich weitere Formen des Direktmarketing wie z.B. Telefonmarketing, Direktreaktionsprogramme in Rundfunk und Fernsehen oder Elektronisches Shopping (z.B. über Bildschirmtext). Allen diesen Marketingwerkzeugen ist eines gemeinsam: sie werden genutzt, um Aufträge direkt von gezielt ausgewählten Kunden oder Interessenten zu erhalten. Dies steht im Kontrast zur Massenwerbung, die eine nicht genau bestimmbare Zahl von Lesern erreicht, welche zum Großteil nicht dem Zielmarkt für ein spezielles Produkt angehören oder erst bei späterer Gelegenheit eine Einkaufsentscheidung im Ladengeschäft treffen.

Obwohl das Direktmarketing in den letzten Jahren einen Boom erlebte, spielt es im Absatzförderungsmix noch immer eine untergeordnete Rolle. Die meisten absatzfördernden Aufwendungen gehen in die Werbung, Verkaufsförderung und in den persönlichen Verkauf. Die entsprechenden Abteilungen hüten eifersüchtig ihren Anteil am Absatzförderungsbudget. Viele Werbeagenturen bieten noch keine Direktmarketingdienste an, weil sie mit der neuen Disziplin noch nicht vertraut sind oder glauben, mehr Gewinn mit herkömmlichen Werbekampagnen zu erwirtschaften. Inzwischen haben die meisten großen Werbeagenturen Direktmarketingkenntnisse erworben, die sie ihren Klienten anbieten. Daneben gibt es Spezialagenturen. In der Bundesrepublik Deutschland stieg die Zahl der auf Direktmarketing spezialisierten Agenturen zwischen 1980 und 1987 von 8 auf ca. 100.[1]

Auch das Verkaufspersonal der Unternehmen hat Argumente gegen das Direktmarketing. So meint Roman:

»Wenn Außendienstmitarbeiter das Wort Direktmarketing hören, sehen sie ihr ureigenstes Aufgabengebiet in Gefahr und denken, daß ihnen die Kunden weggenommen werden sollen. Selbst wenn ein Direktmarketingprogramm nur darauf angelegt ist, potentielle Kunden aufzuspüren und auf ihre Eignung hin zu überprüfen, um aussichtsreiche Kundenhinweise zu liefern und einen höheren Absatz zu ermöglichen, so wird es beim Außendienst doch Vorbehalte hervorrufen, da man die Kontrolle über den Verkaufsprozeß zu verlieren glaubt.« [2]

Selbstverständlich findet man aber auch bereits andersdenkende Unternehmen. Citicorp, AT&T, IBM, Ford und American Airlines nutzten das Direktmarketing, um über viele Jahre hinweg gewinnträchtige Beziehungen zu ihren Kunden aufzubauen. Unternehmen wie Siemens, BMW, Langnese-Iglo oder Jacobs-Suchard versuchen, per Telefon Termine für den Außendienst zu vereinbaren, Kleinkunden direkt zu bedienen, neue Kunden zu akquirieren oder systematisch Informationen über den Markt zu gewinnen. Einzelhändler versenden regelmäßig Kataloge als Ergänzung zum Ladenverkauf. Direktmarketingunternehmen wie Quelle, Otto und Neckermann sind im Versandhandelsmarketing groß geworden. Einige von ihnen haben dann auch Einzelhandelsketten aufgebaut, um aus ihrem im Versandgeschäft erworbenen Ansehen den vollen Nutzen ziehen zu können.

Im folgenden sollen Konzept, Wachstum und Vorteile des Direktmarketing, der Entwicklungstrend hin zum integrierten Direktmarketing und zu Datenbanksystemen für das Direktmarketing sowie die Hauptentscheidungen im Direktmarketing behandelt werden.

Der Begriff »Direktmarketing« hat im Laufe der Jahre neue Inhalte bekommen. Ursprünglich verstand man darunter ein einfaches Marketingkonzept, bei dem Güter oder Dienstleistungen ohne einen zwischengeschalteten Absatzmittler vom Hersteller zum Konsumenten gelangten. In diesem Sinne wirken Unternehmen, deren Verkaufsaußendienst direkt an die Endverbraucher verkauft oder die eigene Verkaufsstellen betreiben. Später wurde der Begriff »Direktmarketing« für das Verkaufen durch Werbebriefe oder Kataloge verwendet. Als dann auch das Telefon und andere Medien zum direkten Verkauf an Endkunden genutzt wurden, definierte die *Direct Marketing Association (DMA)* Direktmarketing umfassender:

Konzept, Wachstum und Vorteile von Direktmarketing

Direktmarketing ist ein interaktives System des Marketing, in dem ein oder mehrere Werbemedien genutzt werden, um eine meßbare Reaktion bei den Kunden und/oder Transaktion mit den Kunden zu erzielen, die man an jedem beliebigen Ort erreichen kann.

Diese Definition betont, daß eine meßbare Marktreaktion, im Regelfall eine Anfrage oder ein Auftrag, bei den Kunden erzielt werden soll. Man kann demnach von *Direktauftragsmarketing* sprechen.

Viele Direktmarketinganwender sehen das Direktmarketing heute noch umfassender: Sie sehen es als *Direktbeziehungsmarketing.* [3] Diese Unternehmen benutzen Direktreaktionsmedien, um einen Auftrag zu erhalten und um mehr über einen Kunden zu erfahren. Dessen Namen und Kenndaten werden in eine *Kundendatenbank* eingegeben, um eine längere und lohnendere *Beziehung* aufzubauen. Hier wird betont, daß Beziehungen zu Vorzugskunden aufgebaut werden sollen. Fluglinien, Hotels und andere Unternehmen bauen intensive Beziehungen mit Vorzugskunden auf. Dazu gehören Treueprämien, bevorzugte Abfertigung, Leistungen auf Kredit, bequemes Inkasso u.a. m. Sie passen mittels ihrer Kundendatenbank ihre Leistungsangebote sorgfältig an die einzelnen Kunden an. Sie nähern sich dem Stadium, in dem Angebote nur noch an die Kunden und Interessenten gehen, die am ehesten fähig, willens und bereit zum Kauf sind. Unternehmen, denen dies gelingt, erzielen mit ihrer Absatzförderung eine stärkere Marktreaktion.

Ende der achtziger Jahre wurden in der Bundesrepublik Deutschland für Maßnahmen des Direktmarketing jährlich ca. 13 Mrd. DM aufgewendet. [4] Diese Aufwendungen stammen zur Hälfte aus Unternehmen der Investitionsgüterindustrie, aus Verlagen und aus dem Versandhandel, welche das Direktmarketing zuerst einsetzten. Dagegen nutzen Unternehmen der Konsumgüterindustrie erst in jüngster Zeit die Möglichkeiten des Direktmarketing, wobei sie mittlerweile ca. 15% der Direktmarketingaufwendungen in Deutschland beisteuern. [5] In Exkurs 22-1 werden die gebräuchlichsten Instrumente des Direktmarketing aufgeführt.

Exkurs 22-1: Die gebräuchlichsten Instrumente des Direktmarketing

Katalogversand: Katalogversender verschicken Kataloge an Kunden und Interessenten, um von ihnen Aufträge zu erhalten. In Deutschland werden jährlich mehr als 200 Millionen Kataloge, d.h. etwa 8 Kataloge pro Haushalt, verschickt, und zwar von sehr großen Vollsortimentern – wie Quelle

und Otto –, die für weite Bevölkerungsschichten ein breites Spektrum an Produkten in ihrem Sortiment führen, während Fachsortimenter wie Conrad-Electronic bestimmte Produktmärkte oder Kundenschichten pflegen. Auch größere Unternehmen wie Ikea haben zusätzlich zu ihrem angestammten Geschäft Katalogversandabteilungen eingerichtet. Darüber hinaus gibt es Tausende von kleinen Unternehmen mit Katalogversand, die Kataloge für Spezialsortimente wie Unterhaltungselektronik, Waffen, Sexartikel, Gartengeräte, Damenbekleidung, Haushaltswaren usw. herausbringen. Führende Versandhäuser zeichnen sich durch die Zusammenstellung attraktiver Sortimente und deren Darstellung in ansprechenden vierfarbigen Umgebungsbildern aus. Zusätzlich zum Kauf über Bestellformulare ermöglichen sie die gebührenfreie telefonische Bestellung, die Bezahlung mit Kreditkarte und den Expreßversand der Ware.
Der Erfolg im Katalogversandgeschäft hängt im wesentlichen davon ab, wie das Unternehmen es versteht, den Versand abzuwickeln, Kundenlisten zu pflegen, die Warenbevorratung zu steuern, Qualitätsprodukte anzubieten und ein besonderes Image für Kundennutzen aufzubauen. Einige Katalogversender versuchen sich dadurch abzuheben, daß sie literarische oder informative Elemente in ihren Katalog aufnehmen, Warenmuster mitversenden, einen Telefondienst für Kundenanfragen einrichten, Geschenke an ihre besten Kunden verschicken oder ankündigen, einen festgelegten Teil ihres Gewinns für soziale Zwecke zu spenden. Manche erfolgreiche Versandhäuser (wie Quelle und früher auch Neckermann) eröffnen auch ein Verkaufsstellennetz. Sie hoffen, auf diese Weise ihre bisherige Kundschaft und neue Interessenten über einen weiteren Absatzweg bedienen zu können. Einige amerikanische Katalogversender – wie Royal Silk, Neiman-Marcus, Sears und Spiegel – experimentieren mit Katalogen auf Videobändern (sogenannten »Videologs«), die sie ihren besten Kunden kostenlos zur Verfügung stellen, und an andere Interessenten verkaufen.
Direktmarketing per Anschreiben: Direktmarketing per Anschreiben ist ein riesiges Geschäft. Direktmarketer verschicken einzelne Postwurfsendungen – wie Briefe, Prospekte, Antwortkarten und andere »Verkäufer im Briefkasten«. In letzter Zeit versenden einzelne Unternehmen auch Audio-Kassetten, Videobänder und sogar Computerdisketten. Ein Hersteller von Heimtrainergeräten verschickt z.B. an Interessenten eine Videokassette, die Anwendungsmöglichkeiten und gesundheitliche Vorteile eines teuren Heimtrainergeräts präsentiert. Ein Garagenhersteller zeigt per Video, wie einfach seine Garagen aufzustellen sind. Ford versendet in den USA eine Computerdiskette mit der Bezeichnung »Disk Drive Test Drive« an Verbraucher, die auf Ford's Autoanzeigen in Computerzeitschriften antworten. Das Diskettenmenü ermöglicht es dem Interessenten, sich eine Verkaufspräsentation, technische Informationen oder attraktive bildliche Darstellungen des Autos auszusuchen und Antworten auf häufig gestellte Fragen zu erhalten. Üblicherweise will man durch Direktmarketing per Anschreiben Güter oder bestimmte Dienstleistungen verkaufen, Interessenten aufspüren, bei denen sich ein Verkaufsgespräch lohnt, interessante Mitteilungen weiterleiten oder treue Kunden belohnen. Die Empfängeradressen können vom Unternehmen selbst zusammengestellt werden oder von Adreßlistenanbietern gekauft werden. Diese Anbieter verkaufen Listen, denen die unterschiedlichsten Kriterien zugrunde liegen wie z.B. Adressen der Superreichen, Wohnmobilbesitzer, Liebhaber der klassischen Musik usw. In der Regel kaufen Unternehmen zunächst nur einen kleinen Teil der verfügbaren

Adressen, um durch eine Testsendung herauszufinden, ob der Rücklauf von diesen Adressen hoch genug ist.

Marketing per direktem Anschreiben gewinnt an Bedeutung, da Zielmärkte mit großer Präzision selektiert werden können, die Botschaft persönlich gehalten werden kann, ein flexibler Einsatz möglich ist und jederzeit Tests und Resultatsmessungen durchgeführt werden können. Zwar sind die Kosten pro 1.000 erreichter Personen im Vergleich zur Massenwerbung höher, dafür zeigen die angesprochenen Personen aber auch ein größeres Interesse. Etwa die Hälfte der privaten Empfänger von Werbebriefen in Deutschland hat auf solche Anschreiben mindestens einmal reagiert. Die meisten der mit der Deutschen Bundespost verschickten Massendrucksachen (1988 mehr als 2,5 Mrd. Stück) werden auf dem Industriegütersektor verschickt (ca. 35%). Unternehmen der Konsumgüterindustrie sind mit ca. 20% vertreten. Die dritte größere Nutzergruppe mit einem Nutzungsanteil von ca. 25% bilden Unternehmen des Einzel- und des Versandhandels (z.B. mit Erinnerungshinweisschreiben zu den Katalogen).

Telefonmarketing: Telefonmarketing hat sich in den USA zu einem wichtigen Direktmarketinginstrument entwickelt und gewinnt auch in Deutschland an Bedeutung. Im Jahr 1987 haben Unternehmen in den USA schätzungsweise 142 Mrd. $ allein an Telefongebühren ausgegeben, um den Verkauf ihrer Güter und Dienstleistungen zu unterstützen. Das Telefonmarketing schaffte Ende der 60er Jahre mit der Einführung des »eingehenden und ausgehenden *Wide Area Telephone Service (WATS)*« den Durchbruch. Mittels *»IN-WATS«* können Marketer ihren Kunden und Interessenten gebührenfreie 800-Telefonnummern zur Erteilung von Aufträgen anbieten, die durch Werbung in den Printmedien oder im Rundfunk, durch Werbebriefe oder Kataloge stimuliert werden.Diese Nummern können auch für Kundenbeschwerden oder -vorschläge genutzt werden. Das »IN-WATS-»System« ist mit dem »Service 130« der Deutschen Bundespost vergleichbar. Mittels *»OUT-WATS«* können die Mitarbeiter des Unternehmens zu besonders günstigen Telefongebühren direkt Konsumenten und Geschäftskunden anrufen, um Kaufinteressenten aufzuspüren, weit entfernte Käufer zu erreichen oder Kunden zu betreuen.

Im Durchschnitt erhält der amerikanische Haushalt jährlich 19 Anrufe von Telefonmarketern und macht 16 Anrufe zur Erteilung von Kaufaufträgen. Einige Telefonmarketingsysteme sind vollkommen automatisiert. So gibt es z.B. sogenannte *»automatic-dialing and recorded message players« (ADRMPs)*. Diese Systeme können selbsttätig Telefonnummern aus einer Liste anwählen, eine auf Band aufgenommene Botschaft abspielen und Aufträge von interessierten Kunden auf ein Antwortband aufnehmen bzw. den interessierten Kunden an einen Telefonverkäufer weiterverbinden. Telefonmarketing wird sowohl in Industriegütermärkten als auch in Konsumgütermärkten vermehrt eingesetzt.

In Deutschland müssen bei der Gestaltung des Telefonmarketing enge rechtliche Grenzen berücksichtigt werden. So darf z.B. telefonisch kein Kontakt mit Privatpersonen aufgenommen werden, zu denen noch keine geschäftlichen Beziehungen bestehen bzw. wenn die letzten Kontakte länger zurückliegen. Deshalb wird in Deutschland ein beträchtlicher Teil des durch Telefonmarketing erzielten Umsatzes (für 1990 auf 1,9 Mrd. DM geschätzt) im Industriegütersektor erzielt. So richtete z.B. Siemens für die Sparte Kommunikationstechnik in den deutschen Zweigniederlassungen eigene Telefonmarketing-Abteilungen ein. Viele Unternehmen betreiben auch nur passives Telefonmarketing, wobei sie z.B. durch Anzeigen Anrufe der Kunden bewirken wollen.

TV-Direktmarketing: Auch das Fernsehen gewinnt an Bedeutung für das Direktmarketing. Auch hier sind die USA in der Entwicklung voraus. Das Fernsehen dient in zweifacher Weise zur direkten Vermarktung von Produkten an Konsumenten. Zum ersten wird TV-Direktmarketing durch *Direktreaktionswerbespots* betrieben. Dabei werden Produkte in Werbespots von etwa 60 bis 120 Sekunden Länge eindrucksvoll beschrieben, und es wird eine gebührenfreie Telefonnummer zur Bestellung angegeben. Mit solchen Werbespots verkauft man in den USA mit Erfolg Produkte wie Zeitschriften, Bücher, kleinere Haushaltsgeräte, Schallplatten und Kassetten sowie Sammelgegenstände. Ein gutes Beispiel dafür sind die Werbespots von Dial Media für »Ginsu-Messer«. In sieben Jahren verkaufte das Unternehmen fast 3 Mio. Messersortimente im Wert von 40 Mio. $. In letzter Zeit werden sogar sogenannte »Infomercials« von 30 Minuten Länge gestreut. Diese Sendungen werden im Stil von Informations- und Dokumentationssendungen aufbereitet und behandeln Themen wie: »Wie gewöhne ich mir das Rauchen ab«, »was tue ich gegen meine Glatze« oder »wie nehme ich ab«. Sie bringen »Zeugenaussagen« von zufriedenen Anwendern dieser Produkte oder Dienstleistungen. Auch hier werden gebührenfreie Telefonnummern zur Auftragserteilung oder Einholung weiterer Informationen eingeblendet.
Zum zweiten wird TV-Direktmarketing in Form von »Tele-Shopping« betrieben. Hier werden ganze Sendungen oder sogar das gesamte Programm einer Sendeanstalt für den Verkauf von Gütern und Dienstleistungen eingesetzt. Die größte Sendeanstalt der USA in diesem Bereich ist Home Shopping Network (HSN), die vierundzwanzig Stunden am Tag sendet. Dort werden Produkte wie Schmuck, Lampen, Sammelpuppen, Bekleidung, Elektrowerkzeuge und Unterhaltungselektronik zu besonders günstigen Preisen angeboten, da es sich bei den Produkten oft um Restposten handelt. Die Shows sind sehr lebendig gestaltet und werden von eloquenten Moderatoren geleitet, die mit Hup- und Pfeifsignalen viel Wirbel machen und die Zuschauer umschmeicheln. Diese geben ihre Bestellungen über kostenlose Telefonnummern durch. Am anderen Ende stehen 400 Mitarbeiter bereit, die über mehr als 1.200 eingehende Leitungen die Aufträge direkt in Computerterminals eingeben. Die bestellten Waren werden innerhalb von 48 Stunden versandt. Der Umsatz aller Tele-Shopping-Kanäle stieg von 1986 bis 1987 von 450 Mio. $ auf 2 Mrd. $. Auch in europäischen Ländern ist das Tele-Shopping im Vormarsch. Durch die Zulassung privater Fernsehanstalten, länderübergreifender Sendemöglichkeiten, der Einrichtung von gebührenfreien Telefonleitungen und durch mehr Wettbewerb bei der Paketbeförderung entwickeln sich die Voraussetzungen für das Tele-Shopping auch im Europäischen Markt. In der Bundesrepublik Deutschland waren es die großen Versandhäuser Quelle und Otto, die in Zusammenarbeit mit privaten Fernsehstationen Ende der 80er Jahre das Tele-Shopping einführten. Allerdings mußten sie dabei berücksichtigen, daß solche Sendungen als Werbesendungen angesehen werden, die nach deutschem Recht einen Anteil von 20% am täglichen Programm eines Senders nicht überschreiten dürfen.
Direktmarketing per Radio, Zeitschriften und Zeitungen: Zeitschriften, Zeitungen und Rundfunk werden ebenfalls für den Verkauf von direkt bestellbaren Produkten genutzt. Die Angesprochenen hören oder lesen von einem Angebot und erteilen über einen gebührenfreien Telefonanruf oder einen Bestellcoupon ihre Aufträge. So zeigte eine Untersuchung, daß etwa 20%

aller Anzeigen in überregionalen deutschen Tageszeitungen und Publikumszeitschriften mit Antwortcoupons versehen sind.
Elektronischer Einkauf: Für den elektronischen Einkauf entwickeln sich zwei Formen. Erstens kann per Bildschirmtext ein Zwei-Weg-System aufgebaut werden, das mittels Kabel- oder Telefonverbindungen den Fernsehapparat des Konsumenten mit den Computerdatenbanken des Verkäufers verbindet. Das Bildschirmtextsystem bietet einen computerisierten Katalog, in dem Produkte von Herstellern, Einzelhändlern, Banken, Reiseveranstaltern und anderen Unternehmen angeboten werden. Der Konsument hat neben seinem normalen Fernsehapparat eine spezielle Tastatur, die per Zwei-Weg-Kabel an das System angeschlossen ist. In Deutschland waren Ende 1989 erst rund 200.000 Btx-Anschlüsse installiert, wobei jeder Btx-Teilnehmer im Durchschnitt etwa zwanzigmal das System anwählte.
Bei der zweiten Form des elektronischen Einkaufs hat der Kunde einen Computer, der per Modem mit dem Computer des Anbieters vernetzt ist. In den USA stehen spezielle Netzdienste – wie Prodigy oder Compuserve – bereit, die das Anwählen von Anbietern leicht machen. Für eine monatliche oder nutzungsabhängige Gebühr ermöglichen diese Dienste den Konsumenten die Bestellung von Gütern bei lokalen oder nationalen Händlern, die Erledigung von Finanzgeschäften mit Banken, die Reservierung von Flügen, Hotels und Mietwagen, den Abruf der wichtigsten Nachrichten und Kinoprogramme sowie die Versendung von Botschaften an andere Nutzer des Systems. Die Zahl der Nutzer von elektronischen Einkaufsmöglichkeiten ist zwar noch gering, wird aber wahrscheinlich steigen, wenn mehr Haushalte über Kabelfernsehanschlüsse und Personalcomputer verfügen und wenn man es auf Marketerseite versteht, diesen Haushalten den Einkauf durch elektronische Medien leicht zu machen.
Kiosk-Shopping: Einige Unternehmen in den USA haben »Kundenauftragsannahme-Automaten« (im Gegensatz zu Verkaufsautomaten) entwickelt und in Handelsgeschäften, auf Flughäfen und an anderen Orten aufgestellt. Ein Anwendungsbeispiel sind die Kioske der Firma Host USA, die man auf Flughäfen antrifft. Der Reisende sieht auf dem Bildschirm ein Textmenü, das ihm die Auswahl zwischen zahlreichen Produktkategorien ermöglicht, z. B. Geschenke und Mitbringsel für Geschäftsfreunde, spezielle Anlässe, Kinder oder Spirituosen. Zur Auswahl berührt er den gewünschten Bereich auf dem Bildschirm. Innerhalb des gewünschten Bereichs, wenn also der Kunde z. B. an Samsonite-Koffern interessiert ist, zeigt dann ein Video die Vorteile von Samsonite-Koffern. Entscheidet sich der Kunde für den Koffer, wird zur Auftragserteilung noch einmal der Bildschirm berührt, um festzulegen, ob der Koffer als Geschenk eingepackt, mit einer persönlichen Nachricht versehen und am nächsten Tag oder mit normaler Lieferfrist zugestellt werden soll. Danach klingelt ein Telefon am Automaten, und der Kunde führt seine Kreditkarte in einen Karteneinzug ein. Dies beendet den Bestellvorgang, und das bestellte Produkt wird dann in kurzer Zeit an die angegebene Adresse geliefert. In Deutschland setzt Metro seit 1985 in einigen seiner Märkte Abfrageterminals ein, die auf dem Verbund Btx/Bildplatte basieren. An diesen Terminals kann der Kunde Informationen über »weiße Ware« (Kühlschränke, Waschmaschinen etc.) abfragen, die in der dargebotenen Vielfalt aufgrund der knappen Ausstellungsfläche nicht anders hätte präsentiert werden können. Der Kunde kann sich die Daten über ausgewählte Geräte ausdrucken lassen, wobei ein Durchdruck als Bestellformular verwendet werden kann. Nach Geschäftsschluß werden über das Btx-System die Produktinformationen der einzelnen Abfrageterminals

aufgefrischt und die Nutzungshäufigkeit der Telesoftware an die Zentrale übertragen.

Quellen: Vgl. zur weiteren Lektüre Janice Steinberg: »Cacophony of Catalogs Fill All Niches«, in: *Advertising Age*, 26. Oktober 1987, S. S1–2; Deutsche Marketing Vereinigung (Hrsg.): *Die Ausgezeichneten*, Stuttgart: Schäffer, 1988, S. 140–153; R. Prätorius: »Wer schreibt, der bleibt«, in: *Wirtschaftswoche*, 15/1989, S. 95–100; Rudy Oetting: »Telephone Marketing: Where We've Been and Where We Should Be Going«, in: *Direct Marketing*, Februar 1987, S. 8; Dietrich Hochstätter: »Anruf verboten«, in: *Wirtschaftswoche*, 37/1990, S. 68–71; Sören Jensen: »Profis an der Strippe«, in: *Manager Magazin*, 9. Jg., 5/1988, S. 259–265; Brigitte Kammerer-Jöbges: »Tele-Shopping – Chance bei Spontankäufern«, in: *Marketing Journal*, 21. Jg., 4/1988, S. 396–399; Arthur Bragg: »TV's Shopping Shows: Your New Move?«, in: *Sales & Marketing Management*, Oktober 1987, S. 85–89; Ralf Jaeckel: »Coupon-Anzeigen«, in: Günter Greff und Armin Töpfer: *Direktmarketing mit neuen Medien*, Landsberg: Verlag Moderne Industrie, 1987, S. 43–52, hier S. 43ff; Zentralausschuß der Werbewirtschaft (ZAW): *Werbung in Deutschland 1990*, Bonn: ZAW, 1990; Alison Fahey: »Prodigy Videotex Expands its Reach«, in: *Advertising Age*, 24. April 1989, S. 75; Ulrich Staub: »Video und Bildplatte«, in: Günter Greff und Armin Töpfer: *Direktmarketing mit neuen Medien*, Landsberg: Verlag Moderne Industrie, 1987, S. 103–122, hier S. 119.

Alle möglichen Organisationen greifen zum Direktmarketing: Hersteller, Einzelhändler, Dienstleistungsunternehmen, der Katalogversandhandel, Nonprofit-Organisationen. Das Wachstum des Direktmarketing im Konsumgütermarkt ist die Antwort auf den Trend »weg von der Massenbehandlung« der Konsumenten, der zu immer mehr kleineren Zielmärkten mit hochgradig individuell ausgeprägten Wünschen und Präferenzen führt. Die Geschäftsabwicklung mit den Konsumenten in diesen Märkten ist leicht, wenn diese Kreditkarten besitzen und über bekannte Adressen und Telefonnummern erreichbar und ansprechbar sind. Den Haushalten in wirtschaftlich hochentwickelten Ländern steht immer weniger Zeit zum Einkauf zur Verfügung, da immer mehr Einpersonenhaushalte entstehen und bei Mehrpersonenhaushalten beide Ehepartner berufstätig sind. Steigende Fahrtkosten, überfüllte Straßen und Parkplätze, Mangel an Beratung in den Geschäften und lange Schlangen an den Kassen begünstigen den *Einkauf im (eigenen) Haus.* Zudem haben viele Handelsketten Artikel mit geringem Umschlag aus ihrem Sortiment gestrichen, womit den Direktmarketern das Feld für den Verkauf dieser Spezialartikel überlassen wurde. Die Einführung der gebührenfreien Telefonnummern sowie die Bereitschaft der Direktmarketer, auch nachts oder an Sonntagen Bestellungen aufzunehmen, haben in den USA das Direktmarketing schnell vorangebracht. Ein weiterer wichtiger Faktor ist hier das reichhaltige Angebot schneller Paketbeförderungsdienste wie Federal Express, Airborne, DHL und viele andere. Schließlich hat auch die gestiegene Leistungsfähigkeit von Computern den Aufbau umfassender Kundendatenbanken ermöglicht, so daß die Direktmarketer für jedes Produkt die jeweils besten Interessenten ermitteln können. Auch in Europa ist das Wachstum des Direktmarketing nicht mehr aufzuhalten, da sich die technischen und gesetzlichen Voraussetzungen dafür durch die Lobby der Gegner des Direktmarketing wohl kaum noch verhindern lassen.

Direktmarketing ist aber auch im Industriegütermarkt kontinuierlich auf dem Vormarsch. Hauptgrund dafür sind die hohen und weiter wachsenden Kosten der Betreuung von Industriekunden durch den Verkaufsaußendienst. In Tabelle 22–1 werden typische Kosten pro Kontakt mit Industriekunden durch unterschiedliche Medien auf dem amerikanischen Markt aufgezeigt. Wenn man berücksichtigt, daß ein einzelner Außendienstkontakt außerhalb der näheren Umgebung etwa 250 $ kostet, wird es klar, daß Außendienstmitarbeiter nur die Kunden und Interessenten besuchen sollten, die wirklich einen Kauf beabsichtigen. Medien mit geringeren Kontaktkosten wie Telefonmarketing, Direktwerbung sowie die selektive und die Massenwerbung, sollten deshalb dazu genutzt werden, vielversprechende Interessenten zu identifizieren und das Verkaufsgespräch vorzubereiten, bevor ein Außendienstmitarbeiter bei ihnen erscheint.

Persönliches Verkaufsgespräch	$ 250	(außerhalb)
	52	(lokal)
Seminare, Messen	40	
Verkäufer schreibt einfachen Brief	25	
Verkaufsraum oder Schalterverkauf	16	
Große Anzeige in den Gelben Seiten	16	
Telefonische Bestellannahme	9	(800-Nummer)
	6	(lokal)
Massentelefonprogramm	8	(national WATS)
	4	(lokal)
Direktwerbung per Post	0,3–3	
Selektiv ausgewählte Medien	0,15	(Werbung in Wirtschaftsveröff.)
Massenmedien	0,01–0,5	(Radio, Zeitung, Fernsehen)

Quelle: John Klein & Associates, Inc., Cleveland, Ohio, 1988

Tabelle 22–1
Typische Kosten pro Kundenkontakt bei Industriekunden durch verschiedene Medien

Direktmarketing bietet auch den Kunden einige Vorteile. Konsumenten, die beim Versandhandel kaufen, sind der Meinung, daß sie hier ohne Streß bequem und zeitsparend einkaufen. Sie können im Sessel sitzend ihre Kataloge durchblättern und dabei nach Angeboten suchen und Leistungen vergleichen. Sie lernen eine größere Auswahl von Waren und auch neue Lebensstile kennen. Sie können Geschenke direkt an den gewünschten Empfänger zustellen lassen, ohne das Haus zu verlassen. Auch industrielle Kunden sehen eine Reihe von Vorteilen im Direktmarketing. Insbesondere können sie Informationen über viele Güter und Dienstleistungen einholen, ohne viel Zeit für Gespräche mit dem Verkaufspersonal aufwenden zu müssen.

Direktmarketing ist in vielen Aspekten auch für die verkaufenden Organisationen vorteilhaft. Interessenten können *selektiver* angesprochen werden. Man kann Adressenlisten fast jeder beschreibbaren Gruppe kaufen: Linkshänder, Übergewichtige, Millionäre, Neugeborene usw. Die Botschaft kann *persönlich gehalten* und *auf den Kunden zugeschnitten* werden. Pierre Passavant sagt: »Wir können Hunderte von unterschiedlichen Botschaften speichern. Wir wählen z.B. zehntausend Familien anhand von 12, 20 oder 50 speziellen Kriterien aus und senden ihnen sehr individuell gehaltene Briefe in Laserdruckerqualität.[6]« Darüber hinaus kann der Direktmarketer eine *kontinuierliche Beziehung* zu jedem Kunden aufbauen. Die Mutter eines Neugeborenen wird regelmäßig Werbesendungen über neue Kleidung, Spielzeug und andere Güter erhalten, die das Baby mit fortschreitendem Alter benötigt. Direktmarketing kann *zeitlich präziser gesteuert* werden, um die Konsumenten im richtigen Augenblick anzusprechen. Direktmarketingmaterialien haben eine *höhere Leserrate*, da hier stärker interessierte Personen erreicht werden. Im Direktmarketing können leicht *Tests* zu unterschiedlichen Medien und Werbebotschaften (Überschriften, Eröffnungsthemen, Kundenvorteile, Preise usw.) gefahren werden, um die kosteneffektivsten Instrumente zu suchen. Direktmarketing gestattet auch einen höheren Grad an *Geheimhaltung*, da Angebot und Strategie eines Unternehmens für die Konkurrenz nicht leicht überschaubar sind. Schließlich kann der Direktmarketer jede Kampagne nach ihrem Erfolg beurteilen, da die *Kundenreaktionen unmittelbar vorliegen.*

Integriertes Direktmarketing

Die meisten Direktmarketer setzen auf ein einziges Werbeinstrument und bringen »Einzelschüsse« an, um Interessenten zu erreichen und an sie zu verkaufen. Es gibt hier jedoch mehrere Verfahren: Beim *Einfach-Einmal-Verfahren* wird nur ein Medium zu einem einmaligen Anstoß genutzt. Ein Beispiel dafür wäre die einmalige Versendung eines Werbebriefes zu Kochutensilien. Beim *Einfach-Multischritt-Verfahren* wird mittels eines einzigen Mediums wiederholt ein Anstoß gegeben, um beim Kunden eine Handlung auszulösen. Zeitschriftenverlage senden z.B. vier Briefe an einen Haushalt, um kündigungswillige Kunden zur Abonnementverlängerung zu bewegen, bevor sie die Sache aufgeben.

Noch wirkungsvoller ist das *Multimedien-Multischritt-Verfahren*, das mehrere unterschiedliche Medien in mehreren Schritten einsetzt. Roman nennt dies *Integriertes Direktmarketing* (IDM). Betrachten wir folgende Sequenz:

Werbeanzeige mit einer Reaktionsmöglichkeit → Direktwerbung per Anschreiben → Ansprache durch Telefonmarketing → Persönliches Verkaufsgespräch → Kontinuierliche Kommunikation

Die Werbeanzeige erzeugt Produktbekanntheit und stimuliert Anfragen. An die Personen, die eine Anfrage an das Unternehmen gerichtet haben, werden dann Anschreiben versandt. Nach weiteren 48 bis 72 Stunden meldet sich das Unternehmen telefonisch und bittet um einen Auftrag. Einige Interessenten werden einen Auftrag erteilen, andere wünschen vielleicht ein persönliches Verkaufsgespräch. Auch wenn ein Interessent noch nicht zum Kauf bereit ist, wird die Kommunikation mit ihm fortgesetzt. Roman ist der Meinung, daß diese *schrittweise Kompression der Kundenreaktionen* den Eindruck und die Bekanntheit einer Botschaft steigert, wenn mehrere Medien innerhalb eines engen zeitlichen Rahmens eingesetzt werden. Die Grundidee ist hierbei, ausgewählte Medien mit einem präzisen Zeitplan einzusetzen und höhere zusätzliche Verkäufe zu erzielen, durch welche die dazu benötigten zusätzlichen Aufwendungen mehr als ausgeglichen werden.

Roman führt als Beispiel die Kampagne der Citicorp zur Vermarktung von Hypothekendarlehen an. Anstelle eines »einzelnen Anschreibens mit kostenloser Rückrufnummer« setzte Citicorp »Anschreiben plus Gutschein plus Rückrufnummer plus telefonisches Nachfassen plus Werbeanzeigen in Printmedien« ein. Die zweite Kampagne kostete mehr, brachte aber, verglichen mit der einfachen Werbebriefaktion, ein Plus von 15 % bei den Kundenneuzugängen. Roman kommt zu folgendem Schluß:

»Wenn ein Werbebrief, der einen Rücklauf von 2% erzielt, von einer gebührenfreien 800-Telefonnummer unterstützt wird, steigt der Rücklauf in der Regel um 50 bis 125%. Eine gekonnt nachgeschobene Nachfaßaktion am Telefon kann die Reaktionsrate nochmals um 500% steigern. Plötzlich ist also unsere zweiprozentige Reaktionsrate einer »Business as usual«-Werbebriefaktion durch die Einbeziehung interaktiver Marketinginstrumente auf 13 % und mehr gestiegen. Die Kosten, die ein integrierter Medienmix zusätzlich erfordert, sind in Anbetracht der hohen Reaktionsrate auf Kosten-pro-Auftrag-Basis marginal ... Zusätzliche Medien im Marketingprogramm erhöhen die Gesamtreaktionsrate ..., da unterschiedliche Personen auf unterschiedliche Stimuli reagieren. [7]«

Rapp und Collins entwickelten ein sehr nützliches Modell – sie nennen es Maximarketing –, in dem mit Instrumenten des Direktmarketing die treibende Kraft im gesamten Marketingprozeß entwickelt wird. [8] Ihr Modell rät, eine Kundendatenbank zu schaffen und das Direktkontaktmarketing als ebenbürtigen Bestandteil in den Marketingprozeß einzubeziehen. Maximarketing besteht aus einem umfassenden »Katalog von Aktivitäten« zur Ansprache von Interessenten, zur Erzielung eines Verkaufsabschlusses und zur Entwicklung einer Beziehung zum Kunden. Das Maximarketingkonzept kann sowohl von Unternehmen, die Massenware über den Einzelhandel vertreiben, als auch von direkt verkaufenden Unternehmen eingesetzt werden (siehe Exkurs 22-2).

Exkurs 22-2: Das »Maximarketing«-Modell für integriertes Marketing

Das Maximarketing-Modell von Rapp und Collins besteht aus neun Schritten, die im folgenden beschrieben werden.

1. *Maximale Zielgruppenbestimmung* verlangt vom Marketer, die besten Zielgruppen für ein Angebot zu definieren und zu identifizieren. Dazu werden entweder passende Adressenlisten gekauft, oder die eigene Kundendatenbank wird nach Charakteristika durchsucht, die auf Interesse, Zahlungsfähigkeit und Kaufwilligkeit hinweisen. Zusätzlich zeichnen sich die »besten Kunden« durch folgende Kriterien aus: Sie kaufen regelmäßig, senden selten Waren zurück, beschweren sich nicht und zahlen pünktlich. Auch Massenmarketer »fischen« nach solchen Interessenten, indem sie Werbeanzeigen bzw. Werbespots mit Antwortinstrumenten in Massenmedien – wie Zeitungsbeilagen, Kontaktkarten in Zeitschriften oder Fernsehen – einsetzen.
2. *Maximierung des Medieneinsatzes* verlangt vom Direktmarketer, aus der zunehmenden Vielfalt der Medien diejenigen auszuwählen, die eine für die potentiellen Kunden bequeme Zwei-Weg-Kommunikation und für den Marketer eine exakte Resultatsmessung ermöglichen.
3. *Maximale Verifizierbarkeit* verlangt die Beurteilung von Kampagnen auf der Basis der Kosten pro Interessentenantwort und nicht auf der Basis der Kosten pro tausend Kontaktchancen, wie es in der Massenwerbung üblich ist.

4. *Maximale Bewußtheit* heißt Botschaften entwerfen, die durch die vielen Störquellen hindurch Herz und Verstand der Interessenten erreichen, und zwar mit »ganzheitlicher« Werbung, welche die rationale und emotionale Seite einer Person anspricht.
5. *Maximale Aktivierung* betont, daß die Werbung den Kauf auslösen muß oder zumindest die Interessenten zu einer meßbar höheren Kaufbereitschaft führt. Zu den Aktivierungsinstrumenten gehören Antwortkarten mit Aussagen wie »Ich möchte mehr Information« sowie Informationsgutscheine mit Hinweisen wie »Muß bis 30.September eingereicht werden«.
6. *Maximale Synergie* erfordert das Aufspüren von Möglichkeiten, wie mit der Werbung mehrere Aufgaben gleichzeitig erfüllt werden können, z. B. die Steigerung der Markenbekanntheit gekoppelt mit direkter Reaktionsmöglichkeit, Förderung zusätzlicher Absatzwege und Kostenteilung mit anderen Werbetreibenden.
7. *Maximale Anschlußwerbung* erfordert eine Verknüpfung von Werbeanstoß und Verkaufsabschluß, welche dadurch erreicht wird, daß ein größerer Teil des gesamten Absatzförderungsbudgets auf die Überzeugungsarbeit für vielversprechende Interessenten konzentriert wird, statt bekanntheitsfördernde Botschaften »in die Welt zu setzen«.
8. *Maximaler Verkaufserfolg* durch den Aufbau von Kundendatenbanken fordern vom Marketer, konsequent vorhandene Kunden direkt mit Ergänzungsangeboten, Aufbesserungsangeboten und neuen Produkten anzusprechen. Der Marketer baut die Kundendatenbank ständig durch weitere Kundeninformationen aus und verfügt am Ende über ein wertvolles unternehmenseigenes Instrument zur Lenkung der Werbung. Heutzutage halten viele Marketer Kenntnisse über den Prozeß der Kundenloyalitätsbildung für ebenso wichtig wie Kenntnisse über den Prozeß der Kundenakquisition, denn sie wollen den »lebenslangen Wert einer Kundenbeziehung« maximieren.
9. *Maximaler Vertrieb* kann durch den Aufbau zusätzlicher Absatzwege zur Erreichung von Interessenten und Kunden erzielt werden. So eröffnen z. B. Direktmarketer eigene Einzelhandelsgeschäfte oder plazieren ihre Waren in den Regalen von bestehenden Einzelhandelsgeschäften, oder ein Einzelhändler verschickt Kataloge; ein Hersteller wie Nestlé könnte sich entscheiden, eine besondere Kaffeemarke direkt an die Konsumenten zu verkaufen.

Quelle: Stan Rapp und Thomas L.Collins: *Maximarketing*, New York: McGraw-Hill, 1987; und dies.: *MaxiMarketing*, Hamburg: McGraw-Hill, 1988.

Datenbanksysteme für das Direktmarketing

Um ein integriertes Direktmarketing erfolgreich anzuwenden, müssen die Unternehmen in ein Datenbanksystem investieren:

Eine Datenbank für das Direktmarketing ist eine systematisch organisierte Sammlung von Daten über einzelne Kunden, Interessenten oder mögliche Interessenten, die für Marketingzwecke zugänglich ist und den Marketer handlungsfähig macht. Zu den Marketingzwecken gehören insbesondere das Aufspüren und Beurteilen von qualifizierten Interessenten, der Verkauf von Gütern und Dienstleistungen sowie die Pflege der Kundenbeziehungen.

Die meisten Unternehmen haben noch kein effektives Marketingdatenbanksystem entwickelt. Massenmarketer wissen in der Regel wenig über einzelne Kunden. Einzelhändler verfügen zwar über viele Informationen zu Kunden, die ausschließlich mit der Kreditkarte des Hauses bezahlen, aber nur über wenige Informationen zu Kunden, die bar oder mit anderen Bankkreditkarten bezahlen. Den Kreditkarteninstitutionen und Banken liegen viele Informationen vor, um umfangreiche Kundendatenbanken aufzubauen. Sie könnten diese Informationen zu einem kompletten Profil des Kunden zusammenstellen, das z.B. für Ergänzungsangebote oder zur Berücksichtigung der Kundenbeziehungen bei der Preisgestaltung dienen könnte. Hier ergeben sich u.U. Probleme des Datenschutzes, und auch die Kunden könnten detaillierten Analysen über ihre Geldangelegenheiten und Ausgabegewohnheiten durch Bankorganisationen ablehnend gegenüberstehen.

Der Aufbau eines Marketingdatenbanksystems erfordert Investitionen in zentrale und dezentrale Computeranlagen, Prozeßsoftware, Informationsanreicherungsprogramme, Kommunikationsverknüpfungspunkte, Personal zur Datenerfassung, Anwendertraining, Entwurf von Analyseinstrumenten usw. Das System sollte anwenderfreundlich und verschiedenen Marketingbereichen zugänglich sein. Dazu gehören Produkt- und Markenmanagement, Neuproduktentwicklung, Werbung und Verkaufsförderung, Direktwerbung, Telefonmarketing, Verkaufsaußendienst, Auftragsbearbeitung und Kundendienst. Die Entwicklung eines Marketingdatenbanksystems ist zwar zeit- und kostenintensiv, führt jedoch im betreffenden Unternehmen zu einer wesentlich höheren Marketingproduktivität, wenn es plangemäß funktioniert. Betrachten wir folgendes Beispiel:

Eine Kundendatenbank von Bosch könnte über die einzelnen Kundenhaushalte demographische, psychographische und mediengraphische Daten sowie Informationen über den Kauf und Bestand von Elektrogeräten sammeln. Bosch könnte so frühere Kunden identifizieren, die in nächster Zeit wohl ihre alten Waschmaschinen ersetzen werden. Dies könnten z.B. große Familien sein, die ihre letzte Bosch-Waschmaschine vor sechs Jahren erworben haben. Es könnten auch vielversprechende Interessenten für einen neuen Bosch-Mikrowellenherd ermittelt werden, indem man untersucht, wer welche Haushaltsgeräte in der Vergangenheit von Bosch gekauft hat und noch kaufen könnte. Man kann auch die treuesten Kunden aufspüren und ihnen Gutscheine im Wert von 50 DM zukommen lassen, die sie beim Kauf des nächsten Geräts von Bosch einlösen können. Es wird deutlich, daß eine gute Kundendatenbank einem Unternehmen ermöglicht, Kundenwünsche zu antizipieren, vielversprechende Interessenten zu identifizieren und treue Kunden zu belohnen.

Hauptentscheidungen im Direktmarketing

Bei der Durchführung einer Direktmarketingkampagne müssen Entscheidungen über Ziele, Zielgruppe, Angebotsstrategie, Einsatztests und Erfolgsmessung getroffen werden. Dies soll im folgenden näher untersucht werden.

Ziele

Der Direktmarketer möchte meist unmittelbare Kaufhandlungen bei den angesprochenen Interessenten auslösen. Der Erfolg einer Kampagne wird nach der erzielten Kaufreaktionsrate beurteilt. In der Regel wird in einer Direktmarketingkampagne eine Kaufreaktionsrate von 2 % als gut angesehen. Dies hieße, daß 98 % der Aufwendungen für die Kampagne vergeudet wären.

Die unmittelbare Kaufhandlung ist aber nicht immer das (einzige) Ziel. Instrumente des Direktmarketing können auch auf die Markenbekanntheit und die Kaufabsicht zu einem späteren Zeitpunkt einwirken. Oftmals dient Direktmarketing nur der Gewinnung von vielversprechenden Interessenten, die dann vom Verkaufspersonal besucht werden können. Darüber hinaus können durch Direktmarketingaktivitäten auch das Marken- und Firmenimage gestärkt werden. So senden Banken und Hotels Glückwünsche zum Geburtstag, und manche Unternehmen verschicken regelmäßig Aufmerksamkeiten an ihre besten Kunden. Einige Marketer führen Direktkampagnen durch, die ihre Kunden informieren und auf spätere Käufe vorbereiten sollen. Da es viele mögliche Ziele für das Direktmarketing gibt, muß der Marketer die Ziele für jede seiner Kampagnen genau festlegen.

Zielgruppe

Direktmarketer müssen Charakteristika von solchen Kunden und Interessenten ausfindig machen, die am ehesten zum Kauf fähig, willens und bereit sind. Bob Stone rät zur Anwendung der K-O-V-Formel (kürzlich, oft, viel) für die Bewertung und Auswahl von Adressaten aus einer Liste. [9] Die besten Ansprechpersonen unter den potentiellen Kunden sind diejenigen, die vor kurzem, oft und viel kauften. Verschiedenen K-O-V-Ausprägungen werden Punkte zugeordnet, und jeder Kunde wird entsprechend bewertet. Je höher die Punktzahl ist, desto attraktiver ist der Kunde für das Unternehmen.

Zur Identifikation der Zielgruppe können Segmentierungskriterien verwendet werden. Potentielle Kunden können über Kriterien wie Alter, Geschlecht, Einkommen, Bildung, frühere Käufe aufgrund von Direktwerbung usw. bestimmt werden. Aus Situationsanalysen ergeben sich auch günstige Segmentierungsmöglichkeiten für das Direktmarketing. Werdende Mütter, die kurz vor der Entbindung stehen, sind auf Informationssuche und kaufbereit für Babysachen; Studienanfänger sind bereit zum Kauf von Schreibmaschinen, Computern, Fernsehapparaten und Bekleidungsartikeln; Jungvermählte halten nach Wohnungen, Möbeln, Haushaltsgeräten und Bankkrediten Ausschau. Eine weitere gute Segmentierungsmöglichkeit für das Direktmarketing ergibt sich aus dem Lebensstil. Es gibt Kunden, die Computer-Freaks, Kochbegeisterte, Naturliebhaber usw. sind. Einige erfolgreiche Versandhandelsfirmen richten ihre speziellen Kataloge an solche Gruppen und finden viel Zuspruch bei den Kunden.

Wenn der Zielmarkt spezifiziert ist, müssen Namen und Adressen vielversprechender potentieller Kunden innerhalb des Zielmarktes ermittelt werden. *Hierzu sind Kenntnisse im Erwerb von und im Umgang mit Adressenlisten* erforderlich. Am besten ist in der Regel eine Liste von Kunden, die schon Produkte des Unternehmens gekauft haben. Zusätzliche Listen können von Adreßlistenanbietern gekauft werden. Der Preis der Liste richtet sich nach der Anzahl der zur Verfügung gestellten Adressen. Durch den Kauf externer Listen stößt man aber auch auf deren Schwachstellen wie Adressenduplizität, unvollständige Daten oder veraltete Adressen. Bessere Listen enthalten – ergänzend zu einfachen Adressen – auch demographische und psychographische Informationen, mit denen sich Zielgruppen noch trennschärfer herausarbeiten lassen. Letztendlich muß man aber Adressenlisten vor einer umfangreichen Anwendung testen, um ihre Zielgenauigkeit und ihren Wert zu ermitteln.

Angebotsstrategie

Um die Wünsche des Zielmarktes zu befriedigen, muß eine effektive Angebotsstrategie ermittelt werden. Nach Nash besteht eine Angebotsstrategie aus folgenden fünf Elementen: Produkt, Offerte, Medium, Distributionsmethode und Kreative Durchführung. [10] Glücklicherweise können alle diese Elemente in Pretests vorab beurteilt werden.

Bei jedem Medium sind die Regeln für einen effektiven Einsatz anders. Nehmen wir z. B. ein Direktanschreiben. Der Marketer muß in seiner Aussendung fünf Komponenten effektiv gestalten. Jede Komponente kann die Kaufreaktionsrate positiv oder negativ beeinflussen. Der *Versandumschlag* ist effektiver, wenn er eine Abbildung (vorzugsweise in Farbe) zeigt oder ein schlagkräftiges Argument für das Öffnen des Umschlags liefert. So kann man auf dem Umschlag dem Empfänger ein Gewinnspiel, ein Geschenk oder einen besonderen Nutzen ankündigen. Der Versandumschlag wird noch effektiver – aber auch kostspieliger –, wenn er mit einer farbenfrohen Sonderbriefmarke versehen ist, die Adresse handgeschrieben ist und Größe und Form des Umschlags von üblichen Formaten abweichen. Dies alles gilt für verschiedene Konsumgütermärkte. Bei industriellen Kunden sind in der Regel Umschläge ohne Werbeaufdrucke effektiver.

Der *Werbebrief* sollte mit einer persönlichen Begrüßung beginnen und dann mit einer auffallenden Überschrift (wie z.B. Zeitungen dies tun), mit einem Wie-Was-Warum-Statement, mit einer kleinen Geschichte oder mit einer Frage die Aufmerksamkeit des Empfängers fesseln. Der Brief sollte auf Papier guter Qualität gedruckt und so lang sein, wie dies für den Kaufanstoß notwendig ist. Durch Absätze und Unterstreichen wichtiger Begriffe und Sätze sollte er sorgfältig strukturiert werden. Ein individuell per Computer ausgedruckter Brief sticht in der Regel einen Brief im Standarddruck aus. Die Verwendung eines markigen »P.S.« am Briefende erhöht ebenso die Reaktionsrate wie die Unterschrift einer Person mit eindrucksvollem Titel. Ein buntes Beilageblatt zum Brief steigert in den meisten Fällen die Reaktionsrate so sehr, daß die Kosten dafür mehr als gedeckt sind. Im *Antwortformular* sollte eine gebührenfreie Telefonnummer angegeben werden. Zusätzlich sollte das Formular einen perforierten Empfangsabschnitt und eine Rücknahmegarantie enthalten. Ein frankierter oder gebührenfreier *Antwortumschlag* wird schließlich die Reaktionsrate ebenfalls erheblich steigern.

Das Telefonmarketing dagegen folgt anderen Regeln. Effektivität erreicht man hier durch die richtige Auswahl der Telefonisten, ihre intensive Schulung und Motivation. Die Telefonisten sollten eine angenehme Stimme haben und positiv eingestellt sein. Bei vielen Produkten sind Frauen als Telefonisten effektiver als Männer. Zunächst sollten die Telefonisten anhand eines vorgegebenen Skripts eingearbeitet werden, das dann mit steigender Erfahrung durch situationsangepaßte Improvisationen aufgelockert wird. Die Gesprächseröffnung ist kritisch. Sie sollte kurze Sätze enthalten und mit einer guten Frage das Interesse des Angesprochenen wecken.

Telefonisten sollten es auch verstehen, das Gespräch elegant zu beenden, wenn es so aussieht, als ob ihr Gegenüber als Interessent nicht in Frage käme. Der Anruf sollte zur richtigen Tageszeit erfolgen. Durch Preise, z. B. für den ersten Auftrag oder den höchsten Umsatz, können die Telefonisten zu einer lockeren und doch zupakkenden Arbeitsweise angeregt werden. Da das Telefonmarketing höhere Kosten pro Kundenkontakt mit sich bringt und die Privatsphäre der Angesprochenen berührt, ist eine sorgfältige Listenauswahl äußerst kritisch. In manchen Ländern – darunter auch die Bundesrepublik Deutschland – sind dem Telefonmarketing per Gesetzgebung enge Grenzen gesetzt. Bei anderen Medien des Direktmarketing wiederum sind die Regeln für eine effektive Anwendung anders.

Einsatztests des Direktmarketing

Ein großer Vorteil des Direktmarketing liegt in der Möglichkeit, unter realen Marktbedingungen die Wirksamkeit einzelner Komponenten der Angebotsstrategie zu testen. Man kann Produktausstattungselemente, Botschaftsgestaltung, Preise, Medien, Adressenlisten usw. testen. Obwohl die Kaufreaktionsraten im Direktmarketing fast immer im einstelligen Bereich liegen, kann durch Testen der einzelnen Elemente ein wesentlicher Beitrag zur Erzielung einer guten Reaktionsrate und Rentabilität geleistet werden.

Die direkte Kaufreaktionsrate legt nicht alle Auswirkungen einer Direktmarketingkampagne offen. Die langfristigen Auswirkungen der Kampagne sind damit noch nicht klar. Angenommen, es bestellen nur 2% der potentiellen Kunden, die im Rahmen einer Werbebriefaktion für Samsonite-Koffer angeschrieben wurden. Ein weit höherer Prozentsatz wurde auf Samsonite-Koffer aufmerksam (Direktwerbung hat einen hohen Leseranteil), während andere den Entschluß faßten, zu einem späteren Zeitpunkt einen Samsonite-Koffer zu erwerben (der Kauf wird dann bei einem Händler erfolgen). Schließlich werden auch einige Adressaten als Reaktion auf den Werbebrief Samsonite-Koffer in ihrem Bekanntenkreis erwähnen. Einige Unternehmen testen deshalb auch den Einfluß von Elementen des Direktmarketing auf Bekanntheit, Kaufabsicht und Mund-zu-Mund-Propaganda, um alle Wirkungen auf den Kaufprozeß umfassender abschätzen zu können, als dies durch die Kaufreaktionsrate allein möglich ist.

Erfolgsmessung

Nachdem der Marketer die Kosten einer geplanten Direktmarketingkampagne ermittelt hat, kann er die benötigte Break-Even-Kaufreaktionsrate im voraus bestimmen. Dabei sind auch Warenrücksendungen und nicht bezahlte Aufträge einzukalkulieren. Warenrücksendungen können für eine ansonsten effektive Kampagne tödlich sein. Deshalb muß der Marketer bei Warenrücksendungen die Hauptursachen dafür schnellstens analysieren. Dazu können verspätete Lieferung, fehlerhafte Ware, Transportschäden, Diskrepanzen zwischen Werbeversprechungen und Produktleistungen oder unkorrekte Auftragsausführung zählen.

Durch eine sorgfältige Analyse früherer Kampagnen können Direktmarketer ihre Leistung kontinuierlich verbessern. Sogar wenn eine spezielle Kampagne auf kurze

Sicht nicht direkt das Break-Even-Volumen erzielte, kann sie im Lichte einer längerfristigen Betrachtung trotzdem erfolgreich gewesen sein.

Angenommen, eine Mitgliederorganisation gibt 10.000 DM für eine Mitgliederwerbeaktion aus, wodurch 100 neue Mitglieder gewonnen werden, die jeweils einen Mitgliedsbeitrag von 70 DM zahlen. Es scheint, daß die Aktion mit einem Verlust von 3.000 DM (= 10.000–7.000) abgeschlossen wurde. Wenn aber 80% der neugeworbenen Mitglieder auch im zweiten Jahr Mitglied bleiben, nimmt die Organisation ohne weiteren Aufwand zusätzlich 5.600 DM ein. Sie hat nun – bei einer Investition von 10.000 DM – Einnahmen von 12.600 DM (= 7.000 + 5.600) zu verzeichnen. Um die langfristig notwendige Break-Even-Rate zu bestimmen, ist es also notwendig, neben der ursprünglichen Reaktionsrate auch die Verweilraten und Verweildauer zu ermitteln. Zusätzlich müssen bei langfristigen Investitionen auch die Kapitalkosten berücksichtigt werden (bei Kampagnen für physische Güter muß die Break-Even-Analyse auch Kosten für offene Geschäfte, Rücksendungen usw. berücksichtigen).

Dieses Beispiel führte das Konzept des *Dauerwerts eines Kunden* ein. Der wirkliche Wert eines Kunden für ein Unternehmen wird nicht durch die Reaktion des Kunden während einer einzelnen Direktmarketingaktion bestimmt. Er ergibt sich aus den erzielten Gewinnen aus allen Käufen, die der Kunde im Laufe der Zeit bei einem Unternehmen tätigt, abzüglich der Kosten für die Akquisition des Kunden und die Pflege der Beziehung zu ihm. Im Direktmarketingbereich wird intensiv an der Entwicklung von Meßverfahren zur Bestimmung des Dauerwerts eines Kunden gearbeitet, damit das Unternehmen seine Aktivitäten auf die attraktiveren Kunden konzentrieren kann. Dies schließt auch Kommunikationsaktivitäten ein, die nicht direkt den Verkauf eines Produkts an den Kunden bezwecken, sondern das Interesse des Kunden am Unternehmen und seinen Produkten wachhalten sollen. Dazu zählen Mitteilungen, Benachrichtigungen, Hinweise, kleine Aufmerksamkeiten und Gratulationen, die eine engere Kundenbeziehung herstellen sollen.

Wenn das Direktmarketing auf der Basis einer sorgfältig entwickelten Kundendatenbank erfolgt, kann es dem Unternehmen vermehrte Umsätze und Gewinne bringen und seine Beziehungen zu den Kunden stärken. Durch Direktmarketing können vielversprechende Interessenten gefunden und mit relativ geringem Aufwand zum Kaufakt geführt werden. Immer mehr Marketer werden das Direktmarketing in ihre Marketingstrategien und Marketingplanung integrieren.

Verkaufsförderung

Verkaufsförderung beinhaltet eine Vielzahl unterschiedlicher, meist kurzfristiger Anreize zur Stimulation schnellerer bzw. umfangreicherer Käufe bestimmter Produkte oder Dienstleistungen durch die Verbraucher oder den Handel. Beispiele dafür gibt es überall:

Beim Kauf von Flaschenbier liegt jedem Bierkasten ein dekorativer Bierkrug bei. An ausgewählten Verkaufspunkten (z.B. in Kassennähe) wird versucht, durch aufsehenerregend vollgepackte Displays Impulskäufer zum Kauf von Süßigkeiten zu bewegen. Ein Anbieter von Camcordern verlost unter Teilnehmern seines Preisausschreibens eine zweiwöchige Flugreise. Ein Hersteller von Elektrowerkzeugen gewährt den Einzelhändlern einen Preisnachlaß von 10 Prozent, wenn sie mit seinen Produkten in der lokalen Presse werben. [11]

Während Werbung einen Kauf*grund* bietet, bietet Verkaufsförderung einen *Anreiz, einen Kaufakt zu vollziehen oder voranzutreiben.* Mit der Verkaufsförderung sollen in der Regel entweder die Endabnehmer eines Produkts, die Handelspartner oder die Verkäufer motiviert werden. Dementsprechend unterscheidet man zwischen Instrumenten der *verbrauchergerichteten Verkaufsförderung* (Verbraucher-Promotion) – wie z. B. Produktproben, Gutscheine, Rückvergütungsrabatte, Sonderpreispackungen (Aktionspackungen), Geschenke, Gewinnspiele, Treueprämien, Probenutzungsangebote, Garantieleistungen und Produktvorführungen –, Instrumenten der *handelsgerichteten Verkaufsförderung* (Händler-Promotion) – wie z. B. Kaufnachlässe, Gratiswaren, Funktionsrabatte, Gemeinschaftswerbung und Händlerwettbewerbe – und *allgemein verkaufsbelebenden Instrumenten der Verkaufsförderung* (Außendienst-Promotion) – wie z. B. Verkaufswettbewerbe, Messen und Werbegeschenke.

Die Werkzeuge der Verkaufsförderung werden in irgendeiner Form von fast allen Organisationen eingesetzt, u. a. von Herstellern, Groß- und Einzelhändlern, Handelsverbänden und auch Nonprofit-Organisationen.

Bedeutung der Verkaufsförderung

Vor einem Jahrzehnt betrug das *prozentuale Verhältnis zwischen Werbe- und Verkaufsförderungsaufwendungen* in den USA rund 60 : 40. Heute hat sich, vor allem in vielen Konsumgüterbranchen, diese Entwicklung umgekehrt; für die Verkaufsförderung werden inzwischen zwischen 60 und 70 % des gesamten Budgets für Werbung und Verkaufsförderung ausgegeben. [12] Die Aufwendungen für Verkaufsförderung steigen pro Jahr um 12 %, während die Zuwachsrate bei den Werbeaufwendungen bei 7,6 % liegt. Die Gesamtaufwendungen für die Verkaufsförderung in den USA belaufen sich schätzungsweise auf 100 Mrd. $, [13] und man erwartet, daß sich das schnelle Wachstum weiter fortsetzt. In der Bundesrepublik Deutschland verläuft die Entwicklung nicht so stürmisch. Jährlich durchgeführte Untersuchungen der Zeitschrift »*Absatzwirtschaft*« in der Konsumgüterindustrie zeigen, daß das Verhältnis zwischen Verkaufsförderungs- und Werbebudget zwischen 0,4 und 0,6 liegt. Dabei legen Unternehmen mit niedrigen Umsatzzahlen größeres Gewicht auf Verkaufsförderungsaktivitäten. [14]

Mehrere Faktoren haben zur schnellen Verbreitung der Verkaufsförderung – vor allem im Konsumgütermarketing – beigetragen. [15] Hier kann man zwischen internen Faktoren und externen Faktoren unterscheiden. Zu den internen Faktoren zählt folgendes: Die Verkaufsförderung wird in der Unternehmensleitung zunehmend als wirksames Marketinginstrument akzeptiert; immer mehr Produktmanager beherrschen das Instrumentarium der Verkaufsförderung und stehen unter wachsendem Druck, den Absatz zu steigern. Zu den externen Faktoren zählt folgendes: Immer mehr Marken kommen auf den Markt; neue Wettbewerbsinstrumente werden gesucht; immer mehr Marken stellen einen gleichen Qualitätsanspruch; das Interesse der Verbraucher an Sonderangeboten nimmt zu; der Handel fordert mehr Sonderangebote; die Werbeeffizienz nimmt aufgrund von steigenden Kosten, Medienüberflutung und rechtlichen Beschränkungen ab.

Die schnelle Verbreitung von Verkaufsförderungsinstrumenten (Gutscheine, Gewinnspiele etc.) hat allerdings, ähnlich wie bei der Werbung, eine hohe *Verkaufsförderungsüberflutung* bewirkt. Die Verbraucherreaktion stumpft ab, so daß z. B. Gutschein- oder andere Verkaufsförderungsaktionen als »Kaufauslöser« nicht mehr so wirkungsvoll sind. Die Hersteller sind gezwungen, im übersättigten »Promotion-Umfeld« nach stärkeren Mitteln zu greifen; sie können z. B. den Wert der ausgegebenen Gutscheine erhöhen oder Display-Materialien und Produktvorführungen am Verkaufsort aufsehenerregender gestalten.

Zweck der Verkaufsförderung

Mit einzelnen Verkaufsförderungsinstrumenten kann ein unterschiedlicher Zweck verfolgt werden. Eine Gratisprobe soll den Verbraucher zum Testen des Produkts anregen, während eine kostenlose Betriebsberatung für einen Einzelhändler die langfristige Geschäftsbeziehung mit ihm festigen soll.

Durch Verkaufsförderungsanreize wollen Anbieter Neukunden gewinnen, treue Kunden belohnen und die Zahl der Wiederholungskäufe von gelegentlichen Verwendern erhöhen. Neukunden zerfallen in drei Untergruppen: Verwender einer anderen Marke innerhalb derselben Produktkategorie, Verwender in anderen substituierbaren Produktkategorien und häufige Markenwechsler. Oft werden durch Verkaufsförderung die Markenwechsler angesprochen, da Verwender anderer Marken und Produktkategorien den Verkaufsförderungsappell nicht immer beachten und selten befolgen. Markenwechsler wollen vor allem einen niedrigen Preis, einen angemessenen Produktnutzen oder Zugaben. Sie kann man durch Verkaufsförderung wahrscheinlich nicht zu markentreuen Verwendern machen. Verkaufsförderungsmaßnahmen haben im Wettbewerb sehr ähnlicher Marken zwar beträchtliche kurzfristige Auswirkungen auf den Verkaufserfolg, bewirken jedoch nur geringe dauerhafte Marktanteilsgewinne. Im Wettbewerb sehr unterschiedlicher Marken hingegen ist es möglich, durch Verkaufsförderung den Marktanteil längerfristig zu verändern.

Viele Manager meinen, daß die Verkaufsförderung die Markentreue schwächt, während die Werbung die Markentreue stärkt. Deshalb ist es für sie ein wichtiges Entscheidungsproblem, das Marketingbudget richtig auf die Verkaufsförderung und die Werbung aufzuteilen. Noch vor zehn Jahren hätten viele Manager zunächst für die Werbung das ausgegeben, was sie für erforderlich hielten, und den Rest des Budgets in die Verkaufsförderung gesteckt. Heute hingegen überlegen viele Manager zunächst, wieviel Geld in die Handels-Promotion gesteckt werden soll, um die Ware in den Handel »hineinzuverkaufen«, wieviel dann für Verbraucher-Promotion ausgegeben werden soll, um die Ware »herauszuverkaufen«, und wieviel dann für Werbung übrig bleibt, um die Markentreue zu stärken.

Es kann jedoch gefährlich sein, wenn die Werbung der Verkaufsförderung nachgeordnet wird. Wenn der Verkauf eines Produkts über die Verkaufsförderung zu oft durch Preisnachlässe gefördert wird, betrachtet der Verbraucher es bald als Billigware oder kauft es nur noch im Sonderangebot. Niemand weiß genau, wann eine Marke auf diese Weise »umkippt«. Eine bekannte führende Marke dürfte jedoch bereits dann gefährdet sein, wenn sie mehr als 30% ihres Umsatzes durch Sonderangebote erzielt. [16] Dominierende Marken werden nur selten durch Sonderangebote gefördert, da hier zwar Handel und Verbraucher den Preisnachlaß einen Sonderangebots gern mitnehmen, ohne jedoch mehr zu kaufen.

Die gängigste Ansicht ist, daß die Verkaufsförderung weniger als die Werbung zum Aufbau langfristiger Markentreue der Verbraucher beiträgt. Eine Untersuchung von 2.500 Käufern löslichen Kaffees führte z. B. Brown zu folgenden Schlußfolgerungen:

- Verkaufsförderung bringt schnellere Kaufreaktionen als Werbung.
- Auf »reifen« Produktmärkten führt die Verkaufsförderung kaum zu neuen und langfristig treuen Kunden, sondern zieht vor allem Verbraucher an, die – je nach Sonderangebot – zwischen den Marken hin- und herwechseln.
- Markentreue Verwender neigen nicht dazu, ihr Kaufverhalten aufgrund von Verkaufsförderungsmaßnahmen anderer Anbieter zu ändern.
- Durch Werbung kann anscheinend der Marken-Goodwill erhöht werden, da die Verbraucher die Marke verstärkt bevorzugen. [17]

Durch Preis-Promotions wird nicht die Gesamtnachfrage einer Produktkategorie auf Dauer gesteigert, sondern es wird nur kurzfristig ein höherer Absatz getätigt. Für Wettbewerber mit geringeren Marktanteilen ist Verkaufsförderung sinnvoll, da sie mit den hohen Werbebudgets der Marktführer nicht mithalten können. Ohne handelsgerichtete Verkaufsförderung können sie ihrem Produkt nicht ausreichend Regalplatz sichern, und ohne verbrauchergerichtete Verkaufsförderung können sie keine neuen Kunden gewinnen. Eine preisaggressive Verkaufsförderung wird oft von Anbietern kleinerer Marken betrieben, die ihren Marktanteil ausbauen wollen; für den Marktführer in einer Produktkategorie ist ein solches Verhalten weniger passend, da er bessere Wachstumschancen hat, wenn er mit anderen Mitteln den Markt für die gesamte Produktkategorie erweitert. [18]

Farris und Quelch weisen darauf hin, daß Verkaufsförderung und insbesondere Preis-Promotions viele Vorteile mit sich bringen, die sowohl für die Hersteller als auch für die Verbraucher von Bedeutung sind: Mit Verkaufsförderung kann sich der Hersteller kurzfristigen Angebots- und Nachfrageschwankungen anpassen; er kann höhere Listenpreise ansetzen, um zu testen, wo der Preis auf Widerstand trifft; die Verbraucher werden dazu angeregt, neue Produkte auszuprobieren, statt an den alten Produkten festzuhalten; Verkaufsförderung begünstigt das Entstehen differenzierter Betriebsformen im Einzelhandel, z. B. von Discount- und Billigpreisgeschäften, und bringt damit dem Verbraucher mehr Wahlmöglichkeiten; Verkaufsförderung fördert ein preisbewußteres Verhalten der Verbraucher; sie ermöglicht Herstellern, mehr zu verkaufen, als dies zum regulären Listenpreis möglich ist, wodurch in dem Maße, in dem »economies of scale« vorhanden sind, die Stückkosten gesenkt werden können; sie unterstützt den Hersteller bei der Anpassung seines Produktprogramms an unterschiedliche Verbrauchersegmente; die Verbraucher ihrerseits fühlen sich besser zufriedengestellt, da sie sich selbst als geschickte Einkäufer sehen, wenn sie Sonderangebote nutzen. [19]

Ein Unternehmen hat in der Verkaufsförderung folgende Entscheidungen zu treffen: Bestimmung der Verkaufsförderungsziele, Auswahl der Verkaufsförderungsinstrumente, Entwicklung, Erprobung, Durchführung und Kontrolle des Verkaufsförderungsprogramms sowie Bewertung der Ergebnisse. Diese Einzelschritte wollen wir im folgenden näher untersuchen.

Verkaufsförderungsentscheidungen

Bestimmung der Verkaufsförderungsziele

Die Verkaufsförderungsziele leiten sich aus den übergeordneten *Absatzförderungszielen* ab, die sich ihrerseits aus den grundlegenden *Marketingzielen* für das jeweilige Produkt ergeben. Die spezifischen Verkaufsförderungsziele variieren je nach Art des Zielmarktes. Durch *verbrauchergerichtete Verkaufsförderung* sollen Verbraucher zum Kauf größerer Mengen veranlaßt, aus bisherigen Nichtverwendern Verwender gemacht und Markenwechsler von den Produkten der Konkurrenz weggelockt werden. Durch *handelsgerichtete Verkaufsförderung* sollen Einzelhändlern Anreize dafür geboten werden, neue Artikel zu führen und die Produktbestände zu erhöhen, auch außerhalb der Saison einzukaufen und Zubehörartikel auf Lager zu nehmen; außerdem soll damit die Markentreue des Einzelhandels gestärkt und der Zugang zu neuen Verkaufsstellen ermöglicht werden. Durch *allgemein verkaufsbelebende Verkaufsförderungsmaßnahmen* soll das Engagement des Verkaufs für ein neues Produkt oder eine neue Produktausführung erhöht, der Verkauf zur verstärkten Neukundenakquisition ermutigt und der Produktabsatz außerhalb der Saison stimuliert werden.

Wahl der Verkaufsförderungsinstrumente

Zur Erreichung der Verkaufsförderungsziele stehen viele Verkaufsförderungsinstrumente zur Verfügung. Der Verkaufsförderer sollte die Art des Zielmarktes, Verkaufsförderungsziele, Wettbewerbsbedingungen und Wirtschaftlichkeit jedes Verkaufsförderungsinstruments berücksichtigen. Im folgenden wollen wir uns mit den wesentlichen verbrauchergerichteten, handelsgerichteten und allgemein verkaufsbelebenden Verkaufsförderungsinstrumenten befassen. Dabei muß stets berücksichtigt werden, daß in der Bundesrepublik Deutschland Verkaufsförderungsaktivitäten durch die vielleicht weltweit strengsten rechtlichen Restriktionen beeinträchtigt werden. Neben dem Gesetz gegen den unlauteren Wettbewerb und dem Gesetz gegen Wettbewerbsbeschränkungen kommen hier insbesondere das Rabattgesetz und die Zugabeverordnung zum Tragen.[20]

Verbrauchergerichtete Instrumente

Die wesentlichen Instrumente der verbrauchergerichteten Verkaufsförderung sind in Exkurs 22-3 aufgelistet. Wir können zwischen verbrauchergerichteten *Hersteller-Promotions* und *Einzelhändler-Promotions* unterscheiden. Zu den Einzelhändler-Promotions gehören z.B. Sonderangebote, Gutschein-Aktionen, Gewinnspiele und Werbegeschenkaktionen, die von Handelsseite initiiert werden.

Am wirkungsvollsten ist Verkaufsförderung, wenn sie mit Werbung kombiniert wird. So fand man in einer Untersuchung heraus, daß POP-Display-Aktionen in

Verbindung mit aktuellen Werbespots im Fernsehen zu einem 15% höheren Absatz führten als vergleichbare Display-Aktionen, die nicht von Fernsehwerbung begleitet wurden. Eine andere Studie kam zu dem Schluß, daß bei der Markteinführung eines Produkts die massive Verteilung von Produktproben in Verbindung mit Fernsehwerbung sowohl erfolgreicher war als Fernsehwerbung allein als auch erfolgreicher als Fernsehwerbung in Verbindung mit einer Gutschein-Aktion. [21]

Exkurs 22-3: Instrumente der verbrauchergerichteten Verkaufsförderung

Produktproben beinhalten das Angebot an den Verbraucher, ein Produkt in einer bestimmten Menge oder in bestimmtem Umfang kostenlos zu erproben. Produktproben können von Haustür zu Haustür verteilt oder auf dem Postweg versandt werden, im Laden erhältlich sein, einem anderen Produkt beigelegt werden oder Bestandteil eines Werbeangebots sein. Sie sind das wirksamste und auch teuerste Mittel, um neue Produkte bekannt zu machen, solange der Probenumfang frei gewählt werden kann. In der Bundesrepublik Deutschland sind aber nur kleine Probengrößen erlaubt, damit es aufgrund der Produktproben weder zu einem psychologischen Kaufzwang noch zu einer Bedarfsdeckung oder einer Verstopfung lokaler oder regionaler Märkte kommt. So betrug der reine Warenwert einer Produktprobenverteilungsaktion der Firma Funny-Frisch, bei der in Nordrhein-Westfalen 4,5 Millionen Beutelchen des Kartoffelgebäcks »Ringli« an private Haushalte verteilt wurden, nur einen Bruchteil der gesamten Aufwendungen von ca. 600.000 DM für diese Aktion.

Gutscheine oder Kupons sind Bescheinigungen, die dem Inhaber beim Erwerb eines spezifischen Produkts eine genau festgelegte Ersparnis garantieren. Gutscheine können per Post versandt, anderen Produkten beigelegt oder Bestandteil von Anzeigen in Zeitschriften und Zeitungen sein. Die Einlösungsquote ist je nach Verteilungsart unterschiedlich hoch. Erfahrungen aus dem amerikanischen Markt zeigen folgendes: Bei Anzeigengutscheinen liegt die Einlösungsquote bei rund 2%, bei postalisch versandten Gutscheinen bei rund 8% und bei dem Produkt beigelegten Gutscheinen bei rund 17%. Mit Gutschein-Aktionen kann der Absatz von Produkten in der Reifephase ihres Lebenszyklusses gesteigert werden, und für neue Produkte können damit frühe Erstverwender gewonnen werden. Man schätzt, daß die im Gutschein zugesagte Ersparnis 15 bis 20% betragen sollte, um die gewünschte Wirkung auszulösen. Eine Ersparnis in derartigem Umfang ist in der Bundesrepublik Deutschland nicht zulässig; gemäß Rabattgesetz darf die Ersparnis maximal 3% betragen.

Rückvergütungsrabatte beinhalten eine ähnliche Vorteilszusage wie Gutscheine, mit dem Unterschied, daß die Preisermäßigung nicht schon beim Kauf im Laden, sondern erst nach dem Kauf gewährt wird. Der Verbraucher sendet dem Hersteller einen vorgeschriebenen Kaufnachweis, der ihm dafür einen Teil des Kaufpreises auf dem Postwege zurückerstattet. Continental führte eine solche Verkaufsförderungsaktion im Jahre 1988 für seine Reifenmarke Uniroyal durch. Dabei wurde den Käufern von Winterreifen zugesichert, daß je nach regionaler Schneesituation ein Teil des Kaufpreises zurückerstattet wird. In Anbetracht der zum Teil recht milden Winter in Deutschland konnte so zwar der Verkauf wirkungsvoll unterstützt werden, aber es mußten auch größere Geldbeträge an die Käufer zurückerstattet werden.

Sonderpreispackungen (Aktionspackungen) bieten dem Verbraucher eine Ersparnis gegenüber dem regulären Produktpreis; der Sonderpreis wird auf dem Etikett oder der Verpackung angegeben. Dabei kann es sich um *Mehrfachpackungen* handeln (z.B. zwei Einzelpackungen zum Preis von einer), oder um *Kopplungspackungen*, d.h. zwei in einem funktionalen Zusammenhang stehende Artikel werden gemeinsam angeboten (z.B. Zahnbürste und Zahncreme). Sonderpreispackungen sind ein sehr wirksames Mittel zur kurzfristigen Absatzstimulierung – sogar noch wirksamer als Gutschein-Aktionen.

Geschenke sind Waren, die zu einem relativ niedrigen Preis oder kostenlos als Anreiz für den Erwerb eines bestimmten Produkts angeboten werden. Eine *Packungszugabe* befindet sich in oder an der Packung. In den USA wird dieses Instrument der Verkaufsförderung zum Teil massiv eingesetzt. So befanden sich in den Hundefutterpackungen der Marke Ken-L Ration von Quaker Oats Gold- und Silbermünzen im Gesamtwert von 5 Mio. $, was die Verbraucher zum Kauf dieses Hundefutters anregen sollte. Auch die Pakkung selbst kann, sofern sie wiederverwendbar ist, als *Zweitnutzenpackung* angeboten werden. Eine *Werbeprämie* ist ein Artikel, der den Verbrauchern nach Einsendung eines Kaufnachweises, z.B. der Packungslasche, kostenlos zugesandt wird. Ein *SLO-Angebot* (»self-liquidating offer«) ist ein Sonder- oder Werbeartikel, der an den umworbenen Kunden zu einem attraktiv niedrigen Preis verkauft wird, so daß i.d.R. nur die Kosten des Angebots für den werbetreibenden Anbieter gedeckt sind. Anbieter unterbreiten den Verbrauchern heute alle möglichen SLO-Angebote, um den Firmennamen bekannt zu machen: So kann der Freund von Budweiser-Bier T-Shirts, Luftballons und Hunderte von anderen Artikeln bestellen, auf denen sich der Name Budweiser befindet. All diese Geschenke haben Zugabecharakter. In der Bundesrepublik Deutschland sind Zugaben grundsätzlich verboten, abgesehen von laut Zugabeverordnung zulässigen Ausnahmen wie z.B. geringwertige Reklamegegenstände, geringe Geldbeträge, handelsübliches Zubehör oder Kundenzeitschriften.

Gewinnspiele bieten Verbrauchern die Möglichkeit, Bargeld, Reisen oder Waren zu gewinnen. Im Rahmen eines *Preisausschreibens* muß der Kunde eine Aufgabe erfüllen (z.B. ein Kreuzworträtsel lösen, Verbesserungsvorschläge machen), um eine Gewinnchance zu haben. Bei einer speziellen *Verlosungsart* (»Sweepstake«) erhält der Kunde schon eine feste Gewinnnummer, mit der er an einer Verlosung teilnimmt, wenn er die Teilnehmerkarte mit seiner Gewinnummer einschickt. Gewinnspiele scheinen mehr Aufmerksamkeit zu bringen als Gutscheine oder kleine Geschenke. In der Bundesrepublik Deutschland werden Gewinnspiele sehr häufig veranstaltet. Allerdings muß darauf geachtet werden, daß weder ein rechtlicher noch ein psychologischer Kaufzwang auf den Konsumenten ausgeübt wird. Der Kunde muß erkennen können, daß ein Produktkauf weder Pflicht zur Teilnahme am Gewinnspiel ist noch die Gewinnchancen erhöht.

Treueprämien sind Belohnungen in Form von Bargeld oder anderen Werten, deren Höhe sich nach dem Grad der Inanspruchnahme des Produkts eines bestimmten Anbieters oder einer Gruppe von Anbietern richtet. Die meisten Fluggesellschaften bieten z.B. spezielle Vielfliegerprogramme; für jeden geflogenen Kilometer werden dem Kunden Punkte gutgeschrieben, die er dann in Freiflüge umwandeln kann. Die Hotelkette Marriott führte ein spezielles Programm für Stammgäste ein; dem Gast wurde bei jedem Hotelbesuch eine bestimmte Zahl von Punkten gutgeschrieben. Die Ausschüttungen von genossenschaftlichen Organisationen richten sich nach dem jährlichen Einkaufsvolumen jedes Mitglieds. Rabatt- oder Sammelmarken sind ebenfalls eine Form der Treueprämie, da sie der Verbraucher für den Einkauf in bestimmten Geschäften erhält und sie dann entweder in speziellen Eintauschzentren gegen Waren einlösen oder in einem Katalog Produkte seiner Wahl aussuchen kann.

Probenutzungsangebote beinhalten das Angebot an potentielle Käufer, das Produkt kostenlos zu testen, wobei man hofft, daß sie es später erwerben werden. So bieten die Autohändler Probefahrten an, um Kaufinteresse zu wecken.

Garantieleistungen sind ein wichtiges Verkaufsförderungsinstrument, vor allem, weil die Verbraucher immer qualitätsbewußter werden. Als der amerikanische Autohersteller Chrysler seine Fahrzeuge mit einer fünfjährigen Garantie anbot, d.h. einem wesentlich längeren Garantiezeitraum als die Konkurrenten General Motors oder Ford, wurde dies von den Kunden stark beachtet. Sie schlossen aus diesem Angebot, daß die Qualität der Chrysler-Fahrzeuge gut sein müsse. In der Bundesrepublik Deutschland geben die Autohersteller immer längere Garantiezeiten gegen Durchrosten der Karosserie (Audi gibt bereits 10 Jahre). Dagegen sind die Gesamtgarantiezeiten noch auf ein Jahr beschränkt. Allerdings werben einige japanische Autohersteller (z.B. Toyota und Mitsubishi) bereits mit einer 3-Jahres-Garantie. Vor Unterbreitung eines Garantieangebots muß das Unternehmen mehrere Überlegungen anstellen: Ist die Produktqualität gut genug? Sollte die Produktqualität weiter verbessert werden? Können Konkurrenten die gleiche Garantieleistung anbieten? Wie lange sollte der Garantiezeitraum sein? Welche Garantieleistungen sollte das Angebot beinhalten (Ersatzlieferung, Instandsetzung, Barvergütung)? Wieviel Geld sollte man in die Werbung stecken, um die potentiellen Kunden über das Angebot zu informieren und sie zu veranlassen, darüber nachzudenken? Vor Einführung eines Garantieangebots muß das Unternehmen den damit zu erzielenden voraussichtlichen Absatzzuwachs gegen die dadurch verursachten voraussichtlichen Kosten abwägen.

Bei **Verbundaktionen** sind zwei bzw. mehrere Marken oder Unternehmen zur Verstärkung des Verkaufseffekts gemeinsam in eine Verkaufsförderungsmaßnahme einbezogen, z.B. durch gemeinsame Gutschein-Aktionen, Rückvergütungsrabatte und Preisausschreiben. In der Hoffnung auf eine größere Wirkung schließen sich mehrere Unternehmen zu einer Verkaufsförderungsmaßnahme zusammen. Gleichzeitig erhöhen alle zusammen den Verkaufsdruck auf den Einzelhandel.

POP-Displays und -vorführungen finden dort statt, wo die Ware zum Verkauf ausgestellt ist. Eine lebensgroße »Lila Kuh«, eingerahmt von mit Milka-Schokolade gefüllten Warenkörben, ist ein Beispiel für ein sogenanntes »POP-Display« (»Point of Purchase«). Manche Einzelhändler machen sich nicht gern die Mühe, die vielen Hinweisschilder, Plakate, Aufsteller, Regalstopper etc., die sie von der Herstellern erhalten, auch wirklich einzusetzen. Die Hersteller versuchen dies zu ändern, indem sie besseres Display-Material entwickeln, es mit Werbung im Fernsehen oder in den Printmedien verbinden und sich bereit erklären, die Displays selbst aufzustellen.

Viele große Unternehmen haben einen Verkaufsförderungsmanager, der den Produktmanagern bei der Auswahl des richtigen Verkaufsförderungsinstruments hilft. Folgendes Beispiel zeigt, wie ein Unternehmen das geeignete Verkaufsförderungsinstrument auswählen kann:

Ein Unternehmen bringt ein neues Produkt auf den Markt und erreicht innerhalb von sechs Monaten einen Marktanteil von 20%. Seine Marktdurchdringungsrate (d.h. der prozentuale Anteil der Zielkunden, welche die Marke zumindest einmal kauften) beträgt 40%, und die Wiederkaufrate (d.h. der prozentuale Anteil der Erstkäufer, welche die Marke einmal oder mehrmals erneut kaufen) beträgt 10%. Dieses Unternehmen muß bestrebt sein, mehr markentreue Verwender zu gewinnen. Zur Erhöhung der Wiederkaufrate wäre z.B. ein Gutschein als Packungszugabe geeignet. Wäre hingegen die Wiederkaufrate bereits hoch, sagen wir 50%, müßte das Unternehmen versuchen, eine größere Zahl von Erstkäufern zu gewinnen. Dafür wären z.B. Gutscheine in Zeitungen oder Zeitschriften das geeignetste Verkaufsförderungsinstrument.

Handelsgerichtete Instrumente

Hersteller nutzen zahlreiche handelsgerichtete Verkaufsförderungsinstrumente. Einige davon sind in Exkurs 22-4 beschrieben. Überraschenderweise fließen in den USA mehr Aufwendungen für die Absatzförderung in handelsgerichtete Verkaufssförderungsmaßnahmen (nämlich 58%) als in verbrauchergerichtete Verbrauchsförderungsmaßnahmen (nämlich 42%).[22] Mit handelsgerichteten Verkaufsförderungsmaßnahmen wollen Hersteller vier Ziele erreichen:

1. *Handelsgerichtete Verkaufsförderung kann den Einzel- oder Großhändler davon überzeugen, die Marke eines Herstellers zu führen*: Regalplatz ist so knapp, daß die Hersteller häufig Kaufnachlässe, Funktionsrabatte, Rücknahmegarantien, Gratiswaren oder direkte Zahlungen (Regalmieten, Leistungsgebühren) anbieten müssen, damit der Handel die Ware ins Sortiment nimmt und auch auf längere Zeit dort beläßt.
2. *Handelsgerichtete Verkaufsförderung kann den Einzel- oder Großhändler davon überzeugen, mehr Ware eines Herstellers zu führen als üblich*: Hersteller bieten Mengenrabatte, um den Handel dazu zu veranlassen, die Warenbestände in seinen Lagerhäusern und Ladengeschäften aufzustocken. Hersteller glauben, daß der Handel seine Verkaufsanstrengungen verstärken wird, wenn er große Mengen ihres Produkts auf Lager hat.
3. *Handelsgerichtete Verkaufsförderung kann den Einzelhändler zur Förderung der Marke durch Display-Aktionen und Sonderangebote anregen*: Vielleicht wollen Hersteller ein Display am Ende eines Regalganges, eine vorteilhaftere Präsentation im Regal oder Aufkleber als Hinweis auf eine Preissenkung. Als Gegenleistung dafür bieten sie dem Einzelhandel Nachlässe, die bei »entsprechendem Leistungsnachweis« gewährt werden.
4. *Handelsgerichtete Verkaufsförderung kann den Einzelhändler und sein Verkaufspersonal dazu anregen, das Produkt eines bestimmten Herstellers besonders zu fördern*: Hersteller versuchen, den Einzelhandel zu besonderen Verkaufsanstrengungen zu bewegen, indem sie Verkaufsförderungsprämien, Verkaufshilfen, Anerkennungsprogramme, Werbegeschenke und Verkaufswettbewerbe anbieten bzw. durchführen.

Exkurs 22-4: Instrumente der handelsgerichteten Verkaufsförderung

Kaufnachlässe

Kaufnachlässe (oder Rechnungsabzug) sind ein direkter Abzug auf den Listenpreis für jeden Kauf innerhalb eines festgelegten Zeitraums. Kaufnachlässe sollen den Handel dazu bewegen, Mengen abzunehmen, die ansonsten nicht abgenommen würden, oder einen neuen Artikel zu führen, der ansonsten nicht ins Sortiment genommen würde. Der Händler kann das gesparte Geld sofort als seinen Gewinn verbuchen, es für Werbezwecke verwenden oder zu Preissenkungen nutzen.

Funktionsrabatte

Als Gegenleistung für die Herausstellung des Produkts eines Herstellers werden dem Einzelhändler Rabatte angeboten. Ein *Werberabatt* ist eine Gegenleistung dafür, daß der Einzelhändler das Produkt des Herstellers werblich herausstellt. Ein *Display-Rabatt* ist eine Gegenleistung dafür, daß der Einzelhändler das Produkt durch besondere Display-Aktionen herausstellt.

Gratiswaren

Gratiswaren beinhalten das Angebot zusätzlicher Warensendungen an Absatzmittler, die eine bestimmte Menge abnehmen oder eine bestimmte Geschmacksrichtung oder Packungsgröße werblich herausstellen. Hersteller könnten auch *Verkaufsförderungsprämien* anbieten, d.h. Bargeld oder Geschenke an Händler oder ihr Verkaufspersonal, um die Produkte des Herstellers im Verkauf voranzustellen. Dem Einzelhandel könnten Hersteller auch *Geschenkartikel* anbieten, auf die z.B. der Firmenname aufgedruckt ist – wie Kugelschreiber, Bleistifte, Kalender, Briefbeschwerer, Streichholzbriefchen, Notizblöcke, Aschenbecher und Meterstäbe.

Unter dem Druck ihrer Handelspartner geben Hersteller für handelsgerichtete Verkaufsförderung mehr aus, als sie aus freien Stücken tun würden. Die zunehmende Konzentration von Einkaufsmacht in den Händen einiger weniger und großer Einzelhandelsorganisationen hat es dem Handel ermöglicht, dem Hersteller zu Lasten der verbrauchergerichteten Verkaufsförderung und der Werbung mehr finanzielle Unterstützung abzuverlangen. Der Handel hat sich inzwischen auf die Verkaufsförderungsmittel der Hersteller eingestellt: So hat der Lebensmitteleinzelhandel in den USA im Jahr 1984 schätzungsweise 12,6 Mrd. $ von den Herstellern erhalten. Das ist dreimal so viel wie die gesamten Gewinne im Lebensmitteleinzelhandel. Würden diese Verkaufsförderungsmittel nicht mehr fließen, würden die Lebensmittelpreise steigen. Zudem kann kein Hersteller einfach von sich aus damit aufhören, dem Handel Nachlässe zu gewähren, ohne damit die Unterstützung durch den Handel zu verlieren. In einigen Ländern hat der Einzelhandel sogar eine wesentliche Stellung in der Werbung eingenommen, die er durch Rabatte und Nachlässe der Hersteller finanziert. So wird geschätzt, daß in Deutschland die Markenartikelindustrie allein für Werbekostenzuschüsse jährlich 500 Mio. DM an den Handel zahlt.[23]

Der Nahrungsmitteleinzelhandel bevorzugt Händler-Promotions anstelle von Verbraucher-Promotions. Er ist über viele herstellerinitiierte Verbraucher-Promotions nicht glücklich. Chevalier und Curhan befinden dazu:

> Der Einzelhandel meint eher, daß herstellerinitiierte Verkaufsförderungsangebote ihn zu einem nutzlosen Markenwechsel veranlassen sollen, als daß sie ihm eine Erhöhung des Absatzes oder Gewinns bringen. Auf Herstellerseite beschwert man sich andererseits darüber, daß durch einzelhandelsinitiierte Verkaufsförderungsmaßnahmen zuweilen die Markenbindung geschwächt wird, die über viele Jahre hinweg sorgsam und unter hohem Kosteneinsatz aufgebaut wurde. Zudem beschweren sich Hersteller – was noch schlimmer ist – auch darüber, daß sie vom Einzelhandel häufig ausgenutzt werden, da dieser die finanziellen Vorteile aus Sonderangebotsaktionen in die eigene Tasche steckt, statt sie an die Verbraucher weiterzugeben. [24]

Durch die Zunahme der handelsgerichteten Verkaufsförderung vergrößerte sich auch das Konfliktpotential zwischen dem Verkauf und dem Produktmanagement. Der Verkauf sagt, daß der Einzelhandel die Produkte des Unternehmens aus dem Sortiment nehmen wird, wenn man ihm nicht mehr Geld für Händler-Promotions zahlt, während das Produktmanagement die begrenzten Geldmittel lieber für Verbraucher-Promotions und Werbung ausgeben will. Einige Verkaufsleiter bestehen darauf, das Budget für Verbraucher-Promotions, und besonders für Händler-Promotions, zu kontrollieren, da sie ihrer Meinung nach über den lokalen Markt besser Bescheid wissen als ein Produktmanager in der Hauptverwaltung. Einige Unternehmen haben die Verantwortung für einen großen Teil des Verkaufsförderungsbudgets dem Verkauf oder dem Marketing-Management vor Ort übertragen.

Hersteller haben auch noch andere Probleme mit der handelsgerichteten Verkaufsförderung. Erstens halten sie es für schwierig, den Einzelhandel zu überwachen und anzuhalten, daß dieser auch tut, was vereinbart war. Die Einzelhändler geben nicht immer die vereinbarten Sonderpreise an die Verbraucher weiter; manche stellen auch keinen zusätzlichen Regalplatz oder zusätzliches Display-Material im Laden zur Verfügung. Zunehmend bestehen die Hersteller auf einem Leistungsnachweis, bevor sie Funktionsrabatte auszahlen. Zweitens kaufen immer mehr Einzelhändler bei Sonderaktionen auf Vorrat, d. h., sie kaufen während der Sonderaktion mehr Ware ein, als sie in diesem Zeitraum verkaufen können. Für einen 10%igen Nachlaß decken sie sich u. U. mit Ware für zwölf Wochen oder noch länger ein. Der Hersteller sieht sich dann gezwungen, mehr zu produzieren als geplant, und muß die Kosten für Zusatzschichten und Überstunden tragen. Drittens »dirigieren« die Einzelhändler zunehmend Ware »um«, d. h. sie kaufen in einem Gebiet, wo der Hersteller eine Sonderaktion durchführt, mehr als benötigt, und lenken die Ware dann auf Gebiete um, wo es keine Sonderkonditionen gibt. Hersteller versuchen, solchen »Vorratskäufen« und Umlenkungsaktionen entgegenzuwirken, indem sie die Bestellmengen, die zu Sonderkonditionen erhältlich sind, begrenzen, oder nicht sofort die gesamte bestellte Menge an Waren produzieren und ausliefern, um die Produktion gleichmäßig auszulasten. [25]

Allgemein verkaufsbelebende Instrumente

Anbieter geben Milliardenbeträge für allgemein verkaufsbelebene Instrumente aus. Einige dieser Instrumente sind in Exkurs 22-5 beschrieben. Damit wollen die Anbieter Kundenkontakte herstellen, bestehende Kunden beeindrucken und belohnen sowie – als dritte Zielgruppe neben den Verbrauchern und Händlern – die Verkaufsorganisation motivieren. In der Regel ist das für solche Instrumente geplante Budget von Jahr zu Jahr in etwa gleich hoch.

Exkurs 22-5: Instrumente zur allgemeinen Verkaufsbelebung

Messen und Ausstellungen

Industrieverbände veranstalten jährlich Messen und Ausstellungen. Dort haben Anbieterunternehmen einer Branche die Gelegenheit, einen Standplatz anzumieten und ihre Produkte auszustellen. In den alten Bundesländern finden jährlich mehr als 200 Messen und Ausstellungen statt, die etwa 140.000 Aussteller und 16 Millionen Besucher anziehen. Dabei liegen die Besuchszahlen einzelner Messen im Bereich von einigen Tausend bis zu mehreren Hunderttausend. Die Internationale Automobilausstellung (IAA) in Frankfurt verzeichnet sogar mehr als 1 Million Besucher. Die Aussteller erwarten davon Vorteile, wie z. B. die Knüpfung neuer und die Pflege vorhandener Kundenkontakte, die Vorstellung neuer Produkte, die Gelegenheit zum Gespräch mit Neukunden, eine Erhöhung des Absatzes an derzeitige Kunden und Informationen für die Kundschaft in Form von Dokumentationen, Filmen und audiovisuellen Informationsmaterialien. Dazu einige Erkenntnisse aus den USA:

- Auf Messen können Unternehmen viele potentielle Kunden ansprechen, die sie über ihre Verkaufsorganisation nicht erreichen können. Rund 90% der Besucher einer Messe haben dort einen ersten persönlichen Kontakt mit einem Verkäufer des Anbieters.
- Der Besucher einer zweitägigen Messe in den USA verbringt im Durchschnitt 7,8 Stunden mit der Begutachtung der ausgestellten Produkte und verweilt durchschnittlich 22 Minuten an jedem Stand. 85% der Besucher treffen eine endgültige Entscheidung zum Kauf eines oder mehrerer der ausgestellten Produkte.
- Die Durchschnittskosten pro erreichten Besucher (einschließlich der Kosten für Ausstellungsobjekte, Anreise, Aufenthalt und Gehalt des Personals sowie der Werbekosten im Vorfeld der Messe) betragen 200 $. Dies ist im Vergleich zu den Kosten für Verkaufsgespräche durch Vertreterbesuche günstig.

Die Planung eines Messeprogramms erfordert zahlreiche Entscheidungen, z. B. an welcher Fachmesse man teilnehmen soll, wieviel man für jede Fachmesse ausgeben soll, wie man einen attraktiven Messestand aufbauen und die Produkte vorteilhaft präsentieren kann oder wie man Kundenkontakten erfolgreich nachgehen kann. Die Vorbereitung von und die Teilnahme an Fachmessen ist ein Bereich, wo sich durch professionelles Management die Effizienz des Messebudgets sichern läßt. Für viele Fachmessen gibt es ausführliche Planungsunterlagen. In Deutschland erstellt die Gesellschaft zur freiwilligen Kontrolle von Messe- und Ausstellungszahlen (FKM) Besucherstrukturtests für die einzelnen Messen und Ausstellungen. Bei Fachbesuchern werden u. a. berufliche Stellung, Entscheidungskompetenz, Aufgabenbereich, Häufigkeit des Messebesuchs und Aufenthaltsdauer erfragt.

Verkaufswettbewerbe
Ein Verkaufswettbewerb ist ein Wettbewerb für die eigene Verkaufsorganisation oder für den Handel zur Verbesserung der Verkaufsergebnisse innerhalb eines bestimmten Zeitraum. Dafür werden Preise an erfolgreiche Verkäufer ausgesetzt. Viele Unternehmen veranstalten einmal jährlich oder auch häufiger Verkaufswettbewerbe für die eigene Verkaufsorganisation. Als »Anreizprogramme« sollen sie leistungsmotivierend wirken und gute Leistungen belohnen. Erfolgreichen Verkäufern winken als Preis Reisen, Bargeld oder Geschenke. Einige Unternehmen bewerten die Leistung auch nach Punkten, die der Verkäufer dann in Preise umwandeln kann. Ein außergewöhnlicher, wenn auch nicht so kostspieliger Preis ist oft besser als viele teure Preise. Anreizprogramme sind dann am wirkungsvollsten, wenn sie an meßbare und erreichbare Verkaufsziele (z.B. gewonnene Neukunden, »wiederbelebte« Altkunden) gebunden sind, bei denen die Mitarbeiter das Gefühl haben, daß Chancengleichheit herrscht. Wenn die Mitarbeiter hingegen glauben, daß die Ziele nicht angemessen sind, werden sie die Herausforderung nicht annehmen.

Geschenkartikel
Geschenkartikel werden vom Verkaufspersonal an potentielle und bestehende Kunden verteilt. Es handelt sich dabei um nützliche und kostengünstige Produkte mit dem Namen und der Adresse des »Spenders« und manchmal auch einer Werbebotschaft. Gängige Geschenkartikel sind z.B. Kugelschreiber, Kalender, Feuerzeuge und Notizblöcke. Durch Geschenkartikel bleibt der Name des Unternehmens im Gedächtnis des potentiellen Kunden; zudem wird Goodwill geschaffen, da es sich um nützliche Gegenstände handelt.

Quellen: Zum Thema Messen vgl. Thomas V. Bonoma: »Get More Out of Your Trade Shows«, in: *Harvard Business Review*, Januar-Februar 1983, S. 75–83; Jonathan M. Cox, Ian K. Sequeira und Liri L. Bock: »Show Size Grows: Audience Quality Stays High«, in: *Business Marketing*, Mai 1988, S. 84–88; Jahres-Handbücher des Ausstellungs- und Messe-Ausschusses der Deutschen Wirtschaft (AUMA): Handbuch Messeplatz Deutschland und Handbuch Regionale Ausstellungen sowie die Jahresberichte der Gesellschaft zur freiwilligen Kontrolle von Messe- und Ausstellungszahlen (FKM); zum Thema Verkaufswettbewerbe vgl. C. Robert Patty und Robert Hite: *Managing Sales People*, 3. Aufl., Englewood Cliffs, N.J.: Prentice Hall, 1988, S. 313–327; zum Thema Verkaufsförderung durch Geschenkartikel vgl. George M. Zinkham und Lauren A. Vachris: »The Impact of Selling Aids on New Prospects«, in: *Industrial Marketing Management*, 13/1984, S. 187–193.

Entwicklung des Verkaufsförderungsprogramms

Zur Entwicklung des vollständigen Verkaufsförderungsprogramms muß der Marketer weitere Entscheidungen treffen. Er muß das gewünschte *Ausmaß des Anreizes* festlegen. Soll die Aktion Erfolg haben, ist ein bestimmter Mindestanreiz erforderlich. Ein höheres Anreizniveau wird zwar größere Auswirkungen auf den Absatz haben, jedoch mit abnehmender Zuwachsrate. Der Marketer muß auch die *Teilnahmebedingungen* bestimmen. Die Anreize können an jedermann oder an ausgewählte Zielgruppen gerichtet sein. Geschenke könnten z.B. an die Rücksendung der Packungslasche oder einen anderen Kaufnachweis gebunden sein. Von Gewinnspielen könnte man bestimmte Regionen, die Familien der Mitarbeiter des Unternehmens oder einen Personenkreis unter einer bestimmten Altersgrenze ausschließen.

Der Marketer muß auch über die *Dauer der Verkaufsförderungsaktion* entscheiden. Ist die Zeitspanne zu kurz, werden viele potentielle Kunden das Angebot nicht nutzen können, weil sie vielleicht diesen Artikel zur Zeit nicht benötigen. Dauert die Aktion zu lang, wird die Aufforderung, »jetzt zuzugreifen«, an Zugkraft verlieren. Einer Untersuchung zufolge liegt die optimale Promotion-Dauer bei der Länge des durchschnittlichen Wiederkaufzyklus. [26] Der optimale Promotion-Zyklus ist abhängig von der Produktkategorie und sogar von dem spezifischen Produkt.

Der Marketer muß einen *Verteilungsträger* auswählen. Gutscheine für einen Preisnachlaß können entweder der Packung beigelegt werden oder im Laden, per Post oder über Werbemedien verteilt werden. Jede Verteilungsmethode bringt unterschiedliche Reichweiten und Kosten mit sich.

Der Marketer muß über das *Timing der Verkaufsförderungsaktion* entscheiden. Produktmanager legen z. B. Kalenderdaten für die im Jahresverlauf geplanten Verkaufsförderungsaktionen fest. Diese Daten dienen dann als Planungsgrundlage für die Produktion, den Verkauf und die Logistik. Es werden auch einige »spontane« Aktionen erforderlich sein, bei denen eine kurzfristige Abstimmung nötig ist.

Schließlich muß der Marketer das *Gesamtbudget für die Verkaufsförderung* bestimmen. Dies kann auf zweierlei Arten geschehen. Das Budget kann »von unten nach oben« aufgebaut werden, wobei der Marketer die einzelnen Aktionen auswählt und die Gesamtkosten dafür abschätzt. Das Budget für eine Verkaufsförderungsaktion errechnet sich aus den *administrativen Kosten* (Druck, Versand und Bekanntmachung des Angebots) und den *Anreizkosten pro Stück* und der *erwarteten Anzahl von Produkteinheiten*, die zum Angebotspreis abgesetzt werden können. Dazu folgendes Beispiel:

Nehmen wir an, ein Hersteller senkt den Preis für ein Aftershave für einen begrenzten Zeitraum um 90 Pfennige. Normalerweise beträgt der Preis für diesen Artikel 10,90 DM, wovon 4 DM den Gewinnbeitrag vor Abzug der Marketingaufwendungen darstellen. Der Marketing-Manager erwartet, daß zu diesem Vorzugspreis 100.000 Flaschen Aftershave verkauft werden. Demzufolge belaufen sich die Anreizkosten für die Aktion auf 90.000 DM (= 0,9 × 100.000). Nehmen wir an, die administrativen Kosten betragen etwa 10.000 DM. Die Gesamtkosten betragen dann 100.000 DM. Um bei dieser Aktion die Gewinnschwelle zu erreichen, muß das Unternehmen 25.000 (= 100.000 DM : 4 DM) Flaschen mehr verkaufen, als es ohne die Verkaufsförderungsaktion im gleichen Zeitraum verkauft hätte, vorausgesetzt, daß die Aktion nur kurzfristige Auswirkungen haben soll.

Bei Gutschein-Aktionen müßte bei der Kostenschätzung berücksichtigt werden, daß nur ein Teil der Verbraucher die Gutscheine einlöst. Bei Zugaben in der Packung sind auch die Kosten für Beschaffung und Verpackung der Zugabe zu berücksichtigen, die eventuell durch einen höheren Abgabepreis für die Packung gedeckt werden müssen.

Der gängigere Weg zur Bestimmung des Verkaufsförderungsbudgets besteht darin, einen bestimmten Prozentsatz des gesamten Absatzförderungsbudgets dafür anzusetzen. So könnte man z. B. für Zahnpasta 30% des Gesamtbudgets für die Absatzförderung in Verkaufsförderungsaktionen stecken, während man z. B. bei Shampoos

50% für Verkaufsförderung ausgibt. Diese Prozentsätze sind je nach Marke und Markt unterschiedlich und werden von der Phase des Produkt-Lebenszyklusses sowie von den Ausgaben der Konkurrenz mit beeinflußt.

Unternehmen mit mehreren Produkten sollten ihre Verkaufsförderungsaktivitäten koordinieren. Sie könnten z.B. den Verbrauchern Gutscheine für mehrere Produkte auf einmal zusenden. Strang stellte in seiner Untersuchung zur Verkaufsförderungspraxis von Unternehmen drei wesentliche Budgetierungsmängel fest:

- Ungenügende Berücksichtigung der Kosteneffektivität.
- Zu stark vereinfachte Entscheidungskriterien wie z.B. Fortschreibung der Ausgaben des Vorjahres, Festlegung des Budgets als Prozentsatz vom erwarteten Umsatz, Beibehaltung eines bestimmten Verhältnisses zu den Werbeausgaben und der »Residualgrößen-Ansatz«, bei dem für Verkaufsförderung das ausgegeben wird, was nach Abzug des Werbebudgets noch übrigbleibt.
- Getrennte Festlegung des Werbebudgets und des Verkaufsförderungsbudgets. [27]

Vortesten des Verkaufsförderungsprogramms

Auch wenn Absatzförderungsprogramme auf Erfahrungswerten beruhen, sollten sie vorgetestet werden, um festzustellen, ob die vorgesehenen Instrumente der Verkaufsförderung angemessen sind, ob das Anreizausmaß passend und die Darbietungsmethode effizient ist. Eine Untersuchung der *Premium Advertisers Association* in den USA zeigte an, daß weniger als 42% der Unternehmen, die Zugaben anboten, »Pretests« über die Wirksamkeit dieses Verkaufsförderungsinstruments durchgeführt hatten. [28] Nach Strangs Auffassung lassen sich Verkaufsförderungsaktionen in der Regel schnell und zu geringen Kosten vortesten; des weiteren stellte er fest, daß einige große Unternehmen bei jeder landesweiten Verkaufsförderungsaktion unterschiedliche Verkaufsförderungsstrategien in ausgewählten Marktgebieten vortesten. [29]

Bei Verkaufsförderungsaktionen für Konsumgütermärkte ist das Vortesten einfach. Man kann z.B. unterschiedliche Angebote von den Verbrauchern bewerten oder einstufen lassen oder regional im Markt ausprobieren.

Durchführung und Kontrolle des Verkaufsförderungsprogramms

Für jede Verkaufsförderungsaktion sollten Durchführungs- und Kontrollpläne erstellt werden. Zur Durchführung muß man die Vorlaufzeit und die eigentliche Laufzeit der Aktion berücksichtigen. Unter Vorlaufzeit versteht man den Zeitraum, der zur Vorbereitung bis zur Einführung des Programms erforderlich ist.

Zur Programmvorbereitung zählen Planung, Entwurf und Genehmigung von Verpackungsänderungen oder von Verkaufsförderungsmaterial, das an die Haushalte versandt oder verteilt werden soll, Vorbereitung von begleitendem Werbe- und POP-Material, Einweisung des Außendienstpersonals, Festlegung des Verteilungsschlüssels für die einzelnen Absatzmittler, Einkauf und Druck von speziellen Zugaben oder Verpackungsmaterialien, Aufbau von Lagerbeständen und Bereithaltung der Ware in Distributionszentren, damit sie am Tag des Aktionsbeginns verfügbar ist, und schließlich ihre Verteilung an den Einzelhandel. [30]

Die Laufzeit beginnt mit dem Start der Aktion und endet, wenn sich rund 95% der

Aktionsware in den Händen der Verbraucher befindet; dies kann sich – je nach Art der Aktion – von einem bis zu mehreren Monaten erstrecken.

Bewertung der Ergebnisse

Nach Strang »wird der Bewertung von Verkaufsförderungsprogrammen nur wenig Beachtung geschenkt. Und auch wenn Versuche zur Ergebnisbewertung einer Verkaufsförderungsaktion unternommen werden, sind sie wahrscheinlich eher oberflächlich ... Die Bewertung von Verkaufsförderungsaktionen auf ihre Rentabilität ist sogar noch weniger verbreitet.« [31]

Herstellerunternehmen haben zur Messung der Wirksamkeit von Verkaufsförderungsaktionen vier Verfahren zur Auswahl. Das gängigste Verfahren ist die Untersuchung der *Verkaufsdaten* vor, während und nach einer Verkaufsförderungsaktion. Nehmen wir an, ein Unternehmen hat vor der Verkaufsförderungsaktion einen Marktanteil von 6 %, der dann während der Aktion auf 10 % steigt, unmittelbar nach Abschluß der Aktion auf 5 % fällt und im darauffolgenden Zeitraum wieder auf 7 % steigt (siehe Abbildung 22–1). Offensichtlich konnten durch die Aktion Neukunden gewonnen und auch die von bestehenden Kunden gekaufte Produktmenge erhöht werden. Nach der Aktion sank der Absatz, da die Kunden zunächst ihre Bestände verbrauchten. Der langfristige Anstieg auf 7 % zeigt an, daß das Unternehmen einige neue Verwender hinzugewinnen konnte. Im allgemeinen sind Verkaufsförderungsaktionen dann am erfolgreichsten, wenn damit Kunden der Konkurrenz dazu bewegt werden können, ein überlegenes Produkt auszuprobieren.

Ist das Produkt des Unternehmens anderen nicht überlegen, wird sich sein Marktanteil wieder beim Niveau vor der Aktion einpendeln. Die Verkaufsförderungsaktion hat dann nur den zeitlichen Verlauf der Nachfrage und nicht die Gesamtnachfrage verändert. Vielleicht bringt die Verkaufsförderungsaktion die dadurch verursachten

Abbildung 22-1
Auswirkungen einer verbrauchsgerichteten Verkaufsförderungsaktion auf den Marktanteil

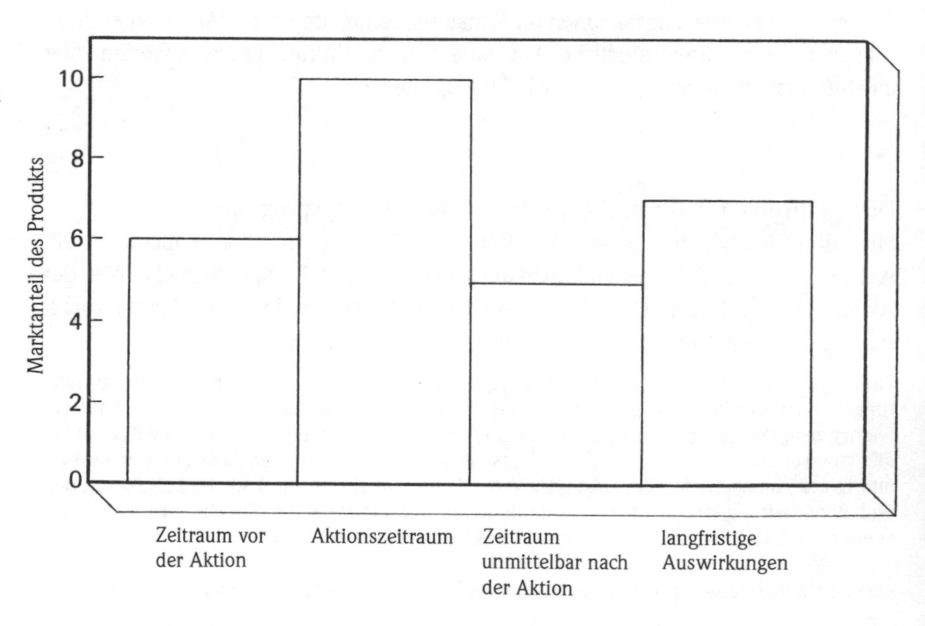

Kosten wieder herein; die Wahrscheinlichkeit spricht jedoch dagegen. Einige Fachleute glauben, daß weniger als 20% aller Verkaufsförderungsaktionen gewinnbringend sind.

Verbraucherpaneldaten geben Aufschluß darüber, welcher Typus von Verbrauchern auf die Aktion reagierte und wie er sich nach der Aktion verhielt. [32] Werden mehr Informationen benötigt, läßt sich durch *Verbrauchererhebungen* feststellen, wie viele Verbraucher sich an die Aktion erinnern, wie sie darüber dachten, wie viele vom Aktionsangebot Gebrauch machten und wie die Aktion ihr späteres Markenwahlverhalten beeinflußte. Auch durch *Experimente* lassen sich durch Variierung von Faktoren wie Anreizwert, Aktionsdauer und Distributionsmethoden Verkaufsförderungsaktionen bewerten.

Neben diesen Verfahren zur Bewertung einzelner Verkaufsförderungsaktionen muß das Unternehmen auch andere mögliche Kosten und Probleme berücksichtigen. Erstens könnten Verkaufsförderungsaktionen auf lange Sicht die Markentreue der Verbraucher schwächen, indem u. U. mehr Verbraucher auf Sonderangebote als auf Werbung ansprechen. Zweitens kann Verkaufsförderung teurer sein, als man meint. Einige Aktionen wenden sich unweigerlich an die falschen Verbraucher (solche, die die Marke nie wechseln, und solche, die sie ständig wechseln, sowie an Kunden des eigenen Unternehmens, die auch ohne Sonderkonditionen kaufen. Zudem entstehen versteckte Kosten durch zusätzliche Produktionsläufe, zusätzliche Verkaufsanstrengungen und Abwicklungskosten. Drittens verunsichern bestimmte Verkaufsförderungsaktionen den Einzelhandel, und dieser verlangt zusätzliche Nachlässe oder verweigert die Zusammenarbeit.

Trotz dieser Probleme wird die Verkaufsförderung weiterhin eine zunehmend wichtigere Rolle innerhalb des Absatzförderungsmix spielen. Für ihren effektiven Einsatz ist die Bestimmung der Verkaufsförderungsziele, die Auswahl der geeigneten Verkaufsförderungsinstrumente, die Entwicklung, das Vortesten, die Durchführung sowie die Bewertung der Ergebnisse des Verkaufsförderungsprogramms erforderlich. [33]

Public Relations (Öffentlichkeitsarbeit)

Die Public Relations (PR) sind ein wichtiges Werkzeug, das bisher von vielen Unternehmen wenig für Marketingzwecke genutzt wurde. Die PR-Abteilung ist in der Regel in der Unternehmenszentrale angesiedelt. Die Mitarbeiter in der PR-Abteilung sind so sehr um ein gutes Verhältnis zu mit verschiedenen Gruppen der Öffentlichkeit – Aktionären, Mitarbeitern, Gesetzgeber, Persönlichkeiten des öffentlichen Lebens – bemüht, daß die Förderung von Produktmarketingzielen durch Public Relations eher vernachlässigt wird. PR-Abteilungen erfüllen die folgenden fünf Aufgaben:

- *Pressebeziehungen*: Durch Pressebeziehungen sollen gezielte Informationen über eine Person, ein Produkt oder eine Dienstleistung in die Presse gebracht werden.

- *Produkt-Publicity*: Produkt-Publicity richtet sich besonders auf die Bekanntmachung bestimmter Produkte in Presse und anderen öffentlichen Medien.
- *Unternehmenskommunikationen*: Dazu zählen interne und externe Kommunikationen, die das Verständnis für das Unternehmen verbessern sollen.
- *Interessenvertretung (»Lobbyismus«)*: Dazu zählen Kontakte zu Politik und Verwaltung mit dem Ziel, gesetzgeberische Vorhaben und Verwaltungsvorschriften zu unterstützen oder zu verhindern.
- *Beratung*: Die Unternehmensleitung wird durch die PR-Abteilung zu Themen von öffentlichem Interesse sowie zu Stellung und Image des Unternehmens beraten. [34]

Des weiteren sprechen Marketing-Manager und PR-Fachleute nicht immer dieselbe Sprache. Ein wesentlicher Unterschied besteht darin, daß Marketing-Manager viel stärker ergebnisorientiert arbeiten, während PR-Fachleute ihre Aufgabe in der Verbreitung von Kommunikationen sehen. Doch dies ändert sich in zweierlei Hinsicht. Erstens fordern die Unternehmen eine stärker *marktorientierte Öffentlichkeitsarbeit*. Sie wollen die PR-Abteilung so geführt sehen, daß sie einen Beitrag zur Stärkung des Unternehmens leistet, der ergebniswirksam ist. Zweitens richten die Unternehmen *marketingbezogene PR-Gruppen* ein, die direkt an der Förderung des Unternehmens, seiner Produkte und seines Images mitwirken. In diesem Sinne würde Marketing-PR, ähnlich wie die Finanz-PR und die Personal-PR, einer bestimmten unternehmensinternen Interessengruppe zuarbeiten, in diesem Fall der Marketingabteilung.

Früher kannte man Marketing-PR unter dem Begriff *Publicity*. Mit Publicity wollte man eine kostenlose Berichterstattung – im Gegensatz zu bezahlten Anzeigen, Spots etc. – in den Medien erreichen. Doch Marketing-PR geht über bloße Publicity hinaus. Marketing-PR kann gezielt Beiträge zur Erfüllung folgender Aufgaben leisten:

- *Die Einführung neuer Produkte unterstützen.*
- *Die Repositionierung eines reifen Produkts unterstützen.*
- *Das Interesse an einer Produktkategorie wecken.*
- *Bestimmte Zielgruppen beeinflussen.*
- *Produkte verteidigen, die in der Öffentlichkeit auf Kritik gestoßen sind.*
- *Das Unternehmensimage so aufbauen, daß es sich positiv auf die Produkte des Unternehmens auswirkt.*

So wie die breite Massenwerbung in Massenmedien aufgrund steigender Medienbelegungskosten, zunehmender Werbeüberflutung und kleinerer Zielgruppen an Bedeutung verliert, sucht das Marketing-Management zunehmend die Öffentlichkeitsarbeit zur Massenkommunikation zu nutzen. Eine Befragung von 286 amerikanischen Marketing-Managern zeigte an, daß in drei Viertel der betreffenden Unternehmen Marketing-PR betrieben wird. Nach Meinung der Befragten hat sich dieses Instrument als besonders nützlich beim Aufbau von Markenbekanntheit und Markenkenntnissen erwiesen, und zwar sowohl bei neuen als auch bei etablierten Produkten. In einigen Fällen erwies es sich als kosteneffektiver als Werbung. Trotzdem muß PR gemeinsam mit der Werbung geplant werden. PR-Arbeit erfordert heute ein größeres Budget als früher, und dieses Geld muß möglicherweise aus dem Werbebudget abgezweigt werden. [35]

Marketing-Manager müssen oft noch viel PR-Geschick erwerben. Bei Gillette muß z.B. jeder Produktmanager die PR-Aufwendungen an seinem Budget gesondert ausweisen und sich rechtfertigen, wenn keine Aufwendungen für PR getätigt wurden. Die Ergebnisabschätzung ist bei PR-Maßnahmen noch schwieriger als bei Werbemaßnahmen. Werbung kann vom Unternehmen in viel größerem Maß gesteuert werden, und die Verfahren der Wirksamkeitsmessung sind hier viel besser entwickelt. PR-Manager finden es deshalb schwierig, konkrete Begründungen zur Höhe des PR-Budgets abzugeben. Das Budget wird wesentlich davon bestimmt, ob man mit guten PR-Ideen aufwarten und dann andere im Unternehmen davon überzeugen kann, daß die dadurch erzielten Ergebnisse die dadurch verursachten Kosten rechtfertigen.

Geschickte PR kann zu weitaus geringeren Kosten als manche Werbung einen bleibenden Eindruck in der Öffentlichkeit hinterlassen. Für PR muß das Unternehmen keinen Anzeigenraum und keine Sendezeit in den Medien einkaufen. Es muß nur die Kosten für das PR-Personal tragen, das Mitteilungen über das Unternehmen erstellen und verbreiten sowie PR-Veranstaltungen organisieren soll. Wenn das Unternehmen eine interessante Mitteilung erstellt hat, wird diese möglicherweise von allen Nachrichtenmedien übernommen und könnte damit dem Unternehmen Millionen von Mark an Kosten für vergleichbare Werbung ersparen. Zudem ist die Glaubwürdigkeit solcher Mitteilungen größer als bei der Werbung. Einige Experten sind der Meinung, daß das Beeinflussungspotential von journalistischen Textbeiträgen auf den Verbraucher fünfmal größer ist als das von Werbetexten.

Entscheidungen zum Einsatz von Marketing-PR

Der Einsatz von Marketing-PR erfordert Entscheidungen zur Bestimmung der zu unterstützenden Marketingziele, zur Auswahl der PR-Botschaften und PR-Träger, zur Durchführung des Marketing-PR-Plans, sowie zur Bewertung der PR-Ergebnisse. Die wesentlichen Instrumente der Marketing-PR sind im Exkurs 22-6 beschrieben.

Bestimmung der zu unterstützenden Marketingziele

Marketing-PR kann folgende Ziele unterstützen:

- **Bekanntheit aufbauen:** Durch PR können Mitteilungen in die Medien gelangen, die ein Produkt, eine Dienstleistung, eine Person, eine Organisation oder eine Idee bekannt machen.
- **Glaubwürdigkeit und Vertrauen aufbauen:** Durch PR kann die Glaubwürdigkeit einer Botschaft erhöht werden, indem sie in einem journalistischen Kontext dargeboten wird.
- **Außendienst und Handelswelt motivieren:** Durch PR kann der Außendienst und der Handel motiviert werden. Mitteilungen über ein neues Produkt vor seiner Markteinführung erleichtern dem Außendienst den Verkauf an den Handel.
- **Kosten der Absatzförderung niedrig halten:** PR kostet weniger als Direktwerbung und Medienwerbung. Je kleiner das Absatzförderungsbudget des Unternehmens ist, desto mehr spricht für den Einsatz von PR, um den Bewußtseinsanteil des Unternehmens bei der Zielgruppe zu erhöhen.

Für jede PR-Kampagne sollten bestimmte Ziele festgelegt werden. Die deutsche chemische Industrie versuchte z.B. der zunehmenden öffentlichen Kritik (insbesondere wegen Umweltverschmutzung) durch PR-Kampagnen zu begegnen, die zum Teil im Rahmen der Initiative »Geschützter leben«, einem Zusammenschluß von 84 Unternehmen und 10 Verbänden der chemischen Industrie, initiiert wurden. Als Oberziel sollte mehr Vertrauen und Akzeptanz in der Bevölkerung erzeugt werden.

Nach einer Reihe von umweltgefährdenden Störfällen in Chemiefabriken im Jahr 1986 mußten Imageverluste wettgemacht werden. Neben der breiten Öffentlichkeit sollte durch Medienauswahl und Schwerpunktargumentation besonders die Teilzielgruppe »Jüngere, besser Gebildete und Meinungsbilder« zu einem ernsthaften Dialog mit Vertretern der chemischen Industrie angeregt werden. Dazu setzte man sich vier Publizitätsziele: (1) Entwicklung einer Anzeigenkampagne in sachlichem Nachrichtencharakter für nationale und regionale Tages- und Wochenzeitungen, (2) Entwicklung von Fernsehspots im Nachrichtenstil in ZDF und ARD sowie in SAT 1 und RTL plus, (3) Anregung der Zielgruppe zum spontanen Dialog per Telefon durch Bekanntgabe einer gebührenfreien Telefonnummer in Anzeigen und Fernsehspots, (4) Schaffung kontinuierlicher Dialogmöglichkeiten durch Telefonaktionen, bei denen Firmenexperten den Lesern von Zeitungen und Zeitschriften in den Redaktionen Rede und Antwort stehen.[36] Diese übergeordneten Ziele wurden dann zu konkret durchführbaren Zielvorgaben verfeinert, so daß die Endergebnisse bewertet werden konnten.

Auswahl der PR-Botschaften und der PR-Träger

Der PR-Fachmann befaßt sich als nächstes mit der Ermittlung und Erarbeitung interessanter Mitteilungen über das Produkt. Nehmen wir an, eine relativ unbekannte Universität will mehr öffentliches Profil. Der PR-Fachmann wird nun nach möglichen Mitteilungen über die Universität suchen. Gibt es vielleicht Mitglieder des Lehrkörpers mit einem außergewöhnlichen beruflichen Hintergrund oder solche, die an ungewöhnlichen Projekten arbeiten? Werden an der Universität neue und außergewöhnliche Unterrichtsfächer angeboten? Veranstaltet die Universität interessante Ereignisse? Diese Suchmaßnahmen führen in der Regel zu vielen Mitteilungen, mit denen dann die Presse »gefüttert« werden kann. Die ausgewählten Mitteilungen sollten das Image prägen, das diese Universität will.

Ist die Zahl der Mitteilungen nicht ausreichend, sollte der PR-Fachmann berichtenswerte Veranstaltungen vorschlagen, die von der Universität gesponsert werden könnten. Hier stellt sich mehr die Aufgabe der *Nachrichtenerzeugung* als der *Nachrichtenfindung*. Gute PR-Ideen wären z.B. die Veranstaltung großer akademischer Kongresse, die Gewinnung bekannter Gastredner und das Abhalten von Pressekonferenzen. Jede dieser Veranstaltungen bietet die Möglichkeit, eine Vielzahl von Mitteilungen in unterschiedlichen Zielgruppen zu streuen.

Veranstaltungen sind insbesondere für nicht gewerbliche Nonprofit-Organisationen wichtig, die für Spendenaktionen werben wollen. Hierfür wurde ein großes Repertoire an speziellen Veranstaltungen entwickelt, z.B. *Jubiläumsfeiern, Kunstausstellungen, Versteigerungen, Wohltätigkeitsabende, Tombolas, Bücherbasare, Kaffee- und Kuchen-Partys, Wettbewerbe, Tanzveranstaltungen, Gala-Diners, Jahrmärkte, Modeschauen, Partys an außergewöhnlichen Orten, Telefonaktionen, Flohmärkte, Ausflüge* und *Wanderungen*. Kaum wartet eine Organisation mit einer neuen Veranstaltung auf, z.B. einem großen »Wander-Tag«, schon ziehen die Konkurrenten mit ähnlichen Veranstaltungen nach. So gibt es inzwischen neben Wander-Tagen auch Lese-Tage, Radfahrer-Tage und Jogging-Tage.

Exkurs 22-6: Instrumente der Marketing-PR

Veröffentlichungen

Unternehmen nutzen in zunehmendem Maße Veröffentlichungen aller Art, um ihren Zielmarkt kommunikativ zu erreichen und zu beeinflussen. Dazu zählen Geschäftsberichte, Prospekte, Schriftbeiträge, audiovisuelle Materialien sowie innerbetriebliche Newsletter und Magazine. Audi nutzte z.B. den Geschäftsbericht 1988, um sein neues Top-Modell in der gehobenen Klasse, den Audi V8, wie in einer Verkaufsbroschüre anzupreisen. Prospekte sind wichtig, um die Kunden darüber zu informieren, worum es sich bei einem bestimmten Produkt handelt, wie es funktioniert und wie es zu bedienen ist. Gut geschriebene Schriftbeiträge von leitenden Angestellten können das Unternehmen und seine Produkte bekanntmachen. Unternehmensinterne Newsletter und Magazine können einen Beitrag zum Aufbau des Unternehmensimages leisten und dem Markt wichtige Nachrichten übermitteln. Audiovisuelle Materialien wie z.B. Filme, Dia-Ton-Shows oder Video- und Audio-Kassetten finden zunehmend Verbreitung als Werkzeuge der Absatzförderung. Die Kosten für audiovisuelle Materialien sind in der Regel höher als für Druckmaterialien, dafür ist aber auch ihre Wirkung entsprechend größer. So engagieren z.B. Hochschulen in den USA Spezialagenturen zur Erarbeitung eines attraktiven Videos, das dann auf einer Rundreise zur Anwerbung von Studenten gezeigt oder Bewerbern zugesandt werden kann, damit sie sich für ein Studium an dieser Hochschule entscheiden.

Veranstaltungen

Durch spezielle Veranstaltungen können Unternehmen ihre neuen Produkte oder andere Aktivitäten bekanntmachen. Dazu zählen Pressekonferenzen, Seminare, Ausflüge, Ausstellungen, Gewinnspiele und Wettbewerbe, Jubiläumsfeiern und Sponsorenschaften für Sport- und Kulturveranstaltungen zur Ansprache des Zielpublikums. Der Auftritt als Sponsor für ein Sportereignis, wie z.B. der Mercedes-Cup im Tennis oder das Volvo-Worldcup-Turnier der Springreiter, gibt den Sponsorunternehmen die Möglichkeit, ihre Lieferanten, Absatzmittler und Kunden einzuladen und zu bewirten sowie den Namen und die Produkte ihres Unternehmens immer wieder ins Licht der Öffentlichkeit zu rücken.

Nachrichten

Eine der wichtigsten Aufgaben von PR-Fachleuten besteht in der Suche nach oder der Erzeugung positiver Nachrichten über das Unternehmen, seine Produkte und seine Mitarbeiter. Die Erzeugung von Nachrichten erfordert Geschick in der konzeptuellen Gestaltung, in der Recherche und im Verfassen von Presseverlautbarungen. Doch der PR-Fachmann muß noch mehr können, als Nachrichten aufzubereiten. Wenn man die Medien dazu veranlassen will, Presseverlautbarungen zu übernehmen und an Pressekonferenzen teilzunehmen, braucht man sowohl Fähigkeiten im Marketing als auch im Umgang mit anderen Menschen. Ein guter PR-Mediendirektor kennt das Bedürfnis der Presse nach interessanten und aktuellen Nachrichten sowie nach gut geschriebenen und Aufmerksamkeit weckenden Presseverlautbarungen. Der Mediendirektor seinerseits ist auf die Gunst der Redakteure und Reporter angewiesen. Je intensiver man die Kontakte mit der Presse pflegt, desto wahrscheinlicher ist eine umfangreiche Berichterstattung über das Unternehmen.

Reden und Vorträge
Reden und Vorträge sind eine weitere Möglichkeit, um ein Produkt und ein Unternehmen in der Öffentlichkeit bekanntzumachen. So nutzte z.B. der Daimler-Benz Chef Edzard Reuter seine Vorträge dazu, die aufkeimende Kritik an der Diversifikationspolitik von Daimler-Benz zu entkräften und negative Auswirkungen auf das Automobilgeschäft des Konzerns abzuwenden. Die führenden Vertreter der Unternehmen müssen sich immer öfter den Medien stellen oder Vorträge bei Verbandsveranstaltungen oder auf Verkaufskonferenzen halten. Diese Auftritte können für das Image des Unternehmens einerseits förderlich, andererseits aber auch schädlich sein. Unternehmen wählen ihre Repräsentanten für die Öffentlichkeit sorgfältig aus und versuchen, mit Hilfe von Ghostwritern und Rhetorik-Wissenschaftlern die öffentlichen Auftritte ihrer Repräsentanten wirkungsvoller zu gestalten.

Soziosponsoring
Unternehmen können ihr öffentliches Ansehen verbessern, indem sie Geld und Arbeitszeit für eine gute Sache aufwenden. Große Unternehmen halten ihre leitenden Angestellten meist dazu an, vor Ort Veranstaltungen zu fördern, die dem Allgemeinwohl dienlich sind. So stellte Daimler-Benz der Stadt Mannheim, dem Standort seines Omnibuswerkes, für drei Jahre etwa 4,5 Millionen DM zur Verfügung, um den Jugendsport, Kunstausstellungen und arbeitslose Jugendliche zu unterstützen. Ein weiteres Aktionsfeld des Sozio-Sponsoring sind nationale Hilfsaktionen. So unterstützten viele Unternehmen im Winter 1990/91 die »Rußlandhilfe« der internationalen Hilfsorganisation Care. Dabei konnte sich z.B. Daimler-Benz medienwirksam in Szene setzen, als man zwölf Mercedes-Sattelschlepper im Wert von drei Millionen DM für die Hilfslieferungen von Care-Deutschland zur Verfügung stellte. Auch die Unterstützung von Umweltschutzaktivitäten findet immer mehr Verbreitung bei den Unternehmen. So fördern z.B. IBM und die Deutsche Bank Projekte des World Wide Fund for Nature (vormals World Wildlife Fund). Neben solchen Aktivitäten, die mehr oder weniger gezielt durch Berichterstattung in Presse, Rundfunk und Fernsehen das Image der Sponsoren verbessern sollen, können auch über den Verkauf von Produkten Geldmittel für soziale Zwecke aufgebracht werden. So werden in Deutschland zahlreiche Schallplatten mit dem Hinweis verkauft, daß etwa zwei bis drei DM des Verkaufspreises für gute Zwecke, wie z.B. die Unterstützung der Krebshilfe, verwendet werden.

Visuelle Identität
Normalerweise ist das Informationsmaterial eines Unternehmens vom äußeren Erscheinungsbild her unterschiedlich, was Verwirrung schafft und bedeutet, daß die Gelegenheit zum Aufbau und zur Stärkung einer Corporate Identity nicht genutzt wird. In einer mit Nachrichten überladenen Gesellschaft müssen Unternehmen sich Aufmerksamkeit erkämpfen. Dabei hilft es, eine »visuelle Identität« zu schaffen, die von der Öffentlichkeit sofort wiedererkannt wird. Diese visuelle Identität wird vom Namen und Logo des Unternehmens, seinem Geschäftspapier, seinen Prospekten, Symbolen, Formularen, Visitenkarten, Gebäuden, seiner Kleiderordnung sowie seinen Fahrzeugen und anderen Transportmitteln getragen.

Quellen: Zur Vertiefung von Fragen zum Thema Sozio-Sponsoring vgl. Manfred Bruhn: *Sozio- und Umweltsponsoring*, München: Vahlen, 1990.

Auch gewerbliche Organisationen versuchen, durch Veranstaltungen ihre Waren und Dienstleistungen bekanntzumachen. So unterstützte Lufthansa die Deutschen Golfmeisterschaften, um mit dem Veranstaltungstitel »Lufthansa German Open« werben zu können. Blaupunkt sponserte im Jahr 1987 die Deutschlandtournee der Rockgruppe Genesis. Daimler-Benz nahm 1986 den 100. Geburtstag des Automobils zum Anlaß, um in einer Fernsehshow seine Autos zur besten Sendezeit in den Mittelpunkt zu stellen.

PR-Fachleute können auch für eher einfache Produkte kreative Ideen entwickeln. Dazu folgende Beispiele:

Im Herbst 1984 gründeten die vier größten Bananenvertriebsgesellschaften der Bundesrepublik Deutschland die »Informationsgemeinschaft Bananen«. Mittels einer markenneutralen PR-Kampagne sollte der stagnierende Pro-Kopf-Verbrauch an Bananen gefördert werden. Zunächst wurde eine Studie über Einstellungen und Verzehrgewohnheiten der Verbraucher durchgeführt. Das Ergebnis zeigte, daß die Verbraucher die Banane als »Kinder-Frucht« einstuften und nur wenig über ihre Gesundheitswerte wußten. Die Vorurteile »Bananen stopfen« und »Bananen machen dick« waren weit verbreitet. Ausgehend von diesen Erkenntnissen sollte in einer PR-Kampagne die Banane als »Produkt im Trend« positioniert und im Verbraucherbewußtsein als »gesunde« und »kulinarische« Frucht verankert werden. So wurde ein kontinuierlicher Bananen-Rezeptdienst eingerichtet und das Nachschlagewerk »Die Banane – Dokumentation einer außergewöhnlichen Frucht« herausgebracht. Regelmäßig wurden Kantinen- und Großverbraucheraktionen durchgeführt. Ernährungsphysiologische Werte der Bananen wurden in regelmäßigen Presseaussendungen den Journalisten mitgeteilt. Dabei wurde insbesondere auf die Einbeziehung der Banane in Vollwertkosternährung eingegangen. Schließlich trat die Interessengemeinschaft auch als Sponsor einer Tagung zum Thema »Ernährung und Psyche« auf. [37]

Die Salamander AG, führender europäischer Straßenschuhproduzent, bezieht ihr Markenimage u. a. aus dem Feuersalamander Lurchi. Nachdem man sich schon zu Beginn des Jahrhunderts den Feuersalamander als Markenzeichen hatte schützen lassen, schuf man 1937 die Gestalt des Feuersalamanders Lurchi, der – aufrecht in Salamander-Schuhen durchs Leben gehend – die tollsten Abenteuer erlebt. Seine Abenteuer erscheinen als Bildergeschichten in Heftchen, die kostenlos in den Salamander-Schuhgeschäften verteilt werden. Bis heute wurden etwa 100 verschiedene Heftchen mit einer Auflage von etwa 1 Million pro Heft herausgebracht. Im Laufe der Zeit wurden rund um Lurchis Abenteuer zusätzliche Artikel entwickelt, die Salamander zu Selbstkosten an die Geschäfte abgibt, wo sie entweder kostenlos verteilt werden (Luftballons, Gummibälle) oder mit Aufschlägen zwischen 5 % und 100 % verkauft werden. Zu den beliebtesten Artikeln zählen fünf Bücher, die sämtliche Lurchi-Abenteuer enthalten, Postkarten, Briefbögen, Schallplatten mit Vertonungen der Lurchi-Geschichten, Plastikfiguren, Spiele (Würfelspiel, Puzzle, Quartett), Malbücher und Aufkleber. Lurchis Abenteuer können sogar über Bildschirmtext verfolgt werden. Insgesamt erzielt Salamander mit den angebotenen Lurchi-Artikeln einen Jahresumsatz von etwa 1,7 Millionen DM. Ziel all dieser Aktivitäten ist es, die Kinder in den Schuhgeschäften zu unterhalten, damit die Eltern während des Schuhkaufs ungestört sind. Dadurch wird die Bindung der Kinder (und damit ihrer Eltern) an Salamander-Geschäfte etabliert bzw. stabilisiert. Mittlerweile hat Lurchi einen Bekanntheitsgrad von 98 %, der natürlich auch auf Salamander abfärbt, und Salamander verkauft einen höheren Anteil an Kinderschuhen als der Branchendurchschnitt.

Durchführung des Marketing-PR-Plans

PR-Maßnahmen müssen sorgfältig durchgeführt werden. Nehmen wir z. B. die Streuung von Mitteilungen in den Medien. Eine aufsehenerregende Mitteilung kann leicht untergebracht werden. Die meisten Mitteilungen sind jedoch nicht sehr außergewöhnlich und werden möglicherweise von den vielbeschäftigten Redakteuren nicht akzeptiert. Mit der wichtigste Vorteil des Einsatzes von PR-Fachleuten ist deren persönliche Beziehung zu den Redakteuren der verschiedenen Medien. Oft waren sie selbst einmal Journalisten, kennen viele Redakteure und wissen, was diese wollen. Für sie sind die Redakteure Kunden, die man zufriedenstellen muß, damit sie auch weiterhin Mitteilungen über das Unternehmen veröffentlichen.

Besonders große Sorgfalt erfordern PR-Maßnahmen dann, wenn es um die Durchführung spezieller Veranstaltungen geht wie z.B. Gala-Diners, Pressekonferenzen und landesweite Wettbewerbe. PR-Fachleute brauchen ein gutes Gespür für das Detail und für schnelle Lösungen, wenn etwas schiefläuft.

Bewertung der Ergebnisse von PR-Maßnahmen

Der Erfolgsbeitrag von PR-Maßnahmen ist schwer zu messen, da sie meist in Kombination mit anderen Instrumenten der absatzfördernden Kommunikation eingesetzt werden. Der Erfolgsbeitrag von PR-Maßnahmen ist leichter zu bewerten, wenn sie zeitlich vor den anderen Instrumenten der absatzfördernden Kommunikation eingesetzt werden. Einige mögliche Meßgrößen sind:

Anzahl der Medienkontakte

Die einfachste Meßgröße für die Wirksamkeit von PR-Maßnahmen ist die Anzahl der *Medienkontakte.* PR-Agenturen legen ihren Klienten eine Aufstellung vor, in der alle Medien aufgeführt sind, die über das Produkt berichtet haben, und zusätzlich einen Kurzbericht, der wie folgt aussehen könnte:

Über 17 Rallye-Veranstaltungen, an denen Opel-Ascona-Fahrer teilnahmen, wurde im Fernsehen insgesamt 369 Minuten lang berichtet. Privatunternehmen und der ADAC verkaufen bzw. verleihen Videofilme über einzelne Veranstaltungen mit einer Gesamtlänge von 85 Minuten. In der ADAC-Motorwelt (Auflage: 7 Millionen) wird das Opel Ascona-Siegerauto der ADAC Rallye Deutschland auf der Titelseite und mehreren Innenseiten gezeigt. In fünf der bedeutendsten Motor-Zeitschriften (860.000 verkaufte Stück pro Auflage) wurden insgesamt 108 Abbildungen mit dem Opel Ascona veröffentlicht. Basierend auf der vorsichtigen Schätzung, daß 5% der Fernsehzeiten und 10% der Videofilmzeiten dem Opel Ascona zugute kamen, hätte eine entsprechende Belegung dieser Medien sowie der Fachzeitschriften mit gekauften Werbespots bzw. Anzeigen etwa 1,6 Millionen DM gekostet.[38]

Dieses Meßverfahren nach Medienkontakten ist nicht sehr zufriedenstellend. Es sagt nichts darüber aus, wie viele Zielpersonen die Botschaft tatsächlich gelesen, gehört oder behalten haben und was sie nachher darüber dachten. Es liefert keine Angaben über die tatsächlich erreichten Zielpersonen, da es bei Veröffentlichungen in den Printmedien zu Überschneidungen bei der Leserschaft kommt. Da das Ziel von PR-Maßnahmen eine möglichst große Netto-Reichweite, und nicht eine möglichst große Brutto-Reichweite ist, wäre es nützlich, zu ermitteln, wie groß die Anzahl der erreichten Zielpersonen unter Ausschluß von Mehrfachkontakten (sogenannten externen Überschneidungen) ist.

Veränderungen beim Produktbekanntheitsgrad, den Produktkenntnissen und den Produkteinstellungen der Zielpersonen
Eine nützlichere Meßgröße sind die durch die PR-Kampagne (nach Berücksichtigung der Auswirkungen anderer Absatzförderungsinstrumente) bewirkten Veränderungen beim Produktbekanntheitsgrad, den Produktkenntnissen und den Produkteinstellungen der Zielpersonen. Von Interesse sind hier z. B. folgende Fragen: Wie viele Zielpersonen können sich daran erinnern, die Nachricht gehört zu haben? Wie viele haben anderen davon erzählt (eine Meßgröße für die Wirkung von Mund-zu-Mund-Propaganda)? Wie viele änderten ihre Meinung, nachdem sie die Nachricht gehört hatten? So konnte die Initiative »Geschützter leben«, die von 84 Unternehmen und 10 Verbänden der deutschen chemischen Industrie getragen wird, mit ihren PR-Kampagnen erreichen, daß der Bevölkerungsanteil, der die chemische Industrie positiv sieht, zwischen Ende 1986 und 1988 von 38% auf über 50% stieg. Des weiteren wußte ein Viertel der Bevölkerung, daß die Branche Umwelt-Leitlinien erstellt hat und 60% wollten mehr über diese Leitlinien wissen. [39]

Umsatz- und Gewinnbeitrag
Die nützlichsten Meßgrößen – sofern ermittelbar – wären Umsatz- und Gewinnbeitrag. Diese Meßgrößen sind jedoch außerordentlich schwer zu ermitteln und bestenfalls grob abschätzbar.

In der Zukunft dürfte in der strategischen Planung mehr Wert auf die Verknüpfung von Werbung, PR und anderen Instrumenten der absatzfördernden Kommunikation gelegt werden. Große Werbeagenturen haben die zunehmende Hebelwirkung der Public Relations erkannt und in jüngster Zeit bedeutende PR-Agenturen aufgekauft. Deutsche PR-Agenturen werden dabei insbesondere von internationalen Agenturen übernommen. So erwarb z. B. die amerikanische Werbeagentur Grey über ihre Tochter Greycom die Frankfurter Agentur Ringpress, und die PR-Agentur Burson Marsteller, die zuvor von der Young & Rubicam-Werbegruppe übernommen worden war, die Münchner Agentur CPR. [40] Die übernommenen PR-Agenturen werden von der sehr disziplinierten Vorgehensweise der Werbeagenturen profitieren, und die Werbeagenturen werden ihrerseits vom durch die PR-Agenturen eingebrachten erweiterten Kreativitätshorizont profitieren.

Zusammenfassung

Direktmarketing, Verkaufsförderung und Public Relations (Öffentlichkeitsarbeit) werden zunehmend wichtiger für die Marketingplanung.

Direktmarketing ist ein interaktives System des Marketing, in dem ein oder mehrere Werbemedien (Werbebriefe, Katalogversand, Telefonmarketing, elektronischer Einkauf etc.) genutzt werden, um an einem beliebigen Ort eine meßbare Reaktion bei den Kunden und/oder eine Transaktion mit den Kunden zu erzielen. Direktmarketing wird von Herstellern, Einzelhändlern, Dienstleistungsunternehmen und anderen Organisationen genutzt. Für die verkaufende Organisation bietet Direktmarketing folgende Vorteile: Interessenten können selektiver angesprochen werden, die Botschaft kann persönlich gehalten und auf den Kunden zugeschnitten werden, es kann eine kontinuierliche Beziehung zu jedem Kunden aufgebaut werden, Direktmarketing kann zeitlich präziser gesteuert werden und hat eine höhere Leserrate, Tests zu unterschiedlichen Medien und Werbebotschaften können leicht gefahren werden, und Direktmarketing gestattet auch einen höheren Grad an Geheimhaltung. Die Entwicklung geht verstärkt hin zum integrierten Direktmarketing, zum »Maximarketing« und zu Datenbanksystemen für das Direktmarketing.

Zur Verkaufsförderung zählen eine Vielzahl von kurzfristigen Anreizen, die an die Verbraucher oder an den Handel gerichtet sind, oder allgemein die Verkaufsaktivitäten beleben sollen. Es wird für Verkaufsförderung oft mehr ausgegeben als für Werbung, und die Ausgaben für Verkaufsförderung steigen schneller als die Ausgaben für Werbung. Zu den verbrauchergerichteten Instrumenten der Verkaufsförderung zählen Produktproben, Gutscheine, Rückerstattungsrabatte, Sonderpreispakkungen, Geschenke, Gewinnspiele, Treueprämien, Probenutzungsangebote, Garantieleistungen, Verbundaktionen sowie Displays und Produktvorführungen am Verkaufsort. Zu den handelsgerichteten Instrumenten der Verkaufsförderung zählen Kaufnachlässe, Funktionsrabatte, Gratiswaren, Verkaufsförderungsprämien und Geschenkartikel. Zu den allgemein verkaufsbelebenden Instrumenten der Verkaufsförderung zählen Messen und Ausstellungen, Verkaufswettbewerbe und Geschenkartikel. Zur Planung der Verkaufsförderung gehört die Bestimmung der Verkaufsförderungsziele, die Auswahl der Verkaufsförderungsinstrumente, die Entwicklung, das Vortesten und die Durchführung sowie die Bewertung der Ergebnisse des Verkaufsförderungsprogramms.

Die Public Relations (Öffentlichkeitsarbeit) sind ein weiteres wichtiges Instrument der absatzfördernden Kommunikation. Es wird zwar weniger intensiv eingesetzt, kann jedoch viel zum Aufbau des Produktbekanntheitsgrads und von Präferenzen im Markt, zur Repositionierung und zur Verteidigung von Produkten des Unternehmens beitragen. Die wichtigsten PR-Werkzeuge sind Veröffentlichungen, Veranstaltungen, Nachrichten, Reden und Vorträge, Soziosponsoring und Aufbau einer visuellen Identität. Der Einsatz von PR erfordert Entscheidungen zur Bestimmung der zu unterstützenden Marketingziele, zur Auswahl der geeigneten Botschaften und Botschaftsträger, zur Durchführung des PR-Plans sowie zur Bewertung der PR-Ergebnisse.

Anmerkungen

1 Vgl. Heinz Dallmer: »Direct-Marketing«, in: Manfred Bruhn (Hrsg.): *Handbuch des Marketing*, München: Beck'sche Verlagsbuchhandlung 1989, S. 535–562, hier S. 538.
2 Ernan Roman: *Integrated Direct Marketing*, New York: McGraw-Hill, 1989, S. 108.
3 Die Begriffe *direct-order marketing* und *direct-relationship marketing* wurden als Untergruppen des Direktmarketing von Stan Rapp und Tom Collins vorgeschlagen; vgl. dazu: *The Great Marketing Turnaround*, Englewood Cliffs, N.J.: Prentice Hall, 1990.
4 Diese vom DDV (Deutscher Direktmarketing-Verband) ermittelten Zahlen stellen aber nicht den Anteil des Direktmarketing an den Gesamtwerbeaufwendungen in Deutschland dar, die nach ZAW im Bereich von 35 Mrd. DM liegen; vgl. Zentralausschuß der Werbewirtschaft (ZAW); *Werbung in Deutschland 1990*, Bonn: ZAW, 1990, S. 233 ff.
5 Vgl. Dallmer: »Direct-Marketing«, S. 539 ff.
6 Pierre A. Passavant: »Where Is Direct Marketing Headed in the 1990's?«, eine Rede in Philadelphia, 4. Mai 1989.
7 Roman: *Integrated Direct Marketing*, S. 3. In einem weiteren Beispiel kamen LaTour und Manrai zu folgenden Ergebnissen zum prozentualen Anteil der Befragten, die an einer Blutspendeaktion teilnahmen: keine Briefwerbung, keine Telefonwerbung: 2 Prozent; nur Briefwerbung: 4,4 Prozent; nur Telefonwerbung: 7,5 Prozent; Briefwerbung gefolgt von Telefonwerbung: 21,9 Prozent. Vgl. Stephen A. LaTour und Ajay K. Manrai: »Interactive Impact of Informational and Normative Influence on Donations«, in: *Journal of Marketing Research*, August 1989, S. 327–335.
8 Vgl. Stan Rapp und Thomas L. Collins: *Maximarketing*, New York: McGraw-Hill, 1987.
9 Vgl. Bob Stone: *Successful Direct Marketing Methods*, Chicago: Crain Books, 1979, S. 323–325.
10 Vgl. Edward Nash: *Direct Marketing*, 2. Aufl., New York: McGraw-Hill, 1986, S. 16.
11 Eine Vielzahl von Beispielen für Verkaufsförderungsaktionen findet man z.B. in der Zeitschrift *Lebensmittel-Praxis* und der *Lebensmittel-Zeitung*. Deutsche Standardwerke zur Verkaufsförderung sind: Klaus Birkigt: *Angewandte Verkaufsförderung*, Hamburg: Marketing Journal, 1983; Peter Cristofolini und Gerhard Thies: *Verkaufsförderung: Strategie und Taktik*, Berlin, New York: de Gruyter, 1979. Als umfassende und analytische Abhandlung zur Verkaufsförderung ist folgendes Buch aus Amerika zu empfehlen: Robert C. Blattbey und Scott A. Neslin: *Sales Promotion: Concepts, Methods, and Strategies*, Englewood Cliffs, N.Y.: Prentice Hall, 1990.
12 So gaben z.B. 68 Konsumgüterhersteller im Jahr 1987 64,8% ihres kombinierten Werbe- und Verkaufsförderungsbudgets für verbrauchergerichtete und handelsgerichtete Verkaufsförderung aus. Vgl. dazu: *10th Annual Survey of Promotional Practices*, Stamford, Conn.: Donnelly Marketing, 1988.
13 Vgl. Len Strawzeweski: »Promotion ›Carnival‹ Gets Serious«, in: *Advertising Age*, 2. Mai 1988, S. S1–2. Eine weitere Schätzung findet sich bei Russell Bowman: »Sales Promotion: The 1985 Annual Report«, in: *Marketing and Media Decisions*, Juli 1986, S. 170–174.
14 Vgl. die Beiträge »Planungsziele 19..«, die jeweils in der Septemberausgabe der Zeitschrift »*Absatzwirtschaft*« erscheinen.
15 Vgl. Roger A. Strang: »Sales Promotion – Fast Growth, Faulty Management«, in: *Harvard Business Review*, Juli-August 1976, S. 115–124, hier S. 116–119.
16 Eine aufschlußreiche zusammenfassende Darstellung der Literatur zur Frage, ob Verkaufsförderung die Treue der Verbraucher zu führenden Marken schwächt, findet sich bei Blattberg und Neslin: *Sales Promotion*, S. 471–475.
17 Vgl. Robert George Brown: »Sales Response to Promotions and Advertising«, in: *Journal of Advertising Research*, August 1974, S. 33–39, hier S. 36–37.
18 Vgl. F. Kent Mitchel: »Advertising/Promotion Budgets: How Did We Get Here, and What Do We Do Now?«, in: *Journal of Consumer Marketing*, Herbst 1985, S. 405–447.
19 Vgl. Paul W. Farris und John A. Quelch: »In Defense of Price Promotion«, in: *Sloan Management Review*, Herbst 1987, S. 63–69.
20 Vgl. Helmut Wehrmann: »Rechtsprobleme in der Verkaufsförderung (Bundesrepublik Deutschland)«, in: Wolfgang K.A. Disch und Max Meier-Maletz (Hrsg.): *Handbuch Verkaufsförderung*, Hamburg: Marketing-Journal, 1981, S. 77–108.

21 Vgl. Strang: »Sales Promotion«, S. 124.
22 Vgl. *Advertising Age*, 15. August 1985, S. 19.
23 Vgl. Ludwig Berekoven: »Erfolgreiches Einzelhandelsmarketing: Grundlagen und Entscheidungshilfen«, München: Beck, 1990, S. 229.
24 Vgl. Michel Chevalier und Ronald C. Curhan: *Temporary Promotions as a Function of Trade Deals: A Descriptive Analysis*, Cambridge, Mass.: Marketing Science Institute, 1975, S. 2.
25 Vgl. »Retailers Buy Far in Advance to Exploit Trade Promotions«, in: *Wall Street Journal*, 9. Oktober 1986, S. 35.
26 Vgl. Arthur Stern: »Measuring the Effectiveness of Package Goods Promotion Strategies«; Referat vor der *Association of National Advertisers*, Glen Cove, N.Y., Februar 1978.
27 Vgl. Strang: »Sales Promotion«, S. 119.
28 Vgl. Russell D. Bowman: »Merchandising and Promotion Grow Big in Marketing World«, in: *Advertising Age*, Dezember 1974, S. 21.
29 Vgl. Strang: »Sales Promotion«, S. 120.
30 Vgl. Kurt H. Schaffir und H. George Trenten: *Marketing Information Systems*, New York: Amacom, 1973, S. 81.
31 Strang: »Sales Promotion«, S. 120.
32 Vgl. Joe A. Dodson, Alice M. Tybout und Brian Sternthal: »Impact of Deals and Deal Retraction on Brand Switching«, in: *Journal of Marketing Research*, Februar 1978, S. 72–81. Die Forscher ermittelten, daß Sonderangebote im allgemeinen die Markenwechselrate erhöhen, wobei das Ausmaß von der Art des Sonderangebots bestimmt wird. Über Werbemedien verteilte Gutscheine bewirken eine beträchtliche Markenwechselrate, Preisnachlässe eine etwas geringere, und Gutscheine in der Packung führen kaum zu einem Wechsel der Marke. Zudem kehren die Verbraucher im allgemeinen nach Beendigung der Sonderangebotsaktion wieder zu ihren bevorzugten Marken zurück.
33 Zu den in jüngster Zeit erschienenen Veröffentlichungen zum Thema Verkaufsförderung zählen: John A. Quelch: *Sales Promotion Management*, Englewood Cliffs, N.J.: Prentice Hall, 1989, und John C. Totten und Martin P. Block: *Analyzing Sales Promotion: Text and Cases*, Chicago: Commerce Communications, 1987. Ein Ansatz zur Verkaufsförderung durch Expertensysteme findet sich bei John W. Keon und Judy Bayer: »An Expert Approach to Sales Promotion Management«, in: *Journal of Advertising Research*, Juni-Juli 1986, S. 19–26.
34 In adaptierter Form übernommen aus Scott M. Cutlip, Allen H. Center und Glen M. Brown: *Effective Public Relations*, 6. Aufl., Englewood Cliffs, N.J.: Prentice Hall, 1985, S. 7–17.
35 Vgl. Tom Duncan: *A Study of How Manufacturers and Service Companies Perceive and Use Marketing Public Relations*, Muncie, Ind.: Ball State University, Dezember 1985.
36 Vgl. Anton Mariacher: »Deutsche Chemische Industrie: Offener Dialog gegen Emotionen«, in: Joachim H. Bürger, Hans Joliet (Hrsg.): *Die besten Kampagnen: Öffentlichkeitsarbeit, Band 2*, Landsberg: Moderne Industrie, 1989, S. 81–91.
37 Vgl. Sabine Stadel-Strauch: »Fünf Jahre Informationsgemeinschaft Bananen«, in: Joachim H. Bürger und Hans Joliet (Hrsg.): *Die besten Kampagnen: Öffentlichkeitsarbeit*, Band 2, Landsberg; Moderne Industrie, 1989, S. 155–159.
38 Vgl. Manfred Bruhn: »Sponsoring: Unternehmen als Mäzene und Sponsoren«, Frankfurt am Main: Frankfurter Allgemeine Zeitung, Wiesbaden: Gabler, 1987, S. 248–253.
39 Vgl. Anton Mariacher: »Deutsche Chemische Industrie«, S. 81–91.
40 Vgl. *Handelsblatt*, Nr. 182 vom 20.09.1989, S. 22.

Verkaufsmanagement

Kapitel 23

Gut gehauene Steine schließen sich ohne Mörtel aneinander. Cicero

Mit seiner Feststellung »Everyone lives by selling something« brachte Howard Louis Stevenson zum Ausdruck, daß im Grunde jeder seine eigenen Fähigkeiten – oder was er sonst noch hat – an andere vermarktet, um ein Auskommen zu finden. Kommerzielle und andere Organisationen lassen sich ihre Verkaufsorganisation viel kosten. Die Kosten für den Verkauf dürften im Durchschnitt der Unternehmen etwa 10 % des Gesamtumsatzes betragen, und bei Kleinbetrieben erheblich darüber liegen. [1] Erhebungen bei Großunternehmen in der Bundesrepublik Deutschland zeigen, daß dort im Durchschnitt – bei steigender Tendenz – nahezu 18 % der Mitarbeiter im Verkauf beschäftigt sind. Dabei wurden dem Verkaufsbereich folgende Funktionen zugeordnet: Außen- und Innendienst, Auftragsbearbeitung, technischer Kundendienst, Anwendungsberatung, Logistik/Transport der Ware zum Kunden sowie Mitarbeiter unternehmenseigener Verkaufsstellen und Handelsorganisationen. [2] Auch nicht-kommerzielle Organisationen verfügen über Personal, das sich mit Verkaufsaktivitäten beschäftigt. In Clubs, Vereinen und karitativen Organisationen gibt es Mitglieder, die sich mit der Anwerbung neuer Mitglieder beschäftigen, Spendensammlungen durchführen und damit den Zweck ihrer Organisation »der Öffentlichkeit verkaufen«. Ministerien haben Außenstellen, die Förderprogramme der Regierung an die beabsichtigte Zielgruppe herantragen, sie darüber informieren und zur Teilnahme zu bewegen suchen. Die Vertreter ideologisch und weltanschaulich geprägter Organisationen wollen das Gedankengut der Organisation missionarisch verbreiten. Das Verkaufen im weiteren Sinne gehört zu den ältesten Berufen der Welt.

Personen, die im Verkauf arbeiten, tragen unterschiedliche Bezeichnungen: Einige davon sind Verkäufer und Verkäuferin, Vertreter, Reisende, Kundenbetreuer, Außendienstmitarbeiter, Verkaufsberater, Verkaufsingenieure, Kundenbetreuer, Agenten, Dienstleistungsbeauftragte, Marketingbeauftragte. In der Öffentlichkeit gibt es unterschiedliche klischeehafte Vorstellungen über die Menschen im Verkauf. Man belegt sie mit Begriffen wie »Klinkenputzer«, der »billige Jakob«, der »aalglatte Strahlemann« und der »seriöse Vertretertyp«. Die Verkäufer selber halten von diesen Klischees wenig. Sie wissen aber, daß viele Menschen den Argwohn hegen, die Verkäufer wollten ihnen irgendwelche Waren aufschwatzen. Andererseits suchen Käufer in vielen Situationen einen engen Kontakt mit dem Verkaufspersonal, um sich beraten und bedienen zu lassen.

Für das Personal im Verkauf und der Verkaufsabwicklung gibt es ein breites Spektrum unterschiedlicher Positionen und Tätigkeiten. McMurry illustrierte die Bandbreite dieses Spektrums durch folgende Klassifikation: [3]

1. **Der Auslieferer**
   Die Tätigkeit dieser Personen besteht im wesentlichen darin, Ware auszuliefern (z. B. Milch, Brot, Eier, Heizöl).
2. **Der Auftragsempfänger**
   Hierzu gehören Personen, die intern und in firmeneigenen Verkaufsstellen als Auftragsempfänger wirken (z. B. als Verkäuferin hinter der Theke oder – bei der Platzreservierung im Restaurant oder bei kulturellen Veranstaltungen – am Telefon) sowie auch der extern und im Außendienst arbeitende Auftragsempfänger (z. B. der Reisende, der Kundenbesuche macht).
3. **Der Kundenbetreuer und -berater**
   Hierzu gehören Personen, die nicht direkt Aufträge entgegennehmen sollen oder dürfen, sondern vielmehr Kundenbesuche machen, um gute Beziehungen aufzubauen oder die Kunden über bestimmte Produkte zu unterrichten (z. B. der Ärzteberater in der pharmazeutischen Industrie, der die Ärzte in bezug auf neue Medikamente berät, ohne sie ihnen direkt zu verkaufen.)
4. **Der technische Berater**
   Hier steht in der Kundenberatung technisches Wissen im Vordergrund (z. B. der Verkaufsingenieur, der seine Kunden in der Hauptsache in technischen Fragen berät).
5. **Der Nachfrageanreger**
   Hierzu gehören Personen, die durch kreativen Verkauf Aufträge für bestimmte Produkte (z. B. Staubsauger, Enzyklopädien) oder Dienstleistungen (z. B. Versicherungen) erwirken.

Diese Einteilung spannt einen weiten Bogen von einer passiven bis hin zu einer aktiv-kreativen Art des Verkaufens. Passives Verkaufen erfordert, den Kontakt zum Kunden aufrechtzuerhalten und Aufträge entgegenzunehmen. Zum aktiven Verkaufen gehört es, den Kunden aufzusuchen und zu beeinflussen. Im folgenden befassen wir uns mit den mehr das »Aktive« betonenden Arten des Verkaufens. Dabei werden drei Fragenkomplexe behandelt: Welche Entscheidungen müssen bei der Gestaltung der Verkaufsorganisation getroffen werden? Wie kann die geplante Verkaufsorganisa-

Abbildung 23-1
Ablaufschema für die Planung und Führung der Verkaufsorganisation

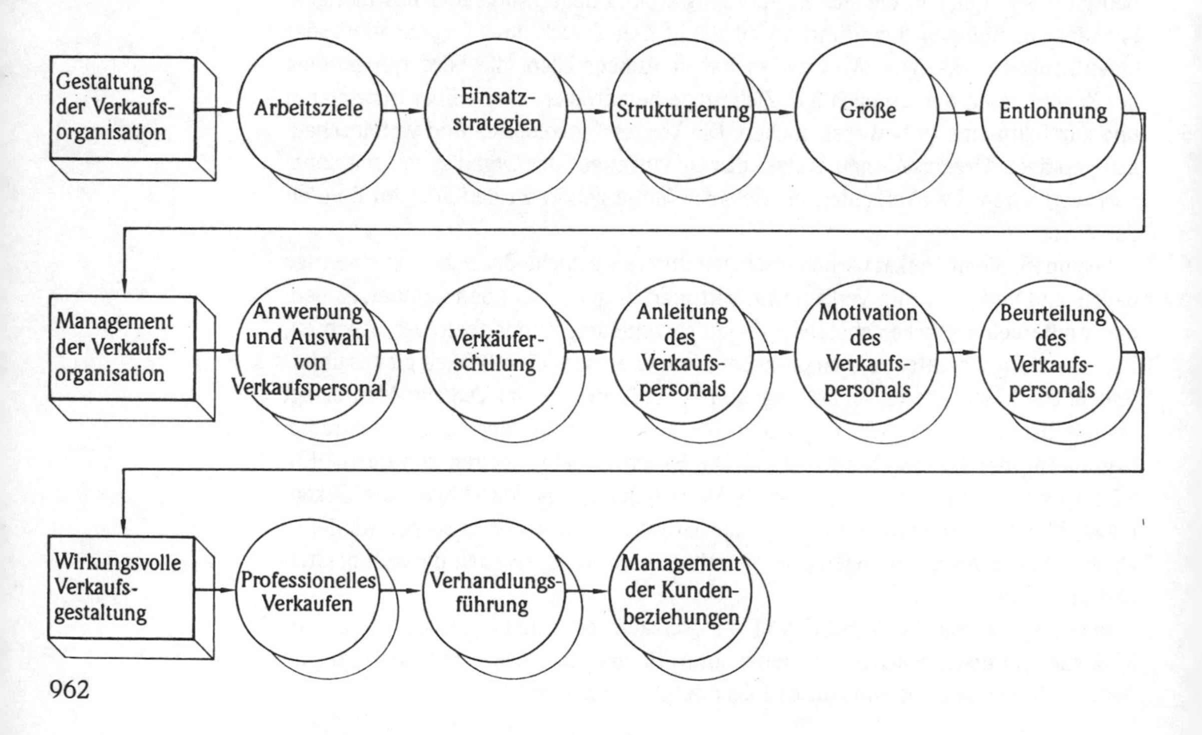

tion etabliert und geführt werden? Durch welche Verfahren und Werkzeuge kann die Effektivität der Verkaufsarbeit verbessert werden? Zur Beantwortung dieser Fragen werden die einzelnen Bausteine der Verkaufsorganisation in Abbildung 23-1 veranschaulicht und im folgenden näher untersucht. Wir richten dabei unser Hauptaugenmerk auf das Personal im Außendienst und dessen Tätigkeit.

Gestaltung der Verkaufsorganisation

Durch das Verkaufspersonal wird eine persönliche Verbindung des Unternehmens zu seinen Kunden hergestellt. Bei vielen seiner Kunden personifiziert der Vertreter das Unternehmen und holt notwendige Informationen über die Kunden ein. Deshalb muß sich das Unternehmen bei der Gestaltung der Verkaufsorganisation ausführlich damit beschäftigen, wie Arbeitsziele, Einsatzstrategien, Strukturierung, Größe und Entlohnungssystem aussehen sollen.

Arbeitsziele für die Verkaufsorganisation

Die Arbeitsziele der Verkaufsorganisation müssen dem Zielmarkt sowie den angestrebten Marktpositionen des Unternehmens angepaßt sein. Das Unternehmen muß die besonderen Beiträge, die der persönliche Verkauf im Marketing-Mix erbringt, bewußt einplanen, um die Kundenbedürfnisse unter Wettbewerbsbedingungen wirkungsvoll bedienen zu können. Der persönliche Verkauf kann das kostspieligste Kontakt- und Kommunikationsmittel im Marketing-Mix eines Unternehmens sein, insbesondere im Industriegütermarketing und im internationalen Geschäft, wo ein Kundenbesuch mehrere hundert oder gar mehrere tausend Mark kosten kann. [4]

Andererseits ist das persönliche Verkaufen in gewissen Stadien des Kaufprozesses das wirksamste Instrument für die Unterrichtung der Käufer, für die Verhandlungsführung und für den Verkaufsabschluß. Das Unternehmen muß also sorgfältig durchdenken, wann und wie sein Verkaufspersonal eingesetzt werden soll, um den Marketingauftrag erfüllen zu können.

Die Unternehmen definieren unterschiedliche Arbeitsziele für ihre Vertriebsorganisation. Die Verkäufer von IBM z. B. sollen Computerausrüstungen verkaufen, deren Installation organisieren und dafür sorgen, daß die Kunden ihre Computerausrüstungen erweitern. Die Verkäufer von AT&T sollen Kundenbeziehungen aufbauen, verkaufen und die Kunden vor Wettbewerbern abschirmen. Bei fast allen Unternehmen erstrecken sich die Arbeitsziele des Verkaufspersonals auf eine oder mehrere der im folgenden aufgeführten konkreten Aufgaben:

- **Kundengewinnung**
  Die Verkäufer machen neue Kunden ausfindig und pflegen den Kontakt zu ihnen, um sie für das Unternehmen zu gewinnen.
- **Kommunikation**
  Verkäufer kommunizieren auf geschickte Weise Informationen über das Unternehmen, seine Produkte und Dienstleistungen.

- **Verkaufen**
  Verkäufer müssen die Kunst des professionellen Verkaufens beherrschen, d. h. die Annäherung an die Kunden, das Unterbreiten von Angeboten, das Überzeugen bei Einwänden und das Tätigen von Verkaufsabschlüssen.
- **Kundendienste erbringen**
  Verkäufer erbringen für ihre Kunden verschiedene Dienste, nämlich Beratung bei Problemlösungen, Hilfe bei technischen Fragen der Verkaufsabwicklung, Vermittlung von Finanzierungen und Sicherstellung der rechtzeitigen Produktauslieferung.
- **Informationssammlung**
  Verkäufer sammeln Fakten und Nachrichten aus dem Markt und über den Markt und erstellen systematische Besuchsberichte.
- **Produktzuteilung**
  Umsichtige Verkäufer sind in der Lage, Kunden nach der Qualität ihrer Beziehungen einzustufen und bei Lieferengpässen die verfügbare Menge an Produkten in einer akzeptablen Weise auf sie zu verteilen.

In der Praxis umreißt das Unternehmen die Arbeitsziele und Aktivitäten seiner Verkaufsorganisation noch detaillierter. So kann z. B. ein Unternehmen die Anweisung erlassen, daß die Verkäufer 80 % ihrer Zeit bei bereits gewonnenen und 20 % bei potentiellen Abnehmern zu verbringen und dabei jeweils 85 % ihrer Zeit auf bereits eingeführte Produkte und 15 % auf neue Produkte zu verwenden haben. Wenn solche Vorgaben nicht aufgestellt werden, tendieren viele Verkäufer dazu, ihre Zeit besonders für eingeführte Produkte und bereits gewonnene Kunden aufzuwenden und neue Produkte sowie potentielle Kunden zu vernachlässigen.

Der Aufgabenmix der Verkäufer ändert sich mit den wirtschaftlichen Rahmenbedingungen. Bei einer Unterversorgung mit Produkten haben die Verkäufer nicht genug zu verkaufen. Einige Unternehmen schließen daraus vorschnell, daß sie weniger Verkäufer brauchen. Diese Schlußfolgerung läßt außer acht, daß der Verkäufer auch andere nützliche Funktionen erfüllen kann, z. B. Zuteilung der Produkte, Besänftigung unglücklicher Kunden, Bekanntmachung der Pläne des Unternehmens zur Überwindung der Engpässe und der Verkauf anderer Produkte des Unternehmens, bei denen es keine Engpässe gibt.

Wenn Unternehmen mehr Marktorientierung wollen, muß insbesondere auch das Verkaufspersonal in diese Marktorientierung einbezogen werden. Nach traditioneller Ansicht soll der Verkauf möglichst viele Aufträge hereinholen und möglichst viel verkaufen, während sich die Marketingabteilung um die Marketingstrategie und um die Rentabilität kümmern soll. Neuerdings setzt sich allerdings die Ansicht durch, daß gerade die Verkäufer wissen müssen, wie der Käufer zufriedengestellt und das Unternehmen Gewinn machen kann. So sollten sie darüber unterrichtet sein, wie Verkaufsdaten analysiert und Marktpotentiale gemessen werden, das Marktnachrichtensystem funktioniert und Marketingstrategien und -pläne entwickelt werden. Auch für den Verkauf wird Geschick im Umgang mit Marktanalysen gebraucht. Dies ist besonders dringlich auf der höheren Ebene des Verkaufsmanagements. Marketer sind davon überzeugt, daß die Vertriebsorganisation besser zupackt, wenn man sich dort neben dem professionellen Verkauf auch auf das Marketing versteht.

Einsatzstrategien für die Verkaufsorganisation

Die Unternehmen konkurrieren um die Aufträge der Kunden. Sie müssen ihr Verkaufspersonal strategisch einsetzen, so daß die richtigen Kunden zur richtigen Zeit und auf die richtige Weise besucht werden. Verkäufer können auf unterschiedliche Weise an ihre Kunden herantreten und mit ihnen zusammenarbeiten:

- **Verkäufer und einzelner Einkäufer**
  Ein Verkäufer setzt sich persönlich oder per Telefon bei einem einzelnen Einkäufer oder potentiellen Einkäufer für das Produkt ein;
- **Verkäufer und Einkaufsgremium**
  Ein Verkäufer setzt sich mit seinen Angeboten bei einem Einkaufsgremium ein;
- **Verkaufsteam und Einkaufsgremium**
  Ein Verkaufsteam (z.B. ein Mitglied aus der Geschäftsleitung, ein Verkäufer und ein Verkaufsingenieur) unterbreitet sein Angebot einem Einkaufsgremium;
- **Verkaufskonferenzen**
  Der Verkäufer bringt eine Gruppe von Spezialisten seines eigenen Unternehmens mit einem oder mehreren Einkäufern des anderen Unternehmens zusammen, um Probleme und gemeinsame Geschäftsentwicklungsmöglichkeiten besprechen zu können;
- **Seminare zur Verkaufsvorbereitung**
  Ein Team des Unternehmens führt Seminare zur Unterrichtung des technischen Personals der Kunden über die neuesten technischen Entwicklungen durch.

In jüngerer Zeit fungieren viele Verkäufer als »Account Manager«, um über die normale Kundenbetreuung hinaus Kontakte zwischen beteiligten Personen im einkaufenden und verkaufenden Unternehmen herzustellen, die für den Kaufprozeß relevant sind. Beim Verkauf wird immer mehr ein Zusammenwirken als Team gefordert. Auch wirken insbesondere Mitglieder der Geschäftsleitung in verstärktem Maß beim Verkauf mit, wenn es um Großkunden oder Schlüsselaufträge geht. Zum Team gehört technisches Personal, das für die Kunden vor, während und nach dem Verkauf des Produkts technische Informationen zusammenstellt und bei der Anwendungsberatung hilft, sowie Kundendienstpersonal, das für Installation, Wartung und andere Kundendienste verantwortlich zeichnet, und auch Personal aus den internen Stabsabteilungen, wie Verkaufsanalytiker, Auftragssachbearbeiter und Sekretärinnen.

Hat ein Unternehmen entschieden, auf welche Weise es den Verkaufsprozeß durchführen möchte, dann kann es entweder *eigenes Verkaufspersonal* oder *kontrahiertes Verkaufspersonal* einsetzen. In der unternehmenseigenen Verkaufsorganisation werden Angestellte entweder auf Voll- oder Teilzeitbasis ausschließlich für das Unternehmen eingesetzt. Zur Einsatzstrategie gehört auch die Aufgabenunterteilung in den *Verkaufsinnendienst*, der organisatorische Aufgaben – wie z.B. die Tourenplanung und Aufbereitung von Kundeninformationen für die Reisenden – erledigt, und in den *Verkaufsaußendienst*, dessen Mitarbeiter die Kunden besuchen, um dort Verkaufsgespräche zu führen. Zum kontrahierten Verkaufspersonal gehören Industrievertreter, Verkaufsagenturen oder Makler, die eine umsatzabhängige Provision erhalten.

Strukturierung der Verkaufs-organisation

Aus der Einsatzstrategie ergeben sich gewisse Eckdaten für die Strukturierung der Verkaufsorganisation. Die Struktur der Organisation ist dann relativ einfach, wenn es lediglich eine einzige Produktlinie für eine einzige Branche mit regional verteilten Kunden gibt. Man würde hier die Organisation territorial strukturieren. Wenn aber das Unternehmen viele Produkte an viele unterschiedliche Kunden verkauft, könnte es seine Verkaufsorganisation auch nach Produkten oder Kundenmärkten strukturieren. Diese unterschiedlichen Strukturformen werden im folgenden genauer durchleuchtet (vgl. auch Exkurs 23-1 mit einem Beispiel zur Einrichtung einer neuen Verkaufsorganisation).

Exkurs 23-1: Einrichtung einer neuen Verkaufsorganisation: Der Fall Wilkinson Sword USA

Das Unternehmen Wilkinson Sword USA, eine Tochter des gleichnamigen britischen Unternehmens, hatte auf dem amerikanischen Rasierklingenmarkt im Jahr 1974 einen Anteil von 7,9%. Bis zum Jahr 1984 war der Marktanteil dann auf 0,7% gefallen. Das Mutterunternehmen hatte das Werbebudget für den amerikanischen Markt immer wieder zusammengestrichen und dieses Geld statt dessen in Europa ausgegeben. Obendrein hatte Wilkinson USA keine eigene Verkaufsorganisation, sondern vertrieb seine Produkte über unabhängige Handelsvertreter an Drogerien und über Spezialgroßhändler an Lebensmittelgeschäfte. In beiden Fällen wurde sehr wenig Verkaufsdruck (minimaler Push-Effekt) für das Produkt erzeugt.
Im Jahr 1984 reorganisierte der Unternehmensleiter der amerikanischen Tochter das Unternehmen. Er budgetierte 23,5 Mio. $ für eine zweijährige Werbekampagne und nutzte den Rest des ihm zugestandenen Budgets zur Einrichtung einer eigenen Verkaufsmannschaft bei Wilkinson USA. Ein neuer Verkaufsdirektor machte sich daran, eine Verkaufsorganisation mit 34 Verkäufern aufzubauen, und zwar in folgenden Schritten:

1. Als erstes wurde ermittelt und festgelegt, welche Kunden zu bedienen waren. Wilkinson suchte sich 25 der führenden Handelsketten im Lebensmittel- und Drogerieartikelhandel sowie mehrere Supermarktketten aus und machte sie zu nationalen Kundenorganisationen, die von zwei »National Account Managers« von der Unternehmenszentrale in Atlanta aus betreut werden sollten. Sodann wurden weitere regional operierende Großkunden ausgesucht und jeweils Gebietsverkaufsleitern zugeordnet. Auf kleinere Kunden wurden die Verkäufer angesetzt.
2. Es wurden geographische Verkaufsregionen gebildet. Die USA wurden in drei Regionen unterteilt, nämlich die Regionen Ost, Mitte und West. Jede dieser Regionen wurde in fünf Gebiete und diese wiederum in weitere Distrikte gegliedert.
3. In einem dritten Schritt mußten nun die planmäßig geschaffenen Positionen der neuen Vertriebsorganisation besetzt werden. Der Verkaufsdirektor stellte dabei fest, daß es einerseits leicht war, die Organisationsstruktur festzulegen, daß es sich andererseits aber als äußerst schwierig erwies, die richtigen Leute dafür zu finden. Er suchte nach geeigneten Personen mit mindestens fünf Jahren Erfahrung als Verkäufer in einem führenden Unternehmen der Körperpflegemittel-Branche. Er bot ein Entlohnungspaket, das dem der Wettbewerber in nichts nachstand. Im

ersten Jahr ließ sich Wilkinson die Aufbauaktivitäten für die eigene Verkaufsorganisation über eine halbe Million Dollar kosten. Dieser Betrag schloß auch Anwerbung, Auswahl, Schulung, Prämiengelder usw. ein.

4. Wilkinson stellte einen »Direktor für Handelsbeziehungen« und auch sogenannte »Merchandiser« ein, die den Verkäufern durch Waren- und Regalplatzpflege in den Einzelhandelsverkaufsstellen halfen: Sie kümmerten sich um die Warenbestände, die Anzahl der Plazierungsstellen sowie die Form des Warendisplays im Einzelhandel und beobachteten die Preissituation vor Ort.

Nach all diesen Maßnahmen bleibt es abzuwarten, ob Wilkinson den angestrebten 10%igen Marktanteil (am amerikanischen Markt für Naßrasierer) wirklich erreichen wird. Wilkinsons Ziel ist es, auf dem amerikanischen Rasierklingenmarkt die Nummer zwei zu werden. Einer der Manager von Wilkinson sagt dazu: »Wir haben den Weg zum Kunden gefunden. Jetzt müssen wir dafür sorgen, daß dieser Weg frei bleibt und von uns auch entsprechend genutzt wird.«

Quelle: Rayna Skolnik: »The Birth of a Sales Force«, in: *Sales & Marketing Management*, 10. März 1986, S. 42–44.

Territoriale Struktur

Bei dieser einfachsten Strukturform der Verkaufsorganisation wird jedem Verkäufer exklusiv ein Gebiet zugeteilt, in dem er die gesamte Produktlinie des Unternehmens vertritt. Diese Struktur bringt mehrere Vorteile mit sich. Zum ersten ist hier die Abgrenzung der Aufgaben und Verantwortlichkeiten zwischen den einzelnen Verkäufern klar geregelt. Da in jedem Gebiet nur ein Verkäufer tätig ist, trägt er dort auch die gesamte Verantwortung für die Verkaufsergebnisse, insoweit diese seinem Einfluß unterliegen. Zweitens bietet die alleinige Gebietsverantwortung dem Verkäufer einen Ansporn, die Geschäftsverbindungen vor Ort auch als persönliche Beziehungen zu sehen und entsprechend zu pflegen. Solche Beziehungen kommen sowohl der Qualität der Verkaufsleistung als auch der privaten Lebenssphäre des Verkäufers zugute. Drittens werden so die Reisekosten niedrig gehalten, denn die Verkaufstouren sind geographisch begrenzt.

Die territorial gegliederte Organisation wird in der Regel durch mehrere Ebenen des Verkaufsmanagements geführt. Mehrere Gebiete können von einem Distriktleiter geführt werden; mehrere Distrikte unterstehen einem Verkaufsleiter für die Großregion, mehrere Regionen wiederum einem Verkaufsdirektor oder dem Verkaufsvorstand. Je höher die Führungsebene, desto mehr befaßt sich der Verkaufsleiter mit Marketing-, Führungs- und Verwaltungsarbeiten. In der Tat wird ein Verkaufsleiter mehr an seinen Managementfähigkeiten als an seinem Verkaufsgeschick gemessen. Ein junger Reisender, der im Verkaufsmanagement Karriere machen will, kann hoffen, daß er Gebietsverkaufsleiter werden und schließlich bei entsprechenden Fähigkeiten zur Motivation anderer auf der Führungsleiter nach oben bis in die Vorstandsetage klettern kann.

Zur Strukturierung der Verkaufsgebiete zieht das Unternehmen bestimmte Kriterien heran: Die Einteilung muß administrativ leicht zu bewältigen sein; das Verkaufspotential der Gebiete muß leicht abschätzbar sein; der Reiseaufwand muß niedrig gehalten werden; und schließlich müssen Arbeitsbelastung und erreichbares Umsatzpotential für jeden der Verkäufer ausreichend groß und ausgewogen sein. Anhand dieser Kriterien wird über Größe und Form jedes Gebiets entschieden.

Gebietsgröße
Die Gebiete können so ausgelegt werden, daß sie für die Gebietsverkaufsleiter entweder ein jeweils gleich großes *Umsatzpotential* oder eine jeweils gleich große *Arbeitsbelastung* mit sich bringen. Beide Ordnungsprinzipien bergen gewisse Vor- und Nachteile in sich.

Eine Auslegung der Gebiete nach gleich großen Umsatzpotentialen erlaubt es, den Gebietsverkaufsleitern bei umsatzabhängigen Provisionszahlungen für alle Verkäufer gleiche Einkommensmöglichkeiten zu bieten. Daneben fällt es den Unternehmen dadurch leichter, die Verkaufsleistung in den einzelnen Gebieten vergleichend zu bewerten. Bei anhaltenden Unterschieden kann man Rückschlüsse auf die Fähigkeiten und den Einsatz der einzelnen Verkäufer ziehen. Eine solche Bewertungsmöglichkeit spornt die Verkäufer dazu an, ihr Bestes zu geben.

Aufgrund einer unterschiedlichen Kundendichte sind einzelne Gebiete jedoch auch unterschiedlich groß. Die Kunden für Werkzeugmaschinen z.B. sind im Gebiet Stuttgart oder Dresden dichter gesät als in Oberfranken oder Mecklenburg. Ein Gebietsverkaufsleiter für den Raum Stuttgart kann dasselbe Umsatzpotential mit viel weniger Aufwand betreuen als z.B. ein Gebietsverkaufsleiter für Oberfranken.

Der Verkäufer im großflächigen Gebiet mit geringerer Kundendichte erzielt dann entweder – bei gleichem Einsatz – weniger Umsatz und Einkommen oder – durch besonders großen Einsatz – den gleichen Umsatz. Als Ausgleich könnte man dem Gebietsverkaufsleiter in Oberfranken eine höhere Umsatzbeteiligung für seinen besonders großen Einsatz einräumen. Das aber schmälert den Gewinn, den das Unternehmen in diesem Gebiet erzielt. Alternativ dazu könnte das Unternehmen herausstellen, daß die Gebiete aus Verkäufersicht unterschiedlich attraktiv sind, und den besseren und verdienteren Verkäufern die attraktiveren Gebiete zuteilen.

Das zweite Ordnungsprinzip, nämlich die Gebietsaufteilung nach gleich großem Bearbeitungsaufwand, führt dazu, daß die Verkäufer ihr Gebiet mit angemessenem Aufwand betreuen können. Damit ergeben sich jedoch Unterschiede im Umsatzpotential. Dies kümmert allerdings die Verkäufer wenig, wenn sie strikt auf Gehaltsbasis bezahlt werden. Wenn sie hingegen eine Umsatzbeteiligung erhalten, dann gibt es wiederum unterschiedlich attraktive Gebiete, obwohl der erforderliche Arbeitsaufwand gleich ist. Als Ausgleich könnte den Verkäufern in einem Gebiet mit hohem Potential eine geringere Umsatzbeteiligung angeboten werden, oder aber die Starverkäufer bekommen auch die besseren Gebiete, so daß hier optimale Umsätze eingefahren werden.

Gebietszusammensetzung
Die Gebiete werden durch Zusammenfassung kleinerer Einheiten, wie Stadtviertel, Landkreise, Postleitzahlengebiete oder Regierungsbezirke agglomeriert, so daß ein Umsatzpotential bestimmter Größe oder eine Arbeitsbelastung bestimmten Umfangs erreicht wird. Hier müssen die Verkehrsverhältnisse, die Kundenmentalität

und die Handelsgepflogenheiten der zusammengefaßten Gebiete sowie andere Gegebenheiten berücksichtigt werden. Viele Unternehmen bevorzugen bestimmte Gebietsformen, weil sie damit die Kosten, den Aufwand der Abdeckung und die Zufriedenheit des Käufers ausgewogen gestalten wollen. Gebietsformen, die man öfter antrifft, sind z. B. die runde Form, die Kleeblattform oder die Keilform. Heutzutage können Unternehmen ihre Verkaufsgebiete mit Hilfe von Computerprogrammen festlegen, mit denen man anhand der gewünschten Kriterien, wie z. B. Bearbeitungsaufwand, Umsatzpotential und minimale Reiseentfernungen, optimale Lösungen finden kann. [5]

Struktur nach Produkten

Viele Verkaufsorganisationen sind nach Produkten strukturiert, weil hier die Produktkenntnisse der Verkäufer wichtig sind, weil die Unternehmen ihre gesamte Organisation getrennt nach Produkten in Sparten aufgliedern und weil sie das Produktmanagement eingeführt haben. Eine Spezialisierung der Verkäufer auf Produkte ist insbesondere dann angebracht, wenn ein Unternehmen technisch komplexe, zahlreiche oder äußerst unterschiedliche Produkte anbietet. So ist z. B. die deutsche Tochtergesellschaft des schwedischen Stahlkonzerns Sandvik in vier Produktbereiche untergliedert: Edelstahlprodukte, Hartmetalle, Werkzeuge und Förderbänder aus Stahl. Jeder Produktbereich arbeitet mit einer eigenen Verkaufsorganisation. Ein weiteres Beispiel ist Kodak in den USA mit jeweils einer eigenen Vertriebsorganisation für fotografische Filme und Industrieprodukte. Fotografische Filme sind relativ einfache Produkte und erfordern eine intensive Distribution. Kodak hat aber auch komplexe Industrieprodukte im Angebot, die vom Verkäufer großes technisches Verständnis verlangen. Selbst bei Produkten, die über die gleichen Vertriebskanäle an die gleichen Endverbraucher gehen, finden wir Verkaufsorganisationen, die nach Produkten strukturiert sind. So hat die Nestlé-Gruppe Deutschland eigene Verkaufsorganisationen für Produkte der »warmen Küche« (Maggi), Produkte der »kalten Küche« (Thomy's), Schokoladen und Pralinen (Sarotti) sowie zahlreiche andere Produktlinien eingerichtet.

Die bloße Tatsache, daß ein und dasselbe Unternehmen unterschiedliche Produkte anbietet, ist jedoch nicht schon an sich ein schlüssiger Grund für eine Spezialisierung des Verkaufspersonals nach Produkten. Dies wäre von Nachteil, wenn die separaten Produktlinien des Unternehmens zum Großteil von denselben Kunden gekauft würden und diese Kunden lieber von einem einzigen als gleichzeitig von mehreren Vertretern desselben Unternehmens betreut werden wollen. Ein Kunde könnte sich von mehreren Vertretern des gleichen Herstellers eher belästigt als gut betreut fühlen. Eine Spezialisierung des Vertriebs nach Produkten ist dann sinnvoll, wenn die Kunden sich dadurch besser betreut fühlen und auch die Unternehmen dadurch den Verkauf kostengünstig bewältigen können.

Struktur nach Kundentypen

Die Unternehmen spezialisieren den Verkauf oft auch nach Branchen oder Kundentypen: Sie bilden für unterschiedliche Branchen und Kundentypen eigene Vertriebsorganisationen. So richtete IBM in den USA für die Kunden im Finanz-und Kapitalmarkt, aber auch für die Kunden in der Automobilbranche, jeweils ein eigenes Verkaufsnetz ein.

Ein offensichtlicher Vorteil dieses Vorgehens liegt darin, daß in jedem Teilbereich der Organisation gründliche Kenntnisse über die Bedürfnisse jedes Kunden gesammelt werden. Auch aus Kundensicht ist diese Verkaufsstruktur von Vorteil, wenn die Kunden Produkt- und Dienstleistungssysteme und nicht Einzelprodukte kaufen wollen. So wollen viele Unternehmen alle haustechnischen Anlagen in ihren Bürogebäuden (wie z.B. Fahrstühle, Raumklimatisierung, elektronische Überwachungs- und andere Anlagen) aus einer Hand installiert und gewartet haben, statt für jedes einzelne haustechnische Produkt unterschiedliche Lieferanten und Wartungsfirmen beauftragen zu müssen. Eine auf unterschiedliche Kundentypen spezialisierte Verkaufsorganisation ist auch dann vorteilhaft, wenn das Know-how und die Erfahrungen der Kunden mit komplexen Produkten unterschiedlich ausgeprägt sind und sie daher auch unterschiedliche Betreuungsbedürfnisse haben. So muß z.B. ein Kunde, der zum ersten Mal eine elektronische Datenverarbeitungsanlage kauft, mit unterschiedlichem Aufwand und unterschiedlichen Beratungs- und Folgeleistungen betreut werden, als ein Kunde, der bereits mehrere EDV-Anlagen betreibt und keine Beratung mehr braucht.

Ein wesentlicher Nachteil der nach Kunden strukturierten Verkaufsorganisation tritt dann zutage, wenn Kunden gleichen Typs geographisch weit gestreut und als Einzelkunden nicht groß genug sind, um einen Verkäufer arbeitsmäßig voll auszulasten. Dann entstehen im Vergleich zu den anderen Organisationsformen höhere Reisekosten.

Komplexe Strukturen

Wenn ein Unternehmen zahlreiche Produkte an viele, über ein großes geographisches Gebiet verteilte Kundentypen verkauft, werden zur Organisation des Verkaufspersonals oft mehrere Strukturierungsprinzipien eingesetzt. Die Verkäufer können sich dann z.B. nach Verkaufsgebieten und Produkten, nach Verkaufsgebieten und Kunden, nach Produkten und Kunden oder sogar nach Gebieten, Produkten und Kunden spezialisieren. Bei einer solchen Spezialisierung hat der Verkäufer oft das Problem, daß er gleichzeitig mehreren gleichrangigen Verkaufsleitern rechenschaftspflichtig ist, die entweder für die Region, die Produkte oder bestimmte Kundentypen verantwortlich sind. Diese Manager haben wiederum das Problem, daß sie mit den Verkäufern und auch untereinander zu einem fruchtbaren Arbeitsverhältnis finden müssen.

Komplexe organisatorische Mischformen ergeben sich insbesondere dann, wenn Unternehmen Kunden unterschiedlicher Größe und Einkaufsmacht haben. Dies führt dann zu einem Gemisch aus verschiedenen Formen des Großkundenmanagements und anderen Strukturformen. Auf dem amerikanischen und auch auf dem europäischen Markt findet das Großkundenmanagement (auch als »National Account Management« oder »Key Account Management« bezeichnet) zunehmend Verbreitung (vgl. dazu auch Exkurs 23-2).

Exkurs 23-2: Das »Key Account Management«: seine Ziele und Funktionen

Wenn der Kundenkreis eines Unternehmens einige große Kunden (auch Schlüsselkunden, »Key Accounts« oder nationale Kunden genannt) aufweist , wird diesen oft besondere Aufmerksamkeit gewidmet. Wenn die Organisation der Großkunden selbst vielschichtig gegliedert ist, wenn viele Personen am Entscheidungsprozeß mitwirken und er in vielen regionalen Märkten vertreten ist, dann wird seine Betreuung auf eine bestimmte Person im Verkauf oder auf ein Verkaufsteam übertragen. Hat das Unternehmen mehrere solche Kunden, kann es dazu übergehen, das Key Account Management (KAM) oder National Account Management (NAM) als strategische Organisationsform einzurichten. Immer mehr Unternehmen tun dies, insbesondere in der Lebensmittelbranche und für den Vertrieb anderer Konsumartikel. Dafür gibt es viele Gründe. Durch die Konzentration im Handel läuft ein ständig wachsender Anteil des Umsatzes vieler Herstellerunternehmen durch die Hände einiger weniger Großhändler oder Handelsorganisationen. Viele Handelsorganisationen und auch große Unternehmen der verarbeitenden Industrie haben den Einkauf bestimmter Waren zentralisiert, statt über ihre örtlichen Zweigniederlassungen einzukaufen. Dadurch haben sie mehr Verhandlungsmacht gegenüber den Verkäufern. Da das Produkt- und Leistungsangebot auf dem Markt immer komplexer wird, ist sowohl bei der einkaufenden als auch bei der verkaufenden Organisation ein größerer Koordinationsaufwand erforderlich, und es kommt zu komplexeren, auf viele Personen verteilten Entscheidungsprozessen. Die Antwort vieler Herstellerunternehmen auf diese Entwicklungstendenzen ist der Einstieg ins Key Account Management. Dabei spielen folgende *Zielsetzungen* eine Rolle:

1. **Verbesserung der Geschäftsbeziehungen**
   Mit dem KAM soll durch regelmäßige Information und Kommunikation, aber auch durch intensivere Kontakte mit Schlüsselpersonen, das Geschäftsklima verbessert und die Beziehung zum Großkunden möglichst konfliktarm gehalten werden.
2. **Minimierung des Koordinationsaufwands**
   Koordinationsbedarf besteht jedoch nicht nur hinsichtlich der Austauschaktivitäten zwischen Anbieter und Käufer (zwischenbetriebliche Koordination). Auch die innerbetriebliche abteilungsübergreifende Koordination beim Anbieter zählt zu den Aufgaben des Key Account Managers, soweit dies die Betreuung des Großkunden tangiert.
3. **Verbesserung der Marktstellung** im Vergleich zum Wettbewerber
   Das KAM kann einen Beitrag zur Stärkung der horizontalen Wettbewerbsposition leisten, da es eine Expertenfunktion ausübt.
4. **Stärkung der vertikalen Marktposition**
   Hier geht es darum, daß das Leistungsangebot des Herstellers im vertikalen Marktsystem bis zum Endverbraucher durchdringt und die Interessen des Herstellers wie auch des Endverbrauchers durch den zwischengelagerten Händler oder Weiterverarbeiter nicht vernachlässigt oder einseitig umdefiniert werden. Ein Lebensmittelproduzent hat z. B. großes Interesse daran, daß seine Marken im Preis- und Konditionsgefüge des Handels bis hin zum Endverbraucher eine bestimmte Stellung einnehmen. Ein Hersteller von zur Weiterverarbeitung bestimmten Materialien (z. B. GoreTex oder Trevira) ist daran interessiert, daß sein Produkt und

dessen Vorteile auch über das vom Weiterverarbeiter angebotene Fertigprodukt bis hin zum Verbraucher kommuniziert werden.

Das KAM kann die gesteckten Ziele nur dann erfüllen, wenn die Stelleninhaber alle wichtigen Funktionen ausfüllen, die eine erfolgreiche kundenzentrierte Verkaufsarbeit auszeichnen. Zu den Funktionen, die durch das KAM vor allem bewältigt werden müssen, zählen folgende:

1. **Informationsfunktion**
   Der KA-Manager hat – ähnlich wie ein Produktmanager für »sein« Produkt – alle relevanten Informationen über seine Kunden zu sammeln, zu analysieren und gegebenenfalls weiterzuleiten. Er fungiert damit als »Drehscheibe« für die intelligente Nutzung kundenbezogener Informationen.
2. **Planungs- und Promotionfunktion**
   Der KA-Manager hat für die kundenbezogene Absatz- und Marketingplanung zu sorgen, um das Geschäft mit dem jeweiligen Kunden forcieren und konzeptionell absichern zu können. Dazu gehört insbesondere die gewinnorientierte Planung eines kundenspezifischen Mengenmix für verschiedene Produktarten sowie ein tragfähiges Konzept für das Beziehungsmanagement auf den verschiedenen Interaktionsebenen zwischen Anbieter und Kunde.
3. **Koordinations- und Diplomatenfunktion**
   Dazu gehört die Abwicklungs- und Koordinationstätigkeit zur Regelung der diversen Austauschprozesse auf der Güter-, Geld- und Informationsebene mit dem Kunden. Der KA-Manager muß als Diplomat auftreten, um die diversen Zielkonflikte im Interesse des eigenen Unternehmens lösen zu können. Er muß aber auch Koordinationsarbeiten mit den weiterhin notwendigen regionalen Verkaufseinheiten leisten, die in den unterschiedlichen regionalen Gebieten tätig sind, wo der Großkunde seine Niederlassungen hat.
4. **Kontrollfunktion**
   Dem KA-Manager obliegt auch eine umfassende Kontrollfunktion im Zusammenhang mit seinen Kunden. Dazu gehört die Beobachtung von Soll-Ist-Abweichungen in der Geschäftsentwicklung, die Kontrolle der Einhaltung vereinbarter Aktivitäten und die Beobachtung der eigenen Wettbewerbsposition beim Kunden.

Bei der Einrichtung eines Key-Account-Management muß das Unternehmen eine Anzahl von Problemfragen lösen, u.a. folgende: Welche Kunden sollen als Schlüsselkunden erwählt werden? Wie soll deren Sonderbehandlung im einzelnen aussehen? Wie sollen die für diese Kunden verantwortlichen Account Manager ausgewählt, angeleitet und bewertet werden? Wie sollen sie in die Organisationsstruktur eingebunden werden – im Sinne einer Stab-, einer Linien- oder einer Matrixfunktion? Von der Lösung dieser Fragen hängt es ab, ob ein stark oder ein schwach ausgeprägtes Key Account Management zustande kommt und ob es effizient arbeitet. Diller und Gaitanides haben anhand von empirischen Untersuchungen im Lebensmittelhandel festgestellt, daß nur ein starker Key Account Manager vom Handel als kompetenter Verhandlungspartner akzeptiert wird, während ein schwaches Key Account Management die am wenigsten erfolgversprechende Strukturierungsalternative der Verkaufsorgansation ist, wenn es gilt, die Herausforderung sich verschärfender Marktbedingungen zu bestehen.

Quellen: Hermann Diller: »Key Account Management als vertikales Marketingkonzept«, in: *Marketing ZFP*, 11. Jg., 4/1989, S. 213–223; Michael Gaitanides und Hermann Diller: »Großkundenmanagement – Überlegungen und Befunde zur organisatorischen Gestaltung und Effizienz«, in: *DBW*, 49. Jg., 2/1989, S. 185–197; R. Köhler, K. Tebbe und H. Übele: *Der Einfluß objektorientierter Organisationsformen auf die Gestaltung absatzpolitischer Entscheidungsprozesse*, Köln 1983; H. Meffert und G. Kimmeskamp: »Industrielle Vertriebssysteme im Zeichen der Handelskonzentration«, in: *Absatzwirtschaft*, 26. Jg., 3/1983, S. 214–232; H. Steffenhagen: *Konflikt und Kooperation in Absatzkanälen*, Wiesbaden 1975; J. Zentes: »Verkaufsmanagement in der Konsumgüterindustrie«, in: *DBW*, 46. Jg., 1/1986, S. 21–28.

Die Unternehmen müssen bei Veränderungstendenzen in ihrem Markt und in der allgemeinen Wirtschaftslage ihre Verkaufsorganisation überprüfen und eventuell restrukturieren. Xerox kann uns hier als Beispiel dienen:

Xerox verfügte in den USA über mehrere separate Verkaufsorganisationen. Die größte davon verkaufte Kopiermaschinen, andere Schreibmaschinen, Drucksysteme, Bürosysteme usw. Angesichts der Entwicklung hin zum »elektronischen Büro« entschied sich Xerox dafür, drei verschiedene Verkaufsorganisationen zusammenzulegen, so daß Xerox-Vertreter aus unterschiedlichen Sektionen der Vertriebsorganisation nicht mehr den gleichen Kunden besuchen und ihn mit einseitig betonten Präsentationen zu den unterschiedlichen Büroprodukten und -systemen in Verwirrung bringen konnten. Xerox unterteilte die drei zusammengelegten Verkaufsabteilungen in vier Untergruppen:

- Die Gruppe der National Account Manager (NAM) zur Betreuung der großen Unternehmen, die national mit vielen Niederlassungen vertreten sind;
- Die Major Account Manager (MAM) zur Betreuung von Großkunden mit einer oder mehreren Niederlassungen in einer Region;
- Die Account Representatives (AR), die als Kundenbetreuer gewerbliche Kunden mit einem Abnahmepotential zwischen $5.000 und $ 10.000 pro Jahr betreuen;
- Die Marketing Representatives (MR), die bei allen anderen Kunden als Verkäufer auftreten.

Jede der Gruppen arbeitete nun in einem anderen Rhythmus und wurde nach einem unterschiedlichen Plan entlohnt. Bei dieser Umstrukturierung unterzog Xerox seine Verkäufer einem gründlichen und langwierigen Trainingsprogramm, denn jeder mußte lernen, wie er alle Produkte von Xerox beim Kunden zu vertreten hatte. Zugleich aber erhielt jeder Verkäufer Zugang zu Produktexperten im Hause Xerox, die ihn beim Verkauf unterstützten. Die Verkaufsteams von Xerox traten dann unter dem Namen »Team Xerox« auf. [6]

Ein weiteres ausführliches Beispiel für eine komplexe Restrukturierung der Verkaufsorganisation ist in Exkurs 23-3 dargestellt.

Exkurs 23-3: Komplexe Restrukturierung der Verkaufsorganisation: Das Beispiel Knorr/Maizena

Bei der Deutschen Knorr/Maizena GmbH erfolgte eine Umstrukturierung als Teil einer umfassenden Strategie- und Strukturveränderung des Unternehmens, durch die es seine Kompetenz, Präsenz und Effizienz im Markt verbessern wollte. Die Umstrukturierung beinhaltete eine Neuaufteilung der Verkaufsgebiete, eine Umschichtung der Kompetenzen sowie eine von konventionellen Hierarchien befreite Über- und Unterordnung mit einem neuen Selbstverständnis im Verkauf:

- Fünf Verkaufsregionen mit zuvor jeweils einem verantwortlichen Leiter wurden auf drei Absatzgebiete (Nord, Mitte, Süd) umgelegt, für die nun je ein »Kundenmanager« und ein »Regionalmanager« gemeinsam verantwortlich sind. Diese sechs »Absatzleiter« bilden die neue Führungsspitze. Dem Absatzleiter Kundenmanagement unterstehen weitere Kundenmanager, dem Absatzleiter Regionalmanagement die Regionalmanager und die Reisenden. Insgesamt verfügt Knorr/Maizena über 25 Kundenmanager, 25 Regionalmanager und 200 Reisende. Der ehemalige nationale Verkaufsdirektor wurde zum Chef des Verkaufsinnendienstes.

- Bei der Neustrukturierung der Aufgaben ergaben sich nach Darstellung des Unternehmens schnell klare persönliche Zielsetzungen für den Kundenmanager und den Regionalmanager. Der Kundenmanager ist ein Verkäufer, der Strukturen analytisch intensiv durchdringt, für die Kundenbetreuung relevante Daten zusammenstellt und diese vernünftig darstellt. Der Regionalmanager hingegen will mit »das Banner vorantragen und Menschen (d.h. die Reisenden) begeistern«.
- Das Regional- und das Kundenmanagement stehen gleichberechtigt nebeneinander. Der Kundenmanager ist kein Key Account Manager im klassischen Sinne, der von der Zentrale aus Großkunden betreut, sondern ein Regionalmanager mit Schlüsselkundenverantwortung.
- Vom Kundenmanager erwartet das Unternehmen im wesentlichen vier Dinge:
  1. Er muß den Kunden besser kennen, als dieser sich selbst kennt.
  2. Er muß den Kunden verstehen.
  3. Er muß Kundennutzen anbieten.
  4. Er muß Leistungen ertragsorientiert anbieten.
- Zu den Aufgaben des Kundenmanagers zählen u.a. die Sicherstellung einer vorteilsgewährenden Sortimentsbreite und -tiefe, die Kontaktstrekkenqualität, die Warenwerbung und die Preispflege. Außerdem gehören dazu die Optimierung des Kundenertrags (Absatzleistung in DM geteilt durch kundenspezifische Vertriebskosten), die regelmäßige Kundenanalyse, der Aufbau einer »persönlichen und einer Knorr/Maizena-Marktkompetenz« bei allen Entscheidungsträgern des Kunden, die effiziente Steuerung der Absatzorganisation sowie die Steigerung der qualitativen Personalleistung durch eine geeignete periodische Motivation.
- Ein gründlicher Einblick in die Kommunikationsstruktur der Großkunden ist die Grundlage: Ohne Kenntnis der Entscheidungsprozesse funktioniert Kundenmanagement nicht. Die transparent gemachten Beziehungen, die unterschiedlichen Abteilungsziele, die zäh verteidigten Positionen und die nachdrängende Manager-Elite – all das muß der Kundenmanager kennen. Wie er die verschiedenen Interessen bündeln kann, ohne den Hauptakteur – den Einkaufschef – zu düpieren, dafür hat Knorr/Maizena eine Lösung parat, die kurz und knapp lautet: »Gesprächsthemen und -anlässe schaffen, die es für den Kunden interessant machen, mit dem Kundenmanager von Knorr/Maizena im Gespräch zu bleiben und gemeinsame Lösungen für Verbesserungen zu suchen.«

Quelle: »Kommunikation statt Konditionen«, in: *Absatzwirtschaft*, 8/1989, S. 30–32.

Größe der Verkaufsorganisation

Wenn das Unternehmen die Einsatzstrategie und -struktur ausgearbeitet hat, dann muß die Größe der Organisation und die angestrebte Mitarbeiterzahl festgelegt werden. Die Verkäufer gehören zu den produktivsten und auch zu den teuersten Ressourcen eines Unternehmens. Eine Aufstockung des Verkaufspersonals bedeutet mehr Umsatz und auch mehr Kosten.

Die eigene Verkaufsorganisation kann u.U. verkleinert und Kosten gespart werden, indem bestimmte Verkaufsaufgaben an unternehmensfremde Verkaufsorganisationen abgegeben werden, z.B. an Spezialisten im Telefonverkauf, Handelsvertreter und Verkaufsagenturen. Abbildung 23–2 stellt in schematischer Form zwei Alternativen gegenüber, nämlich die Bearbeitung aller Kunden in eigener Regie oder die Einschaltung unternehmensfremder Verkaufsorganisationen mit der Bearbeitung bestimmter Kundengruppen. Die obere Linie zeigt an, welche Kosten entstehen würden, wenn das Unternehmen die Kunden aller Größenklassen mit der unternehmenseigenen Verkaufsorganisation bearbeiten will. Die untere, steilere Linie symbolisiert, daß niedrigere Kosten zu erreichen sind, wenn das Unternehmen die Kunden in vier Klassen aufteilt und dann wie folgt verfährt: Ein unternehmenseigenes Großkundenmanagement bearbeitet nur die großen Kunden; mittelgroße Kunden werden per Telefon durch Telefonmarketing-Organisationen bearbeitet, um dort Aufträge einzuholen; Verkaufsagenturen kümmern sich um die Kleinkunden in Ballungsräumen, und Handelsvertreter versorgen die Kleinkunden in ländlichen Gebieten. Bei einer solchen Aufteilung kann das Unternehmen höherere Gewinne erzielen, wenn die unternehmensfremden Verkaufsorganisationen das gleiche Umsatzvolumen schaffen wie die eigene Verkaufsorganisation. Hier aber gibt es –

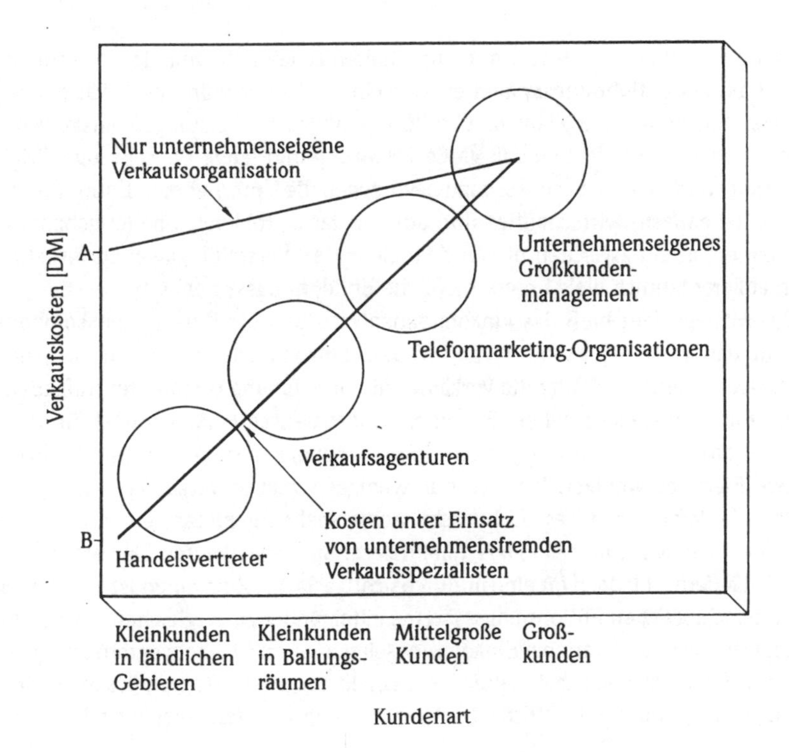

Abbildung 23-2 Alternativen für die Verkaufsorganisation: Schematische Darstellung des Kostenzusammenhangs

wie bei allen Multikanal-Vertriebssystemen – potentielle Konfliktpunkte mit und die Gefahr von Reibungsverlusten zwischen den mitwirkenden Verkaufsorganisationen.

Wenn ein Unternehmen weiß, wieviele Kunden es mit seiner Verkaufsorganisation bearbeiten will, dann kann es die Größe der Organisation anhand des erforderlichen Bearbeitungsaufwandes bestimmen. Dabei geht man methodisch wie folgt vor:

1. Die Kunden werden nach ihrem jährlichen Umsatzvolumen in unterschiedliche Größenklassen eingeordnet.
2. Die gewünschte Besuchshäufigkeit (Zahl der Verkaufsbesuche pro Jahr und Kunden) wird für jede Größenklasse festgelegt. Die Besuchshäufigkeit zeigt, wie intensiv das Unternehmen seine Kunden verschiedener Größe im Vergleich zum Wettbewerb bearbeiten will.
3. Die Zahl der Kunden in jeder Größenklasse wird mit der angestrebten Besuchshäufigkeit multipliziert. Die Zahl der erforderlichen Verkaufsbesuche für alle Größenklassen wird summiert und ergibt die Gesamtzahl der geplanten Besuche.
4. Die Zahl der Verkaufsbesuche, die von einem Verkäufer pro Jahr im Durchschnitt getätigt werden sollen, wird festgelegt.
5. Die Zahl der benötigten Verkäufer wird errechnet, indem die Gesamtzahl aller Kundenbesuche durch die pro Verkäufer zu bewältigende Zahl an Besuchen dividiert wird.

Wenn z.B. ein Unternehmen schätzt, daß es 1.000 Kunden der Größenklasse A und 2.000 Kunden der Größenklasse B zu bearbeiten hat und die A-Kunden 36 mal pro Jahr und die B-Kunden 12 mal pro Jahr besucht werden müssen, dann beträgt der gesamte Arbeitsaufwand 60.000 Verkaufsbesuche pro Jahr. Wenn in dieser Branche der durchschnittliche Verkäufer 1.000 Besuche pro Jahr machen kann, so benötigt das Unternehmen 60 Vollzeitbeschäftigte im Außendienst.

Entlohnungssystem für das Verkaufspersonal

Um gute Verkäufer für sich gewinnen und halten zu können, muß das Unternehmen ein attraktives Entlohnungssystem entwickeln. Verkäufer wünschen sich ein regelmäßiges Einkommen, wollen für überdurchschnittliche Leistungen zusätzlich belohnt werden und möchten, daß große Erfahrung und lange Betriebszugehörigkeit honoriert werden. Im Gegensatz dazu bevorzugen die Unternehmen Entlohnungssysteme, die einfach, wirtschaftlich und administrativ problemlos beherrschbar sind. Im Spannungsfeld zwischen diesen divergierenden Vorstellungswelten findet man auch außerordentlich viele unterschiedliche Entlohnungssysteme.

Das Management muß das Einkommensniveau und die Einkommenskomponenten für das Verkaufspersonal festlegen. Das Einkommensniveau muß sich daran orientieren, welche Gehälter die Verkäufer für die Erfüllung bestimmter Aufgaben im Verkauf üblicherweise erhalten. Bei einem transparenten Personalmarkt für Verkäufer muß das einzelne Unternehmen die branchenüblichen Verdienstmöglichkeiten bieten. Bietet es weniger, kann es nur weniger versierte Verkäufer anlocken und halten. Andererseits ist es auch nicht nötig, mehr zu bieten, es sei denn, das Unternehmen will nur besonders qualifizierte Spitzenverkäufer. Der »Marktwert« von Verkäufern ist jedoch oft eine undurchsichtige Sache. Zum einen ist es schwierig, die unterschiedlichen Entlohnungssysteme miteinander zu vergleichen, da sie unterschiedliche feste und variable Einkommenselemente und Nebenvergünstigungen in vielerlei Schattierungen beinhalten. Zudem kann es zu Trugschlüssen kommen, wenn man die durchschnittliche Nettoentlohnung der Verkäufer einzelner Unternehmen vergleicht, da es zwischen den Unternehmen große Unterschiede gibt, was die durchschnittliche Betriebszugehörigkeit, den Ausbildungsstand und das geforderte Verkaufsgeschick anbelangt. Zu diesem Thema veröffentlichte Branchenvergleiche bieten oft nicht genügend Details, um daraus Zahlen direkt übernehmen zu können.

Nach der Festlegung des Einkommensniveaus muß das Unternehmen die Einkommenskomponenten bestimmen, d.h. einen festen Grundbetrag, einen variablen Anteil, Aufwandsentschädigungen und Nebenvergünstigungen. Der feste Grundbetrag, der z.B. in Form eines Gehalts angeboten werden kann, dient dazu, den Wunsch des Verkäufers nach einem sicheren Einkommen zu erfüllen. Der variable Anteil, der in Form einer Provision, Leistungsprämie oder Gewinnbeteiligung gewährt wird, soll einen gesteigerten Verkaufseinsatz fördern und belohnen. Aufwandsentschädigungen ermöglichen es dem Verkäufer, die im Zuge seiner Tätigkeit anfallenden Kosten für Reisen, Unterkunft, Verpflegung und Kundenbetreuung zu decken. Nebenvergünstigungen, wie Urlaubsgeld, Altersversorgung, Lebensversicherungen, Unfall- und Krankenversicherungen, sollen bewirken, daß der Verkäufer sich in seiner Position sicher und zufrieden fühlt.

Das Vertriebsmanagement muß entscheiden, welchen Anteil die einzelnen Komponenten im Entlohnungssystem einnehmen sollen. Der feste Einkommensanteil genießt dort besondere Priorität, wo der Verkäufer in hohem Maße Nebenaufgaben erfüllt, wo die Verkaufsaufgabe technisch komplex ist und wo Teamarbeit gefordert ist. Der variable Anteil hingegen genießt dort besondere Priorität, wo die Verkaufsbemühungen direkt in Umsatz münden sollen und unmittelbar vom Einsatz des Verkaufspersonals abhängen.

Es lassen sich drei Grundtypen der Entlohnung für den Verkauf ableiten: reiner Zeitlohn, reiner Leistungslohn und Kombination aus Zeit- und Leistungslohn.

Die Vor- und Nachteile dieser Grundtypen sind in Exkurs 23-4 dargelegt.

Exkurs 23–4: Grundformen der Entlohnung und andere Aufwendungen für den Verkauf

Reiner Zeitlohn

Hier erhält der Verkäufer ein festes monatliches Einkommen plus Kostenerstattung. Gelegentlich gibt es zusätzliche Zahlungen in Form eines Bonus, dessen Höhe im Ermessen des Managements liegt, oder in Gestalt von Preisen aus Verkaufswettbewerben. Aus Sicht des Unternehmens bringt der reine Zeitlohn folgende Vorteile: Veränderte Aufgabenstellungen im Verkauf lassen sich mit weniger »Gegenwind« durchsetzen. Das Zeitlohnsystem kann den Betroffenen leicht erläutert und administrativ problemlos bewältigt werden. Die Kosten des Verkaufs lassen sich leichter planen und budgetieren. Durch die gesicherten Einkommensverhältnisse der Verkäufer kann die Arbeitsmoral auf hohem Niveau gefestigt werden. Auf der anderen Seite gibt es auch Schwächen: Der reine Zeitlohn bietet den Verkäufern keinen Anreiz zu überdurchschnittlichen Leistungen. In Flautezeiten bedeutet das Zeitlohnsystem eine gravierende und inflexible Kostenbelastung. Bei guter Geschäftslage wiederum bietet der Zeitlohn den Verkäufern keine ausreichenden Anreize, diese Situation zum Wohl des Unternehmens voll auszunutzen. Brisante Fragen ergeben sich vor allem dann, wenn das Zeitlohnsystem auch Veränderungen im Verkaufsgeschick und den Lebenshaltungskosten sowie das Dienstalter berücksichtigen soll. Ohne Zweifel ist es schwierig, dynamische Verkäufer mit reinen Zeitlohnverträgen zu gewinnen und zu halten.

Reiner Leistungslohn
Hier erhält der Verkäufer eine festgelegte oder gleitende prozentuale Beteiligung am Umsatz- oder Gewinnbeitrag, den er erwirtschaftet. Als Bezugsbasis für die Beteiligung der Verkäufer kann man den Bruttoumsatz, den Nettoumsatz sowie Deckungsbeiträge oder Gewinnbeiträge nach verschiedenen Verrechnungsschemata heranziehen (Fachleute meinen, daß es besser sei, die Beteiligung nach dem Deckungsbeitrag als nach dem Bruttoumsatz zu bemessen, obwohl letzteres in der Praxis eher der Fall ist). Die prozentuale Beteiligung kann entweder bei allen getätigten Umsätzen gleich hoch sein oder aber nach Kunden oder Produkten variieren. Die Beteiligung kann bereits mit dem ersten Abschluß oder auch erst nach Erreichung einer Minimalvorgabe einsetzen. Den reinen Leistungslohn auf Provisionsbasis findet man in Deutschland nur selten. In den USA ist er speziell im Wertpapiergeschäft, bei Versicherungen, Büromaschinen, Haushaltsgeräten und im Drogerie- und Eisenwarengroßhandel anzutreffen. Aus Unternehmenssicht ergeben sich hier folgende Vorteile: Die Verkäufer werden zu großem Arbeitseinsatz angehalten. Die Verkaufskosten korrelieren direkt mit dem erzeugten Umsatz. Die Beteiligung kann nach Produkten und Aufgaben variiert werden; damit hat man Einfluß darauf, wie der Verkäufer seine Zeit verwendet. Nun zu den Schwächen: Den Verkäufern widerstrebt es, Arbeiten zu übernehmen, die nicht kurzfristig zu Einkommen führen, wie z.B. Hinweisen auf potentielle Kunden nachzugehen, Verkaufsberichte zu erstellen und Dienste am Kunden zu erbringen. Bei einem reinen Leistungslohnsystem tendieren die Verkäufer u.U. dazu, die Kunden unter Druck zu setzen oder ihnen zu Lasten ihrer eigenen Provision Nachlässe anzubieten. Die Lohnabrechnung ist aufwendiger; die Einkommenssicherheit ist geringer, und die Arbeitsmoral der Verkäufer geht stark zurück, wenn der Umsatz – ohne ihr Verschulden – sinkt.

Kombinierte Zeit- und Leistungsentlohnung
In der Mehrzahl bieten die Unternehmen ihren Verkäufern eine Kombination aus Zeit- und Leistungslohn. Sie hoffen, damit die Vorteile beider Systeme mitnehmen und ihre Nachteile vermeiden zu können. Ein kombiniertes System ist dann angebracht, wenn das Umsatzvolumen durch Anreize für die Verkäufer erhöht werden soll und die Unternehmensleitung die Durchführung der mit dem Verkauf verbundenen Nebenaufgaben steuern will. Dieses System hat den Vorteil, daß das Unternehmen in einer schlechten Konjunkturlage weniger Fixkosten hat und die Verkäufer trotzdem nicht ihren gesamten Verdienst einbüßen.

Prämien
Viele Unternehmen bieten Leistungsprämien als Ausgleich für Sonderanstrengungen, Sonderleistungen oder besondere Verkaufserfolge. Prämien werden häufig als Entlohnung für Aufgaben eingesetzt, deren Erfüllung zwar wünschenswert, aber nicht mit einer Provision verbunden ist. Dazu gehören Dinge wie die pünktliche Abgabe von Besuchsberichten, Vorschläge für nützliche Verkaufsideen und der Erwerb außergewöhnlich guter

Produkt- und Marktkenntnisse. Das Problem bei Prämien ist, daß sie nach Ermessen des Managements festgelegt werden und die Gerechtigkeit der Prämienzuteilungen von Verkäuferseite in Frage gestellt werden kann.

Weitere Kosten
Neben der Entlohnung der Verkäufer fallen im Verkauf noch folgende Kosten an: Verkaufsspesen (Reisen, Unterkunft, Telefon, Kundenbewirtung), Nebenvergünstigungen (Krankenversicherung, Lebensversicherung, Altersversorgung, Mitgliedschaft in Berufsverbänden sowie Umzugskosten), Sonderanreize (Verkaufswettbewerbe, Leistungsauszeichnungen) und Kosten zur Unterstützung des Außendienstes (Mitarbeiter im technischen Bereich und im Kundendienst, Verkaufsanalysen, Tourenplanung, Verkaufstraining). Die Gesamtkosten der unternehmenseigenen Verkaufsorganisation beinhalten also wesentlich mehr als nur die Entlohnungskosten.

Quellen: Christian Näser: »Gehälter in Marketing und Verkauf«, in: *Marketing Journal* 5/1989, S. 460–463; Hans Weis: *Verkauf*, Ludwigshafen, 1989, S. 148–149; Anne T. Coughlan und Subrata K. Sen.: »Salesforce Compensation: Theory and Managerial Implications«, in: *Marketing Science*, Herbst 1989, S. 324–342.

Management der Verkaufsorganisation

Wenn Arbeitsziele, Einsätze, Strategien, Struktur, Größe und Entlohnungssystem festgelegt sind, verbleibt immer noch die Aufgabe, die Verkaufsorganisation aufzubauen und zu führen. Dazu muß Verkaufspersonal gewonnen, ausgewählt, geschult, angeleitet, motiviert und beurteilt werden. Dabei sind Entscheidungen zu treffen, Grundsätze aufzustellen und Verfahren einzuhalten.

Gewinnung und Auswahl von Verkaufspersonal

Bedeutung der Auswahl
Die Auswahl guter Verkaufskräfte ist von zentraler Bedeutung für ein erfolgreiches Management der Verkaufsorganisation. Nicht alle Verkäufer sind gleich tüchtig. Die Unterschiede sind hier sehr groß. Selbst wenn man ein Produktivitätsgefälle bei den Verkäufern als naturgegeben hinnimmt, wäre es doch eine große Ressourcenvergeudung, ungeeignete Personen als Verkäufer einzustellen, nur um sie bald darauf wieder entlassen zu müssen. Bei vielen Unternehmen ist die Fluktuation des Verkaufspersonals im Vergleich zu anderen Abteilungen hoch. Eine hohe Fluktuation ist teuer, denn es muß Ersatz gefunden und eingearbeitet werden. Die Einarbeitungskosten sind hoch. Sie umfassen das Gehalt des neuen Mitarbeiters, die entsprechenden Sozialkosten, die Kosten für seine Anleitung, seinen Arbeitsplatz samt Ausstattung sowie Fahrzeug, Reisekosten und sonstige Spesen. Durch den Weggang des Vorgängers ergeben sich zudem in aller Regel Umsatzeinbußen. Erfahrungsgemäß sind Verkaufsorganisationen mit vielen neuen Mitarbeitern weniger produktiv. [7]

Eignungskriterien

Die Auswahl von Verkäufern wäre einfach, wenn man genau wüßte, welche Eigenschaften der ideale Verkäufer besitzen muß. Als Ausgangspunkt nimmt man am besten die Kunden und fragt sie, welche Charaktereigenschaften und Verhaltensweisen sie bei Verkäufern schätzen. Die meisten Kunden geben an, daß ein Verkäufer ehrlich, zuverlässig, fachlich versiert und hilfsbereit sein sollte. Das Unternehmen sollte diese Kriterien bei der Auswahl der Kandidaten berücksichtigen.

Ein anderer Ansatz zur Bestimmung der gewünschten Verkäufereigenschaften besteht darin, daß man erfolgreiche Verkäufer beobachtet und feststellt, welche Eigenschaften sie gemeinsam haben. Wenn alle erfolgreichen Verkäufer kontaktfreudig, aggressiv und dynamisch wären, so könnten die Bewerber nach diesen Kriterien geprüft werden. Nun zeigt sich jedoch, daß viele erfolgreiche Verkäufer eher kühl, sanftmütig und ruhig sind. Und auch was das äußere Erscheinungsbild anbelangt, gibt es noch kein generell gültiges Konzept für die Auswahl erfolgreicher Verkäufer.

Dessen ungeachtet lassen die Unternehmen in ihrer Suche nach der bestmöglichen Eigenschaftskombination, nicht nach. Zahlreiche Persönlichkeitsmerkmale von Außendienstmitarbeitern werden immer wieder erforscht und Verkäufertypologien aufgestellt. [8] Es wurden auch zahlreiche Listen mit den optimalen Verkäufereigenschaften erstellt. McMurry schrieb dazu: »Ich bin davon überzeugt, daß es zum Charakterbild der effektiven Verkaufspersönlichkeit gehört, andere »gewohnheitsmäßig zu umgarnen«, d. h. eine Person erfordert, die fast zwanghaft die Sympathie und Anerkennung anderer sucht.« [9] Er nennt darüber hinaus fünf weitere Charaktereigenschaften des Starverkäufers: »Ein hohes Maß an Energie, Selbstvertrauen en masse, chronisches Streben nach materiellem Erfolg, permanenter Fleiß und die Geisteshaltung, daß Einwände, Widerstände und Hindernisse als Herausforderungen anzusehen sind.« [10]

Mayer und Greenberg präsentierten einen der kürzesten Eigenschaftskataloge. [11] Sie glaubten zu wissen, daß der gute Verkäufer stets mindestens zwei fundamentale Eigenschaften aufzuweisen hat: (1) Einfühlungsvermögen, d. h. die Fähigkeit, sich gefühlsmäßig in den Kunden zu versetzen, und (2) einen Drang zur Selbstbestätigung, d. h. ein starkes persönliches Bedürfnis, einen Verkaufsabschluß zu tätigen. Mayer und Greenberg wandten dieses Modell in drei verschiedenen Branchen an und konnten, ausgehend von diesen beiden Eigenschaften, mit einigem Erfolg vorhersagen, welche Verkaufsleistungen von Bewerbern für neue Verkaufspositionen voraussichtlich erzielt werden würden.

In der Praxis sollte das Unternehmen bei der Aufstellung der Eigenschaftsliste auch die branchen- und unternehmensspezifische Arbeitsplatzbeschreibung des Verkäufers berücksichtigen. Auch muß bedacht werden, daß die Verkaufsorganisation nicht einen einzigen uniformen Verkäufertyp suchen sollte, sondern nach Möglichkeit die richtige Balance wahren sollte zwischen den Verkäufern, die loyal und gewissenhaft ihre Arbeit tun und auf lange Sicht das Rückgrat des Vertriebs darstellen, und den entwicklungsfähigen Verkäufern, die mit Fleiß immer mehr Kenntnisse und Erfahrungen erwerben, zunehmend Verantwortung übernehmen und schließlich in Führungspositionen hineinwachsen wollen.

Anwerbungsverfahren

Wenn die Auswahlkriterien feststehen, muß entsprechendes Personal angeworben werden. Diese Aufgabe fällt in der Regel der Personalabteilung zu. Sie sucht Bewerber, indem sie z. B. das Verkaufspersonal um Namen möglicher Interessenten bittet, Arbeitsämter und private Stellenvermittler anschreibt, Stellen per Zeitungsanzeige ausschreibt oder mit jungen Leuten, die noch in der Ausbildung sind, Kontakt aufnimmt. Zu letzterem ist anzumerken, daß es nicht leicht ist, Studenten mit akademischer Ausbildung das »Verkaufen zu verkaufen«. Dies trifft nicht nur auf Europa, sondern auch auf die USA zu. Nur wenige Studenten betrachten den Verkauf als ihr zukünftiges Berufsfeld. [12] Viele sind vielmehr der Meinung, daß »das Verkaufen kein Beruf, sondern ein Job ist, daß man schwindeln muß, um im Verkauf Erfolg zu haben, daß der Verdienst nicht gesichert und daß man zu viel auf Reisen ist.« Auf solche Einwände können die Unternehmen im Gegenzug auf hohe Anfangsgehälter, gute Verdienststeigerungs- und Aufstiegsmöglichkeiten verweisen. In den USA z. B. begannen ein Viertel der Führungskräfte von Großunternehmen ihre Karriere im Marketing oder im Verkauf. Auch bei vielen deutschen Unternehmen wird Wert darauf gelegt, daß die Personen in den Spitzenpositionen zumindest zeitweilig den Beweis angetreten haben, daß sie verkaufen können.

Verfahren zur Beurteilung von Bewerbern

Ein erfolgreiches Anwerbeverfahren führt zu vielen Bewerbungen, und das Unternehmen muß dann die besten Kandidaten auswählen. In der Praxis gibt es auch bei den Auswahlverfahren große Unterschiede. In manchen Fällen stützt man sich lediglich auf ein einziges informelles Interview, in anderen Fällen wird der Bewerber – und manchmal auch seine Frau – zahlreichen und gründlichen Tests und Interviews unterzogen. [13] Immer mehr Unternehmen prüfen die Bewerber für Verkaufspositionen anhand von formalen Tests. Obwohl die Testergebnisse lediglich ein einziges Informationselement innerhalb eines umfassenden Bewertungsschemas darstellen, zu dem auch persönliche Charakteristika, Empfehlungsschreiben, graphologische Gutachten, der bisherige Werdegang und das Meinungsbild der unternehmensinternen Interviewer gehören, wiegen diese Testergebnisse in manchen Unternehmen besonders schwer. Oft wird der Bewertungsprozeß in mehreren Stufen vollzogen. [14] Beim zweistufigen Verfahren ist es üblich, daß ein Mitarbeiter der Personalabteilung ein erstes Gespräch mit dem Bewerber führt, geeignete Kandidaten herausfiltert und offensichtlich ungeeignete Bewerber aussiebt. In der zweiten Stufe werden dann unter Einbeziehung von Mitarbeitern im Verkauf die aussichtsreichsten Kandidaten einer gründlichen Prüfung unterzogen und schließlich die besten ausgewählt. Gut organisierte Unternehmen stellen den eigenen Mitarbeitern entsprechende Bewertungsleitlinien zur Verfügung (vgl. Exkurs 23-5). Dadurch soll sichergestellt werden, daß die Bewerber konsistent bewertet werden und daß sie von ihrem Eigenschaftsbild her den Zielvorstellungen des Unternehmens entsprechen.

Exkurs 23-5: Bewertungsleitlinien zu einem zweistufigen Verkäuferauswahlverfahren

STUFE 1

dient der Vorauswahl geeigneter Bewerber. Die Beurteilung erfolgt im Verlauf einer persönlichen Unterredung. Beachtung finden dabei folgende Eigenschaftsgruppen:

1. Äußere Erscheinung
   a) Gefällt das Erscheinungsbild des Bewerbers? ja/nein
   b) Hat er eine angenehme Stimme? ja/nein
   c) Hat er einen guten Wortschatz? ja/nein
2. Temperament und Auftreten
   a) Überwindet er problemlos die anfängliche Nervosität? ja/nein
   b) Kann er sich für die Position begeistern? ja/nein
   c) Kann er logisch argumentieren? ja/nein
   d) Zeigt er Einfallsreichtum? ja/nein
   e) Gibt er sich kooperativ? ja/nein
   f) Zeigt er Talent zur Einflußnahme auf andere? ja/nein
3. Kenntnisse, Erfahrungen und Lernwilligkeit
   a) Verfügt er über eine ausreichende Grundausbildung? ja/nein
   b) Hat er Kenntnisse in kaufmännischem Denken? ja/nein
   c) Verfolgt er das wirtschaftliche Geschehen? ja/nein
   d) Ist er bereit, sich weiterzubilden? ja/nein*
   e) Ist er bereit, auch Abend- und Wochenendkurse zu belegen, auch wenn diese nicht zu Hause stattfinden? ja/nein*
   f) Hat er realistische Vorstellungen von den Verdienst- und Aufstiegsmöglichkeiten? ja/nein
   g) Besitzt er einen gültigen Führerschein? ja/nein*
4. Interessen
   a) Ist er Mitglied eines Clubs oder einer Vereinigung? ja/nein
   b) Ist er dort bereits in verantwortlicher Funktion tätig? ja/nein
5. Persönliche Verhältnisse
   a) Macht er einen aufrichtigen Eindruck? ja/nein*
   Wenn nein, warum nicht?
   b) Ist er bereit, ggf. umzuziehen? ja/nein*
   c) Ist seine Frau bereit, zu seinem beruflichen Erfolg beizutragen? ja/nein
   d) Gibt es außergewöhnliche finanzielle Belastungen? ja/nein
6. Zusammenfassung
   Gesamtzahl der Ja-Antworten: □ von 22
7. Entscheidung: (Hier eine Alternative ankreuzen)
   + Ein weiteres Gespräch auf der nächsten Stufe sollte stattfinden (wenn die Gesamtpunktzahl › 16 und eine positive Antwort auf alle Fragen mit einem * vorliegt).
   + Unsicher, ob Stufe 2 der Auswahl eingeleitet werden soll (wenn Gesamtpunktzahl zwischen 10 und 16); der Kandidat sollte auf Stufe 1 mit einer anderen Person der Personalabteilung eine weitere Unterredung führen.
   + Abgelehnt (Gesamtzahl der Punkte ‹ 10)

STUFE II

Stufe II dient einer gründlicheren Bewertung der Bewerber, um schließlich die besten herausfinden und eine Einstellung oder Ablehnung empfehlen zu können.
Der Bewerber sollte in einem Interview von mindestens zwei Mitarbeitern »in die Zange genommen« werden, die gemeinsam die Punktevergabe (Teil A), Auswertung (Teil B) und Empfehlung (Teil C) vornehmen.

Teil A: Punktevergabe

Hier sind verschiedene Bewertungskriterien genannt, und für jedes Kriterium sind bis zu 7 mögliche Stufen vorgegeben. Bei jedem Bewertungskriterium besteht die Möglichkeit, daß es beim Kandidaten in übertriebender Form oder aber fast gar nicht vorhanden ist. Das Unternehmen sucht Kandidaten, die bei den bewerteten Eigenschaften eine ausgewogene Ausprägung zeigen und damit in das Unternehmensgefüge passen.

Eigenschaft	**Eigenschaftsausprägung**	**Punkte**
1. Erscheinungsbild (Gewichtungsfaktor 2)	– sehr auffällig gekleidet	1
	– übertrieben penibel	2
	– sehr gepflegt	5
	– gepflegt	4
	– tragbar	3
	– ungepflegt	2
	– schlampig	1
2. Selbstvertrauen (Gewichtungsfaktor 3)	– überheblich	1
	– zu selbstsicher	2
	– selbstsicher	5
	– einigermaßen selbstsicher	4
	– unsicher	2
	– Minderwertigkeitskomplexe	1
3. Motivierbarkeit (Gewichtungsfaktor 4)	– übertrieben begeistert	1
	– zu viel Enthusiasmus	2
	– sehr begeisterungsfähig	5
	– begeisterungsfähig	4
	– Begeisterung gedämpft	3
	– zu wenig begeisterungsfähig	2
	– keine Begeisterungsfähigkeit	1
4. Verbaler Kommunikationsstil (Gewichtungsfaktor 4)	– sehr geschwätzig	1
	– geschwätzig	2
	– wortreich mit Logik und Klarheit	5
	– gut ausdrucksfähig, leicht verständlich	4
	– durchschnittlich ausdrucksfähig	3
	– wortarm, schlecht verständlich	2
	– nicht mitteilsam oder wirr	1
5. Stil der Einflußnahme (Gewichtungsfaktor 4)	– sehr intolerant, aufdringlich	1
	– intolerant	2
	– sehr überzeugend	5

	– überzeugend	4
	– durchschnittlich	3
	– wenig überzeugend	2
	– zaghaft	1
6. ...	Es folgen weitere Eigenschaften (wie	
7. ...	Organisationstalent, Ehrgeiz, Kennt-	
8. ...	nisse in der Verkaufstechnik und	
9. ...	Lernwilligkeit) sowie Skalen für die	
10. ...	Eigenschaftsausprägungen	

Teil B: Auswertung der Stufe II
Hier werden die vergebenen Punkte mit dem zugeordneten Gewichtungsfaktor der Eigenschaft multipliziert. Dann wird aus diesen Zahlen die gewichtete Summe der Punkte als Gesamtnote gebildet.
Maximalnote: 150 Punkte
Davon erreicht: + Punkte als Gesamtnote
Annehmbar bei mindestens 90 Punkten.

Teil C: Empfehlung:
+ angenommen
+ abgelehnt

Schulung des Verkaufspersonals

Manche Unternehmen teilen die neuen Mitarbeiter sogleich in den Außendienst zur Kundenbetreuung ein. Sie geben ihnen Produktmuster, Auftragsbücher, Kundenlisten und Tourenpläne in die Hand und rüsten sie mit reichlich Warenproben, Bestellformularen und einer Beschreibung ihres Verkaufsgebietes aus. Dies reicht in der Regel natürlich nicht aus. Insbesondere neue Mitarbeiter im Vertrieb müssen gründlich eingearbeitet und geschult werden. Aber auch langgediente Verkäufer sind nicht immer so erfolgreich, wie sie selbst und andere es eigentlich erwarten. Es gibt viele Gründe dafür, daß manche Verkaufsleiter nicht in der Lage sind, gemeinsam mit ihren Mitarbeitern Höchstleistungen zu erzielen. Die wichtigsten davon sind:

1. Manche Verkäufer sind schlichtweg davon überzeugt, daß ihre eigene (und oft auch eigenwillige) Verkaufsmethode die einzig richtige sei.
2. Viele Verkäufer sind nach einem entgangenen Geschäft um eine Ausrede nie verlegen. Sie könnten zwar die Verantwortung dafür bei sich selbst suchen, tun dies aber nur selten. Da sie ihr eigenes Verhalten nicht kritisch unter die Lupe nehmen, ist es ihnen auch nicht möglich, die wahren Gründe für ihr Versagen zu ermitteln. Sie lehnen es ab, über ihre eigenen Fehler nachzudenken, und lernen deshalb auch nichts daraus, es sei denn, sie werden dazu angeleitet.
3. Manche Verkäufer lassen sich oft allzusehr vom Zufall leiten und versäumen es, systematisch und methodisch vorzugehen. Sie meinen, es genügt, ein begabter Redner zu sein, und versäumen dabei, ihre Fachkenntnisse und organisatorischen Fähigkeiten ständig weiter auszubilden.

Die Fehler, die Verkäufern ohne regelmäßige Schulung unterlaufen, zeigen sich deutlich im Umgang mit den Kunden. So machte z.B. der Verkaufsdirektor eines Unternehmens in der Lebensmittelbranche, als er beim Einkäufer einer großen Supermarktkette 50 Verkaufspräsentationen beiwohnte, folgende Beobachtungen:

- Ein Waschmittelverkäufer betrat den Raum. Er hatte drei unterschiedliche Verkaufsförderungsmaßnahmen vorzuschlagen und sprach über sechs geplante Durchführungstermine. Er hatte nichts Schriftliches darüber... Als der Verkäufer ging, sah der Einkäufer zu mir herüber und sagte: »Ich brauche jetzt mindestens 15 Minuten, um die mir vorgetragenen Fakten zu ordnen und zu verstehen«.
- Ein anderer Verkäufer kam herein und legte los: »Ich war gerade in der Gegend und wollte Sie wissen lassen, daß wir in der nächsten Woche mit einer ganz besonderen und neuen Verkaufsförderungsmaßnahme herauskommen werden«. Der Einkäufer erwiderte: »Das ist ja großartig. Worum handelt es sich dabei?« Der Verkäufer sagte: »Das weiß ich im einzelnen auch nicht..., aber ich komme in den nächsten Wochen nochmal vorbei, um Sie genauer zu unterrichten«. Der Einkäufer fragte ihn, was er dann heute hier wolle, worauf der Verkäufer erwiderte: »Ich war gerade in der Gegend«.
- Der nächste Verkäufer betrat die Szene und sagte zum Einkäufer: »Es wird höchste Zeit, daß wir Ihre Bestellungen für das Sommergeschäft aufnehmen, damit die Lieferungen rechtzeitig rausgehen«. Der Einkäufer fragte: »Danke für den Hinweis, aber wieviel haben wir eigentlich letztes Jahr von Ihnen bezogen?« Der Verkäufer blickte etwas verwirrt und sagte: »Zum Teufel, das weiß ich auch nicht...«
- Zum Großteil waren die Verkäufer schlecht vorbereitet, nicht in der Lage, die elementarsten Fragen zu beantworten, und schienen sich nicht einmal sicher zu sein, was sie mit dem Verkaufsbesuch erreichen wollten. Sie sahen in ihrem Besuch nicht die Chance, ihre Angebote in professioneller Form zu unterbreiten. Ihnen war nicht bewußt, was der vielbeschäftigte Einkäufer brauchte und wollte. [15]

Verkaufsschulungsprogramme sind teuer. Verkaufstrainer, Übungs- und Anschauungsmaterial und Schulungsräume – all das muß bezahlt werden. Die Gehälter der zu schulenden Personen laufen weiter. Gleichzeitig können Verkaufschancen im Außendienst nicht wahrgenommen werden. Dennoch ist die Verkaufsschulung äußerst wichtig. Der moderne Verkäufertyp verbringt regelmäßig einige Wochen oder Monate bei Verkaufsschulungen. Neu eingestelltes Verkaufspersonal wird in Industriegüterunternehmen zunächst etwa 28 Wochen, in Dienstleistungsunternehmen etwa 12 Wochen und in Konsumgüterunternehmen etwa 4 Wochen geschult. Die Länge der Schulung richtet sich danach, wie komplex die Verkaufsaufgabe ist und welche Vorbildung die neu eingestellte Person mitbringt. Neue Verkäufer lernen auch dadurch, daß sie erfahrene Verkäufer bei den Kundenbesuchen begleiten. Bei IBM werden neue Verkäufer erst nach zwei Jahren allein zur Kundschaft geschickt. IBM erwartet, daß die Verkäufer des Hauses pro Jahr 15 % ihrer Zeit auf Weiterbildungsmaßnahmen verwenden.

Großunternehmen geben pro Jahr viele Millionen für die Verkaufsschulung aus, weil die Sache es wert ist. Die Verkäufer von heute haben es mit gut geschulten Einkäufern zu tun, die preis- und wertbewußter sind als früher und im Verkäufer einen kompetenten Partner erwarten. Die zu verkaufenden Produkte und Produktsysteme werden technisch immer komplexer. Die Unternehmen benötigen daher seriöse und fachkompetente Verkäufer. Verkaufsschulungsprogramme müssen mehrere Arbeitsziele verfolgen:

- *Der Verkäufer muß sein Unternehmen besser kennen- und sich mit ihm zu identifizieren lernen.* In den meisten Unternehmen behandelt der erste Teil des Schulungsprogramms die

Entwicklung und Ziele des Unternehmens, seine Organisation und Führungsstruktur, seine Abteilungen und ihre Vorstände, die Finanzstruktur und Einrichtungen des Unternehmens, die wichtigsten Produkte sowie deren Umsatz und Marktbedeutung.

- *Die Verkäufer müssen ihre Produkte besser kennenlernen.* Den Verkäufern wird gezeigt, wie die Produkte hergestellt werden und wie sie zu verwenden und zu bedienen sind.
- *Der Verkäufer muß alles über die Kunden und die Konkurrenten wissen.* Die Verkäufer werden über die unterschiedlichen Kundentypen und ihre Bedürfnisse, ihre Kaufmotive und ihr Kaufverhalten unterrichtet. Sie erfahren, welche Grundsätze und Strategien das eigene Unternehmen im Vergleich zu seinen Wettbewerbern gegenüber den Kunden verfolgt.
- *Die Verkäufer müssen lernen, wie man wirkungsvolle Verkaufspräsentationen durchführt.* Die Verkäufer werden in den Grundelementen des persönlichen Verkaufs geschult. Die wesentlichen Verkaufsargumente für jedes Produkt werden dargelegt. Manche Unternehmen entwickeln sogar Präsentationstexte, die jeder Verkäufer auswendig lernen muß.
- *Die Verkäufer müssen die ihnen auferlegten Pflichten und die Vorgehensweisen im Außendienst voll verstehen.* Sie werden darin geschult, wie sie ihre Arbeitszeit zwischen aktiven und potentiellen Kunden aufteilen sollen, wie mit Spesenabrechnungen umzugehen ist, wie Verkaufsberichte erstellt und Verkaufstouren geplant werden.

Ständig werden neue Schulungsmethoden entwickelt, die eine bessere Verkäuferausbildung ermöglichen sollen. Dazu zählen das Rollenspiel, das »Sensitivity Training«, das neurolinguistische Programmieren (NPL) nebst Einsatz von technischen Hilfsmitteln wie Videogeräten, Demonstrationsfilmen und vorprogrammierten Lernhilfen zum Selbststudium. So benutzt z. B. IBM ein vorprogrammiertes Lernsystem namens »Info-Window«. Bei diesem Lernsystem sind ein Personalcomputer und ein Videolesegerät miteinander verbunden. Der auszubildende Verkäufer sitzt vor einem Bildschirm, auf den ein für die Kundenbranche typischer Einkaufsmanager projiziert wird. Je nach Inhalt des Vortrags des Auszubildenden verändert der Einkaufsmanager sein Verhalten. Der Auszubildende selbst wird während dieses Trainings per Videogerät aufgenommen, das an das Info-Window-System angeschlossen ist, und kann sein eigenes Verhalten im nachhinein beobachten und entsprechend verbessern. [16]

Die für die Verkaufsschulung zuständige Abteilung sollte Nachweise über die mit den verschiedenen Trainingsmethoden erzielten Wirkungen sammeln. Spürbare Wirkungen können sich z. B. bei der Personalfluktuation, beim Umsatzvolumen, bei den Krankmeldungen, der durchschnittlichen Auftragsgröße, den Verkaufsabschlüssen pro Verkaufsbesuch, bei Beschwerden und Lob der Kunden, bei der Zahl der neu gewonnenen Kunden und beim Umfang der zurückgesandten Ware ergeben.

Die hohen Kosten unternehmenseigener Schulungsprogramme werfen die Frage auf, ob es für das Unternehmen besser wäre, erfahrene Verkäufer aus anderen Unternehmen abzuwerben. Dieser vermeintliche Vorteil wird jedoch oft nicht Realität, denn erfahrene Verkäufer müssen besser bezahlt werden, und Erfahrungen mit den Produkten des anderen Unternehmens sind nicht unbedingt auf das eigene Unternehmen übertragbar. In manchen Branchen schützen sich die Unternehmen durch Wettbewerbsklauseln im Arbeitsvertrag gegen die Abwerbung ihrer Verkäufer durch direkte Wettbewerber, oder man ist sich in der Branche stillschweigend darüber einig, daß sich direkte Wettbewerber nicht gegenseitig die Verkäufer abwerben.

Der neue Verkäufer braucht mehr als ein Verkaufsgebiet, ein Entgelt und ein Schulungsprogramm – er braucht auch Anleitung. »Angeleitet zu werden« ist das Schicksal aller, die unselbständige Arbeit leisten. Die Anleitung ergibt sich aus dem natürlichen und fortdauernden Interesse des Arbeitgebers an der Tätigkeit seiner Mitarbeiter. Der Arbeitgeber hofft, damit die Anstrengungen des Verkäufers in die gewünschten Bahnen lenken und ihn zu einer besseren Leistung motivieren zu können. Wie Exkurs 23-6 zeigt, gelingt dies nicht immer ganz und stellt eine wichtige Aufgabe für das Management dar.

Anleitung des Verkaufspersonals

Unternehmen schreiben ihren Verkäufern in unterschiedlichem Maße vor, was sie zu tun haben. Verkäufer, die größtenteils auf Provisionsbasis entlohnt werden und von denen die eigenständige Akquisition neuer Kunden erwartet wird, sind weitgehend auf sich selbst gestellt. Wer ein festes Gehalt bezieht und einen festgelegten Kundenstamm betreuen muß, wird hingegen in erheblichem Maße angeleitet und überwacht.

Exkurs 23-6: Wie wirkungsvoll führen Unternehmen ihre Verkaufsorganisation?

Es gibt viele Anzeichen für die ineffiziente Führung von Verkaufsorganisationen. Eine Untersuchung bei 257 der zur Gruppe der »Fortune 500« (der von der Wirtschaftszeitschrift »Fortune« jährlich zusammengestellten Liste der 500 größten amerikanischen Unternehmen) zählenden Unternehmen offenbarte folgendes:

- 54% der Unternehmen überwachten nicht, worauf die Verkäufer ihre Zeit verwendeten. Gleichwohl meinten die meisten befragten Manager, daß durch einen nutzbringenderen Zeiteinsatz Verbesserungen erzielt werden könnten.
- Bei 25% der Unternehmen lag kein System vor, um die Kunden nach ihrem Absatzpotential einzustufen.
- 30% verfügten über keine systematische Tourenplanung für die Verkäuferbesuche.
- 51% hatten noch nicht abgeschätzt, mit welcher Anzahl von Besuchen ihre Kunden am wirtschaftlichsten bedient werden konnten.
- 83% hatten keinerlei Vorgabe für die zeitliche Dauer eines Verkaufsbesuches.
- Bei 51% wurden die Verkaufspräsentationen nicht planerisch vorbereitet.
- 24% erstellten keine Umsatzmengenziele für die einzelnen Kunden.
- 72% fixierten keine Ziele für den Gewinnbeitrag durch die einzelnen Kunden.
- 19% verfügten über kein System zur Erfassung von Besuchsberichten.
- 63% hatten zur Abdeckung der Verkaufsgebiete keine Tourenplanung erarbeitet.

Quelle: Robert Vizza: »Managing Time and Territories for Maximum Sales Success«, in: *Sales Management*, 15. Juli 1971, S. 31–36.

Normwerte für die Intensität der Kundenbesuche

Die meisten Unternehmen teilen ihre Kunden in die Größenklassen A, B und C ein. Diese Einteilung richtet sich nach dem Umsatzvolumen, dem Gewinnpotential und dem Wachstumspotential der Kunden. Für jede Kundenkategorie wird die angestrebte Anzahl von Besuchen pro Zeiteinheit festgelegt. Die Kunden der Kategorie A könnten z. B. neunmal pro Jahr besucht werden, die B-Kunden sechsmal und die C-Kunden dreimal. Die Normwerte für die Besuchshäufigkeit hängen vom Wettbewerb und Abnahmepotential der Kunden ab.

Bei der Aufstellung der Normen sollte berücksichtigt werden, wieviel Umsatz von einem bestimmten Kunden als Funktion der Besuchsintensität erwartet werden kann. Magee beschreibt ein Experiment, bei dem eine Kundengruppe ähnlichen Typs anhand eines Zufallsauswahlsystems in drei Untergruppen eingeteilt wurde. [17] Die Verkäufer in der ersten Untergruppe wurden angewiesen, weniger als 5 Stunden pro Monat bei jedem Kunden zu verbringen. Zwischen 5 und 9 Stunden pro Monat sollte auf Kundenbesuche bei der zweiten Gruppe verwandt werden, und über 9 Stunden bei der dritten Gruppe. Die Ergebnisse zeigten, daß zusätzliche Besuche mehr Umsatz brachten. Dann konnte errechnet werden, ob der zusätzliche Umsatz den Aufwand in genügendem Maße lohnte.

Normen für den Besuchsaufwand bei potentiellen Kunden

Die Unternehmen legen oft fest, wieviel Aufwand der Außendienst in das »Aufspüren« und »Ausloten« neuer Kunden stecken soll. Ein Unternehmen kann z. B. vorgeben, daß seine Verkäufer 25 % ihrer Zeit auf potentielle Neukunden verwenden und daß sie einen potentiellen Kunden aufgeben sollen, wenn sich nach drei Besuchen keinerlei Erfolgschancen abzeichnen.

Solche Normen werden aus unterschiedlichen Gründen definiert. Ohne Richtnormen würden die Verkäufer den größten Teil ihrer Zeit bei den vorhandenen Kunden verbringen: Sie wissen, was sie dort erwarten können. Die Verkäufer können dort mit großer Treffsicherheit einige Aufträge erhalten, während ein neuer Kunde möglicherweise nie einen Auftrag erteilt. Wenn der Verkäufer keine Prämie für die Gewinnung von Neukunden erhält, wird er diese in der Regel vernachlässigen. Einige Unternehmen setzen deswegen für Neukunden spezielle Verkäufer mit »Missionarsauftrag« ein.

Effizienter Zeiteinsatz

Das Verkaufspersonal muß darin angeleitet werden, wie es seine verfügbare Zeit plant und einsetzt. Der *Jahresplan* liefert ein Planungswerkzeug, das vorgibt, welche Kunden und potentielle Kunden in jedem Monat aufgesucht und welche Vorhaben dabei verwirklicht werden sollen. Die Verkäufer von Bell Telephone planen z. B. ihre Kundenbesuche und -aktivitäten unter Berücksichtigung dreier Vorhaben. Das erste Vorhaben ist die Marktentwicklung. Dazu gehört es, Kunden in der Produktanwendung weiterzubilden, neue Kontakte aufzubauen und zu pflegen und im Markt präsenter zu sein. Das zweite Vorhaben ist die Auftragsakquisition, d. h. während des Besuches bestimmten Kunden bestimmte Produkte zu verkaufen. Das dritte

Vorhaben ist die Marktverteidigung. Dazu gehört es herauszufinden, was der Wettbewerb unternimmt, um so durch entsprechende Gegenmaßnahmen die eigenen Kundenbeziehungen gegen Angriffe durch Konkurrenten schützen zu können. Die Verkäufer sollten ihre Aktivitäten ausgewogen auf diese Aufgabenstellungen verteilen, damit das Unternehmen neben laufenden Umsatzerfolgen auch die langfristige Marktentwicklung nicht verpaßt.

Die *Aktivitätselement-Analyse* ist ein weiteres Planungshilfsmittel. Die Verkäufer brauchen Zeit für die folgenden Aktivitätselemente, die stets gut geplant sein müssen:

- *Reisen*: Bei manchen Verkäufern beträgt die Reisezeit bis zu 50% der gesamten Arbeitszeit. Sie läßt sich durch den Einsatz schnellerer Transportmittel reduzieren, wobei jedoch auch höhere Kosten zu berücksichtigen sind.
- *Mahlzeiten und Pausen:* Auch für das Essen und Arbeitspausen muß Zeit eingeplant werden. Die Mahlzeiten können jedoch in vielen Fällen auch zu Verkaufgesprächen mit Kunden genutzt werden, wenn man diese dazu einlädt.
- *Wartezeiten:* Wartezeiten verbringt der Verkäufer oft im Vorzimmer des Einkäufers. Dies ist verlorene Zeit, sofern er sie nicht nutzt, z.B. zur Erstellung von Kundenberichten.
- *Verkaufsgespräche:* Verkaufsgespräche werden persönlich oder per Telefon geführt. Diese Gespräche zerfallen in einen Abschnitt, der den zwischenmenschlichen Beziehungen dient (und bei dem über andere Dinge als Produkte und Unternehmensleistungen gesprochen wird) sowie einen Abschnitt, der dem Verkaufen gewidmet ist.
- *Verwaltungsarbeit:* In diesen Bereich fällt die Zeit für die Erstellung von Berichten, die Fakturierung, die Teilnahme an Besprechungen, für Gespräche mit anderen im Unternehmen, z.B. über Themen wie Produktion, Lieferfähigkeit, Rechnungslegung, Verkaufsleistungen und anderes.

Es ist nicht ungewöhnlich, wenn nur 25% der Arbeitszeit von Verkäufern auf direkte Kundengespräche entfallen.[18] Könnte dieser Anteil von 25 auf 30% angehoben werden, so wäre das eine relativ große Steigerung der produktiven Zeit, nämlich um ein Fünftel. Unternehmen sind ständig auf der Suche nach Methoden zur effizienteren Zeitnutzung im Vertrieb. Dazu gehört das Training in Telefoniertechniken, die Schematisierung und Vereinfachung von Besuchsberichten, der Einsatz von Computern, um Besuchs- und Reisepläne zu erstellen, und die Bereitstellung von Marktforschungsberichten über die Kunden.

Um die Mitarbeiter im Außendienst zeitlich zu entlasten und ihnen mehr Zeit für direkte Verkaufsgespräche zu verschaffen, haben viele Unternehmen ihren *Verkaufsinnendienst* von der Größe und Aufgabenstellung her ausgebaut. Eine Untersuchung von Narus und Anderson über 135 Großhandelsunternehmen der Elektronikbranche zeigt, daß im Durchschnitt 57% des Verkaufspersonals im Innendienst arbeiteten. Die Manager dieser Unternehmen gaben an, daß die ständig steigenden Kosten von Kundenbesuchen, der zunehmende Einsatz von Computern für die Verkaufsvorbereitung und neuartige Telekommunikationstechniken für diese Entwicklung hin zu mehr Personal im Innendienst ausschlaggebend seien.[19]

Zum *Verkaufsinnendienst* gehören auch die drei folgenden Funktionsträger: Das *technische Hilfspersonal* erstellt technische Informationen und hilft bei technischen Anfragen der Kunden. *Verkaufsassistenten* erfüllen administrative Aufgaben für den Außendienst und unterstützen diesen. Sie vereinbaren und bestätigen Gesprächstermine, überprüfen die Bonität, d.h. die Kreditwürdigkeit von Kunden, kümmern sich um den Ablauf der Warenauslieferung, beantworten die Fragen der Kunden, wenn der Verkäufer im Außendienst nicht zu erreichen ist. Die *Mitarbeiter im Telefonver-*

kauf machen per Telefon neue Kunden ausfindig, eruieren, ob diese kaufwillig sind, und verkaufen ihnen die Produkte des Hauses. Ein Mitarbeiter im Telefonverkauf kann bis zu 50 Kundengespräche am Tag führen, während viele Verkäufer im Außendienst nur auf 4 bis 10 Gespräche pro Tag kommen. Durch das Telefonmarketing lassen sich folgende Aufgaben wirkungsvoll durchführen:

- Zusatzverkauf von Produkten, die mit bisher verkauften Produktsystemen kompatibel sind,
- Nachbesserung von Aufträgen,
- Einführung neuer Produkte des Unternehmens oder Vorbereitung der Einführung,
- Eröffnung von neuen Kundenkonten und Reaktivierung passiver Kunden,
- Verbesserte Betreuung von zuvor vernachlässigten Kunden,
- Nachfassen bei neuen Kundenadressen, die durch »Direct-Mail«- oder Anzeigenaktionen beschafft wurden.

Die Mitarbeiter im Innendienst ermöglichen es den Verkäufern, mehr Zeit im persönlichen Verkaufsgespräch mit wichtigen Kunden zu verbringen, neue bedeutende Kunden zu gewinnen, bei den Kunden elektronische Bestellsysteme zu etablieren sowie Generalabkommen und Beschaffungssystemverträge abzuschließen. Währenddessen kümmert sich der Innendienst um die Überprüfung der Lagerbestände, die Abwicklung der Aufträge, telefonische Kontakte mit kleineren Kunden usw. Mitarbeiter im Außendienst werden insbesondere in Form von Verkaufsprämien entlohnt, während der Innendienst in der Regel ein festes Gehalt oder ein Gehalt plus Leistungsbonus erhält.

Als bahnbrechend für die Verbesserung der Verkaufsarbeit erweisen sich neue technologische Ausrüstungen und Kommunikationstechnologien – z. B. der tragbare PC (»Laptop« oder »Aktentaschencomputer«), Videogeräte zur Produktvorführung, selbsttätige Anwahl der Kunden durch automatische Wähleinrichtungen, elektronische Post, Bildtelefone und Konferenzschaltungen. Die Verkäufer haben sich schnell auf das Zeitalter der elektronischen Kommunikation eingestellt. Aufträge und Bestandsinformationen werden schneller durchgegeben, und computergestützte Entscheidungssysteme für Verkaufsmanager und Verkäufer wurden entwickelt (vgl. Exkurs 23-7).

Exkurs 23-7: Der Einsatz von Computern für die produktive Verkaufsarbeit

Manche Unternehmen stehen vor einem Dilemma: Sie sollen einerseits die Vertriebskosten in Grenzen halten und gleichzeitig die Kommunikation zwischen der Unternehmenszentrale und den Verkäufern »im Feld« verbessern. Die *automatisierte Verkaufsarbeit* soll bewirken, daß den Verkäufern bestimmte Arbeiten schneller von der Hand gehen, z. B. die Beschaffung und Überprüfung neuer Kundenadressen, die Zusammenstellung brauchbarer Informationen vor einem Kundenbesuch, der Abbau der Schreibarbeit und die Meldung von Erfolgsberichten an die Zentrale. Durch den Einsatz des Laptop-Computers ergeben sich hier viele Möglichkeiten. Viele Verkäufer, die ursprünglich den Computer ablehnten – sie konnten nicht tippen, hatten keine Zeit, sich in die Computersoftware einzuarbeiten usw., – meinen heute, ohne ihn gar nicht mehr auskommen zu können.
Bei der Shell Chemical Company z. B. funktioniert die automatisierte Verkaufsarbeit so: Das Unternehmen entwickelte ein Softwarepaket mit viel-

seitigen Anwendungsmöglichkeiten für den Laptop-Computer im Verkauf. Anfangs fanden nur einige Anwendungsprogramme die Zustimmung der Verkäufer. Sie griffen zunächst das *automatische Spesenabrechnungsprogramm* auf, denn damit konnten sie ihre Spesenabrechnung schneller und genauer erstellen und zur Erstattung einreichen. Schon bald nutzten sie dann verstärkt das *Kundenabfrageprogramm*. Damit konnten sie die aktuellsten kundenspezifischen Informationen abfragen, u.a. Telefonnummer, Adresse, letzte Abnahmemenge und zuletzt gezahlte Preise. Im Gegensatz zu früher mußten sie nun nicht mehr beim Innendienst anfragen oder sich auf ältere Informationen verlassen. Ein elektronisches *Nachrichtenhinterlassungsprogramm* ermöglichte es den Verkäufern, Nachrichten schnell an andere zu übermitteln oder abzurufen. Die üblichen *Formulare*, wie z.B. Verkaufsberichte, konnten abgerufen, schnell ausgefüllt und elektronisch versandt werden. Das Softwarepaket enthielt auch noch weitere Funktionen, wie einen *Terminkalender*, eine *Merkliste* für die wichtigsten und dringendsten Arbeiten, ein *Spread-Sheet* zur Tabellenkalkulation und verschiedene *Graphikprogramme*, die dem Verkäufer halfen, Präsentationen beim Kunden in graphischer und tabellarischer Form auszuarbeiten.

Viele Unternehmen, die ihre Verkäufer mit Laptop-Computern ausrüsteten, berichten, daß sich die Produktivität im Verkauf erhöht hat. Einige Unternehmen berichten, daß die Verkäufer nun 5 bis 10% mehr Zeit beim Kunden verbringen können, da sie den Zeitaufwand für Reisen und Schreibarbeiten reduzieren, die Besuche besser planen und die Kundengespräche besser vorbereiten konnten. Der US-Versicherer National Life Insurance geht davon aus, daß bis zu 50% seiner Umsatzzuwächse darauf zurückzuführen sind, daß die Verkäufer mit Vertriebs-Softwareprogrammen und Laptop-Computern arbeiten.

Quellen: Vgl. »Was den Außendienst freischaufelt«, in: *Absatzwirtschaft*; 7/1989, S. 60–62; »Büro am Henkel«, in: *Manager Magazin*, 8/1988, S. 140; Arnold Hermanns und Michael Püttmann: »Computer Aided Selling (CAS) – Der Einsatz mobiler Computer im Außendienst«, in: *Markenartikel*, 5/1988, S. 220–223; Kate Bertrand: »Sales Management Software Tackles Toughest Customers«, in: *Business Marketing*, Mai 1988, S. 57–64; »Computer-Based Sales Support: Shell Chemical's System«, New York: Conference Board, Management Briefing, in: *Marketing*, April – Mai 1989, S. 4–5; *Computers and the Sales Effort*, New York: Conference Board, August 1986; Thayer C. Taylor: »Computers in Sales and Marketing: S & MM's Survey Results«, in: *Sales & Marketing Management*, Mai 1987, S. 50–53, und »If Only Willy Loman Had Used a Laptop«, in: *Business Week*, 12. Oktober 1987, S. 137.

Motivierung der Verkäufer

Ohne Zweifel gibt es einige wenige Verkäufer, die sich mit äußerster Kraft einsetzen, auch ohne vom Verkaufsmanagement dazu animiert zu werden. Für sie ist das Verkaufen die faszinierendste Aufgabe der Welt. Sie sind strebsam und eigenmotiviert. Die Mehrzahl der Verkäufer müssen sehr wohl immer wieder dazu ermutigt und mit besonderen Anreizen angehalten werden, ihr Bestes zu geben. Dies ist vor allem im Außendienst der Fall und auf folgende Faktoren zurückzuführen:.

- *Die Natur der Verkaufsarbeit:* Verkaufen bedeutet häufig auch Frustration. Verkäufer sind vielfach allein und auf sich selbst gestellt; sie haben unregelmäßige Arbeitszeiten; sie sind oft weg von Zuhause. Sie stehen in hartem Wettbewerb mit anderen aggressiven Verkäufern; vom Status her sind sie ihren Verhandlungspartnern oft unterlegen; vielfach haben sie nicht genügend Entscheidungsspielraum, um das zu tun, was zur Akquisition des Kunden notwendig wäre, und verlieren so große Aufträge, an denen sie lange und hart gearbeitet haben.

- *Die Natur des Menschen:* Wie fast alle Menschen brauchen auch Verkäufer besondere Anreize, wie z.B. Geld oder soziale Anerkennung, damit sie sich besonders anstrengen.
- *Persönliche Probleme:* Verkäufer werden in ihrer Arbeit gelegentlich durch persönliche Probleme belastet, wie z.B. Krankheit in der Familie, Ehestreitigkeiten oder zu hohe Schulden.

Die Frage, wie Verkäufer motiviert werden, wurde von Churchill, Ford und Walker untersucht. [20] Ihr grundlegendes Modell wird im folgenden veranschaulicht:

Motivation | persönlicher Einsatz | persönliche Leistung | persönliche Belohnung | Zufriedenstellung

Dieses Modell zeigt folgende Zusammenhänge: Die Motivation des Verkäufers wirkt sich positiv auf seinen persönlichen Einsatz aus. Der gesteigerte Einsatz führt zu einer besseren persönlichen Leistung. Die größere Leistung führt zu einer höheren Belohnung. Die höhere Belohnung führt zu größerer Zufriedenstellung, die größere Zufriedenstellung führt zu einer stärkeren Motivation. Für das Verkaufsmanagement ergeben sich daraus zwei wichtige Folgerungen:

1. *Der Verkaufsmanager muß es verstehen, die Verkäufer davon zu überzeugen, daß sie mehr verkaufen können, wenn sie einsatzfreudiger und besser geschult sind.* Wenn hingegen die Verkaufserfolge in der Hauptsache durch wirtschaftliche Umfeldbedingungen und Wettbewerbsaktionen geprägt werden, dann ist dieser Zusammenhang gestört.
2. *Der Verkaufsleiter muß es verstehen, die Verkäufer davon zu überzeugen, daß die Belohnung für höhere Leistungen den Mehreinsatz wert ist.* Wenn jedoch die Belohnung für Leistung willkürlich, zu gering oder in ihrer Art unangebracht erscheint, so ist auch dieser Zusammenhang gestört.

Churchill, Ford und Walker untersuchten auch, in welcher Reihenfolge die Verkäufer verschiedene Belohnungsformen von ihrer Bedeutung her einordneten. Am wichtigsten war ihnen das *Gehalt*, gefolgt von den *Beförderungsmöglichkeiten*, den *persönlichen Entfaltungsmöglichkeiten* und dem *Erfolgserlebnis*. Am wenigsten wichtig waren den Verkäufern *Beliebtheit*, *Respekt* sowie das *Gefühl der Sicherheit* und *Anerkennung*. Die Untersuchung zeigte auch, daß diese Rangfolge mit den demographischen Daten der Verkäufer zusammenhing:

1. Die monetäre Belohnung wurde am meisten von älteren, langgedienten Verkäufern mit einer größeren Familie geschätzt.
2. Belohnungen mit psychologischem Charakter (Anerkennung, Beliebtheit, Respekt und Erfolgserlebnis) wurden mehr von jungen Verkäufern geschätzt, die entweder noch unverheiratet waren oder kleinere Familien hatten und in der Regel eine umfangreichere formale Ausbildung genossen hatten.

Die monetären Entlohnungssysteme und ihre Motivationseinflüsse wurden bereits dargelegt. Im folgenden geht es um die Rolle von Umsatzvorgaben sowie einige andere praktische Motivationsmittel im Verkauf.

Umsatzvorgaben (Verkaufsquoten, Verkaufsvorgaben)

Viele Unternehmen legen Quoten für ihre Verkäufer fest, die vorgeben, welche Produktmengen sie während eines Jahres verkaufen sollen. Oft ist das Entlohnungssystem an die Erfüllung dieser Quoten gekoppelt.

Die Verkaufsquoten errechnen sich aus dem jährlichen Marketingplan. Auf diesem Plan beruht die Verkaufsmengenprognose. Aus dieser Prognose ergeben sich aber auch Verkaufsquoten für einzelne Regionen und Gebiete, die im Normalfall insgesamt höher sind als die Verkaufsmengen. Die Verkaufsquoten werden etwas höher angesetzt als die Prognose, um die Verkaufsmanager und Verkäufer anzuhalten, nach bestem Können zu arbeiten. Sollten einzelne Verkäufer ihre Quote nicht ganz erfüllen, so kann das Unternehmen die prognostizierte Verkaufsmenge dennoch erreichen.

Jeder Verkaufsleiter teilt die seinem Gebiet zugeordnete Quote auf seine Verkäufer auf. Für die Quotendeterminierung gibt es drei Denkansätze. Der Ansatz der *hohen Quote* gibt erfüllbare Quoten vor, die jedoch höher sind, als sie im Normalfall von den Verkäufern erreicht werden. Er unterstellt, daß hohe Quoten die Verkäufer zu besonders hohem Einsatz animieren. Der Ansatz der *moderaten Quote* gibt Quoten vor, die von der Mehrzahl der Verkäufer erreicht werden. Die Anhänger dieses Denkmodells meinen, daß die Verkäufer diese Quoten als fair akzeptieren, sie erreichen und Selbstvertrauen tanken. Dem Ansatz der *flexiblen Quote* liegt der Gedanke zugrunde, daß individuelle Unterschiede zwischen den Verkäufern bei der Quotensetzung berücksichtigt und folglich die Quoten für einige Verkäufer hoch, für andere aber eher moderat ausfallen sollten. Heckert schreibt dazu:

> Die praktische Erfahrung mit Verkaufsquoten, wie auch mit allen anderen Normwerten, lehrt uns stets , daß die einzelnen Verkäufer unterschiedlich darauf reagieren, speziell bei ihrer Neueinführung. Einige sehen sich zu höchsten Anstrengungen veranlaßt, während andere den Mut sinken lassen. Manche Verkaufsleiter berücksichtigen dieses Element menschlichen Verhaltens in besonderem Maße, wenn sie die Quoten festlegen. In der Regel reagieren tüchtige Mitarbeiter mit der Zeit positiv auf intelligent angelegte Quoten, insbesondere, wenn ihre Entlohnung auf faire Weise an die geforderte oder erbrachte Leistung angepaßt wird.[21]

Die Quoten können sich auf den Umsatz, den Absatz, den Deckungsbeitrag, den persönlichen Einsatz, die gesetzten Aktivitäten und den Produkttyp beziehen. Im allgemeinen herrscht die Ansicht vor, daß dem Verkäufer eine Quote vorgegeben werden sollte, die dem Umsatz des Vorjahres plus einem bestimmten Teil des bisher noch nicht ausgeschöpften Umsatzpotentials seines Gebiets entspricht. Dieser zusätzliche Anteil sollte dabei für denjenigen Verkäufer, der gut unter Druck arbeiten kann, etwas höher liegen.

Weitere Motivationsmittel

Es gibt noch einige weitere Motivationsmittel für den Außendienst. So könnten regelmäßige Verkäufertreffen anberaumt werden. Sie bringen Abwechslung und die Gelegenheit, höhere Vorgesetzte kennenzulernen und mit ihnen zu sprechen, Meinungen zu äußern und sich mit einer größeren Gruppe zu identifizieren. Verkäufertreffen sind ein wichtiges Mittel der Kommunikation und Motivation.[22]

Die Unternehmen organisieren auch Verkaufswettbewerbe, um zu intensiveren Verkaufsanstrengungen aufzurufen, als sie unter normalen Umständen zu erwarten wären. Als Belohnung winken hier Autos, Reisen, Bargeld und besondere Belobigungen. Bei solchen Wettbewerben sollte eine möglichst große Anzahl von Verkäufern die Chance auf Gewinne haben. Bei IBM z.B. erreichen in der Regel 70% der Verkäufer die für den »100-%-Club« erforderlichen Leistungen. Wenn nur wenige Verkäufer zu den Gewinnern zählen oder fast jeder gewinnt, dann bewirkt dies keinen gesteigerten Einsatz. Der für den Verkaufswettwerb geltende Zeitraum sollte möglichst kurzfristig angekündigt werden, da einige Verkäufer sonst u.U. Aufträge zurückhalten, bis der Wettbewerb läuft. Andere wiederum könnten versuchen, ihre Umsatzzahlen mit Kundenaufträgen »aufzumöbeln«, die dann nach Ablauf des Wettbewerbszeitraums wieder storniert werden. Hier muß die Wettbewerbs-Jury besonders wachsam sein.

Beurteilung der Verkäufer

Bisher haben wir »nach vorn gerichtete Maßnahmen der Verkäuferführung« beschrieben, d.h. an die Verkäufer gerichtete Anweisungen und Motivationsanreize für zukünftige Leistungen. Zu einer guten Anleitung gehört jedoch auch ein gutes Feedback. Zum guten Feedback wiederum gehört es, die von den Verkäufern vollbrachte Leistung zu beurteilen. Dazu müssen laufend Informationen gesammelt werden.

Informationsquellen

Die Verkaufsleitung erhält auf verschiedenen Wegen Informationen über die Leistung der Außendienstmitarbeiter. Die Verkaufsberichte, die von jedem Reisenden anhand seiner Kundenbesuche erstellt werden, sind dabei die wichtigste Informationsquelle. Weitere Informationen lassen sich aus der persönlichen Beobachtung des Reisenden durch seinen Vorgesetzten, aus Briefen und Beschwerden der Kunden, aus Nachbesuchen des Vorgesetzten bei den Kunden und aus Unterhaltungen mit anderen Reisenden gewinnen.

Zu den Verkaufsberichten gehören *Tätigkeitspläne* und *Ergebnisberichte.* Der *Tätigkeitsplan* wird entweder durch den Reisenden selbst im voraus erstellt oder ihm als Vorschlag oder gar als Anweisung durch den Verkaufsinnendienst übermittelt. Der Plan beschreibt die beabsichtigten Kundenbesuche und deren Reihenfolge. Damit weiß die Verkaufsleitung, welche Aktivitäten stattfinden und wo die Reisenden zum jeweiligen Zeitpunkt sein sollten. Dieser Plan liefert auch die Vergleichsbasis zwischen dem Geplanten und dem Erreichten. Die Qualifikation der Verkäufer kann danach beurteilt werden, »wie gut sie ihre Arbeit planen und wie gut sie nach Plan arbeiten«. Es gehört zur Aufgabe des Managements, Pläne und Plandurchführung der einzelnen Verkäufer zu beurteilen, Verbesserungen vorzuschlagen und damit ein Feedback-System zu unterhalten, mit dem man den Verkäufer motivieren und führen kann.

Viele Unternehmen verlangen von ihren Verkäufern, daß sie einen *jährlichen Marktbearbeitungsplan* für ihr Gebiet vorlegen, aus dem hervorgeht, was zur Akquisition von Neukunden und zum Ausbau des Geschäfts mit den bestehenden Kunden getan werden soll. Die Art und Weise, wie hier vorgegangen wird, ist sehr unterschiedlich. Einige Unternehmen suchen so nach Ideen zur verbesserten Marktbearbeitung der Gebiete. Andere dagegen wollen bereits detaillierte Vorstellungen über den zu erwartenden Geschäftsumfang entwickeln. Mit der Verpflichtung zur Erstellung eines solchen Jahresberichts wird den Verkäufern die Rolle eines Marktmanagers zugewiesen. Die ihnen übergeordneten Verkaufsleiter beurteilen diese Gebietspläne, unterbreiten ihrerseits Vorschläge und berücksichtigen sie bei der Festlegung der Verkaufsquoten.

Auch der *Besuchsbericht* besteht aus Verkäuferaufzeichnungen. Er informiert die Verkaufsleitung über die vom Reisenden durchgeführten Tätigkeiten und die von ihm erzielten Ergebnisse, dokumentiert den Status des Bearbeitungsfortschritts beim Kunden und liefert schriftliche Informationen, die für einen nachfolgenden Besuch nützlich sein können. Die Reisenden reichen darüber hinaus auch einen *Spesenbericht* ein. In einigen Unternehmen gibt es zudem gesonderte Berichte über Erstgeschäfte mit Kunden, entgangene Aufträge, die Wirtschaftslage vor Ort und die Einschätzung der Kunden dazu.

Diese Berichte enthalten eine Menge Daten, aus denen der Verkaufsleiter dann Indikatoren für die vollbrachte Verkaufsleistung zusammenstellen kann. Zu den wichtigsten Indikatoren zählen:

1) die Durchschnittswerte über die tägliche Anzahl der Kundenbesuche,
2) die pro Besuch beim Kunden verbrachte Zeit,
3) der pro Besuch erzielte Umsatz,
4) die Kosten pro Besuch,
5) die Bewirtungsauslagen pro Besuch,
6) die Anzahl der eingeholten Aufträge pro 100 Besuche,
7) die Anzahl der Neukunden pro Monat oder Quartal,
8) die Anzahl der verlorengegangenen Kunden und
9) die Verkaufskosten in Prozent vom Umsatz.

Mit Hilfe dieser Indikatoren lassen sich viele nützliche Bewertungsfragen beantworten, wie z. B.: Tätigt der Verkäufer eine angemessene Zahl von Kundenbesuchen pro Tag? Verbringt er zu viel oder zu wenig Zeit beim Kunden? Gibt er zu viel für Bewirtung aus? Schafft er genügend Verkaufsabschlüsse pro 100 Kundenbesuche? Bringt er genügend Neukunden und hält er die bestehenden Kunden?

Formale Leistungsbeurteilung

Eine formale Beurteilung bringt wenigstens drei Vorteile mit sich. Erstens muß hier die Verkaufsleitung klar festlegen und kommunizieren, worin die Verkäuferleistung besteht und wie sie gemessen wird. Zweitens ist die Verkaufsleitung selbst aufgerufen, über jeden Verkäufer umfassende Informationen einzuholen. Und drittens wissen die Verkäufer, daß sie sich regelmäßig mit der Verkaufsleitung zusammensetzen und offen und ausführlich über ihre Leistung sprechen müssen.

Hier bieten sich mehrere Beurteilungskonzepte an, die im folgenden besprochen werden.

Verkäufervergleich

Häufig werden zu Beurteilungszwecken die Leistungen der einzelnen Verkäufer gegenübergestellt. Solche Vergleiche können jedoch irreführend sein, wenn Faktoren, die vom Verkäufer nicht beeinflußt werden können – wie das Marktpotential in seinem Gebiet, die Wettbewerbsintensität, die Werbeintensität des Unternehmens usw. – unberücksichtigt bleiben. Des weiteren sollte der erzielte Umsatz nicht als alleiniges Vergleichskriterium herangezogen werden. Die Verkaufsleitung sollte auch ermitteln, welchen Gewinnbeitrag der Verkäufer leistet. Dieser ergibt sich aus den Aufwendungen des Verkäufers und der Zusammensetzung des von ihm verkauften Produktmix. Im Hinblick auf ein langfristiges Beziehungsmanagement mit den Kunden ist es jedoch noch wichtiger, herauszufinden, wie sehr die Kunden mit dem Verkaufsservice des Reisenden zufrieden sind.

Vergleich zu Vorperioden

Ein zweites Vergleichskonzept ist die Gegenüberstellung der aktuellen und früheren Leistung des Verkäufers. Dieser Vergleich sollte den Fortschritt aufzeigen, der sich aufgrund zunehmender Erfahrung im Marktgebiet und mit den Kunden ergibt. Als Beispiel dafür dient uns Tabelle 23–1.

	Gebiet : Hannover-Süd Reisender : Max Müller			
	1987	1988	1989	1990
1. Netto-Umsatz-Produkt A	2.010.400	2.025.600	2.160.000	2.104.800
2. Netto-Umsatz-Produkt B	3.385.600	3.513.600	4.431.200	4.495.200
3. Netto-Umsatz insg.	5.393.600	5.539.200	6.591.200	6.600.000
4. Quotenerfüll. Produkt A	95,6	92	88	84,7
5. Quotenerfüll. Produkt B	120,4	122,3	134,9	130,8
6. Deckungsbeitrag-Produkt A	402.080	405.120	432.000	420.960
7. Deckungsbeitrag-Produkt B	338.560	351.360	443.120	449.520
8. Deckungsbeiträge insg.	740.640	756.480	875.120	870.480
9. Verkaufsaufwendungen	81.600	88.800	92.800	105.600
10. Verkaufsaufwendungen als Prozent vom Umsatz (%)	1,5	1,6	1,4	1,6
11. Kundenbesuche pro Jahr	1.675	1.700	1.680	1.660
12. Aufwendungen pro Kundenbesuch	48,72	52,24	55,20	63,60
13. Im Jahresdurchschnitt bearbeitete Kunden (Stck)	320	324	328	334
14. Gewonnene Kunden (Stck)	13	14	15	20
15. Verlorene Kunden (Stck)	8	10	11	14
16. Durchschnittlicher Umsatz pro Kunde	16.864	17.096	20.096	19.760
17. Durchschnittl. Deckungsbeitrag pro Kunde	2.312	2.336	2.672	2.608

Tabelle 23-1
Formelle Zahlenzusammenstellung zur Beurteilung der Verkaufsleistungen eines Reisenden

Der Verkaufsleiter kann dieser Zusammenstellung viele Hinweise zur Leistung seines Verkäufers Max Müller entnehmen. Herrn Müllers Umsatz stieg jedes Jahr (Zeile 3). Das bedeutet jedoch nicht unbedingt, daß Herr Müller in jedem Jahr auch mehr leistete. Die Aufgliederung nach Produkten zeigt, daß er Produkt B bisher besser als Produkt A fördern konnte (Zeilen 1 und 2). Vergleicht man die Quotenerfüllung bei beiden Produkten (Zeilen 4 und 5), so scheint der Erfolg bei Produkt B auf Kosten von Produkt A zu gehen. Die Zeilen 6 und 7 zeigen, daß das Unternehmen bei Produkt A einen höheren Beitrag zur Deckung fixer Kosten und zum Gewinn erzielt als bei Produkt B. Obwohl Herr Müller den Gesamtumsatz im letzten Jahr steigern konnte (Zeile 3), war der von ihm erzielte Deckungsbeitrag niedriger (Zeile 8).

Die Verkaufsaufwendungen (Zeile 9) stiegen ständig. Im Verhältnis zum Gesamtumsatz (in %, Zeile 10) gerieten sie jedoch keineswegs außer Kontrolle. Der Aufwärtstrend bei den Verkaufsaufwendungen von Herrn Müller läßt sich nicht mit einer Erhöhung der Kundenbesuche (Zeile 11) erklären. Er könnte vielmehr mit Müllers Erfolgen bei der Anwerbung neuer Kunden zusammenhängen (Zeile 14). Zudem sieht es so aus, als ob Herr Müller bei all seinen Anstrengungen, neue Kunden zu akquirieren, die bestehenden aktiven Kunden vernachlässigt, denn die Zahl der verlorenen Kunden steigt ebenfalls (Zeile 15).

Der durchschnittliche Umsatz pro Kunde und der durchschnittlich erzielte Deckungsbeitrag pro Kunde sind in Zeile 16 und 17 erfaßt. Der Verkaufsleiter wird das Niveau und die Entwicklungstendenzen dieser Zahlen überwachen und mit den durchschnittlichen Werten und der Entwicklung des Unternehmens als Ganzes vergleichen. Wenn Herrn Müllers Durchschnitt unter dem Unternehmensdurchschnitt liegt, konzentriert er sich wahrscheinlich auf die falschen Kunden oder widmet nicht jedem Kunden genügend Zeit. Die Jahresbesuchszahl (Zeile 11) zeigt an, ob Herr Müller mehr oder weniger Kundenbesuche pro Jahr tätigt als andere Verkäufer. Wenn die Dichte der Kunden in seinem Gebiet mit der Kundendichte anderer Gebiete vergleichbar ist, könnte dies als Hinweis darauf interpretiert werden, daß Herr Müller entweder von der Stundenzahl her weniger arbeitet als andere, schlechter plant oder zuviel Zeit auf einzelne Kunden verwendet.

Beurteilung aus Sicht der Kunden

In unserem Beispiel wäre es auch denkbar, daß Max Müller zwar mit Erfolg Aufträge abschließt, aber dennoch bei den Kunden kein hohes Ansehen genießt. Dies könnte daran liegen, daß er im Verkaufen etwas geschickter ist als die Verkäufer des Wettbewerbers, daß die Produkte besser sind oder daß er mit Erfolg neue Kunden ausfindig macht und dann diejenigen vernachlässigt, die seiner überdrüssig geworden sind. Hier könnten sich langfristige Probleme ergeben. Aus diesem Grunde bewerten die Unternehmen in verstärktem Maße die Zufriedenheit der Kunden mit ihren Verkäufern, so wie das zuvor schon mit ihren Produkten und ihrem Kundendienst getan wurde.

Die Meinungen der Kunden über die Verkäufer, Produkte und Kundendienstleistungen können mittels Fragebogen per Post oder durch eine telefonische Untersuchung erfaßt werden. Es ist aber auch üblich, daß die zuständigen Verkaufsleiter bei den Kunden einzelner Verkäufer *Nachbesuche* tätigen und dabei nicht nur feststellen, ob die Besuchsberichte des Verkäufers stimmen, sondern auch, wie der Verkäufer bei den Kunden ankommt. Bei diesen Nachbesuchen eröffnet der Vorgesetzte das Gespräch, indem er den Kunden wissen läßt, daß es zu seinem Aufgabenbereich gehört, immer wieder einmal bei den Kunden vorzusprechen. Er wird sich erkundigen, ob sie mit der Betreuung durch das Unternehmen und seine Verkäufer zufrieden sind und ob auf gewissen Gebieten größere Anstrengungen oder Verbesserungen erforderlich sind. Dem Kunden wird klargemacht, daß der Nachbesuch in seinem eigenen Interesse erfolgt. Wenn die Vorschläge der Kunden notiert sind und damit ein gutes Gesprächsklima geschaffen wurde, kommt der Vorgesetzte zum Hauptzweck seines Besuches: sich vom Kunden über die Arbeitsweise des ihn betreuenden Verkäufers unterrichten zu lassen.

Über diese Nachbesuche wird ein Inspektionsbericht erstellt. Über die Kontrolle der Aufgabenerfüllung durch den Verkäufer hinaus ist dieser Inspektionsbericht ein nützliches Hilfsmittel für die Planung und Weiterbildung der Verkäufer, denn er sollte exakt Aufschluß über die Leistungen des einzelnen Reisenden geben, die wiederum den Vorgesetzten in die Lage versetzen, die Weiterbildung des Reisenden gezielter zu planen. Damit dieser Zweck erfüllt wird, muß das Resultat des Inspektionsberichts im konstruktiven Gespräch zwischen Vorgesetztem und Reisendem erörtert werden. Das Gespräch muß offen und ehrlich geführt werden, damit dem Verkäufer klar wird, daß die Nachbesuche auch ihm Vorteile bringen und für sein Weiterkommen von Bedeutung sind. In vielen Unternehmen legt der Verkaufsleiter ein Verzeichnis über die Inspektionsbesuche bei den Kunden der verschiedenen Außendienstmitarbeiter an und wiederholt sie in regelmäßigen Zeitabständen, meist etwa alle 3 bis 6 Monate, je nach Leistung des Verkäufers. Bei Verkäufern mit großer Erfahrung und vielen Dienstjahren erfolgen diese Nachbesuche in größeren Zeitabständen, z.B. einmal jährlich und wenn möglich im Zusammenhang mit besonderen Ereignissen, wie vor Gehaltsempfehlungen oder Beförderungen, aber auch bei vermuteten Unregelmäßigkeiten, wie z.B. dem Verdacht auf Fälschung der Tagesberichte oder Nichterfüllung der Tagesleistung.

Qualitative Beurteilung der Verkäufer

Die qualitative Leistung des Verkäufers kann danach beurteilt werden, wieviel er über das Unternehmen, die Produkte, Kunden und Wettbewerber, sein Gebiet und seine Aufgaben weiß. Ebenso können Persönlichkeitseigenschaften, wie z.B. Umgangsformen, Erscheinungsbild, Redegewandtheit und Temperament eines Verkäufers anhand einer Bewertungsskala beurteilt werden. Der Vorgesetzte kann auch Probleme im Bereich der Motivation und Befolgung von Anweisungen in die qualitative Beurteilung einfließen lassen. Zudem kann überprüft werden, ob der Verkäufer die für seine Arbeit relevanten Gesetze kennt und befolgt. Jedes Unternehmen muß für sich selbst entscheiden, was im Rahmen der qualitativen Beurteilung am wichtigsten ist. Es sollte den Verkäufern die Beurteilungskriterien mitteilen, damit sie wissen, wie sie beurteilt werden, und entsprechende Anstrengungen unternehmen können, um ihre Leistung zu verbessern.

Grundlagen für das persönliche Verkaufen

Nachdem wir die Planung und das Management der Verkaufsorganisation erörtert haben, wenden wir uns nun der Kerntätigkeit der Verkaufsorganisation zu, nämlich dem Verkaufen selbst. Das persönliche Verkaufen ist eine schon von alters her betriebene Kunst; über diese Kunst und ihre Prinzipien wurde viel geschrieben. Man ist weitgehend der Auffassung, daß erfolgreiche Verkäufer sich nicht allein von ihrem Instinkt leiten lassen, sondern methodisch darin geschult sind, analytisch vorzugehen und mit Kunden umzugehen. Das Verkaufen ist zu einem Beruf für Könner geworden, bei dem grundlegende Kenntnisse und Fähigkeiten professionell angewendet und beherrscht werden müssen. Es gibt viele unterschiedliche Arten des persönlichen Verkaufens; einige davon stehen im Einklang mit dem »Marketing-Konzept«, andere hingegen verstoßen dagegen. Wir gliedern hier die Grundlagen für das persönliche Verkaufen in drei wesentliche Teile: Die Vorgehensschritte beim professionellen Verkaufen, die Verhandlungsführung und das Management von Kundenbeziehungen.

Vorgehensschritte beim Verkaufen

Viele Unternehmen investieren jährlich viel Geld in die Schulung ihrer Verkäufer, damit diese auf professionelle Weise verkaufen. Die Mehrzahl der Schulungsmaßnahmen zielt darauf ab, *passive Auftragsempfänger* in *aktive Auftragsbeschaffer* zu verwandeln. *Auftragsempfänger* arbeiten mit folgender mentaler Einstellung: Die Kunden kennen ihre Bedürfnisse selbst und wissen, was sie brauchen; sie würden jeden Versuch, sie zu beeinflussen, ablehnen; sie bevorzugen Verkäufer, die höflich und zurückhaltend sind. Ein Verkäufer, der »nur mal so eben« beim Kunden vorbeischaut und ihn fragt, ob er vielleicht etwas braucht, verkörpert z.B. diese Einstellung.

Bei der Schulung eines Verkäufers zum *Auftragsbeschaffer* kann man von zwei unterschiedlichen Konzepten ausgehen, dem *verkaufsorientierten Konzept* und dem *kundenorientierten Konzept*. Ersteres betont mit Nachdruck das Erlernen von Druckmitteln, wie sie z.B. beim Verkauf von Lebensversicherungen, Zeitschriftenabonnements oder Mitgliedschaften von Buchclubs häufig anzutreffen sind. Zu den hier angewandten Techniken zählen z.B. die übertriebene Darstellung der Vorzüge des Produkts, Kritik an Konkurrenzprodukten, glatte, auswendiggelernte Präsentationen, das In-den-Vordergrund-Spielen der eigenen Person (z.B.: »Ich bin ein armer Student und muß Zeitschriftenabonnements verkaufen, um mein Studium finanzieren zu können.«) und das Angebot bereits vorweg eingeplanter Nachlässe oder Vergünstigungen, damit der Kunde sich auf der Stelle entschließt. Bei dieser Art des Verkaufens wird vorausgesetzt, daß der Kunde eher unter Druck kauft, daß er sich durch eine glatte, perfektionierte Präsentation und durch schmeichlerische Höflichkeit beeindrucken läßt, und daß, falls er den Auftrag nachträglich bereut, er zu träge oder furchtsam ist, ihn zu stornieren.

Beim *kundenorientierten Konzept* wird der Verkäufer darin geschult, den Kunden bei der Lösung von Problemen zu helfen. Hier kommt es darauf an, dem Kunden sorgfältig zuzuhören, durch gezielte Fragen die Kundenbedürfnisse herauszufinden und Lösungen dafür zu erarbeiten. Analytische Fähigkeiten haben Vorrang vor einer geschickten Präsentation. Bei diesem Ansatz wird davon ausgegangen, daß die Kunden dem Unternehmen aufgrund ihrer latenten Bedürfnisse Chancen bieten, daß sie einen guten Rat zu schätzen wissen und zu dem Verkäufer stehen, der ihre langfristigen Interessen beherzigt. Der Problemlöser paßt mehr zum »Marketing-Konzept« als der »Hochdruckverkäufer« oder der Auftragsempfänger. Der Problemlöser wirkt positiv am Image des Unternehmens mit.

Es gibt kein Patentrezept für das Verkaufen – zumindest keines, das allen Situationen gerecht würde (vgl. dazu Exkurs 23-8). Dennoch beinhalten die meisten Schulungsprogramme die gleichen wesentlichen Vorgehensschritte im Verkauf. Diese Schritte sind in Abbildung 23–3 schematisch veranschaulicht und werden im folgenden näher erörtert. [23]

Abbildung 23-3
Professionelles Verkaufen: die Hauptschritte

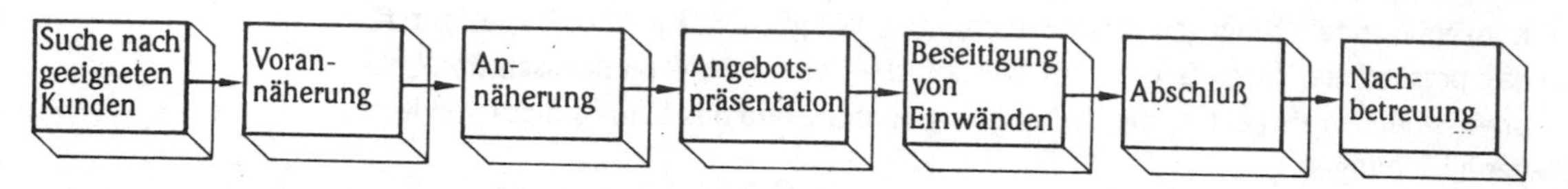

Exkurs 23-8: Unterschiede in den Verhaltensweisen von Käufern und Verkäufern

Blake und Mouton unterscheiden die unterschiedlichen Ausprägungen im Verkaufsstil von Verkäufern nach zwei Kriterien, nämlich die *Bemühung um den Abschluß* und die *Bemühung um den Kunden*. Anhand dieser beiden Kriterien läßt sich das im folgenden dargestellte Verkaufsraster schematisieren. Je nach Ausprägung der beiden Kriterien schälen sich fünf Verkäufertypen heraus. Typ 1,1 beschreibt den typischen *Auftragsempfänger*. Typ 9,1 steht für den *Hochdruckverkäufer*. Typ 5,5 repräsentiert den *flexiblen Durchschnittsverkäufer*. Typ 1,9 ist darauf bedacht, sich selbst beim Kunden als *angenehmer Mensch* zu verkaufen. Typ 9,9 schließlich verkörpert den *Problemlöser*, der am besten zum »Marketing-Konzept« paßt.

Blake und Mouton sind der Meinung, daß es keinen einzigen Verkaufsstil gibt, der bei *allen* Kunden greift. In spiegelbildlicher Form gibt es auch unterschiedliche Ausprägungen im Einkäuferstil. Einkäufer bemühen sich in unterschiedlichem Ausmaß um den Kaufabschluß und die Person des Verkäufers. Einigen Einkäufern ist alles egal, andere verhalten sich defensiv, und wieder andere setzen sich nur mit Verkäufern von bekannten Unternehmen ernsthaft auseinander.

Ob ein Verkauf effizient abgewickelt wird, hängt davon ab, inwieweit der Stil des Verkäufers und der des Käufers übereinstimmen. Evans meint, daß sich der Verkauf aus einem dyadischen Prozeß ergibt, bei dem das Resultat davon abhängt, inwieweit die persönlichen Charakteristika von Käufer und Verkäufer sowie ihre jeweiligen Verhaltensweisen zusammenpassen. Er stellte fest, daß die Käufer von Versicherungen bei denjenigen Verkäufern abschlossen, die ihnen bei Faktoren wie Alter, Körpergröße, Einkommen sowie Einstellung zur Politik, zur Religion und zum Rauchen, ähnelten. Dabei spielte die vom Verkäufer *wahrgenommene Übereinstimmung* eine wichtigere Rolle als die tatsächliche Übereinstimmung. Evans schlug daraufhin vor, daß Versicherungsunternehmen viele unterschiedliche Typen von Verkäufern einstellen sollten, wenn sie einen breiten Markt durchdrin-

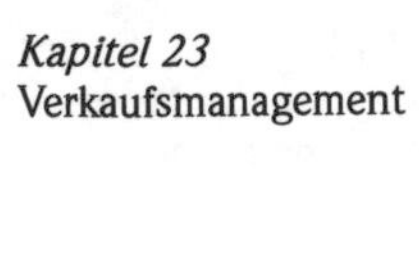

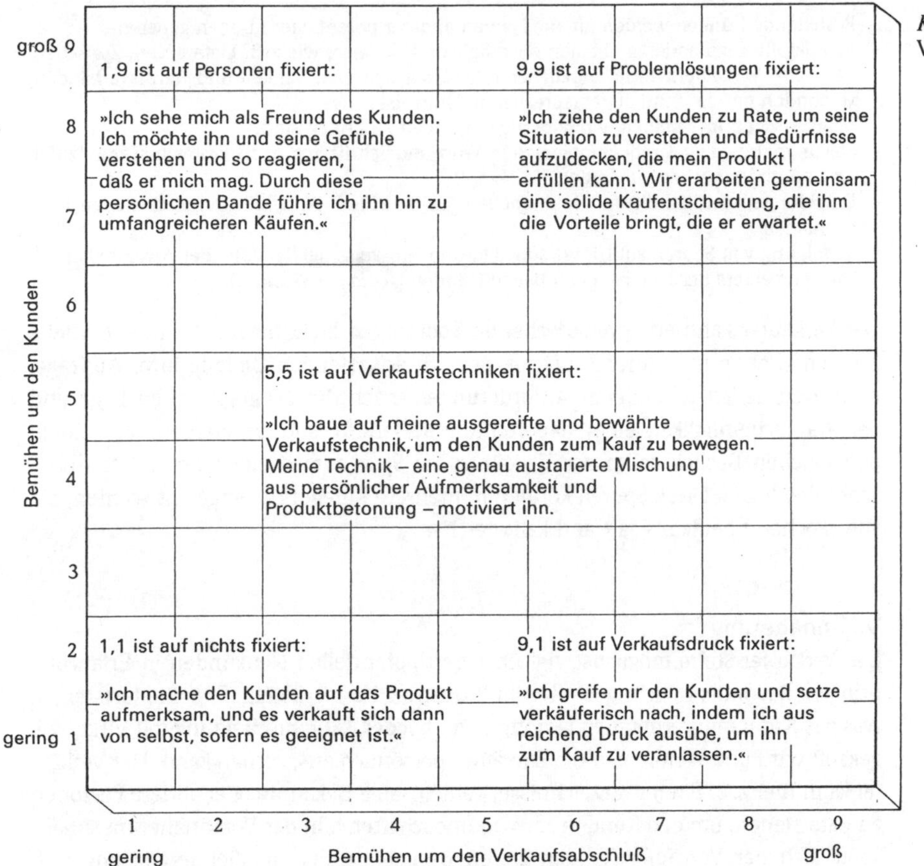

gen wollten. Sie sollten lediglich das zum Verkauf von Versicherungen erforderliche Niveau an Intelligenz und Ausdrucksvermögen besitzen.

groß 9
8
7
6
5
4
3
2
gering 1
Bemühen um den Kunden
1,9 ist auf Personen fixiert:
»Ich sehe mich als Freund des Kunden. Ich möchte ihn und seine Gefühle verstehen und so reagieren, daß er mich mag. Durch diese persönlichen Bande führe ich ihn hin zu umfangreicheren Käufen.«
9,9 ist auf Problemlösungen fixiert:
»Ich ziehe den Kunden zu Rate, um seine Situation zu verstehen und Bedürfnisse aufzudecken, die mein Produkt erfüllen kann. Wir erarbeiten gemeinsam eine solide Kaufentscheidung, die ihm die Vorteile bringt, die er erwartet.«
5,5 ist auf Verkaufstechniken fixiert:
»Ich baue auf meine ausgereifte und bewährte Verkaufstechnik, um den Kunden zum Kauf zu bewegen. Meine Technik – eine genau austarierte Mischung aus persönlicher Aufmerksamkeit und Produktbetonung – motiviert ihn.
1,1 ist auf nichts fixiert:
»Ich mache den Kunden auf das Produkt aufmerksam, und es verkauft sich dann von selbst, sofern es geeignet ist.«
9,1 ist auf Verkaufsdruck fixiert:
»Ich greife mir den Kunden und setze verkäuferisch nach, indem ich aus reichend Druck ausübe, um ihn zum Kauf zu veranlassen.«
1 2 3 4 5 6 7 8 9
gering
Bemühen um den Verkaufsabschluß
groß

Quellen: Robert R. Blake und Jane S. Mouton: *The Grid for Sales Excellence: Benchmarks for Effective Salesmsmanship*, New York: McGraw-Hill, 1970, S. 4; vgl. auch Franklin B. Evans: »Selling as a Dyadic Relationship – a New Approach«, in: *American Behavioral Scientist,* Mai 1963, S. 76–79, S. 76 und 78; vgl. auch Harry L. Davis und Alvin J. Silk: »Interaction and Influence Processes in Personal Selling«, in: *Sloan Management Review,* Winter 1972, S. 59–76, sowie Barton A. Weitz, Harish Sujan und Mita Sujan: *Knowledge, Motivation and Adaptive Behavior: A Framework for Improving Selling Effectiveness*, Marketing Science Institute, Arbeitspapier, November 1985.

Suche nach geeigneten Kunden

Der erste Schritt im Verkaufsprozeß ist das Aufspüren potentieller Käufer. Das Unternehmen kann zwar auch Hinweise liefern, doch die Verkäufer müssen von sich aus das Geschick entwickeln, Hinweise auf potentielle Käufer zu finden. Dazu gibt es zahlreiche Möglichkeiten, z.B.:

- Bestehende Kunden werden um die Namen anderer potentieller Kunden gebeten.
- Kontaktpflege zu anderen Quellen für mögliche Hinweise, wie z.B. Lieferanten, Zwischenhändlern, Verkäufern nicht konkurrierender Unternehmen, Banken und Berufsverbänden, verbunden mit der Bitte um entsprechende Hinweise.
- Mitgliedschaft in Vereinen, wo potentielle Kunden zu finden sind.
- Stellungnahmen zu Kundenproblemen in Wort und Schrift, um so als Problemlöser aufzufallen und angesprochen zu werden.
- Durchforsten veröffentlichter Datenquellen (Zeitschriften, Adreßbücher) nach neuen Kundennamen.
- Verfolgung von Spuren auf Hinweisquellen und Hinweise per Telefon oder Anschreiben.
- Unangemeldete Besuche bei potentiellen Kunden (»*cold canvassing*«).

Der Verkäufer kann erfolgversprechende Spuren geschickt herausfiltern. Potentielle Kunden können nach ihrer Kaufkraft, dem zu erwartenden Umfang ihrer Aufträge, nach eventuellen besonderen Anforderungen, nach der geographischen Lage und der Wahrscheinlichkeit einer dauerhaften Beziehung sortiert werden. Vor einem persönlichen Besuch sollte der Verkäufer die Spur zum Kunden per Telefon oder schriftlich legen. Diese Spuren können in mehrere Kategorien eingeteilt werden, die von »kochend heiß« bis »alt und kalt« reichen.

Vorannäherung

Der Verkäufer sollte möglichst viel über den potentiellen Neukunden in Erfahrung bringen. Besonders wichtig ist dies im Industriegütermarketing. Er sollte feststellen, was das Kundenunternehmen benötigt, wer bei der Kaufentscheidung mitwirkt, wie gekauft wird und womit man die Einkäufer persönlich ansprechen kann. Der Verkäufer kann hier z.B. Firmenverzeichnisse, gemeinsame Bekannte oder andere Personen zu Rate ziehen, um den Kunden »auszukundschaften«. In der Vorannäherungsphase sollte sich der Verkäufer für den ersten Besuch bereits ein Ziel setzen und sich überlegen, ob er sich z.B. den potentiellen Kunden nur etwas näher ansehen, ob er bestimmte Informationen einholen oder ob er bereits auf einen Abschluß hinsteuern will. Zudem muß er entscheiden, welche Art der Annäherung am günstigsten ist – ein persönlicher Besuch, ein Telefonanruf oder ein Brief. Auch das richtige Timing der Annäherung sollte bedacht werden, um potentielle Kunden dann anzusprechen, wenn sie auch aufnahmebereit sind. Und schließlich sollte sich der Verkäufer eine generelle Verkaufsstrategie für den Kunden zurechtlegen.

Annäherung

Inzwischen muß der Verkäufer entschieden haben, wie er die erste Begegnung mit dem Kunden gestalten will, um von Anfang an eine gute Beziehung aufbauen zu können. Das Erscheinungsbild des Verkäufers, die Gesprächseröffnung und die sich daran anschließenden Erläuterungen sind hier die wesentlichen Elemente. Der Verkäufer kann sich z.B. von der Kleidung her dem Käufer anpassen, sich dem Käufer gegenüber höflich und aufmerksam verhalten und störende Verhaltensweisen vermeiden. Besonders im internationalen Geschäft ist hier viel Einfühlungsvermögen erforderlich. In der Gesprächseröffnung sollte ein positiver Ansatz erkennbar sein, z.B.: »Herr Schmidt, ich bin Max Müller von der Firma ABC. Vielen Dank, daß sie mich empfangen haben. Ich werde mich darum bemühen, daß Sie und Ihr Unternehmen von diesem Besuch etwas haben.« Anschließend sollten wichtige Fragen angesprochen und durch interessiertes Zuhören Verständnis für den Käufer und seine Bedürfnisse entwickelt werden.

Verkaufspräsentation und Unterbreitung des Angebots

Der Verkäufer erklärt dem Kunden, worum es sich bei seinem Produkt handelt, und kann sich dabei z.B. des AIDA-Ansatzes bedienen: Er geht schrittweise vor und weckt zunächst die Aufmerksamkeit *(attention)* des Kunden, erhält dessen Interesse *(interest)* aufrecht, schürt sein Verlangen *(desire)* nach dem Produkt und lenkt ihn schließlich hin zum abschließenden Kauf *(action)*. Der Verkäufer stellt im Gespräch immer wieder die Vorteile für den Kunden heraus, wobei ihm die Ausstattungsmerkmale des Produkts als Beleg für diese Vorteile dienen. Die Kundenvorteile schlagen sich in geringeren Kosten, weniger Arbeitsaufwand oder einem höheren Gewinn für den Käufer nieder. Oft wird im Verkauf der Fehler begangen, (aus der eigenen Produktorientierung heraus) Produkteigenschaften in den Vordergrund zu stellen, statt (aus der Marketingorientierung heraus) die Kundenvorteile zu betonen.

Es haben sich drei typische Arten von Verkaufspräsentationen herausgebildet, nämlich die Fertig-Methode, die Bausatz-Methode und die individuelle Bedürfniserfüllungsmethode. Sehr früh schon wurde die *Fertig-Methode* entwickelt: Hier deckt eine einstudierte Unterhaltung die wesentlichsten Punkte ab. Gedanklich liegt diesem Ansatz der Stimulus-Response-Mechanismus zugrunde, d.h. daß ein passiver Käufer durch ein passendes Wort oder Bild bzw. die richtige Formulierung oder Handlung zu einer Kaufreaktion bewegt werden kann. So könnte der Staubsaugerverkäufer an der Haustür durch Aussagen wie »umweltfreundlicher Mikrofilter«, »pflegeleicht«, »eine Anschaffung fürs Leben«, oder »Staub-Allergie« den Wunsch der Hausfrau zum Kauf seines Geräts auslösen. »Fertig-Präsentationen« werden hauptsächlich im Verkauf per Telefon und an der Haustür eingesetzt.

Die *Bausatz-Methode* beruht gedanklich ebenfalls auf dem Stimulus-Response-Mechanismus, zielt jedoch darauf ab, im Frühstadium zunächst die Bedürfnisse des Käufers und sein Kaufverhalten zu erfassen. Für unterschiedliche Käufertypen und Situationen wird jeweils ein anderer Ansatz vorformuliert. Wie der Käufer denkt und was er braucht, stellt der Verkäufer in der Diskussion fest. Danach geht er zur vorformulierten Präsentation über, mit der dargelegt wird, auf welche Weise das Produkt dem Käufer hilft. Die Präsentation ist dabei nicht im einzelnen »vorgefertigt«, folgt aber einem generellen Ablaufplan.

Die individuelle *Bedürfniserfüllungsmethode* beginnt mit der Suche nach den wirklichen Bedürfnissen des Kunden, indem man ihn ermutigt, ausführlich darüber zu sprechen. Hier kommt es darauf an, gut zuzuhören und gute Problemlösungen vorzutragen. Ein Verkäufer von IBM beschrieb dies so: »Ich versetze mich in meine wichtigen Kunden hinein. Ich versuche, ihre Probleme aufzuspüren. Ich schlage ihnen Lösungen vor, die auf den Systemen meines Unternehmens aufbauen, ja manchmal sogar auf Geräten von anderen Lieferanten. Ich weise von Anfang an nach, daß mein System Geld spart oder meinen Kunden Geld verdienen hilft. Dann sorge ich in Zusammenarbeit mit dem Kunden für die Installation des Systems und stelle sicher, daß es die Ansprüche des Kunden erfüllt.« [24]

Die Verkaufspräsentation kann durch Anschauungsmaterial, wie z. B. Broschüren, audiovisuelle Hilfsmittel und Produktmuster, verbessert werden. Je intensiver der Käufer das Produkt begutachten und daran Hand anlegen kann, desto einprägsamer sind für ihn seine Eigenschaften und Vorteile. Der Verkäufer kann seine Präsentation mit Hilfe von fünf *Beeinflussungsstrategien* gestalten: [25]

- *Rechtfertigungsstrategie*: Der Verkäufer stellt den Ruf und die Erfahrung seines Unternehmens heraus und betont, daß ein Kauf bei einem solchen Unternehmen generell gerechtfertigt sei.
- *Expertenstrategie*: Der Verkäufer demonstriert seine profunden Kenntnisse über die Lage des Käufers und die Produkte seines eigenen Unternehmens, ohne dabei den Eindruck zu erwecken, er halte sich für besonders »schlau«.
- *Bezugsherstellungsstrategie*: Der Verkäufer baut auf gemeinsame Bezugspunkte mit dem Käufer, wie z. B. gemeinsame Interessen, Verhaltensweisen und Bekanntschaften.
- *Zu-Dank-Verpflichtungs-Strategie*: Der Verkäufer erweist dem Käufer gewisse Gefälligkeiten (z. B. Bewirtung, Werbegeschenke etc.), um beim Käufer das Gefühl der Zusammengehörigkeit und gegenseitigen Verpflichtung zu verstärken.
- *Beeindruckungsstrategie*: Der Verkäufer schafft es, beim Käufer einen positiven Eindruck zu erwecken und diesen Eindruck zu pflegen.

Entkräften von Einwänden

Kunden haben fast immer Einwände – entweder bereits während der Präsentation oder erst dann, wenn es um die Bestellung geht. Die Ursachen dafür können psychologische oder logische Widerstände sein. *Psychologische Widerstände* liegen vor, wenn der Kunde meint, man mische sich in seine Angelegenheiten, wenn er seine alten Gewohnheiten liebt, gleichgültig ist, nur zögerlich etwas aufgibt, mit dem Verkäufer Unangenehmes assoziiert, glaubt, bevormundet zu werden, festgefahrene Vorstellungen hat, Entscheidungen scheut und in Geldangelegenheiten überängstlich ist. *Logische Widerstände* resultieren aus Einwänden gegen den Preis, den Liefertermin oder gewisse Merkmale des Produkts oder des Unternehmens. Um diese Einwände zu entkräften, kann der Verkäufer sie möglichst von der positiven Seite anpacken, den Käufer zur Präzisierung seiner Einwände veranlassen, ihm Fragen stellen, so daß er selbst eine Antwort auf seine Einwände findet, die Gültigkeit des Einwands in Frage stellen oder den Einwand selbst in einen Kaufgrund ummünzen. Der Verkäufer sollte in Verhandlungstechniken geschult sein, die auch die Entkräftung von Einwänden beinhalten.

Abschluß

In dieser Phase zielt der Verkäufer auf den Vertragsabschluß ab. Manche Verkäufer schaffen es nicht, bis in diese Phase vorzudringen, oder sie halten sich hier nicht besonders gut. Sie haben entweder nicht das nötige Selbstvertrauen, bekommen ein schlechtes Gewissen, wenn sie um den Auftrag bitten, oder sie verpassen den psychologisch richtigen Moment des Abschlusses. Verkäufer müssen lernen, aus dem physischen Verhalten, den Behauptungen, Anmerkungen und Fragen des Käufers Abschlußsignale zu entnehmen. Zum richtigen Zeitpunkt kann dann der Verkäufer den eigentlichen Abschluß einleiten, und zwar auf vielerlei Weise: Er kann schlicht und einfach um den Auftrag bitten; er kann die Punkte zusammenfassen, in denen Übereinstimmung erzielt wurde; er kann anbieten, der Sekretärin des Kunden bei der Ausfertigung des Auftrags behilflich zu sein; er kann den Käufer fragen, ob er Alternative A oder B wünscht und dabei den Kunden in unwesentlichen Punkten, z.B. Farbe oder Größe des Artikels, eine Wahl treffen lassen; oder er kann auf die Nachteile hinweisen, wenn die Bestellung aufgeschoben wird. An dieser Stelle kann der Verkäufer auch spezielle Abschlußanreize anbieten, z.B. einen Sonderpreis, eine mengenmäßige oder eine symbolische Zugabe.

Nachbetreuung
Dieser letzte Schritt ist erforderlich, wenn der Verkäufer sich der Zufriedenheit des Kunden vergewissern und Wiederholungskäufe sicherstellen will. Mit dem Abschluß sollte der Verkäufer sofort alle notwendigen Details bezüglich des Liefertermins, der Zahlungsabwicklung usw. unter Dach und Fach bringen. Er sollte einen Besuchstermin zur Nachbetreuung vereinbaren, wenn der Kunde die erste Lieferung erhält, und sich selbst von einer ordnungsgemäßen Installation, Betriebsanleitung und Serviceleistung überzeugen. Bei einem solchen Besuch sollten dann eventuelle Probleme aufgedeckt werden, der Verkäufer sollte den Käufer vom anhaltenden Interesse an einer weiteren Zusammenarbeit mit ihm überzeugen und u.U. zwischenzeitlich entstandene Zweifel an der Richtigkeit der Kaufentscheidung abbauen.

Verhandlungsführung

Insbesondere im Geschäft zwischen Unternehmen ist Geschick in der Verhandlungsführung notwendig. Beide Parteien müssen sich über den Preis und die anderen Bedingungen des Kaufs einigen. Die Verkäufer müssen den Auftrag bekommen, ohne dabei verlustträchtige Zugeständnisse zu machen.

Grundelemente des Verhandlungsprozesses
Marketing befaßt sich mit Austausch und Austauschprozessen. Wir können zwei Grundtypen des Austausches abgrenzen: den *routinegeprägten Austausch*, bei dem verwaltungstechnische Programme zur Einhaltung von Preislisten und zur Warenlogistik die Austauschbedingungen und die Durchführung bestimmen, und den *verhandlungsgeprägten* Austausch, bei dem der Preis und die anderen Bedingungen ausgehandelt werden. Arndt stellte fest, daß in immer mehr Märkten der Austausch verhandlungsgeprägt ist und gleichzeitig die Parteien oft langfristig bindende Vereinbarungen eingehen (z.B. durch Joint-Ventures, Franchise-Vereinbarungen, Unterlieferantenverträge und vertikale Integration). Ein bis dahin scharfer Wettbewerb um jede einzelne Austauschaktion wird durch die Langfristigkeit der Verträge in diesen Märkten vermindert und die Zugangsmöglichkeiten für neue Wettbewerber werden erschwert. [26]

Der Preis steht als Verhandlungsgegenstand meist im Vordergrund. Aber auch Termine, Qualitätsgarantien, Abnahmemengen, Finanzierung, Risikoübernahme, Eigentumsübergang, Werbeunterstützung und Produktsicherheit gehören zum Verhandlungspaket. Die Zahl der möglichen Verhandlungspunkte ist äußerst umfangreich.

Der Verhandlungsprozeß weist folgende Merkmale auf:

- Mindestens zwei Parteien wirken daran mit.
- Die Parteien haben bei einem oder mehreren Verhandlungspunkten gegensätzliche Interessen.
- Die Parteien bilden – zumindest zeitweilig – eine freiwillige Beziehungsgemeinschaft.
- Die Aktivitäten innerhalb dieser Beziehungsgemeinschaften richten sich auf die Verteilung oder den Austausch einer oder mehrerer Ressourcen oder die Lösung eines oder mehrerer Probleme immaterieller Natur zwischen den Parteien oder zwischen anderen von ihnen vertretenen Personen oder Institutionen.
- Zu diesen Aktivitäten gehört im Normalfall die Unterbreitung von Forderungen oder Vorschlägen durch die eine Partei und deren Beurteilung durch die andere Partei, gefolgt von Zugeständnissen oder Gegenvorschlägen. Die Aktivitäten laufen daher in einer zeitlichen Folge und nicht gleichzeitig ab. [27]

Der Marketer braucht bestimmte Fähigkeiten, um Verhandlungssituationen meistern zu können. Zu den wichtigsten Fähigkeiten gehören eine geschickte Vorbereitung und Planung, eine intime Kenntnis des Verhandlungsgegenstandes, schnelles und klares Denken, und zwar auch unter Druck und Ungewißheit, gutes verbales Ausdrucksvermögen, die Fähigkeit zum Zuhören, ausgeprägtes Urteils- und Einfühlungsvermögen, Integrität, Überzeugungskraft und Geduld. Besitzt er diese Fähigkeiten, fällt es dem Marketer leichter, zu entscheiden, unter welchen Bedingungen und auf welche Weise er die Verhandlung führen will. [28]

Voraussetzungen zur Verhandlungsaufnahme

Lee und Dobler haben mehrere Umstände aufgelistet, unter denen Verhandlungen auf einen Verkaufsabschluß hin angemessen sind; sie meinen, dies sei der Fall:

1. wenn Preis, Qualität und Service von vielen verhandlungsrelevanten Faktoren mitbestimmt werden können,
2. wenn die mit dem Geschäftsabschluß verbundenen Risiken nicht von vornherein feststehen,
3. wenn die Fertigung der Kaufgegenstände lange Zeit in Anspruch nimmt, und
4. wenn die Herstellung aufgrund zahlreicher Änderungsaufträge häufig unterbrochen wird. [29]

Die Aufnahme von Verhandlungen ist dann angebracht, wenn eine *Kompromißzone* für einen Interessenausgleich der Parteien zu erwarten ist. [30] Eine Kompromißzone gibt es dann, wenn sich die akzeptablen Verhandlungsergebnisse der beteiligten Parteien überlappen. Dieses Konzept der Kompromißzone ist in Abbildung 23–4 für die Preisverhandlung zwischen zwei Parteien dargestellt. Jede der beiden Parteien setzt sich eine Preisgrenze. Die Preisgrenze des Verkäufers, v, ist der niedrigste Preis, den er gerade noch akzeptieren würde. Ein Vertragsabschluß zu einem Preis x, der unter v läge, wäre für ihn schlechter als gar kein Vertragsabschluß. Bei jedem $x > 15\, v$ erzielt der Verkäufer einen Verkaufsvorteil. Selbstverständlich will der Verkäufer einen möglichst großen Verkaufsvorteil und gleichzeitig auch ein gutes Verhältnis zum Käufer. In gleicher Weise hat auch der Käufer eine Preisgrenze, *k*, nämlich den *Höchstpreis*, den er zu zahlen bereit ist. Ein $x > k$ wäre für ihn schlechter als gar kein Abschluß. Bei einem $x < k$ erzielt der Käufer einen Einkaufsvorteil. Wenn die Preisgrenze des Verkäufers niedriger liegt als die des Käufers $(v < k)$, dann existiert eine Kompromißzone, und der Abschlußpreis wird innerhalb dieser Zone durch Verhandlung bestimmt.

Ganz offensichtlich ist es vorteilhaft, die Preisgrenze der Gegenseite zu kennen und den Eindruck zu erwecken, daß die eigene Preisgrenze höher (Sicht des Verkäufers) oder niedriger (Sicht des Käufers) liegt, als dies in Wirklichkeit der Fall ist. Die Offenheit, mit der die Käufer und Verkäufer ihre Preisgrenze zu erkennen geben, wird durch die Persönlichkeit der Verhandlungsführenden, die Verhandlungsumstände und die zu erwartende zukünftige Geschäftsbeziehung bestimmt.

Verhandlungsstrategie

Zum erfolgreichen Verhandeln gehört die richtige Verhandlungsstrategie und das richtige taktische Verhalten während der Verhandlung selbst.

Eine Verhandlungsstrategie zu planen heißt, sich ein generelles Verfahren zurechtzulegen, das dem Verhandlungsführenden gute Aussichten bietet, seine Ziele zu erreichen. Einige Verhandlungsführende verfolgen z.B. im Umgang mit der Gegenseite eine »Strategie der Härte«, während andere davon überzeugt sind, daß eine »Strategie der Konzilianz« zu besseren Ergebnissen führt. Fisher und Ury schlagen eine *Strategie der prinzipienbestimmten Verhandlungsführung* vor.[31] Sie behaupten, daß die Anwender dieser Strategie günstige Resultate erzielen, ganz gleich, wie die Strategie der anderen Seite aussieht. Kern dieser Strategie ist es, Problembereiche nach ihrem sachlichen Stellenwert für die Parteien einzuordnen, statt sich auf ein Ringen einzulassen, das sich auf die Aussagen der Gegenseite darüber konzentriert, was sie will oder nicht will. Bei dieser Strategie soll man, wann

Abbildung 23-4
Die Kompromißzone

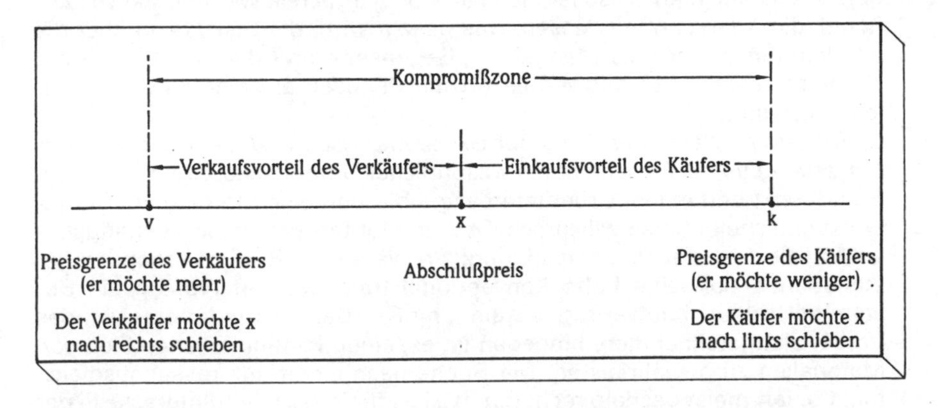

Quelle: *The Art and Science of Negotiation*, Howard Raiffa (Hrsg.), Cambridge, Mass.: The Bellmap Press of Harvard University Press, 1982.

immer möglich, herausarbeiten, wo es gemeinsame Vorteile gibt. Wenn Interessenkonflikte vorliegen, sollte man darauf bestehen, daß die Ergebnisse von fairen Prinzipien des Ausgleichs bestimmt werden und nicht der Willkür einer der verhandlungsführenden Parteien unterliegen. Diese Strategie geht streng mit den Grundprinzipien und konziliant mit den Eigenarten der Verhandlungsführenden um.[32]

Exkurs 23-9 beschreibt wesentliche Aspekte dieser prinzipienbestimmten Verhandlungsstrategie. Ähnlich gestaltete Strategien werden in der Literatur auch als »Win/Win«-Strategien (beide Parteien sollen durch die Verhandlungen gewinnen), »integrative Verhandlungen« oder »Strategien der flexiblen Unbeugsamkeit« (flexibel in den Mitteln der Verhandlung, unbeugsam im Ziel) bezeichnet.

Exkurs 23-9: Die Strategie der prinzipienbestimmten Verhandlungsführung

Durch ein Forschungsprogramm namens »Harvard Negotiation Project« kamen Roger Fisher und William Ury zu den folgenden vier Empfehlungen für eine prinzipienbestimmte Verhandlungsführung:

1. *Trenne Personen und Sachprobleme:* Da Verhandlungen von Personen geführt werden, ist es leicht möglich, daß ihre Emotionen den sachlichen Stellenwert von Verhandlungsgegenständen überschatten. Wenn man die Verhandlung zu stark auf die beteiligten Personen statt auf die Interessenlage der Parteien zuschneidet, so kann dies einen ineffektiven Verhandlungsprozeß bewirken. Die Verhandlungssituation verschlechtert sich, wenn daraus mehr ein Test der Willensstärke als die Suche nach gemeinsamen sachlichen Problemlösungen wird. Um Personen von Sachproblemen zu trennen, muß man zunächst die Gabe zur präzisen Wahrnehmung von Persönlichkeitsproblemen haben. Jede Seite muß die Ansichten der Gegenseite und das Ausmaß der Gefühlsanbindung an diese Ansichten mit großem Einfühlungsvermögen zu verstehen versuchen. Zweitens sollten Gefühlsausbrüche zu Beginn oder während der Verhandlung auch als solche bezeichnet und als berechtigt anerkannt werden. Wenn beide Parteien ihre Gefühle offen zur Sprache bringen, ohne sich zu Reaktionen auf Gefühlsausbrüche verleiten zu lassen, wird verhindert, daß die Verhandlung in unproduktive Beschimpfungen ausartet. Drittens müssen klare Verständigungsmechanismen zwischen den Parteien hergestellt werden. Aktives Zuhören, die Anerkennung dessen, was gesagt wird, die Diskussion über die Probleme statt über die Mängel der Gegenseite und die Klarstellung der Grundinteressen – all das verbessert die Chancen auf eine zufriedenstellende Lösung.

2. *Fokussiere die Verhandlung auf Grundinteressen und nicht auf Verhandlungsstandpunkte:* Es besteht ein wesentlicher Unterschied zwischen einem Standpunkt und einem Grundinteresse; über den eingenommenen Standpunkt entscheidet man willkürlich. Das Grundinteresse ist die Ausgangsbasis für die Standpunktentscheidung. So wäre es z.B. ein Verhandlungsstandpunkt, daß eine hohe Konventionalstrafe bei Lieferverzug ein Bestandteil des Kaufvertrags sein muß. Das Grundinteresse des Verhandlungsteilnehmers hingegen ist es, einen kontinuierlichen Fluß von Materialien zu gewährleisten. Die Suche nach einem Interessenausgleich funktioniert meist deshalb recht gut, weil es für jedes Grundinteresse in der Regel mehrere mögliche Standpunkte gibt, die dieses Grundinteresse befriedigen können.

3. *Suche nach Lösungsmöglichkeiten zum beiderseitigen Nutzen:* Nach diesem Prinzip suchen die Parteien nach einem größeren gemeinsamen Gesamtnutzen, statt sich über die Verschiebung eines Teilnutzens zu streiten. So können gemeinsame Grundinteressen aufgedeckt werden.
4. *Bestehe auf objektiven Kriterien:* Wenn sich der Verhandlungsführende der Gegenseite das »Mäntelchen der Undurchsichtigkeit« umhängt und seine Argumentation auf Standpunkten statt auf Grundinteressen aufbaut, dann ist es eine gute Strategie, darauf zu bestehen, daß die Verhandlung nach fairen und objektiven Kriterien des Interessenausgleichs und nicht anhand der Standpunkte der Beteiligten geführt werden muß. Wenn die Diskussion von objektiven Kriterien anstatt von stur verteidigten Positionen geleitet wird, hat keine der beiden Parteien das Gefühl, daß sie der anderen Seite wegen nachgibt; man gibt vielmehr einer fairen Lösung wegen nach. Objektive Kriterien bei Verhandlungen über Investitionsgüter wären z.B. der Marktwert, der bilanzierte Wert, die Preise des Wettbewerbs, die Kosten der Ersatzbeschaffung, die Preisentwicklung und anderes mehr.

Verhandlungstaktik

Bei Verhandlungen werden viele unterschiedliche Taktiken zum Einsatz gebracht. Den Begriff der Verhandlungstaktik können wir wie folgt definieren:

Die Verhandlungstaktik besteht aus Maßnahmen, die man in bestimmten Situationen des Verhandlungsprozesses ergreift.

Die wissenschaftliche und auch populärwissenschaftliche Fachliteratur liefert viele Hinweise auf diverse Verhandlungstaktiken: Drohen, Bluffen, allerletzte Angebote, hohe Eröffnungspositionen usw. Es kursieren ganze Listen von nützlichen und nutzlosen taktischen Maßnahmen, wie »Laß' Dir nicht in die Karten gucken« oder »Verhandle wann immer möglich auf heimischem Terrain«. Diese Listen werden oft ohne Zusammenhang präsentiert und nur selten auf bestimmte Verhandlungsstrategien zugeschnitten (vgl. Exkurs 23-10).

Fisher und Ury sammelten taktische Hinweise, die zu der von ihnen vorgeschlagenen Strategie der prinzipienbestimmten Verhandlung passen. Ihr erster Ratschlag bezieht sich auf den Fall, daß die Gegenseite mehr Macht hat. Die beste Taktik beruht hier darauf, daß man weiß, was die beste Alternative ist, um zu einem Verhandlungsergebnis zu kommen. Wenn man die beste Alternative kennt, die man in diesem Fall ergreifen wird, dann ist damit der Maßstab gesetzt, nach dem man sein taktisches Vorgehen auf Verhandlungsangebote der Gegenseite richten kann. Damit kann man vermeiden, von einem mächtigeren Gegenspieler zur Annahme von Bedingungen gedrängt zu werden, die ungünstiger sind als die bestmögliche Alternative.

Eine andere Taktik hingegen ist anzuwenden, wenn die Gegenseite nicht ihre Grundinteressen, sondern immer wieder ihre Verhandlungsstandpunkte in den Vordergrund schiebt und die Vorschläge oder Verhandlungsführenden der Gegenseite attackiert. Zwar wäre man dann geneigt, zum Gegenangriff überzugehen, doch die bessere Taktik besteht darin, persönliche Attacken auf das zugrundeliegende Problem umzulenken, den Blick auf die Grundinteressen der Gegenseite zu richten,

Möglichkeiten zu finden, die Grundinteressen beider Seiten aufzugreifen, und die Gegenseite um kritische Ratschläge zu bitten (»Was würden Sie vorschlagen, wenn Sie an meiner Stelle wären?«).

Andere taktische Verhaltensweisen dienen als Antwort auf Taktiken, mit denen sich die Gegenseite durch Täuschung, verzerrte Darstellung oder andere Mittel gewisse Verhandlungsvorteile verschaffen will. Welche Taktik sollte z.B. angewandt werden, wenn die Gegenseite Drohungen losläßt, in die Extremposition des »Alles oder Nichts« verfällt oder man am Verhandlungstisch so plaziert wird, daß die Sonne oder künstliches Licht einen blendet? Der Verhandlungsführer sollte diese Taktik zur Kenntnis nehmen, zur Sprache bringen und hinterfragen, ob diese Taktik als faire Spielregel für die vorliegende Verhandlung gelten sollte. Er verhandelt dann über die Taktik selbst. Diese Verhandlungstaktik folgt dem Ansatz der prinzipienbestimmten Verhandlungsführung, d.h. Hinterfragung des taktischen Problems, Konzentration auf die Gründe für diese Taktik, Suche nach alternativen Wegen zum gemeinsamen Nutzen und Erarbeitung von Prinzipien und Kriterien für die Taktik der Verhandlungsführung. Wenn dies nichts nützt, muß man sich auf die eigene beste Alternative zur Problemlösung durch Verhandlung zurückziehen und die Verhandlung solange unterbrechen, bis die Gegenseite ihre hinterlistigen Taktiken einstellt. Es bringt mehr, solche Taktiken durch Verteidigung der eigenen Prinzipien als durch ebenso hinterlistige Taktiken auszukontern.

Exkurs 23-10: Ausgewählte taktische Verhaltensweisen bei der Verhandlungsführung

Einige häufige taktische Verhaltensweisen und die Annahmen über ihre Wirkungsweise auf die Verhandlungen sind folgende:

- *Verrückt spielen*: Demonstriere eine gefühlsmäßige Anbindung an die eigene Verhandlungsposition. Das kann die Glaubwürdigkeit erhöhen und dem Gegner als Rechtfertigung dienen, auf deine Position einzugehen.
- *Hoch einsteigen*: Bewahre dir von Anfang an viel Verhandlungsspielraum. Stelle anfänglich hohe Forderungen. Wenn du etwas nachgibst, so kommt dabei immer noch mehr heraus, als wenn du niedrig eingestiegen wärst.
- *Bring' den Prestigeaspekt ins Spiel*: Dies kann anhand berühmter Personen oder spektakulärer Projekte, die mit dem Verhandlungsgegenstand in Zusammenhang stehen, geschehen. Versuche, Zugeständnisse zu erreichen; schließlich ist es für die Gegenseite eine Ehre, mit diesen prestigeträchtigen Personen oder Projekten in Verbindung gebracht zu werden.
- *Mit dem Rücken zur Wand*: Beziehe eine Position und erkläre der Gegenseite, daß du keine weiteren Zugeständnisse mehr machen kannst.
- *Genehmigung von oben nötig*: Verhandle mit der Gegenseite in gutem Glauben, und weise – wenn das Geschäft unterschriftsreif ist – darauf hin, daß noch die Genehmigung von oben eingeholt werden muß.
- *Hochschaukeln*: Lasse mehrere Wettbewerber wissen, daß du mit ihnen gleichzeitig in Verhandlungen stehst. Vergib' z.B. Vorsprachetermine an mehrere Wettbewerber für denselben Tag und sorge dafür, daß sie sich im Vorzimmer begegnen; so wissen sie, daß sie im Wettbewerb miteinander stehen.

- *Teile und erobere*: Wenn du einem Verhandlungsteam der Gegenseite gegenüberstehst, mache einem Mitglied dieses Teams deine Vorschläge schmackhaft; dieses wird dir dann dabei helfen, die anderen Mitglieder des Teams zu überzeugen.
- *»Seile dich ab« und verschaffe dir eine Atempause*: Verlasse den Verhandlungstisch vorübergehend. Kehre zurück, wenn sich das Verhandlungsklima gebessert hat, und nimm' die Verhandlungen wieder auf. Der Zeitraum der Abwesenheit kann entweder länger (man muß außer Haus) oder nur kurz (Verschnaufpause im Haus) sein.
- *Laß' dir nicht in die Karten schauen*: Zeige keinerlei Gefühlsregung und reagiere auch nicht verbal auf Druck oder Zwang der Gegenseite. Bleibe ganz unbeteiligt und setze weiterhin dein bestes »Pokerface« auf.
- *Sitzfleisch*: Wenn du es schaffst, deinen Gegner »auszusitzen«, wirst du aller Wahrscheinlichkeit nach mehr herausholen.
- *Man trifft sich in der Mitte*: Die Seite, die dies zuerst vorschlägt, hat in der Regel weniger dabei zu verlieren.
- *Der Advokat des Teufels*: Reagiere argumentativ auf die Vorschläge der Gegenseite, und zwar durch Feststellungen wie: »Ehe ich dazu ja oder nein sage, sollten wir gemeinsam alle Nachteile erörtern, die sich möglicherweise daraus ergeben könnten, wenn wir Ihrem Vorschlag folgen.« Damit kann man der Gegenseite – ohne ihrem Vorschlag direkt entgegenzutreten – einen Hinweis darauf geben, wie ihre Ziele u. U. besser zu erreichen sind.
- *Versuchsballon*: Lasse deine Entscheidung durch Einschaltung einer »zuverlässigen Quelle« durchsickern, ehe sie tatsächlich getroffen wird. Damit ist es möglich, die Reaktionen der Gegenseite auf deine Entscheidung auszuloten.
- *Bleibe unberechenbar*: Verunsichere die Gegenseite, indem du dein taktisches Verhalten drastisch, einschneidend oder plötzlich änderst. Bleibe unberechenbar und halte die Gegenseite davon ab, dein Vorgehen zu antizipieren.

Quelle: Auszug aus einer Liste von über 200 Verhandlungstaktiken; erstellt von Professor Donald W. Hendon, University of Hawaii, in seinem Seminar »Wie man verhandelt und gewinnt«.

Management der Kundenbeziehungen

Die Verkaufsaktivitäten und die Verhandlungsführung sind in der Regel *transaktionsorientiert*, d. h. sie zielen auf einen Verkaufsabschluß mit dem Kunden ab. Das Konzept des *Beziehungsmanagement* geht über Transaktionen hinaus und ist umfassender und langfristiger angelegt. Der Verkäufer, der es versteht, starke Beziehungen zu seinen Hauptkunden herzustellen und zu pflegen, schafft sich eine gute Grundlage für zukünftige Umsätze mit diesen Kunden. Das Beziehungsmanagement ist ein Konzept, mit dem der Marketer sich eingehend befassen und das insbesondere im Verkauf berücksichtigt werden muß.

Ein systematisches Beziehungsmanagement ist am ehesten bei den Kunden und Interessengruppen angebracht, von denen die Zukunft des Unternehmens am stärksten abhängt. Bei vielen Unternehmen entfällt ein sehr wesentlicher Teil ihres Umsatzes auf die 20 größten Kunden. Verkäufer, die diese Schlüsselkunden betreuen, müssen mehr tun, als diese nur zu besuchen, um Aufträge hereinzuholen. Sie sollten häufig mit ihnen Kontakt haben, sie bewirten, ihnen nützliche Vorschläge zuspielen usw. Sie sollten diese Schlüsselkunden im Auge behalten, deren Probleme kennen und bereit sein, ihnen auf vielerlei Weise nützlich zu sein. Im folgenden einige Beispiele zum Beziehungsmanagement:

- Der regionale Verkaufsdirektor eines Lebensmittelkonzerns betreut die leitenden Einkäufer der größten Kunden seines Verkaufsbezirks mit mehr als nur regelmäßigen Verkaufsbesuchen durch seine Reisenden. Er lädt die Sportbegeisterten unter den Einkäufern mehrmals im Jahr zu wichtigen regionalen Sportveranstaltungen ein. Er veranstaltet außerdem an interessanten ausländischen Orten fachlich orientierte Fortbildungsseminare für diese Zielgruppe. Dabei lernt er die Kunden intensiv kennen, weiß, wie sie geschäftlich und in anderen Bereichen denken, und baut eine Beziehung des gegenseitigen Respekts und der Offenheit auf.
- Ein Hersteller von industriellem Zubehör am Niederrhein war der Ansicht, daß viele seiner wichtigsten Kunden die von ihm jedes Jahr veranstalteten Empfänge nicht mehr so positiv sahen wie früher. Im Gegenteil – er fand heraus, daß viele der Teilnehmer den Abend viel lieber mit ihren Familien verbracht hätten und sich bei Nachmittagsempfängen möglichst bald verabschiedeten. Also strich er die Empfänge und lud statt dessen die wichtigsten seiner Kunden mit Kind und Kegel zu gemeinsamen Wochenendradtouren in der Eifel ein. Dies fand nicht nur einen unerwartet großen Zuspruch, sondern stärkte auch die Beziehungen zu diesen Kunden. Aufgrund besserer persönlicher Beziehungen konnte der Hersteller in der Folgezeit viele Probleme direkter, schneller und nutzbringender mit seinen Kunden besprechen.
- Ein Beratungsunternehmen stellte fest, daß es von bestimmten Klienten wiederholt Anschlußaufträge erhielt und von anderen nicht. Eine Untersuchung zeigte, daß einige Berater besonders gut darin waren, Beziehungen zu pflegen und Anschlußaufträge hereinzuholen, während andere zwar ihre Beratungsprojekte gekonnt abwickelten, aber in der Beziehungspflege kein Geschick bewiesen. Das Beratungsunternehmen ermittelte nun die Schlüsselkunden und stellte sicher, daß diese von Beratern betreut wurden, die versiert im Aufbau guter Beziehungen waren.

Das Management der Kundenbeziehungen wird ohne Zweifel für die Zukunft immer wichtiger. Die Unternehmen erkennen immer mehr, daß sie im kontinuierlichen Geschäft mit bestehenden Kunden besser verdienen als im Geschäft mit Neukunden, deren Akquisition teuer ist. Manche suchen nach möglichen Gegengeschäften, um so die Beziehung zu den Kunden zu festigen. Immer mehr Unternehmen gehen strategische Partnerschaften ein, die ein geschicktes Beziehungsmanagement erfordern. Für viele Kunden, die Großkäufe tätigen oder komplexe Produkte kaufen wie z.B. Fabrikanlagen, Industrieroboter oder große Computersysteme, ist der Kauf selbst nur der Anfang zu einem längeren Arbeitsverhältnis mit ihrem Lieferanten. Levitt weist auf die zunehmende Tendenz zum Beziehungsmarketing hin (vgl. Tabelle 23–2). [33] Barbara Jackson stimmt dieser Beobachtung zu, meint aber, daß das Beziehungsmarketing nicht in allen Situationen angebracht sei (vgl. dazu Exkurs 23-11).

Zur Erarbeitung eines Programms zum Management der Kundenbeziehungen muß ein Unternehmen folgende Schritte tätigen:

- *Identifizieren der Schlüsselkunden, die für das Beziehungsmanagement in Frage kommen*
  Das Unternehmen kann die 5 oder 10 größten Kunden auswählen und sie für das Beziehungsmanagement vormerken. Weitere Kunden, die außerordentliche Zuwachsraten aufweisen, die bei Neuentwicklungen Branchenführer sind oder von denen aus anderen Gründen für die Zukunft viel erwartet wird, können dieser Liste hinzugefügt werden.

Tabelle 23–2
Entwicklungstendenzen hin zum Beziehungsmarketing

Bezugsgröße	*Ausprägung der Bezugsgröße* *in der Vergangenheit*	*in der Gegenwart*	*in der Zukunft*
Kaufobjekt	Produkt	erweitertes Produkt	Systemvertrag
Kaufmenge	Systemkomponente	System	System- und Betreuungszeit
Wertgrundlage	Ausstattungsvorteil	Technologievorteil	Systemvorteil
Geschäftsanbahnung	von kurzer Dauer	von langer Dauer	von längerer Dauer
Dienst am Kunden	beschränkt vorteilhaft	wichtig	überlebenswichtig
Lieferfähigkeit	regional	landesweit	weltweit
Lieferhäufigkeit	einmalig	häufig	kontinuierliche
Strategieschwerpunkt	Verkauf	Marketing	Beziehung

Quelle: Theodore Levitt: *The Marketing Imagination*, New York: Free Press, 1983, S. 116.

- *Zuordnen eines geschickten Betreuers für jeden Schlüsselkunden*
  Der Verkäufer, der sich um den Kunden kümmert, sollte im Beziehungsmanagement geschult werden oder durch jemand ersetzt werden, der größeres Geschick im Beziehungsmanagement besitzt. Der »Beziehungsmanager« sollte von seinem Eigenschaftsprofil her zum Kunden passen und auf diesen ansprechend wirken.
- *Entwickeln einer klaren Arbeitsplatzbeschreibung für die Beziehungsmanager*
  Hier sollte festgelegt werden, wem die Beziehungsmanager verantwortlich sind und welche Ziele, Aufgaben und Bewertungskriterien Geltung haben. Der Beziehungsmanager ist verantwortlich für seinen Kunden, steht im Mittelpunkt aller Informationsabfragen über den Kunden und ist die treibende Kraft hinter der Leistungserbringung des Unternehmens für den Kunden. Jeder Beziehungsmanager betreut nur einen oder einige wenige Kunden.
- *Ernennen eines gesamtverantwortlichen Managers zur Anleitung aller Beziehungsmanager*
  Der Gesamtverantwortliche verfeinert die Arbeitsplatzbeschreibung sowie die Bewertungskriterien und baut Hilfsdienste auf, die die Wirksamkeit dieser Beziehungsmanagementfunktion erhöhen.
- *Jeder Beziehungsmanager entwickelt langfristige und jährliche Pläne zur Gestaltung der Kundenbeziehungen.*
  Der jährliche Kundenbetreuungsplan beschreibt die Ziele, Strategien, spezifischen Maßnahmen und erforderlichen Ressourcen zur Durchführung.

Ist erst einmal ein angemessenes Programm zum Beziehungsmanagement vorhanden, dann verändert sich vieles im Umgang mit den Kunden, denn dadurch wird bewußt gemacht, was die Kundenbeziehung zum Guten oder zum Schlechten führt (vgl. Tabelle 23–3). Das Kundenmanagement wird dann zu einer ebenso gewichtigen Rolle hingeführt wie das Produktmanagement.

Exkurs 23-11: Beziehungsmarketing: Wann und Wie?

Barbara Jackson behauptet, daß das Beziehungsmarketing nicht in allen Situationen wirkungsvoll, in den richtigen Situationen hingegen außerordentlich wirkungsvoll sei. Nach ihrer Meinung ist das traditionelle Transaktionsmarketing dort angebracht, wo Käufer kurzfristig denken und ein Lieferantenwechsel sie wenig kostet, wie z. B. bei Käufern von genormten Massenprodukten. Ein Käufer kann z. B. Stahlprodukte von einem einzigen oder mehreren Lieferanten beziehen und sich bei jedem Kauf den Lieferanten mit den besten Bedingungen herauspicken. Allein die Tatsache, daß ein Stahlhersteller den Käufer besonders aufmerksam betreut hat, bringt ihm

Tabelle 23–3
Handlungen mit Auswirkungen auf die Beziehungen zwischen Käufer und Verkäufer

Positiv	*Negativ*
Suche von selbst telefonischen Kontakt	Rufe nur zurück
Bringe Empfehlungen	Bringe Rechtfertigungen
Freimütig in der Sprache	Zurückhaltend in der Sprache
Kontakte per Telefon	Kontakte per Brief
Teile mit, was du gut findest	Sage erst bei Mißverständnissen etwas
Mache Service-Vorschläge	Warte auf Service-Anfragen
Gehe bei Problemlösungen sprachlich vom »wir« aus	Benutze den Juristenjargon zu »Schuldverhältnissen«
Packe Probleme an	Reagiere auf Probleme
Drücke dich kurz und bündig aus	Drücke dich langatmig aus
Sei offen bei Persönlichkeitsproblemen	Verdecke Persönlichkeitsprobleme
Sprich über die gemeinsame Zukunft	Sprich über Wiedergutmachung für Vergangenes
Reagiere routinemäßig	Reagiere mit Hektik
Akzeptiere Verantwortung für Fehler	Schiebe Fehler auf andere
Plane für die Zukunft	Wiederhole Vergangenes

Quelle: Theodore Levitt: *The Marketing Imagination*, New York: Free Press, 1983, S. 119.

nicht automatisch schon den nächsten Auftrag. Seine Konditionen müssen im Wettbewerb bestehen. Jackson nennt diese Kunden »Immer-Wieder-Kunden«, die gern einen Anteil ihres Beschaffungsbedarfs umverlagern und wieder zurückzugewinnen sind.

Im Gegensatz dazu machen sich Investitionen in gute Kundenbeziehungen bei Käufern bezahlt, die langfristig denken und durch einen Lieferantenwechsel hohe Kosten hätten, wie z.B. Käufer von Büroautomatisierungssystemen. Der Käufer eines umfangreichen Systems prüft mit Sorgfalt verschiedene Lieferanten und strebt mit dem Lieferanten ein Arbeitsverhältnis an, das auf lange Sicht einen guten Kundendienst und eine fortschrittliche Technologie erwarten läßt. Beide, der Käufer und der Lieferant, investieren viel Geld und Zeit in diese Beziehung. Für den Käufer wäre es teuer und risikoreich, den Lieferanten zu wechseln, und der Lieferant würde feststellen, daß der Verlust dieses Kunden ihn hart trifft. Jackson bezeichnet einen solchen Käufer als »Nimmer-Wieder-Kunden«, da er so gut wie nie zurückzugewinnen ist. Bei diesem Typus ist das Beziehungsmarketing am lohnendsten.

In »Nimmer-Wieder-Situationen« ist der *In-Lieferant* anders gefordert als der *Out-Lieferant*. Der In-Lieferant hat bereits eine Lieferbeziehung, während der Out-Lieferant sie noch sucht. Die Strategie des In-Lieferanten zielt darauf ab, den Lieferantenwechsel für den Kunden zu erschweren. Der In-Lieferant entwickelt Produktsysteme, die mit Wettbewerbsprodukten inkompatibel sind, und richtet Bestellsysteme ein, die dem Kunden die Bestandsverwaltung und den Teilebezug erleichtern. Der Out-Lieferant erstellt dann Produktsysteme, die mit dem beim Kunden vorhandenen System kompatibel sind, leicht zu installieren und zu erlernen sind, dem Kunden Geld sparen und voraussichtlich im Laufe der Zeit noch weiter verbessert werden.

Anderson und Narus dagegen meinen, daß die Entscheidung, ob Transaktionsmarketing oder Beziehungsmarketing besser ist, weniger von der Branche des Kunden als von den Wünschen jedes einzelnen Kunden abhängen sollte. Einige Kunden schätzen ein umfassendes Leistungspaket

des Lieferanten und bleiben für lange Zeit bei ihm. Andere Kunden hingegen zielen auf Kostenvorteile und wechseln bei niedrigeren Kosten sofort den Lieferanten. Ein Unternehmen kann versuchen, diese Kunden trotzdem zu halten, indem es einem reduzierten Preis zustimmt, wenn der Kunde gleichzeitig reduzierte Kundendienstleistungen akzeptiert. So könnte der Kunde z.B. auf kostenlose Belieferung, Personalschulung und anderes verzichten. Dieser Kunde würde dann im Sinne des Transaktionsmarketing beliefert, und nicht im Sinne des Beziehungsmarketing betreut werden. Solange das Unternehmen die eigenen Kosten in gleichem Maße oder stärker als die Preisreduzierung vermindern kann, kann der »transaktionsorientierte« Kunde vorteilhaft bedient und erhalten werden.
Ganz offensichtlich ist das Beziehungsmarketing nicht bei allen Kunden angemessen, da sich die hohen Aufwendungen dafür nicht immer bezahlt machen. Bei dem Kundentyp, der sich gern auf ein bestimmtes System festlegt und zudem eine kontinuierliche und gute Betreuung erwartet, ist es jedoch außerordentlich wirkungsvoll.

Quellen: Barbara Bund Jackson: *Winning and Keeping Industrial Customers: The Dynamics of Customer Relationships*, Lexington Mass.: Heath, 1985; sowie James C. Anderson und James A. Narus: »Value-Based Segmentation. Targeting and Relationship-Building in Business Markets«, in: *ISBM report*, 12/1989, Institute for the Study of Business Markets, Pennsylvania State University, University Park, 1989.

Zusammenfassung

Die meisten Unternehmen haben ihre eigene Verkaufsorganisation und weisen ihr eine entscheidende Rolle im Marketing-Mix zu. Der Einsatz von Verkaufspersonal ist ein äußerst wirkungsvolles Instrument zur Verwirklichung bestimmter Marketingziele. Gleichzeitig aber sind damit hohe Kosten verbunden. Das Management muß Verkaufspersonal als wichtige Unternehmensressource mit großer Sorgfalt organisieren und anleiten.

Zur Gestaltung der Verkaufsorganisation muß das Unternehmen die Arbeitsziele, Einsatzstrategien, Strukturierung, Größe und das Entlohnungssystem festlegen. Zu den Arbeitszielen gehören die Kundengewinnung, die Kommunikation mit den Kunden, das Verkaufen, die Kundendienste, die Informationssammlung und die Produktzuteilung auf die Kunden. Bezüglich der Einsatzstrategie muß entschieden werden, welche Arten der Kundenbearbeitung die größte Wirkung erzielen: ein Einsatz als Einzelverkäufer, als Verkaufsteam oder in anderer Form. Die Strukturentscheidung bestimmt, ob die Organisation nach territorialen Gesichtspunkten, Produkten, Kundentypen oder mehreren dieser Kriterien gleichzeitig organisiert werden soll. Auch Größe und Form des Verkaufsgebietes eines jeden Außendienstmitarbeiters müssen festgelegt werden. Die Größe der Verkaufsorganisation bestimmt sich aus dem Aufgabenumfang und daraus, wie viele Arbeitsstunden und damit Mitarbeiter benötigt werden. Mit dem Entlohnungssystem wird die generelle Höhe der Entlohnung und deren Komponenten, nämlich Fixum, Erfolgsbeteiligung, Sonderprämien und Nebenvergünstigungen bestimmt.

Zum Management der Verkaufsorganisation gehört die Gewinnung und Auswahl von Verkaufspersonal sowie die Schulung, Anleitung, Motivation und Beurteilung von Mitarbeitern. Außendienstmitarbeiter müssen mit Sorgfalt rekrutiert und ausgewählt werden, da Fehlgriffe hier zu hohen Kosten führen. Durch Schulungsprogramme werden neue Mitarbeiter mit dem Unternehmen, seiner Politik, seinen Produkten und Verkaufsmethoden sowie der Markt- und Wettbewerbslage vertraut gemacht. Durch weitere Verkaufstrainingsmaßnahmen werden die Mitarbeiter im professionellen Verkaufen geschult. Das Verkaufspersonal muß aber auch zur Entwicklung neuer Kunden, zur Einhaltung bestimmter Leistungsnormen und zur effektiven Nutzung seiner Arbeitszeit angeleitet werden. Verkäufer brauchen Ermutigung und Bestätigung, und zwar durch monetäre Belohnungen, Anerkennung und persönliche Auszeichnungen, denn sie stehen oft vor schwierigen Entscheidungssituationen und nehmen viele Enttäuschungen auf sich. Angemessene Motivationsmittel spielen bei der Führung der Verkaufsorganisation eine Schlüsselrolle, denn sie schaffen Einsatzfreude und Leistung und schließen den Motivationskreis durch das Erfolgserlebnis, die damit verbundene Belohnung, höhere Zufriedenstellung und wiederum mehr Motivation. Schließlich gehört es noch zum Verkaufsmanagement, daß die Leistung der Verkäufer regelmäßig beurteilt wird, um ihnen zu helfen, wirkungsvoller zu arbeiten.

Der Grundzweck der Verkaufsorganisation besteht darin, Verkäufe zu tätigen. Verkaufen ist in vielerlei Hinsicht eine Kunst, die in insgesamt sieben Schritten beherrscht werden muß: Suche und Beurteilung qualifizierter Kunden, Vorannäherung, Annäherung, Verkaufspräsentation mit Unterbreitung des Angebots, Entkräftung von Einwänden, Verkaufsabschluß und Nachbetreuung der Kunden. Zur wirkungsvollen Gestaltung des Verkaufsprozesses gehört auch eine geschickte Verhandlungsführung, die zu zufriedenstellenden Austauschbedingungen für beide Parteien führt. Nicht zuletzt gehört auch das Management guter Kundenbeziehungen zum Verkauf. Durch gutes Beziehungsmanagement werden enge Arbeitsbeziehungen und ein gemeinsames Wirken der Mitarbeiter der verkaufenden und einkaufenden Organisation gesteuert.

Anmerkungen

1 Vgl. Hans C. Weis: *Verkauf*, Ludwigshafen 1988, S. 15; Peter Deppe: *Untersuchungen zur Leistungsbeurteilung von Außendienstmitarbeitern*, Köln 1979, S. 65–70.

2 Vgl. »Wieviel Mitarbeiter im Vertrieb?«, in: *asw-Report, Absatzwirtschaft 10/1989*, S. 46–57; »Die großen Vertriebsorganisationen«, in: *asw-Report, Absatzwirtschaft, 10/1990*, S. 56–64.

3 Nach Robert N. McMurry: »The Mystique of Super-Salesmanship«, in: *Harvard Business Review*, März – April 1961, S. 114; vgl. auch William C. Moncrief, III: »Selling Activity and Sales Position Taxonomies for Industrial Salesforces«, in: *Journal of Marketing Research*, August 1986, S. 261–270.

4 Im Jahr 1986 wurden die durchschnittlichen Kosten pro Kundenbesuch in der Bundesrepublik wie folgt geschätzt: Investitionsgüterindustrie 207,00 DM, Verbrauchsgüterindustrie 106,00 DM, Gebrauchsgüterindustrie 123,00 DM, Handel 123,00 DM, Dienstleistungssektor 132,00 DM; *Quelle*: N. Müller (Hrsg.): »Kundenbesuchskosten exakter analysieren«, in: *Verkaufsleiter-Service*, 348/1986, S. 1.

5 Vgl. Andris A. Zoltners und Prabhakant Sinha: »Sales Territory Alignment: A Review and Model«, in: *Management Science*, November 1983, S. 1237–1256; Leonard M. Lodish: »Sales Territory Alignment to Maximize Profits«, in: *Journal of Marketing Research*, Februar 1975, S. 30–36.
6 Vgl. Thayer C. Taylor: »Xerox's Sales Force Learns a New Game«, in: *Sales & Marketing Management*, 1. Juli 1986, S. 48–51; Taylor: »Xerox's Makeover«, in: *Sales & Marketing Management*, Juni 1987, S. 68
7 Vgl. George H. Lucas, Jr., A. Parasuraman, Robert A. Davis and Ben M. Enis: »An Empirical Study of Salesforce Turnover« in: *Journal of Marketing*, Juli 1987, S. 34–59.
8 Als Beispiel vgl. Peter Deppe: *Untersuchungen zur Leistungsbeurteilung von Außendienstmitarbeitern*, S. 65–70; Udo Humme: »Die Bestimmung von Kriterien zur Auswahl von Außendienstmitarbeitern: Die empirische Untersuchung am Beispiel des Pharmaberaters«, in: *Bochumer Wissenschaftliche Studien* Nr. 119, Bochum 1987, sowie Max Meier-Malentz: »Der Verkäufer ist ein psychologisches Wunder; es gibt ihn nicht in Reinkultur – aber 9 Typen«, in: *Marketing Journal* 3/1989, S. 254–257.
9 McMurry: »Super-Salesmanship«, S. 117.
10 Ebenda, S. 118.
11 Vgl. David Mayer und Herbert M. Greenberg: »What Makes a Good Salesman?« in: *Harvard Business Review*, Juli – August 1964, S. 119–125.
12 John C. Crawford und James R. Lumpkin: »The Choice of Selling as a Carreer«, in: *Industrial Marketing Management*, Oktober 1983, S. 257–261.
13 Vgl. James M. Comer und Alan J. Dubinsky: *Managing the Successful Sales Force* Lexington, Mass.: Lexington Books, 1985, S. 5–25.
14 Als Beispiel vgl. Manfred Engelking und Willi Stale: »Auswahl von Außendienstmitarbeitern in einem Lebensversicherungsunternehmen«, in: *Personal, Mensch und Arbeit*, 3/1984, S. 91–96.
15 Aus einem Vortrag von Donald R. Keough zur 27. Jahreskonferenz des Super-Market Institute, Chicago, 26. – 29. April 1964.
16 Vgl. Patricia Sellers: »How IBM Teaches Teachies to Sell«, in: *Fortune*, 6. Juni 1988, S. 141 ff.
17 Vgl. John F. Magee: »Determining the Optimum Allocation of Expenditures for Promotional Effort with Operations Research Methods«, in: *The Frontiers of Marketing Thought and Science*, Frank M. Bass (Hrsg.), Chicago: American Marketing Association, 1958, S. 140–156.
18 Nach diversen Untersuchungen lag der Zeitanteil für Verkaufsgespräche bei deutschen Außendiensten im Durchschnitt zwischen 25 % und 41 %; vgl. dazu Hans Weis: *Verkauf*; vgl. auch »Are Salespeople Gaining more Selling Time?«, in: *Sales & Marketing Management*, Juli 1986, S. 29.
19 Vgl. James A. Narus und James C. Anderson: »Industrial Distributor Selling: The Roles of Outside and Inside Sales«, in: *Industrial Marketing Management* 15 1986, 55–62.
20 Vgl. Gilbert A. Churchill, Jr., Neil M. Ford und Orville C. Walker, Jr.: *Sales Force Management: Planning, Implementation and Control* Homewood, III.: Irwin, 1985.
21 Vgl. J. B. Heckert: *Business Budgeting and Control*, New York: Ronald Press, 1946, S. 138.
22 Vgl. Richard Cavalier: *Sales Meetings That Work*, Homewood, III.: Dow Jones-Irwin, 1983.
23 Die nachfolgenden Erläuterungen beziehen sich z. T. auf W. J. E. Crissy, William H. Cunningham und Isabella C. M. Cunningham: *Selling: The Personal Force in Marketing*, New York: John Wiley, 1977, S. 119–129.
24 Mark Hanan: »Join the Systems Sell and You Can't Be Beat«, in: *Sales & Marketing Management*, 21. August 1972, S. 44; vgl. außerdem M. Hanan, James Cribbin und Herman Heiser: *Consultative Selling*, New York: American Management Association, 1970.
25 Vgl. Rosann L. Spiro und William D. Perreault, Jr.: »Influence Use by Industrial Salesmen: Influence Strategy Mixes and Situational Determinants«, Arbeitspapier, Graduate School of Business Administration, University of North Carolina, 1976.
26 Vgl. Johan Arndt: »Toward a Concept of Domesticated Markets«, in: *Journal of Marketing*, Herbst 1979, S. 69–75.
27 Vgl. Jeffrey Z. Rubin und Bert R. Brown: *The Social Psychology of Bargaining and Negotiation*, New York: Academic Press, 1975, S. 18.

28 Vgl. Howard Raiffa: *The Art and Science of Negotiation*, Cambridge, Mass.: Harvard University Press, 1982; Samuel B. Bacharach und Edward J. Lawler: *Bargaining: Power, Tactics and Outcome*, San Francisco: Jossey-Bass. 1981; Herb Cohen: *You Can Negotiate Anything*, New York: Bantam Books, 1980; Gerard I. Nierenberg: *The Art of Negotiating*, New York; Pocket Books, 1984.

29 Vgl. Lamar Lee und Donald W. Dobler: *Purchasing and Materials Management*, New York: McGraw-Hill, 1977, S. 146–147.

30 Das Konzept der Kompromißzone wird ausführlich behandelt bei Raiffa: *Art and Science of Negotiation.*

31 Vgl. Roger Fisher und William Ury: *Getting to Yes: Negotiating Agreement without Giving In*, Boston: Houghton Mifflin, 1981.

32 Ebenda, S. XII.

33 Vgl. Theodore Levitt: *The Marketing Imagination*, New York: Free Press, 1983, Kap. 6, »Relationship Management«, S. 111–126.

Teil VI

Organisationelle Umsetzung und Steuerung von Marketingprogrammen

Organisation und Umsetzung von Marketingprogrammen

Kapitel 24

Es ist der Geist, der sich den Körper baut.
Friedrich Schiller

Es ist nicht genug zu wissen, man muß auch anwenden.
Es ist nicht genug zu wollen, man muß auch tun.
Goethe

Nach den strategischen und taktischen Aspekten wenden wir uns nun der organisatorischen Seite des Marketing zu und legen dar, wie Unternehmen ihre Marketingaktivitäten organisieren, durchführen, kontrollieren und steuern. In diesem Kapitel behandeln wir Fragen wie: Wie strukturieren sich die Organisationen zur Durchführung der Marketingfunktion? Was sind die Entwicklungen in der Organisationsgestaltung und -umgestaltung? Welches Arbeitsverhältnis ist typischerweise zwischen der Marketingabteilung und anderen Unternehmensfunktionen anzutreffen? Was kann ein Unternehmen organisatorisch tun, um noch marktorientierter zu werden? Wie kann das Unternehmen mehr Geschick in der Umsetzung der Marketingprogramme entwickeln?

Organisation des Unternehmens

Unternehmen brauchen neue Konzepte zur Organisation des Unternehmens und der Marketingfunktion, denn sie müssen auf wesentliche Veränderungen reagieren, die im wirtschaftlichen, technologischen und politischen Umfeld auftreten. Technologische Fortschritte im Computerwesen, in der Telekommunikation und der Logistik, die Ausbreitung eines weltweiten Wettbewerbs, die wachsenden Ansprüche der Käufer, die zunehmende Bedeutung von Dienstleistungen und viele andere äußere Gestaltungskräfte sind hier von richtungsweisendem Einfluß auf die Organisation.

Als Reaktion auf diese Veränderungen haben sich zahlreiche Unternehmen umstrukturiert. Sie konzentrieren sich auf ihr Kerngeschäft und nahe daran angesiedelte Geschäftsfelder. In den Jahrzehnten davor diversifizierten viele Unternehmen in Branchen, die von ihrem Kerngeschäft gänzlich verschieden waren. Obwohl diese Branchen verlockend waren, fanden viele Unternehmen bald heraus, daß sie mit ihrer Organisation weder die Kraft noch das Know-how aufbringen konnten, um dort im Wettbewerb zu bestehen. Ein bekanntes Beispiel dafür war der Eintritt und Wiederaustritt von Volkswagen im Bürokommunikationsgeschäft. Volkswagen erwarb den Schreibmaschinenhersteller Triumpf-Adler und verkaufte ihn an Olivetti, nachdem man in dieser Branche viele Jahre große Verluste hinnehmen mußte.

Andere große Unternehmen erkannten, daß ihre größte Stärke darin lag, existierende Geschäftsbereiche »großzuziehen«; da aber ihre Organisation für den Aufbau neuer Geschäftsbereiche wenig geeignet war, waren hier kleine Unternehmer besser. Deshalb wollten diese Großunternehmen intern Manager mit Unternehmergeist heranziehen, indem sie deren Bewegungsfreiheit bei der Entwicklung neuer Ideen und der Übernahme von Risiken vergrößerten. Das Unternehmen 3M war hier richtungsweisend und fand viele Nachahmer.

Die Anzahl der Hierarchiestufen in großen Organisationen wurde abgebaut, damit auch die obere Managementebene näher an die Kundenfront heranrückte. So hatte z.B. AT & T einmal 19 Hierarchiestufen. Damit war das obere Management durch die eigene Organisationsstruktur von den Kunden abgeschirmt und konnte das Marktgeschehen nicht voll erfassen. Als Ausgleich wurde den Managern auf allen Ebenen der Organisation geraten, sich mehr »umzusehen«. Eine wesentliche Abhilfe für die Kundenferne wurde jedoch erst durch eine Organisationsumgestaltung geschaffen. Auch Siemens beschritt den Weg zu einer hierarchisch flacheren Organisationsstruktur. Aus zuvor sieben Unternehmensbereichen mit Produktverantwortung machte Siemens sechzehn geschäftsführende Bereiche. Fünf zuvor mächtige Zentralfunktionen mit Führungsanspruch wurden in Zentralabteilungen mit Dienstleistungscharakter umgewandelt. Sie sollten jetzt die geschäftsführenden Bereiche mit ihren speziellen Diensten unterstützen, anstatt sie zu führen. Die Führungskompetenz und der Dienstleistungsauftrag wurde für jeden Konzernteil klar umrissen. Die neuen und kleineren geschäftsführenden Bereiche sollten sich durch eine flache Hierarchie, kurze Entscheidungswege, ein klares Profil im Markt und Wettbewerb sowie größere Souveränität auszeichnen.[1] Tom Peters z.B. vertritt die Meinung, daß keine gut geleitete Organisation mehr als fünf Hierarchiestufen haben sollte. So muß jeder Manager mehr Mitarbeiter anleiten, und alle müssen lernen, mehr Verantwortung mitzutragen.

Des weiteren gibt es den Trend von der hierarchischen Struktur zur vernetzten Organisationsstruktur. Neue Arbeitsplätze mit Computern, elektronischer Post und Fax-Maschinen machen dies möglich, denn sie erleichtern es, das zu kommunizieren, was die Mitarbeiter wissen sollen. Fortschrittliche Unternehmen ermutigen zudem die Mitarbeiter verschiedener Abteilungen, bei bestimmten Aufgaben als Team zusammenzuarbeiten, um so gemeinsam die Leistung zu erhöhen.

In eher herkömmlichen Organisationen strukturiert man den Prozeß der Wertschöpfung vom Anfang bis zum Ende, so wie dies in Abbildung 24–1(a) dargestellt ist. Der Prozeß beginnt in der Forschungs- und Entwicklungsabteilung (F&E), die neue Produktideen sucht, überprüft und die aussichtsreichsten davon bis zum Prototyp hin weiterentwickelt. Die Einkaufsabteilung beschafft dann die notwendigen Komponenten, und die Produktion stellt das Produkt her. Die Finanzabteilung setzt den Preis fest. Die Marketingabteilung bietet es zum Verkauf an, treibt Werbung und verteilt es. Die Kundendienstabteilung betreut die Kunden.

Dieses Strukturmodell betont die Logik des Arbeitsablaufs. Es hat aber mehrere Schwächen: Die Mitarbeiter in Forschung und Entwicklung begeistern sich für eigene Ideen, die nicht auf die Kaufkraft oder Interessenlage potentieller Kunden abgestimmt sind. Oft werden ohne ausreichende Mitwirkung der Produktion Prototypen entwickelt, deren Herstellungskosten später zu hoch sind und Neukonstruktio-

Produkte erzeugen			Produkte verkaufen				
Produkt entwerfen	Materialien beschaffen	Herstellen	Preis festlegen	Anbieten und Verkaufen	Werbung und Verkaufsförderung	Warenverteilung	Kundendienste

(a) der herkömmliche, am Arbeitsablauf orientierte Prozeß

Wertbestimmung			Werterstellung					Kommunikative Wertvermittlung		
Segmentierung, Bedürfnis- und Werterforschung	Marktselektion und Fokussierung	Wertmäßige Positionierung	Produkt-entwicklung	Leistungsangebot entwickeln	Preis festlegen	Beschaffung Herstellung	Warenverteilung Kundendienste	Vertrieb	Verkaufsförderung	Werbung

(b) der wertorientierte Prozeß

Abbildung 24-1
Zwei Strukturmodelle zum Prozeß der Wertschöpfung

Quellen: Michael J. Lanning und Edward G. Michaels: *A Business Is a Value Delivery System*, McKinsey staff paper, Nr. 41, Juni 1988.

nen erforderlich machen. Dies führt zu weiteren Kosten und Verzögerungen. Die Produktion neigt dazu, den Herstellungsaufwand zu kürzen, was Qualitätsauswirkungen haben könnte, oder sträubt sich gegen bestimmte Produktelemente, die nach Meinung der Marketingabteilung den Absatz fördern würden. Die Marketingabteilung bekommt ein Produkt verpaßt, das sie verkaufen soll, auf dessen Entstehung und Form sie jedoch wenig Einfluß hatte und für dessen Umsatzerfolg sie trotzdem verantwortlich gemacht wird. Den Kunden sieht man in diesem Modell am Ende und nicht am Anfang dieses Ablaufprozesses. Man bemüht sich wenig um das Feedback vom Kunden, um es für die Verbesserung des Produkts oder des Herstellungsprozesses zu nutzen.

Bei diesem herkömmlichen Strukturmodell fehlen zwei wesentliche Konzepte, nämlich erstens, daß der *Kunde* am Anfang stehen sollte, und zweitens, daß auf allen Stufen des Prozesses *Teamwork* notwendig ist. Abbildung 24–1(b) zeigt das vorzuziehende wertorientierte Modell. Es beginnt mit der Wertbestimmung einer Leistung für den Kunden. Dieser erste Schritt wird von der Marketingabteilung unternommen, die bei Kunden und anderen Quellen Ideen zur Wertverbesserung sammelt. Andere Abteilungen des Unternehmens beteiligen sich an der Bewertung und Auswahl der Ideen, um zu einer Wertbestimmung zu gelangen. Dann arbeiten sie als Team an der Werterstellung. Schließlich übernimmt die Marketingabteilung im wesentlichen die Aufgabe der kommunikativen Wertvermittlung an die Kunden.

Japanische Unternehmen haben das Prozeßmodell erweitert, indem sie die im folgenden dargelegten »Null-Zeit«-Konzepte hinzufügten, die ausdrücken, welche Tätigkeiten unverzüglich und zuverlässig auszuführen sind:

1. **Kundenfeedback in »Null-Zeit«**
   Das Feedback vom Kunden sollte ständig eingeholt werden, um herauszufinden, wie das Produkt und die Vermarktung des Produkts verbessert werden könnten.
2. **Produktverbesserung in »Null-Zeit«**
   Das Unternehmen sollte alle Verbesserungsvorschläge der Kunden in Betracht ziehen und möglichst schnell solche Verbesserungen vornehmen, die vom Kunden am meisten geschätzt werden und am ehesten machbar sind.
3. **Zulieferung in »Null-Zeit«**
   Das Unternehmen sollte den erforderlichen Nachschub an Komponenten und Hilfsstoffen von seinen Lieferanten nach dem Konzept der »Just-in-time-Belieferung« organisieren. Dadurch könnten die Materialbestände gering gehalten und Kosten gespart werden.
4. **Produktionsumstellung in »Null -Zeit«**
   Das Unternehmen sollte in der Lage sein, jedes seiner Produkte sogleich nach Auftragseingang herstellen zu können, d.h. ohne lange Wartezeiten wegen einer Produktionsumstellung.
5. **Null-Fehler-Konzept**
   Die Produkte sollten von hoher Qualität und frei von Fehlern sein.

Im Rahmen der Unternehmensorganisation werden wir uns nun betrachten, welche alternativen Organisationsformen für die Marketingfunktion zur Auswahl stehen.

Organisation des Marketing

Das Marketing entwickelte sich im Laufe der Zeit dem Umfang nach von der einfachen Verkaufsfunktion bis hin zu einem komplexen Bündel von Aktivitäten. Marketing war nicht immer gut integriert, weder im Zusammenspiel seiner Teilfunktionen noch in seiner Beziehung zu den anderen Funktionen des Unternehmens. Es gibt viele offene Fragen und Probleme zur Organisation des Marketing. Wie soll z.B. das Arbeitsverhältnis des Marketing-Managers in der Unternehmenszentrale zu den Verkäufern »draußen« gestaltet werden? Wie sieht die Zukunft des Produktmanagements aus? Braucht ein Unternehmen wirklich einen Marketingvorstand? Wie sollen die Arbeitsbeziehungen zwischen Marketing, Produktion, Forschung und Entwicklung, Finanzierung usw. gestaltet werden? Um eine Verständnisgrundlage für diese komplexen Probleme zu schaffen, betrachten wir uns zunächst die Entwicklung der Marketingabteilung als Funktionsträger im Unternehmen, ihre typische Organisationsform und ihr Zusammenspiel mit anderen Abteilungen.

Entwicklung der Marketingabteilung als Funktionsträger

Die moderne Marketingabteilung entwickelte sich aus sehr bescheidenen Anfängen. Der Entwicklungsprozeß läßt sich in fünf Stadien untergliedern, die wir auch heute noch bei einzelnen Unternehmen vorfinden können. [2]

Marketing als Assistentenstelle bei der Verkaufsleitung

Alle Unternehmen beginnen mit fünf Grundfunktionen. Jemand im Unternehmen muß Kapital beschaffen und verwalten (Finanzierungsfunktion), Leute einstellen (Personalfunktion), das Produkt herstellen oder die Dienstleistung erbringen (Produktionsfunktion), es verkaufen (Verkaufsfunktion) und über alle Vorgänge Aufzeichnungen führen (Buchführungsfunktion). Die Verkaufsfunktion wird vom Verkaufsdirektor geführt. Seine Hauptaufgabe besteht darin, das Management der Verkaufsabteilung zu übernehmen und auch selbst im Verkauf tätig zu werden. Benötigt das Unternehmen Marktforschung oder Werbung, so fallen diese Tätigkeiten meist ebenfalls in die Kompetenz des Verkaufsdirektors. Dieses Entwicklungsstadium ist in Abbildung 24–2(a) schematisch dargestellt. Marketing funktioniert dann z.B. als Assistentenstelle der Verkaufsleitung.

Marketing als Unterabteilung im Verkauf

Wenn das Unternehmen sein Betätigungsfeld auf neue Kunden und neue geographische Regionen ausdehnen will, erkennt es, daß es neben dem einfachen Verkauf immer mehr Marketingtätigkeiten ausüben muß. Will z.B. ein Unternehmen aus Sachsen den hessischen Markt erschließen, dann wird es zunächst Marktforschung betreiben, um in Erfahrung zu bringen, was die Kunden dort wünschen und wie groß das Marktpotential ist. Wenn es dann in den hessischen Markt eintritt, wird es in ausreichendem Umfang Werbung treiben müssen, um seinen Namen und seine Produkte bekannt zu machen. Der Verkaufsdirektor wird dann Spezialisten anstellen, um diese Aktivitäten mit größerem Fachwissen durchführen zu können. Er kann sich auch dafür entscheiden, für die Gesamtkoordination dieser Tätigkeiten einen Marketingleiter oder Marketing-Manager einzustellen und dadurch Marketing als Unterabteilung im Verkauf zu führen, wie dies in Abbildung 24–2(b) schematisch dargestellt ist.

Marketing als Hauptabteilung neben dem Verkauf

Bei anhaltendem Wachstum des Unternehmens und bei komplexeren Wettbewerbsbedingungen gewinnen die Teilfunktionen des Marketing – Forschung, Neuproduktentwicklung, Werbung, Absatzförderung und Planung der Kundendienste – im Vergleich zum bloßen Verkauf zunehmend an Bedeutung. Der Verkaufsdirektor wird jedoch im Normalfall den größten Teil seiner Anstrengungen sowie seine finanziellen Ressourcen in den Verkauf stecken. Der Marketing-Manager wird für mehr Ressourcen plädieren, aber im Normalfall weniger erhalten, als zum Nutzen des Unternehmens eingesetzt werden sollte. Oft ist er darüber enttäuscht und verläßt das Unternehmen.

Der Vorstand des Unternehmens gelangt allmählich zu der Überzeugung, daß Marketing als Funktion in einer eigenen Hauptabteilung und nicht dem Vertrieb untergeordnet betrieben werden sollte, wobei ein Marketingdirektor die Leitung übernimmt, der im gleichen Rang wie der Verkaufsdirektor steht. In diesem Entwicklungsstadium bestehen Marketing und Verkauf zwar als getrennte Funktionen nebeneinander, sind jedoch gehalten, eng zusammenzuarbeiten.

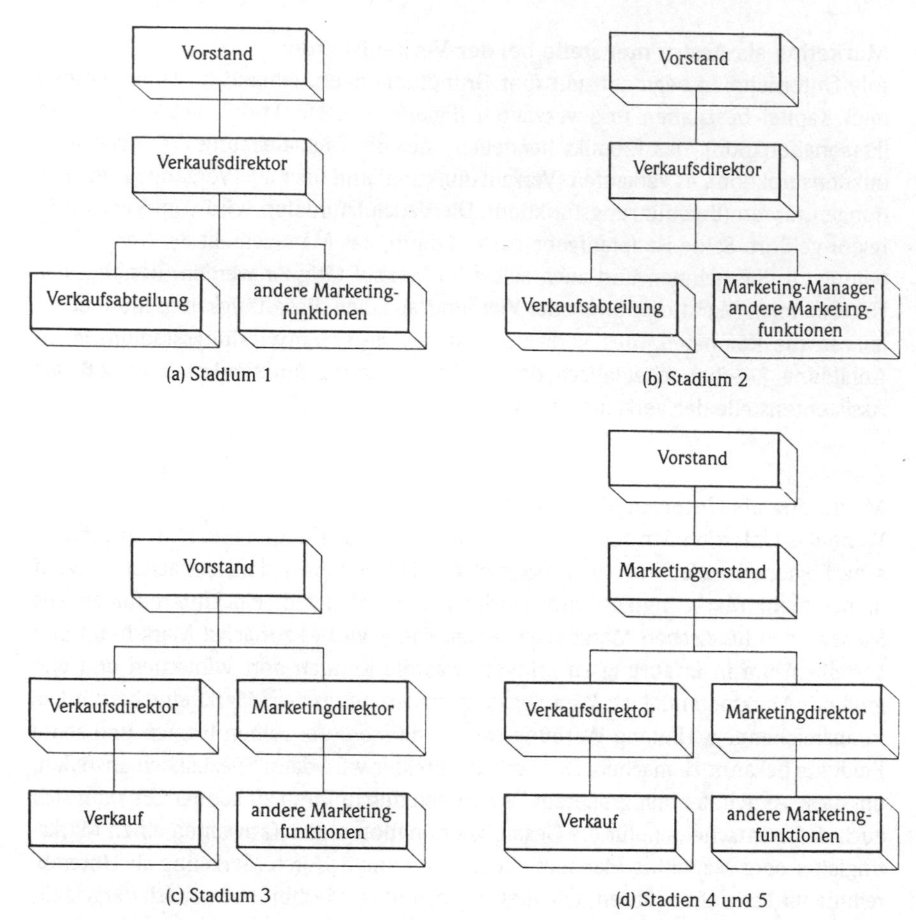

Abbildung 24-2
Entwicklungsstadien des Marketing in der Organisationsstruktur

Nach diesem Modell sind viele Industriegüterunternehmen organisiert. Dies hat den Vorteil, daß in der Unternehmensspitze langfristige Chancen und kurzfristig drängende Probleme ausgewogen diskutiert und beurteilt werden können. Wenn z.B. das Unternehmen Aufträge verliert und der Vorstand den Verkaufsdirektor um Lösungsvorschläge ersucht, könnte dieser z.B. anregen, mehr Verkäufer einzustellen, das Einkommen der Verkäufer zu verbessern, Verkaufswettbewerbe zu veranstalten, die Verkaufsschulung zu intensivieren oder gar die Preise des Produkts zu senken. Wenn der Vorstand dann den Marketingdirektor um Lösungsvorschläge bittet, so könnte dieser weniger geneigt sein, sofortige Preissenkungen oder vertrieblich orientierte Lösungen vorzuschlagen. Er würde das Problem viel eher vom Blickwinkel der Kunden her anpacken, wenn er folgende Fragen untersucht hat: Wendet sich das Unternehmen an die richtigen Kunden? Wie sehen die Zielkunden das Unternehmen und seine Produkte im Vergleich zu den Wettbewerbern? Welche Änderungen in der Produktausstattung, im Styling, bei der Verpackung, im Kundendienst, im Distributionssystem, in der Verkaufsförderung usw. würden am ehesten greifen? Dadurch werden Aufmerksamkeit und Anstrengungen des Vorstands mehr darauf gelenkt, das zugrundeliegende Problem zu erkennen und zu lösen, statt einfach den Verkaufsdruck zu erhöhen.

Marketing als Ressort im Vorstand oder in der Geschäftsleitung
Auch wenn die beiden Spitzenleute in Verkauf und Marketing harmonisch zusammenarbeiten sollen, so wird ihre Arbeitsbeziehung gelegentlich doch durch Rivalitäten und Mißtrauen beeinträchtigt. Der Verkaufsdirektor wird dagegen kämpfen, daß der Verkauf im Marketing-Mix eine weniger bedeutende Rolle als früher spielt. Der Marketingdirektor wird ein höheres Budget für seine Marketingaktivitäten anstreben. Der Verkaufsdirektor muß in der Regel kurzfristig Erfolge nachweisen und die geplanten Verkaufszahlen erreichen. Der Marketingdirektor neigt in der Regel zu einer längerfristigen Orientierung und konzentriert sich darauf, mit den richtigen Produkten und der richtigen Marketingstrategie im richtigen Markt aufzutreten, um auf lange Sicht die Kunden zufriedenzustellen.

Kommt es wiederholt zu übermäßig starken Konflikten, so kann der Vorstand des Unternehmens die Marketingaufgaben entweder wieder dem Verkaufsdirektor oder beide Abteilungsdirektoren einem gemeinsamen Vorgesetzten unterstellen, der auftretende Konflikte lösen muß. Schließlich kann der Vorstand auch dem Marketingdirektor die Verantwortung für alle Marketingfunktionen einschließlich des Verkaufs übertragen. Viele Unternehmen wählen früher oder später die letztgenannte Lösung. Sie schaffen damit die Grundlage für das Marketing als fortschrittliches Ressort, in dem die Mitarbeiter aller Marketingfunktionen einschließlich des Verkaufs – wie in Abbildung 24–2(d) schematisch dargestellt – durch einen Marketingvorstand geführt werden.

Integriertes Marketing im fortschrittlichen Unternehmen
Ein Unternehmen kann ein Marketingressort einrichten und sich trotzdem nicht wie ein fortschrittliches Marketingunternehmen verhalten. Letzteres hängt davon ab, wie die anderen Führungskräfte des Unternehmens zur Marketingfunktion stehen. Wenn sie Marketing weiterhin vornehmlich als getrennte Funktion oder gar als raffiniertere Form des Verkaufens ansehen, so hat sich im wesentlichen nichts geändert. Nur wenn sie sehen, daß alle Abteilungen »für den Kunden arbeiten« und Marketing nicht nur die Bezeichnung für eine Abteilung innerhalb der Organisation ist, sondern eine Unternehmensphilosophie, an der sich alle aktiv beteiligen, dann entsteht ein Unternehmen mit integriertem Marketing.

Alternativen zur Organisation des fortschrittlichen Marketingressorts

Fortschrittliche Marketingressorts können auf vielerlei Weise organisatorisch gegliedert sein. Für die Arbeitsteilung und -spezialisierung gibt es vier mögliche Grundlagen, nämlich die auszuführenden Funktionen, die geographischen Marktgebiete, die Produkte und die Kundenmärkte.

Funktionale Gliederung
Die funktionale Gliederung des Marketing ist weit verbreitet. Dabei unterstehen die Funktionsspezialisten dem Marketingvorstand, der für ein Ineinandergreifen ihrer Tätigkeiten sorgt. Abbildung 24–3 zeigt fünf Spezialisten: den Verwaltungsmanager

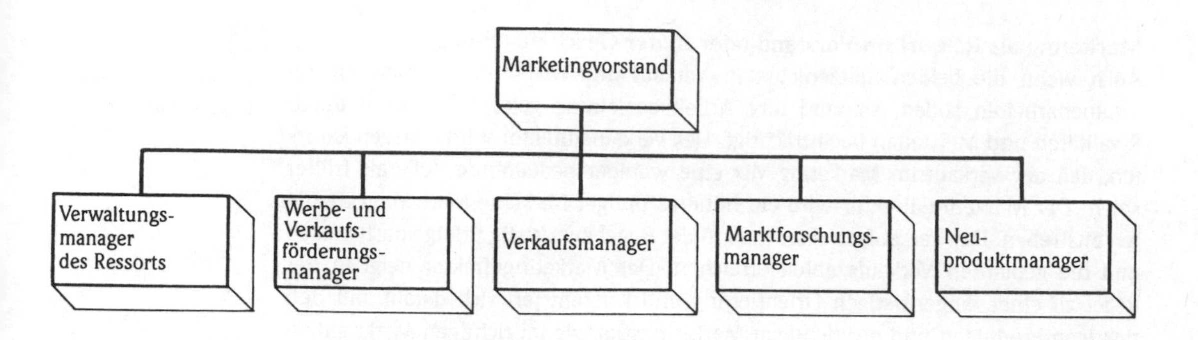

Abbildung 24-3
Beispiel für ein funktional gegliedertes Marketing

des Marketingressorts, den Manager für Werbung und Verkaufsförderung, den Verkaufsmanager, den Marktforschungsmanager und den Neuproduktmanager. Zusätzlich findet man noch weitere Spezialisten, wie z.B. den Kundendienstmanager, den Manager für die Marketingplanung und den Manager für Marketinglogistik.

Die funktional gegliederte Marketingorganisation ist administrativ einfach zu beherrschen. Dies ist ihr Hauptvorteil. Andererseits aber ist diese Organisationsform weniger effektiv, wenn viele Produkte und Märkte betreut werden müssen. Denn erstens fehlt es an hinreichender Planung für einzelne Produkte und Märkte, da niemand für irgendein Produkt oder irgendeinen Markt übergreifend verantwortlich zeichnet. Produkte, die bei den Funktionsträgern nicht besonders beliebt sind, werden vernachlässigt. Zweitens gibt es die Tendenz, daß jede funktionelle Unterabteilung im Kampf mit anderen Funktionen ihren Anteil am Budget und damit ihre Bedeutung vergrößern will. Der Marketingdirektor muß sich dann vornehmlich mit den Auseinandersetzungen der funktionalen Spezialisten beschäftigen und kann nicht alle Produkte und Märkte – unter koordiniertem Einsatz der Marketingwerkzeuge – betreuen.

Geographische Gliederung

Ein Unternehmen mit einem geographisch umfangreichen Geschäft gliedert seinen Verkauf (und oft auch andere Funktionen, wie Werbung und Verkaufsförderung) nach geographischen Gesichtspunkten. Der Verkaufsdirektor kann z.B. 4 regionale Verkaufsmanager anleiten, die wiederum 6 Zonenmanager führen, welche jeweils 8 Gebietsverkaufsleitern mit jeweils 10 Verkäufern vorstehen. Auf jeder Gliederungsstufe nimmt in diesem Beispiel der Kontrollumfang (Anzahl der jeweils direkt anzuleitenden Personen) von unten nach oben ab. Ein kleinerer Kontrollumfang ermöglicht es dem Manager, mehr Zeit auf die Zusammenarbeit mit seinen direkten Untergebenen zu verwenden. Dies ist dann notwendig, wenn die zu bewältigenden Verkaufsaufgaben komplex sind, wenn die Untergebenen hochqualifiziert und hochbezahlt sind und wenn ihre Verkaufsarbeit für den Erfolg des Unternehmens ausschlaggebend ist.

Während es üblich ist, den Verkauf regional zu gliedern, findet man regionale Marketing-Manager nur für Regionalmärkte mit hohem Volumen. Ein regionaler Marketing-Manager für das Rhein-Neckar-Gebiet z.B. würde die Marktsituation in diesem Gebiet detailliert analysieren und dem Marketingdirektor in der Zentrale helfen, das Rhein-Neckar-Gebiet im Marketing-Mix besonders zu berücksichtigen, um die hier bestehenden Chancen besonders zu nutzen. Der regionale Marketing-Manager würde einen jährlichen und auch einen langfristigen Plan zur Betreuung des Rhein-Neckar-Gebiets vorbereiten und als Verbindungsmann zwischen der Marketingzentrale und der regionalen Verkaufsmannschaft fungieren.

Produktmanagement

Unternehmen, die eine Vielzahl von Produkten und Marken herstellen, finden es zweckmäßig, das Marketing nach Produkten und Marken zu untergliedern. Sie beauftragen Produktmanager oder Markenmanager mit der Betreuung bestimmter Produkte oder Marken. [3] Das Produktmanagementsystem ist kein Ersatz für das Funktionsmanagementsystem, sondern eine zusätzliche Managementebene. Das Produktmanagement des Unternehmens wird insgesamt meist von einem Manager für einen bestimmten Produktbereich geführt, dem mehrere Produktgruppenmanager zuarbeiten, die ihrerseits Produktmanager anleiten, die für bestimmte Produkte verantwortlich sind.

Das Produktmanagement ist als Organisationsform vorteilhaft, wenn die Produkte des Unternehmens sehr unterschiedlich sind oder wenn eine funktionell gegliederte Marketingorganisation die Produkte aufgrund ihrer großen Zahl nicht angemessen betreuen kann.

Das Produktmanagementsystem wurde erstmals 1927 bei Procter & Gamble in den USA angewandt. Eine neue Seife von P&G, Camay, erzielte nur wenig Umsatz, so daß einer der jungen Manager, Neil H. McElroy (später *President* des Unternehmens), gebeten wurde, der Marktentwicklung und Absatzförderung dieses Produkts seine ungeteilte Aufmerksamkeit zu widmen. Er erzielte den gewünschten Erfolg, und das Unternehmen hatte bald darauf weitere Produktmanager.

Das Produktmanagementsystem wurde inzwischen von einer wachsenden Anzahl von Firmen in fast allen Branchen eingerichtet. In Deutschland hat sich das Produktmanagement bei großen Unternehmen der Konsumgüterindustrie und auch der Investitionsgüterindustrie als dominante Organisationsform durchgesetzt. Aber auch mittlere und kleinere Unternehmen halten es in vermehrtem Maße für geeignet. [4]

Der Produktmanager ist dafür verantwortlich, Marketingpläne für sein Produkt zu entwickeln, zu bewirken, daß sie durchgeführt werden, den Ergebnisverlauf zu beobachten und Korrekturmaßnahmen vorzunehmen. Dieser Verantwortungsbereich läßt sich in folgende sechs Aufgaben zerlegen:

- Entwicklung einer langfristigen Strategie für das Produkt, die sich im Wettbewerb bewährt.
- Erstellung eines jährlichen Marketingplans und einer jährlichen Umsatzprognose.
- Zusammenarbeit mit Werbe- und Merchandising-Agenturen zur Entwicklung von Werbetexten, -programmen und -kampagnen.
- Motivierung der Verkäufer und der Distributionspartner für das Produkt, damit es dort unterstützt wird.
- Fortlaufende Sammlung von Informationen, wie das Produkt im Markt vorankommt, was die Kunden und Händler davon halten und welche neuen Probleme und Chancen sich für das Produkt eröffnen.
- Initiieren von Produktverbesserungen, um das Produkt an die veränderten Marktbedürfnisse anzupassen.

Diese grundsätzlichen Funktionen werden sowohl im Konsumgüterbereich als auch im Industriegüterbereich von Produktmanagern wahrgenommen, wenn auch mit unterschiedlichen Schwerpunkten. Der Produktmanager für Konsumgüter betreut in der Regel weniger Produktvarianten als sein Kollege im Industriegüterbereich. Er verwendet mehr Zeit auf Werbung und Verkaufsförderung. Er verwendet viel Zeit auf die Zusammenarbeit mit den Funktionsspezialisten im Marketing, mit anderen Mitarbeitern seines eigenen Unternehmens und mit verschiedenen Marketingdienstleistern, jedoch nur wenig Zeit auf die direkte Zusammenarbeit mit den Kunden. Er ist in der Regel jung und in Sachen Marketingmethoden gut ausgebildet. Im Gegensatz dazu beschäftigt sich der Produktmanager für Industriegüter mehr mit den technischen Aspekten seiner Produkte und möglichen Verbesserungen in der Produktgestaltung. Er verwendet einen Großteil seiner Zeit auf die Zusammenarbeit mit den technischen Abteilungen seines Unternehmens. Er arbeitet eng mit dem Vertrieb und den wichtigsten Kunden zusammen. Er beschäftigt sich weniger als sein Kollege im Konsumgüterbereich mit Werbung, Verkaufsförderung und Sonderangeboten. Er baut im wesentlichen auf rationale – nicht auf emotionale – Kaufmotive der Kunden.

Das Produktmanagement hat mehrere Stärken. Zum ersten arbeitet der Produktmanager daran, einen kostenwirksamen Marketing-Mix für das Produkt zu entwikkeln. Zum zweiten kann der Produktmanager schneller auf Probleme im Markt reagieren, als dies eine Arbeitsgruppe von Funktionsspezialisten vermag. Zum dritten werden auch »kleinere Marken« nicht vernachlässigt, denn sie haben im Produktmanager einen Fürsprecher, der sich um sie kümmert. Zum vierten ist das Produktmanagement hervorragend geeignet, um junge Führungskräfte heranzuziehen, denn sie müssen mit fast allen Bereichen des Unternehmens zusammenarbeiten, wie in Abbildung 24–4 schematisch dargestellt ist.

Allerdings sind diese Stärken auch mit Nachteilen verbunden. Erstens entstehen mit dem Produktmanagement auch Konfliktsituationen und Frustrationen.[5] Im Regelfall wird dem Produktmanager nicht genügend formelle Autorität eingeräumt, um die Aufgaben in seinem Verantwortungsbereich nachhaltig wahrnehmen zu können. Er muß die Werbeabteilung, den Vertrieb, die Produktion und andere Abteilungen durch Überredungs- und Überzeugungskunst für eine kooperative Zusammenarbeit gewinnen. Er wird zu unternehmerischem Handeln aufgerufen, aber oft wie ein kleiner Gehilfe behandelt. Er wird mit Schreibarbeiten überhäuft. Oft muß er andere Personen in seinem Unternehmen umgehen, um überhaupt etwas zu erreichen. Wenn er mit diesen Schwierigkeiten nicht fertig wird, leidet auch der Erfolg des Produkts im Markt.

Zum zweiten wird zwar der Produktmanager ein Experte für sein Produkt, aber nur selten erwirbt er Expertenkenntnisse in allen Teilfunktionen des Marketing. Er bewegt sich im Spannungsfeld zwischen Expertenpose und Zurückweisung durch die echten Experten der Teilfunktionen. Dies ist besonders dann ungünstig, wenn der Erfolg des Produkts im wesentlichen auf großem Können in einer bestimmten Teilfunktion, wie z.B. der Werbung, beruht.

Zum dritten erweist sich das Produktmanagementsystem oft als kostspieliger als erwartet. Anfangs wird zur Betreuung jedes wichtigen Produkts nur eine Person berufen. Bald darauf werden auch für die weniger wichtigen Produkte Produktmanager bestellt. Jedem der – meist überarbeiteten – Produktmanager gelingt es, einen

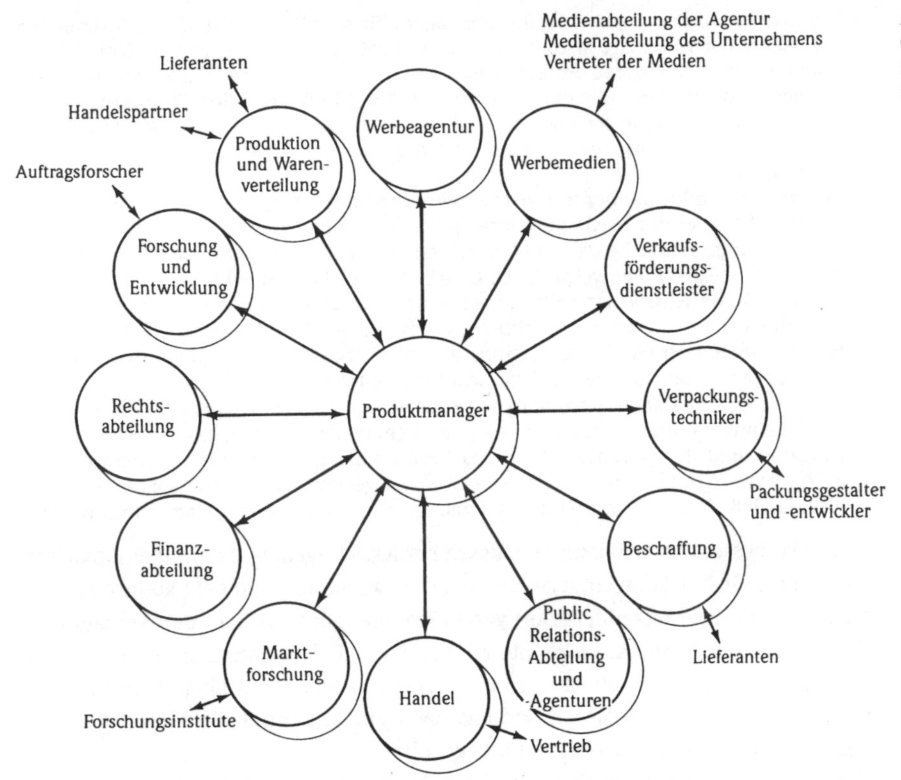

Quelle: angelehnt an »Product Managers: Just what do they think?« in: *Printers's Ink,* 28. Oktober 1966, Seite 15

Abbildung 24-4
Arbeitsbeziehungen des Produktmanagers

Assistenten zu bekommen, den stellvertretenden Produktmanager. Später überreden beide – da nach wie vor überarbeitet – das Management, ihnen einen Produktassistenten zuzuteilen. Mit dem Personal steigen auch die Personalkosten. Zur gleichen Zeit erhöht das Unternehmen die Zahl seiner Funktionsspezialisten für die Werbung, Verpackung, Verkaufsförderung, Marktuntersuchung, statistische Analyse usw., die vom Produktmanager viele Aufgaben gestellt bekommen. Schon bald hat das Unternehmen viele hochbezahlte Produktmanager und Funktionsspezialisten.

Zum vierten neigen Produktmanager dazu, ihre Marken nur für eine relativ kurze Zeit zu betreuen. Entweder werden sie nach wenigen Jahren befördert oder einer anderen Marke zugeteilt, wechseln zu einem anderen Unternehmen oder übernehmen andere Aufgaben. Wenn sie nur für kurze Zeit an einem Produkt arbeiten und dies von Anfang an in ihre Karrierepläne miteinbeziehen, so führt dies zu kurzfristig angelegten Marketingplänen und überhöhten Risiken, die langfristig dem Aufbau starker Marken schaden.

Pearson und Wilson schlagen fünf Maßnahmen zur Effektivitätsverbesserung des Produktmanagementsystems vor: [6]

- **Die Kompetenzgrenzen des Produktmanagers für sein Produkt sind klar festzulegen** (oft kann er nur Vorschläge machen, aber keine endgültigen Anordnungen treffen).
- **Ein bestimmtes Verfahren der Strategieentwicklung und -überprüfung soll aufgebaut werden und als verbindlicher Rahmen für die Tätigkeiten des Produktmanagers gelten** (zu viele Unternehmen lassen ihre Produktmanager mit einem oberflächlichen Marketingplan davonkommen, der zwar viel Zahlenwerk, aber sehr wenig strategisches Gedankengut enthält).
- **Potentielle Konfliktmomente zwischen dem Produktmanager und den Funktionsspezialisten sind bei der Festlegung ihrer jeweiligen Kompetenzen von vornherein zu berücksichtigen** (es sollte klar definiert werden, welche Entscheidung der Produktmanager, welche der Spezialist und welche beide gemeinsam zu fällen haben).
- **Das formale Berichtswesen sollte so gestaltet sein, daß Entscheidungssituationen, die mit erheblichen Interessenkonflikten zwischen dem Produktmanagement und dem Funktionsmanagement behaftet sind, für die Vorgesetzten deutlich sichtbar sind** (beide Seiten sollten strittige Probleme schriftlich festhalten und dem Vorgesetzten an der Schnittstelle ihrer Kompetenzen Vorschläge zur Beilegung der Probleme unterbreiten).
- **Die Ergebnisse sollten anhand eines Systems gemessen werden, das dem Umfang der Aufgaben und der Verantwortung des Produktmanagers entspricht** (wenn der Produktmanager z. B. für den Gewinn verantwortlich gemacht wird, dann sollten ihm auch mehr Einflußmöglichkeiten auf die Bestimmungsgrößen des Gewinns eingeräumt werden).

Solche Verbesserungsmaßnahmen müssen berücksichtigen, wie das Produktmanagement in die Organisation eingegliedert ist. Das Produktmanagement könnte als Stab oder Linie an das Marketingressort gebunden oder auch stark an den Verkauf oder F&E angegliedert werden. Es könnte aber auch ohne Anbindung an ein Funktionsressort direkt der Geschäftsleitung unterstehen. International tätige Unternehmen müssen entscheiden, ob sie ein Produktmanagement zentral für alle Länder oder dezentral für jedes Land einrichten wollen. [7]

Als Organisationsalternative zum Produktmanager kann man ein Produktteam bilden. Für das Produktmanagement durch ein Produktteam gibt es drei unterschiedliche strukturelle Typen, die im folgenden und auch in Abbildung 24–5 dargelegt werden:

1. **Das vertikale Produktteam** besteht aus einem Produktmanager, einem stellvertretendem Produktmanager und einem Produktassistenten [siehe Abbildung 24–5(a)]. Der Produktmanager leitet das Team und führt Verhandlungen mit den Funktionsmanagern, um deren Unterstützung zu gewinnen. Der stellvertretende Produktmanager hilft dabei mit und erledigt einen Teil der notwendigen schriftlichen Dokumentationen. Der Produktassistent erledigt den Großteil der schriftlichen Arbeiten und viele Routineaufgaben.
2. **Das Dreiecksteam** besteht aus einem Produktmanager und zwei assistierenden Funktionsspezialisten, von denen sich einer z. B. um Marktforschung und der andere um Marketingkommunikation kümmert [siehe Abbildung 24–5(b)]. Diese Organisationsform hat den Vorteil, daß die für den Erfolg des Produkts kritischsten Spezialistenfähigkeiten mit maßgeblicher Stimme direkt im Produktteam vertreten sind.
3. **Das horizontale Produktteam** besteht aus einem Produktmanager und mehreren Spezialisten für Marketing und andere Funktionen [siehe Abbildung 24–5(c)]. Die 3M Company teilte z. B. ihre Sparte für industrielle Klebebänder in neun Planungsteams auf, die aus einem Teamleiter und Mitgliedern aus den Bereichen Vertrieb, Marktforschung, anderer Marketingfunktionen, Forschung und Entwicklung, Produktion und Rechnungswesen bestehen. Die Verantwortung für die Produktplanung liegt damit nicht mehr ausschließlich beim Produktmanager, sondern wird mit anderen Funktionsbereichen von Schlüsselbedeutung für das Unternehmen geteilt. Deren Input wird in den Marketingplanungsprozeß aufgenommen. Jedes Mitglied des Teams kann seine eigene Abteilung zu einer besseren Kooperation motivieren. Wenn ein horizontales Produktteam erfolgreich arbeitet und seinem Produktbereich zu großem Wachstum verhilft, kann sich daraus eine eigene Produktsparte entwickeln. Das Wissen um damit verbundene Karrierechancen motiviert die beteiligten Teammitglieder zusätzlich.

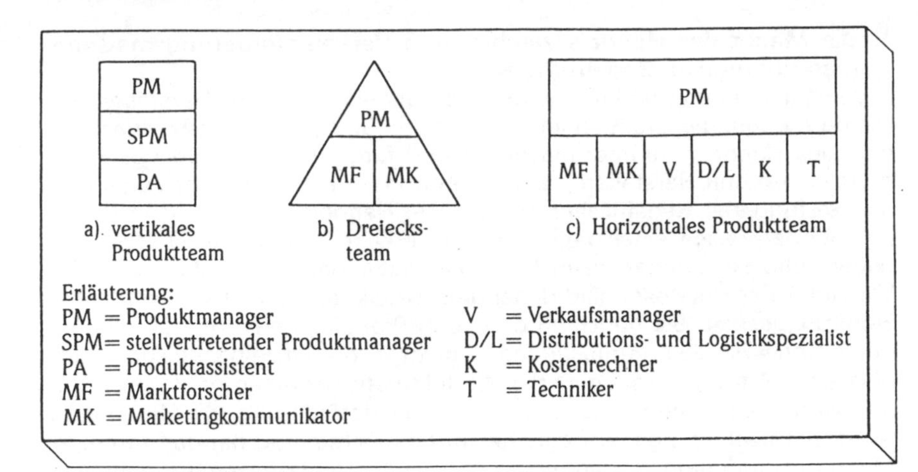

Abbildung 24-5
Produktmanagement durch ein Produktteam – Drei Organisationskonzepte –

Als weitere organisatorische Alternative kann man für Produkte mit geringem Umsatz einen gemeinsamen Produktmanager bestellen. Dies ist dann angebracht, wenn zwei oder mehr Produkte des Unternehmens ein ähnliches Bedürfnis erfüllen. Für einen Hersteller von Kosmetika sind z.B. separate Produktmanager für einzelne Kosmetika nicht notwendig, wenn sie sich an das gleiche Bedürfnis richten, nämlich dem Streben nach einem bestimmten Schönheitsideal, das kommunikativ durch die gleiche Marke verkörpert werden kann. Dagegen sind für den Hersteller von Körperpflegemitteln mehrere Produktmanager angebracht, wenn sie jeweils so unterschiedliche Produkte wie Zahnpasta, Seife, Haarwaschmittel, Kopfschmerztabletten usw. zu betreuen haben, die sich in ihrer Anwendung und Bedeutung für den Verbraucher stark unterscheiden.

Das Produktmanagement als Organisationssystem unterliegt mehreren beachtenswerten Veränderungstendenzen.[8] Exkurs 24-1 legt neue Entwicklungen dar, welche die Zukunft des Produktmanagements beeinflussen.

Exkurs 24-1: Was bringt die Zukunft für das Produktmanagement?

Das Produktmanagement hat sich in vielen Unternehmen zu einer festen Einrichtung entwickelt. Man muß jedoch erkennen, daß sich das Umfeld, in dem es geschaffen und »großgezogen« wurde, drastisch verändert hat. Beobachter stellen in Frage, ob es immer noch das beste System ist, um im sich abzeichnenden neuen Umfeld Marken und Produkte zu betreuen.

Die heutigen Produktmanager stecken in der Klemme: Sie sollen die mit dem Produkt erzielten Erträge mehren, und gleichzeitig wird ihr Handlungsspielraum eingeengt. In den Unternehmen werden daher Überlegungen laut, ob man überhaupt ein vielstufiges Managementsystem aus Produktgruppenmanagern, Produktmanagern, stellvertretenden Produktmanagern und Produktassistenten braucht. Man sieht vor allem drei Trends im Umfeld, durch die das ganze Konzept des Produktmanagements in Frage gestellt wird:

1. Die Macht des Handels wächst, und Verkaufsförderungsmaßnahmen nehmen an Bedeutung zu.

In den Konsumgütermärkten werden die Handelspartner der Hersteller – die Handelsketten, die Großhandelsorganisation und andere Großbetriebsformen des Handels – immer mächtiger und fordern bessere Bezugsbedingungen von den Herstellern, damit deren Produkte überhaupt Zugang zu den verfügbaren Regalflächen finden. Die Handelsorganisationen wollen mit Sonderpreisen einen regen Kundenverkehr in ihren Geschäften aufbauen, und sie dringen beim Hersteller auf mehr Vergünstigungen. Die Verkäufer der Hersteller sind dabei dem Druck des Handels an vorderster Front ausgesetzt. Sie berichten dann den Produktmanagern, daß die Produkte ohne Handelsvergünstigungen nicht in die Einzelhandelsgeschäfte gelangen. Am Ende verlagert der Produktmanager einen größeren Anteil der Mittel aus seinem Budget in die Verkaufsförderung, die der Handel möglichst noch in eigener Regie gestalten möchte, und hat dann weniger Mittel zur Verfügung, um langfristig Verbraucherpräferenzen für seine Marken aufzubauen.

Zudem verlangt der Handel in verstärktem Maße Verkaufsförderungsprogramme vom Hersteller, die sich über mehrere Marken oder Produktkategorien erstrecken. Die einzelnen Handelsorganisationen erwarten speziell auf ihre Bedürfnisse zugeschnittene Multiproduktangebote, mit denen sie sich von ihren Konkurrenten absetzen können. Solche Verkaufsförderungsangebote müssen auf einer dem Produktmanager übergeordneten Managementebene erarbeitet werden. Der Produktmanager muß jedoch die Mittel für solche Angebote aus seinem Budget aufbringen. Damit werden die Einsatzmittel des Produktmanagers geschmälert.

Die Hersteller erkennen, daß sie Verkaufsförderungsmaßnahmen größeren Umfangs organisatorisch nicht effizient abwickeln können. Anfangs werden einzelne Verkaufsförderungsmaßnahmen vom Produktmanager durchgeführt. Einige Unternehmen bestellen dann Spezialisten für Verkaufsförderungsmaßnahmen, die den Produktmanagern zur Hand gehen, indem sie die besten verbrauchergerichteten Verkaufsförderungsmaßnahmen auswählen und vorbereiten. In der Zwischenzeit aber verstärkt sich über den Vertrieb des Unternehmens der Druck nach mehr Geld für speziell auf bestimmte Handelspartner zugeschnittene Verkaufsförderungsmaßnahmen. Es stellt sich immer wieder die Frage: Wieviel aus dem gesamten Marketingbudget sollte in Verkaufsförderungsmaßnahmen fließen und wieviel dieser Mittel sollte dem Handel bzw. dem Verbraucher zugute kommen? Unglücklicherweise werden die diesbezüglichen Entscheidungen eher aus kurzfristigen handelspolitischen Gesichtspunkten als aus einem langfristigen rationalen Kalkül heraus getroffen.

2. Die Werbung in den Massenmedien verliert an Kosteneffektivität.

Die Produktmanager merken, daß ihnen immer weniger Geld für die Werbung übrig bleibt – das Marketingmittel, das sie am besten beherrschen. Zudem wird die Werbung in den großen Massenmedien – insbesondere in den früher dominierenden landesweiten TV-Sendern – immer weniger kosteneffektiv. Die ehemals großen, allgemeingerichteten Fernsehprogramme werden von immer weniger Leuten eingeschaltet, von denen sich viele für die beworbenen Produkte gar nicht interessieren. Werbegeld könnte besser eingesetzt werden, indem man das Interesse von Mediennutzern an der eigenen Produktkategorie und der eigenen Marke für kleinere regionale oder nach anderen Gesichtspunkten definierte Märkte erforscht und diese Märkte entsprechend bewirbt. Die Produktmanager wissen hier noch sehr wenig über kleinere Marktgebiete. Die Unternehmen gehen in wachsendem Maße dazu über, regionale Marketingpläne zu entwickeln, bei denen die Mithilfe anderer Personen als die des nationalen Produktmanagers gefragt ist.

3. Die Markentreue nimmt ab.

Die Verbraucher sind in jüngerer Zeit so vielen Sonderangeboten ausgesetzt, daß sie in wachsender Anzahl nach Sonderangeboten statt nach ihren gewohnten Marken greifen. In jeder Produktkategorie wächst die Anzahl der Marken, die für die einzelnen Verbraucher akzeptabel sind. Da immer mehr Verbraucher ihre Marken beim wöchentlichen Einkauf je nach den verfügbaren Sonderangeboten wechseln, fluktuieren die Marktanteile immer stärker. Kurzfristig gewonnene Marktanteile eignen sich daher immer weniger als Richtgröße für die Entscheidung, wieviel Marketingaufwand in jede Marke gesteckt werden sollte. Es muß vielmehr auf höherer Managementebene und nach langfristigen strategischen Gesichtspunkten entschieden werden, wie hoch das Budget für jede Marke sein sollte.

Aufgrund dieser Entwicklung sehen sich viele Konsumgüterunternehmen gezwungen, erneut zu durchdenken, unter welcher Organisationsstruktur sie ihre Marken weiterentwickeln und führen sollen. Es gibt hier zwei gegensätzliche Lösungsansätze:

1. Veränderung der Aufgaben und Stellung des Produktmanagers

Dieser Ansatz soll bewirken, daß der Produktmanager weniger Zeit auf Verkaufsförderungspläne verwenden und sich mehr um die Weiterentwicklung und Verbesserung von Produkten und Produktion sorgen muß. Im Regelfall hatte der Produktmanager kaum Zeit zu überlegen, ob seine Marke durch zusätzliche neue Produkte auf eine verbreiterte Basis gestellt und durch flankierende Marken geschützt werden soll. Aus diesem Grund sahen sich die Unternehmen dazu veranlaßt, Neuproduktspezialisten zu bestellen, die diese Arbeit für Marken- oder Produktgruppen besorgten. Auch kamen die Produktmanager bisher wenig dazu, sich mehr Wissen über Produktion und Logistikvorgänge anzueignen und herauszufinden, wie ihr Produkt kostenmäßig verbessert werden könnte. Daher läuft jetzt unter diesem neuen Lösungsansatz alles darauf hinaus, daß der Produktmanager seinen Verantwortungsbereich auf die Verbesserung von Produkten und der Warenlogistik verlagern sollte. Hier ergeben sich besonders für Wirtschaftsingenieure große Chancen im Produktmanagement.

2. Einführung eines Produktkategoriemanagements

Andere Überlegungen laufen darauf hinaus, sich organisationsmäßig mit einem Führungsteam auf jeweils eine Produktkategorie zu konzentrieren, wie z.B. auf Babynahrung, Kaffeeprodukte oder Kosmetika. Dieses Team sollte von einem »Kategoriemanager« geführt werden und zudem einen Marktforscher sowie einen Spezialisten für Werbung, Verkaufsförderung und Verkaufsmanagement als Mitglied haben. Damit würde die Anzahl der im mittleren (Produkt)-Management arbeitenden Führungskräfte verringert und eine flachere Hierarchie der Marketingorganisation entstehen.

Wenn nach diesem Lösungsansatz die Produktmanager abgeschafft werden, dann wird auch ihr Gegenüber in den Werbeagenturen – der *Account Executive* – hinfällig. Viele Konsumgüterunternehmen setzen bereits jetzt ihre Werbeagenturen unter Druck, kostengünstiger zu arbeiten, insbesondere weil sie meinen, daß die Werbung aufgrund der schwindenden Effektivität der Massenmedien bereits teurer wurde. Diese Herstellerunternehmen stellen in der Regel ihre Marketingpläne für die Marke selbst auf und wollen keinen Strategieberater in der Agentur. Sie wollen nur noch gute,

kreative Werbevorschläge und einen Medienbelegungsplan von ihrer Werbeagentur. Sie stellen in Frage, ob sie wie bisher mit den Kreativen der Werbeagenturen nur durch einen »Account Executive« und dessen Assistenten zusammenarbeiten müssen. Einige dieser Herstellerunternehmen lassen ihre Werbeagenturen wissen, daß sie für ihre Dienste entweder weniger ausgeben oder andernfalls die Agentur wechseln wollen. So zwingen sie auch diese Agenturen, ihre Organisation und die Stellung des »Account Executive« zu überdenken.
Veränderungen im Produktmanagementsystem lassen sich nicht leicht durchführen. Die im Produktmanagementsystem tätigen Mitarbeiter bekämpfen diese Veränderungen, wenn damit ihr Karrierepfad bedroht wird. Ein Unternehmen, das im Ruf steht, sein Produktmanagementsystem abschaffen zu wollen, wird viele seiner fähigsten Mitarbeiter verlieren, ehe es die beabsichtigte Reorganisation durchführen kann, und die Übergangsphase wird schwierig sein.
Der Ruf nach Veränderungen wird immer lauter. In der Tat wird beim Produktmanagementsystem vielerorts die Umsatzsteigerung und nicht die bessere Zufriedenstellung der Kunden als treibende Kraft angesehen. Produktmanager werden eingestellt, um die Produkte abzusetzen, die die Produktion »ausspuckt«. In den allermeisten Fällen kommen sie gar nicht dazu, neue Kundengruppen und deren Wünsche ausfindig zu machen und neue Angebote für diese Kundengruppen vorzubereiten. Mit eng begrenztem Horizont konzentrieren sie sich auf den Verkauf des Produkts an jeden und überall. Aber auch das Produktkategoriemanagement ist produktorientiert angelegt.

Quellen: Vgl. auch Robert Dewar und Don Schultz: »The Product Manager. An Idea Whose Time Has Gone«, in: *Marketing Communications*, Mai 1989, S. 28–35, und »The Marketing Revolution at Procter & Gamble«, in: *Business Week*, 25. Juli 1988, S. 72–76.

Marktmanagement

Viele Unternehmen verkaufen ein gleichartiges Produkt in unterschiedlichen Märkten. So verkauft z.B. Siemens haustechnische Anlagen an Privathaushalte, Industriekunden und Behörden. Thyssen verkauft Stahl an die Baubranche, die Automobilindustrie, den Maschinenbau und andere Bereiche. Wenn die Kunden des Produkts in Gruppen eingeteilt werden können, die beim Kauf sehr unterschiedliche Präferenzen und Vorgehensweisen an den Tag legen, ist das Marktmanagement als Organisationsform angebracht. Beim Marktmanagement ist also der unterschiedliche Kundenmarkt und nicht das unterschiedliche Produkt die organisatorische Bezugsgröße. Ein Märktemanager leitet mehrere Marktmanager an, die auch Marktentwicklungsmanager, Marktspezialisten oder Branchenspezialisten genannt werden können. Er versichert sich je nach Bedarf der Mithilfe anderer Funktionsträger im Unternehmen. Der Marktmanager eines sehr wichtigen Marktes kann sogar verschiedene Funktionsspezialisten als direkte Untergebene einsetzen.

Der Marktmanager erfüllt ähnliche Aufgaben wie der Produktmanager. Er entwickelt langfristige und auch jährliche Pläne für seinen Markt. Er muß analysieren, welche Entwicklung sein Markt durchläuft und welche neuen Produkte sein Unternehmen auf diesem Markt anbieten sollte. Seine Leistung wird eher an seinem Beitrag zum Wachstum des Marktanteils als am laufenden, in diesem Markt erzielten

Gewinn gemessen. Dieses System bringt viele der Vorteile und Nachteile mit sich, die auch mit dem Produktmanagementsystem verbunden sind. Der größte Vorteil besteht darin, daß die Marketingarbeit hier organisatorisch darauf ausgerichtet ist, die Wünsche bestimmter Kundengruppen zu erfüllen, statt gewisse Marketingfunktionen, geographische Regionen oder Produkte in den Mittelpunkt zu stellen. Die Heinz Company liefert ein markantes Beispiel für die organisatorische Entwicklung hin zur Marktzentriertheit. Vor dem Jahr 1964 dominierte bei Heinz das System des Produktmanagements; es gab separate Manager für Suppen, pikante Beilagen, Pudding usw. Jeder Produktmanager, wie z. B. der »Ketchup-Manager«, hatte sowohl den Verkauf über den Einzelhandel als auch an die Institutionen (Krankenhäuser usw.) zu betreuen. Im Jahre 1964 schuf Heinz eine separate Marketingorganisation für das institutionelle Geschäft, denn hier wuchs der Absatz schneller als im Geschäft mit dem Lebensmitteleinzelhandel, und die Produktmanager kannten das institutionelle Geschäft nur unzureichend. Wiederum später wurde die Marketingorganisation nach drei Sparten aufgeteilt: Lebensmitteleinzelhandel, Restaurants und Institutionen. In jeder Sparte gab es Marktspezialisten. So hatte man für das Geschäft mit Institutionen Marktspezialisten für Schulen, Universitäten, Krankenhäuser und Haftanstalten. Der Marktmanager für Haftanstalten hat die Aufgabe, die Küchenleitung der jeweiligen Anstalt aufzusuchen, festzustellen, was sie an Lebensmitteln benötigt und welche Budgets dafür zur Verfügung stehen. Dann erarbeitet der Manager Vorschläge für die Produktmodifizierung von Ketchup, Suppen, Senf und anderen Produkten, um kostenmäßig mit günstigen Angeboten Vorteile gegenüber Wettbewerbsprodukten zu erringen.

Produkt- und Marktmanagement als Matrixorganisation

Wenn Unternehmen viele unterschiedliche Produkte für viele unterschiedliche Märkte herstellen, stehen sie vor einem Dilemma. Sie könnten das Produktmanagementsystem einsetzen. Dies erfordert, daß sich die Produktmanager in viele unterschiedliche Märkte einarbeiten. Sie könnten aber auch das Marktmanagementsystem einrichten; dies erfordert, daß sich die Marktmanager mit den vielen unterschiedlichen Produkten auskennen, die ihr Markt braucht. Schließlich könnten die Unternehmen beides tun, nämlich Produkt- und Marktmanager berufen, die im Sinne einer Matrixorganisation zusammenwirken müssen.

Du Pont z.B. wählte die Matrixorganisation, wie in Abbildung 24–6 dargestellt ist.[9] Die Textilfasersparte des Konzerns verfügt über separate Produktmanager für Rayon, Acetat, Nylon, Orlon und Dacron sowie separate Marktmanager für Herrenbekleidung, Damenbekleidung, Heimtextilien (Gardinen, Teppiche, Bezugsstoffe) und industrielle Textilanwender. Jeder Produktmanager ist verantwortlich für die Umsatz- und Gewinnplanung seiner Faser. Er konzentriert seine Anstrengungen darauf, das bei seiner Faser erzielte wirtschaftliche Ergebnis zu verbessern, indem er mehr Anwendungen dafür findet. Er hält Kontakt mit den Marktmanagern und erfährt von Ihnen, wieviel von seiner Faser in jedem Markt abgesetzt werden kann. Der Marktmanager andererseits richtet seine Anstrengungen vornehmlich darauf, die Bedürfnisse in seinem Markt zu erfüllen, statt eine bestimmte Faser verkaufsmäßig in den Vordergrund zu stellen. Wenn er seinen Marktplan vorbereitet, bringt er von jedem der Produktmanager in Erfahrung, welche Preisentwicklung und Verfüg-

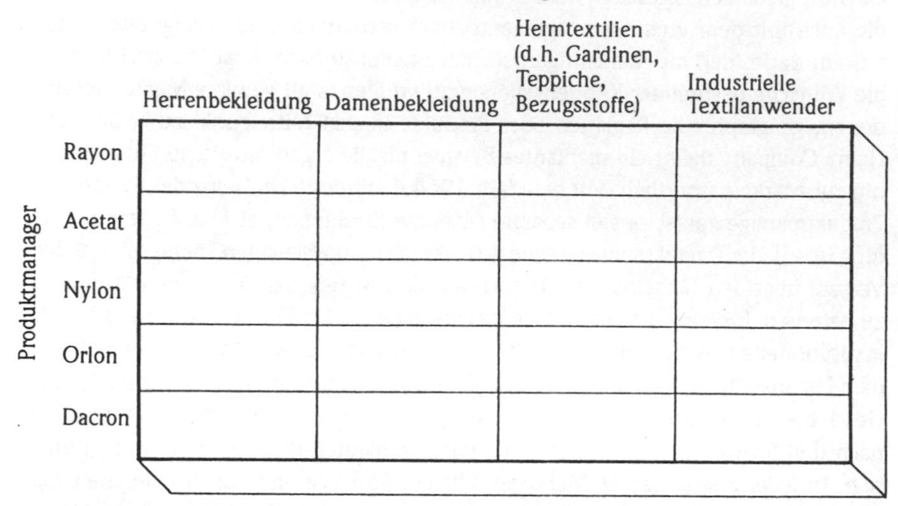

Abbildung 24-6
Kombiniertes Produkt- und Marktmanagementsystem

barkeit bei den einzelnen Fasern in der Planungsperiode zu erwarten ist. Die letztendlich erarbeiteten Verkaufsprognosen der Markt- und Produktmanager sollten in der Gesamtsumme gleich sein.

Eine solche Matrixorganisation erscheint für Unternehmen mit vielen Produkten und Märkten erstrebenswert. Der Nachteil dabei ist, daß dieses System bei Einbeziehung der Funktionsmanager zu einer dreidimensionalen Tensororganisation wird, die sowohl kostspielig als auch konfliktträchtig ist. Die Kosten einer dreidimensionalen Tensororganisation (bestehend aus Markt-, Produkt- und Funktionsmanagern) sind beträchtlich. Und es ist nicht leicht zu entscheiden, wie die Befugnisgewalt und die Verantwortung aufgeteilt werden sollen. Zu den vielen Entscheidungsproblemen zählen u. a. folgende:

1. **Wie soll die Vertriebsorganisation gegliedert werden?**
   Sollte z. B. Du Pont separate Vertriebsgruppen für Rayon, Nylon und für jede der anderen Fasern einrichten? Sollen Vertriebsgruppen für Herrenbekleidung, Damenbekleidung und für die anderen Märkte eingerichtet werden? Oder sollte der Vertrieb spezialisiert sein?
2. **Wer soll die Preise für die Produkte in den einzelnen Märkten festlegen?**
   Sollte der Produktmanager für Nylon das letzte Wort über die Nylonpreise in allen Märkten haben? Was soll geschehen, wenn der Marktmanager für Herrenbekleidung davon überzeugt ist, daß in seinem Markt für Nylon besondere Preiszugeständnisse gemacht werden müssen, um diesen Markt halten zu können?
   Unter Marketingpraktikern meint man, daß separate Produkt- und Marktmanager nur für die allerwichtigsten Produkte und Märkte zu rechtfertigen sind. Einige Praktiker stören sich nicht an den inhärenten Konflikten und auch nicht an den Kosten. Sie glauben vielmehr, daß Konflikte eine gesunde Sache sind und daß der Nutzen der Produkt- und Marktspezialisierung die damit verbundenen Kosten übertrifft. [10]

Zentrale oder dezentrale Marketingorganisation

Mit zunehmendem Wachstum tendieren Multiproduktunternehmen dazu, ihre größeren Produktgruppen zu separaten Unternehmenssparten auszubauen. Diese Sparten richten dann ihre eigenen Marketingabteilungen ein, um ihre Marketingaktivitäten besser steuern zu können. Bei der Spartenunterteilung erhebt sich die Frage, welche Marketingaktivitäten zentral erhalten bleiben sollen und ob diese Aktivitäten als Dienstleistungen für die Sparten oder als Führungsinstrument der Zentrale gelten sollen. Für das zentrale Marketing ergibt sich dann im wesentlichen eine der folgenden Rollen: [11]

1. **Kein zentrales Marketing**
   Manche Unternehmen kommen ohne zentrales Marketingpersonal aus. Sie sehen keinen Nutzen darin, Marketingfunktionen zentral als Dienstleistungen anzubieten oder als Führungsinstrument zu nutzen. Jede Sparte hat ihr eigenes Marketingpersonal.
2. **Beschränkt zentrales Marketing**
   In anderen Unternehmen gibt es eine kleine zentrale Marketingabteilung zur Erfüllung einiger weniger Funktionen. Dazu gehört vornehmlich, (a) dem Topmanagement bei der generellen Bewertung von Marktchancen zur Hand zu gehen, (b) die Sparten auf Anfrage hin zu beraten, (c) den Sparten, die selber wenig Marketingpersonal haben, im Marketing zu helfen, und (d) das Marketingkonzept des Unternehmens in allen Bereichen zu fördern.
3. **Zentrales Marketing**
   Wieder andere Unternehmen verfügen über genügend zentrales Marketingpersonal, das die oben genannten Funktionen erfüllt und zusätzlich die Sparten mit verschiedenen Marketingdiensten versorgt. Als zentrale Marketingdienste eignen sich *spezialisierte Werbedienste* (z.B. die Koordination des Medieneinkaufs, institutionelle Werbung, Überprüfung der Spartenwerbung auf Imageeffekte für das Gesamtunternehmen, Überprüfung der Werbebudgets), *Verkaufsförderungsdienste* (z.B. unternehmensweite Verkaufsförderungsprogramme, zentraler Einkauf von Verkaufsförderungsmaterial), *Marktforschungsdienste* (z.B. komplizierte mathematische Analysen, Erforschung von spartenübergreifenden Marktentwicklungen), *administrative Hilfen für den Vertrieb* (z.B. Beratung der Vertriebsorganisation in Grundsatzfragen, Entwicklung eines unternehmensweiten Verkaufsberichtssystems, Koordination des Vertriebspersonals verschiedener Sparten, wenn es die gleichen Kunden bearbeitet) und verschiedene andere Serviceleistungen (z.B. Hilfe bei der Marketingplanung mit Prognosen zur volkswirtschaftlichen Gesamtentwicklung und bei der Einstellung und Ausbildung von Marketingpersonal).

Will man wissen, ob im Marketing ein bestimmter Trend zur Zentralisierung vorhanden ist, so ist die Antwort »nein«. Manche Unternehmen haben gerade erst ein zentrales Marketing eingerichtet, andere haben das zentrale Marketing erweitert, wieder andere haben es von der Aufgabenstellung und Größe her zurückgefahren, und manche haben das zentrale Marketingpersonal gar ganz abgebaut.

Der Nutzen von zentralem Marketingpersonal ist in den verschiedenen Entwicklungsstadien des Unternehmens unterschiedlich groß. Die meisten Unternehmen beginnen mit einem schwach besetzten Marketing in ihren Sparten und gründen oft zunächst einmal eine zentrale Marketingabteilung, die durch Fortbildung der Mitarbeiter und durch Dienstleistungsangebote das Marketing in den Sparten stärken soll. Die Sparten versuchen dann oft, die besten Mitarbeiter des zentralen Marketing für anspruchsvolle Marketingaufgaben zu gewinnen. Damit werden die Sparten im Marketing schrittweise stärker und benötigen die Dienstleistungen des zentralen Marketing immer weniger. Dies führt oft so weit, daß die zentrale Marketingabteilung ihre Aufgabe, das Marketing im Unternehmen voranzutreiben, erfüllt hat und ganz geschlossen wird.

Für die Einrichtung einer zentralen Marketingabteilung gibt es drei gute Gründe. Erstens dient sie als zentrale Stelle, in der das Marketingwissen zusammenläuft und von der Führungsimpulse auf das gesamte Marketing des Unternehmens ausgehen. Zweitens kann sie gewisse Marketingdienste anbieten, die zentral besser und wirtschaftlicher durchgeführt werden können als dezentral. Drittens kann das zentrale Marketing auf die Geschäftsführer, Vertriebsdirektoren und andere in den Sparten dahingehend einwirken, daß sie das Marketingkonzept und die Marketingorientierung des Unternehmens mental aufnehmen und in die Tat umsetzen. [12]

Beziehungen des Marketing zu den anderen Abteilungen

Im Prinzip sollten die Einzelfunktionen des Unternehmens harmonisch ineinandergreifen, um gemeinsam die Ziele des Unternehmens zu verfolgen. In der Praxis sind die Beziehungen zwischen den Abteilungen aber allzu oft durch tiefgreifende Rivalitäten und Mißverständnisse geprägt. Konflikte zwischen den Abteilungen resultieren zum Teil aus unterschiedlichen Auffassungen darüber, was für das Unternehmen am besten ist. Zum Teil ergeben sich Konflikte auch aus wirklichen Interessenunterschieden und aus dem puren Machtstreben bestimmter Abteilungen. Schließlich gibt es auch noch Konflikte, die auf stereotype Vorstellungen und Vorurteile gegenüber anderen Abteilungen zurückzuführen sind.

In den meisten Organisationen kann jede Abteilung durch ihre Leistungen und Entscheidungen die Zufriedenstellung der Kunden beeinflussen. Nach dem Marketingkonzept sollen alle Abteilungen im Interesse des Kunden zusammenarbeiten, um seine Wünsche und Erwartungen zu erfüllen. Der Marketingabteilung fällt es zu, diesen Grundsatz immer wieder hochzuhalten. Der Marketingvorstand hat hier zwei ganz wesentliche Aufgaben: Er muß intern alle Marketingaktivitäten des Unternehmens koordinieren, und er muß die Marketingaktivitäten mit den Bereichen Finanzierung, Produktion und anderen Funktionsbereichen im Interesse der Kunden abstimmen.

Zur Frage, wieviel Einfluß und formale Autorität das Marketing auf die anderen Abteilungen ausüben sollte, um ein koordiniertes Marketing zu bewirken, gibt es unterschiedliche Auffassungen. Im allgemeinen ist man sich jedoch eher einig, daß der Marketingvorstand mehr durch sachliche Überzeugungskraft als durch delegierte Autorität wirken soll. Eine führende Luftfahrtgesellschaft in Europa hat diese Auffassung für ihren Marketingvorstand wie folgt formuliert:

Der Marketingvorstand hat den Auftrag, den Marktanteil der Luftfahrtgesellschaft zu vergrößern. Er besitzt jedoch keine formale Autorität über andere Funktionsbereiche des Unternehmens, die mit ihrer Leistung die Zufriedenheit der Kunden beeinflussen:
- Es steht ihm nicht zu, Flugpersonal einzustellen oder auszubilden; dies obliegt der Personalabteilung.
- Es steht ihm nicht zu, zu entscheiden, welches Essen den Fluggästen an Bord geboten wird; dies obliegt der Catering-Abteilung.
- Er kann den Sauberkeitsstandard im Flugzeug selbst nicht durchsetzen; dies obliegt der Wartungsabteilung.
- Er kann die Abflugzeiten nicht festlegen; dies obliegt der Betriebsabteilung.
- Er kann die Preise nicht bestimmen; dies obliegt der Finanzabteilung.

Unter seiner direkten Kontrolle stehen nur die Marktforschung, der Verkauf, die Werbung und die Verkaufsförderung. Es wird jedoch von ihm erwartet, daß er durch sachliche Überzeugung der anderen Abteilungen die wesentlichen Faktoren mitbeeinflußt, die den Komfort des Reisenden bestimmen.

Andere Abteilungen beugen sich oft nur ungern dem durch die Marketingabteilung an sie herangetragenen Interesse der Kunden. Ebenso wie das Marketing das Interesse des Kunden als wichtig hervorhebt, betonen auch andere Abteilungen, wie wichtig ihre Aufgaben sind. Es ist unausweichlich, daß viele Abteilungen die Probleme und Ziele des Unternehmens aus ihrem jeweiligen Blickwinkel heraus unterschiedlich interpretieren. Daraus ergeben sich unvermeidliche Interessenkonflikte. Tabelle 24–1 zeigt die wesentlichen Unterschiede zwischen dem, was das Marketing und andere Abteilungen für wichtig erachten. Über diese Tabelle hinaus können wir die typischen Schwerpunkte jeder Abteilung kurz wie folgt zusammenfassen.

Die Abteilung	legt Wert auf	Die Marketingabteilung legt Wert auf
Forschung und Entwicklung	Grundlagenforschung, intrinsische Qualität, funktionswirksame Produktausstattungselemente	angewandte Forschung, wahrgenommene Qualität, verkaufswirksame Produktausstattungselemente
Enineering (Konstruktionsabteilung)	lange Vorlaufzeiten zur Konstruktionserstellung, wenige Modellausführungen, standardisierte Komponenten für alle	viele Modellausführungen, Sonderfertigungen für Kunden
Beschaffung	begrenzte Produktlinie, standardisierte Teile, Preis der beschafften Ware, Einkauf in optimaler Losgröße, Einkauf nach einem Turnus	breite Produktlinie, differenzierte Teile, Qualität der beschafften Ware, Vermeidung von Versorgungsengpässen, sofortiger Einkauf bei Kundenbedarf
Produktion	lange Vorlaufzeit zur Produktionsumstellung, lange Produktionsläufe durch wenige Produktversionen, Konstanz der Produkte, Produktionsaufträge in standardisierter Form, problemlose Herstellungsverfahren, routinemäßige Qualitätskontrolle	kurze Vorlaufzeit, kurze Produktionsläufe durch viele Produktversionen, zahlreiche Produktveränderungen, Produktionsaufträge nach Kundenwunsch, ansprechendes Erscheinungsbild der Produkte, strikte Qualitätskontrolle
Finanzwesen	rationale, nachvollziehbare Ausgabenbegründung, verbindliche Budgetvorgaben, Preise immer kostendeckend	Ausgabenbegründung manchmal auf intuitiver Basis, flexible Budgets, den Umständen anpaßbar, Preise je nach Marktentwicklung
Rechnungswesen	vorgegebene Auftragsabrechnungen, wenige Berichte	Sondervereinbarungen und Nachlässe für die Kunden, viele Berichte
Kreditwesen	vollständige Offenlegung der Kreditwürdigkeit der Kunden, niedriges Kreditrisiko, harte Kreditbedingungen, Strenge beim Inkasso von Außenständen	minimal notwendige Kreditwürdigkeitsprüfung, mittleres Kreditrisiko, generöse Kreditbedingungen, Konzilianz beim Inkasso von Außenständen

Tabelle 24–1
Zusammenfassung organisationsbedingter Konflikte zwischen der Marketingabteilung und anderen Abteilungen

Forschungs- und Entwicklungsabteilung

Das Streben des Unternehmens nach erfolgreichen neuen Produkten wird oft durch ein schlechtes Arbeitsverhältnis zwischen der F&E-Abteilung und dem Marketing behindert. In vielerlei Hinsicht repräsentieren diese beiden Gruppen unterschiedliche Subkulturen innerhalb der Organisation. Die F&E-Abteilung besteht aus Wissenschaftlern und Technikern, die auf ihren Forscherdrang Stolz sind. Sie wollen vom Tagesgeschehen losgelöst arbeiten und beschäftigen sich am liebsten mit herausfordernden technischen Problemen, ohne dabei unter kurzfristigem Erfolgsdruck zu stehen. Sie lassen sich nicht gern über die Schulter sehen und sprechen nicht gern über die Forschungskosten. Im Marketing und im Vertrieb hingegen finden wir wirtschaftlich denkende Mitarbeiter, die stolz sind auf nützliche Marktkenntnisse. Bei neuen Produkten möchten sie Eigenschaften sehen, mit denen man die Kunden wirksam ansprechen kann. Sie müssen sich täglich mit Kosten- und Wirtschaftlichkeitsfragen auseinandersetzen. In beiden Gruppen sind häufig stereotype, negative Vorstellungen über Mitglieder der jeweils anderen Gruppe anzutreffen. Marketer betrachten Forscher und Entwickler häufig als praxisfremde, exzentrische und manchmal sogar als »verrückte« Wissenschaftler, die keine Ahnung von der Geschäftswelt haben. Die Forscher ihrerseits halten die Marketer für oberflächliche Effekthascher, die sich mehr für die schnelle Mark im Verkauf als für die technischen Qualitäten eines Produkts interessieren. Diese stereotypen Vorurteile stehen einer produktiven Teamarbeit im Wege.

Unternehmen finden ihre treibende Kraft entweder im Markt, in der Technologie oder in einer ausgewogenen Kombination aus beidem. Man bezeichnet sie dann als *marktgetriebenes, technologiegetriebenes* oder *ausgewogen technologie- und marktgetriebenes* Unternehmen. In *technologiegetriebenen* Unternehmen beschäftigen sich die Forscher viel mit Grundlagenforschung, wollen den großen »Durchbruch« und streben technische Perfektion in der Produktentwicklung an. Die Ausgaben für F&E sind dort hoch. Die Erfolgsquote neuer Produkte ist eher niedrig, aber die F&E-Abteilung bringt gelegentlich ein wirklich bahnbrechendes Produkt hervor.

Im *marktgetriebenen* Unternehmen arbeitet das F&E-Personal an Produkten für erkannte Marktbedürfnisse und beschäftigt sich dabei größtenteils mit Produktmodifizierungen und der Anwendung bekannter Technologien. Zwar wird ein größerer Anteil der neuen Produkte zum Erfolg geführt, doch es handelt sich hierbei meist um Varianten bestehender Produkte, die auf dem Markt relativ kurzlebig sind und bald durch andere Varianten abgelöst werden müssen.

Von einem *ausgewogen technologie- und marktgetriebenen* Unternehmen spricht man, wenn sich F&E und Marketing in einem fruchtbaren Arbeitsverhältnis gemeinsam für erfolgreiche marktorientierte Innovationen verantwortlich fühlen. Das F&E-Personal sieht sich in der Verantwortung, nicht nur erfolgreich zu erfinden, sondern auch erfolgreich zu innovieren. Das Marketingpersonal sieht sich in der Verantwortung, nicht nur neue, gut verkäufliche Produkteigenschaften, sondern auch völlig neue Möglichkeiten zur Zufriedenstellung von Kundenbedürfnissen zu finden.

Aus einer Studie der Literatur zu diesem Thema schlossen Gupta, Raj und Wilemon, daß ein integriertes Arbeiten von F&E und Marketing stark mit dem Erfolg von Innovationen korreliert.[13] Das gegenseitige Verständnis und die Kooperationswilligkeit von F&E und Marketing kann durch folgende Maßnahmen erleichtert und gefördert werden:[14]

- In gemeinsamen Seminaren wird das gegenseitige Verständnis und Wohlwollen für die Ziele, Arbeitsweisen und speziellen Probleme des jeweils anderen gefördert.
- Für jedes neue Projekt werden je ein Forscher und ein Marketingmitarbeiter bestimmt, die

das Projekt von Anfang bis Ende begleiten. Forschung und Marketing sollten gemeinsam und zu einem möglichst frühen Zeitpunkt während des Projekts die Ziele des Marketingplans erarbeiten.
- Die Mitarbeit der F&E-Abteilung am Projekt wird bis weit in die Verkaufsphase hinein fortgeführt. Dazu gehört auch die Teilnahme an der Vorbereitung technischer Handbücher sowie an Messen und Ausstellungen, die Durchführung von Kundeninterviews vor der Einführung und sogar die Mithilfe beim Verkauf.
- Konflikte werden offen auf höherer Managementebene beigelegt. In einem Unternehmen war es sogar so, daß die F&E-Abteilung und das Marketing demselben Vorstandsmitglied unterstellt waren.

Konstruktionsabteilung (Engineering)

Das Engineering ist für die Erstellung praktikabler Konstruktionen für neue Produkte und Produktionsprozesse verantwortlich. Die Ingenieure und Konstrukteure streben nach technischer Qualität, Kostengünstigkeit und Einfachheit in der Herstellung. Sie geraten mit dem Marketing dann in Konflikt, wenn es Produktvarianten möchte und dabei Produktausstattungen fordert, die nicht durch standardisierte, sondern nur durch extra angefertigte Teile zu erreichen sind. Häufig meint der Konstrukteur, daß der Marketer die Produkte nur »aufgemotzt« haben möchte, statt sie qualitativ möglichst anspruchsvoll zu gestalten. In Organisationen, deren Marketing-Manager über eine gründliche technische Ausbildung verfügen und dadurch mit den Konstrukteuren und Ingenieuren besser kommunizieren können, sind solche Probleme weniger ausgeprägt .

Einkaufsabteilung

Den Einkäufern kommt es darauf an, die richtigen Materialien und Teile zu möglichst niedrigen Kosten, in der richtigen Mengenabstufung und in der passenden Qualität zu beschaffen. Auch ihnen ist der Wunsch der Marketer nach mehreren Modellen innerhalb einer Produktlinie nicht willkommen, denn dies erfordert den Einkauf kleinerer Mengen vieler verschiedener Artikel statt größerer Mengen einiger weniger Artikel. Oft nehmen sie Anstoß an den ihrer Meinung nach übertriebenen Qualitätsansprüchen der Marketer an die von ihnen zu bestellenden Materialien und Teile. Ferner stört sie die Tatsache, daß die Marketingabteilung die benötigte Menge nicht genau genug vorhersagen kann, denn dies führt entweder zu überstürzten Nachbestellungen zu ungünstigen Preisen oder zu übergroßen Materialbeständen.

Produktionsabteilung

Zwischen der Produktion und dem Marketing gibt es zahlreiche Reibungspunkte. Das Produktionspersonal strebt eine gute und gleichmäßige Auslastung der Produktionsanlagen an, um die gewünschten Produkte in den optimalen Losgrößen, im besten Zeitablauf und kostengünstig herzustellen. Das gesamte Berufsleben der leitenden Mitarbeiter dreht sich um ihre Fabrik und den Kampf gegen technische Pannen, Lagerfehlbestände, Arbeitsablaufprobleme und Produktionsstockungen. Ihrer Meinung nach versteht der Marketer sehr wenig von einer wirtschaftlichen Betriebsführung; er bemängelt vielmehr die unzureichende Fertigungskapazität, Produktionsverzögerungen, schlechte Qualitätskontrolle und den Kundendienst, während er selbst oft ungenaue Mengenprognosen liefert, Produkteigenschaften empfiehlt, die schwierig umzusetzen sind, und im Markt mehr Kundendienst verspricht, als der Produktion angemessen erscheint.

Der Marketer dagegen hat weniger die Probleme des Produktionsmanagers im Blickfeld, sondern vielmehr die seiner Kunden, die ihre Ware schnell brauchen, fehlerhafte Ware ablehnen und auf den Kundendienst warten. Der Marketer macht sich nur selten Gedanken darüber, welche zusätzlichen Kosten der Produktion im Dienst am Kunden entstehen. Probleme entstehen hier nicht nur durch mangelnde Kommunikation, sondern auch aus einem echten Interessenkonflikt heraus.

Die Unternehmen lösen diese Konflikte auf verschiedene Art und Weise. In *produktionsgetriebenen* Unternehmen wird alles getan, um einen ungestörten Produktionsablauf und niedrige Herstellungskosten zu bewirken. Ein solches Unternehmen bevorzugt ein einfaches Produktdesign, enge Produktlinien und eine Produktion mit hohen Durchsatzmengen. Verkaufsförderungskampagnen, die große Schwankungen der Produktionsmenge mit sich bringen, werden auf ein Miniumum reduziert. Kunden müssen bei hoher Nachfrage und langen Vorlaufzeiten auf ihre Bestellungen geduldig warten.

Andere Unternehmen sind *marktgetrieben.* Hier wird alles getan, um die Kunden zufriedenzustellen. In vielen großen Unternehmen der Branchen Körperpflegemittel und auch Nahrungsmittel haben eindeutig die Marketing-Manager das Sagen, und die Produktion muß sich sputen, selbst wenn Überstunden, kurze Produktionsläufe usw. nötig sind. Dadurch kommt es mitunter zu stark fluktuierenden Herstellungskosten, aber auch zu schwankender Produktqualität.

Die Unternehmen sollten auch hier eine *ausgewogene Produktions- und Marketingmotivierung* entwickeln, in der von beiden Seiten gemeinsam festgelegt wird, was dem Unternehmen in seinem Markt am besten nützt. Auch hier bietet es sich an, gemeinsame Seminare abzuhalten, gemeinsame Ausschüsse und Verbindungsleute zu benennen, Mitarbeiter auszutauschen und analytische Methoden festzulegen, mit denen die beste Vorgehensweise ermittelt werden kann. [15]

Die Rentabilität eines Unternehmens wird davon beeinflußt, ob ein gutes Arbeitsverhältnis zwischen Produktion und Marketing hergestellt werden kann. Der Marketer muß die Auswirkungen neuer Produktionstechnologien durchschauen, wie z.B. flexible Produktionssysteme, Automatisierung und Robotereinsatz, Produktion nach dem Prinzip »just in time«, Qualitätsarbeitsgruppen usw. Wenn die Wettbewerbsstrategie des Unternehmens auf den Erfolg durch niedrige Preise hinausläuft, so ist dazu eine bestimmte Fertigungsstrategie notwendig. Strebt dagegen das Unternehmen den Erfolg durch hohe Qualität, große Produktauswahl und viel Service an, dann sind andere Produktionsstrategien notwendig. Entscheidungen zur Gestaltung und Kapazität von Produktionsanlagen leiten sich aus den Produktionszielen ab, die sich wiederum aus der Marketingstrategie entfalten, wo die geplante Menge, der Preis, die geforderte Qualität, die Produktvielfalt und die Kundendienstanforderungen festgelegt werden.

Des weiteren ist die Produktion selbst als ein Marketingwerkzeug anzusehen und so zu gestalten, daß sie den Kundenvorstellungen entspricht. Insbesondere Großkunden suchen sich ihre Lieferanten aus, indem sie deren Produktionsstätten besuchen und feststellen, ob sie ordentlich geführt werden. So spielt auch hier das Produktionspersonal und die Gestaltung der Produktionsstätten eine wichtige Rolle im Marketingprozeß.

Finanzabteilung

Die Mitarbeiter des Finanzwesens sind besonders stolz darauf, daß sie die Auswirkungen von geschäftlichen Maßnahmen auf den Gewinn überblicken können. Daraus und als Advokaten des Prinzips der Gewinnmaximierung leiten sie für sich einen gewissen Führungsanspruch im Unternehmen ab. Marketingausgaben hingegen sind für sie in der Regel eine Quelle der Frustration. Die Marketing-Manager fordern erhebliche Ausgabenbudgets für Werbung, Verkaufsförderung und Verkauf, ohne den Nachweis zu führen, wieviel Mehrumsatz diese Aufwendungen bringen werden. Die Finanzexperten hegen häufig den Verdacht, daß die Prognosen der Marketer darauf hinauslaufen, ein bestimmtes Ausgabenbudget zu erhalten. Sie sind der Meinung, daß die Marketer zu wenig Zeit damit verbringen, die Zusammenhänge zwischen den verschiedenen Ausgaben und den Verkaufsergebnissen herzustellen und dann ihre Ausgabenbudgets auf die profitableren Einsatzgebiete umzuverlagern. Sie denken, daß die Marketer mit Preisnachlässen schnell bei der Hand sind, um Aufträge hereinzuholen, statt die Preise auf den maximalen Gewinn hin zu konzipieren.

Der Marketer seinerseits hält die Finanzexperten häufig für übervorsichtig beim Einsatz von Geld und betrachtet sie als Bremser bei Investitionen in langfristige Marktentwicklungen, da sie die Marketingaufwendungen als Ausgaben und nicht als Investitionen betrachten. In seinen Augen sind sie konservativ und risikoscheu, so daß viele Chancen nicht wahrgenommen werden können. Konfliktlösungen lassen sich hier finden, indem den Marketern mehr Einblick in finanzielle Probleme und den Finanzleuten mehr Einblick in Marketingprobleme gewährt wird. Die Finanzmanager müssen ihre Finanzinstrumente und -konzepte so modifizieren, daß sie zur unterstützenden Begleitung von Marketingstrategien geeignet sind.

Rechnungsabteilung

Im Rechnungswesen meint man oft, das Marketingpersonal sei bei der Vorlage von Verkaufsberichten recht nachlässig. Sondervereinbarungen des Verkaufs mit bestimmten Kunden sieht man hier nicht gern, denn diese erfordern oft besondere Abrechnungstechniken. Der Marketer dagegen ist oft verärgert über die Verfahren, mit denen das Rechnungswesen den verschiedenen Produkten hohe Gemeinkosten aufbürdet. So mancher Produktmanager z.B. ist davon überzeugt, daß seine Marke viel profitabler ist, als die Kostenrechnung sie erscheinen läßt, da ihm willkürlich Gemeinkosten auferlegt werden. Eine weitere Konfliktquelle bildet der Wunsch der Marketer, vom Rechnungswesen Sonderberichte über Umsätze und Gewinne, gegliedert nach Absatzwegen, Verkaufsgebieten, Bestellmengen usw., vorgelegt zu bekommen.

Kreditabteilung
Die Verantwortlichen im Kreditwesen überprüfen die Kreditwürdigkeit potentieller Kunden und verweigern oder begrenzen im Zweifelsfalle den Kundenkredit. Ihrer Meinung nach verkauft der Marketer viel zu bereitwillig an jeden Kunden, auch wenn eine pünktliche Bezahlung nicht gesichert ist. Die Marketer dagegen sind häufig der Meinung, daß die Zahlungsziele und Maßstäbe der Kreditwürdigkeit zu hoch gesteckt sind. Sie denken, daß eine Politik, die Zahlungsrisiken möglichst bei Null zu halten, in Wirklichkeit dem Unternehmen eine Menge Umsatz und Gewinn kostet. Ihrer Meinung nach arbeiten sie zu hart, um Kunden zu finden, nur um dann gesagt zu bekommen, daß diese nicht gut genug seien.

Strategien zum Aufbau einer unternehmensweiten Marketingorientierung

Nur wenige Unternehmen – wie z.B. Ferrero, Eismann, Procter & Gamble, IBM und McDonald's – gehören zu den wirklich marketingorientierten Organisationen. Wesentlich mehr Unternehmen sind verkaufsorientiert, und dazu noch in ihrem Marketing verbürokratisiert. Sie erhalten jedoch früher oder später vom Markt ihre Lektion. Dies offenbart sich, wenn sie einen wesentlichen Markt verlieren, wenn ihr Wachstum stagniert und ihre Gewinne schrumpfen oder sie sich flexibleren Wettbewerbern ausgeliefert sehen.

Aus solchen Krisensituationen heraus erkennen Unternehmen oft, daß ihr Marketing bisher schwach war und sie damit im Wettbewerb gegen marketingorientierte Unternehmen in ungünstige Positionen manövriert wurden. Zwei Beispiele illustrieren dies:

Der Fernsehgeräteproduzent Loewe Opta geriet in eine wirtschaftliche Krise, die dann im Jahr 1977 – bei Verlusten von 7 Mio. DM – nicht mehr zu übersehen war. Zuvor hatten Verkaufserfolge in einem wachsenden Markt konzeptionelle Schwächen in der Orientierung des Unternehmens und in der Gestaltung seines Wertschöpfungsprozesses kaschiert. Man hatte technisch hochwertige Produkte billig verkauft. Den Produkten fehlte der »USP« (*unique selling proposition*) und die wertstützende Kommunikation. Der Verkauf konzentrierte sich auf angestammte Loewe-Händler; man kümmerte sich nicht um neue, aufstrebende Händler. An eine Marktsegmentierung wurde nicht gedacht. Unter einem neuen Management schaffte Loewe wieder den Weg zurück zum Erfolg. Das Produktmanagement wurde auf der Vorstandsebene verankert. Die Suche und Entwicklung neuer Produkte für ausgewählte Marktsegmente wurde besonders betont. Es wurden Produkte hergestellt, die in bezug auf Formgestaltung und Funktionen von denen der Konkurrenz unterscheidungsfähig waren. Sie offerierten einen demonstrativen Wert der Neuartigkeit und Andersartigkeit. Die Verkaufsmannschaft wurde umstrukturiert und zu 80% ausgetauscht. Loewe wurde so erfolgreich, daß sich sogar japanische Unternehmen, die im Markt für Unterhaltungselektronik dominierten, um den Erwerb von Anteilen an diesem Unternehmen bemühten. [16]

General Motors, lange das größte Unternehmen der Welt, mußte insbesondere auf dem heimischen US-Markt riesige Marktanteilsverluste hinnehmen, die darauf zurückgeführt wurden, daß das Unternehmen lange Zeit verkaufsorientiert agiert hatte. Man produzierte eine große Anzahl von Autotypen und verkaufte sie erfolgreich, da man doppelt so viele Autohändler und Reparaturwerkstätten unter Vertrag hatte wie der nächstgrößte Wettbewerber. GM verpaßte jedoch den Markt für kleinere Autos. Es ignorierte die ausländischen Wettbewerber mit kleineren Autos höherer Qualität und serviceorientierten Vertragshändlern. Das Management von General Motors beschäftigte sich mehr mit Unternehmens- als mit Marktproblemen. [17]

Bisweilen erkennen Unternehmen rechtzeitig ihre Schwäche im Marketing und ihre Wettbewerbsnachteile gegenüber marketingmotivierten Konkurrenten. Sie versuchen dann, sich in ein marketingmotiviertes Unternehmen umzustrukturieren. In vielen Fällen gelingt dies jedoch nicht. Dafür gibt es viele Gründe.

In einigen Unternehmen entwickeln die Vorstandsmitglieder kein wirkliches Verständnis für Marketing und verwechseln es mit Absatzförderung. Sie wollen dann eine Organisation, die im Verkauf und in der Werbung aggressiver vorgeht. Sie erkennen nicht, daß Absatzförderung zur Vergeudung von Ressourcen führt, wenn ihre Zielkunden durch die Produkt- und Preisgestaltung keinen vermehrten Nutzen erhalten.

Einige Vorstandsmitglieder nehmen die Aufgabe der Umgestaltung der Unternehmenskultur zu leicht. Sie gehen davon aus, daß es zur Erzielung der gewünschten Resultate ausreicht, vor jedermann im Unternehmen Ansprachen zu halten, daß »alle für den Kunden arbeiten sollen«, und einige Marketingschulungskurse anzubieten. Sie bewirken keine organisationellen und personellen Veränderungen, die im Zuge der Neuorientierung nötig sind. Sie unterschätzen den Widerstand gegen Veränderungen im Denken und Handeln, der insbesondere dann hoch ist, wenn es keine Anreize zur Veränderung gibt. Sie verlieren die Geduld mit dem Thema Marketingorientierung, wenn sich nicht innerhalb von ein oder zwei Jahren Erfolge zeigen. Sie verlegen sich dann auf ein anderes Thema, wie z.B. die unternehmensweite Produktivitätsverbesserung.

Welche Schritte soll nun ein Unternehmen ergreifen, um mit Erfolg eine Marketingkultur aufzubauen? Die Voraussetzungen dafür und die Durchführung selbst müssen in mehreren Schritten erarbeitet werden:

1. **Der Vorstand muß ein besseres Marketing wollen und »vergeistigt« haben, was das bedeutet.**
   Der richtungsgebende und durch Taten zu belegende Wille des Vorstandsvorsitzenden ist hier ausschlaggebend. Er muß die anderen Führungskräfte davon überzeugen, daß ein besseres Marketing gebraucht wird. Er muß in seinen Reden vor Mitarbeitern, Lieferanten und Absatzpartnern des öfteren betonen, wie wichtig es für das Unternehmen ist, seinen Kunden Qualität und Wertvorteile zu bieten. Er muß beispielgebend wirken und sowohl selbst eine kundenorientierte Haltung zutage legen als auch andere im Unternehmen fördern, die gleiches tun. In vielen Fällen gelingt dies erst mit einem neuen Vorstandsvorsitzenden und durch ein Revirement im Topmanagement.
2. **Einrichtung einer Marketingführungsgruppe**
   Der Unternehmensvorstand sollte eine Marketingführungsgruppe zur Entwicklung eines Vorgehensplanes einrichten, durch den ein marketingbewußtes und marktgerechtes Verhalten in die praktische Tätigkeit der einzelnen Unternehmenssparten getragen wird. Zu dieser Gruppe sollten der Vorstandsvorsitzende, sein Stellvertreter, die Vorstandsmitglieder für die Ressorts Verkauf, Marketing, Produktion und Finanzen sowie einige weitere Personen in Schlüsselpositionen gehören. Sie sollten gemeinsam überprüfen, wie weit die Marketingorientierung im Unternehmen vorangetrieben werden muß, dafür Ziele erstellen, mögliche Führungsprobleme berücksichtigen und eine Gesamtstrategie für die Umstellung entwikkeln. Diese Gruppe sollte über einige Jahre hinweg in regelmäßigen Abständen die erzielten Fortschritte verfolgen und weitere Schritte einleiten.
3. **Richtungsweisende Hilfen von außen**
   Der Marketingführungsgruppe würde es mit großer Wahrscheinlichkeit nützen, wenn bei der Umgestaltung des Unternehmens hin zur Marketingorientierung die Hilfe von externen Beratern in Anspruch genommen würde. Berater bringen ihre Erfahrung in diesen Umgestaltungsprozeß ein: Sie erkennen auftretende Probleme und können die Führungsgruppe vor allzu früher Selbstzufriedenheit bewahren.

4. **Veränderung der Anreizstruktur im Unternehmen**
Das Unternehmen muß in den einzelnen Abteilungen die Anreizstruktur verändern, wenn es Veränderungen im Verhalten bewirken will. Solange im Einkauf und in der Herstellung z. B. einseitig die Kosten betont werden, gibt es dort Widerstände gegen Kosten, die mit einem besseren Dienst am Kunden verbunden sind. Solange das Finanzwesen sich auf einen kurzfristigen Gewinnachweis konzentriert, wird man sich dort wesentlichen Marketinginvestitionen widersetzen, die darauf abzielen, zufriedenere und damit loyale Kunden zu gewinnen.
5. **Rekrutierung von besserem Marketingpersonal**
Das Unternehmen sollte sich überlegen, ob es gut ausgebildetes Marketingpersonal, insbesondere von führenden marketingorientierten Unternehmen, anwerben will. So haben z. B. Banken, als sie das Marketing für sich entdeckten, Marketingtalente für ihre Marketingaufgaben dort gesucht, wo sie auch zu finden waren, nämlich unter den Produktmanagern der Konsumgüterindustrie. Zudem braucht das Unternehmen eine starke Führungspersönlichkeit im Marketing auf Vorstandsebene, die nicht nur in der Lage ist, die Marketingabteilung zu leiten, sondern auch ihren Einfluß auf andere Vorstandsmitglieder geltend machen kann. Einem mehrspartigen Unternehmen würde es nützen, wenn dort eine starke zentrale Marketingabteilung eingerichtet würde, die den Sparten bei der Planung und Durchführung der Marketingprogramme zur Seite steht.
6. **Entwicklung guter interner Marketingschulungsprogramme**
Das Unternehmen sollte gut durchdachte Marketingschulungsprogramme für die Manager der höchsten Ebene, die Manager der Sparten, die Mitarbeiter der Marketingabteilung und des Vertriebs, ausgewählte Mitarbeiter in Produktion, F&E und anderen Abteilungen entwickeln. Diese Programme sollten prägend auf die Einstellung, das Wissen und das Geschick der Mitarbeiter in Marketingfragen wirken.
7. **Einrichtung eines fortschrittlichen Systems zur Marketingplanung**
Ein guter Weg, um zu bewirken, daß sich Mitarbeiter im Marketing-Denken üben, ist die Einrichtung eines fortschrittlichen Systems zur marktorientierten Planung. Durch die Planungssystematik werden die Mitarbeiter angehalten, an erster Stelle das Marketingumfeld, die Marketingchancen, die Wettbewerbstrends und andere Marketingprobleme zu durchdenken und ihre Einschätzungen dazu in Worte und Zahlen zu kleiden. Auf dieser Basis werden dann Marketingstrategien und Umsatzprognosen entwickelt.

Die Aufgabe, unternehmensweit eine Marketingorientierung einzuführen, ist ein schwerer, nie endender Kampf. Der Zweck des Ganzen liegt nicht darin, ohne Rücksicht auf dadurch entstehende Kosten jedes Problem zugunsten des Kunden zu lösen, sondern vielmehr darin, die Mitarbeiter ständig daran zu erinnern, daß das Unternehmen nur wegen seiner Kunden existiert, und sie zu entsprechendem Handeln zu veranlassen.

Umsetzung von Marketingprogrammen

Nach Klärung der Frage, wie die Marketingfunktion in den Unternehmen organisatorisch bewältigt werden kann, wenden wir uns nun der Frage zu, wie die Marketing-Manager eine effektive Umsetzung der Marketingpläne in die betriebliche Realität bewirken können. Die Umsetzung ist wichtig, denn selbst der beste strategische Marketingplan ist nicht viel wert, wenn er nicht richtig umgesetzt wird. Das zeigt sich an folgendem Beispiel:

Ein Chemieunternehmen gelangte zu der Entscheidung, daß keiner der Wettbewerber im Markt den Kunden einen guten Service bot. Das Unternehmen entschied, seine Strategie auf den Kundendienst zu verlagern. Nach Mißerfolgen wurden Strategie und Umsetzung analysiert. Die Analyse offenbarte eine Anzahl von Schwächen in der Umsetzung. Die Kundendienstabteilung stand nach wie vor selbst beim eigenen Topmanagement in geringem Ansehen und war nicht aufgewertet worden; sie war unzureichend besetzt und diente als Abstellgleis für schwache Manager. Darüber hinaus betonte das Anreizsystem des Unternehmens – wie bereits zuvor – Kosteneinsparungen und kurzfristige Gewinne. Das Unternehmen hatte es versäumt, alle die zur Umsetzung der Strategie notwendigen Veränderungen durchzuführen.

Wir definieren die Marketingumsetzung wie folgt:

Marketingumsetzung ist der Prozeß, durch den Marketingpläne in aktionsfähige Aufgaben umgewandelt werden und durch den sichergestellt wird, daß diese Aufgaben so durchgeführt werden, daß sie die Ziele des Planes erfüllen.

Die Marketingstrategie konzentriert sich auf das »was« und das »warum« des Marketingprogramms. Die Umsetzung beschäftigt sich mit dem »wer«, »wo«, »wann« und »wie«. Strategie und Umsetzung stehen in engem Zusammenhang, denn die abstraktere Strategie überlagert ganz konkrete taktische Durchführungsaufgaben. Wenn z.B. die Unternehmensleitung entschieden hat, daß bei einem bestimmten Produkt in der Rückgangsphase seines Lebenszyklusses »geerntet« werden soll, dann muß dies in ganz bestimmte Maßnahmen umgesetzt werden. Dazu gehören Budgetveränderungen, Mittelkürzungen für Marketingaufwendungen, Anweisungen an die Verkäufer, das Produkt in ihren Anstrengungen anders zu betonen, und die Neuauflage von Preislisten. Durch Rückkopplung besteht ein enger Zusammenhang zwischen Strategie und Umsetzung. Die Wahl der Strategie wird nämlich durch die Umsetzungsprobleme beeinflußt, die sich bei unterschiedlichen Strategien ergeben.

Bonoma fand heraus, daß eine effektive Umsetzung von Marketingprogrammen mit dem Geschick des Unternehmens auf vier Gebieten Hand in Hand geht: [18]

1. Im Erkennen und Diagnostizieren von Problemen
2. Im Lokalisieren von Problemen in der Systemstruktur
3. In der Plandurchführung selbst
4. In der Bewertung der Durchführungsgüte.

Unterziehen wir nun diese vier Gebiete einer näheren Betrachtung.

Geschick in der Diagnose

Die enge Verflechtung von Strategie und Umsetzung bringt schwierige Diagnoseprobleme mit sich, wenn Marketingprogramme im Ergebnis schlechter ausfallen als erwartet. Resultiert das unbefriedigende Ergebnis aus einer schlechten Strategie oder einer schlechten Durchführung? Es muß festgestellt werden, welches Problem wirklich vorliegt (Diagnose) und was zu seiner Lösung getan werden soll (Handlung). Bei jedem Problem sehen die möglichen Lösungen und das mögliche Instrumentarium, das beherrscht werden muß, anders aus.

Sitz des Problems in der Systemstruktur

Umsetzungsprobleme können an drei Stellen der Systemstruktur des Unternehmens vorhanden sein. Das Problem kann in einer einzelnen *Marketingfunktion* sitzen, z B. im Werbemanagement, wenn das Unternehmen gemeinsam mit seiner Werbeagentur keine kreative Werbung erarbeitet hat. Es kann im *Marketingprogramm* sitzen, wenn die Marketingfunktionen nicht koordiniert durchgeführt werden. Dieses Problem findet man oft bei der Einführung neuer Produkte vor. Das Problem kann auch in den Richtlinien der *Marketingpolitik* sitzen. Durch diese Richtlinien hält die Unternehmensleitung die Ausführenden im Marketing an, zu verinnerlichen, wofür die Organisation da ist, welche Prioritäten es gibt und was mit dem Marketing erreicht werden soll.

Geschick in der Durchführung von Marketingaktivitäten

Geradezu meisterhaftes Geschick muß insbesondere an den Schnittstellen zwischen Einzelfunktionen, Programmen und Richtlinien bewiesen werden, damit eine effektive Durchführung erreicht wird. Dieses Geschick zeigt sich in der Beherrschung des Mitteleinsatzes, der Organisationsstruktur, des Zusammenspiels mit anderen und der Überwachungsmechanismen.

Die Beherrschung des Mitteleinsatzes zeigt sich darin, wie der Marketing-Manager das, was ihm zur Verfügung steht – nämlich Arbeitszeit, Geld und Personal – den auszuführenden Funktionen und Programmkomponenten zuteilt. So müssen z.B. Industriegüterhersteller über die Einsatzaufteilung ihres Verkaufspersonals auf verschiedene geographische Regionen entscheiden. Geschick in der Einsatzaufteilung ist ebenfalls erforderlich, wenn z.B. bestimmt werden soll, wieviel man für Messen im Vergleich zur Medienwerbung ausgibt (Zuteilung auf Funktionen) oder wieviel Reparaturdienste für Randprodukte des Sortiments geleistet werden sollen (Zuteilung auf Elemente der Marketingpolitik).

Die Beherrschung der Organisationsstruktur zeigt sich darin, wie das Marketingpersonal mit den Formalismen und informellen Wegen in der Organisation fertig wird. Die intime Kenntnis der formalen und informalen Organisationszusammenhänge ist eine Vorbedingung zur Entfaltung einer effektiven Durchführungsarbeit.

Daß der Manager das Zusammenspiel mit anderen beherrscht, zeigt sich, wenn unter seinem Einfluß von anderen gute Resultate erzielt werden. Vom Marketing-Manager wird erwartet, daß er nicht nur das Personal in der eigenen Organisation zur effektiven Durchführung der gewünschten Strategie motivieren kann, sondern daß er auch Außenstehende motiviert und für sich gewinnt – wie etwa Marktforschungsunternehmen, Werbeagenturen, Einzelhändler, Großhändler und Kaufvermittler –, deren Ziele nicht immer mit denen der Organisation im Einklang stehen. So ist z.B. größtes Geschick erforderlich, um Konflikte innerhalb des eigenen Distributionssystems einer positiven Lösung zuzuführen.

Geschick in der Überwachung zeigt sich darin, wie ein System der Kontrolle und Steuerung angewandt und weiterentwickelt wird, um Rückkopplungseffekte von den erzielten Ergebnissen auf die Marketinghandlungen zu bewirken. Hierbei gibt es vier Kontrollmechanismen: die Jahresplankontrolle, die Rentabilitätskontrolle, die Wirksamkeitskontrolle und die strategische Kontrolle. Diese Mechanismen werden im nachfolgenden Kapitel beschrieben. Für die wirksame Umsetzung spielen hauptsächlich die drei ersten Kontrolltypen eine Rolle.

Geschick in der Bewertung von Durchführungsarbeiten

Wenn gute Ergebnisse im Markt erzielt wurden, ist damit noch lange nicht erwiesen, daß auch die Marketingdurchführung gut war. Es ist äußerst schwierig, allein anhand der Marktergebnisse herauszufinden, ob eine gute Strategie u.U. mit einer schlechten Umsetzung verknüpft war. Wir können jedoch auf etwas mühsamerem Wege zu bewerten versuchen, wie effektiv ein Unternehmen die Marketingumsetzung gestaltet. Werden die folgenden Fragen positiv beantwortet, so kann man das als Anzeichen für eine effektive Marketingumsetzung werten:

- Ist die Marketingstrategie thematisch klar, die Führung im Marketing stark und die Firmenkultur für Spitzenleistungen in der Durchführung förderlich?
- Zeigt sich in den Marketingaktivitäten des Unternehmens, daß die Teilfunktionen solide besetzt sind? Sind die Funktionen Verkauf, Distribution, Preismanagement und Werbung gut geführt?
- Sind die Marketingprogramme des Unternehmens integrativ angelegt und führen zu Marketingaktivitäten, die gezielt auf bestimmte Kundengruppen gerichtet sind?
- Wie gut leitet das Marketingmanagement das Zusammenspiel mit (a) marketingnahen Abteilungen wie Vertrieb und Neuproduktentwicklung, (b) anderen Funktionsbereichen im Unternehmen, und (c) Kunden und Handel?
- Welche Überwachungs- und Rückkopplungsmechanismen nutzt das Management, um sich nicht nur über die Fortentwicklung des eigenen Unternehmens im Markt, sondern auch über die Kunden und potentiellen Kundengruppen auf dem laufenden zu halten?
- Wie gut beherrscht das Management die Einsatzaufteilung der verfügbaren Ressourcen – d.h. Arbeitszeit, Geld und Personal – auf die verschiedenen Marketingaufgaben?
- Wie gut sind die organisatorischen Vorkehrungen auf Managementseite, damit auf der ausführenden Ebene sowohl die Marketingaufgabe erledigt als auch das Zusammenspiel mit den Kunden positiv gestaltet werden kann? Haben aufgrund organisatorischer Vorkehrungen die Kunden und der Handel mit ihren Problemen offen Zugang zum Ansprechpartner im Unternehmen?

Es wird auch in der Zukunft schwierig sein, die Auswirkungen von Strategie und Umsetzung auf die Unternehmensergebnisse im Markt getrennt zu betrachten. Wenn jedoch im Unternehmen sichtlich Wert darauf gelegt wird, daß sowohl die Marketingumsetzung als auch die strategische Marktplanung sorgfältig und mit Geschick gestaltet werden, dann führt dies insgesamt zu Ergebnisverbesserungen.

Zusammenfassung

In diesem Kapitel wurde dargelegt, wie die Marketingfunktion organisiert werden kann, welche Beziehungen zwischen der Marketingabteilung und den anderen Funktionsbereichen des Unternehmens bestehen und wie Marketingpläne umgesetzt werden müssen, um im Markt Erfolge zu erzielen.

Organisatorisch entwickelte sich das moderne Marketing in mehreren Phasen. Es begann als Assistentenstelle bei der Verkaufsleitung. Später kamen spezielle Marketingfunktionen hinzu, wie z.B. Werbung und Marktforschung. Dies führte zur Marketingabteilung innerhalb der Verkaufsabteilung. Als das Marketing an Gewicht gewann, schufen viele Unternehmen neben dem Verkauf eine separate Marketingabteilung. Die Verkaufs- und Marketingleitung war sich jedoch oft in Grundsatzfragen uneinig; deshalb wurden im Laufe der Zeit die beiden Abteilungen zu einem modernen Marketingressort unter der Führung eines Marketingvorstands zusammengelegt. Damit wird jedoch nicht gleich auch ein modernes Marketingunternehmen geschaffen, denn hierzu müßten zuerst die anderen Führungspersönlichkeiten im Unternehmen die zentrale Bedeutung der Kundenorientierung anerkennen und sich entsprechend danach richten.

Es gibt unterschiedliche Organisationsstrukturen für das moderne Marketing. Bei der funktional gegliederten Marketingorganisation werden die Teilfunktionen des Marketing von jeweils einem Manager geleitet. Sie unterstehen direkt dem Marketingvorstand. Häufig anzutreffen ist auch die Organisationsform des Produktmanagements. Hier wird das Marketing für bestimmte Produkte jeweils von einem Produktmanager betreut, der mit Funktionsspezialisten zusammenarbeitet, um Produktpläne zu erstellen und zu realisieren. Beim Marktmanagement ist jeweils ein Marktmanager den wichtigen Teilmärkten des Unternehmens zugeordnet. Auch dieser arbeitet mit Funktionsspezialisten im Unternehmen zusammen. Manche großen Unternehmen schufen als Organisationsform ein kombiniertes Produkt- und Marktmanagement. Unternehmen, die nach Sparten gegliedert sind, müssen entscheiden, ob und wie sie die Marketingaufgaben zentral oder dezentral bewältigen wollen.

Das Marketing muß ohne Reibungsverluste mit den anderen Funktionsbereichen des Unternehmens zusammenarbeiten. Es gerät möglicherweise in Konflikt mit der Forschung und Entwicklung, der Konstruktion, dem Einkauf, der Produktion, der Lagerhaltung, dem Finanzwesen, dem Rechnungswesen, dem Kreditwesen und anderen Funktionen, wenn es das Interesse der Kunden anderen Abteilungsinteressen voranstellt. Solche Konflikte können in ihrer Häufigkeit vermindert und beigelegt werden, indem der Unternehmensleiter die Kundenorientierung als Unternehmensmaxime festlegt und wenn der Leiter des Marketingressorts es versteht, die anderen Führungspersönlichkeiten des Unternehmens in das Marketing-Denken einzubinden. Auf dem Weg zur Marketingorientierung benötigt ein Unternehmen die Initiative der Unternehmensspitze, die Gründung einer hierarchisch hoch angesiedelten Marketingführungsgruppe, externe Marketingberatung, interne Marketingschulung, die Einstellung und Förderung fähiger Marketer und ein kundenorientiertes Marketingplanungssystem.

Die Manager der Marketingfunktion müssen nicht nur Marketingpläne entwikkeln, sondern diese auch erfolgreich in die Tat umsetzen. Die Marketingumsetzung ist der Prozeß, durch den Pläne in Handlungsaufgaben umgewandelt werden und der festlegt, wer was wann und wie tut. Die wirkungsvolle Umsetzung erfordert eine meisterhafte Beherrschung des Mitteleinsatzes, der Organisationsstruktur, des Zusammenspiels mit anderen und der Überwachungsmechanismen bei der Aufgabenerfüllung. Dieses Geschick ist sowohl bei einzelnen Marketingfunktionen als auch beim gesamten Marketingprogramm und bei den Marketinggrundsätzen erforderlich.

Anmerkungen

1 Vgl. »Flexibler und näher am Markt: 1989 geht die umfassende Reorganisation beim Siemens-Konzern in die zweite Runde«, in: ZFO, Zeitschrift für Organisationswissenschaft, 3/1989, S. 199–201.
2 Vgl. als Beschreibung eines konkreten Beispiels die Organisationsentwicklung des Unternehmens Pfanni, beschrieben in »Ein Kleid wächst mit«, in: *Absatzwirtschaft,* 11/75, S. 68–73; vgl. auch Hans-Georg Lettau: »Marketing Organisation erneut im Wandel», in: *Marketing Journal,* 1/89, S. 33–35.
3 Sowohl in der englisch- als auch in der deutschsprachigen Literatur werden die Begriffe Produkt und Marke als austauschbar behandelt. Analog werden die Begriffe Produktmanagement und Markenmanagement sowie Produktmanager und Markenmanager vielfach als Synonyme gesehen – sie sind es aber nicht. Vielmehr gibt es einen wesentlichen Unterschied: Das Unternehmen kann *ein Produkt* unter mehreren Markennamen auf den Markt bringen. Dies finden wir z.B. bei Joghurt, Schokoladenriegeln, Zigaretten, aber auch bei Automobilen. Der Audi 50 war z.B. im wesentlichen identisch mit dem Golf, d.h. ein Produkt, das unter zwei Markennamen geführt wurde. Das Unternehmen kann aber auch unter *einem Markenbegriff* ein Sortiment von Produkten anbieten.
Wenn man eine strikte Zuordnung der Begriffe erreichen möchte, dann wäre der Produktmanager für ein Produkt und möglicherweise unterschiedliche Marken verantwortlich. Der Markenmanager hätte dann eine Marke mit möglicherweise unterschiedlichen Produkten zu betreuen. Letzteres ist in der Praxis die Regel. Vom Konzept her liegt hier also ein wesentlicher Unterschied vor, ob das Unternehmen ein Produktmanagementsystem einführt und damit zeigt, daß es das Produktkonzept als Führungskonzept bevorzugt, oder ob es ein Markenmanagementsystem einführt und damit zeigt, daß es Marken, die von ihrem Wesen her auf bestimmte Bedürfnisbereiche und Positionierungen hin abzielen, eine zentrale Bedeutung beimißt und besonders betreut. Mit dem Begriff *Produktmanagement* ist in der Regel das *Markenmanagement* gemeint. Deshalb verwenden wir in diesem Kapitel die im Sprachgebrauch geläufigeren Begriffe Produktmanagement und Produkt. Die hier dargestellten Zusammenhänge treffen in den meisten Fällen analog auf Produkte und Marken zu. Es ist jedoch wichtig, sich darüber bewußt zu sein, daß inhaltlich zwischen dem Konzept des Produktmanagements und des Markenmanagements ein Unterschied besteht, in der Regel aber das Markenmanagement existiert, selbst wenn es als Produktmanagement bezeichnet wird.
4 Vgl. Klaus Hüttel: »Rosige Zeiten für Produktmanager«, in: *Harvard Manager,* 1/1989, S. 48–55.
5 Vgl. David J. Luck: »Interfaces of a Product Manager«, in: *Journal of Marketing,* Oktober 1969, S. 32–36.
6 Andrall E. Pearson und Thomas W. Wilson, Jr.: *Making Your Organization Work,* New York: *Association of National Advertisers,* 1967, S. 8–13.
7 Siehe Fußnote 4; vgl. Richard Köhler: *Beiträge zum Marketing Management,* Kap. IV: Die Organisation des Produktmanagements, Stuttgart: Poeschel Verlag, 1988, S. 128–140.
8 Vgl. Richard M. Clewett und Stanley F. Stasch: »Shifting Role of the Product Manager«, in: *Harvard Business Review,* Januar – Februar 1975, S. 65–73; Victor P. Buell: »The Changing Role of the Product Manager in Consumer Goods Companies«, in: *Journal of Marketing,* Juli 1975, S. 3–11; »The Brand Manager: No Longer King«, in: *Business Week,* 9. Juni, 1973; Joseph A. Morein: »Shift from Brand to Product Line Marketing«, in: *Harvard Business Review,* September – Oktober 1975, S. 56–64, sowie Thomas D. Giese und T.M. Weisenberger: »Product Manager in Perspective«, in: *Journal of Business Research,* 10/82, S. 267–77. Vgl. auch Karlfried Lacke: »Wachablösung: Markt- statt Produktmanagement«, in: *Absatzwirtschaft,* 11/77, S. 62–68.
9 Eine detaillierte Darstellung findet sich bei E. Raymond Corey und Steven H. Star (Hrsg.): *Organization Strategy, A Marketing Approach,* Boston: Division of Research, Graduate School of Business Administration, Harvard University, 1971, S. 187–196
10 Vgl. B. Charles Ames: »Dilemma of Product/Market Management«, in: *Harvard Business Review,* März – April 1971, S. 66–74.
11 Vgl.Watson Snyder, Jr. und Frank B. Gray: *The Corporate Marketing Staff: Its Role and Effectiveness in Multi-Division Companies,* Cambridge, Mass.: Marketing Science Institute, April 1971.

12 Weiteres Material zur Marketingorganisation findet sich bei: Nigel Piercy: *Marketing Organization: An Analysis of Information Processing, Power and Politics*, London: George Allen & Unwin, 1985; Robert W. Ruekert, Orville C. Walker und Kenneth J. Roering: »The Organization of Marketing Activities: A Contingency Theory of Structure and Performance«, in: *Journal of Marketing*, Winter 1985, S. 13–25; Tyzoon T. Tyebjee, Albert V. Bruno und Shelby H. McIntyre: »Growing Ventures Can Anticipate Marketing Stages«, in: *Harvard Business Review*, Januar-Februar 1983, S. 2–4.

13 Askok K. Gupta, S.P. Raj und David Wilemon: »A Model for Studying R & D-Marketing Interface in the Product Innovation Process«, in: *Journal of Marketing*, April 1986, S. 7–17.

14 Vgl. William E. Souder: *Managing New Product Innovations*, Lexington, Mass.: Heath, 1987, Kap. 10–11; und William L. Shanklin und John K. Ryans, Jr.: »Organizing for High-Tech Marketing«, in: *Harvard Business Review*, November – Dezember 1984, S. 164–71.

15 Vgl. Benson P. Shapiro: »Can Marketing and Manufacturing Coexist?», in: *Harvard Business Review*, September – Oktober 1977, S. 104–114; siehe auch Robert W. Ruekert und Orville C. Walker, Jr.: »Marketing's Interaction with Other Functional Units: A Conceptual Framework and Empirical Evidence«, in: *Journal of Marketing*, Januar 1987, S. 1–19.

16 Vgl. auch »Eingriff in die Organisation: Mit neuen Konzepten gegen rote Zahlen«, in: *Absatzwirtschaft*, 7/82, S. 28–35.

17 Vgl. J. Patrick Wright: *On a Clear Day You Can See General Motors*, New York: Avon Books, 1979, Kap. 8.

18 Thomas V. Bonoma: *The Marketing Edge: Making Strategies Work*, New York: Free Press, 1985. Ein großer Teil dieses Abschnitts basiert auf Bonomas Werk.

Marketingsteuerung durch Kontrolle und Feedback

Kapitel 25

Vertrauen ist gut, Kontrolle ist besser.
Volksmund

Irrend lernt man.
Goethe

Die Marketingabteilung muß Marketingvorhaben nicht nur planen, sondern auch deren Durchführung mit Kontroll- und Feedbackmaßnahmen steuern. Dies ist notwendig, weil bei der Umsetzung von Marketingplänen viele Möglichkeiten für Abweichungen bestehen, die erkannt werden müssen und denen gegengesteuert werden muß. Daher sind laufend Überwachungs- und Kontrollmaßnahmen erforderlich. Ein systematisches Vorgehen ist hier sehr wichtig, um sicherzustellen, daß die geplanten Marketingmaßnahmen wirkungsvoll durchgeführt werden. Obwohl sie eine Steuerung durch eine funktionsfähige Marketingkontrolle brauchen, verfügen viele Unternehmen nur über unzureichende Kontrollverfahren: Dies ergab eine unveröffentlichte Untersuchung von 75 Unternehmen unterschiedlicher Größe in verschiedenen Branchen. Die wichtigsten Ergebnisse waren:

1. In kleinen Unternehmen sind die Kontrollverfahren weniger gut als in großen. Insbesondere versäumen sie es, klar definierte Ziele aufzustellen und Systeme zur Leistungsmessung einzurichten.
2. Weniger als die Hälfte der Unternehmen weiß, welchen Gewinn sie mit den einzelnen Produkten erzielen. Etwa ein Drittel der Unternehmen verfügt über kein systematisches Überprüfungsverfahren zur Erkennung und Eliminierung schwacher Produkte.
3. Fast die Hälfte der Unternehmen versäumte es, regelmäßig Preisvergleiche mit den Produkten der Konkurrenz anzustellen, die Lagerhaltungs- und Distributionskosten zu analysieren, die Ursachen für die Rücksendung von Waren zu untersuchen, formale Bewertungen der Werbewirksamkeit durchzuführen und die Besuchsberichte der Verkäufer auszuwerten.
4. In vielen Unternehmen kommen Kontrollberichte mit vier- bis achtwöchiger Verzögerung an und sind oft ungenau.

Die Marketingkontrolle ist ein komplexer und mit der Marketingplanung vernetzter Prozeß. Es gibt vier verschiedene Grundtypen der Marketingkontrolle, die in Tabelle 25-1 gezeigt werden.

In der *Jahresplankontrolle* werden die im Laufe des Jahres durchgeführten Marketingmaßnahmen und die erreichten Zwischenresultate mit den gesteckten Planzielen verglichen, um mit Korrekturmaßnahmen steuernd eingreifen zu können. Mit der *Aufwands- und Ertragskontrolle* wird versucht, den Gewinnbeitrag einzelner Produkte, Verkaufsgebiete, Kundengruppen und Absatzwege festzustellen. Mit der *Effizienzkontrolle* wird versucht, die Wirkung verschiedener Marketinginstrumente und Marketingausgaben zu verbessern. Durch die *Strategiekontrolle* wird regelmäßig geprüft, ob die Marketingstrategie des Unternehmens auf die Marketingchancen ausgerichtet ist. In den folgenden Abschnitten wird jede dieser vier Kontrollarten diskutiert.

Tabelle 25-1
Grundtypen der Marketingkontrolle

Art der Kontrolle	Hauptverantwortung	Zweck der Kontrolle	Instrumente
I. Jahresplankontrolle	Topmanagement Mittleres Management	Prüfen, ob die geplanten Ergebnisse erreicht werden	Umsatzvergleich Marktanteilsvergleich Aufwandsvergleich Finanzzahlenvergleich Beobachtung der Kundeneinstellung
II. Aufwands- und Ertragskontrolle	Marketing-Controller	Untersuchen, wo dem Unternehmen Gewinne oder Verluste entstehen	Aufwands- und Ertragsrechnung für – Produkte – Gebiete – Kundengruppen – Absatzwege – Auftragsgrößen
III. Effizienzkontrolle	Manager in Linie und Stab Marketing-Controller	Aufwendungen abschätzen und verbessern	Effizienzstudien für – Verkauf – Werbung – Verkaufsförderung – Distribution
IV. Strategiekontrolle	Topmanagement Marketingrevisor	Prüfen, ob das Unternehmen seine besten Markt-, Produkt- und Absatzwegchancen wahrnimmt	Wirksamkeitsbewertung des Marketing Marketingrevision

Jahresplankontrolle

Mit Hilfe der Jahresplankontrolle soll sichergestellt werden, daß das Unternehmen die im Jahresplan festgelegten Ziele für Umsatz, Ertrag und andere Erfolgsmaßstäbe erreicht. In ihrem Kern ergibt sich die Jahresplankontrolle aus dem Steuerungsprozeß des »Management by Objectives«. Dieser Prozeß erfordert vier Schritte (vgl. Abbildung 25-1): (1) Das Management legt die Ziele des Jahresplanes sowie Zwischenziele für den monatlichen und vierteljährlichen Verlauf fest; (2) das Management überwacht die Planerfüllung und die im Markt erbrachte Leistung; (3) das Management muß die Gründe für ernstzunehmende Leistungsabweichungen feststellen; (4) das Management leitet ggf. Steuerungsmaßnahmen ein, um die Lücke zwischen Leistungsziel und Leistungserfüllung zu schließen. Hier kann es erforderlich sein, neue Maßnahmen zu ergreifen oder sogar die Ziele zu ändern.

Dieses Kontrollmodell ist auf allen Ebenen der Organisation anwendbar. Das Topmanagement bestimmt die Gesamtziele für das Jahr. Die Gesamtziele sind in Teilziele für nachfolgende Managementebenen aufgegliedert. So ist jeder Produkt- und Markenmanager verpflichtet, seine Umsatzziele mit bestimmten Aufwendungen zu erreichen. Gleiches wird von jedem regionalen oder Bezirksverkaufsleiter und von jedem einzelnen Verkäufer erwartet. Das Topmanagement sieht für jeden Berichtsab-

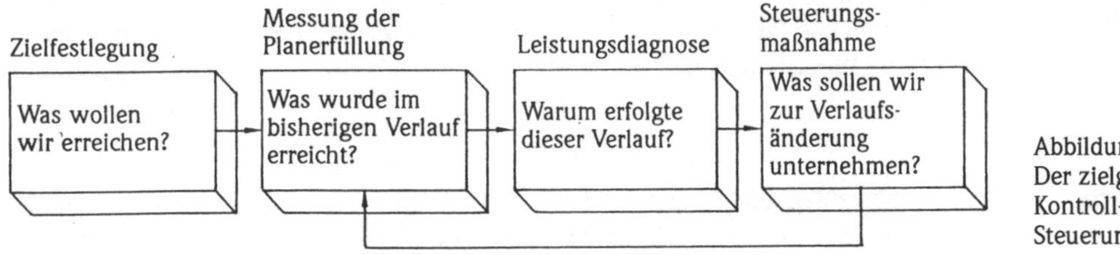

Abbildung 25-1
Der zielgerichtete Kontroll- und Steuerungsprozeß

schnitt die Ergebnisse ein und kann feststellen, wo und wann Fehlresultate entstanden sind.

Zur Überprüfung der Planerfüllung benutzt man im Marketing-Management fünf Instrumente, nämlich den Umsatzvergleich, den Marktanteilsvergleich, den Aufwandsvergleich, den Finanzzahlenvergleich und die Beobachtung der Kundeneinstellung.

Umsatzvergleich

Im Umsatzvergleich werden die erreichten Ergebnisse mit den Umsatzzielen verglichen. Zwei Methoden stehen hierfür zur Verfügung.

Eine *Umsatz-Varianz-Analyse* stellt fest, zu welchem Anteil eine Umsatzabweichung auf verschiedene Faktoren zurückzuführen ist. Nehmen wir an, daß der Jahresplan im ersten Quartal einen Umsatz von 4.000 DM vorsah, und zwar aus dem Verkauf von 4.000 Stück eines Artikels zu einem Stückpreis von 1 DM. Am Ende des Quartals sind nur 3.000 Stück zu einem Stückpreis von 0,80 DM verkauft, d.h., es wurde ein Umsatz von 2.400 DM erreicht. Die Abweichung beträgt 1.600 DM; das sind 40% des geplanten Umsatzes. Nun stellt sich die Frage: Welcher Anteil dieser Abweichung ist auf den Preisverfall und welcher auf den Rückgang der Absatzmenge zurückzuführen? Sie kann mit folgender Rechnung beantwortet werden:

Abweichung durch den Preisverfall = (1 DM – 0,80) (3.000) =	DM 600	37,5%
Abweichung durch den Mengenrückgang = (1 DM) (4.000–3.000) =	DM 1.000	62,5%
	DM 1.600	100,0%

Fast zwei Drittel der Umsatzabweichung sind also darauf zurückzuführen, daß die geplante Stückzahl nicht erreicht wurde. Das Unternehmen sollte näher untersuchen, warum das Mengenziel nicht erreicht wurde. [1]

Eine *Umsatz-Detail-Analyse* kann hier aufschlußreich sein. Mit ihr wird versucht, diejenigen Produkte, Verkaufsgebiete usw. zu identifizieren, die ihr Soll nicht erreichten. Nehmen wir an, daß das Unternehmen in drei Gebieten verkaufte und die planmäßig abzusetzende Stückzahl 1.500, 500 und 2.000 Einheiten, also insgesamt 4.000 Einheiten betrug. Das tatsächliche Ergebnis war 1.400, 525 und 1.075. Das erste Gebiet verfehlte sein Soll also um 7%, das zweite übertraf es um 5% und das dritte wies einen Leistungseinbruch von 46% auf! Der Verkaufsdirektor untersuchte daraufhin Gebiet 3, um festzustellen, ob eine der folgenden Hypothesen die schlechte Leistung erklären konnte: (1) Der Verkäufer in Gebiet 3 faulenzte oder hatte persönliche Probleme; (2) ein Hauptkonkurrent war in das Gebiet eingedrungen; (3) die Wirtschaftskraft dieses Gebiets war rückläufig.

Marktanteilsvergleich

Die Umsatzzahlen allein sagen noch nichts über die Stellung des Unternehmens im Wettbewerb aus. Nehmen wir an, daß der Umsatz eines Unternehmens steigt. Dies kann aus einem konjunkturellen Aufschwung resultieren, der allen Konkurrenten höhere Umsätze brachte. Dies kann aber auch aus einer wettbewerblich verbesserten Marketingleistung resultieren. Das Unternehmen muß die Entwicklung seines Marktanteils verfolgen (siehe auch Exkurs 25-1). Steigt sein Marktanteil, so stärkt das Unternehmen seine Position im Wettbewerb. Sinkt der Marktanteil, dann wird seine Position schwächer.

Neben diesen Verallgemeinerungen müssen bei der Marktanteilsanalyse auch noch andere mögliche Tatbestände berücksichtigt werden: [2]

- **Es stimmt nicht immer, daß externe Einflußgrößen alle Unternehmen einer Branche gleichermaßen treffen:** so bewirkten z. B. Berichte über die Schädlichkeit des Zigarettenrauchens in den USA einen Rückgang des Gesamtabsatzes von Zigaretten, unter dem jedoch nicht alle Hersteller in gleichem Ausmaß zu leiden hatten. Unternehmen mit besseren Filtern waren weniger schwer betroffen.
- **Ein Leistungsvergleich mit der Durchschnittsleistung aller anderen Unternehmen sagt oft wenig über die Wettbewerbsstärke eines Unternehmens aus:** Der Leistungsvergleich sollte gegenüber dem engsten Konkurrenten erfolgen.
- **Dringt ein neuer Konkurrent in die Branche ein, kann dies den Marktanteil jedes Branchenmitglieds schmälern:** Ein besonders hoher Marktanteilsverlust bedeutet nicht zwangsläufig, daß ein Unternehmen unterdurchschnittliche Leistungen erbrachte; er kann ebenso bedeuten, daß der Eindringling es besonders auf das Marktsegment dieses Unternehmens abgesehen hatte.
- **Manchmal ist ein Marktanteilsrückgang das Ergebnis einer bewußt gesetzten, gewinnerhöhenden Maßnahme:** So kann z. B. die Unternehmensführung beschließen, weniger einträgliche Kunden oder Produkte zu eliminieren; daraus ergibt sich eine Verringerung des Marktanteils.
- **Der Marktanteil kann aus vielerlei weniger bedeutsamen Gründen fluktuieren:** So kann der Marktanteil für eine bestimmte Periode unterschiedlich hoch ausfallen, je nachdem, ob ein großer Auftrag am letzten Tag der Periode oder am ersten Tag der darauffolgenden eingeht. Eine solche Veränderung des Marktanteils ist von geringer Bedeutung für die Marketingstrategie.

Exkurs 25-1: Definitionen und Meßwerte für den Marktanteil

Als erstes muß für den Marktanteilsvergleich festgelegt werden, wie der Marktanteil definiert werden soll. Hier stehen mehrere Alternativen zur Verfügung:

- Zunächst muß man entscheiden, ob der Anteil am Absatz (in Einheiten) oder am Umsatz (in DM, ECU oder anderen Werteinheiten) für den gewollten Zweck aussagekräftiger ist. Der Verlauf des Absatzanteils zeigt Mengenveränderungen an. Der Verlauf des Umsatzanteils wird durch Mengen- und Preisveränderungen geprägt.
- Als zweites muß entschieden werden, auf welches Konkurrenzumfeld Bezug genommen werden soll: auf die Branche, den »bedienten Markt«, mehrere (z. B. drei) maßgebliche Konkurrenten oder auf den größten Wettbewerber.

Der Anteil an der Branche erfordert, daß die Grenzen der Branche definiert werden. Hier ergibt sich oft ein großer Ermessensspielraum für das Management des Unternehmens. Diese Festlegung zeigt an, wie weit das Unternehmen seinen Markt absteckt. So könnte sich z.B. Granini in der Branche für Fruchtsäfte und Fruchtsaftgetränke sehen; das Unternehmen könnte sich aber auch der Branche für alkoholfreie Erfrischungsgetränke (also einschließlich Limonaden und Mineralwasser) oder der Branche für kalte Getränke (also einschließlich Bier, Wein u.a. m.) oder der Getränkebranche (also einschließlich Kaffee, Tee u.a. m.) zuordnen. Diese Ermessensentscheidung sollte berücksichtigen, in welchem Ausmaß die Kunden die unterschiedlichen Getränke als Substitutionsprodukte sehen und behandeln.

Der Anteil am »bedienten Markt« ergibt sich aus einer Eingrenzung auf den Teil des Marktes, den das Unternehmen mit seinem Marketingprogramm anspricht und versorgt. Wenn z.B. Granini in seiner frühen Entwicklung nur Nordrhein-Westfalen mit Fruchtsäften bediente, so bezog sich der Anteil am bedienten Markt nur auf diese Region und diese Produkte. Ein Unternehmen versucht oft zunächst, den Löwenanteil an seinem bedienten Markt zu erringen. Mit Erreichen dieses Ziels sollte es den bedienten Markt unter Hinzunahme neuer Produkte und Marktgebiete erweitern. So kann z.B. Granini im Verlauf seiner Entwicklung seinen bedienten Markt von der Bundesrepublik Deutschland auf das deutschsprachige Gebiet in Europa und auf die Länder der Europäischen Gemeinschaft ausdehnen.

Der relative Anteil unter den maßgeblichen Konkurrenten bezieht sich auf die größten Wettbewerber der Branche, auf die das Unternehmen im Wettbewerb reagieren müßte und zu denen es sich selbst zählt. Oft sind nur drei Wettbewerber in einer Branche maßgeblich. Nehmen wir z.B. an, daß im deutschen Fruchtsaftmarkt Granini einen Anteil von 30%, die Marke Valensina von Procter & Gamble einen Anteil von 20% und die Marke Hohes C von Eckes einen Anteil von 10% hat, dann hat Granini einen relativen Anteil von 50% (30/60). Relative Anteile von über 33% gelten bei Dreiergruppen als stark.

Der relative Anteil zum größten Konkurrenten spielt besonders dann eine wichtige Rolle, wenn die Strategie und der Jahresplan auf einer Portfolio-Analyse vom Typ der *Boston Consulting Group* beruhen. Ein relativer Anteil von mehr als 100% (oder 1,0) weist das Unternehmen als Marktführer aus. In unserem Zahlenbeispiel hätte Granini einen relativen Anteil von 150% (30/20). Ein relativer Anteil von 100% zeigt, daß sich das Unternehmen mit einem gleichstarken Konkurrenten die Führung teilt. Ein Zuwachs im relativen Marktanteil zeigt, daß sich die Führungsposition des Unternehmens verbessert.

Aus der Entscheidung zum relevanten Maß für den Marktanteil ergibt sich, welche Daten erhoben werden müssen. Der Marktanteil an der Branche ist meist am leichtesten zu ermitteln, da Zahlen für den gesamten Output von Branchen durch statistische Ämter oder auch durch Branchenverbände gesammelt und veröffentlicht werden. Die Schätzung des Anteils am bedienten Markt ist oft schwieriger, da das Unternehmen sich selbst einen genauen Überblick über seinen bedienten Markt verschaffen muß, der sich durch Veränderungen der Produktlinien und der geographischen Marktabdeckung verschieben kann. Die Errechnung des relativen Marktanteils ist noch schwieriger, weil das Unternehmen die Umsätze der drei Konkurrenten schätzen muß, die diese Zahlen versuchen, geheimzuhalten. Das Unternehmen muß indirekt vorgehen, indem es z.B. Einzelheiten zum Rohmaterialeinkauf der Konkurrenten oder zur Zahl der Schichten, in denen sie produzieren, in Erfahrung bringt. In Konsumgütermärkten lassen sich die Anteile einzelner Marken durch (Handels-) und (Verbraucher)-Panels ermitteln.

Schließlich ist es wichtig, Marktanteilsbewegungen korrekt zu interpretieren. Wie der Umsatzvergleich wird auch der Marktanteilsvergleich als Steuerungsinstrument wertvoller, wenn die Daten dafür nach wichtigen Teilbereichen aufgegliedert sind. Das Unternehmen kann die Marktanteilsentwicklung nach Produktlinien, Kundentypen, Regionen oder anderen Untergliederungen verfolgen.

Eine nützliche Methode zur Analyse von Marktanteilsbewegungen bedient sich der folgenden vier Komponenten:

Marktanteil (Umsatz) = Kundenpenetration × Kundentreue × Mengenselektivität der Kunden × Preisindex (25–1)

Kundenpenetration = Anteil der Kunden, die bei diesem Unternehmen kaufen;
Kundentreue = Anzahl der Kaufakte der Kunden bei diesem Unternehmen, ausgedrückt als Prozentsatz aller ihrer Kaufakte bei allen Anbietern desselben Produkts;
Mengenselektivität der Kunden = durchschnittliche Menge pro Kaufakt aus dem Angebot des Unternehmens, ausgedrückt als Prozentsatz der durchschnittlichen Menge pro Kaufakt von allen Anbietern;
Preisindex = Durchschnittspreis pro Artikel des Unternehmens, ausgedrückt als Prozentsatz des Durchschnittspreises aller Anbieter.

Nehmen wir an, daß der Umsatzanteil eines Unternehmens gesunken ist. Nach Gleichung (25–1) gibt es vier mögliche Erklärungen dafür, die zur Gegensteuerung überprüft werden können:

1. Das Unternehmen hat Kunden verloren.
2. Die existierenden Kunden kaufen weniger oft bei diesem Unternehmen.
3. Die Kunden kaufen bei diesem Unternehmen in geringeren Mengen pro Kaufakt.
4. Der Preis des Unternehmens ist im Vergleich zum Wettbewerb gefallen, ohne daß dies die Kunden zu Mehrkäufen veranlaßt hätte.

Indem das Unternehmen die Entwicklung dieser Komponenten beobachtet, kann es die Ursachen von Marktanteilsveränderungen ihrer Größe nach genau feststellen. Nehmen wir an, zu Beginn der Periode sind folgende Werte gegeben: Kundenpenetration = 60 %, Kundentreue = 50 %, Mengenselektivität = 80 % und Preisindex = 125 %. Nach Gleichung (25–1) betrug der Marktanteil des Unternehmens 30 %. Nehmen wir weiter an, der Marktanteil des Unternehmens ist gegen Ende der Periode auf 27 % gefallen. Die Marktanteilskomponenten werden nun überprüft, und es ergeben sich folgende Werte: Kundenpenetration = 55 %, Kundentreue = 50 %, Mengenselektivität = 75 % und Preisindex = 130 %. Der Marktanteilsrückgang war eindeutig in erster Linie auf den Verlust von Kunden (niedrigere Kundenpenetration) zurückzuführen, die einen überdurchschnittlich großen Anteil ihrer Gesamteinkäufe bei diesem Unternehmen getätigt hatten (niedrigere Mengenselektivität). Das Unternehmen kann sich nun, da die Ursache des Marktanteilsschwundes bekannt ist, darauf konzentrieren, herauszufinden, warum diese Kunden abgesprungen sind, und ob dies möglicherweise auf zu hohe Preise zurückzuführen ist.

Aufwandsvergleich

Die Jahresplankontrolle erfordert weiterhin eine Überprüfung, ob das Unternehmen zur Erreichung seiner Umsatzziele nicht zuviel ausgibt. Hier werden Kennzahlen des *Marketingaufwands in Proportion zum Umsatz* wichtig. In einem Unternehmen beträgt z.B. der Marketingaufwand in normalen Zeiten 30% des Umsatzes und besteht aus den folgenden fünf Komponenten: Aufwand für die *Vertriebsorganisation* (50% des Umsatzes), *Werbung* (5%), *Verkaufsförderung* (6%), *Marketingforschung* (1%) und *Marketing- und Vertriebsadministration* (3%).

Das Management überwacht diese Kennzahlen, um sie steuern zu können. Kleinere Schwankungen sind dabei normal. Große Abweichungen geben Anlaß zur Sorge. Die Entwicklung der Kennzahlen von Periode zu Periode können – wie in Abbildung 25-2 gezeigt – auf ein Kontrolldiagramm eingetragen werden. Dieses Diagramm zeigt, daß das Verhältnis zwischen Werbung und Umsatz normalerweise zwischen 8% und 12% liegt. Während der fünfzehnten Periode wurde die Obergrenze von 12% jedoch überschritten. Dieses Ereignis kann zu zwei entgegengesetzten Hypothesen führen:

- **Hypothese A:** Das Unternehmen hat weiterhin die Werbeausgaben im Griff; der vorliegende Fall ist eine seltene, aber zulässige Ausnahme.
- **Hypothese B:** Das Unternehmen hat die Kontrolle über die Werbeausgaben verloren, muß die Ursachen dafür feststellen und gegensteuern.

Abbildung 25-2
Beispiel eines Kontrolldiagramms

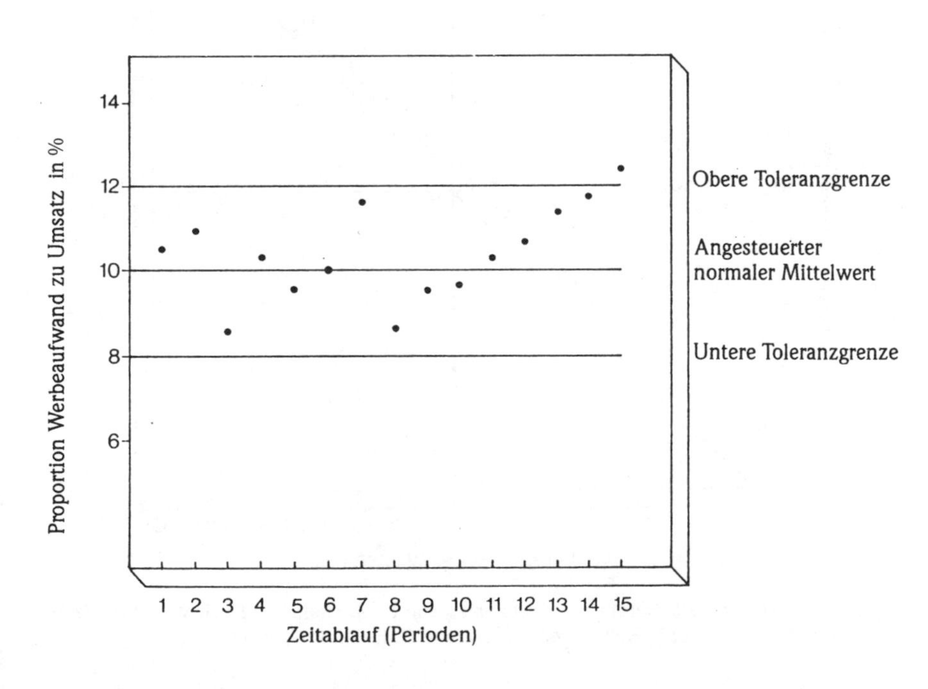

Wird Hypothese A akzeptiert, so wird nicht untersucht, ob das Umfeld sich verändert hat. Damit nimmt man das Risiko auf sich, daß doch eine Veränderung stattgefunden hat, die schädliche Wirkungen für das Unternehmen haben kann. Wird Hypothese B akzeptiert, so wird das Umfeld untersucht; damit ist nun das Risiko verbunden, daß doch eine Ausnahme vorlag, daß die Untersuchung nichts aufdecken wird und die damit verbundene Zeit und Anstrengungen vergeblich waren.

Auch innerhalb der Kontrollgrenzen sollte die Entwicklung der Kennzahlen beobachtet werden. Abbildung 25-2 zeigt von der neunten Periode an sechsmal hintereinander einen Anstieg. Lägen hier normale Zufallsschwankungen vor, so wäre die Wahrscheinlichkeit einer Sequenz von sechs aufeinanderfolgenden Steigerungen nur 1 zu 64. [3] Dieses ungewöhnliche Muster hätte bereits vor Periode fünfzehn untersucht werden müssen.

Wenn die Kennzahl die Toleranzgrenzen überschreitet, so können disaggregierte Daten die Ursachen für das Problem aufdecken. Zu diesem Zweck ist ein *detailliertes Abweichungsdiagramm* nützlich. Abbildung 25-3 zeigt z.B., welchen Prozentsatz der gesteckten Umsatzquote jedes Verkaufsgebiet erreichte und welcher Prozentsatz des budgetierten Werbeaufwands dafür verbraucht wurde. Gebiet D hat z.B. seine Umsatzquote mit dem budgetierten Aufwand erfüllt. Gebiet B hat seine Quote mit einem proportional höheren Aufwand übertroffen. Die problematischen Gebiete werden im zweiten Quadranten aufgezeigt. Gebiet J hat z.B. weniger als 80 % seiner Umsatzquote erreicht; dabei ist der Werbeaufwand dort überproportional hoch. Der

Abbildung 25-3
Abweichungsdiagramm – nach Verkaufsgebieten detailliert

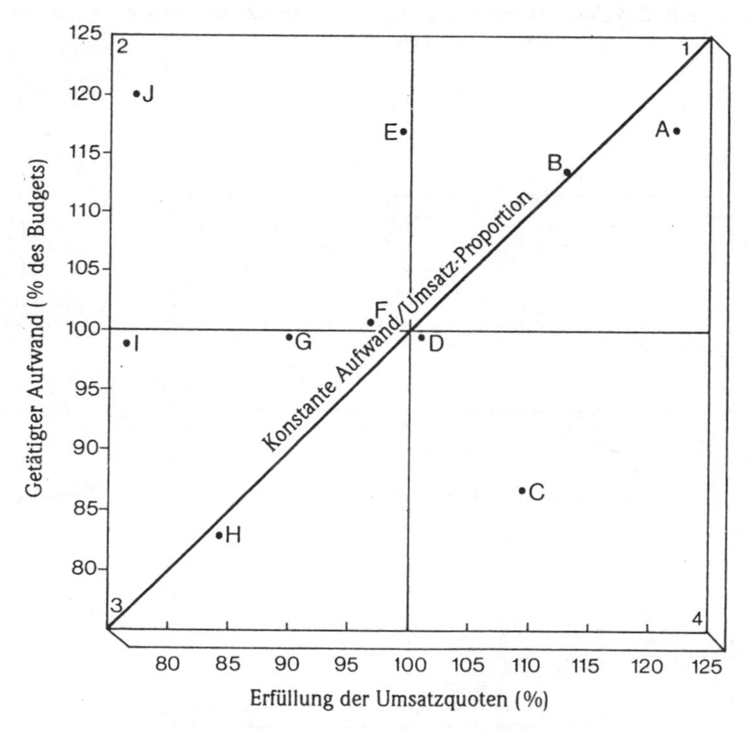

Quelle: Mit einigen Veränderungen übernommen von D.M. Phelps und J.H. Westing: *Marketing Management*, 3. Aufl., Homewood, Ill.: Richard D. Irwin, Inc., 1968, S. 754.

nächste Schritt besteht in der Anfertigung eines ähnlichen Diagramms für jedes Problemgebiet, das diesmal nach einzelnen Verkäufern untergliedert ist. Dabei kann sich z.B. herausstellen, daß die schwache Leistung des Gebiets J auf einige wenige Verkäufer zurückzuführen ist, die unproduktiv waren oder durch Krankheit ausfielen und durch Aushilfspersonal hätten ersetzt werden sollen.

Finanzzahlenvergleich

Der Aufwandsvergleich gibt – in Verbindung mit einem umfassenden Finanzzahlenvergleich – Aufschluß darüber, wie und wo das Unternehmen verdient. In zunehmendem Maße werden Marketer dazu angehalten, mit Hilfe von Finanzanalysen nicht nur umsatzfördernde, sondern auch gewinnfördernde Strategien zu formulieren.

Durch den Finanzzahlenvergleich wird das Augenmerk des Managements auf die Faktoren gelenkt, die die Eigenkapitalrendite (*return on net worth*) des Unternehmens bilden.[4] Abbildung 25-4 zeigt die Hauptfaktoren – mit Beispielswerten – einer großen Handelsorganisation. Die Organisation hat eine Eigenkapitalrendite in Höhe von 12,5%.

Als erstes fällt auf, daß die Eigenkapitalrendite das Multiplikationsprodukt zweier anderer Verhältniszahlen ist, und zwar der Gesamtkapitalrendite (*return on assets*) und des Kapitalisierungshebels (*financial leverage*). Will das Unternehmen die Eigenkapitalrendite erhöhen, so muß es entweder die Verhältniszahl Nettoertrag/ Gesamtvermögen (Aktiva) oder die Verhältniszahl Gesamtvermögen (Aktiva)/ Eigenkapital erhöhen. Das Unternehmen muß die Zusammensetzung seiner Aktiva (d.h. Barmittel, Außenstände, Lagerbestände, Grundstücke und Anlagen) überprüfen und überlegen, ob es seine Aktiva besser einsetzen kann.

Die Gesamtkapitalrendite ist wiederum das Produkt zweier anderer Verhältniszahlen, und zwar der Nettoumsatzrendite und der Vermögensumschlagshäufigkeit (*asset turnover*). Im Beispiel ist die Nettoumsatzrendite niedrig, während die Vermögensumschlagshäufigkeit hoch ist. Der Marketer kann versuchen, das finanzielle Ergebnis wie folgt zu verbessern: (1) Erhöhung der Nettoumsatzrendite durch einen

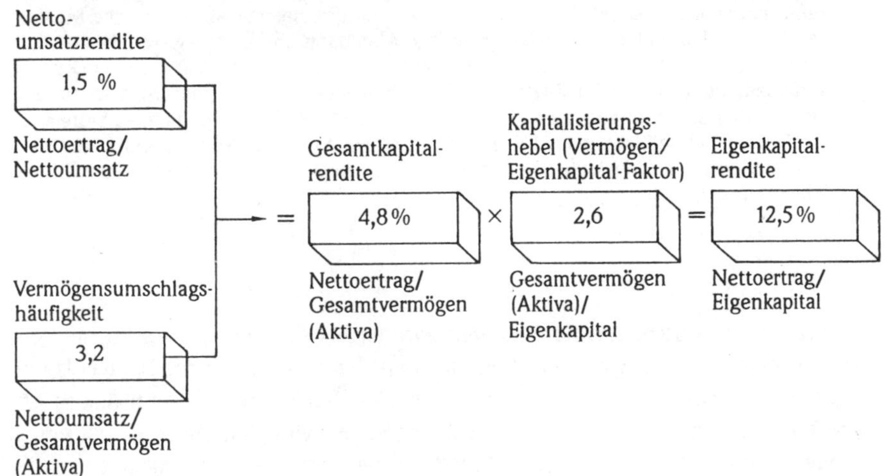

Abbildung 25-4
Finanzzahlenmodell für die Eigenkapitalrendite

höheren Umsatz oder einen verringerten Aufwand, und (2) Verbesserung des Vermögensumschlags durch einen höheren Umschlag oder reduzierte Aktiva (z.B. Warenbestände, Außenstände usw.).

Beobachtung der Kundeneinstellung

Die oben beschriebenen Instrumente zur Jahresplankontrolle führen im wesentlichen zu finanziellen und quantitativen Aussagen. Sie sind wichtig, reichen aber allein nicht aus; man braucht auch qualitative Indikatoren, die das Management frühzeitig auf Marktanteilsveränderungen hinweisen.

Wache Unternehmen überprüfen die Einstellungen und die Zufriedenheit der Kunden, der Partner im Handel und anderer Teilnehmer im Marketingsystem oft und systematisch, so daß Veränderungen bemerkt werden, *bevor* sie sich im Kaufverhalten und damit in den Umsätzen niederschlagen. Dies ermöglicht frühzeitige Korrekturmaßnahmen.

Die folgenden Systeme werden von Unternehmen oft zum Vergleich der Kundeneinstellung benutzt:

1. **Beschwerde- und Vorschlagssysteme:** Marktorientierte Unternehmen erfassen, analysieren und reagieren auf schriftliche oder mündliche Beschwerden der Kunden. Die Beschwerden werden in Listen erfaßt, und das Management kann dann versuchen, die Ursachen der häufigsten Beschwerden zu beseitigen. Viele Dienstleistungsunternehmen wie z.B. Hotels, Restaurants (und Banken), gehen noch einen Schritt weiter, indem sie Vorschlagsformulare an Kunden verteilen. Alles spricht dafür, daß ein marktorientiertes Unternehmen versuchen sollte, den Kunden jede nur denkbare Beschwerdemöglichkeit zu bieten, damit das Management ein vollständigeres Bild von der Einstellung der Kunden zu seinen Produkten und Dienstleistungen erhält. [5]
2. **Kundenpanels:** Manche Unternehmen befragen regelmäßig Kundenpanels, d.h. einen Querschnitt ihrer Kunden, die sich bereit erklärt haben, von Zeit zu Zeit telefonisch oder mittels ihnen zugesandter Fragebögen ihre Einstellungen und Meinungen kundzutun. Diese Unternehmen gehen von der Annahme aus, daß Kundenpanels ein wirklichkeitsgetreueres Bild der Kundeneinstellungen vermitteln als Beschwerde- und Vorschlagssysteme.
3. **Kundenbefragungen:** Andere Unternehmen versenden in regelmäßigen Abständen standardisierte Fragebögen an eine ausgewählte Kundenstichprobe. Die Fragen beziehen sich u.a. auf die Freundlichkeit der Mitarbeiter, die Qualität der Bedienung usw. Die Kunden haken eine Antwort auf einer Fünf-Punkte-Skala ab (sehr unzufrieden, unzufrieden, neutral, zufrieden, sehr zufrieden). Die Antworten werden zusammengefaßt und an die Manager der Zweigstellen und der Zentrale verteilt (vgl. Abbildung 25-5). Die Zweigstellenmanager erhalten z.B. einen Bericht darüber, wie die einzelnen Elemente ihres Dienstes am Kunden in der laufenden Periode im Vergleich zur vorhergehenden Periode, zum Durchschnitt aller Zweigstellen und zum gesetzten Ziel beurteilt wurden. Die Einführung dieses Systems ist insofern von Vorteil, als es die Mitarbeiter zu einem guten Dienst am Kunden motiviert, denn sie wissen, daß auch die höheren Managementebenen über die Kundenbeurteilungen informiert werden. [6]

Steuerungsmaßnahmen

Wenn die tatsächliche Leistung zu weit von der erwünschten abweicht, muß das Management Steuerungsmaßnahmen einleiten. Normalerweise ergreift das Unternehmen zunächst kleinere Maßnahmen, und sieht sich dann – wenn diese nicht greifen – zu immer drastischeren Maßnahmen gezwungen. Als z.B. bei einem großen Düngemittelhersteller der Absatz hinter dem Plan zurücklag, da in der

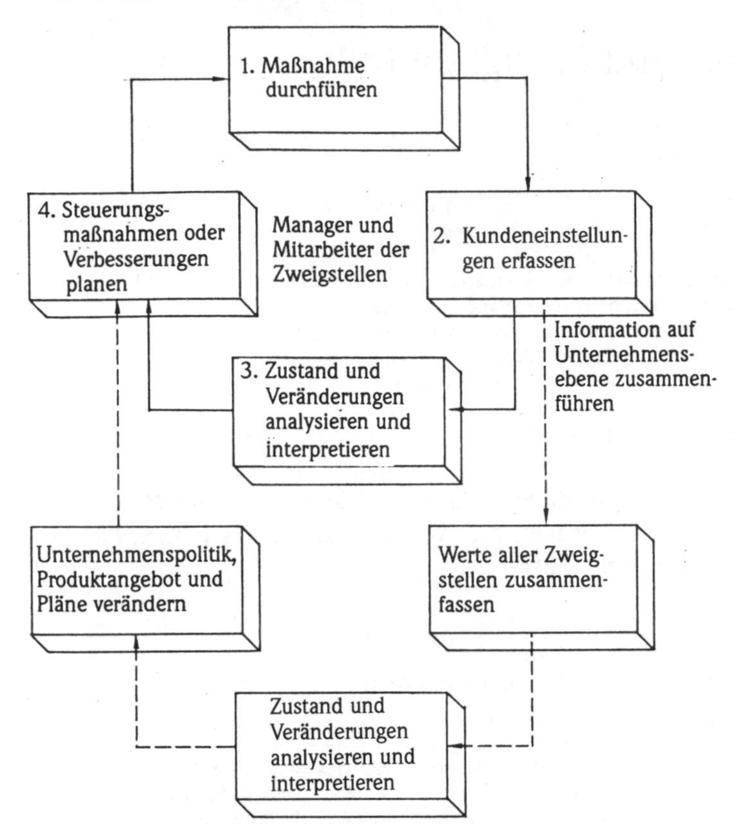

1. Manager und Mitarbeiter der Zweigstellen führen Tag für Tag Maßnahmen für ihre Kunden durch. Sie arbeiten mit einem geographisch modifizierten Angebot, das der Unternehmenspolitik entspricht.
2. Mit einem standardisierten, jedoch auf die lokalen Verhältnisse abgestimmten Fragebogen werden regelmäßig die Bedürfnisse und Einstellungen der Kunden ermittelt.
3. Ein Vergleich der finanziellen Ergebnisse, der Erwartungen und Meinungen der Kunden zeigt die Stärken und Schwächen der Zweigstelle sowie die wahrscheinlichen Ursachen dafür.
4. Es wird festgelegt, welche Steuerungsmaßnahmen die Schwächen beseitigen und die Stärken erhalten sollen. Mit Durchführung der Maßnahmen (Schritt 1) wird der obere Regelkreis des Steuerungssystems geschlossen.
5. Ein analoger Steuerungsprozeß wird auf Unternehmensebene unter Einbringung der Daten aller Zweigstellen sowie der Unternehmenspolitik durchlaufen.

Quelle: Arthur J. Daltas: »Protecting Service Markets with Consumer Feedback«, in: *The Cornell Hotel and Restaurant Administration Quarterly*, Mai 1977, S. 73–77.

Abbildung 25-5
Ein Steuerungssystem mit Kundenbefragung

Branche Überkapazitäten vorlagen und ein scharfer Preiskampf herrschte, ergriff das Unternehmen immer weitergehende Maßnahmen. Zunächst drosselte es die Produktion; dann führte es selektive Preissenkungen durch; als nächstes erhöhte es den Druck auf die Vertriebsorganisation, ihre Umsatzquoten zu erfüllen; dann kürzte es die Mittel für die Anwerbung und Ausbildung von Personal, für die Werbung, die Öffentlichkeitsarbeit und die Forschung und Entwicklung; schon bald begann man mit Entlassungen oder schickte Mitarbeiter in den vorzeitigen Ruhestand; dann nahm man Zuflucht zu buchhalterischen Tricks, um ein besseres Bild von der Lage des Unternehmens zu zeichnen; als nächstes kürzte man die Investitionen in Anlagen und Gebäude; dann entschied man sich, einige Unternehmensteile an andere Firmen zu verkaufen; und zuletzt suchte man einen Käufer für das Gesamtunternehmen, den man dann schließlich auch fand.

Aufwands- und Ertragskontrolle

Eine Untersuchung der MAC-Gruppe über Verlust- und Ertragsquellen zeigte einige besorgniserregende Ergebnisse: [7]

- Wir stellten fest, daß einzelne Unternehmen bei bis zu 60% ihrer Kunden und bei etwa 20% bis 40% ihrer Produkte Verluste machen.
- Unsere Nachforschungen ergaben bei den meisten Unternehmen folgendes: Aus dem Geschäft mit mehr als der Hälfte ihrer Kunden erzielen sie keinen Gewinn, bei 30% bis 40% der Kunden ist die Gewinnschwelle knapp überschritten; oft sind es lediglich 10 bis 15% der Kunden, deren Geschäft dem Unternehmen einen wesentlichen Ertrag einbringt.
- Unsere Untersuchung des Zweigstellennetzes einer Regionalbank zeigte zur Überraschung der Beteiligten auf, daß 30% der Zweigstellen Verluste machten.

Neben der Jahresplankontrolle sollten Aufwand und Ertrag aus unterschiedlichen Produkten, Gebieten, Kundengruppen, Absatzwegen und Auftragsgrößen festgestellt und überwacht werden. Mit Hilfe dieser Informationen kann das Management entscheiden, ob bestimmte Produkte oder Marketingaktivitäten erweitert, zurückgefahren oder beendet werden sollten.

Methodische Schritte zur Aufwands- und Ertragsanalyse im Marketing

Wir erläutern die Schritte, die zu einer für das Marketing nützlichen Aufwands- und Ertragsanalyse führen, mit folgendem Beispiel:

Der Marketingdirektor eines Rasenmäherherstellers möchte feststellen, welche Gewinne durch die drei verschiedenen Absatzwege des Einzelhandels erzielt werden: Eisenwarengeschäfte, Gartenbedarfsgeschäfte und Warenhäuser. Tabelle 25-2 zeigt die Gewinn- und Verlustrechnung des Unternehmens in vereinfachter Form, in der Aufwand und Ertrag in aggregierter Form ausgewiesen werden.

Erster Schritt: Zuordnung der Aufwendungen nach Funktionen

Nehmen wir an, daß die in Tabelle 25-2 angeführten Aufwendungen für Personal, Miete und Betriebsmittel zur Durchführung der folgenden Funktionen getätigt werden: Verkauf des Produkts, Werbung für das Produkt, Verpackung und Auslieferung, Fakturierung und Inkasso. Die erste Aufgabe besteht darin, aufzuzeigen, welcher Anteil der drei genannten Aufwendungen auf jede dieser Funktionen entfiel. Nehmen wir an, daß der Großteil der Personalaufwendungen als Gehalt (insgesamt 37.200 DM) an Verkäufer im Außendienst ausgezahlt wurde (nämlich 20.400 DM), 4.800 DM an einen Werbeleiter, 5.600 DM an das Verpackungs- und Ausliefe-

Tabelle 25-2
Eine vereinfachte Aufwands- und Ertragsrechnung (DM)

Umsatz		240.000
Kosten der verkauften Ware		156.000
Bruttospanne		84.000
Aufwand		
Personal	37.200	
Miete	12.000	
Betriebsmittel		14.000
		63.200
Nettoertrag		20.800

rungspersonal und 6.400 DM an einen Buchhalter. Tabelle 25-3 zeigt die Aufteilung der Gehälter auf diese vier Teilfunktionen.

Tabelle 25-3 zeigt ebenfalls, wie der Aufwand für Miete (12.000 DM) auf diese vier Funktionen aufgeteilt wird. Da die Außendienstler keine gemieteten Büroflächen benutzen, wird ihnen kein Anteil am Mietaufwand für das gemietete Gebäude zugerechnet. Der Großteil der gemieteten Fläche wird für Verpackungs- und Lieferungsaktivitäten benötigt; ein kleiner Teil der Fläche wird vom Werbeleiter und vom Buchhalter beansprucht.

Zu den Betriebsmitteln gehören Absatzförderungsmaterial, Verpackungsmaterial, Treibstoff für die Lieferfahrzeuge und Bürobedarf. Die für diese Zwecke ausgegebenen 14.000 DM werden ebenfalls den funktionalen Verwendungszwecken zugerechnet. Das Ergebnis dieser und der beiden vorhandenen Untergliederungen ist eine Zuordnung der Gesamtausgaben von 63.200 DM nach Funktionen im Marketingprozeß.

Aufwand für	*Gesamt*	*Verkauf*	*Werbung*	*Verpackung und Lieferung*	*Fakturierung und Inkasso*
Personal	37.200	20.400	4.800	5.600	6.400
Miete	12.000	–	1.600	8.000	2.400
Betriebsmittel	14.000	1.600	6.000	5.600	800
	63.200	22.000	12.400	19.200	9.600

Tabelle 25-3
Zuordnung des Aufwands nach Funktionen

Zweiter Schritt: Zurechnung der funktionalen Aufwendungen, gegliedert nach »Kostenbestimmungsfaktoren«, auf die Marketingeinheiten (z.B. Absatzwege)

Der nächste Schritt besteht darin, festzulegen, welche funktionalen Aufwendungen für jeden der drei Absatzwege getätigt wurden. Nehmen wir als Beispiel die Verkaufsaufwendungen. Als Kostenbestimmungsfaktor der Verkaufsaufwendungen gilt die Zahl der Verkaufsbesuche, die für jeden Absatzweg notwendig waren. Die Anzahl der Verkaufsbesuche wird in der ersten Spalte von Tabelle 25-4 wiedergege-

Absatzweg	Verkauf	Werbung	Verpackung und Lieferung	Fakturierung und Inkasso
	Zahl der Verkaufsbesuche dieser Periode	Zahl der Inserate in Fachzeitschriften	Zahl der Aufträge in dieser Periode	Zahl der Aufträge in dieser Periode
Eisenwaren	200	50	50	50
Gartenbedarf	65	20	21	21
Warenhäuser	10	30	9	9
	275	100	80	80
Funktionaler Aufwand	22.000	12.400	19.200	9.600
Zahl der Einheiten	275	100	80	80
Kosten pro Einheit	80	124	240	120

Tabelle 25-4
Zurechnung des funktional gegliederten Aufwands auf die Absatzwege

ben. Insgesamt wurden während dieser Periode 275 Verkaufsbesuche absolviert. Da der gesamte Verkaufsaufwand 22.000 DM betrug (vgl. Tabelle 25-3), kostete jeder Verkaufsbesuch durchschnittlich 80 DM.

Für die Werbeaufwendungen wurde die Zahl der Inserate in Fachzeitschriften, die für jeden der Absatzwege eingesetzt wurden, als Kostenbestimmungsfaktor identifiziert und ausgewiesen. Insgesamt wurden 100 Inserate eingesetzt, die zusammen 12.400 DM, also durchschnittlich 124 DM, kosteten.

Für die Verpackungs- und Auslieferungsaufwendungen wurde die Zahl der Aufträge als Kostenbestimmungsfaktor identifiziert, die für jeden Absatzweg abgewickelt wurden. Die Zahl der abgewickelten Aufträge gilt ebenfalls als Kostenbestimmungsfaktor für die Fakturierung und das Inkasso.

Dritter Schritt: Aufwands- und Ertragsrechnung für jede Marketingeinheit (z.B. Absatzweg)

Nun ist es möglich, eine separate Rechnung für jeden Absatzweg aufzustellen. Tabelle 25-5 zeigt das Ergebnis dieser Aufteilung. Auf Eisenwarengeschäfte entfiel die Hälfte des gesamten Umsatzes (120.000 DM von 240.000 DM). Diesem Absatzweg wird deshalb die Hälfte der Kosten der verkauften Ware (78.000 DM von 156.000 DM) zugerechnet. Die Bruttospanne im Verkauf an Eisenwarengeschäfte beträgt also 42.000 DM. Davon müssen die Anteile an den funktionalen Aufwendungen abgezogen werden, die von den Eisenwarengeschäften beansprucht wurden. Laut Tabelle 25-4 wurden 200 der insgesamt 275 Verkaufsbesuche in Eisenwarengeschäften getätigt; dieser Absatzweg muß also mit Verkaufsaufwendungen von 16.000 DM (80 DM × 200) belastet werden. Tabelle 25-4 zeigt weiterhin, daß 50 Inserate an Eisenwarengeschäfte gerichtet wurden. Da pro Inserate mit einem Aufwand von 124 DM gerechnet wird, werden den Eisenwarengeschäften 6.200 DM der Werbeaufwendungen zugerechnet. Auf dieselbe Weise wird der Anteil der Eisenwarengeschäfte an den restlichen funktionalen Aufwendungen berechnet. Das Ergebnis zeigt, daß die Eisenwarengeschäfte 40.200 DM der Gesamtaufwendungen verursachten. Wird dieser Betrag von der Bruttospanne abgezogen, erweist sich der Gewinn aus dem Verkauf an Eisenwarengeschäfte als gering (1.800 DM).

Tabelle 25-5
Aufwands- und Ertragsrechnung für die Absatzwege

	Eisen-waren	*Garten-bedarf*	*Waren-häuser*	*ins-gesamt*
Verkauf	120.000	40.000	80.000	240.000
Kosten der verkauften Ware	78.000	26.000	52.000	156.000
Bruttospanne	42.000	14.000	28.000	84.000
Aufwand				
Verkauf (80 DM pro Verkaufsbesuch)	16.000	5.200	800	22.000
Werbung (124 DM pro Inserat)	6.200	2.480	3.720	12.400
Verpackung und Lieferung (240 DM pro Auftrag)	12.000	5.040	2.160	19.200
Fakturierung (120 DM pro Auftrag)	6.000	2.520	1.080	9.600
Gesamtaufwand	40.200	15.240	7.760	63.200
Nettoertrag bzw. Nettoverlust	1.800	−1.240	20.240	20.800

Dieselbe Analyse wird für die anderen Absatzwege wiederholt. Es stellt sich heraus, daß das Unternehmen im Verkauf an Gartenbedarfsgeschäfte mit Verlust arbeitet und fast seinen gesamten Gewinn im Verkauf an Warenhäuser erzielt. Offensichtlich ist hier der Bruttoumsatz des einzelnen Absatzwegs kein guter Indikator für den Ertrag aus dem Absatzweg.

Festlegung geeigneter Korrekturmaßnahmen

Es wäre voreilig, sofort zu dem Schluß zu kommen, daß die Gartenbedarfsgeschäfte und möglicherweise auch die Eisenwarengeschäfte eliminiert und der Vertrieb auf die Warenhäuser konzentriert werden sollte. Um geeignete Korrekturmaßnahmen erarbeiten zu können, sollte man sich noch folgende Fragen stellen:

- Inwieweit ist der Typ des Einzelhandelsgeschäfts und inwieweit die Marke für die Kunden kaufentscheidend? Würden die Kunden in den übrigen Geschäften nach unserer Marke suchen, wenn wir z. B. die Gartenbedarfsgeschäfte eliminieren würden?
- Wie wichtig sind die drei Absatzkanäle in der Zukunft?
- Sind die auf die drei Absatzkanäle gerichteten Marketingprogramme bisher optimal gewesen?

Die Antworten auf diese Fragen dienen der Unternehmensführung zur Bewertung alternativer Korrekturmaßnahmen, zu denen z. B. folgende zählen:

- **Eine Sondergebühr für die Bearbeitung von Kleinaufträgen einführen, um den Kunden Anreize für größere Aufträge zu bieten.**
  Hier wird unterstellt, daß Kleinaufträge der Grund für den mangelhaften Nettoertrag aus dem Vertrieb über Gartenbedarfs- und Eisenwarengeschäfte sind.
- **Den Gartenbedarfs- und Eisenwarengeschäften mehr Verkaufsförderungshilfen geben.**
  Hier wird unterstellt, daß die Geschäftsführer dieser Verkaufsstellen ihren Absatz durch mehr Hilfsmaterialien und Verkaufsschulung erhöhen können.
- **Die Zahl der an Gartenbedarfs- und Eisenwarengeschäfte gerichteten Verkaufsbesuche und Inserate einschränken.**
  Hier wird unterstellt, daß ein Teil dieser Kosten eingespart werden kann, ohne daß dadurch der Verkauf über diese Absatzwege merklich zurückgeht.
- **Gar nichts unternehmen.**
  Dies ist angebracht, wenn angenommen werden kann, daß die gegenwärtigen Marketinganstrengungen optimal sind und daß entweder der Marketingtrend in Kürze eine Leistungsverbesserung der schwächeren Absatzwege mit sich bringt oder daß die Eliminierung eines Absatzweges den Gesamtertrag verschlechtern würde, da dadurch die Gesamtnachfrage verringert und die Produktionskosten erhöht würden.
- **Nicht die Belieferung eines gesamten Absatzwegs, sondern nur die Belieferung der schwächsten Einzelhandelskunden einstellen.**
  Hier wird unterstellt, daß eine detaillierte Analyse zahlreiche Gartenbedarfs- und Eisenwarengeschäfte ermitteln kann, deren Belieferung sich nicht lohnt.

Durch die Aufwands- und Ertragsanalyse soll im Vergleich aufgezeigt werden, wie groß der Nettoertrag ist, der durch verschiedene Absatzwege, Produkte, Verkaufsgebiete oder andere Marketingeinheiten erwirtschaftet wird.[8] Diese Analyse beweist nicht, daß die beste Vorgehensweise darin besteht, ertragsschwache Einheiten zu eliminieren, und sie erfaßt auch nicht, welche Ertragsverbesserung durch die Eliminierung ertragsschwacher Einheiten möglich wäre.

»Direct Costing«: Teilkosten- oder Vollkostenrechnung

Die Aufwands- und Ertragsanalyse kann, ebenso wie andere Informationsinstrumente, den Marketing-Manager entweder zu korrekten oder falschen Entscheidungen führen, je nachdem, wie gut er das Analyseverfahren und seine Grenzen kennt. Unser Beispiel zeigt eine gewisse Willkür bei der Auswahl der Kostenbestimmungsfaktoren als Basis für die Zurechnung der funktionalen Kosten auf die Marketingeinheiten (hier Absatzwege). Die »Zahl der Verkaufsbesuche« wurde z.B. für die Allokation von Verkaufsaufwendungen benutzt; die »Zahl der eingesetzten Verkäuferstunden« wäre u.U. eine bessere Bezugsgröße für diese Kosten. Die erstgenannte Basis wurde gewählt, weil sie tendenziell weniger Aufzeichnungen und Berechnungen erfordert. Solche Näherungsrechnungen sind oft in ihrer Genauigkeit ausreichend: Der Marketing-Manager muß sich jedoch bewußt sein, daß hier persönliches Ermessen und Willkür mit einfließen.[9]

Weitaus mehr an persönlichem Ermessen fließt in die Entscheidung ein, ob der Marketingeinheit *Vollkosten* oder nur *direkte und zurechenbare Kosten* anzulasten sind. In unserem Beispiel wurde dieses Entscheidungsproblem umgangen, indem nur einfache, mit Marketingaktivitäten leicht in Zusammenhang zu bringende Kosten gewählt wurden. In der Praxis läßt sich bei der Ertragsanalyse eine Auseinandersetzung mit diesem Problem nicht vermeiden. Es ist notwendig, zwischen drei Kostenklassen zu differenzieren:

- **Direkte Kosten** sind Aufwendungen, die direkt den Marketingeinheiten zugerechnet werden können, für die sie anfallen. Verkaufsprovisionen sind z.B. direkte Kosten bei einer Ertragsanalyse, die nach Verkaufsgebieten, Verkäufern oder Kunden gegliedert ist. Die Werbeausgaben sind direkte Kosten in einer nach Produkten gegliederten Ertragsanalyse, wenn jede Werbeeinheit nur ein Produkt des Unternehmens fördert. Andere Aufwendungen können ebenfalls für bestimmte Zwecke als direkte Kosten behandelt werden; dazu gehören z.B. die Gehälter der Verkäufer, Verkaufsmaterialien und Reisekosten.
- **Zurechenbare Gemeinkosten** sind Aufwendungen, die den Marketingeinheiten zwar nur indirekt, jedoch mit einer plausiblen Begründung zugerechnet werden können. In unserem Beispiel wurden die Mietkosten auf diese Weise behandelt und den Marketingfunktionen je nach beanspruchter Bürofläche zugerechnet.
- **Nicht zurechenbare Gemeinkosten** sind Aufwendungen, deren Verteilung auf einzelne Marketingeinheiten höchst willkürlich vorgenommen wird. Ein Beispiel sind Aufwendungen, die für den Aufbau des »Unternehmensimages« getätigt werden. Eine Gleichverteilung über alle Produkte wäre willkürlich, denn einzelne Produkte werden durch das Unternehmensimage in unterschiedlichem Maß gefördert. Andere typische Beispiele von schwer zurechenbaren Gemeinkosten sind Gehälter der Spitzenmanager, Steuern, Zinsaufwand usw.

Die Einbeziehung direkter Kosten in die Analyse des Marketingaufwands ist keine Streitfrage. Etwas umstritten ist die Frage der Einbeziehung zurechenbarer Gemeinkosten. Hier sind Aufwendungen zusammengefaßt, die von ihrer Größenordnung her durch den Umfang der Marketingaktivitäten bestimmt werden, die sich jedoch einer Umfangsänderung nicht kurzfristig anpassen lassen. Wenn der Rasenmäherhersteller z.B. die Zusammenarbeit mit Gartenbedarfsgeschäften einstellt, wird er vermutlich aufgrund eines bestehenden Mietvertrags weiterhin dieselben Mietkosten aufzuwenden haben. In diesem Fall steigt sein Nettoertrag nicht um die Summe des gegenwärtigen Verlusts aus dem Verkauf an Gartenbedarfsgeschäften (1.240 DM). Die Zahlen in der Ertragsanalyse wären aussagekräftiger, wenn zurechenbare Gemeinkosten abgebaut werden könnten.

Sehr umstritten ist jedoch die Aufteilung nicht zurechenbarer Gemeinkosten.

Werden sie einbezogen, so spricht man von einem *Vollkostenansatz*, der von seinen Anhängern mit der These gerechtfertigt wird, daß letztlich alle Kosten umgelegt werden müssen, um den wahren Nettoertrag zu ermitteln. Hier sieht man das Rechnungswesen mehr als Instrument der Finanzplanung denn als Instrument, um Entscheidungen zum Marketing und zur Ertragsverbesserung auf eine quantitative Basis zu stellen. Die Vollkostenrechnung weist drei schwerwiegende Schwächen auf:

1. Ein Nettoertragsvergleich verschiedener Marketingeinheiten ist stark davon abhängig, wie die nicht zurechenbaren Gemeinkosten aufgeteilt werden. Die Willkür der Aufteilung und Anlastung schwächt das Vertrauen in die Anwendbarkeit der Resultate.
2. Die inhärente Willkür einer Kostenanlastung kann Manager entmutigen, wenn sie zu dem Schluß kommen, daß ihre Leistung falsch beurteilt wird.
3. Die Einbeziehung nicht zurechenbarer Gemeinkosten kann eine echte Kostenkontrolle behindern. Die Manager können direkte und zurechenbare Kosten am effektivsten unter Kontrolle halten. Die willkürliche Anlastung nicht zurechenbarer Gemeinkosten kann dazu führen, daß diese Manager ihre Energie auf den Kampf gegen willkürliche Allokationen statt auf eine bessere Beherrschung der von ihnen beeinflußbaren Kosten verwenden.

Effizienzkontrolle

Nehmen wir an, eine Aufwands- und Ertragsanalyse hat gezeigt, daß das Unternehmen bei bestimmten Produkten, Gebieten oder Märkten schwache Erträge erzielt. Dann stellt sich die Frage, ob ein effizienteres Management im Verkauf, in der Werbung, der Verkaufsförderung und der Distribution für diese leistungsschwachen Einheiten möglich ist.

Effizienz im Verkauf

Verkaufsleiter sollten auf jeder Ebene – Region, Distrikt und Bezirk – die Effizienz im Verkauf anhand folgender Schlüsselindikatoren laufend beobachten:

1. Anzahl der Kundenbesuche pro Verkäufer und Tag
2. Besuchszeit pro Kontakt
3. Erzielter Umsatz pro Besuch
4. Kosten pro Besuch
5. Bewirtungsspesen pro Besuch
6. Erwirkte Aufträge pro hundert Besuche
7. Zahl der neuen Kunden pro Periode
8. Zahl der verlorengegangenen Kunden pro Periode
9. Kosten der Vertriebsorganisation als Prozentsatz des Gesamtumsatzes

Über diese Indikatoren werden Statistiken erstellt, die zu folgenden nützlichen Fragen führen: Ist die Anzahl der täglichen Besuche angemessen? Wird pro Besuch zuviel Zeit aufgewendet? Wird zuviel für Bewirtung ausgegeben? Werden genügend Aufträge pro hundert Besuche hereingeholt? Werden genügend neue Kunden gewonnen und vorhandene gehalten?

Wenn ein Unternehmen seine Effizienz im Verkauf untersucht, so kann es oft Ansatzpunkte für Verbesserungen finden. General Electric konnte z.B. seine Vertriebsorganisation in einem Geschäftsbereich ohne Umsatzeinbußen verkleinern, nachdem man herausgefunden hatte, daß die Verkäufer dort viele überflüssige Besuche machten. Eine große Fluggesellschaft fand heraus, daß ihre Verkäufer neben ihrer Verkaufsfunktion auch noch bestimmte Serviceleistungen wahrnahmen, für die sie überqualifiziert waren. Diese Serviceleistungen wurden daraufhin auf Angestellte mit niedrigerem Gehalt übertragen. Ein weiteres Unternehmen führte Zeit- und Aufgabenverteilungsstudien durch und fand Mittel und Wege, um das Verhältnis von Leerlaufzeit zu produktiver Zeit zu verbessern.

Effizienz in der Werbung

Viele Manager glauben, daß es so gut wie unmöglich ist, zu messen, was die Werbeausgaben tatsächlich bewirken. Trotzdem sollten sie sich bemühen, die Entwicklung folgender Werte zu verfolgen:

1. Werbekosten pro Tausend erreichter Zielkunden, aufgegliedert nach Medienkategorien und Werbeträgern.
2. Prozentsatz der angesprochenen Kunden bei jedem Werbeträger, die die Werbung wahrgenommen/gesehen/gelesen/gehört und die Werbung dem Objekt der Werbung richtig zugeordnet haben.
3. Konsumentenmeinungen zum Werbeinhalt und zur Werbewirksamkeit.
4. Einstellungen zum Produkt vor und nach einer Werbekampagne.
5. Zahl der Anfragen, die durch eine Anzeige bewirkt wurden.
6. Kosten pro Anfrage.

Zur Erhöhung der Werbeeffizienz kann das Management vieles unternehmen. Dazu gehören eine verbesserte Positionierung des Produkts, klarere Werbeziele, Vortesten von Werbebotschaften, computergestützte Auswahl von Werbemedien, Suche nach günstigen Medienangeboten und Nachtesten der Werbewirkung.

Effizienz in der Verkaufsförderung

Die Verkaufsförderung umfaßt Dutzende von Maßnahmen, die darauf abzielen, bei den Käufern Interesse zu wecken und sie zum Ausprobieren des Produkts zu animieren. Zur Verbesserung der Effizienz dieser Maßnahmen muß das Unternehmen Aufzeichnungen über Kosten und Auswirkungen seiner Verkaufsförderungskampagnen führen. Die folgenden Werte sollten beobachtet und festgehalten werden:

1. Anteil der zu Sonderbedingungen verkauften Menge.
2. Displaykosten.
3. Anteil der verteilten Gutscheine, die eingelöst wurden.
4. Anzahl der Anfragen aufgrund von Produktvorführungen.

Wird ein Verkaufsförderungsmanager eingestellt, so kann dieser die Ergebnisse verschiedener Verkaufsförderungsmaßnahmen vergleichend analysieren und die Produktmanager über die kostenwirksamsten Verkaufsförderungsmaßnahmen unterrichten.

Effizienz in der Distribution

Das Management muß eine möglichst effiziente Warenverteilung anstreben. Zur Lagerbestandskontrolle, Standortbestimmung von Verteilungszentren und Transportmittelauswahl gibt es nützliche Bewertungsmodelle. Das folgende Beispiel zeigt, wie in einem Fall die Liefermethoden verbessert werden konnten:

In den USA sahen sich *regionale Großbäckereien*, die an unabhängige Einzelhändler verkauften, der Konkurrenz überregional operierender Brotfabriken ausgesetzt, die vornehmlich große Einzelhandelsketten belieferten. Die Großbäckereien hatten ein dichteres Kundennetz mit viel mehr Haltepunkten und kleineren Liefermengen pro Haltepunkt. Außerdem wurde von den Fahrern meist erwartet, daß sie das Regal des Einzelhändlers auffüllten. Dagegen brachten die Fahrer der Brotfabriken die Ware nur bis zur Laderampe der Kettenläden; die Bestückung des Lagers und der Regale erfolgte durch das Einzelhandelspersonal. Die Vereinigung der regionalen Großbäcker untersuchte nun, ob die Einführung effizienterer Liefermethoden möglich war. Eine »Systems-Engineering«-Studie wurde durchgeführt. Alle Einzelheiten der Brotlieferung, vom Beladen des Lastwagens bis zur Regalbestückung, wurden von Spezialisten, die die Fahrer begleiteten, gründlich untersucht. Die Studie zeigte auf, wo Einsparungen möglich waren: durch verbesserte Routenpläne, den Einbau einer Ladetür auf der Fahrerseite des Lkw statt am Heck und die Entwicklung auswechselbarer Regaleinsätze, in die das Brot bereits vor der Auslieferung einsortiert wurde. Interessant an diesem Beispiel ist, daß diese Einsparungsmöglichkeiten von Anfang an vorhanden waren, aber erst erkannt wurden, als der von der Konkurrenz ausgeübte Druck die Notwendigkeit einer Effizienzverbesserung anzeigte.

Strategiekontrolle

Von Zeit zu Zeit muß jedes Unternehmen sein Marketing in der Gesamtwirkung kritisch überprüfen. Das Marketing unterliegt einem schnellen Wandel, und oft ist eine einst gültige Gesamtpolitik mit ihren Zielen, Strategien und Programmen schnell überholt. Deshalb sollte jedes Unternehmen sein Gesamtvorhaben im Markt überprüfen. Hier erweisen sich zwei Instrumente als nützlich: eine *Wirksamkeitsbewertung des Marketing* und eine *umfassende Marketingrevision.*

Wirksamkeitsbewertung des Marketing

Betrachten wir folgendes Beispiel:

Der Vorstandsvorsitzende eines großen Maschinenbauunternehmens überprüfte die Marketingjahrespläne der einzelnen Unternehmenssparten und bemerkte, daß es einem Teil der Pläne an Substanz fehlte. Er rief den Marketingvorstand zu sich und sagte:

»Ich bin mit der Qualität des Marketing in unseren Sparten nicht zufrieden. Sie ist sehr unausgewogen. Bitte eruieren Sie, welche unserer Sparten im Marketing stark, welche schwach und welche durchschnittlich sind. Ich möchte wissen, ob sie verinnerlicht haben, was kundenorientiertes Marketing ist, und ob sie dies auch praktizieren. Ich will das Marketing jeder Sparte durch eine »Note« bewertet sehen. Schwächen im Marketing muß dann mit einem Plan für wirksameres Marketing in den nächsten Jahren entgegengewirkt werden. Im nächsten Jahr will ich Beweise dafür sehen, daß die Sparten mit schwachem Marketing Fortschritte auf dem Weg zur Marketingorientierung gemacht haben.«

Der Marketingvorstand stimmte zu. Er wußte, daß er damit eine gigantische Aufgabe übernommen hatte. Sein erster Gedanke war, die Wirksamkeit des Marketing der Sparten durch deren Umsatzwachstum, Marktanteil und Gewinn nachzuweisen. Er dachte, daß die Sparten mit hoher Leistung ein wirksames Marketing betrieben und die Sparten mit schwacher Leistung im Marketing schwach waren.

Tatsächlich aber wird wirksames Marketing nicht unbedingt durch die im Augenblick erbrachte Marketingleistung angezeigt. Gute Ergebnisse einer Sparte können auch daraus resultieren, daß diese einfach zur richtigen Zeit am richtigen Platz ist, ohne daß dabei ein effektives Marketing-Management eine besondere Rolle spielt. Verbesserungen im Marketing könnten hier aus guten hervorragende Resultate machen. Ebenso könnte eine andere Sparte trotz eines ausgezeichneten strategischen Marketing schlechte Ergebnisse erzielen. In diesem Fall würde z. B. das Auswechseln des gegenwärtigen Marketing-Managers die Lage nur verschlimmern.

Wirksames Marketing in einem Unternehmen oder einer Sparte zeigt sich daran, wie stark die fünf Hauptmerkmale einer Marketingorientierung ausgeprägt sind: *Kundenorientierung, integrierte Marketingorganisation, adäquate Marketinginformationen, strategische Orientierung* und *operationale Effizienz*. Jedes dieser Merkmale läßt sich bewertend überprüfen. Tabelle 25-6 besteht aus einer Prüfliste für wirksames Marketing. Die Prüfliste wird an Marketer und andere Spartenmanager zur Bewertung verteilt, und die Ergebnisse werden zusammengefaßt.

Kundenorientierung

A. Wird es im Unternehmen als wichtig anerkannt, daß das gesamte Unternehmen auf die Bedürfnisse und Wünsche bewußt ausgewählter Märkte hin ausgerichtet ist?

Punkte

0 ☐ Das Unternehmen sieht seine Aufgabe in erster Linie darin, vorhandene und neue Produkte an jeden zu verkaufen, der sie abnimmt.

1 ☐ Das Unternehmen sieht seine Hauptaufgabe darin, ein breites Spektrum von Märkten und Bedürfnissen mit gleicher Wirksamkeit zu bedienen.

2 ☐ Das Unternehmen sieht seine Hauptaufgabe darin, die Bedürfnisse und Wünsche klar definierter Märkte zu bedienen, die mit Blick auf ihr langfristiges Wachstums- und Gewinnpotential ausgewählt wurden.

B. Entwickelt das Unternehmen unterschiedliche Angebote und Marketingpläne für unterschiedliche Marktsegmente?

0 ☐ Nein.

1 ☐ In begrenztem Umfang.

2 ☐ Weitgehend.

C. Wird der Marketing- und Unternehmensplanung eine Marketing-System-Perspektive zugrunde gelegt, die Systemzusammenhänge von Lieferanten, Absatzkanälen, Wettbewerbern, Kunden und Umfeld berücksichtigt?

0 ☐ Nein. Das Management konzentriert sich auf Geschäfte mit seinen unmittelbaren Kunden.

1 ☐ In begrenztem Umfang. Das Management berücksichtigt das Beziehungsnetz im erweiterten Absatzsystem, doch der Großteil der Anstrengungen ist auf Geschäfte mit den unmittelbaren Kunden gerichtet.

2 ☐ Ja. Das Management berücksichtigt das gesamte Marketingsystem in der Planung. Es erkennt die Bedrohungen und Chancen, die dem Unternehmen durch Veränderungen in einem Teil des Systems entstehen.

Integrierte Marketingorganisation

D. Ist das Marketing in der Unternehmenshierarchie hoch angesiedelt und werden von dort aus wichtige Marketingfunktionen in integrierter Weise gesteuert?

0 ☐ Nein. Der Verkauf und andere Marketingfunktionen sind nicht auf hoher Ebene vertreten, und es gibt unproduktive Konflikte zwischen den unterschiedlichen Funktionen.

1 ☐ In gewissem Umfang. Rein formal besteht eine Integration und Steuerung der wichtigsten Marketingfunktionen, doch die Koordination und Kooperation läßt zu wünschen übrig.
2 ☐ Ja. Die wichtigen Marketingfunktionen sind wirksam integriert.

E. Arbeitet das Marketing-Management gut mit dem Management der Bereiche Forschung, Produktion, Einkauf, Logistik sowie Finanz- und Rechnungswesen zusammen?

0 ☐ Nein. Es gibt Beschwerden darüber, daß das Marketing den anderen Bereichen unvernünftige Anforderungen und Kosten aufbürdet.
1 ☐ In begrenztem Umfang. Der Umgang ist freundlich; gleichwohl handelt jede Abteilung mit einer gewissen Eigenmächtigkeit.
2 ☐ Ja. Die Abteilungen kooperieren wirkungsvoll und lösen problematische Fragen zum Wohle des Unternehmens als Ganzes.

F. Verläuft die Entwicklung neuer Produkte nach einem gut organisierten System?

0 ☐ Das System ist kaum durchdacht und in der Anwendung ungeordnet.
1 ☐ Das System ist formal festgelegt, doch in der Durchführung nicht sehr weit entwickelt.
2 ☐ Das System ist gut strukturiert und wird von Könnern betrieben.

Adäquate Marketinginformationen

G. Wann wurden die letzten Marketingforschungsstudien über Kunden, Kaufeinflüsse, Absatzwege und Konkurrenten durchgeführt?

0 ☐ Vor vielen Jahren.
1 ☐ Vor einigen Jahren.
2 ☐ Vor kurzem.

H. Wie gut kennt das Management das Verkaufspotential und die Gewinnträchtigkeit unterschiedlicher Marktsegmente, Kunden, Gebiete, Produkte, Absatzwege und Bestellmengen?

0 ☐ Überhaupt nicht.
1 ☐ In begrenztem Umfang.
2 ☐ Sehr gut.

I. Welche Anstrengungen werden unternommen, um die Wirksamkeit verschiedener Marketingaufwendungen zu ermitteln?

0 ☐ Keine oder nur sehr geringe.
1 ☐ Einige.
2 ☐ Beträchtliche.

Strategische Orientierung

J. In welchem Umfang wird eine formale Marketingplanung betrieben?

0 ☐ Das Management betreibt keine oder wenig formale Planung.
1 ☐ Das Management entwickelt jährlich einen Marketingplan.
2 ☐ Das Management entwickelt jährlich einen detaillierten Marketingplan und einen sorgfältigen langfristigen Plan, der in jährlichen Abständen auf den neuesten Stand gebracht wird.

K. Von welcher Qualität ist die gegenwärtige Marketingstrategie?

0 ☐ Die gegenwärtige Strategie ist unklar.
1 ☐ Die gegenwärtige Strategie ist klar und setzt eine traditionell festgelegte Strategie des Unternehmens fort.
2 ☐ Die gegenwärtige Strategie ist klar, innovativ, auf Fakten begründet und wohl durchdacht.

L. In welchem Ausmaß werden Eventualfälle bedacht und Pläne dafür erstellt?

0 ☐ Das Management bedenkt Eventualfälle nie oder nur in sehr geringem Umfang.
1 ☐ Das Management bedenkt Eventualfälle, es werden jedoch wenig formale Eventualpläne erstellt.
2 ☐ Das Management bedenkt die wichtigsten Eventualfälle und entwickelt Eventualpläne dafür.

Operationale Effizienz

M. Wie gut wird das Marketing-Denken der Geschäftsleitung in der Organisation kommuniziert und auf allen Ebenen in die Tat umgesetzt?

0 ☐ Schlecht.
1 ☐ Mittelmäßig.
2 ☐ Erfolgreich.

N. Setzt das Management die Marketingmittel wirkungsvoll ein?

0 ☐ Nein. Die Marketingmittel reichen für die zu erfüllenden Aufgaben nicht aus.
1 ☐ In begrenztem Umfang. Die Marketingmittel sind ausreichend, werden jedoch nicht optimal eingesetzt.
2 ☐ Ja. Die Marketingmittel sind ausreichend und werden effizient eingesetzt.

O. Ist das Management in der Lage, schnell und effektiv auf plötzlich auftretende Entwicklungen zu reagieren?

0 ☐ Nein. Die Informationen über Absatz- und Marktentwicklungen kommen spät, und das Management braucht lange, um darauf zu reagieren.
1 ☐ In begrenztem Umfang. Das Management erhält recht aktuelle Verkaufs- und Marktinformationen; die Reaktionszeit ist manchmal kurz und manchmal lang.
2 ☐ Ja. Das Management hat für Systeme gesorgt, die sehr aktuelle Informationen liefern und eine schnelle Reaktion ermöglichen.

Punkte insgesamt
Die Auswertung ergibt einen Prüfwert für wirkungsvolles Marketing.
Höchstmögliche Punktzahl: 30.

0–5	sehr schlecht	16–20	gut
6–10	schlecht	21–25	sehr gut
11–15	genügend	26–30	hervorragend

Tabelle 25-6
Prüfliste zur Bewertung der Unternehmensstrategie auf wirksames Marketing (Bitte kreuzen Sie bei jeder Frage eine Antwort an)

Quelle: Philip Kotler: »From Sales Obsession to Marketing Effectiveness«, in: *Harvard Business Review*, November-Dezember 1977, S. 67–75.

Dieser Fragebogen wurde von einer großen Zahl amerikanischer Unternehmen zur Bewertung ihrer Marketingorientierung verwendet; sehr wenige dieser Unternehmen erzielten eine hervorragende Note (26–30 Punkte). Dazu zählten bekannte Firmen wie Procter & Gamble, Avon, McDonald's, IBM, General Electric und Caterpillar. Der Großteil der Unternehmen und Unternehmenssparten erreichte ein »genügend bis gut«; die Manager dieser Unternehmen wußten also, daß es im Marketingbereich noch einiges zu verbessern gab. Die Teilnoten zeigten, wo die Wirksamkeit des Marketing verbessert werden mußte. Anhand solcher Bewertungsergebnisse kann der Marketingvorstand unseres Beispiels den vom Vorstandsvorsitzenden gewünschten Maßnahmenplan zur Verbesserung der Leistung der schwachen Sparten des Unternehmens erarbeiten. [10]

Zeigt eine Überprüfung auf wirksames Marketing Schwächen im Marketing eines Unternehmens oder einer Unternehmenssparte auf, so sollte eine gründliche Studie durchgeführt werden: die *umfassende Marketingrevision.* [11] Diese definieren wir wie folgt:

Marketingrevision

Die Marketingrevision ist eine umfassende, systematische, nicht weisungsgebundene und regelmäßige Untersuchung von Marketingumwelt, -zielen, -strategien und -aktivitäten eines Unternehmens oder einer strategischen Geschäftseinheit. Sie dient der Aufdeckung von Problembereichen und Chancen sowie der Erstellung eines Maßnahmenplans, der auf eine Verbesserung der Marketingleistung abzielt.

Bei der Marketingrevision sind vier Anforderungen besonders zu beachten:

1. **Umfassend:** Die Marketingrevision deckt alle wichtigen Marketingfunktionen eines Unternehmens ab und sollte nicht auf einige wenige Problemfelder beschränkt werden. Eine Funktionsrevision dagegen kann auf nur ein Gebiet wie Vertriebsorganisation, Preisbildung oder Absatzförderung beschränkt werden. Funktionsrevisionen haben ihren Nutzen, können jedoch auch dazu beitragen, daß die Geschäftsführung die wahren Ursachen eines Problems nicht erkennt. So kann eine übermäßige Fluktuation im Verkaufsstab auf eine schlechte Ausbildung oder Bezahlung der Verkäufer oder auch auf schlechte Produkte und schlechte Absatzförderung zurückzuführen sein. Eine umfassende Marketingrevision ist meist am wirksamsten, wenn es darum geht, die tatsächlichen Ursachen der Marketingprobleme eines Unternehmens aufzudecken.
2. **Systematisch:** Die Marketingrevision sollte nacheinander folgende Bereiche erfassen: das Marketingumfeld, das interne Marketingsystem und die einzelnen Marketingaktivitäten. Auf eine Diagnose dieser Bereiche folgt der Entwurf eines Plans für die Durchführung von kurz- und langfristigen Maßnahmen, die das Marketing in seiner Gesamtwirkung verbessern sollen.
3. **Nicht weisungsgebunden:** Eine Marketingrevision kann auf sechs Arten erfolgen: (1) Selbstrevision der Betroffenen, (2) Revision auf gleicher hierarchischer Ebene, (3) Revision von oben, (4) Revision durch eine unternehmenseigene Revisionsabteilung, (5) Revision durch eine firmeninterne Kommission und (6) Revision von außen. Selbstrevisionen, bei denen Manager anhand einer Prüfliste ihre eigenen Vorgehensweisen begutachten, können nützlich sein. Unter Experten ist man sich jedoch einig, daß bei der Selbstrevision Objektivität und Unabhängigkeit des nicht weisungsgebundenen Revisors fehlen. [12] Die 3M Company hat gute Erfahrungen mit zentralem Revisionspersonal gemacht, das auf Anfrage in den Unternehmenssparten Marketingrevisionen durchführt. [13] In der Regel werden die besten Revisionen von unternehmensexternen Beratern durchgeführt, die die erforderliche Objektivität und Unabhängigkeit sowie Erfahrungen aus ähnlichen Branchen mitbringen und ihre Zeit und Aufmerksamkeit ungeteilt der Revision widmen können.
4. **Regelmäßig:** Viele Unternehmen entschließen sich erst dann zu einer Marketingrevision, wenn der Umsatz stark zurückgeht, die Arbeitsmoral der Verkäufer sinkt oder andere Probleme einsetzen. Die Ironie dabei ist, daß zum Entstehen einer Krise teilweise auch die Nichtüberprüfung des Marketing in guten Zeiten beiträgt. Eine regelmäßige Marketingrevision bringt sowohl für ein gesundes als auch für ein kränkelndes Unternehmen Vorteile. »Kein Marketing ist jemals so gut, als daß es nicht verbessert werden könnte. Auch das Beste kann – ja, *muß* – verbessert werden, denn nur in wenigen Fällen, wenn überhaupt, kann es bei einer Beibehaltung des Status Quo über Jahre hinweg erfolgreiches Marketing geben.« [14]

Vorgehensweise bei der Marketingrevision

Die Marketingrevision beginnt mit einer Besprechung zwischen einem oder mehreren Managern und einem oder mehreren Revisoren, in der vieles geklärt werden muß: die Ziele der Revision, ihre Breite und Tiefe, die Informationsquellen, die Form des Berichts und die Durchführungszeit. Um die Durchführungszeit möglichst kurz und die Kosten der Revision möglichst niedrig zu halten, wird mit Sorgfalt ein detaillierter Plan erarbeitet, der darlegt, wer befragt und was gefragt werden soll, wann und wo jedes Interview stattfindet etc. Wohl die wichtigste Regel bei der Datensammlung lautet: Nutze – außer den Managern – auch noch andere Informationsquellen für Fakten und Meinungen. Kunden, Partner im Handel und andere externe Gruppen müssen ebenfalls in die Befragung einbezogen werden. Viele Unternehmen haben keine realistische Vorstellung davon, wie Kunden und Handel sie und ihre Konkurrenten beurteilen; viele kennen auch die Kundenbedürfnisse nicht gut genug.

Nach Abschluß der Datensammlungsphase erstellt der Marketingrevisor eine formale Präsentation seiner Ergebnisse und Vorschläge. Ein wertvoller Aspekt der Marketingrevision ist der Prozeß, den die Manager dabei durchlaufen: Sie assimilieren, diskutieren und entwickeln neue Vorstellungen über die notwendigen Marketingaktivitäten.

Komponenten der Marketingrevision

Die Marketingrevision beinhaltet eine Prüfung von sechs Hauptkomponenten der Marketingsituation des Unternehmens, die im folgenden beschrieben werden. Tabelle 25-7 enthält die jeweils dazu gestellten Fragen.

1. **Revision des Marketingumfelds:** In diesem Teil wird das weitere Makroumfeld mit den in ihm wirkenden Kräften und Tendenzen sowie das nähere Arbeitsumfeld des Unternehmens, bestehend aus Märkten, Kunden, Wettbewerbern, Partnern im Handel, Lieferanten und Partnern in der Kaufabwicklung analysiert.
2. **Revision der Marketingstrategie:** Marketingziele und die Marketingstrategie des Unternehmens werden daraufhin geprüft, wie gut sie an das gegenwärtige und an das zu erwartende Marketingumfeld angepaßt sind.
3. **Revision der Marketingorganisation:** Die Marketingorganisation wird daraufhin bewertet, ob sie fähig ist, die Marketingstrategie im erwarteten Umfeld durchzuführen.
4. **Revision der Marketingsysteme:** Die vom Unternehmen eingerichteten Systeme zur Analyse, Planung und Kontrolle sowie in der Produktinnovation werden überprüft.
5. **Revision der Marketingproduktivität:** Hier werden die Gewinnbeiträge unterschiedlicher Marketingeinheiten sowie das Kosten-Nutzen-Verhältnis von Marketingaufwendungen überprüft.
6. **Revision der Marketingfunktionen:** In diesem Teil werden tiefgehende Bewertungen der wesentlichen Elemente des Marketing-Mix (Produkte, Preise, Distribution, Vertrieb, Werbung, Verkaufsförderung und Publicity) durchgeführt.

Teil I: Revision des Marketingumfelds	
	Makro-Umfeld
A. *Demographisches Umfeld*	1. Welche Trends und Entwicklungsprozesse sind von Bedeutung und bringen Chancen und Gefahren für das Unternehmen? 2. Welche Maßnahmen hat das Unternehmen im Hinblick auf diese Entwicklungen und Trends getroffen?
B. *Wirtschaftliches Umfeld*	1. Welche Entwicklungen der Löhne und Gehälter, der Sparrate, der Zinsen und Preise haben wesentliche Auswirkungen auf das Unternehmen? 2. Welche Maßnahmen hat das Unternehmen im Hinblick auf diese Entwicklungen und Trends getroffen?
C. *Ökologisches Umfeld*	1. Welche Zukunftserwartungen bestehen im Hinblick auf Kosten und Verfügbarkeit von Grundstoffen und Energieträgern, die das Unternehmen benötigt? 2. Um welche Problemstellungen im Hinblick auf Umweltbelastung und Umweltschutz sollte sich das Unternehmen Sorgen machen und Lösungen dafür finden? Welche Schritte wurden bereits unternommen?
D. *Technologisches Umfeld*	1. Welche wesentlichen Veränderungen finden in der Produkttechnologie statt? Welche in der Prozeßtechnologie? Welche Stellung hat das Unternehmen bei diesen Technologien inne? 2. Welche generischen Substitutionsprodukte könnten die Produkte des Unternehmens verdrängen?
E. *Politisches Umfeld*	1. An welchen Gesetzesvorschlägen wird gearbeitet, die Auswirkungen auf die Marketingstrategie und -taktik hätten? 2. Welche Vorhaben des Bundes, der Länder und der Gemeinden sollten aufmerksam verfolgt werden? Was geschieht insbesondere auf den Gebieten Umweltauflagen, Beschäftigungspolitik, Produktsicherheitsvorschriften, Werbung, Preisregulierung u. a. m., das Auswirkungen auf die Marketingstrategie hätte?
F. *Kulturelles Umfeld*	1. Welche kulturbedingten Einstellungen zeigt die Öffentlichkeit gegenüber der Geschäftswelt und gegenüber den Produkten des Unternehmens? 2. Welche Veränderungen im Lebensstil und Wertesystem der Verbraucher und der Geschäftswelt sind von Bedeutung für das Unternehmen?
	Näheres Arbeitsumfeld
A. *Märkte*	1. Welche Entwicklungen sind bei Marktgröße, Marktwachstum, geographischen Verschiebungen und Gewinnpotential zu verzeichnen? 2. Welches sind die wesentlichen Marktsegmente?
B. *Kunden*	1. Wie schätzen gegenwärtige und potentielle Kunden den Ruf, die Produktqualität, den Kundendienst, die Mitarbeiter und die Preisgünstigkeit des Unternehmens im Vergleich zu seinen Wettbewerbern ein? 2. Wie treffen die Kunden verschiedener Segmente ihre Kaufentscheidungen?
C. *Wettbewerber*	1. Welches sind die wesentlichen Wettbewerber und ihre Charakteristika wie Unternehmensgröße und Marktanteile, Stärken und Schwächen, Ziele und Strategien? 2. Welche Trends werden den Wettbewerb bei diesen Produkten (einschließlich der Substitutionsprodukte) für die Zukunft prägen?
D. *Distributions- und Handelspartner*	1. Über welche wesentlichen Absatzkanäle gelangt das Produkt zum Endnutzer? 2. Mit welcher Effizienz und mit welchem Wachstumspotential arbeiten die verschiedenen Absatzkanäle?
E. *Lieferanten*	1. Welchen Zugang haben wir jetzt und in der Zukunft zu den wichtigsten Ressourcen »für uns«? 2. Welche Veränderungen zeichnen sich bei den Lieferanten und ihren Lieferbedingungen ab?

F. Partner in der Kaufabwicklung und Marketingdienstleister	1. Wie entwickeln sich Kosten und Angebot bei Transportdiensten? 2. Wie entwickeln sich Kosten und Angebot bei Zwischenlagerungen? 3. Wie entwickeln sich Kosten und Angebot bei Finanzierungsmöglichkeiten? 4. Wie gut sind die Werbeagenturen und Marktforschungsinstitute, mit denen das Unternehmen arbeitet?
G. *Interessengruppen*	1. Welche Interessengruppen bringen besondere Chancen oder Probleme für das Unternehmen? 2. Welche Vorbereitungen trifft das Unternehmen, um mit jeder dieser Interessengruppen angemessen umgehen zu können?
Teil II: Revision der Marketingstrategie	
A. *Grundauftrag des Unternehmens*	1. Ist der Grundauftrag klar und auf marktbezogene Art und Weise zum Ausdruck gebracht worden? 2. Ist der Grundauftrag den Verhältnissen angemessen?
B. *Marketingziele und -zielgrößen*	1. Sind die Unternehmensziele und die Zielgrößen für das Marketing ausreichend klar definiert, so daß sich Marketingplanung und Leistungsmessung daran orientieren können? 2. Sind die Zielgrößen der Wettbewerbsposition, den Ressourcen und den Chancen des Unternehmens angemessen?
C. *Strategie*	1. Ist das Management in der Lage, eine klare Marketingstrategie zur Erreichung der gesetzten Zielgrößen zu entwickeln? Hat diese Strategie Überzeugungskraft? Ist diese Strategie auf den Produkt-Lebenszyklus, die Strategien der Wettbewerber und die Wirtschaftslage zugeschnitten? 2. Segmentiert das Unternehmen den Markt nach den günstigsten Kriterien? Sind die Kriterien zur Bewertung und Auswahl der Segmente zuverlässig? Hat das Unternehmen für jeden Zielmarkt ein zutreffendes Marktprofil erarbeitet? 3. Hat das Unternehmen für jeden Zielmarkt eine solide Positionierung und einen tragfähigen Marketing-Mix erarbeitet? Werden die Marketingmittel optimal auf die wesentlichen Elemente des Marketing-Mix verteilt wie z. B. Qualitätsverbesserungen, Kundendienst, Vertrieb, Werbung, Verkaufsförderung und Motivation des Handels? 4. Wurden reichliche oder überreichliche Marketingmittel zur Erreichung der Marketingziele budgetiert?
Teil III: Revision der Marketingorganisation	
A. *Formale Struktur*	1. Hat der Marketingchef genügend Befugnisse und Verantwortung für die Aktivitäten des Unternehmens, die sich auf die Zufriedenheit der Kunden auswirken? 2. Sind die Marketingverantwortungsbereiche optimal nach Funktionen, Produktgruppen, Endverwendern und geographischen Gebieten strukturiert?
B. *Funktionale Effizienz*	1. Sind die Kommunikation und das Arbeitsklima zwischen Marketing und Verkauf gut? 2. Funktioniert das Produktmanagementsystem effektiv? Obliegt dem Produktmanager nicht nur die Umsatzplanung, sondern auch die Gewinnplanung? 3. Gibt es Mitarbeiter im Marketing, die mehr Ausbildung, Motivation, Anleitung oder Bewertung benötigen?
C. *Effizienz an den Schnittstellen der Zusammenarbeit*	1. Gibt es Probleme an den Schnittstellen zwischen dem Marketing und anderen Funktionsbereichen, die noch besser gelöst werden müssen?

Teil IV: Revision der Marketingsysteme	
A. *Marketing-informations-system*	1. Erbringt das Marketingnachrichtensystem zutreffende, ausreichende und rechtzeitige Informationen über Entwicklungen im Markt, speziell über gegenwärtige und potentielle Kunden, Händler, Wettbewerber, Lieferanten und Interessengruppen? 2. Fordern die Entscheidungsträger in ausreichendem Umfang Marktforschungsdaten an und nutzen sie diese? 3. Nutzt das Unternehmen die Methoden zur Vorhersage von Markt- und Absatzentwicklungen?
B. *Marketing-planungs-system*	1. Ist das Marketingplanungssystem gut durchdacht und effektiv? 2. Werden Umsatzprognose und Messung des Marktpotentials kompetent durchgeführt? 3. Beruhen die Umsatzquoten auf einer geeigneten Grundlage?
C. *Marketing-kontrollsystem*	1. Sind die Kontrollverfahren (monatlich, vierteljährlich usw.) angemessen, so daß sie die Erfüllung der Jahresplanziele so weit wie möglich absichern? 2. Wird in regelmäßigen Zeitabständen eine nach Produkten, Märkten, Gebieten und Absatzwegen gegliederte Aufwands- und Ertragsanalyse durchgeführt? 3. Werden die Marketingaufwendungen in regelmäßigen Zeitabständen überprüft?
D. *Neuprodukt-Entwicklungssystem*	1. Werden Neuproduktideen systematisch gesammelt, hervorgebracht und bewertet? 2. Werden in ausreichendem Maße Konzepte getestet und Wirtschaftlichkeitsanalysen durchgeführt, bevor große Summen für die Entwicklung ausgegeben werden? 3. Werden vor Einführung eines Neuprodukts adäquate Produkt- und Markttests durchgeführt?
Teil V: Revision der Marketingproduktivität	
A. *Gewinn-analyse*	1. Wie gewinnbringend sind die einzelnen Produkte, bedienten Märkte, Gebiete und Absatzwege des Unternehmens? 2. In welchen Geschäftsfeldern sollte das Unternehmen das Geschäft aufnehmen, erweitern oder verkleinern und aus welchen sollte es aussteigen; mit welchen kurz- und langfristigen Auswirkungen auf den Gewinn müßte dann jeweils gerechnet werden?
B. *Analyse der Kostenwirk-samkeit*	1. Erscheinen die Kosten einzelner Marketingaktivitäten übermäßig hoch? Sind kostenreduzierende Maßnahmen möglich?
Teil VI: Revision der Marketingfunktionen	
A. *Produkte*	1. Welche Ziele werden mit der Produktlinie verfolgt? Sind diese Ziele gut durchdacht? Erfüllt die gegenwärtige Produktlinie die gesteckten Ziele? 2. Sollte die Produktlinie nach oben, nach unten oder beidseitig ausgedehnt oder gestrafft werden? 3. Welche Produkte sollten eliminiert und welche hinzugefügt werden? 4. Was wissen und denken die Kunden über die Produkte des Unternehmens und seiner Wettbewerber bezüglich Qualität, Ausstattungsmerkmalen, Styling, Markennamen u. a. m.? Welche Teilaspekte der Produktstrategie müssen verbessert werden?
B. *Preis*	1. Wie sehen die Preisziele, Preisstrategien und Preisbildungsverfahren aus? Wie stark orientieren sich die Preise an den Kosten, an der Nachfrage und an der Konkurrenz?

2. Halten die Kunden die Preise des Unternehmens aufgrund des Werts des Angebots für gerechtfertigt?
3. Beherrscht das Management die konzeptionellen und faktischen Grundlagen zur Preiselastizität der Nachfrage, zu Erfahrungskurveneffekten und zum Preiswettbewerb?
4. Wie gut paßt die Preispolitik zu den Wünschen, Erwartungen und Bedürfnissen des Handels und der Lieferanten sowie zu gesetzlichen Vorschriften?

C. *Distribution*

1. Wie lauten die Distributionsziele und -strategien?
2. Ist der Markt in genügendem Maß abgedeckt und versorgt?
3. Wie effektiv arbeiten die verschiedenen Mitglieder im Distributionssystem, also Großhändler, Einzelhändler, Industrievertretungen, Agenturen und Makler etc.?
4. Sollte das Unternehmen seine Absatzwege ändern?

D. *Werbung, Verkaufsförderung und Publicity*

1. Welche Werbeziele hat das Unternehmen festgelegt? Sind sie gut begründet?
2. Stimmt die Höhe der Werbeaufwendungen? Wie wird das Budget erstellt?
3. Sind die Werbethemen, Texte usw. zugkräftig? Was halten die Kunden und die breite Öffentlichkeit von dieser Werbung?
4. Werden die Werbemedien gut ausgewählt?
5. Sind die Mitarbeiter der Werbeabteilung ausreichend qualifiziert?
6. Ist das Verkaufsförderungsbudget angemessen? Werden Verkaufsförderungsmöglichkeiten wie z.B. Proben, Gutscheine, Displays und Preisausschreiben effektiv und in ausreichendem Umfang eingesetzt?
7. Ist das Publicity-Budget angemessen? Sind die Mitarbeiter der Public Relations-Abteilung kompetent und kreativ?

E. *Verkauf*

1. Welche Ziele sind der Verkaufsorganisation vorgegeben?
2. Ist die Größe der Verkaufsorganisation diesen Zielen angemessen?
3. Ist die Verkaufsorganisation richtig strukturiert (nach Gebieten, Kundenbranchen, Produkten)? Gibt es zur Führung der Verkäufer genügend (oder zu viele) Führungskräfte?
4. Bietet das Entlohnungssystem von seiner Struktur und Höhe her genügend Leistungsanreiz und Leistungsbelohnung?
5. Sind Arbeitsmoral, Fähigkeiten und Einsatzwille in der Verkaufsorganisation groß genug?
6. Beruhen die Verkaufsquoten und die Leistungsbeurteilung auf geeigneten und nachvollziehbaren Verfahren?
7. Wie gut ist der Verkaufsstab des Unternehmens im Vergleich zu den Wettbewerbern?

Tabelle 25-7
Komponenten einer Marketingrevision

Beispiel einer Marketingrevision [15]

Die Schokko GmbH ist ein mittelgroßer Süßwarenhersteller. Das Ergebnis der letzten beiden Geschäftsjahre lag bei stagnierendem Umsatz äußerst knapp an der Verlustgrenze. Die Unternehmensspitze glaubt, das Problem läge im Vertrieb, denn dort arbeite man »entweder nicht mit genügend Fleiß oder nicht mit genügender Intelligenz«. Zur Lösung des Problems denkt man an die Einführung eines neuen Entlohnungssystems mit einem neuen Anreizplan sowie an die Einstellung eines Verkaufstrainers, der das Verkaufspersonal mit modernen Methoden des Merchandising und der Verkaufstechniken vertraut machen soll. Vor Durchführung dieser Korrekturmaßnahmen wird allerdings beschlossen, durch einen unternehmensexternen Berater eine Marketingrevision durchführen zu lassen. Der Revisor führt eine Reihe von

Interviews mit Managern, Kunden, Verkäufern und Händlern durch und überprüft verschiedene Daten. Er kommt zu folgenden Feststellungen:

1. Die Produktlinie des Unternehmens besteht im wesentlichen aus 18 Produkten, hauptsächlich Tafelschokolade. Die zwei führenden Produkte des Hauses befinden sich im Reifestadium des Produkt-Lebenszyklus und machen 76% des Gesamtumsatzes aus. Das Unternehmen hat das Geschehen auf dem sich schnell entwickelnden Markt für gefüllte Schokoladeriegel und andere Süßigkeiten beobachtet, jedoch noch keine Veränderungen an der Produktlinie eingeleitet.

Befunde
1. Die Produktlinien des Unternehmens sind in gefährlichem Maße unausgewogen. Die beiden führenden Produkte machen 76% des Umsatzes aus und verfügen über kein Wachstumspotential. Fünf der achtzehn Produkte bringen keine Gewinne und verfügen über kein Wachstumspotential.
2. Die Marketingziele des Unternehmens sind weder klar noch realistisch definiert.
3. Die Unternehmensstrategie berücksichtigt nicht, daß sich die Distributionswege ändern, und ist nicht darauf ausgerichtet, schnellen Veränderungen im Markt zu folgen.
4. Das Unternehmen wird als Verkaufsorganisation, nicht als Marketingorganisation geführt.
5. Der Marketing-Mix des Unternehmens ist unausgewogen; für den Verkauf wird zuviel und für die Werbung nicht genug ausgegeben.
6. Dem Unternehmen fehlt eine Systematik zur Entwicklung und Einführung von Neuprodukten.
7. Die Verkaufsanstrengungen des Unternehmens sind nicht gezielt auf gewinnbringende Partner im Handel ausgerichtet.

Empfehlungen für kurzfristige Maßnahmen
1. Produktlinie untersuchen, Artikel am Rande der Gewinnschwelle und mit begrenztem Wachstumspotential eliminieren.
2. Einen Teil der Marketingmittel von Produkten, die in der Reifephase sind, auf die neueren Produkte umverlagern.
3. Im Marketing-Mix die Betonung vom Verkauf an den Handel zur Endverbraucherwerbung hin verlagern – insbesondere für neue Produkte.
4. Marktprofilstudien für schnell wachsende Segmente des Süßwarenmarktes durchführen und einen Plan für das Vordringen in diese Segmente erstellen.
5. Den Verkauf anweisen,die kleineren Kunden nicht mehr zu besuchen und nur Aufträge von mindestens 20 Einheiten anzustreben. Doppelbearbeitung desselben Kunden durch Verkäufer und Handelsvertreter einstellen.
6. Verkaufstrainingsprogramme und ein verbessertes Entlohnungssystem für das Verkaufspersonal entwickeln.

Empfehlungen für mittel- bis langfristige Maßnahmen
1. Einen erfahrenen Marketingdirektor einstellen, und zwar nicht aus dem Kreis der jetzigen Mitarbeiter.
2. Operationale Marketingziele erarbeiten und formal festlegen.
3. Die Marketingorganisation nach dem Konzept des Produktmanagements aufbauen.
4. Systematisch an die Entwicklung neuer Produkte herangehen.
5. Die Markenpräferenz stärken.
6. Die Vermarktung über die Einzelhandelsketten effizienter gestalten.
7. Die Marketingaufwendungen auf etwa 20% des Umsatzes anheben.
8. Die Verkaufsorganisation neu gestalten und nach Absatzwegen gliedern.
9. Die Verkaufsziele festlegen und die Entlohnung des Verkaufspersonals am Bruttogewinn orientieren.

Quelle: Ernst A. Tirmann: »Should Your Marketing be Audited?«, in: *European Business*, Ausgabe Herbst 1971.

Tabelle 25-8
Zusammenfassung der Befunde einer Marketingrevision der Schokko GmbH und Empfehlungen des Revisors

2. Das Unternehmen hat vor kurzem ein Kundenprofil erforscht. Seine Produkte werden in erster Linie von Personen mit niedrigem Einkommen und von älteren Menschen geschätzt. Befragte Personen, die die Schokoladeprodukte des Unternehmens mit denen der Konkurrenz vergleichen sollten, stufen die Produkte von Schokko als »etwas altmodisch und von durchschnittlicher Qualität« ein.
3. Schokko vertreibt seine Produkte über Handelsvertretungen und große Einzelhandelsketten. Die Verkäufer von Schokko besuchen viele der kleinen, von den Handelsvertretern bedienten Einzelhandelsgeschäfte, um dort die Displays zu verbessern und Ideen zur Verkaufsförderung weiterzuleiten. Sie suchen auch viele kleine Einzelhändler auf, die nicht von Handelsvertretern bedient werden. Bei den kleinen Einzelhändlern ist die Marktpenetration gut, allerdings nicht in allen Segmenten gleich gut. So ist z.B. das schnell wachsende Segment der Imbißstuben relativ schwach penetriert. Die Handelspolitik von Schokko betont das »Hineinverkaufen« in den Handel über Rabatte, Gebietsexklusivität und Lieferantenkredite. Gleichwohl ist Schokko bei den großen Einzelhandelsketten weniger erfolgreich. Die Wettbewerber sind hier erfolgreicher. Sie stützen sich wesentlich stärker auf eine an die Konsumenten gerichtete Werbung und Verkaufsförderung im Laden.
4. Bei Schokko wird das Marketingbudget auf rund 15% des Gesamtumsatzes festgelegt, verglichen mit nahezu 20% bei den Konkurrenten. Der Großteil des Marketingbudgets wird für den Verkauf ausgegeben, der Rest für die Werbung. Konsumentengerichtete Absatzförderungsmaßnahmen werden in sehr geringem Ausmaß gesetzt. Das Werbebudget wird hauptsächlich für »Erinnerungswerbung« bei den beiden Hauptprodukten ausgegeben. Werden neue Produkte entwickelt – was selten der Fall ist –, so werden diese mit einer »Push-Strategie« im Handel eingeführt.
5. An der Spitze der Marketingorganisation steht ein Verkaufsdirektor. Ihm unterstehen ein Verkaufsleiter, ein Marktforschungsleiter und ein Werbeleiter. Da er selbst vom Verkäufer in die Geschäftsleitung aufgestiegen ist, hält der Verkaufsdirektor viel von den Aktivitäten des Verkaufs und schenkt den anderen Marketingfunktionen wenig Beachtung. Der Vertrieb ist nach Gebieten gegliedert, denen jeweils ein Gebietsverkaufsleiter vorsteht.

Der Marketingrevisor kam zu dem Schluß, daß sich die Probleme von Schokko nicht durch Maßnahmen zur Verbesserung des Verkaufs lösen ließen. Das Problem im Verkauf war lediglich Symptom eines tiefgreifenderen Mißstandes. Der Revisor legte dem Management einen Bericht vor, dessen wesentliche Punkte in Tabelle 25-8 zusammengestellt sind.

Marketing-Controller

Wir haben gesehen, wie ein unternehmensexterner Marketingrevisor zur strategischen Kontrolle beitragen kann. Manche Unternehmen haben intern zusätzlich die Stelle eines Marketing-Controllers zur permanenten Überwachung der Marketingaufwendungen und -aktivitäten geschaffen. Der Marketing-Controller ist im Controlling-Ressort angesiedelt und spezialisiert sich auf das Marketing des Unternehmens.

Früher befaßten sich die Controller in den Unternehmen vornehmlich mit der Produktion, der Lagerhaltung sowie mit dem Rechnungs- und Finanzwesen und hatten nur wenig Verständnis für das Marketing. Die »neuen« Marketing-Controller müssen sowohl im Rechnungs- und Finanzwesen als auch im Marketingbereich versiert sein, um aufschlußreiche Analysen über Marketingaufwendungen durchführen zu können. Eine Untersuchung von Goodman zeigte z.B. folgendes:

Gut geführte Großunternehmen haben Controller eingesetzt, die die Werbe- und in manchen Fällen auch die Handelsaktivitäten des Unternehmens von der finanziellen Seite her überwachen. Diese Controller überprüfen im wesentlichen die Rechnungen für die Werbung, passen auf, daß die Gebührenstruktur von Werbeagenturen und Werbeträgern optimal genutzt wird, handeln Agenturverträge aus und führen Revisionen der Abrechnungen mit Agenturen und bestimmten Lieferanten durch.[16]

Goodman ist der Meinung, daß dies ein Schritt in die richtige Richtung ist, und empfiehlt eine noch stärkere Rolle für den Marketing-Controller. Er sollte

- aufzeichnen, ob und wie gut die Ertragsplanung eingehalten wird;
- die Medienausgaben intensiv überwachen;
- die Budgets der Markenmanager vorbereiten;
- Empfehlungen zur optimalen zeitlichen Abstimmung von Produktstrategien erarbeiten;
- aufzeichnen, wie wirksam absatzfördernde Maßnahmen sind;
- die Kosten der Werbeherstellung analysieren;
- bewerten, welchen Gewinnbeitrag die einzelnen Kunden und geographischen Gebiete leisten;
- finanzielle Analysen zur Unterstützung des Verkaufsmanagements erarbeiten und vorlegen;
- großen Direktkunden helfen, ihre Einkaufs- und Bevorratungspolitik zu verbessern;
- die Mitarbeiter im Marketing über die finanziellen Auswirkungen getroffener Entscheidungen in Kenntnis setzen.

Die Position eines Marketing-Controllers sollte insbesondere in Unternehmen geschaffen werden, wo immer noch der Umsatz, nicht der Ertrag, im Vordergrund aller Marketingbemühungen steht. Der Marketing-Controller kann hier einen Beitrag leisten, indem er analysiert, wie und wo das Unternehmen Erträge erzielt. Marketing-Manager werden jedoch in Zukunft diese Arbeit zum großen Teil selbst leisten und dem Marketing-Controller dann hauptsächlich die Überwachung der Marketingausgaben überlassen, wenn sie in finanziellen Fragen besser ausgebildet werden.

Zusammenfassung

Die Marketingkontrolle schließt sich in natürlicher Folge an die Marketingplanung, -organisation und -durchführung an. Unternehmen sollten im Marketingbereich vier Kontrollinstrumente einsetzen.

Die Jahresplankontrolle überwacht die laufenden Marketingmaßnahmen und -ergebnisse, um sicherzustellen, daß die jährlichen Umsatz- und Ertragsziele erreicht werden. Die wichtigsten Instrumente dafür sind der Umsatzvergleich, der Marktanteilsvergleich, der Aufwandsvergleich, der Finanzzahlenvergleich und die Beobachtung der Kundeneinstellungen. Wird ein Leistungseinbruch festgestellt, so kann das Unternehmen eine Reihe von Maßnahmen zur Gegensteuerung einleiten, z. B. Produktionsdrosselungen, Preisveränderungen, erhöhte Verkaufsanstrengungen und Kürzungen der Mittel für weniger dringliche Aufgaben.

Die Aufwands- und Ertragskontrolle erfaßt die Nettoerträge, gegliedert nach Produkten, Gebieten, Kundengruppen, Absatzwegen und Auftragsgrößen. Diese Analyse identifiziert die schwächeren Einheiten, gibt allerdings keine Aufschlüsse darüber, ob schwache Einheiten gestützt oder fallengelassen werden sollen.

Die Aufgabe der Effizienzkontrolle ist die Steigerung der Effizienz von Marketingaktivitäten wie z.B. des Verkaufs, der Werbung, der Verkaufsförderung und der Distribution. Zur Steuerung dieser Funktionen sind bestimmte Schlüsselwerte zu beobachten, die als Indikatoren für die Effizienz dieser Funktionen dienen.

Die Strategiekontrolle soll sicherstellen, daß die Marketingziele, -strategien und -systeme optimal an das Umfeld angepaßt sind. Zur Strategiekontrolle gehört eine Wirksamkeitsbewertung des Marketing. Dieses Instrument soll Aufschluß über die Gesamteffektivität eines Unternehmens oder einer Unternehmenssparte hinsichtlich Kundenorientierung, Marketingorganisation, Informationssystem, strategischer Planung und operationaler Effizienz geben. Ein weiteres Instrument, die Marketingrevision, beinhaltet die umfassende, systematische, nicht weisungsgebundene und regelmäßige Untersuchung von Marketingumfeld, -zielen, -strategien und -aktivitäten. Zweck der Marketingrevision ist es, etwaige Problembereiche festzustellen und Empfehlungen über langfristige und kurzfristige Maßnahmen zur Gegensteuerung und zur Verbesserung der Marketingeffektivität des Unternehmens zu erarbeiten.

Immer mehr Unternehmen richten die Position eines Marketing-Controllers ein, der die Marketingaufwendungen überwacht und Analysen über die finanziellen Auswirkungen dieser Aufwendungen erstellt.

Anmerkungen

1 Zur weiteren Diskussion vgl. James M. Hulbert und Norman E. Toy: »A Strategic Framework for Marketing Control«, in: *Journal of Marketing,* April 1977, S. 12–20.

2 Vgl. Alfred R. Oxenfeldt: »How to Use Market-Share Measurement«, in: *Harvard Business Review*, Januar–Februar 1959, S. 59–68.

3 In einem Zufallsmodell läge die Wahrscheinlichkeit für einen Anstieg und ein Abfallen bei jeweils 1/2. Die Wahrscheinlichkeit eines sechsmaligen Anstiegs beträgt dann $(1/2)^6 = 1/64$.

4 Alternativ dazu sollten Unternehmen ihre Aufmerksamkeit auf die Faktoren richten, die den Wohlstand der Aktionäre oder Anteilseigner mehren. Hier wird eine langfristigere Sicht erwartet. Siehe auch Alfred Rappaport: *Creating Shareholder Value*, New York: Free Press, 1986, S. 125–130.

5 Vgl. Claes Fornell: »Complaint Management and Marketing Performance«, nicht veröffentlichter Aufsatz, Graduate School of Management, Northwestern University, Evanston, Ill., Oktober 1978.

6 Ein Anwendungsbeispiel (Hotelkette) findet sich bei Arthur J. Daltas: »Protecting Service Markets with Consumer Feedback«, in: *The Cornell Hotel and Restaurant Administration Quarterly*, Mai 1977, S. 73–77.

7 The MAC Group*: Distribution: A Competitive Weapon*«, Cambridge: Mass., 1985, S. 20, 22.

8 Ein weiteres Beispiel liefern Leland L. Beik und Stephen L. Buzby in: »Profitability Analyses by Market Segments«, in: *Journal of Marketing*, Juni 1973, S. 48–53.

9 Zum Thema »Zu häufig angewandte Allokationskriterien« vgl. Charles H. Sevin: *Marketing Productivity Analysis*, New York: McGraw-Hill, 1956.

10 Eine weitergehende Erörterung dieses Instruments findet sich bei Philip Kotler: »From Sales Obsession to Marketing Effectiveness«, in: *Harvard Business Review*, November-Dezember 1977, S. 67–75.

11 Vgl. Philip Kotler, William Gregor und William Rodgers: »The Marketing Audit Comes of Age«, in: *Sloan Management Review*, Winter 1977, S. 25–43.

12 Viele nützliche Checklisten für die Selbstrevision finden sich bei Aubrey Wilson: *Aubrey Wilson's Marketing Audit Checklists*, London: McGraw-Hill, 1982, und bei Mike Wilson, *The Management of Marketing*, Westmead, Eng.: Gower Publishing, 1980.
13 Vgl. Kotler, Gregor und Rodgers: »Marketing Audit Comes of Age«, S. 31.
14 Abe Shuchman: »The Marketing Audit: Its Nature, Purposes and Problems«, in: *Analyzing and Improving Marketing Performance*, Hrsg. Alfred Oxenfeldt und Richard D. Crisp, New York: American Management Association, 1950, Report No. 32, S. 16–17.
15 Mit freundlicher Genehmigung des Autors wurde dieser Fall in leicht abgewandelter Form übernommen aus dem ausgezeichneten Beitrag von Ernst A. Tirmann: »Should Your Marketing be Audited?«, *European Business*, Herbst 1971, S. 49–56.
16 Vgl. Sam R. Goodman: *Increasing Corporate Profitability*, New York: Ronald Press, 1982, Kap. 1.

Sachregister

Personenregister

Firmenregister